Das große Wörterbuch

Englisch-Deutsch
Deutsch-Englisch

Das große Wörterbuch

Englisch-Deutsch
Deutsch-Englisch

Das große Wörterbuch

Englisch/Deutsch
Deutsch/Englisch

Genehmigte Sonderausgabe

Inhaltsverzeichnis

Vorwort

Wörterbücher gibt es ja bekanntlich viele – große und kleine, dicke und dünne, teure und billige. Steht man vor dem Regal, mit der festen Absicht, nun ein derartiges Werk zu erstehen, kann man durchaus ins Grübeln geraten. Denn wie so oft gibt es nicht einfach »das« richtige Wörterbuch, sondern verschiedene Variationen für unterschiedliche Anforderungen.

Und während der eine Leser hauptberuflich Linguistik betreibt und daher vollständige sprachwissenschaftliche Zusatzangaben erwartet, möchte ein anderer übersichtlich und schnell, ohne Ballast, im Urlaub das Wort »Mietwagen« nachschlagen können.

Dieses Wörterbuch wendet sich vornehmlich an den letztgenannten Leser. Wie allerdings schon aus dem Umfang ersichtlich ist, bedeutet dies nicht, lediglich den Grundwortschatz abzudecken, weil der Urlauber den Rest ohnehin nicht braucht. Dieser Grundwortschatz ist zwar enthalten (er umfasst etwa 6000 Wörter, womit ungefähr 85% aller deutschen Texte abgedeckt werden können), wurde aber um ein Vielfaches erweitert.

Die Auswahl ist hierbei immer ein Spagat zwischen einem erweiterten Hauptwortschatz, Fremdwörtern und Neuwörtern; er ist zwangsläufig subjektiv und bildet auch den wohl größten Unterschied zwischen den einzelnen Wörterbüchern. Die maßgeblichen Kriterien bei dieser Auswahl hier aufzulisten würde zu weit führen, nur so viel: Die Redakteure haben es sich nicht leicht gemacht.

Statt überblicksartiger Grammatikaufrisse haben wir uns im Rahmen des oben genannten Konzepts zu einer Zweiteilung des redaktionellen Teils entschlossen: etwa 600 Sätze und Wendungen für Urlaub und Reise, sortiert nach Sprechsituationen, einerseits und rund 2500 deutsche Redensarten, in vollständigen Sätzen, andererseits, sebstverständlich jeweils mit Übersetzung.

Wir glauben, dass durch Studium dieser großen Menge an Beispielsätzen für denjenigen, der die Fremdsprache in Grundzügen bereits beherrscht, einige Aha-Erlebnisse in Bezug auf Grammatik und Satzbau möglich sind, mehr vielleicht als durch eine trockene Auflistung theoretischer Syntax- und Beugungsmuster.

Daneben enthält dieses Wörterbuch natürlich all jene kleinen Sonderteile, die man gewohnt ist: Abkürzungen, Eigennamen, Zahlen sowie Maße und Gewichte.

Dem Fall, das eine oder andere Wort einmal nicht zu finden, kann man leider nur durch den käuflichen Erwerb von etwa einem halben Zentner Buch wirksam vorbeugen. Wir hoffen aber, dass Ihnen das bei der im vorliegenden Wörterbuch getroffenen Auswahl auch nur selten passiert und wünschen Ihnen viel Spaß und Erfolg im täglichen Umgang mit diesem Buch und der Fremdsprache Ihrer Wahl.

Die Redaktion

Hinweise zur Benutzung

1. Allgemein ist die Reihenfolge der Stichwörter streng alphabetisch. Sie wurde aber bei der Gruppierung von Wörtern gleicher Herkunft aufgebrochen, so dass diese gemeinsam in einem Absatz stehen.Beispiel: »Affekt« steht alphabetisch zwischen »Affe« und »affengleich«. »affengleich« wurde mit »Affe« zusammen gruppiert und die strenge alphabetische Reihenfolge damit gelöst.Durch dieses Aufheben der Alphabetisierung wird die Zusammengehörigkeit von Wortgruppen hervorgehoben und die Zerrissenheit, die durch strenge Alphabetisierung entsteht, entschärft.

2. Die Rechtschreibung entspricht in beiden Teilen den jeweils gültigen offiziellen Regeln, im Deutschen dem neuen amtlichen Regelwerk.

3. Die Tilde als Wiederholungszeichen in Absätzen wird nur bei den fett gedruckten, untergruppierten Stichwörtern verwendet (also nicht in den kursiv gedruckten Redewendungen und Anwendungsbeispielen), und dort auch nur, wenn der durch die Tilde ersetzte Wortteil völlig mit dem Stichwort identisch ist, das den Kopf des Absatzes bildet. Bei einer Änderung von Groß- in Kleinschreibung bzw. umgekehrt wird das Stichwort ausgeschrieben wiederholt.

4. Kommt ein Wort in mehreren Wortarten vor, so sind diese durch arabische Ziffern in runden Klammern voneinander getrennt.

5. Alternativübersetzungen mit Bedeutungsunterschied sind durch genauere Angaben von Sprachebene und Kontext in Kursivschrift und runden Klammern vor der jeweiligen Übersetzung gekennzeichnet.

6. Reflexive Verben sind durch den Eintrag »vr« gekennzeichnet, es wurde darauf verzichtet, weitere Wortbestandteile in das Stichwort mit aufzunehmen.

7. Bei deutschen Substantiven folgen Informationen zu Geschlecht, Genitiv- und Pluralform, im fremdsprachlichen Teil gibt es keine Genitivangabe (weil es keine dezidierte Genitivform gibt).

8. Alternative Schreibweisen werden durch Einzelbuchstaben in runden Klammern dargestellt; die Bedeutung ist in diesen Fällen identisch.

9. Es wurde zum größten Teil darauf verzichtet, Abkürzungen, Eigennamen und Zahlen in das eigentliche Wortverzeichnis aufzunehmen. Sie finden diese Stichwörter in den entsprechenden Sonderteilen.

10. Die Reihenfolge der Sätze im Sonderteil zu Redewendungen und Redensarten entspricht alphabetisch dem zu Grunde liegenden Ausdruck.

Allgemeines Abkürzungsverzeichnis

Folgende Liste enthält alle systematisch in diesem Wörterbuch auftretenden Abkürzungen. Aus Platzgründen treten im Wörterverzeichnis vereinzelt zusätzliche Kurzschreibformen auf (z. B. »Gleichgültigk.« für »Gleichgültigkeit«). Es wurde darauf verzichtet, derartige Vorkommen in das Verzeichnis mit aufzunehmen, da sie einerseits meist nur einmal vorkommen und andererseits im Kontext ohnehin selbst erklärend sind.

a. auch	**kath.** katholisch
Abk. Abkürzung	**kaufm.** kaufmännisch
abw. abwertend	**kirchl.** kirchlich
adj Adjektiv	**konj** Konjunktion, Bindewort
adv Adverb	**kun.** Kunst
amtl. amtlich	**Literaturw.** Literaturwissenschaft
anat. Anatomie	**Luftf.** Luftfahrt
arch. Architektur	**m** maskulin
archäol. archäologisch	**männl.** männlich
astrol. Astrologie	**mat.** Mathematik
astron. Astronomie	**med.** Medizin
Bergb. Bergbau	**Mehrz.** Mehrzahl
bibl. biblisch	**mil.** Militärisch
biol. Biologie	**mot.** Motorsport
bot. Botanik	**mus.** Musik
Brit. Britisch	**myth.** Mythologie
Buchdr. Buchdruck	**n** neutrum
chem. Chemie	**naut.** nautisch
comp. Computer	**o.** oder
d. der, die, das	**öffentl.** öffentlich
Einz. Einzahl	**orn.** ornithologisch
etc. et cetera	**örtl.** örtlich
evang. evangelisch	**os** oneself
f feminin	**pej.** pejorativ
Fahrz. Fahrzeug	**phil.** Philosophie
gastr. gastronomisch	**phy.** Physik
geh. gehoben	**polit.** Politik
geogr. Geografie	**pp** Partizip Perfekt
geol. Geologie	**präp** Präposition
Ggs. Gegensatz	**pron** Pronomen, Fürwort
grammat. grammatikalisch	**psych.** Psychologie
hist. Historie	**räuml.** räumlich
Hochschulw. Hochschulwesen	**relig.** religiös
i. S. v. im Sinne von	**sb** somebody
i. ü. S. übertragen, bildlich	**scherzh.** scherzhaft
interj. Interjektion	**Schifff.** Schifffahrt
jmd jemand	**schriftl.** schriftlich
jur. Jura	**seem.** seemännisch

11

soziol. soziologisch
spo. Sport
Sprachw. Sprachwissenschaft
sth something
sub Substantiv, Hauptwort
tech. Technik
Theat. Theater
theol. Theologie
tt fachsprachlich
ugs. umgangssprachlich
univ. universitär

veralt. veraltet
vi intransitives Verb
vr reflexives Verb
vt transitives Verb
vti transitives/intransitives Verb
vulg. vulgär
weibl. weiblich
wirt. Wirtschaft
Wissensch. Wissenschaft
zeitl. zeitlich
zool. Zoologie

Eigennamen Deutsch/Englisch

A

Aachen Aachen
Aargau Aargau
Abessinien Abyssinia
Adam Adam
Adolf Adolph
Adria Adriatic Sea
Afghanistan Afghanistan
Afrika Africa
Ägäis Aegean Sea
Ägypten Egypt
Akropolis Acropolis
Albanien Albania
Albrecht Albert
Aleuten Aleutian Islands
Alexandria Alexandria
Alfons Alphonso
Algerien Algeria
Algier Algiers
Alpen Alps
Amazonas Amazon
Amerika America
Anatolien Anatolia
Andalusien Andalusia
Anden Andes
Andorra Andorra
Angola Angola
Ankara Ankara
Antarktis Antarctica
Antillen Antilles
Anton Anthony
Antwerpen Antwerp
Apulien Apulia
Arabien Arabia
Aragonien Aragon
Aralsee Lake Aral
Ardennen Ardennes
Argentinien Argentina
Arktis Arctic
Arktischer Ozean Arctic Ocean
Ärmelkanal Channel
Armenien Armenia
Asien Asia
Assyrien Assyria
Athen Athens
Äthiopien Ethiopia
Atlantik Atlanic
Atlasgebirge Atlas Mountains
Ätna Etna
Attika Attica
Äußere Hebriden Outer Hebrides
Australien Australia
Axel Alexander
Azoren Azores

B

Babylonien Babylonia
Bahamas Bahamas
Bahrain Bahrain
Balearen Balearic Islands
Balkanhalbinsel Balkan Peninsula
Balkanstaaten Balkan States
Balticum Baltic Provinces
Bangladesch Bangladesh
Barbados Barbados
Barcelona Barcelona
Barentssee Barents Sea
Basel Basel
Baskenland Basque Provinces
Bayerischer Wald Bavarian Forest
Bayern Bavaria
Belgien Belgium
Belgrad Belgrade
Belize Belize
Benares Banaras
Benedikt Benedict
Bengalen Bengal
Benin Benin
Beringstraße Bering Strait
Berlin Berlin
Bermudas Bermudas
Bern Bern
Berner Oberland Bernese Oberland
Bernhard Bernard
Bhutan Bhutan
Bikiniatoll Bikini
Birma Burma (nowadays Myanmar)
Biskaya Bay of Biscay
Bodensee Lake of Constance
Böhmen Bohemia
Böhmerwald Bohemian Forest
Bolivien Bolivia
Bonifatius Boniface
Bonn Bonn
Bosnien Bosnia
Bosporus Bosporus
Botswana Botswana
Bozen Bolzano
Brasilien Brazil
Braunschweig Brunswick
Bremen Bremen
Brennerpass Brenner Pass
Bretagne Brittany
Britannien Britain
Britisch-Kolumbien British Columbia
Brügge Brugge
Brüssel Brussels
Budapest Budapest
Buenos Aires Buenos Aires

Bukarest Bucharest
Bulgarien Bulgaria
Bundesrepublik Deutschland Federal Republic of Germany
Burgund Burgundy
Burma Burma
Burundi Burundi
Byzanz Byzantinum

C

Cäcilie Cecilia
Capri Capri
Cäsar Caesar
Ceylon Ceylon
Charlotte Charlotte
Chile Chile
China China
Chinesisches Meer China Sea
Christian Christian
Christoph Christopher
Christus Christ
Chur Chur

D

Dalmatien Dalmatia
Damaskus Damascus
Dänemark Denmark
Daniel Daniel
Dardanellen Dardanelles
David David
Den Haag The Hague
Deutsche Demokratische Republik German Democratic Republic
Deutschland Germany
Dolomiten Dolomites
Dominikanische Republik Dominican Republic
Donau Danube
Dorothea Dorothy
Dresden Dresden
Dünkirchen Dunkirk
Düsseldorf Dusseldorf

E

Ecuador Ecuador
Eduard Edward
Elba Elba
Elbe Elbe
Elfenbeinküste Ivory Coast
El Salvador El Salvador
Elsass Alsace
Elsass-Lothringen Alsace-Lorraine
Engadin Engadine
Erich Eric

Eriesee Lake Erie
Erika Erica
Ernst Ernest
Erwin Erwin
Erzgebirge Erz Gebirge, Ore Mountains
Essen Essen
Estland Estonia
Etrurien Etruria
Etsch Adige
Etzel Attila
Eugen Eugene
Euphrat Euphrates
Eurasien Eurasia
Europa Europe
Everest Mount Everest

F

Falklandinseln Falkland Islands
Färöer Faeroe
Felix Felix
Felsengebirge Rocky Mountains
Ferner Osten Far East
Feuerland Tierra del Fuego
Fichtelgebirge Fichtel Gebirge
Fidschiinseln Fiji Islands
Finnland Finland
Florenz Florence
Formosa Formosa
Franken Frank
Frankfurt am Main Frankfort on the Main
Frankfurt an der Oder Frankfort on the Oder
Fränkischer Jura Franconian Jura
Fränkische Schweiz Franconian Switzerland
Frankreich France
Franz Francis
Franziska Frances
Französische Schweiz French Switzerland
Freiburg Fribourg
Freundschaftsinseln Tonga Islands
Friaul Friuli
Friedrich Frederic
Friesische Inseln Frisian Islands
Fudschijama Fujiyama

G

Gabriel Gabriel
Gabriele Gabriella
Gabun Gabon
Galapagosinseln Galapagos Islands
Galiläa Galilee
Galizien Galicia

Gallien Gallia
Gambia Gambia
Gardasee Lake Garda
Gasastreifen Gaza Strip
Gascogne Gascony
Gelbes Meer Yellow Sea
Genf Geneva
Genfer See Lake Geneva, Lake Leman
Genua Genoa
Georg George
Gerhard Gerard
Germanien Germania
Gesellschaftsinseln Society Islands
Ghana Ghana
Gibraltar Gibraltar
Gobi Gobi
Golanhöhen Golan Heights
Goldküste Gold Coast
Golf von Biskaya Bay of Biscay
Golf von Venedig Gulf of Venice
Gomorrha Gomorrah
Göteborg Gothenburg
Graubünden Grisons
Gregor Gregory
Grenada Grenada
Griechenland Greece
Grönland Greenland
Große Antillen Greater Antilles
Großer Belt Great Belt
Großer Salzsee Great Salt Lake
Großer Sankt Bernhard Great Saint Bernard
Große Seen Greta Lakes
Große Sundainseln Great Sunda Islands
Guatemala Guatemala
Guinea Guinea
Gustav Gustavus
Guyana Guyana

H

Haiti Haiti
Hamburg Hamburg
Hameln Hameln
Hannover Hanover
Hanoi Hanoi
Hans Jack
Harald Harold
Harz Harz Mountains
Havanna Havana
Hawaii Hawaii
Hebriden Hebrides
Heidelberg Heidelberg
Heinrich Henry
Heinz Henry
Helgoland Heligoland

Hellespont Hellespontus
Helsinki Helsinki
Herbert Herbert
Hermann Herman
Herzegowina Herzegovina
Hessen Hesse
Himalaja Himalaya
Hindukusch Hindu Kush
Hindustan Hindustan
Hinterindien Indochina
Hiroschima Hiroshima
Holland Holland
Holstein Holstein
Holsteinische Schweiz Holstein Switzerland
Honduras Honduras
Hongkong Hong Kong
Hudsonbay Hudson Bay
Hudsonstraße Hudson Strait
Hugo Hugh
Huronsee Lake Huron

I

Iberische Halbinsel Iberian Peninsula
Iberoamerika Latin America
Ignaz Ignatius
Ijsselmeer Lake Ijssel
Indien India
Indochina Indochina
Indonesien Indonesia
Innerasien Central Asia
Innere Hebriden Inner Hebrides
Innere Mongolei Inner Mongolia
Insel Man Isle of Man
Inseln unter dem Wind Windward Islands
Ionische Inseln Ionian Islands
Ionisches Meer Ionian Sea
Irak Iraq
Iran Iran
Irische Republik Republic of Ireland
Irische See Irish Sea
Irland Ireland
Isabella Isabel
Island Iceland
Israel Israel
Istanbul Istanbul
Istrien Istria
Italien Italia
Italienische Riviera Italian Riviera
Ithaka Ithaka

J

Jakob Jacob, James
Jalta Yalta

15

Jamaika Jamaika
Japan Japan
Japanisches Meer Sea of Japan
Java Java
Jemen Yemen
Jenissei Yenisei
Jeremias Jeremiah
Jerusalem Jerusalem
Jesus Jesus
Joachim Joachim
Johanna Joan(na)
Johannes John
Jonas Jonah
Jordan Jordan
Jordanien Jordania
Josef Josef
Judäa Judaea
Jugoslawien Yugoslavia
Jungferninseln Virgin Islands
Jura Jura (Mountains)
Jürgen George

K

Kairo Cairo
Kalabrien Calabria
Kalahari Kalahari
Kaledonien Caledonia
Kalifornien California
Kambodscha Kambodia
Kamerun Cameroon
Kamtschatka Kamchatka
Kanaan Canaan
Kanada Canada
Kanalinseln Channel Islands
Kanarische Inseln Canary Islands
Kanton Canton
Kap Canaveral Cape Canaveral
Kap der guten Hoffnung Cape of
Good Hope
Kap Hoorn Cape Horn
Kapprovinz Cape Province
Kapstadt Cape Town
Kap Verde Cape Verde
Kapverdische Inseln Cape Verde
Islands
Karibische Inseln Caribbees
Karin Karen
Karl Charles
Kärnten Carinthia
Karolinen Caroline Islands
Karpaten Carpathian Mountains
Karthago Carthage
Kaschmir Kashmir
Kaspar Caspar
Kaspisches Meer Caspian Sea
Kastilien Castile

Katalonien Catalonia
Katharina Catherine
Kaukasus Caucasus Mountains
Kenia Kenya
Kiel Kiel
Kilimandscharo Mount Kilimanjaro
Klara Clare
Klaus Nicholas
Kleinasien Asia Minor
Kleine Antillen Lesser Antilles
Kleiner Sankt Bernhard Little Saint
Bernard
Kleine Sundainseln Lesser Sunda
Islands
Koblenz Coblenz
Köln Cologne
Kolumbien Colombia
Kolumbus Columbus
Komoren Comoro Islands
Kongo Congo
Konrad Conrad
Konstanz Constance
Kopenhagen Copenhagen
Kordilleren Cordilleras
Korea Korea
Korfu Corfu
Korsika Corsica
Kreml Cremlin
Kreta Crete
Krim Crimea
Kroatien Croatia
Kuba Cuba
Kurt Curt(is)
Kuwait Kuwait
Kykladen Cyclades

L

Lago Maggiore Lake Maggiore
Laos Laos
Lappland Lapland
Lateinamerika Latin America
Lausitz Lusatia
Leipzig Leipsic
Lesotho Lesotho
Lettland Latvia
Libanon Lebanon
Liberia Liberia
Libyen Libya
Liechtenstein Liechtenstein
Ligurien Liguria
Ligurisches Meer Ligurian Sea
Lissabon Lisbon
Litauen Lithuania
London London
Lothringen Lorraine
Lübeck Lübeck

Ludwig Louis
Lüneburger Heide Lüneburg Heath
Luxemburg Luxemb(o)urg
Luzern Lucerne

M

Madagaskar Madagascar
Madeira Madeira
Madrid Madrid
Magellanstraße Strait of Magellan
Mähren Moravia
Mailand Milan
Main Main
Mainz Mayence
Malaiischer Archipel Malay
Archipelago
Malakkastraße Strait of Malecca
Malaya Malay Peninsula
Malaysia Malaysia
Malediven Maldives
Mali Mali
Mallorca Majorca
Malta Malta
Mandschurei Manchuria
Maria Mary
Marianne Marian
Markus Marcus
Marokko Morocco
Marshallinseln Marshall Islands
Matterhorn Matterhorn
Matthäus Matthew
Mauretanien Mauritania
Mauritius Mauritius
Mazedonien Macedonia
Meißen Meissen
Mekka Mecca
Melanesien Melanesia
Memel Niemen
Menorca Minorca
Meran Merano
Mesopotamien Mesopotamia
Mexiko Mexico
Michigansee Lake Michigan
Midwayinseln Midway Islands
Mikronesien Micronesia
Mittelamerika Middle America
Mitteleuropa Central Europe
Mittelmeer Mediterranean (Sea)
Mittlerer Osten Middle East
Mohavewüste Mojave Desert
Molukken Moluccas
Monaco Monaco
Mongolei Mongolia
Mongolische Volksrepublik
Mongolian People's Republic
Montblanc Mont Blanc

Montenegro Montenegro
Moritz Maurice
Mosambik Mozambique
Mosel Moselle
Moskau Moscow
München Munich

N

Nadelkap Cape Agulhas
Naher Osten Near East
Namibia Namibia
Nauru Nauru
Neapel Naples
Neiße Neisse
Nepal Nepal
Neu-Delhi New Delhi
Neuengland New England
Neufundland Newfoundland
Neuguinea New Guinea
Neukaledonien New Caledonia
Neuseeland New Zealand
Niagarafälle Niagara Falls
Niederbayern Lower Bavaria
Niederlande Netherlands
Niederösterreich Lower Austria
Niedersachsen Lower Saxony
Niger Niger
Nigeria Nigeria
Nikolaus Nicholas
Nil Nile
Nizza Nice
Nordamerika North America
Nordirland Northern Ireland
Nordkap North Cape
Nordkorea North Korea
Nördliches Eismeer Arctic Ocean
Nord-Ostsee-Kanal Kiel Canal
Nordrhein-Westfalen North
Rhine-Westphalia
Nordsee North Sea
Nordseekanal North Sea Canal
Normandie Normandy
Normannische Inseln Channel Islands
Norwegen Norway
Nubien Nubia
Nürnberg Nuremberg

O

Oberbayern Upper Bavaria
Oberösterreich Upper Austria
Oberrheinische Tiefebene Upper
Rhine Plain
Obervolta Upper Volta
Odenwald Odenwald
Oder-Neiße-Linie Oder-Neisse Line

Olymp Mount Olympus
Oman Oman
Ontariosee Lake Ontario
Oranien Orange
Orinoko Orinoco
Orkneyinseln Orkney Islands
Oslo Oslo
Ostasien Eastern Asia
Ostende Ostend
Osterinsel Easter Island, Rapa Nui
Österreich Austria
Österreich-Ungarn Austria-Hungary
Ostpreußen East Prussia
Ostsee Baltic Sea
Ottawa Ottawa
Ozeanien Oceania

P

Pakistan Pakistan
Palästina Palestine
Pamir Pamir
Panama Panama
Panamakanal Panama Canal
Paraguay Paraguay
Paris Paris
Patagonien Patagonia
Pazifik Pacific
Pazifikküste Pacific Coast
Peking Peking
Peloponnes Peloponnesus
Persien Persia
Persischer Golf Persian Gulf
Peru Peru
Pfalz Palatinate
Pfälzer Wald Palatinate Forest
Philippinen Phillippines
Picardie Picardy
Piemont Piedmont
Piräus Piraeus
Plattensee Balaton
Po Po
Polen Poland
Polynesien Polynesia
Pommern Pomerania
Pompeji Pompeii
Portugal Portugal
Prag Prague
Preußen Prussia
Puerto Rico Puerto Rico
Pyrenäen Pyrenees
Pyrenäenhalbinsel Iberian Peninsula

Q

Quebec Quebec
Quatar Qatar

R

Regensburg Regensburg
Republik Südafrika Republic of South Africa
Reykjavik Reykjavik
Rhein Rhine
Rheinfall Rhine Falls
Rheinisches Schiefergebirge Rhenish Slate Mountains
Rheinland Rhineland
Rheinland-Pfalz Rhineland-Palatinate
Rhodesien Rhodesia
Rhodos Rhodes
Rhone Rhone
Riesengebirge Giant Mountains
Riga Riga
Rio de Janeiro Rio de Janeiro
Riviera Riviera
Rom Rome
Rotes Meer Red Sea
Ruanda Rwanda
Rubikon Rubicon
Rüdiger Roger
Ruhrgebiet Ruhr District
Russland Russia

S

Saarland Saar(land)
Sachsen Saxony
Sächsische Schweiz Saxon Switzerland
Sahara Sahara
Salomoninseln Salomon Islands
Salzburg Salzburg
Sambia Zambia
Samoa Samoa
Sankt Gallen Saint Gall(en)
Sankt Gotthard Saint Gotthard
Sankt-Lorenz-Strom Saint Lawrence
Sankt Moritz Saint-Moritz
Sankt Petersburg Saint Petersburg
San Marino San Marino
Santiago de Chile Santiago de Chile
Sardinien Sardinia
Saudi-Arabien Saudi Arabia
Schanghai Shanghai
Schlesien Silesia
Schleswig-Holstein Schleswig-Holstein
Schottland Scotland
Schwaben Swabia
Schwäbische Alb Swabian Jura
Schwarzes Meer Black Sea
Schweden Sweden
Schweiz Switzerland
See Genezareth Sea of Galilee, Lake of Genesaret

Seine Seine
Senegal Senegal
Serbien Serbia
Serengeti-Nationalpark Serengeti National Park
Sevilla Seville
Sewastopol Sevastopol
Seychellen Seychelles
Shetland-Inseln Shetland Islands
Sibirien Siberia
Siebenbürgen Transylvania
Sierra Leone Sierra Leone
Sinai Sinai
Singapur Singapore
Sizilien Sicily
Skagerrak Skager(r)ak
Skandinavien Scandinavia
Slowenien Slovenia
Somalia Somalia
Sowjetunion Soviet Union
Spanien Spain
Spessart Spess(h)art
Spitzbergen Spitsbergen
Sri Lanka Sri Lanka
Stefan Stephen
Steiermark Styria
Stiller Ozean Pacific
Stockholm Stockholm
Strassburg Strassbourg
Straße von Calais Straits of Dover
Straße von Gibraltar Strait of Gibraltar
Stuttgart Stuttgart
Südafrika South Africa
Südamerika South America
Sudan Sudan
Sudetenland Sudetenland
Südeuropa Southern Europe
Südkorea South Korea
Südliches Eismeer Antarctic Ocean
Südpolarmeer Antarctic Ocean
Südsee South Sea
Südtirol South Tyrol
Sueskanal Suez Canal
Sumatra Sumatra
Sund Sound
Sundainseln Sunda Islands
Surinam Surinam
Swasiland Swaziland
Syrien Syria

T

Tahiti Tahiti
Taiwan Taiwan
Tanganjika Tanganyika
Tanger Tangier
Tansania Tanzania

Tasmanien Tasmania
Taunus Taunus
Teheran Teh(e)ran
Tel Aviv Tel Aviv
Teneriffa Tenerif(f)e
Tessin Ticino
Thailand Thailand
Themse Thamse
Thule Thule
Thüringen Thuringia
Tiber Tiber
Tibet Tibet
Tigris Tigris
Tirana Tirana
Tirol Tyrol
Titikakasee Lkae Titicaca
Todestal Death Valley
Tokio Tokyo
Tonga Tonga
Toskana Tuscany
Totes Meer Dead Sea
Trient Trent
Trier Trier
Triest Trieste
Trinidad und Tobago Trinidad and Tobago
Troja Troy
Tschad Chad
Tschechoslowakei Czechoslovakia
Tunesien Tunis(ia)
Türkei Turkey

U

Uganda Uganda
Ukraine Ukraine
Ungarn Hungary
Ural Ural
Uruguay Uruguay

V

Vaduz Vaduz
Vatikanstadt Vatican City
Venedig Venice
Venezuela Venezuela
Vereinigte Arabische Emirate United Arab Emirates
Vereinigte Staaten von Amerika United States of America
Vesuv Vesuvius
Via Appia Appian Way
Vierwaldstädter See Lake of Lucerne
Vogesen Vosges Mountains
Volksrepublik China People's Republic of China
Vorderasien Anterior Asia

Vorderindien peninsular India

W

Wallis Valais
Warschau Warsaw
Weichsel Vistula
Weihnachtsinsel Christmas Island
Weißes Meer White Sea
Weißrussland Belorussia
Weser Weser
Westfalen Westphalia
Westfälische Pforte Westphalian Gate
Westindien West Indies
West-Samoa Western Samoa
Wien Vienna

Wilhelm William
Windhuk Windhoek
Wolga Volga

Y

Yukatan Yucatan

Z

Zaire Zaire
Zentralafrika Central Africa
Zentralasien Central Asia
Zugspitze Zugspitze
Zürich Zurich
Zypern Cyprus

Deutsche Zahlwörter

Grundzahlen

eins *one*
zwei *two*
drei *three*
vier *four*
fünf *five*
sechs *six*
sieben *seven*
acht *eight*
neun *nine*
zehn *ten*
elf *eleven*
zwölf *twelve*
dreizehn *thirteen*
vierzehn *fourteen*
fünfzehn *fifteen*
sechzehn *sixteen*
siebzehn *seventeen*
achtzehn *eighteen*
neunzehn *nineteen*
zwanzig *twenty*
einundzwanzig *twenty-one*
zweiundzwanzig *twenty-two*

dreiundzwanzig *twenty-three*
dreißig *thirty*
vierzig *fourty*
fünfzig *fifty*
siebzig *seventy*
achtzig *eighty*
neunzig *ninety*
einhundert *one hundred*
zweihundert *two hundred*
fünfhundert *five hundred*
eintausend *one thousand*
zweitausend *two thousand*
zehntausend *ten thousand*
zwanzigtausend *twenty thousand*
einhunderttausend *one hundred thousand*
fünfhunderttausend *five hundred thousand*
eine Million *one million*
zwei Millionen *two million*
eine Milliarde *one billion*
eine Billion *one trillion*

Ordnungszahlen

der erste *the first*
der zweite *the second*
der dritte *the third*
der vierte *the fourth*
der fünfte *the fifth*
der sechste *the sixth*
der siebte *the seventh*
der achte *the eighth*
der neunte *the ninth*
der elfte *the eleventh*
der zwölfte *the twelfth*

der dreizehnte *the thirteenth*
der vierzehnte *the fourteenth*
der fünfzehnte *the fifteenth*
der zwanzigste *the twentieth*
der dreißigste *the thirtieth*
der vierzigste *the fortieth*
der fünfzigste *the fiftieth*
der hundertste *the hundredth*
der zweihundertste *the two hundredth*
der fünfhundertste *the five hundredth*
der tausendste *the thousandth*

Zahladverbien

erstens *firstly*
zweitens *secondly*
drittens *thirdly*
viertens *fourthly*
fünftens *fifthly*
sechstens *sixthly*
siebtens *seventhly*
achtens *eigthly*
neuntens *ninthly*
zehntens *tenthly*

elftens *eleventhly*
zwölftens *twelfthly*
dreizehntens *thirteenthly*
vierzehntens *fourteenthly*
fünfzehntens *fifteenthly*
zwanzigstens *twentiethly*
dreißigstens *thirtiethly*
vierzigstens *fortiethly*
fünfzigstens *fiftiethly*
hundertstens *hundredthly*

Bruchzahlen

ein Halb *one half*
ein Drittel *one third*
ein Viertel *one quarter, one fourth*
ein Fünftel *one fifth*
ein Sechstel *one sixth*

ein Siebtel *one seventh*
ein Achtel *one eighth*
ein Neuntel *one ninth*
ein Zehntel *one tenth*
ein Elftel *one eleventh*

Vervielfältigungszahlen

einmal *once*
zweimal *twice*
dreimal *three times*
viermal *four times*
fünfmal *five times*
sechsmal *six times*
siebenmal *seven times*
achtmal *eight times*
neunmal *nine times*
einfach *single*

zweifach *double*
dreifach *threefold*
vierfach *fourfold*
fünffach *fivefold*
sechsfach *sixfold*
siebenfach *sevenfold*
achtfach *eightfold*
neunfach *ninefold*
zehnfach *tenfold*

Deutsche Abkürzungen

A

A *Ampere* ampere
AA *Auswärtiges Amt* foreign ministry
a.a.O. *am angegebenen Ort* in the place cited
Abb. *Abbildung* figure
Abk. *Abkürzung* abbreviation
ABS *Antiblockiersystem* anti-lock braking system
Abt. *Abteilung* department
a. Chr. *vor Christus* before Christ
a.D. *außer Dienst* retired
A.D. *im Jahre des Herrn* in the year of our Lord
ADAC *Allgemeiner Deutscher Automobilclub* General German Automobile Association
Add. *Ergänzung* additions
Adr. *Adresse* address
AE *Arbeitseinheit* unit of work
AEG *Allgemeine Elektrizitäts-Gesellschaft* General Electricity Company
afr. *afrikanisch* African
ahd. *althochdeutsch* Old High German
AIDS *erworbenes Immunschwäche-syndrom* Acquired Immune Defficiency Syndrome
akad. *akademisch* academic
Akad. *Akademie* academy
Akk. *Akkusativ* accusative
Akku *Akkumulator* accumulator
Akt.-Nr. *Aktennummer* file number
al. *auch genannt* alias
Alk. *Alkohol* alcohol
allg. *allgemein* general(ly)
alph. *alphabetisch* alphabetical
Alu *Aluminium* aluminium
a. M. *am Main* on the Main
amerik. *amerikanisch* American
amtl. *amtlich* official(ly)
Änd. *Änderung* change
Anh. *Anhang* appendix
Ank. *Ankunft* arrival
Anm. *Anmerkung* comment
anschl. *anschließend* following
a.o. *außerordentlich* senior ...
AOK *Allgemeine Ortskrankenkasse* General Regional Health Insurance
Apart. *Apartment* apartment
App. *Apparat* extension
arab. *arabisch* Arabian, Arabic (language)
Arb. *Arbeit* work

Arbg. *Arbeitgeber* employer
Arbn. *Arbeitnehmer* employee
ARD *Arbeitsgemeinschaft der öffentlich-rechtlichen Rundfunkan-stalten der Bundesrepublik Deutschland* work group of the broadcasting corporations under public law of the Federal Republic of Germany
a. Rh. *am Rhein* on the Rhine
Art. *Artikel* article (ling.); item (wirt.)
ASEAN *Vereinigung südostasiatischer Staaten zur Förderung von Frieden und Wohlstand* Association of Southeast Asian Nations
A.T. *Altes Testament* Old Testament
atü *Atmosphärenüberdruck* atmospheric excess pressure
Aufl. *Auflage* edition
Ausg. *Ausgabe* issue
ausgen. *ausgenommen* except
ausl. *ausländisch* foreign
Ausn. *Ausnahme* exception
ausschl. *ausschließlich* exclusive(ly)
austr. *australisch* Australian
ausw. *auswärtig* foreign
auth. *authentisch* authentic(ally)
Az. *Aktenzeichen* reference (in Briefen); file number (jur.)

B

B *Bundesstraße* major road
BA *Bundesanstalt* Federal Office
b. a. W. *bis auf Widerruf* until further notice
Bd. *Band* volume
bds. *beiderseits* on both sides
bef. *befugt* authorized
Beg. *Beginn* start
begl. *beglichen* paid
begl. *beglaubigt* certified
beil. *beiliegend* enclosed
Beisp. *Beispiel* example
bek. *bekannt* known
belg. *belgisch* Belgian
Benelux *Belgien, Niederlande, Luxemburg* the Benelux countries
Ber. *Bericht* report
bes. *besonders* especially
Besch. *Bescheinigung* certificate
Best.-Nr. *Bestellnummer* order number
betr. *betrifft* with reference to
Bev. *Bevölkerung* population
bez. *bezahlt* paid
bez. *bezeichnet* named

hfr *belgischer Franc* Belgian franc

BGB *Bürgerliches Gesetzbuch* German Civil Code

BGH *Bundesgerichtshof* Federal High Court

Bhf. *Bahnhof* station

Bib. *Bibel* Bible

bildl. *bildlich* pictorial (Darstellung); figurative (Ausdruck)

biogr. *biografisch* biographical(ly)

biol. *biologisch* biological(ly)

Bj. *Baujahr* construction year

BMW *Bayerische Motorenwerke* Bavarian Engine Works

BND *Bundesnachrichtendienst* Federal Intelligence Service

bot. *botanisch* botanic(al)

BR *Bayerischer Rundfunk* Bavarian Broadcasting Corporation

bras. *brasilianisch* Brazilian

brit. *britisch* British

BRK *Bayerisches Rotes Kreuz* Bavarian Red Cross

BRT *Bruttoregistertonne* gross register ton

bsd. *besonders* especially

BSE *bovine spongiforme Enzephalopathie (Rinderwahnsinn)* Bovine Spongioform Encephalopathy

bürg. *bürgerlich* civil

Bw. *Bundeswehr* the German armed forces

b. w. *bitte wenden* please turn over

bzgl. *bezüglich* regarding

bzw. *beziehungsweise* respectively

C

C *Celsius* Celsius

ca. *circa* circa

cbm *Kubikmeter* cubic metre

CDU *Christlich-Demokratische Union* Christian Democratic Union

cf. *vergleiche* compare

christl. *christlich* Christian

chron. *chronologisch* chronological

CIA *US-amerikanischer Geheimdienst* secret service of the USA (Cenral Intelligence Agency)

cm *Zentimeter* centimetre

Co. *Kompagnon* company

CSU *Christlich-Soziale Union* Christian Social Union

c. t. *mit akademischem Viertel* a quarter past the hour

CVJM *Christlicher Verein Junger Männer* Young Men's Christian Association

D

D *Durchgangszug* express train

d. Ä. *der Ältere* the Elder

DAG *Deutsche Angestellten-Gewerkschaft* German Employees' Trade Union

dän. *dänisch* Danish

dass. *dasselbe* the same

Dat. *Dativ* dative

DAT *digitales Audioband* Digital Audiotape

DBP *Deutsches Bundespatent* German Federal Patent

Dem. *Demokratie* democracy

demn. *demnach* thus

ders. *derselbe* the same

desgl. *desgleichen* likewise

dez. *dezimal* decimal

DGB *Deutscher Gewerkschaftsbund* German Trade Union Federation

dgl. *dergleichen* such

d. Gr. *der Große* the Great

d. h. *das heißt* that is

d. i. *das ist* that is

dial. *dialektisch* dialectical

DIN *Deutsches Institut für Normung* German Institute for Standardization

Dipl. *Diplom* diploma

Dipl.-Ing. *Diplomingenieur* qualified engineer

Dipl.-Kfm. *Diplomkaufmann* business graduate

Dir. *Direktor* director

d. J. *der Jüngere* the Younger

DKP *Deutsche Kommunistische Partei* German Communist Party

dkr *dänische Krone* Danish crown

DM *Deutsche Mark* German mark

DNA *Deutscher Normenausschuss* German Committee of Standards

d. O. *der/die/das Obige* the above-mentioned

Doppelz. *Doppelzimmer* double room

Doz. *Dozent* lecturer

dpa *Deutsche Presseagentur* German Press Agency

Dr. *Doktor* doctor

d. Red. *die Redaktion* the editor(s)

Dr. jur. *Doktor der Rechtswissenschaft* Doctor of Laws

DRK *Deutsches Rotes Kreuz* German Red Cross

Dr. med. *Doktor der Medizin* Doctor of Medicine

Dr. phil. *Doktor der Philosophie* Doctor of Philosophy

Dr. theol. *Doktor der Theologie* Doctor of Theology
dt. *deutsch* German
DTHW *Deutsches Tierhilfswerk* German Animal Welfare Organization
d. U. *der Unterzeichnete* the undersigned
Dupl. *Duplikat* duplicate
d. v. J. *des vorigen Jahres* of the previous year
dz *Doppelzentner* 100 kilogram(me)s
Dz. *Dutzend* a dozen

E

E *Eilzug* fast train
ebd. *ebenda* ibidem
ec *Euroscheck* Euro Cheque
Ed. *Edition* edition
EDV *Elektronische Datenverarbeitung* electronic data processing
EFTA *Europäische Freihandelsassoziation* European Free Trade Association
e. G. *eingetragene Gesellschaft* registered company
ehel. *ehelich* marital
ehem. *ehemalig* former
Einbd. *Einband* cover
einf. *einfach* simple
eingetr. *eingetragen* registered
Einh. *Einheit* unit
einschl. *einschließlich* including
einz. *einzeln* single
EKG *Elektrokardiogramm* electrocardiogram
elektr. *elektrisch* electric(al); electrically
empf. *empfohlen* recommended
Empf. *Empfänger* recipient
engl. *englisch* English
Entf. *Entfernung* distance
entspr. *entsprechend* analogous; appropriate; corresponding; equivalent; respective;
erb. *erbaut* built
Erdg. *Erdgeschoss* ground floor
erh. *erhalten* received
Ers. *Ersatz* substitute
Erw. *Erwachsene* adult
Erz. *Erzeugnis* product
Et. *Etage* floor
et al. *und andere* and others
etwa. *etwaig* eventual
EU *Europäische Union* European Union
europ. *europäisch* European
ev. *evangelisch* Protestant
e.V. *eingetragener Verein* registered

association
evtl. *eventuell* possible, possibly
exkl. *exklusiv* exclusive(ly)
Expl. *Exemplar* specimen
Exz. *Exzellenz* Excellency

F

F *Fahrenheit* Fahrenheit
Fa. *Firma* firm
Fam. *Familie* family; Mr & Mrs X (in Adressen)
fb. *farbig* coloured
FBI *US-amerikanische Bundeskriminalpolizei* criminal investigation department of the USA (Federal Bureau of Investigation)
FC *Fußballclub* football club
FDP *Freie Demokratische Partei* Liberal Democratic Party
ff *folgende Seiten* following pages
FF *französischer Franc* French franc
FH *Fachhochschule* advanced technical college
FIFA *Internationaler Fußballverband* Federation of the International Football Associations
fin. *finanziell* financial(ly)
finn. *finnisch* Finnish
FKK *Freikörperkultur* nudism
Fl *Fläche* area
fm *Festmeter* cubic metre
Fmt *Format* format
Föd. *Föderation* federation
Forts. *Fortsetzung* continuation
fotogr. *fotografisch* photografic(ally)
Fr. *Frau* mistress
frdl. *freundlich* friendly
Frh. *Freiherr* baron
Frl. *Fräulein* miss
frz. *französisch* French
FU *Freie Universität* Free University
Fut. *Futur* future
Fz. *Fahrzeug* vehicle

G

g *Gramm* gram(me)
Gar. *Garantie* guarantee
gar. *garantiert* guaranteed
gastr. *gastronomisch* gastronomic(al)
Gde. *Gemeinde* municipality
Geb. *Gebiet* district
Geb. *Gebühr* rate
gebr. *gebräuchlich* common
Gebr. *Gebrüder* brothers
gegr. *gegründet* established

geh. *geheim* secret
gek. *gekürzt* abridged
gem. *gemäß* according to
gem. *gemischt* mixed
gen. *genehmigt* approved
gen. *genannt* called; above-mentioned (erwähnt)
geogr. *geografisch* geographica(al)
geol. *geologisch* geologic(al)
geom. *geometrisch* geometric(al)
gepr. *geprüft* tested (Gerät); certified (Dokument)
ger. *gerichtlich* judicial(ly)
Ges. *Gesellschaft* association (Vereinigung); company (Unternehmen)
Geschw. *Geschwindigkeit* speed
ges. gesch. *gesetzlich geschützt* patented
GEW *Gas, Elektrizität, Wasser* gas, electricity, water
Gew. *Gewicht* weight
gew. *gewerblich* commercial(ly)
gez. *gezeichnet* signed
GG *Grundgesetz* German constitution
ggf. *gegebenenfalls* if applicable
Ggs. *Gegensatz* contrast
ggs. *gegensätzlich* oppsite
GmbH *Gesellschaft mit beschränkter Haftung* private limited company
Gr. *Grad* degree
griech. *griechisch* Greek
gr.-orth. *griechisch-orthodox* Greek Orthodox
Gült. *Gültigkeit* validity
GUS *Gemeinschaft unabhängiger Staaten* Community of Independent States

H

H *Haltestelle* stop
h *Stunde* hour
ha *Hektar* hectare
habil. *habilitiert* habilitated
Haftpfl. *Haftpflicht* liability; third party ...(Versicherung)
Halbj. *Halbjahr* half-year
haupts. *hauptsächlich* main(ly)
Hbf. *Hauptbahnhof* central station
h.c. *ehrenhalber* honorary
hdschr. *handschriftlich* handwritten
hdt. *hundert* hundred
herg. *hergestellt* made
Herst. *Hersteller* manufacturer
hfl *holländischer Gulden* Dutch guilder
Hfn *Hafen* harbour
HG *Handelsgenossenschaft* trade

cooperative
HiFi *höchste Klangtreue* high fidelity
hist. *historisch* historical(ly)
HJ *Hitlerjugend* Nazi youth organization
Hj. *Halbjahr* half-year
HK *Handelskammer* Chamber of Commerce
hl. *heilig* holy
hl *Hektoliter* hectolitre
Hochw. *Hochwürden* Reverend
höfl. *höflichst* kindly
holl. *holländisch* Dutch
HP *Halbpension* half-board
Hpt. *Haupt-* main
hpts. *hauptsächlich* main(ly)
Hr. *Herr* mister
HR *Hessischer Rundfunk* Hessian Broadcasting Corporation
Hrsg. *Herausgeber* publisher
hum. *humoristisch* humorous
hydr. *hydraulisch* hydraulic(ally)
Hyp. *Hypothek* mortgage
Hz *Hertz* hertz
Hzg. *Heizung* heating,(system)

I

i. A. *im Auftrag* by proxy
i. a. W. *in anderen Worten* in other words
i. B. *im Besonderen* in particular
ibd. *ebenda* in the same place
IC *Intercityzug* Inter-City (train)
ICE *Intercityexpresszug* Inter-City Express (train)
i. D. *im Dienst* on duty
i. E. *im Einzelnen* in particular
i. e. *das heißt* that is
i. e. S. *im engeren Sinne* in the narrower sense
IFO *Institut für Wirtschaftsforschung* Institute for Economic Research
i. J. *im Jahre* in (the year)
i. K. *in Kürze* soon
ill. *illustriert* illustrated
i. M. *im Monat* in (the month of)
Imm. *Immobilien* real estate
Imp. *Imperativ* imperative
Imperf. *Imperfekt* imperfect
inbegr. *inbegriffen* included
Ind. *Industrie* industry
Ind. *Index* index
indir. *indirekt* indirect(ly)
indiv. *individuell* individual(ly)
Ing. *Ingenieur* engineer
Inh. *Inhaber* owner
Inh. *Inhalt* contents

inkl. *inklusive* including
insges. *insgesamt* altogether
intern. *international* international
Interpol *Internationale Kriminalpolizei-Kommission* International Criminal Police Commission
IOC *Internationales Olympisches Komitee* International Olympic Committee
i. R. *im Ruhestand* retired
IRA *Irisch-Republikanische Armee* Irish Republican Army
IRK *Internationales Rotes Kreuz* International Red Cross
ital. *italienisch* Italian
i. Tr. *in der Trockenmasse* in dry matter
i. ü. *im übrigen* incidentally; besides (am Rande)
i. V. *in Vertretung* on behalf of
IV *Industrieverband* federation of industries

J

jap. *japanisch* Japanese
Jgd. *Jugend* youth
jhrl. *jährlich* annual(ly)
jr. *junior* junior

K

Kan. *Kanada* Canada
Kan. *Kanal* canal
Kap. *Kapitel* chapter
Kapt. *Kapitän* captain
Kat. *Kategorie* categorie
kath. *katholisch* Catholic
Kennz. *Kennzeichen* registration number
kfm. *kaufmännisch* commercial
Kfm. *Kaufmann* businessman
Kfz *Kraftfahrzeug* motor vehicle
KG *Kommanditgesellschaft* limited partnership
kg *Kilogramm* kilogramme
KGB *Komitee für Staatssicherheit (Geheimdienst der ehemaligen Sowjetunion)* secret service of the former Soviet Union
kgl. *königlich* royal
kHz *Kilohertz* kilohertz
k. k. *kaiserlich-königlich* imperial and royal
Kl. *Klasse* class
klass. *klassisch* classical
km *Kilometer* kilometre

k. o. *knock-out* knock-out
komm. *kommunistisch* communist
Komp. *Kompanie* company
Konf. *Konfession* religious denomination
Konf. *Konföderation* confederation
Konj. *Konjunktiv* subjunctive
Konz. *Konzern* group
KP *Kommunistische Partei* Communist Party
kpl. *komplett* complete(ly)
Krh. *Krankenhaus* hospital
krit. *kritisch* critical
Krs. *Kreis* district
Kto. *Konto* (bank) account
Kto.-Nr. *Kontonummer* account number
künstl. *künstlich* artificial(ly)
KW *Kurzwelle* short wave
kW *Kilowatt* kilowatt
KZ *Konzentrationslager* concentration camp

L

l. *links* (to the) left
l *Liter* litre
Lab. *Laboratorium* lab(oratory)
lat. *lateinisch* Latin
lbd. *lebend* living
Ldg. *Ladung* freight
led. *ledig* single
leg. *legal* legal(ly)
Lekt. *Lektion* chapter
lfd. *laufend* current, continuously
LG *Landgericht* district court
lit. *literarisch* literary
Lit. *italienische Lire* lira
Lit. *Literatur* literature
liz. *lizenziert* licensed
Lkr. *Landkreis* district
LKW *Lastkraftwagen* lorry
log. *logisch* logical(ly)
log *Logarithmus* logarithm
lok. *lokal* local
Lsg. *Lösung* solution
lt. *laut* as per
ltd. *leitend* managerial
Ltg. *Leitung* management
LW *Langwelle* long wave

M

m. *männlich* male
M. *Magister* Master
m *Meter* metre
MA. *Mittelalter* Middle Ages

MAD *Militärischer Abschirmdienst* military counter-intelligence service
magn. *magnetisch* magnetic
männl. *männlich* male
Mar. *Marine* Navy
math. *mathematisch* mathematical(ly)
m. a. W. *mit anderen Worten* in other words
max. *maximal* maximum, maximally
mbl. *möbliert* furnished
MC *Musikkassette* Music Cassette
MdB *Mitglied des Bundestages* Member of the Bundestag
mdl. *mündlich* oral
MdL *Mitglied des Landtages* Member of the Landtag
m. E. *meines Erachtens* in my opinion
meteor. *meteorologisch* meteorological
mex. *mexikanisch* Mexican
MEZ *Mitteleuropäische Zeit* Central Euopean Time
MG *Maschinengewehr* machine gun
mg *Milligramm* milligramme
mhd. *mittelhochdeutsch* Middle High German
MHz *Megahertz* megahertz
mil. *militärisch* military
Mill. *Million* million
min. *minimal* minimal
Min. *Minute* minute
minderj. *minderjährig* underage
Mitgl. *Mitglied* member
mm *Millimeter* millimetre
mod. *modern* modern
moh. *mohammedanisch* Muslim
Mot. *Motor* engine
MP *Maschinenpistole* submachine gun
Mrd. *Milliarde* billion
MS *Manuskript* manuscript
mst. *meistens* usually
Mt. *Mount* Mount
mtl. *monatlich* monthly
m. ü. M. *Meter über Meeresspiegel* metres above sea level
Mus. *Museum* museum
mus. *musikalisch* musical
MwSt. *Mehrwertsteuer* value-added tax

N

N *Norden* north
Nachm. *Nachmittag* afternoon
NAFTA *Freihandelsabkommen zwischen den USA, Kanada und Mexiko* North American Free Trade Association
näml. *nämlich* namely
Nbk. *Nebenkosten* extra expenses

Nchf. *Nachfolger* successor
n. Chr. *nach Christus* anno Domini
NDR *Norddeutscher Rundfunk* Northern German Broadcasting Corporation
neb. *neben* beside; in addition (außer)
neg. *negativ* negative(ly)
neutr. *neutral* neutral
n. f. *nur für* only for
nhd. *neuhochdeutsch* New High German
n. J. *nächsten Jahres* next year's
nkr *norwegische Krone* Norwegian crown
n. M. *nächsten Monats* next month's
nmtl. *namentlich* by name; especially (insbesondere)
norm. *normal* normal
norw. *norwegisch* Norwegian
notw. *notwendig* necessary
Nr. *Nummer* number
NS *Nachschrift* postscript
NSDAP *Nationalsozialistische deutsche Arbeiterpartei* National Socialist German Labour Party
N.T. *Neues Testament* New Testament
nto. *netto* net
nuk. *nuklear* nuclear

O

O *Osten* east
o. a. *oben angeführt* above-mentioned
o. Ä. *oder Ähnliches* or the like
o. B. *ohne Befund* negative
OB *Oberbürgermeister* mayor
Obb. *Oberbayern* Upper Bavaria
obh. *oberhalb* above
oblig. *obligatorisch* compulsory
OCR *optische Zeichenerkennung* optical character recognition
OEZ *Osteuropäische Zeit* Eastern European Time
öfftl. *öffentlich* public(ly)
Offz. *Offizier* officer
OHG *Offene Handelsgesellschaft* general partnership
ökon. *ökonomisch* economic (wirt.); economical(ly) (sparsam)
OLG *Oberlandesgericht* Higher Regional Court
Op. *Opus* opus
OPEC *Organisation der Erdöl exportierenden Länder* Organization of Petroleum Exporting Countries
ORB *Ostdeutscher Rundfunk* Eastern German Broadcasting Corporation

ord. *ordentlich* regular
orient. *orientalisch* oriental
orig. *original* original (ursprünglich)); genuine (wirklich)
Orig. *Original* original
orth. *orthodox* Orthodox
örtl. *örtlich* local(ly)
OSZE *Organisation für Sicherheit und Zusammenarbeit in Europa* Organisation for Security and Cooperation in Europe
Oz. *Ozean* ocean
o. Zw. *ohne Zweifel* undoubtedly

P

p *Peso* peso
PA *Postamt* post office
päd. *pädagogisch* pedagogical
Parl. *Parlament* parliament
Part. *Partei* party
Pat. *Patent* patent
perf. *perfekt* perfect(ly)
pers. *persönlich* personal(ly)
Pf *Pfennig* pfennig
Pfd. *Pfund* German pound
pharm. *pharmazeutisch* pharmaceutical(ly)
phil. *philologisch* philological(ly)
phil. *philosophisch* philosophical(ly)
phys. *physisch* physical(ly)
Pkt. *Punkt* point
Pkt. *Paket* parcel
PKW *Personenkraftwagen* (motor) car
Pl. *Platz* seat (Sitz); square (öffentlicher)
pol. *polizeilich* police, by the police
pol. *politisch* political
port. *portugiesisch* Portuguese
pos. *positiv* positive
Präs. *Präsidium* headquarters (Dienststelle); executive committee (Vorstand)
Prfg. *Prüfung* exam
priv. *privat* private(ly)
Prof. *Professor* professor
prot. *protestantisch* Protestant
prov. *provisorisch* provisional
PS *Pferdestärke* horsepower
P.S. *Postscriptum* postscript
Pseud. *Pseudonym* pseudonym
psych. *psychologisch* psychological(ly)

Q

q.e.d. *was zu beweisen war* which was to be proven

qm *Quadratmeter* square metre
Qual. *Qualität* quality
Quant. *Quantität* quantity

R

r. *rechts* (to the) right
RA *Rechtsanwalt* lawyer
RAF *Rote Armeefraktion* Red Army Faction
RAM *Informationsspeicher mit freiem Datenzugriff* Random Access Memory
RB *Radio Bremen* Radio Bremen
Rbl *Rubel* rouble
rd. *rund* around
Rdf. *Rundfunk* broadcasting corporation
Ref. *Referat* department
Reg. *Regierung* government
rel. *relativ* relative(ly)
rel. *religiös* religious
Rel. *Religion* religion
Rep. *Republik* republic
resp. *respektive* respectively
rh *Rhesusfaktor* rhesus factor
RIAS *Radio im amerikanischen Sektor* Radio in the American Sector
R.I.P. *er/sie ruhe in Frieden* may he/she rest in peace
rk *römisch-katholisch* Roman Catholic
ROM *Nur-Lese-Speicher* Read-only Memory
röm. *römisch* Roman
rückw. *rückwirkend* retroactive
russ. *russisch* Russian

S

s. *siehe* see
S *Süden* south
S. *Seite* page
Sa. *Summe* sum
SA *Sturmabteilung (im Nationalsozialismus)* Nazi stormtroops
s.a. *siehe auch* see also
Samml. *Sammlung* collection
Sanat. *Sanatorium* sanatorium
SB *Selbstbedienung* self-service
S-Bahn *Stadtbahn* suburban railway (Netz); suburban train (Triebzug)
schott. *schottisch* Scottish
schriftl. *schriftlich* written
Schw. *Schwester* sister
schwed. *schwedisch* Swedish
schweiz. *schweizerisch* Swiss
scil. *nämlich* namely
SD *Sicherheitsdienst* security service

ODR *Süddeutscher Rundfunk* Southern German Broadcasting Corporation
SED *Sozialistische Einheitspartei Deutschlands* Socialist Unity Party of Germany
sek. *Sekunde* second
selbst. *selbstständig* independent (unabhängig); self-employed (beruflich)
Sem. *Semester* semester
sen. *der Ältere* senior
sex. *sexuell* sexual(ly)
SFB *Sender Freies Berlin* Broadcasting Corporation of free Berlin
sfr *Schweizer Franken* Swiss franc
sign. *signiert* signed
skand. *skandinavisch* Scandinavian
S. Kgl. H. *Seine Königliche Hoheit* His Royal Majesty
skr *schwedische Krone* Swedish crown
sm *Seemeile* nautical mile
SM *Sado-Maso* sado-maso
s.o. *siehe oben* see above
sog. *sogenannt* so-called
SOS *internationales Notsignal* save our souls
sowj. *sowjetisch* soviet
soz. *sozial* social(ly)
span. *spanisch* Spanish
SPD *Sozialdemokratische Partei Deutschlands* Social Democratic Party of Germany
spez. *speziell* special(ly)
Spvgg. *Spielvereinigung* sports association
Sr. *Senior* senior
SR *Saarländischer Rundfunk* Broadcasting Corporation of the Saarland
SS *Schutzstaffel (im Nationalsozialismus)* Nazi elite squadron
St. *Heilige/-r* saint
s.t. *ohne akademisches Viertel* sharp
staatl. *staatlich* state ..., officially
stat. *statistisch* statistical
Std. *Stunde* hour
Stell. *Stellung* position
stellv. *stellvertretend* vice-...
StGB *Strafgesetzbuch* Penal Code
St.Kl. *Steuerklasse* tax bracket
StPO *Strafprozessordnung* Code of Criminal Procedure
Str. *Straße* road; street
stud. *Student* student
StVO *Straßenverkehrsordnung* road traffic regulations
SU *Sowjetunion* Soviet Union

s.u. *siehe unten* see below
Subj. *Subjekt* subject
SWF *Südwestfunk* Southwestern German Broadcasting Corporation
synth. *synthetisch* synthetic(ally)
syst. *systematisch* sytematic(ally)

T

t *Tonne* ton
Tabl. *Tablette* tablet
techn. *technisch* technical(ly); technological(ly)
Tel. *Telefon* (tele)phone
telef. *telefonisch* (by) (tele)phone
telegr. *telegrafisch* telegraphic(ally)
Telegr. *Telegramm* telegram
Tel.-Nr. *Telefonnummer* (tele)phone number
tgl. *täglich* daily
TH *Technische Hochschule* institute of technology
theor. *theoretisch* theoretical(ly)
tödl. *tödlich* fatal (Unfall); lethal (Dosis)
TSV *Turn- und Sportverein* Gymnastics and Sports Association (in Germany)
TU *Technische Universität* technical university
türk. *türkisch* Turkish
TÜV *Technischer Überwachungsverein* technical control board
TV *Fernsehen* television
typ. *typisch* typical(ly)

U

U/min *Umdrehungen pro Minute* revolutions per minute
u. Ä. *und Ähnliches* and the like
u.a. *und andere* and others
u.a. *unter anderem* among other things
U.A.w.g. *Um Antwort wird gebeten* R.S.V.P.
übl. *üblich* customary
u. dgl. *und dergleichen* and the like
u. d. M. *unter dem Meeresspiegel* below sea level
ü. d. M. *über dem Meeresspiegel* above sea level
UdSSR *Union der sozialistischen Sowjetrepubliken* Union of Soviet Socialist Republics
u. E. *unseres Erachtens* in our opinion
u.f. *und folgende* and following
UFO *unbekanntes Flugobjekt* unidentified flying object
U-Haft *Untersuchungshaft* custody

UKW *Ultrakurzwelle* ultrashort wave
unbek. *unbekannt* unknown (nicht bekannt); unfamiliar (nichtvertraut)
unehel. *unehelich* illegitimate
unerw. *unerwünscht* undesirable
unfrw. *unfreiwillig* involuntary
ung. *ungarisch* Hungarian
ungebr. *ungebräuchlich* unusual
ungek. *ungekündigt* regularly employed
Univ. *Universität* university
UNO *Organisation der Vereinten Nationen* United Nations Organization
unt. *unterhalb* below
unverb. *unverbindlich* not binding
unvollst. *unvollständig* incomplete(ly)
Url. *Urlaub* holiday
urspr. *ursprünglich* original(ly)
USA *Vereinigte Staaten von Amerika* United States of America
usf. *und so fort* and so forth
usw. *und so weiter* and so on
UV *Ultraviolett* ultraviolet
u.v.a. *und viele andere* and many more

V

v. *von* by; from; of
V *Volt* volt
v. gegen versus
V *Volumen* volume
VB *Verhandlungsbasis* or nearest offer
vbdl. *verbindlich* binding
v. Chr. *vor Christus* before Christ
v. D. *vom Dienst* on duty
ver. *vereinigt* united
verantw. *verantwortlich* responsible
verb. *verbessert* improved
Verbdg. *Verbindung* connection
verh. *verheiratet* married
Verk. *Verkauf* sale
veröff. *veröffentlicht* published
verpfl. *verpflichtet* obliged
vertr. *vertraulich* confidental(ly)
vertr. *vertraglich* contractual(ly)
Verw. *Verwaltung* administration
Vet. *Veteran* veteran
Vf. *Verfasser* author
Vfg. *Verfassung* constitution
vgl. *vergleiche* confer
v. g. u. *vorgelesen, genehmigt, unterschrieben* read, approved, signed
v. H. *vom Hundert* percent
v. J. *vorigen Jahres* last year's
v. l. n. r. *von links nach rechts* from left to right
v. M. *vorigen Monats* last month's

v. o. *von oben* from above
Volksw. *Volkswirtschaft* national economy
Vorbeh. *Vorbehalt* reservation
Vorbest. *Vorbestellung* advance booking
vorl. *vorläufig* temporary, -rily
vorm. *vormals* former
Vorm. *Vormittag* morning
Vors. *Vorsitzender* chairman/-woman; leader (pol.); president (wirt.)
vorw. *vorwiegend* mainly
VP *Vollpension* full board
VR *Volksrepublik* peoples' republic
v. T. *vom Tausend* per thousand
v. u. *von unten* from below
VW *Volkswagen* Volkswagen

W

W *Westen* west
W *Watt* watt
wahrsch. *wahrscheinlich* probable, probably
wbl. *weiblich* female
Wdh. *Wiederholung* repetition; repeat (TV); replay (spo.)
WDR *Westdeutscher Rundfunk* Western German Broadcasting Corporation
werkt. *werktags* weekdays
WEZ *Westeuropäische Zeit* Greenwich Mean Time
WGB *Weltgewerkschaftsbund* World Federation of Trade Unions
Whg. *Wohnung* apartment
wirtsch. *wirtschaftlich* economic; economical(ly) (sparsam)
wiss. *wissenschaftlich* academic(ally); scientific(ally) (naturwissenschaftlich)
wö. *wöchentlich* weekly
Wwe. *Witwe* widow
Wz. *Warenzeichen* trademark

Z

Z. *Zahl* number
Z. *Zeile* line
z. b. V. *zur besonderen Verwendung* for special duty
ZDF *Zweites Deutsches Fernsehen* Second Channel of German Television
zeitgen. *zeitgenössisch* contemporary
zeitw. *zeitweilig* temporary; occasionally
zentr. *zentral* central(ly)
Zentr. *Zentrale* control room; head office

zgl. *zugleich* at the same time
z. Hd. *zu Händen* attention
Zi. *Zimmer* room
ziv. *zivil* civil(ian)
Zkft. *Zukunft* future
Zlg. *Zahlung* payment
zool. *zoologisch* zoological
ZPO *Zivilprozessordnung* Code of Civil Procedure
Zstzg. *Zusammensetzung* composition
z. T. *zum Teil* partly
Ztg. *Zeitung* newspaper
Ztr. *Zentner* hundredweight
Zts. *Zeitschrift* magazine
zuf. *zufolge* according to (gemäß); as a result of (deswegen)

zuf. *zufällig* accidental(ly)
zugel. *zugelassen* licensed (Produkt etc.); registered (Kfz.)
zul. *zulässig* permissible (beördlich); safe (techn.)
zur. *zurück* back
zus. *zusammen* together
zust. *zuständig* appropriate (Amt); competent (authorisiert); responsible (verantwortlich)
zw. *zwischen* between
zw. *zwecks* for the purpose of
ZwSt. *Zweigstelle* branch office
zzgl. *zuzüglich* plus
z. Zt. *zur Zeit* at the moment

Deutsche Maße und Gewichte

Längenmaße

mm *Millimeter* millimetre
cm *Zentimeter* centimetre
dm *Dezimeter* decimetre

m *Meter* metre
km *Kilometer* kilometre
sm *Seemeile* nautical mile

Flächenmaße

qmm *Quadratmillimeter* square millimetre
qcm *Quadratzentimeter* square centimetre
qm *Quadratmeter* square metre

a *Ar* are
ha *Hektar* hectare
qkm *Quadratkilometer* square kilometre
Morgen *Morgen* ca. 2/3 acre

Raummaße

ccm *Kubikzentimeter* cubic centimetre
cdm *Kubikdezimeter* cubic decimetre
cbm *Kubikmeter* cubic metre

fm *Festmeter* cubic metre
RT *Registertonne* register ton

Hohlmaße

l *Liter* litre

hl *Hektoliter* hectolitre

Gewichte

mg *Milligramm* milligram(me)
g *Gramm* gram(me)
Pfd *Pfund* (German) pound

kg *Kilogramm* kilogram(me)
Ztr. *Zentner* centner
t *Tonne* ton

Englische Maße und Gewichte

Längenmaße

in. *inch* Zoll
   = 2,54 cm

ft. *foot* Fuß
   = 30,48 cm

yd. *yard* Yard
   = 91,44 cm

mi. *mile* Meile
   = 1609,34 m

Flächenmaße

sq. ft. *square foot* Quadratfuß
   = 929,03 qcm

sq. yd. *square yard* Quadratyard
   = 0,836 qm

sq. rd. *square rod* Quadratrod
   = 25,29 qm

ro. *rood* Viertelacre
   = 10,12 a

a. *acre* Acre
   = 40,47 a

sq. mi. *square mile* Quadratmeile
   = 2,59 qkm

Raummaße

cu. in. *cubic inch* Kubikzoll
   = 16,387 ccm

cu. ft. *cubic foot* Kubikfuß
   = 0,028 cbm

cu.yd. *cubic yard* Kubikyard
   = 0,765 cbm

reg. tn. *register ton* Registertonne
   = 2,832 cbm

Hohlmaße

gi., gl. *British gill* Britische Viertelpinte
   = 0,142 l

pt. *British pint* Britische Pinte
   = 0,568 l

qt. *British quart* Britische Viertelgallone
   = 1,136 l

Imp. gal. *British gallon* Brit. Gallone
   = 4,546 l

pk. *British peck* Brit. Viertelscheffel
   = 9,092 l

bu., bsh. *British bushel* Britisches
Scheffel
   = 36,36 l

qr. *British quarter* Britisches Quarter
   = 290,94 l

bbl., bl. *British barrel* Britisches Barrel
   = 1,636 hl

pt. *U.S. dry pint* US-Pinte
   = 0,55 l

qt. *U.S. dry quart* US-Quart
   = 1,1 l

pk. *U.S. peck* US-Viertelscheffel
   = 8,81 l

bbl., bl. *U.S. barrel petroleum*
US-Petroleumbarrel
   = 158,97 l

pt. *U.S. liquid pint* US-Pinte
= 0,473 l

qt. *U.S. liquid quart* US-Viertelgallone
= 0,946 l

gal. *U.S. gallon* US-Gallone
= 3,785 l

bbl., bl. *U.S. barrel* US-Barrel
= 119 l

gi., gl. *U.S. liquid gill* US-Viertel-
pinte
= 0,118 l

Gewichte

gr. *grain* Gran
= 0,0648 g

dr. av. *dram* Drame
= 1,77 g

oz. av. *ounce* Unze
= 28,35 g

lb. av. *pound* Britisches Pfund
= 0,453 kg

st. *stone* Stein
= 6,35 kg

qr. *quarter (GB)* GB-Quarter
= 12,7 kg

cwt. *hundredweight (GB)* GB-Zentner
= 50,8 kg

cwt. *hundredweight (US)* US-Zentner
= 45,36 kg

tn., t. *ton (GB)* GB-Tonne
= 1016 kg

tn., t. *ton (US)* US-Tonne
= 907,18 kg

A

Aal, *sub, m, -s, -e (zool.)* eel; **aalen** *vr,* laze around; *sich in der Sonne aalen* bask in the sun; **aalglatt** *adj, (i. ü. S.)* slippery; *(ugs.) aalglatter Typ* smoothie

Aas, *sub, n, -es,* - carrion; *(ugs.) es war kein Aas zu sehen* not a bloody soul was to be seen; **aasen** *vi, (ugs.)* squander; **~geier** *sub, m, -s,* - *(zool.)* vulture; **aasig** *adj, (ugs.)* ugly

ab, (1) *adv, (zeitlich)* from **(2)** *präp, (räumlich)* from; *(zeitlich)* from; *ab 18 Jahren* no admittance to persons under 18 years; *ab und zu* from time to time, *ab morgen* from tomorrow on

Abakus, *sub, m, -,* - *(tt; arch.)* abacus

abänderlich, *adj,* changeable; **abändern** *vt,* alter, modify; **Abänderung** *sub, f, -, -en* alteration; **Abänderungsvorschlag** *sub, m, -s, -schläge* proposal for alteration

abarbeiten, (1) *vr,* slave **(2)** *vt,* work off; *sich die Finger abarbeiten* work one´s fingers to the bone; **Abarbeitung** *sub, f, -, -en* exhaustion

Abart, *sub, f, -, -en* variety; **abartig** *adj,* abnormal; **~igkeit** *sub, f, -, -en* abnormality; **~ung** *sub, f, -, -en* variation

Abbau, *sub, m, -(e)s,* - dismantling; *(Bergbau)* mining; *(tt; biol.)* decomposition; **~feld** *sub, n, -es, -er* mining site; **~prozess** *sub, m, -es, -e (tt; biol.)* biochemical pathway; **~recht** *sub, n, -(e)s, -e* mining rights; **abbauwürdig** *adj,* workable

abbeißen, *vt,* bite off

abbeizen, *vt,* strip; **Abbeizmittel** *sub, n, -s,* - paint remover

abbekommen, *vt,* get off; *die Hauptlast abbekommen* bear the brunt; *einen Teil abbekommen* get one´s share

abberufen, *vt,* recall; **Abberufung** *sub, f, -, -en* recall

abbestellen, *vt,* cancel; **Abbestellung** *sub, f, -, -en* cancellation

abbezahlen, *vt,* pay off; **Abbezahlung** *sub, f, -, -en* payoff

abbiegen, *vt,* bend, turn; **Abbiegespur** *sub, f, -, -en* filter lane; **Abbiegung** *sub, f, -, -en* bend

Abbild, *sub, n, -es, -er* image

abbinden, (1) *vi, (von Zement)* set **(2)** *vt,* untie; **Abbindung** *sub, f, -, -en (von Zement)* setting

Abbitte, *sub, f, -, -n* apology; *Abbitte tun* apologize; **abbitten** *vt,* ask so´s pardon

abblasen, (1) *vt, (ugs.)* call off **(2)** *vti,* blow off

abblassen, *vi,* fade

abblättern, *vi,* come off

abblenden, (1) *vi,* dip; *(tt; foto.)* stop down **(2)** *vt,* dim; **Abblendlicht** *sub, n, -es, -er* anti-dazzle light; **Abblendung** *sub, f, -, nur Einz.* dimming

abblitzen, *vi, (ugs.)* be told where to go; *(ugs.) bei jemandem abblitzen* be given the brush-off; *(ugs.) jemanden abblitzen lassen* tell so where to go

abblocken, *vt,* block

abbrausen, (1) *vr,* have a shower **(2)** *vt,* shower down

abbrechen, *vi,* break off

abbremsen, *vti,* slow down; **Abbremsung** *sub, f, -, -en* braking

abbrennen, (1) *vi,* burn down **(2)** *vt, (Feuerwerk)* let off

abbringen, *vt,* get off; *(i. ü. S.) jemanden vom Thema abbringen* get so off the subject; *(i. ü. S.) jemanden vom Weg abbringen* lead so astray; *(i. ü. S.) jemanden von etwas abbringen* talk so out of doing sth

abbröckeln, *vi,* crumble away; *(i. ü. S.; wirt.)* drop off; **Abbröckelung** *sub, f, -, -en* crumbling away

Abbé, *sub, m, -s, -s (tt; theol.)* Abbé

Abbruch, *sub, m, -[e]s, -brüche (ugs.; Beziehung)* breaking off;

(Gebäude) demolition; *mit Abbruch einer Beziehung drohen* threaten to abandon a relationship; **~arbeiten** *sub, f, -, nur Mehrz.* demolition work; **~firma** *sub, f, -, -firmen* demolition firm; **~genehmigung** *sub, f, -, -en* permission for demolition; **~haus** *sub, n, -es, -häuser* condemned building; **abbruchreif** *adj,* derelict

abbuchen, *vt, (wirt.)* debit; *(wirt.) einen Betrag von einem Konto abbuchen* debit a sum to an account; **Abbuchung** *sub, f, -, -en* debit

abbummeln, *vt, (ugs.)* use up one´s overtime

abbürsten, *vt,* brush

abchecken, *vt,* check

Abc-Schütze, *sub, m, -n, -n* school beginner

ABC-Waffen, *sub, f, -, nur Mehrz.* NBC weapons

abdachen, *vt,* roof; **Abdachung** *sub, f, -, -en* roof

Abdampf, *sub, m, -es, -dämpfe* exhaust steam; **abdampfen (1)** *vi, (ugs.)* clear off; *(tt; phy.)* evaporate **(2)** *vt,* vaporize; **~wärme** *sub, f, -, nur Einz.* waste heat

abdämpfen, *vt, (Farbe, Licht, Stimmung)* subdue; *(Kleidung, Speisen)* steam; *(mus.)* muffle

abdanken, *vi,* resign; **Abdankung** *sub, f, -, -en* resignation

abdecken, *vt, (bedecken)* cover; *(Gegenstand)* uncover; *(Tisch)* clear, uncover; **Abdeckplatte** *sub, f, -, -n* cover board; **Abdeckung** *sub, f, -, -en* cover

Abdecker, *sub, m, -s, -* knacker; **~ei** *sub, f, -, -en* knacker´s yard

abdichten, *vt,* seal; *gegen Luft abdichten* make airtight; *gegen Wasser abdichten* make waterproof; **Abdichtung** *sub, f, -, -en* sealing

abdingbar, *adj,* modifiable

Abdomen, *sub, n, -s, -mina (tt; anat.)* abdomen; **abdominal** *adj,* abdominal

abdorren, *vi,* dry up

abdrehen, (1) *vi, (Luftfahrt,*

Schifffahrt) change course **(2)** *vt, (Wasser, etc.)* turn off

Abdrift, *sub, f, -, -en* drift

abdriften, *vi,* drift

abdrosseln, *vt,* throttle; **Abdrosselung** *sub, f, -, -en* throttle down

Abdruck, *sub, m, -[e]s, -drücke* imprint; *(Buchdruck)* copy; **abdrucken** *vt,* print

abdrücken, (1) *vi,* pull the trigger **(2)** *vr,* leave an impression **(3)** *vt,* squeeze off

abducken, *vi,* duck

abebben, *vi,* ebb away

abeisen, *vt,* clear of ice

Abend, *sub, m, -s, -e* evening; *am Abend* in the evening; *guten Abend* good evening; *heute Abend* tonight; *Man soll den Tag nicht vor dem Abend loben* Don´t count your chickens before they´re hatched; *morgen Abend* tomorrow night; *zu Abend essen* have dinner; **~-Make-up** *sub, n, -s, -s* night make-up; **~dämmerung** *sub, f, -, nur Einz.* dusk; **abendelang** *adv,* for evenings on end; **~essen** *sub, n, -s, -* dinner; **abendfüllend** *adj,* full-length; **~gymnasium** *sub, n, -s, -sien* night highschool; **~kasse** *sub, f, -, -n* box office; **~kleid** *sub, n, -es, -er* evening dress; **~kurs** *sub, m, -es, -e* evening classes; **~land** *sub, n, -es, nur Einz.* Occident; **abendländisch** *adj,* western; **abendlich (1)** *adj,* evening **(2)** *adv,* in the evening(s); **~mahl** *sub, n, -s, -e* Communion; **~mahlskelch** *sub, m, -es, -e* Communion chalice; **~rot** *sub, n, -s, nur Einz.* sunset; **abends** *adv,* in the evening(s); **~schule** *sub, f, -, -en* evening classes; **~stern** *sub, m, -s, nur Einz.* evening star; **~zeitung** *sub, f, -, -en* evening paper

Abenteuer, *sub, n, -s, -* adventure; *ein Abenteuer erleben* have an adventure; **~film** *sub, m, -s, -e* adventure film; **abenteuerlich** *adj,* adventurous; *eine abenteuerliches Vorhaben* a fantastic plan; **~lust** *sub, f, -, nur Einz.* love of adventure; **abenteuerlustig** *adj*, thirsty for adventure; **~spielplatz** *sub, m, -es, -plätze* adventure playground; **~urlaub** *sub, m, -es, -e* adventure holiday; **Abenteurer** *sub, m, -s, -* adventurer; **Abenteurerin** *sub, f, -, -nen* adventurer

aber, (1) *konj*, but **(2) Aber** *sub, n, -s, -* but; *aber dennoch* but still; *aber sicher* but of course; *tausende und abertausende* thousands upon thousands, *ohne Wenn und Aber* no ifs, no buts

Aberglaube, *sub, m, -ns, -n* superstition; **abergläubisch** *adj*, superstitious

aberhundert, *adv*, hundreds and hundreds

aberkennen, *vt*, deny so s.th; **Aberkennung** *sub, f, -, -en* denial

abermalig, *adj*, further

abernten, *vt*, harvest

abertausend, *adv*, thousands and thousands

Aberwitz, *sub, m, -es, nur Einz.* lunacy

aberwitzig, *adj*, insane

Abessinien, *sub, n, -s, nur Einz.* Abyssinia; **Abessinier** *sub, m, -s, -* Abyssinian; **abessinisch** *adj*, Abyssinian

abfackeln, *vt*, burn off

abfahren, (1) *vi*, leave **(2)** *vt*, cart off; *(Reifen)* wear down

Abfahrt, *sub, f, -, -en* departure; *(Hang)* slope; *(spo.)* downhill run; **~slauf** *sub, m, -es, -läufe* downhill race; **~srennen** *sub, n, -s, -* downhill race; **~sstrecke** *sub, f, -, -n* downhill way

Abfall, *sub, m, -s, -fälle (geol.)* drop; *(Hausmüll)* rubbish; *(Müll)* waste; **~aufbereitung** *sub, f, -, -en* waste treatment; **~eimer** *sub, m, -s, -* rubbish bin; **~produkt** *sub, n, -es, -e* waste product; **~quote** *sub, f, -, -n* defection rate; **~wirtschaft** *sub, f, -, -en* waste management

abfallen, *vi, (herunter)fallen* fall off; *(Person, etc.)* fall behind

abfällig, (1) *adj*, disparaging; *(Kritik)* adverse **(2)** *adv*, disparagingly; *über jemanden abfällig sprechen* run so down

abfälschen, *vt*, deflect

abfangen, *vt, (Ball, Brief, etc.)* intercept; *(Person)* waylay; **Abfangjäger** *sub, m, -s, - (mil.)* interceptor; **Abfangsatellit** *sub, m, -en, -en* hunter-killer satellite

abfassen, *vt*, write (up); **Abfassung** *sub, f, -, -en (Ergebnis)* report; *(Vorgang)* writing

abfaulen, *vi*, rot off

abfedern, (1) *vi, (tt; tech.)* absorb the shock **(2)** *vt, (geb.; Auto)* suspend; **Abfederung** *sub, f, -, nur Einz.* suspension

abfertigen, *vt, (Passagiere)* check in; *(Sendung)* get ready; *(Zoll)* clear; *am Grenzübergang schnell abgefertigt werden* get through customs quickly; *jemanden kurz abfertigen* give so short shrift; **Abfertigung** *sub, f, -, nur Einz. (ugs.)* rebuff; *(Sendung)* dispatch; *(Zoll)* clearance; **Abfertigungsdienst** *sub, m, -es, -e* dispatch service; **Abfertigungsschalter** *sub, m, -s, -* dispatch counter; *(Luftfahrt)* check-in desk

abfeuern, (1) *vi*, fire **(2)** *vt, (Schuss)* fire

abfinden, *vt*, pay off; **Abfindung** *sub, f, -, -en* settlement; *(Entschädigung)* compensation; *(von Mitarbeitern)* severance pay; **Abfindungserklärung** *sub, f, -, -en* severance declaration; **Abfindungssumme** *sub, f, -, -n* compensation; *(bei Kündigung)* severance pay

abfischen, *vt*, empty by fishing

abflachen, (1) *vi, (Wachstumsrate)* level off **(2)** *vr, (Gelände)* flatten out **(3)** *vt, (Gegenstand)* flatten out; **Abflachung** *sub, f, -, -en (Gelände)* flattening out;

(Wachstumsrate) levelling off
abflauen, *vi, (Geschäft)* die down;
(Interesse) flag; *(Sturm)* die down
abfliegen, (1) *vi, (Flugzeug)* take-off
(2) *vt, (Strecke)* patrol; **Abflug** *sub,
m, -s, -flüge* take-off; *(Flugplan)* departure; **Abfluggeschwindigkeit**
sub, f, -, -en take-off speed; **Abflugtag** *sub, m, -es, -e* departure day;
Abflugzeit *sub, f, -, -en* departure
time
abfließen, *vi, (Flüssigkeit)* run off;
(i. ü. S.; Geldmittel) flow off; **Abfluss** *sub, m, -es, nur Einz. (Geldmittel)* outflow; *(Wasser)* flowing
off; **Abflusshahn** *sub, m, -es, -häh-
ne* drain cock; **Abflusskanal** *sub,
m, -s, -kanäle* drain channel; **abflusslos** *adj,* without drainage; **Abflussöffnung** *sub, f, -, -en* outlet;
Abflussrohr *sub, n, -s, -e* drain pipe
Abfolge, *sub, f, -, -n* succession
abfordern, *vt,* demand; *jemandem
etwas abfordern* demand sth from
so; *sich alles abfordern* push os to
one´s limit
abfotografieren, *vt,* take a photo of
abfragen, *vt, (comp.)* query
abfressen, *vt,* graze
abfrieren, *vi,* be frostbitten; *(ugs.)
sich einen abfrieren* freeze to death
abfrottieren, *vt,* rub down
abfühlen, *vt,* feel
abführen, (1) *vi, (med.)* have a pur-
gative effect **(2)** *vt,* lead off; *(Täter)*
take into custody; *(Wärme)* carry
off; **Abführmittel** *sub, n, -s, -
(med.)* laxative
Abführung, *sub, f, -, -en (Täter)* taking into custody; *f, -, nur Einz.
(Wärme)* carrying off
abfüllen, *vt, (allgemein)* fill; *(in Flaschen)* bottle; *(in Tüten)* bag; **Abfüllung** *sub, f, -, -en (allgemein)*
filling; *(in Flaschen)* bottling; *(in
Tüten)* bagging
abfüttern, *vt, (Mantel)* line; *(Tiere)*
feed; **Abfütterung** *vt, (Mantel)* lining; *(Tiere)* feeding
Abgabe, *sub, f, -, -n (tt; chem.)* emission; *f, -, nur Einz. (Einreichung)*

handing in; *f, -, -n (wirt.)* tax;
abgabenfrei *adj,* tax-exempt;
(Zoll) duty-free; **abgaben-
pflichttig** *adj, (wirt.)* taxable;
(Zoll) dutiable; **~preis** *sub, m,
-es, -e* sales price; **~soll** *sub, m,
-s, -sölle* sales quota; **~termin**
sub, m, -s, -e deadline
Abgang, *sub, m, -s, -gänge (tt;
med.)* discharge; *(a. i. ü. S; Person)* departure; *(Tod)* decease;
Abgänger *sub, m, -s, -* school leaver; **abgängig** *adj,* missing; **Abgängigkeitsanzeige** *sub, f, -, -n*
missing person´s report;
~szeugnis *sub, n, -ses, -se*
school-leaving certificate
Abgas, *sub, n, -es, -e* exhaust gas;
abgasarm *adj,* low-emission;
~entgiftung *sub, f, -, -en* exhaust
gas cleaning; **abgasfrei** *adj,* emis-
sion-free; **~katalysator** *sub, m,
-s, -en* catalyst; **~reiniger** *sub, m,
-s, -* exhaust gas cleaner; **~son-
deruntersuchung** *sub, f, -, -en*
exhaust emission test
abgearbeitet, *adj,* exhausted
abgeben, (1) *vi,* share things;
(Ball) pass **(2)** *vt, (Gegenstand)*
hand in; *(Vorsitz)* hand over;
(Wärme) emit
abgeblasst, *adj,* faded
abgebrannt, *adj,* burnt down
abgebrüht, *adj,* hard-boiled; *(i. ü.
S.; unempfindlich)* hardened;
Abgebrühtheit *sub, f, -, nur Einz.*
hardness
abgedroschen, *adj,* hackneyed;
Abgedroschenheit *sub, f, -, -en*
hackneyedness
abgefeimt, *adj,* crafty; **Abgefeimtheit** *sub, f, -, -en* craftyness
abgegriffen, *adj,* well-worn; *(i. ü.
S.)* hackneyed
abgehackt, *adj,* choppy
abgehärmt, *adj, (geh.)* care-worn
abgehärtet, *adj, (physisch)*
tough; *(psychisch)* hardened
abgehen, (1) *vi, (abzweigen)*
branch off; *(verlaufen)* go; *(Zug)*
leave **(2)** *vt, (kontrollieren)* pa-.

[tol]

abgehetzt, *adj*, exhausted

abgekämpft, *adj*, worn-out

abgekartet, *adj*, prearranged

abgeklärt, *adj*, serene

Abgeklärtheit, *sub*, *f*, *-*, *-en* serenity

abgelagert, *adj*, *(Holz)* seasoned; *(Wein)* matured

abgelebt, *adj*, deceased

abgeledert, *adj*, polished

abgelegen, *adj*, remote

abgeleiert, *adj*, reeled off

abgelten, *vt*, *(Schuld)* pay off; **Abgeltung** *sub*, *f*, *-*, *-en* payment

abgemacht, *adj*, done

abgemagert, *adj*, emaciated

abgemessen, *adj*, exact; *(Redeweise)* formal

abgeneigt, *adj*, reluctant; *abgeneigt sein, etwas zu tun* be reluctant to do sth; *einer Sache/jemandem abgeneigt sein* dislike sth/so; **Abgeneigtheit** *sub*, *f*, *-*, *nur Einz.* reluctance

abgenutzt, *adj*, worn

abgeordnet, *adj*, delegated; **Abgeordnete** *sub*, *f*, *m*, *-n*, *-n* *(Delegierter)* delegate; **Abgeordnetenhaus** *sub*, *n*, *-es*, *-häuser* parliament; *(in den USA)* House of Representatives; *(in Großbrit.)* House of Commons; **Abgeordneter** *sub*, *f*, *m*, *-n*, *-n* *(Parlamentsabgeordneter)* member of parliament

abgeplattet, *adj*, flattened

abgerissen, *adj*, *(auseinandergerissen)* broken; *(Bauwerk)* pulled down

abgerundet, *adj*, finished

abgesagt, *adj*, *(Termin)* cancelled

Abgesandte, *sub*, *f*, *m*, *-n*, *-n* envoy

Abgesang, *sub*, *m*, *-es*, *-sänge* swan-song

abgeschabt, *adj*, scraped off

abgeschieden, *adj*, secluded; **Abgeschiedenheit** *sub*, *f*, *-*, *nur Einz.* seclusion

abgeschlafft, *adj*, shattered

abgeschlagen, *adj*, far behind; **Abgeschlagenheit** *sub*, *f*, *-*, *nur Einz.* exhaustion

completed; *(Wohnung)* self-contained

abgeschmackt, *adj*, *(geschmacklos)* tasteless; *(taktlos)* tactless; **Abgeschmacktheit** *sub*, *f*, *-*, *-en* *(schlechter Geschmack)* bad taste; *(Taktlosigkeit)* tactlessness

abgespannt, *adj*, tired out

abgespielt, *adj*, *(Schallplatte)* scratchy; *(Spielkarten)* used

abgestanden, *adj*, *(Bier)* flat; *(Luft)* stale

abgestorben, *adj*, dead

abgestoßen, *adj*, rejected

abgestuft, *adj*, *(Gelände)* terraced; *(Ränge)* graded

abgestumpft, *adj*, blunted; **Abgestumpftheit** *sub*, *f*, *-*, *-en* insensitivity

abgetakelt, *adj*, down-at-heel

abgetan, *adj*, finished

abgetragen, *adj*, worn

abgewetzt, *adj*, ground

abgewogen, *adj*, balanced; **Abgewogenheit** *sub*, *f*, *-*, *-en* balance

abgewöhnen, *vt*, give up; *jemandem etwas abgewöhnen* break so of sth; *sich etwas abgewöhnen* give sth up; **Abgewöhnung** *sub*, *f*, *-*, *nur Einz.* giving up

abgezehrt, *adj*, emaciated

abgezogen, *adj*, deducted

abgießen, *vt*, *(Flüssigkeit)* pour off; *(Gemüse)* drain

abgleichen, *vt*, equalize

abgleiten, *vi*, slip (off)

Abgott, *sub*, *m*, *-es*, *-götter* idol; **Abgötterei** *sub*, *f*, *-*, *-en* idolatry; **Abgöttin** *sub*, *f*, *-*, *-nen* idol; **abgöttisch** *adj*, idolatrous; **~schlange** *sub*, *f*, *-*, *-n* *(zool.)* anaconda

abgraben, *vt*, dig away; *(Wasserlauf)* drain off; *jemandem das Wasser abgraben* pull the rug from under so´s feet

abgrasen, *vt*, graze

abgraten, *vt*, trim

abgrätschen, *vt*, do the splits

abgreifen, *vt*, feel

abgrenzen, vt, (differenzieren) differentiate; (Grundstück) mark off; (Staatsgebiet) demarcate; etwas voneinander abgrenzen draw a dividing line between; sich von jemandem abgrenzen distance os from so; **Abgrenzung** sub, f, -, -en (begriffliche) definition; (Staatsgebiet) demarcation

Abgrund, sub, m, -es, -gründe (Felswand) abyss; (Kluft) gulf; am Rande des Abgrunds stehen be on the brink of ruin; **abgründig** adj, mysterious; **abgrundtief** adj, unfathomable

abgucken, vt, learn sth by watching

Abguss, sub, m, -es, -güsse cast; (Prozess) casting

abhaben, vt, (ugs.) have s. th. off

abhacken, vt, chop off

abhaken, vt, (entfernen) unhook; (Liste) tick off

abhalftern, vt, unharness; **Abhalfterung** sub, f, -, -en unharnessing

abhandeln, vt, deal with; jemandem etwas abhandeln get so to sell one sth; vom Preis etwas abhandeln beat down the price; **Abhandlung** sub, f, -, -en treatise; eine Abhandlung über a treatise on

abhanden, adv, nur als Anwendung; abhanden kommen get lost; sein Geldbeutel ist abhanden gekommen he has lost his purse; **Abhandenkommen** sub, n, -s, nur Einz. getting lost

Abhang, sub, m, -s, -hänge slope

abhängen, (1) vi, nur als Anwendung (2) vt, (Gegenstand) take down; (ugs.; Verfolger) shake off; abhängen von depend on

abhängig, adj, dependent; voneinander abhängig sein be interdependent

Abhängigkeit, sub, f, -, -en dependence; gegenseitige Abhängigkeit interdependence; seine Abhängigkeit von Drogen his addiction to drugs; ~sverhältnis sub, n, -ses, -se dependent relationship

abhärmen, vr, languish

abhärten, (1) vr, become hardened (2) vt, harden; **Abhärtung** sub, f, -, -en hardening

abhauen, (1) vi, (ugs.; flüchten) do a bunk; (ugs.; weggehen) clear off (2) vt, (abschlagen) chop off

abheben, (1) vi, (Flugzeug) take-off; (Hörer) answer the phone (2) vr, nur als Anwendung; (Geld) draw (3) vt, (Gegenstand) lift off; sich abheben von stand out from; sich gegen etwas abheben stand out against sth

abheften, vt, file

abheilen, vi, heal; **Abheilung** sub, f, -, nur Einz. healing

abhelfen, vi, remedy; dem ist leicht abzuhelfen that´s not a problem

abhetzen, (1) vr, wear out (2) vt, tire out

Abhilfe, sub, f, -, -n remedy

abhold, adj, averse

abholzen, vt, (Bäume) cut down; (Waldgebiet) clear; **Abholzung** sub, f, -, -en deforestation; Abholzung eines Waldes clearing of the forest

abhorchen, vt, (med.) sound; (tech.) ausculate

abhören, vt, (Funkmeldung) intercept; (med.) sound; **Abhörgerät** sub, n, -es, -e bugging device; **Abhörwanze** sub, f, -, -n bugging device

abhungern, (1) vr, starve (2) vt, nur als Anwendung; sich etwas abhungern save and scrimp to afford sth; sich zwei Kilo abhungern starve off two kilos

abhusten, (1) vi, clear one´s lungs (2) vt, cough up

abirren, vi, stray; vom Thema abirren go off the subject

Abitur, sub, n, -s, -e school-leaving exam; ~ient sub, m, -en, -en candidate for the school-leaving exam; ~ientin sub, f, -, -nen candidate for the school-leaving exam

abjagen, vt, nur als Anwendung;

jemandem etwas abjagen get sth off so; *jemandem seine Kunden abjagen* steal so´s customers

abkämmen, *vt*, comb

abkanzeln, *vt*, nur als Anwendung; *jemanden abkanzeln* give so a dressing-down; **Abkanzelung** *sub*, *f, -, -en* dressing-down

abkapiteln, *vt*, arrange in chapters

abkapseln, *vr*, cut o.s. off; **Abkapselung** *sub*, *f, -, -en* cutting-off

abkassieren, *vt*, nur als Anwendung; *bei jemandem abkassieren* be paid by so

abkaufen, *vt*, buy sth from so, nur als Anwendung; *das kaufe ich dir nicht ab* tell me another; *jemandem etwas abkaufen* buy sth from so

Abkehr, *sub, f, -, nur Einz.* renunciation; **abkehren** (1) *vr*, turn away from (2) *vt*, sweep off

abkippen, *vi*, pitch

abklären, *vt*, clarify; **Abklärung** *sub*, *f, -, -en* clarification

Abklatsch, *sub, m, -es, -e (i. ü. S.)* poor imitation

abklemmen, *vt*, clamp

abklingen, *vi*, *(Schmerz)* ease; *(Wirkung)* wear off

abklopfen, *vt*, *(i. ü. S.; Argumente)* sound out; *(med.)* tap

abknabbern, *vt*, nibble off

abknallen, *vt*, shoot down

abknicken, *vti*, snap off

abknöpfen, *vt*, unbutton; *jemandem etwas abknöpfen* wangle sth out of so

abkochen, (1) *vi*, cook outside (2) *vt*, boil

abkommandieren, *vt*, *(mil.)* detail

Abkomme, *sub, m, -ns, -n* descendant

Abkommen, (1) *sub, n, -s, -* agreement (2) **abkommen** *vi*, get off; *ein Abkommen schließen* conclude an agreement, *vom Weg abkommen* lose one´s way; *von der Straße abkommen* get off the road; *(i. ü. S.) von seiner Ansicht abkommen* change one´s view; **~schaft** *sub, f,*

, un de....m dont

abkömmlich, *adj*, dispensable; **Abkömmling** *sub*, *m, -s, -e* descendant; *(chem.)* derivative

abkönnen, *vt*, be able to take

abkonterfeien, *vt*, portray

abkratzen, (1) *vi*, *(vulg.; sterben)* kick the bucket (2) *vt*, *(abschaben)* scrape off

abkriegen, *vt*, *(ugs.)* get off; *seinen Teil abkriegen* get one´s share

abkühlen, (1) *vr*, cool off (2) *vti*, cool down; **Abkühlung** *sub, f, -, -en* cooling

Abkunft, *sub, f, -, -ünfte* descent

abkupfern, *vt*, *(ugs.)* copy

abkürzen, *vt*, *(Vortrag)* curtail; *(Weg)* take a short cut; *(Wort)* abbreviate; **Abkürzung** *sub, f, -, -en (eines Wegs)* short cut; *(eines Wortes)* abbreviation; **Abkürzungssprache** *sub, f, -, -n* shorthand language; **Abkürzungsverzeichnis** *sub, n, -ses, -se* abbreviation list; **Abkürzungszeichen** *sub, n, -s, -* grammalogue

ablachen, *vi*, lough off

abladen, *vt*, unload; *Müll abladen verboten* no tipping; *seine Sorgen bei jemandem abladen* cry on so´s shoulder; **Abladeplatz** *sub, m, -es, -plätze* unloading point

Ablage, *sub, f, -, -n (Stelle)* depository; *(Vorgang)* filing

ablagern, (1) *vi*, *(Wein)* mature, store (2) *vr*, *(geol., med.)* settle (3) *vt*, *(geol., med., Müll)* deposit; **Ablagerung** *sub, f, -, -en (geol., med.)* deposition; *(Wein)* maturing

Ablass, *sub*, *m, -es, -lässe* drain; **ablassen** (1) *vi*, nur als Anwendung (2) *vt*, *(Dampf)* let off; *(Wasser)* drain off; *von etwas ablassen* stop doing sth; *von jemandem ablassen* leave so alone, *die Luft aus den Reifen ablassen* let the tyres down

Ablauf, *sub*, *m, -s, -läufe (einer Flüssigkeit)* outflow; *(einer Frist)*

expiry; **ablaufen (1)** *vi, (Flüssigkeit)* run off; *(verlaufen)* go; *(Zeit)* run out **(2)** *vt, (Schuhe)* wear out; **~rinne** *sub, f, -, -n* drain channel

ablaugen, *vt,* macerate

abläuten, *vt,* signal the departure

ableben, (1) *sub,* death **(2)** *vi,* pass away

ablecken, (1) *vr,* wash **(2)** *vt,* lick; *den Teller ablecken* lick the plate clean; *jemandem das Gesicht ablecken* lick so´s face

Ableger, *sub, m, -s, - (bot.)* shoot; *(wirt.)* subsidiary

ablehnen, *vt, (Bewerbung)* turn down; *(Vorschlag)* reject; **Ablehnung** *sub, f, -, -en* refusal

ableisten, *vt,* serve; *den Militärdienst ableisten* do one´s military service; **Ableistung** *sub, f, -, -en* serving

ableiten, (1) *vr,* derive; *(schließen aus)* deduce **(2)** *vt, (Blitz)* deflect; *(Wasser)* drain off; **Ableitung** *sub, f, -, -en (Flüssigkeit)* drainage; *(Folgerung)* deduction

ablenken, *vt, (Ball, phy.)* deflect; *(Verdacht)* avert; *(von der Arbeit)* distract; **Ablenkung** *sub, f, -, -en (Ball, Strahlen)* deflection; *(von der Arbeit)* distraction; **Ablenkungsmanöver** *sub, n, -s, -* diversion

ablesen, *vt, (Notizen, etc.)* nur als Anwendung, read; *den Stromverbrauch ablesen* read the electricity meter; *jemandem alles vom Gesicht ablesen* read so like a book; *jemandem einen Wunsch von den Augen ablesen* anticipate so´s wish

ableugnen, *vt,* deny

ablichten, *vt,* photocopy; **Ablichtung** *sub, f, -, -en* photocopy

abliefern, *vt,* deliver; **Ablieferung** *sub, f, -, -en* delivery

ablisten, *vt,* nur als Anwendung; *jemandem etwas ablisten* trick so out of sth

ablocken, *vt,* nur als Anwendung; *jemandem ein Lächeln ablocken* draw a smile from so; *jemandem*

etwas ablocken wheedle sth out of so

ablöschen, *vt, (Feuer)* extinguish; *(Tafel)* clean

Ablöse, *sub, f, -, -n (spo.)* transfer fee; *(Wohnung)* key money; **ablösen (1)** *vr, (Lack)* come off **(2)** *vt, (entfernen)* remove; *(Person)* replace; *sich beim Arbeiten ablösen* take turns at working; *sich mit jemandem ablösen* take it in turns with so; **~summe** *sub, (spo.)* transfer fee

Ablösung, *sub, f, -, -en (Entfernung)* removal; *(Person)* replacement; **~ssumme** *sub, f, -, -n* withdrawal sum

abluchsen, *vt, (ugs.)* nur als Anwendung; *jemandem etwas abluchsen* wangle sth out of so

Abluft, *sub, f, -, -lüfte* exhaust air

abmagern, *vi,* go thin; **Abmagerung** *sub, f, -, -en* emaciation; **Abmagerungskur** *sub, f, -, -en* diet

abmahnen, *vt,* warn (against); **Abmahnung** *sub, f, -, -en* warning

abmalen, *vt,* copy

Abmarsch, *sub, m, -es, -märsche* marching off; **abmarschieren** *vi,* march off

abmelden, (1) *vr, (Institution)* sign out **(2)** *vt,* cancel; *sich polizeilich abmelden* give notification that one is moving, *ein Fahrzeug abmelden* take a vehicle off the road; **Abmeldung** *sub, f, -, -en* cancellation

abmessen, *vt,* measure; **Abmessung** *sub, f, -, -en (i. S. v. messen)* measurement; *(Maß)* dimension

abmontieren, *vt,* dismantle

abmühen, *vr,* take pains to do

abmurksen, *vt, (ugs.)* do so in

abmustern, (1) *vi,* sign off **(2)** *vt,* pay off; **Abmusterung** *sub, f, -, -en* paying off

abnabeln, (1) *vr,* cut the cord **(2)** *vt,* nur als Anwendung; *ein Baby abnabeln* cut the umbilical cord

abnagen, *vt,* gnaw off

abnähen, *vt,* take in; **Abnäher**

sub, m, -s, - dart

Abnahme, *sub, f, -, -n (Anzahl)* decline; *(einer Prüfung)* inspection; *(med.)* amputation, taking down; *(Mond)* waning; **abnehmen (1)** *vi, (Gewicht)* lose weight; *(Mond)* wane; *(sich verringern)* decline **(2)** *vr, (geb.; med.)* amputate **(3)** *vt, (herunternehmen)* take down; *(prüfen)* inspect; *den Hörer abnehmen* pick up the receiver; *jemandem Blut abnehmen* take a blood sample from so; **Abnehmer** *sub, m, -s,* - customer

Abneigung, *sub, f, -, -en* dislike

abnibbeln, *vt,* nibble off

abnötigen, *vt,* nur als Anwendung; *jemandem Respekt abnötigen* command so´s respect; *jmd etwas abnötigen* wring sth from so

abnutzen, (1) *vr,* wear out **(2)** *vt,* wear out; **Abnutzung** *sub, f, -, -en* wear and tear; **Abnutzungsgebühr** *sub, f, -, -en* rate of depreceation

A-Bombe, *sub, f, -, -n* A bomb

Abonnement, *sub, n, -s, -s* subscription; **Abonnent** *sub, m, -en, -en* subscriber; **abonnieren** *vt,* subscribe

abordnen, *vt,* delegate; **Abordnung** *sub, f, -, -en* delegation

Abort, *sub, m, -s, -e* toilet; *(tt; med.)* miscarriage

Abortion, *sub, f, -, -en* abortion

abpacken, *vt,* pack

abpassen, *vt,* wait for; *einen günstigen Zeitpunkt abpassen* wait for the right moment; *etwas gut abpassen* time sth well

abpausen, *vt,* trace

abperlen, *vi,* trickle down

abpfeifen, *vi,* stop the game; **Abpfiff** *sub, m, -s, -e* final whistle

abpflücken, *vt,* pick

abplagen, *vr,* struggle (with)

abplatten, *vt,* flatten out

Abprall, *sub, m, -s, -e* rebound; **abprallen** *vi,* rebound; *an jemandem abprallen* make no impression on so

abputzen, *vt,* cleanse

abquälen, (1) *vi., (?)* *vt,* nur als Anwendung; *sich eine Ausrede abquälen* force os to an excuse; *sich mit etwas abquälen* have a hard time with sth

abqualifizieren, *vt,* write off

abrackern, *vr,* sweat away

abrasieren, *vt,* shave off; *(ugs.) sich seine Finger abrasieren* shave one´s fingers; *sich seinen Bart abrasieren* shave off one´s beard

abraten, *vt,* nur als Anwendung; *jemandem von etwas abraten* advise so against sth

abräumen, (1) *vi,* clear the table; *(Wettkampf)* sweep the board **(2)** *vt,* clear up

abreagieren, (1) *vr,* get rid of one´s aggressions **(2)** *vt,* work off

abrechnen, (1) *vi, (Kosten)* do the accounts **(2)** *vt, (abziehen)* subtract; *(ugs.) mit jemandem abrechnen* get even with so; **Abrechnung** *sub, f, -, -en (Abzug)* deduction; *(Endrechnung)* settlement of accounts

Abrede, *sub, f, -, -n* agreement, nur als Anwendung; *etwas in Abrede stellen* deny sth

abregen, (1) *vr, (ugs.)* relax; *(ugs.) reg dich ab* take it easy

abreiben, (1) *vr, (Material)* wear down **(2)** *vt, (Gegenstand)* rub off; *(Person, etc.)* rub down; **Abreibung** *sub, f, -, -en (Abtrocknung)* rubbing-down; *(ugs.; Schläge)* thrashing

Abreise, *sub, f, -, -n* departure; **abreisen** *vi,* depart

abreißen, (1) *vi,* come off; *(Bauwerk)* pull down **(2)** *vt, (Gegenstand)* tear off; **Abreißkalender** *sub, m, -s,* - sheet calendar

abrichten, *vt,* train; **Abrichtung** *sub, f, -, -en* training

Abrieb, *sub, m, -s,* nur Einz. *(tech.)* abrasion

abringen, *vt,* nur als Anwendung; *jmd etwas abringen* wring sth from so; *sich ein Lächeln abrin-*

gen force a smile

Abriss, *sub*, *m*, *-es*, *-e (Bauwerk)* demolition; *(knappe Darstellung)* sketch

abrollen, (1) *vi*, roll off (2) *vt*, *(Film)* unroll; *(Kabel)* pay out

abrücken, (1) *vi*, *(a. mil.)* march off (2) *vt*, move away

Abruf, *sub*, *m*, *-es*, *-e* call; *auf Abruf* on call; *auf Abruf bereitstehen* subject to recall; **abrufbereit** *adj*, on call; **abrufen** *vt*, call away; *(comp.)* recall

abrunden, *vt*, round off; *eine Zahl abrunden* round a number down; **Abrundung** *sub*, *f*, *-*, *-en* rounding-off

abrupfen, *vt*, pluck (off)

abrupt, *adj*, abrupt

abrüsten, *vti*, disarm; **Abrüstung** *sub*, *f*, *-*, *-en* disarmament; **Abrüstungskonferenz** *sub*, *f*, *-*, *-en* disarmament conference

abrutschen, *vi*, slip (off); *leistungsmäßig abrutschen* slip in one´s performance; *seitlich abrutschen* sideslip

absacken, *vi*, *(i. ü. S.; leistungsmäßig)* slip; *(Schiff)* sink

Absage, *sub*, *f*, *-*, *-n* cancellation

absagen, (1) *vi*, cancel an appointment (2) *vt*, cancel

absägen, *vt*, saw off

absahnen, (1) *vi*, *(ugs.)* cream off the profits (2) *vt*, skim

Absatz, *sub*, *m*, *-es*, *-sätze (Textabschnitt)* paragraph; *(wirt.)* sales; *(wirt.) reissenden Absatz finden* sell like hot cakes; **~gebiet** *sub*, *n*, *-es*, *-e* sales area; **~markt** *sub*, *m*, *-(e)s*, *-märkte* market; **absatzweise** *adv*, in paragraphs

absaugen, *vt*, suck off; *(Polster, etc.)* vacuum

abschaffen, *vt*, abolish; *(Gesetz)* repeal; **Abschaffung** *sub*, *f*, *-*, *-en* abolition; *(eines Gesetzes)* repeal

abschalten, (1) *vi*, *(i. ü. S.)* switch off (2) *vt*, *(Gerät)* turn off; **Abschaltung** *sub*, *f*, *-*, *-en* turning off

abschätzen, *vt*, estimate; *(Konse-*

quenzen) anticipate; **abschätzig** *adj*, disparaging

Abschaum, *sub*, *m*, *-s*, *nur Einz.* scum; *der Abschaum der Menschheit* the scum of the world

abscheiden, *vt*, *(biol., Feststoff)* deposit; *(biol., Flüssigkeit)* secret

Abscheu, *sub*, *m*, *-s*, *-* horror; *Abscheu vor* horror of; *vor etwas Abscheu haben* loathe sth; **abscheulich** *adj*, horrible; *(Verbrechen)* heinous; **~lichkeit** *sub*, *f*, *-*, *-en* horrible, repulsiveness

Abschiebehaft, *sub*, *f*, *-*, *-en* deportation custody; **abschieben** (1) *vi*, push away; *(ugs.; sich entfernen)* push off (2) *vt*, *(ausweisen)* deport

Abschied, *sub*, *m*, *-s*, *-e* farewell; *Abschied nehmen (von)* say goodbye (to); *es war ein schwerer Abschied* it was hard to say goodbye; *seinen Abschied nehmen* hand in one´s resignation; **~sbrief** *sub*, *m*, *-es*, *-e* farewell letter; **~sfeier** *sub*, *f*, *-*, *-n* farewell party; **~sschmerz** *sub*, *m*, *-es*, *-en* wrench; **~sszene** *sub*, *f*, *-*, *-n* farewell scene

abschießen, *vt*, *(Gewehr, etc.)* fire; *(herunterschießen, töten)* shoot down; *(Rakete)* launch; *(i. ü. S.) den Vogel abschießen* take the cake

Abschirmdienst, *sub*, *m*, *-es*, *-e* Military Intelligence Service; **abschirmen** *vt*, shield; **Abschirmung** *sub*, *f*, *-*, *-en* shielding

abschlachten, *vt*, slaughter; **Abschlachtung** *sub*, *f*, *-*, *-en* slaughter

abschlaffen, (1) *vi*, *(ugs.; beim Arbeiten)* flake out (2) *vt*, *(Material)* wear out

abschlagen, (1) *vi*, *(Preis)* come down (2) *vt*, *(Fußball)* kick out; *(Gliedmaße)* chop off

abschlägig *adj*, negative

Abschlagszahlung, *sub*, *f*, *-*, *-en* payment on account

Abschleppdienst, *sub*, *m*, *-es*, *-e*

breakdown *(...?)*
(1) *vr*, nur als Anwendung (2) *vt*,
(Auto) tow off; *sich abschleppen
mit* struggle with; **Abschleppseil**
sub, n, -s, -e towrope
abschließen, (1) *vi, (fertig werden)*
come to an end (2) *vt, (beenden)*
finish; *(Tür, Schmuck, etc.)* lock up;
mit dem Leben abschließen prepare to die; *mit etwas abschließen*
settle a matter once and for all; *mit
jemandem abschließen* come to
terms with so, *eine Wette abschließen* make a bet; **Abschluss** *sub, m,
-es, -schlüsse (Beendigung)* conclusion; *(tech.)* seal; *zum Abschluss* in
conclusion; **Abschlussdiplom** *sub,
n, -s, -e* diploma; **Abschlussexamen** *sub, n, -s, -mina* final examination; **Abschlussfeier** *sub, f, -, -n*
end-of-course party; **Abschlussprüfung** *sub, f, -, -en* final examination; **Abschlusszeugnis** *sub, n,
-ses, -se* school-leaving certificate
abschmecken, *vt, (probieren)* taste;
(würzen) season
abschmettern, *vt,   (Argument)*
shoot down; *(Ball)* reject out of
hand
abschmieren, (1)   *vi, (Flugzeug)*
nose-dive (2) *vt, (fetten)* lubricate
abschminken, (1) *vr*, take off one´s
make-up (2) *vt*, take off so´s make-
up; *(i. ü. S.) das kann er sich abschminken* he can forget about that
abschmirgeln, *vt*, sandpaper
abschnallen, (1) *vi*, nur als Anwendung (2) *vr*, take off one´s seatbelt;
(Gegenstand) unbuckle; *(ugs.) da
schnallst du ab* it´s just incredible,
die Ski abschnallen take off the skis
abschneiden, (1) *vi*, nur als Anwendung (2) *vt, (Papier, Haare, etc.)*
cut (off); *(Weg)* take a short cut; *den
Weg abschneiden* take a short cut;
jemandem das Wort abschneiden
cut so short; *jemandem den Weg
abschneiden* block so´s path; **Abschnitt** *sub, m, -s, -e (Straße)* section; *(Text)* paragraph
abschnüren, *vt, (Ader, etc.)* cut off;

Abschnürung *sub, f, -, -en (med.)*
ligation
abschöpfen, *vt*, skim off; **Abschöpfung** *sub, f, -, -en* skimming
off
abschotten, (1)   *vr,   (zurückziehen)* cut o.s. off (2) *vt, (vor Wasser, etc.)* dam; **Abschottung** *sub,
f, -, -en* cutting off (of o.s.); *(gegen
Wasser)* damming
abschrauben, *vt*, unscrew
abschrecken, *vt,   (tech.)   chill;
(verängstigen)* scare off; *sich von
etwas abschrecken lassen* let sth
put so off; *ein abschreckendes Beispiel* a
warning example; *eine abschrek-
kende Bestrafung an exemplary
punishment;   **Abschreckung**
sub, f, -, -en deterrence
abschreiben, *vti*, copy; *(ugs.) jemanden abschreiben können*
forget about so; **Abschreibung**
sub, f, -, -en (wirt.) writing off;
abschreibungsfähig *adj*, able to
write off
Abschrift, *sub, f, -, -en* copy
abschuften, *vr*, slave away
abschuppen, (1) *vr*, peel (off) (2)
vt, scale; **Abschuppung** *sub, f, -,
-en* scaling
abschürfen, *vt*, graze o.s.; **Abschürfung** *sub, f, -, -en* graze
Abschuss, *sub,   m,   -es, -schüsse
(Rakete)* launching; *(Tier)* shooting; *(Waffe)* firing; **~rampe** *sub,
f, -, -n* launching pad
abschüssig, *adj*, sloping
abschütteln, *vt, (a.i. ü. S.)* shake
off
abschwächen, (1) *vr*, weaken (2)
vt, reduce; **Abschwächung** *sub,
f, -, -en* weakening
abschweifen, *vt*, digress; *mit den
Blicken abschweifen* keep one´s
eyes wandering; *nicht vom Thema abschweifen* keep to the
point; **Abschweifung** *sub, f, -, -en*
digression
abschwellen, *vi, (med.)* go down

abschwirren, *vi*, *(ugs.)* buzz off

abschwören, *vi*, *(Religion)* renounce; *(Zigaretten)* forswear

absegnen, *vt*, give one´s blessing

absehbar, *adj*, foreseeable; *das ist nicht absehbar* it´s unforeseeable; *in absehbarer Zeit* in the foreseeable future

absehen, (1) *vi*, nur als Anwendung (2) *vt*, *(ablesen)* see; *(vorhersehen)* foresee; *von etwas absehen* refrain from (doing) sth, *jemandem etwas absehen* learn sth by watching so; *die Konsequenzen sind nicht abzusehen* there is no telling how things will turn out; *ein Ende ist nicht abzusehen* there is no end in sight

abseilen, (1) *vr*, *(Klettern)* abseil (2) *vt*, *(Gegenstand)* lower; *(ugs.) sich (von einem Treffen) abseilen* make a getaway

abseitig, *adj*, solitary; **Abseitigkeit** *sub*, *f*, *-*, *-en* solitude

absenden, *vt*, send off; **Absender** *sub*, *m*, *-s*, *-* sender; **Absendung** *sub*, *f*, *-*, *-en* forwarding

absent, *adj*, absent; **Absenz** *sub*, *f*, *-*, *-en* absence

abservieren, (1) *vi*, clear the table (2) *vt*, *(ugs.)* give so the push

absetzbar, *adj*, *(wirt.)* marketable; *leicht absetzbar* easy to sell; *steuerlich absetzbar* tax-deductible; **absetzen** (1) *vi*, *(unterbrechen)* break off (2) *vr*, *(ugs.; Flucht)* leave; *(kontrastieren)* contrast; *(phy.)* settle (3) *vt*, *(Abschnitt)* set; *(Hut)* take off; *(Medizin)* stop taking; *(Mitfahrer)* drop off; *(steuerlich)* write off; *(vom Amt)* dismiss; **Absetzung** *sub*, *f*, *-*, *-en* dismissal

absichern, (1) *vr*, *(Versicherung)* cover o.s. (2) *vt*, *(Ladung)* secure

Absicht, *sub*, *f*, *-*, *-en* intention; **absichtlich** (1) *adj*, intentional (2) *adv*, deliberately; **absichtslos** *adj*, unintentional; **absichtsvoll** (1) *adj*, intentional (2) *adv*, deliberately

absinken, *vi*, *(Pegel)* drop; *(Puls)* go down; *(Schiff)* sink; *in den Leistun-*

gen absinken do not as well as one used to do

Absinth, *sub*, *m*, *-(e)s*, *-e* absinth

absitzen, (1) *vi*, *(vom Rad, Pferd)* get off (2) *vt*, *(Zeit)* sit out; *absitzen wegen* do time for; *eine Strafe absitzen* serve a sentence

absolut, (1) *adj*, absolute (2) *adv*, absolutely; *absolut nicht* not at all; *ich kann absolut keinen Sinn erkennen* I just don´t see the point of it; **Absolutheit** *sub*, *f*, *-*, *nur Einz.* absoluteness

Absolution, *sub*, *f*, *-*, *-en* absolution

Absolutismus, *sub*, *m*, *-*, *nur Einz.* absolutism

Absolvent, *sub*, *m*, *-en*, *-en* schoolleaver; **absolvieren** *vt*, *(Prüfung)* pass; *(Studium)* finish

absonderlich, *adj*, strange; **Absonderlichkeit** *sub*, *f*, *-*, *-en* strangeness; **absondern** (1) *vr*, *(i. ü. S.)* isolate o.s. (2) *vt*, *(biol.)* secrete; *(Person, etc.)* separate; **Absonderung** *sub*, *f*, *-*, *-en (biol.)* secretion; *(Person, etc.)* separation

absorbieren, *vt*, absorb

abspalten, (1) *vi*, *(polit.)* splinter off (2) *vt*, split off; **Abspaltung** *sub*, *f*, *-*, *-en* splitting off; *(polit.)* splintering

abspecken, *vi*, slim

abspeichern, *vt*, *(comp.)* file

abspeisen, (1) *vt*, feed; *jemanden abspeisen mit* fob so off with

abspenstig, *adj*, nur als Anwendung; *jemandem seinen Freund abspenstig machen* take so´s boyfriend away

absperren, *vt*, *(Straße)* block; *(Tür)* lock; **Absperrung** *sub*, *f*, *-*, *-en* roadblock

absplittern, (1) *vi*, chip off (2) *vr*, *(polit.)* splinter off (3) *vt*, splinter; **Absplitterung** *sub*, splintering

Absprache, *sub*, *f*, *-*, *-n* arrangement; **absprachegemäß** *adv*, according to the arrangement;

absprechen (1) *vr*, arrange with so **(2)** *vt*, arrange, deny

abspringen, *vi*, jump off; *(Lack)* come off; *vom Flugzeug abspringen* jump off the plane; *(ugs.) was springt für mich ab?* what´s in it for me?; **Absprung** *sub*, *m*, *-s*, *-sprünge* jump

abspulen, *vt*, unwind

abspülen, **(1)** *vi*, *(Geschirr)* do the washing up **(2)** *vt*, rinse

abstammen, *vi*, nur als Anwendung; *abstammen von* be descended from; **Abstammung** *sub*, *f*, *-*, *-en* origin

Abstand, *sub*, *m*, *-es*, *-stände* distance; *(bei Zeilen)* spacing; *Abstand halten* keep one´s distance

abstatten, *vt*, nur als Anwendung; *jmd einen Besuch abstatten* pay so a visit

abstauben, *vi*, dust; *(ugs.; klauen)* swipe

abstechen, **(1)** *vi*, stand out (against) **(2)** *vt*, *(Torf)* cut

Abstecher, *sub*, *m*, *-s*, *-* detour; *einen Abstecher machen nach* take in (a city etc)

abstehen, *vi*, *(Bier)* go flat; *(herausstehen)* stick out

Absteige, *sub*, *f*, *-*, *-n (ugs.)* dosshouse

absteigen, *vi*, *(im Gebirge)* descend; *(spo.)* go down; *(vom Rad, etc.)* get off

abstellen, *vt*, *(Gegenstand)* put down; *(Gerät)* switch off; **Abstellgleis** *sub*, *n*, *-es*, *-e* siding; **Abstellkammer** *sub*, *f*, *-*, *-n* boxroom

abstempeln, *vt*, *(Brief)* stamp; *(i. ü. S.; Ruf erhalten)* label; **Abstempelung** *sub*, *f*, *-*, *-en* stamping

absterben, *vi*, die off; *(med.)* necrotize

Abstich, *sub*, *m*, *-s*, *-e (tech.)* tapping

Abstieg, *sub*, *m*, *-s*, *-e (i. ü. S.)* decline; *(Bergsteigen)* descent

abstimmen, **(1)** *vr*, come to an arrangement **(2)** *vt*, *(mus.)* tune; **Abstimmung** *sub*, *f*, *-*, *-en* tuning; *(polit.)* vote; *geheime Abstimmung*

voting by ballot, *offene Abstimmung* vote by open ballot; *zur Abstimmung kommen* be put to the vote; **Abstimmungsergebnis** *sub*, *n*, *-ses*, *-se* results of the vote

abstinent, *adj*, abstinent; **Abstinenz** *sub*, *f*, *-*, *nur Einz.* abstinence; **Abstinenzler** *sub*, *m*, *-s*, *-* teetotaler

Abstoß, *sub*, *m*, *-es*, *-stöße (spo.)* goal kick

abstoßen, **(1)** *vi*, take a goal kick **(2)** *vr*, push o.s. off **(3)** *vt*, *(Boot)* push off; *(Kante)* knock off; *(med.)* reject

abstoßend, *adj*, disgusting

Abstoßung, *sub*, *f*, *-*, *-en (med.)* rejection

abstottern, *vt*, *(ugs.)* pay for by instalments

abstrahieren, **(1)** *vi*, consider sth abstractly **(2)** *vt*, *(die Essenz)* abstract; *(kun.) abstrahieren* be abstract; *abstrahieren von* abstain from

abstrakt, **(1)** *adj*, abstract **(2)** *adv*, in the abstract; **Abstraktheit** *sub*, *f*, *-*, *-en* abstractness

abstrampeln, *vr*, *(ugs.)* slog away

abstreifen, *vi*, slip off, stray

Abstreifer, *sub*, *m*, *-s*, *-* doormat

abstreiten, *vt*, deny

Abstrich, *sub*, *m*, *-s*, *-e (Kürzung)* cut; *(med.)* smear; *Abstriche machen* lower one´s sights; *(med.)* *einen Abstrich machen* take a smear

abstrus, *adj*, abstruse

abstufen, *vt*, terrace; *(i. ü. S.)* grade; **Abstufung** *sub*, *f*, *-*, *-en* gradation

abstumpfen, **(1)** *vi*, *(Messer, etc.)* become blunt; *(Person)* become insensible **(2)** *vt*, *(Messer, etc.)* blunt; **Abstumpfung** *sub*, *f*, *-*, *-en* dullness

Absturz, *sub*, *m*, *-es*, *-stürze* fall; *(comp.)* system crash; **abstürzen** *vi*, fall; *(comp.)* crash; **abstützen** *vt*, support

Absud, *sub*, *m*, *-es*, *-e* extract

absurd, *adj*, absurd; **Absurdität** *sub*, *f*, *-*, *-en* absurdity

Abszess, *sub*, *m*, *-es*, *-e (med.)* abscess

Abt, *sub*, *m*, *-es*, *Äbte* abbot

abtakeln, *vt*, unrig; **Abtakelung** *sub*, *f*, *-*, *-en* unrigging

abtasten, *vt*, feel; *(tech.)* scan; **Abtastung** *sub*, *f*, *-*, *-en* feeling; *(tech.)* scanning

Abtei, *sub*, *f*, *-*, *-en* abbey

Abteil, *sub*, *n*, *-s*, *-e* compartment

abteilen, *vt*, divide; **Abteilung** *sub*, *f*, *-*, *-en (eines Instituts)* department; *(Einteilung)* division; *(mil.)* unit; **Abteilungsleiter** *sub*, *m*, *-s*, *-* head of the department

abtippen, *vt*, *(ugs.)* type

abtönen, *vt*, tone down

abtöten, *vt*, kill; **Abtötung** *sub*, *f*, *-*, *-en* killing

abtragen, *vt*, *(Kleidung)* wear out; *(Schulden)* pay off; **Abtragung** *sub*, *f*, *-*, *-en (von Boden)* clearing away; *(von Schulden)* paying off

abträglich, *adj*, detrimental

abtrainieren, *vt*, work off

Abtransport, *sub*, *m*, *-s*, *-e* removal; **abtransportieren** *vt*, cart away

abtreiben, (1) *vi*, *(Boot)* have an abortion (2) *vt*, carry away; **Abtreibung** *sub*, *f*, *-*, *-en (med.)* abortion

abtrennbar, *adj*, detachable; **abtrennen**, *vt*, *(etwas)* separate; *(Glied)* sever; **Abtrennung** *sub*, *f*, *-en* separation; *(Glied)* severing

abtreten, *vi*, withdraw; *(Schuhe)* tread off; *jemandem etwas abtreten* hand sth over to so; *sich die Schuhe abtreten* wipe one´s feet; **Abtreter** *sub*, *m*, *-s*, *-* doormat; **Abtretung** *sub*, *f*, *-*, *-en* cession

Abtrift, *sub*, pasturage right

Abtritt, *sub*, *m*, *-s*, *-e (Abtretung)* cession; *(Rücktritt)* withdrawal

abtrocknen, *vti*, dry (up); *das Geschirr abtrocknen* dry the dishes; *sich sein Gesicht abtrocknen* dry one´s face

abtrotzen, *vt*, nur als Anwendung; *jemandem etwas abtrotzen* bully

sth out of so

abtrünnig, *adj*, unfaithful; *(Truppe)* breakaway; **Abtrünnigkeit** *sub*, *f*, *-*, *-en* defection

abtun, *vt*, *(Angewohnheit)* take-off; *(Argumente)* brush aside

abtupfen, *vt*, *(beseitigen)* dab; *(Wunde)* swab

aburteilen, *vt*, pass judgement on; **Aburteilung** *sub*, *f*, *-*, *-en* trial

abverlangen, *vt*, nur als Anwendung; *jemandem etwas abverlangen* demand sth from/of so

abwägen, *vt*, weigh out; **Abwägung** *sub*, *f*, *-*, *-en* weighing

Abwahl, *sub*, *f*, *-*, *-en* voting out of office; **abwählen** *vt*, vote so out of office

abwälzen, *vt*, shift; *die Verantwortung auf jemanden abwälzen* pass the buck to so

abwandeln, *vt*, modify; **Abwandlung** *sub*, *f*, *-*, *-en* modification

abwandern, *vi*, *(Kapital)* flow out; *(Menschen)* migrate; **Abwanderung** *sub*, *f*, *-*, *nur Einz. (von Kapital)* outflow; *f*, *-*, *-en (von Menschen)* migration

Abwärme, *sub*, *f*, *-*, *nur Einz.* waste heat

abwarten, *vt*, wait for

abwärts, *adj*, downhill; *es geht mit ihm/ihr abwärts* he/she is going downhill; *stromabwärts* downstream

Abwasch, *sub*, *m*, *-es*, *nur Einz.* dishes; **abwaschbar** *adj*, washable; **abwaschen** (1) *vi*, do the washing-up (2) *vt*, wash off

Abwasser, *sub*, *n*, *-s*, *-wässer* sewage

abwegig, *adj*, bizarre

Abwehr, *sub*, *f*, *-*, *nur Einz. (eines Angriffs)* repulse; *(spo.)* defence; *(von Krankheiten)* warding off; **abwehren** *vt*, *(abweisen)* reject; *(Gegner)* beat back; *(Krankheit)* ward off; **~reaktion** *sub*, *f*, *-*, *-en* defensive reaction

abweichen, (1) *vi*, deviate (2) *vt*, *(Briefmarke)* soak off; *vom The-*

ma abweichen get off the subject; *von einer Regel abweichen* break a rule; *voneinander abweichen* differ; **Abweichung** *sub, f, -, -en* deviation; *(thematisch)* digression

abweiden, *vt*, graze

abweisen, *vt*, *(ablehnen)* reject; *(wegschicken)* turn away; **Abweisung** *sub, f, -, -en (Ablehnung)* rejection; *(Person)* rebuff

abwendbar, *adj*, avoidable; **abwenden (1)** *vr*, turn away **(2)** *vt*, *(Situation)* prevent

abwerben, *vt*, *(Kunden)* poach; *(Wähler)* woo away; **Abwerbung** *sub, f, -, -en* poaching

abwerfen, *vt*, *(Blätter)* shed; *(Bomben)* drop; *(Gewinn)* yield; *(Kleider)* throw off; *(Last)* shake off

abwerten, *vt*, *(wirt.)* devalue; **Abwertung** *sub, f, -, -en* devaluation

abwesend, *adj*, absent; *(geistig)* absent-minded; **Abwesenheit** *sub, f, -, -en* absence; *durch Abwesenheit glänzen* be conspicuous by one´s absence; *durch Abwesenheit von* in absence of

abwetzen, *vt*, wear off

abwickeln, *vt*, *(Geschäft)* handle; *(Spule)* unwind; **Abwicklung** *sub, f, -, -en (Ablauf)* handling; *(Geschäft)* settlement

abwiegeln, *vt*, *(beruhigen)* appease; *(wegschicken)* turn away; **Abwiegelung** *sub, f, -, -en* appeasement

abwiegen, *vt*, weigh out

abwimmeln, *vt*, shake off

abwinken, **(1)** *vi*, decline with a nod **(2)** *vt*, *(spo.)* stop

abwischen, *vt*, wipe off

Abwurf, *sub, m, -s, -würfe* dropping

abwürgen, *vt*, strangle; *(Motor)* stall

abzahlen, *vt*, pay off; **Abzahlung** *sub, f, -, -en* payment

abzählen, *vt*, count (out); *das kann man sich an den Fingern abzählen* It´s as clear as daylight; **Abzählreim** *sub, m, -s, -e* counting-out rhyme

abzapfen, *vt*, *(Bier, etc.)* tap; *(Blut)* draw

Abzehrung, *sub, f, -, -en* emaciation

Abzeichen, *sub, n, -s, -* badge; *(Auszeichnung)* decoration; **abzeichnen (1)** *vr*, *(Kontrast)* stand out; *(Problem, etc.)* be emerging; *(unterschreiben)* mark off **(2)** *vt*, *(abmalen)* copy

Abziehbild, *sub, n, -s, -er* transfer; **abziehen (1)** *vi*, *(Dampf)* escape, subtract, withdraw; *(ugs.; Party)* have a party; *(ugs.; sich entfernen)* push off **(2)** *vt*, *(kopieren)* make a copy

abzielen, *vi*, aim at

abzischen, *vi*, *(ugs.)* zoom off

abzocken, *vi*, cream off

Abzug, *sub, m, -s, -züge (für Gase)* outlet; *(mil.)* withdrawal; *(Pistole, etc.)* trigger; *(Steuer)* deduction; **abzüglich** *adv*, less

abzweigen, **(1)** *vi*, branch off **(2)** *vt*, *(Geld)* transfer; **Abzweigung** *sub, f, -, -en* turn-off

Accessoire, *sub, n, -s, -s* accessories

Ach, *sub, n, -, -s* nur als Anwendung; *mit Ach und Krach* by the skin of one´s teeth

Achsbruch, *sub, m, -s, -brüche* breakage of the axle; **Achsdruck** *sub, m, -s, -drücke* axle load; **Achse** *sub, f, -, -n (arch., mat.)* axis; *(Auto)* axle; **Achsenbruch** *sub, m, -s, -brüche* breakage of the axle

Achsel, *sub, f, -, -n* shoulder; *mit den Achseln zucken* shrug one´s shoulder; **~höhle** *sub, f, -, -n* armpit; **~zucken** *sub, n, -s, nur Einz.* shrug off the shoulders

acht, **(1)** *adj*, eight **(2)** *adv*, eight **(3) Acht** *sub, f, -, nur Einz. (Bann)* outlawry; *(die Zahl)* eight; *alle acht Tage* once a week; *in acht Tagen* in a week´s time, *zu acht* eight of them/us; **~bar** *adj*, respectable; **Achtbarkeit** *sub, f, -, -en* respectability; **~en (1)** *vi*, *(achten auf)* mind; *(auf etw. aufpassen)* watch **(2)** *vt*, respect

Achteck, *sub, n, -s, -e* octagon; **achteckig** *adj,* octagonal
achteinhalb, *adj,* eight and a· half; **Achtel** *sub, n, -s, -* eighth
ächten, *vt, (Person)* outlaw; *(Produkt, etc.)* ban
achtens, *adv,* eightly
Achter, *sub, m, -s, - (Fahrrad)* buckled tyre; *(spo.)* figure eight; **~bahn** *sub, f, -, -en* roller coaster; **~deck** *sub, n, -s, -s* quarterdeck; **achtfach** *adj,* eightfold; **Achtfache** *sub, n, -n, -n* eightfold; **achthundert** *adj,* eight hundred; **achtjährig** *adj, (Alter)* eight-year-old; *(Dauer)* eight-year; **Achtjährige** *sub, f, m, -n, -* eight-year-old; **achtmal** *adj,* eight times; **achtseitig** *adj,* eight-sided; **achtstöckig** *adj,* eight-storey; **Achtstundentag** *sub, m, -s, -e* eight-hour day; **achttausend** *adj,* eight thousand; **achtzehn** *adj,* eighteen; **achtzig** *adj,* eighty; *die achtziger Jahre* the eighties; *in den achtzigern sein* be in one´s eighties; **Achtziger** *sub, f, -, nur Mehrz.* octogenarian; **Achtzigerjahre** *sub, f, -, nur Mehrz.* eighties; **achtzigfach** *adj,* eightyfold; **achtzigjährig** *adj, (Alter)* eighty-year-old; *(Zeitspanne)* eighty-year-long; **achtzigmal** *adv,* eighty·times; **Achtzigstel** *sub, n, -s; -* eightieth part
achterlei, *adj,* of eight sorts
achtern, *adv,* aft
Acht geben, *vi,* be careful
achtlos, *adj,* careless; **Achtlosigkeit** *sub, f, -, -en* carelessness
achtsam, *vi,* careful; **Achtsamkeit** *sub, f, -, -en* carefulness
Achtung, *sub, f, -, nur Einz. (auf einem Schild)* Watch out!; *(Aufforderung)* respect, Watch out!; *Achtung genießen* be highly respected; *alle Achtung* hats off; *jemandem Achtung erweisen* pay respect to so; **~bezeigung** *sub, f, -, -en* token of respect; **~serfolg** *sub, m, -s, -e* respectable success; **achtungsvoll** *adj,* respectful
Ächtung, *sub, f, -, -en* bansihment

Achtzylinder, *sub, m, -s, - (Auto)* eight-cylinder (car); *(Motor)* eight-cylinder engine; **achtzylindrig** *adj,* eight-cylinder
Acker, *sub, m, -s, Äcker* field; **~bau** *sub, m, -s, nur Einz.* agriculture; **~bauer** *sub, m, -n, -n* farmer; **~fläche** *sub, f, -, -n* arable land; **ackern** *vti,* plough; *(ugs.) schuften)* labour
Acryl, *sub, n, -s, -e* acryl
Adamsapfel, *sub, m, -s, -äpfel* Adam´s apple
Adaptation, *sub, f, -, -en* adaptation; **adaptieren (1)** *vr,* adjust o.s. **(2)** *vt,* adapt; **Adaptierung** *sub, f, -, -en* adaptation
Adapter, *sub, m, -s, -* adapter
adäquat, *adj,* adequate; **Adäquatheit** *sub, f, -, -en* adequacy
addieren, *vt,* add (up); **Addition** *sub, f, -, -en* addition
Ade, *sub,* farewell
Adel, *sub, m, -s, nur Einz.* aristocracy; **adelig** *adj,* noble; **adeln** *vt,* raise to the nobility
Adept, *sub, m, -en, -en* disciple
Ader, *sub, f, -, -n (anat.)* vein; *(Charakter)* streak; *(Holz)* grain; *eine künstlerische Ader haben* have an artistic vein; *jemanden zur Ader lassen* bleed so; **äderig** *adj,* veined
Aderlass, *sub, m, -es, -lässe* bloodletting
adhärent, *adj,* adherent
adhäsiv, *adj,* adhesive
Adjektiv, *sub, n, -s, -e* adjective
Adjustierung, *sub, f, -, -en* adjustment
Adler, *sub, m, -s, -* eagle; *Adleraugen haben* have eyes like a hawk; *mit Adleraugen* eagle-eyed
adlig, *adj,* noble; **Adlige** *sub, f, m, -n, -n* aristocrat
Administration, *sub, f, -, -en* administration
Admiral, *sub, m, -s, -e oder -räle* admiral
Adoleszenz, *sub, f, -, nur Einz.* adolescence

adoptieren, *vt,* adopt; **Adoptión** *sub, f, -, -en* adoption; **Adoptiveltern** *sub, f, -, nur Mehrz.* adoptive parents; **Adoptivkind** *sub, n, -es, -er* adoptive child

Adrenalin, *sub, n, -s, nur Einz.* adrenalin

Adressant, *sub, m, -en, -en* sender; **Adressat** *sub, m, -en, -en* addressee; **Adressbuch** *sub, n; -es, -bücher* directory; **Adresse** *sub, f, -, -n* address; *an die falsche Adresse geraten* come to the wrong place; *an jemands Adresse gerichtet sein* meant for so; **adressieren** *vt,* address

adrett, *adj,* neat

A-Dur, *sub, n, -, nur Einz.* A major

Advent, *sub, m, -s, -e* Advent

Adverb, *sub, n, -s, -ien* adverb

Aerodynamik, *sub, f, -, nur Einz.* aerodynamics; **aerodynamisch** *adj,* aerodynamic

Affäre, *sub, f, -, -n* affair; *sich aus der Affäre ziehen* get out of it nicely

Affe, *sub, m, -n, -n* monkey; *(ugs.) eine Affen an jemandem gefressen haben* be crazy about so; *(ugs.) ich glaub, mich laust der Affe* I´m seeing things; *(ugs.) seinem Affen Zucker geben* indulge one´s vice

Affekt, *sub, m, -es, -e* emotion; *im Affekt* in the heat of the moment; **affektiert** *adj,* affected; **affektiv** *adj,* affective

affirmativ, *adj,* affirmative

äffisch, *adj,* ape-like

Affront, *sub, m, -s, -s (geh.)* affront

After, *sub, m, -s, - (tt; anat.)* anus

Agenda, *sub, f, -, -den* memorandum

Agent, *sub, m, -en, -en* agent; **~ur** *sub, f, -, -en* agency

Agglomeration, *sub, f, -, -en* agglomeration

Aggregat, *sub, n, -es, -e (tt; tech.)* unit

Aggression, *sub, f, -, -en* aggression; **aggressiv** *adj, (Substanz)* abrasive; *(Verhalten)* aggressive; **Aggressivität** *sub, f, -, -en* aggressiveness; **Aggressor** *sub, m, -s, -en* aggressor

agieren, *vi,* act

agil, *adj,* agile; *geistig agil sein* be mentally alert; **Agilität** *sub, f, -, nur Einz.* agility

Agitation, *sub, f, -, nur Einz.* political agitation; **agitieren** *vi,* campaign; *agitieren gegen* campaign against

Agonie, *sub, f, -, -n* throes

agrarisch, *adj,* agrarian; **Agrarland** *sub, n, -es, -* farmland; **Agrarprodukt** *sub, n, -es, -e* agricultural product; **Agrarstaat** *sub, m, -es, -en* agrarian country

Ahn, *sub, m, -en, -en* ancestor

ahnden, *vt,* punish; **Ahndung** *sub, f, -, -en* punishment

ahnen, *vt, nur das Anwendung; (Böses)* have a presentiment of; *(vermuten)* suspect; *mir ahnt Schlimmes* I fear the worst

Ahnengalerie, *sub, f, -, -n* ancestral halls; **Ahnenkult** *sub, m, -s, -e* ancestral worship

ähnlich, *adj,* similar; *das sieht dir ähnlich* that´s you all over; *so etwas ähnliches wie* something like; *und ähnliches* and the like; **Ähnlichkeit** *sub, f, -, -en* similarity

Ahnung, *sub, f, -, -en (Vermutung)* suspicion; *(Vorgefühl)* presentiment; *Hast du eine Ahnung* that´s what you think; *keine Ahnung haben* don´t know beans about; *von Tuten und Blasen keine Ahnung haben* not to know the first thing about it; *nicht die leiseste Ahnung haben* have not the faintest idea; **ahnungslos** *adj,* unsuspecting; **~slosigkeit** *sub, f, -, nur Einz.* unsuspiciousness; **ahnungsvoll** *adj,* apprehensive

Ahorn, *sub, m, -s, -e (bot.)* maple tree

Ähre, *sub, f, -, -n* ear

Akademie, *sub, f, -, -n* university graduate; *f, -, -n (Gelehrtengesellschaft)* academy; *(Hochschule)* college; **akademisch** *adj,* academic

Akazie, *sub, f, -, -n (bot.)* acacia

Akklamation, *sub, f, -, -en* acclamation

Akklimatisation, *sub, f, -, -en* acclimation

Akkord, *sub, m, -es, -e (mus.)* chord; *(wirt.)* piecework; *im Akkord arbeiten* do piecework; **~arbeit** *sub, f, -, -en* piecework

Akkordeon, *sub, n, -s, -s* accordion

Akkumulation, *sub, f, -, -en* accumulation; **Akkumulator** *sub, m, -, -en (tech.)* accumulator; **akkumulieren (1)** *vr,* accumulate **(2)** *vt,* accumulate

akkurat, *adj,* precise

Akne, *sub, f, -, nur Einz. (tt; med.)* acne

Akquisition, *sub, f, -, -en (tt; wirt.)* acquisition

Akrobat, *sub, m, -en, -en* acrobat; **~ik** *sub, f, -, nur Einz.* acrobatics; **akrobatisch** *adj,* acrobatic

Akt, *sub, m, -s, -e* act; *Geschlechtsakt* sexual act

Akte, *sub, f, -, -n* file; *eine Akte anlegen über* open a file on; *zu den Akten legen* file away; **aktenkundig** *adj,* on file; **~nschrank** *sub, m, -s, -schränke* filing cabinet; **~ntasche** *sub, f, -, -n* briefcase; **~nzeichen** *sub, n, -s, -* file number; **~ur** *sub, m, -s, -e (Handelnder)* protagonist; *(im Film)* actor

Aktie, *sub, f, -, -n* stock; *jemands Aktien steigen* things are looking up for so; *(ugs.) wie stehen die Aktien?* how are things?; **~ngesellschaft** *sub, f, -, -en* joint-stock company

Aktion, *sub, f, -, -en (Handlung)* action; *in Aktion sein* be in action; *in Aktion treten* take action; **~sradius** *sub, m, -, -radien* radius of action; **~stag** *sub, m, -es, -e* day of action

Aktionär, *sub, m, -s, -e* stockholder; **~sversammlung** *sub, f, -, -en* stockholders´ meeting

aktiv, *adj,* active; *aktives Wahlrecht* the right to vote

Aktiva, *sub, f, -, nur Mehrz. (tt; wirt.)* assets; *Aktiva und Passiva* assets and liabilities

aktivieren, *vt,* activate

Aktivität, *sub, f, -, -en* activity; *schöpferische Aktivität entfalten* become very creative

aktualisieren, *vt,* update; **Aktualisierung** *sub, f, -, -en* updating; **Aktualität** *sub, f, -, -en* topicality; **aktuell** *adj,* topical; *erneut aktuell werden* come back into fashion; *nicht mehr aktuell sein* be out of fashion

akupunktieren, *vt,* give acupuncture treatment; **Akupunktur** *sub, f, -, -en* acupuncture

Akustik, *sub, f, -, nur Einz.* acoustics; **akustisch** *adj,* acoustic; *jemanden akustisch nicht verstehen* not quite catch what so is saying

akut, *adj, (med.)* acute; *(Problem)* pressing

Akzent, *sub, m, -es, -e (Aussprache)* accent; *(Betonung)* stress; *andere Akzente setzen* lay the emphasis on sth else; **akzentfrei** *adj, adv,* without an accent; **akzentuieren** *vt,* accentuate

akzeptabel, *adj,* acceptable; **Akzeptabilität** *sub, f, -, nur Einz.* acceptability; **Akzeptanz** *sub, f, -, nur Einz.* acceptance; **akzeptieren** *vt,* accept

Alarm, *sub, m, -es, -e* alarm; *Alarm geben* sound the alarm; *blinder Alarm* false alarm; *Fliegeralarm* air-raid warning; **~anlage** *sub, f, -, -n* alarm system; **alarmbereit** *adj,* on alert; **~gerät** *sub, n, -es, -e* alarm device; **alarmieren** *vt,* alarm; **~signal** *sub, n, -s, -e* alarm signal; **~stufe** *sub, f, -, -n* alert phase; **~zustand** *sub, m, -es, -stände* state of alert

Alb, *sub, f, -, -en* upland

Albatros, *sub, m, -, -se* albatross

Alberei, *sub, f, -, -en* silliness; **albern (1)** *adj,* silly **(2)** *vi, (ugs.)* fool around; *albernes Zeug* nonsense; *Das ist doch albernes Ge-*

schwätz That´s nonsense; **Albernheit** *sub*, *f*, *-*, *nur Einz*. sillyness

Albino, *sub*, *m*, *-s*, *-s* albino

Alptraum, *sub*, *m*, *-s*, *-träume* nightmare

Album, *sub*, *n*, *-s*, *Alben* album

Alchemie, *sub*, *f*, *-*, *nur Einz*. alchemy

Alge, *sub*, *f*, *-*, *-n* (*biol*.) alga

Algebra, *sub*, *f*, *-*, *nur Einz*. algebra; **algebraisch** *adj*, algebraic

Algorithmus, *sub*, *m*, *-*, *-rithmen* algorithm

alias, *adv*, alias

Alibi, *sub*, *n*, *-s*, *-s* (*jur*.) alibi

Alimente, *sub*, *f*, *-*, *nur Mehrz*. (*für Frau*) alimony; (*für Kind*) child support

alkalisch, *adj*, (*tt; chem*.) alkaline

Alkohol, *sub*, *m*, *-s*, *-e* alcohol; *er hat keinen Tropfen Alkohol getrunken* he hasn´t had a single drop; *seine Sorgen im Alkohol ertränken* drown one´s sorrows in alcohol; **alkoholabhängig** *adj*, addicted to alcohol; *alkoholabhängig sein* be an alcoholic; **alkoholarm** *adj*, low in alcohol; **alkoholfrei** *adj*, nonalcoholic; **~genuss** *sub*, *m*, *-es*, *-genüsse* alcohol consumption; **~ika** *sub*, *f*, *-*, *nur Mehrz*. alcoholic drinks; **~iker** *sub*, *m*, *-s*, *-* alcoholic; **alkoholisch** *adj*, alcoholic; **alkoholisieren** *vt*, get so drunk; **alkoholisiert** *adj*, drunken; **~ismus** *sub*, *m*, *-*, *nur Einz*. alcoholism; **alkoholkrank** *adj*, sick by alcohol; **~missbrauch** *sub*, *m*, *-s*, *nur Einz*. alcohol abuse; **~vergiftung** *sub*, *f*, *-*, *-en* alcohol poisoning

all, (1) *adj*, every (2) *pron*, all (3) **All** *sub*, *n*, *-s*, *nur Einz*. universe; *alle Leute* everybody; *alle Tage* every day, *alle die anderen* all the others; *alle von ihnen* all of them, *ins All schicken* send into space; **~abendlich** (1) *adj*, regular evening ... (2) *adv*, every evening; **~bekannt** *adj*, (*im neg. Sinn*) notorious; (*im pos. Sinn*) well-known; **~dieweil** *konj*, forasmuch as

alle, (1) *adj*, finished (2) *adv*, nur als Anwendung; *etwas alle machen* finish sth; *etwas ist alle* have run out of sth, (*ugs*.) *alle sein* whacked

Allee, *sub*, *f*, *-*, *-n* avenue

Allegorie, *sub*, *f*, *-*, *-n* allegory; **allegorisch** *adj*, allegorical

allein, (1) *adj*, *adv*, alone, on one´s own (2) *konj*, however; *allein schon der Gedanke* the mere thought; *etwas alleine machen* do sth on one´s own; *mit jmd alleine sprechen* have a word with so in private; *von allein* by itself; **~** *adj*, single; **~** *stehend* *vi*, be single; **~** *stehend* *adj*, single; *allein stehend sein* live alone; **Alleinerbe** *sub*, *m*, *-en*, *-n* sole heir; **Alleinflug** *sub*, *m*, *-s*, *-flüge* solo flight; **Alleingang** *sub*, *m*, *-s*, *-gänge* single-handed effort; **Alleinherrschaft** *sub*, *f*, *-*, *-en* autocracy; **Alleininhaber** *sub*, *m*, *-s*, *-* sole owner; **Alleinunterhalter** *sub*, *m*, *-s*, *-* solo entertainer; **Alleinverdiener** *sub*, *m*, *-s*, *-* sole earner

allemal, *adv*, always; *ein für allemal* once and for all; *wir schaffen das allemal* we´ll manage it no problem

allenfalls, *adv*, at most

allerdings, *adv*, (*einschränkend*) however; (*gewiss*) certainly; *allerdings meinte er* however, he said

allerfrühestens, *adv*, at the very earliest

Allergie, *sub*, *f*, *-*, *-n* allergy; *eine Allergie haben gegen etwas* be allergic to sth; **Allergiker** *sub*, *m*, *-s*, *-* allergy sufferer; **allergisch** (1) *adj*, allergic (2) *adv*, nur als Anwendung; *allergisch sein gegen* be allergic to, *auf etwas allergisch reagieren* have an allergic reaction to

allerhand, *adj*, a lot; (*ugs*.) *das ist ja allerhand* that´s too much

Allerheiligste, *sub*, *m*, *n*, *-en*, *-en*

holy of holies

allerlei, (1) *adj*, all sorts of **(2) Allerlei** *sub, n, -s, nur Einz. (Essen)* hotchpotch; *(mus.)* potpourri; *Leipziger Allerlei* mixed vegetables

allerseits, *adv*, on all sides; *guten Morgen allerseits* good morning everybody

allerspätestens, *adv*, at the very least

Allerweltskerl, *sub, m, -s, -e* jack of all trades

allgegenwärtig, *adj*, omnipresent

allgemein, (1) *adj*, general **(2)** *adv*, generally; *allgemein bekannt sein* be a well-known fact; *allgemein gesagt* generally speaking; *allgemein verbreitet* widespread; *~ gültig adj*, universally valid; *~ verständlich adv*, comprehensible; **Allgemeinarzt** *sub, m, -es, -ärzte* general practitioner; **Allgemeinbefinden** *sub, n, -s, nur Einz.* general state of health; **Allgemeinbildung** *sub, f, -, nur Einz.* general education; **Allgemeingültigkeit** *sub, f, -, nur Einz.* universal validity; **Allgemeingut** *sub, n, -s, -güter (Besitz)* common property; *n, -s, nur Einz. (i. ü. S.; Wissen)* common knowledge; **Allgemeinheit** *sub, f, -, nur Einz.* general public; **Allgemeinmedizin** *sub, f, -, nur Einz.* general medicine; **Allgemeinplatz** *sub, m, -es, -plätze* commonplace; **Allgemeinwissen** *sub, n, -s, nur Einz.* general knowledge; **Allgemeinwohl** *sub, n, -s, nur Einz.* public welfare; **Allgemeinzustand** *sub, m, -es, -stände* general condition

Allgewalt, *sub, f, -, -en* omnipotence; **allgewaltig** *adj*, omnipotent

Allheilmittel, *sub, n, -s, -* panacea

Allianz, *sub, f, -, -en* alliance

Alligator, *sub, m, -s, -en (zool.)* alligator

alliieren, *vi*, form an alliance; **alliiert** *adj*, allied; **Alliierte** *sub, m, -n, -n* ally

alljährlich, (1) *adj*, annual **(2)** *adv*, annually

Allmacht, *sub, f, -, nur Einz.* omnipotence

allmächtig, *adj*, omnipotent; **Allmächtige** *sub, m, -n, nur Einz.* God Almighty

allmählich, (1) *adj*, gradual **(2)** *adv*, gradually; *allmählich habe ich genug davon* I´m starting to get fed up with it

allmonatlich, (1) *adj*, monthly **(2)** *adv*, every month

allmorgendlich, (1) *adj*, morning **(2)** *adv*, every morning

allnächtlich, (1) *adj*, night **(2)** *adv*, every night

Allradantrieb, *sub, m, -s, -e* all-wheel drive

allseitig, (1) *adj*, all-round **(2)** *adv*, from every angle

allumfassend, *adj*, all-embracing

Allüre, *sub, f, -, -n* mannerism

Allwetterkleidung, *sub, f, -, nur Mehrz.* all-weather gear

allwissend, *adj*, omniscient; **Allwissenheit** *sub, f, -, nur Einz.* omniscience

allwöchentlich, (1) *adj*, weekly **(2)** *adv*, every week

allzeit, *adj*, all the time

allzu, *adv*, far too; *nicht allzu* not too

Alm, *sub, f, -, -en* alpine pasture

Almanach, *sub, m, -s, -e* almanac

Almosen, *sub, n, -s, nur Mehrz.* alms

Alphabet, *sub, n, -s, -e* alphabet; **alphabetisch (1)** *adj*, alphabetical **(2)** *adv*, alphabetically

alpin, *adj*, alpine

als, *konj, (als dass)* as if; *(so wie)* as; *(Vergleich)* than; *(wie)* as; *(zeitlich)* while; *als ob sie blind wäre* as if she were blind; *als Geschenk* as a present; *er ist größer als sie* he is taller than her; *während du schliefst* while you were sleeping

alsbald, *adv*, immediately

also, (1) *adv*, thus **(2)** *konj*, so; *also gut,* all right then,; *also los* let´s get going then; *er tat es also doch* he did it after all; *na also* what did I say?

alt, *adj, (Alter)* old; *(hist.)* ancient; *(im Ggs. zu neu)* used; *alles blieb beim alten* nothing has changed; *alt werden* grow old; *die alten Römer* the ancient Romans; *(ugs.) er ist ein alter Betrüger* he´s a confirmed cheat; *er ist noch immer der Alte* he hasn´t changed; **Altbau** *sub, m, -s, -ten* old building; **Altbauwohnung** *sub, f, -, -en* old flat; **~bekannt** *adj*, well-known; **~bewährt** *adj*, well-tried; **Alteisen** *sub, n, -s, nur Einz.* scrap iron; **Altenheim** *sub, n, -s, -e* old people´s home; **Altenhilfe** *sub, f, -, nur Einz.* geriatric care; **Altenpfleger** *sub, m, -s, -* geriatric nurse; **Alter** *sub, n, -s, -* age; *Alter schützt vor Torheit nicht* there´s no fool like an old fool; *im Alter von 18 Jahren* at the age of 18; *im besten Alter* in the prime of life; *im hohen Alter* at a ripe old age; *mittleren Alters* middle-aged; **~ern (1)** *vi, (Person)* age **(2)** *vt, (tech.)* age

altbacken, *adj*, stale

alternativ, (1) *adj*, alternative **(2)** *adv*, alternatively; *alternativ leben* have an alternative lifestyle; **Alternative** *sub, f, -, -n* alternative; **Alternativenergie** *sub, f, -, -n* alternative energy; **Alternativprogramm** *sub, n, -s, -e* alternative programme

altersbedingt, *adj*, senile; **Altersbeschwerden** *sub, f, -, nur Mehrz.* aches and pains of old age; **Altersgrenze** *sub, f, -, -n* age limit; **Altersgruppe** *sub, f, -, -n* age-group; **Altersheim** *sub, n, -s, -e* old people´s home; **Altersrente** *sub, f, -, -n* old-age pension; **altersschwach** *adj*, *(Bauwerk)* dilapidated; *(Mensch)* infirm; **Altersschwäche** *sub, f, -, -n* infirmity of age; **Altersversorgung** *sub, f, -, -en* old-age pension

Altertum, *sub, n, -s, -tümer* antiquity; **altertümlich** *adj*, ancient; **Altertümlichkeit** *sub, f, -, nur Einz.* antiquatedness; **~sforschung** *sub, f, -, nur Einz.* archaeology; **~skunde** *sub, f, -, nur Einz.* archaeology

Alterung, *sub, f, -, nur Einz.* ageing; **~sprozess** *sub, m, -es, -e* ageing process

Ältestenrat, *sub, m, -s, -räte* council of elders

altgedient, *adj*, veteran; **Altglas** *sub, n, -es, nur Einz.* waste glass; **Altglasbehälter** *sub, m, -s, -* bottle bank; **althergebracht** *adj*, traditional; **altklug** *adj*, precocious; **Altlast** *sub, f, -, -en* residual pollution; **ältlich** *adj*, oldish; **Altmetall** *sub, n, -s, -e* scrap metal; **altmodisch** *adj*, old-fashioned; **Altöl** *sub, n, -s, -e* used oil

Altpapier, *sub, n, -s, nur Einz.* waste paper; **~behälter** *sub, m, -s, -* paper bank; **~sammlung** *sub, f, -, -en* paper collection

Altphilologie, *sub, f, -, nur Einz.* classics

Altsteinzeit, *sub, f, -, nur Einz.* Palaeolithic Age

Altstoffsammlung, *sub, f, -, -en* waste material collection

alttestamentarisch, *adj*, Old Testament ...

Altwarenhändler, *sub, m, -s, -* junk dealer

Altweibersommer, *sub, m, -s, -* Indian summer

Aluminium, *sub, n, -s, nur Einz.* aluminium; **~folie** *sub, f, -, -n* aluminium wrap

Alzheimerkrankheit, *sub, f, -, nur Einz.* Alzheimer´s disease

Amalgam, *sub, n, -s, -e (tt; chem.)* amalgam

Amateur, *sub, m, -s, -e* amateur

Amazone, *sub, f, -, -n* amazon

Ambiente, *sub, n, -s, nur Einz.* ambience

Ambiguität, *sub, f, -, -en (geh.)* ambiguity

Ambition, *sub, f, -, -en* ambition; *Ambitionen haben etwas zu tun*

have set one´s sights on doing sth; **ambitioniert** *adj*, ambitious
ambivalent, *adj*, ambivalent; **Ambivalenz** *sub*, *f*, -, *-en* ambivalence
Amboss, *sub*, *m*, *-es*, *-e (anat.)* incus; *(tech.)* anvil
ambulant, (1) *adj*, outpatient **(2)** *adv*, outpatient; *ambulant behandelter Patient* outpatient; *ambulante Behandlung* outpatient treatment; **Ambulanz** *sub*, *f*, -, *-en (Krankenhaus)* outpatients´ department
Ameise, *sub*, *f*, -, *-n* ant; **~nbär** *sub*, *m*, *-s*, *-en* anteater; **~nhaufen** *sub*, *m*, *-s*, - anthill; **~nsäure** *sub*, *f*, -, *nur Einz.* formic acid
Amen, *sub*, *n*, *-s*, *nur Einz.* amen
Amerikaner, *sub*, *m*, *-s*, - American; **~in** *sub*, *f*, -, *-nen* American; **amerikanisch** *adj*, American
Amethyst, *sub*, *m*, *-s*, *-e (geol.)* amethyst
Aminosäure, *sub*, *f*, -, *-n (tt; chem.)* amino acid
Amme, *sub*, *f*, -, *-n* nurse; **~nmärchen** *sub*, *n*, *-s*, - fairytale
Ammer, *sub*, *f*, -, *-n (zool.)* bunting
Amnesie, *sub*, *f*, -, *-n (tt; med.)* amnesia
Amnestie, *sub*, *f*, -, *-n* amnesty; **amnestieren** *vt*, grant an amnesty to
Amöbe, *sub*, *f*, -, *-n (tt; zool.)* amoeba
Amok, *sub*, *m*, *-s*, *nur Einz.* nur als Anwendung; *Amok laufen* run amok; **~läufer** *sub*, *m*, *-s*, - runner amok; **~schütze** *sub*, *m*, *-n*, *-n* mad gunman
a-Moll, *sub*, *n*, -, *nur Einz. (tt; mus.)* A minor
amoralisch, *adj*, amoral
Amortisation, *sub*, *f*, -, *-en* amortization; **amortisieren (1)** *vr*, amortize **(2)** *vt*, amortize
amourös, *adj*, amorous; *amouröses Abenteuer* little affair
Ampel, *sub*, *f*, -, *-n* traffic lights
Ampfer, *sub*, *m*, *-s*, - *(bot.)* sorrel
Amphibie, *sub*, *f*, -, *-n (tt; zool.)* amphibian; **~nfahrzeug** *sub*, *n*, *-s*, *-e*

(tech.) amphibian vehicle; **amphibisch** *adj*, *(zool.)* amphibious; **Amphore** *sub*, *f*, -, *-n* amphora
Ampulle, *sub*, *f*, -, *-n* ampulla
Amputation, *sub*, *f*, -, *-en (med.)* amputation; **amputieren** *vt*, amputate
Amsel, *sub*, *f*, -, *-n* blackbird
Amt, *sub*, *n*, *-s*, *Ämter* post; *(Aufgabe)* duty; *(Dienststelle)* office; *kraft seines Amtes* by virtue of his office; *seines Amtes walten* carry out one´s duties; *walte deines Amtes* do your duty; **amtieren** *vi*, hold office; **amtlich** *adj*, official; **~sgeheimnis** *sub*, *n*, *-ses*, *-se* official secret; **~shandlung** *sub*, *f*, -, *-en* official act; **~sweg** *sub*, *m*, *-es*, *-e* official channels; *den Amtsweg beschreiten* go through the official channels
Amulett, *sub*, *n*, *-s*, *-e* amulet
amusisch, *adj*, nur als Anwendung; *amusisch sein* have no appreciation for the arts
an, (1) *adv*, nur als Anwendung **(2)** *präp*, *(nahe bei)* by; *(räumlich)* at, on; *(zeitlich)* on; *an die zehn Kinder* around ten children; *das Licht ist an* the light is on; *von jetzt an* from now on, *an der Tür* at the door; *an der Wand* on the wall; *an jenem Morgen* that morning
Anabolikum, *sub*, *n*, *-s*, *-lika* anabolic steroids
Anachronismus, *sub*, *m*, -, *-men* anachronism; **anachronistisch** *adj*, anachronistic
Anagramm, *sub*, *n*, *-s*, *-e* anagram
Anakonda, *sub*, *f*, -, *-s* anaconda
anal, *adj*, *(anat.)* anal
analog, (1) *adj*, analogous **(2)** *adv*, by analogy; **Analogie** *sub*, *f*, -, *-n* analogy
Analphabet, *sub*, *m*, *-en*, *-en* illiterate; **~entum** *sub*, *n*, *-s*, *nur Einz.* illiteracy
Analverkehr, *sub*, *m*, *-s*, *nur Einz.* anal intercourse

Analyse, *sub*, *f*, -, -*n* analysis; **analysieren** *vt*, analyze; **analytisch (1)** *adj*, analytical **(2)** *adv*, analytically

Anämie, *sub*, *f*, -, -*n (med.)* anemia; **anämisch** *adj*, anemic

Ananas, *sub*, *f*, -, -*oder* -*se* pineapple

Anarchie, *sub*, *f*, -, -*n* anarchy; **anarchisch** *adj*, anarchic

Anästhesie, *sub*, *f*, -, -*n (med.)* anesthesia; **anästhesieren** *vt*, anesthetize; **Anästhesist** *sub*, *m*, -*en*, -*en* anaesthetist

Anatomie, *sub*, *f*, -, -*n* anatomy; **anatomisch** *adj*, anatomical

Anbau, *sub*, *m*, -*s*, *nur Einz.* (*Anpflanzung*) cultivation; *m*, -*s*, -*bauten* (*Gebäude*) extension; **anbauen (1)** *vi*, (*Haus*, *etc.*) build an extension **(2)** *vt*, (*Getreide*, *etc.*) cultivate; ~**fläche** *sub*, *f*, -, -*n* acreage

Anbeginn, *sub*, *m*, -*es*, *nur Einz.* very beginning

anbehalten, *vt*, keep on

anbei, *adv*, enclosed

anbeißen, (1) *vi*, bite **(2)** *vt*, bite into

anbellen, *vt*, bark at

anberaumen, *vt*, fix

anbeten, *vt*, worship; (*i. ü. S.*) adore; **Anbetung** *sub*, *f*, -, *nur Einz.* worship

Anbetracht, *sub*, *f*, -, *nur Einz.* nur als Anwendung; *in Anbetracht* considering

anbetreffen, *vt*, nur als Anwendung; *was mich anbetrifft* as far as I am concerned

anbiedern, *vr*, make o.s. at home; *sich bei jemandem anbiedern* get on good terms with so; **Anbiederung** *sub*, *f*, -, *nur Einz.* tactless familiarity

anbieten, (1) *vr*, (*Dienste*) offer one´s services; (*Gelegenheit*) present itself **(2)** *vt*, (*zum Verkauf*, *etc.*) offer; *die Sache bietet sich an für* it lends itself to; *es bietet sich an () zu* the obvious thing would be to, *angeboten werden* be on offer; *jemandem etwas anbieten* offer so sth; *seinen Rücktritt anbieten* offer

to resign; **Anbieter** *sub*, *m*, -*s*, - (*Auktion*) bidder

anbinden, *vt*, (*Schnur*, *etc.*) tie up; (*Tier*) put on a leash

Anblick, *sub*, *m*, -*s*, -*e* sight; *beim ersten Anblick* at first sight; *ein jämmerlicher Anblick* a sorry sight; **anblicken (1)** *vr*, look at each other **(2)** *vt*, look at

anblinken, *vt*, flash one´s light at

anbohren, *vt*, bore; *jemanden anbohren* sound so out

anbräunen, *vt*, brown

anbrechen, (1) *vi*, (*Nacht*) fall; (*Tag*) dawn **(2)** *vt*, (*Flasche*, *etc.*) open; (*Vorrat*) break into

anbrennen, (1) *vi*, (*Essen*) burn; (*Papier*, *etc.*) catch fire **(2)** *vt*, (*anzünden*) ignite

anbringen, *vt*, (*befestigen*) fix; (*herbeischaffen*) bring

Anbruch, *sub*, *m*, -*s*, -*brüche* nur als Anwendung; *bei Anbruch der Dunkelheit* at nightfall; *bei Tagesanbruch* at daybreak; *der Anbruch eines neuen Zeitalters* the dawning of a new age

anbrüllen, *vt*, yell at

Andacht, *sub*, *f*, -, -*en* devotion; **andächtig** *adj*, devout

andauern, *vi*, continue; *der Schneefall wird andauern* it will continue to snow; ~**d** *adj*, continuous

Andenken, *sub*, *n*, -*s*, - (*Angedenken*) memory; (*Gegenstand*) keepsake; *ein Andenken kaufen* buy a souvenir; *zum Andenken an* in memory of

andere, (1) *adj*, other; (*folgend*) next; (*verschieden*) different **(2)** *pron*, nur als Anwendung; *andere Dinge* other things; *am anderen Tag* the next day; *es ist eine andere Farbe* it´s a different colour; ~**nfalls** *adv*, otherwise; ~**r** *pron*, nur als Anwendung; *der eine oder andere* someone or other; *die anderen* the others; *die eine oder andere (Sache)* one or the other; *ein(e) andere(r)* so-

meone else; *einer nach dem anderen* one after the other; *er und kein
anderer* no one else but him;
~*rseits adv*, on the other hand; ~*s
pron*, nur als Anwendung; *das ist
etwas ganz anderes* that´s a completely different thing; **andermal**
adv, nur als Anwendung; *ein andermal* some other time; **andernfalls** *adv*, otherwise

ändern, (1) *vr*, change (2) *vt*, alter;
das lässt sich nicht ändern that
can´t be helped; *ich kann es auch
nicht ändern* I can´t help it either

anders, *adj*, nur als Anwendung; *irgendwo anders* somewhere else; *je-
mand/niemand anders* somebody/
nobody else; *nirgendwo anders als
hier* nowhere else but here; *wer
anders?* who else?; *wo anders als
hier?* where else but here?; ~ **denkend** *adj*, (polit.) dissenting; ~**artig** *adj*, different; **Andersartigkeit**
sub, *f*, -, nur Einz. differences

Änderung, *sub*, *f*, -, -en change; *Änderungen vorbehalten* subject to
change; *eine Änderungen erfahren*
undergo change

andeuten, (1) *vr*, (*Änderung*) be in
the air (2) *vt*, hint at; **Andeutung**
sub, *f*, -, -en hint; (*Hinweis*) indication; *eine Andeutung machen* drop
a hint; **andeutungsweise** *adv*, allusively

andichten, *vt*, nur als Anwendung;
jemandem etwas andichten impute sth to so

Andienung, *sub*, *f*, -, -en (*wirt.*) offer

Andrang, *sub*, *m*, -s, nur Einz. crush

andrehen, *vt*, turn on; *jemandem
etwas andrehen* palm sth off on so

androgyn, *adj*, androgynous

androhen, *vt*, nur als Anwendung;
jmd etwas androhen threaten so
with sth; **Androhung** *sub*, *f*, -, -en
threat; *unter Androhung von* under
penalty of

Androide, *sub*, *m*, -n, -n android

aneignen, *vr*, (*auch Wissen*) acquire; (*Fertigkeit*) learn; (*unrechtmäßig*) appropriate

aneinander, *adv*, each other; *aneinander hängen* be very attached to each other; *aneinander
vorbeireden* talk at cross-purposes

Anekdote, *sub*, *f*, -, -n anecdote

anekeln, *vt*, (*Geschmack, etc.*)
make so feel sick; (*Person*) make
so sick

Anemone, *sub*, *f*, -, -n (*bot.*) anemone

Anerbieten, (1) *sub*, *n*, -s, nur
Einz. offer (2) **anerbieten** *vt*, offer

anerkanntermaßen, *adv*, by
common consent; **anerkennen**
vt, acknowledge; (*billigen*) approve; (*polit.*) recognize;
(*Schuld*) admit; *etwas nicht anerkennen* refuse to recognize sth;
anerkennenswert *adj*, commendable; **Anerkennung** *sub*, *f*,
-, nur Einz. acknowledgement;
(*polit.*) recognition; *Anerkennung erlangen* win recognition;
Anerkennung verdienen deserve
credit; *in Anerkennung* in recognition of

anfachen, *vt*, (*Diskussion*) stoke
up; (*Feuer*) fan

anfahren, (1) *vi*, (*losfahren*) start
(2) *vt*, (*Hafen*) call at; (*rammen*)
run into; **Anfahrt** *sub*, *f*, -, -en
(*Einfahrt*) approach; (*Fahrt*)
ride; **Anfahrtsweg** *sub*, *m*, -es, -e
distance

Anfall, *sub*, *m*, -s, -fälle (i. ü. S.) fit;
(*med.*) attack; *einen Anfall be-
kommen* have a fit; *einen Anfall
von Tobsucht bekommen* have a
tantrum; **anfallen** (1) *vi*, (*Kosten*) arise (2) *vt*, (*angreifen*) attack

anfällig, *adj*, (*Gerät, etc.*) susceptible; (*gesundheitlich*) delicate;
Anfälligkeit *sub*, *f*, -, nur Einz.
susceptibility

anfassen, (1) *vi*, (*mithelfen*) give
so a hand (2) *vr*, (*sich anfühlen*)
feel (3) *vt*, (*berühren*) touch

anfauchen, *vt*, spit at

anfaulen, *vi,* start to decay

anfechtbar, *adj,* contestable; **anfechten** *vt, (bestreiten)* contest; *(jur.)* appeal against

anfeinden, *vt,* be hostile to; *angefeindet werden* become unpopular; **Anfeindung** *sub, f, -, -en* hostility

anfertigen, *vt,* produce; *(machen)* make; **Anfertigung** *sub, f, -, nur Einz.* making; *(tech.)* production

anfeuchten, *vt,* moisten

anfeuern, *vt,* fire; *(i. ü. S.)* cheer on so; *Anfeuerungsteam* cheer-leader; **Anfeuerung** *sub, f, -, nur Einz.* firing

anflehen, *vt,* beseech

Anflug, *sub, m, -s, -flüge* approach; *beim Anflug auf* while approaching

anfordern, *vt,* request; **Anforderung** *sub, f, -, -en (Bestellung)* demand; *(Niveau)* standard

Anfrage, *sub, f, -, -n* enquiry; **anfragen** *vi,* inquire; *be jemandem nach etwas anfragen* ask so about sth

anfreunden, *vr,* become friends; *sich mit einem Gedanken anfreunden* get used to an idea

anfügen, *vt,* add; *(tech.)* attach

Anfuhr, *sub, f, -, -en* delivery

anführen, *vt, (erwähnen)* mention; *(Organisation)* lead; *(Zeugen)* produce; **Anführer** *sub, m, -s, -* leader; **Anführungsstrich** *sub, m, -s, -e* quotation mark; **Anführungszeichen** *sub, n, -s, -* quotation mark

Angabe, *sub, f, -, -en (Information)* information; *(spo.)* service; *Angaben zur Person* personal data; *falsche Angaben machen* give a misrepresentation; *genaue Angaben machen* give details; **angeben** **(1)** *vi, (prahlen)* show off; *(spo.)* serve **(2)** *vt, (behaupten)* claim; *(erklären)* declare; *(Personalien)* give; *angeben* talk big; **Angeber** *sub, m, -s, -* braggart; **angeberisch** *adj,* bragging

Angebetete, *sub, m,f, -n, -n* beloved

angeblich, (1) *adj,* alleged **(2)** *adv,* supposed; *angeblich sein* suppo-

seu to be

angeboren, *adj,* inborn; *(biol.)* hereditary

Angebot, *sub, n, -s, -e* offer; *(Preisangebot)* quotation; *(Warenangebot)* supply

angebracht, *adj,* appropriate; *etwas für angebracht halten* think that sth is appropriate; *nicht angebracht sein* be inappropriate

angeführt, *adj, (Organisation, etc.)* lead

angegeben, *adj, (Informationen, etc.)* given; *(zu Verzollendes)* declared

angegossen, *adj,* nur als Anwendung; *wie angegossen passen* fit like a glove

angegriffen, *adj, (Gesundheit)* bad; *(Oberfläche, etc.)* worn-out

angeheiratet, *adj,* by marriage; *angeheiratete Verwandte* in-laws

angeheitert, *adj, (ugs.)* merry

angehen, (1) *vi, (beginnen)* start; *(Gerät)* go on **(2)** *vt, (betreffen)* concern; *(Problem)* tackle; *angehen gegen* fight against; *es kann nicht angehen, dass* it can't be true that, *das geht niemanden etwas an* that's my business; *was sie angeht* as far as she is concerned; *~d adj, (Beruf)* beginning; *(Musiker, etc.)* budding

angehören, *vi,* belong to; **angehörig** *adj,* belonging (to); **Angehörige** *sub, m,f, -en, -n (einer Organisation)* member; **Angehörige(r)** *sub, f,m, -en, -n (Verwandter)* relative; *die nächsten Angehörigen* those next of kin; *meine Angehörigen* my family

Angeklagte, *sub, m,f, -n, -n* defendant

angeknackst, *adj, (Gegenstand)* slightly damaged; *(i. ü. S.; Gesundheit)* shaky; *(i. ü. S.; Selbstbewußtsein)* dented

Angelegenheit, *sub, f, -, -en* matter; *das ist seine Angelegenheit* that's his problem; *kümmere dich um deine Angelegenheiten*

mind your own business

Angelsachse, -sächsin, *sub, m, f, -n, -, -n, -nen* Anglo-Saxon

angemessen, *adj,* *(Größe einer Hose, etc.)* appropriate; *(Preis)* reasonable; **Angemessenheit** *sub, f, -, nur Einz.* adequacy

angenähert, (1) *adj,* nur als Anwendung (2) *adv,* nur als Anwendung; *es hat sich angenähert* it has approached

angenehm, (1) *adj,* pleasant (2) *adv,* pleasantly; *Angenehmes mit Nützlichem verbinden* combine business with pleasure, *angenehm überrascht sein* be pleasantly surprised

angenommen, *adj,* supposed

angepasst, *adj,* *(biol.)* well-adapted; *(polit.)* conformist; **Angepasstheit** *sub, f, -, nur Einz.* conformity

angeraut, *adj,* roughened

angeregt, (1) *adj,* lively (2) *adv,* lively; *sich angeregt unterhalten* have a lively conversation

angeschlagen, *adj,* *(Gegenstand)* chipped; *(Gesundheit)* shaky

angesehen, *adj,* respected

Angesicht, *sub, n, -s, -e oder -er* face; *im Angesicht des* in the face of; *von Angesicht zu Angesicht* face to face; **angesichts** *präp,* in the face of

angespannt, *adj,* intensely, tense; *angespannt zuhören* listen intently

angestammt, *adj,* hereditary

Angestellte, *sub, m,f, -n, -n* employee

angestrengt, (1) *adj,* concentrated (2) *adv,* nur als Anwendung; *angestrengt denken* think hard; *angestrengt zuhören* listen intently

angetrunken, *adj,* slightly drunken

angewandt, *adj,* applied

angewiesen, *adj,* nur als Anwendung; *angewiesen sein auf* be dependent on; *auf sich selbst angewiesen sein* have to look after os

angewöhnen, *vt,* nur als Anwendung; *jemandem etwas angewöh-*

nen get so used to sth; *sich etwas angewöhnen* get into the habit of; **Angewohnheit** *sub, f, -, -en* habit

angewurzelt, *adj,* rooted; *wie angewurzelt dastehen* stand rooted to the spot

Angina, *sub, f, -, -nen (med.)* tonsillitis

angleichen, (1) *vr,* adapt (2) *vt,* assimilate; **Angleichung** *sub, f, -, -en* adaption

Angler, *sub, m, -s, -* angler

angliedern, *vt, (sich angliedern)* join; *(Territorium)* annex; **Angliederung** *sub, f, -, -en (an Partei, etc.)* affiliation; *(Territorium)* annexation

Angorawolle, *sub, f, -, nur Einz.* angora wool

angreifen, *vt, (Gesundheit)* affect; *(jur.)* assault; *(mil.)* attack; **Angreifer** *sub, m, -s, -* attacker; *(polit.)* aggressors

angrenzen, *vi,* border on

Angriff, *sub, m, -s, -e* attack; *(mil.)* offensive; *etwas in Angriff nehmen* set one´s hand to sth; *zum Angriff übergehen* take the offensive; **~skrieg** *sub, m, -s, -e* offensive warfare; **~slust** *sub, f, -, nur Einz.* aggressiveness; **angriffslustig** *adj,* aggressive; **~swaffe** *sub, f, -, -n* offensive weapon

Angst, *sub, f, -, Ängste* fear; *Angst haben* be afraid; *aus Angst* for fear; *(ugs.) es mit der Angst zu tun bekommen* get the wind up; **angsterfüllt** *adj,* anxious; **angstfrei** *adj,* free from fear; **~hase** *sub, m, -n, -n (ugs.)* funk; **ängstigen** (1) *vr,* be afraid (2) *vt,* frighten; **Ängstigung** *sub, f, -, -en* frightening; **ängstlich** *adj, (besorgt)* anxious; *(schüchtern)* timid; **Ängstlichkeit** *sub, f, -, nur Einz.* timidness

angurten, (1) *vr,* fasten one´s seatbelt (2) *vt,* fasten

anhaben, *vt, (Kleidung)* wear; *jemandem etwas anhaben* get at so

anhaltend, *adj,* continuous; *an-*

haltende Bemühungen prolonged efforts; *anhaltende Nachfrage* persistent demand; *anhaltender Schneefall* continuous snowfall

Anhalter, *sub, m, -s,* - hitchhiker

Anhaltspunkt, *sub, m, -s, -e* clue

an Hand, *adv,* by

Anhang, *sub, m, -s, Anhänge (Angehörige)* dependents; *(Buch)* appendix

anhängen, (1) *vi, (aufhängen)* hang up; *(Partei)* follow (2) *vr, (einer Person)* attach o.s. (3) *vt, (zufügen)* add; *(zusammenfügen)* connect; **Anhänger** *sub, m, -s,* - *(einer Bewegung)* follower; *(eines Fahrzeugs)* trailer; *(Schmuck)* pendant; *(spo.)* fan; **Anhängerschaft** *sub, f, -, -en* supporters

anhänglich, *adj,* affectionate; **Anhänglichkeit** *sub, f, -, nur Einz.* affection; **Anhängsel** *sub, n, -s,* - appendage

anhauchen, *vt,* breath on; *das Fenster anhauchen* blow on the window

anhäufen, (1) *vr,* pile up (2) *vt, (Erde, etc.)* pile up; *(Reichtümer)* amass; **Anhäufung** *sub, f, -, -en* accumulation

anheben, (1) *vi,* begin (2) *vt, (Preis)* raise; *(Schrank, etc.)* lift; **Anhebung** *sub, f, -, -en* increase

anheften, *vt,* fasten

anheizen, *vt, (i. ü. S.; Diskussion)* fuel; *(Feuer)* fire

anherrschen, *vt,* bark at

anhimmeln, *vt,* idolize

Anhöhe, *sub, f, -, -n* height

anhören, (1) *vr, nur als Anwendung* (2) *vt,* listen to; *das hört sich gut an* that sounds good; *das hört sich schlecht an* that sounds bad, *etwas mit anhören* listen in on sth; *nun hör dir das an* just listen to this; **Anhörung** *sub, f, -, -en (jur., pol.)* hearing

Animateur, *sub, m, -s, -e* entertainer; **Animation** *sub, f, -, -en (Filmprodukt)* cartoons; *(Herstellungsprozess)* animation;

animieren *vt, encouragen;* **Animiermädchen** *sub, n, -s,* - hostess

Animosität, *sub, f, -, -en* animosity

Anis, *sub, m, -es, -e (bot.)* anise

Ankauf, *sub, m, -s, -käufe* purchase; **ankaufen** *vt,* purchase

Anker, *sub, m, -s,* - anchor; *den Anker lichten* weigh anchor; *vor Anker gehen* drop anchor; **~kette** *sub, f, -, -n* anchor-cable; **ankern** *vi,* anchor; **~platz** *sub, m, -s, -plätze* anchoring ground; **~tau** *sub, n, -s, -e* anchor-cable; **~winde** *sub, f, -, -n* windlass

anketten, *vt,* chain

ankläffen, *vt,* bark at

Anklage, *sub, f, -, -n* charge; *(jur.)* plaintiff; *gegen jemanden Anklage erheben* bring a charge against so; *unter Anklage stehen* be on trial; **~bank** *sub, f, -, -bänke* dock; **anklagen** *vt,* charge (with); **Ankläger** *sub, m, -s,* - accuser; *(jur.)* prosecuter; **~schrift** *sub, f, -, -en* indictment

anklammern, *vr,* cling, fasten

Anklang, *sub, m, -s, -klänge (Ähnlichkeit)* reminiscence; *m, -s, nur Einz. (Zustimmung)* approval; *bei jemandem Anklang finden* strike a chord with so

ankleben, (1) *vi,* cling (2) *vt,* stick on

Ankleidekabine, *sub, f, -, -n (Geschäft)* fitting-room; *(Sporthalle, etc.)* cubicle; **ankleiden** *vr, vt,* dress; **Ankleideraum** *sub, m, -s, -räume* changing-room

anklicken, *vt, (comp.)* click

anklingen, *vi,* remind slightly

anklopfen, *vi,* knock

anknabbern, *vt,* nibble at

ankommen, *vi, (gut akzeptiert werden)* go down well; *(Ziel erreichen)* arrive; *(ugs.) bei jemandem mit etwas nicht ankommen* cut no ice with so; *groß ankommen* go down with a bomb; *gegen jemanden ankommen* be able to cope with so; *sicher ankommen* arrive savely; **Ankömmling** *sub, m, -s, -e* newcomer

ankoppeln, (1) *vi, (Anhänger)* hitch up; *(Raumschiff)* connect, dock **(2)** *vt,* dock

ankotzen, *vt, (ugs.)* make so sick

ankratzen, *vt,* scratch

ankreiden, *vt,* nur als Anwendung; *es wurde ihm angekreidet* it counted against him; *jemandem etwas ankreiden* fault so with sth

ankreuzen, *vt,* tick

ankündigen, (1) *vr,* announce that one is coming **(2)** *vt,* announce; *bei mir kündigt sich eine Erkältung an* I´m due in for a cold; **Ankündigung** *sub, f, -, -en* announcement

Ankunft, *sub, f, -, -künfte* arrival; **~szeit** *sub, f, -, -en* time of arrival

ankurbeln, *vt, (Auto)* crank up; *(i. ü. S.; wirt.)* boost

anlächeln, *vt,* smile at

anlachen, *vt,* laugh at; *(ugs.) sich jemanden anlachen* pick so up

Anlage, *sub, f, -, -n (Art und Vorgang)* arrangement; *(med.)* disposition; *(Veranlagung)* tendency; *öffentliche Anlagen* public gardens; **~berater** *sub, m, -s, -* investment consultant; **~vermögen** *sub, n, -s, -* fixed assets

anlagern, *vrt,* accumulate; **Anlagerung** *sub, f, -, -en* accumulation

anlangen, *vi, (ankommen)* reach; *(berühren)* touch; *(betreffen)* concern; *was die Schule anlangt* as far as school is concerned

Anlass, *sub, m, -es, -lässe (Grund)* occasion; *(Ursache)* reason; *aus Anlass des* on the occasion of; *der Anlass für etwas* the reason for sth; *jemandem zu etwas Anlass geben* give so cause for; *ohne jeglichen Anlass* for no reason at all

anlassen, (1) *vr,* nur als Anwendung **(2)** *vt, (anbehalten)* keep on; *(Auto)* start (up); *der Tag lässt sich gut an* it´s good start to the day; *sich gut anlassen* have a good start; **Anlasser** *sub, m, -s, -* starter; **anlässlich** *präp,* on the occasion of

Anlauf, *sub, m, -s, -läufe (i. ü. S.)* attempt; *(Skisprung)* approach; *einen neuen Anlauf nehmen* have an other try; *im ersten Anlauf* on the first go; *Anlauf nehmen* take a run; **anlaufen (1)** *vi, (Maschine)* start (up); *(Scheibe)* steam up; *(spo.)* run up **(2)** *vt, (Hafen)* call at; **~stelle** *sub, f, -, -n* place to go

anläuten, (1) *vi,* ring the bell **(2)** *vt, (spo.)* ring in

anlegen, (1) *vi, (Schifffahrt)* land; *(Verband)* apply **(2)** *vr,* start fighting with so **(3)** *vt,* nur als Anwendung; *(Garten)* lay out; *(Geld)* invest; *(Gewehr)* aim (at); *(Schmuck)* put on; *(Vorrat)* get in; *sich mit jemandem anlegen* start a fight with so; **Anlegeplatz** *sub, m, -es, -plätze* moorings; **Anlegestelle** *sub, f, -, -n* moorings

Anleger, *sub, m, -s, - (wirt.)* investor

anlehnen, *vr, (abstützen)* lean on; *(i. ü. S.; an Meinung)* follow; **Anlehnung** *sub, f, -, -en (polit.)* dependence; *in Anlehnung an* following; *in Anlehnung an den Expressionismus* in the style of expressionism; **anlehnungsbedürftig** *adj,* lacking self-assurance

anleiern, *vt, (ugs.)* get sth going

Anleihe, *sub, f, -, -n* loan

anleiten, *vt,* guide; *jemanden bei der Arbeit anleiten* show so how to do the job; **Anleitung** *sub, f, -, -en (Betriebs)* instruction; *(Einweisung)* guidance

anlernen, *vt,* train

anlesen, *vt, (Buch)* dip into; *sich etwas anlesen* read up on sth

anliefern, *vt,* deliver; **Anlieferung** *sub, f, -, -en* delivery

Anliegen, *sub, n, -s, -* concern; *ein Anliegen an jemanden haben* ask so a favour; *ein internationales Anliegen* a matter of international concern

Anlieger, *sub, m, -s, -* resident;

~verkehr *sub, m, -s, nur Einz.* residential traffic

anlocken, *vt, (Person)* attract; *(Tier)* lure

anlöten, *vt,* solder on

anlügen, *vt,* lie to so´s face

anmahnen, *vt,* nur als Anwendung; *eine ausstehende Zahlung bei jemandem anmahnen* ask so for payment of sth

anmalen, (1) *vr, (ugs.; sich schminken)* put one´s face on (2) *vt,* paint

Anmarsch, *sub, m, -s, -märsche* approach

anmaßen, *vr, (Rechte)* claim; *sich anmaßen etwas zu tun* take it upon os to do sth; **~d** *adj,* arrogant; **Anmaßung** *sub, f, -, -en* arrogance

anmelden, (1) *vr, (Beim Arzt)* make an appointment; *(polizeilich)* register; *(zu einem Kurs)* enrol (2) *vt, (Bedenken)* raise; *(Besucher)* announce; *(Radio, etc.)* get a license; **Anmeldepflicht** *sub, f, -, -en* compulsory registration; **Anmeldung** *sub, f, -, -en (für einen Kurs)* enrolment; *(polizeilich)* registration

anmerken, *vt, (erwähnen)* nur als Anwendung, remark; *lass dir nichts anmerken* don´t let on; *sich etwas anmerken lassen* show one´s feelings; **Anmerkung** *sub, f, -, -en (Äußerung)* remark; *(kritische)* comment

anmieten, *vt,* rent; *(Gerät, etc.)* hire

anmontieren, *vt,* attach

anmustern, *vt,* sign on

Anmut, *sub, f, -, nur Einz.* grace; **anmutig** *adj,* graceful

annageln, *vt,* nail on

annähen, *vt,* sew on

annähern, (1) *vr,* approach (2) *vt,* approximate; **~d** (1) *adj,* approximate (2) *adv,* roughly; *annähernd richtig* roughly all right; *nicht annähernd* not nearly; **Annäherung** *sub, f, -, -en* approach; **Annäherungsversuch** *sub, m, -s, -e (polit.)* attempted rapprochement; *(zw. Personen)* advances; **annäherungsweise** *adv,* approximately

Annahme, *sub, f, -, -n (Akzeptierung)* acceptance; *(Vermutung)* assumption; *die Annahme verweigern* refuse to accept sth; *etwas in der Annahme tun, dass* do sth assuming that; *Grund zur Annahme haben, dass* have reason to assume that; **annehmbar** *adj,* acceptable; **annehmen** (1) *vr,* nur als Anwendung; *(Rat)* take so´s advice (2) *vt, (Angewohnheit)* take up; *(Ball)* take; *(Bedingung, etc.)* accept; *(Form, etc.)* take on; *sich einer Sache annehmen* take care of sth; *sich jemands annehmen* take care of so, *nehmen wir einmal an, dass* let´s suppose (that); *Vernunft annehmen* come to one´s senses

Annalen, *sub, f, -, nur Mehrz.* annals

annehmlich, *adj,* acceptable; **Annehmlichkeit** *sub, f, -, -en* amenities

Annonce, *sub, f, -, -n* advertisement; **annoncieren** (1) *vi,* put an advertisement in a newspaper (2) *vt,* advertise

annullieren, *vt, (Flug)* cancel; *(Vertrag)* annul; **Annullierung** *sub, f, -, -en (geh.; eines Flugs)* annulment; *(geh.; eines Vertrags)* cancellation

anöden, *vt, (ugs.)* bore

anomal, *adj,* abnormal; **Anomalie** *sub, f, -, -n* anomaly

anonym, *adj,* anonymous; **Anonymität** *sub, f, -, nur Einz.* anonymity

Anorak, *sub, m, -s, -s* anorak

anordnen, *vt, (befehlen)* order; *(Dinge)* arrange; **Anordnung** *sub, f, -, -en (Befehl)* order; *(von Dingen)* arrangement

anorganisch, *adj, (tt; chem.)* inorganic

anormal, *adj,* abnormal

anpacken, *vt, (Gegenstand)* grab; *(Problem)* tackle

anpassen, (1) *vr,* adjust o.s. (2) *vt, (Kleidung)* fit; *(qualitativ)* match; *sich anpassen an* align os to; **Anpassung** *sub, f, -, -en (Person)* adjustment; *(von Kleidung)* fitting; **anpassungsfähig** *adj*, adaptable

anpeilen, *vt, (ansteuern)* head for; *(Objekt)* take a bearing on

anpfeifen, *vi, (spo.)* start the game; **Anpfiff** *sub, m, -s, -e* nur als Anwendung; *(ugs.) Anpfiff bekommen* be hauled over the coals; *der Anpfiff ist in fünf Minuten* the match will start in five minutes

anpflanzen, *vt*, plant; **Anpflanzung** *sub, f, -, -en* plantation

anpirschen, *vr*, stalk

anpöbeln, *vt*, shout abuse at

anpreisen, *vt*, praise; *(empfehlen)* commend; **Anpreisung** *sub, f, -, -en (Empfehlung)* commendation; *(Lobung)* praising

Anprobe, *sub, f, -, -n* fitting; **anprobieren** *vt*, try on

anpumpen, *vt, (ugs.)* touch; *jemanden um Geld anpumpen* touch so for some money

anquatschen, *vt*, accost

Anraten, *sub, n, -s, -* advice; *auf Anraten meines Anwalts* on my lawyer´s advice

anrauen, *vt*, roughen

anrechnen, *vt, (gutschreiben)* credit; *jemandem etwas anrechnen* charge sth to so´s account; *jemanden etwas als Verdienst anrechnen* give so credit for sth; *jemandem seine Hilfsbereitschaft hoch anrechnen* highly appreciate so´s help

Anrecht, *sub, n, -s, -e* right; *ein Anrecht haben auf* have a right to

Anrede, *sub, f, -, -n (des Publikums)* address; *(im Brief)* opening; **anreden** *vt, (ansprechen)* address; *(Gespräch beginnen)* approach; *jemanden mit du/sie anreden* use the polite form of address with so; *gegen den Lärm anreden* compete against the noise; *jemanden auf etwas hin anreden* approach so on sth

anregen, *vt, (geistig, usw.)* stimula-

te; *(vorschlagen)* suggest; **~d (1)** *adj*, stimulating **(2)** *adv*, stimulating; *eine anregende Wirkung haben* have a stimulating effect; **Anregung** *sub, f, -, -en (med.)* stimulus; *(Vorschlag)* stimulation; **Anregungsmittel** *sub, n, -s, - (med.)* stimulant

anreichern, (1) *vr*, accumulate **(2)** *vt*, enrich; **Anreicherung** *sub, f, -, -en (Ansammlung)* accumulation; *(Konzentrierung)* enrichment

Anreise, *sub, f, -, -n* journey; **anreisen** *vi*, travel; **~tag** *sub, m, -s, -e* travelling day

Anreiz, *sub, m, -es, -e* incentive

anrempeln, *vt*, jostle (against)

Anrichte, *sub, f, -, -n* sideboard; **anrichten** *vt, (Essen)* prepare; *(Schaden)* cause; *(ugs.) da hat sie ja was angerichtet* now she´s done it; *ein Blutbad anrichten* cause a bloodbath

anrüchig, *adj*, disreputable; **Anrüchigkeit** *sub, f, -, -en* disrepute

Anruf, *sub, m, -s, -e (eines Gericht)* appeal; **~beantworter** *sub, m, -s, -e* answering machine; **anrufen (1)** *vt, (Gericht)* appeal **(2)** *vti, (telefonieren)* call; *ich muss sie mal eben anrufen* I´ve just got to ring her up; **~er** *sub, m, -s, -* caller

anrühren, *vt, (Gegenstand, Thema)* touch; *(Teig, etc.)* mix

ans, *präp, (räumlich)* to

Ansage, *sub, f, -, -n* announcement; **ansagen** *vt*, announce; **~r** *sub, m, -s, -* announcer

ansägen, *vt*, saw

ansammeln, (1) *vr*, accumulate **(2)** *vt*, collect; **Ansammlung** *sub, f, -, -en (Sammlung)* collection; *(von Staub, etc.)* accumulation

ansässig, *adj*, resident; *ansässig sein* have settled in; *ansässig werden* settle in; *nicht ansässig* nonresident

Ansatz, *sub, m, -es, -sätze (eines Glieds)* base; *(i. ü. S.)* erste Anzei-

oben) beginning; (A m A; Vorsatz) attempt; ~punkt sub, m, -s, -e (einer Entwicklung, etc.) starting point; (tech.) attachment point

ansaugen, vt, suck in

anschaffen, vt, (befehlen) procure; (kaufen) buy; jemandem etwas anschaffen push so into doing sth; sich etwas anschaffen get os sth; Anschaffung sub, f, -, -en (Erwerb) acquisition; (Kauf) purchase; Anschaffungskosten sub, f, -, nur Mehrz. cost

anschalten, vt, switch on

anschauen, vt, (betrachten) look at; (Film) watch; einen Film anschauen watch a movie; Schau mal einer an Well, what do you know; sich etwas genau anschauen have a close look at; anschaulich (1) adj, graphic (2) adv, graphically; etwas anschaulicher machen illustrate sth; Anschaulichkeit sub, f, -, nur Einz. clarity; Anschauung sub, f, -, -en (Ansicht) view; (Nachdenken) contemplation; Anschauungsmaterial sub, n, -s, -ien illustrative material; Anschauungsunterricht sub, m, -s, -e visual instruction

Anschein, sub, m, -s, nur Einz. appearance; dem Anschein nach to all appearances; den Anschein erwekken give the impression of; es hat den Anschein, als wenn it looks as if; sich den Anschein geben zu pretend to; anscheinend (1) adj, apparent (2) adv, apparently

anschicken, vr, get ready; sich anschicken zu get ready to; sich zu etwas anschicken get ready for

anschieben, vt, push

anschirren, vt, harness

anschleichen, vr, vti, creep up on

anschleifen, vt, (ugs.; Person) drag along; (tech.) smooth

anschleppen, vt, (Auto) tow a car; (ugs.; Person) drag along

anschließen, (1) vr, (angrenzen) border, join; (folgen) follow (2) vt, (Fahrrad, etc.) chain; (Stecker reinstecken) plug in; (tech.) con-

nect, d (1) adj; nubsequent (2) adv, subsequently

Anschluss, sub, m, -es, -schlüsse (eines Staates) union; (Telefon, Zug) connection; (Zug) Anschluss finden make friends; (Zug) Anschluss haben have a connection; Anschluss suchen look for company; im Anschluss an after; ~kabel sub, n, -s, - connecting lead; ~rohr sub, n, -s, -e connecting tube; ~zug sub, m, -s, -züge connecting train

anschmiegen, vr, (Hose, etc.) fit snuggly; (Kind) snuggle up

anschmiegsam, adj, affectionate; Anschmiegsamkeit sub, f, -, nur Einz. fit

anschmieren, (1) vr, dirty o.s. (2) vt, (ugs.) take so for a ride; (beschmieren) smear

anschnallen, (1) vr, (im Auto, Flugzeug) fasten one´s seatbelt (2) vt, (Gegenstand) strap on; Anschnallpflicht sub, f, -, nur Einz. compulsory wearing of seatbelts

anschnauzen, vt, snarl at

anschneiden, vt, (Brot) cut; (Thema) touch on

Anschovis, sub, f, -, nur Mehrz. anchovy

anschrauben, vt, screw on

Anschreiben, (1) sub, n, -s, - letter (2) anschreiben vt, write; etwas an die Tafel anschreiben write sth up on the board; etwas anschreiben lassen take sth on credit; jemandem etwas anschreiben charge sth to so´s account

anschreien, vt, shout at

Anschrift, sub, f, -, -en address

anschwärzen, vt, blacken; jemanden anschwärzen run so down

anschwellen, vi, (Fluß, Gewebe) swell; (i. ü. S.; Lautstärke) grow louder

Anschwellung, sub, f, -, -en swelling

anschwemmen, vt, wash ashore

anschwindeln, *vt*, lie to so

Ansehen, (1) *sub, n, -s, -* respect (2) **ansehen** *vt*, look at; *dem Ansehen nach* to all appearances; *großes Ansehen genießen* be held in great esteem; *ohne Ansehen der Person* without respect of persons, *einen Film ansehen* watch a movie; *etwas ansehen für* regard sth as; *jemanden schief ansehen* look askance at so; *sich etwas genau ansehen* have a close look at; **ansehenswert** *adj*, worth seeing; **ansehnlich** *adj*, *(beträchtlich)* considerable; *(gutaussehend)* handsome

anseilen, (1) *vr*, rope up (2) *vt*, rope up

an sein, *vi*, be switched on

ansetzen, (1) *vi*, *(beginnen)* start; *(Gewicht)* put on weight (2) *vr*, *(Schmutz)* accumulate (3) *vt*, nur als Anwendung: *(Teig)* make; *(Termin)* fix; *die Tomaten haben gut angesetzt* the tomatos are coming up nicely; *zum Sprung ansetzen* get ready to jump; *(Flugzeug) zur Landung ansetzen* come in to land, *einen Spion auf jemanden ansetzen* put a spy onto so

an sich, *präp*, basically

Ansicht, *sub, f, -, -en (Anblick)* view; *(Meinung)* opinion; *anderer Ansicht sein* see things in a different way; *nach meiner Ansicht* in my opinion; *zu einer anderen Ansicht gelangen* come to a different conclusion; **~skarte** *sub, f, -, -n* picture postcard; **~ssache** *sub, f, -, nur Einz.* matter of opinion; **~ssendung** *sub, f, -, -en* sample on approval

ansiedeln, *vr, vt*, settle; **Ansiedelung** *sub, f, -, -en* settlement

Ansinnen, *sub, n, -s, -* request

ansonsten, *adv*, otherwise

anspannen, (1) *vr*, tense up (2) *vt*, *(Muskel)* flex; *(Schnur)* tighten; *(Zugtier)* harness; **Anspannung** *sub, f, -, -en* tension

ansparen, *vt*, save

anspitzen, *vt*, sharpen

Ansporn, *sub, m, -s, nur Einz.* incentive; **anspornen** *vt*, spur

Ansprache, *sub, f, -, -n* speech; *eine Ansprache halten* make a speech; *keine Ansprache haben* have no one to talk to; **ansprechbar** *adj*, responsive; *(wegen einer Erkrankung) er/sie ist nicht ansprechbar* he/she is unable to communicate, *(wegen schlechter Laune)* he/she isn´t talking to anyone; **ansprechen** (1) *vi*, *(med.)* respond (2) *vt*, *(anreden)* speak; *(Zielgruppe)* appeal to; *jemanden einfach ansprechen* just start talking to so; *sich nicht angesprochen fühlen* not wanting anything to do with it; **ansprechend** *adj*, pleasing; **Ansprechpartner** *sub, m, -s, -* contact

anspringen, (1) *vi*, *(Auto)* start (2) *vt*, jump at

anspritzen, *vt*, spray

Anspruch, *sub, m, -s, -sprüche (jur.)* claim; *Ansprüche stellen* be very demanding; *auf etwas Anspruch erheben* lay claim to; *auf etwas Anspruch haben* be entitled to; *ein Angebot/viel Raum/Zeit in Anspruch nehmen* take up an offer/lot of space/time; **anspruchslos** *adj*, *(bescheiden)* modest; *(einfach)* simple; **~slosigkeit** *sub, f, -, - (Bescheidenheit)* modesty; *(Einfachheit)* simplicity; **anspruchsvoll** *adj*, *(fordernd)* demanding; *(heikel)* particular

anspucken, *vt*, spit at

anstacheln, *vt*, spur on

Anstalt, *sub, f, -, -en* nur als Anwendung; *(Lehranstalt)* institute; *(öffentliche)* institution; *(ugs.) Anstalten machen etwas zu tun* get ready to do sth; *(ugs.) keine Anstalten machen zu* make no move to; *(ugs.) öffentliche Anstalt* public institution; **~sleiter** *sub, m, -s, -* director

Anstand, *sub, m, -s, nur Einz.* manners; *mit Anstand verlieren*

können be a good loser; *wahren den* stand *wahren* preserve a sense of decency; **anständig (1)** *adj*, decent **(2)** *adv*, decently; *jemanden anständig behandeln* treat so like a human being; *sich anständig zu benehmen wissen* know how to behave; **Anständigkeit** *sub, f, -, nur Einz.* decency; **anstandshalber** *adv*, for decency´s sake; **anstandslos** *adv*, without further ado; **~sregel** *sub, f, -, -n* rule of etiquette; **~swauwau** *sub, m, -s, -s* chaperon

anstarren, *vt*, stare at

anstatt, *konj, präp*, instead of; *anstatt zur Schule zu gehen* instead of going to school

anstauen, (1) *vr*, build up **(2)** *vt*, dam up

anstaunen, *vt*, stare at in amazement

anstechen, *vt, (Bierfass)* tap; *(Reifen, etc.)* pierce

anstecken, (1) *vi, (med.)* be infectious; *(sich infizieren)* nur als Anwendung **(2)** *vt, (anzünden)* set fire to; *(infizieren)* infect; *(Nadel)* pin on; **~d** *adj*, infectious; **Anstecknadel** *sub, f, -, -n (Abzeichen)* badge; *(Nadel)* pin; **Ansteckung** *sub, f, -, -en* infection; **Ansteckungsgefahr** *sub, f, -, -en* danger of infection

ansteigen, *vi, (i. ü. S.; Preis)* increase; *(Weg)* rise

an Stelle, *präp*, instead of

anstellen, (1) *vr*, nur als Anwendung *(anschalten)* turn on; *(In einer Schlange)* queue up **(2)** *vt*, put; *(beruflich)* employ; *(ugs.; unternehmen)* do; *(ugs.) sich anstellen als wenn* act as if; *(ugs.) sich dumm anstellen* make a bad job of sth; *(ugs.) sich vor einem Laden anstellen* queue up in front of a shop, *Vergleiche anstellen* draw comparisons; **Anstellung** *sub, f, -, -en* employment; **Anstellungsvertrag** *sub, m, -s, -verträge* employment contract

ansteuern, *vt*, head for

Anstich, *sub, m, -s, -e* tap

Anstieg, *sub, m, -s, -e (Aufstieg)* ascent; *(i. ü. S.; Preis)* increase

anstiften, *vt*, instigate; *jemanden zu etwas anstiften* put so up to do sth; *zu einer Verschwörung anstiften* hatch a plot; **Anstifter** *sub, m, -s, -* instigator; **Anstiftung** *sub, f, -, -en* instigations

anstimmen, *vt, (Instrument)* start playing; *(Lied)* start singing

Anstoß, *sub, m, -es, -stöße (Anlass)* offence; *(Antrieb)* impulse; *(spo.)* kick-off; *(Zusammenstoß)* collision; *an etwas Anstoss nehmen* take offence at; *Anstoss erregen* cause offence; *den Anstoss zu etwas geben* start sth off; **anstoßen (1)** *vi, (beim Trinken)* clink glasses; *(spo.)* kick off; *(zusammenstoßen)* bump against **(2)** *vt, (dagegenschlagen)* strike; *auf etwas anstoßen* drink to sth

anstößig, *adj*, offensive; **Anstößigkeit** *sub, f, -, -en* offensiveness

anstreben, *vt*, strive for; **~swert** *adj*, be worth striving for

anstreichen, *vt*, paint; *(Wörter)* mark; **Anstreicher** *sub, m, -s, -* painter

anstrengen, (1) *vi*, nur als Anwendung **(2)** *vr*, exert o.s. **(3)** *vt*, strain; *diese Arbeit strengt an* that´s hard work, *sich stärker anstrengen* try a little harder; **~d** *adj*, hard; **Anstrengung** *sub, f, -, -en* strain

Anstrich, *sub, m, -s, -e (Anstreichen)* painting; *(Überzug)* coating

Ansturm, *sub, m, -s, -stürme* assault; *dem Ansturm nicht gewachsen sein* be unable to stand the rush; *der Ansturm auf die Stadt* the assault on the city; **anstürmen** *vi*, charge

Ansuchen, *sub, n, -s, -* request

antarktisch, *adj*, antarctic

antauen, *vi*, start to thaw

antäuschen, *vt, (spo.)* fake a shot

Anteil, *sub, m, -s, -e (Interesse)* interest; *(Teil, Beteiligung wirt.)* share; *an etwas Anteil haben* have a part in sth; *an etwas Anteil nehmen* take an interest in; **anteilig (1)** *adj*, proportionate **(2)** *adv*, proportionately; **~nahme** *sub*, *f*, *-*, *-n (Interesse)* interest; *(Mitgefühl)* sympathy; **anteilsmäßig (1)** *adj*, proportionate **(2)** *adv*, proportionately

Antenne, *sub*, *f*, *-*, *-n (tech., zool.)* antenna; **~nmast** *sub*, *m*, *-s*, *-en* radio mast

Anthologie, *sub*, *f*, *-*, *-n* anthology

Anthrazit, *sub*, *m*, *-s*, *-e* anthracite

Anthropologe, *sub*, *m*, *-n*, *-n* anthropologist; **Anthropologie** *sub*, *f*, *-*, *nur Einz.* anthropology; **anthropologisch** *adj*, anthropological

Antialkoholiker, *sub*, *m*, *-s*, *-* teetotaller

antiautoritär, *adj*, anti-authoritarian

Antibabypille, *sub*, *f*, *-*, *-n (ugs.)* pill

antibakteriell, *adj*, bactericidal

Antibiotikum, *sub*, *n*, *-s*, *-tika (tt; med.)* antibiotic; **antibiotisch** *adj*, antibiotic

Antichrist, *sub*, *m*, *-en*, *-en* antichristian

Antigen, *sub*, *n*, *-s*, *-e (tt; biol.)* antigene

Antiheld, *sub*, *m*, *-en*, *-en* antihero

Antikörper, *sub*, *m*, *-s*, *- (tt; biol.)* antibody

Antilope, *sub*, *f*, *-*, *-n (zool.)* antelope

Antimaterie, *sub*, *f*, *-*, *nur Einz. (tt; phy.)* antimatter

Antipathie, *sub*, *f*, *-*, *-n* antipathy

Antipode, *sub*, *m*, *-n*, *-n (geh.)* antipode

antippen, *vt*, touch lightly

Antiquar, *sub*, *m*, *-s*, *-e* secondhand bookseller

Antiraucherkampagne, *sub*, *f*, *-*, *-n* non-smoking campaign

Antisemit, *sub*, *m*, *-en*, *-en* anti-Semite; **antisemitisch** *adj*, anti-Semitic; **~ismus** *sub*, *m*, *-*, *nur Einz.* anti-Semitism

Antiseptik, *sub*, *f*, *-*, *nur Einz. (tt; med.)* antisepsis; **~um** *sub*, *n*, *-s*, *-ka* antiseptic drug; **antiseptisch (1)** *adj*, antiseptic **(2)** *adv*, antiseptically

Antiserum, *sub*, *n*, *-s*, *-ren oder -ra (tt; med.)* anti-serum

antistatisch, **(1)** *adj*, antistatic **(2)** *adv*, antistatically

Antiteilchen, *sub*, *n*, *-s*, *- (tt; phy.)* antiparticle

Antiterroreinheit, *sub*, *f*, *-*, *-en* anti-terrorist squad

Antithese, *sub*, *f*, *-*, *-n* antithesis

Antizipation, *sub*, *f*, *-*, *-en* anticipation; **antizipieren** *vt*, anticipate

Antrag, *sub*, *m*, *-s*, *-träge* application; *(jur.)* petition; *einen Antrag auf etwas stellen* lodge an application for; *jemandem einen Heiratsantrag machen* propose to so; **antragen** *vt*, nur als Anwendung; *jemandem etwas antragen* offer so sth; **~sformular** *sub*, *n*, *-s*, *-e* application form; **antragsgemäß** *adj*, *adv*, according to the application; **~steller** *sub*, *m*, *-s*, *-* applicant; *(jur.)* petitioner

antreffen, *vt*, meet

antreiben, **(1)** *vt*, *(Tiere, Maschine)* drive **(2)** *vti*, *(ans Ufer)* be washed ashore; **Antreiber** *sub*, *m*, *-s*, *-* slave driver

antreten, **(1)** *vi*, *(sich aufstellen)* step up; *(spo.)* participate (in) **(2)** *vt*, nur als Anwendung; *gegen jemanden (zum Kampf) antreten* challenge so, *ein Amt antreten* take up office; *eine Reise antreten* set out on a journey; *eine Strafe antreten* begin serving a sentence

Antrieb, *sub*, *m*, *-s*, *-e (Motivation)* impulse; *(tech.)* drive; *aus eigenem Antrieb* of one´s own accord; *jemandem neuen Antrieb geben* give so the motivation he/she needs; **~skraft** *sub*, *f*, *-*, *-kräfte* driving force; **~swelle** *sub*, *f*, *-*, *-n* drive shaft

Antrittsbesuch, *sub*, *m*, *-s*, *-e* first visit; **Antrittsrede** *sub*, *f*, *-*, *-n* inaugural address

antrocknen, *vi*, begin to dry

antun, *vt*, nur als Anwendung; *er würde keiner Fliege etwas antun* he wouldn't hurt a fly; *jemandem etwas antun* do sth to so; *jemandem Gewalt antun* do violence to so; *sich etwas antun* lay hands upon os

Antwort, *sub*, *f*, -, -*en* answer; *(i. ü. S.)* response; *auf alles eine Antwort wissen* have an answer for everything; *in Antwort auf* in answer to; *keine Antwort ist auch eine Antwort* enough said; **antworten** *vti*, answer; *(reagieren)* respond; *auf etwas antworten* answer sth; *wie hat er geantwortet?* what did he say?

an und für sich, *präp*,   properly speaking

Anus, *sub*, *m*, -, *Ani* (tt; *anat.*) anus

anvertrauen, *vt*, nur als Anwendung; *jemandem ein Geheimnis anvertrauen* confide a secret to so; *jemandem etwas anvertrauen* entrust so with sth

Anverwandte, *sub*, *f*, *m*, -*en*, -*n* relative

anvisieren, *vt*, take aim at

anwachsen, *vi*, *(Wurzeln schlagen)* take root; *(zunehmen)* increase

anwählen, *vt*, dial

Anwandlung, *sub*, *f*, -, -*en* fit; *aus einer Anwandlung heraus* on a sudden impulse; *eine Anwandlung von Großzügigkeit* a fit of generosity

anwärmen, *vt*, warm up

Anwärter, *sub*, *m*, -*s*, - candidate; **Anwartschaft** *sub*, *f*, -, -*en* (*jur.*) right to benefits

anweisen, *vt*, nur als Anwendung; *(zuweisen)* assign; *jemanden anweisen etwas zu tun* give so instructions to; *jemanden bei der Arbeit anweisen* give so directions; *jemanden einen Platz anweisen* show so to his/her place; **Anweisung** *sub*, *f*, -, -*en* *(Anleitung)* instruction;   *(Zuweisung)*

assignment, auf Anweisung von on the instructions of; *die Anweisung haben zu* have instructions to

anwendbar, *adj*, applicable; **Anwendbarkeit** *sub*, *f*, -, nur Einz. applicability; **anwenden** *vt*, apply; *etwas anwenden auf* apply sth to; *Gewalt anwenden* use force; **Anwender** *sub*, *m*, -*s*, - user; **Anwendung** *sub*, *f*, -, -*en* application

anwerben, *vt*, recruit; **Anwerbung** *sub*, *f*, -, -*en* recruitment

Anwesen, *sub*, *n*, -*s*, - estate

anwesend, *adj*, present; *bei einer Sitzung anwesend sein* attend a meeting; **Anwesende** *sub*, *f*, *m*, -*n*, -*n* spectator; **Anwesenheit** *sub*, *f*, -, -*en* presence; *(bei Kursen)* attendance

anwidern, *vt*, make so sick

anwinkeln, *vt*, bend

Anwohner, *sub*, *m*, -, - resident

Anzahl, *sub*, *f*, -, nur Einz. number

anzahlen, *vt*, pay a deposit; **Anzahlung** *sub*, *f*, -, -*en* deposit

anzapfen, *vt*, tap; *(ugs.)* *jemanden um Geld anzapfen* tap so for money

Anzeichen, *sub*, *n*, -*s*, - *(Hinweis)* sign; *(med.)* symptom

anzeichnen, *vt*, mark

anzetteln, *vt*, instigate; *eine Verschwörung gegen jemanden anzetteln* plot against so; **Anzettelung** *sub*, *f*, -, -*en* instigation

anziehen, (1) *vi*, *(am Seil)* pull (2) *vr*, get dressed (3) *vt*, *(i. ü. S.)* attract; *(Arm)* draw up; *(Hose, etc.)* put on; *(Schraube)* tighten; *sich von jemandem angezogen fühlen* feel attracted to so; **~d** *adj*, charming; **Anziehung** *sub*, *f*, -, -*en* attraction; **Anziehungskraft** *sub*, *f*, -, -*kräfte* (i. ü. S.) attraction; *(phy.)* force of attraction

Anzug, *sub*, *m*, -*s*, -*züge* (Anrücken) approach; *(Bekleidung)* suit

anzüglich, *adj*, suggestive; *anzüglich werden* get personal; **Anzüglichkeit** *sub, f, -, -en* suggestiveness

anzünden, *vt, (Gebäude)* set fire to; *(Kerze, Zigarette)* light; **Anzünder** *sub, m, -s,* - lighter

anzweifeln, *vt*, doubt; **Anzweifelung** *sub, f, -, -en* doubting

Äon, *sub, m, -s, -en* eon

äonenlang, *adj*, lasting for eons

Aorta, *sub, f, -, Aorten (tt; anat.)* aorta

apart, *adj*, uncommon

Apartment, *sub, n, -s, -s* one-room apartment; **~haus** *sub, n, -es, -häuser* block of flats

Apathie, *sub, f, -, -n* apathy; **apathisch (1)** *adj*, apathetic **(2)** *adv*, apathetically

Aperitif, *sub, m, -s, -s und -e* aperitif

Apfel, *sub, m, -s, Äpfel* apple; *der Apfel fällt nicht weit vom Stamm* like father like son; *ein Apfel fällt nicht weit vom Stamm* he is a chip of the old block; *für einen Apfel und ein Ei* for a song; *in den sauren Apfel beißen* grasp the nettle; **~baum** *sub, m, -s, -bäume* apple tree; **Äpfelchen** *sub, n, -s,* - a little apple; **~most** *sub, m, -s, -e* apple juice; **~mus** *sub, n, -es, nur Einz.* apple purée; **~saft** *sub, m, -s, -säfte* apple juice; **~sine** *sub, f, -, -n* orange; **~sinenschale** *sub, f, -, -n* orange peel; **~strudel** *sub, m, -s,* - apple strudel; **~wein** *sub, m, -s, -e* cider

Apfelschimmel, *sub, m, -s,* - dapple grey

Aphorismus, *sub, m, -, -ismen* aphorism; **aphoristisch (1)** *adj*, aphoristic **(2)** *adv*, aphoristically

apodiktisch, (1) *adj*, apodictic **(2)** *adv*, apodictically

Apokalypse, *sub, f, -, -n* apocalypse; **apokalyptisch** *adj*, apocalyptic

apolitisch, *adj*, apolitical

Apologetik, *sub, f, -, - (Disziplin)* apologetics; *(Verteidigung)* apology; **apologetisch (1)** *adj*, apologetic **(2)** *adv*, apologetically

Apostel, *sub, m, -s,* - apostle; **~brief** *sub, m, -s, -e* epistle; **~geschichte** *sub*, Acts of the Apostles

Apostroph, *sub, m, -s, -e* apostrophe

Apotheke, *sub, f, -, -n* chemist´s; **apothekenpflichtig** *adj*, obtainable at a chemist´s only; **~r** *sub, m, -s,* - chemist; **~rwaage** *sub, f, -, -n* chemist´s scale

Apotheose, *sub, f, -, -n* apotheosis

Apparat, *sub, m, -s, -e (biol., tech.)* apparatus; *(i. ü. S.; polit.)* organisation; *(Telefon)* phone; *Bitte bleiben sie am Apparat* Please hold the line; *niemand geht an den Apparat* no one is answering; **~emedizin** *sub, f, -, nur Einz.* high-tech medicine; **~ur** *sub, f, -, -en* equipment

Appartement, *sub, n, -s, -s* one-room apartment

Appell, *sub, m, -s, -e (i. ü. S.)* appeal; *(mil.)* roll call

Appellation, *sub, f, -, -en (jur.)* appeal; **~sgericht** *sub, n, -s, -e* court of appeal; **appellieren** *vi*, appeal; *an jemanden appellieren* call on so

Appendix, *sub, m, -, -e oder -dizes (anat.)* appendix

Appetenzverhalten, *sub, n, -s, - (tt; biol.)* learned behaviour

Appetit, *sub, m, -s, nur Einz.* appetite; *Appetit haben auf etwas* feel like sth; *den Appetit verlieren* lose one´s appetite; *guten Appetit* enjoy your meal; *jemanden Appetit machen* give so an appetite; *jemanden den Appetit verderben* spoil so´s appetite; **~anregend** *adj*, appetizing; **~happen** *sub, m, -s,* - canapé; **appetitlich** *adj*, appetizing; **appetitlos** *adj*, having no appetite; **~losigkeit** *sub, f, -, nur Einz.* lack of appetite; **~zügler** *sub, m, -s,* - appetite suppressant

applaudieren, *vi*, applaud; **Applaus** *sub, m, -es, nur Einz.* applause

apport!, *vi*, fetch!

appretieren, vt, retrieve

Appretur, *sub*, *f*, -, -en finish

Approbation, *sub*, *f*, -, -en (tt; med.) medical licence; **approbieren** *vi*, qualify for practising medicine

approximativ, *adj*, approximate

Aprikose, *sub*, *f*, -, -n apricot; **~nkonfitüre** *sub*, *f*, -, -en apricot jam; **~nmarmelade** *sub*, *f*, -, -en apricot jam

April, *sub*, *m*, -s, -e April; **~scherz** *sub*, *m*, -es, -e April-fool joke; *das ist doch wohl ein Aprilscherz* is this some kind of practical joke?; **~wetter** *sub*, *n*, -s, - April showers

Aquädukt, *sub*, *m*, *n*, -s, -e aqueduct

Aquamarin, *sub*, *m*, -s, -e aquamarine

Aquanaut, *sub*, *m*, -en, -en aquanaut

Aquaplaning, *sub*, *n*, -s, -s (tt; tech.) aquaplaning

Aquarell, *sub*, *n*, -s, -e water-colour; **~farbe** *sub*, *f*, -, -n water-colour

aquarellieren, *vi*, paint in watercolours

Aquarienglas, *sub*, *n*, -es, -gläser aquarium; **Aquarium** *sub*, *n*, -s, *Aquarien* aquarium

aquatisch, *adj*, aquatic

Äquator, *sub*, *m*, -s, -en equator; **äquatorial** *adj*, equatorial; **~taufe** *sub*, *f*, -, -n crossing-the-line ceremony

Ara, *sub*, *m*, -s, -s (zool.) parrot

Ära, *sub*, *f*, -, *Ären* era

arabisch, *adj*, *(Speisen)* Arabian; *(Staaten)* Arab; *(Zahlen, etc.)* Arabic

Arbeit, *sub*, *f*, -, -en *(Beruf)* job; *(körperliche, phys.)* work; *(Mühe)* trouble; *(Produkt der Arbeit)* work; *Arbeit haben* have a job; *eine Arbeit suchen* look for a job; *in die Arbeit gehen* go to work; *ohne Arbeit sein* be unemployed; *bei der Arbeit sein* be at work; *sich an die Arbeit machen* set to work; *Zuerst die Arbeit, dann das Vergnügen* Business before pleasure; *das macht eine Menge Arbeit* this causes a lot of trouble; **arbeiten (1)** *vi*, *(beruflich, etc.)*

work; *(Organ)* function; *(tech.)* operate **(2)** *vt*, *(herstellen)* make; *an etwas arbeiten* work on sth; *bei einer Firma arbeiten* work for a company; *sich zu Tode arbeiten* work os to death; **~er** *sub*, *m*, -s, - worker; **~erklasse** *sub*, *f*, -, -n working class; **~erpartei** *sub*, *f*, -, -en labour party; **~erschaft** *sub*, *f*, -, -en labour force; **~geber** *sub*, *m*, -s, - employer; **~nehmer** *sub*, *m*, -s, - employee; **arbeitsam** *adj*, industrious; **~samt** *sub*, *n*, -s, -ämter employment office; **~sessen** *sub*, *n*, -s, - working lunch/dinner; **arbeitsfähig** *adj*, fit for work; **~sfähigkeit** *sub*, *f*, -, -en fitness for work; **~sfeld** *sub*, *n*, -es, -er field of activity; **~sgang** *sub*, *m*, -es, -gänge process; **~sgemeinschaft** *sub*, *f*, -, -en work(ing) team; **~sgericht** *sub*, *n*, -s, -e industrial court; **arbeitsintensiv** *sub*, labour intensive; **~skamerad** *sub*, *m*, -en, -en (ugs.) workmate; **~skampf** *sub*, *m*, -es, -kämpfe labour dispute; **~sklima** *sub*, *n*, -s, *nur Einz.* working atmosphere

Arbeitskraft, *sub*, *f*, -, -kräfte capacity for work; *(Angestellter, Arbeiter)* employee; **Arbeitslager** *sub*, *n*, -s, - labour camp; **Arbeitslohn** *sub*, *m*, -es, -löhne wage; **arbeitslos** *adj*, unemployed; **Arbeitslose** *sub*, *f*, *m*, -n, -n unemployed person; **Arbeitslosengeld** *sub*, *n*, -es, -er unemployment benefit; **Arbeitslosenquote** *sub*, *f*, -, -n unemployment rate; **Arbeitslosenunterstützung** *sub*, *f*, -, -en unemployment benefit; **Arbeitslosigkeit** *sub*, *f*, -, *nur Einz.* unemployment; **Arbeitsmarkt** *sub*, *m*, -es, -märkte labour market; **Arbeitsmoral** *sub*, *f*, -, *nur Einz.* working morale; **Arbeitsplatz** *sub*, *m*, -es, -plätze *(Arbeitsstelle)* job; *(konkret)* workplace; *Arbeitsplätze sichern* safeguard employment; *freie Arbeitsplätze* job vacancies; *Sicherheit von Arbeits-plätzen* job security; *Diskriminie-rung am Arbeitsplatz* discrimination at work; *Sicherheit am Ar-beitsplatz* workplace safety; **Ar-beitsrecht** *sub, n, -es, -e* industrial law; **Arbeitsstätte** *sub, f, -n, -n* workplace; **arbeitssuchend** *adj*, job-hunting

Arbeitstag, *sub, m, -es, -e* working day; **Arbeitsteilung** *sub, f, -, -en* division of labour; **Arbeitsverhält-nis** *sub, n, -es, -se* employer-employee relationship; **Arbeitsver-mittlung** *sub, f, -, -en* employment agency; **arbeitswillig** *adj*, willing to work; **Arbeitswillige** *sub, f, m, -n, -n* people willing to work; **Ar-beitszeit** *sub, f, -, -en* working hours; *(Herstellungsszeit)* production time; **Arbeitszeitverkürzung** *sub, f, -, -en* reduction in working hours; **Arbeitszimmer** *sub, n, -s, -* study room

arbiträr, *adj*, arbitrary

archaisch, *adj*, archaic; **Archais-mus** *sub, m, -, -men* archaism

Archäologe, *sub, m, -n, -n* archaeologist; **Archäologie** *sub, f, -, nur Einz.* archaeology; **archäologisch** *adj*, archaeological

Arche, *sub, f, -, -n* ark; *die Arche Noah* Noah´s ark

Archetyp, *sub, m, -s, -en* archetype; **archetypisch** *adj*, archetypal

Archipel, *sub, m, -s, -e (tt)* archipelago

Architekt, *sub, m, -en, -en* architect; **architektonisch** *adj*, architectural; **~ur** *sub, f, -, nur Einz.* architecture

Archiv, *sub, n, -s, -e* archives; **~ar** *sub, m, -s, -e* archivist; **~bild** *sub, n, -(e)s, -er* library photo; **archivieren** *vi*, put into the archives; **~ierung** *sub, f, -, -en* putting into the archives

Areal, *sub, n, -s, -e* area

Arena, *sub, f, -, Arenen* arena

Ärger, *sub, f, -, nur Einz.* trouble; *Ärger verursachen* cause trouble; *das wird Ärger geben* there will be trouble; **ärgerlich** *adj*, *(Angele-genheit)* annoying; *(Person)* annoyed; **ärgern** **(1)** *vi*, get annoyed **(2)** *vt*, *(Person)* annoy; *ärgere dich nicht* don´t get annoyed; *sich schwarz ärgern* get really mad; **~nis** *sub, n, -ses, -se* nuisance; *Ärgernis erregen* cause offence; *ein öffentliches Ärgernis* a public nuisance

Arglist, *sub, f, -, nur Einz.* deceitfulness; **arglistig** *adj*, deceitful; **arglos** *adj*, *(harmlos)* guileless; *(nichtsahnend)* unsuspecting; **Arglosigkeit** *sub, f, -, nur Einz.* *(Harmlosigkeit)* guilelessness; *(Nichtahnung)* unawareness

Argument, *sub, n, -es, -e* argument; *das ist ein Argument für* that´s a case for; *ein Argument dafür/dagegen* an argument in favour/against; **~ation** *sub, f, -, -en* argumentation; **argumentativ** *adj*, argumentative; **argumentie-ren** *vi*, argue

Argusaugen, *sub, f, -, nur Mehrz.* eagle-eyes; *etwas mit Argusau-gen verfolgen* watch sth like a hawk; **argusäugig** *adj*, eagle-eyed

Argwohn, *sub, m, -s, nur Einz.* suspicion; *Argwohn erregen* arouse suspicion; *Argwohn hegen* be suspicious; **argwöhnen** *vt*, suspect; **argwöhnisch** *adj*, suspicious

Arie, *sub, f, -, -n (mus.)* aria

Arier, *sub, m, -s, -* Arian; **arisch** *adj*, arian

Aristokrat, *sub, m, -en, -en* aristocrat; **~ie** *sub, f, -, -n* aristocracy; **aristokratisch** *adj*, aristocratic

Arithmetik, *sub, f, -, nur Einz.* arithmetic; **arithmetisch** *adj*, arithmetical

Arkade, *sub, f, -, -n* arcade

Arktis, *sub, f, -, nur Einz.* Arctic; **arktisch** *adj*, arctic

arm, **(1)** *adj*, poor **(2) Arm** *sub, m, -s, -e (anat.)* arm; *(eines Flusses)*

tributary der Arm des Gesetzes the
arm of law; *einen längeren Arm
haben* have more pull; *jemandem
in den Arm fallen* hold so back;
jemandem in die Arme laufen
bump into so; *(i. ü. S.) jemanden
auf den Arm nehmen* pull so´s leg;
jemanden in die Arme nehmen embrace so; **Armband** *sub, n, -s, -bän-
der* bracelet; *Armbanduhr*
wristwatch; **Armbanduhr** *sub, f, -,
-en* wristwatch; **Armbeuge** *sub, f, -,
-n (Armkehle)* crook of an arm;
(spo.) arm bend; **Armbinde** *sub, f,
-, -n* armband; **Armbrust** *sub, f, -,
-brüste, auch - e* crossbow; **~dick**
adj, thick as an arm

Armatur, *sub, f, -, -en (im Auto, etc.)*
instruments; *(in Küche, Bad)* fitting; **~enbrett** *sub, n, -s, -er*
dashboard

Armee, *sub, f, -, -n* army; **~einheit**
sub, f, -, -en army unit

Ärmel, *sub, m, -s, -* sleeve; *etwas aus
dem Ärmel schütteln* pull sth out of
a hat; **ärmelig** *adj*, sleeved; **~länge**
sub, f, -, -n sleeve length; **ärmellos**
adj, sleeveless

Armenhaus, *sub, n, -es, -häuser*
alms-house; **Armenviertel** *sub, n,
-s, -* slum

ärmlich, *adj, (arm)* poor; *(einfach)*
meagre; **Ärmlichkeit** *sub, f, -, nur
Einz.* poorness

Armmuskel, *sub, m, -s, -n* arm muscle

Armreif, *sub, m, -s, -en* bangle

armselig, *adj, (arm)* poor; *(einfach)* meagre; **Armseligkeit** *sub, f,
-, -en* poorness

Armut, *sub, f, -, nur Einz.* poverty;
geistige Armut intellectual poverty;
jemanden in die Armut treiben drive so into poverty; **~szeugnis** *sub,
n, -ses, nur Einz. (i. ü. S.)* sad reflection

Arnika, *sub, f, -s, - (bot.)* arnica

Aroma, *sub, n, -s, -s oder Aromen
(Geruch)* fragrance; *(Geschmack)*
flavour; **aromatisch** *adj*, aromatic;
aromatisieren *vt*, flavour

Arrangement, *sub, n, -s, -s (mus.)*
arrangement; *(Vereinbarung)*
agreement; **Arrangeur** *sub, m, -s,
-e* arranger; **arrangieren (1)** *vr*,
come to an agreement **(2)** *vt*, arrange

Arrest, *sub, m, -s, -e (jur.)* confinement; **~zelle** *sub, f, -, -n* confinement cell

arretieren, *vt, (tech.)* arrest; **Arretierung** *sub, f, -, -en* arrest

arrivieren, *vi, (geh.)* succeed; **arriviert** *adj*, successful

arrogant, *adj*, arrogant; **Arroganz**
sub, f, -, nur Einz. arrogance

Arsch, *sub, m, -es, Ärsche (vulg.)*
arse; *am Arsch der Welt* out in the
sticks; *jemandem einen Arschtritt verpassen* give so a kick in
the arse; *(vulg.) jemandem in
den Arsch kriechen* suck up to so;
~backe *sub, f, -, -n* buttock;
~geige *sub, f, -, -n* bastard;
~kriecher *sub, m, -s, -* arse-lik-
ker; **~loch** *sub, n, -s, -löcher
(vulg.)* arsehole

Arsen, *sub, n, -s, nur Einz.* arsenic;
arsenig *adj*, arsenic; **~vergif-
tung** *sub, f, -, -en* arsenic poisoning

Arsenal, *sub, n, -s, -e (Lager)* arsenal; *(Waffenlager)* weaponry

Art, *sub, f, -, -en (Art und Weise)*
manner; *(biol.)* species; *(Sorte)*
kind; *auf die eine oder andere
Art* somehow or other; *auf diese
Art* this way; *eine angenehme Art
haben* have a nice way; *das ist
eine Art von* that´s a kind of; *Sachen jeder Art* things of all kinds;
arteigen *adj*, characteristic;
~enreichtum *sub, m, -s, nur
Einz. (biol.)* biodiversity; **~en-
schutz** *sub, m, -es, nur Einz.* species conservation; **arterhaltend**
adj, species preserving

Arterie, *sub, f, -, -n (anat.)* artery;
arteriell *adj*, arterial; **~nverkal-
kung** *sub, f, -, -en (med.)* hardening of the arteries;
Arteriosklerose *sub, f, -, -n (tt;*

med.) arteriosclerosis

artfremd, *adj,* alien; **Artgenosse** *sub, m, -n, -n* member of the same species; **artgerecht** *adj,* nur als Anwendung; *artgerechte Tierhaltung* keeping animals in an appropriate environment

Arthritis, *sub, f, -, nur Einz. (tt; med.)* arthritis; **arthritisch** *adj,* arthritic; **Arthrose** *sub, f, -e, -n* arthrosis

artifiziell, *adj,* artificial

artig, *adj,* good; **Artigkeit** *sub, f, -, -en* good behaviour

Artikel, *sub, m, -s, - (Linguistik, jur.)* article; *(Ware)* item

Artikulation, *sub, f, -, nur Einz.* articulation; **artikulieren (1)** *vr,* express o.s. (2) *vt,* articulate

Artillerie, *sub, f, -, -n* artillery; **~geschoss** *sub, n, -es, -e* artillery shell; **Artillerist** *sub, m, -en, -en* artilleryman

Artischocke, *sub, f, -, -n* artichoke

Artist, *sub, m, -en, -en* artist; **~ik** *sub, f, -, nur Einz.* acrobatics; **artistisch (1)** *adj,* acrobatic (2) *adv,* acrobatically

artverwandt, *adj,* related

Arznei, *sub, f, -, -en* medicine; **~kunde** *sub, f, -, nur Einz.* pharmaceutics; **arzneilich** *adj,* medical; **~mittel** *sub, n, -s, -* medicine

Arzt, *sub, m, -es, Ärzte* doctor; **Ärztekammer** *sub, f, -, -n* medical association; **Ärzteschaft** *sub, f, -, nur Einz.* medical profession; **~helferin** *sub, f, -, -nen* doctor´s assistant; **Ärztin** *sub, f, -, -en* lady doctor; **ärztlich** *adj,* medical; *ärztliche Hilfe* medical aid; *ärztliches Attest* medical certificate; *in ärztlicher Behandlung sein* be under medical care; **~rechnung** *sub, f, -, -en* doctor´s bill; **~roman** *sub, m, -s, -e* hospital romance

Asbest, *sub, m, -s, -e* asbestos

Asche, *sub, f, -, nur Einz.* ash; *glimmende Asche* embers; *in Schutt und Asche legen* reduce to ashes; **aschbleich,** *adj,* ash pale; **aschblond**

adj, ash blond; **~nbahn** *sub, f, -, -en* cinder-track; **~nbecher** *sub, m, -s, -* ashtray; **aschenhaltig** *adj,* containing ash; **~nputtel** *sub, n, -s, -* Cinderella; *ein Aschenputteldasein führen* lead a Cinderella-like existence; **aschfahl** *adj,* ashen; **aschgrau** *adj,* ash gray

Ascorbinsäure, *sub, f, -, nur Einz. (tt; chem.)* ascorbic acid

äsen, *vi,* graze

asexual, *adj, (tt; biol.)* asexual

asexuell, *adj,* asexual

asiatisch, *adj,* Asian

Askese, *sub, f, -, nur Einz.* asceticism; **Asket** *sub, m, -en, -en* ascetic; **asketisch (1)** *adj,* ascetic (2) *adv,* ascetically

asozial, *adj,* antisocial; **Asoziale** *sub, f, m, -n, -n* antisocial

Aspekt, *sub, m, -s, -e* aspect; *etwas unter einem bestimmten Aspekt betrachten* look at sth from a specific point of view

Asphalt, *sub, m, -es, -e* asphalt; **asphaltieren** *vt,* asphalt; **~straße** *sub, f, -, -n* bitumen road

Aspik, *sub, m, n, -s, -e* aspic

Aspirant, *sub, m, -en, -en* candidate

Aspirin, *sub, n, -s, nur Einz. (tt; med.)* aspirin

Assekuranz, *sub, f, -, -en* insurance

Assel, *sub, f, -, -n* wood-louse

Assessor, *sub, m, -s, -en (jur.)* assistant judge

Assimilation, *sub, f, -, -en* assimilation; **assimilieren** *vt,* assimilate; **Assimilierung** *sub, f, -, -en* assimilation

Assistent, *sub, m, -en, -en* assistant; **Assistenz** *sub, f, -, -en* assistance; **assistieren** *vi,* assist

Ast, *sub, m, -s, Äste* branch; *den Ast absägen, auf dem man sitzt* saw off one´s own branch; *(ugs.) sich einen Ast lachen* kill os laughing; **Ästchen** *sub, n, -s, -* twig; **astfrei** *adj,* free from knots; **~gabel** *sub, f, -, -n* fork

Äster, *sub, f, -, -n (bot.)* aster

Asteroid, *sub, m, -en, -en (tt; phy.)* asteroid

Ästhet, *sub, m, -en, -en* aesthete; **~ik** *sub, f, -, nur Einz. (Lehre)* aesthetics; *(Schönheit)* beauty; **ästhetisch (1)** *adj,* aesthetic **(2)** *adv,* aesthetically; **ästhetisieren** *vi,* discuss aesthetics

Asthma, *sub, n, -s, nur Einz. (med.)* asthma; **~anfall** *sub, m, -s, -fälle* asthma attack; **~tiker** *sub, m, -s, -* asthmatic; **asthmatisch** *adj,* asthmatic

astigmatisch, *adj,* astigmatic; **Astigmatismus** *sub, m, -, nur Einz.* astigmatism

Astloch, *sub, n, -s, -löcher* knothole

astral, *adj,* astral; **Astralleib** *sub, m, -s, -er* astral body

astrein, *adj, (i. ü. S.)* fantastic; *das ist nicht ganz astrein* there is something fishy about the business

Astrologe, *sub, m, -n, -n* astrologer; **Astrologie** *sub, f, -, nur Einz.* astrology; **astrologisch** *adj,* astrological

Astronaut, *sub, m, -en, -en* astronaut; **~ik** *sub, f, -, nur Einz.* astronautics; **astronautisch** *adj,* astronautical

Astronom, *sub, m, -en, -en* astronomer; **~ie** *sub, f, -, nur Einz.* astronomy; **astronomisch** *adj,* astronomical

Astrophysik, *sub, f, -, nur Einz.* astrophysics; **astrophysikalisch** *adj,* astrophysical

Astwerk, *sub, n, -s, -e* branches

Äsung, *sub, f, -, -en* grazing

Asyl, *sub, n, -s, -e* refuge; *(polit.)* asylum; **~ant** *sub, m, -en, -en* asylum-seeker; **~antrag** *sub, m, -s, -anträge* asylum application; **~bewerber** *sub, m, -s, -* asylum-seeker; **~recht** *sub, m, -s, -e (Bewerbungsrecht)* right of asylum; *(Gesetze)* asylum laws

asynchron, *adj,* asynchronous

Aszendent, *sub, m, -en, -en* ascendant

Atelier, *sub, n, -s, -s* studio; **~auf-**

~nahme *sub, f, -, -en* studio shot; **~fenster** *sub, n, -s, -* studio window; **~wohnung** *sub, f, -, -en* studio flat

Atem, *sub, m, -s, nur Einz.* breath; *Atem holen* take a breath; *außer Atem sein* be out of breath; *den Atem anhalten* hold one's breath; *einen langen Atem haben* have plenty of wind; *ihr verschlug es den Atem* her jaw just dropped; *jemanden in Atem halten* hold so breathless; **atemberaubend** *adj,* breathless; breathtaking; **~beschwerden** *sub, f, -, nur Mehrz.* difficulty in breathing; **~holen** *sub, n, -s, nur Einz.* breathing; **atemlos** *adj,* breathless; **~not** *sub, f, -, nur Einz.* shortness of breath; **~pause** *sub, f, -, -n (ugs.)* breather; **~übung** *sub, f, -, -en* breathing exercise; **~wege** *sub, f, -, nur Mehrz.* respiratory tract; **~zug** *sub, m, -s, -züge* breath; *bis zum letzten Atemzug* to the last gasp; *im nächsten Atemzug* the next moment; *in einem Atemzug* in one breath

Atheismus, *sub, m, -, nur Einz.* atheism; **Atheist** *sub, m, -en, -en* atheist; **atheistisch** *adj,* atheistic

Äther, *sub, m, -s, nur Einz. (tt; chem., phys.)* ether; **ätherisch** *adj,* etheral; *ätherische Öle* essential oils

Athlet, *sub, m, -en, -en* athlete; **~ik** *sub, f, -, nur Einz.* athletics; **athletisch** *adj,* athletic

Atlantik, *sub, m, -, nur Einz.* Atlantic

Atlas, *sub, m, - oder -lasses, -lanten oder -lasse* atlas

atmen, *vti,* breath

Atmosphäre, *sub, f, -, -n* atmosphere; **atmosphärisch** *adj,* atmospheric

Atmung, *sub, f, -, nur Einz.* breathing; **atmungsaktiv** *adj,* breathing; **~sorgan** *sub, n, -s, -e* respiratory organ

Atoll, *sub, n, -s, -e* atoll

Atom, *sub, n, -s, -e* atom; **~-U-Boot**
sub, n, -es, -e nuclear submarine;
~angriff *sub, m, -s, -e* nuclear attack; **atomar** *adj,* nuclear; **atombetrieben** *adj,* nuclear-powered;
~bombe *sub, f, -, -n* nuclear bomb;
~bombenversuch *sub, m, -s, -e*
nuclear test; **~energie** *sub, f, -, nur
Einz.* nuclear energy; **~gegner** *sub,
m, -s, -* anti-nuclear protester; **~ge-
wicht** *sub, n, -s, -e* atomic weight;
~kern *sub, m, -s, -e* atomic
nucleus; **~kraft** *sub, f, -, nur Einz.*
nuclear power; **~kraftwerk** *sub, n,
-s, -e* nuclear power station; **~krieg**
sub, m, -s, -e nuclear war; **~macht**
sub, f, -, -mächte nuclear power;
~meiler *sub, m, -s, -* nuclear reactor; **~müll** *sub, m, -s, nur Einz.*
nuclear waste; **~physik** *sub, f, -,
nur Einz.* nuclear physics; **~rakete**
sub, f, -, -n nuclear missile; **~reak-
tor** *sub, m, -s, -en* nuclear reactor;
~sprengkopf *sub, m, -es, -köpfe*
nuclear warhead; **~strom** *sub, m,
-s, nur Einz.* nuclear currency; **~-
test** *sub, m, -s, -s* nuclear test;
~waffe *sub, f, -, -n* nuclear weapon;
atomwaffenfrei *adj,* nuclear-free;
~waffensperrvertrag *sub, m, -s,
-verträge* nuclear weapons restriction treaty; **~zeitalter** *sub, n, -s, nur
Einz.* nuclear age; **~zertrümme-
rung** *sub, f, -, -en* nuclear splitting
atonal, *adj, (mus.)* atonal; **Atonalität** *sub, f, -, nur Einz.* atonality
Attrappe, *sub, f, -, -n (Puppe)* dummy; *(tech.)* mock-up; *alles ist nur
Attrappe* it´s all show
Attaché, *sub, m, -s, -s* attaché
Attacke, *sub, f, -e, -n* attack
Attentat, *sub, n, -s, -e* assassination;
auf jemanden ein Attentat verüben
make an attempt on so´s life; *auf
jemanden erfolgreich ein Attentat
verüben* assassinate so; **Attentäter**
sub, m, -s, - assassin
Attest, *sub, n, -s, -e* medical certificate; **attestieren** *vt,* certify
Attraktion, *sub, f, -, -en* attraction;
attraktiv *adj,* attractive; **Attraktivi-**

tät *sub, f, -, nur Einz.* attractivity
Attribut, *sub, n, -es, -e* attribute;
attributiv *adj,* attributive
atypisch, *adj,* atypical
ätzen, *vt, (med.)* cauterize; *(tech.)*
corrode; **~d** *adj, (i. ü. S.)* crabby;
(med.) caustic; *(tech.)* corrosive;
Ätzflüssigkeit *sub, f, -, -en* corrosive; **Ätzung** *sub, f, -, -en (med.)*
cauterization; *(tech.)* corrosion
Au, *sub, f, -, -en* water-meadow
Aubergine, *sub, f, -, -n* aubergine
auch, *adv, konj, (genauso)* also,
as well, too; *(selbst)* even; *das
kommt auch noch* this is still to
come; *ich auch* me too; *ich kann
das auch nicht* I can´t do it either; *sowohl als auch* as well as;
wenn auch even if
Audienz, *sub, f, -, -en* audience
audiovisuell, *adj,* audio-visual
Auditorium, *sub, n, -s, -torien
(Hörsaal)* auditorium; *(Zuhörer)*
audience
Auerhahn, *sub, m, -s, -hähne*
capercaillie; **Auerochse** *sub, m,
-n, -n* aurochs
auf, (1) *adv, (herauf)* up; *(offen)*
open **(2)** *konj,* nur als Anwendung **(3)** *präp,* at, in, on, to; *auf
und ab gehen* walk up and down;
sich auf und davon machen clear
off; *das Fenster ist auf* the window is open, *auf dass* in order
that, *auf dem Stuhl* on the chair;
auf Deutsch in German; *auf ewig*
for ever and ever; *auf Mittag zu
gehen* it´s getting on for noon;
überall auf der Welt everywhere
in the world
aufatmen, *vi,* breath a sigh of relief
aufbahren, *vt,* lay out; **Aufbahrung** *sub, f, -, -en* laying out
Aufbau, *sub, m, -s, -ten (eines Bau-
werkes)* erection; *(Struktur)* structure; *(Zusammenbau)* assembly;
~arbeit *sub, f, -, -en (gesellschaftlich)* social improvement;
(tech.) construction work; **aufbauen (1)** *vr,* build up **(2)** *vt,*

(Bauwerk) build; *(Text)* structure; *(Zelt)* put up; *(zusammenbauen)* assemble; *jemanden wieder aufbauen* build so up again; *sich im Existenz aufbauen* set os up in life; **~training** *sub, n, -s, nur Einz.* stamina training

aufbäumen, *vr, (i. ü. S.; Mensch)* rebel; *das Pferd bäumt sich auf* the horse is rearing up; *sich vor Schmerzen aufbäumen* writhe in pain

aufbauschen, *vt,* exaggerate

aufbegehren, *vi,* rebel

aufbehalten, *vt,* keep on; *seinen Hut aufbehalten* keep one´s hat on

aufbereiten, *vt, (tech.)* process; **Aufbereitung** *sub, f, -, -en* processing

aufbessern, *vt,* improve; *(Verdienst)* increase; **Aufbesserung** *sub, f, -, -en* improvement; *(des Lohnes)* increase

aufbewahren, *vt,* store; **Aufbewahrung** *sub, f, -, -en* storage; *jemandem ´ etwas zur Aufbewahrung überlassen* leave sth with so for safekeeping; **Aufbewahrungsort** *sub, m, -es, -e* depository

aufbieten, *vt, (Kräfte, etc.)* summon up; *(mil.)* mobilize; *all seine Kräfte aufbieten* muster up all one´s strength; *alle Truppen aufbieten* mobilize all troops; **Aufbietung** *sub, f, -, -en* mobilization

aufbinden, *vt,* nur als Anwendung; *(öffnen)* untie; *jemandem einen Bären aufbinden* take so for a ride

aufblähen, **(1)** *vr,* balloon **(2)** *vt,* blow out; **Aufblähung** *sub, f, -, -en* ballooning

aufblasen, **(1)** *vr,* puff o.s. up **(2)** *vt,* inflate; **aufblasbar** *adj,* inflatable

aufblättern, *vt,* open

aufbleiben, *vi, (Fenster, etc.)* stay open; *(Person)* stay up

aufblicken, *vi,* look up

aufblinken, *vi,* flash

aufblitzen, *vi,* flash

aufblühen, *vi, (Blüte)* blossom; *(wirt.)* flourish

aufbocken, *vt,* jack up

aufbohren, *vt,* bore

aufbrauchen, *vt,* use up

aufbrausen, *vi, (i. ü. S.; Person)* fly into a rage; *(See)* surge; **~d** *adj,* quick-tempered

aufbrechen, **(1)** *vi, (Eisfläche)* crack; *(gehen)* leave **(2)** *vt, (Tür, etc.)* break open

aufbringen, *vt, (Geld)* raise; *(Mut)* summon up; *(öffnen)* get open; *(Person verärgern)* enrage so; **Aufbringung** *sub, f, -, nur Einz. (Geld)* raising

Aufbruch, *sub, m, -es, -brüche* departure; *im Aufbruch begriffen sein* be getting ready to go; *zum Aufbruch drängen* be keen to get going; **~sstimmung** *sub, f, -, -en* nur als Anwendung; *es herrscht Aufbruchsstimmung* everyone is getting ready to go

aufbrühen, *vt,* brew

aufbrüllen, *vt,* cry out

aufbügeln, *vt,* iron

aufbürden, *vt,* nur als Anwendung; *jemandem eine Last aufbürden* place a burden on so´s shoulder; *jemandem etwas aufbürden* saddle so with sth

aufdecken, **(1)** *vi, (Tisch)* lay the table **(2)** *vt, (Bett)* uncover; *(i. ü. S.; Verbrechen)* reveal; **Aufdeckung** *sub, f, -, -en (eines Verbrechens)* revelation

aufdrängen, **(1)** *vr,* nur als Anwendung **(2)** *vt,* nur als Anwendung; *dieser Gedanke drängt sich auf* it suggests itself; *sich jemandem aufdrängen* force os on so, *jemandem etwas aufdrängen* force sth on so; **aufdringlich** *adj, (Farben)* flashy; *(Person, etc.)* obtrusive; **Aufdringlichkeit** *sub, f, -, -en (von Farben)* flashiness; *(von Personen)* obtrusiveness

aufdrehen, **(1)** *vi, (ugs.)* step on the gas **(2)** *vt, (Wasser, etc.)* turn on

aufdröseln, *vt, (Naht, Gewebe)* undo; *(Schnur)* unravel

Aufdruck, *sub, m, -s, -e* imprint; **aufdrucken** *vt,* print

aufdrücken, *vt, (aufstoßen)* press open; *(Stempel)* imprint

aufeinander, *adv,* on top of each other; *(nacheinander)* one after the other; *aufeinander losgehen* go for each other; *gut aufeinander abgestimmt* well-coordinated; **Aufeinanderfolge** *sub, f, -, -n* succession

Aufenthalt, *sub, m, -es, -e (Fahrtunterbrechung)* stop; *(Verweilen)* stay; *der Zug fährt ohne Aufenthalt* it's a nonstop train; *zehn Minuten Aufenthalt haben* have a ten-minute wait; **~sdauer** *sub, f, -, -n* stay; **~sgenehmigung** *sub, f, -, -en* residence permit; **~sort** *sub, m, -es, -e* place of residence; **~sraum** *sub, m, -es, -räume* lounge

auferlegen, *vt,* impose; *jemandem die Verantwortung auferlegen* place the responsibility on so's shoulder; *sich eine Beschränkung auferlegen* exercise self-constraint

auferstehen, *vi,* rise from the dead; **Auferstehung** *sub, f, -, -en* resurrection

auferwecken, *vt, (i. ü. S.)* bring to life; **Auferweckung** *sub, f, -, -en* resurgence

aufessen, *vt,* eat up

auffahren, (1) *vi,* nur als Anwendung; *(Person)* jump up; *(zusammenstoßen)* crash into **(2)** *vt, (mil.)* deploy; *auf ein Auto dicht auffahren* tailgate a car; *auffahren auf* crash into; *er fuhr zornig auf* he flared up; **Auffahrt** *sub, f, -, -en (Autobahn)* slip road; *(Grundstück)* driveway; **Auffahrtsstraße** *sub, f, -, -n* slip road; **Auffahrunfall** *sub, m, -s, -fälle* rear-end collision

auffallen, *vi,* be conspicuous, nur als Anwendung; *das fällt nicht auf* nobody will notice; *unangenehm auffallen* make a bad impression; *auf etwas auffallen* hit sth; **~d (1)** *adj,* remarkable **(2)** *adv,* nur als Anwendung; *von auffallender*

Schönheit of striking beauty, *sich auffallend gleichen* have a striking resemblance

auffällig, *adj,* conspicuous; **Auffälligkeit** *sub, f, -, -en* conspicuousness

auffangen, *vt, (i. ü. S.; Auswirkungen)* cushion; *(Ball, etc.)* catch; *(Funkspruch)* pick up; *(Stoß, etc.)* cushion; **Auffanglager** *sub, m, -s, -* transit camp

auffassen, (1) *vi,* understand **(2)** *vt,* interpret; *leicht auffassen können* be quick on the uptake, *etwas falsch auffassen* misinterpret sth; **Auffassung** *sub, f, -, -en (Deutung)* interpretation; *(Meinung)* opinion; **Auffassungsgabe** *sub, f, -, -n* perceptive faculty; **Auffassungssache** *sub, f, -, -n* nur als Anwendung; *das ist Auffassungssache* that's a matter of opinion

aufflackern, *vi,* flicker

aufflammen, *vi, (a. i .ü.S.)* flare up

auffliegen, *vi, (i. ü. S.; Plan, etc.)* blow up; *(Vögel, etc.)* fly up

auffordern, *vt,* call on so, request; *(befehlen)* order; *(ermutigend)* encourage; *jemanden eindringlich zu etwas auffordern* urge so to do sth; *jemanden zum Kampf auffordern* challenge so to a fight; *jemanden zum Tanzen auffordern* ask so for a dance; **Aufforderung** *sub, f, -, -en* call, request; *(Befehl)* order

aufforsten, *vt,* reafforest; **Aufforstung** *sub, f, -, -en* reafforestation

auffressen, *vt,* devour; *(ugs.) mein Vater wird mich auffressen* my father will kill me; *(i. ü. S.) von der Arbeit aufgefressen werden* drown in work

auffrischen, (1) *vi, (Wind)* freshen up **(2)** *vt, (Freundschaft)* revive; *(Wissen)* brush up; *sein Englisch auffrischen* brush up one's English; **Auffrischung** *sub, f, -, nur Einz. (von Freund-*

aufbausten) revival, (von Wissen)
brushing up

aufführen, (1) *vr*, behave badly **(2)**
vt, (auflisten) list; *(Theaterstück)*
perform; **aufführbar** *adj*, stage-
able; **Aufführung** *sub, f, -, -en* performance; **Aufführungsrecht** *sub,
n, -s, -e* performing rights

auffüllen, *vt*, fill up; *(nachfüllen)*
top up; **Auffüllung** *sub, f, -, -en
(eines Lagers)* restocking; *(von Vorräten)* replenishment

Aufgabe, *sub, f, -, -n (Arbeitsauftrag)* job; *(eines Geschäfts)* giving
up; *(schriftliche Aufgabe)* assignment; *(von Gepäck)* checking
in; *(von Post)* posting; **~nbereich**
sub, n, -es, -e responsibility; **~nstel-
lung** *sub, f, -, -en* task

aufgabeln, *vt*, pick up

Aufgang, *sub, m, -s, -gänge (der Sonne, etc.)* rising; *(Treppe)* staircase

aufgeben, (1) *vi*, give up **(2)** *vt,
(aufhören)* give up; *(Gepäck)*
check in; *(Hoffnung)* abandon;
(Post) post

aufgebläht, *adj, (med.)* distended;
(Verwaltung) inflated

aufgeblasen, *adj, (Ballon)* inflated;
(Person) self-important; **Aufgeblasenheit** *sub, f, -, nur Einz.* self-im-
portance

Aufgebot, *sub, n, -s, -e (Eheaufgebot)* banns; *(Menge)* array; *(mil.)*
contingent

aufgedonnert, *adj, (ugs.)* dolled up

aufgedreht, *adj,* in high spirits

aufgedunsen, *adj,* bloated

aufgehen, *vi, nur als Anwendung;
(Augen, Knospen, etc.)* open;
(mat.) divide exactly into; *(Sonne,
etc.)* rise; *(Vorhang)* go up; *es geht
ihm auf* it becomes clear to him; *in
seiner Arbeit aufgehen* be wrapped
up in one's work

aufgeklärt, *adj,* well-informed; **Aufgeklärtheit** *sub, f, -, nur Einz.* enlightenment

aufgeknöpft, *adj, (ugs.)* chatty

aufgekratzt, *adj,* chirpy

aufgelegt, *adj, nur als Anwendung;*

gut aufgelegt sein be in a good
mood; *zu etwas aufgelegt sein*
feel like doing sth

Aufgepasst!, *vi,* Attention!

aufgeräumt, *adj,* cheerful

aufgeraut, *adj,* roughened

aufgeregt, *adj,* excited; *(nervös)*
nervous; **Aufgeregtheit** *sub, f, -,
nur Einz.* excitement; *(Nervosität)* nervousness

aufgeschlossen, *adj, (i. ü. S.)*
open-minded; **Aufgeschlossenheit** *sub, f, -, nur Einz.* open-min-
dedness

aufgeschmissen, *adj,* be stuck

aufgeschossen, *adj,* lanky

aufgeschwemmt, *adj,* swollen

aufgewärmt, *adj,* warmed up

aufgeweckt, *adj,* bright; **Aufgewecktheit** *sub, f, -, nur Einz.*
brightness

aufgießen, *vt,* *(draufgießen)*
pour; *(Tee, etc.)* brew

aufgliedern, *vt,* *(klassifizieren)*
classify; *(teilen)* split up; **Aufgliederung** *sub, f, -, nur Einz. (Klassifizierung)* classification

aufglühen, *vi,* start to glow

aufgraben, *vt,* dig up

aufgreifen, *vt, (Person)* pick up;
(Thema) take up

auf Grund, *präp,* due to

Aufguss, *sub, m, -es, -güsse* infusion; **~beutel** *sub, m, -s, -* teabag

aufhaken, *vt,* undo

aufhalsen, *vt, nur als Anwendung; jemandem etwas aufhalsen* saddled so with sth

aufhalten, (1) *vr,* stay **(2)** *vt, nur
als Anwendung; (anhalten)* stop;
(hinauszögern) delay; *(Tür)* hold
open; *sich mit etwas aufhalten*
spend one's time on, *jemandem
die Tür aufhalten* hold the door
open for so

aufhängen, (1) *vi, (Telefonhörer)*
hang up **(2)** *vr,* hang o.s. **(3)** *vt,
(auch Telefonhörer)* hang up;
(Person) hang; **Aufhänger** *sub,
m, -s, - (einer Geschichte)* peg;
(eines Mantels, etc.) tab; **Aufhän-**

gevorrichtung *sub, f, -, -en* mount;
Aufhängung *sub, f, -, -en* suspension

aufhäufen, *vr, vt,* pile up

aufheben, *vt, (aufbewahren)* keep;
(aufklauben) pick up; *(Gesetz)* repeal; *(hochheben)* lift; *(Verbot)*
abolish; *(Wirkung ausgleichen)*
neutralize

aufheitern, (1) *vi, (Gesicht)* brighten; *(Himmel)* clear **(2)** *vt,* cheer so
up; **Aufheiterung** *sub, f, -, nur
Einz. (des Himmels)* clearing up;
(einer Person) cheering up; **Aufheiterungen** *sub, f, -, nur Mehrz.*
(Meteorologie) sunny spells

aufhelfen, *vt,* nur als Anwendung;
jemandem aufhelfen help so up

aufhellen, (1) *vi, (Fotografie)* ligthen up **(2)** *vr, (Himmel)* brighten
up **(3)** *vt, (i. ü. S.; einen Vorgang)*
shed light on; *(Farbton)* make lighter; **Aufhellung** *sub, f, -, -en* clearing

aufhetzen, *vt,* stir up; **Aufhetzung**
sub, f, -, -en agitation

aufheulen, *vi, (Hund)* howl; *(Motor)* roar

aufholen, (1) *vi, (Rückstand)* catch
up **(2)** *vt,* catch up with; *(Zeit)*
make up; **Aufholjagd** *sub, f, -, -en*
chase

aufhorchen, *vi,* prick up one´s ears

aufhören, *vi,* stop; *aufhören etwas
zu tun* stop doing sth; *etwas ohne
aufzuhören tun* do sth continuously; *höre endlich damit auf* stop it!

aufjauchzen, *vi,* shout for joy

aufjaulen, *vi,* howl

aufkaufen, *vt,* buy up; **Aufkauf** *sub,
m, -es, -käufe* buy-up

aufkehren, *vt,* sweep up

aufkeimen, *vi, (Hoffnung)* begin to
blossom; *(Samen)* germinate

aufklappen, *vt, (Buch, etc.)* open;
(Sitz, etc.) pull down; **aufklappbar**
adj, folding

aufklaren, *vi,* brighten up; **Aufklärer** *sub, m, -s, -* air scout; **aufklärerisch** *adv,* enlightening;
aufklärerisch tätig sein enlighten

other people; **Aufklärung** *sub, f,
-, nur Einz. (Belehrung)* enlightenment; *(des Himmels, Wetters,
eines Verbrechens)* clearing up,
enlightenment; **Aufklärungsflugzeug** *sub, n, -es, -e* air scout;
Aufklärungskampagne *sub, f, -,
-n* education campaign

aufklären, (1) *vr, (Himmel, Wetter)* clear up; *(Verbrechen)* be solved **(2)** *vt, (Person)* inform;
(sexuell) explain the facts of life;
(Verbrechen) clear up

aufkleben, *vt,* stick on; **Aufkleber**
sub, m, -s, - (geb.) adhesive label;
(ugs.) sticker

aufknoten, *vt,* untie

aufknüpfen, *vt, (öffnen)* untie;
(ugs.; Person) hang

aufkochen, (1) *vi,* come to the
boil **(2)** *vt,* bring to the boil

Aufkommen, (1) *sub, n, -s, nur
Einz. (von Bewuchs)* emergence;
(wirt.) revenue **(2) aufkommen**
vi, (Betrug) leak out; *(für Kosten)*
pay for; *(landen)* land; *(Verdacht)* arise; *gegen jemanden
aufkommen* assert os against so;
keine Zweifel aufkommen lassen
give no rise to doubt

aufkrempeln, *vt,* roll up

aufkreuzen, *vi, (ugs.)* turn up

aufkündigen, (1) *vi, (dem Arbeitgeber)* hand in one´s notice; *(einem Mieter, Arbeiter)* give so
notice **(2)** *vt, (Vertrag)* cancel;
die Zusammenarbeit mit jemandem aufkündigen cancel the co-operation with so; *eine
Freundschaft aufkündigen* break
up with so; **Aufkündigung** *sub,
f, -, -en* cancellation

auflachen, *vi,* laugh out loudly

aufladen, (1) *vr, (elektrisch)* be
charged **(2)** *vt, (Akku)* charge;
(Gepäck) load; *jemandem etwas
aufladen* load so with sth; *sich
etwas aufladen* get os loaded
with sth

Auflage, *sub, f, -, -n (Bedingung)*
condition; *(einer Zeitschrift)* cir-

culation; *(eines Buches)* edition, *f,*
mandem etwas zur Auflage ma-
chen make sth a condition for so;
~nhöhe *sub, f, -, -n* print run; **auf-**
lagenstark *adj,* high-circulation
auflassen, *vt, (Tür)* leave open
auflauern, *vt,* nur als Anwendung;
jmd auflauern lie in wait for so
Auflauf, *sub, m, -s, -läufe (Ansamm-*
lung) crowd; *(Gericht)* bake;
~form *sub, f, -, -en* oven dish
auflaufen, (1) *vi, (Gelder)* accumulate; *(Schiff)* run aground **(2)** *vt,*
nur als Anwendung; *jemanden auf-*
laufen lassen obstruct so; *sich sei-*
ne Füße auflaufen walk one´s feet
sore
aufleben, *vi, (Diskussion, Person,*
Pflanzen) come to live; *(Hass)* be
stirred up
auflecken, *vt,* lick up
auflehnen, (1) *vr,* nur als Anwendung **(2)** *vt,* lean against/on; *sich*
gegen etwas/jemanden auflehnen
oppose so/sth; **Auflehnung** *sub, f,*
-, -en resistance
auflesen, *vt,* pick up
aufleuchten, *vi, (Blitz)* flash; *(Lam-*
pe, Augen) light up
aufliegen, *vi, (CD)* be on the turntable; *(Gegenstand)* rest on; *(Zeit-*
schriften, etc.) be available
auflisten, *vt,* list; **Auflistung** *sub, f,*
-, -en (das Auflisten) listing; *(Liste)*
list
auflockern, (1) *vr, (spo.)* loosen up;
(Wolkendecke) break up **(2)** *vt,*
(Stimmung) liven up, loosen;
Auflockerung *sub, f, -, nur Einz.*
(der Stimmung) livening up; *f, -, -en*
(des Bodens) loosening;
(Wolkendecke) breaking up
auflodern, *vi, (a. i.ü.S.)* flare up
auflösen, (1) *vr,* nur als Anwendung; *(chem.)* dissolve; *(Menschen-*
menge) break up; *(Wolken)*
disappear **(2)** *vt, (Konto)* close;
(Menschenmenge) break up; *(Rät-*
sel) slove; *(Substanz, Parlament)*
dissolve; *(Vertrag)* cancel; *sich auf-*
lösen in turn into; *sich in nichts*

auflösen disappear into thin air;
Auflösung *sub, f, -, -en (chem.)*
dissolving; *(einer Gleichung, ei-*
nes Rätsels) solution; *(einer Ver-*
sammlung) breaking up; *(eines*
Bildschirm) resolution; *(eines*
Kontos) closing; *(Zerfall)* frag-
mentation; *in einem Zustand*
völliger Auflösung completely
beside os; **Auflösungsprozess**
sub, m, -es, -e process of disintegration
aufmachen, (1) *vi, (Tür)* open **(2)**
vr, (losgehen) set out **(3)** *vt, (Ge-*
schäft eröffnen) open up; *(gestal-*
ten) design; *(Schleife)* undo;
(Tür, Konto) open; **Aufmacher**
sub, m, -s, - (ugs.) front-page story; **Aufmachung** *sub, f, -, -en* presentation; *(ugs.; einer Person)*
outfit
aufmalen, *vt,* draw
aufmarschieren, *vi,* march up;
(mil.) mass; **Aufmarsch** *sub, m,*
-es, -märsche (Demonstration)
rally; *(festlicher Umzug)* parade;
(mil.) buildup; *(von Menschen)*
marching up
aufmerken, *vi,* listen attentively;
aufmerksam (1) *adj, (konzen-*
triert; höflich) attentive **(2)** *adv,*
attentively; *aufmerksam sein* pay
attention; *aufmerksam werden*
auf notice sth; *das ist sehr auf-*
merksam von Ihnen that´s very
thoughtful of you; *jemanden auf*
etwas aufmerksam machen draw
so´s attention to sth, *aufmerk-*
sam lauschen listen attentively;
etwas aufmerksam verfolgen follow sth closely; **Aufmerksam-**
keit *sub, f, -, nur Einz.*
(Höflichkeit) attentiveness;
(Konzentration) attention; *Auf-*
merksamkeit erregen attract attention; *etwas seine*
Aufmerksamkeit schenken pay
attention to sth; *seine Aufmerk-*
samkeit auf etwas richten focus
one´s attention on sth
aufmöbeln, *vt, (ugs.; Fahrzeug,*

etc.) do up; *(ugs.; sein Ansehen)* polish up

aufmotzen, (1) *vi, (ugs.; herrichten)* do up; *(rebellieren)* kick against **(2)** *vr, (ugs.; sich aufdonnern)* get dolled up

aufmucken, *vi,* kick against

aufmuntern, *vt, (ermutigen)* encourage; *(jemanden aufheitern)* cheer up; **Aufmunterung** *sub, f, -, -en (Erheiterung)* cheering up; *(Ermutigung)* encouragement

aufnähen, *vt,* sew on; **Aufnäher** *sub, m, -s, -* tuck

Aufnahme, *sub, f, -, -n* photograph, reception; *(Arbeit)* taking up; *(eines Tonbandes)* recording; *(Eingliederung)* incorporation; *(ins Krankenhaus, in einen Kurs)* admission; *(Nahrung)* intake; *bei etwas Aufnahme finden* be admitted to; *eine kühle Aufnahme finden* meet with a cool reception; **~bedingung** *sub, f, -, -en* terms of admission; **aufnahmefähig** *adj,* receptive; **~fähigkeit** *sub, f, -, -en* receptivity; **~gebühr** *sub, f, -, -en* admission fee; **~leiter** *sub, m, -s, - (Film)* production manager; *(Musik, etc.)* recording manager; **~prüfung** *sub, f, -, -en* entrance examination

aufnehmen, *vt,* receive; *(Arbeit)* take up; *(eingliedern)* incorporate; *(Foto)* photograph; *(Gäste)* accommodate; *(Musik)* tape; *(Spur)* pick up; *(Schreckensmeldung) gut aufnehmen* take it well; *etwas begeistert aufnehmen* welcome sth with open arms; *jemanden freundlich aufnehmen* give so a warm welcome

aufnötigen, *vt,* nur als Anwendung; *jemanden etwas aufnötigen* force sth on so

aufopfern, (1) *vr,* sacrifice o.s. **(2)** *vt,* sacrifice; **Aufopferung** *sub, f, -, -en* self-sacrifice; **aufopferungsvoll** *adj,* self-sacrificing

aufpäppeln, *vt,* feed up

aufpassen, *vi, (Obacht geben)* take care; *(zuhören)* pay attention; *pass auf* watch out; *pass auf* listen; **Aufpasser** *sub, m, -s, -* lookout

aufpeppen, *vt, (ugs.)* pep up

aufpflanzen, (1) *vr,* nur als Anwendung **(2)** *vt, (Gewehr)* fix; *sich aufpflanzen* plant os

aufplatzen, *vi, (Flasche, etc.)* burst; *(Wunde)* open

aufplustern, *vr, (ugs.; sich aufspielen)* give o.s. airs; *(Vogel)* ruffle the feathers

aufpolieren, *vt, (a. i.ü.S.; Holz, etc.)* polish up; *(i. ü. S.; Wissen)* brush up

aufprallen, *vi,* hit; **Aufprall** *sub, m, -s, -e* impact

Aufpreis, *sub, m, -es, -e* extra charge

aufpumpen, *vt,* inflate

aufputschen, (1) *vr, (i. ü. S.)* buck o.s. up **(2)** *vt, (Menschenmenge)* stir up; **Aufputschmittel** *sub, n, -s, -* stimulant

aufraffen, *vr,* struggle to one´s feet; *sich zu etwas aufraffen* bring os to do sth

aufrappeln, *vr, (nach Erkrankung)* pick up o.s.; *(sich hochziehen)* struggle to one´s feet; *sich nach einer Erkrankung aufrappeln* get back on one´s feet again

aufrauen, *vt,* roughen

aufräumen, (1) *vi,* tidy up **(2)** *vt, (beseitigen)* put away; *(Boden, etc.)* tidy up; *aufräumen unter* wreak havoc among; *mit etwas aufräumen* put an end to; *mit seiner Vergangenheit aufräumen* make a break with one´s past; **Aufräumung** *sub, f, -, -en* tidying up; **Aufräumungsarbeiten** *sub, f, -, nur Mehrz.* clearance work

aufrechnen, *vt,* add up; *etwas gegen etwas aufrechnen* set sth off against sth; *jemandem etwas aufrechnen* charge so for sth; **Aufrechnung** *sub, f, -, -en (wirt.)* settling of accounts

aufrecht, *adj, adv, (a. i.ü.S.)*

upright, *aufrecht etwas mit up; auf-recht stehen* stand upright

aufregen, (1) *vr,* get upset (about) **(2)** *vt, (ärgern)* annoy so; *(erregen)* excite; **~d** *adj, (beunruhigend)* upsetting; *(erregend)* exciting; **Aufregung** *sub, f, -, nur Einz. (Beunruhigung)* upset; *(Erregung)* excitement

aufreiben, *vt, (Gegner)* destroy; *(Haut)* abrade; *(Stoff)* wear down; **~d** *adj,* exhausting

aufreihen, *vt, (Bücher etc.)* put in a row; *Perlen aufreihen* thread pearls; *sich aufreihen* line up

aufreißen, (1) *vi, (Tüte)* burst **(2)** *vt, (Fenster etc.)* fling open; *(ugs.; Frau)* pick up; *(Teerdecke)* tear up; *(Verpackung)* tear open

aufreizend, *adj,* provocative

aufrichten, (1) *vr, (i. ü. S.)* pick o.s. up; *(aufstehen)* get up **(2)** *vt, (errichten)* erect; *(Person)* help so up

aufrichtig, *adj,* sincere; *(ehrlich)* honest; **Aufrichtigkeit** *sub, f, -, nur Einz.* sincerity; *(Ehrlichkeit)* honesty

Aufriss, *sub, m, -es, -e (arch.)* elevation

aufrücken, *vi, (in der Stellung)* be promoted; *(nachrücken)* move up

aufrufen, (1) *vi,* nur als Anwendung **(2)** *vt,* call up; *(im Unterricht)* call on; *aufrufen zu* appeal for; *zum Streik aufrufen* call a strike, *jemanden zu etwas aufrufen* call upon so to; **Aufruf** *sub, m, -s, -e* summons; *(Flugzeug)* call

aufrunden, *vt,* round up; *eine Zahl aufrunden* round a number up; **Aufrundung** *sub, f, -, -en* rounding up

aufrüsten, *vti,* arm; **Aufrüstung** *sub, f, -, nur Einz.* armament

aufrütteln, *vt, (a. i.ü.S.)* shake so up; **~d** *adj,* encouraging; **Aufrüttelung** *sub, f, -, nur Einz.* encouragement

aufsagen, *vt,* recite

aufsammeln, *vt,* pick up; *(ugs.; Person mitnehmen)* pick up

aufsässig *adj,* rebellious; **Aufsässigkeit** *sub, f, -, nur Einz.* rebelliousness

Aufsatz, *sub, m, -es, -sätze (Oberteil)* top part; *(Text)* essay; **~thema** *sub, n, -s, -themen* essay topic

aufsaugen, *vt,* absorb

aufschauen, *vi,* look up

aufschaukeln, (1) *vr, (i. ü. S.; Auswirkungen etc.)* build up **(2)** *vt, (phy.)* amplify

aufschäumen, *vi,* froth up

aufscheuchen, *vt,* startle

aufschichten, *vt, (Bretter etc.)* stack; *(geol.)* stratify; **Aufschichtung** *sub, f, -, -en* stratification; *(von Brettern etc.)* stacking

aufschieben, *vt, (i. ü. S.; Arbeit)* postpone; *(i. ü. S.; Tür)* push open; **Aufschiebung** *sub, f, -, -en* delay

aufschlagen, (1) *vi, (auf den Boden)* hit; *(aufbrechen)* break open; *(Tennis)* serve **(2)** *vt, (Ei)* crack; *(Zeitung etc.)* open; *(Zelte)* set up; **Aufschlagfehler** *sub, m, -s, -* service fault; **Aufschlagverlust** *sub, m, -s, -e* markup loss; **Aufschlagzünder** *sub, m, -s, - (tech.)* impact detonator

aufschließen, (1) *vi, (tt; chem.)* break up; *(Schloss)* unlock; *(Tür)* open up **(2)** *vr,* nur als Anwendung; *sich jemandem aufschließen* open one´s heart to so

aufschluchzen, *vi,* sob loudly

Aufschluss, *sub, m, -es, -schlüsse (tt; chem.)* decomposition; *(Einsicht)* information; **aufschlussreich** *adj,* informative

aufschlüsseln, *vt,* break down; **Aufschlüsselung** *sub, f, -, -en* breakdown

aufschnappen, (1) *vi,* snap open **(2)** *vt,* catch

aufschneiden, (1) *vi,* show off **(2)** *vt, (med.)* open; *(Verpackung etc.)* cut open; **Aufschneider** *sub, m, -s, -* show-off; **Aufschnitt** *sub, m, -s, -e* cold cuts

aufschrauben, *vt,*   *(öffnen)*

unscrew; *(schließen)* screw on

aufschrecken, (1) *vi*, give a start **(2)** *vt*, startle

aufschreiben, *vt*, write down; *jemanden aufschreiben* take down so´s particulars; *jemandens Kennzeichen aufschreiben* take down so´s car number

aufschreien, *vi*, scream; *vor Schmerz aufschreien* cry out with pain; **Aufschrei** *sub, m, -s, -e (i. ü. S.; des Protests)* outcry; *(vor Schmerz etc.)* scream

Aufschrift, *sub, f, -, -en (Beschriftung)* lettering; *(Etikett)* label

Aufschub, *sub, m, -s, -schübe* postponement

aufschürfen, *vt*, graze o.s., graze one´s skin

aufschütteln, *vt*, shake up

aufschütten, *vt, (Haufen)* pile up; *(Wall)* throw up; **Aufschüttung** *sub, f, -, -en* earth bank

aufschwatzen, *vt*, nur als Anwendung; *jemandem etwas aufschwatzen* talk so into buying sth

aufschwemmen, *vi, (Gesicht etc.)* bloat; *(Sediment)* deposit; **Aufschwemmung** *sub, f, -, -en (chem.)* suspension; *(med.)* swelling

Aufsehen, (1) *sub, n, -s, - stir* **(2)** **aufsehen** *vi*, look up; *Aufsehen erregen* cause a stir; *ohne großes Aufsehen* discreetly; *um Aufsehen zu vermeiden* to avoid attracting attention; **~ erregend** *adj, (Neuigkeit)* sensational; *(These)* controversial; **Aufseher** *sub, m, -s, - (allgemein)* attendant; *(Gefängnis)* guard

aufsetzen, (1) *vi, (Flugzeug)* touch down **(2)** *vr, (sich aufrichten)* sit up **(3)** *vt, (Mütze etc.)* put on; *(Schriftstück)* draft

Aufsicht, *sub, f, -, -en (Aufseher)* supervisor; *(Überwachung)* supervision; *die Aufsicht über etwas haben* be in charge of sth; *unter polizeilicher Aufsicht stehen* be under surveillance; **~beamte** *sub, m, -n, -n (Ausstellung etc.)* supervisor; *(im Gefängnis)* guard; **~sbehörde** *sub,*

f, -, -n control board; **~spflicht** *sub, f, -, -en* responsibility; **~srat** *sub, m, -s, -räte (Gremium)* supervisory board; *(Ratsmitglied)* member of the supervisory board; **~sratssitzung** *sub, f, -, -en* meeting of the supervisory board; **~sratsvorsitzende** *sub, f, m, -n, -n* chairman of the supervisory board

aufsitzen, *vi, (auf ein Reittier)* mount; *(sich aufrichten)* sit up; *(tech.)* rest on

aufspalten, (1) *vr, (chem.)* be broken down **(2)** *vr, vi,* split; **Aufspaltung** *sub, f, -, -en* splitting

aufsparen, *vt*, save (up); **Aufsparung** *sub, f, -, -en* saving

aufsperren, *vti*, unlock

aufspielen, (1) *vr, (ugs.)* give o.s. airs **(2)** *vt, (mus.)* strike up

aufspießen, *vt, (Essen)* spike; *(mit Hörnern)* gore; *(mit Speer)* spear

aufsplittern, *vti*, splinter; **Aufsplitterung** *sub, f, -, -en* splintering

aufsprayen, *vt*, spray on

aufsprengen, *vt, (mit Dynamit)* blast open; *(mit Kraft)* force open

aufspringen, *vi, (aufkommen)* land; *(hochspringen)* jump up; *(Lippen)* crack; *(Tür)* fly open

aufspritzen, (1) *vi, (hochspritzen)* splash up **(2)** *vt, (Farbe aufsprühen)* spray on

aufsprühen, *vt*, spray on

Aufsprung, *sub, m, -s, -sprünge (eines Balls)* bounce; *(spo.)* landing

aufspüren, *vt, (Geheimnis)* unearth; *(Person, Tier)* track down

aufstacheln, *vt*, stir up; *jemanden zu etwas aufstacheln* goad so into sth; **Aufstachelung** *sub, f, -, -en* goading

aufstampfen, *vi*, stamp one´s foot

Aufstand, *sub, m, -s, -stände* revolt; **aufständisch** *adj*, rebellious; **Aufständische** *sub, f/m, -n, -*

ii rebel

aufstapeln, *vt*, stack up

aufstauen, (1) *vr*, collect (2) *vt*, dam up

aufstecken, *vt*, put on; *(Haare)* put up; *(mit einer Nadel)* pin

aufstehen, *vi*, *(Fenster)* stand open; *(sich erheben)* stand up; *(vom Bett)* get up; *vom Boden aufstehen* stand up; *vom Tisch aufstehen* get up from the table

aufsteigen, *vi*, *(auf ein Fahrrad)* mount; *(bergsteigen)* climb; *(i. ü. S.; beruflich)* be promoted; *(Flugzeug)* take off; *(Rauch)* rise; *(Vögel)* soar; **Aufsteiger** *sub, m, -s, -* social climber

aufstellen, (1) *vr*, take up one´s position (2) *vt*, *(auch Rekord)* set up; *(Denkmal)* erect; *(Falle)* set; *(Kandidaten)* put forward; *(Wache)* post; *eine Behauptung aufstellen* make an assertion; *eine Hypothese aufstellen* propose a hypothesis; **Aufstellung** *sub, f, -, -en (Anordnung)* arrangement; *(mil.)* formation; *(polit.)* nomiation; *(tech.)* installation; *(von Gegenständen)* setting-up

Aufstieg, *sub, m, -s, -e (Aufsteigen)* climb; *(Flugzeug)* take-off; *(i. ü. S.; spo.)* promotion; *(a. i.ü.S.; Weg, auch sozial)* ascent; **~smöglichkeit** *sub, f, -, -en* promotion prospects

aufstöbern, *vt*, *(Geheimnis)* unearth; *(Wild)* rouse

aufstocken, *vt*, *(arch.)* raise; *(wirt.)* increase; **Aufstockung** *sub, f, -, -en (arch.)* raise; *(wirt.)* increase

aufstöhnen, *vi*, groan loudly

aufstoßen, (1) *vi*, *(aufschlagen)* hit; *(rülpsen)* burp (2) *vt*, *(Tür)* push open; *einen Gegenstand auf etwas aufstoßen* bang a thing onto sth; *sich seinen Ellbogen aufstoßen* cut one´s elbow

aufstreben, *vi*, aspire; **~d** *adj*, *(Bauwerk)* soaring; *(Person)* aspiring

aufstützen, (1) *vr*, prop o.s. up (2)

vi, prop up

aufsuchen, *vt*, *(einen Arzt)* see; *(Ort)* visit

aufsummieren, *vt*, sum up

auftakeln, (1) *vr*, *(ugs.)* get tarted up (2) *vt*, *(Schiff)* rig up

Auftakt, *sub, m, -s, -e (Beginn)* start; *(mus.)* upbeat

auftanken, *vti*, fill up

auftauchen, *vi*, *(aus dem Wasser)* come up; *(ugs.; erscheinen)* turn up

auftauen, (1) *vi*, *(i. ü. S.; Person)* thaw (2) *vti*, *(Eis)* thaw; *(Speisen)* defrost

aufteilen, *vt*, *(teilen)* divide (up); *(verteilen)* distribute; **Aufteilung** *sub, f, -, -en (Teilung)* division; *(Verteilung)* distribution

auftischen, *vt*, serve

auftragen, (1) *vi*, *(Stoff)* be bulky (2) *vt*, nur als Anwendung; *(Lack)* apply; *jemandem etwas auftragen* assign so with sth; **Auftraggeber** *sub, m, -s, -* employer; **Auftragnehmer** *sub, m, -s, -* contractor; **Auftragsarbeit** *sub, f, -, -en* commissioned work; **Auftragsbestand** *sub, m, -s, -bestände* backlog of orders; **Auftragsbestätigung** *sub, f, -, -en* confirmation; **auftragsgemäß** *adv*, as per order; **Auftragslage** *sub, f, -, -n* orders situation

auftreffen, *vi*, hit

auftreiben, (1) *vi*, *(Teig)* swell (2) *vt*, *(ugs.; Geld, Person)* get hold of; *(Person aufjagen)* force so up

auftrennen, *vt*, undo

Auftreten, (1) *sub, n, -s, nur Einz. (eines Schauspielers)* performance; *(Verhalten)* manner; *(Vorkommen)* occurrence (2) **auftreten** *vi*, *(aufstoßen)* kick open; *(erscheinen)* appear; *(mit den Füßen)* tread; *(vorkommen)* occur; *als Zeuge auftreten* appear as a witness; *gegen etwas/jemanden auftreten* oppose sth/so; *in der Öffentlichkeit auftreten* appear in public; *leise auftreten* tread softly

Auftrieb, *sub, m, -s, -e (i. ü. S.; Antrieb)* impetus; *(phy., im Wasser)* buoyancy; *(phy., in der Luft)* lift; **~skraft** *sub, f, -, -kräfte (tt; phy., im Wasser)* buoyant force; *(tt; phy., in der Luft)* lifting force

auftrumpfen, *vi*, play one´s trumps

auftun, (1) *vr, (a. i.ü.S.)* open up (2) *vt, (entdecken)* find; *(Mund)* open

auftürmen, (1) *vr*, pile up (2) *vt*, pile up

auf und ab, *adv*, up and down; *auf und ab gehen* walk up and down; *auf und davon*, up and away; *sich auf und davon machen* clear off

aufwachen, *vi, (a. i.ü.S.)* wake up

aufwallen, *vi, (i. ü. S.; Gefühle)* surge up; *(Wasser)* bubble up; **Aufwallung** *sub, f, -, -en* surge

Aufwand, *sub, m, -s, nur Einz. (Anstrengung)* effort; *(finanziell)* cost; *dieser Aufwand lohnt nicht it´s not worth the effort; einen unnötigen Aufwand betreiben* waste time and energy; *mit einem Aufwand von* at a cost of

aufwärmen, (1) *vr*, warm up (2) *vt*, warm up; **Aufwärmung** *sub, f, -, -en* warming up

aufwarten, *vi*, nur als Anwendung; *mit einem Vorschlag aufwarten* come up with an idea; *mit Essen aufwarten* serve; **Aufwartefrau** *sub, f, -, -en* cleaning lady

aufwärts, *adv*, upwards; *es geht wieder aufwärts* things are looking up again; *flussaufwärts* upstream; **Aufwärtsentwicklung** *sub, f, -, -en* upward trend; **Aufwärtshaken** *sub, m, -s, - (spo.)* uppercut; **Aufwärtstrend** *sub, m, -s, -s* upward trend

Aufwartung, *sub, f, -, -en* attendance; *jemandem seine Aufwartung machen* pay one´s respects to so

aufwecken, *vt*, wake up

aufweichen, (1) *vi*, soften (2) *vt*, soak; **Aufweichung** *sub, f, -, -en* soaking

Aufwendung, *sub, f, -, -en* expenditure

aufwerfen, (1) *vr*, set o.s. up (2) *vt, (i. ü. S.; Frage)* raise; *(Wall)* throw up; *sich zu etwas aufwerfen* set os up as sth; *sich zum Richter aufwerfen* appoint os as a judge

aufwerten, *vt*, revalue; **Aufwertung** *sub, f, -, -en* revaluation

aufwiegeln, *vt*, stir up; **Aufwiegelei** *sub, f, -, -en* instigation; **Aufwiegler** *sub, m, -s, -* instigator; **aufwieglerisch** *adj*, seditious

aufwiegen, *vt*, compensate for; *es ist nicht mit Gold aufzuwiegen* it´s worth it´s weight in gold

aufwirbeln, *vt*, whirl up; *(i. ü. S.) eine Menge Staub aufwirbeln* kick up a lot of dust

aufwischen, *vt*, wipe (up); **Aufwischlappen** *sub, m, -s, -* floorcloth

aufwühlen, *vt, (Erde)* turn over; *(Meer)* churn up

Aufzahlung, *sub, f, -, -en* extra payment

Aufzählung, *sub, f, -, -en (Aufzählen)* enumeration; *(Liste)* list

aufzäumen, *vt*, bridle

aufzehren, *vt, (Nahrung)* eat up; *(Vorrat, Geld etc.)* consume

aufzeichnen, *vt, (auf Band aufnehmen)* record; *(zeichnen)* draw; **Aufzeichnung** *sub, f, -, -en* recording; *(Schriftstücke)* notes

aufzeigen, *vt*, show; *einen Fehler aufzeigen* point out a mistake

aufziehen, (1) *vi, (Unwetter)* come up (2) *vt*, draw up; *(Gardinen, Schublade)* open; *(Kind)* bring up; *(Reifen)* put on; *(Uhrwerk)* wind up; *(i. ü. S.; Veranstaltung)* organize

aufzüchten, *vt*, breed; **Aufzucht** *sub, f, -, -en* breeding

Aufzug, *sub, m, -s, -züge (Fahrstuhl)* lift; *(Festzug)* parade; *(im Drama)* act; **~führer** *sub, m, -s, -* parade leader; **~sschacht** *sub, m, -s, -schächte* lift shaft

aufzwingen (1) *vr, nur als Anwen-*
dung (2) *vt, nur als Anwendung;*
jemandem etwas aufzwingen force
sth on so; *sich jemandem aufzwin-*
gen impinge on so

Auge, *sub, n, -s, -n* eye; *Auge um*
Auge, Zahn für Zahn an eye for an
eye, a tooth for a tooth; *aus den*
Augen, aus dem Sinn out of sight,
out of mind; *etwas aus den Augen*
verlieren loose sight of; *etwas/je-*
manden im Auge behalten keep an
eye on sth/so; *große Augen machen*
be in for a surprise; *gute Augen*
haben have good eyesight; *jeman-*
dem die Augen öffnen enlighten so;
sich etwas vor Augen halten keep
sth in mind; **Augapfel** *sub, m, -s,*
-äpfel eyeball; *etwas wie seinen*
Augapfel behüten guard sth with
one´s life; **äugeln** *vi,* eye; **äugen** *vi,*
look; **~n-Make-up** *sub, n, -s, -s* eye
makeup; **~narzt** *sub, m, -es, -ärzte*
eye specialist; **~naufschlag** *sub, m,*
-s, -schläge blink; **~nblick** *sub, m,*
-s, -e moment; *alle Augenblicke*
constantly; *einen Augenblick bitte*
one moment, please; *im Augen-*
blick at the moment; *im ersten Au-*
genblick for a moment; *im letzten*
Augenblick at the last minute; **au-**
genblicklich (1) *adj,* present (2)
adv, (momentan) at the moment;
(sofort) immediately; **~nbraue**
sub, f, -, -n eyebrow; **~nbrauen-**
stift *sub, m, -s, -e* eyebrow pencil;
~ndeckel *sub, m, -s, -* eyelid; **au-**
genfällig *adj,* obvious; **~nfarbe**
sub, f, -, -n colour of the eyes;
~nglas *sub, n, -es, -gläser* eyeglass;
~nheilkunde *sub, m, -, nur Einz.*
ophthalmology; **~nklinik** *sub, f, -,*
-en eye clinic; **~nkrankheit** *sub, f,*
-, -en eye disease; **~nlicht** *sub, n,*
-s, nur Einz. eyesight; **~nlid** *sub, n,*
-s, -er eyelid; **~nmaß** *sub, n, -es,*
nur Einz. sense of distance; *ein gu-*
tes Augenmaß haben have a good
eye for distances, *(i. ü. S.)* be good
at sizing things up; **~nmerk** *sub,*
m, -s, nur Einz. attention; *sein Au-*

genmerk auf etwas richten turn
one´s attention to sth; **~nopti-**
ker *sub, m, -s, -* optician; **~nrin-**
ge *sub, m, -s, nur Mehrz.* rings
under one´s eyes; **~nschein** *sub,*
m, -s, nur Einz. (Anschein) appearance; *(Besichtigung)* inspection;
dem Augenschein nach to all appearances; *der Augenschein trügt*
appearances are deceptive; *etwas*
in Augenschein nehmen inspect
sth; **augenscheinlich** (1) *adj,*
apparent (2) *adv,* apparently;
~nweide *sub, f, -, -n* feast for the
eyes; **~nwinkel** *sub, m, -s, -* corner of the eye; *jemanden aus*
dem Augenwinkel beobachten
watch so out of the corner of
one´s eye; **~nwischerei** *sub, f, -,*
-en eyewash; **~nzeuge** *sub, m,*
-n, -n eyewitness; **~nzeugenbe-**
richt *sub, m, -s, -e* eyewitness account; **~nzwinkern** *sub, n, -s,*
nur Einz. wink(ing); **augenzwin-**
kernd *adv,* with a wink

Auktion, *sub, f, -, -en* auction; *in*
die Auktion geben put up for auction; *zur Auktion kommen* be
auctioned; **~ator** *sub, m, -s, -en*
auctioneer

Aula, *sub, f, -, Aulen* assembly hall

Aupairmädchen, *sub, n, -s, -* au
pair girl

Aura, *sub, f, -, Auren* aura

aus, (1) *adv,* nur als Anwendung
(2) *präp, (beiseite, weg)* out of;
(bestehen aus) of; *(räumlich)*
from/(out) of; *(Ursprung)*
from/(out) of; *(wegen)* for; *(spo.)*
aus out; *Licht aus* Lights out; *von*
mir aus I don´t mind, *aus dem*
Gedächtnis verlieren slip one´s
memory; *jemandem aus dem*
Weg gehen keep out of so´s way;
der Behälter ist aus Glas the container is made of glass; *aus Ame-*
rika kommen come from
America; *etwas aus dem Schrank*
nehmen take sth out of the cupboard; *aus England kommen* be
from England; *aus diesem Grun-*

de for that reason; *aus Furcht vor* for fear of; *aus Liebe* for love

ausarbeiten, (1) *vr*, work out **(2)** *vt*, *(Plan)* draw up; **Ausarbeitung** *sub, f, -, nur Einz.* drawing up

ausarten, *vi*, go too far; *ausarten in* turn into; **Ausartung** *sub, f, -, -en* degeneration

ausatmen, *vti*, breathe out; **Ausatmung** *sub, f, -, nur Einz.* exhalation

ausbaden, *vt*, suffer for

ausbalancieren, *vt, (a. i.ü.S.)* balance out

ausbaldowern, *vt, (ugs.)* nose out

ausbauen, *vt, (arch.)* extend; *(Dachboden)* convert; *(tech.)* remove; **Ausbau** *sub, m, -s, -ten (arch.)* extension; *(tech.)* removal; **ausbaufähig** *adj*, nur als Anwendung; *das Gelände ist noch ausbaufähig* the site is suitable for development

ausbedingen, *vt*, nur als Anwendung; *sich ausbedingen, dass* stipulate that; *sich etwas ausbedingen* insist on sth

ausbeißen, *vt*, nur als Anwendung; *sich an etwas die Zähne ausbeißen* find sth a tough nut to crack; *sich einen Zahn ausbeißen* break a tooth

ausbessern, *vt, (Fehler)* correct; *(Schadstelle)* mend; **Ausbesserung** *sub, f, -, -en* repair; *(von Fehlern)* correction; **ausbesserungsbedürftig** *adj*, needing repair

ausbeulen, (1) *vr, (Hemd etc.)* go baggy **(2)** *vt, (Blech)* beat out

ausbezahlen, *vt*, pay out

ausbilden, (1) *vr*, study **(2)** *vt, (bilden)* educate; *(schulen)* train; **Ausbilder** *sub, m, -s, -* instructor; **Ausbildung** *sub, f, -, -en (an Schulen)* education; *(theoretisch und praktisch)* training

ausbitten, *vt*, request; *(einladen)* ask so out; *sich etwas von jemandem ausbitten* request to let one have sth

ausblasen, *vt*, blow out

ausbleiben, *vi, (Ereignis)* not occur; *(Regen)* not come; *(wegbleiben)* stay away

ausbleichen, *vti*, bleach

ausblenden, *vr*, leave the broadcast

Ausblick, *sub, m, -s, -e (Aussicht)* view; *(Zukunftsaussichten)* prospects

ausbluten, *vi, (getötetes Tier)* bleed; *eine Wunde ausbluten lassen* allow a wound to bleed

ausbooten, *vt*, take ashore; *(i. ü. S.; Konkurrenten)* oust

ausborgen, *vt*, nur als Anwendung; *jemandem etwas ausborgen* lend sth to so; *sich etwas von jemandem ausborgen* borrow sth from so

ausbrechen, (1) *vi, (Auto)* swerve; *(Krieg, Feuer, Häftling etc.)* break out; *(Vulkan)* erupt **(2)** *vt, (wegbrechen)* break off; *in Beifall ausbrechen* break into applause; *in lautes Gelächter ausbrechen* burst out laughing; **Ausbrecher** *sub, m, -s, -* escapee

ausbreiten, (1) *vr*, spread **(2)** *vt*, spread (out); **Ausbreitung** *sub, f, -, -en* spread

ausbrennen, *vti*, burn out

ausbringen, *vt, (Boot)* lower; *(Düngemittel)* spread; *(Saatgut)* sow

Ausbruch, *sub, m, -s, -brüche (eines Feuers)* outbreak; *(eines Häftlings)* escape; *(eines Vulkans)* eruption; *~sversuch sub, m, -s, -e* attempted escape

ausbuchen, *vt*, book out

ausbuchten, *vt*, scallop; **Ausbuchtung** *sub, f, -, -en* indentation

ausbuddeln, *vt*, dig up

ausbügeln, *vt*, iron out

ausbuhen, *vt*, boo

Ausbund, *sub, m, -s, -e* embodiment; *ein Ausbund an Bosheit sein* be a regular demon; *ein Ausbund an Frechheit sein* be impudence personified

ausbürgern, *vt*, denaturalize; **Ausbürgerung** *sub, f, :, von unpatriation*

ausbürsten, *vt*, brush (down)

Ausdauer, *sub, f, -, nur Einz. (Beharrlichkeit)* perseverance; *(Geduld)* patience; *(spo.)* stamina; **ausdauernd** *adj, (beharrlich)* persevering; *(geduldig)* enduring; *(spo.)* tireless

ausdehnen, (1) *vr, (sich erstrecken)* extend; *(Siedlung)* expand (2) *vt, (Kleidung)* stretch; *(tech.)* expand; *(Zeitraum)* extend; **Ausdehnung** *sub, f, -, -en (Umfang)* extent; *(Vorgang)* extension

ausdenken, *vr, (Plan)* think out; *es ist nicht auszudenken* it´s too dreadful to think about

ausdiskutieren, *vt, (ugs.)* thrash out

ausdörren, *vti*, dry up

Ausdruck, *sub, m, -s, -drücke (auch Redewendung)* expression; *(comp.)* printout; *(Wort)* term; *etwas Ausdruck verleihen* express sth; *etwas zum Ausdruck bringen* express sth; *ohne jeglichen Ausdruck* in a deadpan tone; *ist gar kein Audruck* is not the word; **ausdrucken** *vti*, print (out); **ausdrücken** *vt, (formulieren)* express; *(Gefühle)* show; *(Lappen etc.)* squeeze; *sich vorsichtig ausgedrücken* mince one´s words; **ausdrücklich** (1) *adj*, explicit (2) *adv*, explicitly; **ausdruckslos** *adj*, expressionless; **~slosigkeit** *sub, f, -, nur Einz.* lack of expression; **~smittel** *sub, n, -s, -* medium of expression; **ausdrucksstark** *adj*, very expressive; **ausdrucksvoll** *adj*, expressive; **~sweise** *sub, f, -, -n* style

ausdünnen, *vt*, thin out; **Ausdünnung** *sub, f, -, -en* thinning out

ausdünsten, (1) *vi, (Flüssigkeit)* evaporate; *(Haut)* perspire (2) *vt*, exhale; **Ausdünstung** *sub, f, -, -en (von Flüssigkeiten)* evaporation; *(von Schweiß)* perspiration

auserkoren, *vi*, chosen

auserlesen, (1) *adj*, choice (2) *vt*, choose

ausersehen, *vt*, choose

auserwählt, *adj*, chosen; **Auserwählte** *sub, f, m, -n, -n* chosen few

ausfahren, (1) *vi, (eine Kurve)* round; *(wegfahren)* go for a drive; *(Zug)* pull out (2) *vt, (Fahrwerk)* lower; *(Post)* deliver; **ausfahrbar** *adj*, extendible; **Ausfahrt** *sub, f, -, -en (Ausflug)* drive; *(eines Anwesens, einer Autobahn)* exit; **Ausfahrtsschild** *sub, n, -s, -er* exit sign

ausfallen, *vi*, nur als Anwendung; *(absagen)* be cancelled; *(Haare)* fall out; *(tech.)* fail; *das Hemd fällt zu kurz aus* the shirt is too short; *gut ausfallen* turn out well; *morgen fällt der Unterricht aus* there is no school tomorrow; **Ausfall** *sub, m, -s, -fälle (einer Vorlesung)* cancellation; *(tech.)* failure; *(Verlust)* loss; *(Wegbleiben)* dropping out; **~d** *adj*, offensive; **Ausfallserscheinung** *sub, f, -, -en* deficiency symptom; **Ausfallstraße** *sub, f, -, -n* exit road; **Ausfallzeit** *sub, f, -, -en* down time

ausfegen, *vt*, sweep out

ausfertigen, *vt*, issue; **Ausfertigung** *sub, f, -, -en* issuing

ausfiltern, *vt*, filter out

ausfindig, *adv*, nur als Anwendung; *jemanden ausfindig machen* find so

ausflippen, *vi*, freak out

Ausflucht, *sub, f, -, -flüchte* excuse; *Ausflüchte machen* make excuses; *Ausflüchte bitte* I don´t want any excuses

Ausflug, *sub, m, -s, -flüge* excursion; *einen Ausflug machen* go on an excursion; **~sort** *sub, m, -s, -e* outing destination; **~sschiff** *sub, n, -s, -e* pleasure steamer; **~sverkehr** *sub, m, -s, nur Einz.* weekend traffic; **~sziel** *sub, n, -s, -e*

outing destination

Ausfluss, *sub, m, -es, -flüsse (Abfließen)* outflow; *(Öffnung)* outlet

ausformulieren, *vt,* formulate

ausfragen, *vt,* question; *(verhören)* interrogate

ausfressen, *vt, (etwas anstellen)* be up to sth; *(Futternapf)* eat clean; *was hat sie denn ausgefressen?* what has she been up to?

ausführen, *vt, (durchführen)* carry out; *(erklären)* explain; *(Tat begehen)* commit; *(wirt.)* export; *(zusammen ausgehen)* take so out; *den Hund ausführen* take the dog for a walk; **Ausfuhr** *sub, f, -, -en* export; **ausführbar** *adj, (durchführbar)* feasible; *(wirt.)* exportable; **Ausführbarkeit** *sub, f, -, nur Einz.* feasibility; **Ausfuhrland** *sub, n, -s, -länder* exporting country

ausführlich, (1) *adj, (detailliert)* detailed; *(umfangreich)* comprehensive **(2)** *adv,* in detail; *eine ausführliche Berichterstattung* an in-depth coverage, *etwas ausführlich schildern* describe sth in detail; **Ausführlichkeit** *sub, f, -, nur Einz.* detail; *in aller Ausführlichkeit* to the last detail

Ausführung, *sub, f, -, -en (Durchführung)* carrying out; *(einer Tat)* perpetration; *(eines Produkts)* design; *(Erklärung)* exposition; *(Warentyp)* version; **Ausfuhrverbot** *sub, n, -s, -e* ban on exports; **Ausfuhrware** *sub, f, -, -n* exports

ausfüllen, *vt, (Formular)* fill in; *(Hohlraum)* fill (in); *(Raum, Zeit)* take up; *das Einkaufen füllte den halben Tag aus* shopping took up half the day; *seine Freizeit mit Sport ausfüllen* spend one´s spare-time with doing sports

Ausgabe, *sub, f, -, -n (Abgabe)* handing out; *(Ausgabestelle)* counter; *(comp.)* output; *(einer Zeitschrift)* issue; *(eines Buchs)* edition; *(von Geld)* spending

Ausgang, *sub, m, -s, -gänge* nur als Anwendung; *(Anfang)* beginning;

(eines Filmes) ending; *(Resultat)* outcome; *(Tür)* exit; *der Warenausgang* the outgoing stocks; *seinen Ausgang nehmen von* start with; *einen glücklichen Ausgang haben* have a happy ending; *einen guten Ausgang nehmen* turn out well in the end; *einen tragischen Ausgang haben* have a tragic outcome; **~sbasis** *sub, f, -, -basen* starting point; **~slage** *sub, f, -, -n* initial situation; **~spunkt** *sub, m, -es, -e* starting point; **~ssperre** *sub, f, -, -n* curfew; *eine Ausgangssperre verhängen* impose a curfew; **~sstellung** *sub, f, -, -en* starting position

ausgeben, (1) *vr, (sich ausgeben für)* pretend to be **(2)** *vt, (comp.)* display; *(etwas ausgeben als)* declare (to be); *(Geld)* spend; *(Spielkarten)* deal; *(verteilen)* hand out; *sich vollständig ausgeben* drive os to the limit

Ausgebeutete, *sub, f,m, -n, -n* exploited person

ausgebildet, *adj, (praktisch)* trained; *(schulisch)* qualified

ausgebleicht, *adj,* bleached

ausgebucht, *adj,* booked out

ausgebufft, *adj, (ugs.)* fly

Ausgeburt, *sub, f, -, -en* monstrous creature; *eine Ausgeburt der Hölle* a spawn of hell

ausgedehnt, *adj,* extensive

ausgedient, *adj,* retired

ausgefallen, *adj,* unusual

ausgefeilt, *adj, (i. ü. S.)* polished

ausgeflippt, *adj, (ugs.)* freaky

ausgefranst, *adj,* frayed

ausgefuchst, *adj,* sly

ausgeglichen, *adj, (Klima)* equable; *(Person)* well-balanced; *(wirt.)* balanced; **Ausgeglichenheit** *sub, f, -, nur Einz. (des Klimas)* equability; *(einer Person)* balance

ausgehen, *vi, (ausfallen)* fall out; *(von etwas/einem Ort ausgehen)* start from; *(weggehen; erlöschen)* go out; *(zur Neige gehen)* run out;

*bei einer Planung von etwas ausge-
hen* base a plan on sth; *die Entscheidung ging von ihm aus* it was his
decision; *mir geht das Geld aus*
I´m running out of money; *mir geht
die Luft aus* I´m running out of
breath; *vielen Männern gehen die
Haare aus* many men lose their
hair; **Ausgehanzug** *sub, m, -s, -züge*
best suit; **Ausgehuniform** *sub, f, -,
-en* dress uniform; **Ausgehverbot**
sub, n, -s, -e curfew

ausgehungert, *adj,* half-starved

ausgeklügelt, *adj,* sophisticated

ausgekocht, *adj, (ugs.)* sly

ausgelassen, *adj, (Person)* lively;
(Stimmung) exuberant; **Ausgelassenheit** *sub, f, -, nur Einz.* exuberance

ausgelastet, *adj,* running to capacity

ausgelatscht, *adj, (ugs.)* well-worn

ausgelaugt, *adj, (Boden)* exhausted; *(i. ü. S.; Person)* drained

ausgeleiert, *adj,* worn-out

ausgelernt, *adj,* finished with one´s
training

ausgemergelt, *adj,* emaciated

ausgenommen, (1) *konj,* unless **(2)**
präp, except (for)

ausgeprägt, *adj, (Gesichtszüge)*
prominent; *(Merkmal)* distinct;
*ausgeprägte Neigungen für etwas
haben* have strong tendencies towards sth; *einen ausgeprägten Charakter haben* have a distinct
character; **Ausgeprägtheit** *sub, f, -,
nur Einz. (von Gesichtszügen)* prominence; *(von Merkmalen)* di-
stinctness

ausgepumpt, *adj, (ugs.)* done

ausgerechnet, *adv,* just/of all; *ausgerechnet heute* today of all days;
ausgerechnet ich me of all people;
ausgerechnet wenn sie weg sind
just when they are gone

ausgeschlafen, *adj,* well-rested

ausgeschlossen, *adj,* impossible; *es
ist nicht ganz ausgeschlossen* it is
just possible

ausgeschnitten, *adj, (T-Shirt etc.)*
low-cut

ausgesorgt, *adj,* nur als Anwendung; *er hat ausgesorgt* he is sitting pretty

ausgesprochen, (1) *adj,* marked
(2) *adv,* really; **~ermaßen** *adv,*
really

ausgestalten, *vt,* develop; **Ausgestaltung** *sub, f, -, -en* development

ausgestellt, *adj,* on display

ausgestorben, *adj, (biol.)* extinct;
(Stadt) deserted; *die Stadt wirkt
wie ausgestorben* the city is like a
ghost-town

ausgesucht, *adj,* choice

ausgewachsen, *adj,* fully grown

ausgewogen, *adj,* balanced; **Ausgewogenheit** *sub, f, -, nur Einz.*
balance

ausgezeichnet, (1) *adj,* excellent
(2) *adv,* very well

ausgiebig, (1) *adj,* extensive **(2)**
adv, nur als Anwendung; *ausgiebig frühstücken* have a big breakfast; *ausgiebig spazieren gehen*
go for a long walk; **Ausgiebigkeit**
sub, f, -, nur Einz. thoroughness

ausgießen, *vt,* *(ausschütten)*
pour out; *(tech.)* fill

ausgleichen, *vt, (Schaden)* compensate (for); *(Unterschiede)* balance; **Ausgleich** *sub, m, -s, -e*
(Entschädigung) compensation;
(Gleichgewicht) balance; *(spo.)*
equalizer

ausgliedern, *vt,* sift out; **Ausgliederung** *sub, f, -, -en* sifting out

ausglühen, *vt, (tech.)* temper

ausgraben, (1) *vi,* dig **(2)** *vt,*
(Knochen etc.) excavate;
(Strauch etc.) dig up; **Ausgra-
bung** *sub, f, -, -en* excavation;
Ausgrabungsstätte *sub, f, -, -en*
excavation site

ausgrenzen, *vt,* exclude; **Ausgrenzung** *sub, f, -, -en* exclusion

Ausguck, *sub, m, -es, -e* lookout;
~posten *sub, m, -s, -* lookout
guard

Ausguss, *sub, m, -es, -güsse (Aus-*

gießen) outpouring; *(Becken)* sink

aushaken, (1) *vi,* nur als Anwendung (2) *vt,* unhook; *(ugs.) da hakt es bei ihm aus* he just doesn´t get it; *sich aushaken* come unhooked

aushalten, (1) *vi,* *(in einem Beruf)* hold out (2) *vt,* *(ertragen)* put up with; *(Person)* keep; *(tech.)* tolerate; *(Unangenehmes)* stand up to; *es in einem Job lange aushalten* hold out for a long time in a job, *Es ist nicht zum aushalten* It´s unbearable; *ich kann es nicht länger aushalten* I can´t put up with it any longer

aushandeln, *vt,* negotiate

aushändigen, *vt,* hand out/over; **Aushändigung** *sub, f, -,* nur Einz. handing out/over

aushängen, (1) *vi,* be announced (2) *vt,* *(Plakat etc.)* put up; *(Tür)* take off its hinges; **Aushang** *sub, m, -s, -hänge* notice; **Aushängeschild** *sub, n, -s, -er* sign

ausharren, *vi,* hold out

aushecken, *vt, (ugs.)* cook up; *Übles aushecken* brew mischief

ausheilen, *vi,* be completely cured; **Ausheilung** *sub, f, -,* nur Einz. curing

aushelfen, *vi,* help out

Aushilfe, *sub, f, -, -n* temporary help; **Aushilfsarbeit** *sub, f, -, -en* temporary work; **Aushilfskellner** *sub, m, -s, -* temporary waiter; **Aushilfskoch** *sub, m, -es, -köche* temporary cook; **Aushilfskraft** *sub, f, -, -kräfte* temporary assistant; **Aushilfsstellung** *sub, f, -, -en* temporary position; **aushilfsweise** *adj,* temporarily

aushöhlen, *vt,* hollow out; *(geol.)* erode; *(i. ü. S.; untergraben)* undermine; **Aushöhlung** *sub, f, -, -en* *(geol.)* erosion; *(Höhle)* cavity

ausholen, *vi, (zum Schlagen)* lift the hand; *(zum Werfen)* swing the arm

aushorchen, *vt,* sound so out

aushungern, *vt,* starve (out)

auskehren, *vti,* sweep out

auskeimen, *vi,* germinate; **Auskeimung** *sub, f, -,* nur Einz. germination

auskennen, *vr, (räumlich)* know one´s way about; *(Wissen)* understand everything; *er kennt sich in der Stadt gut aus* he knows his way about in the city; *sie kennt sich gut aus* she knows what is what

auskippen, *vt, (ausgießen)* pour out; *(entleeren)* empty

ausklammern, *vt, (i. ü. S.)* leave away; *(mat.)* factor out; **Ausklammerung** *sub, f, -, -en (i. ü. S.)* leaving away; *(mat.)* factoring out

ausklamüsern, *vt, (ugs.)* figure out

Ausklang, *sub, m, -s, -klänge* *(mus.)* end; *zum Ausklang des Tages* to end off the day

ausklappen, *vt,* fold out; **ausklappbar** *adj,* folding

ausklingen, *vi, (i. ü. S.)* end; *(mus.)* die away

ausklopfen, *vt, (Eimer etc.)* knock out; *(Teppich)* beat

ausklügeln, *vt,* work out; **Ausklügelung** *sub, f, -,* nur Einz. working out

ausknipsen, *vt, (ugs.)* switch off

ausknobeln, *vt,* settle by dicing

auskochen, *vt, (abkochen)* sterilize; *(Speise)* boil

Auskommen, (1) *sub, n, -s,* nur Einz. *(Existenz)* livelihood; *(Koexistenz)* peaceful intercourse (2) **auskommen** *vi, (entkommen)* escape (3) *vt, (mit einer Person)* get on with; *(mit Vorrat etc.)* make do with; *ein Auskommen haben* make a decent living; *mit ihr ist kein Auskommen* she is impossible to get along with, *mit jemandem gut auskommen* get on well with so; *ohne etwas auskommen* make do without

auskoppeln, *vt, (Lied)* take from an album

auskosten, *vt,* enjoy to the full

auskratzen, *vt, (Behälter)* scrape out

auskugeln, *vt,* dislocate

auskühlen, *vi*, cool down

auskundschaften, *vt*, *(eine Gegend)* explore; *(Informationen)* spy out

Auskunft, *sub, f, -, -künfte* information; *Auskunft einholen* get information; *nähere Auskunft bei* further details at; *~büro sub, n, -s, -s* information office; *~sstelle sub, f, -, -n* information office

auskuppeln, (1) *vi,* *(Motor)* declutch **(2)** *vt, (Anhänger)* uncouple

auskurieren, *vt*, cure completely

ausladen, (1) *vi, (arch.)* jut out **(2)** *vt, (entladen)* unload; *(Person nicht einladen)* disinvite; *~d adj, (Bauwerk)* projecting; *(i. ü. S.; Geste)* sweeping

Auslage, *sub, f, -, -n* window display

auslagern, *vt, (in Notfällen, zur Rettung)* evacuate; *(zur Lagerung)* outhouse; **Auslagerung** *sub, f, -, -en* evacuation

Ausland, *sub, n, -, nur Einz.* foreign country; *aus dem Ausland kommen* come from a foreign country; *Handel mit dem Ausland* foreign trade; *im Ausland studieren* study abroad; **Ausländer** *sub, m, -s, -* foreigner; **ausländerfeindlich** *adj,* xenophobic; **Ausländerfeindlichkeit** *sub, f, -, nur Einz.* xenophobia; **ausländisch** *adj,* foreign; *~saufenthalt sub, m, -s, -e* stay abroad; *~sbeziehungen sub, f, -, nur Mehrz.* foreign relations; *~sgeschäft sub, n, -es, -e* export-import business; *~sgespräch sub, n, -s, -e* international call; *~skorrespondent sub, m, -en, -en* foreign correspondent; *~sreise sub, f, -, -n* trip abroad; *~stournee sub, f, -, -n* foreign tour; *~svertretung sub, f, -, -en (polit.)* diplomatic mission; *(wirt.)* agency abroad

auslassen, (1) *vr,* talk **(2)** *vt, (Chance)* miss (out); *(Fett)* melt; *(Flüssigkeit)* let out; *(Wort etc. weglassen)* omit; *sich nicht näher auslassen* not say any more about sth; *sich*

über etwas auslassen talk about sth; **Auslassung** *sub, f, -, -en* omission; **Auslassungszeichen** *sub, n, -s, -* apostrophe

auslasten, *vt, (Maschine)* use to capacity; *(Person)* employ so fully; *sie ist mit ihrer Arbeit völlig ausgelastet* she is completely occupied by her job; **Auslastung** *sub, f, -, nur Einz.* load

auslaufen, *vi,* taper; *(enden)* end; *(Flüssigkeit)* run out; *(Schiff)* depart; *(Vertrag)* expire; *in eine Spitze auslaufen* taper to a point; **Auslauf** *sub, m, -s, -läufe (Abfluss)* outlet; *(Freiraum)* space to move about; **Ausläufer** *sub, m, -s, - (bot.)* runner; *(eines Sturmes etc.)* fringe; *(von Bergen)* foothills; **Auslaufmodell** *sub, n, -es, -e* discontinued model

ausleben, (1) *vr,* enjoy life **(2)** *vt, (Phantasie)* live out

auslecken, *vt*, lick out

ausleeren, *vt,* empty; *(med.)* evacuate; **Ausleerung** *sub, f, -, -en* evacuation

auslegen, *vt, (Boden)* cover; *(entwerfen)* design; *(Falle)* put out; *(interpretieren)* interpret; *(verlegen)* lay; *(zum Ansehen)* display; *das Auto ist für 150 km/h ausgelegt* the car is designed to do 150 km/h; *das Restaurant ist für 40 Personen ausgelegt* the restaurant is designed to seat 40 people; **Ausleger** *sub, m, -s, - (arch.)* cantilever; *(eines Bootes)* outrigger; **Auslegerboot** *sub, n, -es, -e* outrigger; **Auslegeware** *sub, f, -, -n* floor coverings; **Auslegung** *sub, f, -, -en* interpretation

ausleiern, *vti*, wear out

ausleihen, *vt,* lend (out); *jemandem etwas ausleihen* lend sth out to so; *sich etwas von jemandem ausleihen* borrow sth from so; **Ausleihe** *sub, f, -, -n* issuing counter; **Ausleihung** *sub, f, -, -en* lending (out)

auslesen, *vt*, *(auswählen)* choose; *(Buch)* finish; **Auslese** *sub*, *f*, *-*, *-n* *(Auswahl)* selection; *(Elite)* elite; *(Wein)* choisest wine; **Ausleseprozess** *sub*, *m*, *-es*, *-e* selection process

ausleuchten, *vt*, illuminate; **Ausleuchtung** *sub*, *f*, *-*, *nur Einz.* illumination

ausliefern, *vt*, *(liefern)* deliver; *(übergeben auch Gefangene)* hand over; **Auslieferung** *sub*, *f*, *-*, *-en* *(Lieferung)* delivery; *(von Gefangenen)* handing over

auslöschen, *vt*, *(an die Tafel Geschriebenes)* rub out; *(Feuer)* extinguish; *(a. i.ü.S.; Spuren)* wipe out

auslosen, *vt*, draw lots for; **Auslosung** *sub*, *f*, *-*, *-en* draw

auslösen, *vt*, *(chemische Reaktion)* set off; *(Kamera)* release; *(Krieg, Schuss)* trigger off; *(Vorfall etc.)* cause; **Auslöser** *sub*, *m*, *-s*, *-* *(einer Kamera)* release; *(einer Waffe)* trigger; *(Ursache)* cause

ausloten, *vt*, *(arch.)* plumb; *(i. ü. S.; Problem)* nur als Anwendung; *ein Problem ausloten* explore the ins and outs of a problem

ausmachen, *vt*, *(ausschalten)* turn off; *(Feuer)* put out; *(sichten)* make out; *(vereinbaren)* arrange; *einen Termin ausmachen* arrange a time; *einen Treffpunkt ausmachen* arrange a venue

ausmalen, *vt*, *(Zeichnung)* colour; *sich etwas ausmalen können* be able to imagine sth

ausmanövrieren, *vt*, outmanoeuvre

Ausmaß, *sub*, *n*, *-es*, *-e (i. ü. S.)* extent; *(Größe)* size; *von verheerendem Aumaß* of a devastating extent; *(i. ü. S.) in großem Ausmaß* to a great extent; *mit den Ausmaßen eines/r* the size of a

ausmergeln, *vt*, *(Boden)* exhaust; **Ausmergelung** *sub*, *f*, *-*, *nur Einz.* exhaustion

ausmerzen, *vt*, *(ausrotten)* eliminate; *(Fehler)* weed out; **Ausmerzung** *sub*, *f*, *-*, *-s* elimination

ausmessen, *vt*, measure (out); **Ausmessung** *sub*, *f*, *-*, *-en* measurement

ausmisten, *vi*, *(i. ü. S.)* do a clearing-out; *(Stall)* clean out

ausmustern, *vt*, *(ausrangieren)* sort out; *(mil.)* exempt; **Ausmusterung** *sub*, *f*, *-*, *-en* *(Aussonderung)* sorting out; *(mil.)* exemption

Ausnahme, *sub*, *f*, *-*, *-n* exception; *die Ausnahme bestätigt die Regel* the exception proves the rule; *keine Ausnahmen machen* make no exceptions; *mit ˚Ausnahme von* with the exception of; **~athlet** *sub*, *m*, *-en*, *-en* exceptional athlete; **~bestimmung** *sub*, *f*, *-*, *-en* exception clause; **~erscheinung** *sub*, *f*, *-*, *-en* exception; **~fall** *sub*, *m*, *-es*, *-fälle* special case; **~genehmigung** *sub*, *f*, *-*, *-en* exemption; **~zustand** *sub*, *m*, *-es*, *-stände* state of emergency; *das ist ein Ausnahmezustand* that´s unusual; *einen Ausnahmezustand verhängen* declare a state of emergency; **ausnahmslos** **(1)** *adj*, unanimous **(2)** *adv*, without exception; **ausnahmsweise** *adv*, exceptionally; *(nur dieses Mal)* for once in a while

ausnehmen, **(1)** *vr*, look **(2)** *vt*, *(ugs.; ausrauben)* fleece; *(Fische)* draw; *sich schön ausnehmen* look good; **~d** **(1)** *adj*, exceptional **(2)** *adv*, exceptionally; *von ausnehmender Schönheit sein* be exceptionally beautiful

ausnüchtern, *vti*, sober up; **Ausnüchterung** *sub*, *f*, *-*, *-en* drying-out; **Ausnüchterungszelle** *sub*, *f*, *-*, *-n* drying-out cell

auspacken, **(1)** *vi*, *(ugs.; Geheimnis preisgeben)* talk **(2)** *vt*, *(Koffer etc.)* unpack

ausparken, *vi*, get out of a parking space

auspeitschen, *vt*, whip; **Auspeitschung** *sub*, *f*, *-*, *-en* whipping

ausplaudern, **(1)** *vr*, have a chat **(2)** *vt*, *(ugs.)* let out

ausplündern, *vt*, *(Geschäft, Haus)* loot; *(ugs.; Kasse)* clean out; **Ausplünderung** *sub, f, -, -en* looting

auspolstern, *vt*, pad (out); **Auspolsterung** *sub, f, -, -en* padding-out

ausposaunen, *vt*, *(ugs.)* broadcast

ausprägen, **(1)** *vr*, develop **(2)** *vt*, coin; **Ausprägung** *sub, f, -, -en* design

auspressen, *vt*, *(Saft)* press out; *(Tube)* squeeze

ausprobieren, *vt*, try (out)

Auspuff, *sub, m, -es, -e* exhaust; **~anlage** *sub, f, -, -n* exhaust system; **~topf** *sub, m, -es, -töpfe* silencer

auspumpen, *vt*, pump out

auspusten, *vt*, blow out

ausquartieren, *vt*, move so out; **Ausquartierung** *sub, f, -, -en* removal

ausquatschen, **(1)** *vr*, *(ugs.)* have a natter **(2)** *vt*, blab out

ausquetschen, *vt*, *(Tube etc.)* squeeze out

ausrangieren, *vt*, throw out; *(Eisenbahnfahrzeuge)* shunt out

ausrasten, *vi*, *(ugs.)* flip; *(ausruhen)* rest; *(tech.)* disengage

ausrauben, *vt*, rob

ausräuchern, *vt*, *(Dachstuhl)* fumigate; *(Gegner)* smoke out

ausraufen, *vt*, tear up; *sich die Haare ausraufen* tear one's hair

ausräumen, *vt*, *(i. üb. S.; Bedenken)* clear up; *(Haus etc.)* clear out

ausrechnen, *vt*, work out; *das kannst du dir ausrechnen* you can guess; *sich gute Chancen ausrechnen* reckon that one has good chances

ausreden, **(1)** *vi*, finish speaking **(2)** *vr*, excuse o.s. **(3)** *vt*, talk so out of sth; *jemanden ausreden lassen* let so finish speaking; *jemanden nicht ausreden lassen* cut so short; *lass mich ausreden* let me finish

ausreichen, *vi*, be enough; *das reicht aus* that will do it; *sein Wissen reicht nicht aus* he doesn't know enough; **~d** *adj*, enough

ausreifen *vi* *(Früchte)* ripen; *(Käse, Wein)* mature; **Ausreifung** *sub, f, -, nur Einz. (von Früchten)* ripening; *(von Käse, Wein)* maturing

Ausreise, *sub, f, -, -n* departure; **~genehmigung** *sub, f, -, -en* exit permit; **ausreisen** *vi*, leave; **ausreisewillig** *adj*, willing to leave

ausreißen, **(1)** *vi*, *(Stoff)* split; *(ugs.; weglaufen)* run away **(2)** *vt*, *(herausreißen)* tear out **(3)** **Ausreißer** *sub, m, -s, -* runaway; *du wirst dir schon kein Bein ausreißen it´s not going to kill you; sich fühlen als könnte man Bäume ausreißen* feel up to anything; *Unkraut ausreißen* pull up weeds

ausreiten, **(1)** *vi*, ride out **(2)** *vt*, take (a horse) out

ausreizen, *vt*, *(ein Thema)* thrash out

ausrenken, *vt*, dislocate; *sich den Hals nach etwas ausrenken* crane one´s neck to see sth; *sich seinen Arm ausrenken* dislocate one´s arm; **Ausrenkung** *sub, f, -, -en* dislocation

ausrichten, **(1)** *vr*, *(mil.)* fall in **(2)** *vt*, *(einstellen)* adjust; *(erreichen)* achieve; *(mitteilen)* pass on; *damit werde ich gar nichts ausrichten* that won´t get me anywhere; *nichts ausrichten können* get nowhere; *jemandem etwas ausrichten* pass sth on to so; *kann ich etwas ausrichten?* can I take a message?; *Sie wird es ihm ausrichten* She will pass it on; **Ausrichtung** *sub, f, -, -en* adjustment

Ausritt, *sub, m, -es, -e* ride

ausrotten, *vt*, *(Pflanzen-/Tierart)* wipe out; *(ugs.; Unkraut)* pull up; **Ausrottung** *sub, f, -, -en* extermination

ausrücken, **(1)** *vi*, *(Polizei etc.)* move out **(2)** *vt*, *(tech.)* disengage

ausrufen, **(1)** *vi*, exclaim **(2)** *vt*, *(Namen)* call out; *(Republik)* proclaim; *(rufen)* cry; **Ausrufesatz** *sub, m, -es, sätze* interjection; **Ausrufezeichen** *sub, n, -s, -* exclamation mark

ausruhen, (1) *vi, vr,* rest **(2)** *vt,* rest; *seine auf seinen Lorbeeren ausruhen* rest one one´s laurels; *seine Füße ausruhen* rest one´s feet

ausrüsten, (1) *vt,* equip; **Ausrüstung** *sub, f, -, -en (mil., tech.)* equipment; *(spo.)* gear; **Ausrüstungsgegenstand** *sub, m, -es, stände* article of equipment; **Ausrüstungsstück** *sub, n, -es, -e* article of equipment

ausrutschen, *vi,* slip; **Ausrutscher** *sub, m, -s, -* faux pas

aussäen, *vt,* sow; **Aussaat** *sub, f, -, -en (Aussäen)* sowing; *(Saat)* seed

Aussage, *sub, f, -, -n (Äußerung)* statement; *(jur.)* testimony; *(kun.)* message; *aufgrung seiner Aussage* on his evidence; *eine Aussage verweigern* refuse to give evidence; *ihre Aussage steht gegen seine* it´s her word against his; *vor Gericht eine Aussage machen* give evidence; **~kraft** *sub, f, -, nur Einz.* expressiveness; **~satz** *sub, m, -es, sätze* clause of statement

aussagen, (1) *vi, (jur.)* testify **(2)** *vt,* state

aussägen, *vt,* saw out

Aussatz, *sub, m, -es, nur Einz.* leprosy; **aussätzig** *adj,* leprous; **Aussätzige** *sub, f, m, -n, -n (a. i.ü.S.)* leper

aussaugen, *vt,* suck (out)

ausschalten, *vt, (i. ü. S.; Gegner)* eliminate; *(Licht etc.)* switch off; *(i. ü. S.; Parlament)* inactivate

Ausschank, *sub, m, -es, -schänke (Schänke)* bar; *(Verkauf von Alkoholika)* sale of alcohol

ausschauen, *vi,* look out; *(ugs.)* look; *Du schaust gut aus* You look well; *es schaut danach aus als ob* it looks like as if; *nach etwas ausschauen* look out for sth; *wie schaust du denn aus?* what happened to you?; **Ausschau** *sub, f, -, nur Einz.* nur als Anwendung; *Ausschau halten* be on the look-out;

nach etwas Ausschau halten look out for sth

ausschelten, *vt,* scold

ausschenken, *vti,* pour out

ausscheren, *vi, (beim Abbiegen etc.)* swerve; *(beim Überholen)* pull out

ausschicken, *vt,* send out

ausschildern, *vt,* signpost; **Ausschilderung** *sub, f, -, -en* signposting

ausschimpfen, *vt,* tell off

ausschirren, *vt,* unharness

ausschlachten, *vt, (ugs.; alte Geräte)* cannibalize; *(Tier)* cut out

ausschlafen, (1) *vi, vr,* get a good night´s sleep **(2)** *vt,* sleep off; *seinen Rausch ausschlafen* sleep it off

ausschlagen, *vi, (Baum)* come into leaf; *(Pferd)* kick out; *(Zeiger)* deflect; **Ausschlag** *sub, m, -es, -schläge (i. ü. S.)* nur als Anwendung; *(eines Zeigers)* deflection; *(med.)* rash; *den Ausschlag geben* decide the issue; *für jemanden den Ausschlag geben* tip the scales in so´s favour; **ausschlaggebend** *adj,* decisive; *ausschlaggebend sein für* be decisive for; *das ist nicht ausschlaggebend für mich* this doesn´t weigh with me; *die ausschlaggebende Stimme* the casting vote

ausschließen, (1) *vr,* exclude o.s. **(2)** *vt, (aus der Partei)* expel; *(aussperren)* lock out.; *(Möglichkeit)* rule out; *jmd ausschließen* freeze sb out; **ausschließlich (1)** *adj,* exclusive **(2)** *adv,* exclusively **(3)** *präp,* excluding; **Ausschließlichkeit** *sub, f, -, -en* exclusiveness

ausschlüpfen, *vi,* hatch out

Ausschluss, *sub, m, -es, -schlüsse* exclusion; *(spo.)* disqualification; *der vorübergehende Ausschluß von seinem Amt* his temporary suspension from office; *unter Ausschluß der Öffentlichkeit* behind closed doors

ausschmieren, *vt,* *(Kuchenform etc.)* grease; *(Maschinenteil)* lubricate

ausschmücken, *vt,* decorate; **Ausschmückung** *sub, f, -, -en* decoration

ausschneiden, *vt,* cut out; **Ausschnitt** *sub, m, -es, -e (aus einer Zeitung)* cutting; *(eines T-Shirts etc.)* neck; *(Filmausschnitt)* excerpt; *(mat.)* sector

ausschreiben, *vt, (Arbeitsstelle)* advertise; *(Scheck, Wort)* write out; **Ausschreibung** *sub, f, -, -en* advertisement

ausschreiten, *vi,* step out; **Ausschreitung** *sub, f, -, -en* riot

Ausschuss, *sub, m, -es, -schüsse (Abfall)* waste; *(polit.)* committee; **~mitglied** *sub, n, -es, -er* committee member; **~quote** *sub, f, -, -n* waste rate; **~sitzung** *sub, f, -, -en* committee meeting; **~ware** *sub, f, -, -n* rejects

ausschütteln, *vt,* shake out

ausschütten, *vt, (Flüssigkeit)* pour out; *(Teile)* empty out; *(verschütten)* spill; *sein Herz ausschütten* pour one´s heart out; **Ausschüttung** *sub, f, -, nur Einz. (wirt.)* distribution

ausschwärmen, *vi,* swarm out

ausschweifen, *vi, (beim Erzählen)* digress; *(Lebensstil)* lead a dissolute life; **~d** *adj, (im Leben)* dissolute; *(Phantasien)* wild; **Ausschweifung** *sub, f, -, -en (beim Erzählen)* digression; *(Lebens-Stil)* excess

ausschweigen, *vr,* refuse to speak

aussegnen, *vt,* bless; **Aussegnung** *sub, f, -, -en* blessing

Aussehen, (1) *sub, n, -s, nur Einz.* looks **(2) aussehen** *vi,* look; *dem Aussehen nach zu urteilen* judging by appearances; *man soll Leute nicht nach dem Aussehen beurteilen* one shouldn´t judge people by their appearance; *du siehst gut/schlecht aus* you are looking well/ill; *es sieht danach aus als ob*

it looks like as if, *so siehst du aus* that´s what you think; *wie sieht es bei dir aus?* how are things going?

außen, *adv,* outside; *nach außen dringen* leak out; *nach außen hin ist er nett* on the outside he is friendly; *von außen kommen* come from outside; **Außenaufnahme** *sub, f, -, -n (beim Filmen)* location shot; *(beim Fotografieren)* outdoor photograph; **Außenbezirk** *sub, m, -es, -e* suburb; **Außenbordmotor** *sub, m, -s, -en* outboard motor

aussenden, *vt, (Post)* send out; *(tech.)* transmit; **Aussendung** *sub, f, -, -en (tech.)* transmission; *(von Post)* sending-out

Außendienst, *sub, m, -es, -e* field service; **Außenhandel** *sub, m, -s, nur Einz.* foreign trade; **Außenhandelspolitik** *sub, f, -, nur Einz.* foreign trade policy; **Außenminister** *sub, m, -s, -* foreign secretary; **Außenministerium** *sub, n, -s, -rien* foreign ministry; **Außenpolitik** *sub, f, -, nur Einz. (allgemein)* foreign affairs; *(bestimmte Richtung)* foreign policy; **außenpolitisch** *adj,* foreign-policy ...; **Außenseite** *sub, f, -, -n* outside; **Außenseiter** *sub, m, -s, -* outsider; **Außenspiegel** *sub, m, -s, -* wing mirror; **Außenstelle** *sub, f, -, -n* branch office; **Außentemperatur** *sub, f, -, -en* outdoor temperature; **Außenwand** *sub, f, -, wände* outer wall; **Außenwelt** *sub, f, -, nur Einz.* outside world; **Außenwirtschaft** *sub, f, -, nur Einz.* foreign trade

außer, (1) *konj,* unless **(2)** *präp, (abgesehen von)* apart from; *(Betrieb, Frage)* out of; *(zusätzlich zu)* besides; *außer dass* except that; *außer sich geraten* lose control over os; *außer wenn* unless, *außer Betrieb/Frage* out of service/question; *vor Wut außer sich* *sein* be beside os with anger; **Außerachtlassung** *sub, f, -, -en* neglect; **~dem** *adv, (Rechtfertigung)* and anyway; *(zusätzlich)* besides; **~dienstlich** *adj,* unofficial

äußere, (1) *adj, (Hülle)* outer; *(Verletzung)* external (2) *sub, n, -n, nur Einz. (Erscheinungsbild)* outward appearance; *(im Ggs. zum Inneren)* outside

außerehelich, *adj,* illegitimate; **außergerichtlich** *adj,* out-of-court; **außergewöhnlich** *adj,* exceptional; **außerhalb** (1) *adv, (Stadt)* outside (2) *präp,* outside; **außerirdisch** *adj,* extraterrestrial; **Außerkraftsetzung** *sub, f, -, -en (jur.)* repeal

äußern, (1) *vr, (Sache)* become apparent; *(seine Meinung sagen)* express one´s opinion (2) *vt, (Bedenken etc.)* express; *die Sache äußert sich darin, dass she gave a statement on; sich äußern zu* give a statement on; *sich kritisch über etwas äußern* be critical about sth

außerordentlich, (1) *adj,* extraordinary (2) *adv,* nur als Anwendung; *außerordentlicher Parteitag* special party conference; *außerordentlicher Professor* associate professor, *etwas außerordentlich bedauern* regret sth very much; *Ich freue mich außerordentlich* I´m very pleased indeed; **außerplanmäßig** *adj, (Zughalt)* unscheduled; *(zusätzlich)* additional; **außerschulisch** *adj,* private

äußerst, (1) *adj, (extremst)* extreme; *(räumlich)* outermost; *(zeitlich)* latest possible (2) *adv, (sehr)* extremely; *die äußerste Belastung* the maximum load; *im äußersten Fall* if the worst comes to the worst; *von äußerster Wichtigkeit* of utmost importance; **~enfalls** *adv, (höchstens)* at the most; *(im schlimmsten Fall)* if the worst comes to the worst

außer Stande, *adj,* unable; *außer Stande sein etwas zu tun* be unable

to do sth; *er fühlt sich außer Stande, es zu tun* he can´t possibly do it

Äußerung, *sub, f, -, -en (Anzeichen)* sign; *(Bemerkung)* comment

aussetzen, (1) *vi, (pausieren)* have a break; *(unterbrechen)* stop (2) *vr, (der Sonne etc.)* expose o.s. (3) *vt,* nur als Anwendung; *(Belohnung)* offer; *(Haustier)* abandon; *(jur.)* suspend; *(unterwerfen)* expose; *daran ist nichts auszusetzen* nothing is wrong with it; *etwas an etwas auszusetzen haben* object to; *nichts daran auszusetzen haben* have no fault to find with it; **Aussetzung** *sub, f, -, -en (jur.)* suspension; *(von Haustieren)* abandonment

Aussicht, *sub, f, -, -en (Ausblick)* view; *(i. ü. S.; Vorhersage)* outlook; *Aussichten haben etwas zu finden* have chances of finding sth; *das sind schöne Aussichten* that´s a fine outlook; *(Wetter) die weiteren Aussichten* the further outlook; *etwas in Aussicht haben* have sth in prospect; *nicht die geringsten Aussichten haben* not to have a chance; **aussichtslos** *adj,* hopeless; *das zu versuchen ist aussichtslos* there´s no point in even trying; *ein aussichtsloses Unterfangen* a hopeless venture; **~slosigkeit** *sub, f, -, nur Einz.* hopelessness; **~spunkt** *sub, m, -es, -e* lookout; **aussichtsreich** *adj,* promising; **~sturm** *sub, m, -es, -türme* observation tower; **aussichtsvoll** *adj,* promising

aussieben, *vt, (a. i.ü.S.)* sift out

aussiedeln, *vt,* resettle; **Aussiedelung** *sub, f, -, -en* resettlement; **Aussiedler** *sub, m, -s, -* emigrant

aussöhnen, *vr, vt,* reconcile; *sich mit jemandem aussöhnen* reconcile os with so; **Aussöhnung** *sub, f, -, -en* reconciliation

aussondern, *vt,* sort out; **Aussonderung** *sub, f, -, -en* sorting out

aussorgen, *vi,* put money aside for one´s old age

aussortieren, *vt,* sort out; *die Verdächtigen aussortieren* comb out all suspects

ausspähen, *vt,* spy out; *ausspähen nach* look out for

ausspannen, (1) *vi,* relax **(2)** *vt,* unharness; *jemandem Geld ausspannen* wheedle money out of so; *seine Freundin ausspannen* take his girlfriend away; **Ausspannung** *sub, f, -, nur Einz.* relaxation

aussparen, *vt,* leave free; **Aussparung** *sub, f, -, -en* recess

aussperren, *vt,* lock out; **Aussperrung** *sub, f, -, -en (Streikender)* lockout

ausspielen, (1) *vi,* nur als Anwendung **(2)** *vt,* nur als Anwendung; *(Macht etc.)* bring to bear; *(Spielkarte)* play; *einen Trumpf ausspielen* play a trump, *bei mir hast du ausgespielt* I´m through with you; *Er hat ausgespielt* he is through; **Ausspielung** *sub, f, -, nur Einz. (Gewinnspiel)* draw

ausspionieren, *vt,* spy out

Aussprache, *sub, f, -, -n (Betonung etc.)* pronunciation; *(Meinungsaustausch)* discussion; *die richtige Aussprache* the correct pronunciation; *(ugs.) du hast aber eine feuchte Aussprache* say it, don´t spray it; **~wörterbuch** *sub, n, -es, bücher* pronouncing dictionary

aussprechen, (1) *vi,* finish (speaking) **(2)** *vr,* express one´s opinion **(3)** *vt, (äußern)* express; *(betonen etc.)* pronounce; *sich gegen etwas aussprechen* speak out against sth; *sprich dich nur aus* get it off your chest; **aussprechbar** *adj,* pronounceable; *es ist nicht aussprechbar* it is unpronounceable; *es ist nur schwer aussprechbar* it is hard to pronounce; **Ausspruch** *sub, m, -es, -sprüche* remark

ausspucken, (1) *vi,* spit **(2)** *vt, (a. i.ü.S.; auch comp.)* spit out; *(erbrechen)* bring up

ausspülen, *vt, (geol.) erode; (Geschirr etc.)* rinse; **Ausspülung** *sub, f, -, -en (geol.)* erosion

ausstaffieren, *vt,* fit out; **Ausstaffierung** *sub, f, -, -en* fitting-out

Ausstand, *sub, m, -es, -stände (Streik)* strike; *(wirt.)* outstanding accounts; *in den Ausstand treten* go on strike; *seinen Ausstand geben* have a leaving party; **ausständig** *adj, (streikend)* on strike; *(wirt.)* in arrears

ausstatten, *vt,* vest; *(Gerät etc.)* fit out; *(Wohnung)* furnish; *ein Büro mit Personal ausstatten* staff an office; *jemanden mit Befugnissen ausstatten* vest so with powers; **Ausstattung** *sub, f, -, -en (Ausrüstung)* equipment; *(Möblierung)* furnishings; **Ausstattungsfilm** *sub, m, -es, -e* screen spectacular; **Ausstattungsstück** *sub, n, -es, -e* spectacular play

ausstechen, *vt, (Auge)* put out; *(i. ü. S.; Konkurrenten)* cut out; *(Plätzchen, Torf)* cut out

ausstehen, (1) *vi, (Bezahlung)* be outstanding; *(Urteil etc.)* be pending **(2)** *vt, (ertragen)* put up with; *die Sache wäre ausgestanden* it´s all over; *Ich kann ihn nicht ausstehen* I can´t stand him

aussteigen, *vi, (aus der Gesellschaft)* drop out; *(aus einem Projekt etc.)* back out; *(aus Verkehrsmittel)* get off; **Aussteiger** *sub, m, -s, -* drop-out

ausstellen, *vt, (Gemälde etc.)* exhibit; *(im Schaufenster)* display; *(ugs.; im Schaufenster)* switch off; *(Scheck)* make out; *ein Gemälde ausstellen* exhibit a painting; **Aussteller** *sub, m, -s, - (auf einer Messe)* exhibitor; **Ausstellfenster** *sub, n, -s, -* quarterlight; **Ausstellung** *sub, f, -, -en (Messe etc.)* exhibition; *(von Dokumenten)* issue; **Ausstellungsfläche** *sub, f, -, -n* exhibition space; **Ausstellungsgelände** *sub, n, -s, -* exhibition site; **Ausstellungshalle**

sub, f, -, -n exhibition hall; **Ausstellungskatalog** *sub, m, -es, -e* exhibition catalogue; **Ausstellungsraum** *sub, m, -es, -räume* showroom; **Ausstellungsstück** *sub, n, -es, -e* exhibit

aussterben *vi*, become extinct

aussteuern, (1) *vt*, give so a dowry **(2)** *vti, (Radio)* modulate

ausstopfen, *vt*, stuff; **Ausstopfung** *sub, f, -, -en* stuffing

ausstoßen, *vt, (Gase)* give off; *(Gegenstand)* push out; *(produzieren)* produce; *(wegschicken)* expel; **Ausstoß** *sub, m, -es, -stöße (von Produkten)* output; *(von Schadstoffen)* emission

ausstrahlen, (1) *vi, (phy.)* radiate; *(Schmerz)* spread **(2)** *vt, (i. ü. S.; Freude etc.)* radiate; *(phy.)* emit; *Ruhe ausstrahlen* have a calming effect; **Ausstrahlung** *sub, f, -, nur Einz. (i. ü. S.; einer Person)* personality; *f, -, -en (phy.)* radiation

ausstrecken, *vt*, stretch out; *seine Hand nach etwas ausstrecken* reach out for sth

ausstreuen, *vt*, scatter

ausströmen, (1) *vi, (Flüssigkeit)* gush out; *(Gas)* escape **(2)** *vt, (Geruch)* give off

ausstülpen, *vt, (med.)* evert

aussuchen, *vt*, choose

austarieren, *vt*, balance

Austausch, *sub, m, -s, nur Einz.* exchange; *(tech.)* replacement; **austauschbar** *adj*, interchangeable; **~barkeit** *sub, f, -, nur Einz.* interchangeability; **austauschen** *vt, (Geld, Worte)* exchange; *(tech.)* replace; *(vertauschen)* swap; **~motor** *sub, m, -s, -en* reconditioned engine; **~schüler** *sub, m, -s, -* exchange student

austeilen, (1) *vi, (Spielkarten)* deal **(2)** *vt, (ausgeben)* hand out; *(Spielkarten, Schläge)* deal; *(verteilen)* distribute; *du teilst aus* you are dealing; **Austeilung** *sub, f, -, -en* distribution

Auster, *sub, f, -, -n* oyster; **~nbank**

sub, f, -, -bänke oyster bed; **~nfischer** *sub, (zool.)* oyster catcher; **~nzucht** *sub, f, -, nur Einz. (Aufzucht)* oyster farming; *f, -, -en (Zuchtstätte)* oyster farm

austesten, *vt*, test

austilgen, *vt*, wipe out

austoben, *vr, (Person)* have one´s fling; *(Unwetter)* spend itself

austragen, (1) *vr, (beim Verlassen)* sign out **(2)** *vt, (med.: ein Kind)* carry to term; *(Post)* deliver; *(Wettkampf)* hold; **Austräger** *sub, m, -s, -* delivery boy/man; **Austragungsort** *sub, m, -es, -e* venue

ausräumen, *vi*, come down to earth again; *sie hat ausgeträumt* she has come down to earth again

austreiben, (1) *vi, (Pflanzen)* sprout **(2)** *vt, (den Teufel)* exorcise; *den Teufel mit dem Beelzebub austreiben* out of the frying pan into the fire; *(ugs.) jemandem etwas austreiben* cure so of sth; **Austreibung** *sub, f, -, -en* exorcism

austreten, (1) *vi, (aus einer Organisation)* leave; *(Gas)* escape **(2)** *vt, (Feuer)* stamp out; *(Schuhe)* wear out

austricksen, *vt*, outwit

austrinken, *vti*, drink up

Austritt, *sub, m, -s, -e (aus einer Partei etc.)* resignation; *m, -s, nur Einz. (von Gas)* escape; **~serklärung** *sub, f, -, -en* notice of resignation

austrocknen, (1) *vi, (Gewässer)* dry up; *(Haut)* go dry **(2)** *vt, (Gegenstand)* dry; *(Gewässer)* drain; **Austrocknung** *sub, f, -, nur Einz. (durch Verdunstung)* drying; *(Trockenlegung)* drainage

austüfteln, *vt*, work out; **Austüftelung** *sub, f, -, -en* elaboration

ausüben, *vt, (Beruf, Tätigkeit)* carry out; *(Einfluß, Macht etc.)* exercise; **Ausübung** *sub, f, -, nur Einz. (eines Berufes)* carrying out; *(von Einfluß, Macht etc.)*

exertion

ausufern, *vi, (i. ü. S.; Streit)* escalate

Ausverkauf, *sub, m, -s, nur Einz. (polit.)* sellout; *m, -s, -käufe (wirt.)* sale; **ausverkauft** *adj*, sold out

auswählen, *vti*, choose; **Auswahl** *sub, f, -, nur Einz. (Auswählen; Ausgewähltes)* choice; *(wirt.)* range; **Auswahlmöglichkeit** *sub, f, -, -en* choice

auswandern, *vi,* *(Einzelperson)* emigrate; *(Volk)* migrate; **Auswanderer** *sub, m, -s, -* emigrant; **Auswanderung** *sub, f, -, -en (eines Volkes)* migration; *(von Personen)* emigration

auswärtig, *adj*, outside; *(polit.)* foreign

auswärts, *adv, (von zu Hause weg)* away from home; *(woanders)* outwards; *auswärts essen gehen* eat out; *(spo.) auswärts spielen* play away from home; *auswärts wohnen* live out of town; **Auswärtsspiel** *sub, n, -s, -e* away match

auswaschen, *vt, (geol.)* erode; *(Wäsche etc.)* wash out; **Auswaschung** *sub, f, -, -en* erosion

Ausweg, *sub, m, -es, -e* way out; *das ist der letzte Ausweg* that´s the last resort; *es gibt keinen anderen Ausweg* there is no other solution; **ausweglos** *adj*, hopeless; **~losigkeit** *sub, f, -, nur Einz.* hopelessness

ausweichen, *vi, (einer Frage etc.)* avoid; *(einer Person etc.)* make way; *einem Entschluss ausweichen* avoid to make a decision; *einem Thema ausweichen* avoid a subject; *einem Schlag ausweichen* dodge a blow; *zur linken/rechten Seite ausweichen* swerve to the left/right; **~d** *adj*, evasive; **Ausweichmanöver** *sub, n, -s, - (a. i.ü.S.)* evasive action; **Ausweichmöglichkeit** *sub, f, -, -en* way out

ausweiden, *vt*, gut

ausweinen, *(1) vr*, have a good cry *(2) vt*, nur als Anwendung; *sich bei jemandem ausweinen* cry on so´s shoulder; *sich seine Augen auswei-*

nen cry one´s eyes out

Ausweis, *sub, m, -es, -e (Mitgliedsausweis)* membership card; *(Personalausweis)* identity card; **ausweisen (1)** *vr*, identify o.s. *(2) vt, (aus einem Land)* expel; **~kontrolle** *sub, f, -, -n* ID check; **~papier** *sub, n, -es, -e* identification papers; **~ung** *sub, f, -, -en* expulsion

ausweiten, *(1) vr, (a. i.ü.S.; Tal; Krieg)* expand *(2) vt, (Kleidung ausdehnen)* stretch; *(verbreitern)* extend; **Ausweitung** *sub, f, -, -en* extension; *(eines Krieges)* spread

auswendig, *adv*, by heart; *auswendig lernen* learn by heart; *ein Lied auswendig spielen* play a song from memory; *etwas in- und auswendig kennen* know sth inside out; **Auswendiglernen** *sub, n, -s, nur Einz.* learning by heart

auswerten, *vt*, analyse; **Auswertung** *sub, f, -, -en* analysis

auswickeln, *vt*, unwrap

auswirken, *vr*, have an effect; *sich auf etwas auswirken* affect sth; *sich ungünstig auswirken auf* have an adverse effect on; **Auswirkung** *sub, f, -, -en* effect; *(Folge)* consequence

auswischen, *vt, (Zimmer; Schrift)* wipe out; *(i. ü. S.) jemandem eins auswischen* play a trick on so; *sich seine Augen auswischen* rub one´s eyes

auswringen, *vt*, wring out

Auswuchs, *sub, m, -es, -wüchse (biol.; med.)* protuberance; *(Fehlentwicklung)* negative spin-off

Auswurf, *sub, m, -s, -würfe (med.)* sputum; *(tech.)* ejection

auszahlen, *(1) vr*, pay off *(2) vt*, pay (out); *es wird sich auszahlen* it´ll pay off in the end; *es zahlt sich nicht aus* it doesn´t pay; **Auszahlung** *sub, f, -, -en (Auszahlen; Geldbetrag)* payment

auszählen, *vt, (auch Kinderspiel)*

count out; *(Wählerstimmen)* count; **Auszählung** *sub, f, -, -en* counting (out)

auszeichnen, (1) *vr*, distinguish o.s. **(2)** *vt, (mit einem Orden etc.)* honour; *(Waren)* label; *jemanden mit einem Orden auszeichnen* decorate so; *jemanden mit einem Preis auszeichnen* award a prize to so; **Auszeichnung** *sub, f, -, -en (Ehrung)* honouring; *(Pokal, Wimpel etc.)* distinction; *(von Waren)* labeling

Auszeit, *sub, f, -, -en* time out

ausziehen, (1) *vi, (umziehen)* move **(2)** *vi*, undress **(3)** *vt, (Kleider)* take off; *(Tisch etc.)* pull out

Auszubildende, *sub, f/m, -n, -n* trainee

Auszug, *sub, m, -s, -züge (aus einer Wohnung)* move; *(aus einer Zeitung)* excerpt; *(Festzug)* procession; *(Kontoauszug)* statement of account; **auszugsweise** *adv*, in parts

autark, *adj*, self-sufficient; **Autarkie** *sub, f, -, -n* self-sufficiency

authentisch, (1) *adj*, authentic **(2)** *adv*, authentically; **authentisieren** *vt*, authenticate; **Authentizität** *sub, f, -, nur Einz.* authenticity

Autismus, *sub, m, -, nur Einz.* autism; **autistisch** *adj*, autistic

Auto, *sub, n, -s, -s* car; *Auto fahren* drive a car; *jemanden im Auto mitnehmen* give so a lift; *mit dem Auto da sein* have come by car; *mit dem Auto fahren* go by car; **~atlas** *sub, m, -es, -lanten* road atlas

Autobahn, *sub, f, -, -en (in Deutschland)* autobahn; *(in Großbritannien)* motorway; **~ausfahrt** *sub, f, -, -en* exit; **~dreieck** *sub, n, -s, -e* motorway junction; **~einfahrt** *sub, f, -, -en* slip road; **~gebühr** *sub, f, -, -en* motorway toll; **~kreuz** *sub, n, -es, -e* motorway intersection; **~raststätte** *sub, f, -, -n* motorway service area

Autobiografie, *sub, f, -, -n* autobiography; **autobiografisch** *adj*, auto-

biografical

Autobombe, *sub, f, -, -n* car bomb; **Autobus** *sub, m, -ses, -se* coach

Autodidakt, *sub, m, -en, -en* self-taught person; **autodidaktisch (1)** *adj*, autodidactic **(2)** *adv*, autodidactically

Autofähre, *sub, f, -, -n* car ferry; **Autofahren** *sub, n, -s, nur Einz.* car driving; **Autofahrer** *sub, m, -s, -* car driver; **Autofahrt** *sub, f, -, -en* drive; **autofrei** *adj*, car-free

Autofokus, *sub, m, -, nur Einz.* autofocus; **Autogramm** *sub, n, -es, -e* autograph

Autoindustrie, *sub, f, -, -n* car industry; **Autokarte** *sub, f, -, -n* road map; **Autokino** *sub, n, -s, -s* drive-in cinema; **Autoknacker** *sub, m, -s, -* car burglar; **Autokolonne** *sub, f, -, -n* line of cars; **Automarder** *sub, m, -s, - (ugs.)* car burglar; **Automarke** *sub, f, -, -n* make

Automechaniker, *sub, m, -s, -* car mechanic; **Automobil** *sub, n, -s, -e* car; **Automobilausstellung** *sub, f, -, -en* motor show; **Automobilklub** *sub, m, -s, -s* automobile association

autonom, *adj*, autonomous; **Autonomie** *sub, f, -, -n* autonomy

Autonummer, *sub, f, -, -n* registration number

Autopilot, *sub, m, -en, -en* autopilot

Autopsie, *sub, f, -, -n* autopsy

Autor, *sub, m, -s, -en* author; **~enlesung** *sub, f, -, -en* author´s reading

Autoradio, *sub, n, -s, -s* car radio; **Autoreifen** *sub, m, -s, -* tyre; **Autorennen** *sub, n, -s, -* car race; **Autoreparatur** *sub, f, -, -en* car repair

Autorisation, *sub, f, -, -en* authorization; **autorisieren** *vt*, authorize; **autorisiert** *adj*, authorized

autoritär, *adj*, authoritarian; **Autorität** *sub, f, -, -en* authority; **autoritätsgläubig** *adj*, have blind faith in authority)

Autoschlüssel, *sub, m, -s,* - car key; **Autostopp** *sub, m, -s, -en* hitch-hiking; *per Autostopp fahren* hitchhike; **Autotelefon** *sub, n, -s, -e* carphone; **Autounfall** *sub, m, -s, -fälle* car accident; **Autoverkehr** *sub, m, -s, nur Einz.* road traffic; **Autoverleih** *sub, m, -s, -e* car hire; **Autowerkstatt** *sub, f, -, -stätten* garage

Autosuggestion, *sub, f, -, nur Einz.* autosuggestion

avancieren, *vi,* be promoted

Avantgarde, *sub, f, -, -n* avant-garde; **avantgardistisch** *adj,* avant-garde

Ai avulum, *sub, f, , nu* aversion

avisieren, *vt,* advise

Avocado, *sub, f, -, -s* avocado

Axt, *sub, f, -, Äxte* axe; *die Axt im Hause erspart den Zimmermann* do it yourself; *sich wie die Axt im Walde benehmen* behave like a savage

Azalee, *sub, f, -, -n (bot.)* azalea

Azetat, *sub, n, -s, -e (tt; chem.)* acetate

Azidität, *sub, f, -, nur Einz.* acidity

azurblau, *adj,* azure

azyklisch, (1) *adj,* acyclic (2) *adv,* acyclic

B

Baby, *sub, n, Babies, Babies* baby; **~nahrung** *sub, f, -, nur Einz.* baby food; **babysitten** *vt*, babysit; **~sitter** *sub, m, -s,* - babysitter; **~speck** *sub, m, -s, nur Einz.* (*ugs.*) puppy fat; **~zelle** *sub, f, -, -n* (*tech.*) C-size battery

Bach, *sub, m, -es, Bäche* brook; *das ging den Bach runter* it went up in smoke; **~forelle** *sub, f, -, -n* brook trout; **Bächlein** *sub, n, -s,* - brooklet; **~stelze** *sub, f, -, -n* white wagtail

Bache, *sub, f, -, -n* wild sow

Backblech, *sub, n, -es, -e* baking tray

backbord, *adv*, to port

Backe, *sub, f, -, -n* (*Bremsbacke*) shoe; (*Wange*) cheek; *Au Backe* Oh no; **~forelle** *sub, m, -es, -bärte* side-burns; **~nzahn** *sub, m, -s, -zähne* molar

backen, *vti*, bake; **Bäcker** *sub, m, -s,* - baker; **Bäckerei** *sub, f, -, -en* (*das Backen*) baking; (*Geschäft*) bakery; **Bäckerladen** *sub, m, -s, -läden* baker´s shop

Backfisch, *sub, m, -es, -e* fried fish; **Backobst** *sub, n, -es, nur Einz.* dried fruit; **Backofen** *sub, m, -s, -öfen* oven; **Backpapier** *sub, n, -s, -e* baking paper; **Backpfeife** *sub, f, -, -n* (*ugs.*) clout round the ears; **Backpfeifengesicht** *sub, n, -es, -er* brutish face; **Backpflaume** *sub, f, -, -n* prune; **Backpulver** *sub, n, -s, nur Einz.* baking powder; **Backröhre** *sub, f, -, -n* oven; **Backware** *sub, f, -, -n* bread, cake and pastries

Backstein, *sub, m, -s, -e* brick; **~bau** *sub, m, -s, -ten* brick building

Bad, *sub, n, -es, Bäder* (*baden*) bath; (*Badezimmer*) bathroom; (*Schwimmbad*) swimming pool; *ein Bad nehmen (schwimmen)* go for a swim; *ein Bad nehmen (sich baden)* have a bath; **~eanstalt** *sub, f, -, -en* swimming pool; **~eanzug** *sub, m, -es, -züge* swimsuit; **~ehose** *sub, f, -, -n* swimming-trunks;

~ekappe *sub, f, -, -n* bathing cap; **~emantel** *sub, m, -s, -mäntel* bathrobe; **~ematte** *sub, f, -, -n* bath mat; **~emeister** *sub, m, -s,* - pool attendant; **~emütze** *sub, f, -, -n* bathing cap; **baden (1)** *vi,* (*ein Bad nehmen*) have a bath; (*schwimmen*) swim; **baden (2)** *vt,* (*in der Sonne*) bask; *baden gehen* go for a dip, *sich in der Sonne baden* bask in the sun; **~eort** *sub, m, -es, -e* seaside resort; **~er** *sub, m, -s,* - (*veraltet; Friseur*) barber-surgeon; **~esaison** *sub, f, -, -s* swimming season; **~esalz** *sub, n, -es, -e* bath salts; **~etuch** *sub, n, -es, -tücher* bath towel; **~ewanne** *sub, f, -, -n* bathtub; **~ezimmer** *sub, n, -s,* - bathroom

Bagage, *sub, f, -, nur Mehrz.* (*ugs.; das Pack*) rabble; (*Gepäck*) luggage

Bagatelle, *sub, f, -, -n* trifle; **bagatellisieren** *vt*, play down

Bagger, *sub, m, -s,* - excavator; **~führer** *sub, m, -s,* - excavator operator; **baggern** *vti*, excavate; **~see** *sub, m, -s, -n* flooded gravel pit

Baguette, *sub, n, -s, -s* French stick

Bahn, *sub, f, -, -en* (*Eisenbahn*) railway; (*Fahrbahn*) lane; (*Papier*) web; (*Rennbahn*) track; (*Weg*) way; (*Zug*) train; *bei der Bahn arbeiten* work for the railway; *jemanden von der Bahn abholen* meet so at the station; *mit der Bahn fahren* go by train; *auf die schiefe Bahn geraten* get into evil ways; *etwas auf die richtige Bahn lenken* direct sth into the right channels; *freie Bahn haben* have the go-ahead; *sich Bahn brechen* force one´s way; **bahnbrechend** *adj*, pioneering; (*Entwicklung*) revolutionary; **bahnen** *vt*, nur als Anwendung; *jemandem den Weg zum Erfolg bahnen* put so on the road to success; *jmd den Weg bahnen* pave the way for so; *sich seinen Weg bahnen* make a way for os; **bahnenweise** *adv*, strip by strip

Bahnhof, *sub, m, -es, -höfe* station; *ich verstand nur noch Bahnhof* it was all double Dutch to me; *jemanden mit großem Bahnhof empfangen* give so the red carpet treatment; **~buchhandlung** *sub, f, -, -en* station bookshop; **~sbuffet** *sub, n, -s, -s* station snack booth; **~shalle** *sub, f, -, -n* station concourse; **~svorsteher** *sub, m, -s, -* station-master

Bahnkarte, *sub, f, -, -n* railway map; **Bahnlinie** *sub, f, -, -n* railway line; **Bahnschranke** *sub, f, -, -n* barrier; **Bahnsteig** *sub, m, -es, -e* platform; **Bahnsteigkante** *sub, f, -, -n* edge of the platform; **Bahnübergang** *sub, m, -es, -gänge* level crossing; **Bahnwärter** *sub, m, -s, -* level crossing attendant

Bahre, *sub, f, -, -n (Krankenbahre)* stretcher; *(Totenbahre)* bier

Bai, *sub, f, -, -en* bay

Baiser, *sub, n, -s, -s* meringue

Bajonett, *sub, n, -s, -e* bayonet

Bakterie, *sub, f, -, -n* bacterium; **bakteriell** *adj*, bacterial; **Bakteriologe** *sub, m, -n, -n* bacteriologist; **Bakteriologie** *sub, f, -, nur Einz.* bacteriology; **bakteriologisch** *adj*, bacteriological; **Bakterizid** *sub, n, -s, -e* bactericide

Balance, *sub, f, -, -n* balance; **~akt** *sub, m, -es, -e* balancing act; **balancieren** *vti*, balance; **Balancierstange** *sub, f, -, -n* balancing pole

bald, *adv*, soon; *bald danach* soon after; *bald mag sie, bald mag sie nicht* one minute she wants to, the next she doesn´t; *bis bald* see you soon; *ich hab es bald* it won´t be minute; **~ig** *adj*, speedy; *auf ein baldiges Wiedersehen* we hope to see you again soon; **~möglichst** *adj*, earliest possible; *zum baldmöglichsten Zeitpunkt* as soon as possible

Baldachin, *sub, m, -s, -s* canopy; **baldachinartig** *adj*, canopy-like

baldowern, *vt*, find out

Balg, *sub, m, -es, Bälger (Blasebalg)* bellows; *(Haut)* skin

balgen, *vr*, scuffle; **Balgerei** *sub, f, -, -en* scuffle

Balken, *sub, m, -s, - (arch., spo.)* beam; *(Dachbalken)* rafter; *(Tragebalken)* girdler; **~decke** *sub, f, -, -n* timbered ceiling; **~konstruktion** *sub, f, -, -en* beam construction; **~waage** *sub, f, -, -n* beam scales

Balkon, *sub, m, -s, -e oder -s* balcony; **~möbel** *sub, f, -, -* balcony furniture; **~pflanze** *sub, f, -, -n* outdoor plant

Ball, *sub, m, -s, Bälle (Spielball)* ball; *(Tanzball)* hall; *(spo.) am Ball bleiben* hold onto the ball, *(i. ü. S.)* keep at it; *(spo.) am Ball sein* have the ball; *auf einem Ball sein* be at a ball; *auf einen Ball gehen* go to a ball

Ballade, *sub, f, -, -n* ballad; **balladenhaft** *adj*, ballad-like

Ballast, *sub, m, -es, nur Einz. (i. ü. S.; Last)* burden; *(überflüssiges Gewicht)* ballast; *Ballast abwerfen* shed some ballast; *nur Ballast sein* be just an encumbrance; **~stoffe** *sub, f, -, nur Mehrz.* fibre

Ballen, **(1)** *sub, m, -s, - (Hand-/Fußballen)* ball of the hand/foot; *(wirt.)* bale **(2) ballen** *vr, (i. ü. S.; Probleme)* build up **(3)** *vt, (Hand)* clench; *(Schnee etc.)* make into a ball

ballern, **(1)** *vi, (ugs.; schießen)* shoot **(2)** *vti, (ugs.; Fußball)* bang

Ballett, *sub, n, -s, -e* ballet; *beim Ballett sein* be with the ballet; *zum Ballett gehen* join a ballet company; **Ballerina** *sub, f, -, -nen* ballerina; **~euse** *sub, f, -, -n* ballerina; **~musik** *sub, f, -, nur Einz.* ballet music; **~tänzer** *sub, m, -s, -* ballet dancer; **~tänzerin** *sub, f, -, -nen* ballet dancer; **~truppe**

sub, f, -, -n ballet company
Ballgefühl, *sub, n, -es, nur Einz.* feeling for the ball
Ballistik, *sub, f, -, nur Einz.* ballistics; **ballistisch (1)** *adj,* ballistic **(2)** *adv,* ballistically
Balljunge, *sub, m, -n, -n* ball boy; **Ballkleid** *sub, n, -es, -er* ball dress; **Balllokal** *sub, n, -s, -e* ball restaurant; **Ballnacht** *sub, f, -, -nächte* ball night
Ballon, *sub, m, -s, -s oder -e (Flasche)* carboy; *(Fluggerät)* balloon; **~fahrer** *sub, m, -s, -* balloonist; **~reifen** *sub, m, -s, -* balloon tyre
Ballspiel, *sub, n, -s, -e* ball game; **~en** *sub, n, -s, nur Einz.* playing ball
Ballung, *sub, f, -, -en* agglomeration; **~sgebiet** *sub, n, -es, -e* conurbation; **~sraum** *sub, m, -es, -räume* conurbation
Balsam, *sub, m, -s, -e* balm; *das ist Balsam für die Seele* it soothes a troubled soul; *jemandem Balsam auf seine Wunde geben* pour balm on so´s wound; **balsamieren** *vt,* embalm; **~ierung** *sub, f, -, -en* embalming
Balustrade, *sub, f, -, -n* balustrade
balzen, *vi, (sich paaren)* mate; *(werben)* court; **Balz** *sub, f, -, -en (Paarung)* mating; *(Partnerwerbung)* courtship; **Balzruf** *sub, m, -es, -e (biol.)* mating call; **Balzzeit** *sub, f, -, -en* mating season
Bambus, *sub, m, -ses, nur Einz.* bamboo; **~hütte** *sub, f, -, -n* bamboo hut; **~rohr** *sub, n, -es, -e* bamboo (cane)
Bammel, *sub, m, -s, nur Einz. (ugs.)* nur als Anwendung; *Bammel haben* be scared stiff
banal, *adj, (einfach)* straightforward; *(platt)* trite; **Banalität** *sub, f, -, -en* banality
Banane, *sub, f, -, -n* banana; **~nrepublik** *sub, f, -, -en (ugs.)* banana republic
Banause, *sub, m, -n, -n* philistine
Band, *sub, n, -es, Bänder* ribbon;

(anat.) ligament; *(i. ü. S.; Beziehung)* bond; *m, -es, Bände (Buch)* volume; *n, -es, Bänder (Fließband)* production line; *(Förderband)* conveyor belt; *f, -, -s (Musikgruppe)* band; *n, -es, Bänder (Tonband, Maßband etc.)* tape; *das Band der Ehe* the bond of marriage; *das familiäre Band* familiy ties; *auf Band sprechen* speak onto a tape; *etwas auf Band aufnehmen* tape sth
Bandage, *sub, f, -, -n* bandage; *jemandem eine Bandage anlegen* put a bandage on so; *(ugs.) mit harten Bandagen kämpfen* go at it hammer and tongs; **bandagieren** *vt,* bandage
Bandbreite, *sub, f, -, -n (Rundfunk)* frequency range; *(i. ü. S.; Wissen)* spectrum
Bande, *sub, f, -, -n (Kegelspiel)* cushion; *(von Verbrechern)* gang; **~nwerbung** *sub, f, -, -en* touchline advertising; **~role** *sub, f, -, -n* revenue stamp; **Bänderriss** *sub, m, -es, -e* torn ligament; **Bänderzerrung** *sub, f, -, -en* stretched ligament
bändigen, *vt, (Kind, Fluss)* control; *(Tier)* tame; **Bändiger** *sub, m, -s, -* tamer
Bandit, *sub, m, -en, -en* bandit
Bandkeramik, *sub, f, -, -en* band ceramics; **Bandsäge** *sub, f, -, -n* band saw; **Bandscheibe** *sub, f, -, -n (anat.)* disc; **Bandscheibenschaden** *sub, m, -s, -schäden* damaged disc; **Bandwurm** *sub, m, -s, -würmer* tapeworm
bange, *adj,* afraid; *ein banges Gefühl* an uneasy feeling; *ein paar bange Stunden* hours of anxious waiting; *jemandem Bange machen* frighten so; *mir ist Angst und Bange* I´m frightened to death; **~n** *vi, vt,* worry; *um etwas bangen* be anxious about; **Bangigkeit** *sub, f, -, nur Einz.* anxiety
Bänkellied, *sub, n, -es, -er* street ballad; **Bänkelsang** *sub, m, -es,*

-sänge itinerant singing; **Bänkel-sänger** sub, m, -s, - balladeer
Bankett, sub, n, -es, -e (Festmahl) banquet; (Randstreifen) verge
Bankgeheimnis, sub, n, -ses, nur Einz. banking secrecy; **Bankgutha-ben** sub, n, -s, - bank balance; **Bankhalter** sub, m, -s, - banker; **Bankier** sub, m, -s, -s banker; **Bankkaufmann** sub, m, -es, -män-ner bank employee; **Bankkonto** sub, n, -s, -ten bank account; **Bankleitzahl** sub, f, -, -en bank code; **Banknote** sub, f, -, -n note; **Bankraub** sub, m, -es, -e bank robbery; **Bankräuber** sub, m, -s, - bank robber
bankrott, (1) adj, (a. i.ü.S.; wirt.; moralisch) bankrupt (2) **Bankrott** sub, m, -s, -e bankruptcy; bankrott geben go bankrupt; sich für bankrott erklären declare os bankrupt; Bankrott machen go bankrupt; seinen Bankrott erkären file for bankruptcy; vor dem Bankrott stehen face bankruptcy; **Bankrotterklärung** sub, f, -, -en declaration of bankruptcy; **Bankrotteur** sub, m, -s, -e bankrupt (company); **~ieren** vi, go bankrupt
Banküberfall, sub, m, -es, -fälle bank raid; **Bankverbindung** sub, f, -, -en bank account; **Bankwesen** sub, n, -s, - banking
bannen, vt, (beseitigen) avert; (i. ü. S.; fesseln) captivate; **Bann** sub, m, -es, -e (Abhängigkeit, Zauber) spell; (Ausschluss) banishment; in jemandens Bann geraten come under so´s spell; jemanden in Bann schlagen captivate so; jemanden in seinem Bann halten have so spellbound; mit einem Bann belegen banish; **Bannfluch** sub, m, -es, -flü-che excommunication; **Bannkreis** sub, m, -es, -e spell; **Bannmeile** sub, f, -, -n neutral zone
Banner, sub, n, -s, - banner; **~träger** sub, m, -s, - standard bearer
Baptist, sub, m, -en, -en babtist
Bär, sub, m, -en, -en bear; (astron.)

der Große/Kleine Bär the Great/Little Bear; wie ein Bär schlafen sleep like a dog; **~endienst** sub, m, -es, -e nur als Anwendung; jemanden einen Bärendienst erweisen do so a bad turn; **~endreck** sub, m, -s, nur Einz. (ugs.) liquorice; **~enfell** sub, m, -s, -e bearskin; **~enhunger** sub, m, -s, nur Einz. nur als Anwendung; einen Bärenhunger haben feel like eating a horse; **~ennatur** sub, f, -, -en constitution of a horse; **bärenstark** adj, strong as an ox; **bärig** adj, (ugs.) wonderful
bar, (1) adj, (direkt) cash; (echt) pure (2) **Bar** sub, f, -, -s (Kneipe, Ausschank) bar (phy.) bar; etwas in bar bezahlen pay cash; gegen bar for cash; barer Unsinn sheer nonsense; etwas für bare Münze nehmen take sth at face value; **~busig** adj, topless; **Bardame** sub, f, -, -n barmaid; **~fuß** (1) adj, barefooted (2) adv, barefoot; **Bargeld** sub, n, -es, nur Einz. cash; **~geldlos** adj, cashless; **Bargeschäft** sub, n, -s, -e cash deal; **~häuptig** adj, adv, bareheaded; **Barhocker** sub, m, -s, - bar stool
Baracke, sub, f, -, -n hut; **~nlager** sub, n, -s, - hut camp
Barbar, sub, m, -en, -en barbarian; **~ei** sub, f, -, nur Einz. barbarism; **barbarisch** adj, barbaric; (grausam) savage
Barbe, sub, f, -, -n (zool.) barbel
bärbeißig, adj, surly; **Bärbeißigkeit** sub, f, -, nur Einz. surliness
Barbier, sub, m, -s, -e barber; **barbieren** vt, shave
Barbiturat, sub, n, -s, -e barbiturate
Barett, sub, n, -s, -e beret
Bariton, sub, m, -s, -e baritone
Bark, sub, f, -, -en barque; **~asse** sub, f, -, -n longboat; **~e** sub, f, -, -n rowing boat
barmherzig, adj, compassionate;

Barmherzigkeit *sub, f, -, nur Einz.* compassion

barock, (1) *adj,* baroque **(2) Barock** *sub, m, -s, nur Einz. (Barockstil)* baroque (style); *(Barockzeit)* Baroque (era); **Barockbau** *sub, m, -s, -bauten* baroque buliding; **Barockkirche** *sub, f, -, -n* baroque church; **Barockkunst** *sub, f, -, -künste* baroque art; **Barockstil** *sub, m, -s, nur Einz.* baroque style; **Barockzeit** *sub, f, -, nur Einz.* Baroque (era)

Barometer, *sub, n, -s, -* barometer; *das Barometer steht tief* the barometer is low

Baron, *sub, m, -s, -e* baron; **~esse** *sub, f, -, -n* baroness; **~in** *sub, f, -, -nen* baroness

Barrakuda, *sub, m, -s, -s (zool.)* barracuda

Barras, *sub, m, -, nur Einz. (ugs.)* army; *beim Barras* in the army; *zum Barras müssen* be called up for military service

Barre, *sub, f, -, -n* metal bar

Barren, *sub, m, -s, - (Goldbarren)* bar; *(spo.)* parallel bars

Barriere, *sub, f, -, -n (a. i.ü.S.)* barrier

Barrikade, *sub, f, -, -n* barricade; *auf die Barrikaden gehen* mount the barricades

barsch, (1) *adj,* gruff **(2) Barsch** *sub, m, -es, -e (zool.)* perch; **Barschheit** *sub, f, -, -en* gruffness

Barschaft, *sub, f, -, nur Einz.* ready money; **Barscheck** *sub, m, -s, -s* cash cheque; **Barzahlung** *sub, f, -, -en* cash payment

Bart, *sub, m, -es, Bärte (eines Mannes)* beard; *(eines Tieres)* whiskers; *der Bart ist ab* that´s done it; *einen Bart tragen* have a beard; *in seinen Bart murmeln* mumble to os; *sich einen Bart wachsen lassen* grow a beard; **~haar** *sub, n, -es, -e* hair from a beard; **bärtig** *adj,* bearded; **bartlos** *adj,* clean-shaven; **~stoppel** *sub, m, -s, -* stubble; **~träger** *sub, m, -s, -* nur als Anwendung; *ein*

Bartträger sein have a beard; **~wuchs** *sub, m, -es, nur Einz.* growth of beard(s)

Basalt, *sub, m, -es, -e* basalt; **basaltisch** *adj,* basaltic

Base, *sub, f, -, -n (chem.)* base; *(Cousine)* cousin

basieren, *vi,* be based

Basilika, *sub, f, -, -liken* basilica

Basilikum, *sub, n, -s, nur Einz. (bot.)* basil

Basilisk, *sub, m, -, -en* basilisk; **~enblick** *sub, m, -es, -e* look of a basilisk

Basis, *sub, f, -, Basen* base; *auf breiter Basis* on a broad basis; *auf der gleichen Basis* on equal terms; *beruhen auf der Basis* be founded on; **~kurs** *sub, m, -es, -e* basic course

basisch, *adj,* basic

Baskenmütze, *sub, f, -, -n* beret

Bass, *sub, m, -es, Bässe (Basssänger)* bass singer; *(Bassstimme)* bass voice; *(Instrument)* double bass; **~flöte** *sub, f, -, -n* bass flute; **~geige** *sub, f, -, -n* bass violin; **~instrument** *sub, n, -s, -e* double bass; **~ist** *sub, m, -en, -en (Basssänger)* bass singer *(Bassspieler)* bass player; **~sänger** *sub, m, -s, -* bass singer; **~schlüssel** *sub, m, -s, -* bass clef; **~stimme** *sub, f, -, -n* bass voice

Bassin, *sub, n, -s, -s* pool

Bast, *sub, m, -es, -e (bot.)* phloem; *(Raffiabast)* raffia

Bastard, *sub, m, -es, -e (tt; bot.)* hybrid; *(tt; zool.)* crossbreed

Bastei, *sub, f, -, -en* bastion

basteln, (1) *vi,* do handicrafts **(2)** *vt,* make; **Bastelarbeit** *sub, f, -, -en* handicraft; **Bastler** *sub, m, -s, -* home constructor

Bastion, *sub, f, -, -en* bastion

Batist, *sub, m, -es, -e* batiste

Batterie, *sub, f, -, -n (mil.)* battery; *(tech.)* battery; **batteriebetrieben** *adj,* battery-operated

Batzen, *sub, m, -s, -* clump; *(ugs.) das ist ein schöner Batzen Geld*

that´s a tidy little sum, *(ugs.)* *das* **kostet einen ganzen Batzen** that´ll cost a pretty penny

Bau, *sub, m, -es, -ten (eines Tieres)* burrow; *(Errichtung)* construction; *(Gebäude)* building; *(tech.)* design; **~abschnitt** *sub, m, -es, -e* construction stage; **~arbeiter** *sub, m, -s, -* building worker; **~art** *sub, f, -, -en (arch.)* style; *(tech.)* design; **~aufsicht** *sub, f, -, -en* construction supervision

Bauch, *sub, m, -s, Bäuche* paunch, stomach; *(ugs.)* belly; *eine Wut im Bauch haben* be ready to explode; *mit vollem Bauch* on a full stomach; *sich die Beine in den Bauch stehen* stand till one drops; *sich vor Lachen den Bauch halten* split one´s sides laughing; **~ansatz** *sub, m, -es, -sätze* beginnings of a paunch; **~binde** *sub, f, -, -en (anat.)* abdominal bandage; **~decke** *sub, f, -, -n* abdominal wall; **~fell** *sub, n, -es, -e (anat.)* peritoneum; **~fleisch** *sub, n, -es, nur Einz.* meat from the belly; **~grimmen** *sub, n, -s, nur Einz.* colic; **~höhle** *sub, f, -, -n (anat.)* abdominal cavity; **bauchig** *adj,* bulbous; **~laden** *sub, m, -s, -läden* vendor´s tray; **~landung** *sub, f, -, -en* belly landing; *eine Bauchlandung machen* do a belly landing; **bäuchlings** *adv,* on one´s belly; **~muskulatur** *sub, f, -, -en* stomach muscles; **~nabel** *sub, m, -s, -* navel; **bauchreden** *vi,* ventriloquize; **~redner** *sub, m, -s, -* ventriloquist; **~schmerz** *sub, m, -en, -en* stomach-ache; **~tanz** *sub, m, -es, -tänze* belly dance; **~weh** *sub, n, -s, -s* stomach-ache

bauen, (1) *vi,* build **(2)** *vt, (a. i.ü.S.)* build; *einen Unfall bauen* have an accident; *Mist bauen* make a boob; **Baudenkmal** *sub, n, -s, -mäler* historic monument; **Bauentwurf** *sub, m, -es, -würfe* architect´s plan

Bauer, *sub, m, -s, -n (Landwirt)* farmer; *(Schachspiel)* pawn; *(Vogelkäfig)* cage; **Bäuerchen** *sub, n, -s, -*

nur als Auswendung, *ein Bäuerchen machen (Kind)* do it´s windies; **bäuerlich** *adj,* rural; **~nbrot** *sub, n, -es, nur Einz.* brown bread; **~nfänger** *sub, m, -s, - (ugs.)* con man; **~nfängerei** *sub, f, -, -en* con game; **~nfrühstück** *sub, n, -es, -e* bacon and potato omelett; **~nhaus** *sub, n, -es, -häuser* farmhouse; **~nhof** *sub, m, -es, -höfe* farm; **~nkrieg** *sub, m, -s, -e* Peasants´ War; **~nschläue** *sub, f, -, nur Einz.* cunning; **~nstand** *sub, m, -es, -stände* farmers; **~nstube** *sub, f, -, -n* farmhouse room

baufällig, *adj,* dilapidated; **Baufälligkeit** *sub, f, -, -en* state of dilapidation

Baufirma, *sub, f, -, -men* construction company; **Baugenehmigung** *sub, f, -, -en* building license; **Baugewerbe** *sub, n, -s, -* building trade; **Baugrube** *sub, f, -, -n* excavation pit; **Bauherr** *sub, m, -en, -en* builder-owner; **Bauholz** *sub, n, -es, -hölzer* building timber; **Baujahr** *sub, n, -es, -e* construction year; **Baukasten** *sub, m, -s, -kästen* box of bricks; **Baukastensystem** *sub, n, -s, -e* modular system; **Bauklotz** *sub, m, -es, -klötze* building brick; **Baukosten** *sub, f, -, nur Mehrz.* building costs; **Baukunst** *sub, f, -, -künste* architecture; **baulich** *adj,* architectural; *der bauliche Zustand* the repair; *eine bauliche Sünde* an architectural eyesore

Baum, *sub, m, -es, Bäume* tree; *den Wald vor lauter Bäumen nicht sehen* not to see the wood for the trees; *der Baum der Erkenntnis* the tree of knowledge; *sich fühlen als könnte man Bäume ausreißen* feel up to anything; **~farn** *sub, m, -s, -e* treefern; **~grenze** *sub, f, -, -n* treeline; **~kuchen** *sub, m, -s, -* pyramid cake; **baumlang** *adj,* giant; **baumreich** *adj,* densely wooded; **~schule** *sub, f, -, -n* tree-nursery; **~stamm** *sub, m, -es, -stämme* tree-trunk; **baumstark** *adj,* strong as a horse; **~stumpf** *sub, m, -es, -stümpfe* tree-stump; **~wipfel** *sub, m, -s,* - treetop

Baumaschine, *sub, f, -, -n* construction equipment; **Baumaterial** *sub, n, -s, -ien* building material; **Baumeister** *sub, m, -s, - (Architekt)* architect; *(auf der Baustelle)* master builder

baumeln, *vi,* dangle

bäumen, *vr, (sich auflehnen)* rebel; *(Tier)* rear up

Baumwolle, *sub, f, -, nur Einz.* cotton; **baumwollen** *adj,* cotton; **Baumwollhemd** *sub, n, -es, -en* cotton shirt; **Baumwollindustrie** *sub, f, -, nur Einz.* cotton industry

Bauplan, *sub, m, -es, -pläne* architect´s plan; **Bauplatz** *sub, m, -es, -plätze* building site; **baureif** *adj,* ready for building; **Bauruine** *sub, f, -, -n* half-finished building; **Bausatz** *sub, m, -es, -sätze* construction kit

Bausch, *sub, m, -es, Bäusche* wad; **bauschen (1)** *vi, vr,* billow **(2)** *vt,* puff out

Bazar, *sub, m, -s, -e* bazaar

Bazillus, *sub, m, -, Bazillen (ugs.)* germ

beabsichtigen, *vt,* intend; *das ist beabsichtigt* it is intentional

beachten, *vt, (Aufmerksamkeit schenken)* pay attention; *(Regel)* follow; *(zur Kenntnis nehmen)* note; *es ist zu beachten, dass* one has to be aware that; *etwas kaum/nicht beachten* take hardly any/no notice of; **~swert** *adj,* noteworthy; **beachtlich** *adj,* remarkable; *(beträchtlich)* considerable; **Beachtung** *sub, f, -, nur Einz. (Aufmerksamkeit)* attention; *(Berücksichtigung)* consideration; *Beachtung schenken* pay attention to; *Beachtung verdienen* be worthy to note; *keine Beachtung finden* be ignored; *unter Beachtung des/der*

in compliance with

beackern, *vt,* plough

Beamte, *sub, m, -n, -n (der Polizei)* officer; *(einer Behörde)* official; **~nbeleidigung** *sub, f, -, -en* insulting an officer/official; **~nstand** *sub, m, -es, -stände* officials; **~ntum** *sub, n, -s, nur Einz.* officialdom; **~nverhältnis** *sub, n, -ses, -se* civil service status

beängstigend, *adj,* frightening

beanspruchen, *vt, (Besitz etc.)* claim; *(gebrauchen)* use; *(Person)* keep busy; *(tech.)* stress; *(Verstand)* preoccupy; *(Zeit etc.)* take up; *es beansprucht mich seelisch sehr* it greatly preoccupies me; *jemanden stark beanspruchen* keep so very busy; **Beanspruchung** *sub, f, -, -en (Gebrauch)* use; *(tech.)* stress; *(von Besitz etc.)* claim

beanstanden, *vt, (kritisieren)* criticize; *(Produkt)* complain about; *daran gibt es nichts zu beanstanden* there is nothing wrong with it; **Beanstandung** *sub, f, -, -en (Beschwerde)* complaint; *(Kritik)* criticism

beantragen, *vt,* apply for; **Beantragung** *sub,* application

beantworten, *vt,* answer; **Beantwortung** *sub, f, -, -en* answer

bearbeiten, *vt, (Acker, Material)* work; *(Text)* edit; *(Thema)* work on; *(ugs.) jemanden (mit Schlägen) bearbeiten* give so a working over; *jemanden bearbeiten* work on so; **Bearbeiter** *sub, m, -s, - (eines Sachgebiets)* person in charge; *(eines Textes)* editor; **Bearbeitung** *sub, f, -, -en (eines Ackers, von Material)* working; *(eines Antrags etc.)* processing; *(eines Textes)* revision; *(eines Themas)* treatment

beatmen, *vt,* give artificial respiration; **Beatmung** *sub, f, -, -en* artificial respiration; **Beatmungsgerät** *sub, n, -es, -e* respirator

beaufsichtigen, *vt, (ein Projekt)* supervise; *(Kinder)* look after; **Beaufsichtigung** *sub, f, -, -en* supervision
beauftragen, *vt*, instruct; *jemandem beauftragen, etwas zu tun* ask so to do sth; *jemandem mit einem Fall beauftragen* put so in charge of a case; **Beauftragte** *sub, f, m, -n, -n* representative
beäugen, *vt*, eye
Beben, (1) *sub, n, -s, -* trembling; *(geol.)* tremor **(2) beben** *vi*, tremble
bebildern, *vt*, illustrate; **Bebilderung** *sub, f, -, -en* illustrations
bebrillt, *adj*, spectacled
Becher, *sub, m, -s, - (Glas)* glass; *(Wegwerfbecher)* cup; **becherförmig** *adj*, cup-shaped; **bechern** *vti, (ugs.)* tipple
becircen, *vt*, bewitch
Becken, *sub, n, -s, - (anat.)* pelvis; *(geol., tech.)* basin; *(Schwimmbecken)* pool; *(Waschbecken)* sink; **~bruch** *sub, m, -es, -brüche (med.)* fractured pelvis
bedachen, *vt*, roof; **Bedachung** *sub, f, -, -en* roofing
bedacht, (1) *adj*, careful **(2) Bedacht** *sub, m, -es, nur Einz.* consideration; *(auf ein betstimmtes Verhalten) bedacht sein* make a point of being/behaving; *auf etwas bedacht sein* be keen on sth, *etwas mit Bedacht machen* do sth carefully; *etwas ohne Bedacht machen* do sth carelessly; **~sam (1)** *adj, (langsam)* slow; *(wohlüberlegt)* careful **(2)** *adv, (langsam)* slowly; *(wohlüberlegt)* carefully; **Bedachtsamkeit** *sub, f, -, nur Einz.* care
bedächtig, (1) *adj, (langsam)* slow; *(wohlüberlegt)* careful, carefully **(2)** *adv, (langsam)* slowly; **Bedächtigkeit** *sub, f, -, nur Einz.* care
bedanken, *vr*, thank; *(i. ü. S.) dafür bedanke ich mich* no, thank you very much; *sich bei jemandem für etwas bedanken* thank so for sth
Bedarf, *sub, m, -s, nur Einz. (Benötigtes)* need; *(wirt.)* demand; *Be-*

darf haben to have need, *bei Bedarf* if required; *für den eigenen Bedarf* for os; *den Bedarf decken* meet the demand; **~sartikel** *sub, m, -s, -* commodity; **~sdeckung** *sub, f, -, nur Einz.* supply of needs; **~sfall** *sub, m, -es, -fälle* case of need; **bedarfsgerecht** *adj, adv,* demand-meeting; **~sgüter** *sub, f, -, nur Mehrz.* consumer goods
bedauerlich, *adj,* regrettable; **~erweise** *adv,* unfortunately; **Bedauern (1)** *sub, n, -s, nur Mehrz.* regret **(2) bedauern** *vi,* be sorry **(3)** *vt,* regret; *zu meinem großen Bedauern* much to my regret, *ich bedaure I´m sorry, bedauern, etwas getan zu haben* regret having done sth; *sie ist zu bedauern* you can´t help feeling sorry for her; **bedauernswert** *adj,* regrettable
bedecken, (1) *vr,* cover o.s. **(2)** *vt,* cover; **bedeckt** *adj,* overcast; **Bedeckung** *sub, f, -, -en* cover(ing)
Bedenken, (1) *sub, f, -, nur Mehrz. (Skrupel)* scruple; *(Zweifel)* doubt **(2) bedenken** *vr,* think it over **(3)** *vt,* give a present to; *(berücksichtigen)* bear in mind; *(in Betracht ziehen)* consider; *(keine) Bedenken haben* have (no) reservations; *Bedenken anmelden* raise objections; *Bedenken machen* do sth without hesitation, *jemanden in seinem Testament bedenken* remember so in one´s will; *jemanden mit Beifall bedenken* acknowledge so with applause; *wenn man es recht bedenkt* when you think about it; **bedenkenlos (1)** *adj, (skrupellos)* unscrupulous **(2)** *adv, (ohne nachzudenken)* without thinking; *(skrupellos)* without scruple; **bedenkenswert** *adj,* worth considering; **bedenklich** *adj,* questionable; *(alarmierend)* alarming; **Bedenklichkeit**

sub, f, -, nur Einz. (Ernsthaftigkeit) seriousness; *(Fragwürdigkeit)* dubiousness; **Bedenkzeit** *sub, f, -, -en* time for reflection

bedeuten, *vt, (Bedeutung haben)* mean; *(wert sein)* be important; *das hat etwas zu bedeuten* that says something; *das hat nichts zu bedeuten* it doesn´t mean anything; *sie bedeutet mir alles* she is the world to me; *jemandem viel bedeuten* mean a lot to so; **~d (1)** *adj,* remarkable; *(beträchtlich)* considerable; *(wichtig)* important **(2)** *adv, (beträchtlich)* considerably; **bedeutsam** *adj, (vielsagend Blick)* meaningful; *(wichtig)* important; **Bedeutsamkeit** *sub, f, -, nur Einz.* importance; **Bedeutung** *sub, f, -, -en (Sinn)* meaning; *(Wichtigkeit)* importance; *eine Person von Bedeutung sein* be a person of some standing; *es ist nichts von Bedeutung* it´s nothing of importance; *von großer Bedeutung sein* be very important; **bedeutungslos** *adj, (sinnlos)* meaningless; *(unwichtig)* unimportant; **Bedeutungslosigkeit** *sub, f, -, nur Einz.* unimportance; **bedeutungsvoll** *adj,* meaningful

bedienen, (1) *vi,* serve **(2)** *vr, (sich nehmen)* help o.s. **(3)** *vt,* serve; *bedient euch* help yourselves; *sich einer Sache bedienen* make use of sth, *(i. ü. S.) bedient sein* have had enough; *schlecht bedient werden* get bad service; *werden sie schon bedient?* are you being served?; **bedienstet** *adj,* in service; **Bedienstete** *sub, f, m, -n, -n* employee; **Bedienung** *sub, m, -, -en (Kellner)* waiter; *f, -, -en nur Einz. (Service)* service; *f, -, -en (tech.)* operation; **Bedienungsanleitung** *sub, f, -, -en (kürzere)* instructions; *(umfangreiche)* instruction manual; **Bedienungsfehler** *sub, m, -s, - operating* error; **Bedienungsgeld** *sub, n, -es, -er* service charge

bedrängen, *vt, (belästigen)* harass;

(eindringlich bitten) pester; *(nötigen)* press so; **Bedrängnis** *sub, n, -ses, -se* distress

bedrohen, *vt,* threaten; **bedrohlich (1)** *adj, (Entwicklung)* ominous; *(Situation)* precarious **(2)** *adv, (schauen)* threateningly; *bedrohlich nahe kommen* come threateningly close; *ein bedrohliches Ausmaß annehmen* take on an alarming proportion; **Bedrohlichkeit** *sub, f, -, nur Einz. (einer Situation)* precariousness; **Bedrohung** *sub, f, -, -en* threat

bedrucken, *vt,* print; **Bedruckung** *sub, f, -, -en* printing

bedrücken, *vt,* depress; **bedrückt** *adj,* depressed; **Bedrücktheit** *sub, f, -, nur Einz.* depression; **Bedrückung** *sub, f, -, nur Einz.* oppression

Beduine, *sub, m, -n, -n* Bedouin

bedürfen, *vt,* need; *es bedarf aller Kraft* it´ll take all our strength; *keiner Beweise bedürfen* need no evidence; **Bedürfnis** *sub, n, -ses, -se (starkes Verlangen)* urge; *(Verlangen)* need; *ein starkes Bedürfnis haben zu* feel an urge to; *ein dringendes Bedürfnis verspüren zu* feel an urgent need to; *sein Bedürfnis verrichten* relieve os; **Bedürfnisanstalt** *sub, f, -, -en* public lavatory; **bedürfnislos** *adj,* undemanding; **bedürftig** *adj,* needy; *einer Kleidung bedürftig sein* be in need of clothes; **Bedürftigkeit** *sub, f, -, nur Einz.* neediness

beehren, *vt,* honour

beeiden, *vt,* swear to sth; **beeidigen** *vt,* swear to sth; *eine Aussage beeidigen* swear to an evidence

beeilen, *vr,* hurry (up); *beeile dich* hurry up; *du brauchst dich nicht zu beeilen* take your time; *sich mit etwas beeilen* hurry up with sth; **Beeilung** *sub, f, -, nur Einz.* nur als Anwendung; *Beeilung, bitte* get a move on

beeindrucken, *vt,* impress

beeinflussbar, *adj,* nur als Anwendung; *leicht beeinflussbar* easily influenced; **Beeinflussbarkeit** *sub, f, -, nur Einz.* ease of influencing so; **beeinflussen** *vt,* influence; **Beeinflussung** *sub, f, -, -en* influencing

beeinträchtigen, *vt,* *(behindern)* impede; *(negativ beeinflussen)* affect; **Beeinträchtigung** *sub, f, -, -en (Behinderung)* impeding; *(negative Auswirkung)* adverse effect

Beelzebub, *sub, m, -en, nur Einz.* nur als Anwendung; *den Teufel mit dem Beelzebub austreiben* out of the frying pan into the fire

beenden, *vt,* *(Arbeit, Brief)* finish; *(Arbeitsverhältnis)* terminate; *(Vortrag)* close; **Beendung** *sub, f, -, -en (eines Vortrags etc.)* close; *(Fertigstellung)* completion; *(von Arbeitsverhältnisses)* termination

beengen, *vt,* confine; **Beengtheit** *sub, f, -, nur Einz.* constriction; **Beengung** *sub, f, -, -en* constriction

beerben, *vt,* be so´s heir

Beere, *sub, f, -, -n* berry; **~nauslese** *sub, f, -, -n* choice wine; **beerenförmig** *adj,* berry-like; **~nobst** *sub, n, -es, nur Einz.* soft fruits

Beet, *sub, n, -es, -e (für Blumen)* bed; *(für Gemüse)* patch

befähigen, *vt,* enable

Befähigung, *sub, f, -, -en (Können)* ability; *(Qualifikation)* qualification

befahrbar, *adj, (Brücke etc.)* passable; *(Gewässer)* navigable

Befahrbarkeit, *sub, f, -, nur Einz. (eines Gewässers)* navigability; *(von Straßen)* road conditions

befahren, **(1)** *adj,* nur als Anwendung **(2)** *adt, (benützen)* use **(3)** *vt, (Brücke etc.)* drive on; *diese Staße ist kaum befahren* hardly anyone uses this road; *eine gering befahrene Straße* a quiet road; *eine stark befahrene Straße* a busy road

Befall, *sub, m, -s, -fälle* attack

befallen, **(1)** *adj,* infested **(2)** *vt,* attack

befangen, *adj, (gehemmt)* self-conscious; *(voreingenommen)* biased

Befangenheit, *sub, f, -, nur Einz. (Hemmung)* self-consciousness; *(Voreingenommenheit)* bias

befassen, *vr, (sich beschäftigen mit)* deal with; *(untersuchen)* look at

befehden, *vt,* be at war with

Befehl, *sub, m, -es, -e (Anweisung)* order; *(Befehlsrecht)* command; *auf Befehl von jemandem handeln* act on orders of; *einen Befehl haben etwas zu tun* have to do sth; *Befehl ist Befehl* orders are orders; *bis auf weiteren Befehl* till further orders; **befehlen** *vt,* order; *jemandem etwas befehlen* order so to do sth; *Von ihm lasse ich mir nichts befehlen* I won´t be ordered about by him; **befehligen** *vt,* command; **~sempfänger** *sub, m, -s, -* recipient of an order; **befehlsgemäß** *adj,* according to the instructions; **~sgewalt** *sub, f, -, -en* command; **~shaber** *sub, m, -s, -* commander; **befehlshaberisch** *adj,* imperious; **~ston** *sub, m, -s, nur Einz.* commanding tone; **~sverweigerung** *sub, f, -, -en* rejection of an order

befeinden, *vt,* be at war with

befestigen, *vt,* *(anbringen)* attach; *(eine Straße)* surface; *(mil.)* fortify; *ein Segel befestigen* bend a sail; **Befestigung** *sub, f, -, -en (Anbringung)* attaching; *(mil.)* fortification; *(von Straßen)* surfacing; **Befestigungsanlage** *sub, f, -, -n* defences

Befeuchtung, *sub, f, -, -en (von Papier etc.)* moistening; *(von Wäsche)* sprinkling

Befinden, **(1)** *sub, n, -s, nur Einz. (Dafürhalten)* view; *(Gesundheitszustand)* state of health **(2)** **befinden** *vi, (entscheiden)* decide **(3)** *vr, (gesundheitlich, zustandsmäßig)* be **(4)** *vt, (beurteilen)* consider; *nach mei-*

nem Befinden in my view; *nach meinem Befinden* in my opinion; *wie ist ihr Befinden?* how are you feeling?, *Ich befinde mich gut* I´m fine; *sich in schlechtem Zustand befinden* be in a bad condition; *wie befinden Sie sich?* how are you?, *etwas für gut befinden* consider sth to be good; *jemanden für schuldig befinden* find so guilty; **befindlich** *adj,* situated; *die in den Regalen befindlichen Akten* the files (situated) on the shelves; **Befindlichkeit** *sub, f, -, -en* state of health

befingern, *vt, (ugs.)* finger

beflaggen, *vt,* deck with flags; **Beflaggung** *sub, f, -, -en* flags

beflecken, *vt,* stain; *die Tischdecke beflecken* stain the tablecloth; *mit Blut befleckt* bloodstained; *(i. ü. S.) seinen Namen beflecken* sully one´s name; **Befleckung** *sub, f, -, nur Einz.* stain

befleißigen, *vr,* take pains to; *sich einer Sache befleißigen* apply os to sth

beflissen, *adj,* very keen; *sich beflissen zeigen zu* be eager to; **Beflissenheit** *sub, f, -, nur Einz.* keenness; **~tlich** *adv,* sedulously

beflügeln, *vt,* inspire

befolgen, *vt, (Befehl etc.)* obey; *(Vorschrift etc.)* follow

beförderbar, *adj,* transportable; **Beförderungsmittel** *sub, n, -s, -* means of transportation; **Beförderungstarif** *sub, n, -es, -e* transportation charges

befördern, *vt, (beruflich)* promote; *(Güter etc.)* transport

Beförderung, *sub, f, -, -en (beruflich)* promotion; *(von Gütern etc.)* transportation

befrachten, *vt, (a. i.ü.S.)* load; **Befrachtung** *sub, f, -, nur Einz.* loading

befrackt, *adj,* in tails

befragen, *vt,* question; *(fragen)* ask; *sein Gewissen befragen* examine one´s conscience

Befragung *sub, f, -, -en (des Volkes)* referendum; *(von Personen)* questioning

befreien, (1) *vr, (loskommen)* free o.s. **(2)** *vt, (ausnehmen von)* exempt; *(in die Freiheit entlassen)* free; *(retten)* rescue; *(von Schwierigkeiten)* extricate; *sich aus seinen Fesseln befreien* shake off one´s chains; **Befreiungsbewegung** *sub, f, -, -en* liberation movement; **Befreiungskampf** *sub, m, -es, -kämpfe* fight for liberation; **Befreiungskrieg** *sub, m, -es, -e* war of independence

befreit, *adj, (ausgenommen)* exempt; *(gerettet)* rescued; *(Volk, Land)* liberated

Befreiung, *sub, f, -, -en* rescue; *(Ausnahme)* exemption; *(eines Volkes)* liberation

Befremden, (1) *sub, n, -s, nur Einz.* astonishment **(2)** **befremden** *vt,* appear strange; *mit Befremden feststellen* realize with astonishment; *mit seinen Thesen löste er Befremden aus* his theses took the people aback, *etwas befremdend finden* find sth disconcerting; **befremdend** *adj,* strange; **befremdlich** *adj,* strange

befreunden, *vr,* become friends; **befreundet** *adj,* be friends; *befreundet sein mit* be friends with; *ein befreundeter Lehrer* a teacher friend of mine; *ein befreundetes Land* a friendly nation; *eng befreundet sein* be close friends

befrieden, *vt,* restore peace; **Befriedung** *sub, f, -, -en* restoration of peace

befriedigen, (1) *vi, (Zustand etc.)* be satisfactory **(2)** *vr, (sexuell)* masturbate **(3)** *vt, (Erwartungen)* meet; *(zu Frieden stellen)* satisfy; *schwer zu befriedigen sein* be hard to please; *seine Erwartungen wurden nicht befriedigt* his expectations were not met; **~d** *adj,* satisfactory; **Befriedigung** *sub, f, -, -en* satisfaction

hofrinton, *vt*, limit

befruchten, *vt*, fertilize; **Befruchtung** *sub*, *f*, *-*, *-en* fertilization; *gegenseitige Befruchtung* cross-fertilization; *künstliche Befruchtung* artificial insemination

befugen, *vt*, authorize; **Befugnis** *sub*, *f*, *-*, *-se* authority; **befugt** *adj*, authorized

befühlen, *vt*, feel

Befund, *sub*, *m*, *-es*, *-e* findings; *(med.) ohne Befund* negative

befürchten, *vt*, *(erwarten)* expect; *(fürchten)* fear; *das ist nicht zu befürchten* there is no fear of that; *das Schlimmste befürchten* be pepared for the worst; *es ist zu befürchten, dass* it is feared that; **Befürchtung** *sub*, *f*, *-*, *-en* fear; *die Befürchtung haben, dass* fear that

befürworten, *vt*, support; **Befürwortung** *sub*, *f*, *-*, *-en* support

begabt, *adj*, talented; **Begabung** *sub*, *f*, *-*, *-en* talent; *eine Begabung haben für etwas* have a talent for sth

begaffen, *vt*, *(ugs.)* gape at

begeben, *vr*, nur als Anwendung; *(geschehen)* happen; *es begab sich, dass* it happened that; *sich auf eine Reise begeben* set out on a journey; *sich begeben nach* go to; *sich in Behandlung begeben* seek medical treatment; **Begebenheit** *sub*, *f*, *-*, *-en* event; **Begebnis** *sub*, *n*, *-ses*, *-se* event

begegnen, *vi*, *(einem Problem)* meet with; *(einer Person)* meet; *(einer Sache)* come across; *(erfahren)* experience; *(Krankheit, Problem bekämpfen)* combat; *etwas schon mal begegnet sein* have sth experienced before

Begegnung, *sub*, *f*, *-*, *-en* *(mit einem Feind)* encounter; *(Treffen)* meeting

begehbar, *adj*, passable

begehen, *vt*, *(besichtigen)* inspect; *(gehen auf)* walk on; *(Verbrechen)* commit

Begehren, **(1)** *sub*, *n*, *-s*, nur Einz.

daaire **(2) begehren** *vt*, desire

begeistern, **(1)** *vr*, nur als Anwendung **(2)** *vt*, *(Person)* inspire; *(Zuschauer)* delight; *sich an etwas begeistern* get all excited about sth; *sich für etwas begeistern* get enthusiastic about sth, *jemanden für etwas begeistern* inspire so; *die Zuschauer durch Späße begeistern* delight the audience by making fun; **Begeisterung** *sub*, *f*, *-*, nur Einz. enthusiasm; *mit/ohne Begeisterung* with/without much enthusiasm; *über etwas in Begeisterung geraten* get all enthusiastic about sth

begeistert, **(1)** *adj*, enthusiastic **(2)** *adv*, enthusiastically; *er ist ein begeisterter Fußballfan* he is a great soccer fan; *sie war begeistert* she was quite taken; *von etwas begeistert sein* be enthusiastic about sth

Begierde, *sub*, *f*, *-*, *-n* desire

begierig, *adj*, *(als Eigenschaft)* eager; *(Blick, Verhalten)* greedy

begießen, *vt*, *(Gegenstand, Person)* pour water over; *(Pflanze)* water

Beginn, *sub*, *m*, *-s*, nur Einz. beginning; *(geh.)* commencement; *gleich zu Beginn* right at the outset; *mit Beginn* at the beginning of; *von Beginn an* from the beginning on

beginnen, *vti*, begin; *(geh.)* commence; *die Entwicklung begann* the development began (in); *immer wieder mit etwas beginnen* keep harping on about sth; *mit der Arbeit beginnen* start working

beglaubigen, *vt*, certify; **Beglaubigung** *sub*, *f*, *-*, *-en* certification

begleichen, *vt*, pay; **Begleichung** *sub*, *f*, *-*, *-en* payment

Begleitbrief, *sub*, *m*, *-es*, *-e* covering letter

Begleiter, *sub*, *m*, *-s*, *-* *(Freund etc.)* companion; *(im Beruf)* attendant

Begleiterin, *sub, f, -, -nen (Begleitperson)* escort; *(Freundin)* companion

Begleitung, *sub, f, -, -en (mus.)* accompaniment; *(Zusammensein)* company

beglücken, *vt*, make happy

beglückwünschen, *vt*, congratulate

begnadet, *adj*, highly gifted

begnadigen, *vt*, pardon; **Begnadigung** *sub, f, -, -en* pardon

begnügen, *vr*, be satisfied; *sich mit etwas begnügen* be satisfied with

Begonie, *sub, f, -, -n (bot.)* begonia

begraben, *vt*, *(beerdigen)* bury; *(i. ü. S.; Vorhaben)* give up; **Begräbnis** *sub, n, -ses, -se* funeral

begradigen, *vt*, *(Bach etc.)* regulate; *(Weg etc.)* straighten

Begradigung, *sub, f, -, -en (eines Baches etc.)* regulation; *(eines Weges etc.)* straigtening

begrapschen, *vt*, *(ugs.)* grab

begreifen, (1) *vi*, understand (2) *vt*, understand; *Es ist einfach nicht zu begreifen* It´s unbelievable; *langsam/schnell begreifen* be slow/quick on the uptake; *ich begreife überhaupt nichts* I don´t understand anything; **begreiflich** *adj*, understandable

begrenzen, *vt*, *(abgrenzen)* mark off; *(Auswirkungen etc.)* limit

begrenzt, (1) *adj*, limited (2) *adv*, limited; *in einem eng begrenzten Bereich* in a clearly defined area, *zeitlich begrenzt verfügbar* available for a limited period only

Begriff, *sub, m, -es, -e (Vorstellung)* idea; *(Wort)* term; *für meine Begriffe* as I see it; *schwer von Begriff sein* be slow on the uptake; *sich keine Begriffe machen* have no ideas; *sich von etwas einen Begriff machen* form an idea of sth

begrifflich, (1) *adj*, conceptual (2) *adv*, nur als Anwendung; *etwas begrifflich erfassen* conceptualize sth

begründen, *vt*, *(Ansicht, Vermutung)* explain; *(Firma, Geschäft)* establish; **begründet** *adj*, justified;

den begründeten Verdacht haben, dass have cause to suspect that; *ein begründeter Einwand* a reasonable objection; *nicht begründet sein* be unjustified

Begründung, *sub, f, -, -en (eines Geschäftes etc.)* establishment; *(Erklärung)* explanation; *(Rechtfertigung)* justification; *mit der Begründung, dass* on the grounds that; *ohne jegliche Begründung* without giving any reasons

begrünen, (1) *vr*, *(Bäume)* turn green (2) *vt*, *(bepflanzen)* plant with grass etc.

begrüßen, *vt*, *(grüßen)* greet; *(a. i.ü.S.; willkommen heißen)* welcome; **Begrüßungsansprache** *sub, f, -, -n* welcoming speech

Begrüßung, *sub, f, -, -en (das Grüßen)* greeting; *(a. i.ü.S.; das Willkommen)* welcome

begünstigen, *vt*, *(Person)* favour; *(Sache)* help; **Begünstigung** *sub, f, -, -en* preferential treatment

begutachten, *vt*, give an opinion on; **Begutachter** *sub, m, -s, -* expert; **Begutachtung** *sub, f, -, -en* examination

begütert, *adj*, wealthy

begütigen, *vt*, appease

behaaren, *vr*, grow hairs; **behaart** *adj*, hairy; **Behaarung** *sub, f, -, -en* hairs

behäbig, *adj*, sedate; **Behäbigkeit** *sub, f, -, nur Einz.* sedateness

behacken, *vt*, hack at

behaftet, *adj*, afflicted; *mit Fehlern behaftet sein* flawed; *mit Problemen behaftet sein* afflicted with problems; *mit Schuldgefühlen behaftet sein* be guilt-ridden

Behagen, (1) *sub, n, -s, nur Einz. (Annehmlichkeit)* comfort; *(Vergnügen)* pleasure (2) **behagen** *vi*, suit; *das behagt mir aber gar nicht* I don´t like it one bit; *es behagt ihm nicht* it doesn´t suit him; **behaglich** (1) *adj*, *(angenehm)* comfortable; *(gemütlich)*

cosy (?) adv, comfortably; **Behaglichkeit** sub, f, -, -en (Angenehmheit) comfort; (Gemütlichkeit) cosyness

Behälter, sub, m, -s, - (aus anderen Materialien) container; (aus Pappe) box

behandeln, vt, (Krankheit; Werkstück) treat; (Thema) deal with; **Behandlung** sub, f, -, -en treatment

Behang, sub, m, -es, -hänge (Ausschmückung) decoration; (Wandbehang) hangings

behängen, vt, (beladen) hang (with); (schmücken) decorate (with)

behangen, vi, (beladen) laden; (geschmückt) decorated

beharren, vi, insist (on); darauf beharren, dass insist that; **Beharrungsvermögen** sub, n, -s, nur Einz. (phy.) inertia

beharrlich, (1) adj, (hartnäckig) persistent; (standhaft) persevering (2) adv, persistently; beharrlich auf etwas bestehen insist that; beharrlich schweigen refuse to speak

behauen, vt, hew

behaupten, (1) vr, (gegenüber Mitstreitern) assert o.s.; (wirt.) remain firm (2) vt, claim; (geh.) assert; sich gegen jemanden behaupten maintain one´s position, man behauptet, dass it is said that; sein Recht behaupten assert one´s rights

Behauptung, sub, f, -, -en claim; (geh.) assertion; be seiner Behauptung bleiben, dass maintain that; das ist nichts als eine Behauptung that is mere conjecture; wie kommt er zu der Behauptung, dass? what makes him say that?; eine Behauptung zurücknehmen withdraw an assertion

Behausung, sub, f, -, -en (Unterkunft) accommodation; (Wohnung) dwelling

beheben, vt, (abhelfen) remedy; (reparieren) repair

Behebung, sub, f, -, -en remedy, re-

pull

beheimatet, adj, resident; in (einem Land) beheimatet sein come from; in (einer Stadt) beheimatet sein be resident in

beheizen, vt, heat; **Beheizung** sub, f, -, nur Einz. heating

Behelf, sub, m, -es, -e makeshift; **behelfen** vr, improvise; sich behelfen können be able to improvise; sich mit etwas behelfen make do with; ~sheim sub, n, -es, -e temporary home; behelfsweise adv, as a makeshift

behelligen, vt, bother; **Behelligung** sub, f, -, -en pestering

behende, adj, nimble

beherbergen, vt, accommodate; **Beherbergung** sub, f, -, -en accommodation

beherrschbar, adj, controllable; **Beherrscher** sub, m, -s, - ruler; **Beherrschte** sub, f, m, -n, -n governed person

beherrschen, (1) vr, restrain o.s. (2) vt, (die Szenerie) overlook; (dominieren) dominate; (Handwerk etc.) have complete command of; (regieren) govern; (Situation) control; er kann sich nicht beherrschen he just can´t hold back; ich muss mich beherrschen I have to pull myself together; seine Leidenschaften beherrschen dominate one´s passions

Beherrschung, sub, f, -, - (einer Situation) control; (eines Handwerks etc.) command; (eines Landes) rule; (Selbstbeherrschung) self-control

beherzigen, vt, take to heart; **Beherzigung** sub, f, -, nur Einz. heeding; **beherzt** adj, brave; **Beherztheit** sub, f, -, nur Einz. bravery

behilflich, adj, helpful; jemandem bei etwas behilflich sein help so with sth; kann ich Ihnen behilflich sein? may I help you?

behindern, vt, impede; **Behin-**

derte *sub, f, m, -n, -(n)* disabled person; **Behinderung** *sub, f, -, -en (med.)* handicap; *(von Verkehr etc.)* impediment; *eine geistige Behinderung haben* have a mental handicap; *eine körperliche Behinderung haben* have a physical handicap

Behörde, *sub, f, -, -n* public authority

behördlich, (1) *adj,* official **(2)** *adv,* officially; *behördlich anerkannt* officially recognized; *behördlich genehmigt werden* authorize officially

behufs, *präp,* for the purpose of

behüten, *vt,* look after; *behüte dich Gott* god bless you; *behüte Gott* god forbid

behutsam, (1) *adj,* careful **(2)** *adv,* carefully; **Behutsamkeit** *sub, f, -, nur Einz.* caution

Behütung, *sub, f, -, nur Einz.* guarding

bei, *präp, (bezüglich)* at, by, on; *(in Anbetracht)* at, on, with; *(räumlich)* at, by, near; *(zeitlich)* at, by, on; *bei Frauen Pech haben* be unlucky with women; *bei deinen Problemen* considering your problems; *bei einem Lohn von* at wages of; *bei einer solchen Leistung* with such a performance; *bei der Tür* at the door; *bei Goethe steht* Goethe says; *bei London* near London; *bei seinen Eltern wohnen* live at one´s parents´ place; *beim Fluss* by the river; *bei Ankunft des Zuges* on arrival of the train; *bei Nacht* at night; *bei Tag* by day

Beibehaltung, *sub, f, -, nur Einz. (eines Brauches)* continuance; *(von Eigenschaften)* retention

Beiblatt, *sub, n, -es, -blätter* insert

beibringen, *vt, (lehren)* teach; *(Verletzung etc.)* inflict; *dem werde ich es schon beibringen* I´ll show him what´s what; *jemandem eine Verletzung beibringen* inflict an injury on so; *jemandem etwas beibringen* teach so sth; **Beibringung** *sub, f, -, nur Einz.* infliction

Beichte, *sub, f, -, -n* confession; *eine*

Beichte ablegen make one´s confession; *jemandem die Beichte abnehmen* hear so´s confession; *zur Beichte gehen* go to confession; **beichten** *vti,* confess; *jemandem etwas beichten* have sth to confess to so; **Beichtgeheimnis** *sub, n, -es, -se* seal of confession; **Beichtstuhl** *sub, m, -es, -stühle* confessional box; **Beichtvater** *sub, m, -s, -väter* confessional father

beide, *pron, (betont)* both; *(unbetont)* the two; *alle beide* both of them; *auf beiden Seiten* on both sides; *keiner von beiden* neither of the two; *wir beide* the two of us; **~rlei** *adj,* both kinds; *beiderlei Geschlechts* of either sex; **~rseits** *adv, präp,* on both sides

beiderseitig, *adj, (polit.)* bilateral, on both sides

Beidhänder, *sub, m, -s, -* ambidextrous person; **beidhändig** *adj,* ambidextrous

beidrehen, *vti,* heave to

beidseitig, *adj,* on both sides; *(polit.)* bilateral

beieinander, *adv,* together

Beifahrer, *sub, m, -s, - (Lastwagen)* co-driver; *(Personenwagen)* passenger; **~sitz** *sub, m, -es, -e* front passenger seat

Beifall, *sub, m, -es, nur Einz.* applause; *jemandem Beifall spenden* applaud so; *viel Beifall ernten* draw a lot of applause; **~sklatschen** *sub, n, -s, nur Einz.* applause; **~skundgebung** *sub, f, -, -en* show of approval; **~ssturm** *sub, m, -s, -stürme* storm of applause

beifällig, (1) *adj,* approving **(2)** *adv,* approving

beifügen, *vt, (einem Brief)* enclose; *(Zutaten)* add

Beifügung, *sub, f, -, -en nur als Anwendung; (von Zutaten etc.)* addition; *die Beifügung der Unterlagen* the enclosing of the papers; *unter Beifügung von* by adding

Beifuß, sub, m, -es, - (biol.) mugwort

Beige, sub, n, -, nur Einz. beige; **beigefarben** adj, beige

beigeben, (1) vi, (ugs.) nur als Anwendung (2) vt, add; klein beigeben give in

Beigeordnete, sub, f, m, -n, -(n) assistant

Beigeschmack, sub, m, -es, - taste; einen bitteren Beigeschmack haben have a slightly bitter taste; einen unangenehmen Beigeschmack haben have an unpleasant taste

beigesellen, (1) vr, join (2) vt, nur als Anwendung; jemandem jemanden beigesellen assign so to so; sich jemandem beigesellen join so

Beiheft, sub, n, -es, -e supplement

beiheften, vt, attach

Beihilfe, sub, f, -, -n subsidy

Beiklang, sub, m, -es, -klänge (a. i.ü.S.) overtone

beikommen, vi, (einer Person) get at so; (einer Sache) cope with; einer Sache beikommen get to grips with sth; ihr ist nicht beizukommen there's no getting at her

Beil, sub, n, -es, -e (eines Metzgers) chopper; (Handbeil) hatchet

Beilage, sub, f, -, -n (einer Speise) side dish; (einer Zeitung) supplement

beiläufig, (1) adj, casual (2) adv, casually; eine beiläufige Bemerkung a passing remark, etwas beiläufig bemerken mention sth in passing

beilegen, vt, (einem Brief) enclose; (einen) settle; (hinzufügen) add; **Beilegung** sub, f, -, -en (eines Streites) settlement

beileibe, adv, certainly; beileibe nicht certainly not; das ist beileibe nicht komisch it's far from being funny; das war beileibe kein Vergnügen it was no picnic, I can tell you

Beileid, sub, n, -es, - condolences; jemandem sein Beileid ausspre-

chen offer so one's condolences; Mein herzliches Beileid I'm so sorry; **~sbezeigung** sub, f, -, -en condolences; **~skarte** sub, f, -, -n condolence card; **~sschreiben** sub, n, -s, - letter of condolence

beim, präp, (räumlich) at, by, near; (Umstände) nur als Anwendung; beim Fenster at the window; beim Frühstücken when having breakfast; beim Schlafen when sleeping

beimengen, vt, add; **Beimengung** sub, f, -, -en admixture

beimessen, vt, nur als Anwendung; einer Sache Bedeutung beimessen attach importance to a thing

beimischen, vt, mix; **Beimischung** sub, f, -, -en admixture

Bein, sub, n, -es, -e leg; alles, was Beine hat anyone and everyone; auf den Beinen sein be up and about; das geht in die Beine it goes for your legs; jemandem Beine machen get so moving; jmd ein Bein stellen trip so up; ständig auf den Beinen sein always be on the go

beinah, adv, nearly; **~e** adv, nearly

Beiname sub, m, -n, -n nickname

beinamputiert, adj, have one/two leg(s) amputated

Beinarbeit, sub, f, -, - footwork; **Beinbruch** sub, m, -s, -brüche fractured leg; das ist kein Beinbruch that's not the end of the world; **Beinfleisch** sub, n, -es, nur Einz. meat from the leg

beinhalten, vt, (bedeuten) mean; (enthalten) contain

beinhart, adj, as hard as rock

Beinkleid, sub, n, -es, -er trousers; **Beinprothese** sub, f, -, -n artificial leg; **Beinring** sub, m, -es, -e leg ring; **Beinschere** sub, f, -, -n (spo.) scissors hold; **Beinstrumpf** sub, m, -es, -strümpfe sock

beiordnen, vt, nur als Anwendung; *jemandem jemanden bei-ordnen* assign so to so; **Beiord-nung** *sub, f, -, -en* coordination

beipacken, *vt,* enclose with; *einer Sendung etwas beipacken* enclose sth with a parcel; **Beipackzettel** *sub, m, -s, -* package insert

beipflichten, *vi,* agree with

Beiprogramm, *sub, n, -es, -e* sup-porting programme

beirren, *vt,* disconcert; *sich nicht beirren lassen in* not be put off from

beisammen, *adv,* together; **Bei-sammensein** *sub, n, -s, nur Einz.* gathering; *geselliges Beisammen-sein* social gathering

beischießen, *vt, (ugs.)* contribute

Beischlaf, *sub, m, -es, nur Einz.* se-xual intercourse; **beischlafen** *vi,* sleep with; **Beischläfer** *sub, m, -s, -* lover

beiseite, *adv,* aside; *beiseite gehen* step aside; *etwas beiseite schieben* put sth aside; *jemanden beiseite schaffen* get rid of so; *Spaß beiseite!* seriously now!

beisetzen, *vt,* bury; **Beisetzung** *sub, f, -, -en* burial

Beisitzer, *sub, m, -s, - (einer Prü-fung)* observer; *(Sachverständiger)* assessor

Beispiel, *sub, n, -es, -e* example; *das ist ohne Beispiel* that´s unprece-dented; *das sollte uns ein warnen-des Beispiel sein* let it be a warning to us; *ein gutes Beispiel geben* set a good example; *ein praktisches Bei-spiel geben* give a concrete examp-le; *jemanden als Beispiel nehmen* take so as an example; *zum Beispiel* for example; **beispiellos** *adj,* un-paralleled; **~satz** *sub, m, -es, -sätze* example; **beispielsweise** *adv,* for example

beispielhaft, (1) *adj,* exemplary (2) *adv,* nur als Anwendung; *beispiel-haft vorangehen* set a positive ex-ample; *sich beispielhaft verhalten* behave impeccably

beispielshalber, *adv, (als Beispiel)*

by way of example; *(zum Bei-spiel)* for example

beispringen, *vi,* come to so´s aid

beißen, (1) *vi, (anbeißen, bren-nen, stechen)* bite (2) *vr,* bite o.s. (3) *vt, (stechen, zubeißen)* bite; *auf etwas beißen* bite on sth; *auf Granit beißen* bang one´s head against a wall; *in etwas beißen* bite in on sth; **Beißkorb** *sub, m, -s, -körbe* muzzle; **Beißring** *sub, m, -s, -e* teething ring; **beißwütig** *adj,* aggressive; **Beißzange** *sub, f, -, -n* pliers

Beistand, *sub, m, -s, nur Einz. (moralische Unterstützung)* sup-port; *m, -s, -stände (Rechtsbei-stand)* legal adviser; **beistehen** *vt,* help so

beisteuern, *vti,* contribute

beistimmen, *vi,* agree with

Beistrich, *sub, m, -s, -e* comma

beitreiben, *vt, (Steuern)* collect

beitreten, *vt,* join; **Beitritt** *sub, m, -es, -e* joining; **Beitrittserklä-rung** *sub, f, -, -en* application for membership

Beiwagen, *sub, m, -s, -wägen* side-car

Beiwerk, *sub, n, -s, -e* trimmings

beiwohnen, *vi,* be present; *einem Ereignis beiwohnen* witness an event; *einer Versammlung bei-wohnen* be present at a meeting

Beiwort, *sub, n, -s, -wörter* epithet

Beize, *sub, f, -, -n (Beizen von Holz)* staining; *(Beizjagd)* ha-wking; *(für Holz)* stain; *(Sub-stanz)* corrosive; *(Vorgang)* corrosion

beizeiten, *adv,* early

beizen, (1) *vt, (chem.)* corrode; *(Holz)* stain (2) *vti, (jagen)* hawk

bejahen, *vt,* affirm; **~d** (1) *adj,* affirmative (2) *adv,* affirmatively; **Bejahung** *sub, f, -, -en* affirmation

bejahrt, *adj,* aged

bejammern, *vt,* lament; **~swert** *adj,* lamentable

bejubeln, *vt,* acclaim

bekämpfen, *vt,* fight (against);

Bekämpfung *sub, f, -, -en* fight
bekannt, *adj*, known; ~ **geben** *vt*,
announce; ~ **machen (1)** *vr*, nur
als Anwendung **(2)** *vt*, nur als Anwendung; *jemanden mit jeman-
dem bekannt machen* introduce so
to so; *sich mit einer Sache bekannt
machen* familiarize os with a thing;
Bekannte *sub, m, f, -n, -(n)* friend;
ein Bekannter a friend of mine; *ein
flüchtiger Bekannter* someone one
knows; **Bekanntenkreis** *sub, m, -
es, -e* circle of friends; ~**ermaßen**
adv, as everyone knows; **Bekanntgabe** *sub, f, -, nur Einz.* announcement; **Bekanntheit** *sub, f,
-, nur Einz.* familiarity; **Bekanntheitsgrad** *sub, m, -es, nur Einz.*
degree of familiarity; ~**lich** *adv*, as
everyone knows; **Bekanntma-
chung** *sub, f, -,* announcement;
Bekanntschaft *sub, f, -, -en (Freundeskreis)* acquaintances; *(mit einem Vorgang etc.)* familiarity
bekehren, (1) *vr*, become converted **(2)** *vt*, convert; **Bekehrte** *sub,
m, f, -n, -(n)* convert; **Bekehrung**
sub, f, -, -en conversion
beklagen, (1) *vr*, complain **(2)** *vt*,
lament; ~**swert** *adj*, lamentable;
*sich in einem beklagenswerten Zu-
stand befinden* be in a sorry state;
Beklagte *sub, f, m, -n, -(n)* defendant
beklatschen, *vt*, applaud
beklauen, *vt*, steal; *beklaut werden*
have sth stolen; *jemanden beklau-
en* steal sth from so
bekleben, *vt*, stick sth onto
bekleckern, *vr, vt*, mess up
bekleiden, *vt*, *(ein Amt innehaben)*
hold; *(sich anziehen)* dress; **Bekleidung** *sub, f, -, nur Einz.* clothing; **Bekleidungsindustrie** *sub,
f, -, nur Einz.* clothing industry
beklemmen, *vt*, oppress; ~**d** *adj*,
oppressive; **Beklemmung** *sub, f, -,
-en* oppression
beklommen, *adj*, anxious; **Beklommenheit** *sub, f, -, nur Einz.*
anxiety

beklonnt, *adj* *(ugs.)* crazy
beknackt, *adj*, crazy
bekochen, *vt*, cook for
bekommen, *vt*, get; *Angst bekommen* get the wind up; *ein Baby
bekommen* have a baby; *etwas
geschenkt bekommen* get a present; *Hunger bekommen* get hungry
bekömmlich, *adj*, easily digestible; **Bekömmlichkeit** *sub, f, -,
nur Einz.* ease of digestion
beköstigen, (1) *vr*, cook for o.s.
(2) *vt*, cook for
Beköstigung, *sub, f, -, nur Einz.
(Beköstigen)* catering; *f, -, -en
(das Essen)* food
bekotzen, *vr, vt, (vulg.)* vomit at
Bekräftigung, *sub, f, -, -en (einer
Ansicht)* supporting; *(Zustimmung)* confirmation
bekrallt, *adj*, with claws
bekränzen, *vt*, wreathe; **Bekränzung** *sub, f, -, -en* wreathing
bekreuzen, *vr*, cross o.s.
bekreuzigen, *vr*, cross o.s.
bekriegen, (1) *vr*, be at war with
(2) *vt*, fight (against)
bekritteln, *vt*, critizise; **Bekrittelung** *sub, f, -, nur Einz.* criticism
bekümmern, *vt*, worry; *das
braucht dich nicht zu bekümmern* you needn´t worry about
that; *es bekümmert ihn überhaupt nicht* it doesn´t worry him
at all
bekunden, (1) *vr*, reveal itself **(2)**
vt, *(Interesse)* show; **Bekundung**
sub, f, -, -en display
belächeln, *vt*, smile at; **belachen**
vt, laugh at
beladen, *vt*, *(aufladen)* load; *(mit
Problemen)* burden; **Beladung**
sub, f, -, -en loading
Belag, *sub, m, -s, -läge (der Straße)* surface; *(eines Bodens)* covering; *(Überzug, auch der Zunge)*
coating; *(von Bremsen)* lining;
(Zahnstein) plaque
belagern, *vt*, besiege; **Belagerung** *sub, f, -, -en* siege; **Belage-**

rungszustand *sub, m, -es, -stände* state of siege

Belami, *sub, m, (-s), -s* belami

belämmert, *adj, (ugs.)* sheepish

Belang, *sub, m, -es, -e* issues; *öffentliche Belange* public issues; *ohne Belang sein* be unimportant; *von (ohne) Belang sein für* be of (no) importance to; **belanglos** *adj,* unimportant; **~losigkeit** *sub, f, -, -en (Bedeutungslosigkeit)* irrelevance; *(Unwichtiges)* triviality

belassen, *vt,* leave sth; *alles beim alten belassen* leave things as they are; *es dabei belassen* leave it at that; *jemanden in seinem Glauben belassen* let so go on thinking; **Belassung** *sub, f, -s, nur Einz.* retention

belastbar, *adj,* nur als Anwendung; *(tech.)* loadable; *mit Arbeit belastbar sein* be able to deal with a lot of work

Belastbarkeit, *sub, f, -, nur Einz.* loading capacity; *(von Personen)* ability to cope with pressure

belasten, (1) *vr,* burden o.s. (2) *vt,* nur als Anwendung; pollute; *(Freundschaft, Gesundheit)* strain; *(jur.)* incriminate; *(mit einem Gewicht)* weight; *sich mit etwas belasten* burden os with; *jemanden stark belasten* put a heavy strain on so

belastend, *adj, (für die Umwelt)* pollutive; *(jur.)* incriminating; *(materiell, psychisch)* be strain

belästigen, *vt, (in der Öffentlichkeit)* harass; *(jemanden nerven)* annoy

Belästigung, *sub, f, -, -en (in der Öffentlichkeit)* harassment; *(Störung)* annoyance

Belastung, *sub, f, -, -en (der Umwelt)* pollution; *(jur.)* incrimination; *(physisch, psychisch, von Freundschaften)* strain; *(tech.)* load; *(wirt.)* burden; **~s-EKG** *sub, n, -s, -s* exert-electrocardiogram; **~smaterial** *sub, n, -s, -* incriminating evidence; **~szeuge** *sub, m, -n,*

-n witness for the prosecution

belauben, *vr,* come into leaf; **Belaubung** *sub, f, -, nur Einz.* foliage

belauern, *vt,* lie in wait for

belaufen, *vr,* amount to

belauschen, *vt,* overhear

Belcanto, *sub, m, -s, nur Einz.* belcanto

beleben, (1) *vr, (Stadt etc.)* come to live (2) *vt, (Anlage)* enliven; *(wirt.)* stimulate

belebt, *adj, (Platz etc.)* busy; *(Szene)* lively

Belebtheit, *sub, f, -, nur Einz. (einer Szene)* livelyness; *(eines Platzes etc.)* bustle

belecken, *vt,* lick

Beleg, *sub, m, -s, -e* receipt; *(Beweis)* evidence; **belegbar** *adj,* verifiable; **~exemplar** *sub, n, -s, -e* specimen copy

belegen, (1) *vi, (Zunge)* fur (2) *vt,* prove; *(bedecken)* cover; *(Hotelzimmer)* occupy; *(sich einschreiben)* enrol for

Belegschaft, *sub, f, -, -en* employees

Belegstation, *sub, f, -, -en* private wing

belegt, *adj, (Telefon)* engaged; *(Zimmer)* occupied; *(Zunge)* furred

Belegung, *sub, f, -, nur Einz. (von Zimmern)* occupancy

belehrbar, *adj,* ready to learn; **Belehrung** *sub, f, -, -en* instruction

belehren, *vt, (aufklären)* inform; *(lehren)* teach

beleibt, *adj,* stout; **Beleibtheit** *sub, f, -, nur Einz.* stoutness

beleidigen, *vt,* offend; **Beleidiger** *sub, m, -s, -* offender; **beleidigt** *adj,* offended; *die beleidigte Leberwurst spielen* play the young and restless; *zutiefst beleidigt sein* be deeply offended; **Beleidigung** *sub, f, -, -en* offence

beleihen, *vt,* grant a loan on

belesen, *adj,* well-read; **Belesenheit** *sub, f, -, nur Einz.* wide knowledge of literature

beleuchten, *vt*, *(Raum etc.)* light (up); *(i. ü. S.; Thema etc.)* shed light on; **Beleuchter** *sub*, *m*, *-s*, - lighting technician; **Beleuchtung** *sub*, *f*, -, *nur Einz. (eines Raumes)* lighting; *(eines Themas)* examination; **Beleuchtungsanlage** *sub*, *f*, -, *-n* lighting system

beleumundet, *adj*, nur als Anwendung; *gut beleumundet sein* be held in good repute

belfern, *vi*, yelp

Belgrad, *sub*, *n*, *-s, nur Einz.* Belgrade

belichten, *vti*, expose; **Belichtung** *sub*, *f*, -, *-en* exposure; **Belichtungsmesser** *sub*, *m*, *-s*, - light meter

Belieben, (1) *sub*, *n*, *-s, nur Einz.* discretion (2) **belieben** *vi*, please (3) *vi*, wish; *es ist in deinem Belieben* it´s up to you; *ganz nach Belieben* as you like it, *er beliebt zu scherzen* he´s joking, *wie beliebt?* what say?; *wie es dir beliebt* as you wish

beliebig, (1) *adj*, any (2) *adv*, as you like; *jeder beliebige Mensch* anyone, *beliebig lange* as long as you like

beliebt, *adj*, popular; **Beliebtheit** *sub*, *f*, -, *nur Einz.* popularity

beliefern, *vti*, supply; **Belieferung** *sub*, *f*, -, *nur Einz.* supply

Belladonna, *sub*, *f*, -, *-s (bot.)* belladonna

bellen, *vi*, bark; *Hunde die bellen, beissen nicht* his bark is worse than his bite

Belletrist, *sub*, *m*, *-en*, *-en* fiction writer; **~ik** *sub*, *f*, -, *nur Einz.* fiction

belobigen, *vt*, praise; **Belobung** *sub*, *f*, -, *-en* praise

belohnen, *vt*, reward; *belohnt werden* get a reward; *jemanden mit etwas belohnen* give so a reward; **Belohnung** *sub*, *f*, -, *-en* reward; *eine Belohnung aussetzen* offer a reward; *etwas als Belohnung für*

etwas bekommen get sth as a reward for

belüften, *vt*, ventilate; **Belüftung** *sub*, *f*, -, *nur Einz.* ventilation

Beluga, *sub*, *f*, -, *-s (zool. Weißwal)* beluga

belügen, (1) *vr*, delude o.s. (2) *vt*, lie to

belustigen, (1) *vr*, amuse o.s. (2) *vt*, amuse; **Belustigung** *sub*, *f*, -, *-en* amusement; *sehr zur Belustigung von* much to the amusement of; *zur allgemeinen Belustigung* to everybody´s amusement

belutschisch, *adj*, Baluchi

bemäkeln, *vt*, criticize

bemalen, (1) *vr*, paint one´s face (2) *vt*, paint; **Bemalung** *sub*, *f*, -, *-en* painting

bemängeln, *vt*, criticize; **Bemängelung** *sub*, *f*, -, *-en* criticism

bemannen, *vt*, man

bemänteln, *vt*, disguise; **Bemäntelung** *sub*, *f*, -, *-en* disguise

bemaßen, *vt*, calculate; **Bemaßung** *sub*, *f*, -, *-en* calculation

bemerkbar, *adj*, perceptible; *sich bemerkbar machen* draw attention to os; *sich unangenehm bemerkbar machen* make one´s presence unpleasantly felt; **bemerken** *vt*, *(erwähnen)* mention; *(wahrnehmen)* notice; *er bemerkte, dass* he made the point that; *etwas zu bemerken haben* have to make some comments; **bemerkenswert** (1) *adj*, remarkable (2) *adv*, remarkably; **Bemerkung** *sub*, *f*, -, *-en* remark; *eine Bemerkung über etwas machen* make a remark about; *was soll diese Bemerkung?* what´s that remark supposed to mean?

bemessen, (1) *adj*, limited (2) *vr*, be calculated (3) *vt*, *(berechnen)* calculate; *(einschätzen)* evaluate; *reichlich bemessen sein* be plentiful; *sich bemessen nach* be calculated by

Bemessung, *sub*, *f*, -, *-en (Berech-*

nung) calculation; *(Einschätzung)* evaluation

bemitleiden, *vt*, pity; **Bemitleidung** *sub, f, -, -en* sympathy

bemittelt, *adj*, well-off

Bemme, *sub, f, -, -n (ugs.)* slice of bread and butter

bemogeln, *vt*, cheat

bemoost, *adj*, mossy; *ein bemoostes Haupt* a student with many terms behind him

Bemühen, (1) *sub, n, -s, nur Einz.* effort **(2) bemühen** *vr*, try hard **(3)** *vt, (jemanden)* call in; *sich um etwasa bemühen* try hard to get sth; *sich zu einem Ort bemühen* go all the way to a place; **Bemühung** *sub, f, -, -en* effort

bemüßigt, *adj*, nur als Anwendung; *sich zu bemüßigt fühlen zu* feel obliged to

bemuttern, *vt*, mother; **Bemutterung** *sub, f, -, nur Einz.* mothering

benachbart, *adj*, neighbouring

benachrichtigen, *vt*, inform; **Benachrichtigung** *sub, f, -, -en* notification

benachteiligen, *vt*, discriminate against; **Benachteiligung** *sub, f, -, nur Einz.* discrimination

benebeln, *vt*, befuddle; **benebelt** *adj*, befuddelt

benedeien, *vt*, bless

Benediktiner, *sub, m, -s, -* Benedictine monk

Benediktion, *sub, f, -, -en* benediction

Benefiz, *sub, n, -es, -e* benefit; **~spiel** *sub, n, -s, -e* benefit match; **~vorstellung** *sub, f, -, -en* charity performance

Benehmen, (1) *sub, n, -s, nur Einz.* behaviour **(2) benehmen** *vr*, behave; *im' Benehmen mit in* agreement with; *kein Benehmen haben* have no manners, *sich anständig benehmen* behave oneself; *sich schlecht benehmen* behave badly

beneiden, *vt*, envy; *du bist zu beneiden* lucky you; *jemanden um etwas beneiden* envy so sth; *sie ist nicht zu beneiden* she is not to be envied; **~swert** *adj*, enviable

benennen, *vt, (aufstellen)* nominate; *(nennen)* name

Benennung, *sub, f, -, -en (das Benennen)* naming; *(Nomenklatur)* nomenclature

benetzen, *vt*, moisten

Bengel, *sub, m, -s, - (ugs.)* scamp

Benjamin, *sub, m, -s, -e (i. ü. S.)* youngest

benoten, *vt*, mark

benötigen, *vt*, need; *etwas dringendst benötigen* need sth urgently

Benotung, *sub, f, -, -en (Geben der Noten)* marking; *(Noten)* marks

Benthal, *sub, n, -s, nur Einz. (tt; biol.)* benthos

Benummerung, *sub, f, -, -en* numbering

Benutzbarkeit, *sub, f, -, nur Einz.* suitability for use

benutzen, *vt, (fahren mit)* take; *(gebrauchen)* use; **Benützer** *sub, m, -s, - (Nutzer)* user; **Benutzung** *sub, f, -, nur Einz.* use; *freie Benutzung haben* have the use of; *unter Benutzung von* by using

benützen, *vt, (fahren mit)* take; *(gebrauchen)* use

Benutzer, *sub, m, -s, - (Nutzer)* user; *(von Leihbüchern)* borrower

Benzin, *sub, n, -s, -e (für Fahrzeuge)* petrol; *(für Kocher)* fuel; **~hahn** *sub, m, -s, -hähne* hose nozzle; **~kanister** *sub, m, -s, -* jerry can; **~preis** *sub, m, -es, -e* petrol prices; **~verbrauch** *sub, m, -s, Plural nur fachspr. -verbräuch* fuel consumption

Benzoe, *sub, f, -, nur Einz.* benzoin; **~säure** *sub, f, -, nur Einz (tt; chem.)* bezoic acid

Benzol, *sub, n, -s, -e* benzole

beobachten, *vt*, watch; **Beobachter** *sub, m, -s, -* observer; **Beobachtung** *sub, f, -, -en* observation; **Beobachtungsgabe** *sub, f, -, nur Einz.* power of observation

beordern, *vt*, order

bepacken, *vt*, load

bepflanzen, *vt*, plant; **Bepflanzung** *sub*, *f*, -, -en planting

Bepinselung, *sub*, *f*, -, -en *(einer Fläche, Wunde)* painting; *(Einfettung)* greasing

bepissen, *vt*, *(vulg.)* piss

bequatschen, *vt*, *(ugs.)* thrash out

bequem, (1) *adj*, *(angenehm)* comfortable; *(einfach)* easy; *(praktisch)* convenient (2) *adv*, *(leicht)* easily; **~en** *vr*, accommodate o.s.; *sich bequemen jemandem zu helfen* deign to help so; *sich bequemen, etwas zu tun* accommodate os to do sth; **~lich** *adj*, easy-going; **Bequemlichkeit** *sub*, *f*, -, -en *(des Bahnreisens etc.)* convenience; *(einer Person)* indolence; *(eines Stuhles etc.)* comfort

berappen, *vt*, *(ugs.)* fork out

beraten, (1) *vi*, confer (2) *vr*, consult with (3) *vt*, advise; *jemanden bezüglich einer Sache beraten* advise so so on an issue; *mit etwas schlecht beraten sein* be ill-advised; *sich von jemandem beraten lassen* consult so; **Berater** *sub*, *m*, -s, - adviser

beratschlagen, (1) *vi*, confer (2) *vr*, consult with

Beratung, *sub*, *f*, -, -en *(Beratungsgespräch)* consultation; *(polit.)* deliberation, discussion; **~sausschuss** *sub*, *m*, -es, -schüsse advisory committee; **~sgespräch** *sub*, *n*, -s, -e consultation

berauben, *vt*, rob; *(i. ü. S.; entziehen)* deprive

Beraubung, *sub*, *f*, -, -en *(Entziehung)* deprivation; *(Raub)* robbing

berauschen, (1) *vr*, get drunk (2) *vt*, make so drunk; **~d** (1) *adj*, intoxicating (2) *adv*, nur als Anwendung; *berauschend wirken* have an intoxicating effect; **berauscht** *adj*, drunk; **Berauschung** *sub*, *f*, -, nur *Einz.* intoxication

Berberei, *sub*, *f*, -, nur *Einz.* Barbary States

Berberpferd, *sub*, *n*, -es, -e Berber horse

berechenbar, *adj*, calculable; **Berechenbarkeit** *sub*, *f*, -, nur *Einz.* calculability

berechnen, *vt*, calculate; *berechnend sein* be calculating; *jemandem etwas berechnen* charge so for sth; *jemandem zuviel berechnen* overcharge so; **~d** *adj*, calculating; **Berechnung** *sub*, *f*, -, -en *(a. i.ü.S.)* calculation; *es ist alles Berechnung* it´s all a matter of calculation; *etwas mit Berechnung machen* do sth with deliberation

berechtigen, *vti*, entitle; *berechtigt zu der Annahme, dass* warrants the assumption that; *berechtigt zu Hoffnungen* gives cause to hope; *jemanden zu etwas berechtigen* entitle so to do sth; **Berechtigte** *sub*, *m*, *f*, -n, -(n) entitled person; **Berechtigung** *sub*, *f*, -, -en *(Recht)* right; *(Verfügung)* authority

beregnen, *vt*, sprinkle

Bereich, *sub*, *m*, -s, -e *(Reichweite)* range; *(Zone)* area

bereichern, (1) *vr*, get rich (2) *vt*, enrich; *sich an etwas bereichern* get rich on; *sich auf Kosten anderer bereichern* get rich at the expense of others

Bereicherung, *sub*, *f*, -, -en *(das Hinzufügen)* enrichment, personal enrichment

bereift, *adj*, frost-covered; **Bereifung** *sub*, *f*, -, nur *Einz.* tyres

bereinigen, *vt*, *(Streit; Bankkonto)* settle; *(Zahlen)* correct

Bereinigung, *sub*, *f*, -, -en *(eines Streits, Kontos)* settlement; *(von Zahlen)* correction

bereisen, *vt*, visit

bereit, *adj*, ready; *(einverstanden)* willing; *sich bereit erklären* agree to; *sich bereit halten* stand by; *zu allem bereit sein* be prepared to try anything; *zu etwas bereit sein* be ready for sth; *zur*

Abfahrt bereit stehen be ready to leave

bereiten, *vt, (herrichten)* prepare; *(i. ü. S.; Probleme etc.)* cause

bereithalten, *vt,* keep at hand

bereitlegen, *vt,* get ready

bereitliegen, *vi,* be ready

bereitmachen, *vt,* get ready

bereits, *adv,* already; *bereits eine Tasse genügt* even one cup is enough; *bereits heute* already today; *das war bereits vor zehn Jahren bekannt* it was already known ten years ago

Bereitschaft, *sub, f, -, nur Einz. (Bereitwilligkeit)* willingness; *(eines Geräts)* stand-by mode; *(Startbereitschaft)* readiness; **~spolizei** *sub, f, -, nur Einz.* riot squad

Bereitung, *sub, f, -, nur Einz.* preparation

bereitwillig, (1) *adj,* willing **(2)** *adv,* willing; **Bereitwilligkeit** *sub, f, -, -en* willingness

bereuen, *vt,* regret

Berg, *sub, m, -es, -e* mountain; *Berge versetzen* move mountains; *Berge von Müll* piles of rubbish; *in die Berge fahren* drive to the mountains; *über alle Berge sein* be over the hills and far away; *über Berg und Tal fahren* drive over hill and dale; *über den Berge sein* be out of the woods; **bergab** *adv,* downhill; **bergabwärts** *adv,* downhill; **~arbeiter** *sub, m, -s, -* miner; **bergauf** *adv,* uphill; *es geht bergauf mit ihr* things are looking up for her; **bergaufwärts** *adv,* uphill; **~bahn** *sub, f, -, -en (Bergeisenbahn)* moutain railway; *(Seilbahn)* cable railway; **~bau** *sub, m, -s, -* mining; **~bewohner** *sub, m, -s, -* mountain dweller; **~führer** *sub, m, -s, -* mountain guide; **~gipfel** *sub, m, -s, -* summit; **bergig** *adj,* mountainous; **~kristall** *sub, m, -s, -e* rock-crystal; **~luft** *sub, f, -, nur Einz.* mountain air; **~pfad** *sub, m, -s, -e* mountain trail; **~rücken** *sub, m, -s, -* ridge; **~rutsch** *sub, m, -es,*

-e landslide; **~ski** *sub, m, -s, nur Einz.* upper ski; **~straße** *sub, f, -, -n* mountain road; **~tour** *sub, f, -, -en* climbing expedition; **~wacht** *sub, f, -, nur Einz.* mountain rescue service; **~wanderung** *sub, f, -, -en* mountain hike

Bergamotte, *sub, f, -, -n* bergamot;
Bergamottöl *sub, n, -s, nur Einz.* bergamot oil

bergen, *vt, (enthalten)* contain; *(retten)* rescue; *(Tote)* recover

Bergmann, *sub, m, -es, -männer, meist: Bergleute* miner; **bergmännisch** *adj,* mining; **Bergwerk** *sub, n, -s, -e* mine

Bergsteigen, *sub, n, -s, nur Einz.* mountaineering; **Bergsteiger** *sub, m, -s, -* mountain climber

Bergung, *sub, f, -, -en (von Gütern, Toten)* recovery; *(von Verletzten)* rescue

Bericht, *sub, m, -s, -e* report; *Bericht zur Lage der Nation* State of the Nation message; *jemandem über etwas Bericht erstatten* give a report on sth to so; *Lagebericht* account of the situation; *nach Berichten von* according to reports by; **berichten (1)** *vi,* report (on) **(2)** *vt,* report; *ausführlich berichten* give a detailed account of; *jemanden über etwas berichten* tell so about sth, *jemandem etwas berichten* report sth to so; *wie berichtet* as reported; **~erstatter** *sub, m, -s, - (im Ausland)* correspondent; *(Presse)* reporter; **~erstattung** *sub, f, -, -en* reporting

berichtigen, (1) *vr,* correct o.s. **(2)** *vt, (Aussage, Fehler etc.)* correct; *(jur., pol.)* amend

Berichtigung, *sub, f, -, -en (einer Aussage, von Fehlern)* correction; *(jur., pol.)* amendment

Berichtsheft, *sub, n, -es, -e* report book

Berichtsjahr, *sub, n, -es, -e* year under review

berieseln, *vt,* irrigate; *sich von*

Musik hanzanda daaaert expose us to
an endless flow of music; **Beriese-lung** *sub, f, -, -en (selten)* irrigation

beringen, *vt*, ring

beritten, *adj*, mounted

Berkelium, *sub, n, -s, nur Einz. (chem.)* berkelium

Bermudadreieck, *sub, n, -s, nur Einz.* Bermuda triangle; **Bermuda-shorts** *sub, f, -, nur Mehrz.* Bermuda shorts

Bernhardiner, *sub, m, -s,* - St Bernard dog

Berninabahn, *sub, f, -, nur Einz.* Bernina railway

Bernstein, *sub, m, -s, -e* amber

Berserker, *sub, m, -s,* - *(unverwundbarer Krieger)* berserk; *(Verrückter)* madman; *toben wie ein Berserker* go berserk; **~wut** *sub, f, -, nur Einz.* rage of a berserk

bersten, *vi*, burst; *vor Druck bersten* burst with pressure; *zum Bersten voll sein* be full to bursting

Berstschutz, *sub, m, -es, nur Einz.* protection against bursting

berüchtigt, *adj*, infamous

berücken, *vt*, enchant

berückend, *adj*, enchanting

berücksichtigen, *vt*, consider; *(Fehler etc.)* allow for; *(in Überlegungen einbeziehen)* take into account; **Berücksichtigung** *sub, f, -, -en* consideration; *ohne Berücksichtigung der* regardless of; *unter Berücksichtigung aller Vorschriften* subject to all regulations; *unter Berücksichtigung von* considering

Berückung, *sub, f, -, -en* enchantment

Beruf, *sub, m, -es, -e* job; *(anspruchsvollerer)* profession; **beruflich (1)** *adj*, professional **(2)** *adv*, nur als Anwendung; *beruflich unterwegs sein* be away on business; *sich beruflich fortbilden* do further vocational training; *was machst du beruflich?* what do you do for a living?; **~sanfänger** *sub, m, -s, -e* first-time employee; **~sausbildung** *sub, f, -, -en* vocational trai-

ning; **~sbeamte** *sub, m, -n, -(n)* career civil servant; **~sberater** *sub, m, -s,* - careers adviser; **~sberatung** *sub, f, -, -en* careers guidance; **~sbezeichnung** *sub, f, -, -en* job title; **~sboxen** *sub, n, -s, nur Einz.* professional boxing; **~serfahrung** *sub, f, -, -en* work experience; **~sethos** *sub, n, -,* -*ethen* professional ethics; **~sfahrer** *sub, m, -s,* - professional driver; **~sfeuerwehr** *sub, f, -, -en* fire brigade; **berufsfremd** *adj*, unqualified; **~sgeheimnis** *sub, n, -es, -se* professional secret; *(Schweigepflicht)* professional secrecy; **~sklasse** *sub, f, -, -n* professional group; **~skrankheit** *sub, f, -, -en* occupational disease; **~sleben** *sub, n, -s, nur Einz.* professional life; **berufsmäßig (1)** *adj*, professional **(2)** *adv*, professionally; **~srisiko** *sub, n, -s, -risiken* occupational hazard; **~sschule** *sub, f, -, -n* vocational school; **~ssoldat** *sub, m, -en, -en* regular soldier; **~sspieler** *sub, m, -s,* - professional player; **~sstand** *sub, m, -es, -stände* profession; **berufstätig** *adj*, working; *berufstätig sein* have a job; *sie ist eine berufstätige Mutter* she is a working mother; **~stätige** *sub, m, f, -n, -n* employed person; **~sverbot** *sub, n, -s, -e (selten)* disqualification from a job

berufen, (1) *adj*, *(sachverständig)* competent **(2)** *vr*, nur als Anwendung **(3)** *vt*, appoint; *sich berufen auf* refer to; *sich darauf berufen, dass* plead that, *in die Botschaft berufen werden* be called to the embassy; *jemanden auf einen Lehrstuhl berufen* offer so a chair; *jemanden zum Vorstand berufen* appoint so chairman

beruhen, *vi*, nur als Anwendung; *(begründet sein)* be based; *lassen wir die Sache auf sich beruhen* let´s leave it at that; *auf einem*

Missverständnis beruhen be a misunderstanding, be a misunderstanding; *das beruht auf Gegenseitigkeit* the feeling is mutual; *etwas auf sich beruhen lassen* let sth rest

beruhigen, (1) *vi,* calm down **(2)** *vr, (Person; Meer)* calm down **(3)** *vt, (beschwichtigen)* appease; *(Person, die Nerven)* calm (down); *da bin ich aber beruhigt* that´s a relief; *sei nur beruhigt* there is no need to worry; **Beruhigungsmittel** *sub, n, -s,* - tranquilizer; **Beruhigungsspritze** *sub, f, -, -n* tranquilizer

Beruhigung, *sub, f, -, -en (Beschwichtigung)* appeasement; *(einer Person, der Nerven)* calming

berühmt, *adj,* famous

Berühmtheit, *sub, f, -, -en (Persönlichkeit)* celebrity; *(Ruhm)* fame; *Berühmtheit erlangen* rise to fame; *traurige Berühmtheit erlangen* gain a doubtful reputation

berühren, *vt,* touch; *angenehm berührt sein* be pleased; *das berührt mich gar nicht* that doesn´t concern me at all; **Berührung** *sub, f, -, -en (a. i.ü.S.)* touch; *mit etwas in Berührung kommen* touch sth; *(i. ü. S.) miteinander in Berührung bleiben* keep in touch; **Berührungsangst** *sub, f, -, -ängste* fear of other people/things; **Berührungspunkt** *sub, m, -s, -e (a. i.ü.S.)* point of contact

berußen, *vt,* cover with soot

Beryll, *sub, m, -s, -e* beryl; **~ium** *sub, n, -s, nur Einz.* beryllium

besäen, *vt,* sow

besagen, *vi, (aussagen)* mean; *(erwähnen)* say; *das besagt überhaupt nichts* that doesn´t mean anything; *was soll das besagen?* what does that prove?

besaiten, *vt,* string

Besamung, *sub, f, -, -en* insemination

Besan, *sub, m, -s, -e* mizzen

besänftigen, (1) *vr,* calm down **(2)** *vt,* appease; **Besänftigung** *sub, f, -,*

-en appeasement

besät, *adj,* sowed

Besatz, *sub, m, -es, -sätze* trimming

besaufen, *vr, (ugs.)* get plastered

beschädigen, *vt,* damage

Beschädigung, *sub, f, -, -en (das Beschädigen)* damaging; *(Schaden)* damage

beschaffbar, *adj,* possible to get

beschaffen, (1) *adj,* be **(2)** *vt,* get; *die Sache ist folgendermaßen beschaffen* it´s like this; *gut beschaffen sein* be in a good state; *so beschaffen, dass* made in such a way that

Beschaffenheit, *sub, f, -, nur Einz. (Art)* nature; *(Zustand)* state; *die körperliche Beschaffenheit* the physical constitution; *seine seelische Beschaffenheit* his psychological makeup

Beschaffung, *sub, f, -, nur Einz.* procurement

beschäftigen, (1) *vr, (mit einer Sache)* deal with **(2)** *vt, (Arbeit verschaffen)* occupy; *(in einer Firma)* employ; *sich mit einem Problem beschäftigen* deal with a problem; *sich nie mit den Kindern beschäftigen* never have time for the children; **beschäftigt** *adj,* busy; *bei einer Firma beschäftigt sein* work for a company; *damit beschäftigt sein etwas zu tun* be busy doing something; *mit etwas anderem beschäftigt sein* be busy with something else; **Beschäftigte** *sub, m, f, -n, -(n)* employee; **Beschäftigung** *sub, f, -, -en (Anstellung)* employment; *(Tätigkeit)* occupation; **Beschäftigungstherapie** *sub, f, -, -n* occupational therapy

beschälen, *vt,* cover; **Beschäler** *sub, m, -s, -* stud-horse

beschallen, *vt,* radiate sound waves at; **Beschallung** *sub, f, -, -en (selten)* acoustic irradiation

beschämen, *vt,* put to shame; **~d**

adj, shameful; *beschämt* (1) *adj*, ashamed (2) *adv*, in shame; **Beschämung** *sub*, *f*, -, *nur Einz.* shame

beschatten, *vt*, *(i. ü. S.; hinterherspionieren)* shadow; *(Schatten werfen auf)* shade

Beschattung, *sub*, *f*, -, *nur Einz.* (einer Wiese etc.) shading; *(i. ü. S.; Verfolgung)* shadowing

Beschauer, *sub*, *m*, *-s*, - inspector

beschaulich, *adj*, contemplative; *ein beschauliches Dasein führen* lead a contemplative live; *von beschaulichem Charakter sein* be inward-looking; **Beschaulichkeit** *sub*, *f*, -, *nur Einz.* contemplation

Bescheid, *sub*, *m*, *-s*, *-e* answer; *auf einem Gebiet Bescheid wissen* know a subject; *Bescheid erhalten* be informed; *Bescheid wissen* know all about it; *jemandem Bescheid geben* let so know

Bescheidenheit, *sub*, *f*, -, *nur Einz.* modesty; *bei aller Bescheidenheit* with all due modesty; *Nur keine falsche Bescheidenheit* No false modesty, please

bescheinigen, *vt*, certify; *den Empfang von etwas bescheinigen* acknowledge the receipt ofsth; *hiermit wird bescheinigt* this is to certify; *jemandem Unfähigkeit bescheinigen* accuse so of incompetence; **Bescheinigung** *sub*, *f*, -, *-en* certificate

bescheißen, *vti*, *(vulg.)* do the dirty on

beschenken, *vt*, give a present; *jemanden beschenken* give so a present; *jemanden reich beschenken* shower so with presents

bescheren, *vt*, nur als Anwendung; *jemandem etwas bescheren* give so sth; **Bescherung** *sub*, *f*, -, *nur Einz.* opening of presents; *da haben wir die Bescherung* there we are; *das ist ja eine schöne Bescherung* a fine mess that is

bescheuert, *adj*, *(ugs.)* nuts; *ich bin doch nicht bescheuert* I´m not that

stupid; *sie ist wirklich bescheuert* she has gone of her nut

beschichten, *vt*, coat; **Beschichtung** *sub*, *f*, -, *-en* coating

beschießen, *vt*, *(mit Elektronen etc.)* bombard; *(mit Gewehren)* fire at

Beschießung, *sub*, *f*, -, *-en (mit Elektronen etc.)* bombardment; *(mit Waffen)* shelling

beschildern, *vt*, signpost

beschimpfen, *vt*, call so names; **Beschimpfung** *sub*, *f*, -, *-en* abuse

beschirmen, *vt*, protect; **Beschirmer** *sub*, *m*, *-s*, - protector

Beschiss, *sub*, *m*, *-es*, *nur Einz.* *(ugs.)* swindle; **beschissen** (1) *adj*, *(vulg.)* lousy (2) *adv*, nur als Anwendung, *es geht mir beschissen* I feel lousy

beschlabbern, *vt*, slobber on

beschlafen, *vt*, sleep with

Beschlag, *sub*, *m*, *-s*, *-schläge (an Schränken etc.)* metal fitting; *m*, *-s*, *nur Einz. (mit Dampf)* condensation; **beschlagen** (1) *adj*, *(Fensterscheibe)* steamed up (2) *vi*, *vr*, steam up; *(Metall)* oxidize (3) *vt*, *(Schrank etc.)* fit with metal

beschleichen, *vt*, creep up on

beschleunigen, (1) *vr*, speed up (2) *vti*, accelerate; *das Tempo beschleunigen* speed up; *seine Schritte beschleunigen* quicken one´s pace; **Beschleuniger** *sub*, *m*, *-s*, - *(tech.)* accelerator; **beschleunigt** *adj*, accelerated; **Beschleunigung** *sub*, *f*, -, *-en* acceleration

beschließen, (1) *vi*, *(entscheiden)* decide (2) *vt*, *(eine Versammlung)* close (3) **Beschließer** *sub*, *m*, *-s*, - custodian; **Beschließerin** *sub*, *f*, -, *-nen* custodian; **beschlossen** *adj*, agreed; *es ist jetzt beschlossene Sache* it´s definite now; *in etwas beschlossen sein* be contained within sth; **beschlossenerma-**

ßen *adv*, as agreed upon

Beschluss, *sub, m, -es, -schlüsse* decision; **~fähigkeit** *sub, f, -, nur Einz.* quorum; **~fassung** *sub, f, -, -en (selten)* passing of a resolution

beschmieren, (1) *vr,* get o.s. dirty **(2)** *vt, (beschmutzen)* get sth dirty; *(Wand etc.)* scrawl on

beschmutzen, (1) *vr,* get o.s. dirty; *(i. ü. S.; sein Image)* soil **(2)** *vt,* get sth dirty; **Beschmutzung** *sub, f, -, -en (des Images)* soiling

beschmutzt, *adj, (i. ü. S.; Image)* soiled; *(schmutzig)* dirty

beschneiden, *vt, (eine Hecke)* trim; *(einen Baum)* prune; *(med.)* circumcise

Beschneidung, *sub, f, -, -en (einer Hecke)* trimming; *(med.)* circumcision, *(von Bäumen)* pruning

beschnuppern, *vt,* sniff at

beschönigen, *vt,* gloss over; **Beschönigung** *sub, f, -, -en* glossing over

beschottern, *vt,* surface

beschränken, (1) *vr,* confine o.s. **(2)** *vt,* restrict; **Beschränkung** *sub, f, -, -en (auch wirt.)* restriction

beschrankt, *adj,* nur als Anwendung; *beschrankter Bahnübergang* level-crossing

beschränkt, (1) *adj, (eingeschränkt)* limited; *(engstirnig)* narrow-minded **(2)** *adv,* nur als Anwendung; *beschränkt verfügbar* in limited supply

beschreibbar, *adj,* can be written on

beschreiten, *vt,* walk on; *den Rechtsweg beschreiten* take legal action; *neue Wege beschreiten* tread new paths

beschriften, *vt, (beschreiben)* write on; *(Gläser etc.)* label

Beschriftung, *sub, f, -, -en (einer Zeichnung)* caption; *(Versehen mit Etiketten)* labelling

beschuldigen, *vt,* accuse; **Beschuldiger** *sub, m, -s, -* plaintiff; **Beschuldigte** *sub, m, f, -n, -n* accused; **Beschuldigung** *sub, f, -, -en* accu-

sation

beschummeln, *vt, (ugs.)* diddle so

Beschuss, *sub, m, -es, -schüsse (mil.)* shelling; *(von Atomkernen)* bombardment

beschützen, *vt,* protect; **Beschützer** *sub, m, -s, -* guardian

beschwatzen, *vt,* talk so round

Beschwerde, *sub, f, -, -n (gesundheitliche)* problem; *(Klage)* complaint; *Altersbeschwerden haben* have infirmities of old age; *Beschwerden beim Schlucken haben* have trouble swallowing; *körperliche Beschwerden haben* have aches and pains; **beschweren (1)** *vr,* complain **(2)** *vt, (mit Gewicht)* weigh down; *er kann sich nicht beschweren* he can´t complain; *ich möchte mich beschweren* I have a complaint

beschwerlich, *adj, (Arbeit)* hard; *(Weg)* inconvenient

Beschwerlichkeit, *sub, f, -, -en (einer Aufgabe)* trouble; *(eines Weges)* inconvenience

Beschwernis, *sub, f, -es, -se* complaint

Beschwerung, *sub, f, -, -en (selten)* weight

beschwichtigen, *vt,* appease; **Beschwichtigung** *sub, f, -, -en* appeasement

beschwindeln, *vt,* lie to

beschwingen, *vt,* elate

beschwipst, *adj, (ugs.)* tipsy; **Beschwipste** *sub, m, f, -n, -en* tiddly person

beschwören, *vt, (Geister)* conjure up; *(Schlangen)* charm; *(versichern)* swear to

Beschwörung, *sub, f, -, -en (Versicherung)* oath; *(von Geistern)* invocation

beseelen, *vt,* animate; **Beseeltheit** *sub, f, -, -en (selten)* animate quality; **Beseelung** *sub, f, -, -en* animation

besehen, *vt,* look at

beseitigen, *vt, (aus dem Weg räu-*

man) remove; *(Mängel beheben)* remedy; *(Müll)* dispose of

Beseitigung, *sub., f., -, -en (selten) (von Dingen)* removal; *(von Mängeln)* remedy; *(von Müll)* disposal

Besen, *sub., m., -s, -* broom; *dann fresse ich einen Besen* I´ll eat my hat if; *Besen und Schaufel* brush and pan; *(i. ü. S.) neue Besen kehren gut* a new broom sweeps clean; **~binder** *sub., m., -s, -* broom maker; **~kammer** *sub., f., -, -n* broom room; **~macher** *sub., m., -s, -* broom maker; **besenrein** *adj.,* well-swept; **~schrank** *sub., m., -s, -schränke* broom cupboard; **~stiel** *sub., m., -s, -e* broomstick

besessen, *adj., (begeistert)* obsessed; *(vom Teufel)* possessed; **Besessenheit** *sub., f., -, nur Einz.* obsession

besetzen, *vt., (Fischteich)* stock; *(Haus)* squad; *(Rollen)* cast; *(Stuhl, Land)* occupy

besetzt, *adj., (Arbeitsplatz)* filled; *(Land, Stuhl)* occupied; *(Telefonleitung)* engaged

Besetzung, *sub., f., -, -en (eines Hauses)* squatting; *(eines Landes)* occupation; *(eines Theaterstücks)* cast; *(von Arbeitsplätzen)* filling

besichtigen, *vt., (Ausstellung etc.)* visit; *(inspizieren)* inspect

Besichtigung, *sub., f., -, -en (einer Stadt etc.)* visit; *(Inspizierung)* inspection

besiedeln, *vt., (kolonisieren)* colonize; *(sich ansiedeln)* settle

Besiedelung, *sub., f., -, nur Einz. (Ansiedlung)* settlement; *f., -, -en (Kolonisierung)* colonization

besiegeln, *vt.,* seal; **Besiegelung** *sub., f., -, nur Einz.* sealing

besiegen, *vt.,* defeat; **Besiegte** *sub., f, m, -n, -(n)* defeated person

besingen, *vt.,* celebrate

besinnen, *vr.,* think about; *ohne sich lange zu besinnen* without thinking twice; *sich besinnen auf* remember; *sich eines Besseren besinnen auf* think better of it; **besinnlich**

adj., contemplative, **besinnungslos** *adj.,* unconscious

Besinnung, *sub., f., -, nur Einz. (Bewußtsein)* consciousness; *(Nachdenken)* contemplation; *(ugs.; Verstand)* senses; *die Besinnung verlieren* lose consciousness; *zur Besinnung kommen* regain consciousness; *die Besinnung verlieren* lose one´s head; *jemanden zur Besinnung bringen* bring so back to her/his senses; *wieder zu Besinnung kommen* come to one´s senses

Besitz, *sub., m, -es, -e* possession; *Besitz ergreifen von* take possession of; *im Besitz sein von* be in possession of; *im Vollbesitz seiner geistigen Kräfte sein* be in full possession of one´s mental faculties; *privater/staatlicher Besitz* private/state property; **~er** *sub., m, -s, -* owner; **~ergreifung** *sub., f., -, -en* seizure; **besitzlos** *adj.,* unpropertied; **~nahme** *sub., f., -, -n* occupation; **~stand** *sub., m, -s, -stände* ownership; **~tum** *sub., n, -s, -tümer* possession

besitzen, *vt., (Güter)* possess; *(Talent)* have

besoffen, *adj.,* plastered

besohlen, *vt.,* sole

besolden, *vt.,* pay; **Besoldung** *sub., f., -, -en* payment

besondere, *adj., (außergewöhnlich)* special; *(bestimmte)* particular; *ein besonderes Auto* a special car; *für einen besonderen Freund* for a special friend; *dies hat einen besonderen Grund* there is a particular reason for that; *dieser besondere Fall* this particular case; **Besonderheit** *sub., f., -, -en* special feature

besonders, *adv., (außergewöhnlich)* especially; *(separat)* separately

besonnen, *adj.,* prudent; **Besonnenheit** *sub., f., -, nur Einz.* prudence

besonnt, *adj.,* sun-exposed

besorgen, *vt*, *(erledigen)* see to; *(kaufen)* buy

Besorgnis, *sub, f, -, -se* concern; *Besorgnis erregen* cause concern; *es gibt keinen Grund zur Besorgnis* there is no cause for concern; **besorgt** *adj*, *(ängstlich besorgt)* worried; *(bemüht)* concerned; **Besorgtheit** *sub, f, -, nur Einz.* concern

bespannen, *vt*, *(einen Schläger)* string; *(mit Leder, Stoff)* cover

bespiegeln, (1) *vr*, look at o.s. in a mirror (2) *vt*, *(i. ü. S.; Thema)* portray; **Bespiegelung** *sub, f, -, -en* portrayal

Bespieglung, *sub, f, -, -en* portrayal

bespielen, *vt*, record

bespitzeln, *vt*, spy on; **Bespitzelung** *sub, f, -, -en* spying; **Bespitzlung** *sub, f, -, -en* spying

besprechen, (1) *vr*, consult with (2) *vt*, discuss

Besprechung, *sub, f, -, -en (Unterredung)* consultation; *(von Problemen etc.)* discussion

besprengen, *vt*, sprinkle

besprenkeln, *vt*, *(Wäsche)* dampen; *(Wiese)* sprinkle

bespringen, *vt*, *(tt; zool.)* mount

bespritzen, *vt*, splash

Bessemerbirne, *sub, f, -, -n (tt; tech.)* bessemer converter

besser, *adj, adv*, better; *besser als gar nichts* better than nothing; *besser werden* get better; *er weiß es besser* he knows better; *oder besser gesagt* or rather; *umso besser* so much the better; *~n vr, vt*, improve; *das Wetter hat sich gebessert* the weather has improved; *es wird sich nicht bessern* it won´t change

Besserung, *sub, f, -, -en* improvement; *(gesundheitlich)* recovery; *auf dem Wege der Besserung sein* be on the road to recovery; *Gute Besserung* I hope you feel better soon

Besserwisser, *sub, m, -s, - (ugs.)* know-all

best, *adj, adv*, best; *bei bester Ge-* *sundheit* in the best of health; *eine Geschichte zum Besten geben* tell a story; *im besten Fall* at best; *in bestem Zustand* in a perfect condition

Bestand, *sub, m, -s, -stände (an Büchern, Exponaten)* holdings; *(an Waren)* stock; *(Fortbestand)* continued existence; *Bestand haben* be lasting; *von kurzem Bestand sein* be short-lived

bestanden, *adj*, nur als Anwendung; *(Straße) mit Bäumen bestanden* lined with trees, *(Wiese)* covered in trees; *nach bestandener Prüfung* after passing the exam

beständig, (1) *adj*, *(dauerhaft)* permanent; *(fortwährend)* continual; *(stabil)* steady; *(Wetter)* settled (2) *adv*, *(fortwährend)* continually

Beständigkeit, *sub, f, -, nur Einz. (Dauerhaftigkeit)* permanence; *(Stabilität)* stability

Bestandsaufnahme, *sub, f, -, -n (a. i.ü.S.)* stock-taking

Bestandteil, *sub, m, -s, -e* component; *etwas in seine Bestandteile zerlegen* take sth apart; *in seine Bestandteile zerfallen* disintegrate

bestärken, *vt*, encourage; *jemanden in seiner Meinung bestärken* confirm so´s opinion; **Bestärkung** *sub, f, -, -en* encouragement

bestätigen, (1) *vr*, be confirmed (2) *vt*, confirm; *(schriftlich)* certify; *er konnte es nur bestätigen* he could support it fully; *jemanden in seinem Amt bestätigen* confirm so in office

Bestätigung, *sub, f, -, -en* confirmation; *(schriftliche)* certificate

bestatten, *vt*, bury; **Bestattung** *sub, f, -, -en* burial

bestäuben, *vt*, *(bot.)* pollinate; *(Kuchen etc.)* dust

Bestäubung, *sub, f, -, -en (bot.)* pollination; *(eines Kuchens etc.)* dusting

bestaunen, *vt,* look at in amazement

bestbewahrt, *adj,* *(verläßlichste)* most reliable; *(wirksamste)* most effective

bestbezahlt, *adj,* best-paid

beste, *adj, adv,* best; *mein bester Freund* my best friend; *sein bestes Erlebnis* his best experience

Besteck, *sub, n, -s, -e (med.)* instruments; *(zum Essen)* cutlery

Bestehen, (1) *sub, n, -s, nur Einz.* *(einer Prüfung)* passing; *(Existenz)* existence **(2) bestehen** *vi,* nur als Anwendung; *(eine Prüfung)* pass; *(existieren)* exist **(3)** *vt, (eine Prüfung)* pass; *das Bestehen der Prüfung* the passing of the exam; *sein Bestehen auf* his insistence on; *seit Bestehen der Organisation* since the organization was founded, *eine Prüfung nicht bestehen* fail an exam

besteigen, *vt,* *(Berg)* climb; *(Fahrrad)* mount

bestellen, *vt,* nur als Anwendung; *(bewirtschaften)* cultivate; *(Essen etc.)* order; **Bestellblock** *sub, m, -s, -blöcke* order pad; **Besteller** *sub, m, -s, -* customer; **Bestellgeld** *sub, n, -s, -er* charge for delivery; **Bestellkarte** *sub, f, -, -n* order form; **Bestellliste** *sub, f, -, -n* order list; **Bestellschein** *sub, m, -s, -e* order form; **Bestellung** *sub, f, -, -en (Bewirtschaftung)* cultivation; *(von Essen etc.)* order; *(von Nachrichten)* delivery

bestenfalls, *adv,* at best

bestens, *adv,* very well

besteuern, *vt,* tax; **Besteuerung** *sub, f, -, -en* taxation

Bestform, *sub, f, -, -en* top condition

bestgehasst, *adj, (ugs.)* most hated

bestgepflegt, *adj,* best looked-after

bestialisch, (1) *adj,* bestial **(2)** *adv, (ugs.)* dreadful; **Bestialität** *sub, f, -, -en* bestiality; **Bestie** *sub, f, -, -n* beast

bestimmen, *vt, (befehlen)* give the orders; *(ermitteln; festlegen; sich auswirken)* determine; **Bestimmtheit** *sub, f, -, nur Einz.* determinati-

on; **Bestimmungsort** *sub, m, -s, -e* destination

bestimmt, (1) *adj, (Artikel)* definite; *(Menge etc.)* certain; *(Sache)* particular; *(vorherbestimmt)* destined **(2)** *adv,* definitely; *zu etwas bestimmt sein* be destined for sth; *zu Höherem bestimmt sein* be destined for higher, *er ist bestimmt zuhause* he must be at home; *sie kommt bestimmt* she is definitely coming

Bestimmung, *sub, f, -, -en* purpose, regulation; *(Ermittlung, Festlegung)* determination; *(Schicksal)* destiny

bestirnt, *adj,* with a forehead

Bestleistung, *sub, f, -, -en* best performance

bestrafen, *vt,* punish; **Bestrafung** *sub, f, -, -en* punishment

bestrahlen, *vt, (med.)* give ray treatment; *(mit Licht)* shine on; **Bestrahlung** *sub, f, -, -en (med.)* ray-treatment

Bestreben, (1) *sub, n, -s, nur Einz.* endeavour **(2) bestreben** *vr,* endeavour; **bestrebt** *adj,* endeavour to

bestreichen, *vt,* paint; *(mit Klebstoff, Marmelade etc.)* spread on

Bestreichung, *sub, f, -, nur Einz.* *(das Verteilen)* spreading; *(die Bemalung)* painting

bestreiken, *vt,* strike against; **Bestreikung** *sub, f, -, -en* strike

bestreiten, *vt, (Lebensunterhalt etc.)* pay for; *(leugnen)* deny; **Bestreitung** *sub, f, -, nur Einz.* payment

bestreuen, *vt,* strew

bestricken, *vt,* charm; **~d** *adj,* charming; **Bestrickung** *sub, f, -, nur Einz.* charming

Bestseller, *sub, m, -s, -* bestseller

bestücken, *vt,* equip

bestürmen, *vt,* storm

bestürzt, (1) *adj,* dismayed **(2)** *adv,* in dismay; **Bestürztheit** *sub, f, -, nur Einz.* dismay; **Bestürzung** *sub, f, -, nur Einz.* dismay; *große Bestürzung auslösen* cause great shock; *jemands Bestürzung über* so´s dismay at

Bestwert, *sub, m, -s, -e* optimum

Bestzeit, *sub, f, -, -en* best time; *meine persönliche Bestzeit* my personal record

Bestzustand, *sub, m, -s, nur Einz.* top condition

besuchen, *vt, (eine Schule)* attend; *(Freunde, Stadt etc.)* visit

besudeln, (1) *vr, (i. ü. S.; moralisch)* defile o.s. **(2)** *vt, (ugs.)* soil; **Besudelung** *sub, f, -, nur Einz. (i. ü. S.; moralisch)* defilement

betagt, *adj,* aged; **Betagtheit** *sub, f, -, nur Einz.* old age

betanken, *vt,* refuel

betasten, *vt,* feel

Betastrahlen, *sub, f, -, nur Mehrz. (tt; phy.)* beta rays; **Betastrahler** *sub, m, -s, -* beta emitter

Betätigung, *sub, f, -, -en (Arbeit)* work; *(tech.)* operation

Betatron, *sub, n, -s, -e o. -s (tt; phy.)* betatron

betäuben, *vt, (med.)* anaesthesize; *(mittels eines Schlages)* stun; *(mittels Lärm)* deafen; **~d** *adj,* deafening; **Betäubung** *sub, f, -, -en (med.)* anaesthetization; **Betäubungsmittel** *sub, n, -s, -* anaesthetic

Betazerfall, *sub, m, -s, -fälle (tt; phy.)* beta disintegration

Bete, *sub, f, -, -n (bot.)* beet; *rote Beete* beetroot

beteiligen, (1) *vr,* participate **(2)** *vt,* give so a share; **Beteiligte** *sub, f, m, -n, -n* partner

Beteiligung, *sub, f, -, -en* participation; *(Anzahl der Teilnehmer)* attendance; *(wirt.)* share

beten, *vi,* pray; *das Vaterunser beten* say the Lord´s Prayer; *zu Tische beten* say grace

Beter, *sub, m, -s, -* worshipper

beteuern, *vt,* protest; **Beteuerung** *sub, f, -, -en* protestation

betiteln, *vt,* give a title to

Beton, *sub, m, -s, -s* concrete; **~bau** *sub, m, -s, -ten* concrete structure; **betonieren** *vt,* concrete; **~ierung** *sub, f, -, -en* concretion

betonen, *vt, (Sachverhalt)* emphasize; *(Wort)* stress; **betont (1)** *adj,* stressed; *(i. ü. S.; deutlich)* emphatic **(2)** *adv,* emphatically; **Betonung** *sub, f, -, -en (eines Wortes)* stress; *(i. ü. S.; Schwerpunkt)* emphasis

betören, *vt,* turn so´s head; **Betörung** *sub, f, -, -en* delusion

Betracht, *sub, m, -, nur Einz.* nur als Anwendung; **betrachten** *vt,* look at; *etwas als seine Pflicht betrachten* see sth as one´s duty; *etwas betrachten als* look upon as; *genauer betrachtet* on closer examination; **~erin** *sub, f, -, -nen* female viewer; **~ung** *sub, f, -, -en* viewing; *bei genauerer Betrachtung* on closer examination; *in Betrachtungen versunken sein* be lost in thought; *über etwas Betrachtungen anstellen* reflect on

beträchtlich, (1) *adj,* considerable **(2)** *adv,* considerably

Betrag, *sub, m, -s, -träge* sum

Betragen, (1) *sub, n, -s, -* behaviour **(2) betragen** *vr,* behave **(3)** *vt,* amount to

betrauen, *vt,* entrust; *jemanden mit einer Aufgabe betrauen* entrust so with a job

Betreff, *sub, m, -s, -e* reference; **betreffen** *vt, (angehen)* concern; *(anrühren)* affect; **~ende** *sub, f, m, -n, -n* person concerned

Betreiben, (1) *sub, n, -s, -* instigation **(2) betreiben** *vt, (Maschine, Fabrik)* run; *(spo.)* do sports; *auf sein Betreiben hin* at his instigation; **Betreiber** *sub, m, -s, -* operator; **Betreiberin** *sub, f, -, -nen* operator; **Betreibung** *sub, f, -, nur Einz.* operation

betreten, (1) *adj,* embarrassed **(2)** *adv,* sheepishly **(3) Betreten** *sub, n, -s, -* nur als Anwendung; *betreten dreinblicken* look rather sheepish; *betreten schweigen* be

too embarrassed to say anything.
Betreten verboten No trespassing;
Betretenheit *sub, f, -, nur Einz.*
embarrassment

betreuen, *vt, (Kinder etc.)* look after; *(leiten)* be in charge of; **Betreuer** *sub, m, -s, -* person in charge;
Betreute *sub, f, m, -n, -n* person looked after; **Betreuung** *sub, f, -, -en* looking after; *für jemands Betreuung zuständig sein* be in charge of; *medizinische Betreuung* medical care; *pädagogische Betreuung* pedagogical care

Betrieb, *sub, m, -s, nur Einz. (ugs.; einer Maschine)* operation; *(ugs.; hektisches Treiben)* activity; *m, -s, -e (Unternehmen)* business; **betrieblich** *adj*, company; **betriebsam** *adj*, busy; **~samkeit** *sub, f, -, nur Einz.* activity; **~sanleitung** *sub, f, -, -en* instructions; **~sarzt** *sub, m, -es, -ärzte* company doctor; **~sausflug** *sub, m, -s, -flüge* office outing; **betriebsbereit** *adj*, operational; **~sferien** *sub, f, -, nur Mehrz.* company holiday; **~sfest** *sub, n, -es, -e* company do; **~sform** *sub, f, -, -en* type of firm; **~sgeheimnis** *sub, n, -ses, -se* trade secret; **~skapital** *sub, n, -s, -e* working capital; **~sklima** *sub, n, -s, -s* working atmosphere; **~skrankenkasse** *sub, f, -, -n* company health insurance fund; **~srat** *sub, m, -s, -räte (Gremium)* works council; *(Mitglied des Betriebsrats)* works councillor; **~sruhe** *sub, f, -, nur Einz.* closed for business; **~ssystem** *sub, n, -s, -e* operating system; **~sunfall** *sub, m, -s, -fälle* workplace accident; **~swirt** *sub, m, -es, -e* master of business administration; **~swirtschaftslehre** *sub, f, -, -n* business administration

betrinken, *vr*, get drunk
betroffen, *adj, (bestürzt)* shocked; *(physisch/seelisch)* affected
Betrug, *sub, m, -s, -betrügereien* fraud; **betrügen (1)** *vr*, deceive o.s. **(2)** *vti*, cheat; *in seinen Hoffnungen betrogen werden* have one's

hopes dashed; *jemanden um et was betrügen* cheat so out of sth;
Betrüger *sub, m, -s, -* cheat; **betrügerisch** *adj*, deceitful

betrunken, (1) *adj*, drunk **(2)** *adv*, in a drunken state
Betschwester, *sub, f, -, -n (ugs.)* churchy type

Bett, *sub, n, -s, -en* bed; *ab ins Bett* off to bed; *das Bett hüten* be confined to bed; *die Betten lüften* air the bedclothes; *ins Bett gehen* go to bed; *mit jemandem ins Bett steigen* go to bed with so; **~decke** *sub, f, -, -n (aus Wolle)* blanket; *(gesteppte)* quilt; **~enmachen** *sub, n, -s, -* making beds; **~enmangel** *sub, m, -s, -* bed shortage; **~gestell** *sub, n, -s, -e* bedstead; **~hupferl** *sub, n, -s, -* bedtime treat; **bettlägerig** *adj*, bed-ridden; **~laken** *sub, n, -s, -* sheet; **~lektüre** *sub, f, -, -n* bedtime reading; **~nässer** *sub, m, -s, -* bed-wetter; **~pfosten** *sub, m, -s, -* bed post; **~rand** *sub, m, -es, -ränder* edge of the bed; **bettreif** *adj*, ready for bed; **~ruhe** *sub, f, -, nur Einz.* bed rest; **~schwere** *sub, f, -, nur Einz.* nur als Anwendung; *die nötige Bettschwere haben* be ready to fall into bed; **~stelle** *sub, f, -, -n* bedstead; **~tuch** *sub, n, -s, -tücher* sheet; **~vorleger** *sub, m, -s, -* bedside rug; **~wäsche** *sub, f, -, -* bed-linen; **~zeug** *sub, n, -s, -e* bed-clothes

Bettel, *sub, m, -s, nur Einz.* beggary
Bettelei, *sub, f, -, -en* begging; **Bettelmönch** *sub, m, -s, -e* mendicant friar; **betteln** *vi*, beg; *um etwas betteln* beg for sth; *zum Betteln gehen* go begging
betten, (1) *vr*, make a bed for o.s. **(2)** *vt*, bed; *wie man sich bettet, so liegt man* as you make your bed so you must lie in it
Bettler, *sub, m, -s, -* beggar; **~stolz** *sub, m, -es, nur Einz.* beg-

gar´s pride

betucht, *adj*, *(ugs.)* well-heeled

betulich, *adj*, over-attentive

Betulichkeit, *sub*, *f*, -, -en over-attentiveness

Beuge, *sub*, *f*, -, -n bend

Beugemuskel, *sub*, *m*, -s, -n flexor muscle

beugen, (1) *vr*, *(sich lehnen)* bend; *(sich unterwerfen)* bow (2) *vt*, *(lehnen)* bend; *(phy.)* deflect

Beule, *sub*, *f*, -, -n *(am Kopf etc.)* bump; *(im Auto etc.)* dent; **beulen** *vt*, buckle; **~npest** *sub*, *f*, -, *nur Einz.* bubonic plague

beunruhigen, (1) *vr*, worry (2) *vt*, worry; **~d** *adj*, worrying; **Beunruhigung** *sub*, *f*, -, -en uneasiness

beurlauben, (1) *vr*, take one´s leave (2) *vt*, grant leave; *(vom Dienst suspendieren)* suspend

Beurlaubung, *sub*, *f*, -, -en *(Gewährung von Urlaub)* leave; *(Suspendierung von Dienst)* suspension

beurteilen, *vt*, *(Ergebnis etc.)* rate; *(Situation, Verhalten)* judge; *etwas falsch beurteilen* misjudge sth; *etwas gut beurteilen können* be a good judge of sth; *wie beurteilst du die Situation?* what´s your view of the situation?

Beurteilung, *sub*, *f*, -, -en *(einer Situation, von Verhalten)* judgement; *(von Ergebnissen)* rating

Beute, *sub*, *f*, -, - *(eines Jägers)* bag; *(eines Raubtieres)* prey; *(Kriegsbeute)* booty; *leichte Beute* fair game; *reiche Beute machen* make a big haul; **beutegierig** *adj*, eager for plunder; **~gut** *sub*, *n*, -s, -güter booty; **beutelüstern** *adj*, eager for plunder; **beutelustig** *adj*, eager for plunder; **~zug** *sub*, *m*, -s, -züge plundering expedition

Beutel, *sub*, *m*, -s, - *(zool.)* pouch; *(zum Einkaufen etc.)* bag; **~ratte** *sub*, *f*, -n, - opossum; **~schneider** *sub*, *m*, -s, - rip-off artist

beuten, *vt*, hive

Beutenhonig, *sub*, *m*, -s, *nur Einz.* hive honey

bevölkern, (1) *vr*, become inhabited (2) *vt*, populate

Bevölkerung, *sub*, *f*, -, -en population; *Deutschlands Bevölkerung* the people of Germany; *die gesamte Bevölkerung* the whole country; **~spolitik** *sub*, *f*, -, *nur Einz.* population policy

bevollmächtigen, *vt*, authorize; **Bevollmächtigung** *sub*, *f*, -, -en authorization

bevor, *konj*, before; *du stehst nicht auf bevor du nicht aufgegessen hast* you won´t leave the table until you have finished; *nicht bevor* not before

bevormunden, *vt*, treat like a child; *jemanden geistig bevormunden* make up so´s mind for her/him; **Bevormundung** *sub*, *f*, -, -en *(polit.)* patronizing treatment

Bevorratung, *sub*, *f*, -, -en stocking up

bevorrechten, *vt*, grant privileges

bevorschussen, *vt*, favour

bevorteilen, *vt*, give an advance; **Bevorteilung** *sub*, *f*, -, -en advance

bevorworten, *vt*, preface

bevorzugen, *vt*, prefer; *(bei der Behandlung)* give preferential treatment

Bevorzugung, *sub*, *f*, -, -en preference; *(bevorzugte Behandlung)* preferential treatment

bewachen, *vt*, guard; **Bewacher** *sub*, *m*, -s, - guard; **Bewachung** *sub*, *f*, -, -en guarding

bewaffnen, *vr*, *vt*, arm (o.s.)

Bewaffnung, *sub*, *f*, -, -en *(das Aufrüsten)* arming; *(Waffen)* arms

bewahren, *vt*, *(in gutem Zustand)* preserve; *(retten vor)* save from; *jemanden vor etwas bewahren* protect so from; *seinen Humor bewahren* keep one´s sense of humour

bewähren, *vr*, *(Arbeiter, Sache)* prove o.s./itself; *(Grundsatz)* hold good

Bewahrer, *sub, m, -s*, preserver

bewahrheiten, *vr, (in Erfüllung gehen)* come true; *(sich als wahr erweisen)* prove true

bewährt, *adj,* effective, reliable; **Bewährtheit** *sub, f, -,* - reliability

Bewährung, *sub, f, -,* - *(als brauchbar etc.)* trial; *(jur.)* probation; *ein Jahr Gefängnis mit/ohne Bewährung* a suspended/an unconditional sentence of one year; *eine Strafe zur Bewährung aussetzen* suspend a sentence; **~sfrist** *sub, f, -, -en* period of probation; **~shelfer** *sub, m, -s,* - probation officer

bewaldet, *adj,* forested; **Bewaldung** *sub, f, -, -en* forests

bewältigen, *vt, (Arbeit)* cope with; *(Berggipfel)* conquer; *(Geschichte)* come to terms with

Bewältigung, *sub, f, -, -en (Arbeit)* coping with; *(Geschichte)* coming to terms with

Bewandtnis, *sub, f, -, -se* special circumstances; *das hat eine ganz andere Bewandtnis* that's sth quite different; *es hat damit folgende Bewandtnis* the matter is as follows

bewässern, *vt,* irrigate; **Bewässerung** *sub, f, -, -en* irrigation

bewegbar, *adj,* movable

bewegen, (1) *vr, (körperlich)* get exercise; *(Kosten)* range; *(Tier, Fahrzeug etc.)* move **(2)** *vt, (einen Gegenstand)* move; *(seelisch)* touch; *jemanden zu etwas bewegen* get so to do sth; *sich zu etwas bewegen lassen* be persuaded to do sth

Beweggrund, *sub, m, -s, -gründe* motive; *der tiefere Beweggrund* the real motive

beweglich, *adj, (Dinge)* movable; *(Person)* agile; *geistig beweglich* mentally agile

bewegt, *adj, (Leben, Zeit)* exciting; *(seelisch)* touched

Bewegung, *sub, f, -, -en (eines Tieres, Fahrzeugs etc.)* movement; *(körperlich)* exercise; *etwas in Bewegung setzen* set sth into motion;

keine *Bewegung* don't move; *sich in Bewegung setzen* start to move; **bewegungslos** *adj, adv,* motionless

bewehren, *vt, (mit Beton, Metall)* reinforce; *(mit Waffen)* arm

Bewehrung, *sub, f, -, -en (mit Beton etc.)* reinforcement; *(mit Waffen)* arming

beweiben, *vr, (ugs.)* get married

beweihräuchern, *vt,* adulate; *etwas beweihräuchern* praise sth to high heaven; *sich selbst beweihräuchern* sing one's praises; **Beweihräucherung** *sub, f, -, -en* adulation

beweinen, *vt,* mourn

Beweis, *sub, m, -es, -e* proof; *als Beweis meiner Liebe* as a token of my love; *einen Beweis erbringen* furnish proof; *etwas unter Beweis stellen* prove sth; *zum Beweis* as proof; **~antrag** *sub, m, -s, -anträge* request of evidence; **~aufnahme** *sub, f, -, -n* hearing of evidence; **beweisbar** *adj,* provable; **beweisen** *vt,* prove; *beweisen, dass man im Recht ist* prove os right; *seine Unschuld beweisen* prove that one is not guilty; **~kraft** *sub, f, -, nur Einz.* conclusiveness; **beweiskräftig** *adj,* conclusive; **~material** *sub, n, -s, -/-ien* evidence; **~mittel** *sub, n, -s,* - evidence; **~stück** *sub, n, -s, -e* piece of evidence

Bewenden, *sub, n, -s,* - nur als Anwendung; *damit hatte es sein Bewenden* there the matter rested

bewerben, *vr, (polit.)* stand for; *(um eine Stelle)* apply for; **Bewerbung** *sub, f, -, -en* application

bewerfen, *vt,* throw at

bewerkstelligen, *vt,* manage; **Bewerkstelligung** *sub, f, -, nur Einz.* management

bewerten, *vt,* assess; *eine Leistung nach etwas bewerten* assess a performance by; *etwas über-/unterbewerten* over-/underrate sth; **Bewertung** *sub, f, -, -en* assessment

Bewickelung, *sub, f, -, nur Einz.*
wrapping

bewilligen, *vt, (Geldmittel etc.)*
grant; *(zustimmen)* allow

Bewilligung, *sub, f, -, -en (von Geldmitteln)* granting; *(Zustimmung)*
approval

bewimpert, *adj, (biol.)* ciliate

bewirken, *vt, (auslösen)* result in;
(einen Schaden) cause; *das Gegenteil bewirken* produce the opposite
effect; *etwas (Erwünschtes) bewirken* achieve sth

bewirten, *vt,* cater for; **Bewirtung**
sub, f, -, -en catering

bewirtschaften, *vt,* cultivate; **Bewirtschaftung** *sub, f, -, -en* cultivation

Bewitterung, *sub, f, -, nur Einz.*
weathering

bewitzeln, *vt,* ridicule

bewohnen, *vt, (ein Haus)* occupy;
(eine Region) inhabit; **Bewohner**
sub, m, -s, - (einer Region) inhabitant; *(eines Hauses)* occupant

bewölken, *vr,* become cloudy; **bewölkt** *adj, (leicht)* cloudy; *(stark)*
overcast; **Bewölkung** *sub, f, -, -en*
clouds; *starke Bewölkung* heavy
cloud cover; *wechselnde Bewölkung* variable cloud; *zunehmende
Bewölkung* increasing cloudiness

Bewuchs, *sub, m, -s, -wüchse* vegetation

Bewunderer, *sub, m, -s, -* admirer;
Bewunderin *sub, f, -, -nen* admirer;
bewundern *vt,* admire; **bewundernswert** *adj,* amirable; **Bewunderung** *sub, f, -, -* admiration

bewusst, (1) *adj,* conscious; *(absichtlich)* deliberate; *(im Klaren)*
aware **(2)** *adv, (absichtlich)* deliberately; *(mit Bewusstsein)* consciously; *sich einer Sache bewußt
sein* be aware of sth; *sich einer Situation völlig bewußt sein* know
exactly what is going on; *seiner
selbst bewusst sein* be self-aware,
etwas bewusst wahrnehmen consciously register sth; *sich umwelt-*

bewusst verhalten behave environmentally responsible; **Bewusstheit** *sub, f, -, nur Einz.*
consciousness; **~los** *adj,* unconscious; **Bewusstlosigkeit** *sub, f,
-, nur Einz.* unconsciousness; *aus
der Bewusstlosigkeit erwachen*
regain consciousness; *in tiefer
Bewusstlosigkeit* in a deep state
of unconsciousness; **Bewusstsein** *sub, n, -s, nur Einz. (gesellschaftliches etc.)* awareness,
consciousness

bezahlen, (1) *vi,* pay **(2)** *vt,* pay
(for); *zahlen, bitte* can I have the
bill, please?, *das ist nicht mit
Geld zu bezahlen* it´s priceless;
etwas nicht bezahlen können be
unable to pay for sth; *etwas teuer
bezahlen* pay dearly for sth

Bezahlung, *sub, f, -, -en (von
Dienstleistungen, Waren)* payment; *(von Lohn)* pay

bezähmen, (1) *vr,* restrain o.s. **(2)**
vt, curb

bezaubern, *vt,* charm; **~d** *adj,*
charming

Bezauberung, *sub, f, -, nur Einz.*
enchantment

bezeichnen, *vt, (Ausdruck)*
describe; *(nennen)* call; *das wird
verschieden bezeichnet* it has a
number of names; *es wird als
bezeichnet* it is called; *jemanden
als etwas bezeichnen* call so a;
~d *adj, (für jemanden)* characteristic; *(Rückschlüsse zulassend)* revealing; *das ist
bezeichnend für ihn* that´s typical of him; **Bezeichnung** *sub, f, -,
-en* name

bezeigen, *vt,* show

bezeugen, *vt,* testify; **Bezeugung**
sub, f, -, -en testimony

bezichtigen, *vt,* accuse; **Bezichtigung** *sub, f, -, -en* accusation

beziehbar, *adj, (erhältlich)* obtainable; *(Gebäude)* ready for occupation

beziehen, (1) *vr,* nur als Anwendung **(2)** *vt, (ein Haus)* move

into; *(Polster) comum; (Verwandung re)* get; *(Zeitschriften)* subscribe to; *sich auf etwas beziehen* refer to sth
Bezieher, *sub, m, -s,* - subscriber
Beziehung, *sub, f, -, -en (Hinsicht)* respect; *(zwischen Dingen)* relation; *(zwischen Menschen)* relationship; *in dieser Hinsicht* in that respect; *in Hinsicht auf* with regard to; *in jeder Hinsicht* in every respect; *in wirtschaftlicher Hinsicht* in economic terms; *in wechselseitiger Beziehung stehen* be interrelated; *mit einander in Beziehung stehen* be linked with each other; *gute Beziehungen haben* have good connections; *mit jemandem in guten Beziehungen stehen* be on good terms with so; *wirtschaftliche Beziehungen* economic relations; *zwischenmenschliche Beziehungen* human relations
beziehungsweise, *adv,* respectively
beziffern, *vt, (mit Ziffern versehen)* number; *(schätzen)* estimate; **Bezifferung** *sub, f, -, -en* numbering
bezirzen, *vt, (ugs.)* bewitch
bezogen, *adj,* related; *aufeinander bezogen* interrelated; **Bezogenheit** *sub, f, -, nur Einz.* relatedness
Bezug, *sub, m, -s, -züge (eines Gebäudes)* occupation; *(Stoffbezug)* cover; *(von Versandwaren)* purchase; *(von Zeitschriften)* subscription; **bezugsfertig** *adj,* ready for occupation; **~sperson** *sub, f, -, -en* attachment figure; **~spunkt** *sub, f, -s, -e* reference point; **~squelle** *sub, f, -, -n* source of supply; **~srecht** *sub, n, -s, -e* subscription right; **~sschein** *sub, m, -s, -e* permit; **~sstoff** *sub, m, -s, -e* covering
bezuschussen, *vt,* subsidize
bezwecken, *vt,* aim at; *was willst du damit bezwecken?* what are you trying to achieve by that?
bezweifeln, *vt,* doubt; **Bezweifelung** *sub, f, -, -en* doubting; **Bezweiflung** *sub, f, -, -en* doubting
bezwingen, *vt, (einen Berg)* con-

quer, *(Feinde)* defeat; **Bezwinger** *sub, m, -s,* - conqueror
Biathlet, *sub, m, -en, -en* biathlete;
Biathlon *sub, n, -s, nur Einz.* biathlon
Bibel, *sub, f, -, -n* Bible; **~spruch** *sub, m, -s, -sprüche* biblical saying; **~stelle** *sub, f, -, -n* biblical passage; **~stunde** *sub, f, -, -n* Bible class
Biber, *sub, m, -s,* - beaver; **~pelz** *sub, m, -es, -e* beaver fur
Bibliograf, *sub, m, -en, -en* bibliographer; **~ie** *sub, f, -, -n* bibliography; **bibliografieren** *vt,* write a bibliography
Bibliomanie, *sub, f, -, nur Einz.* bibliomania
bibliophil, *adj,* bibliophile; **Bibliophile** *sub, f, m, -n, -(n)* bibliophile; **Bibliophilie** *sub, f, -, nur Einz.* bibliophily
Bibliothek, *sub, f, -, -en* library; **~ar** *sub, m, -s, -e* librarian
biblisch, *adj,* biblical
Bickbeere, *sub, f, -, -n (ugs.)* bilberry
bieder, *adj,* honest
Biedermann, *sub, m, -es, -männer* man of honour; **Biedermeier** *sub, n, -s, nur Einz.* Biedermeier
biegen, (1) *vi,* turn **(2)** *vt,* bend; *nach links biegen* turn left; *um eine Ecke biegen* turn round a corner; **biegsam** *adj,* flexible; **Biegsamkeit** *sub, f, -, nur Einz.* flexibility; **Biegung** *sub, f, -, -en* bend
Biene, *sub, f, -, -n* bee; *(ugs.) eine flotte Biene* a chick; *fleißig wie eine Biene sein* be as busy as a bee; *männliche Biene* drone; **~nfleiß** *sub, m, -es, nur Einz.* industriousness; **~nhonig** *sub, m, -s, -e* honey; **~nstich** *sub, m, -s, -e* beesting; **~nstock** *sub, m, -s, -stöcke* beehive; **~nwachs** *sub, n, -es, nur Einz.* beeswax; **~nzucht** *sub, f, -, -en* beekeeping
biennal, (1) *adj,* biennial **(2)** *adv,* biennially

Bier, *sub, n, -s, -e* beer; *Bier vom Fass* draught beer; *das ist dein Bier* that´s your pigeon; *dunkles Bier* brown ale; *helles Bier* lager; **~dose** *sub, f, -, -n* beer can; **~fass** *sub, n, -es, -fässer* beer barrel; **~flasche** *sub, f, -, -n* beer bottle; **~glas** *sub, n, -es, -gläser* beer glass; **~krug** *sub, m, -s, -krüge* stein; **~schinken** *sub, m, -s, nur Einz.* beer ham; **~zeitung** *sub, f, -, -en* comic program at students´ smoking concert; **~zelt** *sub, n, -s, -e* beer tent

Biese, *sub, f, -, -n* piping

Biest, *sub, n, -s, -er* beast

bieten, (1) *vr, (Chance)* come up **(2)** *vt, (anbieten)* offer; *(Auktion)* bid; *(erlauben)* afford

Bieter, *sub, m, -s, -* bidder

Bifokalglas, *sub, n, -es, -gläser* bifocal glas

Bigamie, *sub, f, -, nur Einz.* bigamy; **Bigamist** *sub, m, -en, -en* bigamist; **bigamistisch** *adj,* bigamous

Bigbusiness, *sub, n, -, nur Einz.* big business

bigott, *adj,* sanctimonious; **Bigotterie** *sub, f, -, nur Einz.* sanctimoniousness

Bikini, *sub, m, -s, -s* bikini

bikonkav, *adj,* biconcave

Bilanz, *sub, f, -, -en (Endabrechnung)* balance; *(i. ü. S.; Ergebnis)* result; *(i. ü. S.) das ist eine traurige Bilanz* that´s a sad outcome; *die Bilanz ziehen* strike the balance; *eine Bilanz aufstellen* draw up a balance sheet; **bilanzieren** *vt,* balance; **~ierung** *sub, f, -, -en* balancing; **bilanzsicher** *adj,* skilled in making balances; **~summe** *sub, f, -, -n* balance sheet total

bilateral, *adj,* bilateral

Bild, *sub, n, -s, -er (Foto, Zeichnung)* picture; *(Gemälde)* painting; *n, -es, -er (Image)* image; *(Vorstellung)* idea; *du machst dir kein Bild* you have no idea; *ein falsches Bild von etwas bekommen* get the wrong idea of sth; *sich von etwas ein Bild machen* form an impression of sth;

~band *sub, n, -s, -bände* illustrated book; **~beilage** *sub, f, -, -n* colour supplement; **~bericht** *sub, m, -s, -e* documentary film

Bildchen, *sub, n, -s, -* little picture

bilden, (1) *vi,* broaden the mind **(2)** *vr, (sich entwickeln)* form; *(sich fortbilden)* educate o.s. **(3)** *vt, (entwickeln; herstellen; sein;)* form; *(jemanden fortbilden)* educate

Bilderatlas, *sub, m, -ses, -lasse/-atlanten* picture atlas; **Bilderbogen** *sub, m, -s, -* illustrated broadsheet; **Bilderbuch** *sub, n, -s, -bücher* picture book; **Bilderbuchkarriere** *sub, f, -, -n* storybook career; **Bilderrahmen** *sub, m, -s, -* picture frame; **Bilderrätsel** *sub, n, -s, -* picture puzzle

bilderreich, *adj,* richly illustrated

Bildfrequenz, *sub, f, -, -en* video frequency

bildhaft, (1) *adj, (anschaulich)* vivid; *(visuell)* visual **(2)** *adv,* nur als Anwendung; *etwas bildhaft beschreiben* give a vivid description of sth; *sich etwas bildhaft vorstellen* visualize sth

Bildhauer, *sub, m, -s, -* sculptor; **~ei** *sub, f, -, nur Einz.* sculpture; **~in,** *f, -, -nen* sculptor; **~kunst** *sub, f, -, nur Einz.* sculpture

Bildkonserve, *sub, f, -, -n* film recording

bildkräftig, *adj,* colourful

bildlich, (1) *adj,* pictorial **(2)** *adv,* figuratively; *bildliche Darstellung* graphic representation; *bildliche Umsetzung* visualization; *bildlicher Ausdruck* metaphor

Bildmischer, *sub, m, -s, -* video mixer

bildnerisch, *adj,* artistic

Bildnis, *sub, n, -ses, -se* portrait

Bildreportage, *sub, f, -, -n* film documentary; **Bildreporter** *sub, m, -s, -* television reporter

Bildröhre, *sub, f, -, -n* picture tube

Bildsamkeit, *sub,* *f,* - *nur Einz.* educability

Bildschärfe, *sub, f, -, nur Einz.* definition

Bildschirm, *sub, m, -s, -e* screen; **~text** *sub, m, -es, -e* viewdata

bildschön, *adj,* beautiful

Bildstörung, *sub, f, -, -en* interference

Bildstreifen, *sub, m, -s, -* strip cartoon

Bildtelefon, *sub, n, -s, -e* videophone

Bildung, *sub, f, -, -en (Ausbildung)* education; *(Entstehung)* formation; *eine Mensch mit Bildung* an educated person; *keine Bildung haben* be completetly uneducated; **~anstalt** *sub, f, -, -en* school; **~sgang** *sub, m, -es, -gänge* education; **~sgrad** *sub, m, -es, -e* educational level; **~spolitik** *sub, f, -, nur Einz.* educational policy; **~sstufe** *sub, f, -, -n* educational level; **~surlaub** *sub, m, -s, -e* educational leave; **~sweg** *sub, m, -es, -e* education; *auf dem zweiten Bildungsweg* through evening classes

Bildvorlage, *sub, f, -, -en* original picture

Bildwerbung, *sub, f, -, -* illustrated advertisement

Bildzeitung, *sub, f, -, -en* illustrated newspaper

Bilge, *sub, f, -, -n* bilge; **~wasser** *sub, n, -s, -* bilge

bilingual, *adj,* bilingual

Billard, *sub, n, -s, nur Einz.* billiards; **billardieren** *vi,* play billiards; **~queue** *sub, f, -, -s* billiard cue

Billiarde, *sub, f, -, -n* thousand billions

billig, (1) *adj,* cheap, shabby **(2)** *adv,* cheaply; *billig abzugeben* for sale cheap; *billiger Trick* cheap trick; *es ist spottbillig* it is as cheap as dirt

billigen, *vt,* approve of; *etwas stillschweigend billigen* give sth one´s tacit approval; *ich billige voll und ganz was er getan hat* I approve of

what he has done

Billigpreis, *sub, m, -es, -e* low price

Billigung, *sub, f, -, -en* approval

Billion, *sub, f, -, -en* million; *(US)* trillion; **billionstel (1)** *adj,* millionth (part of) **(2) Billionstel** *sub, n, -s, -* millionth part of

Bimetall, *sub, n, -es, -e (phy.)* bimetallic strip

bimmeln, *vi,* ring

Bimsstein, *sub, m, -s, -e (tt; arch.)* pumice-block; *(tt; geol.)* pumicestone

binär, *adj, (tt; mat.)* binary

Binde, *sub, f, -, -n (ugs.)* sanitary towel; *(tt; med.)* bandage; *Augenbinde* blindfold; **~gewebe** *sub, n, -s, nur Einz. (tt; anat.)* connective tissue; **~glied** *sub, n, -es, -er* link; *fehlendes entwicklungsgeschichtliches Bindeglied* missing link; **~haut** *sub, f, -, -häute (tt; anat.)* conjunctiva; **~hautentzündung** *vi, (tt; med.)* conjunctivitis

binden, *vt,* bind, make up, tie; *jmd an Händen und Füssen binden* bind sb hand and foot; *Wunde verbinden* bind (up) a wound; *Blumenstrauss binden* make up a bouquet; *etwas zu etwas binden* tie sth into sth; *Ich bin zu jung, um mich schon zu binden* I am too young to be tied down; *jmd die Hände binden* tie sb hands

Binder, *sub, m, -s, -* tie; *(tt; arch.)* binder

Binderei, *sub, f, -, -en* bindery; *(geb.)* wreath and bouquet department; *Buchbinderei* (book) bindery; *Blumenbinderei* wreath and bouquet department

Bindestrich, *sub, m, -es, -e* hyphen; **Bindewort** *sub, n, -es, -wörter* conjunction; **Bindewörter** *sub, n, -, nur Mehrz.* conjunctions

Bindfaden, *sub, m, -s, -fäden* string; *an einem Bindfaden hän-*

gen (Leben) hang by a single thread; *ein Stück Bindfaden* piece of string

binnen, *präp,* within; *binnen kurzem* soon; *binnen zwei Monaten* within two month

binnenbords, *adv, (geb.)* inboard

Binnenhandel, *sub, m, -s, nur Einz.* domestic trade; **Binnenland** *sub, n, -es, -länder* interior; **Binnenmarkt** *sub, m, -es, -märkte* domestic market; **Binnenschifffahrt** *sub, f, -, -en* inland navigation; **Binnensee** *sub, m, -es, -n* lake

binokular, *adj, (tt; phy.)* binocular

Biochemie, *sub, f, -, nur Einz.* biochemistry; **Biochemiker** *sub, m, -s, -* biochemist; **biochemisch** *adj,* biochemical

biodynamisch, (1) *adj,* organic **(2)** *adv,* organically

Biogas, *sub, n, -es, -e* biogas

Biogenese, *sub, f, -, -n* biogenesis; **biogenetisch** *adj,* biogenetic

Biografie, *sub, f, -, -n* biography; **biografisch** *adj,* biographical

Biokost, *sub, f, -, nur Einz. (ugs.)* health-food

Bioladen, *sub, m, -s, -läden* health-food shop

Biologe, *sub, m, -, -n* biologist; **Biologie** *sub, f, -, nur Einz.* biology; **biologisch (1)** *adj,* biological **(2)** *adv,* biologically; **biologisch-dynamisch** *adj,* biological organic

Biolyse, *sub, f, -, -n* decomposition

Biomüll, *sub, m, -s, nur Einz.* biological waste

Bionik, *sub, f, -, nur Einz.* bionics

Biophysik, *sub, f, nur Einz.* biophysics

Biosphäre, *sub, f, -en (tt; biol.)* biosphere

Biotechnik, *sub, f, -en* biotechnology

biotisch, *adj,* biotic

Biotonne, *sub, f, -, -n* biological waste bin

Biotop, *sub, n, -e (tt; biol.)* biotope

bipolar, *adj, (tt; phy.)* bipolar; **Bipolarität** *sub, f, -, -en* bipolarity

Birke, *sub, f, -, -n* birch tree, birch wood

Birkhahn, *sub, m, -es, -hähne* blackcock

Birnbaum, *sub, m, -es, -bäume* pear-tree, pear-wood; **Birne** *sub, f, -, -n* pear; **birnenförmig** *adj,* pear-shaped

bis, (1) *adv,* until, up to **(2)** *konj,* to, until **(3)** *präp,* down to, to, until, up to; *bis 12 Uhr* until 12 o´clock; *von 10 bis 12 Uhr* from 10 until 12 (o´clock); *bis höchstens 1000 DM* up to 1000 DM at most; *bis zu 10 Personen* up to 10 people, *10 bis 11* 10 to 11; *von Samstag bis Montag* from Saturday to Monday; *bis auf weiteres* until further orders; *bis zum Ende* until the end, *alle bis auf* everyone down to; *bis ins kleinste Detail* down to the smallest detail; *bis dahin sind es 5 km* it´s 5 km to there; *bis nach Frankfurt* to Frankfurt; *von Anfang bis Ende* from beginning to end; *bis dass der Tod euch scheidet* until death do you part; *bis an die Decke* up to the ceiling; *bis aufs letzte* up to the hilt; *bis zum Alter von* up to years of age

Bisam, *sub, m, -s, -e* moschus; **~ratte** *sub, f, -, -n* musk-rat

Bischof, *sub, m, -s, -öfe* bishop; **bischöflich** *adj,* episcopal; **~shut** *sub, m, -es, -hüte* bishop´s hat; **~skonferenz** *sub, f, -, -en* conference of bishops; **~smütze** *sub, f, -, -n* mitre; **~ssitz** *sub, m, -es, -e* seat of a/the bishopric; **~sstab** *sub, m, -es, -stäbe* bishop´s crook

Bisexualität, *sub, f, -, nur Einz.* bisexuality; **bisexuell (1)** *adj,* bisexual **(2)** *adv,* bisexually

bisher, *adv,* until now, up to now; *ein bisher unbekannter* a previously unknown; *bisher war alles in Ordnung* everything has been all right up to now; *er hat sich bisher nicht gemeldet* he hasn´t been in touch up to now; **~ig** *adj,* previous; *ihre bisherige*

Wohnung their previous flat

Biskuitteig, *sub, m, -es, -e* sponge

bislang, *adv*, previously

bismarckisch, *adj*, Bismarckian

bismarcksch, *adj*, Bismarckian

Bismutum, *sub, n, nur Einz. (tt; chem.)* bismuth

Bison, *sub, m, -s, -s* bison

Biss, *sub, m, -e (i. ü. S.)* punch; *(ugs.)* bite; *einer Sache Biss geben* put punch into sth; *Lochzange* punch press; *das Training hat keinen Biss* this drill has no bite

bisschen, **(1)** *adj*, bit **(2)** *pron*, a bit (of); *kein bisschen* not a bit; *von dem bisschen werde ich nicht satt* that little bit won´t fill me up, *ein bisschen Saft* a bit of juice; *ein bisschen zu viel* a bit too much; *sich ein bisschen hinlegen* lie down for a bit

Bissen, *sub, m, -s, -* mouthful; *einen Bissen nehmen* to take a mouthful; *ihm blieb der Bissen im Halse stekken* the food stuck in his throat; *sich jeden Bissen vom Mund absparen* scrimp and save; **bissenweise** *adv*, bit by bit

bissig, **(1)** *adj*, bite, cutting **(2)** *adv*, cuttingly; *bissiger Hund* a dog that bites; *Vorsicht, bissiger Hund* beware of the dog; *bissige Bemerkung* cutting remark; *kein Grund, bissig zu werden* no reason to bite my head of, *bissig antworten* answer cuttingly

Bisswunde, *sub, f, -, -n* bite

Bistro, *sub, n, -s, -s* bistro

Bistum, *sub, n, -s, -tümer* bishopric

bisweilen, *adv, (geh.)* from time to time; *(ugs.)* now and then

bitte, **(1)** *adv*, please **(2)** *interj*, pardon, sorry, you´re welcome **(3) Bitte** *sub, f, -, -n* request; *(geh.)* plea; *bitte nach Ihnen* after you, please; *der Nächste bitte* next, please; *gib mir bitte* give me please; *können Sie mir bitte helfen* could you please help me, *wie bitte?* sorry; *(Danke!) Bitte sehr!* you´re wellcome, *auf seine Bitte hin* at his request; *Bitte um Bezahlung (Mahnung)* re-

quest of payment of a debt; *eine inständige Bitte haben* have a plea

bitten, **(1)** *vi*, ask for, beg for sth., request sth **(2)** *vt*, ask or invide sb to; *darf ich Sie um ein Glas Wasser bitten* may I ask you for a glass of water, please; *um Aufmerksamkeit bitten* may I ask for your attention; *ich bitte Dich um alles in der Welt* I beg you!; *um Almosen bitten* to beg for alms; *jmd um seinen Meinung bitten* to request so to express his opinion; *um ihre Anwesenheit bitten* to request their presence, *jmd zum Tee bitten* to ask sb to tea; *zu Tisch bitten* ask to come and sit down at the table; *zum Tanz bitten* to ask to dance

bitter, **(1)** *adj*, bitter **(2)** *adv*, bitterly; *bis ans bittere Ende* to the bitter end, *bitterkalt* bitterly cold; *~ernst adj*, deadly serious; *ich meine es bitterernst* I mean it deadly serious; **Bitterkeit** *sub f, -, -en* bitterness; **Bitterwurzel** *sub, f, -, -n (geogr.)* bitterroot; *Bier aus der Bitterwurzel* bitterroot beer

Bittgang, *sub, m, -s, -gänge* going with a request; *einen Bittgang machen* going to sb with a request; **Bittschrift** *sub, f, -, -en* petition; *eine Bittschrift für/gegen etwas bei einreichen* present a petition for/against sth to; **Bittsteller** *sub, m, -s, -* petitioner

Biwak, *sub, n, -s, -s* bivouak; **biwakieren** *vi*, bivouak

bizarr, **(1)** *adj*, bizarre **(2)** *adv*, bizarrely; *bizarre Erscheinung* bizarre appearance

Bizeps, *sub, m, -, -e* biceps

Blabla, *sub, n, -s, nur Einz.* blah

Black-out, *sub, m, -s, -s* black-out

blaffen, *vi*, bark, snap

blähen, **(1)** *vr*, puff oneself up **(2)** *vt*, cause flatulence, swell; *die Segel aufblähen* to swell the sails; *mit vor Stolz geblähter Brust* his chest swollen with pride; **Blähung** sub, f, -, -en flatulence

blamabel, (1) adj, blameful (2) adv, shamefully; **Blamage** sub, f, -, -n disgrace

blamieren, (1) vr, disgrace oneself; (ugs.) make a fool of oneself (2) vt, disgrace

blanchieren, vt, blanch

blank, adj, bare; (ugs.) be broke; mit blanken Füssen barefooted; Ich bin blank I´m broke

Blankett, sub, n, -s, -e (tt; wirt.) blank; mit Blankounterschrift signed blank

blanko, adj, blank; einen Scheck blanko ausstellen I´ll write you a blank cheque; **Blankoscheck** sub, m, -s, -s blank cheque; **Blankovollmacht** sub, f, -, -en (tt; zool.) carte blanche

Blankvers, sub, m, -es, -e blank verse

Bläschen, sub, n, -s, - blister, bubble; Herpes-Bläschen herpes-simplex

Blase, sub, f, -, -n blister, bubble; (tt; med.) bludder; sich Blasen laufen get blisters running; Die Tapete wirft Blasen the wall paper has bubbles; Seifenblase bubble; ~nentzündung sub, f, -, -en (tt; med.) cystitis; ~nstein sub, m, -s, -e (ugs.) bladder stone; (tt; med.) vesical calculus

blasen, (1) vt, blow (2) vti, blow, play; es bläst it´s blowy, Glas blasen blow glass; (vulg.) jmd einen blasen give sb a blow job; Wind bläst wind blows; auf dem Kamm blasen play the comb; die Trompete blasen play the trumpet

Bläser, sub, m, -s, - player; Bläser wind player

blasiert, (1) adj, blasé (2) adv, in a blasé way; **Blasiertheit** sub, f, -, -en blasé attitude

blasig, adj, blistered, bubbly; blasiger Anstrich blistered paint; Schaumbad bubbly bath

Blaskapelle, sub, f, -, -n brass band

Blason, sub, m, -s, -s (geh.) shield

blasonieren, vti, blazon; **Blasonie-**

rung sub, f, -, -en blazon

Blasphemie, sub, f, -, -n blasphemy; **blasphemisch** (1) adj, blasphemous (2) adv, blasphemously

Blasrohr, sub, n, -es, -e (tt; mil.) blowpipe; (tt; tech.) blastpipe

blass, adj, pale; (i. ü. S.) colourless; blass werden turn pale; rot macht dich blass red makes you look pale; eine blasse Erscheinung colourless person; ~blau adj, pale blue; **Blässe** sub, f, -, -n paleness; ~grün adj, pale green; **blässlich** (1) adj, colourless (2) adv, colourlessly; ~rot adj, pale red

Blastom, sub, n, -s, -e tumour

Blastula, sub, f, -, Blastulae (tt; med.) blastula

Blatt, sub, n, -es, Blätter leaf, page, sheet; Eichenblatt oakleaf; kein Blatt vor den Mund nehmen not mince one´s words; Buchblatt page; Blatt Papier sheet of paper; das Blatt hat sich gewendet things have changed; ein unbeschriebenes Blatt sein be unexperienced; loose sheets lose Blätter; **blättern** vti, leaf through; ein Buch durchblättern leaf through a book; ~ernarbe sub, f, -, -n pock-mark; **Blätterteig** sub, m, -es, -e puff pastry; **Blätterwald** sub, m, -es, nur Einz. press; es rauscht im Blätterwald there are rumblings in the press; **blätterweise** adv, leaf by leaf, sheet by sheet; **Blätterwerk** sub, n, -s, -e foliage; ~gold sub, n, -es, nur Einz. gold leaf; ~laus sub, f, -, -läuse aphid; **blattlos** adj, leafless; ~pflanze sub, f, -, -en foliage plant

Blattern, sub, f, nur Mehrz. smallpox

blau, (1) adj, blue (2) **Blau** sub, blue; blau sein be canned; blauer Montag skip work on monday; die blauen Jungs the boys in blue; ein blaues Auge haben have a black eye; *Forell. blau blue* [roll... ... Buntes Wunder *erleben* get a nasty surprise; **~ machen** *vi*, skip work; **~blütig** *adj*, blue-blooded; **Bläue** *sub, f, -, nur Einz.* blue, blueness; **bläuen** *vt*, blue, dye; *Papier bläuen* turn the paper blue; *die Hose bläuen* dye the trousers; **bläulich** *adj*, bluish; **~machen** *vt*, turn blue; **Blaumann** *sub, m, -s, -männer (ugs.)* boiler suit; **Blaupause** *sub, f, -, -en* blueprint; **Blausäure** *sub, f, -, -n (tt; chem.)* prussic acid; **Blauschimmel** *sub, m, -s, nur Einz.* blue mould; **~stichig** *adj*, with a blue cast; *der Film ist blaustichig* the film has a blue cast

Blazer, *sub, m, -s, -* blazer

blecken, *vt*, bare one´s teeth; *Zähne blecken* bare one´s teeth

Blei, *sub, n, -es, -e* lead; *Bleivergiftung* lead-poisonning; *wie Blei im Magen liegen* weigh heavily on sb´s stomach

Bleibe, *sub, f, -n* place to stay

bleiben, *vi*, stay, remain; *am Apparat bleiben* hold the line please; *auf dem Weg bleiben* stay on the path; *auf der Stelle bleiben* to stay in one´s place; *in Frankfurt bleiben* to stay in Frankfurt; *noch bleiben* to stay on; *zum Abendessen bleiben* to stay for supper

bleich, *adj*, pale; *bleich vor Wut sein* be white with rage; **Bleiche** *sub, f, -, -e* bleach; **~en** *vt*, bleach; **Bleichgesicht** *sub, n, -s, -er* pale face; **Bleichsucht** *sub, f, -, nur Einz.* greensickness

bleiern, *adj*, leaden, like lead; *bleierne Glieder* her limbs were like lead; *schwimmen wie eine bleierne Ente* can´t swim a stroke

bleifrei, *adj*, unleaded

Bleifuß, *sub*, foot on the floor; *mit Bleifuß fahren* drive with one´s foot on the floor

Bleikristall, *sub, n, -es, -e* lead crystal

bleischwer, *adj*, heavy as lead

Bleistift, *sub, m, -s, -e* pencil; *Blei-*

stiftspitze *stilmp.* ... ... *Bleistiftspitzer* pencil-sharpener; **~stummel** *sub, m, -s, -* stub

Blende, *sub, f, -n* aperture, shade; *Blende öffnen/schliessen* open/set down the aperture; *mit Blende 8 fotografieren* set the aperture to f-8; *Sonnenblende* shade

blenden, *vt*, dazzle; *einen Motorradfahrer blenden* to dazzle a motorist; *mit ihrer Schönheit blenden* to dazzle with her beauty

blendend, *adj*, splendid; *mir geht es blendend* I feel wunderfully well

Blendlaterne, *sub, f, -, -n* dark lantern

Blendschutz, *sub, m, -es, nur Einz.* visor

Blesse, *sub, f, -, -n* blaze

blessieren, *vt*, injure; **Blessur** *sub, f, -en* injury

Blick, *sub, m, -es, -e* look, view; *auf den zweiten Blick* looking at it a second time; *einem Blick ausweichen* avoid sb glance; *einen Blick auf etwas werfen* take a quick look at sth; *einen Blick hinter die Kulissen werfen* take a look behind the scenes; *einen Blick riskieren* venture a glance; *jmd einen Blick zuwerfen* give sb a look; *wenn Blicke töten könnten* if looks could kill; *Zimmer mit Meeresblick* room with a sea view; **blicken** *vi*, look; *auf das vergangene Jahr blicken* look back on the past year; *jmd gerade in die Augen blicken* look sb straight in the eyes; *zur Seite blicken* look away; **~kontakt** *sub, n, -es, -e* eye-contact; **~punkt** *sub, m, -es, -e* view; **~winkel** *sub, m, -s, -* angle of vision

blind, (1) *adj*, blind (2) *adv*, without looking, blindly; *auf einem Auge blind sein* to refuse to see that; *blind werden* go blind; *blind wie ein Maulwurf* blind as a mole; *ein blindes Huhn findet* *auch mal ein Korn* anyone can have a stroke of luck once in a while; **Blinddarm** *sub, m, -es, -därme* appendix; **Blinde** *sub, m, -n, -n* blind woman; **Blindekuh** *sub, ohne* blind man´s buff; *Blindekuh spielen* play blind man´s buff; **Blindenanstalt** *sub, f, -, -en* home for the blind; **Blindenhund** *sub, m, -es, -e* guide dog; **Blindenschrift** *sub, f, -, -en* braille; **Blindenstock** *sub, m, -es, -stöcke* white stick; **Blindflug** *sub, m, -es, -flüge* blind flight; *im Blindflug* blind; **Blindgänger** *sub, m, -s, -* (mil.) unexploded shell; (i. ü. S.; Versager) dead loss; **Blindgeborne** *sub, m, -n, -n* blind-born; **Blindheit** *sub, f, -, nur Einz.* blindness; *mit Blindheit geschlagen* be (as if struck) blind; **Blindschleiche** *sub, f, -n, -n* slowworm

blinken *vi, (ugs.)* flash; (ugs.; Kfz.) indicate; *mit Lampen blinken* flash lamps; *SOS blinken* flash an SOS signal; *vor Sauberkeit blinken* sparkling clean; *rechts blinken* indicate right; **Blinker** *sub, m, -s, - (Fischen)* spoon; (Kfz) indicator; **Blinkleuchte** *sub, f, -, -n* indicator; **Blinklicht** *sub, n, -es, -er* flashing light; **Blinkzeichen** *sub, n, -s, -* flashlight signal

blinzeln *vti,* blink

Blitz, *sub, m, -es, -e* lightning; *ein Blitz* a flash of lightning; *ein Blitz hat eingeschlagen* lightning has struck; *wie ein geölter Blitz* like greased lightning; *wie vom Blitz getroffen* thunderstruck; **~ableiter** *sub, m, -s, -* lightning-conductor; **~aktion** *sub, f, -, -en* lightning operation; **blitzartig** *adj,* lightning; **blitzblank** *adj,* sparkling clean; **blitzen** *vi, (glänzen)* flash; **~es-schnelle** *sub, f, -, nur Einz.* lightning speed; **blitzgescheit** *adj,* very bright; **~licht** *sub, m, -es, -er* flash(light); **~lichtaufnahme** *sub, f, -, -n* flash photograph; **blitzsauber** *adj,* sparkling clean; **~schlag** *sub, m, -es, -schläge* lightning;

blitzschnell *adj,* be like lightning; **~strahl** *sub, m, -es, -en* flash of lightning; **~umfrage** *sub, f, -, -en* lightning poll

Blizzard, *sub, m, -s, -s* blizzard

Block, *sub, m, -es, Blöcke (Fels-)* block; (polit.) bloc; **~ade** *sub, f, -n* blockade; **~bildung** *sub, f, -, -en* creation of blocs; **~flöte** *sub, f, -, -n* recorder; **~haus** *sub, n, -es, -häuser* log cabin; **blockieren** *vt,* block; **~ierung** *sub, f, -, -en* blokkade; **~schokolade** *sub, f, -, -n* cooking chocolate; **~schrift** *sub, f, nur Einz.* block capitals; **~stunde** *sub, f, -, -n* double period

blöd, *adj,* stupid; *wo ist der blöde Schlüssel?* where is that stupid key?; **Blödelbarde** *sub, f, -n* silly joker; **Blödelei** *sub, f, -en* fooling about; **~eln** *vi,* fool about; **Blödheit** *sub, f, -, -en* stupidity; **Blödmann** *sub, m, -männer* stupid idiot; **Blödsinn** *sub, m, nur Einz.* nonsense

blöken, *vi,* bleat

blond, *adj,* blond; **Blonde** *sub, f/m, -n, -n* blond man, blonde; **~ieren** *vti,* dyed blond; **Blondine** *sub, f, -, -n* blonde; **~lockig** *adj,* fair curly

bloß, (1) *adj,* bare (2) *adv,* only (3) *Partikel,* on earth; *bloßes Gerede* mere gossip; *ein blosser Zufall* pure chance; *mit blossem Kopf* bare-headed; *mit blossen Beinen* without stockings; *ich habe bloß ein Hemd* I only have one shirt, *was hast du dir bloß dabei gedacht* what on earth were you thinking of; *wie konnte das bloß geschehen* how on earth could that happen

Blöße, *sub, f, -n (geb.; Nacktheit)* nakedness; (geb.; Schwäche) weakness; *seine Blöße zur Schau stellen* to show one´s nakedness; *sich keine Blöße geben durch* (not) show any weakness by

bloßstellen, *vt,* unmask; **Bloßstellung** *sub, f, -, -en* showing up

Blouson, *sub, n, -s, -s* Blouson

Bluff, *sub, m, -s* bluff; **bluffen** *vti,* bluff

blühen, *vi,* bloom; *blühende Gärten* gardens full of flowers; *er ist ein verfluchter Narr* he is a blooming fool; *es blüht* there are flowers in bloom

Blümchen, *sub, n, -s,* - little flower

Blume, *sub, f, -, -n* flower; *durch die Blume sagen* tell sb in a roundabout way; **~nbeet** *sub, n, -es, -e* flowerbed; **~nbinder** *sub, m, -s,* - bouquet binder; **~nbrett** *sub, n, -es, -er* flower-board; **~nfrau** *sub, f, -, -en* flower-woman; **~ngeschäft** *sub, n, -es, -e* florist´s; **~ngruß** *sub, m, -es, -grüße* bouquet of flowers; **~nkasten** *sub, m, -s, -kästen* flower-box; **~nkohl** *sub, m, -s, -e* cauliflower; **blumenreich** *adj,* full of flowers; **~nstrauß** *sub, m, -es, -sträuße* bunch of flowers; **~ntopf** *sub, m, -s, -töpfe* flowerpot

blümerant, *adj,* queasy

blumig, *adj,* flowery

Bluse, *sub, f, -, -n* blouse

Blut, *sub, n, -es, nur Einz.* blood; *an seinen Händen klebt Blut* there is blood on his hands; *Blut abgenommen bekommen* have a blood sample taken; *Blut geleckt haben* have got a taste for it; *böses Blut machen* breed bad blood; *es wurde viel Blut vergossen* there was a great deal of bloodshed; *kein Blut sehen können* cannot stand blood; *mein eigen Fleisch und Blut* my own flesh and blood; *voller Blut* covered with blood; **~ bildend** *adj,* haematinic; **~ader** *sub, f, -, -n* vein; **~alkohol** *sub, m, -s, nur Einz.* blood alcohol level; **~andrang** *sub, m, -s, nur Einz.* congestion; **~armut** *sub, f, nur Einz.* anaemia; **~bahn** *sub, f, -en* bloodstream; **~bank** *sub, f, -, -en* blood bank; **~bild** *sub, n, -es, -er* blood picture; **~druck** *sub, m, -es, nur Einz.* blood-pressure; **blutdürstig** *adj,* bloodthirsty

Blüte, *sub, f, -, -n (Baum)* blossom; *(Blumen)* flower, bloom; **~nblatt** *sub, n, -es, -blätter* petal; **~nhonig** *sub, m, nur Einz.* blossom honey; **~nkelch** *sub, m, -es, -e* calyx; **~nstaub** *sub, m, nur Einz.* pollen; **blütenweiß** *adj,* sparkling white; **~nzweig** *sub, m, -es, -e* flowering branch

Blutegel, *sub, m, -s,* - leech; **bluten** *vi,* bleed; *aus der Nase bluten* to bleed at the nose; *jmd zur Ader lassen* to bleed sb; *(iron.) mir blutet das Herz* it makes my heart bleed; *wie ein Schwein bluten* bleed like a stuck pig; **Bluter** *m,* - haemophiliac; **Bluterguss** *sub, m, -gusses, -güsse (ugs.) blauer Fleck)* bruise; *(tt; med.)* haematoma; **blutgierig** *adj,* bloodthirsty; **Blutgruppe** *sub, f, -, -n* blood group; **Bluthund** *sub, m, -es, -e* bloodhound; **blutig** *adj,* bloody; *blutig geschlagen werden* be left battered and bleeding; **blutjung** *adj,* very young; **Blutkonserve** *sub, f, -, -n* container of stored blood; **Blutkreislauf** *sub, m, -es, -läufe* blood circulation; **blutleer** *adj,* bloodless; *ihr Gesicht wurde ganz blutleer* the blood drained from her face; **Blutplasma** *sub, n, -s, nur Einz.* blood plasma; **Blutplättchen** *sub, n, -s,* - blood platelet; **Blutprobe** *sub, f, -, -n* blood test; **Blutrache** *sub, f, -, nur Einz.* blood revenge; **blutrünstig** *adj,* bloodthirsty; **Blutsbruder** *sub, m, -s, -brüder* blood brother; *Blutsbrüder werden* become blood brothers; **Blutsbrüderschaft** *sub, f, -, -en* blood brotherhood; **Blutschande** *sub, f, -, -* incest; **Blutserum** *sub, n, -s, -seren* blood serum; **Blutspender** *sub, m, -,* - blood-donor; **Blutspur** *sub, f, -, -en (Jagd)* trail of blood; *(Kleidung)* traces of blood; **blutstillend** *adj,* styptic; **Blutstropfen** *sub, m, -s,* - drop of blood; **Bluttransfusion** *sub, f, -,* *-en* blood-transfusion

b-Moll, *sub, n, -, nur Einz.* b flat minor

Bö, *sub, f, -, -en* gust

Boa, *sub, f, -, -s* boa

Bob, *sub, m, -s, -s* bob

Bobby, *sub, m, Bobbies* bobby

Bobinet, *sub, m, -, -s* English tulle

Boccia, *sub, n, nur Einz.* boccie

Boche, *sub, m, -, -s (i. ü. S.)* Kraut; *frz Schimpfwort für Deutsche* engl/am Schimpfwort für Deutsche

Bock, *sub, m, -es, Böcke* buck; *Bock haben auf* (not) fancy doing sth; *Bockbier* bock (beer); *einen Bock schießen* drop a clanger; **bockbeinig** *adj,* contrary; **bockig** *adj,* stubborn, awkward; **~igkeit** *sub, f, -, -en* awkwardness; **~mist** *sub, m, -es, nur Einz.* bilge; *Bockmist machen* make a real cock-up; *Bockmist verzapfen* come out with a load of bilge

Bocksbeutel, *sub, m, -s, -* bocksbeutel

Bodega, *sub, f, -s* bodega

Boden, *sub, m, Böden (Erde)* ground, soil; *m, - (Haus)* floor; *am liebsten in den Boden versinken* wish the ground would open and swallow sb; *auf englischem Boden* on English soil; *jmd den Boden unter den Füßen wegziehen* cut the ground from under sb´s feet; *sich auf unsicherem Boden bewegen* be on shaky ground; *sich zu Boden fallen lassen* fall to the ground; *Fußboden* floor; *vom Fußboden essen können* her floors are so clean that you could eat off them; **~abwehr** *sub, f, -, nur Einz.* ground defense; **~erosion** *sub, f, -, -en* soil erosion; **~haftung** *sub, f, -, nur Einz.* road-holding; **~kammer** *sub, f, -, -n* attic; **bodenlos** *adj,* bottomless; *ins Bodenlose fallen* fall into a bottomless abyss; **~reform** *sub, f, -, -en* land reform; **~schätze** *sub, f, nur Mehrz.* mineral resources; **bodenständig** *adj, (cult.)* native;

(Handwerk) local; *bodenständige Bevölkerung* native population; **~station** *sub, f, -, -en (Raumf.)* ground station; **~turnen** *sub, n, nur Einz.* floor exercises

Bodybuilding, *sub, n, nur Einz.* body-building

Bodycheck, *sub, m, -s, -s* bodycheck

Bodyguard, *sub, m, -s, -s* bodyguard

Böe, *sub, f, -, -n* gust

Bogen, *sub, m, -s, Bögen (arch.)* arch; *(mat.)* arc; *(Waffe)* bow; *Triumphbogen* triumphal arch; *Bogen überspannen* go too far; *einen Bogen schlagen* move in a curve; **~führung** *sub, f, -, -en (mus.)* bowing; **~lampe** *sub, f, -, -n* arc lamp; **~schießen** *sub, n, -s, nur Einz.* archery; **~schütze** *sub, m, -ns, -n* archer

Boheme, *sub, f, nur Einz.* bohemian world

Bohemien, *sub, m, -s, -s* bohemian

Bohle, *sub, f, -, -n* plank

Bohlenbelag, *sub, m, -es, -beläge* planking

böhmisch, *adj,* Bohemian

bohnern, *vti,* polish; *Vorsicht, frisch gebohnert* just polished floor; **Bohnerwachs** *sub, n, -, -* floor-polish

bohren, *vti, (Loch)* bore, drill; *(Tunnel)* drive; *ein Loch bohren* bore a hole; *in der Nase bohren* pick one´s nose; *in einem Zahn bohren* drill a tooth; *nach Öl/Gas bohren* drill for oil/gas; *Tunnel bohren* drive a tunnel; **Bohrer** *sub, m, -s, -* drill; *Handbohrer* gimlet; **Bohrinsel** *sub, f, -, -n* drilling rig; **Bohrloch** *sub, n, -s, -löcher* borehole; **Bohrmaschine** *sub, f, -, -n* drill; **Bohrturm** *sub, m, -s, -türme* derrick; **Bohrung** *sub, f, -, -en* drilling

böig, *adj,* gusty; *böig auffrischend* freshening in gusts

Boiler, *sub*, *m*, *-s*, - boiler

Böje, *sub*, *f*, *-*, *-n* buoy

Bola, *sub*, *f*, *-s* Southamerican lasso

Bolero, *sub*, *m*, *-s*, *-s* bolero

Bolid, *sub*, *m*, *-ens*, *-en* bolide

Bolide, *sub*, bolide

bolivianisch, *adj*, Bolivian

Böller, *sub*, *m*, *-s*, - banger

Bollerwagen, *sub*, *m*, *-s*, *-wägen* handcart

Bollwerk, *sub*, *n*, *-s*, *-e* bastion

Bolschewismus, *sub*, *m*, *nur Einz.* Bolshevism

Bolzen, **(1)** *sub*, *m*, *-*, - bolt **(2) bolzen** *vti*, kick; *bolzen* kick the ball about

Bombardement, *sub*, *n*, *-s*, *-s* bombing; **bombardieren** *vt*, bomb

Bombe, *sub*, *f*, *-*, *-n* bomb; *ein Dorf mit Bomben dem Erdboden gleich machen* bomb a village out of existence; *Flugzeug mit Bomben beladen* bomb up an aircraft; *wie eine Bombe einschlagen* come as a bombshell; **bomben** *vt*, bomb; **~nerfolg** *sub*, *m*, *-es*, *-e* smash hit; **bombenfest** *adj*, bomb-proof; **~nflugzeug** *sub*, *n*, *-es*, *-e* bomber; **~ngeschäft** *sub*, *n*, *-es*, *-e* do a roaring trade; **~nschuss** *sub*, *m*, *-schusses*, *-schüse* thunderbolt; **bombensicher** *adj*, dead certain; *ein bombensicherer Tip* a dead cert; *ein bombensicheres Geschäft* a dead certain thing; **~nterror** *sub*, *m*, *-s*, *nur Einz.* terrorist bombing; **~r** *sub*, *m*, *-s*, - bomber; *der Bomber der Nation* soccer player with the fiercest shot; **~rjacke** *sub*, *f*, *-*, *-n* blouson; **bombig** *adj*, terrific; *bombiges Wetter* terrific weather; *sich bombig schlagen* make a terrific showing

Bommel, *sub*, *f*, *-*, *-n* pompom

Bon, *sub*, *m*, *-s* *(Gutschein)* voucher; *(Kassen-)* receipt

bonafide, *adj*, bonafide

Bonbon, *sub*, *m*, *-s*, *-s* sweet; *(US)* candy; **bonbonfarben** *adj*, candy-coloured

Bond, *sub*, *m*, *-s*, *-s* *(wirt.)* bond

Bongo, *sub*, *f*, - u *(muis.)* bongo

Bonhomie, *sub*, *f*, *-*, *-n* *(geh.)* bonhomie

Bonifikation, *sub*, *f*, *-*, *-en* bonus; **bonifizieren** *vt*, benefit

Bonität, *sub*, *f*, *-*, *-en* creditworthiness

Bonmot, *sub*, *n*, *-s*, *-s* bon mot

Bonsai, *sub*, *m*, *-s*, *-s* bonsai

Bonus, *sub*, *m*, - *und* *-sses*, *-se* *und Boni* bonus

Bonvivant, *sub*, *m*, *-s*, *-s* bon vivant

Bonze, *sub*, *m*, *-n*, *-n* bigwig

Boom, *sub*, *m*, *-s*, *-s* boom; **boomen** *vi*, boom

Bor, *sub*, *n*, *-s*, *nur Einz.* *(chem.)* boron

Bora, *sub*, *f*, *-*, *-s* *(geogr.)* Bora

Bord, *sub*, *m*, *-s*, *-e* board; *an Bord* on board; *(i. ü. S.) etwas über Bord werfen* throw sth overboard; *über Bord* overboard; **~case** *sub*, *n/m*, *-*, - *und s* boardcase; **~computer** *sub*, *m*, *-s*, - on board computer

Börde, *sub*, *f*, *-*, *-n* *(geogr.)* bay

bordeauxrot, *adj*, bordeaux-red

Bordelaiser, *sub*, *f*, *-*, - Bordelaisian; *Bordelaiser Brühe* Bordelaisian fungicide

Bordell, *sub*, *n*, *-s*, *-e* brothel

Bordfunk, *sub*, *m*, *-s*, *nur Einz.* radio; **~er** *sub*, *m*, *-s*, - radio operator

Bordstein, *sub*, *m*, *-s*, *-e* kerb; *Bordsteinkante* edge of the kerb

Bordüre, *sub*, *f*, *-*, *-n* edging

boreal, *adj*, *(geogr.)* boreal

borgen, *vti*, *(geben)* lend; *(nehmen)* borrow; *jmd etwas borgen* lend sb sth, lend sth to sb

Borke, *sub*, *f*, *-*, *-n* bark; **~nkäfer** *sub*, *m*, *-s*, - bark beetle; **~nkrepp** *sub*, *n*, *-s*, *nur Einz.* bark crêpe; **borkig** *adj*, cracked; *borkige Rinde* cracked bark

borniert, *adj*, narrow-minded; **Borniertheit** *sub*, *f*, *-*, *-en* narrow-mindedness

Borschtsch, *sub*, *m*, *-*, *nur Einz.* borsch(t)

Börse, *sub, f, -, -n* purse; *(Gebäude)* stock exchange; *(wirt.)* stock-market; **~nmakler** *sub, m, -s, -* stock-broker; **Börsianer** *sub, m, -s, -* stock-market speculator

bösartig, *adj*, malicious; *bösartige Bemerkungen* malicious remarks; **Bösartigkeit** *sub, f, -, -en* maliciousness; *Bösartigkeit eines Tumors* malignancy of a tumour

Böschung, *sub, f, -, -en* bank; *Flußböschung* banks of the river

böse, (1) *adj*, *(übel)* bad; *(verwerflich)* wicked; *(wütend)* mad (2) **Böse** *sub, m, -n, -n* evil; *es wird noch böse mit ihm enden* he´ll come to a bad end; *böse Stiefmutter* wicked stepmother; *eine böse Zunge haben* have a wicked tongue; *mit böser Absicht* with evil intend; *über etwas böse sein* be mad about sth, *den Bösen spielen* play the villain

boshaft, *adj*, malicious

Bosheit, *sub, f, -, -en* malice

Boskop, *sub, m, -s, -* Boskoop

bosnisch, *adj*, from Bosnia

Boss, *sub, m, -es, -e* boss

böswillig, *adj*, malicious; *jmd böswillig verlassen* wilful desertion

Botanik, *sub, f, -, nur Einz.* botany; **~er** *sub, m, -s, -* botanist; **botanisch** *adj*, botanical; **botanisieren** *vti*, botanize

Botendienst, *sub, m, -es, -e* messenger service; *mit Botendiensten Geld verdienen* earn money as a messenger

botmäßig, *adj*, obedient; **Botmäßigkeit** *sub, f, -, -en* obedience

botokudisch, *adj*, Botocudian

Botschaft, *sub, f, -, -en (Nachricht)* message; *(Neuigkeit)* news; *(polit.)* embassy; *freudige Botschaft* good news; **~er** *sub, m, -s, -* ambassador

Botsuanerin, *sub, f, -, -nen* Botsuanean; **botsuanisch** *adj*, Botsuanese

Bottich, *sub, m, -s, -e* tub

Bouillabaisse, *sub, f, -, nur Einz.* bouillabaisse

Bouillon, *sub, f, -, -s* bouillon, consommé

Boule, *sub, n/f, -, -s* boule

Boulevard, *sub, m, -s, -s* boulevard; **~presse** *sub, f, -, nur Einz.* popular press; *Boulevardpresse* yellow press; *Regenbogenpresse* popular press

Bouquet, *sub, n, -s, -s* bouquet

bourbonisch, *adj, (hist.)* bourbone

bourgeois, (1) *adj*, bourgeois (2) **Bourgeois** *sub, m, -, -* bourgeois; **Bourgeoisie** *sub, f, -, -n* bourgeoisie

Bouteille, *sub, f, -, -n (geb.)* bottle

Boutique, *sub, f, -, -n* boutique

Bouton, *sub, m, -s, -s* ear-button

Bowle, *sub, f, -, -n (Gefäß)* punchbowl; *(Getränk)* punch

Bowling, *sub, n, -s, nur Einz.* bowling; **~bahn** *sub, f, -, -en* bowlingalley

Box, *sub, f, -, -en (Pferde)* box; *(tech.)* speaker

boxen, *vti*, fight; **Boxer** *sub, m, -s, - (Sport/Hund)* boxer; *der Boxer ging zu Boden* the boxer went down; **Boxhandschuh** *sub, m, -s, -e* boxing-glove; **Boxkampf** *sub, m, -s, -kämpfe* boxing match, fight; **Boxsport** *sub, m, -s, nur Einz.* boxing

Boxkalfschuh, *sub, m, -s, -e* boxcalf-shoe

Boy, *sub, m, -s, -s* boy

brabbeln, *vi*, mutter

brach, *adj*, uncultivated; **Brachfeld** *sub, n, -s, -er* uncultivated field; **~liegen** *vi*, lie waste

brachial, *adj*, violent; *brachiale Gewalt* brute force; **Brachialgewalt** *sub, f, -, nur Einz.* brute force

Bracke, *sub, m, -n, -n* brackish water; **brackig** *adj*, brackish; **Brackwasser** *sub, n, -s, -wässer* brackish water

Brahma, *sub, m, -s, nur Einz.* Brahman

Brahmane, *sub, m, -n, -n* Brahmin; **brahmanisch** *adj*, Brahmi-

nical; **Brahmanismus** *sub, m, nur*
Einz. Brahmanism

Brailleschrift, *sub, f, -, nur Einz.*
Braille

Brainstorming, *sub, n, -s, nur Einz.*
brainstorming session

bramarbasieren, *vi,* brag

Bramsegel, *sub, n, -s, -* topgallant
sail

Branche, *sub, f, -, -n* branch of industry; *sich in der Branche ausken-*
nen have knowledge of the
industry; **~nverzeichnis** *sub, n, -*
ses, -se yellow pages

Branchie, *sub, f, -, -n (biol.)* gill

Brand, *sub, m, -s, Brände (brennen)*
fire; *m, -s, nur Einz. (ugs.; Durst)*
thirst; *Feuer ist ein guter Diener,*
aber ein schlechter Herr fire is a
good servant, but a bad master; *in*
Brand geraten catch fire; *in Brand*
setzen set fire to; **brandaktuell** *adj,*
very latest; *brandaktuelle Nach-*
richten very latest news; **~blase**
sub, f, -, -en blister; **~bombe** *sub, f,*
-, -en fire-bomb; **~fackel** *sub, f, -, -n*
firebrand; **brandig** *adj, (geb.)*
burnt; *(tt; med.)* gangrenous; **~le-**
gung *sub, f, -, -en* case of arson;
~mal *sub, n, -s, -e* burn mark; *Vieh*
mit einem Brandmal versehen to
brand the cattle; **brandmarken** *vt,*
brand; *jmd als Verräter brandmar-*
ken brand sb as a traitor; **~meister**
sub, m, -s, - chief fire officer; **brand-**
neu *adj,* brand-new; **brandschat-**
zen *vti, (hist.)* pillage and threaten
to burn; **~stifter** *sub, m, -s, -* arsonist; **~stiftung** *sub, m, -, -en* case of
arson; **~ursache** *sub, f, -, -n* source
of fire; **~zeichen** *sub, m, -s, -* brand

branden, *vi, (geb.)* break; *ans Ufer*
branden to break ashore

Brandung, *sub, f, -, nur Einz.* surf

Brandy, *sub, m, -s, -s* brandy

Brasilianer, *sub, m, -s, -* Brazilian

Brasse, *sub, f, -, -n* brace

Braten, (1) *sub, m, -s, -* roast (2)
braten *vt, (Ofen)* roast; *(Pfanne)*
fry (3) *vti, (Sonne)* roast; *kalter*
Braten cold meat; *Schweinebraten*

roast pork; *Bratbubnchen* med
chicken; *braun braten* fry sth until it´s brown, *am Spiess braten*
roast sth on a spit; *in der Sonne*
braten roast in the sun; **~rock**
sub, m, -s, -röcke frock-coat;
~soße *sub, f, -, -n* gravy; **Brat-**
hähnchen *sub, n, -s, -* roast chik-
ken

Bratsche, *sub, f, -, -n (mus.)* viola;
Bratschist *sub, m, -en, -en* viola-
player

Bratwurst, *sub, f, -, -würste* sausage

Bräu, *sub, f, -s, -s und -e* brew

Brauch, *sub, m, -s, Bräuche* custom; *das ist so Brauch* that is the
custom

brauchbar, *adj,* useful; *er ist ganz*
brauchbar he is a decent (wor-
ker/pupil)

brauchen, (1) *vi, (nötig sein)*
need (2) *vt, (benötigen)* need;
(benutzen) use; *(Zeit aufwen-*
den) take; *alles was du brauchst*
all you need; *du brauchst nicht*
weinen there is no need to cry; *du*
brauchst nicht zu helfen there is
no need to help; *es braucht kei-*
nes weiteren Beweises no further
proof is needed; *ich brauche dei-*
nen Rat nicht I can well do without your advice, *das Auto*
brauchen to use the car; *die Far-*
be brauchen to use the paint; *er*
braucht zehn Minuten it takes
him ten minutes; *wie lang*
brauchst du? how long will it take
you?

Brauchtum, *sub, n, -s, -tümer* custom; *das bayerische Brauchtum*
the Bavarian customs

Braue, *sub, f, -, -n* brow; *Augen-*
braue eyebrow

brauen, *vti,* brew; *Bier brauen*
brew beer; *Kaffee brauen* brew
up coffee; **Brauerei** *sub, f, -, -en*
brewery; **Braumeister** *sub, m, -s,*
- master brewer

braun, (1) *adj, (Farbe)* brown;
(Haut) tan (2) **Braun** *sub, n, -s,*

Bräune brown; *das sind Braune they are* (Neo)Nazis

Braunbär, *sub, m, -s, -en* brown bear

Bräune, *sub, f, -, nur Einz.* tan

Braunkohle, *sub, f, -, -en* brown coal

Braus, *sub, m, nur Einz. (s. Saus)* life; *in Saus und Braus leben* live the high life

Brause, *sub, f, -, -n (Dusche)* shower; *(Getränk)* fizzy drink

Brausen, (1) *sub, n, -s, nur Einz.* roar **(2) brausen** *vi, (duschen)* shower; *(Verkehr)* roar

Brausepulver, *sub, n, -s, -* sherbet

Braut, *sub, f, -, Bräute* bride; *(Verlobte)* fiancée; **~eltern** *sub, f, -, nur Mehrz.* bride´s parents; **~führer** *sub, m, -s, -* bride´s guide; **Bräutigam** *sub, m, -s, -* groom; **~jungfer** *sub, f, -, -n* bridesmaid; **~mutter** *sub, f, -, -mütter* bride´s mother; **~paar** *sub, n, -s, -e* bridal couple

brav, *adj, (artig)* good; *(ehrlich)* honest; *(mutig)* brave; *iß schön brav deine Suppe* be a good boy/girl and eat up your soup; *sei ein braver Junge* be a good boy

Bravo, *sub, n, -s, -s* cheer; **~ruf** *sub, m, -s, -e* cheer; *die lauten Bravorufe der Zuschauer* the loud cheers of the audience; **bravourös** *adj,* brilliant; *bravouröse Vorstellung* brilliant performance; **~urstück** *sub, n, -s, -e* brilliant performance; **Bravur** *sub, f, -, nur Einz.* stylishness; **Bravurstück** *sub, n, -s, -e* brilliant performance

bravo!, *interj,* bravo

Breakdancer, *sub, m, -s, -* breakdancer

Brechdurchfall, *sub, m, -s, -fälle (med.)* diarrhea

brechen, (1) *vi, (erbrechen)* throw up **(2)** *vt,* break; *brechend voll* full to bursting; *mir bricht das Herz* it breaks my heart; *mit seiner Gewohnheit brechen* break a habit; *sich den Arm brechen* break one´s arm

Brecher, *sub, m, -s, - (Welle)* breaker

Brechmittel, *sub, n, -s, -* emetic; *Er*

ist ein Brechmittel He makes me want to throw up

Brechreiz, *sub, m, -es, -e* nausea

Brechstange, *sub, f, -, -n* crowbar; *ein Sieg mit der Brechstange* a victory by sheer force; *Probleme mit der Brechstange lösen* solve problems with a sledgehammer

Brechung, *sub, f, -, -en* refraction

Breeches, *sub, f, -, nur Mehrz.* breeches

Brei, *sub, m, -s, -e* porridge; *(US)* oatmeal; *einen Brei aus etwas machen* make sth a mush; *um den heißen Brei herumreden* beat about the bush; **breiig** *adj,* mushy

breit, *adj,* wide; *breiter machen* widen a street; *der Saum ist 5 cm breit* the hem is 5 cm wide

breitbeinig, *adv,* squarely

Breite, *sub, f, -, -n (Ausmaß)* width; *(geogr.)* latitude; *der Breite nach durchschneiden* to cut through sth widthwise; *in die Breite gehen* put on weight; *auf dem 35(nördl) Breitengrad liegen* have the latitude of 35 degree (north)

Breitengrad, *sub, m, -s, -e* degree of latitude

Breitensport, *sub, m, -s, nur Einz.* popular sport

breit machen, *vt,* spread; *die Pest macht sich breit* the pest is spreading

breitrandig, *adj,* broad-brimmed

breitschlagen, *vt, (i. ü. S.)* persuade; *sich breitschlagen lassen* let him/herself be persuaded

Breitschwanz, *sub, m, -es, -schwänze* caracul; *Breitschwanzpersianer* caracul

breitspurig, *adj,* broad-gauge; *breitspurige Eisenbahn* broad-gauge

Breitwand, *sub, f, -, -wände* big screen

Bremse, *sub, f, -, -n (biol.)* horsefly; *(tech.)* brake; *auf die Bremse treten* put on the brakes; **brem-**

sen *vti*, brake, *bremsen* to brake up; *er ist nicht zu bremsen* there´s no stopping him; **~nplage** *sub, f, -, -n* horse fly plague; **~nstich** *sub, m, -s, -e* stich of a horse fly; **Bremsflüssigkeit** *sub, f, -, -en* brake-fluid; *(US)* brake-liquid; **Bremslicht** *sub, n, -s, -er* brake-light; **Bremsung** *sub, f, -, -en* braking; **Bremsweg** *sub, m, -s, -e* braking distance

brennbar, *adj*, inflammable; *leicht brennbar* highly inflammable; **Brennbarkeit** *sub, f, -, -en* inflammability; **Brenndauer** *sub, f, -, - (Lampe)* life; *Brenndauer des Tons* firing time of the clay; **Brennelement** *sub, n, -s, -e (Kerntechnik)* fuel-rod; **Brenner** *sub, m, -s, -* burner; **Brennerei** *sub, f, -, -en* distillery; **Brennglas** *sub, n, -es, -gläser* burning-glas; **Brennnessel** *sub, f, -, -n* stinging-nettle; **Brennpunkt** *sub, m, -s, -e* focus; *im Brennpunkt stehen* be the focus of attention; **Brennschere** *sub, f, -, -n* curling iron; **Brennspiritus** *sub, m, -, -* methylated spirits; **Brennstoff** *sub, m, -s, -e* fuel; **Brennstoffbehälter** *sub, m, -s, -* fuel-tank; **Brennweite** *sub, f, -, -n* focal length

brennen, *vti*, be on fire, roast; *(verbrennen)* burn; *die Schule brennt* the school is on fire; *ein gebranntes Kind scheut das Feuer* a brand from the burnning; *lichterloh brennen* be blazing fiercely; *sich etwas ins Gedächtnis brennen* brand sth on one´s memory; *Kaffee/Mandeln brennen* roast coffee/almonds; *(i. ü. S.) abgebrannt sein* be burnt out; *das Haus brennt* the house is burning; *niederbrennen* to burn to ashes; *sich die Finger verbrennen* burn one´s fingers

brenzlig, *adj*, burnt; *brenzlig riechen* smell burnt; *die Situation wird mir zu brenzlig* things are getting too hot for me

Bresche, *sub, f, -, -n* breach; *für jmd in die Bresche springen* stand in for sb

Brett, *sub, n, -s, -er* board; *(lang)* plank; *das schwarze Brett* the notice-board; *die Bretter, die die Welt bedeuten* be on the boards; *Dünnbrett bohren* take the easy way out; *ein Brett vor dem Kopf haben* can´t think straight; *Spielbrett* board; **~erbude** *sub, f, -, -n* hut; **~erwand** *sub, f, -, -wände* wooden wall; **~erzaun** *sub, m, -s, -zäune* wooden fence

Breve, *sub, n, -s, -n* breve

Brevier, *sub, n, -s, -e* breviary

Brezel, *sub, f, -, -n* pretzel; *Brezeln mit Senf* pretzels with mustard

Brief, *sub, m, -s, -e* letter; *einen Brief schicken* send a letter; *offener Brief* open letter; **~freund** *sub, m, -s, -e* penfriend; **~geheimnis** *sub, n, -ses, -se* privacy of the post; **~ing** *sub, n, -s, -s* briefing; **~kasten** *sub, m, -s, -kästen* post-box; *(US)* mailbox; *Briefkastenfirma* accommodation address; *Haus-Briefkasten* letter-box; *Postfach* post-box; *Hausbriefkasten* mailbox; **~kopf** *sub, m, -s, -köpfe* letterhead(ing); **brieflich (1)** *adj*, written **(2)** *adv*, by letter; **~marke** *sub, f, -, -n* stamp; **~öffner** *sub, m, -s, -* letter-opener; **~papier** *sub, n, -s, nur Einz.* writing-paper; **~partner** *sub, m, -s, -* penfriend; **~tasche** *sub, f, -, -n* wallet; **~taube** *sub, f, -, -n* carrier pigeon; **~träger** *sub, m, -s, -* postman; **~umschlag** *sub, m, -s, -schläge* envelope; **~wahl** *sub, f, -, -en* postal vote; **~wechsel** *sub, m, -s, -* correspondence; *Briefwechsel mit jmd führen* be in correspondence with sb

Bries, *sub, n, -es, -e* thymus

Brigade, *sub, f, -, -n* brigade; *Arbeitsbrigade* (work)brigade; **Brigadier** *sub, m, -s, -s* brigadier; **Brigadierin** *sub, f, -, -nen* brigade-leader

Brigant, *sub, m, -en, -en (hist.)* brigand

Brigg, *sub, f, -, -s* brig
Brikett, *sub, n, -s, -s* briquette; **brikettieren** *vt*, form like a briquette
brillant, (1) *adj*, brilliant **(2) Brillant** *sub, m, -en, -en* brilliant; *ein brillanter Vortrag* a brilliant lecture; **Brillantring** *sub, m, -s, -e* diamond ring
Brillantine, *sub, f, -, nur Einz.* brillantine
Brillanz, *sub, f, -, nur Einz.* brilliance
Brille, *sub, f, -, -n* glasses; *Brille* spectacles; *eine Brille tragen* wear glasses; *etwas durch die rosa Brille sehen* see sth through rose-coloured glasses; **~netui** *sub, n, -s, -s* glasses-case; **~nglas** *sub, n, -es, -gläser* spectacle-lens; **~nschlange** *sub, f, -, -n (scherzhaft)* four-eyes; *(zool.)* spectacle cobra
Brimborium, *sub, n, -s, nur Einz.* hoo-ha; *Brimborium um etwas machen* make a big hoo-ha about sth
bringen, *vt, (begleiten)* take; *(dar-)* make, perform; *(es zu etwas -)* get; *(her-)* bring; *(hin-)* take; *(veröffentlichen)* publish, broadcast; *die Kinder zur Schule bringen* take the children to school; *ein Opfer bringen* make a sacrifice; *ein Ständchen bringen* to perform a serenade; *es zu etwas/nichts bringen* get somewhere/nowhere; *ich bringe den Schlüssel nicht ins Schloss* I can´t get the key into the lock; *Bequemlichkeit bringen* bring comfort; *bring Deine Frau mit* bring your wife along/with you; *bring mir bitte etwas* please bring sth to me; *er bringt die Rechnung* he brings the bill along; *Glück bringen* bring sb good/bad luck; *ich brachte ihr ein Geschenk* I brought her a present; *jmd Nachrichten bringen* bring sb news; *Profit bringen* bring a profit; *bring mich nach Hause* take me home; *das Auto zum Laufen bringen* get the car to go; *den Film zur Drogerie bringen* take the film to the drugstore; *einen Fall vor Gericht bringen* take a matter to court; *das Fernsehen bringt die Oscar-Verleihung* TV broadcasts the Academy Award
Bringschuld, *sub, f, -, -en* debt; *Bringschuld* dept to be paid at the creditor´s domicile
Brioche, *sub, f, -, -s* brioche
brisant, *adj*, explosive; *das ist eine brisante Geschichte* this is an explosive story; **Brisanz** *sub, f, -, -en* explosiveness; *ein Thema von hoher politischer Brisanz* a highly explosive political subject
Brise, *sub, f, -, -n* breeze; *Meeresbrise* sea breeze
Bristolkanal, *sub, m, -s, nur Einz.* (geogr.) Bristol Channel
Britannien, *sub, n, -s, nur Einz.* Britain; *Grossbritannien* Greatbritain; **britannisch** *adj*, Britannic
Brite, *sub, m, -n, -n* Briton; **britisch** *adj*, British; *die Britischen Inseln* The British Isles; **Britizismus** *sub, m, -, -men* Briticism
bröckelig, *adj*, crumbly; *ein bröckeliger Kuchen* a crumbly pastry
bröckeln, *vi*, crumble; *sein Brot bröckeln* crumble one´s bread; *zerbröckeln, verfallen* crumble away
Brocken, (1) *sub, m, -s, -* chunk **(2) brocken** *vt*, crumble; *ein dikker Brocken Fleisch* big chunk of meat; *ein harter Brocken* hard nut to crack; *ein paar Brocken aufschnappen* catch e few snatches; **brockenweise** *adv*, bit by bit; *die Informationen nur brockenweise bekommen* get the information bit by bit
Bröcklichkeit, *sub, f, -, -en* easily crumbling
brodeln, *vi*, bubble
Broiler, *sub, m, -s, -* fried chicken; **~mast** *sub, f, -, -* chicken fattening
Brokat, *sub, m, -s, nur Einz.* brocade; **brokaten** *adj*, made of brocade

Brokkoli, *sub, m, -s, nur Einz.* broccoli

Brom, *sub, n, -s, nur Einz. (chem.)* bromine

Brombeere, *sub, f, -, -n* blackberry

bronchial, *adj, (med.)* bronchial; **Bronchialasthma** *sub, n, -s, nur Einz.* bronchial asthma; **Bronchialkatarr** *sub, m, -s, -e* bronchitis; **Bronchie** *sub, f, -, -n* bronchial tube; **Bronchitis** *sub, f, -, -chitiden (med.)* bronchitis

Brontosaurus, *sub, m, -saurier (paläont)* apatosaurus, brontosaur

Bronze, *sub, f, -, -n (kun.)* bronze statue; **bronzefarben** *adj*, coloured like bronze; **bronzefarbig** *adj, (Haut)* bronzed; **bronzen** *adj*, bronze; **bronzen schimmern** glint like bronze; **~zeit** *sub, f, -, nur Einz.* Bronze Age

Brosame, *sub, m, -, -n* crumb

Brosche, *sub, f, -, -n* brooch

broschieren, *adj*, paperback

Broschüre, *sub, f, -, -n* booklet; *(Reise)* broschure

Brösel, *sub, m, -s, -* crumb

Brot, *sub, n, -s, -e* bread; *der Mensch lebt nicht vom Brot allein* man shall not live by bread alone; *ein Laib Brot* a loaf of bread; *eine Scheibe Brot* a slice of bread; **Brötchen** *sub, n, -s, -* roll; *kleine Brötchen backen* lower one's sights; **~getreide** *sub, n, -s, -* grain; **~korb** *sub, m, -s, -körbe* bread-basket; **~laib** *sub, m, -s, -e* loaf of bread; **brotlos** *adj, (wirt.)* unemployed; *brotlose Kunst* there is no money in that; *jmd brotlos machen* put sb out of work; **~maschine** *sub, f, -, -n* bread-slicer; **~scheibe** *sub, f, -, -n* slice of bread; **~schnitte** *sub, f, -, -n (ugs.)* slice of bread; **~teig** *sub, m, -s, -e* bread dough; **~zeit** *sub, f, -, -en (Essen)* snack; *(Pause)* break; *eine Brotzeit mitnehmen* take a snack with (me); *Brotzeit machen* have a break

Browning, *sub, f, -, -s (mil.)* Browning

Bruch, *sub, m, -s, Brüche* break; *(mat.)* fraction; *(med.)* fracture; *Deichbruch* breaking of the dam/brit: the breaching; *(i. ü. S.) in die Brüche gehen* break up; *zu Bruch gehen* get broken; **~rechnen (1)** *sub, n, -s, -* fractions (2) **bruchrechnen** *vi*, do fractions; *beim Bruchrechnen* when doing fractions; *jmd bruchrechnen beibringen* teach how to do fractions

brüchig, *adj*, brittle, crumbly; *(i. ü. S.) sich auf brüchigem Eis bewegen* be on thin ice

Brüchigkeit, *sub, f, -, -en* brittleness, crumbliness

Bruchschaden, *sub, m, -s, -schäden* breakage

bruchsicher, *adj*, unbreakable

Bruchstelle, *sub, f, -, -n* break; *Bruchstelle des Knochens* fracture of the bone; *eine Bruchstelle kleben* apply adhesive to a broken area

Bruchstrich, *sub, m, -s, -e* fraction line

Bruchteil, *sub, m, -s, -e* part; *im Bruchteil einer Sekunde* in a fraction of a second; *um den Bruchteil einer Sekunde zu spät* a split second too late

Brücke, *sub, f, -, -n* bridge; *eine Brücke im Mund haben* have a bridge; **~nkopf** *sub, m, -s, -köpfe (mil.)* bridgehead; **~nzoll** *sub, m, -s, -e* bridge-toll

Bruder, *sub, m, -s, Brüder* brother; *unter Brüdern* amongst friends; **~krieg** *sub, m, -s, -e* fratricidal war; **brüderlich** *adj/adv, (ugs.)* brotherly; *(geb.; polit.)* fraternal; *brüderlich teilen* share sth in a fair and generous way; *auf brüderliche Art und Weise* in a fraternal way; **~schaft** *sub, f, -, -en* brotherhood; **Brüderschaft** *sub, f, -, -en* close friendship; *Brüderschaft trinken* drink to close friendship; **~zwist** *sub, m, -s, -e* feud between brothers

Brühe, *sub, f, -, -n (ugs.)* stock; *(Suppe)* clear soup; **brühen** *vt*, blanch; *Kaffee brühen* brew coffee; **brühwarm (1)** *adj, (Klatsch)* very latest **(2)** *adv, (weitererzählen)* straight away; *jmd etwas brühwarm erzählen* pass sth around straight away

brüllen, *vi*, roar; *brüllen wie ein Löwe* roar like a lion; *das ist zum Brüllen* it is a scream; *er brüllt wie am Spiess* he bawled his head off

Brummbär, *sub, m, -en, -en* grouch

Brummbass, *sub, m, -es, -bässe* bass voice

brummeln, *vi*, mumble

brummen, *vi, (i. ü. S.)* murmur; *(Bär)* growl; *(Insekt)* buzz; *(tech.)* drone; *mir brummt der Schädel* my head is buzzing

Brummer, *sub, m, -s, - (ugs.)* bluebottle

Brummi, *sub, m, -s, -s* truck; *Brummi-Treff* truck-stop

Brummigkeit, *sub, f, -, -en* grumpiness

Brummschädel, *sub, m, -s, - (ugs.)* thick head

Brunch, *sub, m, -s, -e oder -s* brunch

brünett, *adj*, dark-haired; **Brünette** *sub, f, -, -n* brunette

Brunft, *sub, f, -, -brünfte (fem.)* heat; *(mask.)* rut; **~hirsch** *sub, m, -s, -e* rutting stag; **brunftig** *adj*, rutting *(mask)/on heat (fem)*; **~schrei** *sub, m, -s, -e* bell

Brunnen, *sub, m, -s, -* fountain; *Trinkbrunnen* (mineral) waters; **~figur** *sub, f, -, -en* figure on the fountain

Brunst, *sub, f, -, -brünste* s. Brunft

brünstig, *adj*, s. brünftig

brüsk, *adj*, brusque, abrupt; *jmd brüsk zurückweisen* insult sb

brüskieren, *vt*, offend; *(stärker)* insult; **Brüskierung** *sub, f, -, -en* insult; *Brüskierung* a piece of offensive behaviour

Brüssel, *sub, n, -s* Brussels; *Brüsseler Spitzen* Brussels lace

Brust, *sub, f, -, Brüste (allg)* chest; *(weibl.)* breast; *einen zur Brust*

nehmen have quick (drink) one; *mit stolzgeschwellter Brust* as proud as a peacock; *sich jmd zur Brust nehmen* give someone hell; *einem Baby die Brust geben* to breastfeed a baby; *Hähnchenbrust* breast; **~bein** *sub, n, -s, -e* breastbone; **~beutel** *sub, m, -s, -* purse; **~breite** *sub, f, -, -n* chest-measurement; **~kasten** *sub, m, -s, -kästen (ugs.)* chest; **~korb** *sub, m, -s, -körbe (anat.)* thorax; **~krebs** *sub, m, -es, -e* breast cancer; **~schwimmen (1)** *sub, n, -s, nur Einz.* breaststroke **(2)** **brustschwimmen** *vi*, do breaststroke; **~stimme** *sub, f, -, -n* chest-voice; **~tasche** *sub, f, -, -n* breast pokket; **~ton** *sub, m, -s, -töne* chest tone; *im Brustton der Überzeugung* with utter conviction; **~umfang** *sub, m, -s, -fänge* bust measurement; **Brüstung** *sub, f, -, -en* balustrade; **~warze** *sub, f, -, -n* nipple; **~wickel** *sub, (med.)* chest compress

Brut, *sub, f, -, -* brood; *ist das eine Brut!* what a brood!

brutal, *adj*, brutal, violent; *mit brutaler Gewalt* with brute force; **~isieren** *vt*, brutalize; **Brutalität** *sub, f, -, -en* brutality

Brutapparat, *sub, m, -s, -e (med.)* incubator

brüten, **(1)** *vi, (biol.)* brood **(2)** *vt, (phy.)* breed; *brütende Hitze* stifling heat; *über einem Aufsatz brüten* work on an essay; *über etwas brüten* brood over sth; **Brüter** *sub, m, -s, -* breeder; *Schneller Brüter* fast breeder; **Bruthitze** *sub, f, -, nur Einz.* sweltering heat; **Brutkasten** *sub, m, -s, -kästen (med.)* incubator; *eine Hitze wie im Brutkasten* it´s like an oven; *im Brutkasten liegen* stay in the incubator; **Brutreaktor** *sub, m, -s, -en (phy.)* breeder reactor; **Brutschrank** *sub, m, -s, -schränke* hotbed

brutto, *adv, (wirt.)* gross; **Brutto-**

Einkommen sub, n, -s, - gross income; **Bruttoertrag** sub, m, -s, -erträge gross return; **Bruttogehalt** sub, n, -s, -gehälter gross salary; **Bruttogewicht** sub, n, -s, -e gross weight; **Bruttomasse** sub, f, -, - (wirt.) gross assets; **Bruttoregistertonne** sub, f, -, -n gross register ton; **Bruttosozialprodukt** sub, n, -s, -e (wirt.) gross national product

Bub, sub, m, -en, -en boy; der Bub im Manne boys will be boys; ~e sub, m, -n, -n jack; der böse Bube the bad boy; Kinderspiel Jack in the Box; ~enstreich sub, m, -s, -e childish prank; ~ikopf sub, m, -s, -köpfe bobbed hair (bob)

Buch, sub, n, -s, Bücher book; Buch führen über keep a record of; das Goldene Buch der Stadt the visitor´s book of the town; ein Buch mit sieben Siegeln a closed book/a mystery; über seinen Büchern sitzen pore over one´s books; wie ein Buch reden talk nineteen to the dozen; wie es im Buche steht typical; ~binderin sub, f, -, -nen bookbinder (fem/mask); **buchbindern** vi, bind books; ~druck sub, m, -s, - letterpress printing; ~drucker sub, m, -s, - printer

Buchbinderei, sub, f, -, -en bindery; (Tätigkeit) bookbinding

Buche, sub, f, -, -n (Holz) beech

buchen, (1) adj, of beech (2) vti, book; auf sein Konto buchen enter sth on his account; ausgebucht sein be fully booked; eine Reise buchen book a holiday; einen Flug buchen book a flight; einen Sieg für sich buchen chalk up a victory

Buchenkloben, sub, m, -s, - block of beechwood

Buchenscheit, sub, n, -s, -e piece of beechwood

Bücherbrett, sub, n, -s, -er bookshelf; **Bücherei** sub, f, -, -en library; **Bücherregal** sub, n, -s, -e bookshelves; **Bücherstube** sub, f, -, -n bookshop; **Bücherverbrennung** sub, f, -, -en burning of books

Buchfink, sub, m, -en, -en chaffinch

Buchführung, sub, f, -, -en bookkeeping

Buchgewerbe, sub, n, -s, - bookindustry

Buchhalter, sub, m, -s, - bookkeeper; ~in sub, f, -, -nen bookkeeper; **Buchhaltung** sub, f, -, -en bookkeeping

Buchhandel, sub, m, -s, - book trade; **Buchhändler** sub, m, -s, - bookseller; **Buchhandlung** sub, f, -, -en bookshop

Büchlein, sub, n, -s, - little book

Buchmacher, sub, m, -s, - bookmaker

Büchse, sub, f, -, -n (Blech-) tin; (US; Blech-) can; (mil.) rifle; Büchse der Pandora Pandora´s box; etwas vor die Büchse bekommen come into sb´s sights; ~nmilch sub, f, -, nur Einz. tinned milk; ~nöffner sub, m, -s, - tin opener

Buchstabe, sub, m, -ns, -n letter; (Druck-) character; Buchstabenrätsel letter puzzle; ein großer/kleiner Buchstabe capital/small letter; nach dem Buchstaben des Gesetzes according to the letters of the law; **buchstabieren** vti, spell; ein Wort buchstabieren spell a word; noch buchstabieren müssen spell out a word; **buchstäblich** adv, literally

Bucht, sub, f, -, -en bay

Buchung, sub, f, -, -en reservation

Buchverleih, sub, m, -s, -e rental library; **Buchversand** sub, m, -s, - book mailing; **Buchzeichen** sub, n, -s, - bookmarker

Buckel, sub, m, -, - (ugs.) back; (med.) hunchback; den Buckel hinhalten carry the can, take the blame; rutsch mir den Buckel runter take a running jump; schon 80 Jahre auf dem Buckel haben be 80 already; **buckeln** vi, bow; nach oben buckeln und *nach unten treten* bow to superiors and kick underlings; *vor jmd buckeln* bow and scrape to sb; **bücken** *vr*, bend down; *sich nach etwas bücken* bend down to pick up sth; **Bucklige** *sub*, *f,m*, *-n*, *-n* hunchback

buckelig, *adj*, hunchbacked; *(ugs.; uneben)* bumpy

Bückling, *sub*, *m*, *-s*, *-e (Fisch)* smoked herring; *(ugs.; Verbeugung)* bow

Buckram, *sub*, *m*, *nur Einz. (Textil)* buckram

Buddel, *sub*, *f*, *-*, *-n* bottle; *Buddelschiff* ship in a bottle

Buddelei, *sub*, *f*, *-*, *-en* digging

Buddelkasten, *sub*, *m*, *-s*, *-kästen* sand-pit

buddeln, *vi*, dig; *ein Loch buddeln* dig a hole; *im Sand buddeln* dig about in the sand

Buddelschiff, *sub*, *n*, *-s*, *-e* ship in the bottle

Buddhismus, *sub*, *m*, *-s*, *nur Einz.* Buddhism

Buddhist, *sub*, *m*, *-s*, *-en* Buddhist; **buddhistisch (1)** *adj*, Buddhist **(2)** *adv*, influenced by Buddhism

Bude, *sub*, *f*, *-*, *-n (Hütte)* hut; *(wirt.)* kiosk; *jmd die Bude auf den Kopf stellen* turn sb´s place upside down; *Leben in die Bude bringen* liven things up; **~nzauber** *sub*, *m*, *-s*, *-* rave-up

Budike, *sub*, *f*, *-*, *-n* little shop

Büfett, *sub*, *n*, *-s*, *-s* buffet; *(Möbel)* sideboard; *kaltes Büffet* cold buffet

Büffel, *sub*, *m*, *-s*, *-* buffalo; *stur wie ein Büffel* stubborn as a mule; **~ei** *sub*, *f*, *-*, *-en* swotting; **~herde** *sub*, *f*, *-*, *-n* herd of buffaloes; **büffeln** *vti*, cram

Buffo, *sub*, *m*, *-s*, *-s (mus.)* buffo

Bug, *sub*, *m*, *Büge* bow; *Schiffsbug* bow; *Schuss vor den Bug* warning shot

Bügel, *sub*, *m*, *-s*, *-* hanger; *(Tasche)* frame; *auf den Bügel hängen* put on a hanger; **~automat** *sub*, *m*, *-en*, *-en* ironing-machine; **~brett** *sub*,

n, *-s*, *-er* ironing-board; **~eisen** *sub*, *n*, *-s*, *-* iron; **bügelfrei** *adj*, non-iron; **bügeln** *vti*, iron; *Hose bügeln* press the trousers

Buggy, *sub*, *m*, *-s*, *-s* buggy

bugsieren, *vt*, shift; *den Koffer bugsieren* shift the case

Bugwelle, *sub*,*f*, *-*, *-n* bow wave; *in der Bugwelle schwimmen* swim in the bow wave

buhen, *vi*, *(ugs.)* boo

Buhle, *sub*,*f*, *-*, *-n* paramour; **buhlen** *vt*, court sb´s favour

Buhmann, *sub*, *m*, *-s*, *-männer* bogyman; *für jmd ein Buhmann sein* be a bog(e)yman

Buhne, *sub*,*f*, *-*, *-n* groyne

Bühne, *sub*, *f*, *-*, *-n* stage; *auf der politischen Bühne* on the political scene; *Beifall auf offener Bühne* applause during the play; *etwas (gut) über die Bühne bringen* bring sth off (smoothly); *hinter der Bühne* backstage; **~nbild** *sub*, *n*, *-s*, *-er* stage set; **bühnenmäßig** *adj*, dramatic; **~nmusik** *sub*,*f*, *-*, *-en* incidental music

Buhruf, *sub*, *m*, *-s*, *-e* boo

Bukett, *sub*, *n*, *-s*, *-s* bouquet; *Blumenbukett* bouquet of flowers; *Bukett des Weines* bouquet

bulbös, *adj*, bulbous

Bulette, *sub*,*f*, *-*, *-n* rissole

bulgarische, *adj*, Bulgarian

Bulkcarrier, *sub*, *m*, *-s*, *-* bulk carrier

Bullauge, *sub*, *n*, *-s*, *-n* circular porthole

Bulldog, *sub*, *m*, *-s*, *-s (ugs.)* bulldozer; *mit dem Bulldog spielen* play with the bulldozer

Bulldogge, *sub*,*f*, *-*, *-n* bulldog

Bulldozer, *sub*, *m*, *-s*, *-* bulldozer

Bulle, *sub*, *f*, *-*, *-n (ugs.)* cop; *(bibl.)* bull; *(Tier)* bull; *er ist ein Bulle* he´s big bull; **~nhitze** *sub*, *f*, *-*, *-n* boiling heat; **bullig** *adj*, beefy; *bullig heiss* boiling hot; **Bullterrier** *sub*, *m*, *-s*, *-* bull-terrier

Bulletin, *sub*, *n*, *-s*, *-s* bulletin

Bully, *sub*, *n*, *-s*, *-s (spo.)* bully; *einen Bully ausführend* take a bully

Bumerang, *sub*, *m*, *-s*, *-s* boomerang; *sich als Boomerang erweisen* it boomeranged on so

Bummel, *sub*, *m*, *-s*, *-* stroll

Bummelei, *sub*, *f*, *-*, *-en* idling; **Bummeligkeit** *sub*, *f*, *-*, *-en* slowliness; **bummeln** *vi*, stroll around; **Bummelstreik** *sub*, *m*, *-s*, *-s* go-slow; **Bummligkeit** *sub*, *f*, *-s*, *-* s. Bummeligkeit

bumsen, *vi*, *(vulg.)* screw; *(tech.)* bang; *fremdgehen* screw around; *an die Tür bumsen* bang on the door; *es bumste ganz fürchterlich* there was a terrible bang

Bund, *sub*, *m*, *Bünde* association; *der Bund* Federal Government; *der Bund der Ehe* bond of marriage; *im Bunde mit* in league with; **~esan- walt** *sub*, *m*, *-s*, *-anwälte (jur.)* Federal Prosecutor; **~esbruder** *sub*, *m*, *-s*, *.brüder* fellow member; **~es- bürger** *sub*, *m*, *-s*, *-* German citizen; **~esebene** *sub*, *f*, *-*, *-n* federal level; *auf Bundesebene* at national (federal) level; **bundeseigen** *adj*, federal owned; **~esgebiet** *sub*, *n*, *-s*, *-e* federal territory; **~eskanzler** *sub*, *m*, *-s*, *-* Federal chancelor; **~esliga** *sub*, *f*, *-*, *-en* federal division; **~esli- gist** *sub*, *m*, *-en*, *-en* team in the federal division; **~esmarine** *sub*, *f*, *-*, *-nen* Federal Navy; **~esregierung** *sub*, *f*, *-*, *-en* Federal Government; **~esstaat** *sub*, *m*, *-s*, *-en* federal state; **~esstraße** *sub*, *f*, *-*, *-n* federal highway; **~estag** *sub*, *m*, *-s*, *-e* Parliament; **~eswehr** *sub*, *f*, *-*, *-en* Federal Armed Forces; *Deutsche Bundeswehr* German Armed Forces

Bundhose, *sub*, *f*, *-*, *-n* knee-breeches

bündig, *adj*, concise; *kurz und bündig* concisely

Bündnis, *sub*, *n*, *-ses*, *-se* alliance; **~block** *sub*, *m*, *-s*, *-blöcke* bloc of alliance; **~treue** *sub*, *f*, *-*, *-* loyality to the alliance

Bungalow, *sub*, *m*, *-s*, *-s* bungalow

Bunker, *sub*, *m*, *-s*, *-* bunker; *Luft- schutzbunker* air-raid shelter; *Ra- ketenbunker, Golfspiel* bunker; **bunkern** *vt*, *(Kohle)* bunker; *(Le- bensmittel)* store; *Kohlen bun- kern* bunker coal

bunt, *adj*, colourful (coloured); *bekannt wie ein bunter Hund* known all over the place; *bunt gefärbt* multicoloured; *bunte Rei- he* men and women alternate; *es zu bunt treiben* to go too far; **Buntdruck** *sub*, *m*, *-s*, *-e* colour printing; **Buntheit** *sub*, *f*, *-*, *-en* lots of colours; **Buntsandstein** *sub*, *m*, *-s*, *-e (geol.)* red sandsto- ne; **~scheckig** *adj*, spotted; **Buntspecht** *sub*, *m*, *-s*, *-e* spotted woodpecker; **Buntstift** *sub*, *m*, *-s*, *-e* coloured crayon; **Buntwä- sche** *sub*, *f*, *-*, *-n* coloureds

Bürde, *sub*, *f*, *-*, *-n* burden; *jmd zur Bürde werden* become a burden to sb

Bure, *sub*, *m*, *-n*, *-n* Boer

Burg, *sub*, *f*, *-*, *-en* castle; *mein Heim ist meine Burg* my home is my castle

Bürge, *sub*, *m*, *-n*, *-n* guarantor; **bürgen** *vi*, guarantee for/of; *für jemanden bürgen* act as a guaran- tor for sb; *wer bürgt mir dafür* what guarantee do I have for

Bürger, *sub*, *m*, *-s*, *-* citizen; **~in** *sub*, *f*, *-*, *-nen* citizen; **~initiative** *sub*, *f*, *-*, *-n* citizen´s action; **~krieg** *sub*, *m*, *-s*, *-e* civil war; **bürgerlich** *adj*, *(jur.)* civil; *(soz.)* bourgeois; *bürgerliche Küche* home cooking; *bürgerliches Recht* civil rights; **~meister** *sub*, *m*, *-s*, *-* mayor; **~recht** *sub*, *n*, *-s*, *-e* civil right; **~schaft** *sub*, *f*, *-*, *-en* citizens; **~smann** *sub*, *m*, *-es*, *- männer* middle-class man; **~steig** *sub*, *m*, *-s*, *-e* pavement; *(US)* sidewalk; *auf dem Bürger- steig* on the pavement; **~tum** *sub*, *n*, *-s*, *nur Einz.* bourgeoisie

Burgfrieden, *sub*, *m*, *-s*, *-* truce

Bürgschaft, *sub*, *m*, *-*, *-en* guarantee; *Bürschaft leisten* bail

burgundisch, *adj*, Burgundy

Burgverlies, *sub, n, -s, -e* dungeon

burlesk, *adj, (kun.)* burlesque; **Burleske** *sub, f, -, -n* burlesque

Bursche, *sub, m, -s, -n* boy; *Laufbursche* a boy in buttons

Burschenschaft, *sub, f, -, -en* student´s duelling society

burschikos, *adj*, sporty; *(US)* casual

Bürste, *sub, f, -, -n* brush; **bürsten** *vt*, brush; *gegen den Strich bürsten* brush against the nap; *sich die Haare bürsten* brush one´s hair; **~nabzug** *sub, m, -s, -züge (Druck)* brush proof

Bürzel, *sub, m, -s, - (zool.)* rump

Bus, *sub, m, -ses, Busse* bus; *mit dem Bus fahren* go by bus

Busch, *sub, m, -es, Büsche* bush; *auf den Busch klopfen* sound things out; *da ist etwas im Busche!* there´s something going on!; *hinterm Busch halten* mit keep sth to oneself; *sich in die Büsche schlagen* slip away; **büschelweise** *adv*, in tufts/in handfuls; **~messer** *sub, n, -s, -* machete

Busen, *sub, m, -s, -* bosom; **~freund** *sub, m, -s, -e* bosom friend

Business, *sub, n, -, nur Einz.* business

Bussard, *sub, m, -s, -e (zool.)* buz-

zard

Buße, *sub, f, -, -n* penance; **büßen** (1) *vi*, atone (2) **Büßer** *sub, m, -s, - (bibl.)* penitent; *das sollst du mir büßen* you will pay for it; *für etwas büßen* atone for; **bußfertig** *adj*, penitent; **Bußgeld** *sub, n, -es, -er* fine; *100 Dollar Bußgeld* 100 $ fine; **Bußprediger** *sub, m, -* repentance-preacher; **Bußsakrament** *sub, n, -es, nur Einz.* sacrament of penance

Büste, *sub, f, -, -n (kun.)* bust; **~nhalter** *sub, m, -s, -* bra; *Büstenhalter mit Einlagen* wonderbra

Butan, *sub, n, -s, nur Einz. (chem.)* butane; **~gas** *sub, n, -es, nur Einz.* butane gas

Butler, *sub, m, -s, -* butler

Butte, *sub, f, -, -n* tub

Büttenpapier, *sub, n, -s, -e* handmade paper

Button, *sub, m, -s, -s* badge

Butzemann, *sub, m, -s, -männer (ugs.)* bogyman

Butzenscheibe, *sub, die ,, -, -n* bull´s eye pane

Bypass, *sub, m, -es, -pässe* bypass

Byte, *sub, n, -s), (-s)* byte

Byzantinistik, *sub, f, -, nur Einz.* Byzantine studies

C

Caballero, *sub*, *m*, -s, -s caballero

Cabaret, *sub*, *n*, -s, -s cabaret

Cadmium, *sub*, *n*, -s, nur Einz. *(chem.)* cadmium

Café, *sub*, *n*, -s, -s café

Cafeteria, *sub*, *f*, -, -s und -ien cafeteria

Caisson, *sub*, *m*, -s, -s *(tech.)* caisson

Callgirl, *sub*, *n*, -s, -s callgirl

Calvados, *sub*, *m*, -, nur Einz. calvados

Calypso, *sub*, *m*, (-s), nur Einz. calypso

Camembert, *sub*, *m*, -s, -s *(Käse)* camembert

Camp, *sub*, *n*, -s, -s camp; **campen** *vi*, camp; **~er** *sub*, *m*, -s, - *(Kfz)* caravan; *(Person)* camper; **~ing** *sub*, *n*, -s, nur Einz. camping; **~ingplatz** *sub*, *m*, -es, -plätze campsite; *(US)* campground

Campus, *sub*, *m*, -, nur Einz. campus

Canasta, *sub*, *n*, -s, nur Einz. canasta

Cancan, *sub*, *m*, -s, -s cancan

Cannelloni, *sub*, *f*, -, nur Mehrz. cannelloni

Canon, *sub*, *m*, -s, -s canyon; **Canossagang** *sub*, *m*, -s, -gänge *(selten)* go to Canossa; *nach Canossa gehen* eat humble pie

Canto, *sub*, *m*, -s, -s *(mus.)* canto

Cape, *sub*, *n*, -s, -s cape

Cappuccino, *sub*, *m*, -s, -s cappuccino

Caravan, *sub*, *m*, -s, -s *(Camping)* caravan; *(Kombi)* station wagon

Cartoon, *sub*, *m*, *n*, (-s), -s cartoon; **~istin** *sub*, *f*, -, -nen cartoonist

Cäsarenwahn, *sub*, *m*, -s, -er megalomania

cash, (1) *adv*, *(wirt.)* cash (2) Cash *sub*, *n*, -, nur Einz. cash; *cash bezahlen* immediate payment with money; **Cashflow** *sub*, *m*, -s, nur Einz. cash flow

Cashewnuss, *sub*, *f*, -, -nüsse cashew nut

Cäsium, *sub*, *n*, -s, nur Einz. *(chem.)* caesium

Cassata, *sub*, *f*, -, -s cassata

causa, *sub*, *f*, -, -e causa; *(jur.)* cause; *honoris causa (bc)* honorary

CD-Laufwerk, *sub*, *n*, -s, -e *(comp.)* c(ompact)d(isc)-drive; **CD-ROM** *sub*, *f*, -, (-s) CD-R(ead)O(nly)M(emory); **CD-Spieler** *sub*, *f*, -s, - cd-player

Cedille, *sub*, *f*, -, -n *(ling.)* cedilla

Cellist, *sub*, *m*, -en, -en *(mus.)* cellist; **Cello** *sub*, *n*, -s oder Celli cello

Cembalo, *sub*, *n*, -s und -li *(mus.)* harpsichord

Cent, *sub*, *m*, (-s), -s cent

Centavo, *sub*, *m*, (-s), -s centavo

Center, *sub*, *n*, -s, - centre; *(US)* center; *Einkaufscenter* centre; *Einkaufscenter* mall

Centime, *sub*, *m*, -s, -s centime

Cha-Cha-Cha, *sub*, *m*, (-s), -s cha-cha-cha

chagrinieren, *vti*, be chagrined (by)

Chairman, *sub*, *m*, -, -men chairman

Chaise, *sub*, *f*, -, -n *(ugs.)* jalopy; **~longue** *sub*, *f*, -, -n oder -s chaise longue

Chalet, *sub*, *n*, -s, -s chalet

Chamäleon, *sub*, *n*, -s, -s *(zool.)* chameleon; *wie ein Chamäleon sein* be like a chameleon

Chamoisleder, *vi*, chamois (-leather)

Champignon, *sub*, *m*, -s, -s *(bot.)* mushroom

Champion, *sub*, *m*, -s, -s champ(ion); **~at** *sub*, *n*, -es, -e championship

Chance, *sub*, *f*, -, -n chance; *eine Chance vergeben* give away a chance; *eine letzte Chance haben* have one last chance; *er hat wenig Chancen* the chances are against him; *keine Chance haben* have no chance of; **~ngleichheit** *sub*, *f*, -, nur Einz. equality of opportunity; *es herrscht keine*

Chancengleichheit there are no equal opportunities

Change, *sub, m, -, nur Einz. (wirt.)* change

changieren, *vi*, shimmer

Chanson, *sub, n, -es, -s* chanson; **~ette** *sub, f, -, -n* chanteuse; **~nier** *sub, m, -s, -s* chansonnier

Chaos, *sub, n, -s, nur Einz.* chaos; **~theorie** *sub, f, -, nur Einz.* science of the chaos; **Chaot** *sub, m, -en, -en (polit.)* anarchist; *(soz)* be disorganized; **chaotisch** *adv*, chaotic

Chapeau, *sub, m, -s, -s* opera-hat

Charade, *sub, f, -, -n* charade

Charakter, *sub, m, -s, -e* character; *Geld verdirbt den Charakter* money spoils people; *keinen Charakter haben* to lack character; *vertraulichen Charakter haben* be of a confidential nature; **charakterisieren** *vt*, characterize; **~istik** *sub, f, -, -en* characterization; **~istikum** *sub, n, -s, -ka* characteristics; **charakteristisch** *adj*, characteristic; **~kunde** *sub, f, -, nur Einz.* characterology; **charakterlos (1)** *adj*, characterless (2) *adv*, despicably; **~rolle** *sub, f, -, -n* complex (character) part; **~zug** *sub, m, -s, -züge* characteristic

Charge, *sub, f, -, -n (mil.)* rank; *die unteren Chargen* the lower ranks

Charisma, *sub, n, -s, -ta oder -rismen* charisma; **charismatisch** *adj*, charismatic; *charismatische Persönlichkeit* having charisma

Charité, *sub, f, -, -s (geogr.)* Charité

charmant, *adj*, charming; *sich von seiner charmanten Seite zeigen* show the attractive side; **Charmeur** *sub, m, -s, -e* charmer; **Charmeuse** *sub, f, -, nur Einz. (Textil)* charmeuse

Charter, *sub, f, -s, -s* charter agreement; **~flug** *sub, m, -s, -flüge* charter flight; **~maschine** *sub, f, -, -n* chartered aircraft; **chartern** *vt, (Person)* hire; *(tech.)* charter; *ein Boot chartern* charter a boat

Charts, *sub, f, nur Mehrz.* charts; *in*

die Charts aufsteigen climb into the charts

Chateau, *sub, n, -s, -s* castle; *Chateau Latour* Chateau Latour

Chateaubriand, *sub, n, -, -s* Chateaubriand

Chauffeur, *sub, m, -s, -e* driver; **chauffieren** *vti*, drive

Chaussee, *sub, f, -, -n* road; **~baum** *sub, m, -s, -bäume* alley tree

Chauvi, *sub, m, -s, -s (ugs.)* chauvinist; **~nismus** *sub, m, -, nur Einz.* chauvinism; **~nist** *sub, m, -en, -en (geb.)* chauvinist; **chauvinistisch** *adj*, chauvinistic

checken, *vt*, check (up); *den Ölstand checken* check the oil level; *etwas noch nicht checken* haven´t got it yet; *sich checken lassen* have a check-up; **Checkpoint** *sub, m, -s, -s* checkpoint; *Checkpoint Charlie* Checkpoint Charlie

Cheeseburger, *sub, m, -s, -* cheeseburger

Chef, *sub, m, -s, -s* chief-; **~arzt** *sub, m, -es, -ärzte* superintendent; **~dirigent** *sub, m, -en, -en* chief conductor; **~redakteur** *sub, m, -s, -e* chief editor; **~sekretärin** *sub, f, -, -nen* director´s secretary; **~trainer** *sub, m, -s, -* chief caoch

Chemie, *sub, f, -, nur Einz. (Chemikalie)* chemical; *(wiss)* chemistry; **~faser** *sub, f, -, -n* synthetic; **~werker** *sub, m, -s, -* chemical worker; **Chemikalie** *sub, f, -s, -n* chemist; **Chemiker** *sub, m, -s, -* chemist; **chemisch** *adj*, chemical; *chemische Maze (P); chemische Reinigung* dry cleaning; **chemisieren** *vti*, chemicalize; **Chemismus** *sub, m, nur Einz.* chemism; **Chemotechniker** *sub, m, -s, -* industrial chemist; **Chemotherapie** *sub, f, -, -n (med.)* chemotherapy

Chenille, *sub, f, -s, -n* chenille

cherubinisch, *adj*, cherubic

chevaleresk, *adj*, chivalrus

Oldianti, sub, m, ($\varnothing$), a Chianti wine

Chiasmus, *sub, m, -, -men* chiasmus

Chiffon, *sub, m, -s, -s, österr. auch -e* chiffon

Chiffre, *sub, f, -, -n* code; *Chiffre (Anzeigen)* box number; **~schrift** *sub, f, -, -en* code; **chiffrieren** *vti,* code

Chili, *sub, m, -s, nur Einz. (Gewürz)* chillipepper; *(Schoten)* chillies

Chiliasmus, *sub, m, -, nur Einz.* chiliasm

Chimäre, *sub, f, -n* chimera

Chinakohl, *sub, m, -(e)s, nur Einz.* Chinese cabbage

Chinchilla, *sub, f, n, -, auch -s, -s* chinchilla

chinesisch, *adj,* Chinese; *chinesisch essen* have a Chinese meal; *Chinesische Mauer* Great Wall of China; **Chinesische** *sub, n, -n, nur Einz.* Chinese

Chinin, *sub, n, -s, nur Einz.* quinine

Chip, *sub, m, -s, -s (comp.)* chip; *(Kartoffel-)* crisp; *Computerchip* chip

Chiromantie, *sub, f, -, nur Einz.* chiromancy

Chiropraktik, *sub, f, -, nur Einz. (med.)* chiropractic; **~er** *sub, m, -,* - chiropractor

Chirurg, *sub, m, -en, -en* surgeon; **~ie** *sub, f, -, nur Einz.* surgery; **chirurgisch** *adj,* surgical

Chitin, *sub, n, -s, nur Einz.* chitin

Chlor, *sub, n, -s, nur Einz.* chlorine; **chloren** *vt,* chlorinate; **chlorhaltig** *adj,* containing chlorine; **~id** *sub, n, -es, -e (chem.)* chloride; **chlorieren** *vt,* chlorinate; **~it** *sub, n, -e* chlorate; **~kalk** *sub, m, -s, nur Einz.* hypochlorate

Chloroform, *sub, n, nur Einz.* chloroform; **chloroformieren** *vt,* chloroform

Chlorophyll, *sub, n, -s, nur Einz.* chlorophyll

Cholera, *sub, f, -, nur Einz.* cholera

Cholesterin, *sub, n, -s, nur Einz.* cholesterol; **~spiegel** *sub, m, -s,* - cholesterol level

Chor, *sub, m, -es, Chöre* choir; *im*

Chor in chorus

Choral, *sub, m, -s, Choräle (mus.)* chorale

Choreograf, *sub, m, -en, -en* choreographer; **~ie** *sub, f, -, -n* choreography; **~in** *sub, f, -, -nen* choreographer

Chorgestühl, *sub, n, -s, (-e) Plural selten (arch.)* choir-stalls

Chorist, *sub, m, -en, -en* member of the chorus

Chorsängerin, *sub, f, -, -nen* member of the chorus

Chose, *sub, f, -, -n* business; *das ist nicht deine Chose* it´s not your business

Christ, *sub, m, -en, -en* Christian; **~baum** *sub, m, -s, -bäume* Christmas-tree; **~enheit** *sub, f, -, nur Einz.* Christendom; *die ganze Christenheit* the whole christian community; **~entum** *sub, n, -s, nur Einz.* Christianity; **christianisieren** *vt,* Christianize; **christlich** *adj,* christian; **~mette** *sub, f, -, -n* Christmas mass; **~us** *sub, m, -i, nur Einz.* Christ; *100 nach/vor Christus* 100 AD/BC; *Jesus Christus* Jesus Christ; **~uskopf** *sub, m, -s, -köpfe (Plural selten)* head of Christ

Chrom, *sub, n, nur Einz. (chem.)* chromium; *(Kfz)* chrome

Chromatografie, *sub, f, -, -n (phys.)* chromatography

Chromosom, *sub, n, -s, -en (biol.)* chromosome; **chromosomal** *adj,* concerning the chromosomes

Chronik, *sub, f, -, -en* chronicle; **chronikalisch** *adv,* chronically; **Chronist** *sub, m, -en, -en* chronicler

chronisch, *adj,* chronic; *chronischer Husten* cough chronically; *unter chronischem Geldmangel leiden* suffer from a chronic shortage of money

Chronograf, *sub, m, -en, -en* chronograph

Chronologie, *sub, f, -, -n* chronology; **chronologisch** *adj*, chronological

Chrysantheme, *sub*, *f*, *-*, *-n* chrysantheme

Chutney, *sub*, *n*, *(-s)*, *-s* chutney

Chuzpe, *sub*, *f*, *-*, *nur Einz. (jüd.)* chutzpah

ciao!, *interj*, bye

Cicerone, *sub*, *m*, *-*, *-s*, *auch -ni* cicerone; **ciceronisch** *adj*, ciceronic

Cidre, *sub*, *m*, *-s*, *nur Einz.* cider

Cineast, *sub*, *m*, *-en*, *-en* film expert; **cineastisch** *adj*, cinematic; **Cinemascope** *sub*, *n*, *-*, *nur Einz.* cinemascope

circa, *adv*, *(geb.)* approximately; *(ugs.)* about; *circa 10 Uhr* at about 10 am

City, *sub*, *f*, *-*, *-s* city centre

Civet, *sub*, *n*, *-s*, *-s (zool.)* civet-cat

Clair-obscur, *sub*, *n*, *-s*, *nur Einz. (kun.)* chiaroscuro

Clan, *sub*, *m*, *-s*, *-s* clan

Claqueur, *sub*, *m*, *-s*, *-e* hired applauder

Clavicembalo, *sub*, *n*, *-s*, *-li*, *auch -s (mus.)* harpsichord

clean, *adj*, off drugs; *(US)* drug free

Clementine, *sub*, *f*, *-*, *-n* clementine

Clinch, *sub*, *m*, *-es*, *nur Einz.* clinch; *in den Clinch mit jmd gehen* go into a clinch with sb; *mit jmd im Clinch liegen* be locked in dispute with sb

Clique, *sub*, *f*, *-*, *-n* clique; *(Jugend-)* gang

Cliquenwesen, *sub*, *n*, *-s*, *nur Einz.* clique system

Clivia, *sub*, *f*, *-*, *Clivien (bot.)* clivia

Clou, *sub*, *m*, *-s*, *-s* highlight

Clown, *sub*, *m*, *-s*, *-s* clown; *jmd zum Clown machen* make a clown of sb; *sich zum Clown machen* make a fool of oneself; **~erie** *sub*, *f*, *-*, *-n* clowning

Coach, *sub*, *m*, *(-s)*, *-s* coach

coachen, *vt*, coach

Cockerspaniel, *sub*, *m*, *-s*, *-s* cocker spaniel

Cockpit, *sub*, *n*, *-s*, *-s* cockpit

Cocktail, *sub*, *m*, *-s*, *-s* cocktail; *einen Cocktail an der Bar nehmen* have a cocktail at the bar; **~kleid** *sub*, *n*, *-es*, *-er* cocktail dress; **~party** *sub*, *f*, *-*, *-parties* cocktail party

Code, *sub*, *m*, *-s*, *-s* code; **~x** *sub*, *m*, *-*, *auch -es*, *-dizes*, *auch -e* codex; **codieren** *vt*, code

Coeur, *sub*, *n*, *(-s)*, *- (Karten)* hearts

Coffein, *sub*, *n*, *-s*, *nur Einz.* caffeine

Cognac, *sub*, *m*, *-s*, *-s* Cognac; **cognacfarben** *adj*, cognac-coloured

Coiffeur, *sub*, *m*, *-s*, *-e* hair-stylist

College, *sub*, *n*, *-s*, *-s* college

Collie, *sub*, *m*, *-s*, *-s* collie

Collier, *sub*, *n*, *-s*, *-s* necklace

Colonel, *sub*, *m*, *-s*, *-s (mil.)* colonel

Colt, *sub*, *m*, *-s*, *-s* colt

Comeback, *sub*, *n*, *(-s)*, *-s* comeback

Comecon, *sub*, *m*, *nur Einz.* Comecon

Comic, *sub*, *m*, *-s*, *-s* cartoon; **~heldin** *sub*, *f*, *-*, *-nen* cartoon heroine; **~strip** *sub*, *m*, *-s*, *-s* comic-strip

Commonwealth, *sub*, *n*, *-*, *nur Einz.* Commenwealth

Compactdisc, *sub*, *f*, *-*, *-s* C(ompact) D(isc)

Composer, *sub*, *m*, *-s*, *- (Druck)* composer

Computer, *sub*, *m*, *-s*, *-* computer; **~generation** *sub*, *f*, *-*, *-en* generation of computers; **computerisieren** *vt*, computerize; **~kriminalität** *sub*, *f*, *-*, *nur Einz.* crimes committed by computer

Concierge, *sub*, *f*, *-*, *-s* concierge

conferieren, *vi*, *(geb.)* get round the conference table

Consommé, *sub*, *f*, *-*, *-s* consommé

Constituante, *sub*, *f*, *-*, *-s* constituant assembly

Contenance, *sub*, *f*, *-*, *nur Einz. (geb.)* composure; *die Contenance wahren/verlieren* keep/loose one´s composure

contra, *präp*, *contra*, *pro und con-*
tra pro and con

Controlling, *sub*, *n*, *-s*, *nur Einz.*
(wirt.) controlling

cool, *adj*, *(ugs.)* cool; *cool bleiben*
keep your cool; *die Ruhe selbst*
sein, sehr cool sein he is as cool as
a cucumber

Copyright, *sub*, *n*, *-s*, *-s* copyright

Cord, *sub*, *m*, *-es*, *-s* corduroy; **~an-**
zug *sub*, *m*, *-es*, *-züge* corduroy suit

Cornedbeef, *sub*, *n*, *-*, *nur Einz.*
corned beef

Cornflakes, *sub*, *f*, *-*, *nur Mehrz.*
cornflakes

Cornichon, *sub*, *n*, *-s*, *-s* fine gherkin

Corps, *sub*, *n*, *-*, *nur Einz. (mil.)*
corps; *studentisches Corps* student
duelling society

Corrida, *sub*, *f*, *-*, *-s* corrida

Cotton, *sub*, *m*, *-s*, *nur Einz.* cotton

Couch, *sub*, *f*, *-*, *-s oder -en* sofa

Couleur, *sub*, *f*, *-*, *-s (polit.)* shade of
opinion

Coulomb, *sub*, *n*, *-s*, *- (phy.)* coulomb

Count-down, *sub*, *m*, *-s*, *-s* count-
down

Countrymusic, *sub*, *f*, *-*, *nur Einz.*
country music

County, *sub*, *f*, *-*, *-s* county

Coup, *sub*, *m*, *-s*, *-s* coup; *einen*
Coup landen pull off a coup

Coupé, *sub*, *n*, *-s*, *-s* coupé

Couplet, *sub*, *n*, *-s*, *-s (poet.)* satirical song

Coupon, *sub*, *m*, *-s*, *-s* coupon; *Ange-*
botscoupon rain-check; *Coupon*
Heft coupon book

Cour, *sub*, *f*, *-*, *nur Einz.* court; *jmd*
die Cour machen to court sb

Courage, *sub*, *f*, *-*, *nur Einz.* courage;
keine Courage haben lack courage;
Mutter Courage Mother Courage;

couraglert *adj*, courageous

Court, *sub*, *m*, *-s*, *-s (jur.)* court

Courtage, *sub*, *f*, *-*, *-n* brokerage

Cousin, *sub*, *m*, *-s*, *-s* cousin; **~e**
sub, *f*, *-*, *-n* cousin

Couture, *sub*, *f*, *-*, *nur Einz.* couture; **Couturier** *sub*, *m*, *-s*, *-s* couturier

Cover, *sub*, *n*, *-s*, *-s* cover; *Platten-*
cover sleeve

Cowboy, *sub*, *m*, *-s*, *-s* cowboy;
~hut *sub*, *m*, *-es*, *-hüte* cowboy
hat

Crack, *sub*, *m*, *-s*, *-s (spo.)* crack

Cracker, *sub*, *m*, *-s*, *-* cracker

Creek, *sub*, *m*, *-s*, *-s (geogr.)* creek

cremefarbig, *adj*, cream (-colou-
red)

Crew, *sub*, *f*, *-*, *-s* crew

Croissant, *sub*, *n*, *-s*, *-s* croissant

Cromargan, *sub*, *n*, *-s*, *nur Einz.*
stainless steel

Croupier, *sub*, *m*, *-s*, *-s* croupier

Cruisemissile, *sub*, *n*, *-s*, *-s (mil.)*
cruise missile

Crux, *sub*, *f*, *-*, *nur Einz.* trouble
with; *das ist eine Crux mit ihm*
he´s a real trial

Cunnilingus, *sub*, *m*, *-*, *-lingi*
(sex.) cunnilingus

Curium, *sub*, *n*, *-*, *nur Einz.*
(chem.) curium

Curling, *sub*, *n*, *-s*, *nur Einz. (spo.)*
curling

Curriculum, *vi*, syllabus

Curry, *sub*, *m*, *-s*, *nur Einz. (Ge-*
richt) curry; *(Gewürz)* curry-
powder

Cursor, *sub*, *m*, *-s*, *-s* cursor

Cutterin, *sub*, *f*, *-*, *-nen* editor

Cyberspace, *sub*, *m*, *-*, *-s* cyberspace

dabei, *adv,* *(bei)* with it (them); *(während)* at the same time
dabeibleiben, *vt,* stay there
dabeisitzen, *vi,* sit there
dabeistehen, *vi,* stand there
dableiben, *vi,* stay there
Dach, *sub, n, -es, Dächer* roof; *eins aufs Dach kriegen* get a bash on the head; *mit jmd unter einem Dach leben* live under the same roof; *unter Dach und Fach bringen* shelter sth; *unterm Dach wohnen* live under the attic; **~decker** *sub, m, -s, -* roofer; **~fenster** *sub, n, -s, -* skylight; **~first** *sub, m, -es, -e* ridge; **~geschoß** *sub, n, -es, -e* attic; **~gesellschaft** *sub, f, -, -en* holding company; **~gleiche** *sub, f. -, -n (Richtfest)* topping-out ceremony; **~luke** *sub, f, -, -n* skylight; **~pappe** *sub, f, -, -n* roofing-felt; **~schaden** *sub, m, -s, -schäden* roof-damage; *einen Dachschaden haben* be not quite right in the head; **~sparren** *sub, f, -, -* rafter; **~stuhl** *sub, m, -s, -stühle* roof-truss; **~terrasse** *sub, f, -n, -n* roof-terrace; **~verband** *sub, m, -es, -bände* rooforganisation; **~wohnung** *sub, f, -, -en* attic flat; *(US)* attic apartment; **~ziegel** *sub, m, -n, -* roof-tile
Dachs, *sub, m, -es, -e* badger; *junger Dachs* he´s still wet behind the ears; **~bau** *sub, m, -s, -e* badger´s earth; **~hund** *sub, m, -es, -e* dachshund; **~pinsel** *sub, m, -s, -* brush of bedger
Dackel, *sub, m, -s, -* dachshund; *Beine wie ein Dackel* bow legs
Dadaismus, *sub, m, -ses, nur Einz. (kun.)* Dadaism; **Dadaist** *sub, m, -en, -en* Dadaist
dadurch, *adv, (causal)* as a result; *(räuml.)* through it/them; *soll ich dadurch gehen?* shall I go through it?
dafür, *adv,* for it; *(stattdessen)* instead of; *ich bin ganz dafür* I´m all for it; *dafür will er morgen kom-*

men he will come tomorrow, instead
Dafürhalten, *sub, n, -s, nur Einz.* opinion; *nach meinem Dafürhalten* in my opinion; **dafürstehen** *vt,* guarantee that; **dafürstehen** *vt,* guarantee that; *daß* guarantee that; *es steht alles dafür, dass* there is no objection
dagegen, (1) *adv,* against it/them; *(Tausch).* in exchange (2) *konj, (Vergl.)* on the other hand; *dagegen protestieren* protest strongly against; *die Mehrheit war dagegen* the majority was against it; *etwas dagegen eintauschen* get sth in exchange, *sein Sohn ist dagegen blond* his son on the other hand is blonde
Daguerreotypie, *sub, f, -, -n* Daguerreotype
daheim, *adv,* at home
daher, (1) *adv, (räuml.)* from there (2) *konj, (causal)* therefore; *daher droht keine Gefahr* there is no danger from there; *daher weht also der Wind* so that´s the way the wind blows
daherfliegen, *vi,* flying along
daherkommen, *vi,* come along; *gemütlich daherkommen* stroll along
dahin, *adv,* *(räuml.)* there; *(zeitl.)* so far; *auf dem Weg dahin* on the way there; *bis dahin sind es noch* from here; *bis dahin bin ich fertig* I´ll be finished by then; *dahin sein* be ruined; *es steht mir bis dahin* I´m fed up with sth; *noch zehn Minuten bis dahin* another 10 minutes to go until then
dahinfahren, *vi,* depart; *(aus dem Leben) dahinfahren* to depart this life
dahinfallen, *vi,* fall apart; *der Grund ist dahingefallen* the reason has fallen apart
dahinfliegen, *vi,* fly away
dahingleiten, *vi,* glide on its way

dahinraffen, *vt*, carry off; *die Pest hat sie dahingerafft* the plague carried them off

dahinsausen, *vi*, race along

dahinsegeln, *vi*, sail along

dahinsiechen, *vi*, waste away

dahinstehen, *vi*, remains to be seen

dahinsterben, *vi*, pass away

dahinten, *adv*, over there

dahinter, *adv*, behind it/them; *der Garten ist dahinter* the garden is in the back; *es ist nichts dahinter* there is nothing behind it

dahinterher, *adv*, from behind; *dahinterher sein* make a big effort

Dakapo, *sub*, *n*, *-s*, *-s* encore

Daktylogramm, *sub*, *n*, *-s*, *-e* finger-print

Daktylus, *sub*, *m*, *-*, *Daktylen* dactyl

dalassen, *vt*, leave (there); *keine Nachricht dalassen* leave no message

daliegen, *vi*, lie there

Dalles, *sub*, *m*, *-*, *nur Einz.* be broke

dalli!, *adv*, move (on)

Dalmatiner, *sub*, *m*, *-*, *-* (dog) dalmatian; *(Pers.)* Dalmatian

dalmatinisch, *adj*, Dalmation

damalig, *adj*, at the time; *in der damaligen Zeit* at that time

damals, *adv*, at that time (then)

Damast, *sub*, *m*, *-es*, *-e* damask; **damastartig** *adj*, look damasten; **~bezug** *sub*, *m*, *-es*, *-bezüge* damask cover

damaszenisch, *adj*, Damascus; **Damaszierung** *sub*, *f*, *-en*, *-en* damascene decoration

Dame, *sub*, *f*, *-*, *-n* lady; *(Spiel)* queen; *(spo.)* woman; *die Dame des Hauses* the lady of the house; *sehr geehrte Damen und Herren* Ladies and Gentlemen; *Damen* Ladies; *Sehr geehrte Damen und Herren!* ladies and gentlemen!; **~nbesuch** *sub*, *m*, *-es*, *-e* lady visitor; **~nbinde** *sub*, *f*, *-*, *-n* sanitary towel; *(US)* sanitary napkin; **~ndoppel** *sub*, *n*, *-s*, *-* women´s doubles; **~neinzel** *sub*, *n*, *-s*, *-* women´s singles; **~nfahrrad** *sub*, *n*,

-s, -räder lady´s bicycle; **~nfriseur** *sub*, *m*, *-s*, *-e* ladies hairdresser; **~nfußball** *sub*, *n*, *-es*, *nur Einz.* women´s soccer; **~nhut** *sub*, *m*, *-es*, *-hüte* ladies´ hat; **~nrock** *sub*, ladies´ skirt; **~nsattel** *sub*, *m*, *-s*, *-sättel* side-saddle; **~nschneider** *sub*, *m*, *-s*, *-* dressmaker

Damhirsch, *sub*, *m*, *-es*, *-e* fallow deer

damit, (1) *adv*, *(mittels)* with it (2) *konj*, *(causal)* so that; *was willst du damit* what do you want to do with it

Damm, *sub*, *m*, *-es*, *Dämme (Wasser)* dike; *(US; Wasser)* dam; *der Damm bricht* there is a breach in the dike; *wieder auf dem Damm sein* be in good shape again

dämmen, *vti*, hold back; *(Kälte/Wärme)* retain

Dämmerlicht, *sub*, *n*, *-es*, *nur Einz.* twilight; **dämmern** *vi*, getting dark/light; *es dämmert abends* it is getting dark; *es dämmert mir* the penny is beginning to drop; **Dämmerschein** *sub*, *m*, *-es*, *nur Einz.* gloaming; *im Dämmerschein der Kerze* in the gloaming light of the candle; **Dämmerstunde** *sub*, *f*, *-*, *-n* twilight hour; **Dämmerung** *sub*, *f*, *-*, *nur Einz.* dusk; *(Morgen)* dawn; **Dämmerzustand** *sub*, *m*, *-es*, *-stände* doze; *der Patient ist im Dämmerzustand* the patient is semi-conscious

Damnum, *sub*, *n*, *-s*, *Damna (wirt.)* disagio from the amount of a loan

Damoklesschwert, *sub*, *n*, *-es*, *nur Einz.* sword of Damokles; *(i. ü. S.) über mir schwebt ein Damoklesschwert* be on the danger list

Dämon, *sub*, *m*, *-s*, *-en* demon; **dämonenhaft** *adj*, demoniac; **~ie** *sub*, *f*, *-*, *-n* daemonic power; **dämonisch** *adj*, daemonic; **dämonisieren** *vt*, demonize

Dampf, *sub*, *m*, *-es*, *Dämpfe* steam; *Dampf ablassen* let off steam; *giftige Dämpfe einatmen* breathe in toxic vapour; *jmd Dampf machen* make someone get a move on; *mit Dampf betrieben* steam-powered; *wallende Dämpfe* clouds of steam; **~bad** *sub*, *n*, *-es*, *-bäder* steam (Turkish) bath; **~druck** *sub*, *m*, *-es*, *-drücke* steam pressure

dämpfen, *vt*, steam; *(reduzieren)* lower; *gedämpfte Kartoffeln* steamed potatoes; *Licht dämpfen* soften the light; *Stimme dämpfen* lower one´s voice

dampfen *vi*, steam

Dampfer, *sub*, *m*, *-s*, *-* steamer; *auf dem falschen Dampfer sein* be barking up the wrong tree; **~fahrt** *sub*, *f*, *-*, *-en* go by steamer

Dämpfer, *sub*, *m*, *-s*, *-* damper; *einen Dämpfer aufsetzen* put a damper on; *einen Dämpfer bekommen* be damped; *jmd einen Dämpfer aufsetzen* to dampen sb

Dampfheizung, *sub*, *f*, *-s*, *-en* steam heater; **Dampfkessel** *sub*, *m*, *-s*, *-* boiler; **Dampfkochtopf** *sub*, *m*, *-es*, *-töpfe* pressure-cooker; **Dampfmaschine** *sub*, *f*, *-*, *-n* steam engine; **Dampfschiff** *sub*, *n*, *-es*, *-e* steamer

Dämpfung, *sub*, *f*, *-*, *-en* cushioning

Dan, *sub*, *m*, *-*, *-* karate belt

danach, *adv*, *(Abfolge)* after(wards) it/them; *(Richtung)* towards; *danach fragen* ask for it; *danach geht es mir besser* I feel better afterwards; *die Kinder kamen danach* the children followed after; *noch Tage danach* for days afterwards; *danach springen* jump towards; *mir ist danach* I feel like it

Danaergeschenk, *sub*, *n*, *-es*, *-e* Greek gift

Däne, *sub*, *m*, *-n*, *-n* Dane; **dänisch** *adj*, Danish

daneben, *adv*, *(ausserdem)* besides; *(räuml.)* next to

danebengehen, *vi*, miss; *das geht sowieso daneben* it won´t be any good

danebenhauen, *vt*, miss; *(i. ü. S.)* *er hat weit danebengehauen* be wide off the mark

Danebrog, *sub*, *m*, *-s*, *nur Einz.* Danish flag

dank, (1) *präp*, thanks to (2) **Dank** *sub*, *m*, *-es*, *-* thanks; *dank deiner Hilfe* thanks to your help, *Herzlichen Dank* many thanks; *jmd Dank schulden* owe so a debt of gratitude; *vielen Dank* thank you very much; *zum Dank* as a way of saying thanks; **Dankadresse** *sub*, *f*, *-n*, *-n* letter of thanks; **Dankbarkeit** *sub*, *f*, *-*, *nur Einz.* gratitude; **~e!** *interj*, thank you; **~en** *vt*, thank sb for sth.; *jmd etwas danken* reward so for sth; *jmd für etwas danken* thank sb for sth; *nichts zu danken* you´re wellcome; *wie kann ich ihnen nur danken* how can I begin to thank you; **~enswert** *adj*, commendable; **~erfüllt** *adj*, thankful; **Dankesformel** *sub*, *f*, *-*, *-n* word of thanks; **Dankesschuld** *sub*, *f*, *-es*, *-en* debt thanks to so.; **Dankesworte** *sub*, *f*, *-*, *nur Mehrz.* word of thanks

dann, *adv*, then; *dann eben nicht!* all right, forget it!; *dann und wann* now and then; *und dann kommt noch* and then there is

Daphne, *sub*, *f*, *-*, *-n* (bot.) daphne

daran, *adv*, *(i. ü. S.)* about it/them; *(räuml.)* on it/them; *dicht daran sein* be close to it; *es ist nicht daran zu denken* it´s out of question; *(i. ü. S.)* *es ist nichts daran* there is nothing in it; *es sind keine Knöpfe daran* there are no buttons on it; *(i. ü. S.)* *nahe daran sein* nearly do something; *sich daran festhalten* hold on to it

daranhalten, *vti*, accept; *(i. ü. S.)* *er hält sich daran* he accepts the rules

daranmachen, *vti*, get down to it; *sich daranmachen etwas zu tun* get down to doing sth

daransetzen, *vti*, devote to it; *alles daransetzen, um* he devotes all efforts to

darauf, *adv*, *(causal)* as a result; *(räuml.)* on (top of) it/them; *(zeitl.)* after that; *stell die Koffer darauf* put the suitcase on top of it; *bald darauf* soon after; *eine Woche darauf* a week later

daraufhin, *adv*, as a result of; *daraufhin bekam er* as a result of it he became

daraus, *adv*, *(Gefäss)* out of it; *(Menge)* from it; *daraus trinken* drink out of it; *daraus ausschütten* pour out from it; *daraus lernen* learn from it; *ich mache mir nichts daraus* I don´t care for it, *(i. ü. S.)* that doesn´t worry me

darben, *vi*, live in want

Darbietung, *sub*, *f*, *-*, *-en* presentation; *(theat.)* performance

darbringen, *vt*, offer; *ein Ständchen darbringen* serenade sb; **Darbringung** *sub*, *f*, *-*, *-en* offer; *Darbringung eines Opfers* offer sacrifice (to the gods)

darein, *adv*, in it/them

dareinfinden, *vt*, become accustomed to

dareinreden, *vti*, interfere in

dareinsetzen, *vt*, devote to; *seine ganze Energie dareinsetzen* concentrate all one´s efforts on doing sth

darin, *adv*, in it/them; *darin irren sie sich* there you are mistaken; *darin ist er sehr gut* he is very good at that; *darin liegt der Unterschied* that´s the difference; *was ist darin* what´s in it

darlegen, *vt*, explain; *jmd etwas darlegen* explain sth to sb; **Darlegung** *sub*, *f*, *-*, *-en* explanation; *es bedarf einer Darlegung* some explanation is called for

Darlehen, *sub*, *n*, *-s*, *-* loan; *ein Darlehen aufnehmen* raise a loan

Darlehenszins, *sub*, *m*, *-es*, *-en* interests on a loan

Darm, *sub*, *m*, *-es*, *Därme* intestines;

blutung *sub*, *f*, *-en*, *-en* intestinal haemorrhage; **~katarrh** *sub*, *m*, *-es*, *-e* *(med.)* enteritis; **~parasit** *sub*, *m*, *-en*, *-en* intestine parasite; **~spülung** *sub*, *f*, *-*, *-en* enema; **~trägheit** *sub*, *f*, *-*, *-en* constipation; **~verschluss** *sub*, *m*, *-es*, *-schlüsse* intestinal obstruction; **~wind** *sub*, *m*, *-es*, *-e* flatulence

darreichen, *vt*, proffer; **Darreichung** *sub*, *f*, *-*, *-en* presentation

Darrgewicht, *sub*, *n*, *-es*, *-e* dry-weight

darstellbar, *adj*, depictable

darstellen, *vt*, portray; *das Gemälde stellt eine Frau dar* the painting portrays a lady; *ein Belastung darstellen* be a burden; *er stellt etwas dar* he is really sb; *etwas falsch darstellen* misrepresent; **Darsteller** *sub*, *m*, *-s*, *-* actor; **Darstellerin** *sub*, *f*, *-*, *-en* actress; **Darstellung** *sub*, *f*, *-*, *-en* representation; *die Darstellung des neuen Produkts* the representation of the new product

darstrecken, *vt*, s. hinstrecken

darüber, *adv*, *(räuml.oberhalb)* above it/them; *(räuml.über)* over it/them; *(thematisch)* about it/them; *(zeitl.)* meanwhile; *das Zimmer darüber* the room above it; *darüber hinwegkommen* get over it; *ich freue mich darüber* I´m glad about it; *es war darüber Abend geworden* meanwhile it had become evening

darüber hinaus, *adv*, in addition; *das geht darüber hinaus (über den Anstand)* this is beyond (the pale)

darum, *adv*, *(causal)* because of; *(räuml.)* round it/them; *darum geht es nicht* that´s not the point; *ich bat ihn darum* I asked him for it; *warum weinst du? darum!* why are you crying? because!

darumkommen, *vti*, miss; *darumkommen etwas zu tun* miss the opportunity of doing sth

darumstehen, *vi*, stand around

darunter, *adv*, *(räuml.unter)* under; *(räuml.unterhalb)* beneath; *(weniger)* for less; *darunter kann ich mir nichts vorstellen* that doesn't mean anything to me; *darunter tut er es nicht* he won't do it for less; *es liegt darunter* it is lying under it; *nichts darunter anhaben* wear nothing beneath

Darwinismus, *sub*, *m*, *-ses*, *nur Einz.* Darwinism; **Darwinist** *sub*, *m*, *-en*, *-en* Darwinist

das, (1) *best.Art/n*, the (2) *pron*, this/that; *das Auto* the car

Dasein, *sub*, *n*, *-s*, *-* existence; **~sangst** *sub* *f*, *-*, *-ängste* existential fear; **~sform** *sub*, *f*, *-*, *-en* form of existence; **~skampf** *sub*, *m*, *-es*, *-kämpfe* struggle for existence; **daseinsmäßig** *adj*, concerning existence; **~srecht** *sub*, *n*, *-es*, *-e* right to exist; **~sweise** *sub*, *f*, *-*, *-n* mode of existence; **~szweck** *sub*, *m*, *-es*, *-e* point of existence

dasitzen, *vi*, sit there; *ohne Geld dasitzen* I was stuck there without money

dass, *konj*, that; *(causal)* so that; *entschuldige*, *dass ich zu spät komme!* please forgive me for being late; *es ist lange her*, *dass ich sie gesehen habe* it's a long time since I saw her; *ich weiss*, *dass ich recht habe* I know (that) I'm right; *nicht*, *dass ich wüsste* not that I know of; *ohne dass* without; *dass mir das passieren muss* why did it have to happen to me; *hilf ihm*, *dass er endlich fertig wird* help him so that he'll finally be finished

dasselbe, *adj*, same; *es ist immer dasselbe* it's allways the same; *es ist überall dasselbe* it's the same the whole world over; *genau dasselbe* the very same

Dasselfliege, *sub*, *f*, *-*, *-n* bot-fly; **Dassellarve** *sub*, *f*, *-*, *-n* bot-fly-larva

dastehen, *vi*, stand there; *allein dastehen* stand alone; *mittellos dastehen* be penniless; *wie stehe ich jetzt*

da? what a fool I look now!

Date, *sub*, *m*, *-s*, *-s* date; *ein Date haben* have a date; *up to date sein* be up to date

Datei, *sub*, *f*, *-*, *-en* data file

datieren, *vt*, date; *auf das 11 Jhdt datieren* date to the 11th century; *das Dokument datierte vom 1Mai* the document (was) dated May 1st

Dativ, *sub*, *m*, *-es*, *-e* dative; **~objekt** *sub*, *n*, *-es*, *-e* indirect object

dato, *adv*, *(wirt.)* date; *bis dato* to date

Datowechsel, *sub*, *m*, *-s*, *-* time-bill

Datscha, *sub*, *f*, *-s*, *-s* dacha

Dattel, *sub*, *f*, *-*, *-n* date; **~palme** *sub*, *f*, *-*, *-n* date-palm; **~pflaume** *sub*, *f*, *-*, *-n* date; **~traube** *sub*, *f*, *-*, *-n* black (date)grape

Datum, *sub*, *n*, *-s*, *Daten* date; *neueren Datums* of recent date; *ohne Datum* undated; *welches Datum haben wir heute* what's the date today; **~sangabe** *sub*, *f*, *-*, *-n* marked with a date

Daube, *sub*, *f*, *-*, *-n (Fass)* stave

Dauer, *sub*, *f*, *-*, *- (geh.)* duration; *(ugs.)* length; *auf die Dauer* in the long run; *für die Dauer von* for the duration of; *für die Dauer von von zwei Jahren* for a period of two years; *von kurzer Dauer sein* be short-lived; *die Dauer des Films* the length of the movie; **~auftrag** *sub*, *m*, *-es*, *-aufträge* standing order; **~brenner** *sub*, *m*, *-s*, *-* long-running; **dauerhaft** *adj*, lasting; *dauerhaft sein* wear well; **~karte** *sub*, *f*, *-*, *-n* season ticket; **~mieter** *sub*, *m*, *-s*, *-* long-term tenant; **dauern** *vi* *(geh.)* last; *(ugs.)* take time; *das dauert mir zu lange* that's too long for me; *es dauert zwei Stunden* it takes two hours; *es wird lange dauern bis* it will be a long time before; *wie lange dauert es noch?* how much longer will it take?; **dauernd** (1) *adj*, permanent (2) *adv*, constantly; *dauernder* wohnsitz permanent residence; **~parker** *sub, m, -s,* - resident with a parking permit; **~schaden** *sub, m, -s, -schäden* permanent damage; **~schlaf** *sub, m, -es, nur Einz.* permanent sleep; **~ton** *sub, m, -es, -töne* continous tone; **~welle** *sub, f, -, -n* permanent wave; **~zustand** *sub, m, -es, -zustände* permanent (state)

Daumen, *sub, m, -s,* - thumb; *am Daumen lutschen* suck one´s thumb; *Daumen drehen* twiddle one´s thumbs; *die Daumen drükken* keep one´s fingers crossed for so; *über den Daumen gepeilt* at a rough estimate; **~ballen** *sub, m, -s,* - ball of the thumb; **daumenbreit** *adj,* as wide as your thumb; **~nagel** *sub, m, -s, -nägel* thumb-nail; **~schraube** *sub, f, -, -n* thumbscrews; *jmd die Daumenschrauben anlegen* put the screws on sb; **Däumling** *sub, m, -s, -e* Tom Thumb

Daune, *sub, f, -, -n* down; **~ndecke** *sub, f, -, -n* down-filled quilt; **~nfeder** *sub, f, -, -n* down-feather; **~nkissen** *sub, n, -s,* - down (-filled) pillow; **daunenweich** *adj,* as soft as down

Dauphin, *sub, m, -s, -s (hist.)* Dauphin

Davidsstern, *sub, m, -s, -e* star of David

Davit, *sub, m, -s, -s (tech.)* davit

davon, *adv, (Anteil)* of it; *(causal)* by it/them; *(mittels)* with it; *(räuml.)* from it/them; *das kommt davon* that will teach you; *davon wird man dick* that makes you fat; *ich wachte davon auf* I was awakened by it; *einen Schal davon strikken* knit a scarf with it; *auf und davon* up and away; *genug davon* enough of it; *nicht weit davon entfernt liegen* be not far away from it

davonbleiben, *vi,* keep away

davonkommen, *vi,* get away; *mit dem Leben davonkommen* escape with one´s life; *mit dem Schreck*

davonkommen get off with a fright

davonlassen, *vt, (ugs.)* steer clear of it

davonlaufen, *vti,* run away; *es ist zum davonlaufen* it makes you want to run a mile, it really turns you off

davonmachen, *vr,* make off; *er hat sich davongemacht* he´s made off

davonstehlen, *vr,* steal away

davontragen, *vt,* carry away; *den Sieg davontragen* carry the day; *eine Verletzung davontragen* sustain an injury

davor, *adv, (räuml.)* in front of it/them; *(zeitl.)* before; *ich stehe davor I´m* standing in front of it

dawai!, *interj,* go on

dawider, *adv,* against

dawiderreden, *vti,* object

dazu, *adv, (außerdem)* in addition; *(gleichz.)* at the same time; *(mit)* with it/them; *dazu ist es ja da* that´s what it is for; *möchten Sie Reis dazu* would you like rice with it; *wie ist es dazu gekommen* how did that come about

dazubekommen, *vt,* get sth. in addition

dazugehören, *vt,* belong to it/them; *das gehört mit dazu* it´s all part of it

dazugehörig, *adj,* appropriate; *die dazugehörigen Schlüssel* the keys that fit in

dazumal, *adv,* in those days; *anno dazumal* in those days

dazurechnen, *vt,* add on; *wenn man noch dazurechnet* when you also consider

dazwischen, *adv,* in between; *er steht mitten dazwischen* he is standing among them

Deal, *sub, m, -s, -s* deal; *einen grossen Deal vorhaben* plan a big business; **dealen** *vti,* push drugs; **~er** *sub, n* pusher

Debakel, *sub, n, -s,* - fiasco

Debatte, *sub, f, -, -n (pol.)* debate

(on); *(Streit)* argument (about); *eine Debatte über etwas haben* have a debate on sth; **debattieren** *vti, (geh.)* debate; *(ugs.)* (am: argue); **Debattierer** *sub, m, -s, -* member of a debating society

Debet, *sub, n, -s, -s (wirt.)* debit

debil, *adj, (med.)* mentally subnormal; **Debilität** *sub, f, -, nur Einz.* mental debility

debitieren, *vt*, debt

Debitor, *sub, m, -s, -en* debtor

Debüt, *sub, n, -s, -s* debut; **~ant** *sub, m, -en, -en* newcomer; **~antin** *sub, f, -, -nen* debutante; **debütieren** *vi,* make one´s debut

dechiffrieren, *vt*, decode

Deck, *sub, n, -es, -s* deck; *an/unter Deck gehen* go on/below deck; **~adresse** *sub, f, -, -n* accomodation (am: cover address); **~blatt** *sub, n, -es, -blätter* title-page/cover

Decke, *sub, f, -, -n (bedecken)* cover; *(Reise)* blanket; *(Zimmer)* ceiling; *die Decke über den Kopf ziehen* pull the covers over one´s head; *unter die Decke kriechen* slip under the covers; *unter einer Decke stecken* be hand in glove with sb; *an die Decke gehen* hit the roof

Deckel, *sub, m, -s, -* top; *jmd einen auf den Deckel geben* haul sb over the coals; **~kanne** *sub, f, -, -n* tankard (with a lid)

decken, (1) *vr, (übereinstimmen/mat.)* be congruent **(2)** *vt, (bedecken)* cover; *Dach decken* cover/roof the house

Deckenlampe, *sub, f, -, -n* ceiling light

Deckfarbe, *sub, f, -, -n* paint; **Deckhaar** *sub, n, -es, -e* top hair; **Deckmantel** *sub, m, -s, -mäntel* cover; *in Deckung* under cover; *unter dem Deckmantel* using sth as a cover; **Deckname** *sub, m, -ns, -n (mil.)* code name

Deckung, *sub, f, -, -en* covering; *(spo.)* defence; *in Deckung gehen* take cover; *keine Deckung (Scheck)* no funds

Deckweiß, *sub, n, -es, nur Einz.* opaque white

Decoder, *sub, m, -s, -* decoder

decouragiert, *adj*, discouraged

Deduktion, *sub, f, -, -en (phil.)* deduction; **deduktiv** *adj*, deductive; **deduzierbar** *adj*, deducible; **deduzieren** *vt*, deduce

Deeskalation, *sub, f, -, -en* de-escalation; **deeskalieren** *vt*, de-escalate

Defätismus, *sub, m, -, nur Einz.* defeatism; **Defätist** *sub, m, -en, -en* defeatist; **defätistisch (1)** *adj*, defeatist **(2)** *adv*, in a defeatist manner

defekt, (1) *adj*, defective **(2)** **Defekt** *sub, m, -s, -e (allg.)* fault; *(med./tech.)* defect; *defekt sein* have a defect, *das ist ein bleibender Defekt* permanent handicap

defensiv, *adj*, defensive; **Defensive** *sub, f, -, -n* defensive; *aus der Defensive heraus* from defensive positions; *in die Defensive gehen* to go on the defensive; *jmd in die Defensive drängen* force sb on the defensive

Defilee, *sub, n, -s, -s* parade; **defilieren** *vt*, parade (before)

definierbar, *adj*, definable; *schwer definierbar* difficult to define; **definieren** *vt*, define; *definieren durch* define in the terms of; **definit** *adj, (mat.)* definite; **Definition** *sub, f, -, -en* definition; **definitiv** *adj*, definitive; **Definitivum** *sub, n, -s, -va* be definitive; **definitorisch** *adj*, of definition

Defizit, *sub, n, -s, -e* deficit; *Defizit an etwas haben* lack of sth; **defizitär** *adj*, show a deficit

Deflation, *sub, f, -, -en (wirt./geogr)* deflation; **deflationär** *adj, (wirt.)* deflationary; **deflatorisch** *adj*, deflationary

Defloration, *sub, f, -, -en (med.)* defloration; **deflorieren** *vt*, deflower; **Deflorierung** *sub, f, -, -en* defloration

Deformation, *sub*, *f*, -, -*en* (*med./phys.*) deformation; **deformieren** *vt*, destort; *deformiert* out of shape; **Deformierung** *sub*, *f*, -, -*en* distorsion

defraudieren, *vt*, defraud

deftig, (1) *adj*, crude; *(pos.)* solid (2) *adv*, well and proper; *deftiger Witz* crude joke; *deftiges Essen* solid meal

Degagement, *sub*, *n*, -*es*, -*s* devolvement

Degen, *sub*, *m*, -*s*, - sword; *mit Schwert und Degen* with sword and warrier; **~fechten** *sub*, *n*, -*s*, *nur Einz.* épée; **~klinge** *sub*, *f*, -, -*n* sword-blade

Degeneration, *sub*, *f*, -, -*en* degeneration; **degenerativ** *adj*, degenerative; **degenerieren** *vti*, degenerate (into)

Degout, *sub*, *m*, -, *nur Einz.* disgust; **degoutant** (1) *adj*, disgusting (2) *adv*, in a disgusting manner; **degoutieren** *vt*, disgust

Degradation, *sub*, *f*, -, -*en* degradation; **degradieren** *vt*, degrade; *er hat mich degradiert vor* he degraded me in front of; **Degradierung** *sub*, *f*, -, -*en* (*mil.*) demotion; *seine Degradierung vom Feldwebel zum* his demotion from sergeant to

Degression, *sub*, *f*, -, -*en* progressive reduction; **degressiv** *adj*, degressive; *degressive Abschreibung* degressive depreciation

degustieren, *vt*, taste

Dehnbarkeit, *sub*, *f*, -, -*en* (*phy.*) elasticity; *Dehnbarkeit eines Begriffes* loose concept; **dehnen** *vt*, stretch; *sich dehnen* strech oneself; **Dehnung** *sub*, *f*, -, -*en* stretching

Dehydratation, *sub*, *f*, -, -*en* (*chem.*) dehydrogenation; **dehydratisieren** *vt*, dehydrogenate

Dehydration, *sub*, *f*, -, -*en* dehydration; **dehydrieren** *vt*, dehydrate; **Dehydrierung** *sub*, *f*, -, -*en* dehydration

Deich, *sub*, *m*, -*s*, -*e* dike; *mit etwas über den Deich gehen* make off with

something; **~bau** *sub*, *m*, -*s*, -*bauten* dike-building

Deichsel, *sub*, *f*, -, -*n* shaft; **deichseln** *vt*, fix; *ich werde das schon deichseln* I´m going to manage it

Deifikation, *sub*, *f*, -, -*en* deify so.; **deifizieren** *vt*, deify

dein, *pron*, your(s); *dein eigenes* your own; *die Deinigen* your family; *einer deiner Freunde* a friend of yours; **~e** *pron*, your(s); *deine Mutter* your mother; **~erseits** *adv*, on(for) your part; **~esgleichen** *pron*, people like you; *für dich und deinesgleichen* for your sort; *unter deinesgleichen* amongst your own sort; **~esteils** *adv*, for your part; **~ethalben** *adv*, s. deinetwegen; **~etwegen** *adv*, (*geh.*) as far as you are concerned; *(ugs.)* because of you; *deinetwasegen können wir* as far as you are concerned we; *ich habe mir deinetwasegen große Sorgen gemacht* I have been worried on your account; **~etwillen** *adv*, for your sake; *um deinetwasillen haben wir das gemacht* we made this for your sake; **~ige** *pron*, your(s); *das Deinige* your property

Deismus, *sub*, *m*; -, *nur Einz.* deism

dekadent, *adj*, decadent; **Dekadenz** *sub*, *f*, -, *nur Einz.* decadence

Dekaeder, *sub*, *n*, -*s*, - (*mat.*) decahedron

Dekalog, *sub*, *m*, -*s*, *nur Einz.* (*bibl.*) decalogue

Dekan, *sub*, *m*, -*s*, -*e* dean; **~at** *sub*, *n*, -*s*, -*e* (*Univ.*) dean´s office; **~ei** *sub*, *f*, -, -*en* (*kirchl*) deanery

dekartellisieren, *vt*, decartelize

dekatieren, *vt*, (*Text.*) decatise

Deklamation, *sub*, *f*, -, -*en* recitation; **deklamatorisch** *adj*, declamatory; **deklamieren** *vt*, recite

Deklaration, *sub*, *f*, -, -*en* declaration; *Zoll-Deklaration* customs declaration; **deklarieren** *vt*, declare; *zur atomwaffenfreien Zone deklariert werden* be declared a nuclear free zone; **Deklarierung** *sub, f, -, -en* declaration

deklassieren, *vt*, downgrade; *(spo.)* outclass

deklinabel, *adj*, declinable; **Deklination** *sub, f, -, -en* declination; *Deklination von Verben* declension of verbs; **deklinierbar** *adj*, declinable; **deklinieren** *vt*, decline; *ein Verb schwach/stark deklinieren* decline a verb as weak/strong

dekodieren, *vt*, decode; **Dekodierung** *sub, f, -, -en* decoding

Dekolletee, *sub, n, -s, -s* neckline; **dekolletiert** *adj*, low-cut; *ein stark dekolltiertes Kleid* a dress with a low-cut neckline

Dekontamination, *sub, f, -, -en* decontamination; **dekontaminieren** *vt*, decontaminate

Dekor, *sub, m/n, -e oder -s* decoration; **~ateur** *sub, m, -s, -e* window-dresser; *(arch.)* interior decorator (designer); **~ateurin** *sub, f, -, -nen* s. Dekorateur; **~ation** *sub, f, -, -en* decoration; **dekorativ** *adj*, decorative; **dekorieren** *vt*, decorate; *ein Fenster dekorieren* dress a shop-window; **~ierung** *sub, f, -, -en* decorating

Dekort, *sub, m, -s, -s und -e* decreasing of a bill; **dekortieren** *vt*, decrease

Dekorum, *sub, n, nur Einz.* decorum

Dekrescendo, *sub, n, -s, -s und -di* decrescendo

Dekret, *sub, n, -s, -e* decree

Dekretale, *sub, n, -, -talien* decree by the pope

dekretieren, *vt*, decree

dekupieren, *vt*, cut out; **Dekupiersäge** *sub, f, -, -n* saw to cut out

dekuvrieren, *vt*, expose; **Dekuvrierung** *sub, f, -, en* exposé

Delegat, *sub, m, -en, -en* delegate; **~ion** *sub, f, -, -en* delegation to/at; *Delegation zu jmd schicken/beim Vatikan* to send a delegation to sb/a

delegation at the Vatican; **delegieren** *vt*, send as a delegate; *Aufgaben delegieren* delegate tasks to; *jmd delegieren* send so as a delegate; **Delegierte** *sub, m/f, -n, -n* delegate; **Delegierung** *sub, f, -, -en* election of a delegate

delektieren, *vt*, entertain sb with sth.

Delfin, *sub, m, -s, -e (spo.)* butterfly; *(zool.)* dolphin; **~arium** *sub, n, -s, -rien* dolphinarium; **delfinschwimmen** *sub, n,* swim butterfly; **~sprung** *sub, m, -s, -sprünge* jump like a dolphin

delikat, *adj*, delicate; *delikat riechen* have a delicate bouquet; *eine delikate Angelegenheit* a delicate matter; **Delikatesse** *sub, f, -, -n* delicacy; **Delikatessengeschäft** *sub, n, -s, -e* delicatessen

Delikt, *sub, n, -s, -e* offence; *ein Delikt begehen* offend (against) the law; **Delinquent** *sub, m, -s, -n* offender

Delirium, *sub, n, -s, -ien* delirium; *Delirium tremens* delirium tremens; *im Delirium liegen* be in a delirium; *im Delirium reden* speak in one´s delirium

deliziös, *adj*, delicious

Delle, *sub, f, -, -n* dent; *eine Delle ins Auto fahren* dent one´s car; *weiß nicht* with chips and dents

delphisch, *adj*, Delphic

Delta, *sub, n, -s, -s (geogr./math)* delta; *Flussdelta* delta shaped mouth of a river; **deltaförmig** *adj*, deltashaped

dem, **(1)** *best.Art.*, the **(2)** *pron*, him **(3)** *Rel.Pron.*, whom; *gib es dem Mann* give it to that (the) man; *ich gab dem Mann das Buch* I gave the man the book, *gib es nicht dem, sondern dem Mann da* dont give it to him, give it to that man, *der Mann dem ich half* the man whom I helped

Demagoge, *sub, m, -n, -n* demagogue; **Demagogie** *sub, f, -, -n* demagogy; **demagogisch (1)** *adj*, demagogic (2) adv, by demagogic means

Demarche, sub, f, -, -n démarche

Demarkation, sub, f, -, -en demarcation; **~slinie** sub, f, -, -n demarcation line

demarkieren, vt, demarcate; **Demarkierung** sub, f, -, -en demarcating

demaskieren, vt, unmask; **Demaskierung** sub, f, -, -en unmasking

dementgegen, konj, in opposite to

Dementi, sub, n, -, -s denial; ein offizielles Dementi official denial; **dementieren** vti, deny; es wird dementiert, dass deny sth

Dementia, sub, f, -, -e (med.) dementia

dementsprechend, adj, appropriate; er hat einen dementsprechenden Stil a style appropriate to; er war dementsprechend angezogen he was dressed appropriately

demgegenüber, adv, (geh.) in contrast; (ugs.) on the other hand; demgegenüber jedoch on the other hand

demgemäß, (1) adj, (Entsprechung) appropriate; (Übereinstimmung) in accordance (2) adv, (Folgerung) consequently; (Übereinstimmung) accordingly; die Qualität ist demgemäß the quality is in accordance with the price

demilitarisieren, vt, demilitarize

demi-sec, adj, medium dry

Demission, sub, f, -, -en resignation; **~är** sub, m, -s, -e s. Rentner; **demissionieren** vti, resign from; er mußte demissionieren he had to resign from

Demiurg, sub, m, -en und -s, nur Einz. (phil./Platon) creator of the universe

demnächst, adv, in the near future; demnächst in diesem Theater coming soon

Demobilisation, sub, f, -s, -en demobilization

demobilisieren, vt, demobilize; **Demobilisierung** sub, f, -, -en demo-

bilising

Demografie, sub, f, -, -n demography; **demografisch** adj, demographic; eine demographische Umfrage demographic poll

Demokrat, sub, m, -en, -en democrat; (Partei) Democrat; Mitglied der Demokratischen Partei Democrat; **~ie** sub, f, -, -n democracy; **demokratisch** adj, democratic; (Partei) Democratic

demolieren, vt, demolish; (Möbel) smash up; **Demolierung** sub, f, -, -en demolition

Demonstrant, sub, m, -en, -en demonstrator; **Demonstration** sub, f, -, -en demonstration (in support of/against); **demonstrativ** adj, demonstrative; **Demonstrativpronomen** sub, n, -s, - oder -pronomina demonstrative pronoun; **Demonstrator** sub, m, -s, -en demonstrator; **demonstrieren** vti, demonstrate

Demontage, sub, f, -, -n dismantling; **demontieren** vt, dismantle; den Vergaser demontieren dismantle the carburetor; jmd demontieren take down so; **Demontierung** sub, f, -, -en dismantling

Demoralisation, sub, f, -, -en demoralization; **demoralisieren** vt, (Moral) corrupt; (Mut) demoralise; du demoralisierst die ganze Mannschaft you demoralise the whole team; **Demoralisierung** vt, demoralization

Demoskop, sub, m, -s, -en opinion pollster; **~ie** sub, f, -, -n opinion research; **demoskopisch** adj, opinion research

Demotivation, sub, f, -, -en loss of motivation; **demotivieren** vt, loose motivation by

Demut, sub, f, -, nur Einz. humility; **demütig** adj, humble; **demütigen** vt, humiliate

demzufolge, adv, (geh.) consequently; (ugs.) therefore

den, (1) best.Art., the (2)

dem.Pron., that/those **(3)** *rel.Pron.*, that; *den Faust lesen* read "Faust"; *den Mann seben* see the man; *den Männern geben* give sth to the men; *ich meine den Mann* I mean that man

Denaturalisation, *sub, f, -, -en* denaturalization; **denaturalisieren** *vt,* denaturalize

denaturieren, *vt,* denature; *(Mensch)* dehumanize

dengeln, *vt,* sharpen

Denier, *sub, n, -, -* denier

Denkart, *sub, f, -, -en* way of thinking; **Denkaufgabe** *sub, f, -, -en* brain-teaser; **denkbar** *adj,* conceivable

Denken, (1) *sub, n, -s, nur Einz.* thinking **(2) denken** *vr,* think **(3)** *vt,* think; *logisches Denken* logical thought, *an Schlaf war nicht zu denken* sleep was out of the question; *das gibt mir zu denken* that makes me think; *das babe ich mir gedacht* thought as much; *das hättest dur dir denken können* you should have known that; *denken sie nur* just imagine; *denkste!* that´s what you think!; *etwas immer wieder überdenken* think over and over again; *ich dachte er sei tot* I thought him dead; *ich denke nicht daran* wouldn´t dream of it; *ich denke schon* I think so; *ich habe mir dabei nichts gedacht* I thought nothing of it; *solange ich denken kann* as long as I remember; **Denker** *sub, m, -s, -* thinker; **Denkerstirn** *sub, f, -, -en* intellectual´s high brow; **denkfaul** *adj,* mentally lazy; **Denkfehler** *sub, m, -s, -* flaw in one´s reasoning; **Denkmal** *sub, m, -s, -mäler* memorial, monument; **Denkprozess** *sub, m, -sses, -sse* process of thinking; **Denkschrift** *sub, f, -, -en* memo(randum); **Denksport** *sub, m, -s, nur Einz.* brain-teasing; **Denkungsart** *sub, f, -, -en* way of thinking; **Denkvermögen** *sub, n, -s, nur Einz.* ability to think; **denkwürdig** *adj,* memorab-

le; *ein denkwürdiges Ereignis* a memorable event; **Denkzettel** *sub, m, -s, -* lesson; *ihm einen Denkzettel verpassen* teach sb a lesson

denn, *konj,* for/because; *(falls)* unless; *es sei denn* unless; *ist das denn so wichtig* is that really so important; *mehr denn je* more than ever; *was ist denn* what is it now; *wieso denn* but why; *wo warst du denn nur* where on earth have you been

dennoch, *adv,* nevertheless

Denominativ, *sub, n, -s, -e* denotation

Densimeter, *sub, n, -s, - (phy.)* density meter

dental, *adj,* dental; **Dentist** *sub, m, -s, -en* dentist

dentelieren, *vti,* make it look dentate

Denunziant, *sub, m, -en, -en* informer; **Denunziation** *sub, f, -, -en* denunciation; **denunzieren** *vt,* denounce

Deodorant, *sub, n, -s, -s und -e* deodorant; **deodorieren** *vt,* deodorize

Deospray, *sub, n, -s, -s* deodorant spray

Departure, *sub, f, -s, -s* departure

Dependance, *sub, f, -, -n* branch

Depesche, *sub, f, -, -n* telegram (to)

deplacieren, *vti,* misplace; *eine deplazierte Bemerkung* a misplaced remark; *ich kam mir deplaziert vor* I felt out of place

deplatziert, *vi,* misplaced

Deponat, *sub, n, -s, -e* deposit; **Deponens** *sub, n, -, -nentia oder -nentien* deponent; **Deponent** *sub, m, -en, -en* depositor; **Deponie** *sub, f, -, -n* tip; **deponieren** *vt,* deposit; *as Gepäck am Bahnhof deponieren* deposit the luggage at the station; *das Geld bei ihm deponieren* deposit the money with him; *das Geld im Safe deponieren* deposit the money in the sale; **Depomerung** *sub, f, -, -en* depositing

Deport, *sub, m, -s, -e (wirt.)* decline in prices of securities

Deportation, *sub, f, -, -en* deportation; **deportieren** *vt*, deport to; **Deportierte** *sub, m, -, -n* deportee; **Deportierung** *sub, f, -, -en* deportation

Depositen, *sub, f, -, nur Mehrz. (wirt.)* deposits; **Deposition** *sub, f, -s, -en* deposition; **Depositorium** *sub, n, -, -torien* depository

Depot, *sub, n, -s, -s* depot; *(wirt.)* depot; **~fund** *sub, m, -s, -e* cache (find); **~präparat** *sub, n, -s, -e* depot preparation; **~schein** *sub, m, -s, -e* depot check

Depp, *sub, m, -en und -s, -en (ugs.)* fool; *(vulg.)* twit; *ich Depp bin darauf reingefallen* and like a fool I fell for it

depravieren, *vt*, deprave

Depression, *sub, f, -, -en (geogr./wirt.)* depression; **depressiv** *vi*, depressive; **Depressivität** *sub, f, -, nur Einz. (psych.)* depression

deprimieren, *vt*, depress

deprivieren, *vt*, deprive

Deputat, *sub, n, -s, -e* teaching load; **~ion** *sub, f, -, -en* deputation; *(Konferenz)* delegation; **deputieren** *vti*, depute

der, **(1)** *best.Art*, of the, the **(2)** *dem.pron*, that **(3)** *rel.pron*, who/which, whom; *der Mann* the man; *der Mann dort* that man over there; *der Männer* of the men; *er war der erste, der es erfuhr* he was the first to know

Derangement, *sub, n, -s, -s* derangement; **derangieren** *vti*, derange; *jmd derangieren* derange sb mind; *jmd Ideen derangieren* to derange sb ideas; **derangiert** *adj*, deranged

derart, *adv*, so... that; *derart gut* such good; *die Folgen waren derart, dass* the consequences were such that; *jmd derart schlecht behandeln, dass* treat sb so badly that;

sie hat derart geschrien, dass she screamed so much that; **~ig** *adj*, such; *ein derartiger Wutausbruch* such a fit of fury; *eine derartig schöne Frau* such a beautiful woman; *nichts derartiges* nothing of that kind

Derby, *sub, n, -s, -s* derby

dereinst, *adv*, some day; *dereinst mal* some day in the future

deren, **(1)** *poss.pron*, their **(2)** *rel.pron*, *(Pers.)* whose; *(Sachen)* of which; *die Frau deren Tasche* the Lady whose bag; *die Tasche deren Bügel* the bag the bow of which

derenthalben, *adv*, because of; *(pers.)* on whose account; *(Sachen)* on account of which; *derenthalben neu: derentwegen* on whose account

derentwegen, *adv*, s. derenthalben

derentwillen, *adv*, *(Pers.)* for whose sake; *(Sachen)* for the sake of which

dergestalt, *adv*, in such way that; *dergestalt ausgerüstet* thus equipped

dergleichen, *pron*, that sort of thing; *nichts dergleichen* no such thing; *und dergleichen mehr* and so on

Derivat, *sub, n, -s, -e (chem.)* derivative; **derivieren** *vti*, *(mil.)* deviate

derjenige, *pron*, the one who; *derjenige, der* he who

dermaßen, *adv*, so much that; *dermaßen schön, dass* so beautiful that; *er hat mich dermaßen belogen, dass* he has lied to me so much that

Dermatologe, *sub, m, -n, -n* dermatologist; **Dermatologie** *sub, f, -, nur Einz.* dermatology; **Dermatologin** *sub, f, -, -nen* dermatologist

Dermographie, *sub, f, -, -n* marker on the skin

Dermoplastik, *sub, f, -, -en* plastic

surgery

derogativ, *adj*, derogatory

Derrickkran, *sub*, *m*, *-s*, *-e (Schiff)* derrick

Derwisch, *sub*, *m*, *-s*, *-e* dervish; **~tanz** *sub*, *m*, *-es*, *-tänze* dance of the dervishes

derzeit, *adv*, at the moment

des, *Artikel*, of the; *des Autos* of the car

desarmieren, *vt*, disarm

Desaster, *sub*, *n*, *-s*, *-* desaster

desavouieren, *vt*, expose

Deserteur, *sub*, *m*, *-s*, *-e* deserter; **desertieren** *vi*, desert; **Desertion** *sub*, *f*, *-*, *-en* desertion

desgleichen, *adv*, so is; *er ist Arzt, desgleichen seine Frau* he is a doctor and so is his wife

deshalb, *adv*, *(geh.)* for that reason; *(ugs.)* that´s why; *deshalb also* so that´s the reason; *deshalb bin ich zu dir gekommen* that´s why I came to you; *deshalb mußt du doch nicht gehen* there´s no need for you to go; *gerade deshalb* that´s just why; *sie ist deshalb nicht glücklicher* she isn´t any happier for it

Desiderat, *sub*, *n*, *-s*, *-e* desideratum

Design, *sub*, *n*, *-s*, *-s* design; **~er** *sub*, *m*, *-s*, *-* designer; **~ermode** *sub*, *f*, *-*, *-en* designer fashion

Designation, *sub*, *f*, *-*, *-en* designation; **designieren** *vt*, designate as

Desillusion, *sub*, *f*, *-*, *-en* disillusion; **desillusionieren** *vt*, disillusion

Desinfektion, *sub*, *f*, *-*, *-en* disinfection; **~smittel** *sub*, *n*, *-s*, *-* disinfectant

Desinfiziens, *sub*, *n*, *-*, *-zien und -zia* disinfectant; **desinfizieren** *vt*, disinfect

Desinformation, *sub*, *f*, *-*, *-en* disinformation

Desinteresse, *sub*, *n*, *nur Einz.* lack of interest; *ihr Desinteresse an* their lack of interest in; **desinteressiert** *adj*, uninterested

Deskription, *sub*, *f*, *-*, *-en* description; **deskriptiv** *adj*, descriptive

desodorieren, *vt*, s. deodorieren

desolat, *adj*, wretched; *in einem desolaten Zustand sein* be wretched

Desorganisation, *sub*, *f*, *-*, *-en* disorganization; **desorganisieren** *vi*, disintegrate

desorientiert, *adj*, disorientate

desoxidieren, *vt*, deoxidate

Desoxyribonukleinsäure, *sub*, *f*, *-*, *-n (chem.)* deoxyribonucleic acid

despektierlich, *adj*, desrespectful

Desperado, *sub*, *m*, *-s*, *-s* desperado; **desperat** *adj*, desperate

Despot, *sub*, *m*, *-en*, *-en* despot; **~ie** *sub*, *f*, *-*, *-n* despotism; **despotisch** *adj*, despotic; **~ismus** *sub*, *m*, *-*, *-men* despotism

dessen, *pron*, *(.Sachen)* of which; *(Pers.)* whose/of whom; *der Garten, dessen Fläche* the garden, the area of which; *der Mann dessen Auto* the man whose car; *der Mann dessen Besuch wir erwarten* the man from whom we we are expecting a visit

dessenthalben, *adv*, s. derenthalben

dessentwegen, *adv*, s. derentwegen

Dessert, *sub*, *n*, *-s*, *-s* dessert; **~gabel** *sub*, *f*, *-*, *-n* dessert-fork (pastry-fork)

Dessin, *sub*, *n*, *-s*, *-s* pattern; **~ateur** *sub*, *m*, *-s*, *-e* designer; **dessinieren** *vt*, pattern; **~ierung** *vt*, decorate with a pattern

destilieren, *vti*, distil; *den Inhalt eines Buches zu einem Aufsatz destillieren* condense the content of a novel into an essay; *destilliertes Wasser* distilled water; **Destillat** *sub*, *n*, *-s*, *-e* distillate; **Destillateur** *sub*, *m*, *-s*, *-e* distiller; **Destillation** *sub*, *f*, *-*, *-en* distillation; **Destille** *sub*, *f*, *-n* distillery

Destination, *sub*, *f*, *-*, *-en* destination

desto, *konj*, *(mit Komparativ)* all the, the; *desto besser* all the bettei; *ich schätze ihn desto mehr* I appreciate him all the more; *je mehr desto besser* the more the better

destruieren, *vt*, destroy; **Destruktion** *sub*, *f*, -, -en destruction; **destruktiv** *adj*, destructive; *destruktiv auf etwas wirken* have a destructive effect on sth

deswegen, *adv*, s. deshalb

Deszendent, *sub*, *m*, -en, -en *(astrol.)* descendant; *im Deszendenten stehen* be situated in the descendant; **Deszendenz** *sub*, *f*, -, -en descending of a star; **deszendieren** *vi*, descend

Detail, *sub*, *n*, -s, -s detail; *bis ins kleinste Detail* down to the smallest detail; *ins Detail gehen* go into detail, **-frage** *sub*, *f*, -, -n question of detail; **detailgetreu** *adj*, accurate in every detail; **~handel** *sub*, *m*, -s, - retail sale; **detaillieren** *vt*, explain in detail; **detailliert (1)** *adj*, detailed (2) *adv*, in detail; **detailreich** *adj*, in great details

Detektei, *sub*, *f*, -s, -en detective agency; **Detektiv** *sub*, *m*, -s, -e detective; **Detektivbüro** *sub*, *n*, -s, -s detective agency; **detektivisch (1)** *adj*, with the attitudes of a detective (2) *adv*, like a detective; *in detektivischer Kleinarbeit* by detailed detective work; *mit detektivischem Spürsinn* with the keen perception of a detective; **Detektor** *sub*, *m*, -s, -en *(tech.)* detector

Détente, *sub*, *f*, -, *nur Einz.* détente

Detergens, *sub*, *n*, -, -zien und -zia detergent

Determination, *sub*, *f*, -, -en determination; **determinativ** *adj*, determinative; **determinieren** *vt*, determine; **Determinist** *sub*, *m*, -s, -en determinist; **deterministisch** *adj*, deterministic

Detonation, *sub*, *f*, -, -n detonation; **Detonator** *sub*, *m*, -s, -en detonator; **detonieren** *vi*, detonate

Deut, *sub*, *m*, -s, -e bit; *keinen Deut besser sein als* be not a bit better than; *keinen Deut wert sein* not worth a farthing

Deutelei, *sub*, *f*, -, -en speculation; **deuten** *vt*, point (at); *alles deutet daraufhin, dass* there is every indication that; *die Karten deuten* read the cards; *etwas falsch deuten* misinterpret; *mit dem Finger auf jmd/etwas deuten* point (one´s finger) at sb/sth; **deutlich** *adj*, clear; *das macht deutlich, dass* this makes it clear; *das war deutlich genug* that was clear enough; *deutlich werden* speak in very plain terms; *deutliche Durchsage* clear announcement; *deutlicher Fortschritt* visible progress; *deutlicher Wink* broad hint; *etwas jmd deutlich zu verstehen geben* make sth plain/clear to sb; *muss ich noch deutlicher werden* do I have to spell it out (for you); **Deutlichkeit** *sub*, *f*, -, -en clarity; *an Deutlichkeit nicht zu wünschen lassen* it could have not been clearer; *in aller Deutlichkeit* in plain terms

deutsch, *adj*, German; *deutsch reden* talk in German; *Deutscher Fußballbund* German Soccer Association; *deutscher Schäferhund* German shepherd; *mit jmd deutsch reden* speak plainly with so

Deutsche, *sub*, *m*, *f*, -n, -n German; *er hat eine Deutsche geheiratet* he married a German woman; **~nhass** *sub*, *m*, -sses, *nur Einz.* hatred of the Germans; **Deutschherr** *sub*, *m*, -n, -en member of the Teutonic Order of the Knights; **Deutschkunde** *sub*, *f*, -, *nur Einz.* German studies

Devalvation, *sub*, *f*, -s, -en *(wirt.)* devaluation; **devalvieren** *vt*, devaluate

Devastation, *sub*, *f*, -, -en *(geogr.)* devastation; **devastieren** *vt*, devaste

deviant, *adj*, deviant

Deviation, *sub*,   *f*,   -,   -en

(mat./geogr.) deviation; **devieren** *vi*, deviate

Devise, *sub, f, -, -n* motto; *es ist meine Devise* it´s my motto

Devisen, *sub, f, -, nur Mehrz.* foreign exchange; *die Devisen aus manchen Ländern sind* the foreign exchange of some countries is; **~kurs** *sub, m, -es, -e* foreign exchange rate; **~markt** *sub, m, -s, -märkte* foreign exchange market

Devon, *sub, n, -, nur Einz. (geogr.)* Devon; *(geol.)* Devonian

devot, *adj, (geh.)* obsequious; *(ugs.)* humble; **Devotion** *sub, f, -, -en* devotion; **Devotionalien** *sub, f, nur Mehrz.* devotional objects

Dextrose, *sub, f, -, nur Einz.* dextrose

Dezember, *sub, m, -s, -* December; *1 Dezember* December 1st; *im Dezember* in December; **~tag** *sub, m, -s, -e* day in december

Dezennium, *sub, n, -s, -en* decade

dezent, *adj*, decent; *dezente Kleidung* be dressed decently

dezentral, *adj*, decentral; *der Bahnhof liegt dezentral* the station is situated non-central; **Dezentralisation** *sub, f, -, -en* decentralization; **~isieren** *vt*, decentralize

Dezernat, *sub, n, -s, -e* department; **Dezernent** *sub, m, -s, -en* head of department

Dezibel, *sub, n, -s, - (phy.)* decible

dezidiert, *adj*, determined

dezimieren, *vt*, decimate; *Schmetterlinge dezimieren* decimate butterflies; *Verbrauch dezimieren* the consumption has to be reduced drastically; **dezimiert** *adj*, be drastically reduced; **Dezimierung** *sub, f, -, -en* decimation

Dia, *sub, n, -s, -s* slide

Diabetes, *sub, m, -s, nur Einz.* diabetes; **Diabetiker** *sub, m, -s, -* diabetic; **Diabetikerin** *sub, f, -, -nen* diabetic

diabolisch, *adj*, diabolic; *diabolisch* diabolic malevolence; *diabolisches Grinsen* diabolic sneer;

Diabolus *sub, m, -, -* devil

Diadem, *sub, n, -s, -e* diadem

Diagnose, *sub, f, -, -n* diagnosis; **~zentrum** *sub, n, -s, -zentren* diagnostic clinic

Diagnostik, *sub, f, -, nur Einz.* diagnostics; **~er** *sub, m, -s, -* diagnostician; **diagnostisch** *adj*, diagnostic; **diagnostizieren** *vt*, diagnose

diagonal, *adj*, diagonal; *ein Buch diagonal lesen* skim through a book; **Diagonale** *sub, f, -, -n* diagonal

Diagramm, *sub, n, -s, -e* diagram

diakaustisch, *adj*, caustic by focussed light

Diakon, *sub, m, -s und -en, -e* deacon; **~ie** *sub, f, -, nur Einz.* welfare and social work; **~isse** *sub, f, -, -n* deaconess

Diakrise, *sub, f, -, -n* diacritic; **diakritisch** *adj*, diacritical

Dialekt, *sub, m, -s, -e* dialect; *Dialekt sprechen* speak dialect; **dialektfrei** *adj*, without a trace of dialect; *dialektfrei Englisch sprechen* speak English with out a trace of dialect; *dialektfrei sprechen* speak standard German

dialektal, *adj*, dialectal

Dialektik, *sub, f, -, nur Einz. (phil.)* dialectics; **~er** *sub, m, -s, -* dialectician; **dialektisch** *adj*, dialectical

Dialog, *sub, m, -s, -e* dialogue; *einen Dialog führen* carry on a dialogue; **dialogisch** *adj*, dialogic; **dialogisieren** *vt*, write in dialogue; **~kunst** *sub, f, -, -künste* art of dialogue

Diamant, *sub, m, -s, -en* diamond; **diamanten** *adj*, diamond; **~feld** *sub, n, -s, -er* diamond-field; **~nadel** *sub, f, -, -n (Ansteck-)* diamond pin; *(tech.)* diamond stylus; **~ring** *sub, m, -s, -e* diamond ring; **~staub** *sub, m, -s, nur Einz.* diamond dust

diametral, *adj*, diametral; *diametral entgegengesetzt* diametrically

181   die

opposed; **diametrisch** *adj, diametrical*

diaphan, *adj,* diaphanus

Diaphragma, *sub, n, -s, -men* diaphragm

Diapositiv, *sub, n, -s, -e* diapositive

Diaprojektor, *sub, m, -s, -en* slide projector

Diarium, *sub, n, -s, -rien* diary

Diarrhö, *sub, f, -, -en* diarrh(o)ea

Diaspora, *sub, f, -, nur Einz.* Diaspora

diastolisch, *adj,* diastolic

Diät, *sub, f, -, -en* diet; *Diät halten* keep to a diet; *jmd auf Diät setzen* put so on a diet; **~kost** *sub, f, -, nur Einz.* dietary food; **~plan** *sub, m, -s, -pläne* diet plan

Diäten, *sub, f, nur Mehrz.* parliamentary allowance

Diätetik, *sub, f, -, -en* dietetics

Diäthylenglykol, *sub,* diethyleneglycol

Diatonik, *sub, f, -, nur Einz. (mus.)* diatonicism; **diatonisch** *adj,* diatonic

dich, *pron,* you; *entschuldige dich* apologize; *schau dich an* look at yourself; *wäschst du dich* are you washing

dicht, *adj,* (*Haar,Moos,Wolken...*) thick; (*Wald,Hecke,Leute...*) dense; *dicht aufeinanderfolgen* follow closely; *dicht dran sein etwas zu tun* be on the point of doing sth; *dicht gedrängt* closely packed; *dicht hinter jmd* close on so heels; *er ist nicht ganz dicht* he´s got a screw loose; **Dichte** *sub, f, -, -n* density; **Dichtemesser** *sub, m, -s, -* density-metre(am: er)

dichten, (1) *vi,* write (poetry) (2) *vt,* (*Fenster*) seal

Dichter, *sub, m, -s, -* poet; **dichterisch** *adj,* poetic; **~kreis** *sub, m, -es, -e* circle of poets; **~wort** *sub, n, -s, -wörter* word of a poet; **Dichtkunst** *sub,f, -, -künste* art of poetry; **Dichtung** *sub, f, -, -en* work of literature; (*tech.*) sealing; **Dichtungsart** *sub, f, -, -en* branches of poetry

dichthalten, *vt,* keep one´s mouth shut; *er kann nicht dichthalten* he cannot keep his mouth shut

Dichtigkeit, *sub, f, -, nur Einz.* denseness

dick, *adj, (Material)* thick; *(Person)* fat; *das dicke Ende kommt noch* the worst is yet to come; *dick geschwollen* swollen badly; *dick mit Butter bestrichen* thickly spread with butter; *dicke Milch* curdled milk; *dicker Verkehr* heavy traffic; *dickes Lob ernten* reap lavish praise; *durch dick und dünn* through thick and thin; *ich habe es/ihn dick* I´m thick of it/him; *dick machen* be fattening; *dick werden* grow fat; *dicke Freunde sein* they are as thick as thieves; **~bauchig** *adj,* large-bellied; **Dickdarm** *sub, m, -s, -därme (med.)* large intestine; **Dicke** *sub, f, -n, -n* fat man/woman, thickness; *Dicke des Materials* thickness of the material; **~flüssig** *adj,* viscous; **Dickhäuter** *sub, m, -s, -* chyderm; **Dickicht** *sub, n, s, -e* thicket; (*Wald*) dense undergrowth; *im Dickicht des Waldes* in dense undergrowth; **Dickkopf** *sub, m, -s, -köpfe* mule; *du bist ein Dickkopf* you are stubborn as a mule; *einen Dickkopf haben* be pigheaded; **~lich** *adj,* plumpish; **Dickmilch** *sub, f, -, nur Einz.* sour milk; **Dickschädel** *sub, m, -s, -* be stubborn; **Dicktuer** *sub, m, -s, -* show off with; **Dickung** *sub, f, -, -en* dense undergrowth; **Dickwanst** *sub, m, -s, -wänste* pot-belly

Didaktik, *sub, f, -, -en* didactics; **~er** *sub, m, -s, -* educationalist; **~erin** *sub, f, -, -nen* educationalist; **didaktisch** *adj,* didactic

die, (1) *best.art,* the (2) *dem.pron,* that/those (3) *rel.pron,* who/which; *die Frau, die da drüben geht* the woman walking over there; *die Kleine* the little girl; *die nicht!* not she!; *die Susanne* Susan (without: the); *die Tasse, die* the cup which, *die Frau da* that women; *die Frau, die ich gesehen habe* the women that I saw; *die Männer da* those men

Dieb, *sub, m, -es, -e* thief; *haltet den Dieb* stop thief; **~esbande** *sub, f, -, -n* gang of thieves; **~esbeute** *sub, f, -, -n* stolen goods; **diebessicher** *adj*, be safe from thieves; **diebisch** *adj*, mischievous; *sich diebisch über etwas freuen* be tickled pink at sth, take a mischievous pleasure in sth; **~stahl** *sub, m, -s, -stähle* theft; *einfacher/schwerer Diebstahl* petty/grand larceny; *geistiger Diebstahl* plagiarism

Diele, *sub, f, -, -n (Boden)* floorboard; *(Raum)* hall(way); *geh in die Diele* go to the hallway; **~nboden** *sub, m, -s, -böden* board-floor; **~nbrett** *sub, n, -es, -er* floor-board; **~nlampe** *sub, f, -, -n* hall-light

Dielektrikum, *sub, n, -s, -trika* dielectric space; **dielektrisch** *adj*, dielectric

dielen, *vt*, lay floor-boards

dienen, *vti, (Diener/Sachen)* serve; *(helfen)* help; *als Museum dienen* serve as a museum; *als Warnung dienen* let that serve as a warning to you; *bei jmd dienen* serve so; *beim Heer dienen* serve in the army; *damit ist mir nicht gedient* that´s of no use for me; *damit ist mir wenig gedient* it´s not much help to me; *das dient einer guten Sache* it is in a good cause; *mit 20 DM wäre mir schon gedient* 20 marks would do; *womit kann ich dienen* what can I do for you; *wozu soll das dienen* what´s the use of that; *diese Maßnahme dient der Sicherheit* these measures help towards safety at work; *womit kann ich dienen* can I help you

Diener, *sub, m, -s, -* servant; **~in** *sub, f, -, -nen* maid; **~schaft** *sub, f, -, -en* domestic stuff; **~schar** *sub, f, -, -en* servants

dienlich, *adj*, helpful; *jmd dienlich sein* be helpful to so; *kann ich ihnen mit etwas dienlich sein* can I be of any assistance to you

Dienst, *sub, m, -es, -e (Beruf)* duty; *(Tätigkeit)* work; *außerhalb des Dienstes* off duty, outside work; *den Dienst antreten* start work; *den Dienst versagen* fail; *Dienst haben* be on duty; *Dienst ist Dienst* you shouldn´t mix business and pleasure; *Dienst nach Verschrift* work-to-rule; *jmd einen guten/schlechten Dienst erweisen* do so a good/bad turn; *jmd gute Dienste leisten* serve so well; *zum Dienst gehen* go to work; **~abteil** *sub, n, -s, -e* guard´s compartment; **~alter** *sub, m, -s, -alter* length of service; **~anzug** *sub, m, -s, -züge* uniform; **~beginn** *sub, m, -s, -e* start of work; **dienstbereit** *adj*, on duty; **diensteifrig** *adj*, eager; **dienstfertig** *adj*, zealous; **~geber** *sub, m, -s, -* employer; **~grad** *sub, m, -es, -e* rank; **~leistung** *sub, f, -, -en* service; *im Dienstleistungsbereich* in the service sector; **dienstlich** *adj*, official; **~mädchen** *sub, n, -s, -* maid; **~mann** *sub, m, -es, -männer* porter; **~nehmer** *sub, m, -s, -* employee; **~reise** *sub, f, -, -n* business trip; **~sache** *sub, f, -, -n* official matter/letter; **~schluß** *sub, m, -schlusses, -schlüsse* end of work; **~siegel** *sub, n, -s, -* official seal; **~stelle** *sub, f, -, -n* department; *an seiner Dienststelle* in his office; **~wagen** *sub, m, -s, -wägen* official car; **~weg** *sub, m, -es, -e* official channels; *auf dem Dienstweg* through official channels; *den Dienstweg einhalten* go through official channels; **dienstwidrig** *adj*, against regulations; *sich dienstwidrig verhalten* act against regulations

dies, *pron*, s. dieser

diese, *pron*, s. dieser

dieselbe, *pron*, s. derselbe

Dieselmotor, *sub*, *m*, *-s*, *-n* diesel engine; **Dieselöl** *sub*, *n*, *-s*, *-e* diesel oil

dieser, diese, dieses, *dem.pron*, this (here)/that (there); *dies und das* various things; *diese Männer/Frauen/Autos* these man/woman/car; *dieser Mann, diese Frau, dieses Auto* this men/women/cars; *dieser Tage (Verg)* these days; *dieser Tage (Zuk)* one of these days; *dieser und jener* some (people); *dieses Buch da* that book; *dieses und jenes* this and that

dieses, *pron*, s. dieser

diesig, *adj*, hazy

diesmal, *adv*, this time

diesseits, (1) *adv*, on this side **(2) Diesseits** *sub*, *n*, *-*, *nur Einz.* in this world

Dietrich, *sub*, *m*, *-s*, *-e* picklock

dieweil, *konj*, because; *(ugs.) alldieweil* because

diffamatorisch, *adj*, defamatory

Diffamie, *sub*, *f*, *-*, *-n* defamation; **diffamieren** *vt*, defame; **~rung** *sub*, *f*, *-*, *-en* defamation

different, *adj*, different; **Differentialgetriebe** *sub*, *n*, *-s*, *-* differential gear; **Differentialrechnung** *sub*, *f*, *-*, *-en* differential calculus; **Differenz** *sub*, *f*, *-*, *-en* difference; **differenzieren** *vti*, differentiate; *(neg.)* discriminate; *eine Funktion differenzieren* differentiate a funktion; *genau differenzieren* make precise distinctions; **Differenzierung** *sub*, *f*, *-*, *-en* precise distinction; **differieren** *vi*, differ by

diffizil, *adj*, difficult; *ein difficiler Sachverhalt* difficult facts

difform, *adj*, deformed; **Difformität** *sub*, *f*, *-*, *-en* deformation

Digest, *sub*, *m*, *-s*, *-s* digest

digital, *adj*, digital; **Digitaluhr** *sub*, *f*, *-*, *-en* digital clock

Dignität, *sub*, *f*, *-*, *nur Einz.* dignity

Digression, *sub*, *f*, *-*, *-en* deviation

Diktafon, *sub*, *n*, *-s*, *-e* Dictaphone (R)

Diktat, *sub*, *n*, *-s*, *-e* dictation; *das Diktat aufnehmen* take the dictation; *ein Diktat schreiben* write a dictation; **~or** *sub*, *m*, *-s*, *-en* dictator; **diktatorisch** *adj*, dictatorial; **~ur** *sub*, *f*, *-*, *-en* dictatorship; **diktieren** *vt*, dictate; *jemandem diktieren* to dictate someone; **Diktiergerät** *sub*, *n*, *-es*, *-e* dictating machine

Diktion, *sub*, *f*, *-*, *-en* style and diction

Diktum, *sub*, *n*, *-s*, *Dikta* dictum

dilatabel, *adj*, dilatable

Dilation, *sub*, *f*, *-*, *-en* dilat(at)ion; **dilatorisch** *adj*, dilatory

Dilemma, *sub*, *n*, *-s*, *-ta oder -s* dilemma; *in einem Dilemma stecken* be on the horns of a dilemma

Dilettant, *sub*, *m*, *-en*, *-en* dilettante; **dilettantisch** *adj*, dilettante; **~ismus** *sub*, *m*, *-*, *-men* dilettantism; **dilettieren** *vi*, dabble

Dill, *sub*, *m*, *-s*, *-e (Gewürz)* dill

Dillenkraut, *sub*, *n*, *-es*, *-kräuter (Pflanze)* Anethum

diluvial, *adj*, Pleistocene; **Diluvium** *sub*, *n*, *-s*, *nur Einz.* Pleistocene

Dimension, *sub*, *f*, *-*, *-en* dimension; *die dritte Dimension* the third dimension; **dimensional** *adj*, dimensional; *dreidimensional* three-dimensional; **dimensionieren** *vt*, dimension; *überdimensioniert* much too big

Dimmer, *sub*, *m*, *-s*, *-* dimmer

dimorph, *adj*, dimorphic; **Dimorphismus** *sub*, *m*, *-*, *-ismen* dimorphism

Diner, *sub*, *n*, *-s*, *-s* dinner; *Gala Diner* gala dinner

Ding, *sub*, *n*, *-es*, *-e (Angelegenheit)* matter; *(Gegenstand)* thing; *das geht nicht mit rechten Dingen zu* there´s something fishy/funny about it; *ein Ding der Unmöglichkeit sein* be quite impossible; *ein Ding drehen* pull a job; *gut Ding will Weile haben* it takes time to do a thing well; *guter Dinge sein* be cheerful; *in Dingen des Geschmacks* in matters of taste; *jedes Ding hat zwei Seiten* there are two sides to everything; *nach Lage der Dinge* the way things are; *so wie die Dinge liegen* as matters stand; *vor allen Dingen* above all; *wie die Dinge stehen* as things are; **dingfest** *adv*, arrest; *jmd dingfest machen* arrest so; **~lichkeit** *sub, f, -, -en* materialism

Dingo, *sub, m, -s, -s* dingo

Dingsda, *sub, m/f/n, -s, -s* what´s its name; *Dingsda* thingumajig

dinieren, *vi*, dine

Dinner, *sub, n, -s, -* dinner; *Dinner bei Kerzenschein* candlelight dinner; *ein königliches Dinner* a dinner fit for a king; **~jacket** *sub, n, -s, -s* dinner-jacket

Dinosaurier, *sub, m, -s, -* dinosaur

Diode, *sub, f, -, -n* diode

dionysisch, *adj*, Dionysiac

diophantisch, *adj, (mat.)* Diophantic

Diopter, *sub, n, -s, -* frame finder

Dioptrie, *sub, f, -, -n* dioptre

Dioxid, *sub, n, -s, -e* dioxide

Dioxin, *sub, n, -s, nur Einz.* dioxene; *mit Dioxin verseucht* polluted with dioxene

diözesan, *adj*, diocesan; **Diözese** *sub, f, -, -n* diocese

Dip, *sub, m, -s, -s* dip; *Avocado Dip* dip of avocado

Diphtherie, *sub, f, -, -n* diphtheria; **diphtherisch** *adj*, diphtherial

diploid, *adj*, diploid

Diplom, *sub, n, -s, -e (Handwerk)* diploma; *(wissensch)* degree; **~and** *sub, m, -en, -en* person peparing for the diploma; **~andin** *sub, f, -, -nen* s. Diplomand; **~arbeit** *sub, f, -, -en* degree-dissertation; **diplomieren** *vt*, award sb a diploma; **~ökonom** *sub, m, -en, -en* holder of a degree in economics

Diplomat, *sub, m, -en, -en* diplomat; **~ie** *sub, f, -, nur Einz.* diplomacy; *eine Sache mit Diplomatie ange-*

ben solve a problem diplomatically; **~ik** *sub, f, -,* nur Einz. science of documents; **~iker** *sub, m, -s, -* scientist of documents; **diplomatisch** *adj*, diplomatic

Dipol, *sub, m, -s, -e* dipole

Dipolantenne, *sub, f, -, -n* dipole antenna

dippen, *vt*, dip

dipterous, *sub, m, -, Dipteroi* dipterous temple

dir, *pers.pron*, to you; *dir auch* same to you; *geben wir zu dir* let´s go to your place; *ich gebe dir das Buch* I give you the book; *ich gebe es dir* I give it to you; *wasch dir die Hände* wash your hands

direkt, *adj*, direct; *direkt lächerlich* downright ridiculous; *direkt nach Süden* face due south; *direkt übertragen* broadcast life; *direkt vor dir* right in front of you; *direkte Informationen* firsthand information

Direktion, *sub, f, -, -en (verw.)* administration; *(wirt.)* management

Direktive, *sub, f, -, -n* directive

Direktmandat, *sub, m, -en, -e* direct mandate; *über ein Direktmandat ins Parlament kommen* get into the parliament by a direct mandate

Direktor, *sub, m, -s, -en* director; *(Schule)* headmaster; **direktorial** *adj*, directorial; **~ium** *sub, n, -s, -torien* board of directors

Direktspiel, *sub, n, -s, -e* be playing directly

Dirigent, *sub, m, -en, -en* conductor; **dirigieren** *vti*, conduct

dirigistisch, *adj*, dirigiste; *dirigistisch* in a dirigiste manner

Dirndlkleid, *sub, n, -es, -er* dirndl

Dirne, *sub, f, -, -n* prostitute

Disharmonie, *sub, f, -, -n* disharmony; *solche Disharmonien* such disharmony; **disharmonieren** *vi*, disagree

Diskant, *sub, m, -s, -e* treble

Diskette, *sub*, *f*, -, -*n* floppy disc

Diskjockey, *sub*, *m*, -*s*, -*s* d(isc) j(okkey)

Disko, *sub*, *f*, -, -*s* disco

Diskografie, *sub*, *f*, -, -*n* record index

Diskont, *sub*, *m*, -*s*, -*e* discount; **~geschäft** *sub*, *n*, -*s*, -*e* discount trade; **diskontieren** *vt*, discount; *einen Diskont gewähren* allow a discount

diskontinuierlich, *adj*, discontinuous

Diskontsatz, *sub*, *m*, -*es*, -*sätze* discount rate

Diskoroller, *sub*, *m*, -*s*, - travelling disco

Diskothek, *sub*, *f*, -, -*en* discothèque

diskrepant, *adj*, discrepant; **Diskrepanz** *sub*, *f*, -, -*en* discrepancy

diskret, *adj*, discreet; *(mat.)* discrete; *etwas diskret behandeln* treat sth in confidence; *sich diskret zurückziehen* retire discreetly; *sie ist sehr diskret* she is very discreet; **Diskretion** *sub*, *f*, -, -*en* discreetness

diskriminieren, *vt*, discriminate; *jmd diskriminieren* discriminate against sb; **Diskriminierung** *sub*, *f*, -, -*en* discrimination; *die Diskriminierung ethnischer Gruppen* the discrimination against ethnical groups

diskurrieren, *vti*, have a discussion (with)

Diskurs, *sub*, *m*, -*es*, -*e* discourse; *ein Diskurs zum Thema* a discourse about

Diskus, *sub*, *m*, -*ses*, -*se* oder -*ken* discus

Diskussion, *sub*, *f*, -, -*en* discussion; *(nicht) zur Diskussion stehen* (not) be under discussion; *etwas zur Diskussion stellen* put sth up for discussion

Diskuswerfen, *sub*, *n*, -*s*, nur Einz. throwing the discus

Diskuswerfer, *sub*, *m*, -*s*, - discus thrower

diskutabel, *adj*, worth discussing; *aus ist maiseutabel* it's not worth discussing

Diskutant, *sub*, *m*, -*en*, -*en* participant in a discussion; **~in** *sub*, *f*, -, -*nen* s. Diskutant

diskutierbar, *adj*, worth discussing; **diskutieren** *vti*, discuss sth.; *darüber läßt sich diskutieren* that´s debatable; *darüber wird viel zu viel diskutiert* there´s much too much discussion about that; *wir haben stundenlang diskutiert* our discussion went on for hours

Dislokation, *sub*, *f*, -, -*en* *(geol.)* fault; *(med.)* dislocation

dislozieren, *vt*, dislocate; **Dislozierung** *sub*, *f*, -, -*en* dislocation

dispensieren, *vt*, excuse from

dispergieren, *vt*, disperse

Disponent, *sub*, *m*, -*en*, -*en* junior departemental manager; **~in** *sub*, *f*, -, -*nen* s. Disponent; **disponibel** *adj*, available; **Disponibilität** *sub*, *f*, -, -*en* availability; **disponieren** *vti*, plan ahead; *über etwas disponieren* dispose of something; **disponiert** *adj*, be in .....form; *gut/schlecht disponiert sein* be in good/bad form

Disposition, *sub*, *f*, -, -*en* *(Planung)* arrangement; *(Verfügung)* disposal; *jmd etwas zur Disposition stellen* place sth at sb disposal; *seine Dispositionen treffen* make one´s arrangements; *zur Disposition stehen* be at sb disposal; **~skredit** *sub*, *m*, -*s*, -*e* overdraft facility

Disproportion, *sub*, *f*, -*en*, -*en* disproportion; **disproportioniert** *adj*, disproportionate

Disput, *sub*, *m*, -*s*, -*e* dispute; *einen Disput über etwas haben* have a dispute about; **~ation** *sub*, *f*, -, -*en* disputation; **disputieren** *vi*, dispute

Disqualifikation, *sub*, *f*, -, -*en* disqualification; **disqualifizieren** *vt*, disqualify; *er wurde disqualifiziert wegen* he was disqualified for

Dissens, *sub, m, -es, -e* dissent; **dissentieren** *vi,* dissent

Dissertantin, *sub, f, -, -nen* dissenter; **Dissertation** *sub, f, -, -en* dissertation; **dissertieren** *vi,* write a dissertation for a degree

Dissident, *sub, m, -en, -en* dissident; ~**in** *sub, f, -, -nen* dissident; **dissidieren** *vti,* have a disagreement over

dissimilieren, *vt,* dissimilate

dissimulieren, *vt,* dissimulate

dissonant, *adj,* dissonant; **Dissonanz** *sub, f, -, -en* dissonance

dissonieren, *vi,* be dissonant

dissoziieren, *vt,* dissociate

Distanz, *sub, f, -, -en* distance; *auf Distanz gehen* to distance from; *Distanz halten von* keep one's distance from; *in einiger Distanz* in some distance; **distanzieren** *vr,* dissociate oneself from; *sich von jmd distanzieren* dissociate oneself from; **distanziert** *adj,* reserved; ~**ritt** *sub, m, -s, -e* long distance ride

Distel, *sub, f, -, -n* thistle

Distichon, *sub, n, -s, Distichen* distich

Distinktion, *sub, f, -en, -en* distinction; **distinktiv** *adj,* distinctive

distrahieren, *vt,* distract; **Distraktion** *sub, f, -, -en* distraction

Distribuent, *sub, m, -en, -en* distributor; **distribuieren** *vt,* distribute; *einen Film distribuieren* distribute a film; **Distribution** *sub, f, -, -en* distribution; **distributiv** *adj, (mat.)* distributive; **Distributivgesetz** *sub, n, -es, -e* rule of distribution

Distrikt, *sub, m, -s, -e* district

Disziplin, *sub, f, -, -en* discipline; *Disziplin halten* keep discipline; **disziplinär** *adj,* disciplinary; **disziplinarisch** *adj,* disciplinary; ~**arstrafe** *sub, f, -, -n* disciplinary penalty; ~**arverfahren** *sub, n, -s, -* disciplinary proceedings; **disziplinell** *adj,* s. disziplinarisch; **disziplinieren** *vt,* discipline; **diszipliniert** *adj,* disciplined; *sich discipliniert verhalten* behave disciplined; **disziplinlos** *adj,* undisciplined

Dithmarscher, *sub, m, -s,* - Dithmarschian; **dithmarsisch** *adj,* Dithmarschian

Diuretikum, *sub, n, -s, -retika (med.)* diuretic; **diuretisch** *adj,* diuretic

Diva, *sub, f, -, -s oder Diven* prima donna; *Filmdiva* filmstar

divergent, *adj,* divergent; *divergent verlaufen* diverge; **Divergenz** *sub, f, -, -en* divergence; *Divergenz der Meinungen* divergence of opinion; **divergieren** *vi,* diverge

divers, *adj, (gleiche)* several; *(versch.)* various; *die diversesten* the most diverse

diversifizieren, *vt,* deversify

Divertissement, *sub, n, -s, -s* divertissement

Dividend, *sub, m, -en, -en* dividend; **dividieren** *vt,* devide

Dividende, *sub, f, -, -n* dividend

Divination, *sub, f, -, nur Einz.* divination; **divinatorisch** *adj,* perceptive

Divinität, *sub, f, -, nur Einz.* divinity

Division, *sub, f, -, -en (mil./math)* division; **Divisor** *sub, m, -s, -en* divisor

Diwan, *sub, m, -s, -e* divan

Dixieland, *sub, m, -s, nur Einz.* Dixieland

Dobermann, *sub, m, -s, -männer* Dobermann

doch, (1) *adv,* still; *(Antwort)* yes; *(dennoch)* nevertheless **(2)** *konj,* but; *ich habe ihn doch erkannt* but I still recognized him; *Das kannst Du nicht! Doch!* You can't do that! Yes, I can!; *Ja doch!* Yes, indeed!; *also doch* I knew it; *das hättest du doch wissen müssen* you should have known that; *er kommt doch* he will come, wenn´t her *fing ihn doch* just ask him; *höflich, doch bestimmt* polite yet firm; *ich habe also doch recht* so I´m right after all

Docht, *sub, m, -es, -e* wick; **~schere** *sub, f, -, -n* snuffers

Dock, *sub, n, -s, -s* dock; *im Dock liegen* be in dock

docken, *vt,   (Getreide)* shock; *(Schiff)* dock; *ein Schiff eindocken* to dock a ship

Docker, *sub, m, -s,* - dock-worker

dodekadisch, *adj,* duodecimal; **Dodekaphonie** *sub, f, -, nur Einz.* twelve-tone-technique

Dogge, *sub, f, -, -n (Deutsche)* Great Dane; *(Englische)* Mastiff

Dogma, *sub, n, -s, Dogmen* dogma; **~tik** *sub, f, -, -en* dogmatics; **~tiker** *sub, m, -s,* - dogmatist; **~tikerin** *sub, f, -, -nen* dogmatist; **dogmatisch** *adj,* dogmatic; **dogmatisieren** *vt,* dogmatize; **~tismus** *sub, m, -, -ismen* dogmatism

Dohle, *sub, f, -, -n* jackdaw

Dohnensteig, *sub, m, -s, -e* springe path

Doktor, *sub, m, -s, -en (Arzt)* doctor; *(Titel)* doctor (´s degree); *seinen Doktor machen* take one´s doctor´s degree; **~and** *sub, m, -en, -en* student going for the doctorate; **~andin** *sub, f, -, -nen* s. Doktorand; **~arbeit** *sub, f, -, -en* doctoral thesis (on); **~diplom** *sub, n, -s, -e* certificate; **~examen** *sub, n, -s, -mina* examination for a doctorate; **~titel** *sub, m, -s,* - title of doctor; **~vater** *sub, m, -s, -väter* thesis supervisor; **~würde** *sub, f, -, -n* doctor´s degree

Doktrin, *sub, f, -, -en* doctrine; **doktrinär (1)** *adj,* doctrinaire **(2) Doktrinär** *sub, m, -s, -e* advocate of a doctrine

Dolch, *sub, m, -es, -e* dagger; *die Dolchstosslegende* myth of the stab in the back; *Dolchstoss* dagger thrust; **~spitze** *sub, f, -, -n* tip of a dagger

Dolde, *sub, f, -, -n* umbel; **dolden-**

forming *adj,* shaped like an umbel

Doline, *sub, f, -, -n* sinkhole

Dollar, *sub, m, -s, -s* Dollar; *20 Dollar* 20 bucks; *Dollar* greenback; *zwei Dollar* two dollars

Dolmen, *sub, m, -s,* - dolmen

dolmetschen, *vti,* act as an interpreter (at); **Dolmetscher** *sub, m, -s,* - interpreter

Dolomit, *sub, m, -s, -e* dolomite

dolos, *adj,* malicious

Dom, *sub, m, -s, -e* dome; *der Kölner Dom* the Cologne Cathedral

Domäne, *sub, f, -, -n (Fachgebiet)* domain; *(Staatsgut)* demesne; *das ist meine Domäne* my domain is

Domestik, *sub, m, -, -en* domestic; **~ation** *sub, f, -, -en* domestication; **~c** *sub, m, -n, -n* domestic; **domestizieren** *vt,* domesticate

Domfreiheit, *sub, f, -, -en* restricted area around a cathedral under the jurisdiction of the church

Domina, *sub, f, -, -s* dominatrix

dominant, *adj,* dominant; **Dominanz** *sub, f, -, -en* dominance; **dominieren** *vti,* dominate; *ein Tal dominieren* dominate a valley

Dominikaner, *sub, m, -s,* - Dominican

Dominium, *sub, n, -s, Dominien* dominion

Domizil, *sub, n, -s, -e* domicile; **domizilieren** *vt,* domicile

Domkapitel, *sub, n, -s,* - cathedral chapter; **Domkapitular** *sub, m, -s, -e* canon

Dompteur, *sub, m, -s, -e* tamer; **Dompteuse** *sub, f, -, -n* tamer

Don, *sub, m, -s, -s* Don

Donau, *sub, f, -, nur Einz.* Danube

Donna, *sub, f, -, -s* donna

Donner, *sub, m, -s,* - thunder; *Blitz und Donner* by Jove; *wie vom Donner gerührt* thunderstruck; **~büchse** *sub, f, -, -n* old rifle; **donnern** *vi,* thunder; **~schlag** *sub, m, -s, -schläge* peal of thunder; *die Nachricht traf uns wie ein Donnerschlag* the

news completely stunned us;
~**wetter** sub, n, -s, - row; das setzt
ein Donnerwetter that causes a hell
of a row
Donnerstag, sub, m, -s, -e Thursday;
donnerstags adv, Thursdays
Donquichotterie, sub, f, -, -n quixotism
doof, adj, stupid; doof bleibt doof
once a fool always a fool; **Doofheit**
sub, f, -, -en stupidity
Dope, sub, n, -s, nur Einz. dope; **dopen (1)** vr, take drugs **(2)** vt, give
sb drugs; gedopt sein have taken
drugs; jmd dopen give drugs to sb;
Doping sub, n, -s, -s taking drugs
Doppel, sub, n, -s, - (Kopie) duplicate; (Sport) doubles; Vertragsdoppel
duplicate of the contract; ~**agent**
sub, m, -en, -en double agent;
~**bauer** sub, m, -s, - double birdcage; **doppelbödig** adj, ambiguous;
~**decker** sub, m, -s, - (Bus) double-
decker; (Flugzeug) biplane; Bur-
ger/Sandwich Doppeldecker
double-decker; **doppeldeutig** adj,
ambiguous; ~**erfolg** sub, m, -es, -e
pair of victories; ~**fehler** sub, m, -s,
- double fault; ~**gänger** sub, m, -s,
- double, look-alike; Doppelgänger
doubleganger/look-alike; ~**klick**
sub, m, -s, -s double click; ~**knoten**
sub, m, -s, - double knot; ~**kopf**
sub, m, -s, nur Einz. Doppelkopf;
Doppelkopfstatue(Januskopf) double-faced statue; ~**leben** sub, n, -s,
- double life; ein Doppelleben führen live a double life; ~**moral** sub,
f, -, nur Einz. double standards;
~**nelson** sub, m, -s, nur Einz. double nelson; ~**nummer** sub, f, -, -n
double feature; ~**punkt** sub, m, -s,
-e colon; **doppelreihig** adj, in two
rows; ~**rolle** sub, f, -, -n dual role;
doppelseitig adj, two page; **doppelsinnig** adj, ambiguous; **doppelt (1)** adj, (zweifach) double **(2)**
adv, (zweimal) twice (as); doppelt
genäht hält besser it´s better to be
on the safe side; doppelt so gross
twice as big; doppelte Buchführung

double-entry bookkeeping, das
ist doppelt gemoppelt that´s just
saying the same thing twice over;
doppelt einsam twice as lonely;
etwas doppelt nehmen double
sth up; sich doppelt anstrengen
try twice as hard; ~**zimmer** sub,
n, -s, - double (room); **doppelzüngig** adj, two-faced
Dorf, sub, n, -es, Dörfer village;
das Olympische Dorf the olympic
village; über die Dörfer fahren
drive on country roads; ~**bewohner** sub, m, -s, - villager; **dörfisch**
adj, rustic; **dörflich** adj, rural;
~**schenke** sub, f, -, -n village inn;
~**trottel** sub, m, -s, - village idiot
Dormitorium, sub, n, -s, -ien dormitory
Dorn, sub, m, -s, -en thorn; jmd
ein Dorn im Auge sein be a thorn
in so side; sein Weg war voller
Dornen his life was no bed of
roses; ~**enhecke** sub, f, -, -n hedge of thorn-bushes; ~**enkrone**
sub, f, -, -n crown of thornes; **dornenreich** adj, thorny; ~**fortsatz**
sub, m, -s, -sätze spinous process;
~**gestrüpp** sub, n, -s, - tangle of
thorn-bushes; **dornig** adj,
thorny; ~**röschen** sub, n, -s, -
Sleeping Beauty
Dörre, sub, f, -, -n kiln; Dörre =
Darre kiln
Dorsch, sub, m, -s, -e codling
dort, adv, (s.a. da) there; von dort
from there
dorther, adv, from there; von
dorther kommen die Lebkuchen
gingerbread comes from there
dorthin, adv, there
Dos, sub, f, -s, nur Einz. DOS
Dose, sub, f, -, -n (Blech/brit) tin;
(Konserve/am.) can; **dosenfertig**
adj, ready in the can; ~**nfleisch**
sub, n, -es, nur Einz. tinned meat;
~**ngemüse** sub, n, -s, - tinned
vegetables; ~**nöffner** sub, m, -s, -
tin opener
dösen, vi, doze; vor sich hin dösen doze; **dösig** adj, drowsy

doses; **Dosierung** sub, f, -, -en dosage

Dosis, sub, f, -, Dosen dose; *eine zu geringe/hohe Dosis* under/overdose; **Dosimeter** sub, n, -s, - dosimeter

Dossier, sub, n, -s, -s dossier

Dotation, sub, f, -, -en endowment; **dotieren** vt, offer a salary

Dotter, sub, n,m, -s, - yolk; **~blume** sub, f, -, -n marsh marigold; **dottergelb** adj, bright yellow; **~sack** sub, m, -s, -säcke yolk-sac

Douane, sub, f, -, -n customs

doubeln, vt, stand in for; *eine Szene doubeln* use a stand-in for; *sich doubeln lassen* have a stand-in

Double, sub, n, -s, -s stand-in

Dozent, sub, m, -en, -en lecturer; **~ur** sub, f, -, -en lecture-ship; **dozieren** vt, lecture (on) (at); *vor jmd über etwas dozieren* lecture on sth at sb

Dragée, sub, n, -s, -s tablet; *Dragée* (coated) tablet; **dragieren** vt, coat with sugar

Dragoner, sub, m, -s, - dragoon

Draht, sub, m, -s, Drähte wire; *(Leitung)* line; *auf Draht sein* be on the ball; *einen guten Draht haben* have a direct line; *heisser Draht* hot wire; **~bürste** sub, f, -, -n wire brush; **drahten** vt, wire; *jmd etwas nach Rom drahten* wire sth to sb to Rome; **~funk** sub, m, -s, nur Einz. wired radio; **~gitter** sub, n, -s, - wire netting; **drahthaarig** adj, badger haired; **drahtig** adj, wiry; **drahtlos** adj, wireless; **~schere** sub, f, -, -n wire-cutters; **~seil** sub, n, -s, -e cable; **~seilakt** sub, m, -s, -e tightrope walker; **~verhau** sub, n,m, -s, -e wire entanglement; **~zieher** sub, m, -s, - wire puller

Draisine, sub, f, -, -n *(Schienenfahrzeug)* trolley; *(spo.)* dandy-horse

drakonisch, adj, Draconian; *drakonische Massnahmen ergreifen* use Draconian measures

Drall, sub, m spin; *(phy.)* torsion; *(i.*

a. J.) einen Drall nach rechts haben he leans to the right

Dralon, sub, n, -s, nur Einz. *(Rechtl.gesch.)* Dralon(R)

Drama, sub, n, -s, Dramen drama; *aus etwas ein Drama machen* dramatize sth; **~tik** sub, f, -, nur Einz. drama; **~tiker** sub, m, -s, - dramatist; **dramatisch** adj, dramatic; **dramatisieren** vt, dramatize; **~turg** sub, m, -en, -en literary and artistic director; **~turgie** sub, f, -, -n dramaturgy; **~turgin** sub, f, -, -nen s. Dramaturg; **dramaturgisch** adj, dramaturgical

dran, adv, *(ugs.)* up; *an der Sache ist was dran* there is sth in it; *das Schild bleibt dran* the sign stays up; *du bist gut dran* you are lucky; *ich bin dran* it´s my turn; *jetzt ist er dran* now he´s in for it; *jetzt weiss ich, wie ich dran bin* now I know where I stand; *man weiss nie, wie man mit ihr dran ist* you never know what to make of her; *spät dran sein* be late; *übel/arm dran sein* be in a bad way

dranbleiben, vt, hold (on); *am Telefon dranbleiben* hold on/the line; *bleib dran* keep at it; *dranbleien an jmd* stick to sb

Drang, sub, m, -s, Dränge urge; *sein Drang nach Bewegung/Freiheit* his urge to move/be free; **drängeln** vt, push; *ich lasse mich nicht drängeln* I won´t be rushed; *jmd drängeln etwas zu tun* urge so to do sth; *sich durch die Menge drängeln* push one´s way through the crowd; *zum Aufbruch drängeln* go on about it being time to leave; **~periode** sub, f, -, -n stress period

drängen, vt, press for; *(bestehen auf)* insist; *auf eine Entscheidung drängen* urge a decision; *auf Zahlung drängen* press for payment; *die Zeit drängt* time is running short; *sich nach vorne* *drängen* force one´s way to the front; *auf sein Drängen hin* at his insistence; *darauf drängen, dass* insist that

Drangsal, *sub, f, -, -e* hardship; **drangsalieren** *vt,* torment

drankommen, *vi,* be sb turn; *als nächster drankommen* I´m next; *in der Schule drankommen* be asked at school; *jetzt komme ich dran* now it´s my turn

drankriegen, *vt,* get sb at sth.; *jmd mit etwas drankriegen* get sb at sth

Drapé, *sub, m, -s, -s* Drapé

drappfarben, *adj,* sand-coloured

drastisch, *adj,* *(Mittel)* drastic; *(Text)* crudely explicit

drauf, *adv, (ugs.)* on it; *drauf und dran sein, etwas zu tun* be on the point of doing sth; *er hatte 100 Sachen drauf* he was doing 100; *gut drauf sein* be in great form

Draufgabe, *sub, f, -, -n* extra-.....

Draufgänger, *sub, m, -s, -* daredevil

draufhalten, *vt,* aim

draufkriegen, *vt,* get smacked

draufstehen, *vt,* be on it

draufzahlen, *vt,* pay a bit more

draußen, *adv,* outside; *bleibt draußen* keep out; *draußen im Garten* out in the garden

drechseln, *vt,* türn; **Drechslerei** *sub, f, -, -en* turnery

Dreck, *sub, m, -s, -* dirt; *(Erde)* mud; *das geht dich einen Dreck an* that´s none of your business; *der letzte Dreck sein* be the lowest of the low; *Dreck am Stecken haben* have a lot to answer for; *Dreck machen* make a mess; *im Dreck sitzen* be in a mess; *jmd aus dem Dreck ziehen* take sb out of the gutter; *jmd in den Dreck ziehen* drag so´s name in the mud; *sich einen Dreck um etwas kümmern* don´t care a damn about it; *vor Dreck starren* be covered in dirt; **~arbeit** *sub, f, -, -en* dirty work; **dreckig** *adj,* dirty; *(sehr)* filthy; **~sarbeit** *sub, f, -, -en* menial work; **~sau** *sub, f, -, säue o. -en* dirty swine

Dreh, *sub, m, -s, -s o. -e* knack; *den richtigen Dreh heraushaben* have got the knack of it; **~bank** *sub, f, -, -en* lathe; **~bewegung** *sub, f, -, -en* rotation; **~buch** *sub, n, -s, -bücher* script

drehen, (1) *vt, (Film)* shoot **(2)** *vti,* turn; *(Spiel)* go round; *einen Film drehen* shoot a film, *alles dreht sich um ihn* everything revolves around him; *die Erde dreht sich um die Sonne* the earth revolves around the sun; *es dreht sich darum* it´s about the fact; *man kann es drehen und wenden* whichever way you look at it; *mir dreht sich alles* my head is spinning; *mir dreht sich alles* everything is going round and round

Dreher, *sub, m, -, -s* lathe-operator; **~ei** *sub, f, -, -en* lathery; **Drehmaschine** *sub, f, -, -n* lathe; **Drehmoment** *sub, m, -s, -e* torque; **Drehorgel** *sub, f, -, -n* barrel-organ; **Drehscheibe** *sub, f, -, -n* turntable; **Drehstrom** *sub, m, -s, -ströme* three-phase current; **Drehwurm** *sub, m, -s, -würmer* feel giddy; *den Drehwurm kriegen* feel giddy; **Drehzahl** *sub, f, -, -en* revolutions

Drehung, *sub, f, -, -en* rotation; *eine halbe Drehung* a half turn

dreiblättrig, *adj,* trifoliate

3-D-Bild, *sub, n, -s, -er* 3-D-picture; **3-D-Film** *sub, m, -s, -e* 3-D-movie

Dreieck, *sub, n, -s, -e* triangle; **dreieckig** *adj,* triangular; **~stuch** *sub, n, -s, -tücher* triangular scarf

dreieinhalb, *Zahl,* three and a half

Dreieinigkeit, *sub, f, -, -en* Triune God

dreierlei, *attr.,* three different kinds

Dreierreihe, *sub, f, -, -n* row of three

dreifach, *adj,* triple; *das Dreifache* three times as much; *die drei-*

flache Menge three times the amount; *in dreifacher Ausfertigung* in triplicate

Dreifaltigkeit, *sub, f, -, nur Einz.* Trinity

Dreifelderwirtschaft, *sub, f, -, -en* three-field system

Dreigestirn, *sub, n, -s, -e* triumvirate

dreihundert, *Zahl,* three hundred

Dreikäsehoch, *sub, m, -s, -s* nipper

Dreiklang, *sub, m, -s, -klänge* triad

dreimal, *adv,* three times

Dreimaster, *sub, m, -s, -* three-master

dreinfahren, *vt,* mess up; *er ist mir ins Geschäft dreingefahren* he messed up my business

dreinfinden, *vt,* get used to things

dreinmischen, *vt,* meddle in sb´s affairs

Dreirad, *sub, n, -s, -räder* tricycle

dreischürig, *adj,* three-rake

dreispaltig, *adj,* three-column; *eine dreispaltige Seite* a three-column page

Dreispänner, *sub, m, -s, -* three-horse carriage

Dreispitz, *sub, m, -s, -e* tricorn

dreißig, *Zahl,* thirty

dreist, *adj,* brazen; *eine dreiste Lüge* a brazen lie

dreistellig, *adj,* three-figure

Dreistigkeit, *sub, f, -, -en* brazenness; *er besaß die Dreistigkeit* he had the audacity to

dreistimmig, (1) *adj,* for three voices (2) *adv,* in three voices

dreistöckig, *adj,* three-storey

dreistrahlig, *adj,* three-jet

Dreitagefieber, *sub, n, -s, -* three-day fever

Dreizack, *sub, m, -s, -e* trident

dreizehn, *Zahl,* thirteen

Drell, *sub, m, -s, -e* cotton twill

dreschen, *vt,* thresh; *auf ein Pferd eindreschen* thresh a horse; *den Ball ins Netz dreschen* slam the ball into the net; **Dreschflegel** *sub, m, -s, -* flail; **Dreschmaschine** *sub, f, -, -n* threshing-machine

Dress, *sub, m, -es, -e (spo.)* kit; *Ten-nisdress tennis kit;* **~mann** *sub, m, -s, -men* male model

Dresseur, *sub, m, -s, -e* trainer; **dressieren** *vt,* train; **Dressur** *sub, f, -, -en* training

Dressing, *sub, n, -s* dressing; *Salat Dressing* dressing

dribbeln, *vi,* dribble; **Dribbling** *sub, n, -s, -s* piece of dribbling

Drift, *sub, f, -, -en* drift; **driften** *vi,* drift

Drill, *sub, m, -s, -e* drilling

Drillbohrer, *sub, m, -s, -* drill

drillen, *vt,* drill

Drillich, *sub, m, -s, -e* twill; **~hose** *sub, f, -, -n* twill trousers (am: pants); **~zeug** *sub, n, -s, -e* heavy cotton twill overalls

Drilling, *sub, m, -s, -e* triplet

drin, *adv,* inside; *das ist bei mir nicht drin* that´s not on; *er ist drin* he´s inside; *es ist noch alles drin* anything is still possible; *mehr war nicht drin* that was the best I could do

dringen, *vi, (geh.)* penetrate; *(ugs.)* come through; *in die Öffentlichkeit dringen* leak out; *in jmd dringen* press so, with questions; *zu deinem Telefon durchdringen* come through

Dringlichkeit, *sub, f, -, -en* urgency; *von grösster Dringlichkeit* of top priority

Drink, *sub, m, -s, -s* drink; *ein Drink auf Kosten des Hauses* a drink on the house

drinnen, *adv,* inside; *(Haus)* indoors; *drinnen ist es schön warm* inside it´s pretty warm; *nach drinnen gehen* go inside

drinstecken, *vt,* be in sth.; *bis über beide Ohren drinstecken* be up to one´s ears in sth; *da steckt man nicht drin* there´s no way of telling; *es steckt viel Arbeit drin* there´s a lot of work in it

Drittel, (1) *adj,* third part of (2) *sub, n, -s, -* third

dritthöchste, *adj,* third-highest

drittletzte, *adj,* antepenultimate

Drittmittel, *sub, n, -s,* - third-rate funds

Drive, *sub, m, -s, -s* drive

Droge, *sub, f, -, -n* drug; *unter Drogen stehen* be on drugs; **~nkonsum** *sub, m, -s, nur Einz.* use of drugs; **~nsucht** *sub, f, -, -süchte* drug addiction; **~nszene** *sub, f, -, -n* drug scene

Drogerie, *sub, f, -, -n* chemist´s (am: drugstore); **Drogist** *sub, m, -en, -en* chemist (am: druggist)

drohen, *vt,* threaten; *er drohte mit der Faust* shake one´s fist to so; *er drohte zu ertrinken* he threatened to drown; *es droht zu regnen* it theatens to rain; *jmd mit dem Tod drohen* threaten sb with death; *mit der Polizei drohen* threaten to call the police; *Rache androhen* threaten revengue; **Drohbrief** *sub, m, -s, -e* threatening letter; **Drohgebärde** *sub, f, -, -n* threatening gesture; **Drohung** *sub, f, -, -en* threat; **Drohwort** *sub, n, -s, -wörter* threatening word

Drohne, *sub, f, -, -n* drone

dröhnen, *vi, (Maschine)* roar; *(mus.)* boom

Dröhnung, *sub, f, -, -en* fix

drollig, *adj,* funny (am: cute); *jetzt werd nicht drollig* don´t get funny; *sie ist ein drolliges Mädchen* she´s a funny girl

Dromedar, *sub, n, -s, -e* dromedary

Dropkick, *sub, m, -s, -s* drop-kick

Drops, *sub, m,n, -,* - acid drop; *saure Drops* acid drops

Droschke, *sub, f, -, -n* hackney carriage

Drossel, *sub, f, -, -n (zool.)* thrush

drosseln, *vt,* reduce

drüben, *adv,* over there; *drüben auf der anderen Seite* over on the other side; *von drüben kommen* come from across the border

Druck, *sub, m, -s, -drücke* print; *(phy./psych.)* pressure; *Druck im Magen haben* have a feeling of pressure in one´s stomach; *ein Druck auf den Knopf genügt* just press the button; *im Druck sein* be pressed for time; *jmd unter Druck setzen* put so under pressure; **~abfall** *sub, m, -s, fälle* drop in pressure; **~anstieg** *sub, m, -s, -e* increase in pressure

Drückeberger, *sub, m, -s,* - shirker

drucken, *vt,* print

drücken, *vt,* press; *(Knopf)* push; *den Knopf drücken* push the button; *jmd etwas in die Hand drükken* press sth into sb´s hands; *auf die Stimmung drücken* cast gloom; *einen Rekord drücken um* better a record by; *jmd die Hand drücken* shake hands with so; *Preis drücken* push the price down

drückend, *adj, (Verantwortung)* burdensome; *(Wetter)* oppressive; *das Wetter ist drückend* the heat is oppressive

Drucker, *sub, m, -s,* - printer; *Laserdrucker* laser printer; **~ei** *sub, f, -, -en (Firma)* printinghouse (printer´s); *(Tätigkeit)* printing-works; **~schwärze** *sub, f, -, -n* printer´s ink; **Druckfehler** *sub, m, -s,* - misprint; **druckfertig** *adj,* ready for press; **druckfrisch** *adj,* hot off the press; **Drucklegung** *sub, f, -, -en* printing; **Druckmuster** *sub, n, -s,* - printed pattern; *(i. ü. S.) nach einem bestimmten Druckmuster vorgehen* follow a pattern; **Druckpapier** *sub, n, -s, -e* printing paper; **Druckplatte** *sub, f, -, -n* printing plate; **Drucksache** *sub, f, -, -n (Druck)* printed stationery; *(Post)* printed matter; **Druckschrift** *sub, f, -, -en* block letters

Druckkabine, *sub, f, -, -n* pressurized cabin; **Druckkessel** *sub, m, -s,* - pressure cooker; **Druckknopf** *sub, m, -s, -knöpfe (Gerät)* push-button; *(Kleidung)* pressstud (am: snap-fastener); **Druckmittel** *sub, n, -s,* - means of bringing pressure to bear; **Druckspalte** *sub, f, -, -n (Druck)*

le *sub, f, -, -n* mark; *(Obst)* bruise;
Druckverband *sub, m, -s, -verbän-
de* pressure bandage

drucksen, *vi,* hum and haw; *sie
drucksen mit etwas herum* they
hum and haw about sth

Drude, *sub, m, -s, -n (myth.)* sorceress causing nightmares

Drugstore, *sub, m, -s, -s* drugstore

Druide, *sub, m, -n, -n* druid

Drummer, *sub, m, -s, -* drummer

Drums, *sub, f, nur Mehrz.* drums

drunten, *adv,* down there

drunter, *adv,* underneath; *es geht
alles drunter und drüber* everything is topsy-turvy, things are completely chaotic

Drüse, *sub, f, -, -n* gland

dry, *adj,* dry

Dschungel, *sub, m, -s, -* jungle

Dschunke, *sub, f, -, -n* junk

dsungarisch, *adj,* Dsungarian

du, *pron,* you; *bist du es/das* is that
you; *du Glückliche* lucky you; *per
Du sein* use the familiar form of
adress

dual, (1) *adj,* dual **(2) Dual** *sub, m,
-s, nur Einz.* dual; **Dualis** *sub, m, -,
-le* s. Dual; **Dualismus** *sub, m, -s,
nur Einz.* dualism; **~istisch** *adj,*
dualistic; **Dualität** *sub, f, -, nur
Einz.* duality; **Dualsystem** *sub, n,
-s, -e* binary system

Dübel, *sub, m, -s, -* plug; **dübeln** *vt,*
fix sth. using a plug

dubios, *adj,* dubious; *ich finde diese Sache dubious* I think this affair
is dubious; *ich finde es dubios,
dass* I find it suspicious that

dubitativ, *adj,* doubtful

Dublette, *sub, f, -, -n* duplicate;
(Edelsteine) doublet; **dublieren** *vt,*
plate with gold

Dublone, *sub, f, -, -n* Dublone

ducken, *vr,* duck; *den Kopf ducken*
duck one´s head; *sich ducken vor
jmd Fäusten* duck to avoid sb´s fists

Duckmäuser, *sub, m, -s, -* moral coward

Dudelei, *sub, f, -, -en (Instr.)* toot-

dudeln, *vi, (Radio)* drone on

Dudelsack, *sub, m, -s, -säcke* bagpipes

Duell, *sub, n, -s, -e* duel; **~ant** *sub,
m, -en, -en* duellist; **duellieren**
vt, fight a duel (over)

Duett, *sub, n, -s, -e* duet

Dufflecoat, *sub, m, -s, -s* dufflecoat

Duft, *sub, m, -s, Düfte* scent; *(Parfüm)* fragrance

dufte, *adj,* great

duften, *vi,* smell (of)

duftig, *adj,* gossamer-fine

Duftnote, *sub, f, -, -n* fragrance

Dukaten, *sub, m, -s, -* ducat; *ein
Dukatenesel sein* be made of money

duktil, *adj,* ductile

dulden, *vt,* tolerate; *ich dulde es
nicht, daß* I won´t have it that

Duldermiene, *sub, f, -, -n* marty-
red expression

duldsam, *adj,* tolerant; **Duldsamkeit** *sub, f, -, nur Einz.* tolerance

Dulzinea, *sub, f, -, -s* Dulcinea

Dumdumgeschoss, *sub, n, -es, -e*
dumdum (bullet)

dumm, *adj,* stupid; *die Sache
wird mir zu dumm* I´m sick and
tired of it; *dummes Zeug reden*
talk rubbish; *frag nicht so dumm*
don´t ask such silly questions; *ich
lasse mich nicht für dumm verkaufen* I´m not that stupid; *jmd
dumm kommen* get fresh with so;
sich dumm stellen act the fool; *zu
dumm* how stupid; **Dummejungenstreich** *sub, m, -s, -e* silly
prank; **~erweise** *adv,* unfortunately; *dummerweise habe ich es
vergessen* like a fool I forgot it;
Dummheit *sub, f, -, -en* stupidity;
mach keine Dummheiten don´t
do anything stupid; *was für eine
Dummheit* what a stupid thing to
do; **Dümmling** *sub, m, -s, -e* dimwit

Dummkopf, *sub, m, -s, -köpfe
(ugs.)* fool; *(vulg.)* nitwit

dümmlich, (1) *adj*, simple-minded **(2)** *adv*, foolishly

Dummy, *sub, m, -s, Dummies* dummy

dumpf, *adj*, dull; *(muffig)* musty

dumpfig, *adj*, *(modrig)* mouldy; *(muffig)* musty; **Dumpfigkeit** *sub, f, -, nur Einz.* mustiness

Dumping, *sub, n, nur Einz.* dumping; **~preis** *sub, m, -es, -e* dumping price

Düne, *sub, f, -, -n* dune

Dung, *sub, m, -es, nur Einz.* dung; **Düngemittel** *sub, n, -s, -* fertilizer; **düngen** *vti*, fertilize; **Dünger** *sub, m, -s, -* fertilizer

dunkel, (1) *adj*, *(Geschäfte)* shady; *(Licht/Farbe)* dark; *(Stimme)* deep **(2)** *adv*, vaguely **(3) Dunkel** *sub, n, -s, -* darkness; *es wird dunkel* it is getting dark; *im Dunkeln tappen* grope in the dark; *jmd im Dunkeln lassen* leave so in the dark; *ich erinnere mich dunkel* have a hazy recollection that; *sich dunkel erinnern* remember vaguely, *im Dunkel der Nacht* in the darkness of the night

dunkeläugig, *adj*, dark-eyed

dunkelblond, *adj*, light brown (hair)

dunkelhaarig, *adj*, dark-haired

dunkelhäutig, *adj*, dark-skinned

Dunkelheit, *sub, f, -, -en* darkness; *(nächtl.)* nightfall; *bei Dunkelheit* during the hours of darkness; *bei Einbruch der Dunkelheit* at nightfall

Dunkelkammer, *sub, f, -, -n* darkroom

Dunkelziffer, *sub, f, -, -n* number of unrecorded cases

dünken, (1) *vr*, regard **(2)** *vt*, methinks; *er dünkt sich etwas besseres/ein Held zu sein* he regards himself as superior/a hero, *es dünkt mir* methinks

dünn, (1) *adj*, *(Gehalt)* weak; *(Mass)* thin; *(Menge)* sparse **(2)** *adv*, thinly; *dünn wie eine Bohnenstange* thin as a lath; *sich dünn*

machen squash, *dünn geschnittener Käse* thinly sliced cheese; *etwas dünn auftragen* apply sth thinly

Dünnbier, *sub, n, -s, -e* small beer

Dünndarm, *sub, m, -s, -därme* small intestine

dünnflüssig, *adj*, thin; *(Konsistenz)* runny

Dünnheit, *sub, f, -, nur Einz.* sparseness .

Dünnschiss, *sub, m, -es, -e* runs

Dünnschliff, *sub, m, -s, -e* thin cutting

Dünnschnitt, *sub, m, -s, -e* thin cutting

dünsten, *vt*, steam; *(Früchte)* stew; *Gemüse/Fisch dünsten* steam vegetable/fish

dunstig, *adj*, hazy; *(Nebel)* misty

Duo, *sub, n, -s, -s* duet

Duodez..., *sub, n, -es, nur Einz.* minor; **Duodezimalsystem** *sub, n, -s, nur Einz.* duodecimal system

düpieren, *vt*, dupe

duplieren, *vt*, double

Duplikat, *sub, n, -s, -e* duplicate; *ein Duplikat erstellen* duplicate sth; **~ion** *sub, f, -, -en* duplication; **duplizieren** *vt*, duplicate; **Duplizität** *sub, f, -, -en* duplication

Duplum, *sub, n, -s, Dupla* duplicate

Dur, *sub, n, -, nur Einz.* major (key); **~akkord** *sub, m, -s, -e* major chord

durabel, *adj*, durable

durativ, *adj*, durative

durch, (1) *adv*, throughout **(2)** *präp m Akk*, through; *(mittels)* by; *das ganze Jahr durch* throughout the year, *der Braten ist noch nicht durch* the roast isn´t done yet; *durch deine Schuld* through your fault; *durch dick und dünn* through fair and foul; *durch und durch* through and through; *durch und durch nass* wet through; *durch Unwissenheit*

through ignorance; *er ist mitten durch* he is through; *es ist fünf (Uhr) durch* it is past five; *15 geteilt durch 5* 15 devided by 5; *durch Geburt* by birth; *durch Vollmacht* by deputy; *durch wackeln, rukkelnd* by fits and starts; *durch Zufall* by chance

durchackern, *vt*, plough through; *die Bücher durchackern* plough through the books

durcharbeiten, **(1)** *vt*, *(Teig/Muskeln)* knead thoroughly **(2)** *vti*, work through

durchaus, *adv*, absolutely; *(völlig)* perfectly; *durchaus möglich* quite possible; *durchaus nicht* by no means; *durchaus nicht!* absolutely not; *er wollte durchaus nicht gehen* he absolutely refused to go; *wenn er durchaus kommen will* if he insists on coming

durchbacken, *vt*, bake through

durchbeißen, *vt*, bite through

durchbetteln, *vr*, beg one´s way through life

durchbiegen, *vt*, bend sth. as far as possible; *die Bretter biegen sich durch* the boards sagged

durchbilden, *vt*, trace

durchblasen, *vt*, blow through

durchblättern, *vt*, leaf through; *eine Zeitschrift durchblättern* leaf through a magazine

Durchblick, *sub*, *m*, *-s*, *-e* know what´s going on; *den Durchblick haben* know what´s going on; *sich den nötigen Durchblick verschaffen* find out what´s what

durchblicken, *vt*, look through; *(verstehen)* I can´t make head or tail of it; *durchblicken* know the score; *durchblicken lassen, daß* intimate that; *ich blicke nicht durch* I don´t get it

durchblitzen, *vti*, flash through; *der Unterrock blitzt durch* the slip flashs through

durchbluten, *vi*, supply with blood; *seine Beine sind schlecht durchblutet* the circulation in his legs is poor

Durchblutung, *sub*, *)*, *-*, *-en (geb.)* supply with blood; *(tt)* blood circulation

durchbohren, *vt*, drill through; *jmd mit Blicken durchbohren* look daggers at so; **~d** *adv*, piercingly; **Durchbohrung** *sub*, *f*, *-*, *-en* piercing

durchbraten, *vt*, roast sth. till it is well done

durchbrausen, *vt*, rush through

durchbrechen, *vt*, break (sth.) in two; *(Auto)* crash through; *(Fussboden)* fall through; *in zwei Teile brechen* break sth in two (pieces); *sein Blinddarm ist durchgebrochen* his appendix burst

durchbrennen, *vi*, *(Lampe)* burn out; *(Sicherung)* blow; *(weglaufen)* run away, *die Sicherung ist durchgebrannt* the fuse has blown; *ihm ist die Sicherung durchgebrannt* he blew a fuse

Durchbruch, *sub*, *m*, *-s*, *-brüche* breakthrough, opening; *(Idee)* get an idea generally accepted; *zum Durchbruch kommen* accept; *zum Durchbruch verhelfen* get sth generally accepted

durchchecken, *vt*, check thoroughly; *(Auto)* check over thoroughly

durchdenken, *vt*, think over; *ein gut durchdachter Plan* a well thought-out plan

durchdiskutieren, *vt*, discuss thoroughly

durchdrängen, *vr*, push one´s way through

durchdrehen, **(1)** *vi*, *(ugs.)* crack up; *(Räder)* spin **(2)** *vt*, *(Fleisch)* mince

durchdringen, **(1)** *vi*, *(Sonne)* come through **(2)** *vt*, *(durch etw.dringen)* penetrate; *die Dunkelheit durchdringen* penetrate the darkness

durchdrucken, *vi*, print throught

durchdrücken, *vt*, *(Gemüse)* pass through; *(Gesetz)* manage to force ... through; *(Knie)* straighten

durchdrungen, *adj*, penetrated
durcheilen, *vt*, hurry through
durcheinander, **(1)** *adv*, *(Essen)* indiscriminately; *(Ordnung)* messed up; *(verwirrt)* confused **(2) Durcheinander** *sub*, *n*, *-s*, *-* muddle; *(i. ü. S.)* confusion; *alles durcheinander essen* eat everything as it comes; *durcheinander sein (Person)* be all mixed up; **~bringen** *vt*, confuse; *(etwas)* get into a mess; *(verwechseln)* mix up; *jmd durcheinanderbringen* confuse sb; *alles durcheinanderbringen* get everything mixed up
durchfahren, **(1)** *vi*, drive (straight) through **(2)** *vt*, travel through; **Durchfahrt** *sub*, *f*, *-*, *-en* passing through
Durchfall, *sub*, *m*, *-s*, *-fälle* *(med.)* diarhoea; *(Prüfung)* failure
durchfallen, **(1)** *vt*, *(Dach ua.)* fall through **(2)** *vti*, *(Prüfung)* fail; *bei einer Prüfung durchfallen* to fail an exam
durchfaulen, *vi*, rot through
durchfechten, *vt*, fight successfully for
durchfegen, *vti*, sweep thoroughly
durchfeiern, *vi*, celebrate all night
durchfeilen, *vt*, *(i. ü. S.; Aufsatz)* polish; *(Metall)* file through
durchfeuchten, *vi*, get wet through; *durch und durch feucht* soaked through
durchfinden, *vr*, find one´s way through
durchflechten, *vti*, weave through
durchfliegen, **(1)** *vi*, fly non stop **(2)** *vt*, fly through; *(Prüfung)* fail; *die ganze Nacht durchfliegen* fly all through the night; *er ist durch die Prüfung geflogen* he failed the exam
durchfließen, *vt*, flow through
Durchfluss, *sub*, *m*, *-es*, *-flüsse* *(Abfluss)* outlet; *(Menge)* flow; *der tägliche Durchfluss* the daily flow
durchfluten, *vt*, flow through; *(Person)* flood through
Durchformung, *sub*, *f*, *-*, *-en* final

shape

durchforschen, *vt*, *(Quellen)* make a thorough investigation of; *(suchen)* search thoroughly
durchforsten, *vt*, *(i. ü. S.)* sift through regulations; *(Wald)* thin out; **Durchforstung** *sub*, *f*, *-*, *-en* thinning clearance
durchfragen, *vr*, find one´s way by asking
durchfressen, *vt*, *(i. ü. S.)* live on sb´s hospitality; *(chem./Holzwurm)* eat through; *(Motten)* eat holes in; *ein von Säure durchgefressener Kittel* a coat full of acid holes
durchführbar, *adj*, *(geb.)* practicable; *(ugs.)* workable; *das ist nur schwer durchführbar* difficult to carry out; **Durchführbarkeit** *sub*, *f*, *-*, *-en* practicability
durchführen, *vt*, *(beenden)* complete; *(Idee)* put into practice; *(Veranstaltung)* make; *eine Sammlung durchführen* make a charity collection
Durchführung, *sub*, *f*, *-*, *-en* *(geb.)* implementation; *(ugs.)* carrying out; *(Veranstaltung)* holding
durchfuttern, *vr*, live off sb
durchfüttern, *vt*, *(Person)* support; *(Tiere)* feed; *den Sohn durchfüttern* support his son
Durchgang, *sub*, *m*, *-s*, *-gänge* *(spo.)* round; *(Weg)* passage; *den Durchgang versperren* block the passage; *Durchgang verboten* no throughfare; **Durchgänger** *sub*, *m*, *-s*, *-* passer-by; **durchgängig** *adj*, general; *(Benutzung)* constant; *(zeitl.)* continual; **~sstraße** *sub*, *f*, *-*, *-n* through road
durchgeben, *vt*, announce, pass on by telephone; *im Radio durchgeben* announce on the radio; *telefonisch durchgeben* phone

durchgebraten, *vpp*, well done; *wünschen Sie das Steak durchgebraten?* the steak well done, raw or medium?

durchgedreht *ugs. (Fleisch)* minced; *(ugs.; psych.)* cracked up

durchgehen, *vi*, *(angenommen werden)* be accepted; *(gehen, durchdringen, andauern, verlaufen)* go through; *(Pferd)* bolt; *(weglaufen)* run off; *bitte durchgehen* pass right down

durchgehend, (1) *adj*, continuous; *(Verbindung)* direct (2) *adv*, all day (24 hours a day); *durchgehend geöffnet* open all day

durchgeistigt, *adj*, spiritual

durchgliedern, *vt*, structure

durchglühen, *vi*, *(Draht)* burn out; *(Kohlen)* glow right through

durchgreifen, *vi*, *(i. ü. S.)* take drastic measures; *(räuml.)* reach through

durchhalten, (1) *vi*, *(spo.)* hold out (2) *vt*, stand sth.; *bis zum Ende durchhalten* hold out to the end

durchhauen, *vt*, chop sth in half; *(ugs.)* give sb a good hiding; *jmd durchhauen* give sb a good hiding; *sich einen Weg durch etwas durchhauen* hack one´s way through sth

durchhecheln, *vt*, gossip about

durchhelfen, (1) *vr*, manage (2) *vt*, help sb through

durchhungern, *vt*, get by on very little to eat

durchkämmen, *vt*, comb; *die Haare durchkämmen* comb one´s hair; *die Stadt nach dem Mörder durchkämmen* comb the town for the murderer; **Durchkämmung** *sub, f, -, -en* search (of an area)

durchkämpfen, (1) *vr*, fight to the end (2) *vt*, struggle through

durchklingen, *vt*, *(i. ü. S.)* sound to sb; *(Musik)* sound through

durchkneten, *vt*, knead thoroughly

durchkommen, *vti*, *(i. ü. S.)* get through; *(räuml.)* come through; *damit kommst du bei mir nicht durch* you won´t get anywhere with me like that; *der Zug muss hier durchkommen* the train has to come through; *im Radio durchkommen* be announced on the ra-

dio; *in einer Prüfung durchkommen* pass an exam; *mit einer Ausrede durchkommen* get away with an excuse; *mit seiner Rente durchkommen* manage on one´s pension

durchkosten, *vti*, taste one after another

durchkreuzen, *vt*, *(ankreuzen)* cross through; *(durchfahren)* cross; *(Pläne)* thwart; *ein Gedanke durchkreuzt jmd* to cross one´s mind; *einen Plan durchkreuzen* to cross one´s plan; *jmd Weg durchkreuzen* to cross sb path

durchladen, *vti*, cock (the trigger) and rotate the cylinder; *eine Pistole/Gewehr durchladen* cock and rotate the cylinder

Durchlass, *sub, m, -es, -lässe (Öffnung)* gap; *(Pers.)* permission to pass

durchlassen, *vt*, let (allow) sb through; *(hineinlassen)* let sth. in; *den Ball durchlassen* let a goal in; *jmd durchlassen* let sb through

durchlässig, *adj*, *(geb.; erwünscht)* permeable; *(unerwünscht)* leaky

Durchlaucht, *sub, f, -, -en* Highness; *Ihre/Seine/Eure Durchlaucht* Her/His/Your Highness

durchlavieren, *vr*, get along by dint of smart manoeuvring

durchleben, *vt*, *(geb.)* experience; *(ugs.)* live through

durchleiden, *vt*, endure

durchlesen, *vt*, read sth. through; *auf Fehler durchlesen* read sth for errors; *ganz genau durchlesen* read sth all the way through; *wenn du das Buch durchgelesen hast* when you have finished the book

durchleuchten, *vt*, *(med.)* x-ray; *(Problem)* investigate thoroughly

Durchleuchtung, *sub, f, -, -en (med.)* x-ray (examination); *(Nachforschung)* investigation

durchliegen, *vt*, *(Matratze)* wear out; *Matratze ist durchgelegen* the matress is worn out

durchlochen, *vt*, punch holes in

durchlöchern, *sub*, make (wear) holes in; *mit Schüssen durchlöchern* riddle sb with bullets

durchlotsen, *vt*, *(Person)* guide through; *(Schiff)* pilot through

durchlüften, *vti*, air (...) thoroughly; **Durchlüfter** *sub*, *m*, *-s*, - ventilator; **Durchlüftung** *sub*, *f*, *-*, *-en* ventilation

durchmachen, (1) *vi*, *(arbeiten, feiern)* all night (2) *vt*, *(erleiden)* go through; *(fertigmachen)* complete; *die Nacht durchmachen* make a night of sth; *er hat viel durchgemacht* he has gone through a lot

Durchmarsch, *sub*, *m*, *-es*, *-märsche* marching through; *(i. ü. S.)* runs

durchmessen, *vt*, *(Raum)* cross; *(techn.Gerät)* measure out; *den Raum mit grossen Schritten durchmessen* cross the room with long strides; **Durchmesser** *sub*, *m*, *-s*, - diameter

durchmischen, *vt*, mix thoroughly

durchmogeln, *vt*, cheat one´s way through

durchnässen, *vt*, soak; *er/es ist vollkommen durchnäßt* he/it is soaked

durchnummerieren, *vt*, number consecutively from the beginning to the end; **Durchnummerierung** *sub*, *f*, *-*, *-en* complete assignment of numbers

durchpausen, *vt*, trace

durchprügeln, *vt*, give sb a real beating

durchpulsen, *vt*, pulse through; *buntes Leben durchpulste die Straßen* the streets pulsated with life

durchqueren, *vt*, cross; *den Ozean durchqueren* cross the drink; **Durchquerung** *sub*, *f*, *-*, *-en* crossing

durchrasen, *vti*, tear through; *durch das Kaufhaus durchrasen* tear through the department store

durchrechnen, *vt*, calculate; *genau*

durchrechnen calculate down to the last penny; *noch einmal durchrechnen* check

durchregnen, *vti*, rain is coming through

Durchreiche, *sub*, *f*, *-*, *-n* serving hatch; **durchreichen** *vt*, pass through; *etwas durch etwas durchreichen* pass sth through sth

Durchreise, *sub*, *f*, *-*, *-n* journey through; **durchreisen** *vti*, travel through

durchreiten, *vti*, ride through

durchrieseln, *vt*, run through

durchringen, *vti*, come to a decision

durchrollen, *vt*, *(Ziel)* roll through

durchrütteln, *vt*, shake sb about badly

Durchsage, *sub*, *f*, *-*, *-n* announcement; **durchsagen** *vt*, make an announcement

durchsägen, *vt*, saw through

durchsausen, *vt*, shoot through; *(Prüfung)* fail (am: flunk)

durchschaubar, *adj*, transparent; *(i. ü. S.)* see through

durchschauen, *vt*, look through; *(i. ü. S.)* see through; *du bist durchschaut* I´ve seen through you; *durchschauen worum es wirklich geht* see what it´s really about

durchscheinen, *vti*, filled with light, shine through; *von Sonnenlicht durchschienen* filled with sunlight

durchscheuern, *vt*, wear through; *die Schuhe/den Stoff durchscheuern* wear shoes/material through; *durchgescheuertes Kabel* worn cable

durchschimmern, *vt*, shimmer through

durchschlafen, *vi*, sleep all night

Durchschlag, *sub*, *m*, *-s*, *-schläge* carbon (copy)

durchschlagen, (1) *vr*, struggle through (2) *vt*, split sth. in two;

(…) knock through; *sich alleine* **durchschlagen** fend for oneself; *sich durchschlagen* fight one´s way through; *sich mühsam durchschlagen* scrape through; *auf die Preise durchschlagen* have an effect on the prices; *einen Nagel durchschlagen* knock through a nail

durchschlagend, *adj*, *(Erfolg)* resounding; *(Mittel)* decisive

Durchschlupf, *sub, m, -s, -e (i. ü. S.)* gap; *(Loch)* hole; *einen Durchschlupf finden* find a gap; **durchschlüpfen** *vt*, slip through; *durch die Finger schlüpfen* slip through one´s fingers; *durch die Kontrolle schlüpfen* slip through the control

durchschneiden, *vt*, cut through; *(in Scheiben)* slice; *das Land ist von Kanälen durchschnitten* the land is criss-crossed by canals; *die Straße durchschneidet den Wald* the road cuts through the forest; *das Brot durchschneiden* slice bread; *die Wellen durchschneiden* slice through the waves; *in der Mitte durchschneiden* cut sth in half; **Durchschnittsgeschwindigkeit** *sub, f, -, -en* average speed

Durchschnitt, *sub, m, -s, -e* average; *(mat.)* mean; *guter Durchschnitt sein* be (a good) average; *im Durchschnitt* on average; *der Durchschnitt beträgt* the mean is

durchschnittlich, *adj*, *(gewöhnlich)* modest; *(mehrheitlich)* ordinary; *(stat.)* average; *von durchschnittlicher Intelligenz sein* be of modest intelligence; *ein durchschnittliches Gesicht* an ordinary face; *durchschnittlich groß sein* be of average height; *durchschnittlich talentiert sein* be moderately talented; *über/unterdurchschnittlich verdienen* an income above/below the average

Durchschuss, *sub, m, -es, -schüsse* wound by a passed bullet

durchsegeln, *vt*, sail through; *(Prüfung)* fail; *die 7 Meere durchsegeln* sail through the 7 seas; *zwischen den Felsen durchsegeln* sail through/between the rocks; *bei der Prüfung durchsegeln* fail the exam

durchsehen, *vt*, *(durchsichtig sein)* see through; *(Fenster, Zeitung)* look through; *(Text)* check through

durchsetzbar, *adj*, *(Forderung)* enforceable; *(Reform)* get approved; **durchsetzen (1)** *vr, (Schüler)* assert oneself against ... **(2)** *vt, (Idee, Lösung)* get accepted; *(Plan, Reform)* carry through; *(verteilt)* infiltrate; *sich den Schülern gegenüber durchsetzen* assert one´s authority over the pupils, *seine Idee hat sich durchgesetzt* his idea became generally accepted; *diese Reform durchsetzen* carry this reform through; **Durchsetzung** *sub, f, -, -en (erreichen)* achievement; *(Plan)* accomplishment

Durchsicht, *sub, f, -, -en* checking through; *nach/bei Durchsicht der Akten* after/on checking through the documents; **durchsichtig** *adj, (Glas/Plan)* transparent; *(Wasser)* clear; *~igkeit sub, f, -, -en (Glas/Plan)* transparency; *(Wasser)* clarity

durchsickern, **(1)** *vt, (Information)* leak out **(2)** *vi, (Flüssigkeit)* seep through; *es ist durchgesickert, dass* news has leaked out that

durchsieben, **(1)** *vt,* sift **(2)** *vti, (Kugeln)* riddle

durchspielen, *vt,* *(Musik)* play through; *(Situation)* go through; *(Theater)* act through; *einen Ritus durchspielen* go through a rite

durchsprechen, *vt,* talk over

durchstarten, *vi, (Flugzeug)* begin climbing again; *laßt uns durchstarten* let´s go round again

durchstechen, *vt,* stick a needle

through; *(Ohr)* pierce; **Durchste-cherei** *sub, f, -, -en* piercing

durchstehen, *vt, (Situation)* stand; *(überleben)* come though; *die Kälte durchstehen* stand the cold

durchstellen, *vt,* put through (to)

durchstöbern, *vt, (Archiv)* rummage through; *(Geschäft)* browse; *(Haus)* search all through

durchstoßen, *vt,* break through; *die feindlichen Linien durchstoßen* break through the enemies lines

durchstreichen, *vt,* cross through (out); *(Sieb)* pass through

durchströmen, *vt, (Flüssigkeit)* flow through; *(Personen)* stream through

durchstylen, *vi,* style all over

durchsuchen, *vt,* search (for); *das Haus nach etwas durchsuchen* search the house for sth; **Durchsuchung** *sub, f, -, -en* search; **Durchsuchungsbefehl** *sub, m, -s, -e* search warrant

durchtanzen, (1) *vt,* wear out dancing (2) *vti,* dance all night; *die Schuhe durchtanzen* wear the shoes out (by) dancing, *die ganze Nacht durchtanzen* dance all night

durchtränken, *vt,* soak

durchtreiben, *vt,* drive sth./so. through; *eine Herde durch das Land treiben* drive a herd through the country

durchtrennen, *vt, (geh.)* sever; *(ugs.)* cut through; *den Hals durchtrennen* sever the head from the body

durchtreten, (1) *vi, (weitergehen)* move along (2) *vt, (Pedal)* press right down

durchtrieben, *adj,* crafty; **Durchtriebenheit** *sub, f, -, -en* craftiness

durchwachsen, (1) *adj, (Speck)* streaky; *(Wetter)* changeable (2) *vt, (bot.)* grow through sth.; *es geht ihr durchwachsen* she has her ups and downs

Durchwahl, *sub, f, -, -en* direct dialing; **durchwählen** *vi, (Ausland)* dial direct; *(Nebenstelle)* dial

straight through; **~nummer** *sub, f, -, -n* number of the (one´s) direct line

durchwandern, (1) *vi,* walk (hike) without a break (2) *vt,* walk (hike) through

durchwärmen, *vt,* warm sb up

durchweg, *adv,* without exception; *die Vegetation ist durchwegs öde* the vegetation is uniformly dreary

durchwegs, *adv,* exclusively; *er umgibt sich durchwegs mit Leuten, die* he surrounds himself exclusively with people who

durchweichen, (1) *vi,* become soggy (2) *vt,* make sodden; *völlig durchweicht sein* be drenched

durchwühlen, *vt, (Akten)* plough through; *(durchsuchen)* rummage through; *(umgraben)* dig through the earth; *sich durch einen Aktenstoß wühlen* plough through a pile of documents; *das Haus nach etwas durchwühlen* to rummage through the house/ih search of sth/lookingt for sth

durchzählen, *vt,* count (up); **Durchzählung** *sub, f, -, -en* counting

durchzeichnen, *vt,* trace

durchziehen, (1) *vi, (Fleisch)* soak (2) *vt, (Fluß/Straße)* run through; *(Land)* pass through; *(Schmerz)* shoot through; *das Thema zieht sich durch den Roman* the theme runs all through the novel; *ein Gummiband durchziehen* draw an elastic through; *eine Sache durchziehen* see a matter through; *von Adern durchzogen* veined

durchzittern, *vti,* shiver (all night)

durchzucken, *vt,* flash across

Durchzug, *sub, m, -s, -züge (Leute)* passage (march) through; *(Wind)* draught; *nach Durchzug des Tiefdruckgebietes* once the anticyclone has moved through; *auf Durchzug schalten* let it go in

one our and out the other; *Durch*
zug machen create a draught
durchzwängen, *vti*, force through
Durdreiklang, *sub*, *m*, *-s*, *-klänge*
major triad
dürfen, *vti*, *(geb.)* be permitted (to);
(höflich) may; *(ugs.)* be allowed
(to); *das darf man nicht tun* this is
not permitted; *er durfte nicht* he
was not permitted; *darf ich ihn besuchen* may I visit him; *darfst du
das* are you allowed to; *das darf
man auf keinen Fall* you can´t possibly do that; *das darf nicht wahr
sein* that´s incredible; *das dürfte
genügen* that should be enough;
das dürfte reichen that should be
enough; *du darfst nicht lügen* you
shouldn´t tell lies; *du darfst so etwas nicht sagen* you mustn´t say
things like that; *du sollst an die
Tafel gehen* you may go to the blackboard; *hier darf man nicht rauchen* smoking is prohibited here;
ja, sie dürfen yes, you may; *nein sie
dürfen es nicht* no you
can´t/mustn´t; *was darf es sein*
what would you like; *etwas tun
dürfen* be allowed to do sth; *wenn
ich nur dürfte* if only I were allowed
to
dürftig, *adj*, poor; *(Mahlzeit)* meagre; *(Wissen, Aufsatz, Ergebnis)*
scanty
Dürftigkeit, *sub*, *f*, *-*, *-en* *(ärmlich)*
meagreness, poorness, scantiness;
(unzulänglich) feebleness, poorness, scantiness
Duroplast, *sub*, *m*, *-s*, *-e* durable plastic
dürr, *adj*, *(Arme,Beine)* scraggy;
(biol.) withered; *(geh.; geogr.)* arid;
(Person) skinny; *dürrer Ast* withered branch
Durra, *sub*, *f*, *-*, *nur Einz. (bot.:Hir-
se)* sorghum
Dürre, *sub*, *f*, *-*, *-n* *(geogr.)* aridity;
(Trockenheit) drought; *die Dürre
der letzten Jahre* the drought of the
last years; **~periode** *sub*, *f*, *-*, *-n*
period of drought; **~schäden** *sub*,

f, *nur Mehrz.* damage of
drought
Durtonleiter, *sub*, *f*, *-*, *-n* major
scale
Dusche, *sub*, *f*, *-*, *-n* shower; *wie
eine kalte Dusche wirken* bring
so down on earth with a bump;
Duschbad *sub*, *n*, *-s*, *-bäder*
shower(-bath); **duschen** (1) *vi*,
take a shower (2) *vt*, give sb a
shower; **Duschgel** *sub*, *n*, *-s*, *-s*
shower gel; **Duschkabine** *sub*, *f*,
-, *-n* shower cubicle; **Duschschaum** *sub*, *m*, *-s*, *-schäume*
shower foam; **Duschvorhang**
sub, *m*, *-s*, *-hänge* shower-curtain
Düse, *sub*, *f*, *-*, *-n* nozzle; *(Ein-
spritz-)* jet; **~nantrieb** *sub*, *m*, *-s*, *-e* jet propulsion; **~nflugzeug** *sub*, *n*, *-s*, *-e*
jet aeroplane; **~njäger** *sub*, *m*, *-s*,
- jet fighter; **~nmaschine** *sub*, *f*,
-, *-n* jet
Dusel, *sub*, *m*, *-s*, *nur Einz.* *(ugs.)*
luck; *(ugs.; Rausch)* fuddle; *Dusel
haben* be jammy; *sie hat Dusel
gehabt* her luck was in; *einen Dusel haben* be in a fuddle
duseln, *vi*, daze; *vor sich hin duseln* be in a daze
Dussel, *sub*, *m*, *-s*, *-* *(ugs.)* dope,
idiot; **dusslig** *adj*, gormless, indio-
tic; **Dussligkeit** *sub*, *f*, *-*, *-en* stupidity
düster, *adj*, *(dunkel)* dark; *(Farbe)* sombre; *(Geschäft)* shady;
(ungefähr) hazy; *(unheilvoll)*
gloomy; *eine düstere Atmosphäre* gloomy atmosphere; **Düster-
nis** *sub*, *f*, *-*, *-se* s. Düsterkeit
Düsterkeit, *sub*, *f*, *-*, *-en* gloomi-
ness, sombreness; *(s.düster)* darkness
Dutt, *sub*, *m*, *-s*, *-e oder -s* bun
Dutyfreeshop, *sub*, *m*, *-s*, *-s* duty-
free shop
Dutzend, *sub*, *n*, *-s*, *-e* dozen; *3 DM
das Dutzend* 3 marks a dozen;
*das Dutzend des Teufels (drei-
zehn)* Devil´s dozen; *ein Dutzend Eier* a dozen eggs; *zu*

Dutzenden kommen come in dozens; *zwei Dutzend* two dozen; **~ware** *sub, f, -, -n* cheap mass-produced item; **dutzendweise** *adv,* in dozens

Duvet, *sub, n, -s, -s* duvet

Dynamik, *sub, f, -, nur Einz. (Antrieb)* dynamism; *(phy./mus.)* dynamics; **dynamisch** *adj,* dynamic; *(Lebensversicherung)* index-linked; **dynamisieren** *vt,* make sth.

dynamic; *(Rente)* adjust

Dynamit, *sub, n, -s, nur Einz.* dynamite; *die Enthüllungen sind Dynamit* the revelations are dynamite; *Dynamit in den Fäusten haben* pack a powerful punch

Dynamo, *sub, m, -s, -s* dynamo; **~meter** *sub, n, -s, - (phy.)* dynamometer

Dynastie, *sub, f, -, -n* dynasty; **dynastisch** *adj,* dynastic

Ebbe, *sub, f, -, -n (Bewegung)* ebb tide; *(Zustand)* low tide; *Ebbe im Geldbeutel* be short of cash; *Ebbe und Flut* ebb and flow; *es ist Ebbe* the tide is out

ebben, *vi,* tide is out

eben, (1) *adj, flat; (glatt)* level **(2)** *adv,* just; *(gerade noch)* only just; *(kurz)* for a moment; *eben das meine ich auch* that´s just what I think; *eben erst* only just; *es taugt eben nichts* it´s just no good; *etwas eben noch schaffen* only just manage sth; *hast du eben was gesagt* did you just say sth; *so ist es eben* that´s the way it is; *dann eben nicht* all right, forget it; *ich gehe mal eben raus* I go out for a moment; *kann ich sie mal eben sprechen* can I speak to you for a moment

Ebenbild, *sub, n, -s, -er* spitting image; *ganz das Ebenbild von jmd sein* be the spitting image of sb

ebenbürtig, *adj,* equal; *jmd ebenbürtig sein* be so´s equal; **Ebenbürtigkeit** *sub, f, -, -en* be well matched

ebendann, *adv,* at exactly that time

ebenderselbe, *pron,* very same

ebendort, *adv,* at exactly the place

Ebene, *sub, f, -, -n (geogr.)* plain; *(mat./phys.)* plane; *in der Ebene* on the plain

ebenfalls, *adv,* as well; *danke, ebenfalls* thanks, same to you; *die Ehefrauen waren ebenfalls eingeladen* the wives were invited as well

Ebenheit, *sub, f, -, -en* flatness; **Ebenmaß** *sub, n, -es, -e* regularity; **ebenmäßig** *adj,* regular; *(Person)* well proportioned; **Ebenmäßigkeit** *sub, f, -, -en* even proportions

ebenso, *adv, (mit Adj)* just as; *(mit Verben)* in exactly the same way; *ebenso gut wie* just as good as; *er macht es ebenso* he does is in exactly the same way; *~ gut adv,* just as well; *er macht es ebenso gut wie sein Bruder* he does it just as

well as his brother; *~ lang adv,* for the same lenght of time; *~ sehr adv, (mit Verben)* just as much; *er liebt sie ebenso sehr wie* he loves her just as much as; *~ viel pron,* just as much/ many; *~lche pron,* just the same

Eber, *sub, m, -s, -* boar

Eberesche, *sub, f, -, -n* mountain ash, rowan

ebnen, *vt,* level; *das Geld seines Vaters ebnet ihm alle Wege* his father´s money opens all doors for him; *den Weg für jmd ebnen* smooth the way for sb

Ebnung, *sub, f, -, -en* flattening

Echo, *sub, n, -s, -s* echo; *(i. ü. S.; Reaktion)* response (to); **echoen** *vt,* echo; *es echot* there is echo; *~lot sub, n, -s, -e* echo-sounder

Echse, *sub, f, -, -n* saurian

echt, (1) *adj, (Britisch)* typical; *(kein Imitat)* genuine; *(nicht gefälscht)* authentic; *(wahr)* true **(2)** *adv,* really; *(vollkommen)* absolutely; *das ist echt Britischer Humor* this is typical British humour; *das ist echt Erwin* that´s Erwin all over; *ein echter Picasso* a genuine Picasso; *ein echter Engländer* a true Englishman, *echt gut* really good; *ich habe mich echt gefreut* was really pleased; *ist das echt Gold* is that real gold; *das ist echt wahr* that´s absolutely true; *~golden adj,* genuine gold; **Echthaar** *sub, n, -s, -e* real hair; **Echtheit** *sub, f, -, -en* authenticity, genuineness; *~silbern adj,* real silver

Eck, *sub, n, -s, -en* corner; *die Kneipe am Eck* the pub at the corner; *~ball sub, m, -s, -bälle* corner-kick; *~bank sub, f, -, -bänke* corner seat; *~chen sub, n, -s, - (geogr.)* spot; *ihr wohnt in einem schönen Eckchen* you live in a lovely spot; *~e sub, f, -, -n* corner; *(Käse)* wedge of cheese;

das Auto klappert an allen Ecken und Enden every nut and bolt in the car rattled; *eine Ecke treten* take a corner; *es fehlt an allen Ecken und Enden* we are short of everything; *gleich um die Ecke* just round the corner; *jmd in die Ecke drängen* get sb in a corner; *jmd um die Ecke bringen* bump sb off; *um die Ecke round the corner; um die Ecke biegen* turn the corner; **ecken** *vt*, make sth. angular; **~enstener** *sub, m, -s*, - street loafer; **eckig (1)** *adj*, angular, square **(2)** *adv, (bewegen)* jerkily; **~stück** *sub, n, -s, -e* corner site; **~tisch** *sub, m, -es, -e* corner table

Eclair, *sub, n, -s, -s* éclair

Economyklasse, *sub, f, -, -n* economy class

Ecstasy, *sub, n, -, nur Einz.* ecstasy

Ecu, *sub, m, -, -s* Ecu

Ecuadorianer, *sub, m, -s,* - Ecuadorian

edel, *adj, (Aussehen/Geschmack)* fine; *(Charakter)* noble; *(reinrassig)* thoroughbred; **Edelfrau** *sub, f, -, -en* noble-woman; **Edelfräulein** *sub, n, -s, -s* unmarried noble-woman; **Edelgas** *sub, n, -es, -e* inert gas; **Edelkitsch** *sub, m, -es, nur Einz.* grandly pretensious kitsch; **Edelmann** *sub, m, -s, -männer* nobleman; **~männisch** *adj*, noble-minded; **Edelmetall** *sub, n, -s, -e* precious metal; *(chem.)* noble metal; **Edelmut** *sub, m, -s, nur Einz.* .nobility of mind; **~mütig** *adj*, noble-minded; **Edelstahl** *sub, m, -s, -stähle* stainless steel; **Edelstein** *sub, m, -s, -e* precious stone; *(geschliffen)* gem; **Edelweiß** *sub, n, -es,* - edelweiss

Eden, *sub, n, -s, nur Einz.* Eden; *im Garten Eden* in the Garden of Eden

edieren, *vt*, edit

Edikt, *sub, n, -s, -e* edict

Edinburg, *sub*, Edinburgh

Edition, *sub, f, -, -en (Ausgabe)* edition; *(Herausgeben)* editing; **Editor** *sub, m, -s, -en* editor

Edle, *sub, m, f, -n, -n* noble(-man/woman)

EDV-Programm, *sub, n, -s, -e* computer program

Efendi, *sub, m, -,* -s effendi

Efeu, *sub, m, -s, nur Einz.* ivy

Effeff, *sub, m, -, nur Einz.* inside out; *aus dem Effeff beherrschen* know sth inside out; *etwas aus dem Effeff können* be a real wizard at sth

Effekt, *sub, m, -s, -e* effect; *Effekthascherei* straining for effects; **~hascherei** *sub, f, -, -en* straining for effect; **effektiv** *adj, (wirksam/tatsächlich)* effective; **~ivität** *sub, f, -, nur Einz.* effectiveness; **effektuieren** *vt*, effectuate; **effektvoll** *adj*, effective; *(wirkungsvoll)* dramatic; *effectvolle Geste* dramatic gesture

Effendi, *sub, m, -s* effendi

Effet, *sub, m, -s* spin; *dem Ball Effet geben* put spin on the ball

effilieren, *vt*, give hair a thinning cut

effizient, *adj*, efficient; **Effizienz** *sub, f, -, -en (geh.)* efficiency; *(geh.; med.)* efficacy

effloreszieren, *vi*, effloresce

egal, *adj*, identical, no difference; *sie hat nicht zwei egale Stühle* she hasn't got two identical chairs; *das ist mir egal* I don't care; *das kann dir doch egal sein* that's no concern of yours; *es ist jmd egal* it makes no difference to sb; *ganz egal wer* no matter who; **~isieren** *vt*, level; *(spo.)* equal; *einen Rekord egalisieren* equal the record; **~itär** *adj*, egalitarian; **Egalität** *sub, f, -, nur Einz.* equality; **Egalité** *sub, f, -, nur Einz.* Egalité

Egel, *sub, m, -s,* - leech

Egge, *sub, f, -, -n* harrow

eggen, *vt*, harrow

Egghead, *sub, m, -, -s* egghead

Ego, *sub, n, -s, nur Einz.* ego; **~ismus** *sub, m, -, -ismen* egoism; *(Selbstwert)* self-esteem; **~ist**

sub, m, -en egoist, **egoistisch**
adj, egoistical; **~trip** *sub, m, -s, -s*
ego trip; **~zentrik** *sub, f, -, nur
Einz.* egocentric attitude; **~zentri-
ker** *sub, m, -s, -* egocentric; **egozen-
trisch** *adj,* egocentric

ehedem, *adv,* formerly; *(hist)* in former times; *wie ehedem* as in former
times

ehemalig, *adj,* former; *(Zusatz)* ex-;
ein ehemaliger Offizier a former officer; *ihr Ehemaliger* her ex; *meine
ehemalige Frau* my ex-wife

ehemals, *adv,* formerly, in former
times

eher, *adv,* sooner; *(früher)* earlier;
(lieber) rather; *(wahrscheinlicher)*
more likely; *je eher, je lieber* the
sooner the better; *ich war eher da
als* I was there earlier than; *er ist
eher faul als dumm* he´s lazy rather
than stupid; *seine Wohnung ist eher
klein* his apartment is rather on the
small side; *das ist schon eher möglich* that´s more likely

ehern, *adj,* bronze

ehestens, *adj,* at the earliest

ehrbar, *adj, (Absichten)* honourable; *(Person)* respectable

Ehrbegriff, *sub, m, -s, -e* conception
of honour

Ehre, *sub, f, -, -n* honour; *(Selbstachtung)* self-esteem; *deine Meinung
in Ehren, aber* with all due respect
to your opinion, I still think; *einer
Sache zuviel Ehre antun* to overvalue sth; *etwas in Ehren halten* hold
sth in honour; *jmd die Ehre erweisen* do
so the honour of; *jmd die letzte
Ehre erweisen* pay one´s last respects to so; *jmd zur Ehre gereichen*
bring honour to so; *mit wem habe
ich die Ehre* to whom have I the
pleasure of speaking; *zu Ehren* in
honour of

ehren, *vt, (achten)* respect; *(Ehre erweisen)* honour; *(diese Haltung)
ehrt ihn* does him credit; *du sollst
Vater und Mutter ehren* honour thy
father and thy mother; *ihre Einla-*

dung ehrt uns sehr we are greatly
honoured by your invitation

Ehrenamt, *sub, n, -es, Ehrenäm-
ter* honorary position; **ehrenamtlich** *sub, (ehrenhalber)*
honorary; *(freiwillig)* voluntary

Ehrenbürger, *sub, m, -s, -* honorary citizen; **Ehrendienst** *sub, m,
-es, -e* priviledge of serving; **Ehrendoktor** *sub, m, -s, -en* honorary doctorate; **Ehreneskorte** *sub,
f, -, -en* honorary escort; **Ehrengast** *sub, m, -es, -gäste* guest of
honour; **Ehrengeleit** *sub, n, -es,
-e* official escort; **Ehrengericht**
sub, n, -es, -e disciplinary tribunal
(court); **ehrenhaft** *adj,* honourable; *ein ehrenhafter Mann* an
honourable man; **ehrenhalber**
adv, honourably; **Ehrenmal** *sub,
n, -s, -e* memorial; **Ehrenpflicht**
sub, f, -, -en bounden duty; **Ehrenpreis** *sub, m, -es, -e* special
award; **Ehrenrettung** *sub, f, -,
nur Einz.* defence of sb honour;
*zu seiner Ehrenrettung muß ge-
sagt werden, daß* it must be said
in his defence that; *zu seiner Ehrenrettung sagen* say to clear sb´s
name; **ehrenrührig** *adj,* defamatory; **Ehrenschuld** *sub, f, -, -en*
debt of honour; **Ehrenspalier**
sub, n, -s, -e guard of honour;
Ehrenstrafe *sub, f, -, -n* penalty
of honour; **Ehrentag** *sub, m, -es,
-e* special day; **Ehrentribüne** *sub,
f, -, -n* VIP stand; **Ehrenurkunde**
sub, f, -, -n certificate; **ehrenvoll**
adj, honourable; **Ehrenwort**
sub, n, -es, -e word of honour;
(scherzh.) großes Ehrenwort
scout´s honour; *sein Ehrenwort
brechen* break one´s word; **ehrenwörtlich** *adj,* solemn; **Ehrenzeichen** *sub, n, -s, -* decoration

ehrerbietig, *adj,* respectful; **Ehrerbietung** *sub, f, -, -en* respect

Ehrfurcht, *sub, f, -, nur Einz.* reverence (for); *Ehrfurcht vor dem
Leben* reverence for life; *vor jmd
große Ehrfurcht haben* have a

great respect for sb; **ehrfürchtig** *adj*, reverent

Ehrgeiz, *sub*, *m*, *-es*, *nur Einz*. ambition; *den Ehrgeiz haben etwas zu werden* have the ambition to become; *seinen Ehrgeiz dareinsetzen* make it one´s ambition to; **ehrgeizig** *adj*, ambitious

ehrlich, *adj*, honest; *(ursprünglich)* genuine; *(wahrhaftig)* truthful; *ehrlich währt am längsten* honesty is the best policy; *ehrlich?* really?; *es ehrlich mit jmd meinen* to play fairly with sb; *wenn ich ehrlich bin* if you want my honest opinion

ehrlos, *adj*, dishonourable; **Ehrlosigkeit** *sub*, *f*, *-*, *nur Einz*. dishonourableness

ehrpusselig, *adj*, be pompously concerned about so. reputation

Ehrung, *sub*, *f*, *-*, *-en* prize-giving (am: awards ceremony)

ehrwürdig, *adj*, venerable; **Ehrwürden** *sub*, *m*, *-s*, *-* Reverend (Father); **Ehrwürdigkeit** *sub*, *f*, *-*, *-en* venerability

Ei, *sub*, *n*, *-s*, *-er* egg; *(vulg.; Hoden)* balls; *(med.)* ovum; *ach du dickes Ei* dash it, *(US)* darn it; *das Ei will schlauer als die Henne sein* don´t teach one´s grandmother to suck eggs; *ein Ei legen* lay an egg; *verlorene Eier* poached eggs; *wie ein Ei dem anderen gleichen* as like as two peas; *(vulg./US) in die Eier treten* kick one´s nuts; *sie gleichen sich wie ein Ei dem anderen* they are like as two peas

Eibe, *sub*, *f*, *-*, *-n* yew (-tree)

Eibisch, *sub*, *m*, *-s*, *-e (bot.)* marsh mallow

Eichamt, *sub*, *n*, *-s*, *-ämter* local weights and measures office (am: local bureau of standards)

Eiche, *sub*, *f*, *-*, *-n (Baum)* oak (-tree); *(Holz)* oak (-wood); **~nklotz** *sub*, *m*, *-es*, *-klötze* block of oak; **~nkranz** *sub*, *m*, *-es*, *-kränze* garland of oak (leaves); **~ntisch** *sub*, *m*, *-es*, *-e* oak table; **Eichgewicht** *sub*, *n*, *-s*, *-e* standard weight

Eichel, *sub*, *f*, *-*, *-n (anat.)* glans; *(bot.)* acorn; **~häher** *sub*, *m*, *-s*, *-* jay

eichen, **(1)** *adj*, oak(en) **(2)** *vt*, calibrate

Eichhörnchen, *sub*, *n*, *-s*, *-* squirrel

Eichkätzchen, *sub*, *n*, *-s*, *-* squirrel

Eichstempel, *sub*, *m*, *-s*, *-* verification stamp

Eichung, *sub*, *f*, *-*, *-en* calibration

Eid, *sub*, *m*, *-es*, *-e* oath; *an Eides Statt erklären daß* attest in a statutory declaration that; *einen Eid ablegen* take an oath; *unter Eid aussagen* testify on oath; *unter Eid stehen* on oath

Eiderstedter, *sub*, *m*, *-s*, *-* person from Eiderstedt

Eidesformel, *sub*, *f*, *-*, *-n* words of the oath

Eidetik, *sub*, *f*, *-*, *nur Einz*. eidetic ability; **~er** *sub*, *m*, *-s*, *-* eidetician; **eidetisch** *adj*, eidetic

Eidgenosse, *sub*, *m*, *-n*, *-n* confederate, Swiss; **~nschaft** *sub*, *f*, *-*, *nur Einz*. Swiss confederation; **eidgenössisch** *adj*, swiss

Eidotter, *sub*, *m,n*, *-s*, *-* egg yolk

Eierbrikett, *sub*, *n*, *-s*, *-s* ovoid; **Eierkuchen** *sub*, *m*, *-s*, *-* pancake; **Eierlikör** *sub*, *m*, *-s*, *-e* egg-liqueur; **eiern** *vi*, *(ugs.)* roll; *(tech.)* wobble; **Eierstock** *sub*, *m*, *-s*, *-stöcke* ovary; **Eiertanz** *sub*, *m*, *-es*, *-tänze* intricate manoeuvring

Eifer, *sub*, *m*, *-s*, *nur Einz*. enthusiasm; *(Eifrigkeit)* eagerness; **~er** *sub*, *m*, *-s*, *-* zealot; **eifern** *vi*, *(einsetzen)* agitate for; *(streben)* strive for

Eifersucht, *sub*, *f*, *-*, *-süchte* jealousy (of); **Eifersüchtelei** *sub*, *f*, *-*, *-en* petty jealousy; **eifersüchtig** *adj*, jealous

eiförmig, *adj*, egg-shaped

eifrig, *adj*, *(begeistert)* enthusiastic; *(bemüht)* eager; *(fleissig)* assiduous; *eifrig bei der Sache sein* show keen interest in doing sth;

busy doing sth; *sich eifrig um etwas bemühen* set about doing sth eagerly

Eigelb, *sub, n, -s, -e* egg yolk

eigen, *adj,* own; *(kennzeichnend)* characteristic; *(mit "sein")* particular; *auf eigenen Füßen stehen* stand on one´s own feet; *eigene Ansichten* personal views; *ich habe ein eigenes Zimmer* I have a room of my own; *mein eigener Bruder* my own brother; *nur für den eigenen Gebrauch* for one´s own use only; *sich etwas zu eigen machen* make sth one´s own; *mit allem ihr eigenen Charme* with all her characteristic charm; *mit einer ihr eigenen Gebärde* with a gesture characteristic of her

Eigenart, *sub, f, -, -en (Charakterzug)* peculiarity; *(Wesen)* particular nature; **eigenartig** *adj,* peculiar; *(seltsam)* strange

Eigenbau, *sub, m, -s, -te* self-built

Eigenbedarf, *sub, m, -s, -dürfnisse* own requirements; *(staatl.)* domestic requirements

Eigenbericht, *sub, m, -s, -e* report from our own correspondent

Eigenbewegung, *sub, f, -, -en* inherent dynamism

Eigenbrötler, *sub, m, -s, -* lone wolf (loner)

Eigendünkel, *sub, m, -s, -* conceitedness

Eigengewicht, *sub, n, -s, -e* own weight; *(wirt.)* net weight

eigenhändig, *adv,* personally

Eigenheimer, *sub, m, -s, -* owning a house of one´s own

Eigenheit, *sub, f, -, -en* peculiarity

Eigenkapital, *sub, n, -s, -* equity capital

Eigenlob, *sub, n, -s, -e* self-praise; *Eigenlob stinkt* self-praise is no recommendation

eigenmächtig, (1) *adj,* unauthorized **(2)** *adv,* without permission

Eigenmittel, *sub, n, -s, -* own resources

Eigenname, *sub, m, -, -n* proper name

Eigennutz, *sub, m, -es, -nütze* self-interest; **eigennützig** *adj,* self-interested

eigens, *adv,* specially; *eigens aus diesem Grunde* just for this purpose; *eigens für diesen Zweck* specifically for this purpose

Eigenschaft, *sub, f, -, -en* characteristic, quality; *(Sachen/Stoffe)* property; *in seiner Eigenschaft als* in his capacity as; **~swort** *sub, n, -es, -wörter* adjective

Eigensinn, *sub, m, -s, nur Einz. (Beharrlichkeit)* obstinacy; *(Sturheit)* stubbornness

eigenständig, *adj,* independent

eigensüchtig, *adj,* selfish

eigentlich, (1) *adj,* original; *(wahr)* true; *(wirklich)* actual **(2)** *konj,* actually; *die eigentliche Bedeutung eines Wortes* the original meaning of a word; *wo stammen sie eigentlich her* what is your original extraction; *im eigentlichen Sinne* in the true sense of the word; *was muß eigentlich noch alles passieren, bevor* what else has got to happen before, *ich müßte eigentlich gehen* I ought to go now; *warst du eigentlich schon einmal hier* have you in fact ever been here

Eigentor, *sub, n, -s, -e* own goal

Eigentum, *sub, n, -s, -tümer* property; *(geistiges)* intellectual creation; **Eigentümer** *sub, m, -s, -* owner; *(Hotel,Geschäft)* proprietor; **Eigentümerin** *sub, f, -, -nen* s. Eigentümer; **~swohnung** *sub, f, -, -en* owner-occupied flat (am: co-op apartment)

eigentümlich, *adj,* peculiar

Eigenwechsel, *sub, m, -s, -* owner´s bill of exchange

Eigenwerbung, *sub, f, -, -en* self-advertising

eigenwertig, *adj, (phy.)* eigenvalued

eigenwillig, *adj,* self-willed; *(-sin-*

nig) obstinate

eigenwüchsig, *adj*, self-growing

eignen, *vr*, be suitable as; *sich eignen für etwas* be suitable as

Eignung, *sub, f, -, -en* suitability; *(Eigenschaft)* aptitude; **~sprüfung** *sub, f, -, -en* aptitude test

Eiland, *sub, n, -s, -e* isle

Eile, *sub, f, -, nur Einz.* hurry; *das eilt nicht* there´s no hurry; *die Sache eilt* it´s a matter of urgency; *in aller Eile* in great haste; *in Eile sein* be in a hurry; *jmd zur Eile antreiben* hurry sb up; **Eilbrief** *sub, m, -s, -e* express letter

Eileiter, *sub, m, -, -n* Fallopian tube

Eimer, *sub, m, -s, -* bucket; *(Abfall)* bin (am: can); *(Milch)* pail; *die Stimmung war im Eimer* the atmosphere was totally ruined; *es gießt wie aus Eimern* it´s coming down in buckets; *etwas ist im Eimer* sth has had it; *in den Eimer werfen* put it in the trash; *mein Wagen ist im Eimer* my car is a total wreck

ein, *(1) präp*, in *(2) pron*, same *(3) unbest.Art*, a/an *(4) Zahl*, one; *ein und aus gehen* go in and out, *einer Meinung sein* be of the same opinion; *es kommt alles auf eins heraus* it all comes to the same thing, *an einem Tag* in a single day; *das konnte nur ein Mozart schaffen* only a Mozart could do that; *ein Apfel* an apple; *ein gewisser Herr Braun* a Mister Brown; *ein Held/ein ehrlicher Mann* a hero/an honest man; *ein Picasso* a Picasso, *ein Dollar* one Dollar; *ein für allemal* once and for ever; *ein und derselbe* one and the same; *einer von beiden* one of them/the two; *eines Tages* one day; *in einem Tag* in one day; *wie soll das einer wissen* how is one supposed to know that

Einakter, *sub, m, -s, -* one-act play

einander, *pron*, each other; *(i.einzelnen)* one another; *liebet einander* love one another; *sie grüßten einander* they greeted each other

einarbeiten, *(1) vt, (etwas einfü-*

gen) incorporate sth. into *(2) vti*, train; *er arbeitet sich gerade ein* he is training at present; **Einarbeitung** *sub, f, -, -en* training; *die Einarbeitung fiel ihm schwer* he found it difficult to familiarize

einarmig, *adj*, one-armed; *einarmiger Bandit* slot machine

einäschern, *vt*, burn down; *(Leichen)* cremate; **Einäscherung** *sub, f, -, -en* burning down, cremation

einatmen, *vti*, breathe in; *die Luft ein/ausatmen* breathe in/out the air; *tief durch die Nase einatmen* breathe in deeply through the nose

einäugig, *adj*, one-eyed; *(tech.)* single-lens; *unter Blinden ist der Einäugige König* in the kingdom of the blind the one-eyed man is king

Einbahnstraße, *sub, f, -, -n* one-way street

einbalsamieren, *vt*, embalm; **Einbalsamierung** *sub, f, -, -en* embalming

Einband, *sub, m, -s, -bände* cover; **~decke** *sub, f, -, -n* cover board

einbauen, *vt*, build in; *(einfügen)* insert; *(tech.)* install; **Einbau** *sub, m, -s, -ten* fitting; *(Einfügung)* insertion; *(Motor)* installation; **einbaufertig** *adj*, fit-in; **Einbauküche** *sub, f, -, -n* fitted kitchen; **Einbaumöbel** *sub, n, -s, -* built-in furniture

Einbaum, *sub, m, -s, -bäume* dug-out

einbegriffen, *PPvt*, included; *MWSt eingebegriffen* included VAT

einbehalten, *vt*, withhold; *(Person)* detain; *die Steuer vom Lohn einbehalten* tax is withhold from wages; **Einbehaltung** *sub, f, -, -en* withholding

einbestellen, *vt*, summon; *jmd als Zeugen einbestellen* summon sb as a whitness

einbeziehen, *vt*, include; *(Per-*

...) in folie, etwas in etwas einbeziehen include sth in sth; **Einbeziehung** *sub, f, -, -en* inclusion

einbiegen, (1) *vt,* bend **(2)** *vti,* turn; *in die nächste Straße einbiegen* turn into the next street; *nach links/rechts einbiegen* you´re turning left/right; *um die Ecke biegen* turn the corner

einbilden, *vr,* imagine; *(arrogant)* conceit; *bilde dir ja nicht ein, daß* don´t think that; *das bildest du dir nur ein* you´re imagining things; *eine eingebildete Krankheit* imaginary illness; *ich bilde mir ein, jmd gesehen zu haben* I think I saw him; *sich ziemlich viel einbilden auf etwas* be terribly conceited about sth; *was bildest du dir eigentlich ein* who do you think you are?; *er ist ganz schön eingebildet* he thinks no end of himself; **Einbildung** *sub, f, -, -en (Arroganz)* conceitedness; *(Fantasie)* fantasy; *(Vorstellung)* imagination; **Einbildungskraft** *sub, f, -, -kräfte* imaginative powers

einbinden, *vt, (Buch)* bind; *(einfügen)* link; *(Geschenk)* wrap; *ein Buch neu in Leinen/Leder einbinden* rebind a book in cloth/leather; *jmd ist in Konventionen eingebunden* so is bound by conventions; *eine Stadt in ein Verkehrsnetz einbinden* link a city into the transport system

einblenden, (1) *vr, (zuschalten)* link up with **(2)** *vt, (einfügen)* insert; **Einblendung** *sub, f, -, -en* insertion; *(Rück-)* flashback

einbleuen, *vt,* drum sth. into so.

Einblick, *sub, m, -s, -e (Kenntnis)* insight; *(Sicht)* view of

einbrechen, (1) *vi, (Börse)* crash **(2)** *vt, (Eis u.a.)* fall through **(3)** *vti, (Dieb)* break in; *(Wand)* break down; *jmd ist beim Eislaufen eingebrochen* so falls through the ice while skating, *bei einbrechender Dunkelheit* at nightfall; *bei uns wurde eingebrochen* we had a break-in; *der DAX ist eingebrochen* the

DOW Jones slumped; *in eine Bank einbrechen* break into a bank; **Einbrecher** *sub, m, -s, -* burglar

Einbrenne, *sub, f, -, -n* roux

einbringen, (1) *vr, (beitragen)* contribute **(2)** *vt,* bring in; *(verschaffen)* bring; *(Vorstellung/Gesetz)* introduce; *(wirt.)* invest; *etwas in eine Diskussion einbringen* contribute sth to a discussion, *jmd viel Geld einbringen* bring in a lot of money; *das bringt nichts ein* it doesn´t pay; *eine Klage einbringen* file an action; *es bringt mir ein* it gets me; *es hat mir nichts als Ärger eingebracht* that has caused nothing but trouble; *eine Gesetzesvorlage im Parlament einbringen* introduce a bill into parliament; *Kapital in eine Gesellschaft einbringen* invest capital into a company; **einbringlich** *adj,* lucrative; **Einbringung** *sub, f, -, -en* capture; *(Gesetz)* introduction

Einbruch, *sub, m, -s, -brüche* burglary; *(geol.)* subsidence; *(meteor.)* onset; *(wirt.)* collapse; *bei Einbruch der Kältewelle* the onset of a cold wave; *bei Einbruch des Winters* when winter sets in; *Kaltlufteinbruch* influx of cold air

einbuchten, *vt, (ugs.)* lock sb up; *jmd einbuchten* lock up sb; **Einbuchtung** *sub, f, -, -en* bend; *(Meer)* bay

einbürgern, (1) *vr, (Person/Pflanze)* establish **(2)** *vt,* naturalize; *(Sitte)* introduce; **Einbürgerung** *sub, f, -, -en* naturalization

einbüßen, *vt,* lose; *an Ansehen einbüßen* her reputation suffered; *ein Bein einbüßen* lose a leg; *er hat dabei sein Geld eingebüßt* he has lost by it; *langsam Ansehen einbüßen* lose one´s ground; *sein Geld/Freiheit einbüßen* lose one´s money/freedom; **Einbuße**

sub, f, -, -n loss
einchecken, *vi,* check in
eindecken, (1) *vr,* stock up with **(2)** *vt, (Arbeit)* swamp
Eindecker, *sub, m, -s, -* monoplane
Eindeichung, *sub, f, -, -en* embankment
eindeutig, *adj,* clear; *(geh.)* definite; *(zweifelsfrei)* unambiguous
eindeutschen, *vt,* Germanize
eindosen, *vt,* tin (am: can)
eindösen, *vi,* doze off
eindreschen, *vt,* lay into sb
eindringen, *vti,* penetrate; *(Flüssigkeit)* seep into; *(ugs.; Gebäude)* get into; *(mil.)* invade into; *in einen Wald/ein Labyrint eindringen* penetrate into a forest/maze; **Eindringling** *sub, m, -s, -e* intruder
eindringlich, *adj, (beeindruckend)* impressive; *(mit Macht)* powerful; *(Warnung)* urgent
Eindruck, *sub, m, -s, -drücke* impression; *auf jmd Eindruck machen* impress so; *den Eindruck erwecken, daß* give the impression that; *Eindruck machen* be impressive; *einen Eindruck gewinnen* gain an impression; *einen schlechten Eindruck machen auf jmd* make a bad impression on sb; *er konnte sich des Eindrucks nicht erwehren, daß* he had the strong impression that; *jmd nach dem ersten Eindruck beurteilen* judge sb by first impressions; *noch unter dem Eindruck eines Erlebnisses stehen* be still under the spell of an adventure; **eindrucksvoll** *adj,* impressive
eindrücken, *vt, (brechen)* break; *(Nase)* flatten; *(Rippen)* crush; *(zerbrechen)* smash in; *der Wind drückte alle Fenster ein* the wind blew all the windows; **eindrücklich** *adj,* forceful
eine, *Zahl,* s. ein
einebnen, *vt,* level; *ein Grundstück einebnen* to level the ground
einengen, *vt,* restrict; *(i. ü. S.) jmd einengen* restrict sb movements; *(i. ü. S.) jmd in seiner Freiheit einen-*

gen restrict sb freedom; *(i. ü. S.) sich eingeengt fühlen* fell hemmed
Einer, (1) *sub, m, -s, - (mat.)* unit; *(spo.)* single sculler **(2)** *einer Zahl,* s. ein
einerseits, *adv,* on (the) one hand; *einerseits und andererseits* on one hand and on the other hand
eines, *Zahl,* s. ein
einfach, (1) *adj,* single; *(leicht)* easy; *(nicht schwierig, einleuchtend)* simple **(2)** *adv, (einmal)* once; *(mit Adj.)* simply; *aus dem einfachen Grunde daß* for the simple reason that; *ein einfacher Mann* an ordinary man; *einfache Fahrkarte nach* single ticket to, *(US)* one-way ticket; *es ist einfach gut* it´s simply good; *ich mußte einfach lachen* I could´t help laughing; **Einfachheit** *sub, f, -, -en* simplicity
Einfädelung, *sub, f, -, -en* threading
einfahren, (1) *vt, (Ernte)* bring in; *(tech.)* retract; *(Wand)* knock down **(2)** *vti,* come in; *die Ernte einfahren* bring in the harvest, *der Zug ist soeben auf Gleis 5 eingefahren* the train has just arrived at platform 5; *in den Bahnhof einfahren* come into the station; **Einfahrgleis** *sub, n, -es, -e* home platform; **Einfahrt** *sub, f, -, -en (Annäherung)* approaching; *(Hereinfahren)* entry; *(Tor)* entrance; *Vorsicht bei der Einfahrt des Zuges* stand clear, the train is approaching
einfallen, *vt,* occur to sb; *(erinnern)* think of; *(Land)* invade; *(Licht)* come in; *etwas fällt jmd ein* sth occurs to sb; *was fällt die ein* how dare you; *es fällt mir jetzt nicht ein* I can´t think of it now; *ich werde mir was einfallen lassen* I´ll come up with sth; *in ein Gespräch einfallen* break into a conversation; *laß dir das ja*

nıcbı eınjaııen uon ı you dare; *mıt fällt eben ein, daß I* ´ve just remembered that; *in ein Land einfallen* invade a country; *bei jmd einfallen* descend on so; **Einfall** *sub, m, -s, -fälle* idea; *(Land)* invasion; *(Licht)* incidence; *(Winter-)* onset; *ein sonderbarer Einfall* a strange idea; *der Einfall des Winters* the onset of the winter; **Einfalllicht** *sub, n, -s, -er* incidence of light; **einfallslos** *adj, (geb.)* unimaginative; *(ugs.)* lacking in ideas; **einfallsreich** *adj, (geb.)* imaginative; *(ugs.)* full of ideas

Einfalt, *sub, f, -, nur Einz.* simplemindedness; *(geb.)* simpleness; *(arglos)* simplicity; **einfältig** *adj,* simple; *(arglos)* simple

einfarbig, *adj,* of one colour; *(mit Farbe)* plain ..; *das Kleid ist einfarbig blau* the dress is plain blue

einfassen, *vt, (Bild)* frame; *(Quelle)* curb; *(Stoff/Beet)* edge; *(umranden)* border; *ein Bild einfassen* frame a picture; *eine Straße mit Bäumen einfassen* edge a road with trees; **Einfassung** *sub, f, -, -en* edging, frame; *(Quelle)* enclosure; *(s.einfassen)* border

einfinden, *vr,* arrive, be present; *sich pünktlich zuhause einfinden* arrive at home in time

einflechten, *vt, (Bänder)* braid; *(i. ü. S.; Sprache)* work sth into; *(weben)* weave

einflößen, *vt, (Angst)* arouse... in; *(Flüssigkeit)* pour; *(Mut/Vertrauen)* inspire sb with; *jmd Angst einflößen* arouse fear in sb; *jmd etwas einflößen* pour sth into sb's mouth; *jmd Bewunderung einflößen* inspire sb with admiration

einflügelig, *adj,* one-winged

Einfluss, *sub, m, -sses, -flüsse (i. ü. S.)* influence; *(meteor.)* inflow; *(wirt.)* influx; **~bereich** *sub, m, -s, -e* sphere of influence; **~nahme** *sub, f, -, -n* exertion of influence on; **einflussreich** *adj,* influential

einflüstern, *vti,* put into one´s head; *(leise flüstern)* whisper; **Ein-**

förderung *sub, f, -, -en* demand

einförmig, *adj,*   monotonous; **Einförmigkeit** *sub, f, -, -en* monotony

einfrieren, *vt,* freeze; *(i. ü. S.; aussetzen)* suspend; *die Rohre sind eingefroren* the pipes are frozen up; *ihr Lächeln war eingefroren* her smile had frozen; **Einfrierung** *sub, f, -, -en* freezing

Einfrostung, *sub, f, -, -en* deepfreezing

einfügen, **(1)** *vr,* adapt **(2)** *vt,* fit sth. in(to) sth.; *(Text)* insert; *sich in etwas einfügen* adapt oneself to sth, *etwas in etwas einfügen* fit sth in(to) sth; *ich möchte noch einfügen, daß* I would like to add that; *sich überall gut einfügen* fit in well everywhere

einfühlsam, *adj, (geb.)* sensitive; *(ugs.)* understanding; **Einfühlung** *sub, f, -, -en* empathy

Einfuhr, *sub, f, -, -en* import; **~beschränkung** *sub, f, -, -en* import restriction; **einführen** **(1)** *vi, (wirt.)* become established **(2)** *vt,* import; *(bineinschieben)* insert into; *(Neuerung)* introduce; **~hafen** *sub, m, -s, -häfen* port of entry; **~land** *sub, n, -es, -länder* importing country; **Einführung** *sub, f, -, -en* introduction; *(Einfügung)* insertion; *die Einführung in ein Amt* the installation in office; *eine Einführung in die Naturwissenschaften* in introduction to science; **~ware** *sub,* import-goods; **~zoll** *sub, m, -s, -zölle* import duty

Eingabe, *sub, f, -, -n (Antrag)* petition; *(Beschwerde)* complaint; *(Daten)* input; *(Verabreichung)* administration; *eine Eingabe bei für etwas machen* make a petition to for sth; *die Eingabe der Medikamente* the tablets are to be taken; **~gerät** *sub, n, -s, -e* input device

Eingang, *sub, m, -s, -gänge* entrance; *(das Eingehen)* incoming;

(das Erhalten) receipt; **eingangs (1)** *adv*, at the beginning **(2)** *präp*, where the ... starts; **~sbuch** *sub*, *n*, *-es*, *-bücher* goods inward book; **~stür** *sub*, *f*, *-*, *-en (i.Ggs. zu Aus-)* entrance door; *(Wohnung/Haus)* front door

Eingängigkeit, *sub*, *f*, *-*, *-en* comprehensiveness

eingeäschert, *adj*, burnt down; *(Leiche)* cremated

eingeben, *vt*, *(Daten)* feed in; *(Idee)* inspire; *(med.)* give; *etwas in den Computer eingeben* feed sth into the computer; *jmd eine Idee eingeben* inspire so with an idea; *jmd Medizin eingeben* give medicine to sb

eingebettet, *adj*, bedded

eingebildet, *adj*, *(arrogant)* conceited; *(nicht real)* imaginary

eingeboren, *adj*, native; **Eingeborene** *sub*, *f,m*, *-n*, *-* native

eingebracht, *vt*, s. einbringen

Eingebung, *sub*, *f*, *-*, *-en* inspiration

eingedenk, *adj*, mindful

eingefleischt, *adj*, *(Junggeselle)* confirmed; *(Raucher)* inveterate; *eingefleischter Junggeselle* confirmed bachelor

eingefrieren, *vt*, deep-freeze

eingefuchst, *adj*, well-practised

eingehen, **(1)** *vi*, be received; *(Tiere/Pflanzen)* die; *(wirt.)* close down **(2)** *vt*, *(Angebot)* accept; *(auf etwas -)* deal with; *(Vertrag)* enter into; *der Brief ist bei uns noch nicht eingegangen* we have not yet received the letter; *die Blumen gehen an etwas ein* the flowers die with sth; *die Kuh ist ihm eingegangen* the cow has died on him; *die Geschäfte sind eingegangen* the shops had to close down, *auf ein Angebot eingehen* accept an offer; *auf ein Problem eingehen* deal with a problem; *auf einen Scherz eingehen* go along with a joke; *auf jmd nicht eingehen* ignore sb´s wishes; *bei jmd ein- und ausgehen* be a frequent visitor at so place; *eingehende Post in-*

coming mail; *es will ihm nicht eingehen, daß* he can´t grasp the fact that; *einen Vertrag eingehen* enter into a contract; **~d (1)** *adj*, detailed **(2)** *adv*, in detail

Eingemachte, *sub*, *n*, *-n*, *nur Einz.* preserved fruit/vegetables; *(Reserven)* reserve; *ans Eingemachte geben* draw on one´s reserves; *jetzt geht´s ans Eingemachte* now comes the crunch

eingemeinden, *vt*, incorporate into

eingenommen, *vt*, *(begeistert)* be fond of; *(eingebildet)* conceited about

eingerechnet, *adj*, included

eingeschrieben, *adj*, registered; *(Student)* enrolled

eingesessen, *adj*, established

eingespielt, *adj*, in practice; *aufeinander eingespielt* playing well together; *ein eingespieltes Team* make a good team

eingesprengt, *adj*, with a sprinkling

eingestehen, *vt*, admit; *(bekennen)* confess; *sich eingestehen, daß* to admit oneself that; *ein Verbrechen eingestehen* confess a crime; *ich gestehe ein, daß ich Unrecht habe* I confess that I´m wrong

eingetragen, *adj*, *(Grundbuch)* entered; *(Markenzeichen)* registered; *eingetragenes Warenzeichen* registered Trademark

Eingeweide, *sub*, *f*, *-*, *nur Mehrz.* entrails

Eingeweihte, *sub*, *m,f*, *-n*, *-n* initiate

eingezogen, *adj*, *(mil.)* called-up; *(Wohnung)* moved in

eingießen, *sub*, pour in

Einglas, *sub*, *n*, *-es*, *-gläser* monocle

eingleisig, *adj*, single-track; *(einfältig)* narrow-minded

eingliedern, **(1)** *vr*, fit into **(2)** *vt*, integrate into; *(jur.)* incorporate into; *(wirt.)* include in; *sich in* etwas eingraben in in into sth

eingravieren, *vti,* engrave on; *in Stein eingravieren* ingrave on stone

eingreifen, *vti,* intervene in

Eingrenzung, *sub,f, -, -en* enclosure

Eingriff, *sub, m, -s, -e (Hose)* fly; *(med.)* operation; *(polit.)* intervention

Einguss, *sub, m, -gusses, -güsse* pouring out

einhalten, (1) *vi, (innehalten)* pause **(2)** *vt, (beachten)* observe; *(Gesetze)* obey; *(Verabredung/Limit)* keep; *das Gesetz, den Sabbat, Ruhezeiten einhalten* observe the law, the sabbath, silence; *Gesetze einhalten* obey the laws; *den Abstand einhalten* keep the distance; *die Richtung einhalten* keep going in the same direction; *ein Versprechen einhalten* keep a promise; **Einhaltung** *sub, f, -, -en* keeping; *(Vorschriften)* observance

einhämmern, *vt,* hammer on sth; *(i. ü. S.)* drum sth into sb(´s head)

einhändigen, *vt,* hand sth. over to sb

Einhauchung, *sub, f, -, -en* breathing of sth. into sth./sb

einheimisch, *adj,* native; **Einheimische** *sub, m,f, -n, -n* native

einheimsen, *vt, (raffen)* rake in; *(sammeln)* collect; *Medaillen einheimsen* collect medals

Einheit, *sub, f, -, -en (phy.)* unit; *(polit.)* unity; **einheitlich (1)** *adj, (in sich geschlossen)* integrated, unified; *(unterschiedslos)* standardized **(2)** *adv,* all the same; *die Prüfungsbestimmungen einheitlich regeln* standardize the examination regulations, *alle waren einheitlich ausgebildet* they had all had the same training; *alle waren einheitlich gekleidet* they were dressed all the same; **~lichkeit** *sub, f, -, -en* uniformity; **~slook** *sub, m, -s, -s* standardized fashion

einhellig, *adj,* unanimous; *einhellig einer Meinung sein* have an unanimous opinion

einherfahren, *vi,* drive around

einhergehen, (1) *vi,* walk about (around) **(2)** *vt, (i. ü. S.; mit etwas)* be accompanied by

einhöckerig, *adj,* one-humped

einholen, (1) *vi, (einkaufen)* go shopping **(2)** *vt, (erreichen)* catch up; *(Netz/Segel)* pull in; *(Rat)* seek; *(Zeit)* make up; *ein anderes Auto einholen* catch up with another car; **Einholtasche** *sub,f, -n, -n* shopping bag

Einhorn, *sub, n, -s, -e oder -hörner* unicorn

einig, *adj,* be in agreement with/about; *(polit.)* united; **~ gehen** *vt,* be agreed about

einige, (1) *pron,* some **(2)** *unb.Zahlw., (verschiedene)* several; *dazu gehört schon einiges* it takes something to do that; *einige hundert* some hundred; *es besteht einige Hoffnung, dass* there is some hope that; *ich könnte dir einiges über ihn erzählen* I could tell you a thing or two about him, *einige tausend* several thousands of

einigen, *vi, (geb.)* reach an agreement; *(ugs.)* come to an agreement; **Einigkeit** *sub, f, -, -en (polit.)* unity; *(Übereinstimmung)* agreement; **Einigung** *sub, f, -, -en (polit.)* unification; *(Übereinkunft)* agreement

einigermaßen, *adv,* fairly, rather; *einigermaßen zufrieden sein* be fairly satisfied; *wie geht es Dir? Einigermaßen!* how are you? Not too bad!

einkampfern, *vt,* use camphor

einkapseln, *vt,* encapsulate; **Einkapslung** *sub, f, -, -en* encapsulation

einkassieren, *vt,* collect; *(ugs.; festnehmen)* pinch; *eine Rechnung einkassieren* collect a bill; *Steuern einkassieren* collect taxes

einkaufen, (1) *vi,* shop **(2)** *vt,* buy, purchase; **Einkauf** *sub, m,*

-s, -käufe buying; *(Ware)* purchase; **Einkäuferin** *sub, f, -, -nen* purchaser; **Einkaufscenter** *sub, n, -s, -* shopping centre; *(am)* mall; **Einkaufskorb** *sub, m, -s, -körbe* shopping basket; **Einkaufsnetz** *sub, n, -es, -e* string bag

einkehren, *vi*, stop at an inn; **Einkehr** *sub, f, -, -ten* stop

Einkerkerung, *sub, f, -, -en* incarceration

Einkesselung, *sub, f, -, -en* encirclement

einklammern, *vt*, put sth in brakkets

Einklang, *sub, m, -s, -klänge* harmony; *die Hausarbeit mit der Karriere in Einklang bringen* combine housework and a career; *im Einklang leben* live in peace and harmony; *im Einklang mit jmd sein* be in agreement with sb

einkleiden, *vt*, clothe; *sich einkleiden* clothe oneself; *sich neu einkleiden* fit oneself out with a new set of clothes

Einknickung, *sub,* bending

einknüppeln, *vt*, beat so.with a club (pol:truncheon)

Einkochtopf, *sub, m, -es, -töpfe* preservation pot

Einkommen, **(1)** *sub, n, -s, -* income **(2) einkommen** *vt*, apply for sth.; *einkommen um etwas* apply for sth; ~**steuer** *sub, f, -, -n* income tax

einkreisen, *vt*, encircle; **Einkreisung** *sub, f, -, -en* encirclement

Einkreuzung, *sub, f, -, -en* crossbreeding

Einkünfte, *sub, f, -, nur Mehrz.* income

einkuscheln, *vr*, snuggle up in sth

einladen, *vt*, (*in*) load (into); *(zu)* invite; *etwas ins Auto einladen* load sth into the car; *ihr seid eingeladen* this is on me; *jmd auf ein Bier einladen* invite sb for a beer; *jmd zum (auswärts) Abendessen einladen* invite so out for dinner; *jmd zum Abendessen einladen* invite sb to dinner; **Einladung** *sub, f, -,*

-en invitation

Einlage, *sub, f, -, -n (Anlage)* enclosure; *(mus.)* interlude; *(Schuh)* arch-support; *(wirt.)* deposit; ~**rung** *sub, f, -, -en* storage

einlassen, **(1)** *vr, (auf)* get involved in (2) *vt*, admit; *sich auf einen Streit einlassen* get involved in an argument; *sich mit vielen Männern einlassen* to go with lots of different men; **Einlasskarte** *sub, f, -, -n* admission ticket; **Einlassung** *sub, f, -, -en (jur.)* testimony

einlegen, *vt*, put sth. in/into; *(geh.)* insert; *(Haare)* set; *den ersten Gang einlegen* engage first gear; *ein gutes Wort für jmd bei jmd einlegen* put in a good word for sb with so; *eine Pause einlegen* have a break; *einen Spurt einlegen* put in a spurt; *in einen Brief einlegen* enclose; *in Essig einlegen* pickle; *einen Film in die Kamera einlegen* insert a film into the camera; *jmd die Haare einlegen* set so´s hair; **Einlegesohle** *sub, f, -, -n* insole

einleiten, *vt*, start; *(Massnahmen)* introduce; *(Untersuchung)* open; *(Wasser)* lead into; *die Suche einleiten* start the search; *einen Prozess einleiten* bring an action against; *giftige Abwässer in etwas einleiten* discharge poisonous effluents into sth; **Einleitewort** *sub, n, -es, -e* words of introduction; **Einleitung** *sub, f, -, -en* introduction; *(Wasser)* discharge

einleuchten, *vr*, be clear to sb; ~**d** *adj*, plausible

einliefern, *vt*, admit; *wir mußten Vater ins Krankenhaus einliefern lassen* we had to have daddy admitted to hospital; **Einlieferer** *sub, m, -s, -* deliverer; **Einlieferung** *sub, f, -, -en* admission to

einlogieren, *vr*, park oneself on sb

einlösen, *vt*, redeem; *(wirt.)* cash; *sein Wort einlösen* keep one´s wurd; *einen Scheck einlösen* cash a cheque; **Einlösesumme** *sub, f, -, -n* cashing amount

einmachen, *vt,* preserve; **Einmachglas** *sub, n, -es, -gläser* preserving jar

einmal, *adv,* once; *(früher)* once (upon a time); *(später)* some day; *alles auf einmal* all at once; *das war einmal* that´s all in the past; *einmal eins ist eins* once one is one; *einmal im Jahr* once a year; *einmal ist keinmal* just once won´t matter; *einmal und nie wieder* never again; *erst einmal* first; *es ist nun einmal so* that´s the way it is; *es war einmal* once upon a time; *haben sie schon einmal* have you ever; *nicht einmal* not so much as; *noch einmal* once more; *noch einmal so alt* twice his age; *wenn du einmal groß bist* when you grow up; *ich habe einmal im Taxi gesessen* some day I sat in the taxi; *ich werde einmal im Taxi sitzen* some day I´ll sit in the taxi; **Einmaleins** *sub, n, -, nur Einz.* multiplication tables; *das kleine Einmaleins* multiplication tables from 1 to 10; **~ig** *adj, (einzeln)* single; *(günstig)* unique; *(hervorragend)* superb; *eine einmalige Chance* the chance of a lifetime; *einmalige Abfindung* single payment; **Einmaligkeit** *sub, f, -, -en* uniqueness

Einmarkstück, *sub, n, -s, -e* one-mark piece

Einmarsch, *sub, m, -s, -märsche* entry; *(mil.)* invasion

einmassieren, *vt,* rub in

Einmauerung, *sub, f, -, -en* immuring

Einmeterbrett, *sub, n, -s, -er* one-metre board

einmieten, *vr,* rent a room/villa

einmischen, (1) *vr,* interfere in **(2)** *vt,* mix in; *wenn ich mich kurz einmischen darf* if I may butt in for a moment; **Einmischung** *sub, f, -, -en* interference; *verzeihen sie meine Einmischung* excuse my butting in

einmonatig, *adj,* one-month

einmünden, *vi,* flow in(to); *(enden)* lead into

einmütig, *adj,* unanimous; **Einmütigkeit** *sub, f, -, -en* unanimity

einnähen, *vt,* sew sth. into; *(enger nähen)* take in

Einnahme, *sub, f, -, -n* income; *(med.)* taking; *(mil.)* capture; **~soll** *sub, n, -s, -s* income-debit

Einnebelung, *sub, f, -, -en* smokescreen

einnehmen, *vt,* take; *(für sich -)* win sb; *(verdienen)* earn; *eine Mahlzeit einnehmen* take a meal; *eine wichtige Stellung bei etwas einnehmen* occupy an important place in; *einen Standpunkt/Haltung einnehmen* take up a position/attitude; *gegen jmdeingenommen sein* be prejudiced against sb; *seinen Platz einnehmen* take one´s seat; *von sich eingenommen sein* be very taken with oneself; *jmd für sich einnehmen* win sb over

Einöde, *sub, f, -, -n* waste; *(abgeschieden)* isolation

einordnen, (1) *vr,* fit in(to); *(Verkehr)* get into lane **(2)** *vt,* put in order; *(klassifizieren)* classify; *sich links einordnen* get into the left lane

einpacken, *vt,* wrap; *da können wir einpacken* we might as well pack up and go; *er kann einpacken!* he had it!; *sich warm einpacken* wrap oneself warmly

Einpersonenhaushalt, *sub, m, -s, -e* single-person household; **Einpersonenstück** *sub, n, -s, -e* monodrama

einpferchen, *vt,* stand crammed together; **Einpferchung** *sub, f, -, -en* cramming

einpflanzen, *vt,* plant; *(med.)* implant; **Einpflanzung** *sub, f, -, -en* planting; *(med.)* implantation

Einpinselung, *sub, f, -, -en* painting

einpökeln, *vt,* salt; *Kabeljau ein-*

pökeln salt cod

Einpolderung, *sub, f, -, -en* polder

einprägen, (1) *vr*, memorize **(2)** *vt*, stamp; *ins Gedächtnis tief einprägen* ingrave sth on one´s memory, *sich etwas einprägen* stamp sth on one´s memory; **einprägsam** *adj*, catchy; *(Gedächtnis)* easily remembered; **Einprägsamkeit** *sub, f, -, -en* memorability

einquartieren, (1) *vi*, be billeted on **(2)** *vt*, quarter; **Einquartierung** *sub, f, -, -en* billetting; *(mil.)* quartering

einrahmen, *vt, (Bild)* frame; *(Person)* flank

einrangieren, *vt*, shunt in(to)

einräumen, *vt, (i. ü. S.)* admit; *(Schrank)* put away/back in(to); *jmd ein Recht einräumen* grant sth to so; *einen Schrank einräumen* put things into a cupboard

einreden, (1) *vr*, imagine **(2)** *vt, (auf jmd.)* keep talking to; *(jmd. etwas -)* talk sb into believing sth.

einreiben, *vi*, rub; *die Haut mit etwas einreiben* rub sth into the skin

einreichen, *vt*, submit; *(jur.)* file; *Klage einreichen* file an action; **Einreichung** *sub, f, -, -en* submission

einreihen, (1) *vr*, join sth. **(2)** *vt*, place sth/sb; *sich in etwas einreihen* join sth, *jmd in eine Kategorie einreihen* place sb in a category; **Einreiher** *sub, m, -s, -* single-breasted suit/jacket

einreisen, *vti*, enter; *nach Deutschland einreisen* enter Germany; **Einreise** *sub, f, -, -n* entry

Einreißhaken, *sub, m, -s, -* ceiling hook

Einrenkung, *sub, f, -, -en (med.)* reset

einrichten, (1) *vr, (auf)* arrange with **(2)** *vt*, furnish; *auf so etwas sind wir nicht eingerichtet* we´re not prepared for that sort of thing; *das läßt sich einrichten* that can be arranged; *sich einrichten auf* prepare for; *sich gemütlich einrichten* furnish sth comfortably; *sich häus-*

lich einrichten make oneself at home in a place; *sich neu einrichten* refurnish; *wenn du es einrichten kannst* if you can (manage to); **Einrichtung** *sub, f, -, -en (Gebäude)* furnishing; *(Institution)* institution; *(sanitäre)* facilities; *eine ständige Einrichtung werden* become a permanent institution; *öffentliche Einrichtung* (public) institution

Einriss, *sub, m, -risses, -risse* tear

einrücken, (1) *vi, (mil.)* move in **(2)** *vt, (Text)* indent

eins, (1) *adj*, same **(2)** **Eins** *sub, f, -, -en* one; *(Schulnote)* A **(3)** *Zahl*, one; *das ist doch alles eins* it all amounts to the same thing, *die Nummer eins sein* be number one; *eins gefällt mir nicht* there is one thing I don´t like about it; *eins zu null für dich* score one for you; *noch eins* another thing; *um eins* at one; *zwei zu eins* two to one

einsacken, (1) *vi*, sink in **(2)** *vt*, put into sacks; *(i. ü. S.)* grab

einsalzen, *vt*, salt

einsam, *adj*, lonely; *(abgelegen)* isolated; **Einsamkeit** *sub, f, -, -en* loneliness; *(Alleinsein)* solitude

einsammeln, *vt*, collect; *(auflesen)* pick up; *die Kinder einsammeln* pick up the children; **Einsammlung** *sub, f, -, -en* collecting, picking up

Einsattelung, *sub, f, -, -en* saddling

Einsatz, *sub, m, -es, -sätze (Maschine)* deployment; *(persönlicher -)* commitment; *(Spiel)* stake; *(Stoff)* inset; *(Unterteilung)* compartment; *den Einsatz geben* give the cue; *der Einsatz der Violinen kam zu spät* the violins came in too late; *der Einsatz hat sich gelohnt* the effort was worth while; *die Einsätze sind hoch* the stakes are high; *einen Einsatz fliegen* fly a mission; *Einsatz zeigen* show commitment;

~~kanton Einsatz (Sport) hard task~~
ling; *im Einsatz sein* be on duty; *im praktischen Einsatz* in operation; *mit vollem Einsatz* all out; *unter Einsatz seines Lebens* at the risk of one´s life; *zum Einsatz kommen* be brought in(to action); *den Einsatz verdoppeln* double the stakes; **einsatzbereit** *adj*, ready to work; **einsatzfähig** *adj*, fit to compete; **~wagen** *sub, m, -s, -wägen* ambulance, fire engine, police-car

einschalten, (1) *vr*, intervene **(2)** *vt*, switch on; **Einschaltung** *sub, f, -, -en* turning on

Einschalung, *sub, f, -, -en* boarding

einschärfen, *vt*, impress sth. upon sb

einscharren, *vt*, bury

einschätzen, *vt*, *(Entfernung)* estimate; *(Person)* judge; **Einschätzung** *sub, f, -, -en* estimation, judging; *(Steuer)* assessment

einschäumen, *vt*, lather; *(mit Kunststoff)* wrap in foam

einschenken, *vt*, pour out sth. for sb

einscheren, *vi*, move into a lane/space

einschicken, *vt*, send in; *eine Bestellung einschicken* send in an order; *eine Bewerbung einschicken* send in an application; *etwas zur Reparatur einschicken* send sth (in) for repair

einschieben, *vt*, *(dazwischen)* insert; *(hinein)* push in; **Einschiebsel** *sub, n, -s, -* insertion; **Einschiebung** *sub, f, -, -en* introduction

einschießen, (1) *vr*, get the range **(2)** *vt*, *(Ball)* kick in; *(Fenster)* smash; *den Ball zum 1 : 1 einschießen* shoot a goal to the score 1 : 1; *sich auf ein Ziel einschießen* get the range; *sich auf jmd einschießen* make sb the target of attacks

einschlafen, *vi*, fall asleep; *(Bein)* go to sleep; *(sterben)* pass away; *beim Fernsehen einschlafen* fall asleep while watching TV; *mein Bein*

ist eingeschlafen my leg has gone to sleep; *über der Zeitung einschlafen* fall asleep over the paper; **einschläfern** *vt*, put to sleep; **einschläfig** *adj*, singlebedded; **einschläfrig** *adj*, soporific

einschlagen, (1) *vi*, *(Blitz)* strike; *(Bombe)* land **(2)** *vt*, *(Geschenk)* wrap up; *(Scheibe)* knock in; *Baby einschlagen* wrap up a baby; *bei uns hat es eingeschlagen* our house was struck by lightning; *einen anderen Weg einschlagen* adopt a different method; **Einschlag** *sub, m, -s, -schläge* landing; **einschlägig (1)** *adj*, specialist; *(zum Thema)* relevant **(2)** *adv*, similar; *einschlägig vorbestraft* previously convicted for the same offence

einschlämmen, *vt*, apply mud to

einschleichen, *vt*, sneak in(to)

einschleifen, (1) *vr*, *(Gewohnheit)* become established **(2)** *vt*, cut in(to); *(tech.)* grind; *die Zylinder einschleifen* grind the cylinders

einschleppen, *vt*, *(med.)* bring in; *(Schiff)* tow in; *eine (Krankheit) einschleppen nach* to bring in sth to

einschleusen, *vt*, infiltrate; *jmd nach Deutschland einschleusen* infiltrate so into Germany

einschließen, *vt*, lock sth. up; *(umgeben)* surround; **einschließlich** *präp*, including/inclusive; **Einschluss** *sub, m, -es, -schlüsse (polit./geol.)* inclusion

einschmelzen, *vt*, melt down

einschmieren, (1) *vr*, *(Schmutz)* get covered with **(2)** *vt*, *(Creme)* cream; *(Fett)* grease; *die Kinder schmierten meine Schuhe mit Zahnpasta* the kids smeared my shoes with toothpaste; *Schuhe einschmieren mit Politur* grease one´s shoes

einschnappen, *vi, (i. ü. S.)* go into a huff; *(Tür)* click; *das Schloss*

einschnappen lassen click the lock
einschneiden, (1) *vi, (Träger)* cut
(2) *vt*, make a cut in; *(Tal)* carve;
das Kleid schneidet an den Schultern ein the dress cuts into my
shoulders, *ein tief eingeschnittenes
Tal* a deeply carved valley; **~d** *adj*,
drastic; *(stärker)* radical
einschneien, *vi*, get (be) snowed in
einschnüren, *vr*, lace; **Einschnürung** *sub, f, -, -en* lacerating
einschränken, (1) *vr*, cut back on
(2) *vt*, reduce; *(begrenzen)* limit;
(Verbrauch) cut down; *sich finanziell einschränken müssen* have to
cut back on one´s spending of money, *das Rauchen einschränken* reduce smoking; **Einschränkung**
sub, f, -, -en limitation, reservation,
restriction; *mit der Einschränkung,
daß* with the (one) reservation that;
ohne Einschränkung without reservation; *jmd Einschränkungen auferlegen* impose restrictions on sb
einschrauben, *vt*, screw in
einschreiten, *vi*, intervene
einschrumpfen, *vi*, shrivel
Einschub, *sub, m, -s, -schübe* insertion
einschüchtern, *vt*, intimidate
einschulen, *vi*, start school; **Einschulung** *sub, f, -, -en* starting
school
Einschuss, *sub, m, -schusses, -schüsse* bullet wound
einschwärzen, *vt*, blacken
einschweißen, *vt*, weld in; *(in Plastikfolie)* seal sth. in transparent
film
einschwenken, *vi*, turn in(to); *(i. ü.
S.)* fall into line; *auf einen anderen
Kurs einschwenken* change course
politically; *in die Toreinfahrt einschwenken* turn into the gateway
einschwimmen, *vr*, warm-up swimming
einschwingen, *vi, (phy.)* keep oscillating
einschwören, *vt*, swear sb in; *jmd
auf etwas einschwören* swear sb in
to sth

einsegnen, *vt*, consecrate; **Einsegnung** *sub, f, -, -en* consecration
Einsehen, (1) *sub, n, -s, nur Einz.*
understanding (2) **einsehen** *vt*,
understand; *(Garten)* see into;
(Text) look at; *ein Einsehen haben* show some consideration;
ich sehe nicht ein, weshalb I
don´t see why
einseifen, *vt*, lather; *(Schnee)* rub
in
einseitig, *adj*, one-sided; *(unausgewogen)* unbalanced; *einseitig
beschrieben* written on one side
only; *einseitige Ernährung* unbalanced diet; *etwas sehr einseitig
darstellen* give a one-sided
description of sth
einsenken, *vt*, sink sth. into
einsetzen, (1) *vi, (beginnen)* start
(2) *vr*, do what one can (3) *vt*, put
in; *(etw.riskieren)* risk;
(Schrank/Fenster) fit in; *(tech.)*
bring into action; *(Text)* insert;
jmd als Erben einsetzen appoint
so one´s heir; *jmd einsetzen in*
assign so to; *sich bei jmd für jmd
einsetzen* intercede with so for
so; *sich voll einsetzen* go all out
Einsicht, *sub, f, -, -en* have a look,
understanding; *(s. einsehen)*
view; *Einsicht in die Akten nehmen* have a look at the files; *Einsicht mit jmd haben* show
understanding for sb; *zu der Einsicht gelangen, daß* realize that;
zur Einsicht kommen listen to
reason; **einsichtig (1)** *adj*, understanding (2) *adv*, show a great
deal of understanding; **einsichtslos** *adj*, without remourse
Einsiedelei, *sub, f, -, -en* hermitage; **Einsiedler** *sub, m, -s, -* hermit
einsilbig, (1) *adj*, monosyllabic;
(i. ü. S.; Person) taciturn (2) *adv*,
in monosyllables; *er ist sehr einsilbig* he´s very taciturn; **Einsilbigkeit** *sub, f, -, - (i. ü. S.)*
taciturnity
Einsinktiefe, *sub, f, -, -en* depth of
sinking

einsömmerig, *adj*, living one summer

einsortieren, *vt*, sort/put into

einspannen, *vt*, *(Person)* rope in; *(Pferd)* harness; *(Stoff)* fix in a frame; *(tech.)* clamp; *er wollte uns für seine Zwecke einspannen* he wanted to use us for his own ends; *jmd für etwas einspannen* rope so in doing sth; *Stoff in einen Stickrahmen einspannen* fix cloth into an embroidery frame; *das Werkstück in den Schraubstock einspannen* clamp the work in the vice

einsparen, *vt*, save; *(Verbrauch verringern)* cut down; *Arbeitsplätze einsparen* cut down on staff; *Geld einsparen* save money; *Kosten einsparen* cut down costs

einspeicheln, *vt*, insalivate

einsperren, *vt*, lock sb/sth. up

Einspielung, *sub, f, -, -en* taking

einsprachig, *adj*, monolingual

einsprechen, *vt*, s. einreden

einsprengen, *vt*, sprinkle; **Einsprengsel** *sub, n, -s, -* embedded particles

einspritzen, *vt*, inject; **Einspritzung** *sub, f, -, -en* injection

Einspruch, *sub, m, -s, -sprüche* objection

einst, *adv*, *(früher)* once; *(später)* some (day); *einst war einmal* once upon a day; *einst wird kommen der Tag* the day will come when

einstampfen, *vt*, pulp; *Akten Einstampfen* pulp files; **Einstampfung** *sub, f, -, -en* pulping

Einstand, *sub, m, -es, -stände* debut; *(Beruf)* celebrate starting

einstecken, (1) *vr*, take with **(2)** *vt*, put sth. in; *(Prügel)* take; *den Stecker einstecken* put the plug in; *steck das Bügeleisen ein* plug the iron in; *er kann viel einstecken* he can take a lot; **Einsteckkamm** *sub, m, -es, -kämme* comb

einsteigen, *vi*, *(Fahrzeug/Bus/Auto)* get in/on/into; *(Gebäude)* get in through; *(polit./wirt.)* go into; *alles einsteigen* all aboard; *durch das* *Fenster einsteigen* get in through the window; *in ein Projekt einsteigen* get in on a project; **Einsteiger** *sub, m, -s, -* *(Anfänger)* beginner; *(Dieb)* burglar

Einsteinium, *sub, n, -s, nur Einz.* *(chem.)* einsteinium

einstellen, (1) *vr*, *(auf jdn.)* adapt to sb **(2)** *vt*, *(beenden)* stop; *(Person)* employ; *(tech.)* adjust; *(weg-)* put away/in; *sich auf jmd einstellen* adapt to sb, *die Arbeit einstellen* stop work; *ein Radio einstellen* tune a radio; *eine Uhr einstellen* adjust a clock; *das Verfahren einstellen* abandon court proceedings; *den Betrieb einstellen* shut down the factory; *die Feindseligkeiten einstellen* cease hostilities; *in die Garage einstellen* put in the garage; *Klage einstellen* drop the action; *sich schnell auf eine Situation einstellen* adjust quickly to a new situation; **Einstellung** *sub, f, -, -en* *(Ansicht)* attitude; *(Beendigung)* stopping; *(Beruf)* employment; *(Rekord)* equalization; *(tech.)* adjustment

Einstieg, *sub, m, -s, -e* entry; *der Einstieg in die Kernenergie* opting for nuclear energy

einstig, *adj*, former

einstimmen, *vi*, agree; *(mus.)* join in; *in das Gelächter einstimmen* join in the laughter; **Einstimmung** *sub, f, -, nur Einz.* get in the mood for

einstimmig, *adj*, *(Beschluss)* unanimous; *(mus.)* for one voice; **Einstimmigkeit** *sub, f, -, -en* unanimity

einstmalig, *adj*, former; *einstmalig* in former times

einstöckig, *adj*, single-storey

einstoßen, *vt*, break down; *eine Wand einstoßen* break down a wall

einstreichen, (1) *sub, (Geld)* rake in **(2)** *vt*, *(verstreichen)* spread; *Brot mit Butter einstreichen* spread butter on bread

einströmen, *vi*, stream in

einstudieren, *vt*, rehearse

einstufen, *vt*, classify; **Einstufung** *sub, f, -, -en* classification

Einstülpung, *sub, f, -, -en* turned inside

einstürmen, *vt*, besiege; *auf jmd mit Fragen einstürmen* assail so with questions

einstürzen, (1) *vi*, collapse (2) *vt*, *(Probleme)* crowd in on sb; *die Probleme stürzten auf ihn ein* the problems crowded in on him; *eine Welt stürzte für sie ein* her whole world collapsed; **Einsturz** *sub, m, -es, -stürze* collapse

einstweilen, *adv*, *(inzwischen)* meanwhile; *(zeitweise)* temporarily

einstweilig, *adj*, temporary; *eine einstweilige Anordnung/Verfügung* a temporary injunction/order

Einswerdung, *sub, f, -s, -en* becoming one

Eintagsfliege, *sub, f, -, -n (i. ü. S.)* seven-day wonder; *(zool.)* mayfly

Eintänzer, *sub, m, -s, -* gigolo

Eintänzerin, *sub, f, -s, -nen* female dancing-partner

eintauchen, (1) *vi*, dive in (2) *vt*, dip; *den Zwieback in den Tee eintauchen* dip the rusk in the tea

eintauschen, *vt*, exchange (for); **Eintausch** *sub, m, -es, nur Einz.* exchange

eintaxieren, *vt*, assess; *Schaden eintaxieren* assess damages; *Steuer eintaxieren* assess a tax

Eintel, *sub, n, -es, -* whole

eintönig, *adj*, monotonous; **Eintönigkeit** *sub, f, -, -en* monotony

eintopfen, *vt*, pot (up); *Blumen eintopfen* pot up plants; **Eintopf** *sub, m, -s, nur Einz.* stew; *Irischer Bohneneintopf* Irish Stew; **Eintopfgericht** *sub, n, -s, -e* stew

Eintracht, *sub, f, -, nur Einz.* harmony; **einträchtig** *adj*, harmonious; *einträchtig zusammenleben* live together in harmony

eintragen, (1) *vr*, *(Liste)* enter (2)

vt, *(Aufsatz)* copy; *(Geld/Dank)* bring in; *(Name/Warenzeichen)* register; *einen Aufsatz ins Heft eintragen* copy an essay into one´s exercise-book; *das hat ihm nur Undank eingetragen* that only brought him ingratitude; *ein Warenzeichen eintragen lassen* have registered a trade-mark; *sich eintragen lassen(vormerken)* put one´s name down; *sich in die Anwesenheitsliste eintragen* sign in; **Eintrag** *sub, m, -s, -träge (das Eingetragene)* entry; *(das Eintragen)* entering; **einträglich** *adj*, lucrative, profitable; *eine einträgliche Arbeit haben* do a lucrative work; *ein einträgliches Geschäft* profitable business

einträufeln, *vt*, put drops in; *(eingeben)* administer a medicine in drops

eintreffen, *vi*, *(ankommen)* arrive; *(wahr werden)* come true; *auf Madeira eintreffen* arrive at Madeira; *in Berlin eintreffen* arrive in Berlin

eintreiben, *vt*, collect; *(Nagel)* drive in; *das Geld eintreiben lassen* take action to obtain the money; **eintreibbar** *adj*, collectable(collectible)

eintreten, (1) *vi*, enter; *(auftreten)* occur; *(Club)* join (2) *vt*, *(für etw.)* stand up for; *(Splitter)* get sth. in one´s foot; *in den Krieg eintreten* enter the war; *in die Beweisaufnahme eintreten* proceed to hearing the evidence; *in Verhandlungen eintreten* enter negotiations; *das Unerwartete war eingetreten* the unexpected had occured; *es ist eine Besserung eingetreten* there has been an improvement; *es trat Stille ein* silence fell; *in die Erdumlaufbahn eintreten* enter the Earth orbit, *sich einen Splitter in den Fuß eintreten* get a splinter in one´s foot

eintrichtern, *vt*, drum sth. into sb

Eintritt, *sub, f, -s, -e entrance, entry; (Ereignis)* occurence; *(Verein)* joining; *(Zulassung)* admission; *beim Eintritt in die Erdatmosphäre* on entry into the Earth´s atmosphere; *Eintritt verboten* no entry; *bei seinem Eintritt in den Club* on his joining the club; *Eintritt frei* free admission; *~skarte sub, f, -, -n* admission ticket

eintrocknen, *vi*, dry (up/out)

eintröpfeln, *vi*, drop in

eintürig, *adj*, one-door

eintüten, *vt*, bag

einüben, *vt*, practise; *jede seiner Gesten wirkte sorgfältig eingeübt* all of his gestures seemed carefully rehearsed; *mit jmd etwas einüben* practise sth with sb

Einvernehmen, (1) *sub, n, -, -* agreement (2) **einvernehmen** *vt*, examine

einverstanden, *adj*, agreed; *einverstanden!* all right! ok!; *mit etwas einverstanden sein* agree to sth

Einverständnis, *sub, n, -, -se (Billigung)* consent; *(Übereinstimmung)* agreement; *(Zustimmung)* approval; *Einverständnis zu etwas* consent to; *sein Einverständnis erklären* give one´s consent

Einwand, *sub, m, -s, -wände* objection; *Einwände gegen etwas erheben* raise objections to sth

Einwanderer, *sub, m, -s, -* immigrant; **Einwanderin** *sub, f, -, -nen* female immigrant; **Einwanderung** *sub, f, -, -en* immigration

einwandfrei, *adj*, perfect; *(fehlerfrei)* flawless

einwärts, *adv*, inwards

einwechseln, *vt*, change; *(ersetzen)* substitute; *DM in Dollar einwechseln* change DM into Dollar; *jemanden einwechseln* substitute a player; **Einwechslung** *sub, f, -, -en* substitution

einwecken, *vt*, preserve; **Einweckglas** *sub, n, -es, -gläser* preserving-jar

einweichen, *vt*, soak; **Einweichung**

sub, f, -, -en soak

einweihen, *vt, (Brücke)* open; *(i. ü. S.; das erste Mal benutzen)* christen; *(Monument)* dedicate

einweisen, *vt, (Arbeit)* introduce; *(Klinik)* admit; *jmd in ein Geheimnis einweihen* let so in on a secret; *jmd in etwas einweihen* initiate so into sth; *jmd ins Krankenhaus einweisen* have so admitted to hospital

einwenden, *vt*, object; *einwenden, dass* argue that; *es läßt sich nichts dagegen einwenden* there is nothing to be said against; *etwas einwenden gegen* object to sth; *ich habe nichts dagegen einzuwenden* I have no objections; **Einwendung** *sub, f, -, -en* objection (to)

einwerfen, *vt, (Bemerkung/Ball)* throw in; *(Fenster)* smash; *(Münze)* insert; *(Post)* put in

einwickeln, *vt*, wrap (up); **Einwicklung** *sub, f, -, -en* wrapping

einwilligen, *vi*, agree (to); *in etwas einwilligen* agree to sth; **Einwilligung** *sub, f, -, -en (Übereinstimmung)* agreement; *(Zustimmung)* consent; *seine Einwilligung zu etwas geben* give one´s consent to sth

Einwohner, *sub, m, -s, -* inhabitant; *die Stadt hat 2 Millionen Einwohner* the town has 2 million inhabitants; *~in sub, f, -, -n* female inhabitant; *~schaft sub, f, -, nur Mehrz.* population; *die Stadt hat eine Einwohnerschaft von 2 Millionen* the town has a population of 2 million

Einwurzelung, *sub, f, -, -en* taking roots

Einzahl, *sub, f, -, nur Einz.* singular

einzahlen, *vt*, deposit; **Einzahlung** *sub, f, -, -en* deposit, payment

einzäunen, *vt*, fence; *ein Grundstück einzäunen* to fence in the ground

einzeichnen, *vt*, draw sth. in; *etwas ist in der Karte nicht eingezeichnet* something isn´t on the map; **Einzeichnung** *sub*, *f*, -, -*en* mark

Einzel, *sub*, *n*, -*s*, - *(spo.)* singles; **~abteil** *sub*, *n*, -*s*, -*e* single compartment; **~aktion** *sub*, *f*, -, -*en* independent action; **~disziplin** *sub*, *f*, -, -*en* single event; **~fall** *sub*, *m*, -, -*fälle* particular case; *im Einzelfall* in particular cases; **~gänger** *sub*, *f*, -, - loner; **~haft** *sub*, *f*, -, - solitary confinement; **~handel** *sub*, *m*, -*s*, - retail trade; **~heit** *sub*, *f*, -, -*en* detail; *bis in alle Einzelheiten* down to the last detail; *in Einzelheiten geben* go into detail

einzeln, *adj*, *(allein)* solitary; *(aus vielen)* individual; *(jeder -)* single

Einzelperson, *sub*, *f*, -, -*en* one person; **Einzelreise** *sub*, *f*, -, -*n* individual journey; **Einzelstaat** *sub*, *m*, -*s*, -*en* individual state; **Einzelstück** *sub*, *n*, -*s*, -*e* individual item; **Einzeltäter** *sub*, *m*, -*s*, - individual culprit; **Einzelwesen** *sub*, *n*, -*s*, - individual; **Einzelzelle** *sub*, *m*, -, -*n* single cell; **Einzelzimmer** *sub*, *n*, -*s*, - single room

einziehen, **(1)** *vi*, enter; *(Wohnung)* move in **(2)** *vt*, *(Band)* thread in; *(Bett/Wand)* put in; *(Luft)* breathe in; *(zurückziehen)* haul in; *der Hund zog den Schwanz ein* the dog put its tail between its legs; *den Kopf einziehen* duck; *Informationen einziehen* gather information; *ins Parlament einziehen* take one´s seat in the parliament; *vom Konto einziehen lassen* pay by direct debit; **Einziehung** *sub*, *f*, -, *nur Einz. (mil.)* call-up; *(wirt.)* collection

einzig, *adj*, only; *(verneint)* single; *das ist das einzig richtige* that´s the only thing to do; *kein einziges Auto* not a single car; **~artig** *adj*, unique

Einzug *sub*, *m*, -*s*, -*züge* entry; *(Wohnung)* move; **~sgebiet** *sub*, *n*, -*s*, -*e* catchment area

Einzwängung, *sub*, *f*, -, -*en* sqeeze;

(Korsett) constriction

Eis, *sub*, *n*, -*es*, - *(Speise-)* ice-cream; *(Wasser-)* ice; **~bahn** *sub*, *f*, -, -*en* ice-rink; **~bär** *sub*, *m*, -*s*, -*en* polarbear; **~bein** *sub*, *n*, -*s*, -*e* salted knuckle of pork; *Eisbein* icebein; **~berg** *sub*, *m*, -*s*, -*e* iceberg; *(i. ü. S.) die Spitze des Eisbergs* the tip of an iceberg; *Eisbergsalat* iceberg-lettuce; **~beutel** *sub*, *m*, -*s*, - ice-pack; **~block** *sub*, *m*, -*s*, -*blöcke* block of ice; **~blume** *sub*, *f*, -, -*n* frost flower; **~bombe** *sub*, *f*, -, -*n* bombe glacé; **~brecher** *sub*, *m*, -*s*, - ice-breaker; **~diele** *sub*, *f*, -, -*n* ice-cream parlour

Eischale, *sub*, *f*, -, -*n* sundae dish; **Eischnee** *sub*, *m*, -*s*, *nur Einz.* stiffly beaten egg-white

eisen, **(1)** *adj*, iron **(2) Eisen** *sub*, *n*, -*s*, - iron; *ein heisses Eisen anfassen* tackle a hot issue; *er gehört zum alten Eisen* he´s past it; *jmd zum alten Eisen werfen* throw so on the scrap heap; *man muß das Eisen schmieden, solange es heiss ist* strike while the iron is hot; *viele Eisen im Feuer haben* have many irons in the fire; *zwei Eisen im Feuer haben* have more than one string to one´s bow; **Eisenblech** *sub*, *n*, -*s*, -*e* iron-sheet; **~haltig** *adj*, iron-bearing; *(Lebensmittel)* containing iron; **Eisenhütte** *sub*, *f*, -, -*n* ironworks; **Eisenstange** *sub*, *f*, -, -*n* iron bar; **Eisenwaren** *sub*, *f*, -, *nur Einz.* ironmongery; **Eisenzeit** *sub*, *f*, -, *nur Einz.* Iron Age

eisern, **(1)** *adj*, iron **(2)** *adv*, resolutely; *eisern an etwas festhalten* adhere rigidly to something; *eisern sparen* save rigorously; *eiserne Gesundheit* cast-iron constitution; *eiserne Reserve* permanent stock

eisglatt, *adj*, icy; *(i. ü. S.)* as slippery as ice; **Eis laufen** *vi*, ice-skate; **Eisheilige** *sub*, *m*, -, -*n* Three Saints; **Eishockey** *sub*, *n*, -*s*, *nur*

Dinr. ice hockey, **eisig** *adj*, icy, *(I. ü. S.)* frosty; *eisig kalt sein* be icy cold; *eisiges Schweigen* maintain an icy silence; *jmd eisig empfangen* give sb a frosty reception; **eiskalt (1)** *adj*, ice-cold **(2)** *adv, (kaltblütig)* in cold blood; *eiskalter Drink* ice-cold drink; **Eiskristall** *sub, n, -s, -e* ice crystal; **Eiskübel** *sub, m, -s, -* ice bucket; **Eiskunstlauf** *sub, m, -s, nur Einz.* figure skating

Eisprung, *sub, m, -s, -sprünge (selten)* ovulation

Eisrevue, *sub, f, -, -n* ice show; **Eisschnelllauf** *sub, m, -s, nur Einz.* speed skating; **Eisschrank** *sub, m, -es, -schränke* refrigerator; **Eisegeln** *sub, n, -s, nur Einz.* ice-surfing; **Eisstock** *sub, m, -s, -stöcke* ice-stick; **Eisstockschießen** *sub, n, -s, nur Einz.* ice-stick shooting; **Eiswürfel** *sub, m, -s, -* ice cube; **Eiszapfen** *sub, m, -s, -* icicle; *wie ein Eiszapfen* cold as an icicle; **Eiszeit** *sub, f, -, -en* ice age; **eiszeitlich** *adj*, ice age

eitel, *adj*, vain; *eitel Freude* pure joy; *eitel wie ein Pfau* as proud as a peacock; **Eitelkeit** *sub, f, -, -en* vanity; *Jahrmarkt der Eitelkeit* vanity fair

Eiter, *sub, m, -, nur Einz.* pus; **~erreger** *sub, m, -s, - (med.)* bacterium causing suppuration; **eitern** *vi*, suppurate; **~pickel** *sub, m, -s, -* pimple; **~ung** *sub, f, -, -en* suppuration; **eitrig** *adj*, suppurating

Eiweiß, *sub, n, -es, -e* egg-white, protein; **~bedarf** *sub, m, -s, nur Einz.* protein requirement; **~gehalt** *sub, m, -es, nur Einz.* content of protein; **~mangel** *sub, m, -es, nur Einz.* protein deficiency; **eiweißreich** *adj*, high-protein; **~stoff** *sub, m, -s, -e* protein

ejakulieren, *vi*, ejaculate; **Ejakulation** *sub, f, -en* ejaculation

Ejektion, *sub, f, -en* ejection

ekel, **(1)** *adj*, disgusting **(2) Ekel** *sub, m, -s, -* disgust; *(langfristig)* loathing; *Ekel vor etwas empfinden*

disgust at sth; einen Ekel vor etwas haben have a loathing for sth; **~haft (1)** *adj*, disgusting **(2)** *adv*, in a disgusting manner; **~n (1)** *vr*, feel disgusted **(2)** *vti*, find sth. disgusting

EKG, *sub, n, -s, -s* ECG (am:EKG)

Eklat, *sub, m, -s, -s* sensation

eklatant, *adj*, striking; *ein eklatanter Fehler* a striking mistake

Eklektiker, *sub, m, -s, -* eclectic; **eklektisch** *adj*, eclectic; **Eklektizismus** *sub, m, -, nur Einz.* eclecticism; **eklektizistisch** *adj*, eclectic

eklig, *adj*, disgusting

Eklipse, *sub, f, -, -n* eclipse; **Ekliptik** *sub, f, -, -en* ecliptic; **ekliptisch** *adj*, ecliptic

Ekzem, *sub, n, -, -e* eczema

Elaborat, *sub, n, -s, -e* pathetic concoction

Elan, *sub, m, -s, nur Einz.* vigour

Elastik, *sub, n, -s, -s* elasticated material; **elastisch** *adj*, flexible; *(Stoff)* elasticated; **Elastizität** *sub, f, -, nur Einz.* elasticity; *(Biegsamkeit)* flexibility; **Elastomer** *sub, n, -s, -e* elastomer

Elativ, *sub, m, -s, -e* absolute superlative

Elch, *sub, m, -es, -e* elk

Elefant, *sub, m, -es, -en* elephant; *wie ein Elefant im Porzellanladen* like a bull in a china shop; **~enhaut** *sub, f, -, nur Einz.* be thick-skinned; **~enkuh** *sub, f, -, -kühe* cow elephant; **~iasis** *sub, f, -, -tiasen* elephantiasis

elegant, *adj*, elegant; *(stilvoll)* stylish; **Eleganz** *sub, f, -, nur Einz.* elegance

Elegie, *sub, f, -, -n* elegy

elektrifizieren, *vt*, electrify; **Elektrifizierung** *sub, f, -n, -en* electrification

Elektrik, *sub, f, -, nur Einz.* electrics; **~er** *sub, m, -s, -* electrician; **elektrisch** *adj, (Funktion)* electric; *(System)* electrical; **Elektrische** *sub, f, -n, -n* tram;

elektrisieren *vt*, electrify; *(el. Schlag)* give an electric shock; *sich elektrisieren* give oneself an electric shock; **Elektrizität** *sub, f, -, nur Einz.* electricity; **Elektrizitätswerk** *sub, n, -s, -e* power station

Elektroauto, *sub, n, -s, -s* electric car; **Elektrode** *sub, f, -, -n* electrode; **Elektrodynamik** *sub, f, -, nur Einz.* electrodynamics; **Elektrogerät** *sub, n, -s, -e* electrical appliance; **Elektroherd** *sub, m, -s, -e* electric cooker; **Elektroindustrie** *sub, f, -, nur Einz.* electrical goods industry; **Elektrokardiografie** *sub, f, -, -n* electrocardiography; **Elektrokardiogramm** *sub, n, -s, -e* electrocardiogram; **Elektrolyse** *sub, f, -, -n* electrolysis; **Elektrolyt** *sub, m, -s, seltener -en, -e oder -en* electrolyte; **elektrolytisch** *adj*, electrolytic; **Elektromagnet** *sub, m, -s, -en* electromagnet; **elektromagnetisch** *adj*, electromagnetic; **Elektrometer** *sub, n, -s, -* electrometer; **Elektromotor** *sub, m, -s, -en* electric motor

Elektron, *sub, n, -s, -en* electron; **~engehirn** *sub, n, -s, -e* electronic brain; **~enmikroskop** *sub, n, -s, -e* electron microscope; **~envolt** *sub, n, - oder -(e)s, -* electron volt

Elektronik, *sub, f, -, nur Einz.* electronics; **~er** *sub, m, -s, -* electronics engineer; **elektronisch** *adj*, electronic

Elektroofen, *sub, m, -es, öfen* electric furnace; **Elektrorasur** *sub, f, -, -en* shaving with an electric shavor; **Elektroschock** *sub, m, -s, -s* electric shock; **Elektrostatik** *sub, f, -, nur Einz.* electrostatics

Element, *sub, n, -s, -e* element; *asoziale Elemente* antisocial elements; *die vier Elemente* the four elements; *in seinem Element sein* be in one´s element; **elementar** *adj, (grundlegend)* elementary, fundamental; *(naturhaft)* elemental; *ihm fehlen die elementarsten Kenntnisse* he lacks the most elementary

knowledge; *die elementaren Kräfte* elemental forces; **~arteilchen** *sub, n, -s, -* elementary particle

eleusinisch, *adj*, from Eleusia

Elevator, *sub, m, -s, -en* elevator

Eleve, *sub, m, -n, -n* student; *(Land- u. Forstwirtschaft)* trainee

Elf, (1) *sub, f, -, nur Einz.* eleven; *(spo.)* soccer-team **(2) elf** *Zahl*, eleven

Elfe, *sub, f, -, -n* fairy; **~nreigen** *sub, m, -s, -* fairy dance

Elfenbein, *sub, n, -s, -* ivory; **elfenbeinern** *adj*, ivory; **~turm** *sub, m, -s, nur Einz.* ivory tower

Elfmeter, *sub, m, -s, -* penalty; *einen Elfmeter schießen* take a penalty; **elfmeterreif** *adj*, ready for a penalty; **~tor** *sub, n, -es, -e* penalty

Elftel, *sub, n, -s, -* eleventh part

Elimination, *sub, f, -, -en* elimination; **eliminieren** *vt*, eliminate; **Eliminierung** *sub, f, -, -en* eliminating

Elite, *sub, f, -, -n* élite; **elitär** *adj*, élitist; **~truppe** *sub, f, -, -n* crack force; *(mil.)* élite force

Elixier, *sub, n, -s, -e* elixir

Ellbogen, *sub, m, -s, -* elbow; *seine Ellbogen gebrauchen* use one´s elbows

Ellipse, *sub, f, -, -n* ellipse; **elliptisch** *adj*, elliptical

Eloge, *sub, f, -, -n* eulogy

Elongation, *sub, f, -, -en* elongation

eloquent, *adj*, eloquent; **Eloquenz** *sub, f, -, nur Einz.* eloquence

Eltern, *sub, f, -, nur Mehrz.* parents; *nicht von schlechten Eltern* terrific; **elterlich** *adj*, parental; **~abend** *sub, m, -s, -e* parents´ evening; **~beirat** *sub, m, -es, -räte* parents´association; **~liebe** *sub, f, -, nur Einz.* parental love; **~schaft** *sub, f, -, nur Einz. (Eltern sein)* parenthood, parents´association

elysisch, *adj,* Elysian

E-Mail, *sub, f, -, -s* E-mail

Email, *sub, n, -s, -s* enamel; **emaillieren** *vt,* enamel; **~malerei** *sub, f, -, -n* enamel painting

emanieren, *vt,* emit radioactivity

Emanze, *sub, f, -s, -n* women´s libber; **Emanzipation** *sub, f, -, -en* emancipation; **emanzipatorisch** *adj,* emancipating; **emanzipieren** *vr,* emancipate (oneself); **emanzipiert** *adj,* emancipated

emballieren, *vt,* wrap

Embargo, *sub, n, -s, -s* embargo; *unter einem Embargo stehen* be under embargo

Emblem, *sub, n, -s, -e* emblem; **emblematisch** *adj,* emblematic

Embolie, *sub, f, -, -n* embolism

Embryo, *sub, m, -s, -s oder -nen* embryo; **embryonal** *adj,* embryologic

Emerit, *sub, m, -en, -en* emeritus professor; **emeritieren** *vt,* confer emeritus status; **emeritiert** *adj,* emeritus; **~ierung** *sub, f, -, -en* retire as professor emeritus; **emeritus (1)** *adj,* emeritus **(2) Emeritus** *sub, m, -, -riti* s. Emerit

emetisch, *adj,* emetic

Emigrant, *sub, m, -en, -en* emigrant; **Emigration** *sub, f, -, -en* emigration; **emigrieren** *vi,* emigrate

eminent, *adj,* eminent; **Eminenz** *sub, f, -, -en* eminence

Emir, *sub, m, -s, -e* emir; **~at** *sub, n, -s, -e* emirate

emittieren, *vt, (phy.)* emit; *(wirt.)* issue; *Gas emittieren* emit gas

Emotion, *sub, f, -, -en* emotion; **emotional** *adj,* emotional; **emotionalisieren** *vt,* emotionalize; **~alität** *sub, f, -, -en* emotionalism; **emotionell** *adj,* emotive; **emotionsfrei** *adj,* emotionless

Empathie, *sub, f, nur Einz.* empathy

empfangen, (1) *vi,* conceive **(2)** *vt,* receive; *empfangen(schwanger werden)* conceive, *sie empfängt niemanden* she refuses to see anybody; *wir wurden sehr freundlich*

empfangen we met with a friendly reception; **Empfänger** *sub, m, -es, -* recipient; *(tech.)* receiver; **Empfängerin** *sub, f, -, -nen* s. Empfänger; **empfänglich** *adj,* receptive; *(beeinflußbar)* susceptible; *sehr empfänglich für etwas sein* be very receptive to sth; **Empfangnahme** *sub, f, -, -n* receiving

Empfängnis, *sub, f, -ses, -se* conception; **~verhütung** *sub, f, -, -en* contraception

empfangsberechtigt, *adj,* authorized to receive; **Empfangschef** *sub, m, -es, -s* head receptionist; **Empfangsdame** *sub, f, -, -en* receptionist; **Empfangssaal** *sub, m, -es, -säle* reception hall

empfehlen, (1) *vr,* take one´s leave **(2)** *vt,* recommend; *es empfiehlt sich zu* it is advisable to; *jmd etwas empfehlen* recommend sth to so; *nicht zu empfehlen* not to be recommended; **Empfehlung** *sub, f, -, -en* recommendation; *auf Empfehlung* on recommendation

Empfinden, (1) *sub, n, -s, nur Einz.* feeling **(2) empfinden** *vt,* feel; *nach meinem Empfinden* the way I see it; *Abscheu vor etwas empfinden* feel disgust for sth; *etwas als lästig empfinden* find sth a nuisance; **empfindlich** *adj,* sensitive; *(Strafe)* severe; **Empfindsamkeit** *sub, f, -, -en* sensitivity; **Empfindung** *sub, f, -, -en (Gefühl)* feeling; *(Sinne)* sensation

Emphase, *sub, f, nur Einz.* emphasis; **emphatisch** *adj,* emphatic

Empire, *sub, n, nur Einz. (hist.)* Empire; *(Staat)* empire

Empirie, *sub, f, nur Einz.* empiricism; **Empiriker** *sub, m, -* empiricist; **empirisch** *adj,* empirical; **Empirismus** *sub, m, nur Einz.* empiricism; **Empirist** *sub, m, -en, -en* empiricist; **empiristisch** *adj,* empirical

empor, *adv*, up(wards); **~blicken** *vi*, look upwards; *zum Himmel emporblicken* raise one´s eyes heavenwards

Empore, *sub, f, -, -n* gallery

empören, (1) *vr*, become indignent (2) *vt*, outrage; **~d** *adj*, outrageous; **empörerisch** *adj*, rebellious

emporkommen, *vi*, come up; *(i. ü. S.)* rise; *im Leben emporkommen* rise in life

emporsteigen, *vti*, climb up; *(Ballon/Drachen)* rise aloft; *auf einen Baum/eine Mauer emporsteigen* climb up a tree/wall

empört, *adj*, outraged; **Empörung** *sub, f, -, -en* outrage; *(Aufstand)* rebellion; **Empörungsschrei** *sub, m, -es, -e* cry of outrage

emsig, *adj*, industrious; *(fleißig)* busy; *ein emsiges Treiben* a hustle and bustle; *emsig wie eine Biene* as busy as a bee

Emu, *sub, m, -s, -s* emu

Emulgator, *sub, m, -s, -en* emulsifier; **emulgieren** *vt*, emulsify; **Emulsion** *sub, f, -, -en* emulsion

Enakskinder, *sub, f, -, nur Mehrz.* Enak´s children

Endausscheidung, *sub, f, -, -en* final qualifying

Endbescheid, *sub, m, -s, -e* final reply

Enddreißiger, *sub, m, -s, -* person in her/his late thirties

Ende, *sub, n, -s, -n* end; *(Wurst -)* bit; *am Ende* in the end; *bis dahin ist es noch ein ganzes Ende* it is still a long way to go; *bis zum bitteren Ende* to the bitter end; *das dicke Ende kommt noch* there will be hell to pay; *die Arbeit geht ihrem Ende zu* the work is nearing completion; *ein böses Ende nehmen* come to a bad end; *einer Sache ein Ende machen* put an end to sth; *Ende der dreißiger Jahre* in the late thirties; *Ende der Durchsage* end of the message; *Ende gut, alles gut* all´s well that ends well; *Ende Mai* at the end of May; *es geht mit ihm zu Ende*

he´s going fast; *etwas zu Ende führen* see something through; *letzten Endes* when all is said and done; *zu Ende sein* be over

enden, *vi*, end; *(landen)* end up; *das Stück endet tragisch* the play has a tragic ending; *enden auf* end with; *mit einer Prügelei enden* end in a brawl; *nicht enden wollen* unending; *in der Gosse/Gefängnis enden* end up in the gutter/in prison

Endergebnis, *sub, n, -ses, -se* final result

Endfassung, *sub, f, -, -en* final version

endgültig, *adj*, final; *(abschließend)* conclusive; *das steht endgültig fest* that´s final; *eine endgültige Antwort* a definite answer; **Endgültigkeit** *sub, f, -, -en* finality

Endivie, *sub, f, -, -n* endive

Endkampf, *sub, m, -es, -kämpfe* final

Endkonsonant, *sub, m, -ens, -en* ending consonant

endlich, *adv*, in the end; *(nach langer Zeit)* at last; *bist du endlich fertig* are you ready at last; **Endlichkeit** *sub, f, -, -en* finiteness

Endlosigkeit, *sub, f, -, -en* infinity

endogen, *adj*, endogenous

Endoskop, *sub, n, -s, -e* endoscope; **~ie** *sub, f, -, -n* endoscopy

endotherm, *adj*, endothermic

Endphase, *sub, f, -, -n* final stages

Endpunkt, *sub, m, -es, -e* end; *(Reise)* last stop

Endresultat, *sub, n, -es, -e* final result

Endrunde, *sub, f, -, -n* final

Endsilbe, *sub, f, -, -n* final syllable

Endspiel, *sub, n, -s, -e* final

Endspurt, *sub, m, -s, -e* final spurt

Endstation, *sub, f, -s, -en* terminus

Endsumme, *sub, f, -, -n* total

Endung, *sub, f, -, -en* ending

Endverbraucher, *sub, m, -s, -* consumer

endzeitlich, *adj*, apocalyptic

Energetik, *sub, f, -, nur Einz.* science of energies; **energetisch** *adj,* energetical

Energie, *sub, f, -, -n* energy; *(Tatkraft)* vigour; **~bündel** *sub, n, -s, -* bundle of energy; **~krise** *sub, f, -, -n* energy crisis; **energiereich** *adj,* energy-rich; **~träger** *sub, m, -s, -* energy source; **~versorgung** *sub, f, -, -en* energy supply; **~wirtschaft** *sub, f, -, nur Einz.* energy sector

energisch, (1) *adj,* energetic; *(bestimmend)* determined **(2)** *adv,* forcefully

enervieren, *vt,* enervate

eng, *adj, (Kleid)* tight; *(nah)* close; *(schmal)* narrow; *auf engem Raum zusammenleben* live crowded together; *das darf man nicht so eng sehen* let´s be more broadminded; *das wird zeitlich sehr eng für mich* I´ve got a tight schedule already; *eng befreundet sein* be close friends; *enge Zusammenarbeit* close cooperation; *enger werden* narrow; *in engen Grenzen* within narrow bounds; **~ anliegend** *adj,* tight

engagieren, (1) *vr,* commit **(2)** *vt, (kun.)* engage; **Engagement** *sub, n, -es, nur Einz. (Einsatz)* involvement; *(kun.)* engagement; **engagiert** *adj,* committed

Enge, *sub, f, -, -n (Beschränkung)* confinement; *(geogr.)* narrows

Engel, *sub, m, -s, -* angel; *die Engel im Himmel singen hören* it hurts like hell, see stars; *er ist auch nicht gerade ein Engel* he´s not exactly an angle; **~chen** *sub, n, -s, -* little angel; **engelgleich** *adj,* angelic; **~macher** *sub, m, -s, -* backstreet abortionist; **~macherin** *sub, f, -, -en* s. Engelmacher; **~sgeduld** *sub, f, -, nur Einz.* patience of a saint; **engelsgleich** *adj,* angelic; **~sstimme** *sub, f, -e, -n* angel´s voice; **~szungen** *sub, f, nur Mehrz. (mit - auf jmd. einreden)* use all one´s power of persuasion on sb

engen, *vt,* restrict

Engerling, *sub, m, -es, -e* grub

engherzig, *adj,* petty

Engländer, *sub, m, -, -* Englishman; **~in** *sub, f, -, -nen* Englishwoman; **englisch** *adj,* English; *englisch sprechen* speak English

englisieren, *vt,* anglicize

Engpass *sub, m, -es, -pässe* pass; *(Versorgung)* bottle-neck

Engroshandel, *sub, m, -s, nur Einz.* wholesale; **Engrospreis** *sub, m, -es, -e* wholesale price

enigmatisch, *adj,* enigmatic

Enkel, *sub, m, -s, -* grandson; **~kind** *sub, n, -es, -er* grandchild; **~tochter** *sub, f, -, -töchter* granddaughter

Enklave, *sub, f, -, -n* enclave

enkodieren, *vt,* encode

enorm, *adj, (Anstrengung)* tremendous; *(Belastung)* immense; *(wirt.)* enormous; *(Wissen)* vast; **Enormität** *sub, f, -, -en* enormous costs

Enquete, *sub, f, -, -n* survey; *Enquete Kommission* survey commission

enragiert, *adj,* enraged

Ensemble, *sub, n, -s, -s (Gesamtheit)* ensemble; *(Theater)* company

entarten, *vi,* degenerate; **entartet** *adj,* degenerated; *sogenannte entartete Kunst* so called degenerated art; **Entartung** *sub, f, -, -en* degeneration

entasten, *vt,* disbranch

entäußern, *vt,* renounce; **Entäußerung** *sub, f, -, -en* renunciation

entbehren, *vt,* spare; *(vermissen)* miss; *kannst du entbehren* can you spare; **entbehrlich** *adj,* dispensable; **Entbehrung** *sub, f, -en* privation; **entbehrungsreich** *adj,* of privations

entbinden, *vt, (med.)* deliver; *(Pflicht)* release; *entbunden werden von* give birth to; *jmd entbinden von etwas* release so from sth; **Entbindung** *sub, f, -, -en* delivery

entblättern, *vt*, *(i. ü. S.)* strip; *(bot.)* shed the leaves

entblöden, *vr*, have the effrontery

entblößen, (1) *vr*, take one´s cloth off (2) *vt*, uncover

entdecken, *vt*, discover; *(wiederfinden)* find; *Neuland entdecken* discover a new land; *sie konnte ihn im Gewühl nicht entdecken* she couldn´t find him in the crowd; **Entdecker** *sub, m, -s,* - discoverer; *(Reisende)* explorer; **Entdeckerin** *sub, f, -, -nen* s. Entdecker; **Entdeckung** *sub, f, -, -en* discovery

Ente, *sub, f, -, -n* duck; *(Zeitung)* canard; *kalte Ente* (cold) punch; *lahme Ente* lame duck; *sein Wagen ist eine lahme Ente* his car totally lacks oomph

entehren, *vt*, dishonour

enteignen, *vt*, expropriate; **Enteignung** *sub, f, -, -en* expropriation

enteisen, *vt*, defrost; **~en** *vt*, *(Lebensmittel)* reduce iron; **Enteisung** *sub, f, -, -en* defrosting

entelechisch, *adj*, concerning entelechy

Entenbraten, *sub, m, -s,* - roast duck; **Entengrütze** *sub, f, -, -n* duckweed; **Ententeich** *sub, m, -es, -e* duck pond

Entente, *sub, f, -, -n* entente

enterben, *vt*, disinherit

Enterbrücke, *sub, f, -, -n* boarding bridge; **Enterhaken** *sub, m, -s,* - grapnel

Enterbung, *sub, f, -, -en* disinheritance

Enterich, *sub, m, -s, -e* drake

entern, *vti*, board; *(ugs.; erklettern)* climb

Entertainer, *sub, m, -s,* - entertainer

Enterung, *sub, f, -, -en* boarding

entfachen, *vt*, *(Brand)* light; *(Streit)* provoke

entfalten, *vt*, *(Idee)* expound; *(Karte/Tuch)* unfold; *(öffnen)* open; *sich frei entfalten* develop one´s own personality to the full; **Entfaltung** *sub, f, -, -en* development

entfärben, *vt*, *(ausbleichen)* fade;

(Farbe entfernen) bleach

entfernen, (1) *vr*, go away (2) *vt*, remove; *jmd von der Schule entfernen* expel so from school; *sich vom Thema entfernen* depart from the subject; **entfernt** *adj*, distant, far away; *(fern)* remote; *entfernt verwandt* distantly related; *nicht im entferntesten* not in the least; *weit entfernt davon* far (away) from; **Entfernung** *sub, f, -, -en* *(Abstand)* distance; *(Abwesenheit)* absence; **Entfernungsmesser** *sub, m, -s,* - range-finder

Entfesselung, *sub, f, -, -en* *(Naturgewalt)* raging; *die Entfesselung der Naturgewalten* raging of the elements; **Entfesslung** *sub, f, -, -en (art.)* escapologing

entfetten, *vt*, *(Haut)* dry; *(Lebensmittel)* skim; **Entfettungskur** *sub, f, -, -en* diet to remove one´s excess fat

entfeuchten, *vt*, dehumidify; *(tech.)* desiccate; **Entfeuchter** *sub, m, -s,* - dehumidifier; *(tech.)* desiccator; **Entfeuchtung** *sub, f, -, -en* dehumidification; *(tech.)* desiccation

entflammen, *vt*, *(s.v.)* arouse, flare up; **entflammbar** *adj*, inflammable; *(begeisterungsfähig)* easily roused; **entflammt** *adj*, enraptured; **Entflammung** *sub, f, -, -en* inflammation

entflechten, *vt*, disentangle; *(wirt.)* break up; **Entflechtung** *sub, f, -, -en* breaking-up

entfliehen, *vt*, escape; *dem Alltag entfliehen* escape from the daily routine

entfremden, (1) *vr*, become unfamiliar with (2) *vt*, alienate; **Entfremdung** *sub, f, -, -en* estrangement; *(geh.)* alienation

Entfrostung, *sub, f, -, -en* defrosting

entführen, *vt*, kidnap; *(Kind)* abduct; *(i. ü. S.; Sache)* make off with; **Entführung** *sub, f, -, -en* kidnapping; *(Flugzeug)* hijacking

omtgnoom, *vi*, dagon
entgegen, (1) *adv*, *(räumlich)* towards **(2)** *präp*, against; *auf, der Sonne entgegen* on towards the sun, *dem Wind entgegen* against the wind; *entgegen allen Erwartungen* contrary to all expectations
entgegengesetzt, *adj*, opposite; *(Meinung)* opposing
Entgegenkommen, (1) *sub, n, -s, nur Einz.* cooperation; *(Zugeständnis)* concession **(2) entgegenkommen** *vt, (i. ü. S.)* make concessions; *(räuml.)* come to meet sb
entgegnen, *vt*, reply; **Entgegnung** *sub, f, -, -en* reply
entgehen, *vt*, escape; *(verpassen)* miss; *jmd entgehen* escape so(´s notice); *er ließ sich die Gelegenheit nicht entgehen* he seized the opportunity; *ihr entging nichts* she didn´t miss a thing
entgeistert, *adj*, dump-founded
entgelten, *vt*, pay for; *jmd für etwas entgelten* pay so for sth; *jmd für etwas entgelten lassen* make so pay for sth; **Entgelt** *sub, n, -, -* payment; *(Gebühr)* fee
entgiften, *vt*, decontaminate; *(Person)* detoxicate
entgleisen, *vi*, be derailed; *(i. ü. S.) entgleisen* make a faux-pas; **Entgleisung** *sub, f, -, -en* derailment; *(i. ü. S.)* faux pas
entgleiten, *vt*, slip; *jmd entgleiten* slip away from so, slip out of so hand
entgräten, *vt*, fillet
enthaaren, *vt*, depilate; **Enthaarung** *sub, f, -, -en* depilation
enthalten, (1) *adj*, included **(2)** *vr*, obstain from **(3)** *vt*, contain; *mit enthalten sein* be included, *sich der Stimme enthalten* abstain
enthaltsam, *adj*, abstemious; **Enthaltsamkeit** *sub, f, -en* abstinence
Enthaltung, *sub, f, -, -en (polit.)* abstention
enthaupten, *vt*, behead; **Enthauptung** *sub, f, -, -en* decapitation
entheben, *vt*, relieve

enthelligen, *vi*, desecrate
Entheiligung, *sub, f, -, -en* desecration
enthüllen, *vt, (Monument)* unveil; *(offenbaren)* reveil; *(Skandal)* expose; **Enthüllung** *sub, f, -, -en* disclosure
enthusiasmieren, *vt*, enthuse; **Enthusiasmus** *sub, m, nur Einz.* enthusiasm; **Enthusiastin** *sub, f, -, -nen* enthusiast; **enthusiastisch** *adj*, enthusiastic
entjungfern, *vt*, deflower
entkeimen, *vt*, *(bot.)* remove shoots; *(med.)* sterilize
entkernen, *vt*, core; *(Stadt)* reduce the density
entkleiden, *vt*, undress; **Entkleidung** *sub, f, -, -en* undressing
Entkommen, (1) *sub, n, -s, nur Einz.* escape **(2) entkommen** *vt*, escape; *dem Tod um Haaresbreite entkommen* escape death by hair´s breadth
Entkoppelung, *sub, f, -, -en (tech)* loosen a docking; *(wirt.)* separate a package deal
entkräften, *vt*, weaken; *(Argumente)* refute; **Entkräftung** *sub, f, -, -en* refutation; *(Erschöpfung)* exhaustion
entkrampfen, (1) *vt, (Situation)* ease **(2)** *vt/vr*, relax; **Entkrampfung** *sub, f, -, -en* relaxation
entladen, (1) *vr, (Wut)* erupt **(2)** *vt, (elec.)* discharge; *(Last)* unload
entlang, (1) *adj*, along **(2)** *adv*, along; *die Straße entlang* along the street; *hier entlang, bitte!* this way, please!; **~gehen** *vi*, walk along; *an etwas entlanggehen* walk along sth
entlarven, *vt*, expose; *eine Verschwörung entlarven* expose a conspiracy
entlassen, *vt, (Krankenhaus)* release; *(wirt.)* dismiss; **Entlassung** *sub, f, -, -en* release; *(wirt.)* dismissal
entlasten, *vt*, relieve; *(jur.)* exone-

rate; *jmd von etwas entlasten* relieve sb of sth; **Entlastzungszug** *sub, m, -es, -züge* relief train

entlausen, *vt*, delouse

entleeren, *vt, (geh.)* evacuate; *(ugs.)* empty

entlegen, *adj*, remote; **Entlegenheit** *sub, f, -, -en* be out-of-the-way

entleiben, *vr*, take one´s own life

entleihen, *vt*, borrow

entloben, *vr*, break off the engagement

entlohnen, *vt*, pay sb; **Entlohnung** *sub, f, -, -en* payment

entlüften, *vt*, ventilate; *(tech.)* bleed

entmachten, *vt*, deprive of power; **Entmachtung** *sub, f, -, -en* deprivation of power

entmannen, *vt*, castrate; *(i. ü. S.)* emasculate

entmenschen, *vt*, dehumanize; **entmenscht** *adj*, dehumanized

entmilitarisieren, *vt*, demilitarize

entmündigen, *vt, (i. ü. S.)* deprive of the right of decision; *(jur.)* incapacitate; **Entmündigung** *sub, f, -, -en* incapacitation

entmutigen, *vt*, discourage

Entnahme, *sub, f, -, -n (Blut)* extraction; *(Organe)* removal; *(Wasser)* drawing

Entnazifizierung, *sub, f, -, -en* denazification

entnehmen, *vt*, take sth.; *(ersehen aus)* gather from; *ich entnehme ihren Worten, daß* I take it that; *etwas entnehmen aus* gather sth from

entpuppen, *vr*, turn out to be

entrahmen, *vt, (Milch)* skim

entraten, *vt*, dispense with

enträtseln, *vt*, decipher; **Enträtselung** *sub, f, -, -en* deciphering

entrechten, *vt*, deprive sb of his/her rights; **Entrechtung** *sub, f, -, -en* deprivation of rights

Entrecote, *sub, n, -s* entrecôte

Entree, *sub, n, -s, -s* entrance hall; *(Essen)* entrée

entrichten, *vt*, pay; *Steuern entrichten* pay taxes; **Entrichtung** *sub, f, -, -en* payment

Entriegelung, *sub, f, -, -en* debolting

Entrinnen, **(1)** *sub, n, -s, nur Einz.* escaping ´**(2)** **entrinnen** *vt*, escape; *es gab kein Entrinnen* there was no escape

Entropie, *sub, f, -, -n* entropy

Entrücktheit, *sub, f, -, -en* reverie

entrümpeln, *vt*, clear out; **Entrümpelung** *sub, f, -, -en* clear-out

entrüsten, *vr*, be indignant at/about; *sich entrüsten über* be indignant at/about; **entrüstet** *adj*, indignant; **Entrüstung** *sub, f, -, -en* indignation

entsaften, *vt*, extract the juice from

entsagen, *vt*, renounce; *dem Thron entsagen* abdicate; *einer Sache entsagen* renounce sth; **Entsagung** *sub, m, -, -en* renunciation

entschädigen, *vt*, compensate; **Entschädigung** *sub, f, -, -en* compensation

entschärfen, *vt, (Bombe)* deactivate; *(Krise)* alleviate; *(Situation/Bombe)* defuse; **Entschärfung** *sub, f, -, -en* deactivation, defusing

entscheiden, *vt*, decide; *(jur.)* rule; *das mußt du entscheide* that´s up to you; *sich entscheiden für/gegen etwas* decide on/against sth; *~d adj, (eine Entscheidung verlangend)* decisive; *(Problem)* crucial; **Entscheidung** *sub, f, -, -en* decision; *(jur.)* verdict; *einer Entscheidung ausweichen* avoid making a decision; *etwas steht vor der Entscheidung* sth is just about to be decided; *jmd vor die Entscheidung stellen etwas zu tun* leave the decision to sb to do sth; **entschieden** *adj*, *(endgültig)* definite; *(entschlossen)* determined

entschlacken, *vt*, cleanse

entschlafen, *vi*, pass away

entschlagen, *vt*, put sth out of one´s head

entschlammen, *vt*, remove sludge

entschleiern, *vt*, uncover; *(Geheimnis)* reveal

entschließen, *vt*, decide; *sich anders entschließen* change one´s mind; *sich entschließen/für etwas/etwas zu tun* decide on sth/to do sth; **Entschließung** *sub, f, -, -en* resolution

entschlossen, *adj*, determined; *(Person)* resolute; **Entschlossenheit** *sub, f, -, -en* determination

entschlüpfen, *vt*, escape; *(Worte)* slip out

Entschluss, *sub, m, -es, -üsse* decision; *einen Entschluß fassen* make a decision; *zu dem Entschluß kommen, daß* make up one´s mind to; **entschlussfähig** *adj*, decisive; **~fähigkeit** *sub, f, , en* decisiveness; **~kraft** *sub, f, -, nur Einz.* decisiveness

entschlüsseln, *vt*, decipher

entschrotten, *vt*, remove scrap

entschulden, *vt*, free of debts; **entschuldbar** *adj*, excusable; **Entschuldung** *sub, f, -, -en* writing off a business´ debts

entschuldigen, (1) *vr*, apologize (2) *vt*, excuse; *das ist nicht zu entschuldigen* that is inexcusable; *entschuldigen Sie!* sorry!; *entschuldigen Sie?* excuse me; *sich bei jmd für etwas entschuldigen* apologize to so for sth; **Entschuldigung** *sub, f, -, -en* excuse; *(mdl. Ausserung)* apology

entschweben, *vi*, waft away

entschwefeln, *vt*, desulfurize; **Entschwefelung** *sub, f, -en* desulfurization

entschweißen, *vt*, unweld

entschwinden, *vi*, disappear; *(geh.)* vanish

entseelt, *adj*, lifeless

Entsetzen, (1) *sub, n, -s, -* horror (2) **entsetzen** *vi*, be horrified (3) *vt*, horrify; **entsetzlich** *adj*, *(erschreckend)* horrible; *(schlimm)* terrible; *einen entsetzlichen Durst haben* have a terrible thirst; **entsetzt** (1) *adj*, horrified (2) *adv*, in horror

entseuchen, *vt*, decontaminate; **Entseuchung** *sub, f, -, -en* decontamination

entsichern, *vt*, release the safety catch

entsiegeln, *vt*, break a seal; **Entsiegelung** *sub, f, -, -en* breaking a seal

entsinnen, *vr*, remember; *wenn ich mich recht entsinne* if I remember rightly

Entsorgung, *sub, f, -, -en* waste disposal

entspannen, *vt/vr*, relax; **Entspannung** *sub, f, -, -en* relaxation; *(polit.)* easing of tension; **Entspannungspolitik** *sub, f, -, nur Einz.* policy of détente

entspiegeln, *vt*, *(Glas)* coat; **Entspiegelung** *sub, f, -, -en* coating

entsprechen, *vt*, *(übereinstimmen)* be in accordance with, correspond; **~d** *adj*, corresponding, in accordance; *(angemessen)* appropriate; *den Umständen entsprechend* as can be expected under the circumstances; **Entsprechung** *sub, f, -, -en* correspondence; *für dieses Wort gibt es keine deutsche Entsprechung* there is no German equivalent for this word

entsprießen, *vi*, spring from

entspringen, *vi*, have its source; *(Haft)* escape

Entstaubung, *sub, f, -, -en* remove the dust; *(i. ü. S.)* bring up to date

entstehen, *vi*, originate; *(Freundschaft)* arise; *(Kunst)* be created; *Schwierigkeiten entstehen durch/aus* difficulties arise from; **Entstehungsgeschichte** *sub, f, -n* history of the origin(s)

entsteinen, *vt*, stone

entstellt, *adj*, distorted; **Entstellung** *sub, f, -, -en (das Entstellte)* distorsion; *(das Entstelltsein)* disfigurement

entstempeln, *vt*, *(Kennzeichen)* devaluate

Entstickung, *sub, f, -, -en* remove nitrogen

entstören, *vi, (tech.)* suppress; **Entstörung** *sub, f, -, -en* suppression

Entsumpfung, *sub, f, -, -en* draining

enttabuieren, *vt,* free from taboo

enttäuschen, *vt,* be disappointing; *(jmd)* disappoint; *jmd Erwartungen enttäuschen* disappoint sb expectations; **Enttäuschung** *sub, f, -, -en* disappointment

enttrümmern, *vt,* clear rubble

entvölkern, *vt,* depopulate; *ganze Landstriche entvölkern* depopulate complete regoins; **Entvölkerung** *sub, f, -, -en* depopulation

entwaffnen, *vt,* disarm; *entwaffnendes Lächeln* a charming smile; **Entwaffnung** *sub, f, -, -en* disarming

entwarnen, *vi,* give the all-clear; **Entwarnung** *sub, f, -, -en* all-clear

entwässern, *vt,* drain; *(med.)* dehydrate; **Entwässerung** *sub, f, -, -en* drainage

entweder, *konj,* either; *entweder oder* either or; *entweder oder!* take it or leave it!

entweihen, *vt,* desecrate

entwenden, *vt,* purloin from; **Entwendung** *sub, f, -, -en* purloining

entwerfen, *vt,* design; *eine Zeichnung sorgfältig entwerfen* trace out a drawing

entwerten, *vt,* cancel; *(wirt.)* devalue; **Entwertung** *sub, f, -, -en* cancellation

entwickeln, (1) *vr,* develop (2) *vt,* produce; *sich aus etwas zu etwas entwickeln* develop from sth into sth, *Geschmack für etwas entwickeln* acquire a taste for sth; *sich gut entwickeln* be shaping well; **Entwickler** *sub, m, -s, -* developer; **Entwicklung** *sub, f, -, -en* development, unwrapping; *(Vorgang)* developping; **Entwicklungshilfe** *sub, f, -, -n* aid

entwirren, (1) *vr,* sort itself out (2) *vt,* unravel

entwischen, *vt,* get away/out

entwöhnen, *vt, (kurieren)* cure sb of; *(Säugling)* wean; **Entwöhnung** *sub, f, -, -en* cure; *(Säugling)* weaning

entwürdigen, *vt,* degrade; **Entwürdigung** *sub, f, -, -en* degradation

Entwurf, *sub, m, -es, -würfe* design; *(Roman/Konzept)* draft

entwurzeln, *vt,* uproot; **Entwurzelung** *sub, f, -, -en* uprooting

Entzauberung, *sub, f, -, -en* lose the magic

entziehen, (1) *vr,* free from (2) *vt,* take away from; *(Drogen)* get off; *(Vertrauen)* withdraw; *das entzieht sich meiner Kontrolle* that is beyond my control, *jmd das Wort entziehen* rule so out of order; *jmd den Führerschein entziehen* revoke so´s licence; *sich jmd Blicken entziehen* disappear from so´s view; *jmd etwas entziehen* withdraw sth from so; **Entziehungskur** *sub, f, -, -en* course of withdrawal treatment

entzifferbar, *adj,* decipherable; **Entzifferer** *sub, m, -s, -* deciphering person; **entziffern** *vt,* decipher; **Entzifferung** *sub, f, -, -en* deciphering

Entzücken, (1) *sub, n, -s, nur Einz.* delight (2) **entzücken** *vr,* be enraptured by (3) *vt,* delight; *sich an etwas entzücken* be enraptured by, *von etwas entzückt sein* be delighted by/at sth; **entzückend** *adj,* delightful; **Entzückung** *sub, f, -, -en* joy; *(geh.)* rapture

Entzug, *sub, m, -es, -üge* withdrawal; *(Auszug)* extraction

entzündlich, *adj,* flammable; *(med.)* inflammatory

entzwei, *adj,* in pieces; **~en** (1) *vr,* fall out (2) *vt,* cause to fall out; *Freunde entzweien* turn friends against each other; **~gehen** *vi,* break into pieces; *(nicht mehr arbeiten)* cease function

Enumeration, *sub, f, -, -en* enumeration; **enumerativ** *adj,* enume-

Environment, *sub, n, -s, -s* environment

Enzephalitis, *sub, f, -, -litiden* encephalitis; **Enzephalogramm** *sub, n, -s, -e* encephalogram

Enzian, *sub, m, -s, -* gentian; *(Schnaps)* enzian liquer

Enzyklika, *sub, f, -, -liken* encyclical

Enzyklopädie, *sub, f, -, -n* encyclopaedia; **enzyklopädisch** *adj,* encyclopedic

Enzym, *sub, n, -s, -e* enzyme; **enzymatisch** *adj,* enzymatic

Eolith, *sub, m, -s, -e* eolithic period

ephemer, *adj,* ephemeral

Epidemie, *sub, f, -, -n* epidemic; **Epidemiologe** *sub, m, -n, -n* scientist in epidemics; **epidemisch** *adj,* epidemic

Epidermis, *sub, f, -, -dermen* epidermis

Epigenese, *sub, f, -, -n* anticlinal growth of a mountain range; **epigenetisch** *adj,* anticlinal

epigonal, *adj,* imitative; **Epigone** *sub, m, -n, -n* imitator; **epigonenhaft** *adj,* unoriginal; **Epigonentum** *sub, n, -s, nur Einz.* imitativeness

Epigraf, *sub, n, -s, -e* epigraph; **~ik** *sub, f, -, nur Einz.* epigraphy; **~iker** *sub, m, -s, -* epigraphist

Epik, *sub, f, -, nur Einz.* epic; **~er** *sub, m, -s, -* epic poet

Epikureer, *sub, m, -s, -* epicurean; **epikureisch** *adj,* epicurean

Epilepsie, *sub, f, -, -n* epilepsy; **Epileptiker** *sub, m, -s, -* epileptic; **epileptisch** *adj,* epileptic

epilieren, *vt,* depilate

Epilog, *sub, m, -s, -e* epilogue

Epiphanie, *sub, f, -, -n* epiphany; **~nfest** *sub, n, -s, -e* Epiphany

Epiphyse, *sub, f, -, -n* Epiphysis

episch *adj,* epic; *in epischer Breite* in epic terms

Episkop, *sub, n, -s, -e* episcope; **episkopal** *adj,* episcopal; **~alist** *sub, m, -en, -en* Episcopalian; **episkopisch** *adj,* episcopal; **~us**

Episode, *sub, f, -, -n* episode; **~nfilm** *sub, m, -s, -e* episode movie; **episodenhaft** *adj,* episodical; **episodisch** *adv,* episodically

Epistel, *sub, f, -, -n* epistle

Epitaph, *sub, n, -s, -e* epitaph; **~ium** *sub, n, -s, -phien* memorial plaque

Epithel, *sub, n, -es, -e* epithelium; **~zelle** *sub, f, -, -n* epithelial cell; **Epitheton** *sub, n, -s, Epitheta* epithet

Epizentrum, *sub, n, -s, -zentren* epicenter

epochal, *adj,* epochal; **Epoche** *sub, f, -, -n* epoch

Epos *sub, n, -, Epen* epic poem

Equilibrist, *sub, m, -en, -en* equilibrist

Equipage, *sub, f, -, -n* equipage

Equipe, *sub, f, -, -en* team; **Equipierung** *sub, f, -, -en* equipment

er, *pron,* he; *(betont)* him; *es ist ein er* it´s a he; *das ist er!* it´s him!

Erachten, (1) *sub, n, -s, -* opinion (2) **erachten** *vt,* consider; *etwas für notwendig erachten* consider sth necessary; *etwas als seine Pflicht erachten* consider sth one´s duty

erarbeiten, *vt, (Text)* work on; *(Vermögen)* work for; *sich ein Vermögen erarbeiten* make a fortune; **Erarbeitung** *sub, f, -, -en* working on

Erato, *sub,* Erato (Muse of lyrics)

Erbanlage, *sub, f, -, -n* hereditary disposition; **Erbanspruch** *sub, m, -s, -sprüche* claim to an/the inheritance

Erbarmen, (1) *sub, n, -s, nur Einz.* pity (2) **erbarmen** *vr,* have mercy; *(jmdn.)* arouse pity; *kein Erbarmen kennen* be merciless; **erbärmlich** *adj, (elend)* wretched; *(gemein)* mean; *(schrecklich)* terrible; **erbärmlich wenig** precious little; **erbarmungslos** *adj,* merciless

erbauen, (1) vr, (sich) be edified by **(2)** vt, (Gebäude) build; (jmdn.) uplift; er ist nicht besonders erbaut davon he´s not exactly enthusiastic about it; **Erbauer** sub, m, -s, - architect

erbaulich, adj, edifying; **Erbauung** sub, f, -, -en edification

erben, vt, inherit; **Erbbegräbnis** sub, n, -ses, -se right to be buried in the family grave; **Erbe** sub, n, -s, nur Einz. inheritance; (vor dem Tod) heritage; **Erbengemeinschaft** sub, f, -, -en joint heirs; **Erbfeind** sub, m, -s, -e traditional enemy; (Teufel) arch fiend; **Erbfolge** sub, f, -, -n succession; **Erbgut** sub, n, -s, -güter genotype

erbeuten, vt, carry off; (mil.) capture

Erbieten, (1) sub, n, -s, nur Einz. offer to do **(2) erbieten** vr, offer to do

erbitten, vt, request

erbittern, vt, enrage; **Erbitterung** sub, f, -, -en bitterness

Erbkrankheit, sub, f, -, -en hereditary disease

erblassen, vi, blanch; vor Neid erblassen be green with envy

Erblasser, sub, m, -s, - testator; **~in** sub, f, -, -nen testatix

erbleichen, vi, turn pale

erblich, adj, hereditary; **Erblichkeit** sub, f, -, nur Einz. hertability

erblicken, vt, catch sight of

erblinden, vi, go blind; (Glas) become dull

erblühen, vi, bloom; (i. ü. S.) blossom

Erbmasse, sub, f, -, -n genotype; **Erbonkel** sub, m, -s, - rich uncle

erbosen, (1) vr, become furious about **(2)** vt, infuriate

erbötig, adj, offer to do sth

Erbrechen, (1) sub, n, -s, nur Einz. vomiting **(2) erbrechen** vt, (geh.) vomit; (ugs.) throw up; (öffnen) open; ich finde ihn zum Kotzen (Erbrechen) he makes me want to throw up

Erbrecht, sub, n, -s, -e right of inheritance; (jur.) law of heritance

erbringen, vt, produce; (aufbringen) raise

Erbschaft, sub, f, -, -en inheritance; (hist.) legacy; **~ssteuer** sub, f, -, -n estate duties (am: tax)

Erbse, sub, f, -, -n pea; **~nstroh** sub, n, -s, nur Einz. dried legumes; **~nsuppe** sub, f, -, -n pea soup; der Nebel ist so dick wie Erbsensuppe pea-supper

Erdachse, sub, f, -, -n earth´s axis

erdacht, adj, made-up

Erdalkalien, sub, nur Mehrz. alkaloids of the soil; **Erdanziehung** sub, f, -, nur Einz. earth´s gravitation; **Erdapfel** sub, m, -s, -äpfel potato; **Erdarbeiten** sub, nur Mehrz. earth-moving; **Erdball** sub, m, -s, nur Einz. globe

Erdbeben, sub, n, -s, - earthquake; **~herd** sub, m, -s, -e seismic focus; (geol.) hypocentre; **~messer** sub, m, -s, - seismograph

Erdbeere, sub, f, -, -n strawberry; **Erdbeerbowle** sub, f, -, -n strawberry punch

Erdbeschleunigung, sub, f, -, -en acceleration of gravity; **Erdbewegung** sub, f, -, -en (Bau) excavation; (geol.) tremor; **Erdboden** sub, m, -s, -böden ground; eine Stadt dem Erdboden gleich machen level a town to the ground; to level a town to (with) the ground; über dem Erdboden above ground

Erde, sub, f, -, nur Einz. earth; f, -, -n soil; auf Erden on earth; Erde (el) earth; **~nbürger** sub, m, -s, - earth-dweller

erden, vt, earth; die Stromleitung erden earth the cable

erdenken, vt, make-up; erdacht imaginary

Erdgas, sub, n, -es, -e natural gas; **erdgashöffig** adj, promising to be rich in natural gas

Erdgeborene, sub, f,m, -n, -n (gr.Myth.) born by the earth; **erd-**

gebunden adj, close to nature; *(Satellit)* earthbound; **Erdgeschichte** *sub, f, -, -n* history of the earth; **Erdgeschoss** *sub, n, -es, -e* ground floor (am: first floor); **Erdhöhle** *sub, f, -, -n* cave in the ground; **Erdhörnchen** *sub, n, -s, -* chipmunk

erdig, *adj,* earthy; *(schmutzig)* muddy

Erdkruste, *sub, f, -, -n* earth´s crust; **Erdkugel** *sub, f, -, -n* terrestrial globe; **Erdkunde** *sub, f, -, nur Einz.* geography; **erdkundlich** *adj,* geographical; **erdnah** *adj,* close to the earth; **Erdnuss** *sub, f, -, -nüsse* peanut; **Erdöl** *sub, n, -s, -e* petroleum

erdolchen, *vt,* stab to death

Erdreich, *sub, n, -s, -e* soil

erdreisten, *vr,* have the audacity to

erdrosseln, *vt,* strangle; **Erdrosselung** *sub, f, -, -en* strangling

erdrücken, *vt,* crush; *(psych)* overshadow; *der Schrank erdrückt den ganzen Raum* this cupboard is too overpowering for the room; **~d** *adj,* overwhelming

Erdrutsch, *sub, m, -es, -e* landslide; **Erdsatellit** *sub, m, -en, -en* earth satellite; **Erdteil** *sub, m, -s, -e* continent

erdulden, *vt,* endure; *(zulassen)* tolerate

Erdumrundung, *sub, f, -, -en (astron.)* orbit of the earth; *(Schiff)* circumnavigation of the earth

Erdung, *sub, f, -, -en* earthing

ereifern, *vr,* get excited; *sich ereifern über etwas* get excited about

ereignen, *vr,* happen; *(Unfall)* occur

Ereignis, *sub, n, -ses, -se* event; *(Ereignen)* occurence; **ereignislos** *adj,* uneventful

Erektion, *sub, f, -, -en* erection

Eremit, *sub, m, -en, -en* hermit; **~age** *sub, f, -, -n* hermitage

erfahren, (1) *adj,* experienced **(2)** *vt, (geh.)* experience; *(ugs.)* find out; *(lernen)* learn; *er ist in diesen Dingen sehr erfahren* he´s an old

hand at that sort of thing; *erfahren von* get to know about; *etwas durch jmd/etwas erfahren* learn sth from so/sth; **Erfahrenheit** *sub, f, -, nur Einz.* skill; **Erfahrung** *sub, f, -, -en* experience; *aus eigener Erfahrung* from experience; *aus Erfahrung klug werden* to learn the hard way; *die Erfahrung hat gezeigt, dass* past experience has shown that

erfassen, *vt, (Daten)* record; *(einbeziehen)* cover; *(mitreissen)* catch; *(packen)* seize; *(verstehen)* grasp; *Furcht erfasste sie* she was seized with fear; *er hat´s erfaßt* he´s got it; *er wurde vom Auto erfasst* he was hit by the car

erfinden, *vt,* invent; *(Geschichte)* make-up; **Erfinder** *sub, m, -s, -* inventor; *(erschaffen)* creator; **erfinderisch** *adj,* inventive; *(schlau)* sourceful; **Erfindung** *sub, f, -, -en* invention

erflehen, *vt,* beg sth. from so.

Erfolg, *sub, m, -s, -e* success; **erfolgreich** *adj,* successful; **~sautor** *sub, m, -s, -en* successful author; *Erfolgsautor* best-selling author; **~sbuch** *sub, n, -s, -bücher* successful book; *Erfolgsbuch* bestseller; **~skurs** *sub, m, -es, -e* way of success; **~squote** *sub, f, -, -n* success rate; *(Prüfungen)* pass rate; **~sserie** *sub, f, -, -n (erfolgreiche Serie)* successful series; *(mehrere Erfolge)* success in series; **~sstück** *sub, n, -s, -e* successful play; **~szwang** *sub, m, -s, -zwänge* pressure to succeed

erfolglos, *adj,* unsuccessful

erforderlich, *adj, (geh.)* required; *(ugs.)* necessary; *unbedingt erforderlich* essential; **Erfordernis** *sub, n, -ses, -se* requirement

erforschen, *vt,* discover; *sein Gewissen erforschen* search one´s conscience; **erforschbar** *adj,* discoverable; **Erforschung** *sub, f, -, -en* research

erfragen, *vt,* ascertain

erfrechen, *vr*, have the audacity
erfreuen, (1) *vr*, take pleasure in (2) *vt*, please; **erfreulich** *adj*, pleasant
erfrieren, (1) *vi*, freeze to death; *(Pflanzen/Ernte)* be damaged by frost (2) *vr*, *(Finger ua.)* get frostbite in; **Erfrierung** *sub*, *f*, *-*, *-en* frostbite
erfrischen, *vt*, refresh; **~d** *adj*, refreshing; **Erfrischung** *sub*, *f*, *-*, *-en* refreshment
erfüllen, (1) *vr*, come true (2) *vt*, *(jur.)* fulfil; *(mat.)* satisfy; *(Pflicht)* carry out; *(Wunsch)* grant; *es erfüllt sich* it comes true, *ein erfülltes Leben* a full life; *seine Arbeit erfüllt ihn* he finds his work very satisfying; **Erfülltheit** *sub*, *f*, *-*, *nur Einz.* accomplishment; **Erfüllung** *sub*, *f*, *-*, *-en* fulfilment; *die Erfüllung finden in* find fulfilment in sth; *in Erfüllung gehen* come true
ergänzen, (1) *vr*, complement (2) *vt*, *(hinzufügen)* add to; *(vervollständigen)* complete; **Ergänzung** *sub*, *f*, *-*, *-en* *(hinzufügen)* addition; *(jur.)* amendment; *(vervollständigen)* completion
ergattern, *vt*, manage to grab
ergaunern, *vt*, pinch; *wo hast du dir das Rad ergaunert* where did you pinch that bike
ergeben, (1) *adj*, devoted; *(Diener)* obedient (2) *vr*, *(mil.)* surrender; *(Schicksal)* submit to; *(Situation)* turn out (3) *vt*, result in; *dich dem Trunk ergeben* take to drink; *die Welt untertan machen/sich ergeben lassen* surrender the world; *es hat sich so ergeben* it just happened that way; **Ergebenheit** *sub*, *f*, *-*, *-en* *(aufgeben)* resignation; *(Treue)* devotion
Ergebnis, *sub*, *n*, *-ses*, *-se* *(geh.)* conclusion; *(ugs.)* result; **ergebnislos** *adj*, fruitless
ergehen, (1) *vr*, things go (well) for (2) *vt*, go to; *es ergeht ihm gut/schlecht* things go well/bad for him; *etwas über sich ergehen lassen* endure sth; *mir ist es genauso*

ergangen it was the same with me; *sich über ein Thema ergehen* hold forth on sth; *wie ist es dir ergangen* how did you fare, *die Einladung erging an alle Mitglieder* the invitations went to all members
ergiebig, *adj*, rich; *(Mine)* productive; **Ergiebigkeit** *sub*, *f*, *-*, *-en* richness; *(Boden)* fertility; *wegen der Ergiebigkeit des Kaffees* because the coffee goes a long way
ergo, *konj*, ergo
Ergometer, *sub*, *n*, *-s*, *-* ergometer
Ergonomie, *sub*, *f*, *-*, *nur Einz.* ergonomics; **ergonomisch** *adj*, ergonomic
Ergosterin, *sub*, *n*, *-s*, *nur Einz.* ergosterol
Ergötzen, (1) *sub*, *n*, *-s*, *nur Einz.* delight (2) **ergötzen** *vr*, be delighted by (3) *vt*, enthrall; *sich ergötzen an etwas* be delighted by sth
ergrauen, *vi*, turn grey
ergreifen, *vt*, grab; *(Beruf/Gelegenheit)* take; *von blindem Zorn ergriffen* in the grip of blind anger; *die Initiative/Gelegenheit ergreifen* take the initiative/an opportunity; *einen Beruf ergreifen* take up a career; **~d** *adj*, moving; **Ergriffenheit** *sub*, *f*, *-*, *-en* be moved
Erguss, *sub*, *m*, *-s*, *-güsse* *(Blut-)* bruise; *(geol./lit)* effusion; *(Samen)* ejaculation; *ein literarischer Erguss* a poetic outpouring; *Ergussgestein* effusive rock
erhaben, *adj*, *(räuml.)* uneven; *(über etwas erhaben)* be beyond; *(würdig)* solemn; *über jeden Zweifel erhaben sein* be beyond all criticism; **Erhabenheit** *sub*, *f*, *-*, *-en* grandeur
erhalten, *vt*, *(bewahren)* preserve; *(Brief)* receive; *(Endprodukt)* obtain; *einen Preis erhalten* be awarded a prize; *gut erhalten sein* be in good condition; *jmd am Leben erhalten* keep so alive;

jmd das Augenlicht erhalten save so eyesight; *das erhält einen jung* that keeps you young; **erhältlich** *adj*, obtainable; **Erhaltung** *sub*, *f*, *-*, *-en (aufrecht-)* maintenance; *(Energie)* conservation; *(Kunst)* preservation

erhängen, *vt*, hang; *jmd/sich erhängen* hang so/oneself

erhärten, *vt*, strengthen

erheben, (1) *vr*, rise from/up/above (2) *vt*, *(empor/Stimme)* raise; *(Gebühr)* charge; *sich von seinem Platz erheben* rise from one´s seat, *jmd in den Adelsstand erheben* raise so to the peerage; *Steuern erheben* charge taxes; **erheblich** *adj*, considerable; **Erhebung** *sub*, *f*, *-*, *-en (Aufstand)* uprising; *(geogr.)* elevation; *(Umfrage)* survey

erheitern, *vt*, cheer sb up; **Erheiterung** *sub*, *f*, *-*, *-en* amusement

erhellen, (1) *vr*, *(Gesicht)* brighten (2) *vt*, light up; *(erklären)* illuminate

erhitzen, (1) *vr*, become hot (2) *vt*, *(etwas)* heat; *(jmd.)* make sbhot; **Erhitzer** *sub*, *m*, *-s*, *-* heater

erhöhen, (1) *vr*, *(Preise)* rise (2) *vt*, *(räuml.)* make sth. higher; **Erhöhung** *sub*, *f*, *-*, *-en* increase, increasing, raising

erholen, *vr*, recover; *(entspannen)* relax; **erholsam** *adj*, refreshing; **Erholung** *sub*, *f*, *-*, *-en* rest; *(i. ü. S.)* refreshing change; *(nach Krankheit)* recuperation

erhören, *vt*, hear

erigieren, *vi*, become erect

Erika, *sub*, *f*, *-*, *-s oder -ken* erica

erinnern, (1) *vr*, remember (2) *vt*, remind; *sich an jmd/etwas erinnern* remember so/sth, *jmd an etwas erinnern* remind so of sth; *soviel ich mich erinnern kann* as far as I remember; *wenn ich mich recht erinnere* if I remember rightly; **erinnerlich** *sub*, can be recalled; **Erinnerung** *sub*, *f*, *-*, *-en* memory, souvenir; *(wirt.)* reminder; *in guter Erinnerung haben*

have fond memories of; *Zahlungs-Erinnerung* reminder; **Erinnerungsvermögen** *sub*, *n*, *-s*, *-* memory

Erinnye, *sub*, *f*, *-*, *-n (myth.)* Fury

erjagen, *vt*, *(Jagd)* catch; *(wirt.)* make

erkalten, *vi*, cool, grow cold

erkälten, *vr*, catch a cold; **Erkältung** *sub*, *f*, *-*, *-en* cold; *sich eine Erkältung zuziehen* catch a cold

erkämpfen, *vt*, fight for; *sich etwas hart erkämpfen müssen* have to struggle hard for sth

erkennen, *vt*, *(deutlich sehen)* make out; *(wieder-)* recognize; *jmd für schuldig erkennen* find so guilty; *sich zu erkennen geben* disclose one´s identity; *zu erkennen geben* indicate; **erkennbar** *adj*, recognizable; *(sehen können)* visible; **erkenntlich** *adj*, show appreciation; *sich jmderkenntlich zeigen* show one´s gratitude; **Erkenntnis** *sub*, *n*, *-ses*, *-se (das Erkennen)* realization; *(Entdeckung)* discovery; *(Erkennen)* cognition; **Erkenntnistheorie** *sub*, *f*, *-*, *-n* theory of knowledge

Erker, *sub*, *m*, *-s*, *-* bay; **~fenster** *sub*, bay window; **~zimmer** *sub*, *n*, *-s*, *-* room with a bay-window

erkiesen, *vt*, choose

erklären, *vt*, *(Erklärung abgeben)* declare; *(verkündigen)* announce; *(verständlich machen)* explain; *er wurde für tot erklärt* he was declared dead; *ich kann es mir nicht erklären* I don´t understand it; *kannst du mir erklären, warum* can you tell me why; *sich einverstanden erklären* consent to; *jmd etwas erklären* explain sth to so; **Erklärung** *sub*, *f*, *-*, *-en (s.o.)* declaration, explanation; *(polit.)* statement

erklecklich, *adj*, considerable

erklimmen, *vt*, climb; *die oberste Stufe der Leiter erklimmen* reach the top of the ladder(of success);

Erklimmung *sub, f, -, -en* ascent
erkoren, *vt*, s. erkiesen
erkranken, *vi*, become ill; *erkranken an* come down with; **Erkrankung** *sub, f, -, -en* illness; *(chron.)* disease
erkühnen, *vr*, dare to do sth; *sich erkühnen etwas zu tun* dare to do sth
erkunden, *vt*, reconnoitre; **Erkundung** *sub, f, -, -en (mil.)* reconnaissance
erkundigen, *vr*, enquire about; **Erkundigung** *sub, f, -, -en* enquiry; *Erkundigungen einziehen über* make inquiries about
erküren, *vt*, choose as
erlahmen, *vi*, become tired; *(nachlassen)* wane; **Erlahmung** *sub, f, -, nur Einz.* wane
erlangen, *vt*, *(gewinnen)* gain; *(Visum/Kredit)* obtain
erlassen, *vt*, *(Amnestie)* declare; *(Gesetz)* enact; *(verzichten)* remit; *erlassen sie es mir, das zu schildern* excuse me from having to describe it; *jmd eine Schuld erlassen* release so from sth
erlauben, *vt*, allow; *(ermöglichen)* permit; *er kann sich das erlauben* he can get away with it; *erlauben sie mal!* who do you think you are?; *erlauben sie, daß ich rauche* may I smoke; *sich erlauben zu* take the liberty of (inviting); *sich etwas erlauben* treat oneself to sth; *jmd erlauben etwas zu tun* give so the permission to do sth; **Erlaubnis** *sub, f, -, -se* permission; **Erlaubnisschein** *sub, m, -s, -e* permit
erlaucht, (1) *adj*, illustrious **(2) Erlaucht** *sub, f, -, -en* Ladyship/Lordship; *Euer Erlaucht* Her/His/Your Ladyship/Lordship
erläutern, *vt*, explain; *(Text)* annotate; *durch Beispiele erläutern* illustrate; **Erläuterung** *sub, f, -, -en* explanation; *(Text)* annotation
Erle, *sub, f, -, -n* alder
erleben, *vt*, experience; *ich habe es selbst erlebt, was es heißt* I know

from experience what it means to be; **Erlebensfall** *sub, m, -s, nur Einz.* event of survival; **Erlebnis** *sub, n, -ses, -se* experience
erledigen, (1) *vr*, resolve **(2)** *vt*, deal with a task; *(beenden)* finish; *sich selbst erledigen* take care of itself; *würden sie das für mich erledigen* would you do that for me, *jmd erledigen* finish so; **erledigt** *adj*, closed; *(Person)* worn out; *das ist für mich erledigt* the matter´s closed as far as I´m concerned; *das wäre erledigt* that´s that; *der ist erledigt* he´s done for; *du bist für mich erledigt* I´m through with you
erleichtern, *vt*, *(befreien)* relieve; *(Gewicht)* lighten; *(vereinfachen)* make easier; *das erleichtert mich sehr* that was a great relief to me; *jmd um seine Brieftasche erleichtern* relieve so of; *sich das Herz erleichtern* unburden one´s heart; **erleichtert** *adj*, relieved; *(Arbeit)* easier; **Erleichterung** *sub, f, -, -en (befreit)* relief
erleiden, *vt*, suffer
erlernen, *vt*, learn
erlesen, *adj*, *(allg)* choice; *(spezif.)* superior; **Erlesenheit** *sub, f, -, nur Einz.* exquisiteness
erleuchten, *vt*, light; *(anregen)* inspire; **Erleuchtung** *sub, f, -, -en* inspiration
erliegen, *vt*, *(Druck)* succumb; *(Irrtum)* be misled; *(sterben)* die from; *einem Irrtum erliegen* be misled
Erlös, *sub, m, -es, -e* proceeds
Erlöschen, (1) *sub, n, -s, -* extinction **(2) erlöschen** *vi*, extinct, go out; *(Rasse)* die out; *ein erloschener Vulkan* an extinct vulcano
erlösen, *vt*, *(retten)* rescue; *(Schmerz)* release; *er ist erlöst* his sufferings are ove; **Erlöser** *sub, m, -s, -* saviour; *(rel.)* Redeemer; **Erlöserbild** *sub, n, -s, -er* picture of the Savior; **erlöserhaft** *adj*, saviorlike; **Erlösung** *sub, f, -, -en*

release; *(mil.)* redemption

ermächtigen, *vt,* authorize; **Ermächtigung** *sub, f, -, -en* authorization

ermahnen, *vt,* admonish; *(warnen)* warn; **Ermahnung** *sub, f, -, -en* admonition; *(Warnung)* warning

ermangeln, *vi,* lack sth.; **Ermangelung** *sub, f, -, nur Einz.* absence; *in Ermangelung eines Besseren* in the lack of anything better

ermannen, *vr,* pluck up courage

ermäßigen, *vt,* reduce; **ermäßigt** *adj,* reduced; **Ermäßigung** *sub, f, -, -en* reduction

ermatten, *vi,* become exhausted; *(Entusiasmus)* wane; **ermattet** *adj,* exhausted; **Ermattung** *sub, f, -, -en (Ermüdung)* fatigue; *(Schwäche)* weariness

ermessen, *vt,* estimate; *die Bedeutung von etwas ermessen* appreciate the significance of sth

ermöglichen, *vt,* enable; *etwas ermöglichen* enable sth to be done; *jmd ermöglichen, etwas zu tun* enable so to do sth; **Ermöglichung** *sub, f, -, -en* enabling

ermorden, *vt,* murder; *(polit.)* assassinate

ermüden, *vt,* fatigue; **Ermüdbarkeit** *sub, f, -, -en* ability to withstand fatigeing; **ermüdet** *adj,* fatigued; *(Person)* tired; **Ermüdung** *sub, f, -, -en* fatigue; *(Person)* tiredness

ermuntern, *vt, (munter machen)* encourage, liven up

ermutigen, *vt,* encourage; *jmd ermutigen etwas zu tun* encourage so to do sth

Ern, *sub, m, -s, -e* entrance hall

ernähren, *vt, (essen)* feed; *(unterhalten)* keep; *eine Familie ernähren* keep a family; **Ernährer** *sub, m, -s, -* breadwinner, provider; **Ernährung** *sub, f, -, -en* feeding; *(gesund/ungesund)* diet; *zur Ernährung der Familie beitragen* contribute to feeding the family; *gesunde/ungesunde Ernährung* a healthy/an unhealthy diet

ernennen, *vt,* appoint; **Ernennung** *sub, f, -, -en* appointment; *seine Ernennung zum* his appointment to the post of

erneuern, (1) *vr, (Natur)* renew **(2)** *vt,* replace; *(polit./wirt.)* reform; *(verlängern)* extend; *(wiederherstellen)* renovate; **Erneuerung** *sub, f, -, -en* extension, reform, renovation, replacement; *(geistige)* revival

erniedrigen, *vt, (geb.)* humiliate; *(ugs.)* lower; *sich erniedrigen etwas zu tun* lower oneself to do sth; **~d** *adj,* humiliating; **Erniedrigung** *sub, f, -, -en* humiliation, reduction

ernst, (1) *adj,* serious, stern; *(-haft)* genuine **(2) Ernst** *sub, m, -s, nur Einz.* seriousness; *(nach aussen)* gravity; *ernste Musik* serious music; *ich meine es ernst* I´m serious about it; *jmd ernst nehmen* take so seriously, *allen Ernstes* in all seriousness; *es ist mein voller Ernst* I´m deadly serious; *ist das dein Ernst* are you serious; *es ernst meinen* mean business; **Ernstfall** *sub, m, -s, -fälle* real thing; **~haft** *adj,* serious; **Ernsthaftigkeit** *sub, f, -, -en* seriousness

Ernte, *sub, f, -, -n* crop; *(das Ernten)* harvest; **~brigade** *sub, f, -, -n* harvest brigade; **~dankfest** *sub, n, -s, -e* harvest festival; *Erntedankfest* Thanksgiving; **~einsatz** *sub, m, -s, -sätze* assistance with the harvest; **ernten** *vt,* harvest; *(Dankbarkeit)* get; *(Ruhm)* win; *Lob ernten* win praise

ernüchtern, *vt,* sober up; *(i. ü. S.)* bring down to earth; **Ernüchterung** *sub, f, -, -en* disillusionment

erobern, *vt,* conquer; *Herzen im Sturm erobern* win hearts by storm; **Eroberer** *sub, m, -s, -* conqueror; **Eroberung** *sub, f, -, -en* conquest; *eine Eroberung machen* make a conquest

eröffnen, *vt,* start; *(anfangen)* begin; *(Geschäft/Konferenz)* open; *(mitteilen)* reveal; *ein Geschäft eröffnen* start business; *das Verfahren eröffnen* begin proceedings; *das Feuer eröffnen* open fire; *jmd etwas eröffnen* disclose sth to so; *jmd neue Möglichkeiten eröffnen* open new possibilities to sb; **Eröffnung** *sub, f, -, -en* opening; *(s.o.)* revelation, start

erogen, *adj* erogenous

Erosion, *sub, f, -, -en* erosion; **erosiv** *adj*, erosive

Erotik, *sub, f, -, nur Einz.* eroticism; **Eroten** *sub, f, nur Mehrz.* Cupid; **~on** *sub, n, -s, Erotika u. -ken* erotica; **erotisch** *adj*, erotic; **erotisieren** *vt*, arouse sexual desire; **Erotisierung** *sub, f, -, -en* use of erotic effects; **Erotizismus** *sub, m, -, -men* eroticism; **Erotomanie** *sub, f, -, nur Einz.* erotomania

Erpel, *sub, m, -s, -* drake

erpicht, *vt*, be keen on; *darauf erpicht sein zu* be bent on; *erpicht sein auf* be very keen on

erpressen, *vt*, blackmail; **Erpresser** *sub, f, -, -nen* blackmailer; **Erpressung** *sub, f, -, -en* blackmail; *(Geständnis)* extorsion

erproben, *vt, (ausprobieren)* experience; *(med.)* test; *ein Medikament erproben* test a medication

erquicken, *vt*, refresh; **Erquickung** *sub, f, -, -en* refreshment

Erratum, *sub, n, -s, Errata* erratum

errechnen, *vt*, calculate; *(erwarten)* count on; *wie er errechnete* according to his calculations

erregbar, *adj*, excitable; **Erregbarkeit** *sub, f, -, -en* excitable temper; **erregen** *vt*, excite; *Bewunderung erregen* excite admiration; *jmd Zorn erregen* provoke so´s anger; **Erreger** *sub, m, -s, -* patogen; **Erregung** *sub, f, -, -en* excitement

erreichen, *vt*, reach; *(durchsetzen)* achieve; *ein hohes Alter erreichen* live to old age; *etwas erreichen* get somewhere; *haben sie bei ihm etwas erreicht* did you get anywhere

with him; *leicht zu erreichen* within easy reach; *telefonisch jmd erreichen* get so on the phone; **erreichbar** *adj*, reachable; *(räuml.)* within reach; *zu Fuß leicht erreichbar* within easy walking distance

erretten, *vt*, save; *jmd vor etwas erretten* save s from; **Erretter** *sub, m, -s, -* savior

errichten, *vt*, build; *(etw. aufstellen)* erect; **Errichtung** *sub, f, -, -en* construction

erringen, *vt*, gain; *(polit.)* win; *(spo.)* reach

erröten, *vi*, blush; *vor/über etwas erröten* blush with/at

Errungenschaft, *sub, f, -, -en* achievement; *meine neueste Errungenschaft* my latest acquisition

ersaufen, *vi*, drown; *(i. ü. S.)* flood; *in Arbeit ersaufen* be flooded with work

ersäufen, *vt*, drown; *seinen Kummer ersäufen* drown one´s sorrow in

erschaffen, *vt*, create; *etwas erschaffen* summon sth into existence; **Erschaffung** *sub, f, -, -en* creation

erschaudern, *vi*, shudder

erscheinen, *vt*, appear; *(Buch)* be published; *(sich darstellen)* seem; *vor Gericht erscheinen* appear in court; *es erscheint ratsam* it would seem advisable; **Erscheinung** *sub, f, -en* phenomenon; *(äusserliche -)* appearance; *(rel.)* apparition; *(typische -)* symptom; *er tritt kaum in Erscheinung* he keeps very much in the background

erschießen, *vt*, shoot dead; **Erschießung** *sub, f, -, -en* shooting; *(Hinrichtung)* execution by firing squad

erschimmern, *vt*, shimmer

erschlaffen, **(1)** *vi, (Haut)* grow slack **(2)** *vt*, become limp; *(i. ü. S.; Wille)* weaken erschlagen, (1) *adj*, worn out (2) *vt*, kill, strike dead; *vom Blitz erschlagen werden* be struck dead by lightning

erschleichen, *vt*, get sth. by devious means

erschließen, (1) *vr*, *(verständlich werden)* become accessible (2) *vt*, *(Land)* develop; *(nutzbar machen)* tap; *(wirt.)* open up; **Erschließung** *sub*, *f*, *-*, *-en (s.o.)* development, opening up, tapping

erschmelzen, *vti*, be melted

erschöpfen, *vt*, exhaust; *(Quelle)* exploit; *das Benzin/jmd Geduld erschöpfen* exhaust the fuel/one´s patience; **erschöpfbar** *adj*, exhaustible; **erschöpft** *adj*, exhausted; *(Quelle/Mine)* exploited; **Erschöpfung** *sub*, *f*, *-*, *-en* exhaustion

erschrecken, (1) *vi*, be frightened, be startled (2) *vr*, get a fright (3) *vt*, frighten, scare; *zu Tode erschrocken sein* be startled to death, *sich über etwas erschrecken* get a fright at sth, *erschrick dich nicht* don´t be frightened; *du hast mich aber erschreckt* you really gave me a scare

erschüttern, *vt*, shake; *die Botschaft hat uns erschüttert* we were shaken by the news; ~d *adj*, deeply distressing; **Erschütterung** *sub*, *f*, *-*, *-en (mech.)* vibration; *(psych.)* shock

erschweren, *vt*, make more difficult; *(behindern)* hinder; ~d (1) *adj*, aggravating, complicating (2) *adv*, make worse; *erschwerende Umstände* aggravating circumstances, *es kommt erschwerend hinzu, daß er* to make matters worse; **Erschwernis** *sub*, *f*, *-*, *-se* difficulty; **Erschwerung** *sub*, *f*, *-*, *-en* impediment

erschwingen, *vt*, afford; **erschwingbar** *adj*, affordable; **erschwinglich** *adj*, reasonable; *das ist für uns nicht erschwinglich* we can´t afford it; *zu erschwinglichen Preisen* at reasonable prices

ersehen, *vt*, be evident

ersinnen, *vt*, long; *etwas ersehnen* long after sth

ersetzen, *vt*, *(austauschen)* replace; *(Fähigkeiten)* substitute; *(Schaden)* compensate

ersichtlich, *adj*, apparent

ersinnen, *vt*, devise

ersparen, *vt*, save; *(Unannehmlichkeiten)* spare; *jmd Kosten und Arbeit ersparen* save so work and money; *er bleibt ihr nichts erspart* she gets all the bad breaks; *sich etwas ersparen* spare oneself something; **Ersparnis** *sub*, *f*, *-*, *-se* savings

ersprießlich, *adj*, profitable; *(vergnüglich)* pleasant

erst, (1) *adv*, *(Anzahl)* only; *(Reihenfolge)* first; *(zeitl.)* just (2) *Partikel*, *(-recht)* even; *erst als* only when; *erst nach* only after; *erst nächste Woche* not before next week; *es ist erst fünf Uhr* it´s only five o´clock; *ich muß erst noch telefonieren* I´ve got to make a telephone call first; *eben erst* just now, *jetzt tue ich es erst recht* that makes me even more determined to do it

erstarken, *vi*, regain one´s strength; *(i. ü. S.)* grow stronger

erstarren, *vi*, be paralysed, grow stiff; *vor Schreck erstarren* be paralysed with fear; *ihm ertarrte das Blut in den Adern* the blood ran cold in his veins

erstatten, *vt*, *(Anzeige)* report; *(fin.)* reimburse; **Erstattung** *sub*, *f*, *-*, *-en (s.o.)* reimbursement, reporting

Erstaufführung, *sub*, *f*, *-*, *-en* première

Erstaunen, (1) *sub*, *n*, *-s*, *nur Einz.* astonishment; *(erfreulich)* amazement (2) **erstaunen** *vt*, amaze, astonish, surprise; *sehr zu meinem Erstaunen* much to my surprise; **erstaunlich** *adj*, amazing, astonishing; **Erstauntheit** *sub*, *f*, *-*, *nur Einz.* astonishment

Erstausgabe, *sub*, *f*, *-*, *-en* first edition

Erstbeichte, *sub, f, -, -en* first confession

erstechen, *vt,* stab to death

erstehen, (1) *vi, (entstehen)* rise **(2)** *vt,* purchase

ersteigen, *vt,* climb

Ersteigerung, *sub, f, -, -en* ascent

erstellen, *vt, (Gebäude)* build; *(Liste)* draw up

erstens, *adv,* firstly; **erster** *adj, (s. erst)* former; **erstwähnt** *adj,* first mentioned; **erstes** *adv, (s. erst)* first of all; *als erstes* first of all

erstgeboren, *adj,* first-born; **Erstgeborene** *sub, m/f/n, -n, -n* first born child

Erstgeburt, *sub, f, -, -en* first-born child

erstgenannt, *adj,* mentioned first

Ersthelferin, *sub, f, -, -nen* first assistant

ersticken, (1) *vi, (verschlucken)* choke **(2)** *vt, (unterdrücken)* suppress **(3)** *vti, (tödlich)* suffocate; *jmd Begeisterung ersticken* freeze sb´s enthusiasm

erstklassig, (1) *adj,* first-class; *(Bedingungen)* excellent **(2)** *adv,* superbly; **Erstklässler** *sub, m, -s, -* first-year pupil

Erstling, *sub, m, -s, -e* first work

erstmals, *adv,* for the first time

erstrangig, *adj,* of top priority

erstreben, *vt,* strive for; *~swert adj,* desirable; *(Ideale)* worth striving for

Erstsemester, *sub, n, -s, -* first-year (university) student

erststellig, *adj,* first-rank

Ersuchen, (1) *sub, n, -s, -* request **(2) ersuchen** *vt,* request sth.; *jmd um etwas ersuchen* request sth from so

ertappen, *vt,* catch so. in the act; *jmd auf frischer Tat ertappen* catch so in the act; *jmd beim stehlen ertappen* catch so stealing; *sich bei etwas ertappen* catch oneself doing sth

erteilen, *vt, (Rat/Unterricht ua.)* give; *(schriftl.)* grant; *jmd das Wort*

erteilen ask so to speak

ertönen, *vi,* sound

Ertrag, *sub, f, -s, -träge (agr.)* yield; *(wirt.)* return (on investment)

ertragen, *vt,* bear; *(aushalten)* endure; *ein Unglück mit Resignation ertragen* bear a misfortune with resignation; **ertragfähig** *adj, (agr.)* fertile; *(wirt.)* profitable; **erträglich** *adj,* bearable; *(annehmbar)* tolerable; **ertragreich** *adj, (agr.)* productive; *(wirt.)* lucrative; **ertragsfähig** *adj,* s. ertragfähig; **Ertragslage** *sub, f, -, -en* profit situation

ertränken, *vt,* drown; *sich ertränken* drown oneself

Ertrinken, (1) *sub, n, -, nur Einz.* drowning **(2) ertrinken** *vi,* be drowned; *(i. ü. S., Arbeit)* be inundated; *~de sub, m, f, -n, -n* drowning person

ertüchtigen, (1) *vr,* get/keep fit **(2)** *vt,* toughen up; **Ertüchtigung** *sub, f, -, -en* fitness

erübrigen, (1) *vr,* be unneccessary **(2)** *vt,* spare

eruieren, *vt,* find out

Eruption, *sub, f, -, -en* eruption; **eruptiv** *adj,* eruptive

Erwachen, (1) *sub, n, -s, nur Einz.* awakening **(2) erwachen** *vi,* awake, wake up; *plötzlich erwachen* wake up with a start

erwachsen, (1) *adj,* grown-up **(2)** *adv,* in an adult way **(3)** *vi, (aus etwas)* grow; *(Probleme)* arise; **Erwachsene** *sub, m, f, -n, -n* adult

erwählen, *vt,* choose; *durch Zufall erwählen* choose sb by lot; **Erwählte** *sub, m, f, -n, -n* sweetheart

erwähnen, *vt,* mention; *etwas mit keinem Wort erwähnen* make no mention of sth; **Erwähnung** *sub, f, -, -en* mention

Erwanderung, *sub, f, -, -en* walking around

erwärmen, (1) *vr, (für etwas)* warm to **(2)** *vt, (etwas)* heat;

(jmd.) win sb over; *sich erwärmen* get warm; *sich für etwas erwärmen* warm to sth, *jmd für etwas erwärmen* win sb over to sth

Erwarten, (1) *sub, n, -s, nur Einz.* expecting **(2) erwarten** *vr*, expect sb to do sth **(3)** *vt*, expect; *von jmd etwas erwarten* expect sb to do sth, *jmd erwarten* expect sb; **Erwartung** *sub, f, -, -en* expectation; **erwartungsvoll** *adj*, expectant

erwecken, *vt, (Eindruck)* arouse; *(jmd.)* wake; *den Eindruck erwecken, daß* arouse the impression that; *wieder zum Leben erwecken* revive

erwehren, *vr*, fend sth. off, ward sth. off; *man kann sich des Eindrucks nicht erwehren, dass* you can´t help feeling that; *sich nicht erwehren können* be helpless against

erweichen, (1) *vr*, yield **(2)** *vt*, soften; *sich erweichen lassen* give in

erweisen, (1) *vt, (Respekt)* show **(2)** *vti, (beweisen)* prove; *sich jmd gegenüber dankbar erweisen* show one´s gratitude, *sich erweisen als* prove to be

erweitern, *vt, (Kenntnis)* broaden; *(räuml.)* widen; *(wirt.)* expand; **Erweiterung** *sub, f, -, -en (s.o.)* enlargement, expansion, widening

erwerben, *vt, (kaufen)* purchase; *(Ruhm)* win; *(verdienen)* earn; *(Wissen)* acquire; *sich großen Ruhm erwerben* win great fame; *jmd Vertrauen erwerben* earn sb´s trust; **erwerbsfähig** *adj*, able to work; **Erwerbsleben** *sub, n, -s, -* working life; **Erwerbslose** *sub, m, f, -en, -en* unemployed person; **erwerbstätig** *adj*, gainfully employed; **Erwerbstätige** *sub, m, f, -n, -n* person in work; **Erwerbszweig** *sub, m, -s, -e* source of employment; **Erwerbung** *sub, f, -, -en* purchase; *(Aneignung/Angeeignete)* acquisition

erwidern, *vt, (antworten)* reply; *(reagieren)* return; *auf meine Frage erwiderte er* in reply to my que-

stion he said

erwiesen, *adj,* proved

erwirken, *vt,* obtain

erwischen, *vt,* catch; *(räumlich)* grab; *es hat ihn (schlimm) erwischt* he´s got it (bad)

erwünscht, *adj,* wanted; *das erwünschte Resultat* the desired result; *deine Anwesenheit ist dringend erwünscht* your presence is urgently required

Erz, *sub, n, -e* ore

erzählen, *vt,* tell; *das kannst du mir nicht erzählen* pull another one; *jmd von etwas erzählen* tell so about sth; *man hat mir erzählt* I´ve been told; **Erzähler** *sub, m, -s, -* story-teller; *(Schriftsteller)* narrator; **erzählerisch** *adj,* narrative; **Erzählkunst** *sub, f, -, -künste* narrative art; **Erzählung** *sub, f, -, -en (Geschichte)* tale; *(mod.)* story

Erzbau, *sub, m, -s, nur Einz.* ore-mining

Erzbischof, *sub, m, -s, -schöfe* archbishop; **Erzengel** *sub, m, -s, -* archangel

erzeigen, *vti,* show

erzeugen, *vt,* produce; *(Hand)* manufacture; **Erzeuger** *sub, m, -s, -* father, producer; *(Hand)* manufacturer; **Erzeugerland** *sub, n, -s, -länder* country of origin; **Erzeugnis** *sub, n, -ses, -se* product

Erzfeind, *sub, m, -es, -e* arch enemy

Erzgebirgler, *sub, m, -s, -* person from the Erzgebirge

Erzgewinnung, *sub, f, -, -en* mining of ore; **Erzgießerei** *sub, f, -, -en* ore casting

Erzherzogin, *sub, f, -, -nen* archduchess; **Erzherzogtum** *sub, n, -s, -tümer* archduchy

erziehen, *vt,* bring up; *(Schule)* educate; *ein Kind zu Sauberkeit und Ordnung erziehen* bring a child up to be clean and tidy; *Eltern erziehen die Kinder* parents bring up the children; **Er-**

zieher *sub, m, -s,* - educator; **Erzie-hergabe** *sub, f, -,* -n talent for education; **erzieherisch** *adj,* educational; **Erziehung** *sub, f, -,* -en education, upbringing; **Erziehungsberechtigte** *sub, m, f, -n,* -n guardian

erzielen, *vt, (Einigung/Geschwindigkeit)* reach; *(Ergebnis)* achieve; *(Preis)* obtain

Erzpriester, *sub, m, -s,* - patriarch

Erzspitzbube, *sub, m, -n, -en* scoundrel

erzürnen, (1) *vr,* become angry (2) *vt,* anger

erzwingen, *vt,* force; *die Wahrheit erzwingen* force the facts out of him; *etwas von jmd erzwingen* force sth out of sb

Esche, *sub, f, -,* -n ash

Escudo, *sub, m, -,* - Escudo

Esel, *sub, m, -s,* - donkey; *alter Esel* old fool; *bepackt sein wie ein Esel* be loaded down like pack-horse; *wenn es dem Esel zu warm wird, geht er auf´s Eis* so will come unstuck one of these days; **~ei** *sub, f, -,* -en stupidity; **~sbrücke** *sub, f, -, -n* mnemonic; *jmd eine Eselsbrücke bauen* give so a hint; **~sohr** *sub, n, -s, -en (Buch)* dog-ear; *(Ohren wie..)* donkey´s ear; **~srücken** *sub, m, -s,* - donkeyback

eskaladieren, *vt, (mil.)* climb an obstacle; **Eskaladierwand** *sub, f, -, -wände* obstacle to climb up

eskalieren, *vt,* escale; **Eskalation** *sub, f, -,* -en escalation; **Eskalierung** *sub, f, -,* -en escalating

Eskamotage, *sub, f, -,* -n conjuration; **eskamotieren** *vt,* conjure away

Eskapade, *sub, f, -,* -n escapade; *(Seitensprung)* amorous adventure

Eskapismus, *sub, m, -,* nur Einz. escapism; **eskapistisch** *adj,* escapescapist

Eskimo, *sub, m, -s,* -s Eskimo

eskortieren, *vt,* escort; **Eskorte** *sub, f, -,* -n escort; *(i. ü. S.; Begleitung)* entourage; **Eskortierung** *sub, f, -,* -en escorting

Esoterik, *sub, f, -,* nur Einz. esoteric activity; **~erin** *sub, f, -,* -en esoterically engaged woman; **esoterisch** *adj,* esoteric

Espartogras, *sub, n, -es, -gräser* esparto

Espe, *sub, f, -,* -n aspen

Esperanto, *sub, n, -s,* nur Einz. Esperanto

Esplanade, *sub, f, -,* -n esplanade

Espresso, *sub, n, -,* -s und -ssi espresso; **~bar** *sub, f, -,* -s espresso (bar)

Essay, *sub, m, n, -s,* -s essay; **~ist** *sub, m, -s,* -en essayist

essbar, *adj,* edible; **Essbarkeit** *sub, f, -,* nur Einz. edibility

Essbesteck, *sub, n, -s,* -e cutlery

Esse, *sub, f, -,* -n chimney

Essen, (1) *sub, n, -s,* - *(Fest-)* banquet; *(Lebensmittel/Speise)* food; *(Mahl)* meal (2) **essen** *vt,* have sth. for .. (3) *vti,* eat; *auswärts essen* dine out/in; *nichts zu essen haben* to dine with Duke Humphrey; *jmd zum Essen einladen* invite sb for a meal/to dinner; *laßt euch nicht beim Essen stören* don´t let me disturb your meal, *abends/mittags/morgens etwas essen* have sth for dinner/supper/lunch/breakfast, *gerne essen* like (to eat) sth; *man ißt dort sehr gut* the food is quite good there; **~ausgabe** *sub, f, -,* -n serving of meals; **~empfang** *sub, m, -s,* -pfänge receiving a meal; **~smarke** *sub, f, -,* -n meal-ticket; **~szeit** *sub, f, -,* -en mealtime

Essenz, *sub, f, -,* -en essence; **essenziell** *adj,* essential

Essgeschirr, *sub, n, -s,* nur Mehrz. place-setting

Essig, *sub, m, -s,* -e vinegar; *es ist Essig mit* something has to be cancelled; *Essig und Öl* oil and vinegar; **~essenz** *sub, f, -,* -en vinegar essence

Esskastanie, *sub, f, -,* -n sweet chestnut; *geröstete Esskastanien* maroni; **Esslöffel** *sub, m, -s,* -

soup-spoon, *Dessertlöffel* fel/Dessertlöffel soup-spoon/dessert-spoon; **esslöffelweise** *adj*, in soup-spoonfuls; *ihm die Medizin esslöffelweise verabreichen* administer medicine in soup-spoonfuls/dessert-spoonfuls; **Esslust** *sub*, *f*, -, *Essgelüste* desire for food; **esslustig** *adj*, feel like eating; **Esstisch** *sub*, *m*, -*s*, -*e* dining-table; **Essunlust** *sub*, *f*, -, *nur Einz.* reluctance of food; **essunlustig** *adj*, reluctant to eat; **Esswaren** *sub*, *f*, -, *nur Mehrz.* food; **Esszimmer** *sub*, *n*, -*s*, - dining-room

Establishment, *sub*, *n*, -*s*, -*s* establishment

Estanzia, *sub*, *f*, -, -*s* Estancia

Ester, *sub*, *m*, -*s*, - ester

estländisch, *adj*, Estonian

estnisch, *adj*, Estonian

Estrade, *sub*, *f*, -, -*n* estrade, open-air show

Estragon, *sub*, *m*, -*s*, *nur Einz.* (Gewürz kein Pl) tarragon

Etablissement, *sub*, *n*, -*s*, -*s* establishment

Etage, *sub*, *f*, -, -*n* floor, storey; *in der zweiten Etage* on the second floor; *in der zweiten Etage* in the second storey; **etagenförmig** *adj*, multistorey

Etagere, *sub*, *f*, -, -*n* étagère

Etappe, *sub*, *f*, -, -*n* stage; **~nhase** *sub*, *m*, -*n*, -*n* base wallah; **~nsieg** *sub*, *m*, -*s*, -*e* (spo.) stage-win; **etappenweise** *adj*, in stages

Etat, *sub*, *m*, -*s*, -*s* budget; **etatisieren** *vt*, budget; **~periode** *sub*, *f*, -, -*n* budget period

etc., *adv*, etc.

etepetete, *adj*, fussy

Eternit (R), *sub*, *m*, *n*, -*s*, *nur Einz.* (Warenzeichen) asbestos cement

Etesien, *sub*, *f*, -, *nur Mehrz.* (met.) Etesien

Ethik, *sub*, *f*, -, -*en* (sittl.Normen) ethics; *(Wissenschaft)* ethics; **ethisch** *adj*, ethical

ethnisch, *adj*, ethnic; **Ethnograf** *sub*, *f*, -, -*nen* ethnographer; **Ethno-**

grafie *sub*, *f*, -, -*n* ethnography; **Ethnologe** *sub*, *m*, -*n*, -*n* ethnologist; **Ethnologie** *sub*, *f*, -, *nur Einz.* ethnology; **ethnologisch** *adj*, ethnological

Ethologie, *sub*, *f*, -, *nur Einz.* ethology; **Ethos** *sub*, *n*, -, *nur Einz.* ethics

Etikett, *sub*, *n*, -*s*, -*en* label; **~e** *sub*, *f*, -, -*n* etiquette; *Verstoß gegen die Etikette* breach of etiquette; **etikettieren** *vt*, label

etliche, (1) *pron*, *(einige)* several (2) *Zahlw.*, quite a lot of; *(wenige)* some; *etliches* a number of things

Etüde, *sub*, *f*, -, -*n* étude

Etui, *sub*, *n*, -*s*, -*s* case

etwas, (1) *pron*, something; *(ein Teil)* some; *(Frage/verneint)* any; *(Frage/Verneinung)* anything (2) **Etwas** *sub*, *n*, -, - something; *das ist etwas anderes* that's different; *hast du etwas für mich* haven't you got anything for me; *hast du etwas gesagt* did you say something; *kann ich auch etwas davon haben* can I have some of it too, *das gewisse etwas* that certain something; *ein hilfloses etwas* a helpless little thing

Etymologe, *sub*, *m*, -, -*n* etymologist; **Etymologie** *sub*, *f*, -, -*n* etymology

Etymon, *sub*, *n*, -*s*, -*ma* etymon

Eubiotik, *sub*, *f*, -, *nur Einz.* hygienics

euch, (1) *pron*, you (2) *refl.pron*, yourself; *euch selbst* you yourself, *setzt euch!* sit down!

Eucharistie, *sub*, *f*, -, -*n* Eucharist; **eucharistisch** *adj*, Eucharistic

euer, *pron*, your; *(nachgestl)* your(s); *euer Haus* your house; *unser und euer Haus* our house and yours; **~e** *pron*, your; *das ist euere Arbeit* that's your work; **~es** *pron*, of your, your(s); **~thalben** *adv*, on your behalf; **~twillen** *adv*, because of you

Eufonie, *sub*, *f*, -, -*n* euphony

eugenisch, *adj*, eugenic

Eukalyptus, *sub*, *m*, -, -ten eucalyptus

Euklid, *sub*, *m*, -, - Euclid

Eule, *sub*, *f*, -, -n owl; *Eulen nach Athen tragen* carry coals to Newcastle/send owls to Athens; ∼**nspiegel** *sub*, *m*, -s, - joker; *(Till)* Eulenspiegel; ∼**nspiegelei** *sub*, *f*, -, -en caper

Eunuch, *sub*, *m*, -en, -en eunuch; **eunuchenhaft** *adj*, *(Stimme)* high-pitched

Euphemismus, *sub*, *m*, -, -mismen euphemism; **euphemistisch** *adj*, euphemistic

Euphorie, *sub*, *f*, -, -n euphoria; **euphorisch** *adj*, euphoric; **euphorisieren** *vt*, bring into a euphoric condition

Eurasien, *sub*, *n*, -, - Eurasia

euripideisch, *adj*, like Euripides

Eurofighter, *sub*, *m*, -s, - Eurofighter

Europäer, *sub*, *m*, -s, - European; **europäisch** *adj*, European; **europäisieren** *vt*, Europeanize

Europarat, *sub*, *m*, -s, *nur Einz*. Council of Europe; **Europarekord** *sub*, *m*, -s, -e European record; **Europastraße** *sub*, *f*, -, -n European long-distance road; **Europaunion** *sub*, *f*, -, *nur Einz*. European Community

Europium, *sub*, *n*, -s, *nur Einz*. europium

Eurovision, *sub*, *f*, -, *nur Einz*. Eurovision

Eurythmie, *sub*, *f*, -, *nur Einz*. eurythmics

Euter, *sub*, *n*, -s, - udder

Euterpe, *sub*, *f*, -, - Euterpe (Muse of music)

Euthanasie, *sub*, *f*, -, *nur Einz*. euthanasia

eutroph, *adj*, eutrophic; **Eutrophierung** *sub*, *f*, -, -en eutrophication

evakuieren, *vt*, evacuate; *Leute aus der Stadt evakuieren* evacuate a town/evacuate people; **Evakuierung** *sub*, *f*, -, -en evacuation

evaluieren, *vt*, evaluate; **Evaluation** *sub*, *f*, -, -en evaluation

Evangeliar, *sub*, *n*, -s, -e und -ien Gospel; **evangelikal** *adj*, evangelical; **Evangelikale** *sub*, *m*, *f*, -n, -n evangelical; **evangelisch** *adj*, Evangelical; **evangelisieren** *vt*, evangelize; **Evangelist** *sub*, *m*, -s, -en evangelist; **Evangelium** *sub*, *n*, -gelien gospel

Evaporation, *sub*, *f*, -, -en evaporation; **Evaporator** *sub*, *m*, -s, -en evaporator; **evaporieren** *vt*, evaporate

Evasion, *sub*, *f*, -, -en evasion

Eventualität, *sub*, *f*, -, -en eventuality; **Eventualfall** *sub*, *m*, -s, -fälle eventuality; *im Eventualfall* should the occasion arise; **eventuell** *adj*, in the event of, possible

Evergreen, *sub*, *m*, *n*, -s, -s old favourite

evident, *adj*, *(offenkundig)* evident; *(überzeugend)* convincing; **Evidenz** *sub*, *f*, -, *nur Einz*. convincingness, self-evidence

Evolution, *sub*, *f*, -, -en evolution; **evolutionär** *adj*, avolutionary; ∼**stheorie** *sub*, *f*, -, -n theory of evolution; **evolvieren** *vt*, evolve

evozieren, *vt*, summon

ewig, **(1)** *adj*, eternal; *(abwertend)* never-ending; *(Leben/Frieden)* everlasting **(2)** *adv*, for ever; *die Ewige Stadt* the Eternal City, *auf immer und ewig* for ever and ever; *das ist ewig schade* it´s just too bad; *es dauert ewig* it´s taking ages; *ewiger Schnee* perpetual snow; *seit ewigen Zeiten* from time immemorial; **Ewiggestrige** *sub*, *m*, *f*, -n, -n old reactionary; **Ewigkeit** *sub*, *f*, -, -en eternity; *(ugs.; sehr lange)* ages; *bis in alle Ewigkeit* to the end of time; *es ist eine Ewigkeit her, seit* it´s ages since; *ich habe eine Ewigkeit gewartet* I´ve waited for ages; ∼**lich** *adv*, till the end of time; *(für immer)* for ever

ex, *adv*, *(vulg.)* down in one

exakt, *adj*, exact, precise; **Exaktheit** *sub, f, -, nur Einz.* exactitude, precision

Exaltation, *sub, f, -, -en* exaggeration; **exaltiert** *adj*, exaggerated

Examen, *sub, n, -s, - oder -mina* examination; **~sangst** *sub, f, -, -ängste* examination nerves; **Examinand** *sub, m, -en, -en* examinee; **Examinator** *sub, m, -s, -en* examiner; **examinieren** *vt*, examine; *einen Studenten examinieren* examine a student

Exegese, *sub, f, -n* exegesis; **Exeget** *sub, m, -en, -en* exegete

exekutieren, *vt*, execute; *einen Mörder exekutieren* execute a murderer; *jmd Befehle ausführen* execute one's orders; **Exekution** *sub, f, -en* execution; **Exekutor** *sub, m, -s, -en* bailiff

exekutiv, *adj*, executive; **Exekutive** *sub, f, -n* executive; **Exekutivgewalt** *sub, f, -n* executive power

Exempel, *sub, n, -s, -* example; *ein Exempel statuieren* set a warning example

Exemplar, *sub, n, -s, -e* specimen; **exemplarisch (1)** *adj*, exemplary **(2)** *adv*, as an example; *jmd exemplarisch bestrafen* make an example of so

exemplifizieren *vt*, exemplify; **Exemplifikation** *sub, f, -en* exemplification

exhalieren, *vi*, exhale

exhibieren, *vt*, exhibit

Exhibition, *sub, f, -en* exhibition; **~ismus** *sub, m, nur Einz.* exhibitionism; **~ist** *sub, m, -en, -en* exhibitionist

exhumieren, *vt*, exhume; **Exhumierung** *sub, f, -en* exhumation

Exil, *sub, n, -s, -e* exile; *ins Exil gehen* go into exile; **~regierung** *sub, f, -en* government in exile

existent, *adj*, existent; **Existenz** *sub, f, -, -en* existence; *(Lebensgrundlage)* lifelihood; *(Person)* character; *die nackte Existenz retten* escape with one's life; *gesicherte Existenz* secure position; **Existenzangst** *sub, f* existential fear; **existenzfähig** *adj*, able to exist; *(überlebensfähig)* able to survive; **Existenzialismus** *sub, m, -, -* existentialism; **existenziell** *adj*, existential; **Existenzkampf** *sub, m, -es, -kämpfe* struggle for existence; **Existenzminimum** *sub, n, -s, -minima* subsistence level; **Existenzphilosophie** *sub, f, -, -n* existential philosophy; **existieren** *vti*, exist

Exitus, *sub, m, -, -* death

exkavieren, *vt*, excavate; *eine versunkene Stadt exkavieren* excavate a buried city; *einen Graben exkavieren* excavate a ditch; **Exkavation** *sub, f, -, -en* excavation

exklamieren, *vt*, exclaim; **Exklamation** *sub, f, -en* exclamation

Exklave, *sub, f, -n* exclave

exklusiv, *adj*, exclusive; **Exklusion** *sub, f, -, -en* exclusion; **~e** *präp*, excluding; **Exklusivität** *sub, f, -, nur Einz.* exclusiveness

exkommunizieren, *vt*, excommunicate; **Exkommunikation** *sub, f, -, -en* excommunication

Exkrement, *sub, n, -es, -e* excrement

Exkret, *sub, n, -es, -e* excreta; **~ion** *sub, f, -en* excretion

exkulpieren, *vt*, exculpate

Exkurs, *sub, m, -es, -e* digression; *(lit.)* excursus; **~ion** *sub, f, -, -en* study trip/tour

Exmatrikel, *sub, f, -n* confirmation of a student's removal from the register; **Exmatrikulation** *sub, f, -, -en* student's removal from the register; **exmatrikulieren** *vt*, remove a student's name from the register

Exminister, *sub, f, -, -nen* ex-minister

Exodus, *sub, m, -se* exodus

exogen, *adj*, exogenous

exorbitant, *adj*, exorbitant

exorzieren, *vt*, exorcise; **Exorzismus** *sub, m, -, -smen* exorcism;

Exorzist *sub, m, -en, -en* exorcist

Exosphäre, *sub, f, -, nur Einz.* exosphere

Exot, *sub, m, -en, -en* strange foreigner; *(Pflanze/Tier)* exotic

exotherm, *adj,* exothermal

Exotik, *sub, f, -, -nen* Exotica

expandieren, *vt,* expand; *ein expandierendes Unternehmen* business which is eager to expand; **Expander** *sub, m, -s, -* chest-expander; **Expansion** *sub, f, -, -en* expansion; **expansiv** *adj,* expansive

expatriieren, *vt,* expatriate

expedieren, *vt,* dispatch; **Expedition** *sub, f, -, -en* expedition; **Expeditionsleiter** *sub, m, -s, -* leader of an expedition

expensiv, *adj,* expensive

Experiment, *sub, n, -s, -e* experiment; **experimentieren** *vi,* experiment

Experte, *sub, m, -n, -n* expert; **Expertise** *sub, f, -, -n* expert´s report; *eine Expertise einholen* obtain an expert´s report

explizieren, *vt,* explicate; **Explikation** *sub, f, -, -en* explication

explizit, *adj,* explicit

explodieren, *vt,* explode; *eine Bombe/Mine zum explodieren bringen* explode a bomb/mine; *vor Ärger explodieren* explode with anger; **explodierbar** *adj,* explosive

exploitieren, *vt,* exploit

explorieren, *vt,* explore; **Exploration** *sub, f, -, -en (med.)* exploration

explosibel, *adj,* explosive; **Explosion** *sub, f, -, -en* explosion; **explosiv** *adj,* explosive; *explosiv reagieren* react violently; *explosive Laute* plosives; **Explosivität** *sub, f, -, nur Einz.* explosiveness; **Explosivlaut** *sub, m, -s, -e* plosive

exponieren, *vt,* expose; *sich exponieren* draw attention to oneself; **Exponat** *sub, n, -s, -e* exhibit; **Exponent** *sub, m, -n, -n (auch mat.)* exponent; **exponiert** *adj,* exposed

Export, *sub, m, -s, -e* export; **~anteil** *sub, m, -s, -e* exported part; **~eur**

sub, m, -s, -e exporter; **exportieren** *vt,* export; **~quote** *sub, f, -, -n* export ratio

Exposee, *sub, n, -s, -s* exposé; **Exposition** *sub, f, -, -en* exposition

express, (1) *adj,* express **(2)** **Express** *sub, m, -es, -e* express (train); **Expressbote** *sub, m, -n, -n* express deliverer; **Expressbrief** *sub, m, -s, -e* express letter; **Expresszug** *sub, m, -s, -züge* express (train)

Expression, *sub, f, -, -en* expression; **~ismus** *sub, m, -, nur Einz.* expressionism; **~ist** *sub, m, -en, -en* expressionist; **expressiv** *adj,* expressive; **Expressivität** *sub, f, -, nur Einz.* expressiveness

expropriieren, *vt,* expropriate; **Expropriation** *sub, f, -, -en* expropriation

exquisit, *adj,* exquisite

exspektativ, *adj, (med.)* expectant

exspirieren, *vi,* expire

exstirpieren, *vt,* extirpate

extendieren, *vt,* extend; *Geschäftsbeziehungen extendieren* extend one´s business relations; **Extension** *sub, f, -, -en* extension

Extensität, *sub, f, -, nur Einz.* extensiveness; **extensiv** *adj,* extensive; *ein Gesetz extensiv auslegen* give an extensive interpretation of a law

Exterieur, *sub, n, -s, -s oder -e* exterior

extern, *adj,* external; **Externe** *sub, m,f, -n, -n (Internat)* day boy/girl; **Externsteine** *sub, f, -, nur Mehrz. (geogr.)* Extern rocks

exterritorial, *adj,* extraterritorial; **Exterritorialität** *sub, f, -, nur Einz.* extraterritorial

extra, (1) *adv, (absichtlich)* on purpose; *(besonders)* especially, extra; *(getrennt)* separately **(2)** **Extra** *sub, n, -s, -s* extra; **Extraausgabe** *sub, f, -, -n* special edition; **Extrablatt** *sub, n, -s, -blätter* extra; **Extraklasse** *sub, f,*

-, -n extra-class

extrahieren, *vt*, *(med.)* extract; *eine Kugel/Zahn extrahieren* extract a bullet/tooth; *Salz aus Wasser extrahieren* extract salt from water

Extrakt, *sub*, *m*, *-s*, *-e* extract; **~ion** *sub*, *f*, *-*, *-en* extraction

extraordinär, *adj*, extraordinary; **extraterrestrisch** *adj*, extraterrestrial; **Extratour** *sub*, *f*, *-*, *-en* own initiative; *sich ständig irgendwelche Extratouren leisten* keep doing things off one´own bat/initiative; **extravagant** *adj*, extravagant; **Extravaganz** *sub*, *f*, *-*, *-en* extravagance; **Extrawurst** *sub*, *f*, *-*, *-würste* special treatment; *sie will immer eine Extrawurst gebraten bekommen* she always wants to get special treatment

extrem, **(1)** *adj*, extreme **(2)** **Extrem** *sub*, *n*, *-s*, *-e* extreme; *von einem Extrem ins andere fallen* go from one extreme to another; **Extremismus** *sub*, *m*, *-*, *-men* extremism; **Extremist** *sub*, *m*, *-en*, *-en*

extremist; **Extremistin** *sub*, *f*, *-*, *-nen* extremist; **~istisch** *adj*, extremist; **Extremität** *sub*, *f*, *-*, *-en* extremity; **Extremsport** *sub*, *m*, *-s*, *nur Einz.* go to the extremes

extrovertiert, *adj*, extroverted

extrudieren, *vt*, extrude

exulzerieren, *vt*, remove an ulcer

exzellent, *adj*, excellent; **Exzellenz** *sub*, *f*, *-*, *-en* Exellency; *Seine/Eure Exzellenz* His/Your Excellency

Exzentrik, *sub*, *f*, *-*, *nur Einz.* eccentricity; **Exzenter** *sub*, *m*, *-s*, *-(tech.)* tappet; **~er** *sub*, *m*, *-s*, *-* eccentric; **exzentrisch** *adj*, eccentric; **Exzentrizität** *sub*, *f*, *-*, *-en* eccentricity

exzerpieren, *vt*, *(geb.; Sprachw.)* excerpt; **Exzerpt** *sub*, *n*, *-[e]s*, *-e* extract

Exzess, *sub*, *m*, *-es*, *-e (geb.)* excess; *etwas bis zum Exzess treiben* carry sth to excess; **exzessiv** *adj*, excessive

F

Fabel, *sub, f, -, -n (geb.; Literaturw.)* fable, story, tale; *ins Reich der Fabeln gehören* belong in the realm of fantasy; **~dichter** *sub, m, -s, -* writer of fables; **fabelhaft (1)** *adj, (ugs.)* fabulous **(2)** *adv,* fantastically

Fabrik, *sub, f, -, -en* factory, works; **~anlage** *sub, f, -, -n* factory, factory plant, plant; **~ant** *sub, m, -en, -en* factory owner, manufacturer; **~arbeit** *sub, f, -, nur Einz.* factory work; **~at** *sub, n, -s, -e* make, product; **~ation** *sub, f, -, -en* production; **fabrikmäßig** *adj,* manufactured goods; **fabrikneu** *adj,* brand-new; **~sirene** *sub, f, -, -n* factory siren; **fabrizieren** *vt,* produce; *(ugs.)* knock together

Fabulant, *sub, m, -en, -en (geb.)* sb who invents stories; **fabulieren** *vi,* invent stories, tell stories; **fabulös** *adj, (geb.)* fabulous, fabulously

Fach, *sub, n, -s, Fächer* compartment, field, job, pigeonhole, shelf, subject; *sein Fach verstehen* know o´s job; *das ist mein Fach* that´s right up my street,; *das ist nicht mein Fach* that´s not my line; *ein Meister seines Faches* a master of his trade; **~arbeiter** *sub, m, -s, -* skilled worker; **~arzt** *sub, m, -es, -ärzte* specialist in; **fachärztlich** *adj,* by a specialist; **~ausdruck** *sub, m, -s, -drücke* technical term; **~begriff** *sub, m, -s, -e* technical term; **~bereich** *sub, m, -s, -e* department, faculty

Fachbuch, *sub, n, -s, -bücher* specialist book

Fächer, *sub, m, -s, -* fan; **fächeln** *vt,* fan; **fächerförmig** *adj,* fanlike

fachgerecht, *adj,* professional, professionally, skilled

Fachgeschäft, *sub, n, -es, -e* specialist shop, store

Fachhochschule, *sub, f, -, -n* college

Fachidiot, *sub, m, -en, -en* narrow specialist

Fachkenntnis, *sub, f, -, -se* expertise, specialist knowledge; *mir fehlen die Sachkenntnisse* I haven´t got the expertise; *Fachkenntnisse erwerben* gain some background knowledge; **fachkundig** *adj,* competent, expert; *jmdn fachkundig beraten* give sb expert advice; **fachkundlich** *adj,* knowledgeable, knowledgeably

Fachlehrerin, *sub, f, -, -nen* teacher

fachlich, *adj,* professional, qualified, specialised; *etwas fachlich beurteilen* give a professional opinion on sth; *fachlich qualifiziert* qualified in the subject; *sich fachlich weiterbilden* do further training

Fachmann, *sub, m, -s, -männer* expert, specialist; **fachmännisch** *adj,* expert; *fachmännisches Auge* expert´s eye; *fachmännisches Urteil* expert opinion; *jmd fachmännisch beraten* give sb expert advice

Fachreferent, *sub, m, -en, -en* expert

Fachrichtung, *sub, f, -, -en (geb.; Hochschulw.)* faculty

fachsimpeln, *vi, (ugs.)* talk shop

Fachsprache, *sub, f, -, -n* technical language

Fachwelt, *sub, f, -, -en* experts; *in der Fachwelt* among the experts

Fachwerkhaus, *sub, n, -es, -häuser* halftimbered house

Fachwort, *sub, n, -s, -wörter* specialist term, technical term

Fackel, *sub, f, -, -n* torch; **~licht** *sub, n, -s, -er* torchlight; **fackeln** *vi, (ugs.)* dither, shilly-shally; *(ugs.) nicht lange fackeln* don´t dither about; *nicht lange fackeln* no shilly-shallying; **~schein** *sub, m, -s, -e* torchlight; **~träger** *sub, m, -s, -* torchbearer

Fact, *sub, m, -s, -s* fact

fade, *adj,* dull, stale, tasteless; *fa-*

der Kerl hier: *fade schmecken* have no taste

Faden, *sub, m, -s, Fäden* thread; *(i. ü. S.) den Faden verlieren* lose ones´s thread; *(i. ü. S.) den Faden wiederaufnehmen* pick up the thread; *(i. ü. S.) die Fäden laufen in seiner Hand zusammen* he holds the reins; *(i. ü. S.) es hing an einem seidenen Faden* hang by a single thread; **~heftung** *sub, f, -, -en (tt; Buchdr.)* sewing; **~kreuz** *sub, n, -es, -e* crosshairs, optical reticule; *im Fadenkreuz haben* have sth/sb in one´s sights; **fadenscheinig** *adj,* flimsy

Fagott, *sub, n, -s, -e (mus.)* bassoon; **~bläser** *sub, m, -s, -* bassoonist; **~ist** *sub, m, -en, -en* bassoonist

fähig, *adj,* able, capable; *ein fähiger Kopf sein* have an able mind; *er ist zu allem fähig* he is capable of anything, *(Verbrecher etc.)* he is desperate; **Fähigkeit** *sub, f, -, -en* ability, capability; *geistige Fähigkeiten* intellectual abilities; *praktische Fähigkeiten* practical skills

fahl, *adj,* pale; *(geh.)* wan

fahnden, *vi,* search, search for; **Fahndung** *sub, f, -, -en* search

Fahne, *sub, f, -, -n* flag; *die Fahne hochhalten* keep the flag flying; *die Fahne nach dem Wind drehen* trim one´s sails to the wind; *etwas auf seine Fahne schreiben* espouse the cause of sth; **~nabzug** *sub, m, -s, -züge (Buchdr.)* galley; **~neid** *sub, m, -es, -e* oath of allegiance; **~nflucht** *sub, f, -, -en* desertion; **~nstange** *sub, f, -, -n* flagpole; **~nweihe** *sub, f, -, -n* consecration of the flag

Fähnlein, *sub, n, -s, -* little flag, pennant; *(spo.)* marker

Fähnrich, *sub, m, -s, -e (mil.)* cadet, midshipman

Fahrbahn, *sub, f, -, -en* carriageway, lane, road; *am äußersten rechten Fahrbahnrand* keep to the edge of the inside lane, *(US)* keep to the extreme right; *beim Überqueren*

der Fahrbahn when crossing the road

Fähre, *sub, f, -, -n* ferry; **Fährbetrieb** *sub, m, -s, -e* ferryservice

fahren, *vti,* drive, go, go by, leave, ride, run, sail; *auf dieser Straße fährt es sich gut* this is a good road to drive on; *(i. ü. S.) er ist sehr gut dabei gefahren* he did very well out of it; *erster Klasse fahren* go first class, go first class; *(i. ü. S.) plötzlich fuhr mir der Gedanke durch den Kopf, dass* it suddenly occured to me that; *mit dem Bus fahren* go by bus; *der Zug fährt zweimal am Tag* the train runs twice a day; *mit der Hand überfahren* run one´s hand over

Fahrenheit, *sub, n, -, nur Einz.* Fahrenheit

Fahrensmann, *sub, m, -s, -männer (Seemannssprache)* boatman

Fahrer, *sub, m, -s, -* driver; **~ei** *sub, f, -, -en* driving around, travelling aroung; **~flucht** *sub, f, -, -en* hit-and-run-offence; *(US)* hit-and-run-offense; *(jur.) Fahrerflucht begehen* commit a hit-and-run-offence, *(jur., US)* commit a hit-and-run-offense; **~laubnis** *sub, f, -, -se* driving licence; *(US)* driver´s license; *Fahrerlaubnis entziehen* disqualify from driving; **Fahrgast** *sub, m, -es, -gäste* passenger; **Fahrgeld** *sub, n, -s, -er* fare; **Fahrgestell** *sub, n, -s, -e (Luftf.)* undercarriage; *(mot.)* chassis; **Fahrkarte** *sub, f, -, -n* ticket; **Fahrkartenschalter** *sub, m, -s, -* ticket office; **Fahrkomfort** *sub, m, -s, nur Einz. (mot.)* ride comfort

fahrig, *adj,* agitated, nervous

fahrlässig, *adj,* careless; *(jur.)* negligent; *fahrlässige Tötung* causing death through negligence, *(US)* negligent homicide

Fahrlässigkeit, *sub, f, -, -en* carelessness; *(jur.)* negligence; *grobe*

Fahrlässigkeit gross negligence

Fahrlehrerin, *sub, f, -, -nen* driving instructor

Fährmann, *sub, m, -s, -männer* ferryman

Fahrplan, *sub, m, -s, -pläne* timetable; *(US)* schedule; **fahrplanmäßig** *adj*, scheduled; *der Zug fährt fahrplanmäßig um 12 Uhr ab* the train is scheduled to leave at 12 o´clock; *der Zug kommt fahrplanmäßig um 12 Uhr an* the train is due at 12 o´ clock

Fahrprüfung, *sub, f, -, -en* driving test

Fahrrad, *sub, n, -s, -räder* bicycle, bike, cycle; *mit dem Fahrrad fahren* ride a bicycle; *mit dem Fahrrad fahren* ride a bike

Fahrschule, *sub, f, -, -n* driving school; **Fahrschüler** *sub, m, -s, -* learner

Fahrspur, *sub, f, -, -en* lane

Fahrstil, *sub, m, -s, -e (Fahrr.)* style of riding; *(mot.)* style of driving

Fahrstuhl, *sub, m, -s, -stühle* lift; *(US)* elevator

Fahrstunde, *sub, f, -, -n* driving lesson

Fahrt, *sub, f, -, -en (Ausflug)* trip; *(mot.)* ride; *(Reise)* journey; *(Schiffsr.)* voyage; *die Fahrt beschleunigen* speed up; *eine Fahrt machen* go on a trip, take a trip; *(i. ü. S.) frei Fahrt haben* have been given the green light; *freie Fahrt haben* have a clear run; *in voller Fahrt* at full speed; *auf der Fahrt* on the journey; *(Seemannspr.) Fahrt machen* make way; **~kosten** *sub, f, -, nur Mehrz. (Autoreise)* travel costs; *(öffentl. Verkehrsm.)* fare; *Fahrtkosten erstatten* pay travelling expenses

fahrtauglich, *adj, (mot.)* roadworthy; *(Person)* fit to drive

Fährte, *sub, f, -, -n* tracks, trail; *auf der falschen Fährte sein* be on the wrong tracks; *auf der richtigen Fährte sein* be on the right tracks; *jmd von der Fährte abbringen*

throw so off the scent; *jmds Fährte verfolgen* track sb

Fahrtenbuch, *sub, n, -s, -bücher (mot.)* logbook

Fahrtest, *sub, m, -s, -s* driving test

Fahrtreppe, *sub, f, -, -n* escalator

fahrtüchtig, *adj, (Fahrz.)* roadworthy; *(Person)* fit to drive

Fahrverbot, *sub, n, -s, -e* disqualification from driving, driving ban; *ein Fahrverbot erteilen* disqualify sb from driving; *ein Fahrverbot erhalten* be banned from driving

Fahrweg, *sub, m, -s, -e* road

Fahrwerk, *sub, n, -s, -e (Luftf.)* undercarriage

Fahrwind, *sub, m, -s, -* air-stream; *(Schifff.)* behind wind

Fahrzeit, *sub, f, -, -en* travelling time

Fahrzeug, *sub, n, -s, -e* vehicle; *(Luftf.)* aircraft; *(Schifff.)* vessel; *gesperrt für Fahrzeuge aller Art* closed to all traffic; **~bau** *sub, m, -s, -ten* motor manufacturing industry; **~halter** *sub, m, -s, -* vehicle owner; **~park** *sub, m, -s, -s (mot.)* fleet of cars

fair, *adj,* fair; **Fairness** *sub, f, -, nur Einz.* fairness; **Fairplay** *sub, n, -s, nur Einz.* fairplay

fäkal, *adj,* ecal; **Fäkaldünger** *sub, m, -s, -* fertilizer from eces; **Fäkalien** *sub, f, -, nur Mehrz.* eces

Fakir, *sub, m, -s, -e* fakir

Faksimile, *sub, n, -s, -s* facsimile; **faksimilieren** *vt*, facsimile

Fakt, *sub, m, n, -es, -en* fact

Faktenwissen, *sub, n, -s, nur Einz.* factual knowledge

faktisch, **(1)** *adj,* practical, virtually **(2)** *adv,* in fact

Faktor, *sub, m, -s, -en* factor; *(mat.)* factor

Faktotum, *sub, n, -s, Faktoten* factotum

Faktum, *sub, n, -s, Fakten* fact

fakturieren, *vt, (kaufm.)* invoice; **Fakturistin** *sub, f, -, -nen (tt; kaufm.)* clerk

Fakultät, *sub, f, -, -en (Hoch-*

vollwbar) faculty
fakultativ, *adj*, optional
Falke, *sub*, *m*, *-n*, *-n* hawk; **Falkner** *sub*, *m*, *-s*, - falconer; **Falknerei** *sub*, *f*, *-*, *-en* falconry
Fall, *sub*, *m*, *-s*, nur Einz. *(das Fallen)* descent; *m*, *-s*, Fälle *(Ereignis)* case; *(jur., med., grammat.)* case; *(Sturz)* fall; *das ist ein klarer Fall* it´s perfectly clear; *gesetzt den Fall* supposing; *im besten Fall* at the best; *im schlimmsten Fall* if the worst comes to the worst; *(i. ü. S.) nicht jmds Fall sein* not be sb´s cup of tea; *(i. ü. S.) etwas zu Fall bringen* stop sth; *(i. ü. S.) jmdn zu Fall bringen* bring about sb´s downfall; **~beil** *sub*, *n*, *-s*, *-e* guillotine; **~beschleunigung** *sub*, *f*, *-*, nur Einz. *(geh.; phy.)* gravitational acceleration; **~grube** *sub*, *f*, *-*, *-n* pit; *(i. ü. S.)* trap; **~höhe** *sub*, *f*, *-*, *-n* *(phy.)* height of fall; **~obst** *sub*, *n*, *-es*, nur Einz. windfalls; **~studie** *sub*, *f*, *-*, *-n* case study
Falle, *sub*, *f*, *-*, *-n* trap; *(i. ü. S.) in die Falle gehen* walk into the trap; *(i. ü. S.) jmd eine Falle stellen* set a trap for sb
fallen, *vi*, drop, fall; *(ab-)* descend; *(Blick, Licht)* fall on; *(durch-)* fall through; *(Entscheidung)* be made; *(Fieber, Preise etc.)* go down; *(hin-)* fall down; *(mil.)* fall; *etwas fallen lassen* drop sth; *sich ins Gras/Bett/Heu etc fallen lassen* fall onto the grass/into bed/into the hay etc; *jmdn in die Hände fallen* fall into the hands of sb; *unter eine Kategorie fallen* fall into a category; *die Wahl fiel auf ihn* the choice fell on him; *auf die Knie/in den Schmutz* fall to one´s knees/in the dirt
fällig, *adj*, due; *(- werden)* become due; *(verfallen)* expire; *etwas ist mal wieder fällig* is due for; *es war aber längst fällig* it was high time; *zum 31 Mai fällig werden* payable by May 31
Fälligkeit, *sub*, *f*, *-*, *-en* maturity

Fall-out, *sub*, *m*, *-s*, *-s (Radioaktiv)* fall-out
falls, *konj*, if, in case
Fallschirm, *sub*, *m*, *-s*, *-e* parachute; *(-springen)* parachuting; *den Fallschirm öffnen* open up one´s parachute; **~jäger** *sub*, *m*, *-s*, - *(mil.)* paratrooper; **~springer** *sub*, *m*, *-s*, - parachutist; **~truppe** *sub*, *f*, *-*, *-n (mil.)* parachute troops
falsch, **(1)** *adj*, wrong; *(unangebracht)* false; *(unecht)* false; *(unehrlich)* false **(2)** *adv*, wrong way, wrongly; *an den Falschen geraten* come to the wrong man; *(i. ü. S.) etwas in die falsche Kehle bekommen* take sth the wrong way; *(i. ü. S.) ein falsches Spiel mit jmdm treiben* play false with sb; *(i. ü. S.) eine falsche Schlange* a snake in the grass, *etwas falsch anpacken* go about sth the wrong way; *falsch herum* the wrong way round; *die Uhr geht falsch* the clock is wrong; *etwas falsch anpacken* go about sth the wrong way; *falsch abbiegen* take the wrong turning; *falsch auffassen* get sth wrong; *falsch herum* back to front; **Falschaussage** *sub*, *f*, *-*, *-n* false statement; *(jur.)* false testimony; **Falschfahrer** *sub*, *m*, *-s*, - wrong-way driver; **Falschgeld** *sub*, *n*, *-es*, *-er* counterfeit money; **Falschheit** *sub*, *f*, *-*, - falseness; **Falschmünzer** *sub*, *m*, *-s*, - counterfeiter, forger; **Falschparker** *sub*, *m*, *-s*, - parking offender
fälschen, *vt*, *(Geld)* counterfeit; *(Urkunden, Unterschr.)* fake, forge; *die Bücher fälschen* salt the books; *Rechnung fälschen* salt an invoice
Fälscher, *sub*, *m*, *-s*, - counterfeiter, forger; **Fälschung** *sub*, *f*, *-*, *-en* counterfeit, fake
fälschlicherweise, *adv*, by mistake
Falsett, *sub*, *n*, *-s*, *-e (geh.; mus.)* falsetto; **falsettieren** *vi*, sing fal-

setto

Falsifikat, *sub, n, -s, -e (geb.)* fake; **~ion** *sub, f, -, -en* falsification; **falsifizieren** *vt,* falsify

Faltblatt, *sub, n, -s, -blätter* leaflet

Faltboot, *sub, n, -s, -e* collapsible boat

Falte, *sub, f, -, -n* crease; *(Faltenrock)* pleated skirt; *(Haut)* line, wrinkle; *(im Stoff)* fold; *die Stirn in Falten ziehen* knit one´s brow; *Falten werfen* fall in folds

falten, (1) *vr, (auch: geol.)* fold **(2)** *vt,* fold; *die Hände falten* fold one´s hands

Falter, *sub, m, -s, - (Nacht-)* moth; *(Tag-)* butterfly

faltig, *adj, (Haut)* wrinkled; *(zerknittert)* creased

Falz, *sub, m, -es, -e* fold; **falzen** *vt,* fold

Fama, *sub, f, -, nur Einz. (geb.)* rumour; *(geh.; US)* rumor

familiär, *adj, (ungezwungen)* informal; *(vertraut)* familiar

Familie, *sub, f, -, -n* family; *(biol.)* family; *das kommt in den besten Familien vor* it happens in the best families; *das liegt in der Familie* it runs in the family; *eine Familie gründen* start a family; *Familie Meyer* the Meyer family; **~nbild** *sub, n, -es, -er* family portrait; **~nfest** *sub, n, -es, -e* family celebration; **~ngrab** *sub, n, -s, -gräber* family grave; **~nname** *sub, m, -ns, -n* surname; **~npackung** *sub, f, -, -en* family pack; **~nplanung** *sub, f, -, -en* family planning; **~nsinn** *sub, m, -s, nur Einz.* sense of family; **~nstand** *sub, m, -es, -stände* marital status; **~ntag** *sub, m, -es, -e* family day

famos, *adj,* splendid, splendidly

Famulatur, *sub, f, -, -en (med.)* medical training; *(US)* internship; **famulieren** *vi, (med.)* do one´s medical training; *(US)* do one´s internship

Fanal, *sub, n, -s, -e (i. ü. S.)* signal

Fanatiker, *sub, m, -s, -* fanatic; **Fan**

sub, *m, -s, -s* fan; **~in** *sub, f, -, -nen* fanatic; **fanatisch (1)** *adj,* fanatical **(2)** *adv,* fanaticallly; **fanatisieren** *vti,* fanaticicize; **Fanatismus** *sub, m, -, nur Einz.* fanaticism

Fanfare, *sub, f, -, -n* fanfare; *(mus.)* herald´s trumpet; **~nstoß** *sub, m, -stosses, -stösse* blast of trumpets, fanfare; **~nzug** *sub, m, -es, -züge* fanfare platoon

Fang, *sub, m, -es, Fänge* catch, haul; *(i. ü. S.)* catch, haul; *eine guten Fang machen* make a good catch; *(Fischfang) eine guten Fang machen* make a rich haul; *(i. ü. S.) einen guten Fang machen* make a good catch; *(i. ü. S.) mit ihm haben wir einen guten Fang gemacht* he was a good catch

fangen, (1) *vi, (auffangen)* catch **(2)** *vr, (gefangennehmen)* get or be caught **(3)** *vt,* catch; *(gefangennehmen)* capture; *eine (Ohrfeige) fangen* get a clip round the ear; *Feuer fangen* catch fire; *sich wieder fangen* manage to steady oneself

Fänger, *sub, m, -s, -* catcher

Fangleine, *sub, f, -, -n (Schifff.)* painter

Fangnetz, *sub, n, -es, -e (Fischereiw.)* fishing net

Fangschuss, *sub, m, -es, -schüsse (Jagdw.)* coup de grace

Fangzahn, *sub, m, -s, -zähne (zool.)* fang

Fanklub, *sub, m, -s, -s* fan club

Fantasie, *sub, f, -, -n* fantasy, imagination; *blühende Fantasie* vivid imagination; *schmutzige Phantasie* dirty mind; **fantasielos** *adj,* unimaginative, unimaginatively; **fantasieren (1)** *vi, (med.)* talk deliriously **(2)** *vti,* fantasize; **fantasievoll (1)** *adj,* imaginative **(2)** *adv,* imaginativly; **Fantast** *sub, m, -en, -en* dreamer; **Fantasterei** *sub, f, -, -en* fantasy; **Fantasterie** *sub, f, -, -n* fantasy; **fantastisch**

adi fantastic, fantastic fantastically, incredible

Fantasy, *sub, f, nur Einz.* fantasy

Faradaykäfig, *sub, m, -s, -e (phy.)* Faraday cage

Farbaufnahme, *sub, f, -, -n* colour photo, colour print; *(US)* color photo, color print

Farbband, *sub, n, -es, -bänder* ribbon

Farbbild, *sub, n, -es, -er* colour photo, colour print; *(US)* color photo, color print

Farbe, *sub, f, -, -n* colour; *(Anstrich)* paint; *(Drucker)* ink; *(Haare)* dye; *(US)* color; *(Kartenspiel)* Farbe bekennen follow suit, *(i. ü. S.)* declare os; *Farbe bekommen* get some colour; *Farbe verlieren* go pale; *was für eine Farbe hat es?* what colour is it?

farbecht, *adj,* colour-fast; *(US)* color-fast

Färbefarben, *sub, f, -, nur Mehrz.* dye

Färbemittel, *sub, n, -s, -* dyes

färben, *vt,* dye; *das Laub färbt sich* change colour; *sich die Haare färben* dye one's hair

farbenblind, *adj,* colour-blind; *(US)* color-blind

Farbenblindheit, *sub, f, -, -* colourblindness; *(US)* color-blindness

Farbenkasten, *sub, m, -s, -kästen* paintbox; **Farbenlehre** *sub, f, -, -n (phy.)* theory of colours; *(phy.; US)* theory of colors; **Farbenpracht** *sub, f, -, nur Einz.* colourful splendour; *(US)* colorful splendor

Färber, *sub, m, -s, -* dyer; **~ei** *sub, f, -, -en* dye-works

Farbfernsehen, *sub, n, -s, nur Einz.* colour television; *(US)* color television

Farbfilm, *sub, m, -s, -e* colour film; *(US)* color film

Farbfoto, *sub, n, -s, -s* colour photo, colour print; *(US)* color photo, color print

farbig, *adj,* coloured, colourful; *(US)* colored, colorful

Farbige, *sub m f, -n, -n* coloured man/woman; *(Südafr.)* Coloureds; *(US)* colored man/woman

Farbkontrast, *sub, m, -es, -e* colour contrast; *(US)* color contrast

farblich, *adj,* colourwise; *(US)* colorwise; *farblich aufeinander abstimmen* match sth in colour

farblos, *sub,* colourless; *(blass)* pale; *(durchsichtig)* clear; *(US)* colorless

Farbmonitor, *sub, m, -s, -e* colour monitor; *(US)* color monitor

Farbschicht, *sub, f, -, -en* layer of paint

Farbton, *sub, m, -s, -töne* shade, tone

Färbung, *sub, f, -, -en* colouring, dyeing; *(US)* coloring

Farce, *sub, f, -, -n* farce; **farcieren** *vt, (gastr.)* stuff

Farm, *sub, f, -, -en* farm; **~er** *sub, m, -s, -* farmer; **~ersfrau** *sub, f, -, -en* farmer's lady

Fasan, *sub, m, -s, -e oder -en* pheasant; **~enzucht** *sub, f, -, -en* pheasantry; **~erie** *sub, f, -, -n* pheasantry

faschieren, *vt, (österr.)* mince

Fasching, *sub, m, -s, -e oder -s* carnival; **~szug** *sub, m, -s, -züge* carnival procession

Faschismus, *sub, m, -, -ismen* fascism; **Faschist** *sub, m, -en, -en* fascist; **faschistisch** *adj,* fascist; **faschistoid** *adj,* protofascist

Faselei, *sub, f, -, -en* drivel; **Faselhans** *sub, m, -es, -hänse* driveller; *(US)* driveler; **faseln** *vi, (ugs.)* drivel

Faser, *sub, f, -, -n* fibre; *(US)* fiber

faserig, *adj,* fibrous; *(Fleisch)* stringy

fasern, *vi,* fray

Faserpflanze, *sub, f, -, -n* fibreplant; *(US)* fiber-plant

Faserplatte, *sub, f, -, -n* fibreboard; *(US)* fiberboard

Fashion, *sub, f, -, nur Einz.* fashion; **fashionable** *adj,* fashionable

Fass, *sub,* *n,* *-es,* *Fässer* barrel; *(klein)* keg; *(i. ü. S.) das schlägt dem Fass den Boden aus* that takes the biscuit; *(i. ü. S.) ein Fass ohne Boden sein* be an endless drain on sb´s resources

Fassade, *sub, f, -, -n* façade; *(i. ü. S.)* façade

fassbar, *adj,* concrete; *(verständlich)* comprehensible

Fassbarkeit, *sub, f, -, nur Einz.* tangibility; *(verständlich)* comprehensibility

Fassbier, *sub, n, -s, -e* draught beer; *(US)* draft beer

Fässchen, *sub, n, -s, -* small barrel, small cask

fassen, (1) *vi, (anfassen)* touch **(2)** *vr, (sich kurz f.)* be brief **(3)** *vt,* grasp, take hold of; *(aufnehmen können)* hold; *(einfassen)* mount; *(enthalten)* contain; *(Gedanken)* form an idea; *(Verbrecher)* catch; *jmd am Kragen fassen* take grab so by the collar; *jmd an der Hand fassen* take so by the hand, *das ist doch nicht zu fassen* it is incredible; *etwas in Worte fassen* put sth into words

Fässlein, *sub, n, -s, -* small barrel

fasslich, *adj,* understandable; **Fasslichkeit** *sub, f, -, nur Einz.* understanding

Fasson, *sub, f, -, -s* shape, style; *jeder muss nach seiner Fasson selig werden* everyone has to look to his own salvation; **fassonieren** *vt,* style

Fassung, *sub, f, -, -en (Brille)* frame; *(Edelstein)* setting; *(Glühbirne)* holder; **~slosigkeit** *sub, f, -, nur Einz.* bewilderment; **~svermögen** *sub, n, -s, -* capacity; *(i. ü. S.) das übersteigt mein Fassungsvermögen* that is beyond me

Fasswein, *sub, m, -s, -e* wine from cask

fast, *adv,* almost, nearly; *fast nichts* next to nothing; *wir haben es fast geschafft* we are almost there

fasten, *vi,* fast; **Fastenmonat** *sub, m, -s, -e (theol.)* Lent; **Fastenspeise** *sub, f, -, -n* unleavened; **Fastenzeit** *sub, f, -, -en* fasting period; **Fasttag** *sub, m, -es, -e (med.)* fasting day

Fastfood, *sub, n, -, nur Einz.* fastfood

Fastnacht, *sub, f, -, -nächte* carnival

Faszination, *sub, f, -, -en* fascination; *eine Faszination ausüben* hold a great fascination for

faszinieren, *vt,* fascinate

fatal, *adj,* fatal; **~erweise** *adv,* akwardly

Fatalismus, *sub, m, -, -ismen* fatalism; **Fatalist** *sub, m, -en, -en* fatalist; **fatalistisch** *adj,* fatalistic; **Fatalität** *sub, f, -, -en* fatality

Fatzke, *sub, m, -n oder -s, -n (ugs.)* jerk

faul, *adj, (träge)* idle, lazy; *(verdorben)* rotten; *(Wasser, Luft)* foul; *(i. ü. S.) faul herumliegen* laze around; *(i. ü. S.) faules As* lazy sod, lazy sod; *(i. ü. S.) etwas ist faul an der Sache* sth is rotten in that question, there is sth fishy about it

Fäule, *sub, f, -, nur Einz.* rotteness

faulen, *vi, (Lebensm.)* go off; *(Zähne, Gewebe)* decay

Faulenzerei, *sub, f, -, -en* laziness; **Faulenzerin** *sub, f, -, -nen* lazybones

Faulheit, *sub, f, -, nur Einz.* idleness, laziness

faulig, *adj,* mouldy, rotting; *(US)* moldy

Fäulnis, *sub, f, -, nur Einz.* rotteness; *(stinkend)* putrefaction

Faulpelz, *sub, m, -es, -e* lazybones

Faultier, *sub, n, -s, -e (zool.)* sloth

Faun, *sub, m, -s, -e (myth.)* faun

Fauna, *sub, f, -, Faunen (zool.)* fauna

Faust, *sub, f, -, Fäuste* fist; *das passt wie die Faust aufs Auge* it goes together like chalk and cheese; *eine Faust machen, die Hand zur Faust ballen* clench one´s fist; *jmdm mit der Faust drohen*

raise one´s fist at so; *mit der Faust auf den Tisch hauen* put one´s foot down; **~ball** *sub, m, -es, -bälle* faustball; **~feuerwaffe** *sub, f, -, -n* hand gun; **~keil** *sub, m, -s, -e* club; **~pfand** *sub, n, -es, -pfänder* pledge; **~recht** *sub, n, -es, nur Einz.* rule of force; **~regel** *sub, f, -, -n* rule of thumb; **~schlag** *sub, m, -s, -schläge* punch; **~skizze** *sub, f, -, -n* rough sketch

Fäustling, *sub, m, -s, -e* mitten

Fauteuil, *sub, m, -s, -s* armchair

Fauxpas, *sub, m, -, -* blunder, faux pas; *einen Fauxpas begehen* make a blunder; *einen Fauxpas begehen* commit a faux pas

Favela, *sub, f, -, -s (Südam.)* slum

Favorit, *sub, m, -en, -en* favourite; *(US)* favorite; *klarer Favorit* clear favourite; *klarer Favorit* clear favorite

Faxanschluss, *sub, m, -es, -schlüsse* fax machine

Faxenmacher, *sub, m, -s, -* clown

Fayence, *sub, f, -, -n* faience

Fazit, *sub, n, -s, -e, auch -s* result; *das Fazit aus etwas ziehen* what it boils down to is; *das Fazit ziehen* sum up

Februar, *sub, m, -, -* February; *im Februar* in February

Fechtbruder, *sub, m, s, -brüder* fencer

fechten, *vti,* fence; *(kämpfen)* fight; **fechterisch** *adj,* concerning the fence

Fechtkunst, *sub, f, -, -künste* art of fencing

Feder, *sub, f, -, -n* feather; *(Schreib-)* pen; *(Schwanz-/Schwung-)* quill; *(tech.)* spring; *Federn lassen müssen* lose a few feathers; *sich mit fremden Federn schmücken* strut in borrowed plumes; *(geh.) eine spitze Feder führen* wield a sharp pen; *Gänsefeder* quillpen; *zur Feder greifen* take up one´s pen

Federball, *sub, m, -s, -bälle (Ball)* shuttlecock; *(Schläger)* racket; *(Spiel)* badminton

Federbett, *sub, n, -s, -en* continental quilt, duvet; *(US)* stuffed quilt

Federboa, *sub, f, -, -s* feather shawl

Federbusch, *sub, m, -es, -en (Hutschm.)* plume; *(zool.)* tuft

Federfuchser, *sub, m, -s, -* pen-pusher

federführend, *adj,* responsible; **Federführung** *sub, f, -, nur Einz.* in charge of

Federhalter, *sub, m, -s, -* fountain pen

federleicht, (1) *adj,* as light as a feather **(2)** *adv,* as lightly as a feather

Federlesen, *sub, n, -s, nur Einz.* much ado; *nicht viel Federlesens machen mit* make short work of; *ohne viel Federlesens* without much ado

Federmesser, *sub, n, -s, -* penknife

federn, (1) *vi,* be springy **(2)** *vt,* spring; *gut gefedert* have good suspension

Federschmuck, *sub, m, -s, -e (Indianer)* headdress; *(zool.)* plumage

Federstrich, *sub, m, -s, -e* stroke of the pen; *(i. ü. S.)* stroke of the pen

Federung, *sub, f, -, -en (Möbel)* springs; *(mot.)* suspension

Federvieh, *sub, n, -s, nur Einz.* poultry

Fee, *sub, f, -, Feen* fairy; *die böse Fee* wicked fairy; *die gute Fee* fairy godmother; **feenhaft** *adj,* fairylike; **~nmärchen** *sub, n, -s, -* fairytale

Feeling, *sub, n, -s, -s* feeling

Fegefeuer, *sub, n, -s, -* purgatory

fegen, (1) *vi, (Wind)* rush **(2)** *vti,* sweep; *etwas vom Tisch fegen* brush sth off the table, brush sth off the table

Feh, *sub, n, -s, -e* fur, squirrel

Fehde, *sub, f, -, -n* feud; *den Fehdehandschuh hinwerfen* throw down the gauntlet; *mit jmdm in Fehde liegen* be at feud with sb

fehl, *adv,* be out of place

fehlbar, *adj,* fallible

Fehlbarkeit, *sub, f, -, nur Einz.* fallibility

fehlbesetzen, *vt, (Theat.)* miscast

Fehlbestand, *sub, m, -s, -stände* deficiency

Fehlbetrag, *sub, m, -s, -träge* deficit

Fehldeutung, *sub, f, -, -en* misinterpretation

Fehldiagnose, *sub, f, -, -n (med.)* wrong diagnosis

Fehlen, (1) *sub,* absence; *(Mangel)* lack **(2) fehlen** *vi, (abwesend sein)* be absent; *(mangeln)* be lacking; *(verfehlen)* miss; *(vermisst werden)* be missing; *er hat eine Woche gefehlt* he was absent for a week; *(i. ü. S.) das fehlte gerade noch!* that´s all we needed·; *es fehlen uns immer noch einige Leute* we still need a few people; *es fehlt ihm an nichts* he has got everything he wants; *es fehlt uns am nötigen Geld* we haven´t got the money; *mir fehlen die Worte* words fail me; *da fehlt ein Knopf* there is a button missing; *du hast uns sehr gefehlt* we really missed you; *ihm fehlen zwei Zähne* he has two teeth missing

fehlend, *adj,* missing

Fehler, (1) */, (Charakt./Material)* fault **(2)** *sub, m, -s, -* defect, mistake; *(charact.)* fault

fehlerhaft, *adj,* defective, faulty; *eine fehlerhafte Stelle* a defect in the material

Fehlerquelle, *sub, f, -, -n* source of error

Fehlfunktion, *sub, f, -, -en* malfunctioning

Fehlgeburt, *sub, f, -, -en* miscarriage

fehlgreifen, *vi,* make a mistake

Fehlinvestition, *sub, f, -, -en* bad investment

Fehlleitung, *sub, f, -, -en* misdirection

Fehlpass, *sub, m, -es, -pässe (spo.)* bad pass

Fehlplanung, *sub, f, -, -en* bad planning

fehlschießen, *vi,* missing

Fehlschlag, *sub, m, -s, -schläge* failure; **fehlschlagen** *vi,* fail

Fehlschluss, *sub, m, -es, -schlüsse* fallacy

Fehlschuss, *sub, m, -es, -schüsse* miss

Fehlsichtigkeit, *sub, f, -, nur Einz. (med.)* bad vision

Fehlstart, *sub, m, -s, -s (Luftf.)* faulty start; *(spo.)* false start; *einen Fehlstart verursachen* jump the gun

Fehltritt, *sub, m, -s, -e* false step, slip; *(moral.)* lapse

Fehlzündung, *sub, f, -, -en* backfire

feien, *vr,* protect

Feier, *sub, f, -s, -n* celebration, party; *eine Feier abhalten* have a celebration; *zur Feier des Tages* to mark the occasion

Feierabend, *sub, m, -s, -e* evening, finishing work; *schönen Feierabend* have a nice evening; *Feierabend machen* finish work; *(i. ü. S.) jetzt ist aber Feierabend!* that´s enough now!

feierlich, *adj,* ceremoniously, solemn, solemnly; *(förmlich)* ceremonious; *(i. ü. S.) das ist schon nicht mehr feierlich* it´s no joke; *feierlich versprechen* solemnly promise; *feierlich versprechen, daß* make a solemn promise that; *feierlich verabschiedet werden* be given a ceremonious farewell; **Feierlichkeit** *sub, f, -, -en* festivity, solemnity; *mit aller Feierlichkeit* with all due ceremony

feiern, (1) *vi,* celebrate **(2)** *vt,* celebrate; *das muss gefeiert werden* that calls for a celebration; *man muss die Feste feiern wie sie fallen* you have to enjoy yourself while you can

Feierstunde, *sub, f, -, -n* ceremony

Feiertag, *sub, m, -s, -e* holiday; *(gesetzl.)* bank holiday, public holiday; *(rel.)* religious holiday; *an Sonn- und Feiertagen* on Sundays and public holidays; *gesetzlicher Feiertag* public holiday; *kirchlicher Feiertag* religious holiday;

feiertäglich *adj*, sundaylike

feig, *adj*, cowardly, like a coward; *er ist viel zu feige, um zu* he is too much of a coward to

feige, (1) *adj*, cowardly, like a coward **(2) Feige** *sub, f, -, -n* fig; **Feigenbaum** *sub, m, -s, -bäume* fig tree; **Feigenblatt** *sub, n, -es, -blätter* fig leaf; *(i. ü. S.)* fig leaf

Feigheit, *sub, f, -, nur Einz.* cowardice

Feigling *sub, m, -s, -e* coward

feil, *adj*, for sale; **~bieten** *vt*, offer sth for sale; **Feilbietung** *sub, f, -, nur Einz.* offer

Feile, *sub, f, -, -n* file; *die letzte Feile legen an* add the finishing touches to

feilen, *vti*, file; *(i. ü. S.) feilen an* polish up

Feilenhauer, *sub, m, -s, -* file maker

feilschen, *vi*, haggle; *(um)* haggle over

fein, (1) *adj*, fine **(2)** *adv*, finely; *der feine Ton* good form; *ein feines Gesicht haben* have very fine features; *feine Küche* haute cuisine; *feine Nase* sensitive nose; *feiner Regen* light drizzle; *feiner Unterschied* fine distinction; *nur das Feinste vom Feinen kaufen* buy only the best, *(i. ü. S.) fein heraus sein* be sitting pretty; *fein schmecken* taste good

Feinbäckerei, *sub, f, -, -en* patisserie

Feind, *sub, m, -es, -e* enemy; *Feinde machen* make enemies; *Freund und Feind* friend and foe; *jmdn zum Feind machen* make an enemy of sb; **~eshand** *sub, f, -, -er* enemy hands; *in Feindeshand geraten* fall into enemy hands; **~esland** *sub, n, -es, nur Einz.* territory of the enemy

feindlich, *adj*, hostile, hostile towards; *feindlich eingestellt gegen* opposed to

Feindschaft, *sub, f, -, -en* enmity, hostility; *persönliche Feindschaft* personal enmity; **feindschaftlich** *adj*, hostile

feinfühlig, (1) *adj*, sensitive **(2)** *adv*, sensitively

Feinfühligkeit, *sub, f, -, -en* sensitivity; *(mit - handeln)* sensitiveness

Feingehalt, *sub, m, -es, nur Einz.* *(-sstempel)* hallmark; *(Münzen)* standard

Feingewicht, *sub, n, -s, -e* carat; *(US)* karat

feingliedrig, *adj*, slender

Feingold, *sub, n, -es, nur Einz.* fine gold

Feinheit, *sub, f, -, -en* fineness, gracefulness; *die Feinheiten* the finer points; *die letzten Feinheiten* the final touches

Feinkeramik, *sub, f, -, -(en)* fine ceramics

Feinkost, *sub, f, -, nur Einz.* delicatessen

fein machen, *vr*, dress up; *du hast dich aber fein gemacht* you look very smart

feinmaschig, *adj*, finely meshed

Feinschliff, *sub, m, -es, -e (beendet)* finish; *(Vorgang)* finishing

Feinschmecker, *sub, m, -s, -* gourmet

Feinschnitt, *sub, m, -s, -e (Tabak)* fine cut

Feinstwaage, *sub, f, -, -n* precision balance

feist, *adj*, fat, stout; **Feistigkeit** *sub, m, -, nur Einz.* fatness

Feld, *sub, n, -es, -er* field; *(Formbl.)* box, space; *(Schach)* square; *(spo.)* field, pitch; *(Wissensch.)* field; *auf dem Feld arbeiten* work in the field, work in the field; *das Feld bestellen* till the field; *das Feld anführen* lead the field; *das Feld behaupten* lead the field, stand one's ground; *das Feld räumen* beat a retreat; *jmdm das Feld überlassen* leave the field to so; *des Feldes verwiesen werden* be sent off; *(i. ü. S.) ein weites Feld* a vast area; *(i. ü. S.) es steht ein weites Feld offen für* there's a considerable scope for; **~bett** *sub, n, -s,*

-*ten* camp bed; **~flasche** *sub, f, -, -n* water-bottle; *(mil.)* canteen; **~herr** *sub, m, -s, -en* commander; **~lazarett** *sub,* casualty clearing station; *(US)* evacuation hospital; **~maus** *sub, f, -, -mäuse* field vole; **~post** *sub, f, -, nur Einz.* forces mail; **~salat** *sub, m, -s, nur Einz.* corn salad, lamb´s lettuce; **~spieler** *sub, m, -s, -* player; **~stecher** *sub, m, -s, -* binoculars, field glasses; **~theorie** *sub, f, -, -en (phy.)* field theory; **~verweis** *sub, m, -es, -e (spo.)* sending-off; **~webel** *sub, m, -s, - (mil.)* sergeant; **~zug** *sub, m, -es, -züge* campaign

Felge, *sub, f, -, -n (mot.)* rim; *(Turnen)* circle; **~nbremse** *sub, f, -, -n (Fahrr.)* calliper break

Fell *sub, n, -s, -e* fur; *(Pferde,Hunde,Katzen)* coat; *(Schaf)* fleece; *ein dickes Fell haben* have a thick skin; *jmdm das Fell über die Ohren ziehen* pull the wool over so´s eyes; *seine Felle davonschwimmen sehen* see one´s hopes dashed

Fellatio, *sub, f, -, -nes* fellatio

Fellow, *sub, m, -s, -s* fellow

Fels, *sub, m, -, nur Einz.* rock *(geol.)* rock

Felsen, *sub, m, -s, -* rock; *(Klippe)* cliff; *wie ein Fels in der Brandung* firm as rock

felsenfest, *adj,* firm, firmly convinced of; *(i. ü. S.)* unshakable; *sich felsenfest auf jmd verlassen* rely on so totally

felsig, *adj,* rocky

Felsmalerei, *sub, f, -, -en* prehistoric painting

Felsschlucht, *sub, f, -, -en* rocky ravine

Felswand, *sub, f, -, -wände* rock face

Feme, *sub, f, -, -n (Geheimgericht)* kangaroo court; **~gericht** *sub, f, -, -e (hist.)* vehmgericht; **~mord** *sub, m, -s, -e* lynching

feminieren, *vi,* effeminate

feminin, *adj,* feminine

Femininum, *sub, n, -s, Feminina (Gramm.)* feminine gender

Fenchel, *sub, m, -s, -* fennel

Fenster, *sub, n, -s, -* window; *er ist weg vom Fenster* he´s had his chips; *(i. ü. S.) sein Geld zum Fenster hinauswerfen* throw one´s money away; *zum Fenster hinausschauen* look out of the window; **~bank** *sub, f, -, -bänke* window ledge; **~brett** *sub, n, -s, -er* window sill; **~glas** *sub, n, -es, nur Einz.* window glass; **~griff** *sub, m, -s, -e* handle of the window; **~kreuz** *sub, n, -es, -e* mullion and transom; **~laden** *sub, m, -s, -läden* shutter; **~leder** *sub, n, -s, -* wash-leather; **~platz** *sub, m, -es, -plätze* window-seat; **~rahmen** *sub, m, -s, -* window-frame; **~scheibe** *sub, f, -, -n* window-pane; **~sims** *sub, m, n, -es, -e* window-sill; **~stock** *sub, m, -s, -stöcke (arch.)* lintel

Ferien, *sub, f, nur Mehrz.* holidays; *(US)* vacation; *die großen Ferien* the long vacation; *Ferien haben* be on holiday; **~arbeit** *sub, f, -, -en* holiday-job; *(Sommer)* summer-job; *(US)* vacation-job; **~beginn** *sub, m, -es, nur Einz.* beginning of the holidays; *(US)* beginning of the vacation; **~lager** *sub, n, -s, -* holiday camp; *(im Sommer)* summer camp; **~reise** *sub, f, -, -n* holiday trip; *(US)* vacation-trip; **~tag** *sub, m, -s, -e* holiday

Ferkel, *sub, n, -* piglet; *(ugs.; abw.)* pig; **~zucht** *sub, f, -, nur Einz.* piglet-breeding

Ferkelei, *sub, f, -, -en* obscenity; *(ugs.; Bemerkung)* dirty remark

Ferment, *sub, n, -s, -e* enzyme, ferment; **~ation** *sub, f, -, -en* fermentation; **fermentativ** *adj,* fermentative; **fermentieren** *vti,* ferment

Fermium, *sub, n, -s, nur Einz. (chem.)* fermium

fern, *adj,* far; *(räuml. u. zeitl.)* distant; *der Tag ist nicht mehr fern* the day is not far off; *fern von der Heimat sein* be far from home; *in* *ferner Zukunft* in the distant future; *in nicht allzu ferner Zukunft* in the not too distant future

Fernaufnahme, *sub, f, -, -n* long-distance shot

Fernbedienung, *sub, f, -, -en* remote control

fernbeheizt, *adj,* by district heating system

fernbleiben, *vi,* be absent, stay away

Ferne, *sub, f, -, -n* distance; *das liegt noch in weiter Ferne* that is still a long time away; *das liegt schon in weiter Ferne* that was a long time ago; *es zieht ihn in die Ferne* he´s got wanderlust; *etwas in weiter Ferne erblicken* see sth in the far distance

ferner, *adj,* further, furthermore; *(i. ü. S.) er rangiert unter ferner liefen* he is an also-ran

Fernfahrer, *sub, m, -s,* - long-distance lorry-driver

ferngelenkt, *adj,* remote-controlled; *(i. ü. S.)* controlled

Fernglas, *sub, n, -es, -gläser* binoculars

Fernheizung, *sub, f, -, -en* district-heating system; *(-swerk)* district-heating system plant

fernkopieren, *vti,* fax

Fernkurs, *sub, m, -es, -e* correspondence course

Fernlastzug, *sub, m, -es, -züge* long-distance lorry

Fernleitung, *sub, f, -, -en* long-distance line; *(Röhren-)* pipeline; *(Strom)* transmission line

Fernlenkung, *sub, f, -, nur Einz.* remote controle

Fernlicht, *sub, n, -s, -er* full beam; *Fernlicht anhaben* drive on full beam

fern liegen, *vi,* have no intention of; *es liegt mir fern* that is the last thing I want to do; *nichts lag mir ferner* nothing was further from my mind

Fernmeldeamt, *sub, n, -es, -ämter* local telephone headquarters

fernmündlich, *adj,* by telephone

fernöstlich, *adj,* Far Eastern

Fernpendler, *sub, m, -s,* - long-distance commuter

Fernrohr, *sub, n, -s, -e* telescope

Fernschreiber, *sub, m, -s,* - telex machine

Fernsehapparat, *sub, m, -es, -e* television; **Fernsehbild** *sub, n, -s, -er* television image; **Fernsehen (1)** *sub, n, -s, nur Einz.* television **(2) fernsehen** *vi,* watch television; *im Fernsehen übertragen werden* be shown on television; **Fernseher** *sub, m, -s,* - TV; *(Zuschauer)* TV-viewer; **Fernsehfilm** *sub, m, -s, -e* TV-film; **Fernsehgerät** *sub, n, -es, -e* TV-set; **fernsehmüde** *adj,* tired of TV; **Fernsehserie** *sub, f, -, -n* television series; **Fernsehspiel** *sub, n, -s, -e* television play; **Fernsehtruhe** *sub, f, -, -n* TV cabinet; **Fernsehturm** *sub, m, -s, -türme* television tower

Fernsprechamt, *sub, n, -es, -ämter* telephone exchange; **Fernsprechanschluss** *sub, m, -es, -schlüsse* telephone connection; **Fernsprechverzeichnis** *sub, n, -nisses, -nisse* telephone index

fern stehen, *vi,* have no relationship with so; *einer Sache fernstehen* have nothing to do with sth

fernsteuern, *vt,* remote control; **Fernsteuerung** *sub, f, -, -en* remote control

Fernstudent, *sub, m, -s, -en* student of a corrensponcence course

Fernstudium, *sub, n, -s, -dien* correspondence course

Ferntrauung, *sub, f, -, -en* marriage by proxy

Fernverkehr, *sub, m, -s, nur Einz.* long-distance traffic

Fernziel, *sub, n, -s, -e (räuml.)* distant destination; *(zeitl.)* long-term aim

Ferrum, *sub, n, -s, nur Einz. (chem.)* ferrum

Ferse, *sub, f, -, -n* heel; *jmdm dicht auf den Fersen sein* be hard on

sb´s heels; *sich jmdm an die Fersen
heften* stick on sb´s heels

fertig, *adj*, ready; *(beendet)* finished; *(i. ü. S.; erschöpft)* shattered;
(vorgefertigt) prefabricated; *(spo.)*
Achtung, fertig, los ready, steady,
go; *damit mußt du allein fertig
werden* nobody can help you there;
damit wird man nie fertig there is
no end to it; *fertig werden damit,
daß(schlechte Nachricht)* get over
sth; *(i. ü. S.) fertig werden mit etwas* get along with sth; *fix und fertig* all ready; *ich bin gleich fertig* I´ll
be ready in a minute; *(i. ü. S.) mit
ihm werd´ ich schon fertig* I can
handle him

fertigen, *vt*, make, produce

Fertighaus, *sub, n, -es, -häuser* prefabricated house

Fertigkeit, *sub, f, -, -en* skill; *(Können)* proficiency

Fertigung, *sub, f, -, nur Einz.* manufacture, production

Fertigungsstraße, *sub, f, -, -n* assembly line, production line

fertil, *adj, (biol., med.)* fertile; **Ferti-
lität** *sub, f, -, nur Einz. (biol.)* fertility

Fes, *sub, m, (-es), (-e)* fez

fesch, *adj*, smart

Fessel, *sub, f, -, -n* fetter, shackle;
(anat. Mensch) ankle; *(anat. Tier)*
pastern; *(Kette)* chain; *(Strick)*
rope; *(i. ü. S.) die Fesseln abschütteln* shake off one´s chains; *etwas
als Fesseln empfinden* feel tied
down by sth; *jmdm Fesseln anlegen*
put so in chains; **~ballon** *sub, m,
-s, -e oder -s* captive balloon; **~ge-
lenk** *sub, n, -s, -e (zool.)* fetlock,
hock, pastern

fesseln, *vt*, tie up; *(faszinieren)* captivate, fascinate; *(i. ü. S.) ans
Bett/Haus/an den Rollstuhl gefesselt sein* be tied to the bed/hou-
se/wheelchair; *jmdan Händen und
Füßen fesseln* tie so´s hands and
feet; *(i. ü. S.) von etwas gefesselt* be
enthralled

fesselnd, *adj*, captivating, fascina-

ting

fest, **(1)** *adj*, firm, solid; *(konstant)* fixed; *(straff)* tight, tough
(2) *adv*, firmly, strong, tightly **(3)**
Fest *sub, n, -es, -e* celebration,
party; *ohne festen Wohnsitz* of no
fixed abode, *ein Fest feiern* have
a party; *frohes Fest!* Merry
Christmas!; *man muss die Feste
feiern wie sie fallen* it´s not every
day you get a chance to celebrate;
Festbankett *sub, n, -es, -e*
banquet; **Festbeitrag** *sub, m, -s,
-träge* fixed contribution; **Festessen** *sub, n, -s, -* banquet, dinner;
Festkomitee *sub, n, -s, -s* committee for the celebrations; **Festmahl** *sub, n, -es, -mähler* banquet

festbinden, *vt*, fasten, tie up

festbleiben, *vi*, remain

festgesetzt, *adj*, regulated, settled

feshaken, *vt*, hook on

festhalten, **(1)** *vi*, cling to, stick to
(2) *vr, (sich)* hold on to s.b./sth
(3) *vt*, hold on to; *(aufzeichnen)*
record; *(nicht weiterleiten)*
withhold; *(verhaften)* hold; *(US)
an etwas krampfhaft festhalten*
freeze (on) to sth, *etwas schriftlich festhalten* put sth down in
writing

festigen, *vr, (sich)* grow stronger,
strengthen

Festiger, *sub, m, -s, -* setting lotion

Festigkeit, *sub, f, -, -er* firmness,
steadiness; *(phy.)* strength

Festival, *sub, n, -s, -s* festival

festklammern, **(1)** *vi, (an)* stick
to **(2)** *vr, (sich)* cling to s.b./sth
(3) *vt*, clip on; *(Wäsche)* peg on

festklopfen, *vt*, knock

Festkörper, *sub, m, -s, -* solid;
(phy.) solid state physics

Festland, *sub, n, -es, -länder* mainland; **festländisch** *adj*, continental, mainland

festlegen, **(1)** *vr, (sich)* commit
oneself **(2)** *vt*, arrange, fix, lay
down; *(Geld)* tie up

festlich, **(1)** *adj*, festive **(2)** *adv*,
festively; **Festlichkeit** *sub, f, -,*

-en *festivity*; *j, -, nur Einz.*
(Athmosph.) festiveness

festmachen, (1) *vi, (Boot)* moor **(2)**
vt, attach, fix; *(an)* fix to; *(Vereinb.)*
arrange

Festnahme, *sub, f, -, -n* arrest

festnehmen, *vt,* arrest; *(vorläufig)*
arrest

festonieren, *vt,* festoon

Festonstich, *sub, m, -s, -e* festoon
stitch

Festplakette, *sub, f, -, -n* badge

Festplatte, *sub, f, -, -n* hard disk

Festpreis, *sub, m, -es, -e* fixed price

festsetzen, (1) *vt,* settle **(2)** *vt,* fix;
(Pflichten) lay down

Festsetzung, *sub, f, -, -en* fixing, laying down, settling

feststecken, (1) *vi,* be stuck **(2)** *vt,*
pin, up

feststehen, *vi, (bestimmt sein)* be fixed; *(sicher sein)* be certain; *eins
steht fest* one thing is for certain

feststehend, *adj,* fixed; *(Brauch)* established

feststellbar, *adj,* noticeable;
(techn.) lockable; *schwer feststellbar* hard to ascertain

feststellen, *vt, (aussprechen)* state;
(ermitteln) establish; *(wahrnehmen)* detect

Feststellung, *sub, f, -, -en* realization; *(Erklärung)* statement; *(Ermittlung)* establishment

festtäglich, *adj,* festive; **festtags**
adj, on a festive day

Festung, *sub, f, -, -en* fortress;
~swall sub, m, -s, -wälle rampart

festwachsen, *vi,* grow onto; *(med.)*
adhere to

fetal, *adj,* foetal; *(US)* fetal

Fete, *sub, f, -, -n* party

Fetisch, *sub, m, -s, -e* fetish; **fetischisieren** *vt,* make a fetish; *~ismus
sub, m, -, nur Einz.* fetishism; *~ist
sub, m, -s, -en* fetishist; *~istin sub,
f, -, -nen (weibl.)* fetishist

fett, (1) *adj, (dick)* fat; *(Milch)* rich;
(ölig) oily; *(Speisen)* fatty **(2) Fett**
sub, n, -es, -e fat; *(Back-)* shor-
tening; *(Braten-)* dripping;

(Schmutz) lard; *(Schmiere)* grease; *Fett ansetzen* put weight on

fettarm, *adj,* low-fat

Fettauge, *sub, n, -es, -en* speck of
fat

fetten, (1) *vi, (Fett absondern)* be
greasy **(2)** *vt, (einfetten)* grease

fettfrei, *adj,* non-fat

fettglänzend, *adj,* greasy

fettig, *adj,* greasy

Fettnäpfchen, *sub, n, -s, -* put
one´s foot in it; *er tritt dauernd
ins Fettnäpfchen* he is always putting his foot in it

Fettpolster, *sub, n, -s, -* fatty tissue; *(i. ü. S.; Geldreserv.)* buffer
stocks

Fettsack, *sub, m, -s, -säcke* tub of
lard

Fettschicht, *sub, f, -, -en* layer of
fat

Fettsucht, *sub, f, -, nur Einz.* obesity

fetttriefend, *adj,* dripping with fat

Fetttropfen, *sub, m, -s, -* grease
drop

Fetzen, *sub, m, -s, -* rag; *(Ge-
sprächs-)* snatches; *(Papier)*
scrap; *(Stoff)* shred; *in Fetzen* in
shreds; *in Fetzen reissen* tear in
shreds

fetzig, *adj, (ugs.)* crazy

feucht, *adj, (Augen, Lippen,
Haut)* moist; *(klamm)* clammy;
(Luft, Klima) humid; *er hatte
feuchte Augen* his eyes were
moist

Feuchtbiotop, *sub, n, -s, -e* watery
biotope

Feuchtigkeit, *sub, f, -, -en* damp,
moisture; *(Luft)* humidity;
~smesser sub, m, -s, - hygrometer

feudal, *adj, (Haus)* grand; *(hist.)*
feudal; *(luxuriös)* classy

Feuer, *sub, n, -s, -* fire; *auf offenem
Feuer kochen* cook over a fire;
Feuer und Flamme sein be all for
it; *für etwas durchs Feuer gehen*
go through fire and water for; *mit
dem Feuer spielen* play with fire;

zwischen zwei Feuer geraten sein be caught between the devil and the deep blue sea

Feuerbefehl, *sub, m, -s, -e (mil.)* order to fire

Feuerbestattung, *sub, f, -, -en* cremation

feuerfest, *adj*, fire proof

Feuerfresser, *sub, m, -s, -* fire-eater

Feuergefahr, *sub, f, -, -en* danger of fire; **feuergefährlich** *adj*, flammable

Feuergefecht, *sub, n, -es, -e (mil.)* gun battle

Feuerland, *sub, m, -s, - (geogr.)* Tierra del Fuego

Feuerleiter, *sub, f, -, -n (Feuerwehr)* fire ladder; *(Gebäude)* fire escape

Feuerlöscher, *sub, m, -s, -* fire extinguisher

Feuermelder, *sub, m, -s, -* fire alarm

feuern, **(1)** *vi*, light a fire; *(mil.)* fire **(2)** *vt, (entlassen)* fire

Feuerpolizei, *sub, f, -, nur Einz.* authorities responsible for fire precautions and fire-fighting

feuerrot, *adj*, flaming red; *feuerrot werden im Gesicht* turn bright red

Feuersalamander, *sub, m, -s, -* spotted salamander

Feuersbrunst, *sub, f, -, -brünste* conflagration, great fire

Feuerschein, *sub, m, -s, -e* glow of the fire; *(mil.)* sky glow

Feuerschiff, *sub, n, -s, -e* lightship

Feuerschutz, *sub, m, -es, nur Einz.* fire prevention; *(mil.)* covering fire

Feuersgefahr, *sub, f, -, -en* danger of fire

feuersicher, *adj*, fireproof

Feuerspritze, *sub, f, -, -n* fire hose

Feuerstätte, *sub, f, -n, -n* fireplace

Feuerstein, *sub, m, -s, -e* flint

Feuerstelle, *sub, f, -, -en* fire; *(Brandstelle)* scene of the fire

Feuerstuhl, *sub, m, -es, -stühle (i. ü. S.)* motorbike

Feuertaufe, *sub, f, -, -n* baptism of fire

Feuertod, *sub, m, -es, -e* burnt to death

Feuerung, *sub, f, -, nur Einz. (Befeuerung)* firing; *(Heizung)* heating

Feuerversicherung, *sub, f, -, -en* fire insurance

Feuerwasser, *sub, n, -s, -* firewater

Feuerwehr, *sub, f, -, -en* fire brigade; *(US)* fire department

Feuerzangenbowle, *sub, f, -, -n* burnt punch

Feuerzeichen, *sub, n, -s, -* fire signal

Feuerzeug, *sub, n, -s, -e* lighter

Feuilleton, *sub, n, -s, -s* feature; **feuilletonistisch** *adj, (Stil)* facile; *(Zeitungsart.)* article for the feature pages

feurig, *adj*, fiery; *(Rede)* passionate

Fez, *sub, m, -es, nur Einz.* fez; *(ugs.; machen)* fool around

Fiaker, *sub, m, -s, - (österr.)* cab

Fiasko, *sub, n, -s, -s* fiasco

Fibel, *sub, f, -, -n* primer

Fiber, *sub, f, -, -n* fibre

Fichte, *sub, f, -, -n* spruce; **~nhain** *sub, m, -s, -e* spruce forest; **~nholz** *sub, n, -es, (-hölzer)* spruce wood; **~nnadel** *sub, f, -, -n* spruce needle

Fick, *sub, m, -s, -s* fuck; **ficken** *vti, (vulg.)* fuck, screw

Fickfackerei, *sub, f, -, -en* fraud

fidel, **(1)** *adj*, jolly **(2) Fidel** *sub, f, -, -n* fiddle

Fidibus, *sub, m, - und -ses, - oder -se* long match

Fidschianer, *sub*, Fijian

fiebern, *vi*, have temperature; *(i. ü. S.; vor Aufr.)* be feverish

Fiedel, *sub, f, -, -n* fiddle

fiederteilig, *adj*, feathery

fiepen, *vi, (Hund)* whimper; *(Vogel)* cheep

fies, *adj*, nasty

Fiesling, *sub, m, -s, -* nasty piece of work, nasty swine

Fiesta, *sub, f, -, -s* fiesta

Fight, *sub, m, -s, -s* fight; **fighten** *vi*, fight; **~er** *sub, m, -s, -* fighter

Figur, *sub, f, -, -en* figure; *(geom.)*

shape; *adj* *seine Figur beben* watch one´s weight; *eine gute Figur machen* cut a fine figure; *eine schlechte Figur machen* cut a poor figure

figural, *adj,* figured

figurativ, *adj,* figurative, figuratively

Figurierung, *sub, f, -, -en* figuration

Fiktion, *sub, f, -, -en* fiction; **fiktiv** *adj,* fictitious

Filet, *sub, n, -s, -s (Handarbeit)* netting; *(US)* fillet; **filetieren** *vt,* fillet

Filiale, *sub, f, -, -n* branch; **Filialkirche** *sub, f, -, -n* branch; **Filialleiter** *sub, m, -s, -* branch manager

Filigran, *sub, n, -s, -e* filigree; ~**glas** *sub, n, -es, -gläser* filigree glass

Film, *sub, m, -s, -e* film; *(dünne Schicht)* film; *einen Film dreben* make a film; ~**amateur** *sub, m, -s, -e* film amateur; ~**archiv** *sub, n, -s, -e* film archives; ~**atelier** *sub, n, -s, -s* film studio; ~**branche** *sub, f, -, -n* films; ~**emacher** *sub, m, -s, -* film maker; *(US)* movie maker; ~**festival** *sub, n, -s, -s* film festival; ~**festspiele** *sub, nur Mebrz.* film festival; ~**regisseur** *sub, m, -s, -e* film director; *(US)* movie director; ~**star** *sub, m, -, -s* film star; *(US)* movie star; ~**verleih** *sub, m, -s, -e* film distribution; *(Firma)* film distributors

filmen, (1) *vi,* film (2) *vt,* film

filmisch, *adj,* cinematic, cinematically

Filou, *sub, m, -s, -s* rogue

Filter, *sub, n, -s, -* filter; ~**papier** *sub, n, -s, -e* filter paper

Filtrat, *sub, n, -s, -e* filtrate

filtrieren, *vt,* filter

Filz, *sub, m, -es, -e* felt

filzen, *vi,* felt; *(durchsuchen)* frisk

filzig, *adj,* felted; *(Haar)* matted

Filzlaus, *sub, f, -, -läuse* crab louse

Filzokratie, *sub, f, -, -n* cronyism

Filzpantoffel, *sub, m, -s, -n* slipper

Filzstift, *sub, m, -es, -e* felt-tip pen

Fimmel, *sub, m, -s, -* craze; *einen Fimmel haben* be nuts; *einen Fußballfimmel haben* he is mad about football

final, *adj,* final

Financier, *sub, m, -s, -* financier

Finanz, *sub, f, -, nur Einz.* finance; ~**amt** *sub, n, -s, -ämter* inland revenue; *(US)* internal revenue service; ~**beamte** *sub, m, -n, -n* revenue officer; ~**en** *sub, f, -, nur Mebrz.* finances; ~**genie** *sub, n, -s, -s* financial wizard; ~**krise** *sub, f, -, -n* financial crisis; ~**minister** *sub, m, -s, -* finance minister; *(Brit.)* Chancellor of the Exchequer; *(US)* Secretary of the Treasury; ~**wesen** *sub, n, -s, -* public finance; ~**wirtschaft** *sub, f, -, -en* financial management

finanziell, *adj,* financial, financially

Finanzier, *sub, m, -s, -s* financier

finanzierbar, *adj,* possible to finance

finanzieren, *vt,* finance; *(unterstützen)* subsidize; *(Veranstaltungen)* sponsor

Finanzierung, *sub, f, -, -en* financing

finanzstark, *adj,* financially strong

Findelkind, *sub, n, -s, -er* foundling

finden, (1) *vi, (beim-)* find one´s way home (2) *vr, (sich)* find oneself (3) *vt,* find; *es fand sich, dass* it turned out that; *es wird sich schon alles finden* it´ll work out somehow; *findet sich nur* is only to be found, is only to be found; *ich finde keine Worte* I´m lost for words; *ich finde, dass* I think (that); *ich kann nichts dabei finden* I don´t see any harm in it; *ich weiss nicht, was sie an ihm findet* I don´t know what she sees in him; *nach Hause finden* find one´s way home; *wir fanden ihn bei der Arbeit* we found him at work

Finder, *sub, m, -s, -* finder; ~**lohn** *sub, m, -s, -löhne* finder´s reward

findig, *adj,* clever, resourceful

Findling, *sub, m, -s, -* foundling;

(geol.) boulder

Finesse, *sub, f, -, -n* finesse, tricks; *mit allen Finessen (zB Auto)* with all the trimmings; *mit sämtlichen Finessen arbeiten* use all the tricks of the trade

Finger, *sub, m, -s, -* finger; *er hat überall seine Finger im Spiel* he´s got a finger in every pie; *etwas zwischen die Finger bekommen* get hold of sth; *jmdm durch die Finger schlüpfen* slip through so´s finger; *jmdn um den kleinen Finger wickeln* twist so round one´s little finger; *keinen Finger rühren* not to lift a finger; *lass die Finger davon!* don´t touch!; *mit dem Finger auf jmdn zeigen* point one´s finger at so; *sich die Finger verbrennen* burn one´s fingers; *sich in den Finger schneiden* cut one´s finger; *sie würde sich die Finger danach lecken* she would give her right arm for it; **~abdruck** *sub, m, -s, -drücke* fingerprint; *(nehmen)* take s.o´s finger prints; **fingerbreit** *adj,* inch-wide; **~breite** *sub, f, -e, -en* inch; **~farbe** *sub, f, -, -n* finger paint; **fingerfertig** *adj.,* dextrous; **~fertigkeit** *sub, f, -, -en* dexterity; **~glied** *sub, m, -s, -er* finger joint; **~hut** *sub, m, -s, -hüte* thimble; *(bot.)* foxglove; **~kuppe** *sub, f, -, -n* fingertip; **~nagel** *sub, m, -s, -nägel* fingernail; **~spiel** *sub, m, -s, -e* game with fingers; **~spitze** *sub, f, -, -n* fingertip; **~spitzengefühl** *sub, n, -s, -e* instinct; *(Takt)* tact; *dazu braucht man Fingerspitzengefühl* you have got to have the right feel for it; **~übung** *sub, f, -, -en* finger exercise; **~zeig** *sub, m, -s, -e* hint

fingieren, *vt,* fake

finit, *adj, (Sprachw.)* finite

Fink, *sub, m, -en, -en* finch

Finkenschlag, *sub, m, -s, -schläge* finch-singing

Finne, *sub, f, -, -en* Finn

finnisch, *adj,* Finnish; **finnländisch** *adj,* Finnish

finnougrisch, *adj,* Finnish-Ugrish

finster, *adj,* dark; *(dubios)* shady; *es wird dunkel* it´s getting dark; *es wird finster* it´s getting dark; *im finstern tappen* grope in the dark; **Finsterkeit** *sub,f, -, -en* darkness; **Finsterling** *sub, m, -s, -* obscurantist; *(dubios)* shady customer; **Finsternis** *sub, f, -, -se* darkness

Finte, *sub, f, -, -n* trick; *(spo.)* feint; **fintenreich** *adj,* crafty

Firlefanz, *sub, m, -es, -e* frippery; *(Unsinn)* nonsense

firm, *adj, (sein)* be good at

Firma, *sub, f, -, Firmen* company, firm

Firmament, *sub, n, -s, -e* firmament

Firmenschild, *sub, n, -s, -er* company sign

firmieren, *vi,* trade; *firmieren unter dem Namen* trade under the name of

Firmung, *sub,f, -, -en (theol.)* confirmation; **firmen** *vt, (theol.)* confirm

Firnis, *sub, m, -ses, -se* varnish

First-Class-Hotel, *sub, n, -s, -s* First-Class-Hotel

Firstpfette, *sub,f, -, -n* ridge-piece

Firstziegel, *sub, m, -s, -* ridge-tile

Fisch, *sub, m, -s, -e* fish; *(astrol.)* Pisces; *(i. ü. S.) dicker Fisch* big fish, big fish; *(i. ü. S.) kleine Fische (Kleinigk)* peanuts; *(i. ü. S.) kleine Fische (Leute)* small fry; *(i. ü. S.) munter wie ein Fisch im Wasser* fit as a fiddle; **~bestand** *sub, m, -s, -stände* fish stocks; **~besteck** *sub, n, -s, -e* fish knives and forks; **~fang** *sub, m, -es, nur Einz.* fishing; **~gericht** *sub, n, -s, -e* fish dish; **~geschäft** *sub, n, -s, -e* fishmonger´s; *(US)* fish store; **~gründe** *sub, f, -, nur Mehrz.* fishing grounds; **~kalter** *sub, m, -s, -* fish box; **~kutter** *sub, m, -s, -* fishing trawler; **~messer** *sub,n, -s, -* fish knife; **~otter** *sub, m, -s, -* otter; **~vergiftung** *pron,* fish poisoning; **~zug** *sub, m, -s, -züge* haul; *(i. u. S.)* haul

Fischen, (1) *sub*, *n*, -s, - fishing **(2) fischen** *vti*, fish; *(nach)* fish for; *(i. ü. S.) im trüben fischen* fish in troubled waters

Fischer, *sub*, *m*, -s, - fisherman; **~boot** *sub*, *n*, -s, -e fishing boat; **~dorf** *sub*, *n*, -s, -dörfer fishing village; **~netz** *sub*, *n*, -es, -e fishing net

Fischerei, *sub*, *f*, -, -en fishing; *(Gewerbe)* fishing industry

Fisimatenten, *sub*, *f*, *nur Mehrz.* messing about; *mach keine Fisimatenten!* stop making such a fuss!

Fiskus, *sub*, *m*, -, -se tax authorities; *(in GB)* Crown; **fiskalisch** *adj*, fiscal

Fission, *sub*, *f*, -, -en *(phy.)* fission

Fistel, *sub*, *f*, -, -n *(med.)* fistula; **~stimme** *sub*, *f*, -, -n squeaky voice

fit, *adj*, fit; *geistig fit* on the ball; *nicht sehr fit in* not too hot on

Fitness, *sub*, *f*, -, *nur Einz.* fitness; **~center** *sub*, *n*, -s, - fitness centre; *(US)* fitness center; **~test** *sub*, *m*, -s, -e fitness test; **~training** *sub*, *n*, -s, -s gym; *Fitnesstraining machen* go for workouts in the gym

Fittich, *sub*, *m*, -s, -e wing; *jmdn unter seine Fittiche nehmen* take so under one´s wings

fix, (1) *adj*, quick; *(festgelegt)* fixed **(2)** *adv*, quickly; *eine fixe Idee have* got a thing about; **Fixkosten** *sub*, *f*, -, *nur Mehrz.* standing expenses; **Fixpunkt** *sub*, *m*, -s, -e point of reference; **Fixstern** *sub*, *m*, -s, -e fixed star; **Fixum** *sub*, *n*, -s, Fixa basic salary

Fixativ, *sub*, *n*, -s, -e fixative

Fixer, *sub*, *m*, -s, - junkie; *(drogen)* fixer

fixieren, *vt*, *(anstarren)* stare at; *(Foto)* fix; *(schriftl.)* put down; **Fixiermittel** *sub*, *n*, -s, - fixative

Fjäll, *sub*, *m*, -s, -s *(schwed.)* rocky mountain

Fjord, *sub*, *m*, -s, -e fiord

flach, *adj*, flat; *(Wasser)* shallow; *flach liegen* lie flat; *flach machen*

level off; *(spo.) flach spielen* keep the ball on the ground; *mit der flachen Hand* with the flat of one´s hand; *flach atmen* breathe shallowly

Flachbau, *sub*, *m*, -s, -bauten low building

flachbrüstig, *adj*, *(männl.)* hollow-chested; *(weibl.)* flat -chested

Flachdach, *sub*, *n*, -s, -dächer flat roof

Fläche, *sub*, *f*, -, -n area; *(Ober-)* surface; **~nblitz** *sub*, *m*, -es, -e sheet lightning; **~nbrand** *sub*, *m*, -s, -brände extensive blaze; **~ninhalt** *sub*, *m*, -s, -e *(mat.)* area; **~nmaß** *sub*, *m*, -es, -e unit of square measure

flachfallen, *vi*, be cancelled, fall through

Flachland, *sub*, *n*, -s, -länder lowland; **Flachländer** *sub*, *m*, -s, - lowlander

Flachs, *sub*, *m*, -es, -e flax; *(Ulk)* nonsense; **flachsblond** *adj*, flaxen; **flachsen** *vi* joke with somebody

Flachschuss, *sub*, *m*, -es, -schüsse *(Fußb.)* low ball

flackern, *vi*, flicker; **Flackerfeuer** *sub*, *n*, -s, - flickering fire

Fladen, *sub*, *f*, -, - flat cake; *(Kuh-)* cowpat

Flagellant, *sub*, *m*, -en, -en *(psych., theol.)* flagellant

flagrant, *adj*, flagrant

Flair, *sub*, *n*, -s, *nur Einz.* athmosphere, aura

Flak, *sub*, *f*, -, - *(mil.,AA gun)* anti-aircraft gun; **~batterie** *sub*, *f*, -, -n *(mil.)* flak battery

Flakon, *sub*, *n,m*, -s, -s small bottle

flambieren, *vt*, flambe

Flamenco, *sub*, *m*, -, -s flamenco

Flamingo, *sub*, *m*, -s, -s flamingo

flämisch, *adj*, Flemish

Flamme, *sub*, *f*, -, -n flame; *auf kleiner Flamme kochen* cook on a low heat, *(i. ü. S.)* make do with very little; *in Flammen aufgehen* go up in flames; *in Flammen aus-*

brechen burst into flames; **~nmeer**
sub, n, -s, -e sea of flames; **~nwer-**
fer *sub, m, -s, -* flame thrower
flammen, *vi*, blaze
Flammeri, *sub, m, -s, -s* flummery
Flanell, *sub, m, -s, -e* flannel; **~an-**
zug *sub, m, -s, -züge* flannel suit;
~hemd *sub, n, -s, -en* flannel shirt;
~hose *sub, f, -, -n* flannel trousers
flanieren, *vi*, stroll; **Flaneur** *sub, m,
-s, -e* flaneur
Flanke, *sub, f, -, -n* flank; *(Fußb.)*
wing; **~nball** *sub, m, -s, -bälle* cross
flankieren, *vt*, flank
Flaps, *sub, m, -es, -e* whippersnapper; **flapsig** *adj*, boorish
Flattergeist, *sub, m, -s, -er* flighty
character
flatterhaft, *adj*, fickle, flighty
Flattermann, *sub, m, -es, -männer*
jitters
Flattermine, *sub, f, -, -n (mil.,ver-
alt.)* anti-personnel mine
flattern, *vi*, flutter; *(mit den Flügeln)* flap; *(Wind)* flap
Flattersatz, *sub, m, -es, -sätze* print
in uneven lines
Flatulenz, *sub, f, -, -en (med. f. Blähungen)* flatulence; *(ugs.: med. f.
Blähungen)* winds
Flatus, *sub, m, -, - (med.)* winds
flau, *adj*, slack; *(leicht übel)* queasy;
mir ist flau (im Magen) I feel
queasy
Flaum, *sub, m, -s, -e* down
Flausch, *sub, m, -s, -e* fleece; **flau-**
schig *adj*, fleecy
Flaute, *sub, f, -, -n* lull; *(wind)* calm
Flechte, *sub, f, -, -n (bot.)* lichen;
(med.) eczema
flechten, *vt, (Haar)* plait; *(Korb,
Matten)* weave
Fleck, *sub, m, -s, -e oder -en* mark,
stain; *(blauer -)* bruise
Fleckfieber, *sub, n, -s, - (med.)* epedemic typhus
fleddern, *vt*, plunder
Fledermaus, *sub, f, -, -mäuse* bat
Flederwisch, *sub, m, -s, -e* feather
duster
Flegel, *sub, m, -s, -* lout; *(Dresch-)*

flail; **~ei** *sub, f, -, -en* loutishness;
flegelhaft *adj*, loutish; **~jahre**
sub, nur Mehrz. uncouth adolescence
flehen, *vi*, plead; **~tlich** *adj*, plea-
dingly
Fleisch, *sub, n, -s, - flesh; (Nahrung)* meat; *(Obst)* flesh; *das eigene Fleisch und Blut* one´s own
flesh and blood; *in Fleisch und
Blut* in the flesh; *in Fleisch und
Blut übergehen* become second
nature; *in Fleisch und Blut übergegangen* bred in the bone;
~brühe *sub, f, -, -n* bouillon;
~käse *sub, m, -s, -* meat loaf;
~salat *sub, m, -s, -e* meat salad;
~vergiftung *pron*, meat poisoning; **~waren** *sub, f, -, nur
Mehrz.* meat products; **~wer-
dung** *sub, f, -, -en* incarnation;
~wolf *sub, m, -s, -wölfe* mincer;
~wunde *sub,f, -, -n* flesh wound;
~wurst *sub, f, -, -würste* pork
sausage
Fleischer, *sub, m, -s, -* butcher
Fleischerei, *sub,f, -, -en* butcher´s
shop; *(US)* meat market
fleischlich, *adj, (sinnl.)* carnal
Fleiß, *sub, m, -es, - diligence; ohne
Fleiß kein Preis* no pains, no
gains; *viel Fleiß verwenden auf*
take great pains over; **~arbeit**
sub,f, -, -en hard work
fleißig, *adj*, busy, diligent
Fleiverkehr, *sub, m, -s, -e* transport of goods in a combination
with aeroplanes and railways
flektierbar, *adj*, inflectional; **flektieren** *vt*, inflect
flennen, *vi*, howl
fletschen, *vt*, bare one´s teeth
Fleurop, *sub, f, -, nur Einz.* Inter-
flora
Flexion, *sub,f, -, -en (Gramm.)* inflexion; **flexionslos** *adj*, without
flexion
Flicken, (1) *sub, m, -s, -* patch **(2)**
flicken *vt*, mend; **Flickarbeit**
sub,f, -, -en patchwork; **~decke**
sub,f, -, -n patchwork quilt; **Flick-**

werk *sub, n, -s, -e* botched-up job

Flieder, *sub, m, -s,* - lilac; **~beere** *sub, f, -, -n* elderberry; **~blüte** *sub, f, -, -n* lilac blossom; **~busch** *sub, m, -s, -büsche* lilac

Fliege, *sub, f, -, -n* fly; *(Schlips)* bow-tie; *er tut keiner Fliege was zuleide* he wouldn´t hurt a fly; *ihn stört sogar die Fliege an der Wand* you are afraid to breathe when he is around; *wie die Fliegen sterben* go down like flies; *zwei Fliegen mit einer Klappe schlagen* kill two birds with one stone; **~ndreck** *sub, m, -s, -e* flies´ droppings; **~ngewicht** *sub, n, -s, -e* fly weight; **~npilz** *sub, m, -s, -e* (bot.) toadstool

fliegen, (1) *vi, (durch d. Prüf.)* fail the exam; *(entlassen w.)* be sacked; *(Expl.)* blow up; *(herunter)* fall off **(2)** *vt, (Flugz.)* fly; *ich kann doch nicht fliegen* I haven´t got wings; *wie lange fliegt man nach New York* how long is the flight to New York

Flieger, *sub, m, -, -* aeroplane, pilot; **~alarm** *sub, m, -s, -e* air-raid warning; **~angriff** *sub, m, -s, -e* (mil.) air-raid; **~horst** *sub, m, -s, -e* air base

fliegerisch, *adj,* aeronautical

fliehen, *vi,* escape (from); *(vor)* flee (from)

fliehend, *adj,* fleeing; *(Kinn,Stirn)* receding

Fliehkraft, *sub, f, -, -kräfte (phy.)* centrifugal force

Fliesenleger, *sub, m, -s,* - tiler

Fließarbeit, *sub, f, -, -en* assembly-line work

Fließband, *sub, n, -s, -bänder* conveyor belt; **~arbeit** *sub, f, -, -en* assembly-line work

fließen, *vi,* flow; *(in Strömen)* pour; *es wird Blut fließen* blood will flow

Fließpapier, *sub, n, -s, -e* blotting paper

Fließwasser, *sub, n, -s, -wässer* running water

flimmern, *vi,* shimmer; *(TV)* flicker; *es flimmert mir vor den Augen* everything is dancing in front of my eyes

flink, *adj,* quick; *(aufgeweckt)* bright; **~züngig** *adj,* quick with the tongue

Flinte, *sub, f, -, -n* shotgun; *die Flinte ins Korn werfen* throw in the towel; **~nkugel** *sub, f, -, -n* shotgun pellet

Flipper, *sub, m, -s,* - pinball machine; **flippern** *vi,* play pinball

Flirt, *sub, m, -s, -s* flirt; **flirten** *vi,* flirt

Flittchen, *sub, n, -s,* - (ugs.) tart

Flitter, *sub, m, -s,* - frippery; **~glanz** *sub, m, -es, -* glitter; **~gold** *sub, n, -s, nur Einz.* tinsel; **~kram** *sub, m, -s,* - tinsel

Flitterwerk, *sub, n, -s, -e* trumpery

Flitterwochen, *sub, f, -, nur Mehrz.* honeymoon; **flittern** *vi,* honeymoon

Flitzbogen, *sub, m, -s, -bögen* bow

flitzen, *vi,* dart, shoot

floaten, *vti, (wirt.)* float

Floating, *sub, n, -s, -s* floating

Flocke, *sub, f, -, -n* flake; *(Staub, Feder)* ball of fluff; **flockenweise** *adj,* fluffwise

Floh, *sub, m, -s, Flöhe* flea; *jmdm einen Floh ins Ohr setzen* put ideas into so´s head; **~markt** *sub, m, -s, -märkte* flea market; **~zirkus** *sub, m, -, -se* flea circus

flöhen, *vt,* deflea

Floppydisk, *sub, f, -, -s* floppy disk

Flor, *sub, m, -s, -e* bloom; *(dünnes Gewebe)* gauze

Flora, *sub, f, -, Floren* flora

Florett, *sub, n, -s, -e* foil; *(-fechten)* foil fencing

florieren, *vi,* flourish

Florist, *sub, m, -en, -en* florist

Floskel, *sub, f, -, -n* phrase; **floskelhaft** *adj,* stereotyped

Floß, *sub, n, -es, Flöße* raft

Flosse, *sub, f, -, -n (i. ü. S.; Hand)* paw; *(Tauchen)* flipper; *(zool.)* flin; **~nfüßer** *sub, m, -s,* - (zool.) pinniped

flößen, *vti,* raft

Flöte, *sub, f, -s, -n (Block-)* recorder; *(Quer-)* flute; **~nbläser** *sub, m, -s, - * flute player; **~nspiel** *sub, n, -s, -e* flute-playing

flöten, *vti*, play the flute/recorder; *(Geld)* go down the drain

flöten gehen, *vi*, go by the board

flott, *adj*, fast, lively; *(schick)* smart; *(sein, Seef.)* be afloat; *es geht flott voran* things are getting on nicely; *es geht ihm flott von der Hand* he is very fast

Flotte, *pron*, fleet; **~nbasis** *sub, f, -, -basen* naval base; **~nstützpunkt** *sub, m, -s, -e* naval base

Flottille, *sub, f, -, -n (seem. Spr.)* flotilla

Flöz, *sub, m, -es, -e (geol.,Bergbau)* seam

Fluch, *sub, m, -s, Flüche* curse; *(ugs.)* swearword; *mit einem Fluch belegen* put a curse on; *unter einem Fluch stehen* be under a curse; *zum Fluch für die Menschheit werden* become the curse of mankind; **fluchbeladen** *adj*, be under a curse

fluchen, *vi*, curse, swear

Flucht, *sub, f, -, -en* flight; *(Häuser-)* row; *die Flucht nach vorn antreten* take the bull by the horns; *in die Flucht schlagen* put to flight; *wir müssen die Flucht nach vorne antreten* attack ist the best means of defence(US -se); **~gefahr** *sub, f, -, -en* danger of an escape attempt; **~helfer** *sub, m, -s, -* escape agent; **~punkt** *sub, m, -s, -e (Opt.)* vanishing point; **~wagen** *sub, m, -s, -* getaway car; **~weg** *sub, m, -s, -e* escape route

fluchtartig, *adj*, hasty, hurried

flüchten, **(1)** *vi*, escape, flee **(2)** *vr*, *(sich)* flee; *sich in ein Haus flüchten* take shelter in a

flüchtig, *adj*, *(Besuch)* short; *(krim.)* wanted; *(oberfl.)* superficial; *einen flüchtigen Besuch machen* briefly drop in; *flüchtige Bekanntschaft* passing acquaintance; *flüchtiger Eindruck* fleeting impression

Flüchtigkeit, *sub, f, -, -en* cursoriness

Flüchtling, *sub, m, -s, -e* refugee

Flug, *sub, m, -s, Flüge* flight; *die Woche verging wie im Flug* the week just flew by; **~abwehr** *sub, f, -, -e (mil.)* anti-aircraft defence; **~bahn** *sub, f, -, -en (Luftf.)* flight path; **~ball** *sub, m, -s, -bälle (spo.)* volley; **~blatt** *sub, n, -, -blätter* leaflet; **~boot** *sub, n, -s, -e* flying boat; **~gast** *sub, m, -s, -gäste* passenger; **~gesellschaft** *sub, f, -, -en* airline; **~hafen** *sub, m, -s, -häfen* airport; **~höhe** *sub, f, -, -n* altitude; **~kapitän** *sub, m, -s, -e* captain; **~körper** *sub, m, -s, - * projectile; **~lärm** *sub, m, -s, nur Einz.* aircraft noise; **~plan** *sub, m, -s, -pläne* schedule, timetable; **~platz** *sub, f, -, -plätze* airfield; **~sand** *sub, m, -s, -e* windborne sand; **~schein** *sub, m, -s, -e* tikket; *(Lizenz)* pilot´s licence; *(Lizenz US)* pilot license; **~schreiber** *sub, m, -s, - * blackbox, flight recorder; **~schrift** *sub, f, -, -en* pamphlet; **~technik** *sub, f, -, -en* aeronautics; **~verkehr** *sub, m, -s, -e* air traffic

Flügel, *sub, m, -s, - * wing; *(Klavier)* grand piano; *(mil.)* flank; *mit den Flügeln schlagen* flap its wings; **~horn** *sub, n, -s, -börner (Musik)* flugelhorn; **~schlag** *sub, m, -s, -schläge* flapping of wings; **~tür** *sub, f, -, -en* double door

flügge, *adj*, fully fledged

flugs, *adj*, at once, swiftly

Flugzeug, *sub, n, -s, -e* aeroplane; *(US)* air plane; *einem Flugzeug Startverbot erteilen* to ground a plane; **~abwehr** *sub, f, -, - * anti-aircraft defence; *(US)* anti-aircraft defense; **~bau** *sub, m, -s, -bauten* aircraft construction; **~entführung** *sub, f, -, -en* hijacking; **~führer** *sub, m, -s, - * pilot; *(zweiter)* co-pilot; **~halle** *sub, f, -, -n* hangar; **~motor** *sub, m, -, -en, -e* engine; **~träger** *sub, m, -s, - * aircraft carrier

Fluid, *sub*, *n*, *-s*, *-s* fluid

Fluidum, *sub*, *n*, *-s*, *Fluida* fluid; *(i. ü. S.)* aura

Flunder, *sub*, *f*, *-*, *-n* flounder

Flunkerei, *sub*, *f*, *-*, *-en* tall story; **flunkern** *vi*, tell stories

Flunsch, *sub*, *m*, *-s*, *-e* pout; *eine Flunsche ziehen* pull a face

Fluor, *sub*, *n*, *-s*, *nur Einz. (chem.)* fluorine

Fluoreszenz, *sub*, *f*, *-*, *nur Einz.* fluorescence; **fluoreszieren** *vi*, fluoresce

Fluorid, *sub*, *n*, *-s*, *-e* fluoride; **fluoridieren** *vt*, fluoridate

Flur, *pron*, hall; *(Gang)* corridor; *(Landsch.)* fields; *durch Wald und Flur* through fields and meadows; **~schaden** *sub*, *m*, *-s*, *-schäden* damage to farmland

Fluss, *sub*, *m*, *-es*, *Flüsse* river; *(i. ü. S.; das Fließen)* flow; *(klein)* stream; *in Fluss bringen* get sth going; **~aal** *sub*, *m*, *-s*, *-e* fresh water eel; **~arm** *sub*, *m*, *-s*, *-e* arm of a river; **~bett** *sub*, *n*, *-s*, *-en* riverbed; **~diagramm** *sub*, *n*, *-s*, *-e* flowchart; **~fisch** *sub*, *m*, *-s*, *-e* riverfish; **~krebs** *sub*, *m*, *-es*, *-e (zool.)* crayfish; *(zool., US)* crawfish; **~lauf** *sub*, *m*, *-es*, *-läufe* course of the river; **~mündung** *sub*, *f*, *-*, *-en* mouth of a river; **~sand** *sub*, *m*, *-s*, *-e* silt; **~tal** *sub*, *n*, *-s*, *-täler* river valley

flussabwärts, *adv*, downriver, downstream

flussaufwärts, *adv*, upriver, upstream

Flüsschen, *sub*, *n*, *-s*, *-* little stream

flüssig, *adj*, liquid; *(geschmolzen)* melted; *(Stil)* fluent

Flüssiggas, *sub*, *n*, *-s*, *-e* liquid gas

Flüssigkeit, *sub*, *f*, *-*, *-en* liquid; *(Stil)* fluency

flüstern, *vi*, whisper; **Flüstertüte** *sub*, *f*, *-*, *-n (ugs.)* megaphone; **Flüsterwitz** *sub*, *m*, *-es*, *-e* underground joke

Flut, *sub*, *f*, *-*, *nur Einz. (Gezeit)* tide;

f, *-*, *-en (Wassermasse)* flood; *die Flut kommt (geht)* the tide is coming in (going out); **~licht** *sub*, *n*, *-s*, *-lichter* floodlight; **~warnung** *sub*, *f*, *-*, *-en* flood-warning; **~welle** *sub*, *f*, *-*, *-n* tidal wave

flutschen, *vi*, slip; *(Arbeit)* go very well; *es flutscht nur gerade so* going like clockwork

Fock, *sub*, *f*, *-*, *-en (Seef.)* foresail

föderal, *adj*, federal; **Föderalismus** *sub*, *m*, *-*, *nur Einz.* federalism; **Föderalist** *sub*, *m*, *-*, *-en* federalist; **~istisch** *fere*, federalist; **Föderation** *sub*, *f*, *-*, *-en* federation; **föderativ** *adj*, federal

Fohlen, (1) *sub*, *n*, *-s*, *-* foal; *(männl.)* colt; *(weibl.)* filly **(2) fohlen** *vi*, foal

Föhn, *sub*, *m*, *-s*, *-e (Wind)* föhn; **~wind** *sub*, *m*, *-es*, *-e* föhn

Föhre, *sub*, *f*, *-*, *-n* pine tree

fokal, *sub*, with refer to the focus

Fokus, *sub*, *m*, *-*, *-se* focus; **fokussieren** *vt*, focus

Folge, *sub*, *f*, *-*, *-n* consequence; *(aufeinander)* sequence; *(Serie)* series; *die Folgen tragen* bear the consequences; *es blieb ohne Folgen* have no consequences; *zur Folge haben* result in; *in rascher Folge* in rapid succession; **~kosten** *sub*, *f*, *-*, *nur Mehrz.* follow-up costs; **~lasten** *sub*, *f*, *-*, *nur Mehrz.* follow-up costs; **~schaden** *sub*, *m*, *-s*, *-schäden* consequential damage; **~zeit** *sub*, *f*, *-*, *-en* period following

folgen, *vi*, follow; *(gehorchen)* obey; *auf Schritt und Tritt folgen* dog so´s footsteps; *können Sie mir folgen?* do you follow me?; *weitere Einzelheiten folgen* further details to come; *wie folgt* as follows

folgend, *adj*, following; *es handelt sich um folgendes* the matter is as follows; *im folgenden* in the following; *lautet folgend* reads as follows

folgendermaßen, *adv*, as follows

folgenreich, *adj*, fraught with consequences

folgenschwer, *adj*, momentous

folgerichtig, *adj*, logical, logically

folgern, *vt*, conclude; *(- aus)* conclude from

folgewidrig, *adj*, inconsistent

folglich, *adv*, as a result; *(ugs.; deshalb)* therefore

folgsam, *adj*, obedient

Folgsamkeit, *sub, f, -, nur Einz.* obedience

Foliant, *sub, m, -en, -en* folio

Folie, *sub, f, -, -n* foil; *(Plastik)* film; *(US, Plastik)* plastic wrap

Folio, *sub, n, -s, -s oder Folien* folio; **~format** *sub, -s, -e* folio

Folk, *sub, m, -es, nur Einz.* folk

Folklore, *sub, f, -, nur Einz.* folklore; **Folkloristik** *sub, f, -, nur Einz.* folkloristic; **Folkloristin** *sub, f, -, -nen* folklorist; **folkloristisch** *adj*, folkloric

Folter, *sub, f, -, -n* torture; *(i. ü. S.)* torture; *jmdn auf die Folter spannen* keep so in suspense; **~er** *sub, m, -s, -* torturer; **~kammer** *sub, f, -, -n* torture chamber

Fön, *sub, m, -s, -e* hair drier

Fond, *sub, m, -s, -s (Kochk.)* juices; *(geh.; rückwärtig)* back department

Fonds, *sub, m, -, -* fund

Fondue, *sub, n, -s, -s (Kochk.)* fondue; **~gabel** *sub, f, -, -n* fondue fork

fonografisch, *adj*, phonografic

fonologisch, *adj*, phonological

Fontäne, *sub, f, -, -n* fountain

Fontanelle, *sub, f, -, -n (med.)* fontanelle; *(med.US)* fontanel

Foot, *sub, m, -, Feet* foot

foppen, *vt*, pull so´s leg; **Fopperei** *sub, f, -, -en* leg-pulling

forcieren, *vt*, intnesify, push forward

Förde, *sub, f, -, -n* long narrow inlet; *(geol.)* firth

Förderband, *sub, n, -es, -bänder* conveyor belt

Förderer, *sub, m, -s, -* promoter

Förderkohle, *sub, f, -, nur Einz.* coal

Förderkreis, *sub, f, -es, -e* society for the promotion of

fordern, *vt*, demand; *(zum Duell)* challenge sb; *zu viel fordern* to be too demanding; *jmd zum Duell fordern* challenge to a duel

fördern, *vt*, promote; *(Bergb.)* mine; *(Talent)* foster

Förderpreis, *sun*, award

Forderung, *sub, f, -, -en* damand; *(kaufm.)* claim; *Forderungen stellen* make demands; *eine Forderung haben an* have a claim against

Förderung, *sub, f, -, -en* promotion; *(Bergb.)* mining; *(Talent)* fostering

Forelle, *sub, f, -, -n* trout

Forint, *sub, m, (-s), -s (Währung in Ungarn)* Forint

Forke, *sub, f, -, -n* fork

Form, *sub, f, -, -en* form; *(Back-)* baking-tin; *(Modell)* mould; *aus der Form geraten* get out of shape; *der Form halber* as a matter of form; *Form behalten* keep its shape; *Form geben* lend shape to; *in guter Form* in good form; *in höflicher Form* politely; *sich in aller Form entschuldigen* make a formal apology

Formaldehyd, *sub, m, -s, nur Einz. (chem.)* formaldehyde

Formalie, *sub, f, -, -n* formality

Formalin, *sub, n, -s, nur Einz.* formalin

formalisieren, *vt*, formalize; **Formalismus** *sub, m, -, -ismen* formalism; **Formalist** *sub, m, -en, -en* formalist; **Formalistin** *sub, (weibl.)* formalist; **formalistisch** *adj*, formalist, formalistic; **Formalität** *sub, f, -, -en* formality

Formanstieg, *sub, m, -s, nur Einz.* increase of condition

Format, *sub, n, -s, -e* format, size; *ein Mann von Format* a man of stature; *er hat kein Format* he hasn´t got the personality it takes

Formation, *sub*, *f*, -, -*en* formation

formativ, *adj*, formative

Formbarkeit, *sub*, *f*, -, -*en* malleability

Formel, (1) *pron*, formula (2) *sub*, *f*, -*n* (*Redensart*) formula; *auf eine Formel bringen* bring down to a simple formula

formell, *adj*, formal

formen, *vt*, form, shape; (*techn.*) mould

formenreich, *adj*, with great variety of forms

formidabel, *adj*, formidable

formieren, *vt*,*vr*, form

förmlich, *adj*, formal; **Förmlichkeit** *sub*, *f*, -, -*en* formality

formlos, *adj*, informal

Formstrenge, *sub*, *f*, -, *nur Einz.* being strict in formality

Formtief, *sub*, *n*, -*s*, -*s* be off form

Formular, *sub*, *n*, -*s*, -*e* form

formulieren, *vt*, formulate; *knapp formulieren* sum sth up in a few briefly; *neu formulieren* rephrase; *wenn ich es so formulieren darf* if I may put it like that; **Formulierung** *sub*, *f*, -, -*en* formulation; (*Gesetz, Entwurf*) draft

forsch, *adj*, forceful, self-assertive

forschen, *vi*, search for; (*Wissensch.*) research

Forscher, *sub*, *m*, -*s*, - researcher; (*Naturw.*) scientist; **forscherisch** *adj*, be searching; **Forschung** *sub*, *f*, -, -*en* research; *Forschungen betreiben* do research work; **Forschungsschiff** *sub*, *n*, -*s*, -*e* research vessel

Forst, *sub*, *f*, -*es*, -*e* forest; **Förster** *sub*, *m*, -*s*, - forester; **~frevel** *sub*, *m*, -*s*, - offence against the forest law; **~meister** *sub*, *m*, -*s*, - forest warden; **~revier** *sub*, *n*, -*s*, -*e* forest district; **~schaden** *sub*, *m*, -*s*, -*schäden* forest damages; **~schule** *sub*, *f*, -, -*s* forestry college

fort, (1) *adj*, (*abw.*) away; (*verschw.*) gone (2) **Fort** *f*, fort; *sie sind schon fort* they have already gone

fortan, *adv*, from now on

Fortbestand, *sub*, *m*, -*s*, *nur Einz.* continuation; (*Staat*) continued existence

fortbestehen, *vt*, continue

Fortbewegung, *sub*, *f*, -, *nur Einz.* locomotion, movement

Fortbildung, *sub*, *f*, -, -*en* further education; (*berufl.*) further training

fortbleiben, *vi*, stay away

fortbringen, *vt*, take away

Fortdauer, *sub*, *f*, -, - continuation; **fortdauern** *vi*, continue; **fortdauernd** *adj*, continuous, continuously

fortfahren, *vi*, go away, leave; (*etw. fortsetzen*) carry on, continue

fortfliegen, *vi*, fly away, fly off

Fortführung, *sub*, *f*, -, -*en* continuation

Fortgang, *sub*, *m*, -*s*, -*gänge* progress; (*Fortsetzung*) continuation; (*weggehen*) departure

fortgeschritten, *adj*, advanced; *in einem fortgeschrittenen Alter* be fairly advanded in years; *in einem fortgeschrittenen Stadium* at an advanced stage

fortgesetzt, *adj*, continually, continued

Fortkommen, (1) *sub*, *n*, -*s*, - progress; (*Wegkommen*) get away (2) **fortkommen** *vi*, get away; (*Erfolg haben*) get on

fortlaufen, *vi*, run away; (*weitergehen*) continue

fortlaufend, (1) *adj*, continious (2) *adv*, continiously; *fortlaufend numeriert* numbered consecutively

fortpflanzen, (1) *vr*, (*sich*) reproduce (2) *vt*, reproduce; (*phy.*) transmit

Fortpflanzung, *sub*, *f*, -, -*en* reproduction; (*phy.*) transmission

fortschaffen, *vt*, take away

fortscheren, *vr*, (*ugs.*) clear off

fortschicken, *vt*, send away

fortschreiten, *vi*, progress; (*Zeit*)

march on

Fortschritt, *sub, m, -s, -e* progress; *(Verbesserung)* improvement

fortsetzen, *vt,* continue, resume

Fortsetzung, *sub, f, -, -en* continuation; *(Wiederaufnahme)* resumption; **~sroman** *sub, m, -s, -e* serialized novel

fortstehlen, *vr,* sneak away

fortstreben, *vr,* strive away

Fortune, *sub, f, -, nur Einz.* Fortune; *Fortuna war ihr hold* fortune smiled on her

fortwährend, *adj,* constant, continual

Forum, *sub, n, -s, Foren, auch Fora* forum; *(Podiumsgespräch)* panel discussion

fossil, (1) *adj,* fossil, fossilized (2) **Fossil** *sub, n, -s, -ien* fossil

Foto, *sub, n, -s, -s* photo(graph); *ein Foto machen* to take a photo(graph); **~amateur** *sub, m, -s, -e* amateur photographer; **~apparat** *sub, m, -s, -e* camera; **~artikel** *sub, m, -s, -* photographic equipment; **~atelier** *sub, n, -, -s* photographic studio

Fotochemie, *sub, f, -, -er* phographic chemical; **fotochemisch** *adj,* photochemical

Fotoeffekt, *sub, m, -s, -e* effect by the photo

Fotograf, *sub, m, -en, -en* photographer

Fotografie, *sub, f, -, -n (Bild)* photograph; *(Kunst)* photography

fotografieren, (1) *vt, (ugs.)* get a shot of (2) *vti,* take a photo

fotografisch, *adj,* photographic, photographically

Fotogravure, *sub, f, -, -n* photogravure

Fotokopie, *sub, f, -s, -n* photocopy

fotokopieren, *vi,* photocopy

fotomechanisch, *adj,* photomechanical

fotometrisch, *adj,* photometric

Fotomodell, *sub, n, -s, -e* phographic model

Fotomontage, *sub, f, -, -n* photomontage

Fotorealismus, *sub, m, -s, -er* photorealism

Fotoreporter, *sub, m, -s, -* photojournalist

Fotosphäre, *sub, f, -, nur Einz.* photosphere

Fotosynthese, *sub, f, -, -n* photosynthesis

Fötus, *sub, m, -, Föten* foetus; *(US)* fetus

Foxterrier, *sub, m, (-s), -* foxterrier

Foxtrott, *sub, m, -s, -s, auch -e* foxtrot

Foyer, *sub, n, -s, -s* entrance hall, foyer; *(US lobby)* foyer

Frachtbrief, *sub, m, -s, -e* consignment note; *(US)* freight bill

Frachter, *sub, m, -s, -* freighter

frachtfrei, *adj,* carriage paid; *(US)* freight prepaid

Frachtgut, *sub, n, -es, -güter* cargo, freight

Frachtschiff, *sub, n, -s, -e* freighter; *(cargoship)* freighter

Frachtstück, *sub, n, -e* package

Frack, *sub, m, -es, -s oder Fräcke* tails

Frage, *sub, f, -, -n* question; *(Angelegenheit)* issue; *(Erkundigung, Unters.)* inquiry; *das kommt nicht in Frage* that is out of question; *das steht ausser Frage* there is no question about it; *eine Frage stellen* ask a question, ask a question; *in Frage stellen* call in question

Fragebogen, *sub, m, -s, -bögen* form, questionaire

fragen, (1) *vr, (sich)* ask about; *(sich erkundigen)* inquire about; *(sich wundern)* wonder (2) *vti,* ask; *(erkundigen)* inquire; *(nachfragen)* ask for; *ich frage mich, wie* I ask myself how; *ich frage mich, warum* I wonder why, *etwas fragen* ask a question; *ich wollte fragen, ob* I wanted to ask if; *jmdn nach seinem Namen, dem Weg etc fragen* ask so his/her name, the way; *jmdn um Rat fragen* ask so´s advice

Fragenkreis, *sub, m, -es, -e* problem area

Fragerei, *sub, f, -, -en* questions

Fragezeichen, *sub, n, -s, -* question mark

fraglich, *adj,* doubtful, in question; **Fraglichkeit** *sub, f, -, nur Einz.* doubtfulness

Fragment, *sub, n, -s, -e* fragment; **fragmentarisch** *adj,* fragmentary

fragwürdig, *adj,* questionable; *(zwielichtig)* dubious

Fraktion, *sub, f, -, -en (chem.)* fraction; *(Parlament)* parliamentary party; **fraktionell** *adj,* within the party or group

fraktionieren, *vt, (polit.)* fractionalize; *(Wissensch.)* fractionize

Fraktur, *sub, f, -, -en (med.)* fracture; *(Schriftart)* Gothic type

Franc, *sub, m, -, -s* franc; *(Währungseinh.)* franc

Franchise, *sub, f, -, -n* franchise; **Franchising** *sub, n, -s, nur Einz.* franchising

Francium, *sub, n, -s, nur Einz. (chem.)* francium

frank, *adv,* frankly; *frank und frei* quite frankly

Frankenwein, *sub, m, -s, -e* wine from Frankonia

frankieren, *vt,* frank, stamp; **Frankiermaschine** *sub, f, -, -n* franking machine

franko, *adv,* post-paid; **Frankokanadier** *sub, m, -s, -* French Canadian; **~phil** *adj,* Francophile; **Frankophonie** *sub, f, -, nur Einz.* francophony

Frankreich, *sub, -, -, -* France

Franse, *sub, f, -, -n* fringe; *(Pony Haare)* fringe; *in Fransen gehen* falling apart

Franzose, *sub, m, -n, -n* Frenchman; *(die Franzosen)* French; *(ugs.; Schraubenschl.)* monkey wrench; *(ugs.; Schraubenschlüssel)* Frenchman, screw wrench; **französisch** *adj,* French

Fräse, *sub, f, -, -n (f. Boden)* rotary hoe; *(f. Metall)* milling machine

fräsen, *vt, (Holz)* shape; *(Metall)* mill

Fräsmaschine, *sub, f, -, -en* milling machine operator; *(Werkz.)* cutter, moulding machine operator

Fraß, *sub, m, -es, -e (ugs.; schlechtes Essen)* muck; *(Tiere)* food; *etwas einem Tier zum Fraß vorwerfen* throw sth to an animal

Frater, *sub, m, -, Fratres (rel.)* Brother; **fraternisieren** *vi,* fraternize; **~nité** *sub, f, -, nur Einz.* fraternity

Fratz, *sub, m, -es, österr. auch -en, -e, öster.-en (niedl. Kind)* little rascal; *(ungez. Kind)* brat

Fratze, *sub, f, -, -n (Grimasse)* grimace; *(ugs.; hässl. Gesicht)* ugly mug; *Fratzen schneiden* pull faces; **fratzenhaft** *adj,* grotesque

Frau, *sub, f, -, -en* woman; *(Anrede)* Mrs.; *(Ehe-)* wife; *(stat.)* female; *er wirkt auf Frauen he´s a bit of a ladies´ man;* **~enarzt** *sub, m, -ärzte* gynaecologist; **~enärztin** *sub, f, -, -nen* gynaecologist; **~enberuf** *sub, m, -s, -e* female profession; **~enfeind** *sub, m, -s, -e* woman hater; **~enfrage** *sub, f, -n, nur Einz.* women´s question; **~engruppe** *sub, f, -, -n* group of women; *(Frauenbewegung)* women´s group; **~enhaus** *sub, n, -es, -häuser* women´s refuge; *(US)* women´s shelter; **~enkleid** *sub, n, -s, -er* dress; **~enleiden** *sub, n, -s, -* gynaecological disorder; **~enschutz** *sub, m, -s, nur Einz.* women´s protection; **~enzimmer** *sub, n, -s, - (abwert.)* female

Fräulein, *sub, n, -s, -, ugspr. auch -s* young lady; *(Anrede)* Miss; *(Kellnerin)* waitress

fraulich, *adj,* feminine, womanly

Fraulichkeit, *sub, f, -, -er* femininity, womanliness

Freak, *sub, m, -es, -s* freak

frech, *adj,* cheeky; *(geh.)* impertinent; *(keck)* saucy; *zuletzt wurde sie noch frech* then she started getting cheeky, *(US)* then she started getting fresh; **Frechdachs** *sub, m, -es, -e (ugs.; scherzh.)* cheeky little monkey

Frechheit, *sub, f, -, -en* cheek; *(geh.)* impertinence; *die Frechheit zu haben* have the cheek to; *Frechheit* cool cheek

Freesie, *sub, f, -, -n* freesia

Fregatte, *sub, f, -, -n* frigate

Freibad, *sub, n, -s, -bäder* outdoor swimming pool

freiberuflich, *adj,* freelance, self-employed; *freiberuflich tätig sein* work freelance

Freibetrag, *sub, m, -s, -beträge* tax allowance

Freibeuter, *sub, m, -s, -* buccaneer; ~**ei** *sub, f, -, nur Einz.* buccaneering

Freibier, *sub, n, -s, nur Einz.* free beer

freibleiben, *vi,* stay free

freibleibend, *adj,* subject to being sold; *(Handel)* subject to being sold

Freibrief, *sub, m, -s, nur Einz.* charter; *(i. ü. S.; Entschuldigung)* excuse; *(i. ü. S.; Vorrecht)* privilege

Freidemokrat, *sub, m, -en, -en* Free Democrate, Liberal

Freidenkerin, *sub, f, -, -nen* freethinker

Freie, *sub, m, -en, -en* freeborn citizen, open air

freien, *vt, (heiraten)* marry; *(werben)* court a girl

Freier, *sub, m, -s, -* suitor; *(Prostitution)* client; *(vulg.; Prostitution)* punter; ~**süße** *sub, f, -, nur Mehrz.* be courting; *auf Freiersfüßen gehen* be courting

Freiexemplar, *sub, n, -s, -e* fee copy; *(Zeitung)* fee issue

Freifrau, *sub, f, -, -en* baroness; **Freifräulein** *sub, n, -s, -* baroness

Freigabe, *sub, f, -, -n* release; *(Film)* pass; *(Straße, Brücke)* open; *(Wechselkurs)* floating

freigebig, *adj,* generous

Freigebigkeit, *sub, f, -, nur Einz.* generosity

freigeistig, *adj,* free thinking

freihaben, *vi,* be off, have the day off

Freihafen, *sub, m, -s, -häfen* free port

freihalten, (1) *vr, (sich .... für)* keep oneself free for **(2)** *vt, (Angebot Stelle)* keep open; *(jemanden)* pay for, treat; *(Platz)* keep safe; *(Straße)* keep clear; *(von)* keep free from

freihändig, *adv, (radfahren etc.)* with no hands; *(zeichnen)* freehand

Freiheit, *sub, f, -s, -en* freedom, liberty; *(Spielraum)* scope; *(Unabhängigk.)* independence; **freiheitlich** *adj,* liberal; ~**sberaubung** *sub, f, -, nur Einz.* wrongful detention; ~**sstatue** *sub, f, -, meist nur Einz., sonst -n)* Statue of Liberty; ~**sstrafe** *sub, f, -, -n (jur.)* prison sentence

Freiherr, *sub, m, -n, -en* baron

Freiklettern, *sub, n, -s, -* freeclimbing

Freikörperkultur, *sub, f, -, -* naturism, nudism

freilassen, *vt,* release, set free

Freilassung, *sub, f, -, -en* release

Freilauf, *sub, m, -s, -läufe* freewheel

Freileitung, *sub, f, -, -en* overhead transmission line

freilich, *adv,* admittedly, of course

freimachen, (1) *vr, (sich ausziehen)* undress **(2)** *vt, (Brief)* stamp; *(nicht arbeiten)* take time off

Freimaurer, *sub, m, -s, -* freemason

Freimut, *sub, m, -s, -* candidness

freimütig, *adj,* candid, frank

Freiplastik, *sub, f, -, -en* free-standing sculpture

freipressen, *vt,* obtain someones release

Freiraum, *sub, m, -s, -räume* personal freedom, scope for development

freireligiös, *adj,* non-denominational

Freischärler, *sub, m, -s, -* guerilla

freispielen, (1) *vr, (spo.;sich)* get into space **(2)** *vt, (spo.)* get a player in the clear

freisprechen, *vt, (jur.)* acquit; *(Lehrl.)* release from his/her articles; *jmdn von einer Anklage freisprechen* acquit sb of a charge

Freispruch, *sub, m, -s, -sprüche (jur.)* acquittal

freistellen, *vt,* release; *(befreien)* release; *(jem. etwas freistellen)* leave sth. up to sb

Freistil, *sub, m, -s, -e (spo.)* freestyle

Freistoß, *sub, m, -es, -stösse (Fußb.)* free kick

Freitag, *sub, m, -s, -e* Friday; **freitags** *adv,* Fridays, on Friday

Freiumschlag, *sub, m, -s, -umschläge* stamped addressed envelope

Freiwild, *sub, n, -s, -er* unprotected game

freiwillig, (1) *adj, (Entsch.)* voluntary **(2)** *adv, (sich....melden)* volunteer **(3)** *vo, (Entsch.)* voluntarily; *sich freiwillig melden zu* volunteer to; **Freiwillige** *sub, m, f, -n, -n* volunteer

Freiwurf, *sub, m, -s, -würfe (spo.)* free throw

Freizeichen, *sub, n, -s, -* dialing tone; *(US)* dialing tone

Freizeit, *sub, f, -, -en* leisure; **~hemd** *sub, n, -s, -en* leisure shirt; **~wert** *sub, m, -s, -e* recreational assets; *mit hohem Freizeitwert* with a wide range of leisure facilities

Freizügigkeit, *sub, f, -, -en (Großzügigk.)* generosity; *(moralisch)* permissiveness; *(Ortungebundenh.)* freedom of movement

fremd, *adj,* foreign, strange; *das ist mir nicht fremd* that´s nothing new to me; *fremde Länder* foreign countries; *fremde Sitten* foreign/strange customs; *in fremden Händen* in

strange hands; *sich fremd werden* become strangers; *unter einem fremden Namen* incognito; **~artig** *adj,* strange

Fremde, *sub, m, f, -n, -n* away from home, foreign parts, foreigner, stranger; *(Tourist)* visitor

Fremdenbett, *sub, n, -s, -en* guest bed

Fremdenbuch, *sub, n, -s, -bücher* visitor´s book

Fremdenheim, *sub, n, -s, -e* guest house

Fremdenlegion, *sub, f, -, nur Einz.* Foreign Legion

Fremdenverkehr, *sub, m, -s, -e* tourism

fremdgehen, *vi,* be unfaithful

Fremdkörper, *sub, m, -s, - (i. ü. S.; ein...sein)* be out of place; *(med., biol.)* foreign body

Fremdmittel, *sub, n, -s, -* credit

Fremdsprache, *sub, f, -, -n* foreign language; **~nkorrespondentin** *sub, f, -, -nen* foreign language correspondent

Fremdwort, *sub, n, -s, -wörter* foreign word

frenetisch, *adj,* frenetic

frequent, *adj,* frequent; **~ieren** *vt,* frequent

Frequenz, *sub, f, -, -en* frequency

Freske, *sub, f, -, -n* fresco

Fresko, *sub, n, -s, Fresken* fresco

Fressalien, *sub, f, -, nur Mehrz. (ugs.; scherzh.)* grub

Fresse, *sub, f, -, -n (vulg.)* gob; *halt deine Fresse!* keep your gob shut; *jmdm die Fresse polieren* smash sb´s face in

Fressen, (1) *sub, n, -s, nur Einz. (vulg.; Essen)* grub; *(Haust.)* food; *(Vieh)* feed **(2)** *fressen vi, (Tier)* eat **(3)** *vt, (Benzin)* eat up; *(sich ernähren von)* feed on; *(Tier)* eat; *(vulg.; verschlingen)* swallow up; *(i. ü. S.) da heißt es fressen oder gefressen werden* it´s a case of dog eat dog; *einem Tier etwas zum fressen geben* feed an animal on sth; *er hat´s* *gefressen* the penny has dropped; *jmdn arm fressen* eat so out of house and home; **Fresskorb** *sub, m, -s, -körbe* hamper; **Fresslust** *sub, f, -, -lüste (Gier)* greediness; *(zool.)* appetite; **Fressnapf** *sub, m, -s, -näpfe* feeding-bowl; **Fresssack** *sub, m, -s, -säcke* glutton, greedy pig; **Fresssucht** *sub, f, -, -süchte (med.)* bulimia

Frettchen, *sub, n, -s,* - ferret

Freude, *sub, f, -, -n* joy; *(Vergnügen)* pleasures; *es war eine Freude* it was a real joy; *Freud und Leid* joy and sorrow; *vor Freude weinen* weep for joy; *er hat viel Freude daran* it gives him a lot of pleasure; *jmdm eine Freude machen* give so pleasure; *seine einzige Freude* his only pleasure

Freudenfest, *sub, n, -es, -e* celebration

Freudenfeuer, *sub, n, -s,* - bonfire

Freudenhaus, *sub, n, -es, -häuser* brothel; **Freudenmädchen** *sub, n, -s,* - prostitute, woman of easy virtue

freudenreich, *adj,* cheerful, joyful

Freudentanz, *sub, m, -es, -tänze* dance for joy

Freudenträne, *sub, f, -, -n* tears of joy

Freudianerin, *sub, f, -, -nen* Freudian follower; **freudianisch** *adj,* Freudian

freudig, *adj,* happy, joyful; *freudige Nachricht* good news; *freudiges Ereignis* happy event; *jmdn freudig begrüßen* be happy to see so

Freudigkeit, *sub, f, -, nur Einz.* happiness, joy

freudlos, *adj,* cheerless, joyless

freuen, (1) *vr,* be happy; *(sich -)* be pleased; *(sich - über)* be pleased about; *(sich auf etwas -)* look forward to (2) *vt,* please; *sich an etwas freuen* get a lot of pleasure out of; *sich riesig freuen* be over the moon; *sie hat sich über den Besuch gefreut* she was pleased that you visited her

Freund, *sub, m, -es, -e* friend; *(Liebh.)* lover; *(Partner)* boyfriend;

jmdm ein guter Freund sein be a good friend to so, be a good friend to so; *sich jmdn zum Freund machen* make a friend of so; **~in** *sub, f, -, -nen* girlfriend; *seine Freundin* his young lady

freundlich, (1) *adj,* amiable, friendly, kind; *(angenehm)* pleasant (2) *adv,* friendly; *könnten Sie so freundlich sein?* could you be as kind as

Freundlichkeit, *sub, f, -, -en* friendliness, kindness; *jmdm eine Freundlichkeit erweisen* do so a favour; *würden Sie die Freundlichkeit haben zu* would you be kind enough to

Freundschaft, *sub, f, -, -en* friendship; *Freundsch schließen mit* make friends with; **~sspiel** *sub, n, -s, -e* friendly match

freundschaftlich, (1) *adj,* amicable, friendly (2) *adv,* amicably, friendly; *auf freundschaftlichem Fuße stehen mit jmd* be on friendly terms with so; *freundsch gesinnt gegen* well-disposed towards; *freundschaftl auseinandergehen* part on friendly terms

Frevel, *sub, m, -s,* - crime; *(theol.)* sacrilege

Frevler, *sub, m, -s,* - evil-doer; *(Gotteslästerer)* blasphemer

frevlerisch, *adj,* sacrilegious, wicked

friedfertig, *adj,* peaceable; *(Tier)* gentle

Friedhof, *sub, m, -s, -höfe* cemetery; *(bei Kirche)* churchyard, graveyard; **~sruhe** *sub, f, -, nur Einz.* respect for silence

friedlich, *adj,* peaceful; *auf friedlichem Wege* by peaceful means; *friedlich stimmen* pacify

friedliebend, *adj,* peaceloving

frieren, *vi,* be cold, feel cold, freeze; *mich friert an den Füßen* I´ve got cold feet; *mich friert* I am cold

Fries, *sub, m, -es, -e* frieze

Friesländer, *sub, m, -s,* - Frisian

frigid, *(aaj)* frigid; **Frigidität** *sub, f', -,* nur Einz. frigidity

Frikadelle, *sub, f, -, -n* meatball; *(Kochk.)* meat

Frikassee, *sub, n, -s, -s* fricassee; **frikassieren** *vt,* fricassee

Frikativlaut, *sub,   m,   -s,   -e (Sprachw.)* fricative

Friktion, *sub, f, -, -en* friction

Frisbee, *sub, n, -, -s* Frisbee

frisch, *adj,* fresh; *(Eier)* freshlaid; *(Farbe)* wet; *(Wäsche)* clean; *frisch und munter* wide awake; *in frischer Erinnerung* fresh in my mind

frischbacken, *adj,* fresh from the oven

Frischgemüse, *sub, n, -s, -* fresh vegetables

Frischmilch, *sub, f, -,* nur Einz. fresh milk

Frischwasser, *sub, n, -s, nur Einz.* fresh water

Frischzelle, *sub, f, -, -n (med.)* living cell

Friséesalat, *sub, m, -s, -e* Frisée-lettuce

frisieren, (1) *vr, (sich)* do one´s hair (2) *vt, (jemanden)* do so´s hair; *(i. ü. S.; mot., Zahlen etc.)* soup up; **Frisiersalon** *sub, m, -s, -s* hairdresser´s shop; *(für Herren)* barbershop

Frisör, *sub, m, -s, -e* hairdresser; *(für Herren)* barber

Frist, *sub, f, -, -en* period of time; *(Aufschub)* extension; *(Zeitpunkt)* deadline; *drei Tage Frist* three days´ grace; *die Frist ist abgelaufen* the deadline has expired; *eine Frist einhalten* meet a deadline; *eine Frist setzen* fix a deadline; *kurzfristig* short date; **fristgerecht** *adj,* in time; *(bei Anmeldungen)* before the closing date; **fristlos** *adj,* without notice; **~wechsel** *sub, m, -s, - (wirt.)* bill of exchange

Fristenlösung, *sub, f, -, -en* termination

Frisur, *sub, f, -, -en* hairstyle

frittieren, *vt,* deep-fry

Frittüre, *sub, f, -, -n* deep-fryer

frivol, *(aaj)* frivolous; *(schamlos)* suggestive

Frl., *sub, (Abkürzung für Anrede)* Miss

froh, *adj,* glad, happy

fröhlich, *adj,* cheerful; *(happy)* cheerful; **Fröhlichkeit** *sub, f, -,* nur Einz. cheerfulness

fromm, *adj,   (theol.)* devout, pious; **Frömmigkeit** *sub, f, -,* nur Einz. piety

Fron, *sub, f, -, -en* soccage; *(Mühsal)* drudgery; *(US)* socage; **~arbeit** *sub, f, -, -en* statute labour; *(US)* statute labor

Frondeur, *sub, m, -s, -e* opposite number; **frondieren** *vt, (geh.)* oppose

fronen, *vi,* perform statute labour; *(i. ü. S.)* slave away; *(US)* perform statute labor

frönen, *vi,* indulge in; *seinen Leidenschaften frönen* let one´s passions run wild

Fronleichnam, *sub,   m,   -s,   -e (theol.)* Corpus Christi

Front, *sub, f, -, -en (Gebäude)* frontage; *(mil.)* front-line; *an der Front* at the front; *(i. ü. S.) an zwei Fronten kämpfen* fight on two fronts; *die feindl Front* enemy lines; *hinter der Front* behind the lines

frontal, *adj,* frontal

Frontantrieb, *sub, m, -s, -e (mot.)* front-wheel drive

Frontbericht, *sub, m, -s, -e* front-line report

Frontbreite, *sub, f, -,* nur Einz. *(i. ü. S.)* wide range

Frontdienst, *sub, m, -es, -e* combat duty

Fronteinsatz, *sub, m, -es, -sätze* action at the front

Frontkämpfer, *sub, m, -s, -* front-line soldier

Frontlader, *sub, m, -s, -* front loader

Frontmann, *sub, m, -s, -männer* man in front-line

Frontsoldat, *sub, m, -en, -en* front-line soldier

Frosch, *sub, m, -es,* Frösche frog; *(i. ü. S.) einen Frosch im Hals haben* have a frog in one´s throat; *(i. ü. S.) sei kein Frosch* don´t be a spoilsport; **~könig** *pron,* Frog Prince; **~laich** *sub, m, -s, -e* frogspawn; **~mann** *sub, m, -s, -männer* frogman; **~perspektive** *sub, f, -, -n* worm´s eye view

Frost, *sub, m, -es,* Fröste frost; *bei Frost* when there´s frost; *Frost abbekommen* get a touch of frost; **~beule** *sub, f, -, -n* chilblain

frösteln, *vi,* feel chilly; *(i. ü. S.) da fröstelt´s einen ja (bei einem Gedanken)* it makes you shudder

Froster, *sub, m, -s, -* freezing compartment

Frostgefahr, *sub, f, -, -en* danger of frost

Frostgrenze, *sub, f, -, -n* frost line

frostig, *adj, (auch i.ü.S.)* frosty

Frostigkeit, *sub, f, -, nur Einz.* frostiness

Frostschaden, *sub, m, -s, -schäden* frost damage

Frostwetter, *sub, n, -s, nur Einz.* frosty weather

Frottee, *sub, m, -s, -s* towelling; *(US)* toweling; **~kleid** *sub, n, -s, -er* towelling dress; *(US)* toweling dress; **~stoff** *sub, m, -s, -e* terry cloth; **~tuch** *sub, n, -s, -tücher* terry towel

frottieren, *vt,* rub; **Frottiertuch** *sub, n, -s, -tücher* fleecy towel

frotzeln, *vt,* make fun of, tease

Frucht, *sub, f, -,* Früchte *(auch i.ü.S.)* fruit; *die Früchte seiner Arbeit* the fruits of one´s labour; *Früchte tragen* bear fruit, bear fruit; **fruchtbar** *adj,* fertile; *(i. ü. S.)* fruitful; *auf fruchbaren Boden fallen* fall on fertile ground; *fruchtbare Tage* fertile period; **~boden** *sub, m, -s, -böden* fertile ground; **~bonbon** *sub, n, -s, -e* fruit drop; **~folge** *sub, f, -, -n* crop rotation; **~presse** *sub, f, -, -n* juicer; **~saft** *sub, m, -s, -säfte* fruit juice; **~wasser** *sub n, -s, nur Einz.* waters; *(med.)* amniotic fluid

Früchtchen, *sub, n, -s, - (i. ü. S.)* trouble maker; *(i. ü. S.; abw.)* good-for-nothing

Früchtebrot, *sub, n, -es, -e* fruit loaf

früchtereich, *adj,* rich with fruit

fruchtig, *adj,* fruity

fruchtlos, *adj,* fruitless

fruchtreich, *adj,* rich with fruit

Fructose, *sub, f, -, nur Einz.* fructose

frugal, *adj,* frugal; **Frugalität** *sub, f, -, nur Einz.* frugality

früh, **(1)** *adj,* early **(2)** *adv,* early; *am frühen Morgen* early in the morning; *ein früher van Gogh* an early van Gogh, *früh aufstehen* get up early in the morning; *heute früh* this morning; *im frühen Alter* at an early age; *von früh bis spät* from morning till night; **Frühaufsteher** *sub, m, -s, -* early riser; **Frühdiagnose** *sub, f, -, -n (med.)* early diagnosis; **Frühgeburt** *sub, f, -, -en* premature birth; **Frühgeschichte** *sub, f, -, nur Einz.* early history

Frühe, *sub, f, -, nur Einz.* in the early morning

früher, *adj,* earlier, former, previous

frühgotisch, *adj,* early gothic

Frühjahr, *sub, n, -s, -e* spring; **~sputz** *sub, m, -es, nur Einz.* spring-clean

frühkindlich, *adj,* early childhood

Frühling, *sub, m, -s, -e* spring; **~srolle** *sub, f, -, -n* spring roll; **~stag** *sub, m, -es, -e* spring day

frühmorgens, *adj,* early in the morning

frühreif, *adj, (Kind)* precocious

Frühreife, *sub, f, -, -n* precocniousness

Frühschicht, *sub, f, -, -en* early shift

Frühschoppen, *sub, m, -s, -* morning drink; *(um Mittag)* lunchtime drink

Frühstadium, *sub*, *n*, *-s*, *-dien* early stage

Frühstück, *sub*, *n*, *-s*, *-e* breakfast; **frühstücken** *vi*, have breakfast; **~sei** *sub*, *n*, *-s*, *-er* egg for breakfast

frühzeitig, *adj*, early; *(vorzeitig)* premature

Frust, *sub*, *m*, *-s*, *-e* frustration; *(vulg.)* grind; *(vulg.) ich hab´ einen Frust 1´* am cheesed off; **~ration** *sub*, *f*, *-*, *-en* frustration; **frustrieren** *vt*, frustrate; **~rierung** *sub*, *f*, *-*, *-en* frustration

Fuchs, *sub*, *m*, *-es*, *-Füchse* fox; *(Pferd)* sorrel; *(i. ü. S.; schlauer Mensch)* cunning devil; **~bau** *sub*, *m*, *-s*, *-e* foxden; **~jagd** *sub*, *f*, *-*, *-en* foxhunt; **~schwanz** *sub*, *m*, *-es*, *-schwänze* foxtail; *(Säge)* handsaw

Fuchsie, *sub*, *f*, *-*, *-n* *(bot.)* fuchsia

fuchsteufelswild, *adj*, hopping mad

Fuchtel, *sub*, *f*, *-*, *-n* have so under one´s thumb

fuchteln, *vi*, wave sth around

fuchtig, *adj*, hopping mad

Fuder, *sub*, *n*, *-s*, *-* cart-load

Fug, *sub*, *n*, *-es*, *nur Einz.* rightly; *mit Fug und Recht* with good reason

Fuge, *sub*, *f*, *-n* gap; *(mus.)* fugue; *(tech.)* joint; *(i. ü. S.) aus den Fugen geraten* be thrown out of joint

fügen, **(1)** *vr*, *(sich ein-)* fit into **(2)** *vt*, *(hinzu-)* place, set; *(zusammen)* put together

Fügung, *sub*, *f*, *-*, *-en* providence

fühlbar, *adj*, noticeable; **Fühlbarkeit** *sub*, *f*, *-*, *nur Einz.* be noticable

fühlen, **(1)** *vr*, *(sich)* feel **(2)** *vti*, feel

Fühler, *sub*, *m*, *-s*, *-* feeler; *(tech.)* sensor; *(Weicht.)* tentacle

Fühlungnahme, *sub*, *f*, *-*, *-n* first contact

Fuhre, *sub*, *f*, *-*, *-n* load

führen, **(1)** *vi*, lead **(2)** *vt*, lead; *(Bücher)* keep; *(geleiten)* guide, take; *(Gerät)* handle; *(steuern)* drive; *(Titel)* hold; *bei sich führen* have on one; *ein Leben führen* lead a life, *in ein Zimmer führen* lead into a room

Führer, *sub*, *m*, *-s*, leader; *(Tranden-)* guide; *(spo.)* captain; **~natur** *sub*, *f*, *-*, *-en* born leader; **~schaft** *sub*, *f*, *-*, *-en* leadership; **~stand** *sub*, *m*, *-s*, *-stände* driver´s cab

Führerschein, *sub*, *m*, *-s*, *-e* driving licence; *(US)* driver´s license

Fuhrmann, *sub*, *m*, *-s*, *-männer* carter

Fuhrpark, *sub*, *m*, *-s*, *-s* transport fleet

Führung, *sub*, *f*, *-*, *-en* leadership, management; *(mil.)* command; *Führung an sich reißen* seize control; **~skraft** *sub*, *f*, *-*, *-kräfte* *(wirt.)* executive; **~szeugnis** *sub*, *n*, *-ses*, *-se* certificate of good conduct

Fuhrunternehmen, *sub*, *n*, *-s*, *-* haulage company

Fuhrwerk, *sub*, *n*, *-s*, *-e* cart

fuhrwerken, *vi*, bustle around

Fülle, *sub*, *f*, *-*, *nur Einz.* abundance; *(Körper)* corpulence

Füllfederhalter, *sub*, *m*, *-s*, *-* fountain pen

Füllhorn, *sub*, *n*, *-s*, *-hörner* horn of plenty

füllig, *adj*, corpulent; *(Person)* stout

Fulltimejob, *sub*, *m*, *-s*, *-s* fulltimejob

Füllung, *sub*, *f*, *-*, *-en* filling; *(Lebensmittel)* stuffing; *(Praline)* centre; *(US Praline)* center

fulminant, *adj*, brilliant

Fummel, *sub*, *m*, *-s*, *-* *(ugs.)* rags

Fummelei, *sub*, *f*, *-*, *-en* twiddling; *(ugs.; erot.)* petting

fummeln, *vi*, *(ugs.)* fiddle; *(ugs.; erot.)* pet

Fund, *sub*, *m*, *-es*, *-e* find; *einen Fund machen* make a find

Fundament, *sub*, *n*, *-s*, *-e* foundation; *bis auf die Fundamente zerstört werden* be razed to the ground; *das Fundament legen für* lay the foundations for

fundamental, *adj*, fundamental

Fundamentalismus, *sub*, *m*, *-*,

nur Einz. fundamentalism; **Fundamentalist** *sub, m, -en, -en* fundamentalist

fundamentieren, *vt*, lay the foundations of

Fundbüro, *sub, n, -s, -s* lost property office; *(Schild)* lost and found

Fundgrube, *sub, f, -, -n (i. ü. S.)* goldmine; *(im Kaufhaus)* bargain offers

fundiert, *adj*, well-grounded; *(wissensch.)* backed up by research

fündig, *adj, (bei Bohrungen)* make a strike

Fundsache, *sub, f, -, -n* lost property

Fundus, *sub, m, -, nur Einz.* store of knowledge; *(Theat.)* general equipment

fünf, *adj*, five; *(i. ü. S.) alle fünf Sinne beisammen haben* have one´s wits about one; *(i. ü. S.) fünf vor zwölf* at the eleventh hour

fünfeinhalb, *adj*, five and a half

Fünferreihe, *sub, f, -, -n* row of five

fünfhundert, *adj*, five hundred

fünfstellig, *adj*, five digit

fünftausend, *adj*, five thousand

Fünfuhrtee, *sub, m, -s, -s* five o´clock tea

Fünfziger, *sub, m, -s, -* fifty

fungieren, *vi*, function as

Fungizid, *sub, n, -s, -e* fungicide

Fungus, *sub, m, -, Fungi* fungus

Funk, *sub, m, -s, nur Einz.* radio; **~amateur** *sub, m, -s, -e* radio ham; **~kontakt** *sub, m, -s, -e* radio contact; **~schatten** *sub, m, -s, -* beyond the reception area; **~spruch** *sub, m, -s, -sprüche* radio message; **~station** *sub, f, -, -en* radio station; **~störung** *sub, f, -, -en* interference; *(durch Störsender)* jamming; **~streife** *sub, f, -, -n (Polizei)* radio patrol; **~technik** *sub, f, -, -en* radio engineering; **~turm** *sub, m, -s, -türme* radio tower; **~werbung** *sub, f, -, -en* radio advertisment

Funke, *sub, m, -n, -n* spark; *(stärker)* flash; *der Funke ist übergesprungen* we clicked; *Funken sprühen* send out sparks

funkeln, *vi*, sparkle; *(Augen)* flash;

(Sterne) twinkle

funkelnagelneu, *adj*, brand-new

Funken, (1) *sub, m, -s, -* flash, spark **(2) funken** *vt*, radio, send out

Funkenregen, *sub, m, -s, nur Einz.* shower of sparks

Funker, *sub, m, -s, -* radio operator

Funktion, *sub, f, -, -en* function; *(Stellung)* position; *außer Funktion* not working; *außer Funktion setzen* bring to a standstill; *in Funktion treten* go into operation; *eine hohe Funktion ausüben* hold a key position; **funktional** *adj*, functional; **funktionalisieren** *vi*, put in function

Funktionalismus, *sub, m, -, nur Einz.* functionalism

Funktionär, *sub, m, -s, -e* official

funktionell, *adj*, functional

funktionieren, *vi*, function, work

Funzel, *sub, f, -, -n (ugs.)* useless lamp, useless light

für, *präp, (als Ersatz -)* for; *(anstatt)* for; *(im Namen von)* for; *(zugunsten von)* for; *Schritt für Schritt* step by step; *Tag für Tag* day after day; *er ist gern für sich* he likes to be on his own; *für mich* for my sake; *fürs erste* for the moment

Fürbitte, *sub, f, -, -n* intercession

Fürbitterin, *sub, f, -, -nen* intercessor

Furche, *sub, f, -, -n* furrow; *(tech., Rille)* groove

furchtbar, *adj*, awful, dreadful

fürchten, (1) *vi, (für oder um)* fear for **(2)** *vr, (sich-)* be frightened of **(3)** *vt*, be afraid of; *ich fürchte um sein Leben* I fear for his life, *er fürchtet nichts* he´s one of the bulldog breed

fürchterlich, *adj*, dreadful, terrible

furchtlos, *adj*, fearless

furchtsam, *adj*, fearful

füreinander, *adv*, for each other

Furie, *sub, f, -, -n* fury

furios, *adj*, *(glänzend)* brilliant; *(rasend)* furious

Furnier, *sub*, *n*, *-s*, *-e* veneer; **furnieren** *vt*, veneer; **~holz** *sub*, *n*, *-es*, *-hölzer* veneer

Fürsorge, *sub*, *f*, *-*, *-n* care; *(öffentl.)* public welfare; **~amt** *sub*, *n*, *-es*, *-ämter* social services; **~rin** *sub*, *f*, *-*, *-nen* social worker; **fürsorglich** *adj*, considerate

Fürsprache, *sub*, *f*, *-*, *-n* intercession; *(ugs.)* **für jmdn Fürsprache einlegen** put in a good word for so; **Fürsprecher** *sub*, *m*, *-s*, *-* intercessor

Fürst, *sub*, *m*, *-en*, *-en* prince; **~enhaus** *sub*, *n*, *-es*, *-häuser* dynasty; **~ensitz** *sub*, *m*, *-es*, *-e* royal court; **~entum** *sub*, *n*, *-s*, *-tümer* principality; **fürstlich** *adj*, princely; *(i. ü. S.;* **üppig)** lavish

Furt, *sub*, *f*, *-*, *-en* ford

Furunkel, *sub*, *n*, *-s*, *-* *(med.)* furuncle

fürwitzig, *adj*, cheeky

Fürwort, *sub*, *n*, *-s*, *-wörter* *(Sprachw.)* pronoun; **fürwörtlich** *adj*, pronominal

Fusel, *sub*, *m*, *-s*, *-* *(ugs.; abw.)* rotgut

Füsilier, *sub*, *m*, *-s*, *-e* fusilier; *(US)* fusilier

füsilieren, *vt*, shoot dead by order of court martial

Fusion, *sub*, *f*, *-*, *-en* *(Naturw.)* fusion; *(wirt.)* merger; **fusionieren** *vi*, merge; **~ierung** *sub*, *f*, *-*, *-en* fusion

Fuß, *sub*, *m*, *-es*, *Füße* foot; *(Berg, Schrank, Liste, Seite)* foot; *(Glas)* stem; *(Säule)* base; *(Tisch, Stuhl)* leg; *auf eigenen Füßen stehen* stand on one own's two feet; *gut zu Fuß sein* be a good walker; *kalte Füße bekommen* get cold feet; *mit beiden Füßen fest auf der Erde stehen* have both feet firmly on the ground; *mit Füßen treten* trample on; *sein Glück mit Füßen treten* cast away one's fortune; *wieder auf den Füßen sein* bee back on one's feet again; *zu Fuß bequem erreichbar* within walking distance; *zu Fuß*

geben walk; *zum Hund: bei Fuß* heel!; **~abtreter** *sub*, *m*, *-s*, *-* shoe scraper; **~angel** *sub*, *f*, *-*, *-n* mantrap; *(i. ü. S.)* trap; **~bad** *sub*, *n*, *-es*, *-bäder* footbath; **~boden** *sub*, *m*, *-s*, *-böden* floor; *(-belag)* floor covering; **~note** *sub*, *f*, *-*, *-n* footnote; **~pflegerin** *sub*, *f*, *-*, *-nen* pedicurist; **~pilz** *sub*, *m*, *-es*, *-e* *(med.)* athlete's foot; **~sohle** *sub*, *f*, *-*, *-n* sole of the foot; **~spur** *sub*, *f*, *-*, *-en* footprint; **~tritt** *sub*, *m*, *-s*, *-e* kick; **~wanderung** *sub*, *f*, *-*, *-en* walking tour; **~weg** *sub*, *m*, *-s*, *-e* footpath; *(Zeit)* walk; *ein Fußweg von einer Stunde* an hour's walk

Fußball, *sub*, *m*, *-s*, *-bälle* football; **~braut** *sub*, *f*, *-*, *-bräute* girlfriend of a footballer; **~feld** *sub*, *n*, *-s*, *-er* football pitch; **~klub** *sub*, *m*, *-s*, *-s* football club; **~mannschaft** *sub*, *f*, *-*, *-en* football team; **~platz** *sub*, *m*, *-es*, *-plätze* football ground; **~schuh** *sub*, *m*, *-s*, *-e* football boot; **~spiel** *sub*, *n*, *-s*, *-e* football match; **~tor** *sub*, *n*, *-s*, *-e* goal; **~toto** *sub*, *n*, *-s*, *nur Einz.* football pools

Fussel, *sub*, *m*, *-s*, *-n* piece of fluff

fusselig, *adj*, covered in fluff; *sich den Mund fusselig reden* talk till one is blue in the face

fußen, *vi*, based on sth

Fußgänger, *sub*, *m*, *-s*, *-* pedestrian; **~in** *sub*, *f*, *-*, *-nen* pedestrian

Fußknöchel, *sub*, *m*, *-s*, *-* ankle

fußkrank, *adj*, *(v. maschieren)* footsore

fusslig, *adj*, covered in fluff

futsch, *adj*, *(ugs.)* broken; *(ugs.; verdorben)* ruined; *(ugs.; verloren)* gone

Futter, *sub*, *n*, *-s*, *nur Einz.* *(Tiernahrung)* feed; *(von Kleidung)* lining; *gut im Futter stehen* be well-fed; **~krippe** *sub*, *f*, *-*, *-n* manger; **~neid** *sub*, *m*, *-s*, *nur Einz.* jealousy; *(ugs.; Neid)* envy; **~platz** *sub*, *m*, *-es*, *-plätze* feeding ground; **~raufe** *sub*, *f*, *-*, *-n* feeding trough; **~rübe** *sub, f, -, -n* turnip; **~seide** *sub, f, -, nur Einz.* lining silk; **~stoff** *sub, m, -s, -e* lining material

Futteral, *sub, n, -s, -e* case

füttern, *vt,* feed; *(Kleidung)* line

Futur, *sub, n, -s, -e (Sprachw.)* future

Futurismus, *sub, m, -, nur Einz.* futurism; **Futurist** *sub, m, -en, -en* futurist; **futuristisch** *adj,* futuristic

G

Gabe, *sub, f, -, -n* gift; *(Begabung)* gift; *(Sammlung)* donation; *die Gabe haben zu* have a gift for

Gabel, *sub, f, -, -n* fork, pitchfork; *(Fahrrad, Ast)* fork; **~bissen** *sub, m, -s, -* fork lunch; **~frühstück** *adj,* cold buffet; **~stapler** *sub, m, -s, -* forklift truck

gabeln, (1) *vr, (sich - Straße etc.)* fork **(2)** *vt,* fork sth up

Gabelung, *sub, f, -, -en* fork

gackern, *vi,* cluck; *(i. ü. S.)* gabble

Gadolinium, *sub, n, -s, nur Einz. (chem.)* gadolinium

gaffen, *vi,* gawp

Gafferei, *sub, f, -, nur Einz.* gawkiness

Gag, *sub, m, -s, -s* gag; *(Besonderh.)* gimmick

Gage, *sub, f, -, -n* fee

gähnen, *vi,* yawn; **Gähnerei** *sub, f, -, nur Einz.* yawning

Gala, *sub, f, -, -s* gala; **~empfang** *sub, m, -s, -empfänge* formal reception; **~konzert** *sub, n, -s, -e* gala concert; **~uniform** *sub, f, -, -en* full dress

Galan, *sub, m, -s, -e* (i. ü. S.) Romeo

Galaxie, *sub, f, -, -n* (astron.) galaxy

Galaxis, *sub, f, -, nur Einz.* Galaxy; *(Milchstr.)* Milky Way

Galeere, *sub, f, -, -n* galley

galenisch, *adj,* galenic

Galeone, *sub, f, -, -n* galleon

Galeote, *sub, f, -, -n* (Frachtschiff) galleon

Galerie, *sub, f, -, -n* gallery; **Galerist** *sub, m, -en, -en* gallerist

Galgen, *sub, m, -s, -* gallows; *an den Galgen bringen* send to the gallows; **~frist** *sub, f, -, -en* reprieve; **~humor** *sub, m, -ores, -e* gallows humour; **~strick** *sub, m, -s, -e* (i. ü. S.) good-for-nothing; **~vogel** *sub, m, -s, -vögel* rogue

Galione, *sub, f, -, -n* galleon; **Galionsfigur** *sub, f, -, -en* figurehead

gälisch, *adj, (Sprachw.)* Gaelic

Gallapfel, *sub, m, -s, -äpfel* oak apple

Galle, *sub, f, -, -n* (med.) gall; *(Sekret Mensch)* bile; *(Sekret Tier)* gall; *(i. ü. S.) ihm lief die Galle über* he was seething; **gallenbitter** *sub, m, -s, -* bitter; **~nblase** *sub, f, -, -n* gall bladder; **~nkolik** *sub, f, -, -en* bilious colic; **~nleiden** *sub, n, -s, -* gall-bladder complaint; **~nstein** *sub, m, -s, -e* gallstone

Gallert, *sub, n, -s, -e* jelly; **gallertartig** *adj,* jelly-like; **~e** *sub, f, -, -n* gelatinous mass; **~masse** *sub, f, -, -n* gelatinous substance

gallig, *adj, (Geschmack)* acrid; *(Laune)* bilious

gallikanisch, *adj,* gallicanic

gallisch, *adj,* Gallic

Gallone, *sub, f, -, -n* (Brit./Imperial 4,54 l) gallon; *(US 3,78 l)* gallon

Galopp, *sub, m, -s, -s oder -e* gallop; *im Galopp ankommen* come galopping along; *im Galopp erledigen* galop through sth; **galoppieren** *vi,* gallop; **~rennen** *sub, n, -s, -* race

Galosche, *sub, f, -, -n* galoshes

Galvanisation, *sub, f, -, -en* galvanization; **galvanisch** *adj,* galvanic; **Galvaniseur** *sub, m, -s, -e* electroplater; **galvanisieren** *vt,* galvanize; *(tech.)* electroplate; **Galvanismus** *sub, m, -, -* (chem.) galvanism; **Galvanoskop** *sub, n, -s, -e* galvanoscope; **Galvanotechnik** *sub, f, -, nur Einz.* galvanotechnic

Gamasche, *sub, f, -, -n* gaiter; *(bis zum Knöchel)* spat

Gambit, *sub, n, -s* (Schach) gambit

Gameshow, *sub, f, -s, -s* gameshow

Gamet, *sub, m, -en, -en* (biol.) gamete

Gamma, *sub, n, -s, -s* gamma; **~strahlen** *sub, -, nur Mehrz. (phy.)* gamma rays

gammeln, *vi, (ugs.)* loaf around;
Gammler *sub, m, -s,* - drop-out
Gämse, *sub, f, -, -n* chamois
Gang, *sub, m, -s, Gänge (Bewegung)*
be running; *(Essen course)* walk;
(Flur) corridor; *(Gehweise)* walk;
(mot.) gear; *(Verlauf)* course; *(Ma-*
schinen) einen leisen Gang haben
run quietly; *(Maschinen) in Gang*
halten keep going; *(Maschinen) in*
vollem Gang in full swing; *Essen*
mit drei Gängen three-course
meal; *den Gang wechseln* change
gears, *(US)* shift gears; *erster Gang,*
zweiter Gang first gear, second
gear; *seinen Gang gehen* take its
course
Gangart, *sub, f, -, -en* gait
Gangbarkeit, *sub, f, -, -en (Lösung)*
practiability; *(Weg)* passability
Gängelei, *sub, f, -, -en* be bossed
around
gängig, *adj, (Handel)* saleable; *(üb-*
lich) common
Gangschaltung, *sub, f, -, -en* ge-
arshift
Gangster, *sub, m, -s,* - gangster;
~boss *sub, m, -es, -e* gang boss;
~tum *sub, n, -s, -tümer* world of
gangsters
Gangway, *sub, f, -, -s* gangway
Ganove, *sub, m, -n, -n* crook; **~neh-**
re *sub, f, -, -n* honour amongst thieves
Gans, *sub, f, -, Gänse* goose; **Gänse-**
blümchen *sub, n, -s,* - daisy; **Gän-**
sebraten *sub, m, -s,* - roast goose;
Gänsefüßchen *sub, n, -s, - (ugs.)*
Anführungszeichen) quotation
marks; **Gänsehaut** *sub, f, -, -häute*
goose pimples; *eine Gänsehaut be-*
kommen send shivers down the spine; **Gänseklein** *sub, n, -s,* - goose
giblets; **Gänsemarsch** *sub, m, -s,*
-märsche single file; *(US)* Indian
file; **Gänseschmalz** *sub, n, -s, -e*
goose dripping; **Gänsewein** *sub,*
m, -s, -e (i. ü. S.; Wasser) water
ganz, (1) *adj, whole; (gesamt)* entire; *(mus. ganze Note/Pause)* semibreve; *(mus. ganze Note/Pause US)*

whole note; *(unbeschädigt)* in
one piece **(2)** *adv, (völlig)* completely, totally; *(ziemlich)* quite;
das hatte ich ganz vergessen I´d
completely forgotten; *das ist et-*
was ganz anderes that´s a com-
pletely different matter; *es hat*
mir ganz gut gefallen I quite liked
it; *ganz gut* quite good; *ganz*
schön viel quite a lot; *ganz und*
gar nicht not at all
Gänze, *sub, f, -, nur Einz.* in full
Ganzglastür, *sub, f, -, -en* glass-
door
Ganzheit, *sub, f, -, -en* intirety,
whole; *in seiner Ganzheit* in its
entirety; *in seiner Ganzheit* as a
whole; **ganzheitlich** *adj,* comprehensive; *(med.)* holistic;
~smethode *sub, f, -, -n* holistic
method
gänzlich, *adj,* entirely
ganztags, *adj,* all-day; **Ganztags-**
schule *sub, f, -, -n* all-day school
Ganzton, *sub, m, -s, -töne* semibreve
gar, (1) *adj, (Kochk.)* cooked,
done **(2)** *adv,* even
Garage, *sub, f, -, -n* garage; **~nwa-**
gen *sub, m, -s,* - keep a car in a
garage
Garant, *sub, m, -en, -en* guarantor
Garantie, *sub, f, -, -n* guarantee;
dafür kann ich keine Garantie
übernehmen I can´t make any
guarantees; *es hat ein Jahr Ga-*
rantie it´s got a year´s guarantee;
garantieren *vti,* guarantee
Garbe, *sub, f, -, -n (Geschoss)*
burst of fire; *(Landw.)* sheaf; *in*
Garben binden bundle into
sheafs
Garçonnière, *sub, f, -, -n (österr.*
Einzimmerw.) one-room flat
Garde, *sub, f, -, -n (mil.)* guard; *er*
ist noch von der alten Garde he´s
still one of the old school
Garderobe, *sub, f, -, -n (Kleidung)*
clothes, wardrobe; *(US check-*
room) cloakroom; *für Gaderobe*
wird nicht gehaftet we regret that

the management cannot accept responsibility for losses due to theft; *etwas an der Gaderobe abgeben* leave sth in the cloakroom

Garderobier, *sub*, *m*, *-s*, *-s* cloakroom attendant; *(US)* checkroom attendant

Garderobiere, *sub*, *f*, *-*, *-n* clockroom attendant; *(US)* checkroom attendant

Gardine, *sub*, *f*, *-*, *-n* net curtain; **~npredigt** *sub*, *f*, *-*, *-en* dressing down

Gardist, *sub*, *m*, *-en*, *-en* guardsman

garen, *vti*, cook slowly

gären, *vi*, ferment; *(i. ü. S.)* seethe; *es gärt im Volk* there's growing unrest among the people

Garn, *sub*, *n*, *-s*, *-e* thread

Garnele, *sub*, *f*, *-*, *-n* shrimp; *(US)* prawn

garnieren, *vt*, decorate; *(Kochk.)* garnish; **Garnierung** *sub*, *f*, *-*, *-en* garnish

Garnison, *sub*, *f*, *-*, *-en* garrison

Garnitur, *sub*, *f*, *-*, *-en* set; *(ugs.; erste/zweite -)* first/second rate; *(Möbel)* suite

Garrotte, *sub*, *f*, *-*, *-n* garrote; **garrottieren** *vt*, garotte

Garten, *sub*, *m*, *-s*, *Gärten* garden; **~arbeit** *sub*, *f*, *-*, *-en* gardening; **~bau** *sub*, *m*, *-s*, *-bauten* horticulture; **~blume** *sub*, *f*, *-*, *-n* gardenflower; **~freund** *sub*, *m*, *-s*, *-e* garden enthusiast; **~frucht** *sub*, *f*, *-*, *-früchte* fruit from the garden; **~gerät** *sub*, *n*, *-s*, *-e* garden tool; **~haus** *sub*, *n*, *-es*, *-häuser* garden house, summer-house; **~laube** *sub*, *f*, *-*, *-n* arbour; *(US)* arbor; **~lokal** *sub*, *n*, *-s*, *-e* beer garden, outdoor restaurant; **~schach** *sub*, *n*, *-s*, *-s* garden chess; **~stadt** *sub*, *f*, *-*, *-städte* garden city; **~zwerg** *sub*, *m*, *-s*, *-e* garden gnome

Gärtner, *sub*, *m*, *-s*, *-* gardener; **~ei** *sub*, *f*, *-*, *-en* nursery; **~inart** *sub*, *f*, *-*, *-en* *(Kochk.)* à la jardinière; **gärtnerisch** *adj*, gardenesque; **gärtnern** *vi*, do gardening; **~sfrau** *sub*,

f, *-*, *-en* lady gardener

Gärung, *sub*, *f*, *-*, *-en* fermentation

Gas, *sub*, *n*, *-es*, *-e* gas; *(-pedal)* accelerator; *(mot. -geben)* accelerate; *(mot. -wegnehmen)* decelerate; **~anzünder** *sub*, *m*, *-s*, *-* gaslighter; **~badeofen** *sub*, *m*, *-s*, *-öfen* gas heater; **~explosion** *sub*, *f*, *-*, *-en* gas explosion; **~feuerzeug** *sub*, *n*, *-s*, *-e* gas lighter; **~heizung** *sub*, *f*, *-*, *-en* gas heating; **~maske** *sub*, *f*, *-s*, *-n* gas mask; **~ometer** *sub*, *m*, *-s*, *-* gasometer; **~pedal** *sub*, *n*, *-s*, *-e* accelerator; *(US)* gas pedal; **~rechnung** *sub*, *f*, *-*, *-en* gas bill; **~schlauch** *sub*, *m*, *-s*, *-schläuche* gas tube

Gässchen, *sub*, *n*, *-s*, *-* alleyway, narrow lane

Gasse, *sub*, *f*, *-*, *-n* lane; *Hans Dampf in allen Gassen* he is a busyboy; **~nhauer** *sub*, *m*, *-s*, *-* popular song; **~njunge** *sub*, *m*, *-n*, *-n (ugs.; abw.)* street urchin

Gast, *sub*, *m*, *-s*, *Gäste* guest; *(Besucher)* visitor; *Gäste haben* have guests, have guests; *Gäste haben* have visitors; **~arbeiter** *sub*, *m*, *-s*, *-* foreign worker, immigrant worker; **~dozentin** *sub*, *f*, *-*, *-nen* guest lecturer; **Gästezimmer** *sub*, *n*, *-s*, *-* guest room; **~freiheit** *sub*, *f*, *-*, *-en* hospitality; **~freundschaft** *sub*, *f*, *-*, *-en* hospitality, **~geber** *sub*, *m*, *-s*, *-* host; **~geberin** *sub*, *f*, *-*, *-nen* hostess; **~geschenk** *sub*, *n*, *-s*, *-e* present

Gasthaus, *sub*, *n*, *-es*, *-häuser* inn, restaurant; *(mit Unterkunft)* guest house

Gasthof, *sub*, *m*, *-s*, *-höfe* inn, restaurant

Gasthörer, *sub*, *m*, *-s*, *- (Univ.)* auditor

gastlich, *adj*, hospitable; **Gastlichkeit** *sub*, *f*, *-*, *-en* hospitality

Gastmahl, *sub*, *n*, *-s*, *-mähler* banquet

Gastpflanze, *sub*, *f*, *-*, *-n* parasite plant

gastral, *adj, (med.)* gastric

Gastrecht, *sub, n, -s, -e* right of hospitality

Gastrednerin, *sub, f, -, -nen* guestspeaker

Gastrolle, *sub, f, -, -n* guest part

Gastronomie, *sub, f, -, nur Einz.* restaurant trade; *(Kochkunst)* gastronomy; **Gastronom** *sub, m, -en, -en* restaurateur; **Gastronomin** *sub, f, -, -nen* restaurateur; **gastronomisch** *adj,* gastronomic

Gastspiel, *sub, n, -s, -e* guest performance; *(spo.)* away game

Gastvortrag, *sub, m, -s, -vorträge* guest lecture

Gastwirt, *sub, m, -s, -e (Restaurant)* owner; *(Restaurant, Pächter)* restaurant manager; *(Wirtshaus)* publican

Gaswerk, *sub, n, -s, -e* gasworks

Gatte, *sub, m, -n, -n* husband, spouse; **~nliebe** *sub, f, -, -n* love between husband and wife; **Gattin** *sub, f, -, -nen* spouse, wife

Gatter, *sub, n, -s, -* fence

Gattung, *sub, f, -, -en* kind; *(zool.)* genus; *(zool. Familie)* family; *(zool., Art)* species; **~sname** *sub, m, -ns, -n* generic name

Gau, *sub, m, -s, -e* district

Gaucho, *sub, m, -s, -s* gaucho

Gaudi, *sub, n, -, nur Einz. (bayr., österr.)* just for the fun of it

Gaudium, *sub, n, -s, nur Einz.* fun

gaukeln, *vi,* flutter; **Gaukelei** *sub, f, -, -en* trickery; **Gaukelspiel** *sub, n, -s, -e* delusion; **Gaukler** *sub, m, -s, -* tumbler; **gauklerhaft** *adj,* fluttery; **gauklerisch** *adj,* fluttery

Gaul, *sub, m, -s, Gäule* horse; *(ugs.; abw.)* nag; *einem geschenkten Gaul sieht man nicht ins Maul* never look a gift horse in the mouth

Gaumen, *sub, m, -s, -* palate; *einen feinen Gaumen haben* have a fine palate; **~kitzel** *sub, m, -s, -* delicacy; **~segel** *sub, n, -s, -* velar

Gavotte, *sub, f, -, -n* gavotte

Gazastreifen, *sub, m, -s, nur Einz.* Gazastripe

Gaze, *sub, f, -, -n* gauze

Gazelle, *sub, f, -, -n* gazelle

Gazette, *sub, f, -, -n* gazette

Geächze, *sub, n, -s, -* groaning

Geäder, *sub, n, -s, - (Blutgefäße)* blood vessels; *(im Holz)* grain; *(Maserung)* veins; **geädert** *adj,* veined; *(Holz)* grained; **geartet** *adj,* disposed

Gebäck, *sub, n, -s, -e* pastry

Gebälk, *sub, n, -s, -e* beams

gebärden, *vr,* act, behave; **Gebärdenspiel** *sub, n, -s, -e* gestures

Gebaren, (1) *sub, n, -s, -* behaviour (2) **gebaren** *vr,* act, behave

gebären, *vti,* bear, give birth; **Gebärklinik** *sub, f, -, -en* maternity hospital; **Gebärmutter** *sub, f, -, -mütter* womb; *(med.)* uterus

Gebäude, *sub, n, -s, -* building; *(i. ü. S.)* structure; **~teil** *sub, m,n, -s, -e* part of a building

gebefreudig, *adj,* openhanded

Gebein, *sub, n, -s, -e* bones; *(sterbl. Reste)* mortal remains

Gebell, *sub, n, -s, -* barking; *(Jagdhunde)* baying

Gebenedeite, *sub, f, -, -n* blessed

Geber, *sub, m, -s, -* giver; *(Kartenspiel)* dealer; **~sprache** *sub, f, -, -n (Sprachw.)* original language from which a word is derived

Gebet, *sub, n, -s, -e* prayer; *sein Gebet verrichten* say one´s prayers; **~buch** *sub, n, -s, -bücher* prayer book; **~smantel** *sub, m, -s, -mäntel* prayer mantle; **~snische** *sub, f, -, -n* prayer corner; **~steppich** *sub, m, -s, -e* prayer mat

Gebiet, *sub, n, -s, -e* region; *(Bereich)* field; *(Staats-)* territory; *benachbarte Gebiete* neighbouring territories, *(US)* neighboring territories; **gebietsweise** *adj,* local, regional

gebieten, (1) *vi, (über)* control, rule over (2) *vt, (erfordern)* call for, require; *(j-m et. zu tun)* order so to do sth; **Gebieter** *sub, m, -s, -* master, ruler; **gebieterisch** *adj,* impräzise; *(Berufe)* domineering

Gebilde, *sub, n, -s,* - object, thing
gebildet, *adj,* cultured, educated
Gebimmel, *sub, n, -s, - (ugs.)* ringing
Gebinde, *sub, n, -s, - (Blumen)* arrangement; *(Strauß)* bunch
Gebirge, *sub, n, -s,* - mountains; **gebirgig** *adj,* mountainous; **Gebirgigkeit** *sub, f, -, -en* mountainousness; **Gebirgsbach** *sub, m, -s, -bäche* mountain stream; **Gebirgsjäger** *sub, m, -s, - (mil.)* mountain infantry; **Gebirgskamm** *sub, m, -s, -kämme* ridge; **Gebirgskette** *sub, f, -, -n* mountain range; **Gebirgspass** *sub, m, -es, -pässe* mountain pass; **Gebirgsstock** *sub, m, -s, -stöcke* massif
Gebiss, *sub, n, -es, -e* set of teeth; *(Zahnersatz)* denture, false teeth
Gebläse, *sub, n, -s,* - fan
Geblödel, *sub, n, -s,* - fooling around
Geblök, *sub, n, -s, -* bleat; *(Rind)* low
geblümt, *adj, (Muster)* floral; *(Sprache)* flowery
Geblüt, *sub, n, -s, -e* blood; *von edlem Geblüt* of noble blood
Geborgenheit, *sub, f, -, -en* security; **geborgen** *adj,* safe, secure; *sie fühlt sich bei ihm geborgen* she feels very secure with him
Gebot, *sub, n, -s, -e* order, requirement; *(bei Versteigerung)* bid; *dem Gebot der Vernunft folgen* follow the dictates of reason; *es ist ein Gebot der Höflichkeit* it´s a matter of courtesy; *ein Gebot abgeben* make a bid
gebrandmarkt, *adj,* be branded
gebrannt, *adj,* burnt; *(Keramik)* fired
Gebräu, *sub, n, -s, -e* brew
gebrauchen, *vt,* use; *ich könnte einen Schirm gebrauchen* I could do with an umbrella; *kannst du das gebrauchen?* can you make any use of that; **Gebrauch** *sub, m, -s, -* use; *m, -s, -bräuche (Brauch)* custom; *im Gebrauch sein* be in use; *von etwas Gebrauch machen* make use of sth; *vor Gebrauch schütteln* sha-

ke before use; *zum persönlichen Gebrauch* for personal use; **gebräuchlich** *adj,* common, normal; **Gebrauchsanweisung** *sub, f, -, -en* instructions; **Gebrauchsgut** *sub, n, -es, -güter* consumer durables; **Gebrauchswert** *sub, m, -s, -e* practical value; **Gebrauchtwagen** *sub, m, -s,* - used or secondhand car
Gebrechen, (1) *sub, n, -s,* - disability; *(Krankh.)* complaint **(2) gebrechen** *vt,* afflict; **gebrechlich** *adj,* frail; **Gebrechlichkeit** *sub, f, -, -en* frailty; *(Alters-)* infirmity
Gebresten, *sub, f, -, - nur Mehrz.* affliction
gebrochen, *adj,* broken; *(med.)* fractured; *gebrochenes Englisch* broken English; *mit einer gebrochenen Stimme* with a broken voice
Gebrüder, *sub, f, nur Mehrz.* brothers
Gebrüll, *sub, n, -s,* - roaring; *(Geschrei)* screaming
Gebrumme, *sub, n, -s,* - humming
Gebühr, *sub, f, -, -en* charge, fee; *(Beitrag)* subscription; *(Straße)* toll; *eine Gebühr entrichten* pay a fee; *eine Gebühr erheben* charge toll; **~enerlass** *sub, m, -es, -e* remission of fees; **gebührenfrei** *adj,* free of charge; **gebührenpflichtig** *adj,* subject to charges
gebühren, (1) *vi, (jmdm)* deserve **(2)** *vr, (sich)* as is fitting; **~d** *adj,* fitting, suitable; **gebührlich** *adj,* proper
gebunden, *adj,* bound; *(i. ü. S.)* tied; *(Buch)* bound; *(chem.)* fixed; *(Soße)* thickened; *vertraglich gebunden* bound by contract; **Gebundenheit** *sub, f, -, -en (Abhängigkeit)* dependence; *(Verpflichtung)* commitment
Geburt, *sub, f, -, -en* birth; *(Entbindung)* delivery; *von Geburt an* from birth; **~enüberschuss** *sub, m, -es, -schüsse* excess of births over deaths; **gebürtig** *adj,*

by birth; **~sadel** *sub, m, -s,* - hereditary nobility; **~sdatum** *sub, n, -s, -daten* date of birth; **~shilfe** *sub, f, -, -n* obstetrics; **~sjahr** *sub, n, -s, -e* year of birth; **~sname** *sub, m, -ns, -n* birthname; *(einer Frau)* maiden name; *(angenommen)* assumed; **~sort** *sub, n, -s, -örter* birthplace; **~sschein** *sub, m, -s, -e* birth certificate; **~stag** *sub, m, -s, -e* birthday; *(amtl.)* date of birth; *wann hast du Geburtstag?* when is your birthday?; **~surkunde** *sub, f, -, -n* birthcertificate

Geck, *sub, m, -en, -en (ugs.; abw.)* fop; **geckenhaft** *adj,* foppish

Gecko, *sub, m, -s, -s u. -onen* gecko

Gedächtnis, *sub, n, -ses, -se* memory; *aus dem Gedächtnis* from memory; *ein Gedächtnis wie ein Sieb* a memory like a sieve; **gedacht** *adj,* meant; *(angenommen)* assumed; *(vorgestellt)* imagined; **~feier** *sub, f, -, -n* commemoration; *(-gottesdienst)* memorial service

Gedanke, *sub, m, -ns, -n* thought; *(Ansicht)* view; *(Einfall)* idea; *allein der Gedanke daran* just the thought of it; *auf andere Gedanken bringen* get so´s mind onto other things; *das ist ein guter Gedanke* that´s a good idea; *ich kann keinen klaren Gedanken fassen* I can´t think straight; *in Gedanken versunken* lost in thought; *ich möchte deine Gedanken lesen können* a penny for your thought; **~nflug** *sub, m, -s, -flüge* leap of the imagination; **~ngang** *sub, m, -s, -gänge* line of thought; **~ngut** *sub, n, -s, -güter* thought; **~nstrich** *sub, m, -s, -e* dash; **~nübertragung** *sub, f, -, -en* telepathy; **gedankenvoll** *adj,* thoughtful

Gedankenlosigkeit, *sub, f, -, -en* thoughtlessness; **gedankenlos** *adj,* thoughtless; *(rücksichtslos)* inconsiderate; *(zerstreut)* absent-minded

Gedärm, *sub, n, -s, -e* intestines

Gedeck, *sub, n, -s, -e* cover; *(Speise)* set meal

Gedeihen, (1) *sub, n, -s,* - progress (2) **gedeihen** *vi,* thrive; *(blühen)* flourish; *(wachsen)* grow; **gedeihlich** *adj,* flourishing, thriving

Gedenken, (1) *sub, n, -s,* - remembrance (2) **gedenken** *vi,* remember, think of; *(feiern)* commemorate (3) *vt,* intend to do sth; *zum Gedenken an* in remembrance of; **Gedenkfeier** *sub, f, -, -n* commemoration; **Gedenkmarke** *sub, f, -, -n* commemorative stamp; **Gedenkminute** *sub, f, -, -n* minute´s silence; **Gedenkmünze** *sub, f, -, -n* commemorative coin; **Gedenkstätte** *sub, f, -, -n* memorial; **Gedenkstunde** *sub, f, -, -n* hour of remembrance; **Gedenktafel** *sub, f, -, -n* commemorative plaque

Gedicht, *sub, n, -s, -e* poem

gediegen, *adj,* solid; *solide Arbeit* a solid piece of work; **Gediegenheit** *sub, f, -, -en* solidity

Gedonner, *sub, n, -s,* - thundering

Gedränge, *sub, n, -s,* - crowd, pushing and shoving; **gedrängt** *adj,* *(dicht)* compressed, crowded, packed; **Gedrängtheit** *sub, f, -, -en* compression

Gedröhne, *sub, n, -s,* - droning

Gedrücktheit, *sub, f, -, -en* depressed feeling; **gedrückt** *adj,* depressed

gedrungen, *adj, (Gestalt)* stocky, thickset

gedungen, *adj,* hired

Gedunsenheit, *sub, f, -, -en* being bloated; **gedunsen** *adj,* bloated

Geeignetheit, *sub, f, -, -en* suitability; **geeignet** *adj,* right, suitable; *er ist nicht geeignet dafür* he is not the right man for it; *geeignete Schritte* appropriate action; *gut geeignet* just right

gefährden, *vt,* endanger, risk, threaten; *jmds Leben gefährden* put so´s life at risk; **Gefahr** *sub, f, -, -en* danger, risk; *auf die Gefahr hin, dass das passiert* at the risk of that happening, *auf eigene Gefahr* at one´s own risk; *außer Gefahr sein* be out of danger; *in Gefahr sein* be in danger of; *jmdn/sich einer Gefahr aussetzen* run or take a risk; **Gefahrenherd** *sub, m, -s, -e* source of danger; **Gefahrenzone** *sub, f, -, -n* danger zone; **gefährlich** *adj*, dangerous, risky; **gefahrlos** *adj*, harmless, not dangerous

Gefährt, *sub, n, -s, -e* vehicle

Gefährte, *sub, m, -n, -n* companion; *(Lebens-)* partner in life

gefallen, (1) *adj*, fallen (2) **Gefallen** *sub, n, -s, -* favour, pleasure (3) *vi*, like; *(- lassen)* put up with sth; *jmdn einen Gefallen tun* do so a favour, *(US)* do so a favor; *jmdn um einen Gefallen bitten* ask a favo(u)r of so; *Gefallen daran finden* take pleasure in it, *es gefällt mir* I like it; *es gefällt mir nicht* I don´t like it; *was mir daran gefällt* what I like about it; *wie gefällt dir mein Hut?* how do you like my hat?; *das lasse ich mir nicht gefallen* I´m not going to put up with it; *sich etwas gefallen lassen* put up with sth; **gefällig** *adj*, pleasant, pleasing; *(sein, hilfsbereit)* helpful; *etwas zu trinken gefällig?* would you like sth to drink; *jmdm gefällig sein* help so; **Gefälligkeit** *sub, f, -, -en (Hilfeleistung)* favour; *(Hilfsbereitschaft)* helpfulness; **Gefallsucht** *sub, f, -, -süchte* desire to please

gefangen, *adj*, caught; *(i. ü. S.)* captivated; *(eingekerkert)* imprisoned; *(mil.)* captive; **Gefangene** *sub, m,f, -n, -n* prisoner

gefangen nehmen, *vt*, arrest; *(mil.)* capture; **Gefangenenlager** *sub, n, -s, -läger* prison camp; *(mil.)* prisoner-of-war camp; **Gefangennahme** *sub, f, -, -n* arrest; *(mil.)* capture; **Gefangenschaft** *sub, f, -, -en* captivity, imprisonment

Gefängnis, *sub, n, -ses, -se* jail, prison; *fünf Jahre Gefängnis bekommen* get five years in prison; *ins*

Gefängnis kommen be sent to prison; *mit Gefängnis bestraft werden* be sentenced to prison; **~strafe** *sub, f, -, -n* prison sentence

gefärbt, *adj*, coloured; *(Haare)* dyed

Gefasel, *sub, n, -s, -* drivel

Gefäß, *sub, n, -es, -e* container, vessel

Gefasstheit, *sub, f, -, nur Einz.* composure; **gefasst** *adj*, calm, composed; *gefasst sein auf* be prepared for; *sich gefasst machen auf* prepare for

Gefecht, *sub, n, -s, -e* action, battle; *außer Gefecht setzen* put out of action; **~skopf** *sub, m, -s, -köpfe (mil.)* warhead; **~sstand** *sub, m, -stände, -s* battle headquaters

gefeit, *adj*, safe from

Gefieder, *sub, n, -s, -* feathers, plumage; **gefiedert** *adj*, feathered

Gefilde *sub, n, -s, - (geh.)* fields; *in höheren Gefilden schweben* be up in the clouds

Geflacker, *sub, n, -s, -* flicker

Geflatter, *sub, n, -s, -* fluttering

Geflecht, *sub, n, -s, -e (Draht-)* mesh; *(garn)* netting; *(Weiden-)* wickerwork

gefleckt, *adj*, blotchy, spotted

Geflenne, *sub, n, -s, -* howling

Geflimmer, *sub, n, -s, -* flickering

Gefluche, *sub, n, -s, -* swearing

Geflügel, *sub, n, -s, -* poultry; **~farm** *sub, f, -, -en* poultry farm; **geflügelt** *adj*, winged

Geflunker, *sub, n, -s, -* fibbing

Geflüster, *sub, n, -s, -* whispering

Gefolge, *sub, n, -s, -* entourage; *(Bedienstete)* attendants; *im Gefolge von* in the wake of; **Gefolgschaft** *sub, f, -, -en* followers; *(geh.)* allegiance; **Gefolgsmann** *sub, m, -es, -männer u. -leute* vassal; *(polit.)* follower

gefragt, *adj*, in demand

Gefräßigkeit, *sub, f, -, -en* greediness; *(Tier)* voracity; **gefräßig** *adj*, greedy; *(Tier)* voracious

Gefreite, *sub, m, -n, -n (mil.)* lance-corporal; *(mil., Luftw.)* aircraftman first class; *(mil., US Luftw.)* airman third class; *(mil.,US)* private 1st class; *(mil.; Marine)* able seaman

Gefüge, *sub, n, -s, -* structure, system; **gefügig** *adj,* compliant, docile; *jmdn gefügig machen* bring so to heel; **Gefügigkeit** *sub, f, -, -en* compliance, docility

Gefühl, *sub, n, -s, -e* feeling, sensation; *(Gespür)* sense; *etwas im Gefühl haben* have a feeling for sth; *ich habe das Gefühl, dass* I have a feeling that; *mit gemischten Gefühlen* with mixed feelings; *seine Gefühle zur Schau tragen* wear one´s heart on one´s sleeve; **~igkeit** *sub, f, -, -en* sensitivity, sentimentality; **gefühllos** *adj, (Gefühle)* insensitive; *(Gliedmaßen)* heartless, numb; **gefühlsecht** *sub,* sensitive; **gefühlsmäßig** *adj,* emotional, instinctive; **~ssache** *sub, f, -, -n* matter of feeling; **gefühlvoll** *adj, (ausdrucksvoll)* expressive; *(empfindsam)* sensitive

Gefummel, *sub, n, -s, -* fiddling around; *(Betastung)* groping

Gefunkel, *sub, n, -s, -* glitter

gefurcht, *adj,* furrowed

gegabelt, *adj, (-förmig)* forked

gegebenenfalls, *adv,* should the occasion arise

Gegebenheit, *sub, f, -, -en* circumstances, fact

gegen, *präp, (- eine Krankheit)* for; *(als Gegenleistung)* in return for; *(gegensätzl.)* against; *(jur., spo.)* versus; *(örtl., zeitl.)* towards; *(ungefähr)* about; *gegen die Türe klopfen* knock at the door; **Gegenaktion** *sub, f, -, -en* countermove; **Gegenangebot** *sub, n, -s, -e* counteroffer; **Gegenangriff** *sub, m, -s, -e* counterattack; **Gegenantrag** *sub, m, -s, -träge* countermotion; **Gegenbesuch** *sub, m, -s, -e* return visit; **Gegenbeweis** *sub, m, -es, -e* proof of the contrary; *(jur.)* counter evidence; **Gegendarstel-**

lung *sub, f, -, -en* correction; **Gegendienst** *sub, m, -s, -e* favour in return; *(US)* favor in return; **Gegenfüßler** *sub, m, -s, -* antipodes; **Gegengerade** *sub, f, -, -n (spo.)* back straight; *(spo., US)* backstretch; **Gegengewalt** *sub, f, -, nur Einz.* counter plot; **Gegengewicht** *sub, n, -es, -e* counterweight; **Gegengift** *sub, n, -es, -e* antidote; **Gegenklage** *sub, f, -, -n (jur.)* cross action; **Gegenkultur** *sub, f, -, -en* counterculture; **Gegenleistung** *sub, f, -, -en* service in return; **Gegenlicht** *sub, n, -es, -er* back lighting; **Gegenmaßnahme** *sub, f, -, -n* countermeasure; **Gegenmittel** *sub, n, -s, -* remedy; *(Gift)* antidote; **Gegenpartei** *sub, f, -, -en* other side; **Gegenpol** *sub, m, -s, -e* opposite pole; *(i. ü. S.)* counterpart; **Gegenprobe** *sub, f, -, -n* cross check

Gegend, *sub, f, -, -en (geogr.)* region; *(Landschaft)* landscape; *(Umgebung)* area; *in der Gegend von Hamburg* in the Hamburg area

gegeneinander, *adv,* against each other

gegenläufig, *adj, (i. ü. S.)* opposite; *(tech.)* counter rotating

Gegensatz, *sub, m, -es, -sätze* contrast; *(Gegenteil)* opposite; *(Meinungen)* differences; *im Gegensatz zu* in contrast to; *im scharfen Gegensatz stehen zu* stand in sharp contrast to; **gegensätzlich** *adj,* contrary, opposite

Gegenschlag *sub, m, -es, -schläge* counterblow; *zum Gegenschlag ausholen* start to hit back

gegenseitig, *adj,* mutual; *gegenseitige Hilfe* mutual help; *gegenseitiges Interesse* mutual interest

Gegenspieler, *sub, m, -s, -* antagonist, opponent

Gegenstimme, *sub, f, -, -n* vote against; *(gegenteilige Meinung)* objection; **gegenstimmig** *adj,* nnimawaljj

gegenstromig, *adj,* countercurrently

Gegenstück, *sub, n, -es, -e* counterpart

Gegenteil, *sub, n, -es, -e* contrary, opposite; *das Gegenteil behaupten* argue the converse; *das Gegenteil bewirken* have the opposite effect; *genau das Gegenteil* the exact opposite; **gegenteilig** *sub,* contrary, opposite

Gegentor, *sub, n, -es, -e* goal for the other side

Gegentreffer, *sub, m, -s, -* goal for the other side

gegenüber, **(1)** *adv,* face to face, opposite; *(Im Vergleich)* compared with; *(in Bezug auf)* about **(2) Gegenüber** *sub, n, -s, -* person opposite; *sie saßen einander gegenüber* they sat face to face; *dem Bahnhof gegenüber* opposite the station; *einer Sache gegenüber skeptisch sein* be sceptical about something; **~liegen** *vi,* be opposite; **~stellen (1)** *vr, (sich feindlich -)* oppose **(2)** *vt,* bring so face to face, confront with so; *(vergleichen)* compare

Gegenverkehr, *sub, m, -s, -e* oncoming traffic

Gegenwart, *sub, f, -, -* presence, present; *(Sprachw.)* present tense; **gegenwärtig** *adj,* current, present

Gegenzug, *sub, m, -s, -züge* countermove

Gegner, *sub, m, -s, -* opponent; *(mil.)* enemy; *(Rivale)* rival; *Gegner einer Sache sein* be against; **gegnerisch** *adj,* opposing; *(stärker)* antagonistic; **~schaft** *sub, f, -, -en* opposition; *(Rivalität)* rivalry

Gegrinse, *sub, n, -s, -* grinning

Gegrunze, *sub, n, -s, -* grunting

Gehabe, *sub, n, -s, -* affected behaviour; *(Getue)* fuss

Gehaben, (1) *sub, n, -s, -* way of behaviour **(2) gehaben** *vr,* farewell

Gehader, *sub, n, -s, -* quarreling

gehalten, *adj, (geh.)* be obliged

Gehampel, *sub, n, -s, -* fidgeting

gehandikapt, *adj,* handicapped

Gehänge, *sub, n, -, -* *(Blumen)* festoon; *(Ohr-)* eardrops; *(Schmuck)* pendants; **Gehängte** *sub, m, -n, -n* hanged

geharnischt, *adj, (i. ü. S.; Antwort)* withering; *(gepanzert)* armoured; *(gepanzert, US)* armored

Gehässigkeit, *sub, f, -, -en* spitefulness; *aus reiner Gehässigkeit* out of sheer spite; **gehässig** *adj,* spiteful

Gehäuse, *sub, n, -s, -* case, casing; *(Kern)* core; *(Schnecken)* shell

gehbehindert, *adj,* can only walk with great difficulty

geheftet, *adj,* sewn, stitched

Gehege, *sub, n, -s, -* *(Jagd-)* preserve; *(Tiere)* enclosure

geheiligt, *adj,* sacred

geheim, *adj,* secret; **Geheimagent** *sub, m, -s, -en* secret agent; **Geheimbund** *sub, m, -es, -bünde* secret society; **Geheimdienst** *pron,* secret service; **Geheimmittel** *sub, f, -, -* secret remedy; **Geheimnis** *sub, n, -ses, -se* secret; *(rätselhaft)* mystery; *ein Geheimnis aus etwas machen* make a secret out of sth; *ein offenes Geheimnis* an open secret; **geheimnisumwittert** surrounded by mystery; **~nisvoll** *adj,* mysterious; **Geheimnummer** *sub, f, -, -n* secret number; *(Telefon)* ex-directory; *(Telefon US)* unlisted number; **Geheimpolizei** *sub, f, -, -en* secret police; **Geheimrezept** *sub, n, -es, -e* secret recipe; **Geheimschrift** *sub, f, -, -en* secret code; **Geheimsender** *sub, m, -s, -* secret transmitter; **Geheimsprache** *sub, f, -, -n* secret language; **Geheimtuerei** *sub, f, -, -en* secretiveness; **Geheimwaffe** *sub, f, -, -n* secret weapon

Geheiß, *sub, n, -es, -e* *(auf j-s -bin)* at s.o´s. behest

Gehemmtheit, *sub, f, -, -en* inhibition; **gehemmt** *adj,* inhibited

gehen, (1) *mit präp, (auf)* go up to; *(bis an)* go as far as, reach; *(durch)* go through; *(gegen)* against; *(in)* go into; *(nach)* go by; *(über)* go over; *(vor)* go before; *(vor sich gehen)* happen; *(zu jmd.)* go and see so **(2) Gehen** *sub, n, -s, - (spo.)* walking; *(zum - bringen)* get sth going **(3)** *vi,* walk **(4)** *vr, (sich - lassen)* lose one´s temper **(5)** *vti,* go; *(-lassen)* let go; *(aus einem Amt)* resign; *(fort-, verkehren)* leave; *(funktionieren)* go, work; *(geht nicht)* is broken; *(möglich sein)* be possible; *(verkehren)* run; *(Ware)* sell; *(weg führen)* lead; *an die Arbeit gehen* get down to work; *das geht zu weit* that´s going too far; *geh hier entlang* turn this way; *wie geht´s?* how are you?; *das Wasser geht mir bis an die Knie* the water reaches my knees; *geht in die Millionen* runs into millions; *in die Industrie gehen* go into industry; *wie oft geht fünf in neunzig* how many times does five go into fifty?; *was geht hier vor sich?* what´s happening here?; *das geht nun schon seit Jahren so* that´s been going on for years; *das Schiff geht nach Hamburg* the ship goes to Hamburg; *er ist von uns gegangen* he has passed away; *es wird schon gehen* it´ll be all right; *jmdn suchen gehen* go and look for sb; *mir ist es genauso gegangen* it was the same with me; *schwimmen gehen* go swimming; *wie gehen die Geschäfte?* how´s business?; *sie haben ihn gehen lassen* they have let him go; *er hat seine Stelle gekündigt* he has resigned his job; *das Lied geht so* the song goes like this; *wie geht es ihnen?* how are you?; *wie geht wie steht´s* how are things?; *die Uhr geht nicht* the watch doesn´t work; *wie geht das?* how does it work?; *die Spülmaschine geht nicht* the dishwasher is broken; *es geht, dass wir uns nächsten Freitag treffen* it´s possible to meet next Friday; *der Zug geht stündlich* the train runs every hour; *diese Stiefel gehen überhaupt nicht* these boots don´t sell well; *der Weg geht zum nächsten Dorf* the way leads to the village

Gehenkte, *sub, m, -ns, -n* hanged

geheuer, *adj, (nicht -)* eerie, scary; *mir ist die Sache nicht geheuer* I´ve got a funny feeling about it

Geheul, *sub, n, -es, -* howling, howls

Gehhilfe, *sub, f, -, -n* zimmer frame

Gehilfe, *sub, m, -n, -n* assistant; *(Büro)* clerk

Gehirn, *sub, n, -es, -e* brain; **~erschütterung** *sub, f, -, -en (med.)* concussion; **~haut** *sub, f, -, -n* meninges; **~schlag** *sub, m, -es, -schläge* stroke; **~schwund** *sub, m, -es, -e (med.)* atrophy of the brain; **~wäsche** *sub, f, -, -n* brain-washing

gehoben, *adj,* high

Gehöft, *sub, n, -es, -e* farmstead

Gehölz, *sub, n, -es, -e* copse; **Geholze** *sub, n, -s, - (i. ü. S.)* kicking everything above

Gehör, *sub, n, -s, -* sense of hearing; *feines Gehör* sensitive ear; *kein Gehör schenken* refuse to listen to; *nach Gehör* by ear; **~bildung** *sub, f, -, -en* aural training; **~fehler** *sub, m, -s, -* hearing defect; **gehörlos** *adj,* deaf; **~losigkeit** *sub, f, -, -en* deafness

gehorchen, *vi,* obey

gehören, (1) *vi,* belong to; *(Teil bilden von)* be part of; *(zu)* be among **(2)** *vr, (so gehört es sich)* way it should be; *das Buch gehört mir* that book is mine

Gehörn, *sub, n, -es, -e* horns; *(Geweih)* antlers; **gehörnt** *adj,* horned; *(i. ü. S.; Ehemann)* cuckold

gehorsam, (1) *adj,* obedient; *(Bürger)* law-abiding **(2) Gehorsam** *sub, m, -es, -* obedience; *blinder Gehorsam* blind obedience; **Gehorsamkeit** *sub, f, -,* en obedience, **Gehorsamspflicht** sub, f, -, -en duty to obedience

Gehrock, sub, m, -es, -röcke frock coat

Gehrungssäge, sub, f, -, -n mitre-saw; *(US)* mitersaw

Gehsteig, sub, m, -es, -e pavement; *(US)* sidewalk

Gehweg, sub, m, -es, -e footpath, pavement; *(US)* sidewalk

Geier, sub, m, -s, - vulture

geifern, vi, dribble, slaver

geigen, (1) vi, play the violin **(2)** vt, play sth on the violin; **Geige** sub, f, -, -n violin; *die erste, zweite etc Geige spielen* play the first, second etc violin; **Geigenbauer** sub, m, -s, - violin maker; **Geigenbogen** sub, m, -s, - violin bow; **Geigenkasten** sub, m, -s, -kästen violin case; **Geigensaite** sub, f, -, -n string; **Geigenspieler** sub, m, -s, - violinist; **Geiger** sub, m, -s, - violinist; **Geigerzähler** pron, Geiger counter

Geilheit, sub, f, -, - lust; **geil (1)** adj, *(Pflanzen)* luxuriant; *(sexuell)* randy; *(vulg.; toll)* brill **(2)** ho, *(sexuell)* horny

Geisel, sub, f, -, -n hostage; *jmdn als Geisel nehmen* take so hostage; **~drama** sub, n, -s, -dramen hostage drama; **~nahme** sub, f, -, -n taking of hostages; **~nehmer** sub, m, -s, - hostage taker

Geisha, sub, f, -, -s geisha

Geiß, sub, f, -, -en goat; **~bock** sub, m, -es, -böcke billy goat

geißeln, (1) vr, *(sich)* castigate o.s. **(2)** vt, whip; *(theol.)* flagellate; **Geißelung** sub, f, -, -en flagellation; *(sich)* castigation

Geißeltierchen, sub, n, -s, - flagellate

Geißlein, sub, n, -s, - little goat

Geist, sub, m, -es, -er mind; *(Denker)* thinker; *(Intellekt)* intellect; *(Seele)* spirit; *(überirdisch)* ghost, spirit; *(Verstand, Sinn, Gemüt)* mind; *Geist* a shade; *hier geht ein Geist um* this place is haunted; *der Geist des Christentums* the spirit of Christianity; *der Geist ist willig, über das Fleisch ist schwach* the spirit ist willing but the flesh is weak; *der gute Geist* the spirit of Christianity; *in jmds Geiste handeln* act in the spirit of so; *wir werden im Geiste bei euch sein* our thoughts will be with you; *ein großer Geist* a great thinker; *Körper und Geist* body and mind; **~erseher** sub, m, -s, - person who is able to see ghosts; **~erstadt** sub, f, -, -städte ghost town; **geistesabwesend** adj, absent-minded; **~esblitz** sub, m, -es, -e flash of inspiration; **~esgaben** sub, f, -, nur Mehrz. intellectual gifts; **geistesgestört** adj, mentally disturbed; **~esgröße** sub, f, -, -n intellectual greatness; **geisteskrank** adj, mentally ill; **~eskrankheit** sub, f, -, -en mental disease; **~eswissenschaften** sub, f, -, nur Mehrz. arts and humanities; **~eszustand** sub, m, -es, -stände mental state; *jmdn auf seinen Geisteszustand hin untersuchen* give so a mental examination

geistern, vi, flit around; **geistbildend** adj, inspirating; **Geisterbahn** sub, f, -, -en ghost train; **Geisterfahrer** sub, m, -s, - wrong-way driver; **geisterhaft** adj, ghostly, spooky; **Geisterhand** sub, f, -, -hände *(wie von -)* as if by an invisible hand

Geistigkeit, sub, f, -, -en intellectuality, spirituality; **geistig** adj, *(Denkkraft)* intellectual, mental; *(seelisch)* spiritual; *der geistige Vater* spiritual father; **geistlich** adj, religious; *(mus.)* sacred; *(nicht weltlich)* spiritual; **geistlos** adj, dull; **geistreich** adj, clever, witty; *nicht gerade eine geistreiche Bemerkung* not the most profound remark; **geisttötend** adj, mindnumbing

Geistliche, sub, m, -n, -n clergyman, priest

geizen, *vi,* be mean; **Geiz** *sub, m, -es,* - meanness, stingyness; **Geizhals** *sub, m, -es, -hälse* skinflint; **geizig** *adj,* mean, stingy

Gekicher, *sub, n, -s,* - giggling

Gekläffe, *sub, n, -s,* - yapping

Geklirre, *sub, n, -s,* - tinkling

Geklopfe, *sub, n, -s,* - knocking

geknickt, *adj,* downcast

Gekonntheit, *sub, f, -, -en* accomplishment; **gekonnt** *adj,* accomplished, masterly

Gekrakel, *sub, n, -s,* - scrawl

Gekreuzigte, *sub, m, -n, -n* crucified; *(theol.)* Christ crucified

Gekröse, *sub, n, -s, - (gastr.)* tripe; *(med.)* mesentery

gekünstelt, *adj, (Lachen)* forced; *(Stil)* stilted

Gel, *sub, n, -s, -e* gel

Gelächter, *sub, n, -s,* - laughter; *in schallendes Gelächter ausbrechen* roar with laughter; *jmdm dem Gelächter preisgeben* make so a laughing stock

gelackmeiert, *adj, (ugs.)* conned; *sich gelackmeiert fühlen* feel one has been conned

geladen, *adj,* loaded; *(Strom)* charged

Gelage, *sub, n, -s,* - feast

Gelähmte, *sub, m, -n, -n* paralytic; **gelähmt** *adj,* paralyzed; *einseitig gelähmt* paralyzed on one side; *sie war vor Angst gelähmt* she was paralyzed with fear

Geländer, *sub, n, -s,* - railing; *(Treppen)* banister

gelangen, *vi,* get to, reach; *(zu)* gain; *in den Besitz von etwas gelangen* come into the possesion of sth; *in jmds Hände gelangen* get into so´s hands

Gelass, *sub, n, -es, -e* small room in a cellar

gelassen, *adj,* calm; *(gefasst)* composed; *etwas gelassen hinnehmen* take sth calmly; *gelassen bleiben* keep calm, keep calm; **Gelassenheit** *sub, f, -es, -en* calmness; *(Gefasstheit)* composure

gelatinieren, *vti,* gelatinise, gelatinize

Geläufigkeit, *sub, f, -, -en* currency; **geläufig** *adj,* common; *(fließend)* fluent

gelaunt, *adj,* be in a mood; *gut/schlecht gelaunt* be in a good/bad mood; *ich bin dazu nicht gelaunt* I´m not in the mood for

Geläute, *sub, n, -s,* - ringing

gelb, *adj,* yellow; *gelb vor Neid* green with envy; *gelbe Seiten* yellow pages; **~lich** *adj,* yellowish; **Gelbsucht** *sub, f, -, -en (med.)* yellow jaundice; **~süchtig** *adj,* jaundiced

Geld, *sub, n, -es, -er* money; *(Bar-)* cash; *billiges Geld* easy money; *er ist nur auf Geld aus* all he thinks of is money; *Geld allein macht nicht glücklich* money is not everything; *Geld regiert die Welt* money makes the world go round; *Geld spielt keine Rolle* money is no object; *Geld zurück* money back; *rausgeschmissenes Geld* money down the drain; *teures Geld* hard earned money; *Geld beiseite bringen* salt down money; *Geld wie Heu haben* to have money to burn; *kein Geld mehr haben* be out of cash; *Kleingeld* pocket change; *zu Geld machen* turn into cash; **~anlage** *sub, f, -, -n* investment; **~automat** *sub, m, -en, -en* cash dispenser; **~beutel** *sub, m, -s,* - purse; *(US)* money purse; **~börse** *sub, f, -, -n* purse; *(US)* money purse; **~buße** *sub, f, -, -n* fine; *zu einer Geldbuße verurteilt werden* be fined; **~geber** *sub, m, -s,* - financial backer, sponsor; **~geberin** *sub, f, -, -nen* financial bakker, sponsor; **~gier** *sub, f, -,* - greed for money; **~institut** *sub, n, -es, -e* financial institution; **geldlich** *adj,* financial; **~menge** *sub, f, -, - (wirt.)* money supply; **~mittel** *sub, f, -, nur Mehrz.*

finanical resources, funds; **sack**
sub, m, -es, -säcke money-bag; *(reicher Mann)* moneybags; **~schein**
sub, m, -es, -e banknote; *(US)* bill;
~schrank sub, m, -es, -schränke
safe

Geldstrafe, sub, f, -, -n fine; **Geldstück** sub, n, -es, -e coin; **Geldumtausch** sub, m, -es, -täusche
currency exchange; **Geldwäsche**
sub, f, -, -n money-laundering;
Geldwechsel sub, m, -s, - change;
Geldwert sub, m, -es, -e cash value

gelcckt, adj, *(wie - aussehen)* look
all spruced up

Gelee, sub, n, -s, -s jelly

gelegen, adj, lying, situated; *(günstig)* opportune; *(passend)* convenient; *(i. ü. S.) es kommt mir ganz
gelegen* that suits me fine; *(i. ü. S.)
mir ist nichts daran gelegen* I don´t
care one way or the other; **Gelegenheit** sub, f, -, -en chance, opportunity; *bei der ersten Gelegenheit* at
the first best opportunity; *bei dieser
Gelegenheit möchte ich* I´d like to
take this opportunity to; *Gelegenheit haben zu* have the opportunity
to; *Gelegenheit macht den Dieb* opportunity makes the thief; **Gelegenheitsarbeiter** sub, m, -s, -
casual labourer; *(US)* casual laborer; **Gelegenheitskauf** sub, m, -es,
-käufe bargain; **~tlich** adj, occasional; *(zeitweilig)* temporary

Gelehrigkeit, sub, f, -, -en receptive-
nes; *(Tier)* docility; **gelehrig** adj,
receptive; *(Tier)* docile; **Gelehrsamkeit** sub, f, -, -en erudition; **gelehrt**   adj,   learned;
(wissenschaftlich) scholarly; **Gelehrte** sub, m, -n, -n scholar; **Gelehrtheit** sub, f, -, -en scholarship

Geleise, sub, n, -s, - rails, track

gelenk, (1) adj, agile **(2) Gelenk**
sub, n, -es, -e joint; *(Fuß-)* ankle;
(Hand-) wrist; **~ig** adj, supple; *(geschmeidig)* lithe; **Gelenkigkeit**
sub, f, -, -en agility, litheness, suppleness; **Gelenkkapsel** sub, f, -, -en
(med.) articular capsule; **Gelenk-**

pfanne *sub, f, -, -n* socket; **Gelenkrheumatismus** sub, m, -es,
-men rheumatoid arthritis

gelernt, adj, qualified; *(Arbeiter)*
skilled

Geliebte, sub, m, -n, -n mistress;
(Anrede) love; *(Geliebter)* lover

geliefert, adj, *(- sein)* have had it

Geliermittel, sub, n, -s, - gelling
agent

Gelierzucker, sub, m, -s, - preserving sugar

gelinde, adj, mild, slight; *gelinde
gesagt* to put it mildly; *gelinde
Zweifel* some doubt

Gelingen, (1) sub, n, -s, - success
(2) gelingen vi, succeed; *zum
Gelingen einer Sache beitragen*
help to make sth a success; *der
Kuchen ist gut gelungen* the cake
has turned out well; *es gelang
ihm* he succeeded in; *es gelang
ihm nicht* he didn´t succeed
in/he failed

gellen, vi, ring out; *(schreien)*
scream; *es gellt mir in den Ohren*
my ears are ringing; **~d** adj, shrill

geloben, vt, solemnly promise,
vow; *das Gelobte Land* the Promised Land; **Gelöbnis** sub, n, -
ses, -se solemn promise, vow; *ein
Gelöbnis ablegen* make a vow

gelöscht, adj, wiped off

gelten, vti, be valid; *(Regel)* apply;
(zählen) count; *das gilt auch für
dich* the same applies to you; *das
will ich gelten lassen* I´ll grant
you that; *der Pass gilt nicht mehr*
the passport is not valid any
more; *etwas gelten (Person)* carry weight; *jmdm gelten* be meant for; *was er sagt, gilt* his word
is the law; *wenig gelten* rate low;
~d adj, valid; *(Gesetz)* in effect;
(Preise) current; *(Ansprüche)* geltend machen* assert; **Geltung**
sub, f, -, -en *(Gültigkeit)* validity;
(Wert) value; *(Wichtigkeit)* importance; *etwas zur Geltung
bringen* show sth to its best
advantage; *zur Geltung kommen*

show to its best advantage; **Gel-tungsbedürfnis** sub, n, -ses, -se need for recognition

Gelübde, sub, n, -s, - vow

Gelumpe, sub, n, -s, - rubbish

gelungen, adj, very good; das Bild ist gut gelungen the picture has turned out well

gelüsten, vt, crave for; **Gelüst** sub, n, -s, -e craving, desire

Gemahl, sub, m, -es, -e husband, spouse; **~in** sub, f, -, -nen spouse, wife

gemahnen, vi, (jmd.) remind s.b. of sth

Gemälde, sub, n, -s, - painting; **~galerie** sub, f, -, -n art gallery

Gemarkung, sub, f, -, -en area of a municipality

gemasert, adj, veined; (Holz) grained

gemäß, präp, according to; (in Übereinstimmung) in compliance with; **~igt** adj, moderate

Gemäuer, sub, n, -s, - walls; (Ruine) ruins

Gemecker, sub, n, -s, - (Nörgelei) moaning; (Schafe, Ziegen) bleating

gemein, adj, mean, nasty; (etwas - haben mit) have sth in common with; (gewöhnlich) common; das ist gemein that's mean; gemeine Lüge rotten lie; gemeiner Streich dirty trick; sie haben nichts miteinander gemein they have nothing in common; das gemeine Volk the common people; für das gemeine Wohl for the good of all; **Gemein-besitz** sub, m, -es, -e public property

Gemeinde, sub, f, -, -n municipality; (Gemeinschaft) community; (Kirchen-) parish; (Verwaltung) local authority; **~amt** sub, n, -es, -ämter local authority; **~gut** sub, n, -es, - public property; **~haus** sub, n, -es, -häuser (kirchl.) parish hall; **~rat** sub, m, -es, -räte local council; (Person) councillor; **~wahl** sub, f, -, -en local election; **gemeindlich** adj, communal

Gemeingeist, sub, m, -es, -geister public spirit

Gemeinheit, sub, f, -, -en meanness, nastiness; die Gemeinheit dabei the mean thing about it; **gemeiniglich** adv, commonly; **gemeinnützig** adj, charitable; **Gemeinplatz** sub, m, -es, -plätze commonplace

Gemeinschaft, sub, f, -, -en association, community; **gemeinsam** adj, common, shared; allen gemeinsam common to all; gemeinsames Ziel common goal; vieles gemeinsam haben have a lot in common

Gemeinsinn, sub, m, -, - public spirit

gemeinverständlich, (1) adj, generally comprehensible (2) adv, make o.s. generallly comprehensible

Gemeinwesen, sub, n, -s, - community

Gemeinwohl, sub, n, -es, - public welfare

Gemenge, sub, n, -s, - mixture

Gemessenheit, sub, f, -, -en dignity; **gemessen** adj, measured; (würdevoll) dignified

Gemetzel, sub, n, -s, - bloodbath, massacre

Gemisch, sub, n, -es, - mixture

Gemme, sub, f, -, -n cameo

Gemse, sub, f, -, -n chamois

Gemunkel, sub, n, -s, - (Grücht) gossip

Gemurmel, sub, n, -s, - mumbling, murmuring

Gemüse, sub, n, -s, - vegetable; **~anbau** sub, m, -es, nur Einz. vegetable gardening; (US) truck farming; **~garten** sub, m, -s, -gärten vegetable garden; **~laden** sub, m, -s, -läden greengrocer's; **~suppe** sub, f, -, -s vegetable soup

Gemüt, sub, n, -es, -er disposition, nature; das deutsche Gemüt the German mentality; die Gemüter bewegen cause quite a stir; etwas *jurs Gemut* sth for the soul; *sich etwas zu Gemüte führen* take sth to hear; *wenn sich die Gemüter wieder beruhigt haben* when things have calmed down again; **gemütskrank** *adj*, depressive, emotionally disturbed; **~skranke** *sub, m, -n, -n* emotional disordered person; **~sleiden** *sub, n, -, -* emotional disorder; **~smensch** *sub, m, -es, -en* good natured person; **gemütvoll** *adj*, emotional

gemütlich, *sub*, comfortable, cosy; *(US)* cozy; *es sich gemütlich machen* make os at home; *jetzt wird´s erst richtig gemütlich* the fun has started now

gen, (1) *präp*, towards (2) **Gen** *sub, n, -es, -e* gene

genannt, *adj*, said; *(schriftlich)* above-mentioned

genau, (1) *adj*, accurate, exact, precise; *(eigen)* paricular; *(ins einzelne gehend)* detailed; *(streng)* strict; *(tech.)* true (2) *adv*, exactly; *die genaue Zeit* the exact time; *genauer Bericht* full report; *etwas (wörtl) genau nehmen* take sth literally; *etwas genau nehmen* be very particular about; *genau das wollte ich auch sagen* that´s exactly what I was going to say; *genau dasselbe* exactly the same; *genau der Mann den wir brauchen* just the man we want; *genau überlegt* carefully considered; *ich weiß es noch nicht genau* I´m not sure yet; *stimmt genau* exactly; absolutely right; **Genauigkeit** *sub, f, -, -en* accuracy, precision

genauso, *adj*, exactly, same way; *(gern)* just as much; *(gut)* as well; *(lang)* just as long; *(oft)* just as often; *(viel)* as much; *(wenig)* just as little; *(wie)* just like

Genealogie, *sub, f, -, nur Einz* genealogy; **Genealoge** *sub, m, -n, -n* genealogist; **genealogisch** *adj*, genealogical

genehm, *adj*, convenient

genehmigen, *vt*, agree to, approve; *(Vertrag)* ratify; *(Vorschlag)* accept;

Genehmigung *sub, f, -, -en* approval, permission, ratification; *(behördl. Zulassung)* permit

Geneigtheit, *sub, f, -* inclination; **geneigt** *adj*, *(sein)* feel inclined to, feel like; *ich bin dazu überhaupt nicht geneigt* it´s the last thing I feel like doing; *(i. ü. S.) jmdm ein geneigtes Ohr schenken* lend so a willing ear

General, *sub, m, -es, -e und Generäle* general; **~absolution** *sub, f, -, -en* general absolution; **~agent** *sub, m, -en, -en* general agent; **~arzt** *sub, m, -es, -ärzte* surgeon general; **~bass** *sub, m, -es, -bässe* basso continuo; **~direktor** *sub, m, -s, -en* chairman, general manager; **~inspekteur** *sub, m, -es, -e (mil.)* Chief of Staff; **~intendant** *sub, m, -en, -en* director; **~major** *sub, m, -es, -e (mil.)* major general; *(mil., Luftf.)* air vice marshal; **~probe** *sub, f, -, -n* dress rehearsal, final rehearsal; **~sekretär** *sub, m, -es, -e* Secretary General; **~srang** *sub, m, -es, -ränge* rank of a general; **~staatsanwalt** *sub, m, -es, -anwälte* chief public prosecutor; **~stab** *sub, m, -es, -stäbe (mil.)* general staff; **~stabskarte** *sub, f, -, -n* ordnance survey map; **~streik** *sub, m, -es, -s* general strike

generalisieren, *vti*, generalize; **Generalisation** *sub, f, -, -en* generalization

generaliter, *adj*, in general

Generation, *sub, f, -, -en* generation; *die Generation unserer Eltern* our parents´ generation; *seit Generationen* for generations; **~skonflikt** *sub, m, -es, -e* generation gap; **generativ** *adj, (bot.)* reproductive

Generator, *sub, m, -s, -en* generator

generieren, *vt*, generate; **generell** *adj*, general; **generisch** *adj*, generic

Generosität, *sub, f, -, -en* generosity; **generös** *adj*, generous

Genese, *sub, f, -s, -n* genesis

genesen, *vi*, recover; **Genesung** *sub, f, -, -en* recovery; *(allmähliche)* convalescence

Genesis, *sub, f, -, nur Einz.* genesis

Genetik, *sub, f, -, nur Einz.* genetics; **genetisch** *adj*, genetic; **Genforschung** *sub, f, -, -en* genetic research

Genetiv, *sub, m, -es, -e (Sprachw.)* genitive

Genick, *sub, n, -s, -e* nape of the neck; *jmdm im Genick sitzen* be breathing down so´s neck; *sich das Genick brechen* break one´s neck; *steifes Genick* stiff neck; **~schuss** *sub, m, -es, -schüsse* shot in the back of the neck; **~starre** *sub, f, -, -n* stiffness of the neck

Genie, *sub, n, -s, -s* genius; **genial** *adj*, ingenious; *ein genialer Einfall* a stroke of genius; *ein genialer Mensch* a genius; **genialisch** *adj*, brilliant; **Genialität** *sub, f, -, nur Einz.* brilliance, genius

genieren, (1) *vr, (sich)* feel alward, feel embarrassed (2) *vt*, bother; *du brauchst dich nicht zu genieren* no need to be shy; *ich geniere mich vor ihm* he makes me feel akward, *das geniert ihn nicht* it doesn´t bother him

genießen, (1) *vt*, enjoy (2) **Genießer** *sub, m, -s, -* bon vivant; *(Essen)* gourmet; *eine gute Erziehung genießen* receive a good education; *ich genoß es zu* I enjoyed it to; *jmds Vertrauen genießen* be in so´s confidence; **genießbar** *adj*, drinkable, eatable; *(unschädlich)* edible; **genießerisch** (1) *adj*, appreciative (2) *adv*, with great relish

Geniestreich, *sub, m, -es, -e* stroke of genius

Genitale, *sub, n, -s, -talien* genitals; **genital** *adj*, genital

Genitiv, *sub, m, -s, -e* genitive

Genius, *sub, m, -es, Genien* genius

Genmanipulation, *sub, f, -, -en* genetic engineering; **Genmutation** *sub, f, -, -en* gene mutation;

Genobst *sub, n, -es, -* genetically engineered fruit

Genörgel, *sub, n, -s, -* moaning

Genosse, *sub, m, -n, -n (Kamerad)* companion; *(polit.)* comrade; **~nschaft** *sub, f, -, -en* cooperative; **~nschaftsbank** *sub, f, -, -en* cooperative bank

Genotyp, *sub, m, -s, -en* genotype

Genozid, *sub, m, -es, -e* genocide

Genre, *sub, n, -s, -s* genre; **~malerei** *sub, f, -, -en* genre painting

Gent, *sub, m, -s, -s (Abk.)* gentleman; *(geogr.)* Gent

Gentechnologie, *sub, f, -, nur Einz.* genetic engineering; **gentechnisch** *adj*, genetically engineered

Gentransfer, *sub, n, -s, -s* gene transfer

genügen, *vi*, be enough, that´ll do for me; *das genügt für eine Woche* that´ll do for a week; **genug** *adj u. adv*, enough, sufficient amount; *das ist genug für mich* that´s enough for me; *er kann nie genug kriegen* he just can´t get enough; *gut genug* good enough; **~d** *adj*, enough; **genügsam** *adj*, easily satisfied; *(Tier)* undemanding; **Genügsamkeit** *sub, f, -, nur Einz.* modesty

Genugtuung, *sub, f, -, -en* satisfaction; *Genugtuung leisten* make amends; *Genugtuung verlangen* demand satisfaction

genuin, *adj*, genuine

Genus, *sub, n, -, Genera (biol.)* genus

Genuss, *sub, m, -es, -nüsse (genießen)* enjoyment; *(Nahrung)* consumption; **genussfreudig** *adj*, pleasure-loving; **genüsslich** *adj*, appreciative; **~mensch** *sub, m, -en, -en* epicure; **~mittel** *sub, n, -s, -* semi-luxury; *(anregende)* stimulant; **genussreich** *adj*, enjoyable; **~sucht** *sub, f, -, - (geh.)* hedonism; *(ugs.; abw.)* craving for pleasure; **genusssüchtig** *adj*, *(geb.)* hedonistic, *(figs., abw.)* plea-sure-seeking

geobotanisch, *adj,* geobotanic

geochemisch, *adj,* geochemical

Geodäsie, *sub, f, -, nur Einz.* geode-sy; **geodätisch** *adj,* geodetic

Geodreieck, *sub, n, -s, -e* set square

Geografie, *sub, f, -, nur Einz.* geo-graphy; **Geograf** *sub, m, -en, -en* geographer; **geografisch** *adj,* geo-graphic(al)

Geologe, *sub, m, -n, -n* geologist; **Geologie** *sub, f, -, nur Einz.* geolo-gy; **geologisch** *adj,* geologic(al)

Geometrie, *sub, f, -, -n* geometry; **geometrisch** *adj,* geometric(al)

geopolitisch, *adj,* geopolitical

geordnet, *adj,* orderly, tidy

georgisch, *adj,* Georgian

geotropisch, *adj,* geotropic

geozentrisch, *adj,* geocentric

Gepäck, *sub, n, -s, -* luggage; *(US)* baggage; *mit leichtem Gepäck rei-sen* travel light; **~abgabe** *sub,* lug-gage counter; *(US)* baggage counter; **~ablage** *sub, f, -, -n* lugga-ge rack; *(US)* baggage rack; **~auf-bewahrung** *sub, f, -, -n* left-luggage office; *(US)* checkroom; **~netz** *sub, n, -es, -e* luggage rack; *(US)* luggage rack; **~schein** *sub, m, -es, -e* lugga-ge ticket; *(US)* baggage check; **~stück** *sub, n, -es, -e* piece or item of luggage; *(US)* piece or item of baggage; **~träger** *sub, m, -s, -* *(Auto)* roofrack; *(Fahrrad)* carrier; *(Person)* porter; **~wagen** *sub, m, -s, -wägen* luggage van; *(US)* bagga-ge car

Gepard, *sub, m, -s, -e* cheetah

gepfeffert, *adj, (ugs.)* steep

Gepfeife, *sub, n, -s, nur Einz.* whistling

Gepflegtheit, *sub, f, -, nur Einz.* neat appearance; *(Sprache)* refinement; **gepflegt (1)** *adj,* very neat; *(Sache)* well-kept; *(Sprache, Stil)* cultiva-ted; *(Wein)* select **(2)** *adv,* very neatly; *sich gepflegt ausdrücken* be wellspoken; *sich gepflegt unterhal-ten* have a decent conversation

Gepflogenheit, *sub, f, -, -en* cu-stom, habit

Gepiepse, *sub, n, -s, nur Mehrz.* chirping

Geplänkel, *sub, n, -s, -* *(Worte)* banter

Geplapper, *sub, n, -s, -* *(abw.)* prattling; *(Baby)* babbling

Geplätscher, *sub, n, -s, nur Mehrz. (Wasser)* babbling

Geplauder, *sub, n, -s, -* chatting

Gepolter, *sub, n, -s, -* clatter; *(Schimpfen)* grumbling

Gepräge, *sub, n, -s, - (i. ü. S.)* char-acter

Gepränge, *sub, n, -s, -* pomp

Gequassel, *sub, n, -s, -* blather, yak-yakking

Gequietsche, *sub, n, -s, -* squea-king; *(Autoreifen)* squealing; *(Metall)* screeching

Ger, *sub, m, -es, -e* spear

gerade, (1) *adj,* straight; *(Hal-tung)* erect; *(Zahl)* even **(2)** *adv,* exactly, just, straight **(3) Gerade** *sub, f, -, -n (mat.)* straight line; *(spo.)* straight; *das gerade Gegen-teil* the exact opposite; *das hat mir gerade noch gefehlt* that´s exactly what I needed; *warum gerade heute?* why does it have to be today; *er ist gerade unterwegs* he´s just out now; *gerade in dem Augenblick* just in that moment; *ich war gerade beim Lesen* I was just reading; *eine gerade Linie* a straight line; **~ stehen** *vi,* stand up straight; *(i. ü. S.; -für)* take the responsibility for; **~aus** *adv,* straight on; **~nwegs** *adj,* straight; **~wegs** *adv,* straight; **~zu** *adv,* almost, virtually

gerädert, *adj,* absolutely shatte-red

geradeso, *adv,* do sth just as so else; **~ gut** *adv,* just as well

Geradheit, *sub, f, -, nur Einz.* straightness; *(i. ü. S.)* upright-ness; **geradlinig** *adj,* straight; *(i. ü. S.)* straightforward

Gerangel, *sub, n, -s, nur Einz.*

scramble, scrapping

Geranie, *sub*, *f*, -, -*n* (*bot.*) geranium

Gerassel, *sub*, *n*, -*s*, - rattling

Gerät, *sub*, *n*, -*es*, -*e* equipment; (*elektr.*) electrical appliances; (*Fernseher, Radio*) set; (*Garten*) tool; (*Küche*) utensil; (*Meß-*) instrument; (*Turnen*) piece of apparatus; **~eturnen** *sub*, *n*, -*s*, - apparatus gymnastics; **~eturner** *sub*, *m*, -*s*, - apparatus gymnast

geraten, (1) *adj*, (*ausfallen*) advisable (2) *vi*, turn out; (*gelangen*) get; (*nach jmd.*) take after; *das ist mir nicht geraten* it hasn´t turned out well; *ihm gerät alles* everything turns out right with him; *jmdm zum Vorteil geraten* turn out to so´s advantage; *unter ein Auto geraten* get run over by a car; *nach seinem Vater geraten* take after his/her father

Geratter, *sub*, *n*, -*s*, -*e* clatter

Geräucherte, *sub*, *n*, -*n*, - smoked

geraum, *adj*, fairly long

Geräumigkeit, *sub*, *f*, -, - spaciousness; **geräumig** *adj*, spacious

gerben, *vt*, tan; **Gerberei** *sub*, *f*, -, -*en* tannery; **Gerbsäure** *sub*, *f*, -, -*n* tannic acid

gerecht, (1) *adj*, fair, just; (*unparteiisch*) impartial (2) *adv*, fairly; *einer Aufgabe gerecht werden* cope with a task; *gerecht teilen* share sth out fairly; **Gerechtigkeit** *sub*, *f*, -, - fairness, justice

Gerede, *sub*, *n*, -*s*, - rumour, talk; (*Gerüchte US*) rumor; *sie ist ins Gerede gekommen* people have started talking about her

geregelt, *adj*, orderly, regular

gereichen, *vi*, redound; *jmdm zur Ehre greichen* redound to so´s honour

Gereiztheit, *sub*, *f*, -, - irritability; **gereizt** *adj*, irritated; (*Athmosph.*) tense

gereuen, *vr*, regret

Geriatrie, *sub*, *f*, -, *nur Einz.* geriatrics; **Geriater** *sub*, *m*, -*s*, - geriatrician; **geriatrisch** *adj*, geriatric

Gericht, *sub*, *n*, -*es*, -*e* (*Gerichtsgebäude*) court; (*jüngstes -*) Day of Judgement; (*jur.*) court; (*Mahlzeit*) dish; *Gericht halten* hold court; *vor Gericht aussagen* testify before a court; *vor Gericht bringen* take so to court; *vor Gericht stehen* be on trial; **gerichtlich** *adj*, judicial, legal; **~sarzt** *sub*, *m*, -*es*, *ärtzte* forensic pathologist; **~sbarkeit** *sub*, *f*, -, -*en* jurisdication; **~sbeschluss** *sub*, *m*, -*es*, -*üsse* court´s decision; **~sbezirk** *sub*, - juridicial district; **~sherr** *sub*, *m*, -*s*, -*en* court official; **~shof** *sub*, *m*, -*es*, -*höfe* court of justice; **~smedizin** *sub*, *f*, -, -*er* forensic medicine; **~sort** *sub*, *m*, -*s*, -*e* domicile; **~ssaal** *sub*, *m*, -*s*, *säle* courtroom; **~sstand** *sub*, *m*, -*es*, -*stände* legal domicile; **~sverfahren** *sub*, *n*, -*s*, - court procedure, legal proceedings; (*Strafverf.*) trial; *ein Gerichtsverfahren einleiten gegen* institute legal proceedings against; **~sverhandlung** *sub*, *f*, -, -*en* judicial hearing; (*Strafverf.*) trial; **~svollzieher** *sub*, *m*, -*s*, - bailiff; (*US*) marshal; **~sweg** *sub*, *m*, -*s*, -*e* by legal action

gerieben, *adj*, sly

gerieren, *vr*, (*geh.*) behave as

gering, (1) *adj*, little, minor, slight, small (2) *adj*, *adv*, low; *geringe Kenntnisse* little knowledge; *geringe Chancen* minor prospects; *mit geringer Verspätung* with a slight delay, *eine geringe Meinung haben von* have a low opinion of; **~er** *adj*, less, lower; (*als*) less than; *in geringerem Maße* to a lesser extent; *kein geringerer als* no less than; **~fügig** *adj*, minor, slight; **~haltig** *adj*, low-grade; **~ste** *adj*, least, slightest; *das ist meine geringste Sorge* that´s the least of my worries; *die geringste Kleinigkeit* the least little thing; *nicht im geringsten* not in the least; *er hat nicht* *die geringste Ahnung* he hasn´t got the slightest idea; *wir haben nicht die geringste Aussicht* we haven´t got the slightest chance

Geringschätzung, *sub, f, -, -en* contempt, disdain

gerinnen, *vi*, clot; *(Milch)* curdle; *(i. ü. S.) jmdm das Blut in den Adern gerinnen lassen* make so´s blood curdle; **Gerinnsel** *sub, n, -, -* clot; *(Blut-)* blood clot; **Gerinnung** *sub, f, -, -en* coagulation; *(Blut)* clotting

Gerippe, *sub, n, -s,* - framework, skeleton; *(dürrer Mensch)* bag of bones

gerissen, *adj,* *(schlau)* crafty, shrewd

germanisieren, *vt*, Germanize; **Germane** *sub, m, -n, -n* Germanin; **Germanentum** *sub, n, -s, nur Einz.* Germanic; **Germanismus** *sub, m, -, -ismen* Germanism

Germanistik, *sub, f, -, nur Einz.* German philology; **Germanist** *sub, m, -en, -en* Germanist; **Germanistin** *sub, f, -, -en* Germanist; **germanistisch** *adj*, German philological; **Germanium** *sub, n, -s, nur Einz. (chem.)* germanium

gern, *adv*, gladly, willingly; *es wird gern gekauft* it sells well; *ich helfe gerne* I´ll be glad to help; *~ gesehen adj, (sein)* be welcome

Geröchel, *sub, n, -s,* - stertorous breathing

gerochen, *vi*, smelled

Geröll, *sub, n, -es, -e (geol.)* debris, detritus; **~halde** *sub, f, -, -n* scree; **~schutt** *sub, m, -s,* - rubble

Gerontologie, *sub, f, -, nur Einz.* gerontology; **Gerontologe** *sub, m, -n, -n* gerontologist

Gerste, *sub, f, -, -n* barley; **~nkorn** *sub, n, -es, -körner* barleycorn; *(med.)* stye; **~nsaft** *sub, m, -es,* - beer; **~nsuppe** *sub, f, -, -n* barley soup

Gerte, *sub, f, -, -n* switch; **gertenschlank** *adj*, very slender

Geruch, *sub, m, -es, -rüche* smell; *(Duft)* scent; *(übler)* odour; ge-

ruchlos *adj*, odourless; *(Seifen etc.)* unscented; **~sorgan** *sub, n, -es, -e* olfactory organ; **~ssinn** *sub, m, -es,* - olfactory sense

Gerücht, *sub, n, -es, -e* rumour; *(US)* rumor; *es geht das Gerücht, dass* there´s a rumour that; *es kursiert das Gerücht* the story goes; **gerüchtweise** *adj*, from hearsay; *ich habe es nur gerüchteweise gehört* I know it from hearsay

geruhen, *vr*, deign to; **geruhsam** *adj*, peaceful; *(gemütlich)* leisurely; **Geruhsamkeit** *sub, f, -, -en* peace

Gerümpel, *sub, n, -s,* - junk

Gerundium, *sub, n, -s, Gerundien (Sprachw.)* gerund

Gerüst, *sub, n, -es, -e (i. ü. S.)* framework; *(Bau)* scaffolding; **~bauer** *sub, m, -s,* - scaffolder

Gesabber, *sub, n, -s,* - dribbling

gesamt, *adj*, complete, total, whole; **Gesamtausgabe** *sub, f, -, -n (Buch)* complete edition; *(Geld)* total expenditure; **Gesamtgewinn** *sub, m, -es, -e* total proceeds; **Gesamtheit** *sub, f, -,* - whole; **Gesamtkunstwerk** *sub, n, -es, -e* total art work; **Gesamtschule** *sub, f, -, -n* comprehensive school; **Gesamtsieger** *sub, m, -s, nur Einz.* final winner; **Gesamtsumme** *sub, f, -, nur Einz.* total amount

Gesandte, *sub, m, -n, -n* envoy; **Gesandtschaft** *sub, f, -, -en* legation

Gesang, *sub, m, -es, -sänge* singing; *(als Fach)* voice; **~buch** *sub, n, -es, -bücher* songbook; *(kirchl.)* hymnbook; **~lehrer** *sub, m, -s,* - singing teacher; **~schule** *sub, f, -, -n* singing school; **~skunst** *sub, f, -, -künste* art of singing; **~verein** *sub, m, -s, -e* choir; *(US)* glee club

Gesäß, *sub, n, -es, -e* buttocks; **~muskel** *sub, m, -s, -n* gluteal muscle; **~tasche** *sub, f, -, -n* back pocket

gesättigt, *adj*, full; *(chem.)* saturated

Gesause, *sub*, *n*, *-s*, - whistling; *(schnell bewegen)* rush

Gesäusel, *sub*, *n*, *-s*, - whisper

Geschädigte, *sub*, *m*, *f*, *-n*, *-n* injured party

Geschäft, *sub*, *n*, *-es*, *-e* business; *(Handel)* trade; *(Laden)* shop; *(Laden, US)* store; *(Transaktion)* transaction; *Geschäft ist Geschäft* business is business; **geschäftig** *adj*, busy; **~igkeit** *sub*, *f*, *-*, *-en* activity; **geschäftlich** *adj*, business; *eine geschäftliche Angelegenheit* business matter; **~sabschluss** *sub*, *m*, *-es*, *-üsse* transaction; **~sführung** *sub*, *f*, *-*, *nur Einz.* management; **~sgeheimnis** *sub*, *n*, *-es*, *-e* trade secret; **~sjahr** *sub*, *n*, *-s*, *-e* business year; *(polit.)* financial year; **~sleitung** *sub*, *f*, *-*, *-en* manager; *(Partei)* party chairman; *(Verein)* secretary; **~smann** *sub*, *m*, *-es*, *-männer* businessman; **~sordnung** *sub*, *f*, *-*, *nur Einz.* agenda, procedure; *(Parl.)* standing orders; **~sschluss** *sub*, *m*, *-es*, *nur Einz.* closing time; **~sstelle** *sub*, *f*, *-*, *-n* branch, office; **~sträger** *sub*, *m*, *-s*, - representative; **geschäftstüchtig** *adj*, efficient

gescheckt, *adj*, spotted

Geschehen, (1) *sub*, *n*, *-s*, - event (2) **geschehen** *vi*, happen; *(getan werden)* be done; *(stattfinden)* take place; *er wußte nicht, wie ihm geschah* he didn´t know what´s happening to him; *es wird dir nichts geschehen* nothing will happen to you; *geschehen lassen* let sth happen; *was geschieht, wenn* what happens if; *es muss etwas geschehen* something must be done; **Geschehnis** *sub*, *n*, *-es*, *-se* incident

Gescheitheit, *sub*, *f*, *-*, - cleverness; **gescheit** *adj*, bright, clever; *(vernünftig)* sensible

Geschenk, *sub*, *n*, *-es*, *-e* gift, present

Geschichte, *sub*, *f*, *-*, *-n* story; *(Angelegenheit)* affair; *(Märchen)* tale; *(Wissenschaft)* history; *(zu Sache/Person)* story; *in die Geschichte eingehen* go down in history; *immer dieselbe alte Geschichte* it´s always the same old story; **geschichtlich** *adj*, historic, historical; **Geschichtsunterricht** *sub*, *m*, *-s*, *nur Einz.* history lessons; **Geschichtswissenschaft** *sub*, *f*, *-*, *nur Einz.* history

Geschick, *sub*, *n*, *-s*, *-e* *(Begabung)* talent; *(Schicksal)* fate; **~lichkeit** *sub*, *f*, *-*, *-en* skill; **geschickt** *adj*, skillfull; *(fingerfertig)* dexterous

Geschiebe, *sub*, *n*, *-s*, - pushing

Geschimpfe, *sub*, *n*, *-s*, - ranting and raving

Geschirr, *sub*, *n*, *-es*, *-e* crockery, pots and pans; *(Handel)* kitchenware; *(Küchen-)* kitchen things; *(Pferde)* harness; *(Porzellan)* china; **~schrank** *sub*, *m*, *-es*, *-änke* cupboard; **~spülmaschine** *sub*, *f*, *-*, *-n* dishwasher; **~tuch** *sub*, *n*, *-es*, *-tücher* tea-towel; *(US)* dish towel

Geschlabber, *sub*, *n*, *-s*, - *(Essen)* lobbering; *(Kleidung)* slopping

geschlagen, (1) *adj*, defeated (2) *vr*, *(sich - geben)* give in

Geschlecht, *sub*, *n*, *-es*, *-e oder -er* sex; *(Familie)* family; *(Fürsten-)* dynasty; *(Sprachw.)* gender; *das andere Geschlecht* the opposite sex; *das schöne Geschlecht* the fair sex; *das starke Geschlecht* the strong sex; **geschlechtlich** *adj*, sexual; *mit jmdm geschlechtlich verkehren* have sexual intercourse with so; **~skrankheit** *sub*, *f*, *-*, *-en* venereal disease, VD; **~sreife** *sub*, *f*, *-*, - sexual maturity; **~strieb** *sub*, *m*, *-es*, *-e* sexual drive; **~sumwandlung** *sub*, *f*, *-*, *-en* sex change; **~sverkehr** *sub*, *m*, *-s*, - sexual intercourse; **~swort** *sub*, *n*, *-es*, *-wörter* *(Sprachw.)* article

geschliffen, *adj*, polished; *(Ma-*

nteren) rennen

Geschlinge, *sub, n, -s, - (Tiere)* entrails

geschlossen, *adj*, closed; *(einheitlich)* uniform; *eine geschlossene Front bilden* form a united front; *geschlossen hinter jmdm stehen* be solidly behind so; *geschlossene Gesellschaft* private party; *geschlossene Ortschaft* built-up area

Geschluchze, *sub, f, -n, -er* sobbing

Geschmack, *sub, m, -es, -* taste; *es ist nicht jedermanns Geschmack* it´s not everyone´s taste; *ist es nach deinem Geschmack?* is it your taste?; *jeder nach seinem Geschmack* everyone to his own taste; *keinen Geschmack haben* have no taste; **geschmacklos** *adj*, tasteless; *(taktlos)* tactless; **~ssache** *sub, f, -, -* matter of taste; **geschmackvoll** *adj*, tastefull; *(Stil)* stylish

Geschmeichel, *sub, n, -s,* - flattery

Geschmeide, *sub, n, -s,* - jewellery; *(US)* jewelry; **geschmeidig** *adj*, smooth; *(Körper)* lithe; *(Leder)* soft

Geschmeiß, *sub, n, -es, - (i. ü. S.)* vermin

Geschmetter, *sub, n, -es, -* flourish of trumpets; *(abw.)* blaring

Geschmunzel, *sub, n, -s,* - smirking

Geschnatter, *sub, n, -s, - (i. ü. S.)* chattering; *(Gänse)* cackling

Geschnörkel, *sub, n, -, nur Einz.* curlicues

Geschnüffel, *sub, n, -s,* - sniffling; *(i. ü. S.)* snooping around

Geschöpf, *sub, n, -es, -e* creature; *armes Geschöpf* poor creature

Geschoss, *sub, n, -es, -e* floor, projectile; *(Rakete)* missile; **~bahn** *sub, f, -, -en* trajectory; **~hagel** *sub, m, -s, nur Einz.* hail of bullets

geschraubt, *adj*, bolted; *(Stil)* stilted

Geschrei, *sub, n, -s,* - shouting; *(Aufhebens)* screaming; *(stärker)* screaming

Geschreibsel, *sub, n, -s,* - scribblings

Geschütz, *sub, n, -es, -e* heavy guns; **~rohr** *sub, n, -es, -e* gun pipe

Geschwader, *sub, n, -s, - (mil.)* squa-

oron

Geschwafel, *sub, n, -s,* - drivel

Geschwätz, *sub, n, -es,* - prattle; **geschwätzig** *adj*, gossipy, talkative

geschweige, *konj, (- denn)* let alone, never mind

Geschwindigkeit, *sub, f, -, -en* speed; **geschwind (1)** *adj*, fast (2) *adv*, quickly; **~sbegrenzung** *sub, f, -, -en* speed limit; **~sbeschränkung** *sub, f, -, -en* speed limit; **~smesser** *sub, m, -s,* - speedometer; **~süberschreitung** *sub, f, -, -en* speeding

Geschwister, *sub, n, -s, nur Mehrz.* brothers and sisters; *(jur.)* siblings; **geschwisterlich** *adj*, brotherly, sisterly

geschwollen, *adj*, swollen

Geschworener, *sub, m, -n, -n (jur.)* member of the jury

geschwungen, *adj*, curved

Geschwür, *sub, n, -s, -e (med.)* ulcer

gesegnet, *adj*, blessed

Geselle, *sub, m, -n, -n (Bursche)* lad; *(Handwerker)* journeyman

gesellen, *vr*, join so; **gesellig** *adj*, sociable; *geselliges Beisammensein* get-together; **Geselligkeit** *sub, f, -, -en* sociability, socializing

Gesellschaft, *sub, f, -, -en* company, society; *jmdm Gesellschaft leisten* keep so company; *sich in guter Gesellschaft befinden* be in good company; *die feine Gesellschaft* high society; *gute/schlechte Gesellschaft* good/bad company; **gesellschaftlich (1)** *adj*, social (2) *adv*, social; *gesellschaftliche Entwicklung* development of society; *geslleschaftlich gewandt* move easily in society; **~sanzug** *sub, m, -es, nur Einz.* formal suit; **~sspiel** *sub, n, -s, -e* party game; **~stanz** *sub, m, -es, -tänze* ballroom dance

Gesetz, *sub, n, -es, -e* law, principle, rule; *gegen das Gesetz*

against the law; *im Namen des Gesetzes* in the name of the law; *nach dem Gesetz* under the law; *sich etwas zum obersten Gesetz machen* make sth a cardinal rule; **~buch** *sub, n, -es, -bücher* code of law, statute book; **~entwurf** *sub, m, -es, -würfe (parl.)* bill; **~estext** *sub, m, -es, -e* wording of the law; **~esübertretung** *sub, (US)* offense: **~esvorlage** *sub, f, -, -n* bill; **~eswerk** *sub, n, -es, -e* body of law; **gesetzgebend** *adj,* legislative; **~geber** *sub, m, -, nur Einz.* legislator; **~gebung** *sub, f, -, -en* legislation; **gesetzlos** *adj,* anarchic, lawless; **gesetzmäßig** *adj,* legal; *(Anspruch)* legitimate; **gesetzwidrig** *adj,* illegal

Gesetztheit, *sub, f, -, -en* staidness; **gesetzt** (1) *adj, (reif)* mature; *(würdig)* dignified (2) *konj, (- den Fall)* let's assume, suppose

Gesicht, *sub, n, -es, -er* face; *das Gesicht verlieren* lose face; *den Tatsachen ins Gesicht sehen* face the facts, face the facts; *der Gefahr ins Gesicht sehen* face up to a danger; *jmdm gerade ins Gesicht sehen* look so in the eye; *mach nicht so ein dummes Gesicht* dont't look so stupid; **~sausdruck** *sub, m, -es, -drücke* facial expression; **~sfarbe** *sub, f, -, -n* complexion; **~sfeld** *sub, n, -es, -er (opt.)* range of vision; **~spunkt** *sub, m, -es, -e* point of view; **~szug** *sub, m, -es, -züge* features

Gesims, *sub, n, -es, -e* molding, moulding; *(Fenster)* sill

Gesinde, *sub, n, -s, -* servant; **~stube** *sub, f, -, -n* servant's room

Gesindel, *sub, n, -s, -* rabble

Gesinnung, *sub, f, -, -en* convictions; **gesinnt** *adj,* minded, oriented; *ein Gesicht machen* pull a face

gesittet, *adj,* civilized, well-behaved

Gesöff, *sub, n, -es, -e (abw.)* muck

gesondert, *adj,* separate

gesotten, *adj,* boiled

gespalten, *adj,* divided, split

Gespann, *sub, n, -es, -e* team; *ein ideales Gespann* make a perfect team

Gespanntheit, *sub, f, -, -en* expectation, tension

gespenstern, *vi,* ghosting; **Gespenst** *sub, n, -es, -er* ghost; *wie ein Gespenst aussehen* look like a ghost; **gespenstisch** *adj,* ghostly

Gespiele, *sub, m, -s, nur Einz.* playmate

Gespinst, *sub, n, -es, -e* spun yarn; *(Gewebe)* web

Gespött, *sub, n, nur Einz.* mockery; *zum Gespött der Leute werden* become a laughing stock

Gespräch, *sub, n, -es, -e* conversation, talk; *das Gespräch bringen auf* bring the conversation round to; *ein Gespräch führen mit* have a conversation with; *ins Gespräch kommen mit* get into conversation with; *Gespräche führen* have talks; **gesprächig** *adj,* communicative; *sie ist nicht sehr gesprächig* she doesn't say much

gesprenkelt, *adj,* speckled

Gespür, *sub, n, -s, nur Einz.* feeling, sense

Gestade, *sub, n, -s, - (dichter.)* shore

gestalten, (1) *vr, (sich)* take shape (2) *vt,* arrange, create, decorate, design, form, shape; **Gestalterin** *sub, f, -, -en* designer, organizer; **gestalthaft** *adj,* in the shape of; **Gestaltung** *sub, f, -, -en* arrangement, creation, organisation

Gestammel, *sub, n, -s, nur Einz.* stammering

gestanden, *adj, (-er Mann)* confessed, man who has made it in life; **geständig** *adj, (sein)* have confessed; **Geständnis** *sub, n, -es, -e* confession; *ein Geständnis ablegen* make a confession

Gestänge, *sub, n, -s, -* struts

Gestapo, *sub, f, -, nur Einz.* Gestapo

gestatten, *vt,* allow, permit; *Fotografieren nicht gestattet* no pho-

rauche? do you mind my smoking?; *jmdm etwas gestatten* allow so to do sth

Geste, *sub, f, -, -n* gesture; *Geste der Versöhnung* conciliatory gesture

gestehen, *vt,* admit; *(jur.)* confess

Gestein, *sub, n, -es, -e* rock, stone; *~sart sub, f, -, -en* type of rock

Gestell, *sub, n, -es, -e* rack; *(Regal)* shelves; *(Ständer)* stand

gestern, *adv,* yesterday; *(i. ü. S.) er ist nicht von gestern* he wasn´t born yesterday; *gestern früh* yesterday morning

gestiefelt, *adj,* in boots; *der gestiefelte Kater* Puss-in-Boots; *gestiefelt und gespornt* ready and waiting

gestielt, *adj,* stemmed; *(bot.)* stalked

gestikulieren, *vi,* gesticulate; **Gestik** *sub, f, -, nur Einz.* gesture; **Gestikulation** *sub, f, -, -en* gesticulation

Gestimmtheit, *sub, f, -, -en* mood

Gestirn, *sub, n, -es, -e* star; *(Sternbild)* constellation; **gestirnt** *adj,* starry

gestisch, *adj,* gesticulative

Gestöber, *pron,* drift

Gestotter, *sub, n, -s, nur Einz.* stuttering

Gesträuch, *sub, n, -es, -e* shrubbery

gestreng, *adj,* strict

gestrig, *adj,* yesterday´s; *am gestrigen Tag* yesterday; *gestriges Schreiben* our letter of yesterday

Gestrüpp, *sub, n, -es, -e* scrub

Gestühl, *sub, n, -es, -e* chairs, seats; *(Chor)* stalls

Gestümper, *sub, n, -s, -* bungling

Gestus, *sub, m, -, nur Einz. (charakt.)* expression

Gestüt, *sub, n, -es, -e* stud farm; *~hengst sub, m, -es, -e* stallion; *~pferd sub, n, -es, -e (Stute)* stud mare; *~sbrand sub, m, -es, -brände* stud brand

Gesuch, *sub, n, -es, -e* petition; *~theit sub, f, -, -en* be demanded

Gesudel, *sub, n, -s, nur Einz.* scrawl

adj, healthy; *(Firma,Ansichten, Instinkt)* sound; *gesunde Nahrung* healthy food; *gesunder Menschenverstand* sound common sense; **Gesundbeter** *sub, m, -s, -* faith healer; **Gesundbrunnen** *sub, m, -s, -* fountain of youth; **Gesundheit** *sub, f, -, nur Einz.* health; *bei bester Gesundheit* in the best of health; *beim Niesen: Gesundheit* bless you; **Gesundheitsamt** *sub, n, -es, -ämter* health centre; *(US)* health center; **Gesundheitspflege** *sub, f, -, -n* health care; **Gesundheitswesen** *sub, n, -s, nur Einz.* health service; **Gesundheitszeugnis** *sub, n, -es, -e* health certificate; **gesundstoßen** *vr, (ugs.)* make a packet; **Gesundung** *sub, f, -, nur Einz.* recovery

Getäfel, *sub, n, -s, -* panelling; *(US)* paneling; **getäfelt** *adj,* panelled

getauft, *adj,* be baptized

Getaumel, *sub, n, -s, -* swaying

Getier, *sub, n, -es, nur Einz.* animals; *(Insekten u. Kleint.)* creatures

getigert, *adj,* striped

Getöse, *sub, n, -s, nur Einz.* roar

Getränk, *sub, n, -es, -e* drink

getrauen, *vr, (sich)* dare to do sth

Getreide, *sub,* grain; *~feld sub, n, -es, -er* cornfield; *(US)* grainfield

getrennt, *adj,* separate

getreu, *adj,* faithful, loyal

getrieben, *adj,* chased, embossed; *(Metall)* embossed

getrost, *adj,* easily, safely; *man kann getrost behaupten, dass* one can safely say that

gettoisieren, *vt,* put in ghetto; **Getto** *sub, n, -s, -s* ghetto

Getue, *sub, n, -s, nur Einz.* fuss

Getümmel, *sub, n, -s, -* tumult

geübt, *adj,* experienced, trained

Gevatter, *sub, m, -s, -n (veraltet)* godfather, godmother

gevierteilt, *adj,* devided in four

gewachsen, *adj,* be equal to

something; **Gewächs** *sub, n, -es, -e* plant; **Gewächshaus** *sub, n, -es, -häuser* greenhouse

gewachst, *adj,* covered with wax

gewagt, *adj,* daring

gewahr, *adj, (- werden)* notice, realize

gewahren, *vi,* notice, realize

gewähren, *vt,* allow, grant; *jmdm einen Aufschub gewähren* grant sb a period of grace; **Gewährsmann** *sub, m, -es, -männer* authority

Gewalt, *sub, f, -, -en (durch Amt)* authority; *(Gewaltanwendung)* violence; *(Herrschaft)* control; *(Macht)* power; *etwas mit Gewalt öffnen* force sth open; *Gewalt anwenden* use violence; *jmdn/Land in seine Gewalt bekommen* bring sb/a country under so´s control; *Kontrolle verlieren* lose control; **~enteilung** *sub, f, -, -en (polit.)* separation of powers; **~herrschaft** *sub, f, -, -en* despotism, tyranny

gewaltig, *adj,* enormous, gigantic, powerful, tremendous, violent; *ein gewaltiger Schlage* powerful blow; *gewaltige Leistung* tremendous achievement; **Gewaltigkeit** *sub, f, -, -* vehemence; **Gewaltlosigkeit** *sub, f, -, nur Einz. (als Prinzip)* nonviolence; **Gewaltmarsch** *sub, m, -es, -märsche* forced march; **Gewaltmensch** *sub, m, -en, -en* brutal person; **gewaltsam** *adj,* violent; **Gewaltschuss** *sub, m, -es, -üsse (Fußb.)* rocket; **gewalttätig** *adj,* violent; **Gewaltverzicht** *sub, m, -es, nur Einz.* renunciation of force

gewanden, *vr, (sich)* dress; **Gewand** *sub, n, -es, -wänder* garment; *(wallend)* robe; *(i. ü. S.) erscheint im neuen Gewand* has had a face-lift; **Gewandhaus** *sub, n, -es, -häuser (veraltet)* warehouse for clothtrading

Gewandtheit, *sub, f, -, -en* agility, efficiency, skill; **gewandt** *adj,* clever, efficient; *(flink)* quick; *(geschickt)* skilful

gewärtigen, *vi,* reckon with

Gewäsch, *sub, n, -es, -* twaddle

Gewässer, *sub, n, -s, -* stretch of water

Gewebe, *sub, n, -s, - (i. ü. S.)* web; *(med.)* tissue; *(Stoff)* fabric; **~breite** *sub, f, -, -n* broadth of fabrics

Gewehr, *sub, n, -es, -e* gun, rifle; **~kolben** *sub, m, -s, -* rifle butt

Geweih, *sub, n, -es, -e* antlers

geweiht, *adj,* consecrated; *(Priester)* ordained

Gewerbe, *sub, n, -s, -* business; *(Handel, Handwerk)* trade; **~aufsicht** *sub, f, -, nur Einz.* trade supervisory; **~freiheit** *sub, f, -, -en* freedom of trade; **gewerbetreibend** *adj,* trading; **~zweig** *sub, m, -s, -e* branch of industry; **gewerblich (1)** *adj,* commercial, industrial **(2)** *adv,* commercial; *gewerbliche Räume* business premises, *gewerblich genutzt* for commercial purposes; **gewerbsmäßig** *adj,* professional

Gewerkschaft, *sub, f, -, -en* trade union

gewiegt, *adj, (schaukeln)* rocked into sleep

Gewieher, *sub, n, -s, nur Einz.* neighing

gewillt, *sub,* willing

Gewimmel, *sub, n, -s, -* bustle

Gewimmer, *sub, n, -s, nur Einz.* whimpering

Gewinde, *sub, n, -es, - (tech.)* thread; **~gang** *sub, m, -s, -gänge* turn of a thread

Gewinn, *sub, m, -s, -e (Lotterie)* prize; *(Spiel)* winnings; *(Wahl)* gains; **~ bringend** *adj,* profitable; **~anteil** *sub, m, -s, -e* share in the profits; **~beteiligung** *sub, f, -, -en* profit sharing; **~chance** *pron,* chances of winning

gewinnen, (1) *vi, (als Gewinner)* win **(2)** *vt,* win; *(Altmaterial)* reclaim from; *(Bergbau)* win; *(i. ü. S.; Einblick, Eindruck)* gain; *(Vorteil, Vorsprung)* gain; *jmdn für sich gewinnen* win so over;

jmds Herz gewinnen will so s
heart; **~d** *adj,* winning; **Gewinner**
sub, m, -s, - winner; **Gewinnnum-**
mer *sub,* winning number; **Ge-**
winnquote *sub, f, -, -n* profit
margin; **Gewinnspanne** *sub, f, -, -n*
trade margin; **Gewinnsucht** *sub, f,*
-, nur Einz. profit-seeking
Gewinnung, *sub, f, -, nur Einz.* extraction; *(Neuland)* reclamation
Gewinsel, *sub, n, -s, nur Einz.* whining
Gewirr, *sub, n, -s, nur Einz.* maze,
tangle; *(Durcheinander)* confusion
Gewisper, *sub, n, -s, -er* whispering
Gewissen, *sub, n, -s, nur Einz.* conscience; *das kannst du mit gutem*
Gewissen behaupten you can say
that with a safe conscience; *ein rei-*
nes Gewissen a clear conscience;
ihn plagt sein schlechtes Gewissen
he´s got a bad conscience; *jmdm*
ins Gewissen reden have a serious
talk with so; *jmdn/etwas auf dem*
Gewissen haben have so/sthon
one´s conscience; **gewissenhaft**
adj, conscientious; **gewissenlos**
adj, unscrupulous; *(verantwor-*
tungslos) irresponsible
gewissermaßen, *adv,* in a way, to a
certain extent
Gewissheit, *sub, f, -, -er* assurance,
certainty; *mit Gewissheit* for certainty; *zur Gewissheit werden* become certainty
gewisslich, *adv,* certainly
Gewitztheit, *sub, f, -, nur Einz.*
shrewdness
Gewogenheit, *sub, f, -, nur Einz.* affection, good-will
gewöhnen, *vti,* get used to; **Ge-**
wohnheit *sub, f, -, -en* habit; *aus*
Gewohnheit out of habit; *es ist sei-*
ne Gewohnheit it is a custom with
him; *ich komme aus der Gewohn-*
heit nicht heraus I can´t break the
habit; *jmdm zur Gewohnheit wer-*
den become a habit; *sich etwas zur*
Gewohnheit machen make sth a habit; **gewohnheitsmäßig** *adj,* habitual; **Gewohnheitstier** *sub, n, -s,*

nur Einz. creature of habit; **Ge-**
wohnheitstrinker *sub, m, -s, -*
habitual drinker; **gewöhnlich**
adj, ordinary, usual; *(durch-*
schnittlich) average; *(herkömm-*
lich) conventional; *(unfein)*
common; *der gewöhnliche Sterb-*
liche we ordinary mortals; *unter*
gewöhnlichen Umständen under
ordinary circumstances; *ein ge-*
wöhnliches Aussehen haben look
common
Gewöhnung, *sub, f, -, -er* adaption; *(Drogen)* addiction to; *(med.)*
becoming habituated to; **ge-**
wohnt *adj,* familiar, usual; *zu ge-*
wohnter Stunde at the usual time;
auf gewohnte Weise the usual
way; *zu gewohnter Stunde* at the
usual time
Gewölbe, *sub, n, -es, -* vault; **~bo-**
gen *sub, m, -s, -bögen* arch of the
vault; **gewölbt** *adj,* arched, vaul-
ted; *(tech.)* convex
Gewölk, *sub, n, -es, nur Einz.*
clouds
Gewühl, *sub, m, -es, nur Einz.* turmoil; *(Menschen-)* crowd
gewürfelt, *adj,* checked
Gewürm, *sub, n, -s, -e* wormer
Gewürz, *sub, n, -es, -e* spice;
~gurke *sub, f, -, -n* gherkin; *(US)*
pickle
Geysir, *sub, m, -s, -e* geyser
gezackt, *adj,* jagged; *(bot.)* serra-
ted
gezahnt, *adj,* toothed; *(bot.)* dentate; *(Briefmarke)* perforated
Gezappel, *sub, n, -s, nur Einz.* fidgeting
gezeichnet, *adj,* drawn; *(Gesicht)*
marked; *(unterschrieben)*
signed; *von der Krankheit ge-*
zeichnet the illness has left its
mark
Gezeit, *sub, f, -, -en* tide
Geziefer, *sub, n, -s, - (Tiere)* small
creature
gezielt, *adj, (i. ü. S.)* selective; *(Be-*
merkung) pointed; *(Frage)* speci-
fic; *(Schuss)* well-aimed

geziemen, (1) adv, befit **(2)** vi, befit **(3)** vr, (sich) ist is considered proper

Geziertheit, sub, f, -, nur Einz. affection; **geziert** adj, affected

Gezische, sub, n, -s, nur Einz. whispering

Gezweig, sub, n, -s, nur Einz. twigs

Gezwitscher, sub, n, -s, nur Einz. chirping

gezwungenermaßen, adv, be forced to do sth

Ghostwriter, sub, m, - oder -s, - oder -s ghostwriter

Gibbon, sub, m, -s, -s (zool.) gibbon

Gicht, pron, (med.) gout; **~knoten** sub, m, -s, - chalkstone

Giebel, sub, m, -s, - gable; (Zier-) pediment; **giebelig** adj, gabled

gieren, vi, (nach) crave for; **Gier** sub, f, -, nur Einz. greed; (nach Essen) craving; **gierig (1)** adj, greedy **(2)** adv, greedily

gießen, vt, pour; (Blumen) water; (Gußstücke) cast; (verschütten) spill; es gießt it´s pouring; **Gießerei** sub, f, -, -en foundry

Gießkanne, sub, f, -, -n watering-can

Gift, sub, n, -es, -e poison; (chem.) toxin; das ist Gift für die Beziehung that could kill off relations; das ist reinstes Gift für ihn that´s sheer poison for him; **~gas** sub, n, -es, -e poison gas; **giftig** adj, poisonous; (bösartig) vivicious; (chem.) toxic; **~mischer** sub, m, -s, - poison brewer; **~mord** sub, m, -s, -e murder by poisoning; **~müll** sub, m, -s, nur Einz. toxic waste; **~pflanze** sub, f, -, -n poisonous plant; **~pilz** sub, m, -es, -e poisonous mushroom; **~schlange** sub, f, -, -n poisonous snake; (i. ü. S.) old shrew; **~schrank** sub, m, -s, -schränke poison cabinet; **~stachel** sub, m, -s, -n poison sting; (Fische) vonomous spine; **~zahn** sub, m, -s, -zähne poison fang; **~zwerg** sub, m, -s, -e nasty little man

Gig, sub, n, -s, -s gig

Gigant, sub, m, -en, -en giant; **Giganten der Politik** political giants; **gigantisch** adj, gigantic; **~ismus** sub, m, -s, nur Einz. gigantism; **~omanie** sub, f, -, nur Einz. megalomania

Gigolo, sub, m, -s, -s gigolo

gilben, vt, go yellow

Gilde, sub, f, -, -n guild; **~meister** sub, m, -s, - master of the guild; **~nhalle** sub, f, -, -n guildhall; **~nschaft** sub, f, -, nur Einz. guild

Gimpel, sub, m, -s, - (einfältiger Mensch) ninny; (Vogel) bullfinch

Gin, sub, m, -s, -s gin

Ginger, sub, n, -s, - ginger

Ginseng, sub, m, -s, -s ginseng

Ginster, sub, m, -s, - (bot.) broom; (Stech-) gorse

Gipfel, sub, m, -s, - summit; (Baum) top; (Berg) peak; **~konferenz** sub, f, -, -en summit conference; **~kreuz** sub, n, -e cross on the summit of the mountain; **~punkt** sub, m, -s, -e highest point; (i. ü. S.) culmination

gipfeln, vi, culminate; (Unruhen) escalate

Gips, sub, m, -es, -e plaster; (med.) plaster; **~abdruck** sub, m, -s, -drücke plaster cast; **~abguss** sub, m, -es, -güsse plaster cast; **~bein** sub, n, -s, -e leg in plaster; **~verband** sub, m, -es, -verbände (med.) plaster cast

gipsen, vt, plaster

Giraffe, sub, f, -, -en giraffe

Girlande, sub, f, -, -n festoon

Girondist, sub, m, -en, -en girondist

Gischt, sub, m, -es, -e foam

Gitarre, sub, f, -, -n guitar; **Gitarrist** pron, guitarist; **Gitarristin** sub, f, -, -nen guitarist

Gitter, sub, n, -s, - (chem., phys.) lattice; (Drahtgeflecht) grille; (parallele Stäbe) bar; (Spalier) trellis

Glace, sub, f, -, -s, schweiz. -n (schweiz.) ice cream

Gladiator, sub, m, -s, -en gladiator

Gladiole, sub, f, -, -n (bot.) gladio-

Glamour, *sub, m,n, -s, nur Einz.* glamour; **~girl** *sub, n, -s, -s* glamourgirl

Glanz, *sub, m, -* brightness; shine;
~bürste *sub, f, -, -n* brush for polis-
hing

glänzen, *vi,* shine; *(Hosen etc.)* be
shiny; **~d** *adj,* bright, shining; *glänzende Idee* brilliant idea; *in glänzender Form* in top form; **glanzlos**
adj, dull; **Glanznummer** *sub, f, -,
-n* highlight; **Glanzpapier** *sub, n,
-s, -e* glazed paper; **glanzvoll** *adj,*
glittering

Glas, *sub, n, -es, Gläser* glass; *(Bril-
len-)* lens; **~auge** *sub, n, -s, -n* glass
eye; **~bäuster** *sub, m, -s, -e* glass
brick; **~bläser** *sub, m, -s, -* glass
blower; **~bläserei** *sub, f, -, nur
Einz.* glass works; **~bläserin** *sub, f,
-, -nen* glass blower; **~er** *sub, m, -s,
-* glazier; **~erei** *sub, f, -, -en* gla-
zier´s workshop; **~haus** *sub, n, -es,
-häuser* greenhouse; *wer selbst im
Glashaus sitzt soll nicht mit Steinen werfen* people in glass houses
shouldn´t throw stones; **~hütte**
sub, f, -, -n glassworks; **glasig** *adj,*
glassy; *(Kochk.)* transparent; **glasklar** *adj,* crystal-clear; **~malerei**
sub, m, -, -en painting on glass;
~malerin *sub, f, -, -nen* painter;
~reiniger *sub, m, -s, -* glass cleaner; **~scheibe** *sub, f, -, -n* pane of
glass; **~schrank** *sub, m, -s, -schrän-
ke* glass cabinet; **~schüssel** *sub, f,
-, -n* glass bowl; **~splitter** *sub, m,
-s, -* splinter of glass

glasieren, *vt,* glaze; *(gastr.)* ice; **Glasur** *sub, f, -, -en (Backwerk)* icing;
(Backwerk, US) frosting, *(Keramik)*
glaze

Glasnost, *sub, f, -, nur Einz.* glasnost

glatt, *adj,* smooth; *(glitschig)* slippery; *(Haar)* straight; *(poliert)* polished; *(Straße)* icy; *glatte Landung*
smooth landing; *ein glatter Sieg*
straight win

glätten, (1) *vr,* subside **(2)** *vt,*
smooth down, smooth out; *(Holz)*
-

plane; **glatt** ...., clean
shaven; **Glätte** *sub, f, -, nur Einz.*
smoothness; **Glatteis** *sub, n, -es,
nur Einz.* ice; *(i. ü. S.)* aufs Glatteis geraten* skating on thin ice;
glatterdings *adv,* absolutely;
Glättung *sub, f, -, nur Einz.* subsiding

glattweg, *adj,* just like that

Glatze, *sub, f, -, -n* bald head; *fast
eine Glatze haben* thin on top;
Glatzkopf *sub, m, -s, -köpfe* bald
head; **glatzköpfig** *adj,* bald-headed

Glauben, (1) *sub, m, -s, (selten)*
belief **(2) glauben** *vti,* believe,
think, trust; *das glaube ich gerne*
I can well believe that; *es ist
kaum zu glauben* it´s hard to believe; *ich glaubte, er sei Arzt* I
believed he was a doctor; *ob du
es glaubst oder nicht* believe it or
not; *du kannst mir glauben* you
can take my word for it; *ich glaube schon* I think so; **~sbekennt-
nis** *sub, n, -nisses, -nisse* creed;
~sfreiheit *sub, f, -, -en* religious
freedom; **~ssatz** *sub, m, -es, -sät-
ze* dogma; **glaubensvoll** *adj,*
deeply religious; **glaubhaft** *adj,*
believable, credible; **gläubig** *adj,*
religious; *(vertrauend)* faithful;
Gläubige *sub, m, f, -n, -n* believer; **Gläubiger** *sub, m, -s, -* believer; *(wirt.)* creditor; **Gläubigerin**
sub, f, -, -nen creditor

Gläubigkeit, *sub, f, -, nur Einz.* religious faith; *(Vertrauen)* trustful-
ness; **glaubwürdig** *adj,*
plausible; *(Person)* trustworthy

Glazialzeit, *sub, f, -, -en* glacial period, ice age

gleich (1) *adj,* same; *(egal)* it
doesn´t matter, it is all the same
to me; *(identisch)* equal, identical, same **(2)** *adv,* alike, equally;
(sofort) immediately, straight
away; *gleich alt* the same age; *es
ist ganz gleich wann und wo* it
doesn´t matter when and where;
dreimal zwei gleich sechs three

times two equals six; *gleiche Winkel* equal angles; *gleicher Lohn für gleiche Arbeit* equal pay for equal work; *gleiches Recht für alle* equal rights for all; *ich ging gleich hin* I went there straight away; *gleich und gleich gesellt sich gern* birds of a feather flock together, *alle Menschen gleich behandeln* treat everyone alike; *es muss nicht gleich sein* there is no immediate hurry; **~altrig** *adj,* of the same age

Gleichartigkeit, *sub, f, -, -(en)* homogenity; **gleichartig** *adj,* of the same kind

Gleichberechtigung, *sub, f, -, nur Einz.* equality; *(der Frau)* equal rights for women

gleichen, *vi,* be like, resemble

gleichentags, *adv,* at the same day

gleichermaßen, *adv,* equally

gleichfalls, *adv,* also, likewise; *gleichfalls* the same to you

gleichfarbig, *adj,* of the same colour; *(US)* of the same color

Gleichförmigkeit, *sub, f, -s, -en* steadiness, uniformity; *(Eintönigkeit)* monotony

Gleichgewicht, *sub, n, -, -e* balance; **~ssinn** *sub, m, -s, -e* sense of balance

Gleichgültigkeit, *sub, f, -, nur Einz.* indifference; **gleichgültig** *adj,* indifferent; *er ist mir gleichgültig* he means nothing to me; *es ist mir völlig gleichgültig* it´s all the same to me; *sie war ihm gleichgültig* he was indifferent to her

Gleichheit, *sub, f, -, nur Einz.* equality; *(Einheitlichk.)* uniformity; *(Gleichartigk.)* homogenity; *(völlige)* identity

gleichkommen, *vi,* come up to

gleichläufig, *adj,* synchronized; **gleichlaufend** *adj,* parallel; *(tech.)* synchronos

gleichmachen, *vt,* make equal; **Gleichmacher** *sub, m, -s, -* egalitarian, leveller; *(US)* leveler

gleichmäßig, *adj,* even, regular, uniform

gleichmütig, *adj,* calm

gleichnamig, *adj,* of the same name

Gleichnis, *sub, n, -es, -se* parable

gleichrangig, *adj,* of equal importance; *(Beruf)* of equal rank

gleichschalten, *vt,* bring into line; *(tech.)* synchronize

gleichschenklig, *adj,* isosceles; *gleichschenkeliges Dreieck* isosceles triangle

Gleichschritt, *sub, m, -s, nur Einz.* in step

gleichsehen, *vi,* look like, resemble

gleichseitig, *adj, (mat.)* equilateral

gleichsetzen, *vt,* compare with, put on a level with; *(mat.)* equate

gleichstehen, *vi,* be on level with; **Gleichstand** *sub, m, -es, nur Einz. (spo.)* tie

Gleichstrom, *sub, m, -s, nur Einz.* direct current; *(Abk.)* DC

gleichviel, *adv,* all the same; *(ob)* no matter if

gleichwertig, *adj,* equivalent; *(ugs.)* equal

gleichwohl, *adv,* nevertheless

gleichzeitig, (1) *adj,* simultaneous **(2)** *adv,* at the same time

gleichziehen, *vi,* catch up; *(spo.)* draw even

Gleis, *sub, n, -es, -e* rails, track; *(i. ü. S.) auf ein falsches Gleis geraten* get onto the wrong track; *(i. ü. S.) auf ein totes Gleis schieben* put on shelf; *einfaches Gleis* single track

gleiten, *vi,* glide, slide; **Gleitfläche** *sub, f, -, -n* sliding surface; **Gleitflug** *sub, m, -s, -flüge* glide; **Gleitklausel** *sub, f, -, -n* escalator clause; **Gleitschiene** *sub, f, -s, -n* slide bar; **Gleitschutz** *sub, m, -es, nur Einz.* anti-skid protection; **gleitsicher** *adj,* non-skid

Glencheck, *sub, m, -s, -s* glencheck

Gletscher, *sub, m, -s, -* glacier; **~tor** *sub, n, -s, -e* mouth of a

Gnade

glacier

Glied, *sub, n, -es, -er (Ketten-)* link; *(Körper-)* limb; *(Penis)* penis; **gliederlahm** *adj,* worn-out; **~erpuppe** *sub, f, -, -n* jointed doll; **~ertier** *sub, n, -s, -e* articulate

gliedern, (1) *vr, (sich)* be devided into (2) *vt,* classify, structure; **Gliederung** *sub, f, -s, -en* classification, structure

glimmen, *vi,* glow; **Glimmer** *sub, m, -s, nur Einz.* mica; **Glimmstängel** *sub, m, -es, -* smoke stick

glimpflich, (1) *adj,* lenient (2) *adv,* leniently; *glimpflich davongekommen* get off lightly

glitschen, *vi,* slip; **glitscherig** *adj,* slippery; *(schleimig)* slimy; **glitschig** *adj,* slippery

glitzern, *vi,* glitter

global, *adj,* general, global, overall; **Globalsumme** *sub, f, -, -n* overall amount; **Globetrotter** *sub, m, -, -* globetrotter; **Globus** *sub, m, - und -busses, Globen, neu auch -busse* globe

Glorie, *sub, f, -, -n* glory; **~nschein** *sub, m, -s, -e* halo

glorifizieren, *vt,* glorify; **Glorifikation** *sub, f, -, -en* glorification; **Glorifizierung** *sub, f, -, -en* glorification; **glorios** *adj,* glorious; **glorreich** *adj,* glorious

glossieren, *vt,* commentate on; *(bespötteln)* sneering comment; **Glossar** *sub, n, -s, -e* glossary; **Glosse** *sub, f, -, -n* gloss

Glottis, *sub, f, Glottides* glottis

Glotzauge, *sub, n, -es, -n* goggle eye; *(med.)* exophthalmos

glotzen, *vi,* stare; *(mit offenem Mund)* gape; **Glotze** *sub, f, -, -n* goggle-box

Glück, *sub, n, -s, -* luck; *(Glücksgefühl)* happiness; *ein großes Glück* great luck; *mehr Glück als Verstand haben* have more luck than judgement; *sein Glück versuchen* try one´s luck; *unverdientes Glück* an undeserved stroke of luck; *viel Glück!* good luck!; *das häusliche*

Glück domestic bliss, Glück haben to ring the bell; *jeder ist seines Glückes Schmied* life is what you make it

glucken, *vi,* cluck; **Glucke** *sub, f, -s, -en* mother hen

gluckern, (1) *vi,* gurgle (2) *vt, (Getränk)* swill down

glücklich, *adj,* fortunate, happy, lucky; *ein glücklicher Zufall* happy coincidence; *glücklich verheiratet* happily married; **~erweise** *adv,* fortunately, luckily; **glücklos** *adj,* luckless; **glückselig** *adj,* blissful; **Glücksfall** *sub, m, -s, -fälle* stroke of luck; **Glücksgefühl** *sub, n, -s, -e* feeling of happiness; *(kurzes)* blissful sensation; **Glücksgöttin** *sub, f, -, -nen* goddess of fortune; **Glückskäfer** *sub, m, -s, -* ladybird; **Glücksrad** *sub, n, -s, -räder* wheel of fortune; **Glücksritter** *sub, m, -s, -* soldier of fortune; **Glückssache** *sub, f, -, nur Einz.* matter of luck; **Glücksspiel** *sub, n, -s, -e* game of chance; *(ugs.)* gambling; **Glücksstern** *sub, m, -s, -e* lucky star

glucksen, *vi,* gurgle; *(lachen)* chuckle

glühen, *vi, (Berge)* glow; *(Gesicht)* burn; *(Metall)* be red-hot; **~d** *adj,* glowing; *(Anhänger)* ardent; *(Kohlen)* live; **Glühlampe** *sub, f, -, -n* electric light bulb; **Glühstrumpf** *sub, m, -es, -strümpfe* filament; **Glühwein** *sub, m, -s, -e* mulled wine; **Glühwürmchen** *sub, n, -s, -* glow-worm

Glukose, *sub, m, -, nur Einz.* glucose

Glupschauge, *sub, n, -, -n* goggle eye

Glut, *sub, f, -, nur Einz.* embers

Glykol, *sub, n, -s, -e* glycol

Gnade, *sub, f, -, -n* mercy; *(theol.)* grace; *bei jmdm in hoher Gnade stehen* be in so´s good graces; *jmdm auf Gnade oder Ungnade*

ausgeliefert sein be at so´s mercy; **~nbeweis** *sub, m, -es, -e* show of mercy; **~nerlass** *sub, m, -es, -e, österr. -erlässe* amnesty; **~nfrist** *sub, f, -, (-en)* reprieve; **~ngesuch** *sub, n, -s, -e* plea for clemency; **gnadenlos** *adj,* merciless; **gnadenreich** *adj,* blessed; **gnädig** *adj,* gracious, lenient; *Gott sei ihm gnädig* God have mercy on him

Gneis, *sub, m, -es, -e* gneiss

Gnom, *sub, m, -en, -en* gnome

Gnostiker, *sub, m, -s, -* Gnostic

Gnu, *sub, n, -, -s* gnu

Gobelin, *sub, m, -s, -s* Gobelin, tapestry

Gockel, *sub, m, -s, -* cock

Go-go-Girl, *sub, n, -s, -s* go-go-girl

Goi, *sub, m, (-s), Gojim (jüdisch)* person who is not Jewish

Go-in, *sub, n, (-s), -s* go-in

Gold, *sub, n, -es, -* gold; *er hat ein Herz aus Gold* he´s got a heart of gold; *Gold gewinnen* win gold; *Gold in der Kehle haben* have a voice of gold; *sie ist nicht mit Gold zu bezahlen* she´s worth her weight in gold; **goldähnlich** *adj,* similar to gold; **~ammer** *sub, f, -, -n (zool.)* yellowhammer; **~barren** *sub, m, -s, -* gold ingot; **~barsch** *sub, m, -es, -e* ocean perch, rosefish; **golden** *adj,* golden, of gold; *das goldene Buch* visitor´s book; *goldene Hochzeit* golden wedding; *goldene Regel* golden rule; *goldener Mittelweg* golden mean; **~fisch** *sub, m, -es, -e* goldfish; **~grube** *sub, f, -, -n* gold-mine; *(i. ü. S.)* moneyspinner; **~hamster** *sub, m, -s, -* golden hamster; **goldig** *adj,* cute, lovely; **~klumpen** *sub, m, -s, -* gold nugget; **~medaille** *sub, f, -, -n* gold medal; **~mine** *sub, f, -, -n* gold mine; **~regen** *sub, m, -es, nur Einz. (bot.)* laburnum; **~reserve** *sub, f, -, -n* gold reserve; **goldrichtig** *adj,* absolutely right

Goldring, *sub, m, -s, -e* gold ring; **Goldschmied** *sub, m, -s, -e* goldsmith; **Goldzahn** *sub, m, -s, -zähne* gold tooth

golfen, *vi,* play golf; **Golem** *sub, m, -s, nur Einz. (jüdisch)* golem; **Golf** *sub, n, -s, nur Einz. (geogr.)* gulf; *(spo.)* golf; **Golfer** *sub, m, -s, -* golfer; **Golfplatz** *sub, m, -s, -plätze* golf course; **Golfschläger** *sub, m, -s, -* golf club; **Golfstrom** *sub, m, -s, nur Einz.* Gulf Stream

Goliath, *sub, m, -s* giant

Gondel, *sub, f, -, -n* gondola; *(Ballon)* basket; **Gondoliere** *sub, m, -, Gondolieri* gondolier

Gong, *sub, m, -s, -s* gong; *(spo.)* bell

Gonorrhö, *sub, f, -, -en (med.)* gonorrhoea; **gonorrhoisch** *adj,* gonorrhoeal

Goodwill, *sub, m, -s, nur Einz.* goodwill; **~reise** *sub, f, -, -n* goodwill tour

Göre, *sub, f, -, -n* kid; *(freches Mädchen)* cheeky little madam

Gorilla, *sub, m, -s, -s* gorilla

Gospel, *sub, n, -s, -s* gospel; **~song** *sub, m, -s, -s* gospelsong

Gosse, *sub, f, -, -n* gutter; *in der Gosse enden* end up in the gutter

Gotik, *sub, f, -, nur Einz.* Gothic; **Gote** *sub, m, -n, -n* Goth; **gotisch** *adj,* Gothic

Gott, *sub, m, -es, Götter* god; *(Christent., Judent., Islam)* God; *er kennt Gott und die Welt* he knows the world and his brother; *gott der Allmächtige* god the Almighty; *gott der Herr* the Lord God; *Gott sei Dank* thank goodness; *mach es in Gottes Namen* for God´s sake do it; *so wahr mir Gott helfe* so help me God; **gottähnlich** *adj,* godlike; **gottbegnadet** *adj,* gifted; **~erbarmen** *sub, (zum - sein)* be pitiful; **gottergeben** *adj,* meek; **göttergleich** *adj,* godlike; **Götterspeise** *sub, f, -, -en (gastr.)* jelly; *(myth.)* ambrosia; **Göttertrank** *sub, m, -, nur Einz.* nectar; **~esacker** *sub, m, -s, -* graveyard; **~esanbeterin** *sub, f, -, -en (zool.)*

praying mantis; **~esdienst** *sub, m,
-es, -e* service; **~esfurcht** *sub, f, -,
nur Einz.* fear of God; **~esgnade**
sub, f, -, nur Einz. grace of God;
~eslästerung *sub, f, -, -en* blasphemy; **~esmutter** *sub, f, -, nur
Einz.* Mother of God; **~esurteil**
sub, n, -s, -e trial by ordeal; **gottge-
fällig** *adj,* pleasing to God; **gottgewollt** *adj,* divinely-ordained; **~heit**
sub, f, -, -en deity

Göttlichkeit, *sub, f, -, nur Einz.* divinity; **göttlich** *adj,* divine; *die göttliche Ordnung* divine order

gottlos, *adj,* godless; *(Sache)* ungodly; **gottverlassen** *adj,* godforsaken

Gottseibeiuns, *sub, m, -, nur Einz.*
Old Nick

Götze, *sub, m, -n, -n* idol; **~naltar**
sub, m, -(e)s, -e idol; **~ndiener** *sub,
m, -s, -* idolater; **~ndienst** *sub, m,
-es, -e* idolatry

Gouda, *sub, m, -s* Gouda

Gourmand, *sub, m, -s, -s* gourmand;
~ise *sub, f, -, -n* gourmandise;
Gourmet *sub, m, -s, -s* gourmet

Gouvernement, *sub, n, -s, -s* government; **Gouvernante** *sub, f, -, -n* go-
verness; **Gouverneur** *sub, m, -e*
governor

Grab, *sub, n, -s, Gräber* grave; *er ist
verschwiegen wie ein Grab* his lips
are sealed; *jmdm ins Grab folgen*
follow so to the grave; *mit einem
Bein im Grab stehen* have one foot
in the grave; *sein Geheimnis mit ins
Grab nehmen* he took his secret
with him into the grave; *sich sein
eigenes Grab schaufeln* be digging
one´s own grave; **~eskälte** *sub, f,
-, -en* deathly cold; **~esstille** *sub, f,
-* deathly silence; **~esstimme** *sub,
f, -, -n* sepulchral voice; **~egewölbe**
sub, n, -s, - burial vault; **~mal** *sub,
n, -s, mäler* tomb; **~rede** *sub, f, -,
-n* funeral address; **~spruch** *sub,
m, -(e)s, -sprüche* unforgotten;
~stein *sub, m, -(e)s, -e* gravestone

Grad, *sub, m, -(e)s, -e* degree; *(Ausmaß)* extent; *39 Grad Fieber haben*

have a temperature of 39 degrees;
40 Grad nördl Breite forty degrees north (latitude); *es sind
Grad* it´s degrees; *es sind minus
Grad* it´s minus degrees; *in hohem Grade* up to a high degree;
Verbrennung zweiten Grades second-degree burn; **~ation** *sub, f,
-, -en* gradation; **~ient** *sub, m,
-en, -en (phy.)* gradient

graduieren, *vti,* graduate; **graduell** *adj,* gradual; **Graduierung**
sub, f, -, -en graduation

Graf, *sub, m, -en, -en* count; *(Titel
in GB)* Earl; **~enkrone** *sub, f, -e,
-n* count´s coronet; *(Brit.)* earl´s
coronet; **~entitel** *sub, m, -s, -*
Count; *(GB)* Earl; **Gräfin** *sub, f, -,
-nen* countess; *(Titel)* Countess;
Gräfinwitwe *sub, f, -, -n* countess; **gräflich** *adj,* count´s

Grafik, *sub, f, -, -en* graphic arts;
(graf. Darst.) diagram; *(graf.
Darstellung)* graph; *(Kunst)*
print; **~er** *sub, m, -s, -* graphic
designer; **grafisch** *adj,* graphical

Gral, *sub, m, -s, nur Einz.* Grail;
~sritter *sub, m, -s, -* Knight of the
Grail

Gram, *sub, m, -(e)s, -* grief, sorrow; *vor Gram sterben* die of
grief; **gramgebeugt** *adj,* bowed
down with grief

Grämlichkeit, *sub, f, -, -* moroseness; **grämlich** *adj,* morose

Gramm, *sub, n, -s, -e* gramme;
(US) gram

Grammatik, *sub, f, -, -en* grammar; **grammatikalisch** *adj,*
grammatical; **~er** *sub, m, -s, -*
grammarian; **grammatisch** *adj,*
grammatical

Grammofon, *sub, n, -s, -e* gramophone; *(US)* phonograph

Granat, *sub, m, -e (Schmuckst.)*
garnet; **~apfel** *sub, m, -s, -äpfel
(bot.)* pomegranate

Granate, *sub, f, -, -n* shell; *(Hand-
)* grenade; **Granatwerfer** *sub, m,
-s, -* mortar; *(mil.)* mortar

Grand, *sub, m, -s (Skat)* grand;

~hotel *sub, n, -s, -s* grandhotel; **~seigneur** *sub, m, -s, -s oder -e* grandseigneur

Grande, *sub, m, -n* grandee

Grandeur, *sub, f, -s, nur Einz.* grandeur; **Grandezza** *sub, f, -s, nur Einz.* grandeur

grandios, *adj,* magnificent

Grantigkeit, *sub, f, -, -en* grumpiness

granulieren, *vti,* granulate; **Granulat** *sub, n, -(e)s, -e* granules; **granulös** *adj,* granular

Grapefruit, *sub, f, -, -s* grapefruit

Graphem, *sub, n, -s, -e (Sprachw.)* grapheme

grapschen, *vti,* grab

Gras, *sub, n, -es, Gräser* grass; *(i. ü. S.) ins Gras beißen* bite the dust; *(i. ü. S.) über etwas Gras wachsen lassen* let the dust settle; **~halm** *sub, m, -(e)s, -e* blade of grass; **~mücke** *sub, f, -, -n* warbler; **~narbe** *sub, f, -, -n* sod, turf; **~streifen** *sub, m, -s, -* strip of grass

grasen, *vi,* graze; **grasgrün** *adj,* bright green

grassieren, *vi, (Gerücht)* spread; *(Krankh.)* rage; *(Unsitte)* take hold

Grässlichkeit, *sub, f, -, -en* horribleness, terribleness; **grässlich** *adj,* horrible, terrible

Grat, *sub, m, -(e)s, -e* ridge

Gräte, *sub, f, -, -n* fishbone

Gratifikation, *sub, f, -, -en* bonus

gratinieren, *vt, (gastr.)* gratinate

gratis, *adj,* free of charge

Gratisaktie, *sub, f, -, -n* bonus share

Gratisprobe, *sub, f, -, -n* free sample

gratulieren, *vi,* congratulate; **Gratulant** *sub, m, -(e)s, -en* well-wisher; **Gratulantin** *sub, f, -, -nen* well-wisher; **Gratulation** *sub, f, -, -en* congratulations

grau, (1) *adj,* grey; *(US)* gray **(2) Grau** *sub, n, -s, -* grey; *(Trostlosigkeit)* dreariness; *grau werden* turn grey, turn grey; *grauer Alltag* daily grind; *(med.) grauer Star* cataract; **~ meliert** *adj, (Haar)* grey; *(Haar, US)* graying; *(Stoff)* mottled grey;

(Stoff, US) mottled gray; **Graubrot** *sub, n, -(e)s, -e* mixed-grain bred; **Graugans** *sub, f, -s, gänse* greylag goose; *(US)* graylag goose

Grauen, (1) *sub, n, -s, -* horror **(2) grauen** *vi, (es graut mir)* dread; *(Tag)* dawn; **grauenhaft** *adj,* dreadful, horrific; **grauenvoll** *adj,* terrible

Graupe, *sub, f, -, -n* barley

Graupel, *sub, f, -, -n (meteor.)* soft hail; *(US)* sleet

Graus, *sub, m, -es, -* dread, horror; *vom Graus gepackt* seized with horror

Grausamkeit, *sub, f, -, -en* cruelty; *(Greueltat)* atrocity; **grausam** *adj,* cruel

Grauschimmel, *sub, m, -s, - (Pferd)* grey horse; *(Pferd, US)* gray horse; *(Pilz)* grey mould; *(Pilz, US)* gray mould

Grauschleier, *sub, m, -s, - (Augen)* grey haze; *(Augen, US)* gray haze; *(Wäsche)* greyness; *(Wäsche, US)* grayness

Grausen, (1) *sub, n, -s, -* horror **(2) grausen** *vi,* dread; **grausig** *adj,* horrifying, terrible

Grauzone, *sub, f, -, -en* grey area; *(US)* gray area

gravieren, *vt,* engrave; **Graveur** *sub, m, -s, -e* engraver

gravierend, *adj,* grave; **Gravur** *sub, f, -, -en* engraving; **Gravüre** *sub, f, -s, -n* engraving

Gravis, *sub, m, - (Sprachw.)* grave accent

Gravität, *sub, f, -, nur Einz.* gravitate

Gravitation, *sub, f, -, nur Einz.* gravitation; **~sgesetz** *sub, n, -es, -e* law of gravity

Grazie, *sub, f, -n* grace; **grazil** *adj,* delicate; **graziös** *adj,* graceful

Greenhorn, *sub, n, -s, -s* greenhorn

gregorianisch, *adj,* Gregorian; *gregorianischer Gesang* Gregorian chant

Greif, *sub, m, -(e)s, -e oder -en*

(myth.) griffin; **~arm** *sub, m, (e)s,* -e *(tech.)* grip arm; *(zool.)* tentacle; **~bagger** *sub, m, -s,* - grab dredger

greifen, *vti,* take; *(fest)* grab, grasp; *(Räder)* grip; *(mus.) einen Akkord greifen* play a chord; *etwas greift um sich* sth is spreading; *zum Greifen nahe* close enough to reach out and touch; *(i. ü. S.) ins Leere greifen* grasp thin air; *tief in die Tasche greifen* dip deeply into one´s purse; **Greifer** *sub, m, -s,* - gripping device; *(Klaue)* claw

greinen, *vi, (Erwachsener)* whinge; *(Kind)* grizzle

Greis, *sub, m, -es,* -e old man; **~enalter** *sub, n, -s,* - old age; **greisenhaft** *adj,* aged; **~in** *sub, f, -, -nen* old woman

grell, *adj, (blendend)* dazzling; *(Ton)* shrill

Gremium, *sub, n, -s, Gremien* committee

Grenadier, *sub, m, -s,* -e grenadier; **Grenadille** *sub, f, -, -n* grenadilla

Grenadine, *sub, f, -, nur Einz.* grenadine

Grenze, *sub, f, -, -n* border, boundary; *(i. ü. S.)* limit; *an der Grenze wohnen* live at the border; *(i. ü. S.) an seine Grenzen stoßen* reach its limits; *(i. ü. S.) sich in Grenzen halten* keep within limits; **Grenzbahnhof** *sub, m, -(e)s, höfe* border station; **Grenzbeamte** *sub, m, -s,* - border official; **Grenzbereich** *sub, m, -(e)s,* -e border area; *(Zwischenzone)* intermediate zone; **Grenzfall** *pron,* borderline case; **Grenzgänger** *sub, m, -s,* - cross-border commuter; *(illegal)* illegal border crosser; **Grenzgebiet** *sub, n, -(e)s,* -e area; *(Fachgebiete)* interdisciplinary subject; **Grenzkontrolle** *sub, f, -, -n* border control; **Grenzlinie** *sub, f, -, -n* border; *(polit.)* demarcation line; *(spo.)* line; **grenznah** *adj,* close to the border; **Grenzposten** *sub, m, -s,* - border guard; **Grenzschutz** *sub, m, -es,* - frontier protection;

Grenztruppen *sub, j, -,* - border guard; **Grenzübertritt** *sub, m, -(e)s,* -e border crossing; **Grenzwert** *sub, m, -(e)s,* -e limit

grenzen, *vi,* adjoin; *(i. ü. S.)* come close to; *(an)* border on; *(Garten)* be right next to

Gretchenfrage, *sub, f, -,* - big question

Greyhound, *sub, m, -(s),* -s greyhound

Griebe, *sub, f, -,* -n greave; **~nfett** *sub, n, -(e)s,* - dripping with greaves; **~nwurst** *sub, f, -, -würste* black pudding

grienen, *vi,* smirk

Griesgram, *sub, m, -(e)s,* -e grouch; **griesgrämig** *adj,* grouchy

Grieß, *sub, m, -es,* - *(gastr.)* semolina

Griff, *sub, m, -s,* -e *(das Greifen)* clutching, grasping; *(Tür- etc.)* handle; *einen guten Griff tun* make a good choice; *(i. ü. S.)* make a good choice; *(i. ü. S.) Griff in der Musik* finger-placing; **griffbereit** *adj,* handy

Griffel, *sub, m, -s,* - slate pencil; *(bot.)* pistil

Griffigkeit, *sub, f, -, -en* grip, traction; **griffig** *adj,* grips well, have a good grip

Grill, *sub, m, -s,* -s grill; *(US)* barbecue; **~gericht** *sub, n, -(e)s,* -e grilled meal

Grille, *sub, f, -, -n (i. ü. S.)* silly idea; *(zool.)* cricket

grillen, **(1)** *vi,* have a barbecue **(2)** *vt,* grill; *(US)* barbecue

Grilligkeit, *sub, f, -,* - eccentric

grimassieren, *vt,* pull a face; **Grimasse** *sub, f, -,* -n grimace

Grimbart, *sub, m, -s,* -e grimace

Grimm, *sub, m,* - fury

Grimmen, **(1)** *sub, n, -s,* - grimming **(2) grimmen** *vi,* be grimming; **Grimmigkeit** *sub, f, -,* - in a bad mood

grimmig, *adj,* grim

Grind, *sub, m, -(e)s,* -e *(Kopf-)*

scurf; *(med.)* scab; **grindig** *adj*, scabby

grinsen, *vi*, grin; *(spöttisch)* smirk

Grippe, *sub,f, -n* flu; *(med.)* influenza; **~anfall** *sub, m, -es, -fälle* influenza; **~welle** *sub, f, -, -n* wave of influenza

Grips, *sub, m, -es, -e* nous

Grislibär, *sub, m, -en* grizzly bear

grobfaserig, *adj*, coarse-fibred; *(US)* coarse-fibered

Grobheit, *sub, f, -, -en* coarseness, crudeness; **grob** *adj*, coarse, rough; *(beleidigend)* rude; *(unverarbeitet)* raw; *grob gemahlen* coarse-ground

Grobian, *sub, m, -(e)s, -e* boor

grobknochig, *adj*, big-boned

grobmaschig, *adj*, wide-meshed

grobschlächtig, *adj*, uncouth

Grobschmied, *sub, m, -(e)s, -e* smith

Grobschnitt, *sub, m, -(e)s, -e (Tabak)* coarse cut

Grog, *sub, m, -s, -s* hot grog

groggy, *adj, (ugs.)* shattered

grölen, *vti*, bellow; *(Menge)* roar

grollen, *vi, (Donner)* rumble; *(jmd.)* bear so a grudge; **Groll** *sub, m, -(e)s, -* rancour, resentment; *einen Groll hegen gegen* bear a grudge against

Gros, *sub, n, -se (Mehrheit)* vast majority; *(wirt.)* gross

Groschen, *sub, m, -s, - (österr. Münze)* groschen; *(Zehnpfennigstück)* ten-pfennig piece; *(i. ü. S.) der Groschen ist gefallen* the penny has dropped; *(i. ü. S.) keinen Groschen wert* not worth a penny; **~heft** *sub, n, -(e)s, -e* rag; **~roman** *sub, m, -e* cheap novel; *(US)* dime novel

groß, *adj*, big; *(Entfernung)* long; *(erwachsen)* grown-up; *(Hitze, Schmerz)* great; *(Kälte)* severe; *(Person)* tall; *(riesig)* huge; *(weit)* vast; *(Wert)* great; *ein großer Unterschied* a big difference; *ein großes Gebäude* a big building; *groß und breit* big and broad; *groß und klein* old and young; *große Zehe* big toe; *großer Buchstabe* capital letter; *die*

Kinder sind groß the children are grown-up; *wie groß bist du?* how tall are you?; *ein großer Tag* a great day; *Friedrich der Große* Frederick the great; *große Mehrheit* great majority; **Großabnehmer** *sub, m, -s, -* bulk buyer; **Großadmiral** *sub, m, -s, -e* Admiral of the Fleet; **Großaktionär** *sub, m, -s, -e* major share-holder; **Großaufnahme** *sub,f, -, -n* close-up shot; **Großauftrag** *sub, m, -(e)s, aufträge* large-scale order; **Großbetrieb** *sub, m, -(e)s, -e* large concern; *(Landw.)* large farm; **Großeinkauf** *sub, m, -(e)s, einkäufe* do a big shop; *(wirt.)* bulk buying; **Großeinsatz** *sub, m, -es, einsätze* major operation; *(der Polizei)* large police deployment; **Großeltern** *sub, f, -, -* grand-parents; **Großenkelin** *sub,f, -, -nen* great-granddaughter

großartig, *adj*, great, tremendous

Größe, *sub, f, -, -n* size; *(Ausmaß)* extent; *(Bedeutsamkeit)* significance; *(Körper-)* height; *(Menge)* quantity; *dieselbe Größe haben* be the same size; *welche Größe tragen Sie?* what size do you take?; **~nordnung** *sub, f, -, -en* order of magnitude; **~nverhältnis** *sub, n, -ses, -se* dimensions, proportions; **~nwahn** *sub, m, -(e)s, -* delusions of grandeur

großenteils, *adv*, largely, to a great extent

Großereignis, *sub, n, -ses, -se* big event

größernteils, *adv*, to a large extent

Großfahndung, *sub, f, -, -en* dragnet operation

Großfamilie, *sub,f, -, -n* estended family

großfigurig, *adj*, big figured

großflächig, *adj*, extensive

Großflugzeug, *sub, n, -(e)s, -zeuge* wide-bodied jet

Großfürstin, *sub, f, -, -nen* grand duchess

Großgemeinde, *sub, f, -, -n* big community

Großhandel, *sub, m, -s,* - wholesale trade; **Großhändler** *sub, m, -s,* - wholesaler

Großhirn, *sub, n, -(e)s, -e (med.)* cerebrum

Grossist, *sub, m, -en, -en* wholesaler

großkalibrig, *adj,* large-calibre; *(US)* large-caliber

Großkampftag, *sub, m, -(e)s, -e* tough day

großkariert, *adj,* large-checked

Großkatze, *sub, f, -, -en* big cat

Großkaufmann, *sub, m, -(e)s, -männer* big trader

Großkonzern, *sub, m, -(e)s, -e* big concern

Großkopfete, *sub, f, -n, - (ugs.)* big number

Großkotz, *sub, m, -es, -e* full of o.s.

Großmacht, *sub, f, -, mächte* great power; **großmächtig** *adj,* pretentious

großmaschig, *adj,* wide-meshed

Großmast, *sub, m, -(e)s, -e (Schifff.)* mainmast

Großmaul, *sub, n, -(e)s, mäuler* loudmouth

Großmeister, *sub, m, -s,* - grand master

Großmutter, *sub, f, -, -mütter* grandmother

Großraumbüro, *sub, n, -s, -s* open-plan office

Großstadt, *sub, f, -, -städte* big city, big town; **Großstädter** *sub, m, -s,* - city-dweller

Großteil, *sub, m, -(e)s, -e* large part; **größte** *adj,* biggest; **größtenteils** *adv,* mainly; **größtmöglich** *adj,* greatest possible

Großtuerei, *sub, f, -, -en* showing off; **großtuerisch** *adj,* boastful

Großvater, *sub, m, -s, -väter* grandfather

Großverkehr, *sub, m, -s,* - big traffic

Großvieh, *sub, n, -(e)s,* - cattle and horses

Großwetterlage, *sub, f, -, -n* general weather situation

Großwild, *sub, n, -(e)s,* - big game

großzügig, *adj,* generous; *(Ansichten)* broadminded, liberal; *(weiträumig)* spacious

Groteske, *sub, f, -, -n* grotesque; *(i. ü. S.)* farce; **grotesk** *adj,* grotesque; **Grotesktanz** *sub, m, -es, -tänze* grotesque

Grotte, *sub, f, -, -n* grotto

Groupie, *sub, n, -s, -s* groupie

Grübchen, *sub, n, -s,* - dimple

grübeln, *vi,* brood; *über etwas grübeln* brood over sth; **Grübelei** *sub, f, -, -en* brooding

Grubenausbau, *sub, m, -(e)s, -bauten* mining; **Grubenlampe** *sub, f, -, -en* miner´s lamp

Gruft, *sub, f, -, -en* crypt, tomb

grummeln, *vi,* mumble

grün, *adj,* green; *(polit.)* green; *(unreif)* unripe; *die Ampel ist grün* the lights are green; *grün und blau schlagen* beat so black and blue; *grüne Heringe* fresh herrings; *grüner Salat* lettuce; **Grünanlage** *sub, f, -, -n* park

Grund, *sub, m, -(e)s, Gründe (Bau-)* plot; *(Boden)* ground; *(Gefäße, Gewässer)* bottom; *(Ursache)* cause; *(Vernunft-)* reason; *(Schiff.) auf Grund geraten* run aground; *(i. ü. S.) einer Sache auf den Grund gehen* get to the bottom of sth; *Grund und Boden* land property; *(i. ü. S.) im Grunde seines Herzens* at the bottom of his heart; *aus dem einfachen Grund* for the simple reason; *aus gesundheitlichen Gründen* for health reasons; *keinen Grund zum Klagen haben* have no cause for complaint; **~akkord** *sub, m, -(e)s, -e* accord; **~ausbildung** *sub, f, -, -en* basic training; **~bedarf** *sub, m, -* basic needs; **~begriff** *sub, m, -(e)s, -e* basics; **~besitz** *sub, m, -es, -e* ownership of land, property; **~besitzer** *sub, m, -s,* - landowner; **~buch** *sub, n, -s, -bücher* real estate register; **~eigentum** *sub, n, -s, -tümer* property; **~erwerb** *sub*, *n*, *-s*, *-e* acquisition of land

grundehrlich, *adj*, absolutely honest

gründen, *vt*, establish, found, set up; *(schaffen)* create; **Gründervater** *sub*, *m*, *-s*, *-väter* founding father; **Gründerzeit** *sub*, *f*, *-*, *nur Einz.* period of industrial expansion

grundfalsch, *adj*, absolutely wrong

Grundfehler, *sub*, *m*, *-s*, *-* fundamental mistake

Grundfesten *sub*, *nur Mehrz.* foundations; *an den Grundfesten des Staates rütteln* rock the foundations of the state; *in den Grundfesten erschüttern* shake sth to its foundations

Grundform, *sub*, *f*, *-*, *-en* basic form; *(Sprachw.)* infinitive

Grundgebühr, *sub*, *f*, *-*, *-en* basic charge

Grundgedanke, *sub*, *m*, *-ns*, *-n* basic idea

Grundgesetz, *sub*, *n*, *-es*, *-e* basic law, constitution

Grundhaltung, *sub*, *f*, *-*, *-en* basic attitude

grundhässlich, *adj*, really ugly

grundieren, *vt*, *(Holz, Papier)* stain; *(Malerei)* ground; *(tech.)* prime; **Grundierung** *sub*, *f*, *-*, *-en (Farbe)* primer

gründlich, **(1)** *adj*, proper, thorough **(2)** *adv*, thoroughly; *du hast dich gründlich getäuscht* you are very much mistaken there; *er hat seine Sache gründlich gemacht* he´s done his job thoroughly; *gründliche Kenntnisse haben* be well-grounded in; *ich habe mich gründlich vorbereitet* I´m well-prepared

grundlos, **(1)** *adj*, *(ohne Boden)* bottomless; *(unbegründet)* unfounded **(2)** *adv*, for no reason

Gründonnerstag, *sub*, *m*, *-s*, *-e* Maundy Thursday

Grundordnung, *sub*, *f*, *-*, *-en* fundamental order

Grundpfeiler, *sub*, *m*, *-s*, *-* main support

Grundprinzip, *sub*, *n*, *-s*, *-ien* basic principle

Grundriss, *sub*, *m*, *-es*, *-e* layout; *(arch.)* ground plan

Grundsatz, *sub*, *m*, *-es*, *-sätze* maxim, principle; *er ist ein Mann mit Grundsätzen* he´s a man of principle; *nach dem Grundsatz, dass* on the principle that; **grundsätzlich** *adj*, fundamental, on principle

Grundschule, *sub*, *f*, *-*, *-n* primary school; *(US)* elementary school; **Grundschüler** *sub*, *m*, *-s*, *-* primary pupil; *(US)* elementary school student

grundsolide, *adj*, rock solid

Grundstein, *sub*, *m*, *-s*, *-e* foundation stone; *den Grundstein legen zu* lay the foundation stone of; **grundständig** *adj*, fundamental

Grundstoff, *sub*, *m*, *-s*, *-e (phy.)* element, raw material

Grundstück, *sub*, *n*, *-s*, *-e* piece of land; *(Bauplatz)* building site

Grundstudium, *sub*, *n*, *-s*, *-ien* basic course

Grundtendenz, *pron*, general tendency

Gründung, *sub*, *f*, *-*, *-en* foundation; *(Geschäft)* setting-up

Grundzahl, *sub*, *f*, *-*, *-en* cardinal number; *(mat.)* base

Grundzug, *sub*, *m*, *-s*, *-züge* characteristic, feature

Grundzustand, *sub*, *m*, *-s*, *-stände* basic condition

grünen, *vi*, turn green; **grünlich** *adj*, greenish

Grünkohl, *sub*, *m*, *-s*, *-e* kale

Grünpflanze, *sub*, *f*, *-*, *-n* non-flowering plant

Grünschnabel, *sub*, *m*, *-s*, *-schnäbel* greenhorn

Grünspan, *sub*, *m*, *-s*, *-späne* verdigris

Grünspecht, *sub*, *m*, *-s*, *-e* green woodpecker

Grünstreifen, *sub*, *m*, *-s*, *-* centre

strip; *(US)* median strip

grunzen, *vti*, grunt

Grünzeug, *sub*, *n*, *-s*, *-e* raw vegetables

Gruppe, *sub*, *f*, *-*, *-n* group; *(Kategorie)* category; **~nabend** *sub*, *m*, *-s*, *-e* group meeting; **~nbild** *sub*, *n*, *-s*, *-er* group portrait; **~ndynamik** *sub*, *f*, *-*, *nur Einz.* (psych.) group dynamics; **~nreise** *sub*, *f*, *-*, *-n* group tour, group travel; **~nsex** *sub*, *m*, *-es*, *-* group sex; **~nsieg** *sub*, *m*, *-s*, *-e* group winner; **~ntherapie** *sub*, *f*, *-*, *-n* group therapy; **gruppenweise** *adj*, in groups; **~nziel** *sub*, *n*, *-s*, *-e* ambition of the group

gruppieren, (1) *vr*, assemble, form a group (2) *vt*, arrange in groups; **Gruppierung** *sub*, *f*, *-*, *-en* grouping

Grus, *sub*, *m*, *-s*, *-e* (geol.) debris; *(Kohle)* slack

Gruseleffekt, *pron*, effect of horror; **gruselig** *adj*, creepy

grüßen, *vti*, greet; *(mil.)* salute; *grüßen Sie ihn von mir* give him my regards; *jmdn grüßen* greet so; **Grußwort** *sub*, *n*, *-s*, *-wörter* opening words

Grütze *,sub*, *f*, *-*, *-n* groats; *(rote)* red fruit pudding; *(US)* grits

Guanako, *sub*, *m*, *-s*, *-s* (zool.) guanaco

Guano, *sub*, *m*, *-s*, *nur Einz.* guano; **~inseln** *sub*, *nur Mehrz.* Guano islands

Guardian, *sub*, *m*, *-s*, *-e* guardian

Guatemalteke, *sub*, *m*, *-n*, *-n* Guatemalan

gucken, *vti*, look; *guck mal* have a look; **Guckfenster** *sub*, *n*, *-s*, *-* peephole; **Guckloch** *sub*, *n*, *-s*, *-löcher* peephole

Guerillero, *sub*, *m*, *-s*, *-s* (US) guerilla fighter

Gugelhupf, *sub*, *m*, *-s*, *-e* cake

guillotinieren, *vt*, guillotine; **Guillotine** *sub*, *f*, *-*, *-n* guillotine

Gulasch, *sub*, *n*, *-s*, *-s oder -e* goulash; **~suppe** *sub*, *f*, *-*, *-n* goulash soup

gülden, *adj*, golden

Gülle, *sub*, *f*, *-*, *nur Einz.* liquid manure

Gully, *sub*, *m*, *n*, *-s*, *-s* drain

Gültigkeit, *sub*, *f*, *-*, *-en* currency, validity; **gültig** *adj*, current, valid; *für gültig erklären* declare valid

Gunst, *sub*, *f*, *-*, *-en* favour, goodwill; *(US)* favor; *die Gunst verlieren* fall out of favour; *Saldo zu Ihren Gunsten* balance in your credit; *um jmds Gunst werben* court so´s favour; **~beweis** *sub*, *m*, *-es*, *-e* mark of favour; *(US)* mark of favor

günstig, *adj*, favourable, good, reasonable; *(US)* favorable; *bei günstigem Wetter* if the weather is favourable; *etwas günstig beeinflussen* have a beneficial influence on sth; *etwas günstig kaufen/verkaufen* buy/sell sth at a good price

Guppy, *sub*, *m*, *-s*, *-s* (zool.) guppy

Gurgel, *sub*, *m*, *-*, *-n* throat; *jmdn bei der Gurgel packen* grab so by the throat; *jmdn die Gurgel zudrücken* strangle sb throat; **~mittel** *sub*, *n*, *-s*, *-* gargle; **~wasser** *sub*, *n*, *-s*, *-wässer* gargle

gurgeln, *vti*, gargle

Gurke, *sub*, *f*, *-*, *-n* cucumber; *(Essig-)* gherkin; **~ngewürz** *sub*, *n*, *-es*, *-e* cucumber spice; **~nhobel** *sub*, *m*, *-s*, *-* cucumberslicer; **~nsalat** *sub*, *m*, *-s*, *-e* cucumber salad; **~ntruppe** *sub*, *f*, *-*, *-n* (ugs.) feeble bunch

gurren, *vi*, coo

Gürtel, *sub*, *m*, *-s*, *-* belt; *den Gürtel enger schnallen* tighten one´s belt; **~linie** *sub*, *f*, *-*, *-n* waistline; *unter der Gürtellinie* below the belt; **~rose** *sub*, *f*, *-*, *nur Einz.* (med.) shingles; **~tasche** *sub*, *f*, *-*, *-n* belt bag

gurten, (1) *vi*, put one´s seatbelt on (2) *vt*, strap; **Gurt** *sub*, *m*, *-s*, *-e* belt; *(Sicherheits-)* seatbelt; *(Trage-)* strap; **Gurtstraffer** *sub*, *m*, *-s*, *-* seatbelt tensioner

Guru, *sub*, *m*, *-s*, *-s* guru

Guss, *sub*, *m*, *-es*, *Güsse (Regen-)* shower; *(Strahl)* jet of water; *(tech.)* founding; **~eisen** *sub*, *n*, *-s*, - cast iron; **gusseisern** *adj*, cast-iron; **~form** *sub*, *f*, -, *-en* mould; *(US)* mold; **~stahl** *sub*, *m*, *-s*, *-stähle* cast steel; **~stein** *sub*, *m*, *-s*, *-e* cast stone

Gusto, *sub*, *m*, *-s*, *-s* taste; *nach jmds Gusto sein* be to so´s taste

gut, **(1)** *adj*, good **(2)** *adv*, well **(3) Gut** *pron*, *(Besitz)* property **(4) Gut** *sub*, *n*, *-s*, *Güter (Güter)* good; *aus guter Familie* come from a good family; *er ist ein guter Läufer* he is a good runner; *er spricht ein gutes Englisch* he speaks good English; *es ist ganz gut, dass* it´s good that; *gut sein für* be good for; *mein guter Anzug* my good suit; *so gut wie gewonnen* as good as won; *so gut wie nichts* next to nothing; *zu guter Letzt* finally, *da kennt sie sich gut aus* she knows all about that; *das kann gut sein, dass* that may well be; *das riecht/schmeckt gut* it smells/tastes good; *gut aussehen* look good; *gut gemacht* well done; *gut gemeint* well meant, *in Latein gut sein* be clever at Latin

Gutachten, *sub*, *n*, *-s*, - expert´s certificate; **Gutachter** *sub*, *m*, *-s*, - expert; *(Berater)* consultant; **Gutachterin** *sub*, *f*, -, *-nen* expert; *(Beraterin)* consultant; **gutachtlich** *adj*, testified

Gutartigkeit, *sub*, *f*, -, *-en* good-naturedness; *(med.)* benignancy; **gutartig** *adj*, good-natured; *(med.)* benign

Gutdünken, *sub*, *n*, *-s*, - judgement; *nach eigenem Gutdünken* at one´s own discretion

Güterbahnhof, *sub*, *m*, *-s*, *-höfe* goods station; *(US)* freight station

Gütergemeinschaft, *sub*, *f*, -, *-en (jur.)* community of property

Gütertrennung, *sub*, *f*, -, *-en* separation of property

Güterverkehr, *sub*, *m*, *-s*, *-e* goods traffic; *(US)* freight traffic

Güterzug, *sub*, *m*, *-s*, *-züge* goods train; *(US)* freight train

gut gelaunt, *adj*, in a good mood

gut gemeint, *adj*, well-meant

Gutgesinnte, *sub*, *m*,*f*, *-n*, *-n* well-meaning person

gutgläubig, *adj*, gullible; *(jur.)* acting in good faith

Guthaben, *sub*, *n*, *-s*, - balance

gutheißen, *vt*, approve of

gutherzig, *adj*, kindhearted

gütlich, **(1)** *adj*, amicable **(2)** *adv*, amicably; *sich gütlich einigen über* settle sth amicably

Gutmütigkeit, *sub*, *f*, -, *nur Einz.* good-naturedness; **gutmütig** *adj*, good-natured

Gutsbesitzer, *sub*, *m*, *-s*, - landowner

gutschreiben, *vt*, credit; *jmdn einen Betrag gutschreiben* credit a sum to so; **Gutschein** *sub*, *m*, *-s*, *-e* voucher; **Gutschrift** *sub*, *f*, -, *-en* credit entry

gutsprechen, *vi*, speak well

Gutturallaut, *sub*, *m*, *-s*, *-e* guttural sound; **guttural** *adj*, guttural

gutwillig, *adj*, obliging, willing

Gymnasium, *sub*, *n*, *-s*, *Gymnasien* grammar school; *(US)* high school; **Gymnasiast** *sub*, *m*, *-en*, *-en* grammar school pupil; *(US)* high school student

Gymnastik, *sub*, *f*, -, *nur Einz.* exercises, gymnastics; *Gymnastik machen* do exercises; *Gymnastik machen* do gymnastics; **Gymnastin** *sub*, *f*, -, *-nen* gymnast; **gymnastisch** *adj*, gymnastic

Gynäkologie, *sub*, *f*, -, *nur Einz.* gynaecology; *(US)* gynecology; **Gynäkologe** *pron*, gynaecologist; *(US)* gynecologist; **gynäkologisch** *adj*, gynaecological; *(US)* gynecological

Haar, *sub, n, -s, -e* hair; *die Haare schneiden lassen* have one´s hair cut; *die Haare waschen* wash one´s hair; *er wird dir kein Haar krümmen* he won´t harm a hair of your head; *Haarspalterei betreiben* split a hair; *(i. ü. S.) kein gutes Haar an jmdm lassen* pull sb to pieces; *sich die Haare ausraufen* tear one´s hair; *um ein Haar* very nearly; **~ausfall** *sub, m, -s, -fälle* hair loss; **~band** *sub, n, -s, -bänder* hairband; **~bürste** *sub,* hairbrush; **~esbreite** *sub, f, -, -* by a hair´s breadth; **~festiger** *sub, m, -s, -* setting lotion; **haargenau** *adj,* very precise; **haarig** *adj,* hairy; *(bot.)* pilous; **~klammer** *sub, f, -, -n* hair clip; *(US)* bobby pin; **~nadel** *sub, f, -, -n* hairpin; **~schneiden** *sub, n, -, -* haircut; **~schnitt** *sub, m, -s, -e* haircut; **~teil** *sub, m,n, -s, -e* hairpiece; **~trockner** *sub, m, -s, -* hair drier

haaren, (1) *vi,* lose one´s hair **(2)** *vr, (sich)* lose hairs

haarfein, *adj,* fine as a hair

haarklein, *adj,* minute

Haarspalterei, *sub, f, -, -en* hairsplitting; **Haarspalter** *pron, (ugs.)* hairsplitter

haarsträubend, *adj,* hair-raising

Habanera, *sub, f, -, -s* habanera

Habeaskorpusakte, *sub, f, -, nur Einz. (jur.)* habeas corpus

Haben, (1) *sub, n, -s, - (wirt.)* credit **(2) haben** *vr, (sich)* make a fuss **(3)** *vt,* have got; *(Hilfsverb)* have; *hab´ dich nicht so!* don´t make such a fuss!, *da hast du das Geld* there´s the money; *da hast du´s* there you are; *das hättest du früher machen können* you could have done it earlier; *diese Stadt hat 10 000 Einwohner* this town has 10,000 inhabitants; *du hast zu gehorchen* you must obey; *eine Erkältung haben* have a cold; *er hat es gut* he has it good; *er hat mir nichts zu befeh-*

len he has no right to order me about; *er hat nichts* he´s got nothing; *etwas gegen jmdn haben* have sth against sb; *etwas von etwas haben* get sth out of sth; *etwas zu tun haben* have got sth to do; *Heimweh haben* be homesick; *ich habe Hunger/Durst* I´m hungry/thirsty; *ich habe ihn eben gesehen* I´ve just seen him; *ich habe keine Zeit* I haven´t got the time; *jetzt hab´ ich dich* I´ve got you now; *Nachricht haben von jmdm* have heard from sb; *wir haben Geschichte in der Frühe* we have got history in the morning; *das hättest du mir sagen sollen* you should have told me; *hast du ihn gesehen?* have you seen him; **Habe** *sub, f, -, -* possessions; **~zinsen** *sub, nur Mehrz.* interest on deposits

Habenichts, *sub, m, - u. -es, -e* have-not

Habicht, *sub, m, -s, -e* hawk; **~snase** *sub, f, -, -n* hooked nose

habilitieren, (1) *vi,* habilitate **(2)** *vr, (sich)* habilitate; **Habilitandin** *sub, f, -, -nen* person who habilitates; **Habilitation** *sub, f, -, -en* habilitation

habitualisieren, *vt,* form habits; **Habit** *sub, m,n, -s, -e* habit; **habituell** *adj,* habitual; **Habitus** *sub, m, -, nur Einz.* disposition

habsburgisch, *adj,* Habsburg

Habseligkeit, *sub, f, -, -en* belongings

Habsucht, *sub, f, -, -süchte* greed

Hackbeil, *sub, n, -s, -e* chopper

Hackbrett, *sub, n, -s, -er* chopping board; *(mus.)* dulcimer

Hacke, *sub, f, -s, -n* pickaxe; *(Ferse)* heel; *(US)* pickax; *jmdm dicht auf den Hacken sein* be hard on so´s heels

Hacken, (1) *sub, n, -s, -* chopping, picking **(2) hacken** *vti,* chop, hack; *Holz hacken* split wood;

~trick *sub*, *m*, *-s*, *-s (Fußball)* back-heeler

Hacker, *sub*, *m*, *-s*, *- (computer)* hakker

Hackfleisch, *sub*, *n*, *-es*, *-* minced meat; *(US)* ground meat

Hackordnung, *sub*, *f*, *-*, *-en* pecking order

Häcksler, *sub*, *m*, *-s*, *-* chaff cutter

Hader, *sub*, *m*, *-s*, *-n* quarrel

hadern, *vi*, quarrel

Hafen, *sub*, *m*,*n*, *-s*, *Häfen* harbour; *(Handels-)* port; *(Topf)* pot; *(US)* harbor; **~anlagen** *sub*, *f*, *-s*, *nur Mehrz.* dock; **~gebühr** *sub*, *f*, *-*, *-en* harbour dues; *(US)* harbor dues; **~kneipe** *sub*,*f*, *-*, *-n* dockland pub; **~polizei** *sub*, *f*, *-*, *nur Einz.* harbour police; *(US)* harbor police; **~schänke** *sub*, *f*, *-*, *-n* dockland pub; **~viertel** *sub*, *m*, *-s*, *-* dockland

Hafer, *sub*, *m*, *-s*, *-* oats; **~brei** *sub*, *m*, *-s*, *-e* porridge; *(US)* cooked oatmeal; **~flocken** *sub*, *nur Mehrz.* porridge oats; *(US)* oatmeal; **~grütze** *sub*, *f*, *-*, *-n* groats; **~schleim** *sub*, *m*, *-s*, *-e* gruel

Haferlschuh, *sub*, *m*, *-s*, *-e* boots

Haffischer, *sub*, *m*, *-s*, *-* lagoon fisherman

Hafnium, *sub*, *n*, *-s*, *nur Einz. (chem.)* hafnium

Haft, *sub*, *m*, *-s*, *-e* custody; *(polit.)* detention; *aus der Haft entlassen* release from custody; *in Haft* in custody; **~anstalt** *sub*,*f*, *-*, *-en* prison; **~befehl** *sub*, *m*, *-s*, *-e* arrest warrant; *einen Haftbefehl gegen jmdn erlassen* issue a warrant; **Häftling** *sub*,*m*, *-s*, *-e* prisoner; *(polit.)* political detainee; **~richter** *sub*, *m*, *-s*, *-* committing magistrate; **~strafe** *sub*,*f*, *-*, *-n* prison sentence; **~urlauber** *sub*, *m*, *-s*, *-* prisoner´s leaver

haften, *vi*, cling, stick; *(jur.)* be liable; **haftbar** *adj*, responsible; *(jur.)* liable

Haftpflicht, *sub*, *f*, *-*, *-en* liability; **~versicherung** *sub*, *f*, *-*, *-en* third party insurance

Haftreibung, *sub*, *f*, *-*, *-en (phy.)* static friction

Haftung, *sub*, *f*, *-*, *-en* adhesion; *(jur.)* liability; *(un)beschränkte Haftung* (un)limited liability; **haftunfähig** *adj*, *(jur.)* unfit to undergo detention

Hag, *sub*, *m*, *-s*, *-e* hag

Hagebutte, *sub*, *f*, *-n (bot.)* rose hip

Hagedorn, *sub*, *m*, *-s*, *-e* hawthorn

Hagel, *sub*, *m*, *-s*, *-* hail; **~korn** *sub*, *n*, *-s*, *-körner* hailstone; **~schaden** *sub*, *m*, *-s*, *-schäden* damage caused by hail; **~schauer** *sub*, *m*, *-s*, *-* hailstorm; **~schlag** *sub*, *m*, *-s*, *-schläge* heavy hailstorm; **~schloße** *sub*,*f*, *-*, *-n* hailstone; **~wetter** *sub*, *n*, *-s*, *-* hailstorm

hageln, *vti*, hail

hager, *adj*, gaunt

Häher, *sub*, *m*, *-s*, *-* jay

Hahn, *sub*, *m*, *-s*, *Hähne* cock; *(Gewehr-)* hammer; *(tech.)* tap; *(tech.*, *US)* faucet; *(Wetter-)* weathercock; *den Hahn auf/zudrehen* turn the tap on/off; **~enbalken** *sub*, *m*, *-s*, *-* roof beam; **~enfeder** *sub*, *f*, *-*, *-n* cockfeather; **~enkampf** *sub*, *m*, *-s*, *-kämpfe* cockfight; **~enschrei** *sub*, *m*, *-s*, *-e* cock-crow; *beim ersten Hahnenschrei* at cock-row; **~rei** *sub*, *m*, *-s*, *-e* cuckold

Hai, *sub*, *m*, *-s*, *-e* shark; **~fisch** *sub*, *m*, *-s*, *-e* shark

Hain, *sub*, *m*, *-s*, *-e* grove

haitianisch, *adj*, Haitian

häkeln, *vti*, crochet; **Häkelarbeit** *sub*, *f*, *-*, *-en* crochet work

Haken, **(1)** *sub*, *m*, *-s*, *-* hook; *(auf Liste)* tick; *(auf Liste*, *US)* check **(2) haken** *vi*, *(klemmen)* get stuck **(3)** *vt*, hook; *Haken und Öse* hook and eye; *(Boxen)* linker/rechter Haken* left/right hook; **hakenförmig** *adj*, hooked; **~kreuz** *sub*, *n*, *-es*, *-e* swastika

Hakim, *sub*, *m*, *-s*, *-s* hakim

Halali, *sub*, *n*, -s, - *(Jagd)* death halloo

halb, (1) *adj*, half (2) *adv*, half; *auf halber Höhe* halfway (up); *halb drei* half past two; *(mus.) halbe Note* minim, *(mus., US)* half note; *halbe Stunde* half an hour; *jmd auf halbem Wege entgegenkommen* meet so halfway; *nichts Halbes und nichts Ganzes* neither fish nor fowl; *zum halben Preis* for half the price, *eine halbe Sache machen mit go* halves with; *es war mir nur halb bewusst, dass* I was only half aware of; ~ *fertig adj*, half-done; *(tech.)* semi-finished; ~**amtlich** *adj*, semiofficial; **Halbdunkel** *sub*, *n*, -s, - semidarkness; **Halbedelstein** *sub*, *m*, -s, -e semiprecious stone; **Halbfinale** *sub*, *f*, -, -n semi-final; **Halbgott** *sub*, *m*, -s, -götter *(myth.)* demigod; **Halbheit** *sub*, *f*, -, -en *(ugs.)* half-measure; *er mag keine Halbheiten* he doesn´t like doing things in half measures; ~**hoch** *adj*, medium-high; *(Schuh)* calf-length; **Halbinsel** *sub*, *f*, -, -n peninsula; **Halbkreis** *sub*, *m*, -es, -e semicircle; **Halbkugel** *sub*, *f*, -, -n hemisphere; ~**laut** (1) *adj*, low (2) *adv*, in an undertone; **Halbleiter** *sub*, *m*, -s, - semiconductor; **Halbmond** *sub*, *m*, -es, -e half-moon; *(Figur)* crescent; **Halbpension** *sub*, *f*, -, -en half-board; **Halbschatten** *sub*, *m*, -s, - half-shade; **Halbstarke** *sub*, *m*, -n, -n yobbo; **Halbstiefel** *sub*, *m*, -s, - ankle boot; **Halbstürmer** *sub*, *m*, -s, - midfield player; ~**tags** *adv*, half the day; **Halbton** *sub*, *m*, -s, -töne *(mus.)* semitone; *(mus., US)* half tone; **Halbbildung,** *sub*, *f*, -, -en superficial knowledge; **halbgebildet** *adj*, half-educated

Halbblut, *sub*, *n*, -s, -e *(Person)* half-caste; *(Pferd)* half-breed; **Halbblütige** *sub*, *m*,*f*, -n, -n half-caste; *(Pferd)* half-breed

halbe-halbe, *adj*, go halves

halbieren, *vt*, halve, split in half;

(mat.) bisect

Halbjahr, *sub*, *n*, -s, -e half-year; **halbjährlich** *adj*, half-yearly

halbstündig, *adj*, half-hour; **halbstündlich** (1) *adj*, half-hourly (2) *adv*, every half-hour

Halbwertszeit, *sub*, *f*, -, - *(phy.)* half-life period

Halbwüchsige, *sub*, *m*,*f*, -n, -n teenager; **halbwüchsig** *adj*, teenage

Halbzeit, *sub*, *f*, -, -en *(phy.)* half-life period; *(spo.)* first, second half; *(spo., Pause)* half-time; *zur Halbzeit steht es* the half-time score is

Halde, *sub*, *f*, -, -n slope; *(Bergb.)* slagheap

Hälfte, *sub*, *f*, -, -n half; *die Hälfte der Leute* half the people; *die Kosten zur Hälfte zahlen* pay half the costs; *gib mir die Hälfte* give me half of it

Halfter, *sub*, *n*, -s, - *(Pistole)* holster; *(Zaum)* halter

Halle, *sub*, *f*, -, -n hall; *(Flugz.)* hangar; *(Hotel-)* foyer; *(Turn-)* gym; *(Werks-)* shop; ~**nsport** *sub*, *m*, -s, -e indoor sports; ~**ntennis** *sub*, *n*, -, *nur Einz.* indoor tennis

halleluja!, *Interj*, hallelujah

hallen, *vi*, echo; **Hall** *sub*, *m*, -s, -e sound

Hallo, *sub*, *n*, -s, -s hello; *(Aufregung)* fuss

halluzinieren, *vi*, hallucinate; **Halluzination** *sub*, *f*, -, -en hallucination; **halluzinativ** *adj*, hallucinant; **Halluzinogen** *sub*, *n*, -s, -e hallucinogen

Halm, *sub*, *m*, -s, -e *(Getreide-)* stalk; *(Gras-)* blade; *(Stroh-)* straw

Halma, *sub*, *n*, -s, *nur Einz.* halma

Halo, *sub*, *m*, -, -s *oder* -nen *(med.)* halo

Halogenid, *sub*, *n*, -s, -e *(chem.)* halogenid

Halogenlampe, *sub*, *f*, -, -n halogen lamp

halsstarrig, *adj,* stubborn

Halt, *sub, m, -s, -e o. -s (Griff)* hold; *(Pause)* stop; *(Stütze)* support; *jmdm ein Halt sein* be a support to so; **~estelle** *sub, f, -, -n* stop

Haltbarkeit, *sub, f, -, -en* durability; **haltbar** *adj, (Lebensm.)* non-perishable; *(Material)* durable; *(Milch)* long-life

halten, (1) *vi,* hold, keep **(2)** *vr,* hold, keep, last **(3)** *vt,* hold, keep, stop, support; *den Kopf halten* hold one´s head; *die Hand vor den Mund halten* put one´s hand in front of one´s mouth; *etwas an einem Ende halten* hold one end of sth, *den Kopf hoch halten* hold one´s head up; *jmdn an der Hand halten* hold so´s hand, hold so´s hand; *rechts/links halten* keep right/left; *sich bei guter Gesundheit halten* keep up one´s good health; *sich gut halten* keep well; *sich warm halten* keep warm, *den Kurs halten* stay on course; *den Takt halten* keep time; *Diät halten* keep to a diet

Halter, *sub, m, -s,* holder; *(Eigentümer)* owner

Halteverbot, *sub, n, -s, -e* no stopping

haltlos, *adj, (Mensch)* floundering; *(Theorie)* untenable

Halt machen, (1) *sub, n, -s, nur Einz.* stop **(2)** *vi,* make a stop

Haltung, *sub, f, -, -en* posture; *(Grundeinstellung)* attitude; *(inneres Gleichg.)* composure; *(Tiere)* keeping; *eine gute Haltung haben* have a good posture; *um Haltung ringen* try to keep one´s composure

Halunke, *sub, m, -s, -n* rogue; *(Kind)* rascal

Hämatom, *sub, n, -s, -e* bruise

hämisch, *adj,* malicious

Hamit, *sub, m, -en, -en* Hamitic

Hammel, *sub, m, -s,* - *oder Hämmel* wether; *(-fleisch)* mutton; **~braten** *sub, m, -s,* - roast mutton; **~fleisch** *sub,* mutton; **~keule** *sub, f, -, -n* leg of mutton; **~sprung** *sub, m, -s, -sprünge (polit.)* vote by division

Hammer, *sub, m, -s, Hämmer* hammer; *Hammer und Sichel* hammer und sickle; **~werfen** *sub, n, -s, nur Einz.* hammer throwing; **~werfer** *sub, m, -s,* - hammer thrower

hämmern, *vti,* hammer

Hämoglobin, *sub, n, -s, nur Einz.* haemoglobin; *(US)* hemoglobin

Hampelmann, *sub, m, -s, -männer* jumping jack

Hamster, *sub, m, -s,* - hamster; **~backe** *sub, f, -, -n (i. ü. S.)* fat cheeks; **~er** *sub, m, -s,* - hoarder

hamstern, *vti,* hoard; **Hamsterkauf** *sub, m, -s, -käufe* panic-buying

Hand, *sub, f, -, Hände* hand; *aus der Hand legen* put aside; *aus erster Hand* first-hand; *bei der Hand* at hand; *durch Heben der Hände* by a show of hands; *eine offene Hand haben* be open-handed; *Hand an sich legen* commit suicide; *Hand anlegen* lend a hand; *jmdm in die Hände fallen* fall into so hands; *jmdn in der Hand haben* have so in one´s grip; *letzte Hand anlegen* add the finishing touches to; *mit der Hand gemacht* handmade; *sich mit Händen und Füßen wehren* fight tooth and nail; *sie hat immer eine Antwort zur Hand* she´s always got an answer pat; *von langer Hand long* beforehand; *zu Händen (Brief)* c/o (=care of); **~änderung** *sub, f, -, -en* change by hand; **~apparat** *sub, m, -s, -e (Biblio.)* reference works; **~aufheben** *sub, n, -s, nur Einz.* by show of hands; **~ball** *sub, n, -s, nur Einz.* handball; **~betrieb** *sub, m, -s, -e* manual operation; **~bewegung** *sub, f, -, -en* movement of the hand; **~bremse** *sub, f, -, -n* hand brake; *(US)* emergency brake; **~buch** *sub, n, -s, -bücher* handbook, manual;

Händedruck *sub, m, -s, -drücke* handshake; *jmdm die Hand geben* shake hands with so

handarbeiten, *vi*, do needlework; **Handarbeit** *sub, f, -, -en* handicrafts; *(manuelle Arbeit)* manual work; *(nadelarbeit)* needlework; **Handarbeiter** *sub, m, -s, -* manual worker

Handel, *sub, m, -s, -* trade, transaction; *(Tausch-)* barter; *im Handel* on the market; *(Tausch-)* barter; *im Handel* on the market; **~sbank** *sub, f, -, -en* commercial bank; **~sbilanz** *sub, f, -, -en* balance of trade; **handelseinig** *adj*, come to an agreement; **handelseins** *adj*, come to an agreement; **~sfirma** *sub, f, -, -firmen* commercial firm; **~sgesellschaft** *sub, f, -, -en* trading company; *(US)* business corporation; **~shafen** *sub, m, -s, -häfen* trading port; **~skammer** *sub, f, -, -n* chamber of commerce; **~smann** *sub, m, -s, -männer* trader; **~smarke** *sub, f, -, -n* trademark; **~splatz** *sub, m, -es, -plätze* trading centre; *(US)* trading center; **~sregister** *sub, n, -s, -* trade register; **~sschiff** *sub, n, -s, -e* merchant ship, trading vessel; **~svertreter** *sub, m, -s, -* travelling salesman; *(US)* traveling salesman

Handeln, **(1)** *sub, n, -s, nur Einz.* *(Eingreifen)* action; *(Feilschen)* haggling **(2) handeln** *vi*, act; *(feilschen)* haggle; *(Handel)* trade; *(wirt)* traffic **(3)** *vr, (sich um -)* it is a matter of **(4)** *vt, (Börse)* trade on the stockexchange; *aus Überzeugung handeln* act out of conviction

Händelsucht, *sub, f, -, nur Einz.* quarrelsomeness

Händeringen, *sub, n, -s, nur Einz.* gesture with the hands with the expression of despair; **händeringend** *adj*, imploringly

Händewaschen, *sub, n, -s, nur Einz.* hands wash

Handfertigkeit, *sub, f, -, -en* manual skill

handfest, *adj*, robust, substantial; *(Streit)* violent

handfläche, *pron*, palm of the hand

handgearbeitet, *adj*, handmade

Handgebrauch, *sub, m, -s, nur Einz.* for everyday use

handgeknüpft, *adj*, handwoven

Handgeld, *sub, n, -s, nur Einz.* earnest money

Handgelenk, *sub, n, -s, -e* wrist

Handgemenge, *sub, n, -s, -* fight

Handgepäck, *sub, n, -s, nur Einz.* hand luggage; *(US)* hand baggage

Handgranate, *sub, f, -, -n* hand grenade

Handgriff, *sub, m, -s, -e* grip, handle; *er tut keinen Handgriff* he doesn´t lift a finger; *mit einem Handgriff* with a flick of the wrist; **handgreiflich** *adj*, violent; *handgreiflich werden* turn violent

handhaben, *vt*, handle, operate, use; *das wurde immer so gehandhabt* it´s always been done like that

Handharmonika, *sub, f, -, -s oder -ken* handharmonica

Handicap, *sub, n, -s, -s* handicap

Handikap, *sub, n, -s, -s* handicap

händisch, *adv*, manually

Handkoffer, *sub, m, -s, -* small suitcase

Handkuss, *sub, m, -es, -küsse* kiss on s.b.´s hand

handlangern, *vi*, work for; **Handlanger** *sub, m, -s, -* odd-job man; *(Komplize)* accomplice; **Handlangerin** *sub, f, -, -nen* accomplice, labourer

Händler, *sub, m, -s, -* merchant, trader

Handlichkeit, *sub, f, -, nur Einz.* handiness; **handlich** *adj*, handy, practical

Handlung, *sub, f, -, -en* action; *eine symbolische Handlung* a symbolic act; **~sweise** *sub, f, -, -n* procedure; *(Verhalten)* behaviour; *(Verhalten, US)* behavior

Handmalerei, *sub, f, -, -en* hand painting

Hand-out, *sub, n, -s, -s* hand-out

Handreichung, *sub, f, -, -en* help

Handschelle, *sub, f, -, -n* handcuff

Handschrift, *sub, f, -, -en* hand, handwriting; *(Manuskript)* manuscript

Handschuh, *sub, m, -s, -e* glove; ~**fach** *sub, n, -s, -fächer* glove compartment

handsigniert, *adj,* signed

Handspiegel, *sub, m, -s, -* hand mirror

Handstand, *sub, m, -s, -stände* handstand

Handstreich, *sub, m, -s, -e* surprise attack; *(Staatsstreich)* coup

Handtasche, *sub, f, -, -n* handbag

Handtuch, *sub, n, -s, -tücher* towel; *(i. ü. S.) das Handtuch werfen* throw in the towel

Handumdrehen, *sub, n, -s, nur Einz.* in no time

handverlesen, *adj,* handpicked

Handwurzel, *sub, f, -, -n* wrist; *(-knochen)* wristbone

Handy, *sub, n, -s, -s* mobile phone

Handzeichen, *sub, n, -s, -* sign; *(parl.)* show of hands

Handzettel, *sub, m, -s, -* leaflet

hanebüchen, *adj,* incredible

Hanf, *sub, m, -s, nur Einz.* hemp; **Hänfling** *sub, m, -s, -e* linnet; ~**seil** *sub, n, -s, -e* hemp rope

Hang, *sub, m, -s, Hänge (Berg)* slope; *(Neigung)* tendency; **hangabwärts** *adj,* downhill

Hangar, *sub, m, -s, -s* hangar

Hängebacken, *sub, f, -, nur Mehrz.* flabby cheeks

Hängebrücke, *sub, f, -, -n* suspension bridge

hangeln, *vr,* make one´s way hand over hand

Hängematte, *sub, f, -, -n* hammock

hängen, (1) *vi,* be suspended from, fix, hang, stick, suspend from **(2)** *vt,* hang; *die ganze Arbeit hängt an mir* I´ve lumbered with all the work; *voller Bilder hängen* be full of paintings; *voller Früchte hängen* be laden with fruit

Hänger, *sub, m, -s, -* loose coat, loose dress

Hängeschrank, *sub, m, -s, -schränke* wall cupboard

Hanglage, *sub, f, -, -n* hillside location

Hansdampf, *sub, m, -s, -e* jack of all rades

Hanse, *sub, f, -, nur Einz.* Hanseatic League; **hanseatisch** *adj,* Hanseatic

hänseln, *vt,* tease

Hanswurst, *sub, m, -s, -e* clown; *den Hanswurst machen für* do the donkey work for

Hantel, *sub, f, -, -n* dumbbell

hantieren, *vi,* work with; *(herum-)* bustle around

hapern, *vi,* short of sth; *es hapert an allem* short of everything; *im Englischen hapert´s bei ihm* English is his weak point

Happen, *sub, m, -s, -* bite to eat; *(i. ü. S.; großer)* hunk; **Häppchen** *sub, n, -s, -* small snack; *(kleines)* morsel

Happening, *sub, n, -s, -s* happening

Harakiri, *sub, n, -s, -s* harakiri

Härchen, *sub, n, -s, -* tiny hair

Hardcover, *sub, n, -s, -s* hardcovered book

Hardware, *sub, f, -, -s* hardware

Harem, *sub, n, -s, -s* harem

Häresie, *sub, f, -, -n* heresy; **Häretiker** *sub, m, -s, -* heretic

Häretikerin, *sub, f, -, -nen* heretic; **häretisch** *adj,* heretical

Harfenklang, *sub, m, -s, -klänge* harp sound; **Harfner** *sub, m, -s, -* harpist

harken, *vt,* rake

Harlekin, *sub, m, -s, -e* harlequin; **harlekinisch** *adj,* harlequin

Harm, *sub, m, -es, nur Einz.* grief, sorrow; **harmlos** *adj,* harmless; *(Krankheit)* safe; *(unbedeutend)* insignificant; *der Film ist harmlos* it´s a harmless sort of film; *er ist ein harmloser Typ* he is harmless

Harmonie, *sub, f, ., .n harmony;* **harmonieren** *vi, (mus.)* harmonize; *(Personen)* get on well; **Harmonik** *sub, f, -, nur Einz.* harmony; **harmonisch** *adj, (i. ü. S.)* harmonious; *(mus.)* harmonic; *(i. ü. S.) harmonisch zusammenleben* live together in harmony; **harmonisieren** *vt,* harmonize

Harmonika, *sub, f, -, -s oder -ken* harmonica

Harmonium, *sub, n, -s, Harmonien* harmonium

Harn, *sub, m, -s, -* urine; *(i. ü. S.)* water; *(i. ü. S.)* **~blase** *sub, f, -, -n* bladder; **~leiter** *sub, m, -s, -* ureter; **~röhre** *sub, f, -, -n* urethra; **harntreibend** *adj,* diuretic

Harpune, *sub, f, -, -n* harpoon; **harpunieren** *vt,* harpoon; **Harpunierer** *sub, m, -s, -* harpooner

Harpyie, *sub, f, -, -n (myth.)* harpy

harren, *vi,* hope, wait; *der Dinge harren, die da kommen* wait and see what happens

harsch, (1) *adj, (Benehmen)* harsh; *(Schnee)* crusted **(2) Harsch** *sub, m, -s, nur Einz.* crusted snow

hart, (1) *adj,* hard; *(Brot)* stale; *(Ei)* hard-boiled; *(fest)* firm; *(zäh)* tough **(2)** *adv,* hard; *es kommt ihn hart an* it´s hard on him; *hart arbeiten* work hard; *hart bestrafen* punish hard; *jmdn hart treffen* hit so hard; *jmdn fest anfassen* be firm with so, *durch eine harte Schule gegangen sein* have learnt it the hard way; *hart mit jmdm sein* be hard on so; *harte Droge* hard drug; *harte Währung* hard currency; *harter Winter* hard Winter; *hartes Geld* hard money; **~ gekocht** *adj,* hard-boiled; **Härte** *sub, f, -, -n* hardness; *(i. ü. S.) (Stabilität)* stability; **Härteklausel** *sub, f, -, -n (jur.)* hardship clause; **härten (1)** *vt, (Stahl)* temper **(2)** *vti,* harden; **~gesotten** *adj,* hard-boiled; *(i. ü. S.; Verbrecher)* hardened; **~herzig** *adj,* hard-hearted; **Hartherzigkeit** *sub, f, -, -* hard-heartedness; **Hart-**

holz *sub, n, -es, -hölzer* hardwood; **Hartkäse** *sub, m, -s, -* hard cheese; **~leibig** *adj,* firm; **~näkkig** *adj,* stubborn; *(Krankheit etc.)* persistent; **~schalig** *adj,* hard-shelled

Harz, *sub, n, -es, -e* resin; *(in hartem Zust.)* rosin

Hasard, *sub, n, -s, nur Einz.* gamble; **~eur** *sub, m, -s, -e* gambler; **hasardieren** *vi,* gamble; **~spiel** *sub, n, -s, -e* game of chance

Haschee, *sub, n, -s, -s* hash

Häscher, *sub, m, -s, -* bloodhound; **haschieren,** *vt,* hash

Haschisch, *sub, n, -s, nur Einz.* hashish

Hase, *sub, m, -n, -n* hare; *(Kaninchen)* rabbit; *(i. ü. S.) sehen wie der Hase läuft* see how things develop

Haselmaus, *sub, f, -, -mäuse* dormouse

Haselnuss, *sub, f, -, -nüsse* hazelnut; **~strauch** *sub, m, -s, -sträucher* hazelnut tree; **Haselstaude** *sub, f, -, -n* hazel

Hasenbraten, *sub, m, -s, -* roast hare

Hasenfuß, *sub, m, -es, -füße (i. ü. S.)* coward

Hasenscharte, *sub, f, -, -n (med.)* hare lip

Haspe, *sub, f, -, -n* hasp; **haspeln (1)** *vt,* reel **(2)** *vti, (hastig sprechen)* splutter

Hass, *sub, m, -es, nur Einz.* hate, hatred; *einen Hass haben auf* really hate; *aus Hass* out of hatred; **hassen** *vt,* hate; *(verabscheuen)* detest; **hassenswert** *adj,* hateful, odious; **hasserfüllt (1)** *adj,* full of hatred **(2)** *adv,* full of hatred; *jmdn hasserfüllt anblicken* give so a look of hatred

hässlich, *adj,* ugly; *hässlich wie die Nacht* as ugly as a sin; **Hässlichkeit** *sub, f, -, -en* ugliness; **hassverzerrt** *adj,* filled with hatred

Hast, *sub, f, -, nur Einz.* hurry,

rush; *in großer Hast* in a great hurry; *ohne Hast* without hurry; **hasten** *vi*, hurry, rush; **hastig (1)** *adj*, hurried, rushed (2) *adv*, in a hurry

Hätschelkind, *sub, n, -s, -er* pampered child; **hätscheln** *vt*, pamper; *(liebkosen)* kiss and cuddle

Hatz, *sub, f, -, -en* chase, hunt

Häubchen, *sub, n, -s,* - little bonnet; **Haube** *sub, f, -, -n* bonnet; *(Schwestern-)* cornet; *(Sturm-)* helmet; *(tech.)* cover; *unter die Haube kommen* get married

Hauch, *sub, m, -es, -e* breath, breeze; *(Anflug)* trace; *Luftzug/Hauch* breath of wind; **hauchen (1)** *vt*, whisper (2) *vti*, breathe

Haudegen, *sub, m, -s,* - broadsword; *(Politiker)* old warhorse; *(Soldat)* old trooper

Haue, *sub, f, -, nur Einz. (Hacke)* hoe; *(ugs.; Schläge)* get a smack; **hauen (1)** *vi, (nach)* lash out at (2) *vt*, beat; *(hacken)* chop; *(Kind)* smack; *um sich hauen* hit out in all directions, *einen Nagel in die Wand hauen* bang a nail into the wall; *jmdn auf den Kopf hauen* hit so over the head; *sich hauen* have a fight

Häufchen, *sub, n, -s,* - *(Elend)* picture of misery; *(Kot)* pile of dog's muck; **Haufe** *sub, m, -ns, -n (veraltet)* heap of; **Haufen** *sub, m, -s,* - pile; *(größer)* heap; *ein Haufen Arbeit* a pile of work; *über den Haufen werfen* mess up; *zu einem Haufen zusammenkehren* sweep into a pile; *ein Haufen Geld* heaps of money; **häufen (1)** *vr, (sich)* mount (2) *vt*, heap up, pile up; *die Hinweise häufen sich* evidence is mounting; **haufenweise** *adv*, in piles; **Haufenwolke** *sub, f, -, -n* cumulus cloud

häufig, *adj*, frequent, often; **Häufigkeit** *sub, f, -, -en* frequency

Haupt, *sub, n, -es, Häupter* head; *erhobenen Hauptes* with one's head high; *gesenkten Hauptes* with head bowed; **hauptamtlich (1)** *adj*, full-time (2) *adv*, on a full-time basis; **~augenmerk** *sub, n, -s, nur Einz.* focus attention on; **~bahnhof** *sub, m, -s, -höfe* main station; **~eingang** *sub, m, -s, -gänge* main entrance; **~film** *sub, m, -s, -e* main feature; **~gebäude** *sub, n, -s,* - main building; **~gericht** *sub, n, -s, -e (gastr.)* main course; **~gewicht** *sub, n, -s, -e* main emphasis; **~gewinn** *sub, m, -s, -e* first prize; *(wirt.)* main profit; **~leitung** *sub,* mains; **Häuptling** *sub, m, -s, -e* headman; *(Indianer-)* Indian chief; **~mann** *sub, m, -s, -männer (mil.)* captain; **~mieter** *sub, m, -s,* - main tenant; **~person** *sub, f, -, -en* central figure; **~portal** *sub, n, -s, -e* main entrance; **~postamt** *sub, n, -s, -ämter* main post office; *(US)* general post office; **~punkt** *pron,* main point

Hauptsache, *sub, f, -, -n* main thing; **hauptsächlich (1)** *adj*, most important (2) *adv*, chiefly, mainly

Hauptsaison, *sub, f, -s, -s oder -sonen* peak season; **Hauptsatz** *sub, m, -es, -sätze (Sprachw.)* main clause; **Hauptschlagader** *sub, f, -, nur Einz.* aorta; **Hauptschuld** *sub, f, -, nur Einz.* main share of the blame; *(wirt.)* principle debt; **Hauptschule** *sub, f, -, -n* secondary modern school; **Hauptstadt** *sub, f, -, -städte* capital city; **Hauptstraße** *sub, f, -, -n* main street; **Haupttreffer** *sub, m, -s,* - first prize, jackpot; **Hauptverhandlung** *sub, f, -, -en (Strafprozess)* hearing, trial; *(Zivilprozess)* main proceedings; **Hauptverkehrsstraße** *sub, f, -, -n* mainroute; *(Eisenb.)* mainline; **Hauptverkehrszeit** *sub, f, -, -en* rush hour; **Hauptversammlung** *sub, f, -, -en* general meeting; **Hauptwort** *sub, n, -s, -wörter (Sprachw.)* noun

Haus, *sub, n, -es, Häuser* house;

(Gebäude) building, *(Wohnblock)* block of flats; *aus gutem Hause sein* come from a good family; *das kommt mir nicht ins Haus* I´m not having that in my house; *ein Haus weiter* next door; *es stehen Neuwahlen ins Haus* elections are coming up; *frei Haus* carriage paid; *in einer Sache zu Hause sein* be well up in sth; *nach Hause bringen* take so home; *von Haus zu Haus* from door to door; *zu Hause* at home; **~apotheke** *sub, f, -, -n* medicine cabinet; **~arbeit** *sub, f, -, -en* housework; *(Schule)* homework; **~arzt** *sub, m, -s, -ärzte* family doctor; **~aufgabe** *sub, f, -, -n* homework; **~aufsatz** *sub, m, -es, -sätze* homework essay; **hausbacken** *adj*, homemade; *(i. ü. S.)* boring; **~besetzer** *sub, m, -s, -* squatter; **~besitzer** *sub, m, -s, -* house owner; *(Vermieter)* landlord; **~besorger** *sub, m, -s, -* caretaker; *(US)* janitor; **~bewohner** *sub, m, -s, -* occupant; *(Mieter)* tenant; **~boot** *sub, n, -s, -e* houseboat; **~bursche** *sub, m, -n, -n* servant; **Häuschen** *sub, n, -s, -* small house; *(Pförtner/Jagd-)* lodge; **~dame** *sub, f, -, -n* housekeeper; **~drachen** *sub, m, -s, -* battleaxe

Hausdurchsuchung, *sub, f, -, -en* house search; **Hauseingang** *sub, m, -s, -gänge* front door; **hausen** *vi,* live; *(verwüsten)* wreak havoc; **Häuserblock** *sub, m, -s, -s oder -blöcke* block of houses; **Häuserfront** *sub, f, -, -en* housefront, row of houses; **Häuserreihe** *sub, f, -, -n* row of houses; **Hausflur** *sub, m, -s, -e* hallway; **Hausfrau** *sub, f, -, -en* housewife; **hausfraulich** *adj,* domestic, housewifely; **Hausfriedensbruch** *sub, m, -s, -brüche (jur.)* illegal entry of so´s house; **Hausgebrauch** *sub, m, -s, nur Einz.* use in the home; *(zur Freude)* one´s own pleasure; **Hausgehilfin** *sub, f, -, -nen* maid; **hausgemacht** *adj,* homemade; **Haushalt** *sub, m,*

(Gebäude) household, *(Hausführung)* housekeeping

Haus halten, *sub,* keep house for; **Haushälterin** *sub, f, -, -nen* housekeeper; **Haushaltung** *sub, f, -, nur Einz.* housekeeping

Hausse, *sub, f, -, -n (Börse)* bull market

Haussier, *sub, m, -s, -s (wirt.)* bull operator

Hausstrecke, *sub, f, -, -n* well-known way

Haussuchung, *sub, f, -, -en* house search; **Haustier** *sub, n, -s, -e* domestic animal, pet; **Haustür** *sub, f, -, -en* front door; **Hausverbot** *sub, n, -s, -e* order to stay away; **Hauswirt** *sub, m, -s, -e* landlord; **Hauszelt** *sub, n, -s, -e* frametent

Haut, *sub, f, -, Häute* skin; *(auf Flüggigkeiten)* film; *(entfernt)* peel; *die eigene Haut retten* save one´s own skin; *ich möchte nicht in deiner Haut stecken* I shouldn´t like to be in your shoes; *nur noch Haut und Knochen sein* be nothing but skin and bone; *sich seiner Haut wehren* stand up for oneself; **~arzt** *sub, m, -es, ärzte* dermatologist; **häuten (1)** *vr,* shed one´s skin; *(nach Sonnenbrand)* peel; *(Schlange)* slough off **(2)** *vt,* skin; **hauteng** *adj,* skintight; **~farbe** *sub, f, -, -n* colour of the skin; *(Gesicht)* complexion; *(US)* color of the skin; **~krebs** *sub, m, -es, nur Einz.* skin cancer; **~riss** *sub, m, -es, -e* chap; **hautschonend** *adj,* non-irritant

Hautevolee, *sub, f, -, nur Einz.* top knobs

Havarie, *sub, f, -, -n* damage; **Havarist** *sub, m, -en, -en* person who is involved in an accident

Havelock, *sub, m, -s, -s* mantle

Hawaiiinseln, *sub, f, -, nur Mehrz.* Hawaii Islands

Hazienda, *sub, f, -, -s oder Hazienden* hacienda

H-Bombe, *sub, f, -, -n* H-bomb

Headline, *sub, f, -, -s* headline

Hearing, *sub, n, -s, -s* hearing

Hebamme, *sub, f, -, -n* midwife

Hebebühne, *sub, f, -, -n* hydraulic lift

Hebel, *sub, m, -s, -* lever; *(am Automat etc.)* handle; *alle Hebel in Bewegung setzen* move heaven and earth; *den Hebel ansetzen* position the lever; **hebeln** *vt,* lever; *(Auto hoch-)* jack up

heben, (1) *vi, (sich)* lift **(2)** *vt,* lift; *(höher stellen)* raise; *(Qualität)* improve; *(Schatz, Wrack)* raise; *(Stimme)* raise; *sich heben und senken* rise and fall, *eine Last heben* lift a load; *einen heben* have a drink; *heb die Füße* pick your feet up

Hebräer, *sub, m, -s, -* Hebrew; **Hebraicum** *sub, n, -s, nur Einz.* Hebraic; **hebräisch** *adj,* Hebrew; **Hebraist** *sub, m, -en, -en* Hebraist

Hechel, *sub, f, -, -n* flas comb, hackle; **hecheln** *vi,* pant

Hecht, *sub, m, -s, -e* pike; *der Hecht im Karpfenteich sein* be the kingpin; **~sprung** *sub, m, -s, -sprünge (Schwimmen)* racing dive; *(Turnen)* long fly

Heck, *sub, n, -s, -s (Flugz.)* tail; *(mot.)* rear; *(Schiff)* stern; **~antrieb** *sub, m, -s, -e* rear-wheel drive

Heckfenster, *sub, n, -s, -* rear window; **Hecklaterne** *sub, f, -, -n* taillight; **Heckscheibe** *sub, f, -, -n* rear windscreen

Hedoniker, *sub, m, -s, -* hedonist; **Hedonismus** *sub, m, -, nur Einz.* hedonism

Heer, *sub, n, -es, -e* army; *(i. ü. S.)* huge crowd

Hefe, *sub, f, -, -n* yeast; **~teig** *sub, m, -s, -e* yeast dough; **~zopf** *sub, m, -s, -zöpfe* plaited bun

Heft, *sub, n, -s, -e* exercise book; *(Messer)* haft; *(Zeitschrift)* magazine; **heften (1)** *vr, (sich)* fix on **(2)** *vt,* fix; *(Nähen)* stitch

heftig, *adj,* heavy, intense, violent; **Heftigkeit** *sub, f, -, -en* heaviness, intensity, violence

Heftklammer, *sub, f, -, -n* paperclip; **Heftpflaster** *sub, n, -s, -* stikking plaster; **Heftzwecke** *sub, f, -, -n* drawing pin; *(US)* thumbtack

Hege, *sub, f, -, nur Einz.* care

hegelianisch, *adj,* following the philosophy of Hegel; **hegemonial** *adj,* hegemonic; **Hegemonie** *sub, f, -, -n* hegemony; **hegemonisch** *adj,* hegemonic

hegen, *vt,* look after, protect; *(Gefühle)* cherish; *hegen und pflegen* lavish care and attention on sb; *ich hege den Verdacht, dass* I have suspicion that; **Heger** *sub, m, -s, -* protector

Hehl, *sub, n, m, (-s), -er* secret; *keinen Hehl aus etwas machen* make no secret of sth; **~er** *sub, m, -s, - (jur.)* receiver of stolen goods; **~erei** *sub, f, -, (-en)* receiving of stolen goods

hehr, *adj,* noble, sublime

Heide, *sub, m, -, -n* heathen, pagan; *(Land)* moor; *(Landsch.)* heath; **~kraut** *sub, n, -s, -er* heather

Heidelbeere, *sub, f, -, -n* bilberry, blueberry

Heidelerche, *sub, f, -, -n* lark

heidenmäßig, *adv, (viel Geld)* pots of money; **Heidentum** *sub, n, -s, nur Einz.* heathenism, paganism; **heidnisch** *adj,* heathen, pagan

Heidschnucke, *sub, f, -, -n* moorland sheep

heikel, *adj,* akward; *(wählerisch)* fussy

heil, (1) *adj,* healed, intact, safe, unhurt **(2) Heil** *sub, n, -s, nur Einz.* welfare; *(kirchl.)* salvation; *etwas heil überstehen* survive sth unscathed; *heile Welt* perfect world; **Heiland** *sub, m, -* Redeemer, Saviour; *(US)* Savior; **Heilanstalt** *sub, f, -n, -en* mental home, sanatorium; **Heilanzeige** *sub, f, -, -n (med.)* indication; **Heilbarkeit** *sub, f, -, nur Einz.* curability; **~bringend** *adj,* salutary; **Heilbutt** *sub, m, -, -/-en (-)* halibutt; **~en (1)** *vi, (jmd.) heal* **(2)** *vt,* cure; *(Wunde)* heal; **Heilerde** *sub, f, -, -n* healing earth; **~froh** *adj,* very glad; **Heilgymnastik** *sub, f, -, nur Einz.* physiotherapy

heilig, *adj,* holy, sacred; *das Hlge Land* the Holy Land; *der Hlge Geist* the Holy Ghost; *der Hlge Vater* the Holy Father; *die Hlge Barbara* Saint Barbara; *die Hlge Jungfrau* the Blessed Virgin; *die Hlgen Drei Könige* the Holy Three Kings; *etwas ist jmdm heilig* sth is sacred to sb; *heilige Stätten* sacred places; **Heiligabend** *sub, m, -s, -e* Christmas Eve; **Heilige** *sub, m, f, -n, -n* saint; **~en** *vt,* hallow, sanctify; **Heiligenbild** *sub, n, -s, -er* picture of a saint; **Heiligenschein** *sub, m, -es, -e* halo

heilkräftig, *adj,* curative; **Heilkunde** *sub, f, -, nur Einz.* medicine; **Heilkundige** *sub, m, f, -n, -n* person who is skilled in medicine; **heillos** *adj,* dreadful; **Heilmittel** *sub, n, -s, -* remedy; **Heilpflanze** *sub, f, -, -n* medical plant; **Heilpraktiker** *sub, m, -s, -* non-medical practitioner; **heilsam** *adj,* salutary; **Heilsamkeit** *sub, f, -, nur Einz.* salutary nature; **Heilsarmee** *sub, f, -, -n* Salvation Army; **Heilschlaf** *sub, m, -s, nur Einz.* healing sleep; **Heilung** *sub, f, -, selten -en)* cure, healing; *Heilung suchen* seek a cure; *wenig Hoffnung auf Heilung haben* have little hope of being cured; **Heilungsprozess** *sub, m, -es, -e* healing process, recovery; **Heilwirkung** *sub, f, -, -en* therapeutic effect

heim, (1) *adv,* home **(2)** **Heim** *sub, n, -s, -e (Alters-, Heim)* home; *(Studenten-)* hall of residence, hostel; *(Studenten-, US)* dormitory; *(Zuhause)* home; **Heimat** *sub, f, -, meist Einz., selten -en* home, homeland; **Heimathafen** *sub, m, -s, -häfen* home port; **Heimatkunde** *sub, f, -, nur Einz.* local studies; **~atlos** *adj,* homeless, uprooted; *durch den Krieg heimatlos werden* be dis-

placed by the war; **Heimatmuseum** *sub, n, -s, -museen* local heritage museum; **Heimatrecht** *sub, n, -s, -e* right of abode; **Heimatstaat** *sub, m, -es, -en* native country; **Heimatstadt** *sub, f, -, (-städte)* home town; **~begeben** *vr,* make one´s way home; **~bringen** *vt,* see so home; **Heimchen** *sub, n, -s, - (- am Herd)* just a housewife; *(zool.)* house cricket; **Heimcomputer** *sub, m, -s, -* home computer; **~elig** *adj,* cosy, cozy; **~gegangen** *adj,* deceased; **~isch** *adj,* native; *heimische Gewässer* home waters; *sich heimisch fühlen* feel at home; **Heimkehr** *sub, f, -, nur Einz.* homecoming

Heimkino, *sub, n, -s, -s* movie-projector; **Heimleiterin** *sub, f, -, -nen* headmistress, warden; **heimleuchten** *vi, (i. ü. S.)* tell so what´s what; **heimlich (1)** *adj,* hidden, secret, undercover **(2)** *adv,* secretly; *heimlich, still und leise* on the quiet; *sich heimlich entfernen* sneak away; **heimlich tun** *vi,* make a mystery out of; **Heimlichkeit** *sub, f, -, -en* secrecy; **Heimlichtuer** *sub, m, -s, -* mystery-monger; **Heimniederlage** *sub, f, -, -n (spo.)* home defeat; **Heimschule** *sub,* boarding school; **Heimsieg** *sub, m, -s, -e* home win; **Heimsuchung** *sub, f, -, -en* affliction; **Heimtrainer** *sub, m, -s, -* home exerciser; **Heimtücke** *sub, f, -, -n* insidiousness; **heimtückisch** *adj,* insidious; **Heimweh** *sub, n, -s, meist Einz., sonst -wehe* homesickness; **heimwehkrank** *adj,* homesick; **heimzahlen** *vt,* pay s.b. back

Hein, *sub, m, -s, nur Einz.* Grim Reaper

Heinzelmännchen, *sub, n, -s, -* little helpful fairy

Heirat, *sub, f, -, -en* marriage; **heiraten** *vti,* get married, marry; **~santrag** *sub, m, -es, -träge* marriage proposal; **heiratsfähig** *adj*, marriageable; *in einem heiratsfähigen Alter* of a marriagable age; **~smarkt** *sub*, *m*, *-s*, *-märkte* marriage market; *(Zeitung)* marriage ads; **~surkunde** *sub*, *f*, *-*, *-n* marriage certificate

heischen, *vt*, ask for

heiser, *adj*, hoarse; *(belegt)* husky; **Heiserkeit** *sub*, *f*, *-*, *nur Einz.* hoarseness

heiß, (1) *adj*, hot; *(Zone)* horrid (2) *adv*, *(heftig)* on heat; *heiße Spur* hot trail; *heiße Ware* hot goods; *heißer Tip* hot tip; *heißes Blut* hot blood, hot blood; *heißes Thema* contoversial issue; *ihm wurde heiß und kalt* he went hot and cold; *mir wird heiß* I´m getting hot; **~ersehnt** *adj*, longed-for; **~ geliebt** *adj*, dearly loved, passionately loved; **~ laufen (1)** *vi*, overheat (2) *vr*, overheat; *der Motor ist heißgelaufen* the engine is overheated; **Heißhunger** *sub*, *m*, *-s*, *nur Einz.* craving; **~hungrig** *adj*, ravenous; *(i. ü. S.)* voracious; **Heißluftherd** *sub*, *m*, *-es*, *-e* convection oven; **Heißsporn** *sub*, *m*, *-s*, *-e (i. ü. S.)* hothead; **~spornig** *adj*, hotheaded

heißen, (1) *vi*, be called, mean (2) *vt*, call; *damit es nachher nicht heißt* so that nobody can say; *das heiße ich eine gute Nachricht* that´s what I call good news; *das heißt* it´s called; *das will nicht viel heißen* that doesn´t mean much; *es heißt in dem Brief* the letter says; *soll das heißen, dass* does that mean that; *wie heißt das* what´s that called

heiter, *adj*, bright, cheerful; *einer Sache die heitere Seite abgewinnen* look on the bright side of sth; **Heiterkeit** *sub*, *f*, *-*, *nur Einz.* cheerfulness

heizen, (1) *vi*, put the heating on (2) *vt*, fire, heat; *mit Kohle heizen* use coal for heating; **Heizer** *sub*, *m*, *-s*, *- * boilerman; *(tech.)* stoker; *(tech.,US)* fireman; **Heizöl** *sub*, *n*, *-s*, *nur Einz.* heating oil; **Heizperi-**

ode *sub*, *f*, *-*, *-n* heating period; **Heizung** *sub*, *f*, *-*, *-en* central heating, radiator; **Heizungsrohr** *sub*, *n*, *-s*, *-e* heating pipe; **Heizungstank** *sub*, *m*, *-s*, *-s* tank

Hektik, *sub*, *f*, *-*, *nur Einz.* hectic, rush; *nur keine Hektik!* take it easy; **hektisch** *adj*, hectic; *(betriebsam)* frantic; *hektisch leben* lead a hectic life

Hektoliter, *sub*, *m*, *-s*, *-* hectolitre; *(US)* hectoliter

Held, *sub*, *m*, *-en*, *-en* hero; **~enbrust** *sub*, *f*, *-*, *(-brüste)* chest of a hero; **~enepos** *sub*, *n*, *-epen* heroic epic; **heldenhaft (1)** *adj*, heroic (2) *adv*, heroically; **heldenmütig (1)** *adj*, heroic (2) *adv*, heroically; **~entat** *sub*, *f*, *-*, *-en* heroic deed; **~entenor** *sub*, *m*, *-s*, *-tenöre* heroic tenor

helfen, *vi*, be of use, help; *(behilflich sein)* lend so a hand; *da ist nicht zu helfen* there´s nothing you can do; *er weiß sich zu helfen* he can cope; *ich kann mir nicht helfen* I can´t help it; *im Haushalt helfen* help with the housework; *jmdm aus einer Verlegenheit helfen* help so out of a difficulty; *jmdm über die Straße helfen* help so across the road; *kann ich irgendwie helfen?* can I be of any help?; **Helfer** *sub*, *m*, *-s*, *- * helper; *(Gehilfe)* assistant; *ein Helfer in der Not* a friend in need

Helgoländer, *sub*, *m*, *-s*, *-* Helgolander

Helikopter, *sub*, *m*, *-s*, *-* helicopter

heliozentrisch, *adj*, heliocentric

Helium, *sub*, *n*, *-s*, *nur Einz.* *(chem.)* helium

hell, *adj*, bright; *(Farbe)* light; *(Klang)* clear; *(leuchtend)* shining

Hellebarde, *sub*, *f*, *-*, *-n* halberd

Hellebardier, *sub*, *m*, *-s*, *-e* soldier with a halberd

Hellenentum, *sub*, *n*, *-s*, *nur Einz.* Hellenism; **hellenisch** *adj*, Hellenistic; **hellenisieren** *vt*, Helle-

eine, **Hellenismus** *sub, m, -, nur Einz.* Hellenism; **Hellenistik** *sub, f, -, nur Einz.* Greek studies; **hellenistisch** *adj,* Hellenistic

Heller, *sub, m, -s, -* heller; *auf Heller und Pfennig* down to the last penny

hellhörig, *adj, (Person)* sensitive; *(Wand)* badly soundproofed; **Helligkeit** *sub, f, -, -en* brightness; **hellsehen** *vi,* be clairvoyant, have second sight; **Hellseherei** *sub, f, -, nur Einz.* clairvoyance; **Hellseherin** *sub, f, -, -nen* clairvoyant; **hellseherisch** *adj,* clairvoyant; **hellsichtig** *adj,* perceptive; **hellwach** *adj,* wide-awake

Helm, *sub, m, -s, -e* helmet

Helmstedter, *sub,* person from Helmstedt

helvetisch, *adj,* Helvetic

Hemd, *sub, n, -s, -en* shirt; *(Unter-)* vest; *(Unter-, US)* undershirt; *für sie gibt er sein letztes Hemd her* he'd sell his shirt off his back to help her; *jmdn bis aufs Hemd ausziehen* have the shirt off sb's back; **hemdärmelig** *adj,* shirt-sleeved; **~bluse** *sub, f, -, -n* shirt; **~enknopf** *sub, m, -s, -knöpfe* shirt button; **~särmel** *sub, m, -s, -* shirt sleeve

Hemisphäre, *sub, f, -, -n* hemisphere

hemmen, *vt,* stop; *(behindern)* impede; *(Blut)* staunch; *(Blut, US)* stanch; *(seelisch)* inhibit; **Hemmnis** *sub, n, -ses, -se* obstacle; **Hemmschuh** *sub, m, -s, -e* brake shoe; *(i. ü. S.)* obstacle; **Hemmschwelle** *sub, f, -, -n* inhibition threshold; *eine Hemmschwelle überwinden* overcome one's inhibitions; **Hemmung** *sub, f, -, -en* inhibition; *(Skrupel)* scruple; *Hemmungen haben* have inhibitions; **hemmungslos** *adj,* unrestrained, unscrupulous; **Hemmungslosigkeit** *sub, f, -, -en* lack of restraint, shamelessness; **Hemmwirkung** *sub, m, -, -en* restraint

Hengst, *sub, m, -es, -e* stallion

Henkel, *sub, m, -s, -* handle

henken, *vt, hang;* **Henker** *sub, m, -s, -* executioner; **Henkersbeil** *sub, n, -s, -e* executioner's axe; **Henkersmahl** *sub, n, -s, -e, -mähler* last meal

Henna, *sub, f, n, (-s), nur Einz.* henna; **~strauch** *sub, m, -s, -sträucher* henna

Henne, *sub, f, -, -n* hen

Henry, *sub, n, -, -* Henry

Hepatitis, *sub, f, -, -titiden (med.)* hepatitis

Heptagon, *sub, n, -s, -e* heptagon

her, *adv, (damit)* give it to me; *(um mich)* around me; *(von)* from; *(von früher)* from before; *jmdn von früher her kennen* know sb from before

herab, *adv,* down to something; *(von oben)* from above; **~blikken** *vi,* look down on; **~fallen** *vi,* fall down, fall off; **~hängen** *vi,* hang down; **~lassen (1)** *vr, (sich)* condescend, deign (2) *vt,* let down; **~lassend** *adj,* condescendingly; **Herablassung** *sub, f, -, nur Einz.* condescension; *jmdn mit Herablassung behandeln* patronize so; **~sehen** *vi,* look down on; **~setzen** *vt,* cut, lower, reduce; **Herabsetzung** *sub, m, -, -en* lowering, reduction; *(Beleidigung)* disparagement; **~würdigen** *vt,* degrade

Heraldik, *sub, f, -, nur Einz.* heraldry

heran, *adv,* close, near; **~bilden** *vt,* train; **Heranbildung** *sub, f, -, nur Einz.* development; **~bringen** *vt,* bring to; **~dürfen** *vi,* be allowed to do sth; **~fahren** *vi,* drive up; **~führen** *vt,* bring to, lead; **~kommen** *vi,* approach, come up; **~können** *vi,* be able to get close to; **~lassen** *vt,* let someone come near; *er lässt niemand an seine Bücher heran* he won't let anyone come near his books; **~machen** *vr, (sich)* get going on, set to work on; *(sich an jmd.)* sidle up to; **~müssen**

vi, have to; **~reichen** *vi*, reach; *(i. ü. S.; leistungsm.)* come up to; **~reifen** *vi*, *(Früchte)* ripen; *(Kinder)* grow up; *(i. ü. S.; Plan)* mature **herauf**, *adv*, up, upwards; *den Berg herauf* up the hill; **~holen** *vt*, bring up; **~lassen** *vt*, let come up; **~setzen** *vt*, put up, raise; **~ziehen** (1) *vi*, come up (2) *vt*, pull up

heraus, *adv*, out, out of; *heraus da!* out there!; *heraus mit der Sprache* out with it; *aus einem Gefühl heraus* out of a sense of; *zum Fenster heraus* out of the window; **~bekommen** *vt*, find out, get out, work out; *Geld herausbekommen* get money back; **~bilden** *vr*, develop; **~bringen** *vt*, bring out, get out; *(Buch)* publish; *(Schallplatte)* release; *sie brachte kein Wort heraus* she couldn´t say a word; **~dürfen** *vt*, be allowed to get out of; **~fahren** (1) *vi*, come out (2) *vt*, drive out; **~finden** (1) *vr*, find one´s way out (2) *vti*, find out; **~fordern** *vt*, challenge, provoke; *das Schicksal herausfordern* tempt fate; **Herausforderung** *sub, f, -, -en* challenge, provocation

herausgeben, (1) *vi*, give so change (2) *vt*, give back, hand over; *(Buch)* publish; *ein Buch herausgeben (zurück)* hand over a book; **Herausgeber** *sub, m, -s, -* publisher; *(Verfasser)* editor; **herausgehen** (1) *vi*, go out; *(Fleck)* come out (2) *vr*, *(aus sich)* come out of one´s shell; **heraushaben** *vt*, have found sth out, have got sth out; **heraushalten** (1) *vr*, keep out of sth (2) *vt*, keep so out of sth; **heraushängen** *vti*, hang out; **heraushauen** *vt*, knock out; *(i. ü. S.)* get so out; **herausheben** *vt*, lift, take out; *(i. ü. S.)* underline; **herausholen** *vt*, bring out, get out; *er holte das Letzte aus sich heraus* he made a supreme effort

heraushören, *vt*, hear; *(i. ü. S.)* detect; **herauskehren** *vt*, act, play a role; **herauskommen** *vi*, come out, get out; *(Buch)* be published; *(erscheinen)* appear; *(Erzeugnis;, bekannt werden)* come out; **herauskönnen** *vi*, be able to get out; **herauslassen** *vt*, let out; *(weglassen)* leave out; **herausmachen** (1) *vr, (i. ü. S.; sich)* improve (2) *vt*, take out; **herausmüssen** *vi*, *(aus Bett)* have to get up; *(aus Wohnung)* have to get out; *(nach draußen)* have to go out; *(z.B. Zahn)* have to come out; **herausnehmen** *vt*, remove, take out; *sich den Blinddarm herausnehmen lassen* have one´s appendix taken out; *sich Freiheiten herausnehmen* take liberties; **herauspauken** *vt, (i. ü. S.)* help so to get out of trouble

herausragen, *vi*, jut out; **herausreißen** *vt*, pull out, tear out; *(i. ü. S.; befreien)* get out of; **herausstellen** (1) *vr, (sich)* come out, turn out (2) *vt*, put out; *(an die Öffentlk. bringen)* publicize; *(i. ü. S.; betonen)* underline; **heraustragen** *vt*, carry out; **herauswagen** *vr, (sich)* venture out; **herauswinden** *vr, (i. ü. S.)* wriggle out of; **herauswollen** *vi*, want to get out; **herausziehen** *vt*, pull out; *(Zahn u.a.)* extract from

herb, *adj*, sour; *(i. ü. S.)* harsh; *(Duft)* tangy; *(Wein)* dry **Herbarium**, *sub, n, -, -barien* herbarium **herbei**, *adv*, here; **~führen** *vt*, *(bewirken)* lead to; *(verursachen)* cause; **~lassen** *vt*, let come along; **~locken** *vt*, attract; **~reden** *vt*, provoke; **~rufen** *vt*, call for, call over; **~sehnen** *vt*, long for **herbeordern**, *vt*, summon **Herberge**, *sub, f, -, -n (Gasthaus)* inn; *(Jugend-)* hostel **Herbivore**, *sub, m, -n* herbivore **Herbizid**, *sub, n, -s, -e* herbicide **herbringen**, *vt*, bring along **Herbst**, *sub, m, -es, -e* autumn;

(US) fall, **anfang** *sub, m, -s, nur Einz.* beginning of autumn; *(US)* beginning of fall; **~blume** *sub, m, -, -en* autumnflower; **~ferien** *sub, -s, nur Mehrz.* autumn break; **herbstlich** *adj*, autumnal; **~messe** *sub, m, -s, -n* autumn trade; **~nebel** *sub, m, -s, -* autumn fog; **~sonne** *sub, f, -, nur Einz.* autumn sun; **~sturm** *sub, m, -s, -stürme* autumn storm; **~zeitlose** *sub, f, -n, -n* meadow saffron

herculanisch, *adj*, Herculean

Herd, *sub, m, -es, -e* cooker, stove; *(Ausgangspunkt)* centre of; *(Ausgangspunkt US)* center; *den ganzen Tag am Herd stehen* stand in the kitchen all day long; *eigener Herd ist Goldes wert* there´s no place like home

Herde, *sub, f, -, -n* herd; *(i. ü. S.)* masses; *(Schaf-)* flock; *aus der Herde ausbrechen* break away from the others; *mit der Herde laufen* follow the herd; **~nmensch** *sub, m, -en, -en* sheep; **~ntrieb** *sub, m, -s, nur Einz.* herd instinct; *(i. ü. S.)* herd instinct; **herdenweise** *adv*, in herds

hereditär, *adj*, hereditary

herein, *adv*, come in, in; *(von draußen)* from outside; **~dürfen** *vi*, be allowed in; **~fahren** *vt*, drive in; **~fallen** *vi*, come in; *(i. ü. S.)* fall for; **~geben** *vi*, take so in; **~holen** *vt*, fetch, fetch in; *(aufholen)* make up for; *(Aufträge)* get in; **~kommen** *vi*, come in, get in; **~können** *vt*, can get in; **~lassen** *vt*, let in; **~legen** *vt*, *(i. ü. S.)* take so for a ride; *(i. ü. S.; finanziell)* take so in; **~müssen** *vt*, have to get in; **~nehmen** *vt*, take in; **~rufen** *vt*, call in; **~wagen** *vt*, dare to get in; **~wollen** *vt*, want to get in

Herfahrt, *sub, f, -s, -en* journey here

Hergang, *sub, m, -s, -gänge* sequence of events; *den Hergang schildern* describe exactly what happened

hergeben, **(1)** *vr, (sich)* get involved

in sth **(2)** *vt*, give away, give back; *sein Geld für etwas hergeben* put one´s money into sth

hergebrachtermaßen, *adv*, usually

hergehen, *vi*, follow, walk behind; *(heiß -)* things get pretty lively; *neben/vor/hinter jmdm hergehen* walk along, beside, before,behind sb

hergelaufen, *adj*, coming from nowhere; **Hergelaufene** *sub, m, f, -n, -n* good for nothing

herhalten, **(1)** *vi, (müssen)* have to take the rap **(2)** *vt*, hold out

herholen, *vt*, fetch, get

herhören, *vi*, listen

Hering, *sub, m, -s, -e (dünner Mensch)* match stick; *(Zeltpflock)* tent peg; *(zool.)* herring; **~sfang** *sub, m, -s, -fänge* herring fishery; **~sfass** *sub, n, -es, -fässer* herring ton; **~sfilet** *pron*, filet from the herring; **~smilch** *sub, f, -, nur Einz.* herring milt; **~srogen** *sub, m, -s, -* herring roe; **~ssalat** *sub, m, -s, -e* pickled herring salad

Herkommen, **(1)** *sub, n, -s, nur Einz.* tradition **(2) herkommen** *vi*, come from, come here; **herkömmlich** *adj*, customary, traditional

Herkunft, *sub, f, -, nur Einz.* origin; *(Person)* background; *von einfacher Herkunft sein* be of humble origin; **~sland** *sub*, country of origin

Hermaphrodit, *sub, m, -en, -en* hermaphrodite; **hermaphroditisch** *adj*, hermaphroditic

hermetisch, *adj*, hermetic; *hermetisch abriegeln* hermetically sealed

hernach, *adv, (ugs.)* afterwards

hernieder, *adj*, down

Heroin, *sub, f, -, -en* heroin

heroisch, *adj*, heroic; **heroisieren** *vt*, worship as a hero; **Heroismus** *sub, m, -, nur Einz.* heroic

Herold, *sub, m, -s, -e* herald; **~sstab** *sub, m, -s, -stäbe* herald´s baton

Herpes, *sub, m, -, nur Einz. (med.)*
herpes

Herr, *sub, m, -en, nur Einz.* man;
(Anrede) Mr.; *(sehr höfl.)* gentleman; *aus aller Herren Länder* from
the four corners of the earth; *der
Herr Präsident* the Chairman; *Herr
der Lage sein* have everything under control; *sehr geehrte Damen
und Herren!* ladies and gentleman;
sehr geehrte Herr N(Brief) dear Mr
N; *sein eigener Herr sein* be one´s
own boss; **~enabend** *sub, m, -s, -e*
stag party; **~enbesuch** *sub, m, -s,
-e* male visitor; **~eneinzel** *sub, n,
-s, - (Tennis)* men´s singles; **~en-
mensch** *sub, m, -en, -en* domineering person; **~enpartie** *sub, f, -, -n*
gentlemen´s group; **~enreiter**
sub, m, -s, - rider; **~ensalon** *sub, m,
-s, -s (Friseur)* barber´s; **~enzim-
mer** *sub, n, -s, - study*

herrichten, (1) *vr, (sich)* get ready
(2) *vt,* get ready; *(renovieren)* do
up

Herrichtung, *sub, m, -, -en* getting
ready

herrisch, *adj,* domineering, imperious

herrlich, *adj,* marvellous, wonderful; *(US)* marvelous; **Herrlichkeit**
sub, f, -, -en magnificence

herrnhutisch, *adj, (Stadt in D.)*
from Herrnhut

Herrschaft, *sub, f, -, -en* control,
rule; *(Macht)* power; *die Herrschaft verlieren* lose control; *die
Herrschaft an sich reißen* seize power

herrschen, *vi,* be in control, rule;
(Monarch) reign; *(vorhanden sein)*
be; *draußen herrschen -30 Grad
Kälte* it´s 30 below outside; *es
herrscht jetzt Einigkeit* there is now
agreement; *überall herrschte große
Freude/Trauer* there was great
joy/sorrow everywhere; **Herrscher**
sub, m, -s, - ruler; *(Monarch)* monarch; **Herrscherin** *sub, f, -, -nen*
ruler; *(Monarch)* monarch

Herrschsucht, *sub, f, -, nur Einz.*
lust for power; *(stärker)* tyrannical nature

herschicken, *vt,* send over

herschieben, *vt,* push over

herstammen, *vi,* come from, stem
from

herstellen, *vt,* produce, put here;
(erzeugen) establish, make; *(gesundhl.)* restore to health; **Hersteller** *sub, m, -s, - manufacturer,
producer;* **Herstellerin** *sub, f, -,
-nen* manufacturer, producer;
Herstellung *sub, f, -, nur Einz.*
production; *(v. Beziehungen)* establishment

herüber, *adv,* over here

herüberholen, *vt,* fetch over

herum, *adv, (um)* about; *(vorbei)*
over; *(ziellos)* about, around;
~albern *vi,* fool around; **~är-
gern** *vr, (sich)* battle with; **~bal-
gen** *vr,* romp around; *(sich - mit)*
wrangle with; **~deuteln (1)** *vi,*
split hairs **(2)** *vt, (daran)* it is
perfectly plain; **~doktern** *vi,* tinker around; **~drehen** *vtr,* turn
round; *(Liegendes)* turn over;
~drücken *vr, (sich - um)* try to
get out of; *(sich an einem Ort)*
hang round; **~führen (1)** *vi,*
(um) run around **(2)** *vt, (in)*
show so round; **~gehen** *vi,* walk
around; *(herumgereicht werden)*
be passed around; *(im Kopf)* go
round and round in one´s head;
~kommen *vi,* come around; *(i.
ü. S.; um etwas)* get around sth;
~kriegen *vt,* get so round; *(Zeit)*
pass

herumlaufen, *vi,* run around;
herumliegen *vi,* lie around; *(um
etwas)* surround; **herumlungern** *vi,* hang around; **herumreißen** *vt,* swing sth round;
herumsitzen *vi,* sit around; **herumsprechen** *vr, (sich)* get
around; **herumstöbern** *vi,* poke
around; *(neugierig)* nose around
in; **herumtollen** *vi,* romp
around; **herumtreiben** *vr, (sich)*

roam around; **Herumtreiber** *sub*, *m*, *-s*, - loafer; *(Vagabund)* tramp; **herumwerfen (1)** *vr*, *(sich - im Schlaf)* toss and turn **(2)** *vt*, throw around, toss around; *(Steuerrad)* pull round; **herumwirbeln** *vti*, spin round, whirl round

herunter, *adv*, down; *da herunter* down there; *hier herunter* down here; **~gekommen** *adj*, *(Gebäude etc.)* run down; *(gesundheitlich)* in bad shape; *(Person)* dowdy; *(sittlich)* dissolute

hervor, *adv*, out; *(aus)* out of; *(hinter -)* from behind; *(unter)* from under; **~brechen** *vi*, burst out; **~bringen** *vt*, cause, create, produce; *(Worte)* utter; **~gehen** *vi*, come from, develope from, result from; *daraus geht hervor, dass* it follows that; **~heben** *vt*, *(i. ü. S.)* emphasize, stress, underline; **~holen** *vt*, produce, take out; **~kehren** *vt*, emphasize; *(herauskehren)* play; **~ragen** *vi*, jut out, stick out; *(i. ü. S.)* stand out; **~ragend** *adj*, excellent, outstanding

hervorrufen, *vt*, *(bewirken)* cause, provoke; *(Eindruck)* create; **hervorsprudeln** *vi*, bubble up; **hervorstechen** *vi*, stand out; **hervortrauen** *vr*, *(sich)* dare to come out; **hervortreten** *vi*, come out; *(i. ü. S.)* bulge; **hervorwagen** *vr*, *(sich)* dare to come; **hervorziehen** *vt*, pull out

Herz, *sub*, *n*, *-es*, *-en* heart; *(Einzelkarte)* heart; *(Kartenfarbe)* hearts; *(Mittelpunkt)* core, heart; *(Seele)* soul; *alles was dein Herz begehrt* everything your heart desires; *aus tiefstem Herzen* from the bottom of one´s heart; *ein Herz für Kinder/Tiere* a place in one´s heart for children/animals; *er hat es am Herzen* he has heart trouble; *es läßt die Herzen höher schlagen* it makes your heart swell; *mein Herz blutete* my heart bled; *mir schlug das Herz bis zum Hals* my heart was in my mouth; *mit ganzem Herzen dabei*

sein heart and soul; sich etwas zu Herzen nehmen take sth to heart; **~anfall** *sub*, *m*, *-es*, *-fälle* heart attack; **~anomalie** *sub*, *f*, *-*, *-n* heart anomaly; **~attacke** *präp*, heart attack; **herzbewegend** *adj*, heart-rending; **~binkerl** *sub*, *n*, *-s*, *-n (i. ü. S.)* sweetheart; **~blut** *sub*, *n*, *-es*, *nur Einz.* one´s lifeblood; **~chirurgie** *sub*, *f*, *-*, *-* heart surgery; **~ensangst** *sub*, *f*, *-*, *-ängste* deep anxiety; **~ensbrecher** *sub*, *m*, *-s*, *-* lady-killer; **~ensgüte** *sub*, *f*, *-*, *-* kindheartedness; **~enslust** *sub*, *f*, *-*, *-lüste (nach)* to one´s heart´s content; **~enssache** *sub*, *f*, *-*, *-n* matter of the heart; **herzergreifend** *adj*, deeply moving; **~fehler** *sub*, *m*, *-s*, *-* heart defect; **~flimmern** *sub*, *n*, *-s*, - heart flutter; *(i. ü. S.)* heart frequence; **~frequenz** *sub*, *f*, *-*, *-en* heart frequence; **herzhaft (1)** *adj*, good; *(Essen)* substantial; *(Händedruck)* firm; *(Wein)* hearty **(2)** *adv*, substantial

herziehen, **(1)** *vi*, *(hinter)* follow; *(über)* run down **(2)** *vt*, pull up; *(hinter sich)* pull along

herzig, *adj*, cute; **Herzinfarkt** *sub*, *m*, *-es*, *-e* heart attack; *(med.)* cardiac infarction; **Herzkatheter** *pron*, cardiac catheter; **Herzkirsche** *sub*, *f*, *-*, *-n* heartshaped cherry; **Herzklopfen** *sub*, *n*, *-s*, - *(i. ü. S.)* heart thumping; *(med.)* palpitations; **herzlich** *adj*, affectionate, warm; *herzliche Grüßen* best regards; *herzlichen Dank* many thanks; **Herzlichkeit** *sub*, *f*, *-*, *-en* warmth; **herzlos** *adj*, heartless; **Herzmassage** *sub*, *f*, *-*, *-n* cardiac massage

Herzog, *sub*, *m*, *-s*, *-zöge* duke; **~in** *sub*, *f*, *-*, *-nen* duchess; **~swürde** *sub*, *f*, *-*, *-* honour of the duke; **~tum** *sub*, *n*, *-s*, *-tümer* duchy; **Herzschlag** *sub*, *m*, *-es*, *-schläge* heartbeat; **Herzschmerz** *sub*, *m*, *-es*, *-en* pains in the chest; **Herzschrittmacher**

sub, m, -s, - pacemaker; **Herzspender** *sub, m, -s,* - heart donor; **herzstärkend** *adj,* cardiotonic; **Herztransplantation** *sub, f, -, -en* heart transplant; **Herztropfen** *sub, f, -, nur Mehrz.* heart drops; **Herzversagen** *sub, n, -s,* - heart failure

herzu, *adv,* come hereby

Heterodoxie, *sub, f, -, -n* heterodoxy

heterogen, *adj,* heterogeneous; **Heterogenität** *sub, f, -, nur Einz.* heterogeneity

heteromorph, *adj,* heteromorphic

Heterophyllie, *sub, f, -, nur Einz.* heterophily

Heterosexualität, *sub, f, -, nur Einz.* heterosexuality; **heterosexuell** *adj,* heterosexual

Heterosphäre, *sub, f, -, -n* heterosphere

Hetze, *sub, f, -, -n (aufhetzen)* agitation; *(Eile)* rush; **hetzen** *vt,* rush; *(Tiere)* hunt; *(Tiere mit Hunden)* chase; *(i. ü. S.; verfolgen, jagen)* chase; *(i. ü. S.; verfolgen, jagen)* hunt; *den ganzen Tag betzen* be in a rush all day long; **~rei** *sub, f, -, -en* rush; *(i. ü. S.)* agitation; **Hetzjagd** *sub, f, -, -en* hunting; *(Verfolgung)* chase; **Hetzkampagne** *sub, f, -, -n* smear campaign

Heu, *sub, n, -es, -* hay; *Geld wie Heu haben* have money to burn; *Heu machen* make hay; **~boden** *sub, m, -s,* - hayloft

Heuchelei, *sub, f, -, -en* hypocrisy; *(Falschheit)* deceit; **heucheln (1)** *vi,* be hypocritical **(2)** *vt,* feign; **Heuchler** *sub, m, -s,* - hypocrite; **heuchlerisch** *adj,* hypocritical

heuer, (1) *adv,* this year **(2) Heuer** *sub, m, -s, - (Schiff.)* pay

heuern, *vt,* sign on

Heufieber, *sub, n, -s,* - hay fever

Heugabel, *sub, f, -, -n* pitchfork

Heulboje *sub, f, -, -n* whistling buoy

heulen, *vi,* howl; *hör auf mit der Heulerei* stop howling; **Heuler** *sub, m, -s, - (junger Seeh.)* baby seal; **Heulsuse** *sub, f, -, -n* crybaby

heurig, *adj,* this year´s; **Heurige**

sub, m, -n, -n (österr.) new wine

Heuschnupfen, *sub, m, -s,* - hay fever

Heuschober, *sub, m, -s,* - haystack

Heuschrecke, *sub, f, -, -n* grasshopper; *(gefährliche)* locust

heute, *adv,* today

heutig, *adj,* today´s; *(gegenwärtig)* of today; **~entags** *adv,* nowadays

heutzutage, *adv,* these days

Hexaeder, *sub, n, -s, -* cube; **hexaedrisch** *adj,* cubic

Hexagon, *sub, n, -s, -e* hexagon

Hexagramm, *sub, n, -s, -e* hexagram

Hexameter, *sub, m, -s,* - hexameter

hexametrisch, *adj,* hexametric

Hexe, *sub, f, -, -n* witch; **hexen** *vi,* practise witchcraft; *(US)* practice witchcraft; **~nkessel** *sub, m, -s,* - witch´s cauldron; *(i. ü. S.)* chaos; **~nmeister** *sub, m, -s,* - sorcerer, wizard; **~nprozess** *sub, m, -es, -e* witch´s trial; **~nsabbat** *sub, m, -s,* - witches´ sabbath; **~nschuss** *sub, m, -es, -* lumbago; *(med.)* lumbago; **~r** *sub, m, -s,* - sorcerer; **~rei** *sub, f, -, -en* sorcery, witchcraft

Hibernation, *sub, f, -, -en* hibernation

Hibiskus, *sub, m, -, -ken* hibiscus

Hickhack, *sub, n, -s, -s* wrangling

Hidalgo, *sub, m, -s, -s* hidalgo

Hieb, *sub, m, -es, -e* blow; *(Faust)* punch; *jmdm einen Hieb versetzen* deal so a blow; **hiebfest** *adj,* watertight

hienieden, *adv, (veraltet)* in this world

hier, *adv,* here; *bier draußen/drinnen* out/in here; *bier entlang* along here; *bier oben/unten* up/down here

Hierarchie, *sub, f, -, -n* hierarchy; **hierarchisch** *adj,* hierarchical

hierauf, *adv,* on here; *(danach)* after that; **~hin** *adv,* hereupon

hieraus, *adv,* from this

hierbei, *adv*, here, in this case, on this occasion

hier bleiben, *vi*, stay here

hierdurch, *adv*, through here; *(aufgrund)* because of this; **hier lassen** *vt*, leave sth here; **hier sein** *vi*, be here; **hierfür** *adv*, for this; **hierher** *adv*, here, this way; *bis hierher* up to here; *bis hierher und nicht weiter* this far and no further; *komm hierher* come here; **hierher kommen** *vi*, come here; **hiermit** *adv*, with this; *(tt; Amtsspr.) hiermit erkläre ich, dass* I hereby declare that; **hiervon** *adv*, from this, of this; **hierzu** *adv*, about this, for this; **hierzulande** *adv*, around here, in this country; **hierzwischen** *adv*, in between

Hieroglyphe, *sub, f, -, -n* hieroglyph

hiesig, *adj*, local

hieven, *vt*, heave

hiezwischen, *adv*, in between

Hi-Fi, *sub*, hi-fi; **~-Anlage** *sub, f, -, -n* hi-fi system

high, *adj*, *(ugs.)* high; **Highlight** *sub, n, -s, -s* highlight; **Hightech** *sub, m, -s, nur Einz.* high-tech; **Highway** *sub, m, -s, -s* highway

Hijacker, *sub, m, -s, -* hijacker

Himbeere, *sub, f, -, -n* raspberry; **Himbeergeist** *sub, m, -es, -* raspberry brandy; **Himbeersaft** *sub, m, -es, -säfte* raspberry juice

Himmel, *sub, m, -s, -* sky; *(i. ü. S.)* heaven; *am Himmel* in the sky; *der Himmel auf Erden* heaven on earth; *im siebten Himmel sein* be on cloud nine; *unter freiem Himmel* in the open air; *unter südlichem Himmel* under southern skies; *wie aus heiterem Himmel* out of the blue; **himmelan** *adv*, *(veraltet)* up towards the heaven; **himmelangst** *adj*, scared to death; **~fahrt** *sub, f, -, -en (Christi)* Ascension; *(Mariä)* Assumption; **~reich** *sub, n, -s, -* kingdom of heaven; **~sachse** *sub, f, -, -* axis; **~sbahn** *sub, f, -, -en* axis; **~skörper** *sub, m, -s, -* celestial body; **~skugel** *sub, f,*

..., in solche, ..., nach, sub, n, -es, - firmament; **himmelwärts** *adv*, heavenwards; **himmlisch** *adj*, heavenly; *der Himmlische Vater* our Father in Heaven

hin, *adv*, there; *(an)* along; *(auf etwas)* as a result of; *(bis)* as far as, up to; *(hinsichtlich)* concerning; *(nach, auf, zu)* to, towards; *(über)* over; *hin und zurück* there and back; *auf meinen Rat hin* on my advice; *bis zu dieser Stelle* up to this point; *auf die Gefahr hin* even at the risk of; *nach aussen hin* outwardly; *gegen Mittag* towards midday

hinab, *adv*, down; **~fahren** *vi*, drive down, go down; **~fallen** *vi*, fall down; **~reißen** *vi*, drag down; **~senken** *vt*, low down; **~sinken** *vi*, go down; **~steigen** *vi*, go down; **~stürzen** *vi*, fall down; *(Treppe)* rush downstairs; **~tauchen** *vi*, dive down; **~ziehen** *vt*, pull down

hinan, *adv*, up

hinarbeiten, (1) *vi*, *(auf)* work towards (2) *vr*, *(sich)* work one´s way towards

hinauf, *adv*, up, upwards; *den Berg hinauf* up the hill; *die Treppe hinauf* up the stairs; *hier/dort hinauf* up here/there; **~dürfen** *vi*, be allowed to go upwards; **~führen** (1) *vi*, go up there (2) *vt*, take so up; **~gehen** (1) *vi*, walk up; *(hinaufführen)* go up; *(Treppe)* go upstairs (2) *vt*, *(Berg, Weg etc)* walk up; **~können** *vti*, be able to get up there; **~lassen** *vi*, let go up; **~müssen** *vi*, have to go up; **~sollen** *vi*, should go up; **~steigen** *vti*, climb up, go up; **~ziehen** (1) *vi*, move up (2) *vr*, *(sich)* pull o.s. up (3) *vt*, pull up

hinaus, *adv*, out, outside; *auf Jahre hinaus* for years; *hier hinaus* out here; *hinaus aus* out of, out of; *hinaus damit* out with it; *zum Fenster hinaus* out of the window; **~beugen** *vr, (sich)* lean out; **~dürfen** *vti,* be allowed to go out; **~ekeln** *vt,* freeze out; **~fahren** *vti,* drive out; **~finden** *vi,* find one´s way out; **~führen** (1) *vi,* lead out (2) *vt,* take out; **~gehen** *vi,* go out, leave; *darüber hinausgehen* go beyond; *das Zimmer geht auf den Park hinaus* looks out onto the park; **~kommen** *vi,* come out, get out; *(i. ü. S.)* get further than; **~können** *vti,* can get out; **~lassen** *vt,* let out; **~laufen** *vi,* run out; *(i. ü. S.; auf)* end up in; *(i. ü. S.) auf etwas hinauslaufen* lead to sth; **~müssen** *vi,* have to go out; **~schieben** *vt,* push out; *(i. ü. S.)* postpone; **~tragen** *vt,* carry out

hinauswagen, *vr, (sich)* venture out; **hinauswerfen** *vt,* throw out; *(i. ü. S.; jmd. entlassen)* give the sack; **hinauswollen** *vi,* want to get out; *(i. ü. S.; auf)* drive at; *auf etwas bestimmtes hinauswollen* have sth particular in mind; *worauf willst du hinaus?* what are you driving at?; **hinausziehen** (1) *vi,* move out (2) *vr, (sich)* drag on (3) *vt,* pull out; *(i. ü. S.)* drag out; **hinauszögern** (1) *vr, (sich)* take longer than expected (2) *vt,* put off

hinbekommen, *vt,* manage sth all right

hinblättern, *vt, (i. ü. S.; Geld)* shell out

Hinblick, *sub, m, -s, - (im - auf)* in view of, regarding

hinderlich, *adj,* obstructive; *(sein)* be in so´s way; **hindern** *vt,* block, hinder; *(jemand daran)* prevent so from; **Hindernis** *sub, n, -ses, -se* barrier, obstacle; **Hindernislauf** *sub, m, -es, -läufe* steeplechase; **Hindernisrennen** *sub, n, -s, -* steeplechase

hindeuten, *vi, (auf)* point to

Hindi, *sub, n, -s,* nur Einz. Hindi; **Hindu** *sub, m, -s, -s* Hindu; **Hinduismus** *sub, m, -s,* nur Einz. Hinduism; **hinduistisch** *adj,* Hindu

hindurch, *adv,* through; *die ganze Nacht durch* all night through; *durch etwas hindurch* through sth; *mitten hindurch* straight through the middle

hineintappen, *vi,* walk into; *(i. ü. S.)* get caught up; **hineintragen** *vi,* carry in; **hineintreten** *vi,* step in, walk in; **hineinversetzen** *vr, (sich)* put o.s. in s.o´s position; **hineinwagen** *vr,* venture in; **hineinwollen** *vi,* want to get in; **hineinziehen** *vt,* pull in; *(i. ü. S.)* drag so into sth

Hinfahrt, *sub, f, -, -en* journey there

hinfallen, *vi,* fall down; *(Person)* fall over

hinfällig, *adj, (gebrechl.)* frail; *(ungültig)* invalid; **Hinfälligkeit** *sub, f, -, -en (Gebrechlichk.)* frailty; *(Ungültigk.)* invalidity

hinfort, *adv,* from now on; *(veraltet)* henceforth

Hingabe, *sub, f, -, -n* devotion; *(selbstvergessen)* with abandon; **hingabefähig** *adj,* devoted

hingeben, (1) *vr, (sich)* devote o.s. to (2) *vt, (opfern)* sacrifice; **hingebungsvoll** *adv,* devotedly; **hingegen** *adv,* however; **hingegossen** *adj, (ugs.; wie)* have draped oneself over; **hingehen** *vi,* go there; *(besuchen)* go to see so; *wo gehst Du hin* where are you going?; *wo kann man hier hingehen? (ausgehen)* what sort of places can you go to around here?; **hingerissen** *adj,* fascinated; *hingerissen der Musik lauschen* be carried away by the music; **hinhalten** *vt,* hold out; *(i. ü. S.; warten lassen)* keep so hanging; **hinhauen** (1) *vi,* hit; *(i. ü. S.; klappen)* work (2) *vt, (hinwerfen)* slam; **hinken** *vi,* limp; *(i. ü. S.) der Vergleich hinkt* the metaphor doesn´t work; **hinlänglich** *adv,* sufficiently; **hinlegen** (1) *vr, (sich)* lie down (2) *vt,* lay down, put down; *sich hinlegen* to lie down; **hinnehmen** *vt,* accept;

(dulden) put up with; **hinreichen** *vt*, hand; **hinreichend** *adj*, enough, sufficient

Hinreise, *sub*, *f*, -, -*n* trip there; **hinreißend** *adj*, fascinating; **hinrichten** *vt*, execute; *(herrichten)* get ready; **Hinrichtung** *sub*, *f*, -, -*en* execution; **hinschaukeln** *vt*, *(ugs.)* get things right; **hinschicken** *vt*, send; **hinschieben** *vt*, *(jmd. etwas)* push sth over to s.b.; **hinschlagen** *vi*, hit, strike; **hinschleppen** (1) *vr*, *(sich)* drag o.s. along; *(Zeit: sich)* drag on (2) *vt*, drag along; **hinschmeißen** *vt*, throw down; **hinsehen** *vi*, look; **hinsetzen** (1) *vr*, *(sich)* sit down (2) *vt*, put down; **Hinsicht** *sub*, *f*, -, - on that score; **hinsichtlich** *präp*, concerning, regarding

Hinspiel, *sub*, *n*, -*es*, -*e (spo.)* first leg; **hinstellen** (1) *vr*, *(sich)* stand up (2) *vt*, put; **hinstrecken** (1) *vr*, *(sich)* stretch out (2) *vt*, stretch out

hintanhalten, *vi*, hold back; **hintansetzen** *vt*, put last; *(vernachlässigen)* neglect

hinten, *adv*, at the back, at the back of; *sich hinten anstellen* join the queue; *von hinten* from behind; **~ansetzen** *vt*, put last; **~drauf** *adv*, on the back; **~herum** *adv*, around the back; *(i. ü. S.: erfahren)* through the grapevine

hinter, (1) *adj*, back, rear (2) *präp*, in the back of; *(zeitl.)* after; *hinter dem Hügel hervor* from behind the hill; *hinter meinem Rücken* behind my back; *hinter sich bringen* get sth over with; *hinter sich lassen* leave behind; *viel hinter sich haben* have been through a lot; *die hinteren Wagen* the rear coaches; *hinteres Ende* far end; **Hinterachse** *sub*, *f*, -, -*n* rear axle; **Hinterbacke** *sub*, *f*, -, -*n* buttock; **Hinterbliebene** *sub*, *m*, -*n*, -*n* dependent; *(Traueranzeige)* bereaved; **~bringen** *vt*, inform so; **~drein** *adv*, behind; *(zeitl.)* after; **~einander** *adv*, one behind the other, one by one; *einer nach dem*

unteren one after the other, sie liegen dicht hintereinander they were running close behind one another; **~einander gehen** *vi*, walk in single file; **~fragen** *vt*, question; **Hinterfront** *sub*, *f*, -, -*en* back side; **Hintergedanke** *sub*, *m*, -*ns*, -*n (negativ)* ulterior motive; *einen Hintergedanken bei etwas haben* have an ulterior motive; **~gehen** *vt*, deceive; **Hintergehung** *sub*, *f*, -, -*en* deception; **Hintergrund** *sub*, *m*, -*es*, -*gründe* background; *den Hintergrund einer Sache bilden* form the background to sth; *jmdn in den Hintergrund drängen* push so into the background; *sich im Hintergrund halten* keep out of the way; **~gründig** *adj*, subtle; *(tief)* profound; **~haken** *vi*, *(ugs.)* question; **Hinterhalt** *sub*, *m*, -*es*, -*e* ambush; *(i. ü. S.) etwas im Hinterhalt haben* have sth up one´s sleeve; *im Hinterhalt liegen* lie in ambush; **~hältig** *adj*, underhanded

Hinterhand, *sub*, *f*, -, - *(Pferd)* hindquarters; **Hinterhaupt** *sub*, *n*, -*es*, -*häupte* back of the head; **hinterher** *adv*, after, behind; *(zeitl.)* afterwards; **Hinterlader** *sub*, *m*, -*s*, - breech-loader; **hinterlassen** *vt*, leave; *eine Nachricht hinterlassen* leave a message; *jmdm etwas hinterlassen* leave sth to so; **Hinterlassenschaft** *sub*, *f*, -, -*en* estate; *(i. ü. S.)* bequest; **hinterlegen** *vt*, deposit; **Hinterleger** *sub*, *m*, -*s*, - person who pays the deposit; **Hinterlegung** *sub*, *f*, -, -*en* depositing; **Hinterlist** *sub*, *f*, -, - cunning; **hinterlistig** *adj*, cunning, deceitful; **hintermauern** *vt*, reinforce a wall; **Hintern** *sub*, *m*, -, - backside, bottom; *du kriegst gleich ein paar auf den Hintern* you´ll get your bottom smacked; *ich hätte mich in den Hintern beißen können* I could have kicked myself;

Hinterrad *sub, n, -es, -räder* rear wheel; **Hinterreifen** *sub, m, -s, -* back tyre; *(US)* back tire

hinterrücks, *adv*, from behind; *(i. ü. S.)* behind so´s back; **hintersinnen** *vr*, scrutinize; **hintersinnig** *adj*, with a deeper meaning; **hintertreiben** *vt*, counteract, obstruct; **Hintertreppe** *sub, f, -, -n* back stairs; **Hinterwäldler** *sub, m, -s, -* backwoodsman; **hinterwärts** *adv*, backwards; **hinterziehen** *vt*, evade

hinüber, *adv*, over there; **~gehen** *vi*, go over; *(i. ü. S.)* pass away

hinunter, *adv*, down; *da hinunter* down there; *den Hügel hinunter* down the hill; *die Treppe hinunter* down the stairs; **~gehen** *vi*, go down, lead down

Hinweis, *sub, m, -es, -e* clue, indication, tip; *(Verweis)* reference; *anonymer Hinweis* anonymous tip-off; *mit Hinweis auf* referring to; **hinweisen (1)** *vi*, point to, refer to **(2)** *vt*, point sth out to so

hinwerfen, **(1)** *vr*, *(sich)* throw o.s. down **(2)** *vt*, *(i. ü. S.; aufgeben)* give up; **hinwiederum** *adv*, once again; **hinziehen (1)** *vi*, move **(2)** *vr*, *(sich -, zeitl.)* drag on; *(sich - räumlich)* stretch **(3)** *vt*, pull there; *(i. ü. S.; sich hingezogen fühlen)* be drawn to; *(i. ü. S.; verzögern)* drag out; **hinzielen** *vi*, *(auf)* aim at; *(Bemerkung)* be directed at

hinzu, *adv*, in addition; **~dichten** *vt*, add some imagination; **~fügen** *vt*, add; *(beifügen)* enclose; **Hinzufügung** *sub, f, -, -en* addition; *unter Hinzufügung von* in addition; **~kaufen** *vt*, buy in addition to; **~kommen** *vi*, be added to sth; *(i. ü. S.)* es kommt noch dazu, dass* there is also the fact that; **~lernen** *vi*, learn in addition; **~rechnen** *vt*, add to; **~treten** *vi*, add to

Hiobsbotschaft, *sub, f, -, -en* bad news

Hippie, *sub, m, -s, -s* hippy

Hippodrom, *sub, m, -s, -e* hippodrome

Hirn, *sub, n, -es, -e* brain; *(Verstand)* brains; **~blutung** *sub, f, -, -en* cerebral haemorrhage; *(US)* cerebral hemorrhage; **~gespinst** *sub, n, -es, -e* crazy idea; *(Einbildung)* delusion; **~schaden** *sub, m, -s, -schäden* brain damage; **hirnverletzt** *adj*, brain injured; **~windung** *sub, f, -, -en* brain convolution

Hirsch, *sub, m, -es, -e* deer; *(männl.)* stag; **~geweih** *sub, n, -es, -e* stag´s antlers; **~käfer** *sub, m, -s, -* stag beetle; **hirschledern** *adj*, buckskin

Hirse, *sub, f, -, -* millet

Hirt, *sub, m, -es, -en* herdsman; **~e** *sub, m, -ns, -n* herdsman; *der gute Hirte* the Good Shepherd; **~enbrief** *sub, m, -es, -e* *(theol.)* pastoral letter; **~enflöte** *sub, f, -, -flöten* flute

Hispanistin, *sub, f, -, -nen* Hispanist

hissen, *vt*, hoist

Histamin, *sub, n, -s, -e* histamine

Histologie, *sub, f, -, nur Einz.* *(med.)* histology; **histologisch** *adj*, histological; **Historie** *sub, f, -, -n* history; **Historik** *sub, f, -, nur Einz.* history; **Historiker** *sub, m, -s, -* historian; **Historikerin** *sub, f, -, -nen* historian; **Historiograf** *sub, m, -en, -en* historiographer; **historisch** *adj*, historic; **Historismus** *sub, m, -es, nur Einz.* historicism; **historistisch** *adj*, historicist

Hit, *sub, m, -s, -s* hit

Hitze, *sub, f, -, -n* heat; **~ferien** *sub, f, -, -* be off school because of the heat; **~periode** *sub, f, -, -n* hot spell; **~schild** *sub, n, -es, -er* heat shield; **~welle** *sub, f, -, -n* heat wave; *(med.)* hot flushes; **hitzig** *adj*, quick-tempered; *(Debatte)* heated; **Hitzkopf** *sub, m, -es, -köpfe* hothead; **Hitzschlag** *sub, m, -s, -schläge* heatstroke

Hobby, *sub, n, -s, -s* hobby

Hobel, *sub,* *(Küche)* slicer;

(Werk...) plane, **bank und**, *f*, *, -bänke carpenter´s bench

hobeln, *vt*, plane

hoch, (1) *adj*, high; *(Ansehen)* high; *(Gestalt, Haus, Baum)* tall; *(Strafe)* heavy **(2)** *Hoch sub, n, -s, -s (-ruf)* cheers; *(meteor.)* high; *das hohe Mittelalter* the High Middle Ages; *der hohe Norden* the far north; *drei Meter hoch sein* be three metres high; *eine hohe Meinung haben von* think very highly of; *hoch oben* high up; *hoch spielen* play high; *hoher Offizier* high-ranking officer; *hohes Gericht* high court; *lebe hoch!* three cheers for; *zu hoch einschätzen* overestimate; **Hochachtung** *sub, f, -, nur Einz. (Bewunderung)* admiration; *bei aller Hochachtung vor* with all respect to; *mit vorzüglicher Hochachtung (Brief)* yours faithfully; **~achtungsvoll** *adv, (Briefschluss)* Yours sincerely; *(Briefschluss, US)* Yours truly; **Hochadel** *sub, m, -s, -* higher nobility; **~aktuell** *adj*, highly topical; **~arbeiten** *vr, (sich)* work one´s way up; **Hochbahn** *sub, f, -, -en* elevated railway; *(US)* elevated railroad; **~beglückt** *adj*, extremely happy; **~bekommen** *vt*, get lifted up; **~berühmt** *adj*, very famous; **Hochbetrieb** *sub, m, -s, -e* peak hours; *(Hochsaison)* peak season; **~bringen** *vt*, bring up, lift; *eine Firma/Kranken wieder hochbringen* get a company/sick person back on its/her feet; **Hochburg** *sub, f, -, -en (i. ü. S.)* stronghold; **Hochdeutsch** *sub, n, -s, nur Einz.* High German; **Hochdeutsche** *sub, n, -n, nur Einz.* German

Hochdruck, *sub, m, -s, -drücke* high pressure; *(Blut-)* high blood pressure; **~gebiet** *sub, n, -s, -e* high-pressure area; **Hochebene** *sub, f, -n* plateau; **hocherfreut** *adj*, delighted; **hochexplosiv** *adj*, highly explosive; **hochfahrend** *adj*, overbearing; **hochfliegen** *vi*, soar up; *(explodieren)* blow up; **hochflie-**

gend *adj; ambitious;* **Hochform** *sub, f, -, -en* in top form; **hochfrequent** *adj*, high-frequency; **hochgebildet** *adj*, erudite; **Hochgebirge** *sub, n, -s, -* high mountain region; **hochgeboren** *adj*, noble born; **hochgelehrt** *adj*, very learned; **hochgespannt** *adj, (Erwartungen)* high; *(Strom)* high-voltage; *(tech.)* high-pressure; **hochgestellt** *adj*, high-ranking; **hochglänzend** *adj*, high polished; **hochgradig** *adj*, extreme, intense

hochhalten, *vt*, hold-up; *(Andenken, Gefühl)* cherish; *(Tradition)* uphold; **Hochhaus** *sub, n, -es, -häuser* tower block; **hochheben** *vt*, lift up; **hochkant** *adv*, on end; **hochkarätig** *adj*, high-carat; *(i. ü. S.)* high-calibre; *(i. ü. S.; US)* high-caliber; **hochklappen** *vt*, fold up, turn up; **hochklettern** *vi*, climb up; **hochkrempeln** *vt*, roll up; **hochkurbeln** *vt*, wind up; **Hochland** *sub, n, -s, -länder* highlands; **hochländisch** *adj*, highland; **hochleben** *vi, (lassen)* cheer; *hochleben lassen* give so three cheers; **Hochleistung** *sub, f, -, -en* high-performance; *(tech.)* high-capacity; **hochlöblich** *adj*, most esteemed; **hochmodisch** *adj*, very fashionable; **Hochmut** *sub, m, -s, nur Einz.* arrogance; *Hochmut kommt vor dem Fall* pride goes before a fall; **hochmütig** *adj*, arrogant

hochnäsig, *adj*, snooty; **Hochnebel** *sub, m, -s, -* low stratus; **Hochofen** *sub, m, -s, -öfen (tt; tech.)* blast furnace; **Hochparterre** *sub, n, -s, -s* raised ground-floor; **hochpreisen** *vt*, praise (highly); **hochpreisig** *adj*, expensive, high-priced; **hochräderig** *adj*, high-wheeled; **hochrappeln** *vr, (ugs.)* struggle to one´s feet; *er hat ein Vermögen an der Börse verloren, aber inzwischen hat er sich wieder hochgerappelt* he lost a fortune on the stock market, but he´s back (on his feet) again now; *(ugs.) er lag schon im Sterben; kaum zu glauben, daß er sich wieder hochgerappelt hat* he was on his deathbed; incredible the way he´s up and about again; *nach einem kurzen Rast, rappelten wir uns wieder hoch* after a short rest, we struggled to our feet again; **hochrechnen** *vt*, make a projected estimate; *wie haben Sie das hochgerechnet? die Zahl kann nicht stimmen* how did you make your projected estimate? the figure can´t be right; **Hochrechnung** *sub, f, -, -en* projected estimate; **Hochruf** *sub, m, -s, -e* cheer; *die Menge hat die Astronauten mit Hochrufen empfangen* the crowd welcomed the astronauts with cheers; **Hochschätzung** *sub, f, -, -en* high esteem, respect; *er genießt die Hochschätzung seiner Mitarbeiter* his colleagues hold him in high esteem; *früher hat man alte Menschen mit Hochschätzung behandelt, aber heutzutage* old people used to be treated with respect, but these days; **hochschieben** *vt*, push up; **hochschlagen (1)** *vi, (i. ü. S.)* run high **(2)** *vt*, hit up (in the air), turn up; *nach dem dritten Unfall innerhalb einer Woche, schlug eine Welle der Empörung hoch* after the third accident within a week feelings of outrage ran high, *er schlug den Ball so hoch, dass* he hit the ball up so high that; **Hochschrank** *sub, m, -s, -schränke* cupboard; **Hochschule** *sub, f, -, -n* university; **Hochschüler** *sub, m, -s, -* university student

Hochseejacht, *sub, f, -, -en* oceangoing yacht; **Hochseil** *sub, n, -s, -e* high-wire; **Hochsitz** *sub, m, -s, -e* raised hide; **Hochsommer** *sub, m, -s, -* midsummer; **Hochspannung** *sub, f, -, -en* high voltage; *(i. ü. S.)* great suspense; *Vorsicht! Hochspannung!* Danger! High voltage!;

man hat auf die Wahlergebnisse mit Hochspannung gewartet the outcome of the elections was waited for with great suspense; **hochspielen** *vt*, play (an affair) up; *die Zeitungen haben unerhebliche Einzelheiten hochgespielt* the newspapers played up (the importance of) trivial details; *etwas künstlich hochspielen* to make an issue of something; **hochspringen** *vi*, jump up (from a chair); **Hochsprung** *sub, m, -s, -sprünge (tt; spo.)* high jump; **höchst** *adj*, extreme, highest, maximum, uppermost; *mit höchster Konzentration* with extreme concentration; *auf dem höchsten Berg* on the highest mountain; *es ist höchste Zeit* it´s high time; *im höchsten Maße* to the highest degree; *höchste Personenzahl* maximum number of people allowed; *mit höchster Verachtung* with utmost contempt; **hochstämmig** *adj*, lofty (of trees), tall; **Hochstapelei** *sub, f, -, -en* fraud, swindle; **hochstapeln** *vi*, cheat, swindle; **Hochstapler** *sub, m, -s, -* cheat, swindler

Höchstbetrag, *sub, m, -s, -beträge* limit, maximum amount; *bis zu einem Höchstbetrag von* to the limit of; **hochsteigen** *vti*, climb up; **hochstellen** *vt*, put up; **höchstens** *adv*, at (the) most; *nach höchstens 5 Minuten* after 5 minutes at the most; *wir gewinnen höchstens einen 2 Platz* we´ll win second place at the most; **höchstfalls** *adv*, at (the) most; **Höchstgeschwindigkeit** *sub, f, -, -en* maximum speed, speed limit; **Höchstgrenze** *sub, f, -, -n* limit; **Hochstimmung** *sub, f, -, -en* high spirits; *das Geschäft lief; er war in Hochstimmung* business was doing well; he was in high spirits; **Höchstpreis** *sub, m, -es, -e* maximum price; **Höchststand** *sub, m, -s, -stände* highest level, peak; **höchststrafe** sub, f, -, -n maximum penalty; **Höchststufe** sub, f, -, -n highest level; **höchstwahrscheinlich** adv, most probably; **Hochtourist** sub, m, -en, -en mountaineer; **hochtrabend** adj, bombastic, high-sounding; **hochverdient** adj, highly deserving, most worthy

hochverehrt, adj, honoured; **Hochverrat** sub, m, -s, -räte high treason; **Hochverräter** sub, m, -s, - traitor; **Hochwasser** sub, n, -s, - flood; **hochwertig** adj, first-rate, high quality; **hochwirbeln** vt, whirl up; **hochwirksam** adj, highly effective; **Hochwürden** sub, Your Reverence; **hochwürdigst** adj, (tt; theol.) Host; **Hochzahl** sub, f, -, -en (tt; mat.) exponent

Hochzeit, sub, f, -, -en wedding; **~erin** sub, f, -, -nen (obs.) bride; **~sreise** sub, f, -, -n honeymoon; **~stag** sub, m, -s, -e wedding-day

Hocker, sub, m, -s, - stool; **Höcker** sub, m, -s, - hump, protuberance; einen Höcker haben be hunch-backed; ein Kamel mit einem Höcker a single-humped camel; **höckerig** adj, humpy, uneven; **Höckerschwan** sub, m, -s, -schwäne (zool.) common swan

Hockey, sub, n, -s, nur Einz. hockey

Hockstellung, sub, f, -, -en squatting position

Hode, sub, m, -n, -n (med.) testicle; **~n** sub, m, -s, - (vulg.) balls

Hodometer, sub, n, -s, - pedometer

hoffen, vti, hope (for); **~tlich** adv, hopefully; **Hoffnung** sub, f, -, -en hope; eine Hoffnung begraben to abandon a hope; jemandem keine Hoffnungen machen not to hold out any hopes for someone; sich Hoffnungen machen to have hopes; **hoffnungslos** adj, hopeless; **hoffnungsvoll** adj, hopeful, promising

hofieren, vt, court, flatter

höfisch, adj, courtly

höflich, adj, civil, polite; **Höflichkeit** sub, f, -, nur Einz. courtesy,

hofmännisch, adj, courtierlike; **Hofmarschall** sub, m, -s, -schälle Master of Ceremonies; **Hofnarr** sub, m, -en, -en court-jester; **Hofrat** sub, m, -s, -räte Privy Council; **Hofschranze** sub, f, -, -n courtier, flunkey; **Hofstaat** sub, m, -es, -en retinue, royal household

HO-Geschäft, sub, n, -s, -e state retail shop (DDR)

Höhe, sub, f, -, -n altitude, height, summit; das Flugzeug erreichte eine Höhe von the plane reached an altitude of; Höhe messen to measure altitude; (i. ü. S.) auf der Höhe sein be at the height of one´s powers; in schwindelnder Höhe at a giddy height; sich in seiner ganzen Höhe aufrichten to draw oneself up to one´s full height; die Höhe gewinnen reach the summit; (i. ü. S.) er ist auf der Höhe seiner Leistungsfähigkeit angelangt he has reached the peak of his potential

Hoheit, sub, f, -, -en sovereignty, Your Highness; **~srecht** sub, n, -s, -e sovereign rights; hoheitsvoll adj, majestic; **~szeichen** sub, n, -s, - insignia, national colours

Höhenangabe, sub, f, -, -n (tt; tech.) altitude reading; **höhengleich** adj, level; **Höhenkrankheit** sub, f, -, nur Einz. altitude sickness; **Höhenkurort** sub, m, -s, -örter high-altitude health resort;; **Höhenmesser** sub, m, -s, - (tt; tech.) altimeter; **Höhenrücken** sub, m, -s, - crest, ridge; **Höhensonne** sub, f, -, -n ultraviolet lamp; **Höhensteuer** sub, n, -s, - (tt; tech.) elevator (control); **Höhenweg** sub, m, -s, -e mountain path; **Höhenzug** sub, m, -s, -züge mountain chain

Hohepriester, sub, m, -s, - high priest

höher, adj (comp), higher; etwas

höher bewerten to rate something higher (more highly); *höher als* higher than; *(i. ü. S.) ihre Herzen schlugen höher* their hearts beat faster; **~rangig** *adj*, higher-ranking; **Höherstufung** *sub, f, -en* upgrading

hohl, *adj*, hollow, shallow; *eine hohle Nuß* an empty nut; *eine hohle Stimme* a hollow voice; *in der hohlen Hand* in the hollow of one´s hand; *(i. ü. S.) hohles Geschwätz* stupid chatter

Höhle, *sub, f, -, -n* cave, den, socket; *(ugs.) sich in die Höhle des Löwen begeben* to venture into the lion´s den; **höhlen** *vt*, excavate, hollow out; **~nbär** *sub, m, -en, -en* cave-bear; **~nbrüter** *sub, m, -s, -* (zool.) bird that nests in caves; **~nmalerei** *sub, f, -, -en* cave-painting; **~nmensch** *sub, m, -en, -en* cave-dweller

Hohlheit, *sub, m, -, -en* hollowness; **Hohlkopf** *sub, m, -s, -köpfe* empty-headed person; **Hohlmaß** *sub, n, -es, -e (tt)* dry/liquid/cubic measure; **Hohlraum** *sub, m, -s, -räume* cavity, hollow space; **Hohlspiegel** *sub, m, -s, -* concave mirror

Hohn, *sub, m, -s, -* derision, mockery, scorn; *zum Spott und Hohn werden* to become an object of derision; *das ist der reinste Hohn* that´s sheer mockery; *jemanden mit Spott und Hohn überschütten* to heap scorn on somebody; **~ lachen** *vi*, laugh derisively; **höhnen** *vi*, deride, mock; **höhnisch** *adj*, derisive, scornful; **hohnlächeln** *vi*, smile derisively; **hohnsprechen** *vi*, defy, deride; *(geh.) das spricht der Vernunft Hohn* that flies in the face of all reason

Höker, *sub, m, -s, -* hawker, pedlar; **hökern** *vi*, hawk

hold, *adj*, favourable; *(geh.)* lovely; *(geh.) das Glück war ihm hold* luck was on his side; *(geh.) das holde Antlitz* the fair (lovely) face; *die holde Weiblichkeit* the fair sex

Holdinggesellschaft, *sub, f, -, -en (tt; wirt.)* holding company

holen, *vt*, catch, fetch; *sich den Tod holen* to catch one´s death; *sich eine Erkältung holen* to catch a cold; *(ugs.) der Teufel soll dich holen!* the devil take you!; *jemanden ans Telefon holen* to fetch so to the phone

Holländerin, *sub, f, -, -nen* Dutchwoman; **holländisch** *adj*, Dutch; **Holländische** *sub, n, -n, -* Dutch

Hölle, *sub, f, -, -n* hell; *der Fürst der Hölle* the Prince of Darkness; *(ugs.) die Hölle ist los* all hell has broken loose; *(i. ü. S.) jemandem die Hölle heiß machen* to give so hell; **~nfahrt** *sub, f, -, -en (theol.)* descent into hell; **höllisch** *adj*, dreadful, hellish

Holm, *sub, m, -s, -e (arch.)* cross-beam; *(geogr.)* islet; *(spo.)* bar

Holocaust, *sub, m, -s, -s* holocaust

Holografie, *sub, f, -, -n* holography; **holografisch** *adj*, holographic

holperig, *adj*, clumsy; rough; **Holp(e)rigkeit** *sub, f, -, nur Einz.* clumsiness, roughness

Holster, *sub, n, -s, -* holster

Holunder, *sub, m, -s, -* elderberry

Holz, *sub, n, -es, Hölzer* wood; **~bein** *sub, n, -es, -e* wooden leg; **holzen** *vi*, cut down (trees); **hölzern** *adj*, wooden; *(i. ü. S.)* stiff; **holzfrei** *adj*, free from wood; **~haus** *sub, n, -es, -häuser* wooden house; **holzig** *adj*, wooden; **~kohle** *sub, f, -, -n* charcoal; **~schnitt** *sub, m, -s, -e* wood-engraving; **~stoß** *sub, m, -s, -stöße* woodpile; **~weg** *sub, m, -s, -e* timber track; *(i. ü. S.)* be mistaken; *auf dem Holzweg sein* to be on the wrong track; *(i. ü. S.) er ist mit seinen Vorstellungen völlig auf dem Holzweg* he´s not going to get anywhere with his ideas; **~wolle** *sub, f, -, -n* fine wood shavings; **~wurm** *sub, m, -s, -*

Wurmer woodworm

Homeland, *sub*, *n*, *-*, *-s* homeland

Homespun, *sub*, *n,m*, *-s*, *-s* home-spun

homiletisch, *adj*, *(theol.)* homiletic

Hommage, *sub*, *f*, *-*, *-n* homage

Homoerotik, *sub*, *f*, *-*, *nur Einz.* homoeroticism; **homoerotisch** *adj*, homoerotic

homogen, *adj*, homogeneous; **~isieren** *vt*, homogenize; **Homogenität** *sub*, *f*, *-*, *nur Einz.* homogeneity; **homologieren** *vti*, homologize

Homöopath, *sub*, *m*, *-en*, *-en* homoeopath; **~ie** *sub*, *f*, *-*, *nur Einz.* homoeopathy; **~in** *sub*, *f*, *-*, *-nen* female homoeopath(-ist); **homöopathisch** *adj*, homoeopathic

homophil, *adj*, homosexual

Homosexualität, *sub*, *f*, *-*, *nur Einz.* homosexuality; **homosexuell** *adj*, homosexual; **Homosexuelle** *sub*, *m,f*, *-n*, *-n* homosexual, lesbian (f.)

Homunkulus, *sub*, *m*, *-*, *-e* o. *-li* homuncule

honduranisch, *adj*, Honduran

Honig, *sub*, *m*, *-s*, *-e* honey; **~kuchen** *sub*, *m*, *-s*, *-* gingerbread; **~lecken** *sub*, *n*, *-s*, *nur Einz.* (ugs.) bed of roses; *(ugs.) das Leben ist kein Honiglecken* life is not a bed of roses; **honigsüß** *adj*, honey-sweet

Honneurs, *sub*, *nur Mehrz.* honours; *die Honneurs machen* to do the honours; **honorabel** *adj*, honourable; **Honorar** *sub*, *n*, *-s*, *-e* fee; **Honoratioren** *sub*, *nur Mehrz.* local dignitary; **honorieren** *vt*, appreciate, pay (a fee); **Honorierung** *sub*, *f*, *-*, *-en* payment; **honorig** *adj*, decent

Hooligan, *sub*, *m*, *-s*, *-s* hooligan

Hopfen, *sub*, *m*, *-s*, *-* (bot.) hop; **~stange** *sub*, *f*, *-*, *-n* hop-pole

hopsen, *vi*, hop

hops nehmen, *vi*, (vulg.) nab (a thief)

hörbar, *adj*, audible

horchen, *vi*, eavesdrop, listen;

sprich leiser! man Nebentisch horcht jemand speak more softly! someone is eavesdropping; **Horchposten** *sub*, *m*, *-s*, *-* (tl; mil.) listening post, sentry

Horde, *sub*, *f*, *-*, *-n* horde; *(i. ü. S.)* mob; **hordenweise** *adv*, in hordes

hörig, *adj*, enslaved; **Hörigkeit** *sub*, *f*, *-*, *nur Einz.* subjection

Horizont, *sub*, *m*, *-s*, *-e* horizon; **horizontal** *adj*, horizontal; **~ale** *sub*, *f*, *-*, *-n* horizontal line

Hormon, *sub*, *n*, *-s*, *-e* hormone

Horn, *sub*, *n*, *-s*, *Hörner* bugle, horn; **Hörnchen** *sub*, *n*, *-s*, *-* croissant (Fr.), ice-cream cone, small horn; **Hörnerschall** *sub*, *m*, *-s*, *-e* o. *-schälle* sound of bugles; **~haut** *sub*, *f*, *-*, *-häute* horny skin; *(anat.)* cornea; **hornig** *adj*, horny

Hornisse, *sub*, *f*, *-*, *-n* hornet

Horoskop, *sub*, *n*, *-s*, *-e* horoscope

horrend, *adj*, (ugs.) awful, exorbitant; *(ugs.) sie hat noch horrende Schmerzen* she´s still in awful pain; *(ugs.) die Mieten sind horrend geworden* rents have become exorbitant

horribel, *adj*, dreadful

Horrido, *sub*, *n*, *-s*, *-s* halloo(ing)

Horror, *sub*, *m*, *-s*, *nur Einz.* horror; *(ugs.) der Abend war ein Horror* it was a ghastly evening; *(ugs.) ich habe einen Horror vor der Prüfung* I´m terrified of the exam; **~trip** *sub*, *m*, *-s*, *-s* (ugs.) terrifying experience; *(ugs.) der Flug war der reinste Horrortrip* it was a terrifying flight

Hörsaal, *sub*, *m*, *-s*, *-säle* lecture hall

Hors-d´oeuvre, *sub*, *n*, *-s*, *-* hors d´oeuvre

Hörspiel, *sub*, *n*, *-s*, *-e* radio play

Horst, *sub*, *m*, *-s*, *-e* eyrie, nest

horsten, *vi*, nest

Hörsturz, *sub*, *m*, *-es*, *-stürze* hearing loss

horten, *vt*, hoard

Hortensie, *sub, f, -, -n* hydrangea
Hörweite, *sub, f, -, nur Einz.* earshot; *außer Hörweite sein* be out of earshot
Hose, *sub, f, -, -n* trousers; **~nbandorden** *sub, m, -s, nur Einz.* Order of the Garter; **~nmatz** *sub, m, -es, -mätze* tiny tot; **~nschlitz** *sub, m, -es, -e* fly; **~ntasche** *sub, f, -, -n* trouser pocket; **~nträger** *sub, m, -s, -* braces
hosianna!, *interj,* hosanna!
Hospital, *sub, n, -s, Hospitäler* hospital
Hospitant, *sub, m, -en, -en* auditor (Am.); **~in** *sub, f, -, -nen* female auditor (Am.); **hospitieren** *vi,* audit (Am.)
Hostie, *sub, f, -, -n (tt; theol.)* Host
Hotdog, *sub, m,n, -s, -s* hot dog
Hotel, *sub, n, -s, -s* hotel; *das Hotel ist belegt* the hotel is booked up; **~betrieb** *sub, m, -s, -e* hotel (business); **~führer** *sub, m, -s, -* hotel guide; **~gewerbe** *sub, n, -s, -* hotel trade; **~ier** *sub, m, -s, -s* hotel-keeper; **~lerie** *sub, f, -, nur Einz.* hotel trade; **~zimmer** *sub, n, -s, -* hotel room
Hotelbar, *sub, f, -, -s* hotel bar
Hotpants, *sub, nur Mehrz.* hot pants
Hottentotte, *sub, m, -n, -n* Hottentot
Hub, *sub, m, -s, Hübe (tt)* lifting capacity; *(tt; tech.)* stroke (of a piston)
Hubertusjagd, *sub, f, -, -en* St. Hubert´s Day Hunt
Hubraum, *sub, m, -s, -räume (tt)* cubic capacity; *(tt; tech.)* cylinder capacity
Hubschrauber, *sub, m, -s, -* helicopter
Hucke, *sub, f, -, -n (ugs.)* load (carried on back); *(ugs.) jemandem die Hucke voll hauen* to give so a good thrashing; *(ugs.) jemandem die Hucke voll lügen* to tell so a pack of lies
hudeln, *vt,* bungle; *nur nicht hudeln!* take it easy!
Huf, *sub, m, -s, -e* hoof; **~beschlag**

sub, m, -s, -schläge horseshoe; **~eisen** *sub, n, -s, -* horseshoe; **~lattich** *sub, m, -s, -e* coltsfoot; **~nagel** *sub, m, -s, -nägel* hobnail
Hüfte, *sub, f, -, -n* hip; **Hüftgelenk** *sub, n, -s, -e* hip joint; **hüfthoch** *adj,* waist-high; **Hüftknochen** *sub, m, -s, -* hip bone
Hügel, *sub, m, -s, -* hill, mound; **hügelig** *adj,* hilly
Hugenotte, *sub, m, -n, -n* Huguenot; **hugenottisch** *adj,* Huguenot
Huhn, *sub, n, -s, Hühner* chicken, hen; *mit den Hühnern aufstehen* to get up at the crack of dawn; *(ugs.) da lachen ja die Hühner* don´t make me laugh; *ein dummes Huhn* a silly goose; **Hühnerauge** *sub, n, -s, -n* corn; **Hühnerbrühe** *sub, f, -, -n* chicken broth; **Hühnerbrust** *sub, f, -, -brüste* chicken breast; **Hühnerdreck** *sub, m, -s, nur Einz.* chicken droppings; **Hühnerei** *sub, n, -s, -er* hen´s egg; **Hühnerleiter** *sub, f, -, -n* henhouse ladder; **Hühnerstall** *sub, m, -s, -ställe* henhouse; **Hühnerzucht** *sub, f, -, -en* chicken farming
Hulamädchen, *sub, n, -s, -* hula-hula girl
Huld, *sub, f, -, nur Einz. (geh.)* favour; *(geh.) sie stand in seiner Huld* she was in his good graces; **huldigen** *vi,* pay homage to, worship; **~igung** *sub, f, -, -en* homage; **huldvoll** *adj,* gracious
Hülle, *sub, f, -, -n* cloak, cover(ing), wrapping; **hüllen (1)** *vr,* wrap up **(2)** *vt,* wrap up; *(i. ü. S.) sich in Schweigen hüllen* to wrap oneself in silence, *(.) er hüllte die Leiche in einen Teppich* he wrapped the corpse in a carpet; *(i. ü. S.) in Flammen gehüllt* enveloped in flames; **hüllenlos** *adj,* uncovered
Hülse, *sub, f, -, -n* case, pod; **~nfrucht** *sub, f, -, -früchte* pulse
human, *adj,* humane; **Humange-**

neilk oder *f, ; нин Eihм kннин* genetics; **~isieren** *vt,* humanize; **Humanismus** *sub, m, -es, nur Einz.* humanism; **Humanist** *sub, m, -en, -en* humanist; **~istisch** *adj,* humanistic; **~itär** *adj,* humanitarian; **Humanität** *sub, f, -, nur Einz.* humaneness, humanity; **Humanmedizin** *sub, f, -, nur Einz.* human medicine

humboldtisch, *adj,* Humboldt-related

Humbug, *sub, m, -(e)s, nur Einz.* nonsense

humid, *adj,* damp, humid; **Humidität** *sub, f, -, -* humidity; **Humifikation** *sub, f, -, nur Einz.* humification; **humifizieren** *vt,* rot

Hummer, *sub, m, -s, -n* lobster; **~suppe** *sub, f, -, -n* lobster soup

Humor, *sub, m, -s, -e* humour; **~eske** *sub, f, -, -n* witty sketch; *(mus.)* humoresque; **~ist** *sub, m, -(e)s, -en* comedian, humorist; **humoristisch** *adj,* humorous; **humorlos** *adj,* humourless; **humorvoll** *adj,* humorous

humpeln, *vi,* limp

Humpen, *sub, m, -s, -* tankard

Humus *sub, m, -, nur Einz.* humus

Hund, *sub, m, -(e)s, -e* dog; *(ugs.) auf den Hund kommen* to go to pot; *(ugs.) damit lockt man keinen Hund hinter dem Ofen vor* that has no appeal; *Vorsicht! bissiger Hund!* beware of the dog; **~eart** *sub, f, -en* breed (of dog); **hundeelend** *adj, (ugs.) ich fühle mich hundeelend* I feel completely wretched; **~ehalter** *sub, m, -s, -* dog owner; **~ehütte** *sub, f, -, -n* kennel; **~ekot** *sub, m, -(e)s, -* dog manure; *(vulg.)* dog shit; **~ekuchen** *sub, m, -s, -* dog biscuit; **hundemüde** *adj, (ugs.)* dead tired; **~erennen** *sub, n, -s, -* dog race

hundert, *adj,* hundred; **~fach** *adj,* hundredfold; **Hundertfache** *sub, n, -n, -n* hundred times, hundredfold; **Hundertjahrfeier** *sub, f, -, -n* centenary celebration; **~malig** *adj,*

hundred times, prozentig (1) *adj,* hundred per cent **(2)** *adv, (ugs.)* absolutely; *(ugs.) ich bin mir hundertprozentig sicher* I´m a hundred per cent sure, *(ugs.) er hat hundertprozentig recht* he´s absolutely right; *(ugs.) mit hundertprozentiger Sicherheit* with absolute certainty; **Hundertsatz** *sub, m, -es, -* percentage; **~st** *adj,* hundredth; **Hundertstel** *sub, n, -s, -* hundredth (part); **~stens** *adv,* hundredth

Hundesperre, *sub, f, -, -n* dog-restriction; **Hundesteuer** *sub, f, -, -n* dog licence; **Hundewetter** *sub, n, -s, -* beastly weather; **Hündin** *sub, f, -, -nen* bitch; **hündisch** *adj,* servile; **Hundsfott** *sub, m, -(e)s, -e* scoundrel; **hundsgemein** *adj, (ugs.)* nasty; **Hundstage** *sub, f, -, nur Mehrz.* dog days

Hüne, *sub, m, -s, -n* giant; **hünenhaft** *adj,* gigantic

Hunger, *sub, m, -s, -* hunger; **~gefühl** *sub, n, -(e)s, -* pangs of hunger; **~kur** *sub, f, -, -en* starvation diet; **~leider** *sub, m, -s, -* starveling; *(ugs.)* poor devil; **hungern** *vi,* starve; **~streik** *sub, m, -(e)s, -e* hunger strike; **~tuch** *sub, n, -(e)s, -tücher* extreme poverty; *(ugs.) sie werden wohl nicht am Hungertuch nagen* they´re pretty well off; **hungrig** *adj,* hungry

Hunne, *sub, m, ns, -n* Hun; **~könig** *sub, m, -s, -e* king of the Huns

Hupe, *sub, f, -, -n* horn, siren; **hupen** *vi,* sound the horn, toot

hüpfen, *vi,* hop, leap; *vor Freude hüpfen* to jump for joy; **Hüpfer** *sub, m, -s, -* little jump

Hürde, *sub, f, -, -n (i. ü. S.)* obstacle; *(spo.)* hurdle; *(i. ü. S.) damit ist die erste Hürde genommen* we´re over the first hurdle; **~nlauf** *sub, m, -(e)s, -läufe* hurdle-race; **~nläufer** *sub, m, -s, - (spo.)* hurdler

Hure, *sub, f, -, -n* whore; *(ugs.)* tart; **huren** *vi,* whore; **~nbock**

sub, m, -(e)s, -böcke (vulg.) debauchee; **~nsohn** *sub, m, -(e)s, -söhne* bastard

Huri, *sub, f, -, -s* houri

Hurrikan, *sub, m, -s, -s* hurricane

hurtig, *adj,* nimble, quick

Husar, *sub, m, -(e)s, -en (mil.)* hussar; **~enritt** *sub, m, -(e)s, -e (i. ü. S.)* escapade; **~enstückchen** *sub, n, -s, -* daring coup

Husche, *sub, f, -, -n (ugs.)* sudden shower; **huschen** *vi,* scurry

Husky, *sub, m, -s, -s oder Huskies* husky

Hussit, *sub, m, -en, -en* Hussite

hüsteln, *vi,* cough slightly

Husten, (1) *sub, m, -s, -* cough **(2) husten** *vi,* cough; **~anfall** *sub, m, -(e)s, -anfälle* fit of coughing; **~bonbon** *sub, n, -(e)s, -s* cough-drop; **~mittel** *sub, n, -s, -* cough medicine

Hut, *sub, m, -(e)s, Hüte* hat; **~abteilung** *sub, f, -, -en* hat department; **~macherin** *sub, f, -, -nen* milliner; **~nadel** *sub, f, -, -n* hatpin; **~schachtel** *sub, f, -, -n* hatbox; **Hüttenkäse** *sub, m, -s, -* cottage cheese; **Hüttenkunde** *sub, f, -, -* metallurgy; **Hüttenschuh** *sub, m, -(e)s, -e* slipper; **Hüttenwesen** *sub, n, -s, -* metallurgical engineering

hüten, (1) *vr,* be on one´s guard **(2)** *vt,* guard, take care of; *hüte dich vor ihm! er lügt* be on your guard with him! he tells lies; *ich werde mich hüten (das zu tun)* I´ll take good care not to do that; **Hüter** *sub, m, -s, -* guardian

Hütte, *sub, f, -, -n* hovel, hut; *(tech.)* works

hyalin, *adj, (tech.)* hyaline

Hyäne, *sub, f, -, -n (zool.)* hyena

Hyazinthe, *sub, f, -, -n (bot.)* hyacinth

hybrid, *adj,* hybrid; **Hybride** *sub, f, -, -n* hybrid; **Hybris** *sub, f, -, nur Einz.* hubris

Hydra, *sub, f, -, Hydren* hydra

Hydrat, *sub, n, -(e)s, -e (tt; chem.)* hydrate; **hydratisieren** *vti,* hydrate

Hydraulik, *sub, f, -, nur Einz. (tech.)* hydraulics; **hydraulisch** *adj,* hydraulic

hydrieren, *vt, (tt; chem.)* hydrogenate

Hydrogenium, *sub, n, -s, nur Einz.* Hydrogen

Hydrographie, *sub, f, -, nur Einz.* hydrography

Hydrokultur, *sub, f, -, -en* hydroponics

Hydrologie, *sub, f, -, nur Einz.* hydrology

Hydromechanik, *sub, f, -, nur Einz.* hydromechanics

Hydrometer, *sub, n, -s, - (tt; tech.)* hydrometer

Hydropathie, *sub, f, -, nur Einz. (med.)* hydropathy

Hydrophyt, *sub, m, -(e)s, -en (bot.)* hydrophyte

Hydrosphäre, *sub, f, -, nur Einz. (geogr.)* hydrosphere

Hydrotechnik, *sub, f, -, nur Einz.* hydraulic engineering

Hydroxid, *sub, n, -(e)s, -e (chem.)* hydroxide

Hygiene, *sub, f, -, nur Einz.* hygiene; **hygienisch** *adj,* hygienic

Hygrometer, *sub, m, -s, -* hygrometer

Hymne, *sub, f, -, -n* hymn; **hymnisch** *adj,* hymnal; **Hymnus** *sub, m, -s, Hymnen* hymn

Hyperbel, *sub, f, -, -n* hyperbole; *(tt; mat.)* hyperbola

Hyperfunktion, *sub, f, -, -en* hyperfunction

hyperkritisch, *adj,* overcritical

hypermodern, *adj,* ultramodern

Hypertonie, *sub, f, nur Einz. (med.)* hypertension

Hypnose, *sub, f, -, -n* hypnosis; **hypnotisch** *adj,* hypnotic; **Hypnotiseur** *sub, m, -s, -e* hypnotist; **hypnotisieren** *vt,* hypnotize

Hypochonder, *sub, m, -s, -* hypochondriac; **hypochondrisch** *adj,* hypochondriacal

hypokritisch, *adj,* hypocritical

Hypophyse, *sub, f, -, -n (tt; anat.)*

pituitary gland
Hypostase, *sub, f, -, -n (med.)* hypostasis; *(theol.)* hypostasis; **hypostasieren** *vt,* hypostatize; **hypostatisch** *adj,* hypostatical
hypotaktisch, *adj,* hypotactic; **Hypotaxe** *sub, f, -, -n* hypotaxis
Hypotenuse, *sub, f, -, -n (mat.)* hypotenuse
Hypothalamus, *sub, m, -, -thalami (anat.)* hypothalamus

Hypothek, *sub, f, -, -en* mortgage; **hypothekarisch** *adj,* hypothecary
Hypothese, *sub, f, -, -n* hypothesis; **hypothetisch** *adj,* hypothetical
Hysterektomie, *sub, f, -, -n (med.)* hysterectomy
Hysterie, *sub, f, -, -n* hysteria; **hysterisch** *adj,* hysterical

I

iberisch, *adj,* *(geogr.)* Iberian

Ibis, *sub, m, -, -se (zool.)* ibis

ich, *pron,* I, self; *ich Idiot!* idiot that I am!; *kennst du mich nicht mehr? ich bin es!* don´t you remember me? it´s me!; *das eigene ich erforschen* to explore one´s own self; *mein zweites ich* my second self; **~bezogen** *adj,* egocentric, self-centred; **Icherzählung** *sub, f, -, -en* story (in the first person); **Ichsucht** *sub, f, -, -* egotism, selfishness

Ichthyolith, *sub, m, -(e)n, -en (tt; geol.)* ichthyolite

Ichthyologe, *sub, m, -n, -n* ichthyologist

Ichthyologie, *sub, f, -, nur Einz.* ichthyology

Ichthyosaurier, *sub, m, -s, -* ichthyosaur

ideal, (1) *adj,* ideal; *(ugs.)* dream **(2) Ideal** *sub, n, -s, -e* ideal, ideals; *(ugs.) das ist mein ideales Auto* that´s my dream car; *er will die ideale Frau, sonst gar keine* he wants his dream woman or none at all; *in einer idealen Welt leben* to live in an ideal world; *er ist das Ideal eines Lehrers* he´s a model teacher; *real ist meistens das Gegenteil von ideal* real is usually the opposite of ideal; *Gerechtigkeit ist eine seiner Ideale* justice is one of his ideals; *seine Ideale hemmen ihn* his ideals stand in his way; **Idealgestalt** *sub, f, -,* *-en* paradigmatic figure; **Idealgewicht** *sub, n, -(e)s, -e* ideal weight; **~isieren** *vt,* idealize; **Idealismus** *sub, m, -, nur Einz.* idealism; **Idealist** *sub, m, -(e)s, -en* idealist; **~istisch** *adj,* idealistic; **Idealität** *sub, f, -, nur Einz. (phil.)* ideality; **Ideallösung** *sub, f, -, -en* ideal solution; **Idealzustand** *sub, m, -(e)s, -stände* ideal state

Idee, *sub, f, -, -n* idea; **ideell** *adj,* ideational; **~ngehalt** *sub, m, -(e)s, -e* thought content

Iden, *sub, f, nur Mehrz.* ides

Identifikation, *sub, f, -, -en* identification; **identifizieren** *vi,* identify; **Identifizierung** *sub, f, -, -en* identification; **identisch** *sub,* identical; **Identität** *sub, f, nur Einz.* identity; **Identitätskrise** *sub, f, -, -n* identity crisis; **Identitätsnachweis** *sub, m, -es, -e* proof of identity

ideografisch, *adj,* ideographic, ideographic(al)

Ideologe, *sub, m, -s, -n* ideologist; **Ideologie** *sub, f, -, -n* ideology; **ideologisch** *adj,* ideological; **ideologisieren** *vt,* ideologize

Idiolatrie, *sub, f, -, nur Einz.* idiolatry

Idiot, *sub, m, -en, -en* idiot; **idiotenhaft** *adj,* idiotic; **~ie** *sub, f, -, -n* idiocy; **idiotisch** *adj,* idiotic; **~ismus** *sub, m, -, -ismen (med.)* idiocy

Idiotikon, *sub, n, -s, -ken* dialect dictionary

Idol, *sub, n, -s, -e* idol; **~atrie** *sub, f, -n* idolatry; **idolisieren** *vt,* idolize; **~olatrie** *sub, f, -s, -ien* idolatry

Idyll, *sub, n, -, -e* idyll; *(kun.)* pastoral (poem or picture)

Idylle, *sub, f, -, -n* idyll; **idyllisch** *adj,* idyllic

Igel, *sub, m, -s, -* hedgehog; **~stellung** *sub, f, -, -en (tt; mil.)* all-round defence position

igitt, *interj,* how disgusting!

Iglu, *sub, n, -s, -s* igloo

ignorant, (1) *adj,* ignorant **(2) Ignorant** *sub, m, -en, -en* ignoramus; **Ignoranz** *sub, f, -, nur Einz.* ignorance

Iguanodon, *sub, n, -s, -s (zool.)* iguanodon

ihm, *pron,* him (dat.), it (dat.); **ihn** *pron,* him (acc.), it (acc.); **ihnen** *pron,* them, you (formal)

ihr, (1) *poss. adj,* her (chair, book) **(2) Ihr** *poss.adj,* your (formal) **(3)** *pron,* her (dat.), it (dat. fem.),

you (pl. informal); ~e (1) poss adj,
their (2) poss. adj, her (idea, ideas);
~er pron, her (gen.), of them; ~er-
seits adv, for her part, for their
part; ~etwegen adv, because of
her, because of them

Ikebana, sub, n, -, nur Einz. ikebana

Ikone, sub, f, -n icon

Ikonolatrie, sub, f, -, nur Einz. ico-
nolatry

Ikonologie, sub, f, -, nur Einz. ico-
nology

illegal, adj, illegal; **Illegalität** sub, f,
-, -en illegality; **illegitim** adj, illegitimate; **Illegitimität** sub, f, -, nur
Einz. illegitimacy

illiberal, adj, unliberal

illiquid, adj, unliquid

illoyal, adj, disloyal; **Illoyalität** sub,
f, -, -en disloyalty

Illumination, sub, f, -, -en illumination; **illuminieren** vt, illuminate

Illusion, sub, f, -, -en illusion; **illusionär** adj, illusional; ~**ist** sub, m,
-, -en illusionist; **illusionistisch**
adj, illusionistic; **illusionslos** adj,
without illusions; **illusorisch** adj,
illusory

illuster, adj, illustrious; **Illustration** sub, f, -, -en illustration; **illustrativ** adj, illustrative; **Illustrator** sub,
m, -s, -en illustrator; **illustrieren** vt,
illustrate; **illustriert** adj, illustrated; **Illustrierte** sub, f, -, -n magazine; **Illustrierung** sub, f, -, -en
illustration

Ilmenit, sub, m, -, -e ilmenite

Iltis, sub, m, -es, -se (zool.) polecat

Image, sub, n, -s, -s image; ~**pflege**
sub, f, -, nur Einz. (ugs.) image-buil-
ding

imaginär, adj, imaginary; **Imagination** sub, f, -en imagination; **imaginieren** vt, imagine

Imam, sub, m, -s, -s oder -e imam

Imbezillität, sub, f, -, nur Einz. imbecility

Imbiss, sub, m, -es, -e snack; ~**halle**
sub, f, -, -en refreshment room;
~**stand** sub, m, -(e)s, -stände snack
bar

imitation, sub, f, -, -en imitation;
Imitator sub, m, -s, -en imitator;
imitatorisch adj, imitative; **imi-
tieren** vt, imitate; **imitiert** adj,
imitated

Imker, sub, m, -s, - apiarist; ~**ei**
sub, f, -, -en apiculture, beekeeping; **imkern** vt, keep bees

immateriell, adj, immaterial

Immatrikulation, sub, f, -, -en enrolment; **immatrikulieren** vt,
enrol

Imme, sub, f, -, -n (dial.) bee

immediat, adj, immediate

immens, adj, immense

immensurabel, adj, immeasurable; **Immensurabilität** sub, f, -,
nur Einz. immeasurability

immer, adv, always; ~**fort** adv,
continually; ~**grün (1)** adj, evergreen (2) **Immergrün** sub, n, -s,
- evergreen; ~**hin** adv, nevertheless, still; das sollte man immerhin wissen one should know that
nevertheless; er hat seine Schulden bezahlt; immerhin! he paid
his debts; who would have
thought so; es bleibt immerhin
ein Rätsel it´s still a mystery;
~**während** adj, perpetual; ~**zu**
adv, all the time

Immersion, sub, f, -, -en immersion

Immigrant, sub, m, -en, -en immigrant; **Immigration** sub, f, -, -en
immigration; **immigrieren** vi,
immigrate

imminent, adj, imminent

Immission, sub, f, -, -en appointment

immobil, adj, immobile; **Immobilie** sub, f, -, -ien property, real
estate; ~**isieren** vt, immobilize;
Immobilität sub, f, -, nur Einz.
immobility

immoralisch, adj, immoral; **Immoralismus** sub, m, -, nur Einz.
immoralism; **Immoralität** sub, f,
-, nur Einz. immorality

Immortalität, sub, f, -, nur Einz.
immortality

immun, *adj*, immune; **~isieren** *vt*, immunize; **Immunisierung** *sub, f, -, nur Einz.* immunisation; **Immunität** *sub, f, -, nur Einz.* immunity; **Immunologie** *sub, f, -, nur Einz.* immunology; **Immunschwäche** *sub, f, -, -en* immune system deficency; **Immunsystem** *sub, n, -s, -e* immune system

imperativ, (1) *adj*, imperative **(2) Imperativ** *sub, m, -s, -e* imperative; **~isch** *adj*, imperative; **Imperator** *sub, m, -s, -en* imperator

imperial, *adj*, imperial; **Imperialismus** *sub, m, -, nur Einz.* imperialism; **Imperialist** *sub, m, -, -en* imperialist; **~istisch** *adj*, imperialistic

Imperium, *sub, n, -s, Imperien* empire

impermeabel, *adj*, impermeable, waterproof; **Impermeabilität** *sub, f, -, nur Einz.* impermeability

impertinent, *adj*, impertinent; **Impertinenz** *sub, f, -, -en* impertinence

Impetus, *sub, m, -, nur Einz.* energy, vigour

impfen, *vt*, inoculate, vaccinate; **Impfkalender** *sub, m, -s, -* vaccination calendar; **Impfpass** *sub, m, -s, -pässe* vaccination certificates book; **Impfpflicht** *sub, f, -, nur Einz.* compulsory vaccination; **Impfpistole** *sub, f, -, -n* needleless injector; **Impfstoff** *sub, m, -(e)s, -e* vaccine; **Impfung** *sub, f, -, -en* vaccination

Implantat, *sub, n, -(e)s, -e (med.)* implant; **~ion** *sub, f, -, -en* implantation; **implantieren** *vt*, implant

implementieren, *vt*, implement **Implementierung**, *sub, f, -, -en* implementation

Implikation, *sub, f, -, -en* implication; **implizieren** *vt*, imply; **implizit** *adj*, implicit

implodieren, *vti*, implode; **Implosion** *sub, f, -, -en* implosion

Imponderabilien, *sub, f, -, Mehrz.* imponderables

imponieren, *vi*, impress so; **Imponiergehabe** *sub, n, -s, nur Einz. (zool.)* display pattern

Import, *sub, m, -(e)s, -e* import; **~eur** *sub, m, -s, -e* importer; **~handel** *sub, m, -s, nur Einz.* import business; **importieren** *vt*, import

imposant, *adj*, imposing

impotent, *adj*, impotent; **Impotenz** *sub, f, -, nur Einz.* impotence

Impresario, *sub, m, -, -s* agent, impresario

Impression, *sub, f, -, -en* impression; **~ismus** *sub, m, -, nur Einz. (kun.)* impressionism; **~ist** *sub, m, -, -en* impressionist; **impressionistisch** *adj*, impressionist(ic)

Impressum, *sub, n, -s, Impressen* imprint, masthead

Improvisation, *sub, f, -, -en* improvisation; **Improvisator** *sub, m, -s, -en* improviser; **improvisieren** *vti*, improvise

Impuls, *sub, m, -es, -e* impulse, stimulus; **impulsiv** *adj*, impulsive; **~ivität** *sub, f, -, nur Einz.* impulsiveness

imstande, *adj*, capable; *er ist zu allem imstande* he is capable of anything; *sie ist nicht mal imstande die Katze zu versorgen und jetzt will sie noch ein Kind* she can´t even look after the cat and now she wants to have a baby

in, *präp*, in; *er lebt in Italien* he´s living in Italy; *(ugs.) in deiner Haut möchte ich nicht stecken* I wouldn´t like to be in your shoes; *in diesem Jahr* this year; *(.) in zwei Wochen* in two weeks; *ins Englische übersetzen* to translate into English

inadäquat, *adj*, inadequate

inakkurat, *adj*, inaccurate

inaktiv, *adj*, inactive; **~ieren** *vt*, disconnect, inactivate; **Inaktivität** *sub, f, -, nur Einz.* inactivity

inakzeptabel, *adj*, unacceptable

Inangriffnahme, *sub, f, -, nur Einz.* commencement, starting, tackling

Inanspruchnahme, *sub, f, -, nur Einz.* demands; *seine Inanspruchnahme durch diese Nebenbeschäftigung* the demands made on him through his second job

Inaugenscheinnahme, *sub, f, -, nur Einz.* inspection

Inauguraldissertation, *sub, f, -, -en* inaugural dissertation

Inauguration, *sub, f, -, -en* inauguration; **inaugurieren** *vt,* inaugurate

inbegriffen, *adj,* included

Inbetriebnahme, *sub, f, -, -men* commencement of operations, putting into operation

Inbrunst, *sub, f, -, -* ardour, fervour

inbrünstig, *adj,* ardent, fervent

indeklinabel, *adj,* indeclinable

indem, *konj,* by (doing sth), while; *indem er ihr schrieb* by writing to her; *indem er dies sagte, zog er sich zurück* while saying so, he withdrew

Indemnität, *sub, f, -, nur Einz.* indemnity

In-den-April-Schicken, *sub, n, -s, -* making an April fool (of so)

in-den-Tag-hinein-Leben, *sub, n, -s, -* happy-go-lucky attitude

Independenz, *sub, f, -, nur Einz.* independence

Inder, *sub, m, -s, -* Indian

indes, (1) *adv,* meanwhile (2) *konj,* whereas

indessen, (1) *adv,* meanwhile (2) *konj,* whereas; *schreib du den Brief, ich werde indessen den Anruf erledigen* write the letter, meanwhile I´ll ring up

indeterminiert, *adj, (phil.)* indeterminate

Index, *sub, m, -es, -e oder Indizes* index; **~währung** *sub, f, -, -en* index-based currency; **~ziffer** *sub, f, -, -n* index number

indezent, *adj,* indecent

Indifferenz, *sub, f, -, -en* indifference; **indifferent** *adj,* indifferent

Indigestion, *sub, f, -, -en* indigestion

Indignation, *sub, f, -, nur Einz.* indignation; **indigniert** *adj,* indignant

Indigo, *sub, m, -s, der oder -s* indigo

Indikation, *sub, f, -, -en* indication

Indikativ, *sub, m, -s, -e* indicative (mood)

Indikator, *sub, m, -s, -en* indicator

Indio, *sub, m, -s, -s* Indio (S. or C. American Indian)

indirekt, *adj,* indirect; **Indirektheit** *sub, f, -, -en* indirectness

indisch, *adj,* Indian

Indiskretion, *sub, f, -, -en* indiscretion; **indiskret** *adj,* indiscreet

indiskutabel, *adj,* not worth discussing

Indisposition, *sub, f, -, -en* indisposition; **indisponibel** *adj,* unavailable; **indisponiert** *adj,* indisposed

indisputabel, *adj,* incontestable, indisputable

Indium, *sub, n, -s, nur Einz. (chem.)* indium

individualisieren, *vt,* individualize

Individualität, *sub, f, -, -en* individuality

Individuation, *sub, f, -, -en* individuation

Individuum, *sub, n, -s, Individuen* individual; **individuell** *adj,* individual

Indiz, *sub, n, -es, -ien* circumstantial evidence, indication, sign

indizieren, *vt, (eccl.)* put on the index; *(med.)* indicate

indiziert, *adj,* advisable; *(med.)* indicated

Indoeuropäer, *sub, m, -s, -* Indo-European

Indogermane, *sub, m, -n, -n* Indo-European; **Indogermanistik** *sub, f, -, nur Einz.* Indo-European studies

Indoktrination, *sub, f, -, -en* indoctrination; **indoktrinieren** *vt,* indoctrinate

indolent, *adj,* indolent; **Indolenz**

sub, f, -, nur Einz. indolence
Indonesien, *sub,* Indonesia; **Indonesierin** *sub, f, -, -nen* Indonesian; **indonesisch** *adj,* Indonesian
indossieren, *vt,* endorse; **Indossierung** *sub, f, -, -en* endorsement
Induktion, *sub, f, -, -en* induction
induktiv, *adj, (phil.)* inductive
indulgent, *adj,* indulgent
Induration, *sub, f, -, -en (med.)* induration
Industrie, *sub, f, -, -n* industry; **~- und Handelskammer** *sub, f, -, -* Chamber of Commerce; **~bau** *sub, m, -es, -ten* industrial building; **~betrieb** *sub, m, -es, -e* industrial enterprise, industrial firm; **~gebiet** *sub, n, -es, -e* industrial area; **industriell** *adj,* industrial; **~lle** *sub, m, -n, -n* industrialist; **~roboter** *sub, m, -s, -* industrial robot
induzieren, *vt,* induce
ineffektiv, *adj,* ineffective
ineffizient, *adj,* inefficient; **Ineffizienz** *sub, f, -, nur Einz.* inefficiency
ineinander, *adv,* in one another, with each other; *sie sind schon lange ineinander verliebt* they have been in love with each for a long time
inexakt, *adj,* imprecise
inexistent, *adj,* non-existent
infallibel, *adj,* infallible; **Infallibilität** *sub, f, -, nur Einz.* infallibility
infam, *adj,* disgraceful, infamous; **Infamie** *sub, f, -,* infamy
Infanterie, *sub, f, -, -n* infant(e)ry; **Infanterist** *sub, m, -en, -en* foot soldier
infantil, *adj,* childish
Infantilität, *sub, f, -, nur Einz.* childishness, infantility
Infarkt, *sub, m, -es, -e (med.)* infarct
Infekt, *sub, m, -es, -e* infection
infektiös, *adj,* contagious, infectious
Inferiorität, *sub, f, -, nur Einz.* inferiority
infertil, *adj,* infertile; **Infertilität** *sub, f, -, nur Einz.* infertility
Infight, *sub, m, -s, -s* infight

Infiltration, *sub, f, -, -en* infiltration; **infiltrieren** *vt,* infiltrate
infinit, *adj,* infinite
Infinitesimalrechnung, *sub, f, -en* infinitesimal calculus
Infinitiv, *sub, m, -s, -e* infinitive
Infix, *sub, n, -es, -e* infix
infizieren, *vt,* infect; **Infizierung** *sub, f, -, -en* infection
Inflation, *sub, f, -, -en* inflation; **inflationär** *adj,* inflationary
inflexibel, *adj,* inflexible
Influenz, *sub, f, -, -en* influence
Influenza, *sub, f, -, nur Einz.* influenza; *(ugs.)* flu
Info, *sub, n, -s, -s* information
infolge, *präp,* owing to
infolgedessen, *adv,* as a result, consequently
Informant, *sub, m, -s, -en* informant
Information, *sub, f, -, -en* information
informativ, *adj,* informative
informatorisch, *adj,* informatory
informell, *adj,* informal
informieren, *vtr,* inform; *da bist du falsch informiert* you´ve been wrongly informed; *ich werde mich darüber informieren* I´ll get acquainted with the matter; **Informierung** *sub, f, -, -en* information
Infotainment, *sub, n, -s, -s* entertaining information
infrarot, *adj,* infra-red; **Infrarotfilm** *sub, m, -s, -e* infra-red film
Infraschall, *sub, m, -s, - (phy.)* infrasonic waves
Infrastruktur, *sub, f, -, -en* infrastructure
Infusion, *sub, f, -, -en* infusion; **infundieren** *vt, (med.)* infuse
Ingenieur, *sub, m, -s, -e* engineer; **~bau** *sub, m, -es, -bauten* civil engineering
ingeniös, *adj,* ingenious; **Ingeniosität** *sub, f, -, nur Einz.* ingenuity
Ingenium, *sub, n, -s, Ingenien* genius

ingestion, *sub, f, -, nur Einz. (med.)* ingestion

ingezüchtet, *adj,* inbred

Ingredienz, *sub, f, -, -en* ingredient

Ingrimm, *sub, m, -s, nur Einz.* wrath; **ingrimmig** *adj,* furious, wrathful

Ingwer, *sub, m, -s, nur Einz.* ginger

Inhaber, *sub, m, -s, -* owner

inhaftieren, *vt,* imprison; **Inhaftierte** *sub, m, -n, -n* prisoner; **Inhaftierung** *sub, f, -, -en* imprisonment

Inhalation, *sub, f, -, -en* inhalation; **inhalieren** *vt,* inhale

Inhalt, *sub, m, -s, -te* content, subject matter; *der Inhalt einer Flasche* the contents of a bottle; *der Inhalt unseres Gesprächs* the subject matter of our talk; *über Inhalte diskutieren* to discuss real issues; **inhaltlich** *adj,* pertaining to content(s); **inhaltsreich** *adj,* substantial; **~sverzeichnis** *sub, n, -ses, -se* table of contents

inhärent, *adj,* inherent; **Inhärenz** *sub, f, -, nur Einz.* inherence

inhomogen, *adj,* inhomogenous; **Inhomogenität** *sub, f, -, nur Einz.* inhomogeneity

inhuman, *adj,* inhuman; **Inhumanität** *sub, f, -, nur Einz.* inhumanity

Initial, *sub, n, -s, -e* initial (letter); **~wort** *sub, n, -es, -wörter* acronym

Initiation, *sub, f, -, -en* initiation; **~sritus** *sub, m, -es, -riten* initiation rite

Initiative, *sub, f, -, -n* initiative; **initiativ** *adj,* initiative

Initiator, *sub, m, -s, -en* initiator; **initiieren** *vt,* initiate

Injektion, *sub, f, -, -en* injection; **injizieren** *vt,* inject

Injurie, *sub, f, -, -n* insult, libel; **injuriieren** *vt,* insult

Inkarnation, *sub, f, -, -en* incarnation; **inkarnieren** *vt,* incarnate

inkarnatrot, *adj,* flesh-coloured

Inkasso, *sub, n, -s, -s* encashment, procuration of payment; **~büro** *sub, n, -s, -s* encashment agency

inkaufnahme, *sub, f, -, -nen* acceptance, disregard to consequences

Inklination, *sub, f, -, -en* inclination

inklusive, *adj,* inclusive

inkognito, *adv,* incognito

inkohärent, *adj,* incoherent; **Inkohärenz** *sub, f, -, -en* incoherency

inkommensurabel, *adj,* incommensurable

inkommodieren, *vr,* go out of one´s way; **Inkommodität** *sub, f, -, -en* inconvenience

inkompatibel, *adj,* incompatible; **Inkompatibilität** *sub, f, -, -en* incompatibility

inkompetent, *adj,* incompetent; **Inkompetenz** *sub, f, -, -en* incompetence

inkomplett, *adj,* incomplete

inkongruent, *adj,* incongruous; **Inkongruenz** *sub, f, -, -en* incongruity

inkonsequent, *adj,* inconsistent; **Inkonsequenz** *sub, f, -, -en* inconsistency

inkonsistent, *adj,* inconsistent; **Inkonsistenz** *sub, f, -, nur Einz.* inconsistency

inkonvertibel, *adj,* inconvertible

inkorporieren, *vt,* incorporate; **Inkorporation** *sub, f, -, -en* incorporation

inkorrekt, *adj,* incorrect, wrong

Inkrement, *sub, n, -s, -e (mat.)* increment

inkriminieren, *vt,* incriminate; **inkriminiert** *adj,* incriminated

inkrustieren, *vt,* encrust

Inkubation, *sub, f, -, -en* incubation; **~szeit** *sub, f, -, -en* incubation period; **Inkubator** *sub, m, -s, Inkubatoren* incubator

Inkubus, *sub, m, -es, Inkuben* incubus

inkulant, *adj,* unobliging; **Inkulanz** *sub, f, -, -en* unwillingness to oblige

inkurabel, *adj,* incurable

Inland, *sub*, *m*, *-es*, *nur Einz.* home; *er ist im Inland und im Ausland berühmt* he´s famous at home and abroad; *im Inland hergestellte Waren* home-produced goods; **~sbrief** *sub*, *m*, *-es*, *-e* inland letter; **~smarkt** *sub*, *m*, *-es*, *-märkte* domestic market; **~sporto** *sub*, *n*, *-s*, *nur Einz.* inland postage rate; **~spreis** *sub*, *m*, *-es*, *-e* inland price; **~sreise** *sub*, *f*, *-*, *-n* domestic travel, inland trip

Inländer, *sub*, *m*, *-s*, *-* national, native

inländisch, *adj*, domestic, home

Inlett, *sub*, *n*, *-s*, *-letts* bed-tick

inmitten, *präp*, in the middle of

inne, *adv*, within

innehalten, *vi*, pause

innen, *adv*, inside; *das Innere nach außen gekehrt* inside out

Innenantenne, *sub*, *f*, *-*, *-n* inside antenna

Innenarchitektur, *sub*, *f*, *-*, *-ren* interior design

Innendienst, *sub*, *m*, *-es*, *-e* office work; *(mil.)* garrison duty

Innenfläche, *sub*, *f*, *-*, *-n* inner surface

Innenhof, *sub*, *m*, *-s*, *-höfe* courtyard

Innenminister, *sub*, *m*, *-s*, *-* Home Secretary, Minister of the Interior

Innenministerium, *sub*, *n*, *-s*, *-rien* Home Office, Ministry of the Interior

Innenpolitik, *sub*, *f*, *-*, *-* domestic politics; **innenpolitisch** *adj*, concerning domestic affairs

Innenseite, *sub*, *f*, *-*, *-n* inside

Innenspiegel, *sub*, *m*, *-s*, *-* inside mirror

Innenstadt, *sub*, *f*, *-*, *-städte* centre, downtown (Am.)

Innenstürmer, *sub*, *m*, *-s*, *-* (spo.) inside forward

Innentasche, *sub*, *f*, *-*, *-n* inside pokket

innerbetrieblich, *adj*, internal (matters concerning a firm)

innere, **(1)** *adj*, inner **(2) Innere** *sub*, *n*, *-n*, *nur Einz.* interior

innerhalb, *präp*, inside, within; *innerhalb der vorgesehenen Zeit* within the planned time; *innerhalb seiner vier Wände* within one´s own home

innerlich, *adv*, inwardly

innerparteilich, *adj*, internal (party matters)

Innerste, *sub*, *n*, *-n*, *nur Einz.* innermost part, quick; *bis ins Innerste getroffen* hurt to the quick

innervieren, *vt*, innervate

innewohnen, *vi*, be inherent in

innig, *adj*, heartfelt, intimate; *innige Freunde* intimate friends

Innovation, *sub*, *f*, *-*, *-en* innovation; **innovativ** *adj*, innovative; **innovatorisch** *adj*, innovative

Innung, *sub*, *f*, *-*, *-gen* guild

inoffiziell, *adj*, inofficial

inopportun, *adj*, untimely

Inosit, *sub*, *m*, *-s*, *-e (tt; chem.)* inositol

Input, *sub*, *m*, *-s*, *der oder -s* input

inquirieren, *vti*, inquire

Inquisition, *sub*, *f*, *-*, *-en* Inquisition; **Inquisitor** *sub*, *m*, *-s*, *Inquisitoren* inquisitor; **inquisitorisch** *adj*, (*i. ü. S.*) inquisitorial

insbesondere, *adv*, particularly

Inschrift, *sub*, *f*, *-*, *-ten* inscription

Insekt, *sub*, *n*, *-s*, *-en* insect; **~arium** *sub*, *n*, *-s*, *-rien* insectarium; **~enfraß** *sub*, *m*, *-es*, *nur Einz.* insect damage; **~enfresser** *sub*, *m*, *-s*, *-* insect eater, insectivore; **~engift** *sub*, *n*, *-es*, *-e* insecticide; **~izid** *sub*, *n*, *-s*, *-e* insecticide

Insel, *sub*, *f*, *-*, *-seln* island; **~gruppe** *sub*, *f*, *-*, *-n* archipelago, group of islands

Insemination, *sub*, *f*, *-*, *-en* insemination

insensibel, *adj*, insensitive

Inserat, *sub*, *n*, *-es*, *-e* advertisement; **Inserent** *sub*, *m*, *-s*, *-en* advertiser; **inserieren** *vti*, advertise

Insert, *sub*, *n*, *-s*, *-s* insert

insgeheim, *adv*, clandestinely, secretly

insgemein, *adv*, in general

insgesamt, *adv*, altogether, as a whole; *das macht insgesamt 10 Mark* that comes to 10 marks altogether; *ein Verdienst von insgesamt 1000 Mark* earnings totalling 1000 marks

Insider, *sub, m, -s,* - insider

Insignien, *sub, f, -, Mehrz.* insignia

inskribieren, *vt*, register

insofern, (1) *adv*, in so far **(2)** *konj*, inasmuch as

insolent, *adj*, insolent

Insolvenz, *sub, f, -, -en* bankruptcy, insolvency

Inspekteur, *sub, m, -s, -e* inspector; *(mil.)* inspecting officer; **Inspektion** *sub, f, -, -en* inspection; **Inspektorin** *sub, f, -, -nen* supervisor

Inspektor, *sub, m, -s, Inspektoren* police officer, supervisor

Inspiration, *sub, f, -, -en* inspiration; **inspirieren** *vt*, inspire

Inspizient, *sub, m, -s, -en* stage manager, supervisor; **inspizieren** *vt*, inspect; **Inspizierung** *sub, f, -, -en* inspection

Inspizientin, *sub, f, -, -nen* stage manager, supervisor

instabil, *adj*, unstable

Installateur, *sub, m, -s, -e* plumber

Installation, *sub, f, -, -en* installation, plumbing

installieren, (1) *vr, (ugs.)* move in **(2)** *vt*, fit, install; *er hat sich mit seinem Rucksack bei mir im Wohnzimmer installiert* he has moved into my living room with his rucksack

inständig, *adj*, earnest, urgent

instandsetzen, *vt*, overhaul, repair; *das kann man nicht mehr instandsetzen* that's beyond repair; *er hat das alte Auto eigenhändig instandgesetzt* he repaired the old car with his own hands

instant, *adj*, instant

Instanz, *sub, f, -, -en* authority, court of justice; *er ging von einer Instanz zur anderen* he went through all

the courts; *wir haben in der ersten Instanz gewonnen, aber in der zweiten verloren* we won at the first hearing, but lost at the second; **~enweg** *sub, m, -es, -e* stages of appeal

instillieren, *vt*, instil(l)

Instinkt, *sub, m, -es, -e* flair, instinct; *(ugs.) ein phantastischer Farbinstinkt* a fantastic flair for colours; **instinkthaft** *adj*, instinctive; **instinktiv** *adj*, instinctive; **instinktlos** *adj*, lacking in instinct

Institut, *sub, n, -s, -e* institute; **~ion** *sub, f, -, -en* institution; **institutionalisieren** *vt*, institutionalize; **institutionell** *adj*, institutional

instruieren, *vt*, inform, instruct

Instrukteur, *sub, m, -s, -e* instructor; **Instruktion** *sub, f, -en* instruction

instruktiv, *adj*, instructive

Instrument, *sub, n, -s, -e* instrument; *(i. ü. S.)* tool; **~alist** *sub, m, -en, -en* instrumentalist; **~arium** *sub, n, -s, Instrumentarien* instruments; *(med.)* instrumentarium; **~enflug** *sub, m, -es, -flüge* instrument flight; **instrumentieren** *vt*, arrange; *(mus.)* instrumentate; **~ierung** *sub, f, -, -en* instrumentation

instrumental, (1) *adj*, important; *(mus.)* instrumental **(2) Instrumental** *sub, m, -s, -e (ling.)* instrumental (case)

Insubordination, *sub, f, -, -en* insubordination

insuffizient, *adj*, insufficient; **Insuffizienz** *sub, f, -, -en* insufficiency

Insulaner, *sub, m, -s,* - islander

insular, *adj*, insular

Insulin, *sub, n, -s,* - insulin

Insult, *sub, m, -s, -e* insult

insultieren, *vt*, insult

Insurgent, *sub, m, -en, -en* insurgent, rebel

insurgieren, *vt*, arouse so to revolt, revolt

Insurrektion, *sub, f, -, -en* insurrection, uprising

Intarsie, *sub, f, -, -n* inlaid work, intarsia

integer, *adj*, of integrity

integral, *adj*, integral

Integralhelm, *sub, m, -s, -e* full-face helmet

Integration, *sub, f, -, -en* integration; **integrativ** *adj*, integrative; **integrierbar** *adj, (mat.)* integrable; **integrieren** *vt*, integrate; **integrierend** *adj*, integral; **Integrierung** *sub, f, -, -en* integration

Integrität, *sub, f, -, nur Einz.* integrity

Intellekt, *sub, m, -s, nur Einz.* intellect; **intellektuell** *adj*, intellectual; **~uelle** *sub, m, -n, -n* intellectual

intelligent, *adj*, intelligent

Intelligenz, *sub, f, -, -en* intelligence, understanding; **~test** *sub, m, -es, -e* intelligence test

Intelligenzquotient, *sub, m, -en, -en* intelligence quotient, IQ

intelligibel, *adj*, intelligible

Intendant, *sub, m, -en, -en* director; *(mil.)* intendant; **~in** *sub, f, -, -nen* directress; **~ur** *sub, f, -, -en* period of directorship; **Intendanz** *sub, f, -en* directorship

intendieren, *vt*, intend, plan

Intension, *sub, f, -, -en (phil.)* intension

Intensität, *sub, f, -, nur Einz.* intensity

intensiv, *adj*, intensive; **~ieren** *vt*, intensify; **Intensivkurs** *sub, m, -es, -e* intensive course; **Intensivstation** *sub, f, -, -en* intensive care unit

intentional, *adj*, deliberate; *(phil.)* intentional

interagieren, *vt*, interact

Interaktion, *sub, f, -, -en* interaction

Intercity, *sub, m, -s, -s* intercity train

interdependent, *adj*, interdependent; **Interdependenz** *sub, f, -, -en* interdependence

Interdikt, *sub, n, -s, -e* interdict

interdisziplinär, *adj*, interdiscipli-

nary

interessant, *adj*, interesting

Interesse, *sub, n, -s, -n* interest; **interesselos** *adj*, uninterested; **~ngemeinschaft** *sub, f, -, -en* community of interests; **~nt** *sub, m, -s, -en* interested party, prospective customer; **interessieren (1)** *vr*, be interested in **(2)** *vt*, interest; *er hat sich schon als Kind sich für Biologie interessiert* he was interested in biology even as a child; *er interessiert sich überhaupt nicht für Politik* he´s not in the slightest bit interested in politics, *Briefmarkensammeln interessiert mich einfach nicht* stamp-collecting simply doesn´t interest me; *was er darüber denkt interessiert mich brennend* what he thinks about it all interests me intensely; *was interessiert dich am meisten?* what interests you most?; **interessiert** *adj*, interested

Interferenz, *sub, f, -, -en* interference; **interferieren** *vi, (phy.)* interfere

Interferometer, *sub, n, -s, -* interferometer

interfraktionell, *adj*, interparty

intergalaktisch, *adj*, intergalactic

interglazial, *adj*, interglacial

Interieur, *sub, n, -s und -e* interior

Interim, *sub, n, -s, -s* interim; **interimistisch** *adj*, interim

interkonfessionell, *adj*, interconfessional, interdenominational

interkontinental, *adj*, intercontinental; **Interkontinentalrakete** *sub, f, -, -n* intercontinental missile

Interludium, *sub, f, -, -ludien (mus.)* interlude

Interlunium, *sub, n, -s, -lunien* interlunation

Intermezzo, *sub, n, -s, -s und -mezzi (i. ü. S.)* interlude; *(mus.)* intermezzo

intermittierend, *adj*, intermittent

intern, *adj*, internal, private; *das*

ist eine rein interne Angelegenheit that´s a purely private matter; *unsere Maßnahmen müssen vorläufig intern bleiben* for the time being our measures will have to remain private

internalisieren, *vt*, internalize

Internat, *sub*, *n*, *-es*, *-e* boarding school

international, *adj*, international; **~isieren** *vt*, internationalize; **Internationalismus** *sub*, *m*, *-es*, *nur Einz.* internationalism

Interne, *sub*, *m*, *-n*, *der und -n* boarder

Internet, *sub*, *n*, *-s*, *-s* internet

internieren, *vt*, intern, isolate; **Internierte** *sub*, *m*, *-n*, *-s* internee; **Internierung** *sub*, *f*, *-*, *-en* internment

Internist, *sub*, *m*, *-en*, *-en* specialist in internal medicine; **~in** *sub*, *f*, *-*, *-nen* specialist in internal medicine

Internodium, *sub*, *n*, *-s*, *-ien (bot.)* internode

Internuntius, *sub*, *m*, *-*, *-ien* internuntio

interplanetarisch, *adj*, interplanetary

Interpol, *sub*, *f*, *-*, *nur Einz.* International Criminal Police Organisation

interpolieren, *vti*, interpolate

Interpret, *sub*, *m*, *-en*, *-en* interpreter; **~ation** *sub*, *f*, *-*, *-en* interpretation; **interpretieren** *vt*, interpret; **~in** *sub*, *f*, *-*, *-nen* interpreter (f.)

interpunktieren, *vt*, punctuate; **Interpunktion** *sub*, *f*, *-*, *-en* punctuation

Interregnum, *sub*, *n*, *-s*, *-regna und -regnen* interregnum

Interrogativpronomen, *sub*, *n*, *-s*, *- und pronomina* interrogative pronoun

Interruption, *sub*, *f*, *-*, *-en* interruption

intersexuell, *adj*, intersexual

Intershop, *sub*, *m*, *-s*, *-s* intershop

interstellar, *adj*, interstellar

intersubjektiv, *adj*, intersubjective

Intervall, *sub*, *m*, *-es*, *-e* interval

Intervenient, *sub*, *m*, *-en*, *-en* intervener; **intervenieren** *vi*, intervene; **Intervention** *sub*, *f*, *-*, *-en* intervention

Interview, *sub*, *n*, *-s*, *-s* interview; **interviewen** *vt*, interview; **~er** *sub*, *m*, *-s*, *-* interviewer

Intervision, *sub*, *f*, *-*, *nur Einz.* intervision

intestinal, *adj*, intestinal

inthronisieren, *vt*, enthrone

intim, *adj*, close, intimate; **Intimbereich** *sub*, *m*, *-s*, *-e* privacy; **Intimsphäre** *sub*, *f*, *-*, *-n* private life

Intimität, *sub*, *f*, *-*, *-en* intimacy

Intimus, *sub*, *m*, *-*, *Intimi* best friend

Intoleranz, *sub*, *f*, *-*, *-en* intolerance; **intolerabel** *adj*, intolerable; **intolerant** *adj*, intolerant

Intonation, *sub*, *f*, *-*, *nur Einz.* intonation; **intonieren** *vti*, intonate

Intoxikation, *sub*, *f*, *-*, *nur Einz.* intoxication

intramuskulär, *adj*, intramuscular

intransitiv, *adj*, intransitive

intrauterin, *adj*, intrauterine

intravenös, *adj*, intravenous

intrigant, **(1)** *adj*, intriguing, scheming **(2) Intrigant** *sub*, *m*, *-en*, *-en* intriguer; **Intrigantin** *sub*, *f*, *-*, *-nen* intriguer (f.)

Intrige, *sub*, *f*, *-*, *-n* intrigue, plot; **intrigieren** *vi*, intrigue

Introduktion, *sub*, *f*, *-*, *-en* introduction

Introspektion, *sub*, *f*, *-*, *-en* introspection

introvertiert, *adj*, introverted

Intuition, *sub*, *f*, *-*, *-en* intuition

intuitiv, *adj*, intuitive

intus, *adv*, *(ugs.)* in(side) o.s.; *(ugs.) er hat schon einiges intus* he´s had a few (drinks); *(ugs.) jetzt habe ich es endlich intus* I´ve finally got it into my head

Inuit, *sub*, *f*, *-*, *nur Mehrz.* In(n)uit

invalide, **(1)** *adj*, disabled, invalid **(2) Invalide** *sub*, *m*, *-n*, *-n* invalid

invalidisieren, *vt*, invalidate, make invalid

Invalidität, *sub, f, -, nur Einz.* disablement, invalidity

invariabel, *adj*, invariable

Invasion, *sub, f, -, -en* invasion; **Invasor** *sub, m, -s, -en* invader

Inventar, *sub, n, -s, -e* inventory; **inventarisieren** *vt*, take an inventory

Invention, *sub, f, -, -en* invention

Inventur, *sub, f, -, -en* inventory, stock-taking

Inversion, *sub, f, -, -en* inversion; **invers** *adj, (mat.)* inverse

invertieren, *vt*, invert

investieren, *vt*, invest; **Investierung** *sub, f, -, nur Einz.* investment; **Investition** *sub, f, -, -en* investment

investiv, *adj*, investive

Investment, *sub, n, -s, -s* investment; **~fonds** *sub, m, (-s), (-s)* investment fund

Investor, *sub, m, -s, -en* investor

involvieren, *vt*, involve

inwärts, *adv*, inward(s)

inwendig, *adj*, inner

inwiefern, *adv*, in what way; *inwiefern wird er dadurch benachteiligt?* in what way will this put him at a disadvantage?

inwieweit, *adv*, to what extent; *ich weiß nicht, inwieweit er die Wahrheit gesagt hat* I don´t know to what extent he has told the truth

Inzest, *sub, m, -es, -e* incest; **inzestuös** *adj*, incestuous

inzwischen, *adv*, in the meantime

Ion, *sub, n, -s, -en (phy.)* ion; **~enantrieb** *sub, m, -s, -ten* ion accelerator; **~isation** *sub, f, -, -en* ionization; **ionisieren** *vt*, ionize; **~isierung** *sub, f, -, -en* ionization; **~osphäre** *sub, f, -, nur Einz.* ionosphere

irakisch, *adj*, Iraqi

iranisch, *adj*, Iranian

Iranistik, *sub, f, -, nur Einz.* Iranian studies

irden, *adj*, earthen

irdisch, *adj*, earthly, worldly

irenisch, *adj*, irenic

irgend, *adv*, at all, possibly; *wenn irgend möglich* if at all possible; *wenn du irgend kannst* if you possibly can; **~ein** *pron*, some (kind of); *das scheint irgendein Behälter zu sein* it seems to be some kind of container; *ein Maulwurf oder irgend so ein Tier* a mole or some kind of animal; **~eine** *pron*, somebody, something; *irgendeine (Frau) sagte* somebody (some woman) said; *irgendeine wird auf das Kind aufpassen* somebody (some woman) will look after the child; *irgendeine Sache beunruhigt ihn* something is bothering him; **~etwas** *pron*, anything, something (or other); *wenn du irgendetwas brauchst* if there is anything you need; *er murmelte irgendetwas* he mumbled something or other; *irgendetwas ist schief gegangen* something has gone wrong; **~jemand** *pron*, anybody, anyone, someone (or other); *ist irgendjemand da?* is anybody there?; *falls irgendjemand anruft* in case anyone rings; *warten Sie auf irgendjemanden?* are you waiting for anyone?; *irgendjemand hat behauptet* someone or other claimed; **~wann** *pron*, some time; *irgendwann werde ich bestimmt kommen* I´ll come sometime or other for sure; *sie will irgendwann nach China* she wants to go to China sometime or other; **~welche** *pron*, any (some); *gibt es irgendwelche Fragen?* are there any questions?; *ich möchte nicht irgendwelche Geschichte hören, sondern die Wahrheit* I want to hear the truth, not some story; **~wie** *pron*, somehow (or other); *ich werde es irgendwie schaffen* I´ll manage somehow; *mach´ es nicht irgendwie!* don´t do it just anyhow!; **~wo** *pron*, somewhere (or other); *der Schlüssel muß irgendwo sein* the key must be somewhere; **~wohin** *pron,* somewhere (or other); *ich hätte Lust am Wochenende irgend-wohin zu fahren* I feel like going somewhere at the weekend

Iris, *sub, f, -,* - iris

Irland, *sub,* Ireland; **irisch** *adj,* Irish

Irokese, *sub, m, -en, -n* Iroquois

Ironie, *sub, f, -, -n* irony; **Ironiker** *sub, m, -s,* - ironical person; **ironisch** *adj,* ironic(al); **ironisieren** *vt,* treat sth ironically

Irrationalismus, *sub, m, nur Einz.* irrationalism; **irrational** *adj,* irrational; **Irrationalität** *sub, f, -, nur Einz.* irrationality

irre, (1) *adj,* insane, mad (2) **Irre** *sub, m,f, -, -n* madman; *(ugs.) diese Musik ist irre (gut)* this music is fantastic; *irres Zeug reden* to babble away

irreal, *adj,* unreal; **Irrealität** *sub, f, -, nur Einz.* irreality

Irredentist, *sub, m, -, -en* irredentist

irreführen, *vt,* deceive, mislead; **Irreführung** *sub, f, -, -en* deception

irregulär, *adj,* irregular; **Irregularität** *sub, f, -, -en* irregularity

irrelevant, *adj,* irrelevant; **Irrelevanz** *sub, f, -, -en* irrelevance

irreligiös, *adj,* irreligious

irren, *vr,* be mistaken

Irrenanstalt, *sub, f, -, -en* asylum, mental hospital; *(ugs.)* madhouse

Irresein, *sub, n, -, nur Einz.* dementia, insanity

irreversibel, *adj,* irreversible

Irrfahrt, *sub, f, -, -en* Odyssey

irrig, *adj,* mistaken, wrong; **~erweise** *adv,* mistakenly

irritabel, *adj,* irritable

Irritation, *sub, f, -, -en* irritation

irritieren, (1) *vr,* confuse (2) *vt,* irritate

Irrlehre, *sub, f, -, -en* heresy

Irrlicht, *sub, n, -s, -er (i. ü. S.)* will-o´-the-wisp; **irrlichtern** *vi,* flit about like a will-o´-the-wisp

Irrsinn, *sub, m, -s, nur Einz.* madness

Irrtum, *sub, m, -s, -tümer* error; **irr-**

tümlich *adj,* erroneous

Irrweg, *sub, m, -s, -e* wrong track

ischiadisch, *adj, (med.)* sciatic

Ischias, *sub, m, n, -, nur Einz.* sciatica; **~nerv** *sub, m, -s, -en* sciatic nerve

Isegrim, *sub, m, -, -* Isegrim; *(i. ü. S.)* grumbler

Islam, *sub, m, (-s), nur Einz.* Islam, Mohammedanism; **islamisch** *adj,* Islamic; **islamisieren** *vt,* islamize; **islamitisch** *adj,* Islamic

Ismus, *sub, m, -men (phil.)* ism

Isobare, *sub, f, -, -n (meteor.)* isobar

Isochromasie, *sub, f, -, nur Einz.* isochromat; **isochromatisch** *adj,* isochromatic

isogonal, *adj, (mat.)* isogonic

Isolation, *sub, f, -, -en* isolation; *Isolationspolitik* splendid isolation

Isolationist, *sub, m, -en, -en* isolationist

Isolator, *sub, m, -s, -en (tech.)* insulator

isolieren, (1) *vr,* isolate o.s. (2) *vt,* isolate; *(tech.)* insulate; **Isolierschicht** *sub, f, -, -en* insulating layer; **Isolierstation** *sub, f, -, -en (med.)* isolation ward; **isoliert** *adj,* isolated

Isoliertheit, *sub, f, -, nur Einz.* isolation

Isolierung, *sub, f, -s, -en (tech.)* insulation

Isometrie, *sub, f, -, nur Einz. (mat.)* isometry; **isometrisch** *adj,* isometric(al)

Isomorphie, *sub, f, -, -er* isomorphism; **isomorph** *adj, (biol.)* isomorphic

Isostasie, *sub, f, -, nur Einz. (geol.)* isostacy

Isotherme, *sub, f, -, -n (tt)* isotherm

Isotop, *sub, n, -s, -e (tt; chem. phys.)* isotope

Isotron, *sub, n, -s, -s oder -e (nucl.)* isotron

Istaufkommen, *sub, n, -s, nur Einz.*
real tax receipts

Isthmus, *sub, m, -, -men* isthmus

Italiener, *sub, m, -s, -* Italian; **~in**
sub, f, -, -nen Italian; **italienisch**
adj, Italian; **Italienische** *sub, n, -n,*
nur Einz. Italian (language)

Italowestern, *sub, m, -(s), -* Italian-
made Western

Iteration, *sub, f, -, -en (mat.)* iteration

iterativ, *adj,* iterative

Itinerar, *sub, n, -s, -e* itinerary

i-Tüpfelchen, *sub, n, -s, - (ugs.)*
finishing touch

J

ja, *adv*, yes; *aber ja!* yes, of course; *das ist ja fürchterlich* that´s just terrible; *nun ja* well; *sag bitte ja* please say yes

Jacht, *sub, f, -, -en* yacht

Jacke, *sub, f, -, -n* cardigan; jacket; **~nkleid** *sub, n, -es, -er* two-piece dress; **~ntasche** *sub, f, -, -n* jacket pocket

Jacketkrone, *sub, f, -, -n (med.)* jacket crown

Jackett, *sub, n, -s, -s, auch vereinzelt -e* jacket

Jackpot, *sub, m, -s, -s* jackpot

Jacquard, *sub, m, (-s), -s* Jacquard, Jacquard material

Jade, *sub, m, f, -, nur Einz.* jade

Jagen, **(1)** *sub, n, -s, nur Einz.* marked section of forest **(2) jagen** *vt*, drive, hunt; *(i. ü. S.)* chase; *(i. ü. S.) ein Witz jagte den anderen* one joke followed the other; *(i. ü. S.) jemanden aus dem Haus jagen* to drive someone out of the house; *(ugs.) mit dem Essen kannst du mich jagen* I wouldn´t eat that if you paid me

Jäger, *sub, m, -s, -* hunter; **~ei** *sub, f, -, nur Einz.* hunting; **~in** *sub, f, -, -nen* huntress; **~latein** *sub, n, (-s)-, -* hunter´s jargon; *(ugs.)* tall stories (of the hunt); **~meister** *sub, m, -s, -* professional hunter; **~prüfung** *sub, f, -, -en* hunting permit test; **~schaft** *sub, f, -, nur Einz.* hunters

Jaguar, *sub, m, -s, -e (zool.)* jaguar

jäh, *adj*, sudden; *(ugs.)* disastrous; *(i. ü. S.) ein jähes Erwachen* a rude awakening; *(ugs.) ich befürchte es wird noch ein jähes Ende haben* I fear it´s going to come to a bad end

Jahr, *sub, n, -s, -re* year

Jahrbuch, *sub, n, -s, -bücher* almanac(k), yearbook

jahrelang, **(1)** *adj*, long-standing **(2)** *adv*, for years

Jahresabschluss, *sub, m, -es, -abschlüsse* annual balance sheet; **Jahresbeginn** *sub, m, -s, -e* beginning

of the year; **Jahresumsatz** *sub, m, -es, -sätze* yearly turnover; **Jahresurlaub** *sub, m, -s, nur Einz.* annual holiday; **Jahreswagen** *sub, m, -s, -wägen* one-year-old car; **Jahreswende** *sub, f, -, -n* turn of the year; **Jahreszeit** *sub, f, -, -en* season

Jahrgang, *sub, m, -s, -gänge* age-group, year; *er ist mein Jahrgang* we were born in the same year; *sie ist Jahrgang 1950* she was born in 1950

Jahrhundert, *sub, n, -s, -e* century; **jahrhundertelang** *adv*, for centuries; *die Feindschaft dauerte jahrhundertelang* the enmity continued for centuries; **~wende** *sub, f, -, -en* turn of the century

jährlich, *adj*, annual

Jahrmarkt, *sub, m, -s, -märkte* fair

Jahrtausend, *sub, n, -s, -e* millennium

Jahrzehnt, *sub, n, -s, -e* decade

Jähzorn, *sub, m, -s, nur Mehrz.* violent (outburst of) temper

jähzornig, *adj*, irascible, violent-tempered

Jakobiner, *sub, m, -s, -* Jacobin; **~tum** *sub, n, -s, nur Einz.* Jacobinism; **jakobinisch** *adj*, Jacobinic(al)

Jakobsleiter, *sub, f, -, -n* rope ladder; *(bot.)* Jacob´s ladder

Jalon, *sub, m, -s, -s (tech.)* field rod

Jalousie, *sub, f, -, -n* venetian blind

Jamaikaner(in), *sub, m(f), -, -nen* Jamaican; **jamaikanisch** *adj*, Jamaican

Jammer, *sub, m, -s, nur Einz.* wailing, wretchedness; *(ugs.)* terrible shame; *ein lauter Jammer erhob sich* there arose a great lamentation; *er bot ein Bild des Jammers* he was a wretched sight; *das ist doch ein Jammer* what a shame!; *es wäre ein Jammer, wenn du nicht kommen könntest* it would be a terrible shame if you couldn´t come; **~miene** *sub, f, -, -n* woeful expression; **~tal** *sub, n, -es, -* vale of tears

Jammerlappen, *sub, m, -s, -* sissy, sop

jämmerlich, *adj,* pathetic, wretched

jammern, *vi,* wail, whine

jammerschade, *adj,* deplorable

Januar, *sub, m, (-s), meist Einz., sonst -e* January

Janusgesicht, *sub, n, -s, -er* Janus-face; **janusköpfig** *adj,* Janus-faced

Japan, *sub,* Japan; **~er** *sub, m, -s, -* Japanese; **japanisch** *adj,* Japanese; **~ologie** *sub, f, -, nur Einz.* Japanology; **~ologin** *sub, f, -, -nen* Japan expert

japsen, *vi,* gasp

Japser, *sub, m, -s, - (vulg.)* jap

Jardiniere, *sub, f, -, -n* jardinière

jarowisieren, *vt,* vernalize

Jasager, *sub, m, -s, -* yes-man

Jasmin, *sub, m, -s, -e* jasmine

Jaspis, *sub, m, -ses oder -, -se* jasper

jäten, *vt,* weed

Jauche, *sub, f, -, -n* liquid manure; **~nfass** *sub, n, -es, -fässer* liquid manure tank; **~ngrube** *sub, f, -, -n* cesspit; **~wagen** *sub, m, -s, -wagen* manure cart

jauchen, *vt,* manure

jauchzen, *vi,* rejoice; **Jauchzer** *sub, m, -s, -* cry of joy

jaulen, *vi,* whine

jawohl, *adv,* yes, indeed; *(mil.)* yes, Sir!

Jawort, *sub, n, -s, -e* consent (to marriage)

Jazz, *sub, m, -, nur Einz.* jazz; **~band** *sub, f, -, -s* jazz band; **jazzen** *vi,* play jazz; **~er** *sub, m, -s, -* jazzist; **~festival** *sub, n, -s, -s* jazz festival; **~kapelle** *sub, f, -, -n* jazz combo; **~musiker** *sub, m, -s, -* jazz musician

je, *adv,* according to, each, ever, per, the ... the ...; *wenn es je passieren soll* if it should ever happen; *je eher, desto besser* the sooner the better

Jeans, *sub, nur Mehrz.* jeans

jede, (1) *pron,* everyone **(2)** *pron (adj),* each, every; *das weiß doch jeder* everyone knows that; *jeder hat seine Fehler* everyone has his faults, *(prov.) jedem das Seine!* to each his own!; *jeder von uns* each (one) of us; *sie begrüßte jeden Gast* she greeted each guest; *an jedem Ort* at every place; *(prov.) jeder für sich und Gott für uns alle* every man for himself and God for all of us

jedenfalls, *adv,* anyhow, at least; *ich weiß nicht, ob das nötig ist, jedenfalls ist es hier üblich* I don´t know if it´s necessary, but that´s the way things are done here anyhow; *jedenfalls ist es jetzt zu spät* it´s too late now anyhow; *er ist nicht gekommen, aber er hat sich jedenfalls entschuldigt* he didn´t come, but at least he apologized; *er ist sehr weit gereist, jedenfalls sagt er das* he has travelled a lot, at least he says he has

jedermann, *pron,* everyone; *das ist nicht jedermanns Sache* it´s not everyone´s cup of tea; *Herr und Frau Jedermann* Mr and Mrs Average; *(Theat.) Jedermann* Everyman

jederzeit, *adv,* always, at any time

jederzeitig, *adj,* at any time

jedoch, *konj,* however; *es kam jedoch ganz anders* however, things turned out quite differently; *wir, jedoch, wollen es so nicht machen* we, however, don´t want to do it like that

Jeep, *sub, m, -s, -s* jeep

jeglicher, *pron (adj),* any

Jelängerjelieber, *sub, n, -s, -* honeysuckle

jemals, *adv,* ever

jemand, *pron,* someone

jemenitisch, *adj,* Yemenite

jene, *pron,* that, those; *zu jener Zeit* at that time; *in jenen Tagen* in those days; *welche Blumen möchtest du? jene dort hinten?*

which flowers would you like? those over there?

jenseits, (1) *adv*, beyond **(2)** *präp*, on the other side of **(3) Jenseits** *sub, n, -, nur Einz.* hereafter, next world

Jesuit, *sub, m, -en, -en* Jesuit; **~entum** *sub, n, -s, nur Einz.* Jesuitism

Jesuskind, *sub, n, -es, nur Einz.* Infant Jesus

Jet, *sub, m,n, (-s), -s* jet; **~lag** *sub, m, -s, -s* jet lag; **~set** *sub, m, -s, nur Einz.* jet set; **~stream** *sub, m, -s, (-s), -s (meteor.)* jet stream

Jeton, *sub, m, -s, -s* chip

jetzt, (1) *adv*, now **(2) Jetzt** *sub, n, -s, nur Einz.* present

Jetztzeit, *sub, f, -, -* modern times

jeweilig, *adj,* at the time, respective

jeweils, *adv,* at any given time

jiddisch, *adj,* Yiddish; **Jiddistik** *sub, f, -, nur Einz.* Yiddish studies

Jingle, *sub, m, (-s), (-s)* jingle

Job, *sub, m, -s, -s* job; **~sharing** *sub, n, (-s), nur Einz.* job sharing

jobben, *vti, (ugs.)* work

Joch, *sub, n, -es, -e* yoke; *(i. ü. S.)* yoke; *(i. ü. S.) sein Joch abschütteln* to throw off one´s yoke

Jochbein, *sub, n, -s, -e (med.)* yoke bone

Jockey, *sub, m, -s, -s* jockey

Jod, *sub, n, -s, nur Einz.* iodine; **~tinktur** *sub, f, -, -en* iodine tincture

jodeln, *vti,* yodel

Joga, *sub, m, n, (-s), nur Einz.* Yoga

joggen, *vi,* jog

Jogger, *sub, m, -s, -* jogger

Jogi, *sub, m, -s, -s* yogi

Jogurt, *sub, m, n, (-s), (-s)* yog(h)urt; *Joghurteis* frozen joghurt

Johannisbeere, *sub, f, -, -n* red/black currant; **Johannisfeuer** *sub, n, -s, -* Midsummer´s Eve bonfire

johlen, *vi,* howl

Joint, *sub, m, -s, -s* joint

Joker, *sub, m, -, -* joker

Jokus, *sub, m, -, -se* prank

Jolle, *sub, f, -, -n* dinghy

Jongleur, *sub, m, -, -e* juggler

jonglieren, *vti,* juggle

Jordanier(in), *sub, m (f), -, (-nen)* Jordanian

Josephinisch, *adj, (hist.)* Josephine

Jota, *sub, n, (-s), -s* iota

Joule, *sub, n, -* joule

Jour (fixe), *sub, m, -s, -s* meeting day

Journaille, *sub, f, -, nur Einz.* yellow press

Journalismus, *sub, m, -, nur Einz.* journalism; **Journalist** *sub, m, -en, -en* journalist; **Journalistik** *sub, f, -, nur Einz.* journalism; **Journalistin** *sub, f, -, -nen* journalist; **journalistisch** *adj,* journalistic

jovial, *adj,* jovial

Joystick, *sub, m, -s, -s (comp.)* joystick

Jubel, *sub, m, -s, nur Einz.* rejoicing; **~ruf** *sub, m, -s, -e* cheer

jubeln, *vi,* rejoice

Jubilar, *sub, m, -s, -e* person celebrating an anniversary

Jubilate, *sub, m, -s, -n* third Sunday after Easter

Jubiläum, *sub, n, -s, Jubiläen* anniversary, jubilee

jubilieren, *vi,* sing joyfully

Juchtenleder, *sub, n, -s, -* Russian leather

jucken, (1) *v impers,* be itchy **(2)** *vi,* itch; *(ugs.) das juckt mich nicht* I don´t care; *es juckt am ganzen Körper* I´m itchy all over; **Juckpulver** *sub, n, -s, -* itching powder; **Juckreiz** *sub, m, -es, -e* itch

Jucker, *sub, m, -s, -* light coach horse

Judaika, *sub, f, -, nur Mehrz.* books pertaining to Judaism; **Judaismus** *sub, m, -, nur Einz.* Judaism; **Judaistik** *sub, f, -, nur Einz.* Judaist studies

Judas, *sub, m, -, -se* Judas; **~kuss** *sub, m, -sses, -küsse* Judas kiss; **~lohn** *sub, m, -s, -löhne* blood money

Jude, *sub, m, -n, -n* Jew; **~ngegner** *sub, m, -s, -* anti-Semite; **~ntum** *sub, n, -s, nur Einz.* Jewry; **~nverfolgung** *sub, f, -, -en* persecution of the Jews

Judikative, *sub, f, -, -n* judicative

jüdisch, *adj*, Jewish

judizieren, *vi*, judge

Judo, *sub, m, -s, nur Einz. (spo.)* judo; **~ka** *sub, m, -s, -s* judoka

Jugend, *sub, f, -, -* young people, youth; **~amt** *sub, n, -s, -ämter* youth welfare department; **jugendfrei** *adj*, U-certificated; **~freund** *sub, m, -s, -e* childhood friend; **~gruppe** *sub, f, -, -n* youth group; **~herberge** *sub, f, -, -n* youth hostel; **~kriminalität** *sub, f, -, nur Einz.* juvenile delinquency; **~liebe** *sub, f, -, -n* sweetheart of one's youth; **~pflege** *sub, f, -, nur Einz.* youth welfare; **~recht** *sub, n, -s, nur Einz.* law relating to juveniles; **~schutz** *sub, m, -es, nur Einz.* protection of juveniles; **~sekte** *sub, f, -, -n* youth sect; **~stil** *sub, m, -s, nur Einz.* Pre-Raphaelitism; **~sünde** *sub, f, -, -n* youthful mistake; **~zeit** *sub, f, -, -en* youth

jugendlich, *adj*, youthful

Jugendliche, *sub, m.f, -n, -n* adolescent, youth

Jugoslawe, *sub, m, -n, -n* Yugoslav(ian); **jugoslawisch** *adj*, Yugoslavian

Juice, *sub, m, -, -s* juice

Jukebox, *sub, f, -, -es* juke box

Julfest, *sub, n, -s, -e* yuletide festival

Juli, *sub, m, -s, -* July

Julklapp, *sub, n, -s, -klapps* anonymous Yule gift

Jumbojet, *sub, m, -s, -s* Jumbo (jet)

jumpen, *vti*, jump

jung, *adj*, new, young

Jungbrunnen, *sub, m, -s, nur Einz.* fountain of youth

Junge, *sub, m, -n, -n* boy, lad; **jungenhaft** *sub*, boyish; **~nschule** *sub, f, -s, -n* boy's school

jünger, (1) *adj*, younger (2) **Jünger** *sub, m, -s, -* disciple; **Jüngerschaft**

sub, f, -, nur Einz. disciples

Jungfer, *sub, f, -, -n* old maid; **jüngferlich** *adj*, old-maidish; **~nfahrt** *sub, f, -, -en* maiden voyage; **~nflug** *sub, m, -s, -flüge* maiden flight; **~nhäutchen** *sub, n, -s, -* maidenhead; **~nrede** *sub, f, -, -n* maiden speech

Jungfrau, *sub, f, -, -en* virgin

jungfräulich, *adj*, pure, virginal

Junggeselle, *sub, m, -n, -n* bachelor; **Junggesellin** *sub, f, -, -nen* single woman

Jüngling, *sub, m, -s, -e* youth

Jungpflanze, *sub, f, -, -n* young plant

jüngst, *adv*, recently

Jungsteinzeit, *sub, f, -, nur Einz.* Neolithic age

Jungtier, *sub, n, -s, -e* young animal

Jungvieh, *sub, n, -s, nur Einz.* young stock

Jungwählerin, *sub, f, -, -nen* young voter

Juni, *sub, m, -s, -* June

Junikäfer, *sub, m, -s, -* chafer

Juniorchef, *sub, m, -s, -s* junior executive

Junkie, *sub, m, -s, -s* junkie

Junktim, *sub, n, -s, -s (polit.)* package (deal)

Junta, *sub, f, -, -s* junta

Jupon, *sub, m, -s, -s* petticoat

Jura, *sub, f, -, nur Mehrz.* law

Jurisdiktion, *sub, f, -, -en* jurisdiction

Jurisprudenz, *sub, f, -, nur Einz.* jurisprudence

Jurist, *sub, m, -en, -en* law student, lawyer

juristisch, *adj*, legal

Juror, *sub, m, -, -oren* adjudicator, member of the jury

Jurte, *sub, f, -, -n* jurt

Jury, *sub, f, -, -s* jury

just, *adv*, exactly, just

justieren, *vt*, adjust; **Justierwaage** *sub, f, -, -n (tech.)* adjusting scales

Justifikation, *sub, f, -, -en* justifica-

tion; **justifizieren** *vt*, justify
Justitia, *sub*, *f*, -, *nur Einz.* Justice
Jute, *sub*, *f*, -, *nur Einz.* jute; **~sack**
  sub, *m*, -*s*, -*säcke* jute bag
jütländisch, *adj*, Jutlandic
juvenalisch, *adj*, Juvenalian

juvenil, *adj*, juvenile
Juwel, *sub*, *m*,*n*, -*s*, -*en* jewel; **~ier**
  sub, *m*, -*s*, -*e* jeweller
Jux, *sub*, *m*, -*es*, -*e* joke
Juxtaposition, *sub*, *f*, -, -*en* jux-
  taposition

K

Kaaba, *sub, f, -, nur Einz.* Kaaba

Kabale, *sub, f, -, -n* intrigue

Kabarett, *sub, n, -s, -s* cabaret; **~ist** *sub, m, -en, -en* cabaret artist; **kabarettistisch** *adj,* cabaret-like

Kabbala, *sub, f, -, nur Einz.* cabbala

Kabbelei, *sub, f, -, -en (ugs.)* squabble

Kabel, *sub, n, -s, -* cable; **~fernsehen** *sub, n, -s, nur Einz.* cable television; **~leitung** *sub, f, -, -en* cable; **~trommel** *sub, f, -, -n* cable drum

Kabeljau, *sub, m, -s, -e und -s* cod

kabeln, *vti,* cable

Kabine, *sub, f, -, -n* cabin

Kabriolett, *sub, n, -s, -s* convertible

Kabuff, *sub, n, -s, -e oder -s* poky room

Kachel, *sub, f, -, -n* tile; **~ofen** *sub, m, -s, -öfen* tiled stove

Kacke, *sub, f, -, nur Einz. (vulg.)* crap

kacken, *vi,* shit

Kadaver, *sub, m, -s, -* carcass; **~gehorsam** *sub, m, -s, nur Einz.* slavish obedience

Kadenz, *sub, f, -, -en (mus.)* cadence

kadenzieren, *vt,* cadence

Kader, *sub, m, -s, - (mil.)* cadre; **~leiter** *sub, m, -s, -* cadre officer; **~partie** *sub, f, -, -n (Billard)* balkline game

Kadett, *sub, m, -en, -en (mil.)* cadet

Kadi, *sub, m, -s, -s* qadi; *(ugs.) jemanden vor den Kadi bringen* to haul someone before the judge

Käfer, *sub, m, -s, -* beetle

Kaff, *sub, n, -s, -e oder -s (ugs.)* small town

Kaffee, *sub, m, -s, nur Einz.* coffee; *Kaffee kommen lassen* ring for some coffee; **~bohne** *sub, f, -, -n* coffee bean; **kaffeebraun** *adj,* coffee-coloured; **~ernte** *sub, f, -, -n* coffee harvest; **~ersatz** *sub, m, -es, -sätze* artificial coffee; **~export** *sub, m, -s, -e* coffee export; **~fahrt** *sub, f, -, -en* day trip; **~filter** *sub, m, -s, -* coffee filter; **~kanne** *sub, f, -,*

-n coffeepot; **~löffel** *sub, m, -s, -* coffee spoon; **~mühle** *sub, f, -, -n* coffee grinder; **~pause** *sub, f, -, -n* coffee break; **~sorte** *sub, f, -, -n* type of coffee; **~tante** *sub, f, -, -n (ugs.)* old biddy; **~tasse** *sub, f, -, -n* coffee cup; **~wasser** *sub, n, -s, nur Einz.* water for coffee; **~zusatz** *sub, m, -es, -sätze* coffee additive

Kaffernbüffel, *sub, m, -s, - (zool.)* black buffalo

Käfig, *sub, m, -s, -e* cage; **~haltung** *sub, f, -, nur Einz.* caging

kahl, *adj,* bald, bare

kahl fressen, *vt,* strip bare

Kahlheit, *sub, f, -, nur Einz.* baldness, bareness, bleakness

Kahlkopf, *sub, m, -s, -köpfe* bald head; **kahlköpfig** *adj,* bald-headed

kahl scheren, *vt,* shave

Kahlschlag, *sub, m, -s, -schläge* deforestation

Kahn, *sub, m, -s, Kähne* barge, boat

Kai, *sub, m, -s, -e und -s* quay

Kaiman, *sub, m, -s, -e (zool.)* cayman

Kaimauer, *sub, f, -, -n* quay wall

Kainit, *sub, m, -s, -e* kainite

Kainsmal, *sub, n, -s, -e (bibl.)* mark of Cain

Kaiser, *sub, m, -s, -* emperor; **~in** *sub, f, -, -nen* empress; **~pfalz** *sub, f, -, nur Einz. (hist.)* imperial palace; **~reich** *sub, n, -s, -e* empire

Kaiserschnitt, *sub, m, -s, -e (med.)* Caesarean

Kajak, *sub, m,n, -s, -s* kayak; **~zweier** *sub, m, -s, - (spo.)* double kayak; *(spo.)* kayak pair

Kajüte, *sub, f, -, -n* cabin

Kakao, *sub, m, -s, nur Einz.* cocoa; **~butter** *sub, f, -, nur Einz.* cocoa butter; **~pulver** *sub, n, -s, -* cocoa

Kakerlak, *sub, m, -en, -en (zool.)* cockroach

Kakiuniform, *sub*, *f*, -, *-en* khaki uniform

Kakofonie, *sub*, *f*, -, *-n* cacophony; **kakofonisch** *adj*, cacophonous

Kaktus, *pron*, cactus; **~feige** *sub*, *f*, -, *-n* cactus fig

Kala-Azar, *sub*, *f*, -, *nur Einz. (med.)* kala azar

Kalabreser, *sub*, *m*, -s, - broad-brimmed hat

Kalamität, *sub*, *f*, -, *-en* calamity

Kalander, *sub*, *m*, -s, - *(tech.)* calander; **kalandern** *vt*, calander

Kalauer, *sub*, *m*, -s, - corny joke; **kalauern** *vi*, joke

Kalb, *sub*, *n*, -s, *Kälber* calf; **kalben** *vi*, calve; *(ugs.)* fool about; **Kälbermagen** *sub*, *m*, -s, *-mägen* calf´s stomach; **Kälberzähne** *sub*, *f*, -, *nur Mehrz.* hulled barley; **~fell** *sub*, *n*, -s, *-e* calfskin; **~fleisch** *sub*, *n*, -s, *nur Einz.* veal; **~sbraten** *sub*, *m*, -s, - roast veal; **~snuss** *sub*, *f*, -, *-nüsse* veal nut

Kalebasse, *sub*, *f*, -, *-n* calabash

kaledonisch, *adj*, Caledonian

Kaleidoskop, *sub*, *n*, -s, *-e* kaleidoscope

kalendarisch, *adj*, calendarial

Kalendarium, *sub*, *n*, -s, *-darien* calendar

Kalender, *sub*, *m*, -s, - calendar; **~jahr** *sub*, *n*, -es, *-e* calendar year; **~tag** *sub*, *m*, -s, *-e* calendar day

Kalesche, *sub*, *f*, -, *-n (hist.)* barouche

Kalfaktor, *pron*, boilerman, odd-job man

Kalfaterung, *sub*, *f*, -, *-en* ca(u)lking; **kalfatern** *vt*, *(tech.)* ca(u)lk

Kalfathammer, *sub*, *m*, -s, *-hämmer* ca(u)lking-mallet

Kali, *sub*, *n*, -s, *nur Einz.* potash

Kaliber, *sub*, *n*, -s, - calibre; *(i. ü. S.)* type; *(ugs.)* er ist nicht mein Kaliber he´s not my type; *(ugs.)* zwei Burschen vom selben Kaliber two fellows of the same calibre

kalibrieren, *vt*, calibrate

Kalif, *sub*, *m*, *-en*, *-en* caliph; **~at** *sub*, *n*, -s, *-e* caliphate

Kalifornier, *sub*, *m*, -s, - Californian; **kalifornisch** *adj*, Californian

Kaliko, *sub*, *m*, -s, *-s* calico

Kalisalpeter, *sub*, *m*, -s, - *(chem.)* saltpetre

Kalisalz, *sub*, *n*, -es, *-e* potash salt

Kaliumbromid, *sub*, *n*, -s, *nur Einz.* potassium bromide

Kaliumpermanganat, *sub*, *n*, -s, *-e* potassium permanganate

Kalk, *sub*, *m*, -s, *-e* lime; *(med.)* calcium; **~stein** *sub*, *m*, -s, *nur Einz.* limestone

Kalkulation, *sub*, *f*, -, *-en* calculation

kalkulierbar, *sub*, calculable

kalkulieren, *vt*, calculate

kalkuttisch, *adj*, Calcuttan

kalkweiß, *adj*, chalky

Kalligrafie, *sub*, *f*, -, *nur Einz.* calligraphy; **kalligraphisch** *adj*, calligraphic

Kalmar, *sub*, *m*, *ˑs*, *-e (zool.)* squid

Kalme, *sub*, *f*, -, *-n* windlessness

Kalmus, *sub*, *m*, -, *-se (bot.)* myrtle grass

Kalorie, *sub*, *f*, -, *-n* calorie

kalorienarm, *adj*, low-calorie

Kalorimeter, *sub*, *n*, -s, - *(phy.)* calorimeter

kalorisieren, *vt*, calorize

Kalpak, *sub*, *m*, -s, *-s* calpac(k)

kalt, *adj*, cold

Kaltblut, *sub*, *n*, -s, - heavy horse

Kaltblütler, *sub*, *m*, -s, - *(zool.)* cold-blooded animal

Kälte, *sub*, *f*, -, *nur Einz.* cold(ness); **~periode** *sub*, *f*, -, *-n* cold spell

Kaltfront, *sub*, *f*, -, *-en* cold front

kaltgepresst, *adj*, cold-pressed

kalt lassen, *vt*, *(ugs.)* leave unmoved; *das läßt mich kalt* I couldn´t care less; *der plötzliche Tod seiner Frau schien ihn vollkommen kalt zu lassen* he seemed completely unmoved by his wife´s sudden death

Kaltluft, *sub*, *f*, -, *nur Einz.* cold air

kaltmachen, *vt*, *(ugs.)* knock so

kalt stellen, *vt,* demote, let sth cool
Kaltstellung, *sub, f, -, -en* demotion
Kaltwelle, *sub, f, -, -n* cold perm
Kalumet, *sub, n, -s, -s* calumet
Kalvinismus, *sub, m, -, nur Einz.* Calvinism; **Kalvinist** *sub, m, -en, -en* Calvinist
Kalypso, *sub, ?* calypso
Kalzinierung, *sub, f, -, -en* calcination; **kalzinieren** *vr, (chem.)* calcine
Kalzium, *sub, n, -s, nur Einz.* calcium
Kamarilla, *sub, f, -, -rillen (polit.)* clique
Kamee, *sub, f, -, -n* cameo
Kamel, *sub, n, -s, -e (zool.)* camel; **~haar** *sub, n, -s, nur Einz.* camelhair
Kamelie, *sub, f, -, -n (bot.)* camellia
Kamera, *sub, f, -, -s* camera; **~recorder** *sub, m, -s, -* camera-recorder
Kamerad, *sub, m, -en, -en* comrade; **~erie** *sub, f, -, nur Einz.* bonhomie; **~schaft** *sub, f, -, -en* comradeship
kamerunisch, *sub, m,* Cameroon
Kamikaze, *sub, m, -, -* Kamikaze
Kamille, *sub, f, -, -n (bot.)* camomile; **~ntee** *sub, m, -s, -s* camomile tea
Kamin, *sub, n, -s, -e* chimney, fireplace; **~feger** *sub, m, -s, -* chimneysweep
Kamm, *sub, m, -s, Kämme* comb
kämmen, *vr,* comb
Kammer, *sub, f, -, -n* chamber, professional association, small room; **~diener** *sub, m, -s, -* valet; **~jäger** *sub, m, -s, -* pest controller; **~junker** *sub, m, -s, -* chamberlain; **~musik** *sub, f, -, -* chamber music; **~spiel** *sub, n, -s, -e* play (for studio theatre); **~ton** *sub, m, -s, nur Einz.* concert pitch
Kämmmaschine, *sub, f, -, -n (tech.)* combing machine
Kammmuschel, *sub, f, -, -n (zool.)* scallop
Kampagne, *sub, f, -, -n* campaign
Kampanile, *sub, m, -, -* Campanile
Kampf, *sub, m, -es, Kämpfe* battle, fight, struggle; **~ansage** *sub, f, -, -n* declaration of war; **kampfbereit** *adj,* ready for battle; **kampfbetont** *adj,* aggressive; **~eslärm** *sub, m, -s, nur Einz.* din of battle; **~eslust** *sub, f, -, nur Einz.* bellicosity, pugnacity; **~flieger** *sub, m, -s, -* fighter pilot; **~gruppe** *sub, f, -, -n* combat group; **kampflos** *adv,* without a fight; **~panzer** *sub, m, -s, -* combat tank; **~richter** *sub, m, -s, - (spo.)* referee; **~sport** *sub, m, -s, nur Einz.* martial art; **kampfunfähig** *adj,* unfit (for fighting)
kämpfen, *vti,* battle, struggle
Kampfer, *sub, m, -s, nur Einz.* camphor
Kämpfer, *sub, m, -s, -* combatant, fighter; **kämpferisch** *adj,* militant; **~natur** *sub, f, -, -en* strong-willed character
kampieren, *vi,* camp
kanaanäisch, *adj,* Canaanite
kanaanitisch, *adj,* Canaanite
Kanada, *sub,* Canada; **Kanadier** *sub, m, -s, -* Canadian
Kanaille, *sub, f, -, nur Einz.* rabble
Kanake, *sub, m, -n, -n und -r* Kanaka; *(vulg.)* dago
Kanal, *sub, m, -s, Kanäle* canal, channel; **~bau** *sub, m, -s, -ten* canal construction; **~deckel** *sub, m, -s, -* manhole cover; **~gebühr** *sub, f, -, -en* canal fee; **~schacht** *sub, m, -s, -schächte* manhole; **~tunnel** *sub, m, -s, -* channel tunnel
Kanalisation, *sub, f, -, -en* sewerage; **kanalisieren** *vt,* provide sewerage
Kanapee, *sub, n, -s, -s* canapé, settee
Kanarienvogel, *sub, m, -s, -vögel* canary
Kandare, *sub, f, -, -n* curb; *(i. ü. S.) jemanden an die Kandare nehmen* to take someone in hand
Kandelaber, *sub, m, -s, -* candelabrum
kandieren, *vt,* candy

Kandiszucker, *sub, m, -s, nur Einz.* rock-candy

Kaneel, *sub, m, -s, -e* cinnamon; **~blume** *sub, f, -, -n* canella flower

Känguru, *sub, n, -s, -s (zool.)* kangaroo

Kaniden, *sub, Mehrz.* dogs

Kaninchen, *sub, n, -s, -* rabbit

Kanister, *sub, m, -* can

Kännchen, *sub, n, -s, -* pot

Kanne, *sub, f, -, -n* jug, pot

Kannegießer, *sub, m, -s, - (ugs.)* pub politician; **kannegießern** *vi,* blather about politics

kannelieren, *vt, (arch.)* flute

kannenweise, *adv,* by pots

Kannibale, *sub, m, -n, -n* cannibal, savage; **kannibalisch** *adj,* cannibal(istic); **Kannibalismus** *sub, m, -, nur Einz.* cannibalism

Kanon, *sub, m, -s, -s* standard; *(bibl.)* canon

Kanonade, *sub, f, -, -n (mil.)* cannonade

Kanone, *sub, f, -, -n* cannon; *(ugs.) sie spielte unter aller Kanone* she played abominably; **~nboot** *sub, n, -s, -e* gunboat; **~nfutter** *sub, n, -s, -* cannon fodder; **~nrohr** *sub, n, -s, -e* gun barrel; **~nschlag** *sub, m, -s, -schläge* cracker

kanonisch, *adj,* canonic

kanonisieren, *vt,* canonize

kantabrisch, *adj,* Cantabrian

Kantate, *sub, f, -, -n (mus.)* cantata

Kante, *sub, f, -, -n* edge; *(ugs.) etwas auf die hohe Kante legen* to save for a rainy day; *wir legten die Steine Kante an Kante* we laid the stones end to end

Kanten, (1) *sub, m, -s, - (Dial.)* endpiece (of bread) **(2) kanten** *vt,* stand sth on edge, tilt

Kantenwinkel, *sub, m, -s, -* interfacial angle

Kanthaken, *sub, m, -s, -* cant hook

Kantharidin, *sub, n, -s, - (med.)* Spanish fly

kantig, *adj,* angular

Kantine, *sub, f, -, -n* cafeteria, canteen; **~nwirt** *sub, m, -s, -e* canteen

Kantor, *sub, m, -s, -en (mus.)* choirmaster

Kantorat, *sub, n, -s, -e* precentorship

Kantorei, *sub, f, -, -en* church choir

Kanu, *sub, n, -s, -s* canoe

Kanüle, *sub, f, -, -n (med.)* cannula

Kanzel, *sub, f, -, -n* pulpit; **~redner** *sub, m, -s, -* orator

Kanzlei, *sub, f, -, -en* chambers, office

kanzleimäßig, *adj, (ugs.)* official

Kanzleistil, *sub, m, -s, nur Einz.* officialese

Kanzler, *sub, m, -s, -* chancellor

Kaolin, *sub, m, n, -s, -e* China clay

Kap, *sub, n, -s, -s (geogr.)* cape

Kapaun, *sub, m, -s, -e* capon

Kapazität, *sub, f, -, -en* authority, capacity; *er ist eine der führenden Kapazitäten seines Fachs* he is one of the leading authorities in his field

Kapelle, *sub, f, -, -n* chapel; *(mus.)* band; **Kapellmeister** *sub, m, -s, -* conductor

Kaper, *sub, f, -, -n* caper; **~brief** *sub, m, -s, -e* letter of marque; **~schiff** *sub, n, -s, -e* privateer

kapern, *vt,* capture, grab

kapieren, *vti, (ugs.)* understand; *ah, ich kapiere* oh, I see; *er wird es wohl nie richtig kapieren* he´ll never understand what it´s all about

kapillar, *adj, (phy.)* capillary

kapital, (1) *adj, (ugs.; .)* major; *(jur.)* capital **(2) Kapital** *sub, n, -s, -e (wirt.)* capital; *(ugs.) das war ein kapitaler Fehler* that was a major mistake; *Ehebruch ist in manchen Ländern immer noch ein Kapitalverbrechen* adultery is still a capital crime in some countries, *er hat sein Kapital gut angelegt* he has made a capital investment; *(i. ü. S.) ihr hübsches Gesicht ist ihr Kapital* her pretty face is her capital; **Kapitalband**

sub, n, -s, -bänder headband; **Kapitalgeber** *sub, m, -s,* - investor; **Kapitalgesellschaft** *sub, f, -, -en* joint-stock company; **Kapitalhirsch** *sub, m, -es, -e* royal stag; **Kapitalkraft** *sub, f, -, -kräfte* financial strength; **Kapitalmarkt** *sub, m, -s, -märkte* financial market; **Kapitalverbrechen** *sub, n, -s,* - capital offence; **Kapitalzins** *sub, m, -es, -en* interest (on capital)

Kapitälchen, *sub, n, -s,* - small capital

kapitalisieren, *vt,* capitalize

Kapitalismus, *sub, m, -, nur Einz.* capitalism; **Kapitalist** *sub, m, -en, -en* capitalist; **kapitalistisch** *adj,* capitalist(ic)

Kapitän, *sub, m, -s, -e* captain; **~spatent** *sub, n, -s, -e* master´s certificate

Kapitel, *sub, n, -s,* - chapter; *(i. ü. S.) das ist ein anderes Kapitel* that´s a different story; *(i. ü. S.) das ist ein trauriges Kapitel* that´s a sad story; **~saal** *sub, m, -s, -säle* chapter house

kapitelfest, *adj,* well-versed

Kapitell, *pron, (arch.)* capital

Kapitol, *sub, n, -s, nur Einz.* Capitol

Kapitular, *sub, m, -s, -e* capitular

Kapitulation, *sub, f, -, -en* surrender; **kapitulieren** *vi,* surrender

Kaplan, *sub, m, -s, Kapläne* chaplain

Kapo, *sub, m, -s, -s (ugs.)* overseer

Kapodaster, *sub, m,* - *(mus.)* capo

kapores, *adj, (ugs.)* broken

Kaposisarkom, *sub, n, -s, -e (med.)* Kaposi´s sarcoma

Kapotte, *sub, f, -, n* capot(e)

Kappa, *sub, n, -s, s* kappa

Kappe, *sub, f, -, -n* cap; *(ugs.) das nehme ich auf meine Kappe* I´ll take the responsibility for it; *(i. ü. S.) der Berggipfel trägt eine weiße Kappe* the mountain peak is covered with snow

kappen, *vt,* cut (back), trim

Kappenabend, *sub, m, -s, -e* carnival party (with fancy-dress hats)

Kappnaht, *sub, f, -, -nähte* French seam

Kaprice, *sub, f, -, -n* caprice

Kapriole, *sub, f, -, -n (ugs.)* caper; *Kapriolen machen* to cut capers

kaprizieren, *vr,* insist stubbornly

kapriziös, *adj,* capricious

Kapsel, *sub, f, -, -n* capsule; **kapselförmig** *adj,* capsular

kaputt, *adj,* broken, exhausted, torn; *(ugs.)* bust, fagged-out; *(ugs.) das Spielzeug ist kaputt* the toy is broken; *(ugs.) bist du schon kaputt?* are you bushed already? we´ve just got started; *(ugs.) ich bin total kaputt* I´m dead beat; *(ugs.) meine Strümpfe sind kaputt* my stockings are torn; *(ugs.) die Firma ist kaputt* the firm has gone bust

kaputtgehen, *vi,* break up, fall apart; *(ugs.)* break down, go to the dogs; *(ugs.) die Beziehung ist schon vor Jahren kaputtgegangen* they broke up years ago; *(ugs.) der Kuchen ist beim Durchschneiden kaputtgegangen* the cake fell apart when it was cut; *(ugs.) kurz vor Hamburg ging das Auto kaputt* the car broke down just before Hamburg; *(ugs.) ohne seine Frau würde er kaputtgehen* he´d go to the dogs without his wife

kaputtlachen, *vr,* laugh till one cries; *(ugs.) bei seinen Geschichten lache ich mich immer kaputt* his stories make me laugh till I cry

kaputtmachen, **(1)** *vt,* wear out **(2)** *vt, vr, (ugs.)* ruin; *(ugs.) mit seiner Zigarette hat er den Teppich kaputtgemacht* he ruined the carpet with his cigarette

kaputttreten, *vt,* crush, smash; *(ugs.) mit deinen schweren Stiefeln trittst du mir die ganzen Blumen kaputt* with your heavy boots on you´ll crush all my flowers

Kapuze, *sub, f, -, -n* hood

Kapuziner, *sub, m, -s,* - Capuchin

(monk)

Karabiner, *sub, m, -s, -s (mil.)* carbine; **~haken** *sub, m, -s, - (tech.)* snap link

Karacho, *sub, n, -, nur Einz. (ugs.)* at full speed; *(ugs.)* er fuhr mit Karacho gegen die Mauer he drove smack into the wall

Karaffe, *sub, f, -, -n* carafe

Karakalpake, *sub, m, -n, -n (Anthrop.)* Karakalpak

Karakulschaf, *sub, n, -s, -e* karakul

Karambolage, *sub, f, -, -n* crash; **karambolieren** *vi,* crash

Karamell, *sub, m,n, -s, nur Einz.* caramel; **karamelisieren** *vt,* caramel(ize); **~bier** *sub, n, -s, -e* malt beer; **~e** *sub, f, -, -n* toffee; **~zukker** *sub, m, -s, -* burnt sugar

Karat, *sub, n, -s, -e* carat

Karateka, *sub, m, -s, -s (spo.)* karate expert

Karavelle, *sub, f, -, -n* caravel

Karawane, *sub, f, -, -n* caravan; **Karawanserei** *sub, f, -, -en* caravanserai

Karbatsche, *sub, f, -, -n* kourbash

Karbidlampe, *sub, f, -, -n* Davy lamp

Karbolineum, *sub, n, -s, nur Einz.* carbolineum

Karbolsäure, *sub, f, -, nur Einz. (chem.)* carbolic acid

Karbon, *sub, n, -s, nur Einz.* carbon; **~papier** *sub, n, -s, -e* carbon paper; **~säuren** *sub, nur Mehrz.* carbonic acid

Karbunkel, *sub, m, -s, -* carbuncle

Kardamom, *sub, m,n, -e, -s* cardamom

Kardantunnel, *sub, n, -s, -e (tech.)* transmission tunnel

Kardanwelle, *sub, f, -, -n* cardan shaft

Kardätsche, *sub, f, -, -n* currycomb; *(tech.)* card

kardätschen, *vt,* comb; *(tech.)* card

Kardendistel, *sub, f, -, -n (bot.)* teasel

kardial, *adj, (med.)* cardiac

Kardialgie, *sub, f, -, -n* cardialgia

kardinal, (1) *adj,* cardinal **(2) Kar-**

dinal *sub, m, -s, Kardinäle (eccl.)* cardinal; **Kardinalshut** *sub, m, -s, -hüte* cardinal´s hat

Kardinalzahl, *sub, f, -, -en* cardinal number

Kardiograph, *sub, n, -s, -e (med.)* cardiograph

Kardiologie, *sub, f, -, nur Einz.* cardiology

Karenzzeit, *sub, f, -, nur Einz.* waiting period

Karfiol, *sub, m, -s, nur Einz. (dial.)* cauliflower

Karfreitag, *sub, m, -s, nur Einz.* Good Friday

karg, *adj,* frugal, mean

kargen, *vi,* be sparing (with sth)

Kargheit, *sub, f, -, nur Einz.* barrenness, frugality

kärglich, *adj,* meagre, poor

Kargo, *sub, m, -s, -s* cargo

Karibu, *sub, n, -s, -s (zool.)* caribou

karieren, *vt,* checker (-quer)

kariert, *adj,* checkered

Karies, *sub, f, -, nur Einz.* caries; **kariös** *adj,* carious

Karikatur, *sub, f, -, -ren* caricature; **~ist** *sub, m, -en, -en* caricaturist, cartoonist; **karikieren** *vt,* caricature

Karitas, *sub, f, -, nur Einz.* charity; **karitativ** *adj,* charitable

karlingisch, *adj, (hist.)* Carlovingian

Karmeliter, *sub, m, -s, -* Carmelite; **~geist** *sub, m, -es, nur Einz. (med.)* Carmelite water; **~in** *sub, f, -, -nen* Carmelite

karmesinrot, *adj,* crimson

Karmin, *sub, n, -s, nur Einz.* crimson; **~säure** *sub, f, -, nur Einz.* carminic acid

karmosieren, *vt,* set (small stones in jewellery)

Karneval, *sub, m, -s, -s u. -e* carnival; **~ist** *sub, m, -en, -en* carnival participant; **~szug** *sub, m, -s, -züge* carnival parade

karnivor, *adj, (biol.)* carniverous

Karnivore, *sub, f, -, -n* carnivore

kärntnerisch, *adj*, Carinthian

Karo, *sub*, *n*, *-s*, *-s* check, diamonds (cards)

Karolinger, *sub*, *m*, *-s*, *- (hist.)* Carolingian; **karolingisch** *adj*, Carolingian

Karosse, *sub*, *f*, *-*, *-n* coach

Karosserie, *sub*, *f*, *-*, *-n* car-body

karossieren, *vt*, design (car-bodies)

Karotin, *sub*, *n*, *-s*, *nur Einz.* carotin

Karotte, *sub*, *f*, *-*, *-n* carrot; **~nbeet** *sub*, *n*, *-s*, *-e* carrot bed; **~nhose** *sub*, *f*, *-*, *-n* pants (tapered at the ankles)

Karpfen, *sub*, *m*, *-s*, *-* carp; **~teich** *sub*, *m*, *-s*, *-e* carp pond; **~zucht** *sub*, *f*, *-*, *-en* carp farming

Karre, *sub*, *f*, *-*, *-n* cart; *(ugs.)* bomb; *(ugs.) in deiner alten Karre würde ich nicht mal um die nächste Ecke fahren* I wouldn´t even drive round the corner in your old bomb

karren, *vt*, cart

Karriere, *sub*, *f*, *-*, *-n* career; **~frau** *sub*, *f*, *-*, *-en* career woman; **Karrierismus** *sub*, *m*, *-*, *nur Einz.* careerism; **Karrierist** *pron*, careerist

Kartätsche, *sub*, *f*, *-*, *-n (mil.)* case shot; **kartätschen** *vi*, shoot (with case shot)

Kartäuser, *sub*, *m*, *-* Carthusian monk, Chartreuse

Kärtchen, *sub*, *n*, *-s*, *-* little card

Karte, *sub*, *f*, *-*, *-n* card, map, menu, ticket; **~nblatt** *sub*, *n*, *-s*, *-blätter* map (sheet); **~nblock** *sub*, *m*, *-s*, *-blöcke* card-pad; **~nbrief** *sub*, *m*, *-s*, *-e* lettercard; **~nspiel** *sub*, *n*, *-s*, *-e* cards

Kartei, *sub*, *f*, *-*, *-en* card file; **~karte** *sub*, *f*, *-*, *-n* filing-card; **~kasten** *sub*, *m*, *-s*, *-kästen* filing-card box; **~leiche** *sub*, *f*, *-*, *-n* inactive member; **~zettel** *sub*, *m*, *-s*, *-* filing slip

Kartell, *sub*, *n*, *-s*, *-e (wirt.)* cartel

kartellieren, *vt*, cartel(l)ize

karthagisch, *adj*, Carthaginian

kartieren, *vt*, chart, file, map

Kartoffel, *sub*, *f*, *-*, *-n* potato; **~brei** *sub*, *m*, *-s*, *-e* mashed potatoes; **~käfer** *sub*, *m*, *-s*, *-* potato beetle;

~salat *sub*, *m*, *-s*, *-e* potato salad

Kartografie, *sub*, *f*, *-*, *nur Einz.* cartography; **Kartograf** *sub*, *m*, *-en*, *-en* cartographer; **kartografisch** *adj*, cartographic(al); **Kartogramm** *sub*, *n*, *-s*, *-e* cartogram; **Kartomantie** *sub*, *f*, *-*, *nur Einz.* cartomancy; **Kartometrie** *sub*, *f*, *-*, *nur Einz.* opisometry

Karton, *sub*, *m*, *-s*, *-s* cardboard, cardboard box; **~age** *sub*, *f*, *-*, *-n* cardboard packaging; **kartonieren** *vr*, bind books (in cardboard)

Kartothek, *sub*, *f*, *-*, *-en* card file

Kartusche, *sub*, *f*, *-s*, *-n* cartridge

Karussell, *sub*, *n*, *-s*, *-s und -e* merry-go-round

Karwoche, *sub*, *f*, *-*, *-n (eccl)* Holy Week

Karzer, *sub*, *m*, *-s*, *-* detention, detention cell

Kasack, *sub*, *m*, *-s*, *-s (Austrian)* long blouse

Kaschemme, *sub*, *f*, *-*, *-n (ugs.)* dive

kaschieren, *vt*, conceal, disguise; **Kaschierung** *sub*, *f*, *-*, *-en* concealment

Kaschmir, *sub*, *m*, *-s*, *-e* cashmere; **~wolle** *sub*, *f*, *-*, *-n* cashmere (wool)

kaschubisch, *adj*, Kashubian

Käse, *sub*, *m*, *-s*, *-* cheese; *(ugs.)* nonsense; *(ugs.) er erzählt nur Käse* he talks nonsense; **~laib** *sub*, *m*, *-s*, *-e* cheese

Kasematte, *sub*, *f*, *-*, *-n (mil.)* casemate

käsen, *vi*, make cheese

Käserei, *sub*, *f*, *-*, *-en* cheese dairy

Kaserne, *sub*, *f*, *-*, *-n* barracks; **~nhof** *sub*, *m*, *-s*, *-höfe* barrack square

Kasernierung, *sub*, *f*, *-*, *-en* assignment to barracks; **kasernieren** *vt*, quarter in barracks

käseweiß, *adj*, pale

käsig, *adj*, pale, pasty

Kasino, *sub*, *n*, *-s*, *-s* casino, officers´ mess

Kaskade, *sub*, *f*, *-*, *-n* waterfall

Kaskoversicherung, *sub, f, -, -en* full-coverage insurance

Kassandraruf, *sub, m, -es, -e (ugs.)* gloomy prediction

Kassazahlung, *sub, f, -, -en* cash payment

Kasse, *sub, f, -, -n* cash desk, cash register, cashbox; *(ugs.)* money; *(ugs.) getrennte Kasse machen* to go halves; *(ugs.) mit der Kasse durchbrennen* to make off with the cash; *(ugs.) schlecht bei Kasse sein* to be short of money; **~nblock** *sub, m, -s, -blöcke* bill pad; **~nmagnet** *sub, m, -s o. -en, -e (i. ü. S.)* box-office magnet; **~nzettel** *sub, m, -s, -* receipt, sales slip

Kasserolle, *sub, f, -, -n* casserole

Kassette, *sub, f, -, -n* cassette, gift box

Kassiber, *sub, m, -s, -* secret message

Kassienbaum, *sub, m, -s, -bäume (bot.)* cassia tree

kassieren, (1) *vi*, take (money) (2) *vt*, collect (money), earn; *(ugs.) von der Versicherung hat er ganz nett kassiert* he raked in a pile from the insurance, *(ugs.) darf ich bei Ihnen schon kassieren?* would you mind paying now?; *(ugs.) bei jedem Verkauf kassiert er eine Menge* he makes a packet on every sale

Kassierer, *sub, m, -s, -* cashier; *(Bank)* teller

Kassler, *sub, m, -s, -* cured pork cutlet

Kastagnette, *sub, f, -, -n (mus.)* castanet

Kastanie, *sub, f, -, -n* chestnut; **~nbaum** *sub, m, -s, -bäume* chestnut tree

Kaste, *sub, f, -n* caste

kasteien, *vr*, chastise oneself

Kastell, *sub, n, -s, -e* citadel

Kastellan, *sub, m, -s, -e* caretaker, castellan

Kastration, *sub, f, -, -en* castration; **Kastrat** *sub, m, -en, -en* eunuch; **kastrieren** *vt*, castrate

Kasuar, *sub, m, -s, -e (wirt.)* cassowary

Kasuistik, *sub, f, -, nur Einz.* casuistry; **kasuistisch** *adj*, casuistic

Kasus, *sub, m, -, -* case; **~endung** *sub, f, -, -en* inflection

Katabolismus, *sub, m, -, nur Einz.* katabolism

Katachresis, *sub, f, -s, -resen* catachresis

Katafalk, *sub, m, -s, -e* catafalque

Katakombe, *sub, f, -, -n* catacomb

katalanisch, *adj*, Catalan; **Katalanische** *sub, n, -n, nur Einz.* Catalan

katalektisch, *adj*, catalectic

Katalepsie, *sub, f, -, -n (med.)* catalepsy; **kataleptisch** *adj*, cataleptic

Katalog, *sub, m, -s, -e* catalogue; **katalogisieren** *vt*, catalogue

Katalysator, *sub, m, -s, -en* catalyst, catalytic converter; **Katalyse** *sub, f, -, - n (chem.)* catalysis; **katalysieren** *vt*, catalyze

Katamaran, *sub, m, -s, -e* catamaran

Katapult, *sub, m, -s, -e* catapult; **~flug** *sub, m, -s, -flüge* catapult flight; **katapultieren** *vt*, catapult; **~sitz** *sub, m, -es, -e* ejection seat

Katarakt, *sub, m, -s, -e* cataract

Kataster, *sub, m, -s, -* land register; **~amt** *sub, n, -s, -ämter* land registry office; **katastrieren** *vt*, register

Katastrophe, *sub, f, -, -n* catastrophe; **katastrophal** *adj*, catastrophic.

Katatonie, *sub, f, -, -n (psych.)* catatonia

Kate, *sub, f, -, -n (dial)* cottage

Katechese, *sub, f, -, -n (theol.)* catechesis; **Katechet** *sub, m, -en, -en* catechist; **katechetisch** *adj*, catechetic(al); **Katechismus** *sub, m, -, -men* catechism

Kategorie, *sub, f, -, -n* category; **kategorisch** *adj*, categorical

Kater, *sub, m, -s, -* hangover, tomcat; **~frühstück** *sub, n, -s, -e (ugs.)* hangover breakfast

katexochen, *adv*, par excellence

Katharsis, *sub, f, -, nur Einz.* catharsis; **kathartisch** *adj*, cathartic

Katheder, *sub, m,n, -s, -* teacher´s desk

Kathedrale, *sub, f, -, -n* cathedral

Kathete, *sub, f, -, -n (mat.)* cathetus

Katheter, *sub, m, -s, - (med.)* catheter; **katheterisieren** *vt*, catheterize

Kathode, *sub, f, -, -n* cathode

Katholik, *sub, m, -en, -en* Catholic; **katholisch** *adj*, catholic; **Katholizismus** *sub, m, -, nur Einz.* Catholicism

Kation, *sub, n, -s, -en (chem.)* cation

Kattun, *sub, m, -s, -e* cotton cloth; ~**kleid** *sub, n, -s, -er* calico dress

katzbalgen, *vr*, tussle; **Katzbalgerei** *sub, f, -, -en* tussle

katzbuckeln, *vi*, bow and scrape

Katze, *sub, f, -, -n cat*; **Katz-und-Maus-Spiel** *sub, n, -es, -e (ugs.)* cat-and-mouse game; ~**nauge** *sub, n, -s, -n* cat´s eye; ~**ndreck** *sub, m, -s, nur Einz.* cat´s excrement; ~**nfutter** *sub, n, -s, nur Einz.* cat food; **katzengleich** *adj*, feline; ~**njammer** *sub, m, -s, nur Einz. (ugs.)* blues; ~**nmusik** *sub, f, -, nur Einz.* caterwauling; ~**nsprung** *sub, m, -es, nur Einz.* stone´s throw; ~**nwäsche** *sub, f, -, nur Einz.* cat´s lick

Katzelmacher, *sub, m, -s, - (vulg.)* wop

Kauderwelsch, *sub, n, -s, -* gibberish

kauen, *vti*, chew

kauern, *vir*, cower, crouch

Kauf, *sub, m, Käufe* purchase

kaufen, *vt*, buy

kaufenswert, *adj*, worth buying

Käufer, *sub, m, -s, -* buyer, customer

Kaufhaus, *sub, n, -es, -häuser* department store

Kaufkraft, *sub, f, -, nur Einz.* purchasing power; **kaufkräftig** *adj*, moneyed

käuflich, *adj*, purchasable, venal

Käuflichkeit, *sub, f, -, -en* availability for purchase, corruptibility

kaufmännisch, *adj*, business, commercial

Kaufvertrag, *sub, m, -es, -träge* bill of sale

Kaugummi, *sub, m, n, -s, -s* chewing gum; *Kaugummi* bubble-gum

Kaukasier, *sub, m, -s, -* Caucasian

Kaulquappe, *sub, f, -, -pen* tadpole

kaum, **(1)** *adv*, barely, hardly, scarcely **(2)** *konj*, hardly; *er spricht so undeutlich, daß man ihn kaum versteht* he speaks so indistinctly that you can barely understand him; *ich habe ihn kaum gekannt* I hardly knew him; *ich habe kaum noch Geld* I´ve hardly any money left; *das ist kaum zu glauben* it´s scarcely believable; *das wird kaum passieren* that´s scarcely likely to happen, *kaum daß wir das Meer erreicht hatten* hardly had we reached the sea

kausal, *adj*, causal; **Kausalgesetz** *sub, n, -es, -e* law of causality; **Kausalität** *sub, f, -, -en* causality; **Kausalkette** *sub, f, -, -n* causal chain; **Kausalsatz** *sub, m, -es, -sätze* causal clause

kaustisch, *adj*, caustic

Kautabak, *sub, m, -es, -e* chewing tobacco

Kaution, *sub, f, -, -en* bail, deposit

Kautschuk, *sub, m, -s, -e* rubber

Kauwerkzeuge, *sub, f, -, nur Mehrz. (med.)* masticatory organs

Kauz, *sub, m, -es, -ze* screech owl; *(ugs.)* odd fellow

Käuzchen, *sub, n, -s, -* s. Kauz

kauzig, *adj*, eccentric, odd

Kavalier, *sub, m, -s, -e* gentleman; ~**sdelikt** *sub, n, -s, -e* petty offence; *Zigarettensmuggeln ist kein Kavaliersdelikt mehr* smuggling cigarettes is no longer a petty offence

Kavallerie, *sub, f, -, -n (mil.)* cavalry; **Kavallerist** *sub, m, -en, -en* cavalryman

Kavatine, *sub, f, -, -n (mus.)* cavatina

Kaverne, *sub, f, -, -n* cavern

kavernös, *adj*, cavernous

Kaviar, *sub, m, -s, -e* caviar

Kawisprache, *sub, f, -, nur Einz.* Kawi

Kebab, *sub, m, -s, -s* kebab

Kebse, *sub, f, -, -n* concubine

keck, *adj*, pert, saucy

keckern, *vi*, snarl

Keckheit, *sub, f, -, -ten* pertness, sauciness

Keepsmiling, *sub, n, - (ugs.)* forced smile

Kefir, *sub, m, -s, nur Einz.* kefir

Kegel, *sub, m, -s, -* skittle; *(mat.)* cone; **~bahn** *sub, f, -, -nen* bowling alley; **kegelförmig** *adj*, conical; **~mantel** *sub, m, -s, -mäntel (mat.)* envelope of a cone; **~schnitt** *sub, m, -s, -e (mat.)* conic section

kegeln, *vi*, bowl, play skittles

Kehle, *sub, f, -, -len* throat; **Kehlkopf** *sub, m, -es, -köpfe* larynx

Kehre, *sub, f, -, -ren* sharp curve

kehren, **(1)** *vt*, turn (one's back), turn (one's eyes) **(2)** *vti*, sweep

Kehricht, *sub, m, n, -s, nur Einz.* rubbish; **~eimer** *sub, m, -s, -* dustbin

Kehrmaschine, *sub, f, -, -n* roadsweeper

Kehrordnung, *sub, f, -, -en* cleaning duty

Kehrreim, *sub, f, -, -e* refrain

Kehrschleife, *sub, f, -, -n* hairpin curve

Kehrseite, *sub, f, -, -n* reverse (side); *(i. ü. S.)* drawback

kehrtmachen, *vi*, turn back; *(mil.)* about-turn

Kehrtwendung, *sub, f, -, -en* about-turn

keifen, *vi*, bicker; **Keiferei** *sub, f, -, -en (ugs.)* bickering

Keil, *sub, m, -es, -le* wedge; **~riemen** *sub, m, -s, - (tech.)* fan-belt; **~schrift** *sub, f, -, -ten* cuneiform script

Keile, *sub, f, -, - (ugs.)* thrashing; **~rei** *sub, f, -, -ren (ugs.)* brawl

keilen, *vt*, wedge

Keiler, *sub, m, -s, -* wild boar

Keim, *sub, m, -es, -me* bud, embryo, sprout; *(i. ü. S.)* den Aufruhr im Keim ersticken* to nip the rebellion in the bud; **~drüse** *sub, f, -, -n (biol.)* gonad; **~zelle** *sub, f, -, -n (i. ü. S.)* seedbed; *(bot.)* germ cell; *die Keimzelle der Revolution* the seedbed of revolution

keimfrei, *adj*, germ-free

Keimling, *sub, m, -es, -e (bot.)* germ

kein, **(1)** *pron (adj)*, neither, no, not a, not any **(2)** *pron (sub)*, no one, none; *keiner von uns beiden* neither of us; *(geh.) hast du kein Herz?* have you no heart?; *ich sehe keinen Unterschied* I see no difference; *kein Mann würde jemals* no man would ever; *ich bin kein Kind mehr* I'm not a child any longer; *kein einziger Vorschlag* not a single suggestion; *es bleibt uns keine Zeit mehr* we haven't got any time left; *wir haben keine Tomaten* we haven't got any tomatoes, *es war keiner da* no one was there; *keiner liebt mich* no one loves me; *keine seiner Ideen* none of his ideas

keinerseits, *adv*, from no side

keinesfalls, *adv*, under no circumstances

keineswegs, *adv*, by no means

keinmal, *adv*, never

Keks, *sub, m, -es, -e* biscuit; **~dose** *sub, f, -, -n* biscuit tin

Kelch, *sub, m, -es, -e* goblet; **kelchförmig** *adj*, cup-shaped

Kelim, *sub, m, -s, -s* kilim

Kelle, *sub, f, -, -len* ladle

Keller, *sub, m, -s, -* basement, cellar; **~assel** *sub, f, -, -n* wood-louse; **~falte** *sub, f, -, -n* boxpleat; **~geschoss** *sub, n, -es, -e* basement; **~treppe** *sub, f, -, -n* stairs (to cellar)

Kellerei, *sub, f, -, -en* producer's cellar

Kellner, *sub, m, -s, -* waiter

kellnern, *vi*, work as a waiter

Kelloggpakt, *sub*, *n*, *-es*, *nur Einz.* Kellogg Pact

keltiberisch, *adj*, Celtiberian

Kelvin, *sub*, *n*, *-s*, *- (phy.)* Kelvin

Kemenate, *sub*, *f*, *-*, *-n* boudoir

Kendo, *sub*, *n*, *-s*, *nur Einz.* *(spo.)* kendo

Kennel, *sub*, *m*, *-s*, *-* kennel

kennen, *vt*, know; *da kennst du mich aber schlecht* that shows how little you know me; *du kennst mich doch!* you know what I´m like; *ich kenne niemanden hier* I don´t know anyone here

Kenner, *sub*, *m*, *-s*, *-* connoisseur, expert; **~blick** *sub*, *m*, *-es*, *-e* expert´s eye; **~miene** *sub*, *f*, *-*, *-n* knowledgeable expression; **~schaft** *sub*, *f*, *-*, *-en* expertise

Kennkarte, *sub*, *f*, *-*, *-n* identity card

Kenntnis, *sub*, *f*, *-*, *-e* knowledge

Kennung, *sub*, *f*, *-*, *-en* identification (signal)

Kennwort, *sub*, *n*, *-es*, *-wörter* password

Kennzahl, *sub*, *f*, *-*, *-en* code

Kennzeichen, *sub*, *n*, *-s*, *-* distinguishing characteristic, number plate

kennzeichnen, *vt*, characterize, mark

Kenotaph, *sub*, *n*, *-en*, *-e* cenotaph

kentern, *vi*, capsize

Keratin, *sub*, *n*, *-s*, *-e (chem.)* keratin

Kerbe, *sub*, *f*, *-*, *-ben* notch; **Kerbschnitt** *sub*, *m*, *-es*, *-e* chip carving; **Kerbtier** *sub*, *n*, *-e*, *-e (zool.)* insect

Kerbel, *sub*, *m*, *-s*, *-* chervil

kerben, *vt*, cut a notch

Kerker, *sub*, *m*, *-s*, *-* dungeon; **~meister** *sub*, *m*, *-s*, *-* gaoler; **~strafe** *sub*, *f*, *-*, *-n* imprisonment

Kerl, *sub*, *m*, *-s*, *-le (ugs.)* chap, fellow, lass; *ein unverschämter Kerl sein* he´s a cool character

Kermesbeere, *sub*, *f*, *-*, *-n (bot.)* foxglove

Kern, *sub*, *m*, *-es*, *-e* seed, stone; *(i. ü. S.)* heart; *bis zum Kern einer Sache vordringen* to get to the heart of a matter; *in ihr steckt ein guter Kern* there´s some good in her so-

mewhere; **~beißer** *sub*, *m*, *-s*, *- (zool.)* hawfinch; **~energie** *sub*, *f*, *-*, *nur Einz.* nuclear energy; **~explosion** *sub*, *f*, *-*, *-en* nuclear explosion; **~fusion** *sub*, *f*, *-*, *-en* nuclear fusion; **~gehäuse** *sub*, *n*, *-s*, *-* core; **kerngesund** *adj*, thoroughly healthy; **~kraftwerk** *sub*, *n*, *-es*, *-e* nuclear power station; **~obst** *sub*, *n*, *-es*, *nur Einz.* pome; **~physik** *sub*, *f*, *nur Einz.* nuclear physics; **~problem** *sub*, *n*, *-es*, *-e* main problem; **~reaktion** *sub*, *f*, *-*, *-en* nuclear reaction; **~reaktor** *sub*, *m*, *-s*, *-en* nuclear reactor; **~schatten** *sub*, *m*, *-s*, *-* complete shadow; **~spaltung** *sub*, *f*, *-*, *-en* nuclear fission; **~technik** *sub*, *f*, *-*, *-en* nuclear technology; **~verschmelzung** *sub*, *f*, *-*, *-en* nuclear fusion; **~waffen** *sub*, *f*, *-*, *nur Mehrz.* nuclear weapon

kernig, *adj*, grainy (bread), pithy, robust

Keroplastik, *sub*, *f*, *-*, *-en* ceroplastik

Kerosin, *sub*, *n*, *-s*, *nur Einz.* kerosene

Kerze, *sub*, *f*, *-*, *-n* candle, spark plug; *Kerzen ziehen* dip candles; **kerzengerade** *adj*, straight as an arrow; **~nhalter** *sub*, *m*, *-s*, *-* candlestick; **~nlicht** *sub*, *n*, *-es*, *-er* candlelight

Kescher, *sub*, *m*, *-s*, *-* fishing net

kess, *adj*, saucy

Kessel, *sub*, *m*, *-s*, *-* basin, kettle; **~boden** *sub*, *m*, *-s*, *-böden* boiler end; **~pauke** *sub*, *f*, *-*, *-n* kettledrum; **~treiben** *sub*, *n*, *-s*, *- (spo.)* battue; **~wagen** *sub*, *m*, *-s*, *-* tank wagon

Kessheit, *sub*, *f*, *-*, *-en* sauciness

Ketchup, *sub*, *n*, *-s*, *-s* ketchup

Kette, *sub*, *f*, *-*, *-n* chain; *(i. ü. S.)* shackles; **~nblume** *sub*, *f*, *-*, *-n* dandelion; **~nbrief** *sub*, *m*, *-es*, *-e* chain letter; **~nbrücke** *sub*, *f*, *-*, *-n* chain bridge; **~nfaden** *sub*, *m*, *-s*, *-fäden* warp; **~nglied** *sub*, *n*,

-es, -er chain-link; ~**npanzer** *sub, m, -s,* - armour; ~**nreaktion** *sub, f, -, -en* chain reaction; ~**nschutz** *sub, m, -es, nur Einz.* chain guard; ~**nstich** *sub, m, -es, -e* chain stitch

ketten, (1) *vr,* tie oneself **(2)** *vt,* chain

Ketzer, *sub, m, -s,* - heretic; ~**ei** *sub, f, -, -en* heresy; ~**taufe** *sub, f, -, -n* heretical baptism

keuchen, *vi,* gasp (for breath), pant

Keuchhusten, *sub, m, -s,* - whooping cough

Keule, *sub, f, -, -n* club, leg (of meat); ~**närmel** *sub, m, -s,* - leg-of-mutton sleeve; **keulenförmig** *adj,* club-shaped; ~**nschlag** *sub, m, -es, -schläge* blow (with a club)

keusch, *adj,* chaste

Keuschheit, *sub, f, -, -en* chastity; ~**sgürtel** *sub, f, -,* - chastity belt

Keyboard, *sub, n, -es, -s (mus.)* keyboard

Kibbuz, *sub, m, -es, -im* kibbutz; ~**nik** *sub, m, -s, -s* kibbutz member

kichern, *vi,* giggle

Kick, *sub, m, -s, -s* kick; ~**down** *sub, m, -s, -s* powerful acceleration

kicken, (1) *vi,* play football **(2)** *vt,* kick

Kicker, *sub, m, -s,* - football player

Kickstarter, *sub, m, -s,* - kick-starter

Kids, *sub, f, -, Mehrz.* youngsters

Kiebitz, *sub, m, -es, -ze (zool.)* lapwing; **kiebitzen** *vi,* kibitz

Kiefer, *sub, m, -s,* - jaw; ~**bruch** *sub, m, -es, -brüche* fractured jaw; ~**höhle** *sub, f, -, -n (med.)* maxillary sinus; ~**knochen** *sub, m, -s,* - jawbone

Kiefernholz, *sub, n, -es, -hölzer* pine wood; **Kiefernnadel** *sub, f, -, -n* pine needle; **Kiefernwald** *sub, m, -es, -wälder* pine forest

Kiel, *sub, m, -es, -le* keel; **kielholen** *vt,* careen; ~**raum** *sub, m, -es, -räume* bilge; ~**schwein** *sub, n, -es, -e* ke(e)lson; ~**schwert** *sub, n, -es, -er* centre-board; ~**wasser** *sub, n, -s, nur Einz.* wake

Kieme, *sub, f, -, -men (zool.)* gill;

~**natmer** *sub, m, -s,* - gill breather; ~**natmung** *sub, f, -, nur Einz.* gill breathing; ~**nspalte** *sub, f, -, -n* gill cleft

Kienapfel, *sub, m, -s, -äpfel* pine-cone

Kiepe, *sub, f, -, -n (dial)* pack basket

Kies, *sub, m, -es, nur Einz.* gravel; *(ugs.)* dough; ~**weg** *sub, m, -es, -e* gravel path

Kiesel, *sub, m, -s,* - pebble; ~**säure** *sub, f, -, nur Einz.* silicic acid

kiffen, *vi, (ugs.)* smoke pot (grass)

Kikeriki, *sub, n, -s, nur Einz.* cock-a-doodle-doo

killen, *vt, (vulg.)* bump off, murder (for payment)

Killer, *sub, m, -s,* - killer; ~**satellit** *sub, m, -en, -en* killer satellite; ~**virus** *sub, m, -es, -viren* killer virus

Kilo, *sub, n, -s, -s* kilo

Kilogramm, *sub, n, -s,* - kilogramme

Kilometer, *sub, m, -s,* - kilometre; **kilometrisch** *adj,* kilometric(al)

Kilt, *sub, m, -es, -s* kilt

Kimm, *sub, f, -,* - apparent horizon

Kimme, *sub, f, -, -men* rear sight

Kimono, *sub, m, -s, -s* kimono; ~**ärmel** *sub, m, -s,* - kimono sleeve; ~**bluse** *sub, f, -, -n* kimino top

Kinästhesie, *sub, f, -, nur Einz.* kin(a)esthesia

Kind, *sub, m, -es, -er* child

Kindbett, *sub, n, -es, -ten* childbed; ~**erin** *sub, f, -, -en* woman in childbed; ~**fieber** *sub, n, -s,* - childbed fever

Kinderarbeit, *sub, f, -, -en* child labour

Kinderarzt, *sub, m, -es, -ärzte* p(a)ediatrician

Kinderdorf, *sub, n, -es, -dörfer* children´s home

Kinderei, *sub, f, -, -en* childish behaviour

Kindergarten, *sub, m, -s, -gärten* kindergarten

Kindergeld, *sub, n, -es, -er* child

allowance (or subsidy)

Kinderladen, *sub, m, -s, -läden* anti-authoritarian play-group

Kinderlähmung, *sub, f, -, -en (med.)* polio(myelitis)

Kindermädchen, *sub, n, -s, -* nanny

kinderreich, *adj*, prolific

Kinderschuh, *sub, m, -e, -e* children´s shoe

Kinderschutz, *sub, m, -schützers, -schützer* protection of children

Kinderschwester, *sub, f, -, -n* p(a)ediatric nurse

Kinderseite, *sub, f, -, -n* children´s page

kindersicher, *adj*, childproof

Kinderspiel, *sub, n, -es, -e* children´s game; *(i. ü. S.)* child´s play

Kinderstube, *sub, f, -, -n* nursery

Kinderteller, *sub, m, -s, -* children´s portion

Kinderwagen, *sub, m, -s, -wägen* pram

Kinderzimmer, *sub, n, -s, -* children´s room

Kindesalter, *sub, n, -s, -* childhood

Kindesbeine, *sub, f, -, nur Mehrz.* early childhood

Kindesliebe, *sub, f, -, -n* filial love

Kindesmisshandlung, *sub, f, -, -en* child abuse

Kindheit, *sub, f, -, -en* childhood

kindisch, *adj*, childish, infantile

Kindlein, *sub, n, -s, -* infant

kindlich, *adj*, childlike; **Kindlichkeit** *sub, f, -, -en* childlike innocence

kindsköpfig, *adj*, silly

Kindspech, *sub, n, -es, -e* faeces (of a new-born infant)

Kinemathek, *sub, f, -, -en* film library

kinematisch, *adj*, cinematic; **Kinematografie** *sub, f, -, nur Einz.* cinematography

Kinetik, *sub, f, -, nur Einz. (phy.)* kinetics; **kinetisch** *adj*, kinetic

Kingsize, *sub, f, n, -, -* king-size

Kinn, *sub, n, -es, -e* chin; **~haken** *sub, m, -s, -* hook to the chin; **~lade** *sub, f, -, -n* jaw-bone

Kino, *sub, n, -s, -s* cinema; **~besitzer** *sub, m, -s, -* cinema owner; **~besucher** *sub, m, -s, -* cinema-goer; **~programm** *sub, n, -es, -e* film guide; **~reklame** *sub, f, -, -n* cinema advertisement

Kiosk, *sub, m, -es, -e* kiosk

Kippe, *sub, f, -, -en* cigarette stub; *f, -, nur Einz. (ugs.)* thin edge (of the wedge); *der Aschenbecher ist voller Kippen* the ashtray is full of cigarette stubs

kippelig, *adj*, shaky

kippen, (1) *vi*, plummet (2) *vt*, tilt

Kippfenster, *sub, n, -s, -* tilt window

Kippschalter, *sub, m, -s, -* tumbler switch

Kirche, *sub, f, -, -n* church; **~nbuße** *sub, f, -, -n* penance; **~nchor** *sub, m, -es, -chöre* church choir; **~nfest** *sub, n, -es, -e* feastday, religious feast; **~njahr** *sub, n, -es, -e* Church year; **~nlicht** *sub, n, -es, -er (ugs.)* dim person; *(ugs.) kein Kirchenlicht sein* to not be very bright; **~nmaus** *sub, f, -, -mäuse* church mouse; *(ugs.) arm wie eine Kirchenmaus* poor as a church mouse; **~nmusik** *sub, f, -, nur Einz.* sacred music; **~nstaat** *sub, m, -es, nur Einz.* Papal States

Kirchgänger, *sub, m, -s, -* church-goer

Kirchhof, *sub, m, -es, -höfe* churchyard

kirchlich, *adj*, church

Kirchturm, *sub, m, -es, -türme* church spire

Kirchweih, *sub, f, -, -ben* country fair, kermis

Kirmeskuchen, *sub, m, -s, -* kermis cake

kirnen, *vt*, churn, shell

kirre, *adj, (ugs.)* tame

Kirsche, *sub, f, -, -n* cherry; **Kirschbaum** *sub, m, -es, -bäume* cherry tree; **Kirschblüte** *sub, f, -, -n* cherry blossom; **Kirschkuchen** *sub, m, -s, -* cherry cake;

Ki...s...hli...ä... su...; ...; ...; ...; ...
brandy; **Kirschwasser** sub, n, -s, -wässer kirsch

Kismet, sub, n, -s, nur Einz. kismet

Kissen, sub, n, -s, - cushion, pillow

Kissenbezug, sub, m, -es, -bezüge cushion cover, pillow case

Kiste, sub, f, -, -sten box, case, crate; ~ndeckel sub, m, -s, - lid; **kistenweise** adv, by the box (crate)

Kitsch, sub, m, -es, nur Einz. kitsch; **kitschig** adj, kitschy

Kitt, sub, m, -es, -e cement, putty

Kittchen, sub, n, -s, - (ugs.) clink

kitten, vt, stick (with putty or cement); (i. ü. S.) patch up

Kitz, sub, n, -es, -e fawn, kid

kitzelig, adj, ticklish

kitzeln, vt, tickle

Kitzler, sub, m, -s, - (anat.) clitoris

Kiwi, sub, m, -s, -s kiwi

Klabautermann, sub, m, -es, -männer ship´s kobold

Klacks, sub, m, -es, -se blob, dollop; (ugs.) simple matter; (ugs.) die 200 Mark sind für ihn ein Klacks he can easily afford 200 marks; (ugs.) die Prüfung war ein Klacks the exam was dead easy

Kladde, sub, f, -, -den notebook

klaffen, vi, gape

Klaffmuschel, pron, (zool.) sand clam

Klafter, sub, f, -, -tern fathom; ~holz sub, n, -es, nur Einz. fathom wood; **klafterlang** adj, fathom-long; **klaftertief** adj, fathom-deep

Klagbarkeit, sub, f, -, -en actionability

klagen, vi, complain, take legal action

Kläger, sub, m, -s, - plaintiff, prosecuting party; ~schaft sub, f, -, -en plaintiffs

kläglich, adj, deplorable, pathetic, pitiful

Kläglichkeit, sub, f, -, nur Einz. pitifulness

Klamauk, sub, m, -es, -ke oder -mauks slapstick

klamm, (1) adj, clammy (2) **Klamm**

Klammer, sub, f, -, -mern bracket, clip, peg; ~affe sub, m, -ns, -n (i. ü. S.) clinging child; (zool.) red-faced spider monkey

Klämmerchen, sub, n, -s, - s. Klammer

klammern, (1) vr, (i. ü. S.) cling to sth or so (2) vt, fasten

Klamotte, sub, f, -, -n stupid film (or play)

Klamotten, sub, f, -, nur Mehrz. stuff; (ugs.) clothes

Klampfe, sub, f, -, -fen (ugs.; mus.) guitar

klamüsern, vt, (dial) puzzle over

klandestin, adj, clandestine

Klang, sub, m, -es, Klänge sound, timbre, tone; ~effekt sub, m, -s, -s sound effect; ~körper sub, m, -s, - body, orchestra; **klanglos** adj, toneless; **klangvoll** adj, sonorous

Klappe, sub, f, -, -pen clapperboard, flap, hinged lid, valve; (vulg.) mouth; eine große Klappe haben to have a big mouth; (vulg.) halt´ die Klappe! shut up!; ~nhorn sub, n, -s, -hörner (mus.) key bugle; ~ntext sub, m, -es, -e book-cover blurb

Klapper, sub, f, -, -pen rattle

klapperdürr, adj, (ugs.) thin as a rake

Klapperkiste, sub, f, -, -n bomb

klappern, vi, clatter, rattle

Klapperschlange, sub, f, -, -gen (zool.) rattlesnake

Klapperstorch, sub, m, -es, -störche stork

Klappfahrrad, sub, n, -es, -räder folding bicycle

Klappfenster, sub, n, -s, - skylight window

Klappleiter, sub, f, -, -n folding ladder

Klappmesser, sub, n, -s, - penknife

klapprig, adj, rickety, shaky, tottering

Klappsessel, sub, m, -s, - folding

chair

Klappstuhl, *sub, m, -es, -stühle* campstool

Klappstulle, *sub, f, -, -n (dial)* sandwich

Klappverdeck, *sub, n, -s, -e* convertible top

Klaps, *sub, m, -es, -se* slap

Kläranlage, *sub, f, -, -n* sewage plant

klar denkend, *adj,* clear-thinking, lucid

klären, (1) *vr,* clear up (2) *vt,* clarify, clear

Klarheit, *sub, f, -, nur Einz.* clarity

klarieren, *vt,* clear (through customs)

Klarinette, *sub, f, -, -n* clarinet; **Klarinettist** *sub, m, -en, -en* clarinettist

klarmachen, (1) *vr,* realize (2) *vt,* make clear to so, make ready

Klärschlamm, *sub, m, -s, nur Einz.* sludge

klarsichtig, *adj,* clear-sighted

klarstellen, *vt,* get sth straight; **Klarstellung** *sub, f, -, -en* clarification

Klartext, *sub, m, -es, -e* plain language

klar werden, (1) *vr,* clear sth in o´s mind (2) *vtr,* understand

klasse, (1) *adj,* first-rate (2) **Klasse** *sub, f, -, -n* category, class; *(ugs.)* fantastic; *(ugs.) die Schuhe sehen klasse aus* the shoes look fantastic; *(ugs.) wie war dein Urlaub? Klasse* what was your holiday like? fantastic; **Klassenarbeit** *sub, f, -, -en* class test; **Klassenbeste** *sub, m, -n, -n* best pupil; **Klassenbewusstsein** *sub, n, -s, nur Einz.* class consciousness; **Klassenbuch** *sub, n, -es, -bücher* class register, roll; **Klassenhass** *sub, m, -es, nur Einz.* class hatred; **Klassenkampf** *sub, m, -es, -kämpfe* class struggle; **Klassenstaat** *sub, m, -es, -e* class-dominated state; **~nweise** *adv,* class by class; **Klassenziel** *sub, n, -es, -e* required standard

Klassement, *sub, n, -s, -s (spo.)* rankings

Klassifikation, *sub, f, -, -en* classifi-

cation

klassifizieren, *vt,* classify

Klassiker, *sub, m, -s, -* classical authors; *(ugs.)* renowned works

klassisch, *adj,* classic, classical

Klassizismus, *sub, m, -es, -* classicism; **klassizistisch** *adj,* classical

Klatsch, *sub, m, -s, -e* gossip, smack, splash; *der allerneueste Klatsch* the very latest gossip; **~maul** *sub, n, -es, -mäuler* scandalmonger; **~nest** *sub, n, -es, -er* hotbed of gossip; **~sucht** *sub, f, -, nur Einz.* passion for gossip

Klatschbase, *sub, f, -, -sen* gossip, scandalmonger; *(ugs.)* busybody

klatschen, (1) *vi,* clap, gossip, splash (2) *vt,* fling

Klatscherei, *sub, f, -, -en* clapping, gossip

klatschhaft, *adj,* gossipy

klatschnass, *adj,* sopping (wet)

Klaubarbeit, *sub, f, -, -en* culling, handpicking

klauben, *vt,* gather, pick sth out of sth

Klaue, *sub, f, -, -en* claw; *(ugs.)* scrawl; *(ugs.) deine Klaue kann man kaum lesen* you can hardly read your scrawl; *die Klauen des Todes* the jaws of death; **~nseuche** *sub, f, -, -* foot-and -mouth disease

klauen, *vt,* crib, pinch, swipe

Klause, *sub, f, -, -n* hermitage

Klausel, *sub, f, -, -n* clause, stipulation

Klausner, *sub, m, -s, -* hermit

Klausur, *sub, f, -, -en* examination, seclusion

Klaviatur, *sub, f, -, -en* keyboard

Klavichord, *sub, n, -es, -e* clavichord

Klavier, *sub, n, -es, -e* piano; **~abend** *sub, m, -s, -e* piano recital; **~spiel** *sub, n, -s, -e* piano playing; **~stuhl** *sub, m, -s, -stühle* piano stool

Klebebindung, *sub, f, -, -en* adhesive binding; **Klebemittel** *sub, n, -s, -* adhesive, glue

kleben, *vt*, glue stick

Kleber, *sub, m, -s, -* gluten; *(ugs.)* glue

klebrig, *adj*, sticky; **Klebrigkeit** *sub, f, -, nur Einz.* stickiness

Klebstreifen, *sub, m, -s, -* adhesive (sticky) tape

kleckern, *vi*, make a mess, spill, trickle

kleckerweise, *adv*, in dribs and drabs

Klecks, *sub, m, -es, -se* blob, blot

klecksen, *vi*, daub, make blots

Klee, *sub, m, -s, -* clover; **~blatt** *sub, n, -es, -blätter* cloverleaf

Kleid, *sub, m, -es, -der* dress, frock

kleiden, (1) *vr*, wear (2) *vt*, clothe

kleidsam, *adj*, becoming

Kleidung, *sub, f, -, -gen* clothes

Kleie, *sub, f, -, -* bran

klein, *adj*, little, small

Kleinanzeige, *sub, f, -, -n* classified ad(vertisement)

Kleinarbeit, *sub, f, -, -en* painstaking work

Kleinbetrieb, *sub, m, -es, -e* small business

Kleinbürger, *sub, m, -s, -* member of the lower middle-class, petty bourgeois; **kleinbürgerlich** *adj*, petty bourgeois

Kleinbus, *sub, m, -ses, -se* van

kleiner, *adj*, s. klein

Kleinfamilie, *sub, f, -, -n* nuclear family

Kleinformat, *sub, n, -es, -e* small format

Kleingarten, *sub, m, -s, -gärten* garden plot; **Kleingärtner** *sub, m, -s, -* garden plot holder

Kleingeld, *sub, n, -es, -* change

kleingläubig, *adj*, doubting, faint-hearted

klein hacken, *vt*, chop up

kleinherzig, *adj*, mean

Kleinhirn, *sub, n, -es, -e (anat.)* cerebellum

Kleinigkeit, *sub, f, -, -ten* detail, something small, trifle; *das sind nur Kleinigkeiten* these are peanuts; *das ist eine Kleinigkeit für*

ihn it´s a trifling matter for him; *findest du 100 Mark eine Kleinigkeit? ich aber nicht* do you find 100 marks a trifle? well, I don´t; *wegen jeder Kleinigkeit* for the slightest reason

Kleinkind, *sub, n, -es, -er* toddler

Kleinkram, *sub, m, -s, - (ugs.)* trivial stuff

Kleinkrieg, *sub, m, -es, -e* miniature battle

kleinkriegen, *vt, (i. ü. S.)* crush, cut up; *er ließ sich durch nichts kleinkriegen* nothing could crush him; *das Holz hier kriege ich auch noch klein* I´ll get the wood here chopped as well

Kleinkunst, *sub, f, -, -künste* cabaret

kleinlaut, *adj*, meek

kleinlich, *adj*, mean, petty

Kleinod, *sub, n, -es, nur Mehrz.* gem

Klein-Paris, *sub, n, -es, nur Einz.* Paris in miniature

Kleinrentner, *sub, m, -s, -* low-income pensioner

Kleinstaat, *sub, m, -es, -ten* small state

Kleinstadt, *sub, f, -, -städte* small town; **Kleinstädter** *sub, m, -s, -* small town person; **kleinstädtisch** *adj*, provincial

kleinste, *adj*, s. klein

Kleintierzucht, *sub, f, -, -en* breeding of domestic animals

Kleinwagen, *sub, m, -s, -* small car

Kleinwohnung, *sub, f, -, -en* flat-let, small flat

Kleister, *sub, m, -s, -* paste; **~topf** *sub, m, -es, -töpfe* paste pot

Klematis, *sub, f, -, - (bot.)* clematis

Klementine, *sub, f, -, -nen* clementine

Klemme, *sub, f, -, -men* clip; *(i. ü. S.)* tight spot; *jemandem aus der Klemme helfen* to help someone out of a tight spot; *(ugs.) jetzt sitzen wir in der Klemme* now we´re in trouble

klemmen, (1) *vr*, squeeze oneself

(2) *vt*, jam, wedge

Klempner, *sub*, *m*, *-s*, - plumber; **~ei** *sub*, *f*, *-*, *-en* plumbing

Klepper, *sub*, *m*, *-s*, - nag; **~boot** *sub*, *n*, *-es*, *-e* folding boat

Kleptomane, *sub*, *m*, *-n*, *-n* kleptomaniac; **Kleptomanie** *sub*, *f*, *-*, *-n* *(psych.)* kleptomania

Klerikalismus, *sub*, *m*, *-es*, - clericalism; **klerikal** *adj*, clerical; **Kleriker** *sub*, *m*, *-s*, - cleric; **Klerus** *sub*, *m*, *-es*, *nur Einz.* clergy

Klette, *sub*, *f*, *-*, *-ten* burr, nuisance; *(i. ü. S.) seine kleine Schwester ist die reinste Klette* his little sister is a real a nuisance

Kletterer, *sub*, *m*, *-s*, - climber

klettern, *vi*, climb; **Kletterfarn** *sub*, *m*, *-es*, *-e* climbing fern; **Klettermaxe** *sub*, *m*, *-s*, *-n* cat burglar; **Kletterpflanze** *sub*, *f*, *-*, *-zen* climbing plant; **Kletterrose** *sub*, *f*, *-*, *-n* climbing rose; **Kletterschuh** *sub*, *m*, *-es*, *-e* climbing shoe; **Kletterseil** *sub*, *n*, *-es*, *-e* mountaineering rope; **Klettertour** *sub*, *f*, *-*, *-en* climbing trip

Kletzenbrot, *sub*, *n*, *-es*, *-e* früit bread

Klient, *sub*, *m*, *-es*, *-en* client; **~el** *sub*, *f*, *-*, *-en* clients

Kliff, *sub*, *n*, *-es*, *-fe* cliff

Klima, *sub*, *n*, *-s*, *-s und -te* climate; *(i. ü. S.)* atmosphere; **~anlage** *sub*, *f*, *-*, *-n* air-conditioning; **~faktor** *sub*, *m*, *-s*, *-en* climatic factor; **~kammer** *sub*, *f*, *-*, *-n* *(med.)* climatic chamber; **~kterium** *sub*, *n*, *-s*, *nur Einz.* menopause; **klimatisch** *adj*, climatic; **klimatisieren** *vt*, air-condition; **~tologie** *sub*, *f*, *-*, *nur Einz.* climatology; **~wechsel** *sub*, *m*, *-s*, - climatic change; *(i. ü. S.)* changed climate

Klimax, *sub*, *f*, *-*, *-e* climax

klimmen, *vi*, climb

Klimmzug, *sub*, *m*, *-es*, *-züge (spo.)* pull-up

klimpern, *vi*, tinkle; *(ugs.)* flutter one´s eyelashes; **Klimperei** *sub*, *f*, *-*, *-en* tinkling; **Klimperkasten** *sub*,

m, *-s*, *-kästen (ugs.)* piano

Klinge, *sub*, *f*, *-*, *-gen* blade

Klingel, *sub*, *f*, *-*, *-geln* bell; **~beutel** *sub*, *m*, *-s*, - collection bag; **~draht** *sub*, *m*, *-es*, *-drähte* bell wire; **~knopf** *sub*, *m*, *-es*, *-knöpfe* bell button

klingeln, *vi*, ring; *klingeln* to ring the bell

klingen, *vi*, clink, sound

Klinik, *sub*, *f*, *-*, *-en* clinic, hospital

klinisch, *adj*, clinical

Klinke, *sub*, *f*, *-*, *-ken* handle; *(ugs.) dann nimm die Klinke in die Hand* then get going!; *(ugs.) Klinken putzen* door-to-door selling

klinken, *vi*, press the (door) handle down

Klinker, *sub*, *m*, *-s*, - brick; **~boot** *sub*, *n*, *-es*, *-e* clinker boat

Klippfisch, *sub*, *m*, *-es*, *-e* dried, salted cod

Klippschule, *sub*, *f*, *-*, *-n* second-rate school

Klips, *sub*, *m*, *-es*, *-e* clip-on earring

klirren, *vi*, clink, rattle

Klischee, *sub*, *n*, *-s*, *-s* cliché, printing block; **klischeehaft** *adj*, hackneyed; **~wort** *sub*, *n*, *-es*, *-wörter* hackneyed word

klischieren, *vt*, make plates for

Klischograf, *sub*, *m*, *-en*, *-en* photo-engraving machine

Klistier, *sub*, *n*, *-s*, *-e (med.)* enema; **klistieren** *vt*, give so an enema

Klitoris, *sub*, *m*, *-*, - *oder -torides (anat.)* clitoris

Klitsche, *sub*, *f*, *-*, *-schen (ugs.)* poor farm

klitschnass, *adj*, drenched

klittern, *vt*, write sth illegibly

Klitterung, *sub*, *f*, *-*, *-gen* hotch-potch

klitzeklein, *adj*, teeny-weeny

Klivie, *sub*, *f*, *-*, *-en (bot.)* clivia

Kloake, *sub*, *f*, *-*, *-n* sewer; **~ntier** *sub*, *n*, *-s*, *-e (zool.)* monotremes

klobig, *adj*, bulky, clumsy

Idom, *sub*, *m*, *-s*, *-e* clone, **klonen**
vti, clone

klopfen, (1) *vi*, beat, throb (2) *vti*,
knock; *den Takt klopfen* to beat
time; *mit klopfendem Herzen* with
a pounding heart

Klopfer, *sub*, *m*, *-s*, *-* beater, mallet

Klopfzeichen, *sub*, *n*, *-s*, *-* knock

Klöppel, *sub*, *m*, *-s*, *-* bobbin, clap-
per, drumstick

klöppeln, *vi*, make (pillow) lace

Klosett, *sub*, *n*, *-s*, *-s* lavatory, toilet

Kloß, *sub*, *m*, *-es*, *Klöße* clod, dumpling

Kloster, *sub*, *n*, *-s*, *Klöster* cloister,
convent, monastery; **~frau** *sub*, *f*, *-*,
-en nun; **klösterlich** *adj*, secluded;
~regel *sub*, *f*, *-*, *-n* monastic rule

Klotz, *sub*, *m*, *-es*, *Klötze* block,
bumpkin

klotzig, *adj*, massive, unrefined

Klubgarnitur, *sub*, *f*, *-*, *-en* three-piece suite; **Klubhaus** *sub*, *n*, *-es*, *-häu-
ser* clubhouse; **Klubkamerad** *sub*,
m, *-en*, *-en* clubmate; **Klubmitglied**
sub, *n*, *-es*, *-er* club member; **Klubraum** *sub*, *m*, *-es*, *-räume* club
room

Kluft, *sub*, *f*, *-*, *Klüfte* chasm, cleft; (*i.
ü. S.*) rift; *eine unüberbrückbare
Kluft* an unbridgeable gap; *in der
Partei tat sich eine tiefe Kluft auf* a
deep rift opened up in the party

klug, *adj*, clever, intelligent

Klügelei, *sub*, *f*, *-*, hairsplitting

klugerweise, *adv*, cleverly, wisely

Klugheit, *sub*, *f*, *-*, *-ten* good sense;
f, *-*, *hier nur Einz.* intelligence; *f*, *-*,
-ten shrewdness

Klugscheißer, *sub*, *m*, *-s*, *-* (*vulg.*)
smart-ass

Klumpen, (1) *sub*, *m*, *-s*, *-* lump (2)
klumpen *vi*, go lumpy

Klumpfuß, *sub*, *m*, *-es*, *-füße* club-
foot

Klüngel, *sub*, *m*, *-s*, *-* clique; **klüngeln** *vi*, club together

Kluniazenser, *sub*, *m*, *-s*, *-* Cluniac

Klunker, *sub*, *m*, *-s*, *-* (*ugs.*) jewellery

Klüse, *sub*, *m*, *-*, *-n* hawse (hole)

Klüver, *sub*, *m*, *-s*, *-* jib

knabbern, *vti*, nibble

Knabe, *sub*, *m*, *-n*, *-ben* boy, lad;
~nalter *sub*, *n*, *-s*, *nur Einz.* boyhood; **knabenhaft** *adj*, boyish;
~nkraut *sub*, *n*, *-es*, *-kräuter* orchid

Knäckebrot, *sub*, *n*, *-es*, *-te* crisp-
bread

knacken, (1) *vi*, creak (2) *vt*,
crack

Knacker, *sub*, *m*, *-s*, *-* (*dial*) sausage; (*vulg.*) old fog(e)y; *ich habe
dem alten Knacker die Meinung
gesagt* I gave the old fogey a piece
of my mind

knackfrisch, *adj*, (*ugs.*) fresh and
crisp

Knacks, *sub*, *m*, *-es*, *-se* crack;
(*ugs.*) *die Ehe der beiden hat
schon lange einen Knacks* their
marriage has been cracking up
for a long time; (*ugs.*) *er hat einen
Knacks weg* he´s a bit cracked

knacksen, *vi*, creak

Knall, *sub*, *m*, *-s*, *-e* bang, slam;
~bonbon *sub*, *n*, *-s*, *-s* Christmas
cracker; **knallbunt** *adj*, garish;
~effekt *sub*, *m*, *-s*, *-te* sensational
effect; **~frosch** *sub*, *m*, *-es*, *-frö-
sche* jumping jack; **knallhart** *adj*,
(*ugs.*) tough; (*ugs.*) *ein knallharter Verhandlungspartner* a tough
negotiator; (*ugs.*) *er ist ein knallharter Typ* he´s as hard as nails;
~körper *sub*, *m*, *-s*, *-* cracker;
knallrot *adj*, (*ugs.*) bright red

knallen, (1) *vt*, bang; (*ugs.*) clout
(2) *vti*, slam

knapp, *adj*, concise, curt, scanty;
eine knappe Beschreibung a concise description; *er sagte es
knapp* he said it concisely; *eine
knappe Antwort* a curt answer; *es
wird knapp reichen* it´ll be just
barely enough; *knappe Vorräte*
scanty provisions

Knappe, *sub*, *m*, *-n*, *-pen* miner;
(*hist.*) page

knapp halten, *vt*, keep so short

Knappheit, *sub*, *f*, *-*, *-* conciseness,
curtness, scantiness

Knappschaft, *sub, f, -, -ten* miners´ guild

Knarre, *sub, f, -, -ren (ugs.)* gun

knarren, *vi,* creak

Knast, *sub, m, -es, -knäste (ugs.)* clink

Knasterbart, *sub, m, -es, -bärte* grumbler

knattern, *vi,* rattle (out), sputter

Knäuel, *sub, n, -s, -* ball, tangle

Knauf, *sub, m, -(e)s, Knäufe* knob

Knautschlack, *sub, m, -s, -e* crinkle-finished patent leather

Knautschzone, *sub, f, -, -n* crumple zone

Knebel, *sub, m, -s, -* gag

Knecht, *sub, m, -s, -e* farm-labourer; **knechten** *vt,* oppress; **~schaft** *sub, f, -, nur Einz.* servitude

kneifen, (1) *vi,* chicken out (2) *vt,* pinch, squint

Kneifer, *sub, m, -s, -* pince-nez, shirker

Kneifzange, *sub, f, -, -n* pliers

Kneipe, *sub, f, -, -n* pub; **~nwirt** *sub, m, -s, -e* pub-owner

Kneippkur, *sub, f, -, -en* Kneipp hydrotherapy; **kneippen** *vi,* undergo hydrotherapy (according to Kneipp)

kneten, *vt,* knead; **knetbar** *adj,* malleable; **Knetmaschine** *sub, f, -, -n* kneading machine; **Knetmassage** *sub, f, -, -n* massage

Knick, *sub, m, -s, -e* crease

knicken, *vt,* crease, fold

Knickerbocker, *sub, nur Mehrz.* knickerbockers

Knicks, *sub, m, -es, -e* curts(e)y

knicksen, *vi,* curts(e)y

Knie, *sub, n, -s, -* knee; **~bundhose** *sub, f, -, -n* knee breeches; **~fall** *sub, m, -s, -fälle* genuflection; **kniehoch** *adj,* knee-high; **knielang** *adj,* knee-length; **knien** *vi,* kneel; **~scheibe** *sub, f, -, -n* kneecap; **~schoner** *sub, m, -s, -* kneeguard; **~strumpf** *sub, m, -s, -strümpfe* knee-sock; **knietief** *adj,* knee-deep

kniffelig, *adj,* tricky

kniffen, *vt,* fold

Knilch, *sub, m, -s, -e (ugs.)* duffer

knipsen, *vt,* clip, take a photo

Knipser, *sub, m, -s, - (ugs.)* switch

Knirps, *sub, m, -es, -e* little fellow

knirschen, *vi,* crunch; *(ugs.)* grind one´s teeth

knistern, (1) *v (imp),* be charged (2) *vi,* crackle; *(i. ü. S.) es knistert im Gebälk* there is trouble brewing; *(i. ü. S.) es knisterte vor Spannung im Raum* there was a charged atmosphere in the room

Knitterfalte, *sub, f, -, -n* crease

knitterfest, *adj,* creaseproof

knittern, *vti,* crease, crumple

Knobelbecher, *sub, m, -s, -* dice cup

knobeln, *vi,* play dice

Knoblauch, *sub, m, -s, -* garlic

Knöchel, *sub, m, -s, -* ankle, knuckle; **~chen** *sub, n, -s, -* small bone; **knöchellang** *adj,* ankle-length; **knöcheltief** *adj,* ankle-deep

Knochen, *sub, m, -s, -* bone; **~bruch** *sub, m, -s, -brüche* fracture; **~fraß** *sub, m, -es, -e (med.)* necrosis of the bone; **knochenhart** *adj,* rock-hard; **~haut** *sub, f, -, -häute (anat.)* periostium; **~mann** *sub, m, -s, nur Einz. (i. ü. S.)* Death; **~mark** *sub, n, -s, nur Einz.* bone marrow; **~mehl** *sub, n, -s, nur Einz.* bonemeal; **~mühle** *sub, f, -, -n* bone mill

knochig, *adj,* bony, skinny; **Knochigkeit** *sub, f, -, nur Einz.* boniness

Knock-out, *sub, m, -s, -s* knockout; **~-Schlag** *sub, m, -s, -schläge* knockout blow

Knödel, *sub, m, -s, -* dumpling

Knolle, *sub, f, -, -n* bulb, tuber; **~nblätterpilz** *sub, m, -es, -e (bot.)* amanita; **~nfäule** *sub, f, -, nur Einz.* potato rot; **~nnase** *sub, f, -, -n* bulbous nose; *(ugs.)* conk

Knopf, *sub, m, -s, Knöpfe* button

knöpfen, *vt,* button (up)

Knorpel, *sub, m, -s, -* gristle;

(dtml.) cartilage, **knorpelig** adj, gristly

Knorr-Bremse, sub, f, -, -n pneumatic brake

Knorren, sub, m, -s, - gnarl

knorrig, adj, gnarled

Knospe, sub, f, -, -n bud; **knospig** adj, budding

Knötchen, sub, n, -s, - nodule

Knote, sub, m, -n, -n boor

Knoten, (1) sub, m, -s, - bun, knot; (med.) lump (2) **knoten** vt, knot; **knotenförmig** adj, knot-shaped; ~**punkt** sub, m, -s, -e centre, intersection; ~**stock** sub, m, -s, -stöcke gnarled stick

Knöterich, sub, m, -s, -e knotgrass

knotig, adj, gnarled, knotty

Knuff, sub, m, -s, Knüffe nudge

knuffen, vt, nudge

knüllen, vti, crumple

Knüller, sub, m, -s, - scoop, sensation

knüpfen, vt, attach, knot; **Knüpfteppich** sub, m, s, e knotted carpet

Knüppel, sub, m, -s, - cudgel, stick; **knüppeldick** adj, very thick; er schmiert sich die Butter knüppeldick aufs Brot he puts lashings of butter on his bread; (ugs.) ich habe es knüppeldick I´m sick and tired of it; **knüppeln** vt, beat

knurren, vi, growl, rumble; **Knurrhahn** sub, m, -s, -hähne gurnard; **Knurrigkeit** sub, f, -, nur Einz. grumpiness

Knusperchen, sub, n, -s, - biscuit

knuspern, vti, crunch; **knusprig** adj, crunchy

Knust, sub, m, -s, -e (dial) crust

Knute, sub, f, -, -n whip; (i. ü. S.) tyranny; sie lebten unter seiner Knute they lived under his tyranny

knutschen, vir, smooch; **Knutschfleck** sub, m, -s, -e (ugs.) love bite

Knüttelvers, sub, m, -es, -e rhyming couplet

Koalabär, sub, m, -en, -en koala bear

koalieren, vi, (polit.) form a coaliti-

on; **Koalitionär** sub, m, -s, -e coalition partner

Koautor, sub, m, -s, -en co-author

Kobaltbombe, sub, f, -, -n (mil.) cobalt bomb

Koben, sub, m, -s, - pigsty

Kober, sub, m, -s, - (dial) hamper

Kobold, sub, m, -(e)s, -de goblin

Kobolz (schiessen), sub, m, -es, -ze somersault

Kobra, sub, f, -, -s cobra

Koch, sub, m, -(e)s, Köche cook; ~**buch** sub, n, -(e)s, -bücher cookbook; ~**geschirr** sub, n, -(e)s, -e cooking utensils; ~**kurs** sub, m, -es, -e cookery course; ~**löffel** sub, m, -s, - cooking spoon; ~**rezept** sub, n, -(e)s, -e recipe; ~**salz** sub, n, -es, -e table salt; **kochsalzarm** adj, low-salt; ~**topf** sub, m, -es, -töpfe cooking pot; ~**zeit** sub, f, -, -en cooking time

kochen, vti, cook

kochend heiß, adj, boiling hot

Kocher, sub, m, -s, - cooker, stove

Köcher, sub, m, -s, - quiver

kochfest, adj, suitable for boiling

Kodein, sub, n, -s, nur Einz. (chem.) codeine

Köder, sub, m, -s, - bait

ködern, vt, lure, tempt

Kodex, sub, m, -es, -e und Kodizes codex

Koedukation, sub, f, -, nur Einz. co-education

Koeffizient, sub, m, -en, -en co-efficient

Koexistenz, sub, f, -, nur Einz. co-existence; **koexistieren** vi, co-exist

Koffein, sub, n, -s, nur Einz. (chem.) caffeine; **koffeinfrei** adj, decaffeinated

Koffer, sub, m, -s, - bag, suitcase

Kofferdeckel, sub, m, -s, - suitcase lid

Kofferradio, sub, n, -s, -s portable radio

Kogge, sub, f, -, -n cog

Kognak, *sub*, *m*, *-s*, *-s* cognac; **~bohne** *sub*, *f*, *-*, *-n* brandy-filled chocolate

Kognition, *sub*, *f*, *-*, *-en* cognition; **kognitiv** *adj*, cognitive

Kognomen, *sub*, *n*, *-s*, *- und Kognomina* cognomen; surname

kohärent, *adj*, coherent; **Kohärenz** *sub*, *f*, *-*, *nur Einz.* coherency

kohärieren, *vi*, cohere; **Kohäsion** *sub*, *f*, *-*, *nur Einz.* cohesion

Kohl, *sub*, *m*, *-s*, *-e* cabbage

Kohldampf, *sub*, *m*, *-s*, *nur Einz.* (*ugs.*) ravenous hunger

Kohle, *sub*, *f*, *-*, *-n* coal; (*ugs.*) dough; (*ugs.*) *hast du genügend Kohle dabei?* did you bring enough dough?; **kohlehaltig** *adj*, carboniferous; **~import** *sub*, *m*, *-s*, *-e* imported coal; **~nbergwerk** *sub*, *n*, *-s*, *-e* coalmine, pit; **~nbunker** *sub*, *m*, *-s*, *-* coalbunker; **~neimer** *sub*, *m*, *-s*, *-* coal scuttle; **~nfeuer** *sub*, *n*, *-s*, *-* coal fire; **~ngrube** *sub*, *f*, *-*, *-n* pit; **~nhalde** *sub*, *f*, *-*, *-n* coal stocks; **~nmeiler** *sub*, *m*, *-s*, *-* coal pile; **kohlensauer** *adj*, (*chem.*) of carbonic acid; **~nsäure** *sub*, *f*, *-*, *-n* carbonic acid; **~nstaub** *sub*, *m*, *-s*, *-e oder stäube* coal dust; **~nstift** *sub*, *m*, *-s*, *-e* charcoal stick; **~nstoff** *sub*, *m*, *-s*, *-e* carbon; **~papier** *sub*, *n*, *-s*, *-e* carbon paper

Köhler, *sub*, *m*, *-s*, *-* charcoal burner

Kohlkopf, *sub*, *m*, *-s*, *-köpfe* cabbage

Kohlmeise, *sub*, *f*, *-*, *-n* (*zool.*) great tit

Kohlrabe, *sub*, *m*, *-n*, *-n* raven

kohlrabenschwarz, *adj*, jet black, pitch-black

Kohlrabi, *sub*, *m*, *-*, *-* kohlrabi

Kohlraupe, *sub*, *f*, *-*, *-n* cabbage caterpillar

Kohlroulade, *sub*, *f*, *-*, *-n* stuffed cabbage-roll

Kohlsprosse, *sub*, *f*, *-*, *-n* (*Austrian*) Brussels sprouts

Kohlweißling, *sub*, *m*, *-s*, *-e* cabbage butterfly

Kohorte, *sub*, *f*, *-*, *-n* (*mil.*) cohort

Koinzidenz, *sub*, *f*, *-*, *nur Einz.* coincidence; **koinzident** *adj*, (*phy.*) coincident; **koinzidieren** *vi*, coincide

Koitus, *sub*, *m*, *-*, *- oder -se* sexual intercourse; **koitieren** *vi*, copulate

Koje, *sub*, *f*, *-*, *-n* berth

Kojote, *sub*, *m*, *-n*, *-n* coyote

Kokain, *sub*, *n*, *-s*, *nur Einz.* cocaine; **~ismus** *sub*, *m*, *-*, *nur Einz.* cocainism

Kokastrauch, *sub*, *m*, *-s*, *-sträucher* (*bot.*) coca (plant)

kokeln, *vi*, (*ugs.*) play with fire

Kokerei, *sub*, *f*, *-*, *-en* coking practice

kokett, *adj*, coquettish, flirtatious

Koketterie, *sub*, *f*, *-*, *-n* coquetry, flirtatiousness

kokettieren, *vi*, flirt

Kokon, *sub*, *m*, *-s*, *-s* cocoon

Kokosnuss, *sub*, *f*, *-*, *-nüsse* coconut; **Kokosflocken** *sub*, *nur Mehrz.* desiccated coconut; **~öl** *sub*, *n*, *-s*, *-e* coconut oil; **Kokosraspeln** *sub*, *nur Mehrz.* desiccated coconut; **Kokosteppich** *sub*, *m*, *-s*, *-e* coconut matting

Kokotte, *sub*, *f*, *-*, *-n* cocotte

Koks, *sub*, *m*, *-es*, *-* coke; (*ugs.*) snow; **koksen** *vi*, take cocaine; **~er** *sub*, *m*, *-s*, *-* cocaine addict

Kola, *sub*, *f*, *-*, *-* cola (kola) tree

Kolben, *sub*, *m*, *-s*, *-* butt, piston; **~hirsch** *sub*, *m*, *-s*, *-e* (*zool.*) velvet antler; **~hirse** *sub*, *f*, *-*, *-n* (*bot.*) foxtail millet; **~stange** *sub*, *f*, *-*, *-n* piston rod

Kolibri, *sub*, *m*, *-s*, *-s* (*zool.*) humming bird

Kolik, *sub*, *f*, *-*, *-en* (*med.*) colic

Kolkrabe, *sub*, *m*, *-n*, *-n* raven

kollabieren, *vi*, collapse

Kollagen, *sub*, *n*, *-s*, *-e* collagen

Kollaps, *sub*, *m*, *-es*, *-e* collapse

kollateral, *adj*, collateral

Kolleg, *sub*, *n*, *-s*, *-s oder -ien* course of lectures

Kollege, *sub*, *m*, *-n*, *-n* colleague; **kollegial** *adj*, cooperative; **Kollegialität** *sub*, *f*, *-*, *nur Einz.* co-

operativeness! **Kollegium** *sub, n,*
-s, Kollegien board, staff

Kollekte, *sub, f, -, -n* collection

Kollektion, *sub, f, -, -en* assortment,
collection

kollektiv, (1) *adj,* collective **(2) Kol-**
lektiv *sub, n, -s, -e* collective

kollektivieren, *vt,* collectivize

Kollektivismus, *sub, m, -s, nur*
Einz. collectivism; **Kollektivist**
sub, m, -en, -en collectivist; **kollek-**
tivistisch *adj,* collectivist(ic)

Kollektivum, *sub, n, -s, -tiva* collective (noun)

Kollektor, *sub, m, -s, -en* collector

kollidieren, *vi,* collide, conflict

Kollier, *sub, n, -s, -s* necklace

Kollision, *sub, f, -, -en* clash, collision

Kollo, *sub, n, -s, -s und Kolli* package

kolmatieren, *vi,* silt

Kolombine, *sub, f, -, -n* Columbine

Kolonialismus, *sub, m, -, nur Einz.*
colonialism; **kolonial** *adj,* colonial;
Kolonialist *sub, m, -en, -en* colo-
nialist; **Kolonie** *sub, f, -, -n* colony;
Kolonisation *sub, f, -, -en* colonization; **Kolonisator** *sub, m, -s, -oren*
colonizer; **kolonisieren** *vt,* colonize; **Kolonist** *sub, m, -en, -en* colonist

Kolonnade, *sub, f, -, -n (arch.)* colonnade

Kolonne, *sub, f, -, -n (mil.)* column,
convoy

Koloratur, *sub, f, -, -en (mus.)* coloratura

kolorieren, *vt,* colour

Kolorimetrie, *sub, f, -, nur Einz.* co-
lorimetry

Kolorist, *sub, m, -en, -en* colourist;
koloristisch *sub,* colouristic

Kolorit, *sub, n, -(e)s, -e* colouring; *(i.*
ü. S.) atmosphere

Koloss, *sub, m, -es, Kolosse* colossus

kolossal, *adj,* colossal, enormous;
Kolossalbau *sub, m, -s, -bauten*
giant-scale building; **Kolossalfilm**
sub, m, -(e)s, -e film epic

Kolostrum, *sub, n, -s, nur Einz.*
(med.) colostrum

Kolpinghaus, *sub, n, -es, -häuser*
Catholic hostel

Kolportage, *sub, f, -, -n* cheap sen-
sationalism, trash; **kolportieren**
vt, circulate

Kolposkopie, *sub, f, -, -n (med.)*
colposcopy

Kolumbianer, *sub, m, -s, -* Colom-
bian

Kolumne, *sub, f, -, -n* column

Kolumnenmaß, *sub, n, -es, -e*
page gauge

Kolumnist, *sub, m, -en, -en* columnist

Koma, *sub, f, -, -s* coma; **komatös**
adj, (med.) comatose

Komantsche, *sub, m, -n, -n* Comanche

Kombattant, *sub, m, -en, -en* combatant

Kombi, *sub, m, -(s), -s (ugs.)* station wagon

Kombinat, *sub, n, -(e)s, -e* combine

Kombination, *sub, f, -, -en* combination; **~sschloss** *sub, n, -es, -*
schlösser combination lock

kombinatorisch, *adj,* combinatory

kombinierbar, *adj,* combinative

kombinieren, (1) *vi,* conclude
(2) *vt,* combine

Kombinierung, *sub, f, -, -en* combination

Kombischrank, *sub, m, -(e)s, -*
schränke cabinet

Kombiwagen, *sub, m, -s, -wägen*
station wagon

Komet, *sub, m, -en, -en* comet; **ko-**
metenhaft *adj,* rapid

Komfort, *sub, m, -s, nur Einz.*
comfort, convenience; **komfor-**
tabel *adj,* comfortable

Komik, *sub, f, -, nur Einz.* comic
element; **~er** *sub, m, -s, -* comedian

Kominform, *sub, n (polit.)* Cominform

Komintern, *sub,* Comintern

komisch, *adj,* funny, strange; *er*
hat mich so komisch angeschaut

he looked at me in such a strange way; *mit irgendeiner komischen Ausrede* with some sort of strange (unconvincing) excuse

Komitee, *sub*, *n*, -*s*, -*s* committee

Komma, *sub*, *n*, -*s*, -*ta und* -*s* comma

Kommandant, *sub*, *m*, -*en*, -*en* commanding officer; **~ur** *sub*, *f*, -, -*en* headquarters; **Kommandeur** *sub*, *m*, -*s*, -*e* commander; **kommandieren** *vt*, command, give orders

Kommanditär, *sub*, *m*, -*s*, -*e (Swiss)* limited partner; **Kommanditgesellschaft** *sub*, *f*, -, -*en (wirt.)* limited partnership; **Kommanditist** *sub*, *m*, -*en*, -*en* limited partner

Kommando, *sub*, *n*, -*s*, -*s* command, order

Kommassation, *sub*, *f*, -, -*en* consolidation (of land); **kommassieren** *vt*, consolidate

Kommen, (1) *sub*, *n*, -*s*, - coming (2) **kommen** *vi*, arrive, come, come on, get to, happen; *komm mit nicht damit!* don´t be so clever!; *komm! wir müssen uns beeilen* come on! we have to hurry; *komm, komm! du übertreibst* come on now! you´re exaggerating; *ans Ziel kommen* to get to one´s goal (or destination); *ob ich jemals nach China kommen werde?* will I ever get to China?; *wie komme ich zum Bahnhof?* how do I get to the station?; *es kam ohne Warnung* it happened without warning; *(Prov.) unverhofft kommt oft* what you least expect happens

kommensurabel, *adj*, commensurable

Komment, *sub*, *m*, -*s*, -*s* code of conduct

Kommentar, *sub*, *m*, -*s*, -*e* comment, commentary; **kommentarlos** *adv*, without comment; **Kommentator** *sub*, *m*, -*s*, -*en* commentator; **kommentieren** *vt*, comment (on)

Kommerz, *sub*, *m*, -*es*, *nur Einz.* material interests, profit-making; *alles wird zunehmend von Kommerz beherrscht* material interests are taking over everywhere; *auch die*

Kunst ist nur Kommerz heutzutage even the arts are just a profit-making business these days; **kommerzialisieren** *vt*, commercialize; **kommerziell** *adj*, commercial, profit-orientated

Kommilitone, *sub*, *m*, -*n*, -*n* fellow student

Kommiss, *sub*, *m*, -*es*, *nur Einz.* *(ugs.)* army; *vom Kommiss genug haben* to be fed up with army life

Kommissar, *sub*, *m*, -*s*, -*e* commissioner, inspector; **~iat** *sub*, *n*, - *(e)s*, -*e* commissioner´s department, police station; **kommissarisch** *adj*, provisional

Kommissbrot, *sub*, *n*, -*(e)s*, -*e* army bread

Kommission, *sub*, *f*, -, -*en* board, commission, committee

Kommisszeit, *sub*, *f*, - time served in the army

kommod, *adj*, comfortable

Kommode, *sub*, *f*, -, -*n* chest of drawers

Kommodore, *sub*, *m*, -*s*, -*s und* -*n* wing commander; *(mil.)* commodore

kommun, *adj*, shared; **~al** *adj*, communal; **~alisieren** *vt*, communalize; **Kommunalwahl** *sub*, *f*, -, -*en* local (municipal) election

Kommunarde, *sub*, *m*, -*n*, -*n* commune-dweller; *(hist.)* Communard

Kommune, *sub*, *f*, -, -*n* commune, local authority district

Kommunikation, *sub*, *f*, -, -*en* communication; **kommunikativ** *adj*, communicative

Kommunion, *sub*, *f*, -, -*en* Communion, communion

Kommuniqué, *sub*, *n*, -*s*, -*s* communiqué

kommunizieren, *vi*, communicate

kommutabel, *adj*, commutable; **Kommutierung** *sub*, *f*, -, -*en* commutation

Komödiant, *sub*, *m*, -*en*, -*en* actor; **~in** *sub*, *f*, -, -*nen* actress; **Komö-**

die *sub*, *f*, -, *-n* comedy

Kompagnon, *sub*, *m*, *-s*, *-s* business partner; *(ugs.)* pal

kompakt, *adj*, compact; **Kompaktheit** *sub*, *f*, -, *nur Einz*. compactness

Kompanie, *sub*, *f*, -, *-n (mil.)* company; **~chef** *sub*, *m*, *-s*, *-s* company commander

komparabel, *adj*, comparable; **Komparation** *sub*, *f*, -, *-en* comparison (of adjectives); **Komparativ** *sub*, *m*, *-s*, *-e* comparative

Komparse, *sub*, *m*, *-n*, *-n* extra; **~rie** *sub*, *f*, -, *-n* extras

Kompass, *sub*, *m*, *-es*, *Kompasse* compass; **~nadel** *sub*, *f*, -, *-n* compass needle; **~rose** *sub*, *f*, -, *-n* compass card

kompatibel, *adj*, compatible; **Kompatibilität** *sub*, *f*, -, *-en* compatibility

Kompendium, *sub*, *f*, -, *Kompendien* compendium

Kompensation, *sub*, *f*, -, *-en* compensation, **kompensatorisch** *adj*, compensatory; **kompensieren** *vt*, compensate

kompetent, *adj*, competent; **Kompetenz** *sub*, *f*, -, *-en* authority; *f*, -, *nur Einz*. competence; *das liegt außerhalb meiner Kompetenz* that doesn´t lie within my authority; *seine mangelnde Kompetenz in dieser Frage* his lack of competence in this issue

Kompilation, *sub*, *f*, -, *-en* compilation; **kompilieren** *vt*, compile

Komplement, *sub*, *n*, *-(e)s*, *-e (mat.)* complement; **komplementär** *adj*, complementary; **komplementieren** *vt*, complement

komplett, *adj*, complete; **~ieren** *vt*, complete

Kompliment, *sub*, *n*, *-(e)s*, *-e* compliment; **komplimentieren** *vt*, escort so out; *wir wurden höflich aber bestimmt zum Ausgang komplimentiert* we were escorted politely but firmly to the exit

Komplize, *sub*, *m*, *-n*, *-n* accomplice

komplizieren, *vt*, complicate; **kom-**

pliziert *adj*, complicated

Komplott, *sub*, *n*, *-(e)s*, *-e* conspiracy, plot

Komponente, *sub*, *f*, -, *-n* component; **komponieren** *vti*, compose; **Komponist** *sub*, *m*, *-en*, *-en* composer; **Komposition** *sub*, *f*, -, *-en* composition; **Kompositum** *sub*, *n*, *-s*, *Komposita* compound

Kompost, *sub*, *n*, *-(e)s*, *-e* compost; **kompostieren** *vt*, compost

Kompott, *sub*, *n*, *—(e)s*, *-e* stewed fruit

kompress, *adj*, compact; **Kompresse** *sub*, *f*, -, *-n (med.)* compress; **~ibel** *adj*, *(phy.)* compressible; **Kompression** *sub*, *f*, -, *die. -en* compression; **Kompressor** *sub*, *m*, *-s*, *-en (tech.)* compressor

komprimieren, *vt*, compress; **komprimiert** *adj*, compressed

Kompromiss, *sub*, *m*, *-es*, *-promisse* compromise; **~ler** *sub*, *m*, *-s*, - compromiser; **kompromisslos** *adj*, uncompromising; **~lösung** *sub*, *f*, -, *-en* compromise

kompromittieren, *vt*, *vr*, compromise

Komsomolze, *sub*, *m*, *-n*, *-n* member of the Comsomol

Komtess, *sub*, *f*, -, *-en* countess

Kondensat, *sub*, *n*, *-(e)s*, *-,e* condensate; **~ion** *sub*, *f*, -, *-en* condensation; **~or** *sub*, *m*, *-s*, *-en* condenser; **kondensieren** *vti*, condense; **Kondensmilch** *sub*, *f*, -, *nur Einz*. evaporated milk; **Kondensstreifen** *sub*, *m*, *-s*, - vapour trail

Kondition, *sub*, *f*, -, *nur Einz*. condition; *f*, -, *-en* term; **konditional (1)** *adj*, conditional **(2) Konditional** *sub*, *m*, *-s*, *-e* conditional; **konditionieren** *vt*, *(psych.)* condition

Konditor, *sub*, *m*, *-s*, *Konditoren* pastry-cook; **~ei** *sub*, *f*, -, *-en* cake shop

Kondom, *sub*, *m*, *-s*, *das oder -e* condom

Kondominium, *sub*, *n*, *-s*, *-minien* condominium

Kondor, *sub*, *m*, *-s*, *-e* condor

Kondottiere, *sub*, *m*, *-s*, *-ri (hist.)* condottiere

Kondukt, *sub*, *m*, *-(e)s*, *-e* funeral procession; **~eur** *sub*, *m*, *-s*, *der. -e (Swiss obs)* ticket collector

Konfekt, *sub*, *n*, *-(e)s*, *-e* confectionery

Konfektion, *sub*, *f*, *-*, *-en* off-the-peg clothing; **~euse** *sub*, *f*, *-*, *-n* outfitter; **konfektionieren** *vt*, manufacture (clothing); **~sanzug** *sub*, *m*, *-(e)s*, *-anzüge* off-the-peg suit; **~sgröße** *sub*, *f*, *-*, *-n* size number

Konferenz, *sub*, *f*, *-*, *-en* conference; **~schaltung** *sub*, *f*, *-*, *-en* conference circuit; **konferieren** *vi*, confer

Konfession, *sub*, *f*, *-*, *-en* religious denomination; **~alismus** *sub*, *m*, *-*, *nur Einz.* denominationalism; **konfessionell** *adj*, denominational

Konfetti, *sub*, *n*, *-s*, *nur Einz.* confetti

Konfiguration, *sub*, *f*, *-*, *-en* configuration

Konfirmand, *sub*, *m*, *-en*, *-en* candidate for confirmation; **Konfirmation** *sub*, *f*, *-*, *-en* confirmation; **konfirmieren** *vt*, confirm

Konfiskation, *sub*, *f*, *-*, *-en* confiscation; **konfiszieren** *vt*, confiscate

Konfitüre, *sub*, *f*, *-*, *-n* jam

Konflikt, *sub*, *m*, *-(e)s*, *-e* conflict; **~feld** *sub*, *n*, *-(e)s*, *-er* area of conflict; **~herd** *sub*, *m*, *-(e)s*, *-e* source of conflict; **konfliktlos** *adj*, non-conflicting

Konfluenz, *sub*, *f*, *-*, *-en* confluence

konform, *adj*, conforming; **Konformismus** *sub*, *m*, *-*, *nur Einz.* conformism; **Konformist** *sub*, *m*, *-en*, *-en* conformist; **~istisch** *adj*, conformist; **Konformität** *sub*, *f*, *-*, *nur Einz.* conformity

Konfrontation, *sub*, *f*, *-*, *-en* confrontation; **konfrontieren** *vt*, confront

konfus, *adj*, confused, mixed-up;

Konfusion *sub*, *f*, *-*, *-en* confusion

Konfuzianismus, *sub*, *m*, *-*, *nur Einz.* Confucianism

kongenial, *adj*, congenial, like-minded; **Kongenialität** *sub*, *f*, *-*, *nur Einz.* congeniality

Konglomerat, *sub*, *n*, *-(e)s*, *-e* conglomeration

Kongobecken, *sub*, *n*, *-s*, *nur Einz.* Congo Basin; **kongolesisch** *adj*, Congolese

Kongregation, *sub*, *f*, *-*, *-en* congregation

Kongress, *sub*, *m*, *-es*, *-gresse* congress, convention; **~halle** *sub*, *f*, *-*, *-n* convention hall

kongruent, *adj*, *(mat.)* concurring, congruent; **Kongruenz** *sub*, *f*, *-*, *-en* concurrence, congruence; **kongruieren** *vi*, be congruent, concur

König, *sub*, *m*, *-s*, *-e* king; **~in** *sub*, *f*, *-*, *-nen* queen; **~inwitwe** *sub*, *f*, *-*, *-n* dowager queen; **königlich** *adj*, royal; **~reich** *sub*, *n*, *-(e)s*, *-e* kingdom; **~sadler** *sub*, *m*, *-s*, *- (zool.)* royal eagle; **~skrone** *sub*, *f*, *-*, *-n* royal crown; **~skuchen** *sub*, *m*, *-s*, *-* fruitcake; **~sschloss** *sub*, *n*, *-es*, *-schlösser* royal palace; **~sthron** *sub*, *m*, *-(e)s*, *-e* throne; **~stiger** *sub*, *m*, *-s*, *- (zool.)* Bengal tiger; **~tum** *sub*, *n*, *-s*, *-tümer* kingship

konisch, *adj*, conical

konjektural, *adj*, conjectural; **Konjugation** *sub*, *f*, *-*, *-en* conjugation; **konjugierbar** *adj*, conjugable; **konjugieren** *vt*, conjugate

Konjunktion, *sub*, *f*, *-*, *-en* conjunction

Konjunktiv, *sub*, *m*, *-s*, *-e* subjunctive

Konjunktur, *sub*, *f*, *-*, *-en* economy; **konjunkturell** *adj*, economic

Konklave, *sub*, *n*, *-s*, *-n* conclave

konkludent, *adj*, conclusive; **konkludieren** *vi*, conclude

Konklusion, *sub*, *f*, *-*, *-en* conclusion; **konklusiv** *adj*, conclusive

Konkordanz, *sub, f, -, -en* concordance; **Konkordat** *sub, n, -s, -e* concordat

konkret, *adj*, concrete, definite; **Konkretion** *sub, f, -, -en (geol.)* concretion; **~isieren** *vt*, define

Konkubinat, *sub, n, -s, -e* concubinage; **Konkubine** *sub, f, -, -n* concubine

Konkupiszenz, *sub, f, -, nur Einz.* concupiscence

Konkurrent, *sub, m, -en, -en* competitor, rival; **Konkurrenz** *sub, f, -, -en* competition, competitor, rivalry; **konkurrenzfähig** *adj*, competitive; **konkurrenzlos** *adj* unrivalled; **konkurrieren** *vi*, compete

Konkurs, *sub, m, -es, -e* bankruptcy; **~masse** *sub, f, -, -n* bankrupt´s assets

können, (1) *Hilfsverb*, can (2) **Können** *sub, n, -s, nur Einz.* ability, skill (3) *vti*, be able to, be allowed to, could (might, may), know how to; *es ist furchtbar, nicht schlafen zu können* it´s terrible not to be able to sleep; *jeder zahlt, soviel er kann* everyone pays as much as he can; *du kannst tun and lassen, was du willst* you can do as you please; *kann ich jetzt gehen?* can I go now?; *man kann nicht alles sagen, was wahr ist* one must not say everything that is true; *er kann jeden Augenblick kommen* he could come any minute; *sie könnte anderer Meinung sein* she might see it differently; *kannst du reiten?* can you ride?; *kochen konnte sie nie und lernen will sie es auch nicht* she never knew how to cook and she doesn´t want to learn; **Könner** *sub, m, -s, -* expert; **Könnerschaft** *sub, f, -, nur Einz.* experts

Konnexion, *sub, f, -, -en* connections

konnivieren, *vi*, connive

Konnossement, *sub, n, -s, -e (wirt.)* bill of lading

Konnotation, *sub, f, -, -en* connotation; **konnotieren** *vt*, connote

Konnubium, *sub, n, -s, -bien* marriage

Konoid, *sub, n, -s, -e (mat.)* conoid

Konrektor, *sub, m, -s, -en* deputy headmaster, vice-president

Konsekration, *sub, f, -, -en* consecration; **konsekrieren** *vt*, consecrate; **konsekutiv** *adj*, consecutive

Konsens, *sub, m, -s, -e* agreement, assent; **konsensfähig** *adj*, able to consent

konsequent, *adj*, consistent, resolute; **Konsequenz** *sub, f, -, -en* consequence, single-mindedness

konservativ, *adj*, conservative; **Konservative** *sub, m,f, -n, -n* Conservative; **Konservativismus** *sub, m, -men* conservatism; **Konservator** *sub, m, -s, -en* curator; **Konservatorium** *sub, n, -s, -rien* conservatoire

Konserve, *sub, f, -, -n* preserves, tinned food; **~nbüchse** *sub, f, -, -n* tin; **konservieren** *vt*, preserve; **Konservierungsmittel** *sub, n, -s, - preservative

Konsignatar, *sub, m, -s, -e* consignee; **Konsignation** *sub, f, -, -en* consignment; **konsignieren** *vt*, consign

Konsilium, *sub, n, -s, -lien (med.)* council

konsistent, *adj*, consistent; **Konsistenz** *sub, f, -, nur Einz.* consistence

konskribieren, *vt*,   *(mil.)* conscript

Konsole, *sub, f, -, -n* bracket, console; **Konsoltisch** *sub, m, -es, -e* console table

Konsolidation, *sub, f, -, -en* consolidation; **konsolidieren** *vtr*, consolidate

Konsonant, *sub, m, -en, -en* consonant

Konsonanz, *sub, f, -, -en* consonance

Konsorten, *sub, nur Mehrz.* associates, clique; *(ugs.)* er und seine

Konsorten he and his clique

Konsortium, *sub, n, -s, -tien (wirt.)* consortium, group

konstant, *adj*, constant

Konstanz, *sub, f, -, nur Einz.* constancy

konstatieren, *vt*, confirm, perceive

Konstellation, *sub, f, -, -en* constellation, situation

konsternieren *vt*, dismay; **konsterniert** *adj*, dismayed

Konstipation, *sub, f, -, -en* constipation

Konstituente, *sub, f, -, -n* constituent; **konstituieren (1)** *vr, (polit.)* assemble **(2)** *vt*, constitute; **Konstitution** *sub, f, -, -en* constitution; **konstitutionell** *adj*, constitutional; **konstitutiv** *adj*, constitutive

Konstriktor, *sub, m, -s, -en (med.)* constrictor

konstruieren, *vt*, construct; **Konstrukt** *sub, n, -s, -e o. -s* construct; **Konstrukteur** *sub, m, -s, -e* constructor; **Konstruktion** *sub, f, -en* construction; **konstruktiv** *adj*, constructive; *(tech.)* structural; **Konstruktivismus** *sub, m, -, nur Einz. (kun.)* constructivism; **Konstruktivist** *sub, m, -en, -en* constructivist

Konsul, *sub, m, -s, -n* consul; **konsularisch** *adj*, consular; **~at** *sub, n, -s, -e* consulate; **~tation** *sub, f, -, -en* consultation; **konsultativ** *adj*, consultatory; **konsultieren** *vt*, consult

Konsum, *sub, m, -s, nur Einz.* consumption; **~ation** *sub, f, -, -en* consumption; **~denken** *sub, n, -s, nur Einz.* materialistic thinking; **~ent** *sub, m, -en, -en* consumer; **konsumieren** *vt*, consume; **~ierung** *sub, f, -, -en* consumption; **~ption** *sub, f, -, nur Einz. (med.)* consumption; **konsumtiv** *adj*, consumptive; **~verein** *sub, m, -s, -e* consumer cooperative

Kontakt, *sub, m, -s, -e* contact; **~armut** *sub, f, -, nur Einz.* social withdrawal; **kontakten** *vt, (.; wirt.)* establish contacts (to clients); **~er**

sub, m, -s, - (wirt. Werbung) account manager; **kontaktfreudig** *adj*, sociable; **~gift** *sub, n, -s, -e (med.)* contact poison; **kontaktieren** *vt*, get in touch with; **~linse** *sub, f, -, -n* contact lens; **~mann** *sub, m, -es, -männer* contact, informant; **~nahme** *sub, f, -, -n* contact; **~stoff** *sub, m, -s, -e (chem.)* catalyst

Kontamination, *sub, f, -, -en* contamination; **kontaminieren** *vt*, contaminate

kontant, *adj*, in cash

Kontanten, *sub, Mehrz.* ready money

Kontemplation, *sub, f, -, -en* contemplation; **kontemplativ** *adj*, contemplative

Konter, *sub, m, -s, - (spo.)* return punch

Konteradmiral, *sub, m, -s, -e (mil.)* rear admiral

Konterfei, *sub, n, -s, -s* portrait; **konterfeien** *vt*, portray

konterkarieren, *vt*, counteract

kontern, *vti*, contradict, counter; **Konterrevolution** *sub, f, -, -en* counter-revolution; **Konterschlag** *sub, m, -s, -schläge (mil.)* counter-attack

Kontext, *sub, m, -s, -e* context; **kontextuell** *adj*, contextual

kontieren, *vt*, book to an account

Kontiguität, *sub, f, -, nur Einz.* contiguity

Kontinent, *sub, m, -s, -e* continent; **kontinental** *adj*, continental; **~alverschiebung** *sub, f, -, -en* continental shift

Kontinenz, *sub, f, -, nur Einz.* continence

Kontingent, *sub, n, -s, -e (mil.)* contingent; *(wirt.)* quota

Kontinuation, *sub, f, -, -en* continuation; **kontinuierlich** *adj*, continual; **Kontinuität** *sub, f, -, nur Einz.* continuity; **Kontinuum** *sub, n, -s, -tinuen und -tinua* continuum

Konto, *sub, n, -s, Konten o. Konti*

account; **~auszug** *sub*, *m*, *-s*, *-zuge* bank statement; **~inhaber** *sub*, *m*, *-s*, - account holder; **~korrent** *sub*, *n*, *-s*, *-e* current account; **~nummer** *sub*, *f*, *-*, *-n* account number

Kontor, *sub*, *m*, *-s*, *-e* branch office; **~ist** *sub*, *m*, *-en*, *-en* clerk

kontra, (1) *adv*, against **(2)** *präp*, versus **(3) Kontra** *sub*, *n*, *-s*, *-s* opposition

Kontrabass, *sub*, *m*, *-es*, *-bässe* double-bass; **Kontradiktion** *sub*, *f*, *-*, *-en* contradiction; **Kontrafagott** *sub*, *n*, *-s*, *-e* double-bassoon; **Kontrafaktur** *sub*, *f*, *-*, *-en* contrafact

Kontrakt, *sub*, *m*, *-s*, *-e* contract; **~ion** *sub*, *f*, *-*, *-en (med.)* contraction; **kontraktlich** *adj*, contractual

Kontrapost, *sub*, *m*, *-s*, *-e (kun.)* contrapposto; **Kontrapunkt** *sub*, *m*, *-s*, *-e (mus.)* counterpoint; **konträr** *adj*, contrary

Kontrast, *sub*, *m*, *-s*, *-e* contrast; **~brei** *sub*, *m*, *-s*, *-e (med.)* opaque meal; **kontrastieren** *vt*, contrast; **~mittel** *sub*, *n*, *-s*, - *(med.)* contrast medium; **~programm** *sub*, *n*, *-s*, *-e (ugs.)* variation

Kontrazeption, *sub*, *f*, *-*, *nur Einz.* contraception; **kontrazeptiv (1)** *adj* contraceptive **(2) Kontrazeptiv** *sub*, *n*, *-s*, *-e* contraceptive

Kontribution, *sub*, *f*, *-*, *-en* contribution

Kontrolle, *sub*, *f*, *-*, *hier nur Einz.* control; *er hatte die Situation vollkommen unter Kontrolle* he had the situation completely under control; *sich unter Kontrolle haben* check oneself; **~n** *sub*, *f*, *-*, *hier nur Mehrz.* controls; *die Kontrollen verschärfen* to increase controls; **~r** *sub*, *m*, *-s*, - *(tech.)* switch; **~ur** *sub*, *m*, *-s*, *-e* inspector; **kontrollieren** *vt*, check, control, supervise; **Kontrollturm** *sub*, *m*, *-s*, *-türme* control tower; **Kontrolluhr** *sub*, *f*, *-*, *-en* time clock

kontrovers, *adj*, controversial; **Kontroverse** *sub*, *f*, *-*, *-n* controversy

Kontur, *sub*, *f*, *-*, *-en* contour; *die Berge mit scharfen Konturen sehen* to see the mountains sharply outlined; *(i. ü. S.) eine Persönlichkeit ohne Konturen* a wishy-washy sort of character; **~enschärfe** *sub*, *f*, *-*, *-n* definition

Konus, *sub*, *m*, *-se und Konen (mat.)* cone

Konvaleszent, *sub*, *m*, *-en*, *-en* convalescent

Konvektion, *sub*, *f*, *-*, *-en (phy.)* convection

Konvenienz, *sub*, *f*, *-*, *nur Einz.* convenience; **konvenieren** *vi*, be suitable; **Konvent** *sub*, *m*, *-s*, *-e* convent, convention; **Konventikel** *sub*, *n*, *-s*, - conventicle; **Konvention** *sub*, *f*, *-*, *-en* convention; **konventional** *adj*, conventional; **Konventionalstrafe** *sub*, *f*, *-*, *-n* fine (for breach of contract); **konventionell** *adj*, conventional; **Konventuale** *sub*, *m*, *-n*, *-n* conventual

konvergent, *adj*, convergent; **Konvergenz** *sub*, *f*, *-*, *-en* convergence; **konvergieren** *vi*, converge

Konversation, *sub*, *f*, *-*, *-en* conversation; **~slexikon** *sub*, *n*, *-s*, *-lexika* encyclopaedia; **konversieren** *vi*, converse; **Konversion** *sub*, *f*, *-*, *-en* conversion; **Konverter** *sub*, *m*, *-s*, - converter; **konvertibel** *adj*, convertible; **konvertieren (1)** *vi*, be converted **(2)** *vt*, convert; **Konvertierung** *sub*, *f*, *-*, *-en* conversion; **Konvertit** *sub*, *m*, *-en*, *-en* convert

konvex, *adj*, convex; **Konvexlinse** *sub*, *f*, *-*, *-n* convex lens

Konviktuale, *sub*, *m*, *-n*, *-n* seminarian

Konvolut, *sub*, *n*, *-s*, *-e* bundle of papers; **Konvulsion** *sub*, *f*, *-*, *-en* convulsion

konzedieren, *vt*, grant

Konzentrat, *sub*, *n*, *-s*, *-e (chem.)* concentrate; **~ion** *sub*, *f*, *-*, *-en* concentration; *(chem.)* concentration; *das ist nur eine Sache der Konzentration* it´s only a matter of concentration; *es mangelt ihm an Konzentration* he lacks concentration; ~**ionslager** *pron,* concentration camp; **konzentrieren** *vr,* concentrate; *ich kann mich heute nicht konzentrieren* I can´t concentrate today; **konzentriert** *adj,* concentrated; **konzentrisch** *adj,* concentric

Konzept, *sub, n, -s, -e* concept, plans, rough copy; *aus dem Konzept kommen* to lose the thread; *(ugs.) das paßt ihm nicht ins Konzept* that doesn´t suit his plans; *es ist jetzt wenigstens als Konzept fertig* at least the draft is ready now; ~**ion** *sub, f, -, -en* conception, idea; **konzeptionell** *adj,* conceptual

Konzern, *sub, m, -es, -e (wirt.)* combine; **konzernieren** *vi,* combine

Konzert, *sub, n, -s, -e* concert; ~**abend** *sub, m, -s, -e* concert evening

konzertant, *adj,* in concerto form; **konzertieren** *vi,* play (in a concert); **konzertiert** *adj,* concerted; **Konzertina** *sub, f, -, -s* concertina

Konzertmeister, *sub, m, -s, -* first-violinist, leader; **konzertreif** *adj,* proficient; **Konzertreife** *sub, f, -, nur Einz.* proficiency; **Konzertreise** *sub, f, -, -n* concert tour; **Konzertsaal** *sub, m, -s, -säle* concert hall; **Konzertstück** *sub, n, -s, -e* concert piece

Konzession, *sub, f, -, -en* concession, licence; ~**är** *sub, m, -s, -e* licencee; **konzessionieren** *vt,* grant so a concession; **konzessiv** *adj,* concessive

Konzil, *sub, m, -s, -le oder -lien* council; ~**svater** *sub, m, -s, -väter* council father

konziliant, *adj,* conciliatory; **Konzilianz** *sub, f, -, nur Einz.* conciliatoriness

konzipieren, *vt,* conceive

konzis, *adj,* concise

Kooperation, *sub, f, -, -en* cooperation; **kooperativ** *adj,* cooperative; **Kooperative** *sub, f, -, -n* cooperative; **kooperieren** *vi,* cooperate

Kooptation, *sub, f, -, -en* co-option; **kooptieren** *vt,* co-opt

Koordinate, *sub, f, -n (mat.)* coordinate; **Koordination** *sub, f, -, -en* coordination; **Koordinator** *sub, m, -s, -en* coordinator; **koordinieren** *vt,* coordinate

Kopeke, *sub, f, -, -n* kopeck

Kopenhagener(in), *sub, m, -s, -* person from Copenhagen

Köpenickiade, *sub, f, -, -n* hoax

Köper, *sub, m, -s, -* twill; ~**bindung** *sub, f, -, -en* twill weave

Kopf, *sub, m, -s, Köpfe* head; *(i. ü. S.)* mind; *(ugs.) das hältst du ja im Kopf nicht aus* it´s absolutely incredible; *(i. ü. S.) es werden Köpfe rollen* heads will roll; *(ugs.) mit dem Kopf durch die Wand wollen* to be bent on getting one´s own way; *die besten Köpfe des Landes* the best minds in the country; *mir ist neulich in den Kopf gekommen, daß* the idea crossed my mind that; *sich über etwas den Kopf zerbrechen* to rack one´s brains over something; ~**arbeiter** *sub, m, -s, -* brainworker; ~**bahnhof** *sub, m, -s, -böfe* terminus (station); ~**ball** *sub, m, -s, -bälle (spo.)* header; ~**balltor** *sub, n, -s, -e* headed goal; ~**bewegung** *sub, f, -, -en* head movement; ~**düngung** *sub, f, -, -en* topdressing

köpfen, *vt,* behead

Kopfende, *sub, n, -s, -n* head; **Kopfform** *sub, f, -, -en* head shape; **Kopfgeld** *sub, n, -s, -er* head money; **Kopfhaar** *sub, n, -s, -e* hair; **Kopfhaltung** *sub, f, -, -en* posture (of the head); **Kopfhaut** *sub, f, -, -häute* scalp; **Kopfhörer** *sub, m, -s, -* headphones; **Kopfjäger** *sub, m, -s, -* head-hunter; **Kopfkissen** *sub, n, -s, -* pillow

kopflos, *adj,* headless, panicky; rash; **Kopfnuss** *sub, f, -, -nüsse* rap (on the head); **kopfrechnen** *vi,* do mental arithmetic; **Kopfsalat** *sub, m, -s, -e* lettuce; **kopfscheu** *adj,* nervous, skittish; **Kopfschmerz** *sub, m, -es, -zen* headache; *(ugs.) mach dir darüber keine Kopfschmerzen!* don´t lose any sleep over that!; *rasende Kopfschmerzen haben* to have a splitting headache; **Kopfschmuck** *sub, m, -s, -e* headdress; **Kopfschuppe** *sub, f, -, -n* dandruff; **Kopfschuss** *sub, m, -es, -schüsse* shot in the head; **Kopfschützer** *sub, m, -s, -* headguard, helmet

Kopfstehen, *sub, n, -s, nur Einz.* headstand; **Kopf stehen** *vi,* stand on one's head; **Kopfstimme** *sub, f, -, -n* falsetto, head voice; **Kopfstoß** *sub, m, -es, -stösse (Billard)* pinch; **Kopfteil** *sub, m,n, -s, -e* headpiece; **Kopftuch** *sub, n, -es, -tücher* scarf; **kopfüber** *adv,* headfirst; **Kopfweh** *sub, n, -s, -e* headache; **Kopfzerbrechen** *sub, n, -s, - (i. ü. S.)* worry; *diese Sache hat mir viel Kopfzerbrechen gemacht* this business gave me quite a headache; *er macht sich darüber nicht viel Kopfzerbrechen* he doesn´t worry about it much

Kophta, *sub, m, -s, -s* thaumaturge

Kopie, *sub, f, -, -n* copy, imitation; **kopieren** *vt,* copy, imitate; **~rer** *sub, n, -s, -* copier; **~rgerät** *sub, n, -s, -e* photocopying machine; **~rpapier** *sub, n, -s, -e* photocopy paper; **~rschutz** *sub, m, -es, -e* copy protection; **~rstift** *sub, m, -s, -e* indelible pencil

Kopilot, *sub, m, -en, -en* co-pilot

Koppel, *sub, f, -, -n* paddock; **koppelgängig** *adj,* pasturing; **~weide** *sub, f, -, -n* enclosed pasture

Kopplung, *sub, f, -, -en* coupling, joining

Koproduktion, *sub, f, -, -en* co-production; **Koproduzent** *sub, m, -en, -en* co-producer

koprophag, *adj,* coprophagous;

Koprophagie *sub, f, -, nur Einz* coprophagy

Kopte, *sub, m, -n, -n* Copt

Kopulation, *sub, f, -, -en* copulation; **Kopulativum** *sub, n, -s, -va* copulative word; **kopulieren** *vi,* copulate

Koralle, *sub, f, -, -n* coral; **~nbank** *sub, f, -, -bänke* coral reef; **korallenrot** *adj,* coral-red

koram, *adv, (obs)* reprove so

Koran, *sub, m, -s, nur Einz.* Koran

Korb, *sub, m, -s, Körbe* basket; **~ball** *sub, m, -s, nur Einz.* basketball; **~blütler** *sub, m, -s, - (bot.)* composite; **Körbchen** *sub, n, -s, - cup* (of a bra), s. Korb; *(ugs.)* beddy-byes; **~flasche** *sub, f, -, -n* demijohn; **~flechter** *sub, m, -s, -* basket-maker; **~wurf** *sub, m, -s, -würfe (spo.)* throw for goal

Kord, *sub, m, -s, -e u. -s* corduroy; **~hose** *sub, f, -, -n* corduroy trousers

Kordel, *sub, f, -, -n* cord; *(ugs.)* string

kordial, *adj,* cordial; **Kordialität** *sub, f, -, nur Einz.* cordiality

kordieren, *vt, (tech.)* knurl

Kordon, *sub, m, -s, -s* cordon

Kordsamt, *sub, m, -s, -e* cord velvet

Kore, *sub, f, -, -n (arch.)* caryatid

Koreaner, *sub, m, -s, -* Korean; **koreanisch** *adj,* Korean

koreferieren, *vi,* read a supplementary paper; **Koregisseur** *sub, m, -s, -e* co-director

Koriander, *sub, m, -s, -* coriander; **~öl** *sub, n, -s, -e* coriander oil

Korinthe, *sub, f, -, -n* currant

Kork, *sub, m, -s, -e* cork; **~en (1)** *sub, m, -s, -* cork **(2) korken** *vt,* cork; **~enzieher** *sub, m, -s, -* corkscrew; **korkig** *adj,* corky

Kormoran, *sub, m, -s, -e* cormorant

Korn, *sub, n, -s, Körner* grain; *(i. ü. S.) jemanden aufs Korn nehmen* to start keeping tabs on someone; **~blume** *sub, f, -, -n*

cornflower; **Körnchen** sub, n, -s, -
s. Korn; ein Körnchen Wahrheit a
grain of truth; **~er** sub, m, -s, -
(wirt.) corner; **Körnerfutter** sub,
n, -s, nur Einz. grain feed; **~feld**
sub, m, -s, -er cornfield; **körnig** adj,
grainy

Kornett, sub, m ??, -s, -e und -s
(mus.) cornet

Kornrade, sub, f, -, -n (bot.) corncockle

Kornspeicher, sub, m, -s, - granary

Korollarium, sub, n, -s, -ien (mat.
phil.) corollary

Korona, sub, f, -, -nen (ugs.) crowd;
(kun.) halo; **koronar** adj, (med.)
coronary; **~rinsuffizienz** sub, f, -,
-en coronary insufficiency

Körper, sub, m, -s, - body; **~bau** sub,
m, -s, -ten build, physique; **~behin-
derte** sub, m,f, -n, -n physically disabled person; **körpereigen** adj,
endogenous; **~fülle** sub, f, -, nur
Einz. corpulence; **~geruch** sub, m,
-s, -gerüche body odour; **~größe**
sub, f, -, -n height; **~kraft** sub, f, -,
-kräfte strength; **~kultur** sub, f, -,
-en personal hygiene; **~länge** sub,
f, -, -n length

körperlich, adj, manual, physical;
schwer körperlich arbeiten to do
heavy manual work (or labour);
Körperschaft sub, f, -, -en corporation; **Körpertemperatur** sub, f, -,
-en body temperature; **Körperverletzung** sub, f, -, -en physical injury;
Körperwärme sub, f, -, -n body
heat

Korporal, sub, m, -s, -e o. -äle corporal

Korporation, sub, f, -, -en fraternity;
korporativ adj, corporate

Korps, sub, n, -, - corps; **~bruder**
sub, m, -s, -brüder fellow member
of a (duelling) fraternity; **~student**
sub, m, -en, -en student in a fraternity

korpulent, adj, corpulent; **Korpulenz** sub, f, -, nur Einz. corpulence

Korpus, sub, n, -, Korpora corpus

Korral, sub, m, -s, -e corral

Korrasion, sub, f, -, -en wind carving

Korreferat, sub, n, -s, -e supplementary paper; **Korreferent** sub,
m, -en, -en reader of a supplementary paper

korrekt, adj, correct, right; **Korrektheit** sub, f, -, nur Einz. correctness; **~iv (1)** adj, corrective
(2) Korrektiv sub, n, -s, -e corrective; **Korrektor** sub, m, -s, -en
proof-reader; **Korrektorat** sub,
n, -s, -e proof-reading office; **Korrektur** sub, f, -, -en correction,
proof-reading

Korrelat, sub, n, -s, -e correlate;
~ion sub, f, -, -en correlation;
korrelieren vi, correlate

korrespektiv, adj, (jur.) joint

Korrespondent, sub, m, -en, .en
correspondent; **Korrespondenz**
sub, f, -, -en correspondence;
korrespondieren vi, correspond

Korridor, sub, m, -s, -e corridor;
~tür sub, f, -, -en door (to or
leading from corridor)

korrigieren, vt, adjust, correct

korrodieren, vti, corrode; **Korrosion** sub, f, -, -en corrosion

korrumpieren, vt, corrupt; **korrumpiert** adj, corrupt(ed)

korrupt, adj, corrupt; **Korruption** sub, f, -, -en bribery, corruption

Korsage, sub, f, -, -n corsage

Korsar, sub, m, -en, -en corsair

Korselett, sub, n, -s, -s o. -e corselet

Korsett, sub, n, -s, -s und -e cor-
set(s)

Korso, sub, m, -s, -s avenue

Kortison, sub, n, -, nur Einz. cortisone

Korund, sub, m, -s, -e (geol.) corundum

Korvette, sub, f, -, -n corvette

Koryphäe, sub, f, -, -n expert;
(ugs.) leading light

Kosak, sub, m, -en, -en Cossack;
~enmütze sub, f, -, -n Cossack

cap; **~enpferd** *sub, m, -s, -e* Cossack horse

Koschenille, *sub, f, -, -n* cochineal

koscher, *adj,* kosher; *(ugs.) die Sache scheint mir nicht ganz koscher zu sein* it looks a bit fishy to me

K.-o.-Schlag, *sub, m, -s, -schläge* knock-out blow

Koseform, *sub, f, -, -en* affectionate form, familiar form (of name); **kosen** *vi,* fondle; **Kosename** *sub, m, -ns, -n* nickname, pet name; **Kosewort** *sub, n, -es, -wörter* term of endearment

K.-o.-Sieger, *sub, m, -s, -* knock-out winner

Kosmetik, *sub, f, -, nur Einz.* cosmetics; **~erin** *sub, f, -, -nen* cosmetician; **~um** *sub, n, -s, -tika* cosmetic; **kosmetisch** *adj,* cosmetic

kosmisch, *adj,* cosmic; **Kosmodrom** *sub, n, -s, -e* cosmodrome

Kosmogonie, *sub, f, -, -n* cosmogony; **kosmogonisch** *adj,* cosmogonic(al)

Kosmografie, *sub, f, -, -n* cosmography; **Kosmologie** *sub, f, -, nur Einz.* cosmology; **kosmologisch** *adj,* cosmologic(al); **Kosmonaut** *sub, m, -en, -en* cosmonaut; **Kosmonautik** *sub, f, -, nur Einz.* cosmonautics; **Kosmopolit** *sub, m, -en, -en* cosmopolite; **Kosmos** *sub, n, -, nur Einz.* cosmos

Kost, *sub, f, -, nur Einz.* diet, food; *fleischlose Kost* a meatless diet; *Kost und Logis* board and lodging; *(i. ü. S.) seine Bücher sind schwere Kost* his books are heavy going

Kosten, (1) *sub, Mz.* cost(s), expense(s) **(2) kosten** *vt,* sample, taste **(3)** *vti,* cost; *(ugs.) das Bier geht auf meine Kosten* the beer is on me; *die Kosten spielen keine Rolle* money´s no object; *Lebenshaltungskosten* the cost of living, *alle Kosten eingeschlossen* including all charges; *was kostet das?* how much is that?; *hast du diesen Wein schon gekostet?* have you tasted this wine yet?;

ich möchte nur ein bisschen kosten I just want to have a taste; **~anschlag** *sub, m, -s, -schläge* estimate; **~faktor** *sub, m, -s, -en* cost factor; **~frage** *sub, f, -, -n* question of cost(s); **~gründe** *sub, nur Mehrz.* cost reasons; **kostenlos** *adj,* free; **~miete** *sub, f, -, -n* rent to cover costs; **kostenpflichtig** *adj,* chargeable; **~punkt** *sub, m, -s, -e* expense(s), price; *was den Kostenpunkt anbetrifft* as to expenses; *es gefällt mir, aber wie ist der Kostenpunkt?* I like it, but how much is it?; **~rahmen** *sub, m, -s, -* estimated expenditure; *das können wir nicht machen; es übersteigt bei weitem unseren Kostenrahmen* we can´t do it; it goes far beyond our estimated expenditure; **~voranschlag** *sub, m, -s, -schläge* estimate; **Kostgeld** *sub, n, -s, nur Einz.* board

köstlich, *adj,* delicious, priceless; *alles auf der Karte hier ist köstlich* everything on the menu here is delicious; *seine Sprüche sind köstlich* his sayings are priceless; **Köstlichkeit** *sub, f, -, -en* delicacy, deliciousness

kostspielig, *adj,* costly, dear, expensive

Kostüm, *sub, n, -s, -e* costume, woman´s suit; **~fundus** *sub, m, -, nur Einz.* theatre wardrobe; **kostümieren** *vr,* put on fancydress; *für das Fest muß man sich kostümieren* you have to wear fancydress to that party; **~ierung** *sub, f, -, -en* costume, fancydress

Kot, *sub, m, -s, nur Einz.* excrement, faeces

Kotau, *sub, m, -s, -s* kowtow

Kotelett, *sub, n, -s, -s* chop, cutlet

Koteletten, *sub, f, -, nur Mehrz.* side whiskers

Kötengelenk, *sub, n, -s, -e* fetlock

Köter, *sub, m, -s, -* cur

Kotflügel, *sub, m, -s, -* mudguard

kotieren, *vt, (wirt.)* list sth for admission to the stock exchange

Kotze, sub, f, -, nur Einz. (vulg.) vomit; **kotzen** vi, throw up, vomit; ich kriege langsam das Kotzen I´m beginning to see red; (vulg.) wenn ich dich höre, könnte ich kotzen just listening to you makes me want to throw up; **kotzübel** adj, (vulg.) nauseous

Krabbe, sub, f, -, -n crab; (ugs.) prawn

Krabbelalter, sub, n, -s, nur Einz. crawling stage; **Krabbelkind** n, -s, -er baby at crawling stage; **krabbeln** vi, crawl

Krach, sub, m, -s, Kräche noise, quarrel, racket, row; (ugs.) jeden Abend gibt es nebenan Krach there´s a row next door every evening

krächzen, vi, caw, croak

Krächzer, sub, m, -s, - croaking

Kradschütze, sub, m, -n, -n (ugs.; mil.) motor cyclist rifleman

kraft, (1) präp, by virtue of, on the strength of (2) **Kraft** sub, f, -, Kräfte energy, power, strength; **Kraftakt** sub, m, -s, -e exertion; **Kraftaufwand** sub, m, -s, nur Einz. effort, exertion; **Kraftausdruck** sub, m, -s, -drücke swearword; **~erfüllt** adj, energized, strong; **Kraftfahrer** sub, m, -s, - driver, motorist; **Kraftfahrzeug** sub, n, -s, -e motor vehicle; **Kraftfeld** sub, n, -s, -er (phy.) force field; **Kraftfutter** sub, n, -s, nur Einz. concentrated feed

kräftig, adj, big, powerful, strong; (ugs.) einen kräftigen Schluck nehmen to take a big swig; sie ist kräftig gebaut she´s got a big build

kraftlos, adj, feeble, weak; (jur.) invalid

Kraftprobe, sub, f, -, -n test of strength; (i. ü. S.) challenge; **Kraftprotz** sub, m, -es, -e (ugs.) muscle man; **Kraftrad** sub, n, -s, -räser motorcycle; **Kraftstoff** sub, m, -s, -e fuel; **Kraftverkehr** sub, m, -s, nur Einz. motor traffic; **Kraftwagen** sub, m, -s, -wägen motor vehicle; **Kraftwerk** sub, n, -s, -e power station

Kragen, sub, m, -s, - oder Krägen collar; den Kragen offen tragen to wear open necks; (ugs.) ich dreh´ dir den Kragen um I´ll wring your neck; (ugs.) jetzt platzt mir aber der Kragen that´s the last straw; **~bär** sub, m, -s, -en (zool.) Himalayan black bear; **~knopf** sub, m, -s, -knöpfe collar stud; **~nummer** sub, f, -, -n collar size

Krähe, sub, f, -, -n crow; **krähen** vi, crow; **Krähwinkel** sub, m, -s, - (ugs.) back of nowhere

Krake, sub, m, -, -n octopus

krakeelen, vi, (ugs.) make a racket; **Krakeeler** sub, m, -s, - roisterer, rowdy

Krakelei, sub, f, -, -en scribbling; **krakelig** adj, scrawly; **krakeln** vti, scrawl, scribble

Kral, sub, m, -s, -e kraal

Kralle, sub, f, -, -n claw, talon; **krallen** (1) vr, cling to sth (2) vt, dig one´s nails into

Kram, sub, m, -s, nur Einz. junk, stuff; (ugs.) things; (ugs.) die Wohnung ist vollgestopft mit altem Kram the flat is crammed with old junk; (ugs.) was soll ich mit diesem ganzen Kram? what am I supposed to do with all this stuff?; **kramen** vi, rummage about; **Krämer** sub, m, -s, - small shopkeeper; **Krämergeist** sub, m, -s, nur Einz. petty-minded thinking; **Krämerseele** sub, f, -, -n petty-minded nature

Krammetsvogel, sub, m, -s, -vögel fieldfare

Krampf, sub, m, -s, Krämpfe cramp, spasm; **~ader** sub, m, -, -n varicose vein; **krampfartig** adj, convulsive; **krampfhaft** adj, desperate, forced; **~husten** sub, m, -s, nur Einz. convulsive cough

Kran, sub, m, -s, Kräne crane

kranial, adj, (med.) cranial

Kranich, sub, m, -s, -e (zool.) crane

krank, adj, sick; **Kranke** sub, m,f,

...ln, ...ln patient, sick person, **kudln-
keln** *vi*, be in poor health; **Krankenbett** *sub*, *n*, *-s*, *-en* sick-bed;
Krankenblatt *sub*, *n*, *-s*, *-blätter*
medical record card

kranken, *vi*, suffer (from); **kränkend** *adj*, upsetting, wounding

kränken, *vt*, wound (so´s feelings)

Krankengeld, *sub*, *n*, *-s*, *nur Einz.*
sickpay; **Krankengymnastik** *sub*,
f, *-*, *nur Einz.* physiotherapy; **Krankenhaus** *sub*, *n*, *-es*, *-häuser* hospital; **Krankenkasse** *sub*, *f*, *-*, *-n*
health insurance scheme; **Krankenlager** *sub*, *n*, *-s*, *-* sick-bed;
Krankenschwester *sub*, *f*, *-*, *-n* nurse; **Krankenversicherung** *sub*, *f*, *-*,
-en health insurance; **Krankenwagen** *sub*, *m*, *-s*, *-wägen* ambulance

krankfeiern, *vi*, take sick-leave;
krankhaft *adj*, diseased, pathological

Krankheit, *sub*, *f*, *-*, *-en* disease, sickness; **~serreger** *sub*, *m*, *-s*, *-* pathogene; **kranklachen** *vr*, kill oneself
laughing; **kränklich** *adj*, sickly;
krankmelden *vtr*, give notification
of sickness; **Krankmeldung** *sub*, *f*,
-, *-en* notification of sickness

Kränkung, *sub*, *f*, *-*, *-en* offence,
wound

Kranz, *sub*, *m*, *-es*, *Kränze* garland,
wreath; **kränzen** *vt*, garland;
~jungfer *sub*, *f*, *-*, *-n* bridesmaid;
~kuchen *sub*, *m*, *-s*, *-* ring; **~spen-
de** *sub*, *f*, *-*, *-n* wreath

Krapfen, *sub*, *m*, *-s*, *-* doughnut

krass, *adj*, blatant, extreme, stark;
das ist eine krasse Lüge that´s a
blatant lie; *es kommt noch krasser*
the worst is yet to come; **Krassheit**
sub, *f*, *-*, *-en* blatancy, crudeness

Krater, *sub*, *m*, *-s*, *-* crater

Kratzbürste, *sub*, *f*, *-*, *-n* brusque
person, wire brush; **kratzbürstig**
adj, brusque

kratzen, (1) *vr*, scratch oneself (2)
vt, scrape, scratch

Kratzer, *sub*, *m*, *-s*, *-* scratch

Krätzer, *sub*, *m*, *-s*, *-* rough wine

Kratzfuß, *sub*, *m*, *-fußes*, *-füße* low
-

Kraul, *sub*, *n*, *-s*, *nur Einz. (spo.)*
crawl (stroke); **kraulen** (1) *vi*,
crawl (2) *vt*, run o.´s fingers
through (over); *(ugs.) kraulst du
mir den Rücken?* will you run
your fingers over my back?;
~sprint *sub*, *m*, *-s*, *-s (spo.)* crawl
sprint; **~staffel** *sub*, *f*, *-*, *-n* crawl
relay

kraus, *adj*, crumpled, frizzy

Krause, *sub*, *f*, *-*, *-n* frizziness,
ruffle

Kräuselband, *sub*, *n*, *-s*, *-bänder*
ruffle tape; **Kräuselgarn** *sub*, *n*,
-s, *-e* waved thread; **Kräuselkrepp** *sub*, *m*, *-s*, *-s oder -e* crepe;
kräuseln *vt*, crimp, frizz, pucker;
(i. ü. S.) die Stirn kräuseln to
wrinkle one´s brow; *(i. ü. S.)
spöttisch die Lippen kräuseln* to
mockingly pucker one´s lips

Krauseminze, *sub*, *f*, *-*, *-n* curled
mint

kraushaarig, *adj*, frizzy-haired;
krausköpfig *adj*, frizzy-headed

Kraut, *sub*, *n,m*, *-s*, *hier nur Einz.*
cabbage; *n,m*, *-s*, *nur Einz.* foliage, herb; *(ugs.) es ist Kraut und
Rüben* it´s a muddle (a mess);
*(ugs S.Ger.) Schweinswürstl mit
Kraut* pork sausages with sauerkraut; *(ugs.) dagegen ist kein
Kraut gewachsen* there is no remedy for that; *(ugs.) er raucht ein
widerliches Kraut* the smokes a
disgusting weed; **Kräuter** *sub*, *f*,
-, *nur Mehrz.* herbs; **Kräuter-
buch** *sub*, *n*, *-s*, *-bücher* herb
book (guide); **Kräuterkäse** *sub*,
m, *-*, *-* herb-flavoured cheese;
Kräuterlikör *sub*, *m*, *-s*, *-e*
herb(al) liqueur; **Kräutertee** *sub*,
m, *-s*, *-s* herb(al) tea; **~garten**
sub, *m*, *-s*, *-gärten* vegetable garden; **~gärtner** *sub*, *m*, *-s*, *-* vegetable gardener

Krawall, *sub*, *m*, *-s*, *-e* brawl, riot

Krawatte, *sub*, *f*, *-*, *-n* tie; **~nnadel**
sub, *f*, *-*, *-n* tie-pin

kraxeln, *vi*, climb up (rocks)

Kraxler, sub, m, -s, - rock-climber

Krayon, sub, m, -s, -s crayon

kreativ, adj, creative; **Kreativität** sub, f, -, nur Einz. creativity; **Kreatur** sub, f, -, nur Einz. creation; f, -, -en creature; alle Kreatur sehnte sich nach Regen all creation cried out for rain; er ist eine üble Kreatur he´s a really nasty creature; **kreatürlich** adj, natural

Krebs, sub, m, -es, -e crab, crayfish; m, -es, nur Einz. (med., astrol.) cancer; **krebsen** vi, go crabbing; (ugs.) struggle on; ~**geschwulst** sub, f, -schwülste malignant tumour; ~**geschwür** sub, n, -s, -e cancerous ulcer; **krebsrot** adj, red as a lobster; ~**schaden** sub, m, -s, -schäden cancer

kredenzen, vt, offer so a glass of wine

Kredit, sub, m, -s, -e credit; ~**brief** sub, m, -s, -e letter of credit; **kreditfähig** adj, credit-worthy; ~**geber** sub, m, -s, - creditor; ~**hilfe** sub, f, -, -n aid (as a loan); **kreditieren** vt, credit a person with sth, give a person sth on credit; ~**ierung** sub, f, -, -en credit; ~**karte** sub, f, -, -n credit card; ~**markt** sub, m, -s, -märkte credit market; ~**nehmer** sub, m, -s, - borrower; ~**or** sub, m, -s, -en creditor; ~**wesen** sub, n, -s, nur Einz. credit system

Kredo, sub, n, -s, -s creed

Kreide, sub, f, -, -n chalk; **kreidebleich** adj, white as a sheet; ~**felsen** sub, m, -s, - chalk cliff; **kreidehaltig** adj, chalky; ~**strich** sub, m, -s, -e chalk mark

kreieren, vt, fashion

Kreis, sub, m, -es, -e circle, sphere; (tech.) circuit; der Kreis ihrer Interessen the sphere of her interests; im engen Kreis der Familie in the immediate family; weite Kreise der Bevölkerung wide circles of the population

kreischen, vi, screech

Kreisel, sub, m, -s, - roundabout, spinning-top; ~**kompass** sub, m, -es, -e gyroscopic compass; ~**pumpe** sub, f, -, -n rotary pump

kreisen, vi, circle round, circulate; **Kreisfläche** sub, f, -, -n area of a circle; **kreisförmig** adj, circular; **Kreislauf** sub, m, -s, -läufe cycle (of nature); (med.) circulation; **Kreisläufer** sub, m, -s, - (spo.) pivot player; **Kreislaufkollaps** sub, m, -es, -e circulatory collapse; **Kreissäge** sub, f, -, -n circular saw

kreißen, vi, (archaic) be in labour

Kreißsaal, sub, m, -s, -säle delivery room

Kreisumfang, sub, m, -s, -umfänge circumference

Kreisverkehr, sub, m, -s, -e roundabout

Kremation, sub, f, -, -en cremation; **Krematorium** sub, n, -s, -torien crematorium

Kreml, sub, m, -s, -s Kremlin; ~**führung** sub, f, -, -en Kremlin leadership

Krempe, sub, f, -, -n brim

Krempel, sub, f, -, -n junk, stuff; **krempeln** vt, card, comb, roll up; (ugs.) die Ärmel nach oben krempeln to roll up one´s sleeves (and get down to work); (ugs.) jemanden (oder etwas) umkrempeln to change someone (or something) radically

Krenfleisch, sub, n, -s, nur Einz. (Austrian) boiled beef with horse-radish (Kren)

Kreole, sub, m, -n, -n Creole

krepieren, vi, (ugs.) die wretchedly, kick the bucket

Krepp, sub, m, -s, -s und -e crepe; ~**papier** sub, n, -s, -e crepe paper; ~**sohle** sub, f, -, -n rubber sole

Kresol, sub, n, -s, nur Einz. (chem.) cresol

Kresse, sub, f, -, -n cress

Kreszenz, sub, f, -, -en vintage

Kretin, sub, m, -s, -s (ugs.) idiot; (med.) cretin; ~**ismus** sub, m, -, nur Einz. cretinism kretzsch, *adj*, Breton

Kreuz, *sub, n, -es, -e* cross; *(anat.)* small of the back; **~abnahme** *sub, f, -, nur Einz.* Descent from the Cross; **kreuzehrlich** *adj*, honest as the day

kreuzen, (1) *vr*, cross (2) *vt*, cross; *unsere Wege haben sich nie wieder gekreuzt* our paths have never crossed again, *die Beine kreuzen* to cross one´s legs; **Kreuzer** *sub, m, -s, -* cruiser; **Kreuzfahrer** *sub, m, -s, -* crusader; **Kreuzfahrt** *sub, f, -, -en* cruise

kreuzfidel, *adj*, merry as a lark; **kreuzförmig** *adj*, cross-shaped; **Kreuzgelenk** *sub, n, -s, -e (tech.)* universal joint

kreuzigen, *vt*, crucify; **Kreuzigung** *sub, f, -, -en* crucifixion

Kreuzung, *sub, f, -, -en* cross-bred, cross-breeding, crossroad(s), intersection; **kreuzunglücklich** *adj*, thoroughly miserable; **Kreuzverband** *sub, m, -s, -bände* crossed bandage; **Kreuzverhör** *sub, n, -s, -e* cross-examination; **Kreuzweg** *sub, m, -s, -e* stations of the Cross, way of the Cross; **Kreuzworträtsel** *sub, n, -s, -* crossword puzzle; **Kreuzzeichen** *sub, n, -s, -* sign of the Cross; **Kreuzzug** *sub, m, -s, -züge* crusade

kribbelig, *adj*, *(ugs.)* jittery, tingly; **kribbeln** *vti*, prickle, scratch, tickle; *(ugs.)* have pins and needles; *auf der Haut kribbeln* to have a prickling sensation; *(ugs.) es kribbelt mir im Fuß* I´ve got pins and needles in my foot

Kricket, *sub, n, -s, nur Einz.* cricket; **~ball** *sub, m, -s, -bälle* cricket ball

Krida, *sub, f, -, nur Einz. (Austrian; jur.)* faked bankruptcy

kriechen, *vi*, crawl, creep, grovel; *(ugs.) jemandem in den Hintern kriechen* to lick somebody´s boots; *kriechen will ich auf gar keinen Fall* the last thing I´m going to do is grovel; **Kriecher** *sub, m, -s, -* groveller, toady; **kriecherisch** *adj*, servile; **Kriechspur** *sub, f, -, -en*

crawler lane; **Kriechtier** *sub, n, -s, -e* reptile

Krieg, *sub, m, -es, -e* war; **~ führend** *adj*, warring; **kriegen** *vt*, *(ugs.)* get; *er kann nie genug kriegen* he´s never satisfied; *es mit der Angst zu tun kriegen* to get scared; *ich kriege ein Steak* I´ll have a steak; *sie kriegt nie einen Mann* she´ll never get a husband; **~er** *sub, m, -s, -* warrior; **~ergrab** *sub, n, -s, -gräber* war grave; **kriegerisch** *adj*, warlike; **~erwitwe** *sub, f, -, -n* war-widow; **~führung** *sub, f, -, -en* warfare; **~sbeginn** *sub, m, -s, -e* commencement of war; **~sblinde** *sub, m,f, -, -n* person blinded in war; **~sdienst** *sub, m, -s, -e* military service; **~sdienstverweigerer** *sub, m, -s, -* conscientious objector; **~sdienstverweigerung** *sub, f, -, -en* conscientious objection

Kriegserklärung, *sub, f, -, -en* declaration of war; **Kriegsfall** *sub, m, -s, -* case of war; **Kriegsflotte** *sub, f, -, -n* navy; **Kriegsgefangene** *sub, m,f, -n, -n* prisoner-of-war; **Kriegsgegner** *sub, m, -* opponent of war; **Kriegsgericht** *sub, n, -s, -e* court-martial; **Kriegshafen** *sub, m, -s, -häfen* naval port; **Kriegshetze** *sub, f, -, nur Einz.* warmongering; **Kriegshinterbliebene** *sub, m,f, -n, -n* surviving family of fallen soldier; **Kriegskunst** *sub, f, -, nur Einz.* art of warfare; **Kriegsmarine** *sub, f, -, -n* navy; **Kriegsopfer** *sub, n, -s, -* war-victim; **Kriegsrecht** *sub, n, -s, nur Einz.* military law

Kriegsroman, *sub, m, -s, -e* war novel; **Kriegsschauplatz** *sub, m, -es, -plätze* theatre of war; **Kriegsschiff** *sub, n, -s, -e* warship; **Kriegsverbrecher** *sub, m, -s, -* war criminal; **Kriegsversehrte** *sub, m,f, -n, -n* war-disabled person; **Kriegswaise** *sub, m,f, -n, -n* war-orphan; **Kriegswirren** *sub, f, -, nur Mehrz.* chaos caused by war; **Kriegszeit** sub, f, -, -en wartime

Krill, sub, m, -s, nur Einz. (biol.) krill

Krimi, sub, m, -s, -s detective story, thriller; **kriminal** adj, criminal; ~**nalfilm** sub, m, -s, -e crime film; **kriminalisieren** vt, criminalize; ~**nalist** sub, m, -en, -en criminologist; ~**nalistik** sub, f, -, nur Einz. criminology; **kriminalistisch** adj, criminalogical; ~**nalität** sub, f, -, nur Einz. criminality; ~**nalpolizei** sub, f, -, nur Einz. criminal investigation department; ~**nalprozess** sub, m, -es, -e criminal trial

kriminell, adj, criminal; **Kriminelle** sub, m,f, -n, -n criminal

Krimmer, sub, m, -s, - imitation astrakhan lambskin, krimmer

Krimskrams, sub, m, -s, nur Einz. knick-knacks, odds and ends

Kringel, sub, m, -s, - loop, ring-shaped pastry; **kringeln** vr, curl up

Krinoline, sub, f, -, -n crinoline

Krippe, sub, f, -, -n crib, day-nursery, manger; ~**nplatz** sub, m, -es, -plätze day-nursery vacancy; ~**nspiel** sub, n, -s, -e Nativity play

Kristall, sub, n, -s, nur Einz. crystal; **Kriställchen** sub, n, -s, - s. Kristall; ~**glas** sub, n, -es, -gläser crystal glass; **kristallin** adj, crystalline; ~**isation** sub, f, -, -en crystallization; **kristallisieren** vir, crystallize; **kristallklar** adj, crystal-clear; ~**vase** sub, f, -, -n crystal vase

Kriterium, sub, n, -s, Kriterien criterion

Kritik, sub, f, -, hier nur Einz. criticism; f, -, -en review; ~**er** sub, m, -s, - critic; **kritikfähig** adj, able to criticize; ~**punkt** sub, m, -s, -e point open to criticism; **kritisch** adj, critical; **kritisieren** vt, criticize; **Kritizismus** sub, m, -, nur Einz. critical philosophy

kritteln, vi, find fault; **Krittelsucht** sub, f, -, nur Einz. pleasure in faultfinding

Kritzelei, sub, f, -, -en scribbling; **kritzeln** vti, scribble

Krocket, sub, n, -s, -s croquet

Krokant, sub, m, -s, -s oder -en cracknel, praline

Krokette, sub, f, -, -n croquette

Kroki, sub, n, -s, -s sketch

Krokodil, sub, n, -s, -e crocodile; ~**sträne** sub, f, -, -n crocodile tears

Krokus, sub, m, -ses, -se crocus

Kromlech, sub, m, -s, -e und -s cromlech

Krone, sub, f, -, -n crown; (med.) cap; **krönen** vt, crown; ~**nkorken** sub, m, -s, - crown cap; ~**nmutter** sub, f, -, -n (tech.) castle nut; ~**norden** sub, m, -s, - Order of the Crown; ~**ntaler** sub, m, -s, - crown; ~**rbe** sub, m, -n, -n heir to the crown; **Kronkolonie** sub, f, -, -n crown colony; **Kronleuchter** sub, m, -s, - chandelier

Kronprinz, sub, m, -en, -en crown prince; **Krönung** sub, f, -, -en coronation; **Kronzeuge** sub, m, -n, -n principal witness

Kropf, sub, m, -s, Kröpfe (med.) goitre; **kröpfen** vt, stuff

kross, adj, crisp

Kröte, sub, f, -, -n toad; (ugs.) eine giftige Kröte a spiteful creature; (ugs.) her mit den Kröten! some dough over!; ~**nstein** sub, m, -s, -e toad-stone

Krücke, sub, f, -, -n crutch; **Krückstock** sub, m, -s, -stöcke walking stick

Krug, sub, m, -s, Krüge jug, tankard

Kruke, sub, f, -, -n stone jar

Krülltabak, sub, m, -s, -e shag

Krume, sub, f, -, -n crumb, surface soil

Krümel, sub, m, -s, - crumb; **krümelig** adj, crumbly; **krümeln** vti, crumble; ~**zucker** sub, m, -s, nur Einz. Demerara sugar

krumm, adj, bent, crooked, dishonest; (ugs.) ein krummes Ding drehen do something dishonest; (ugs.) er ist ein ganz krummer *lyb* he s (criminally) dishonest; **~beinig** *adj*, bow-legged

krümmen, (1) *vr*, writhe **(2)** *vt*, bend; *sich vor Lachen krümmen* to double up with laughter; *sich vor Schmerzen krümmen* to writhe with pain)

Krummholzkiefer, *sub, f, -, -n* dwarf pine; **krumm nehmen** *vt*, take sth the wrong way; **Krummhorn** *sub, n, -s, -börner (mus.)* krummhorn; **krummlachen** *vi*, double up with laughter; **krummnasig** *adj*, hooknosed; **Krummschwert** *sub, n, -s, -er* scimitar

Krümmung, *sub, f, -, -en* bend, curvature

Krupp, *sub, m, -s, nur Einz. (med.)* croup; **kruppös** *adj, (med.)* croupy

Kruppe, *sub, f, -, -n* croup

Krüppel, *sub, m, -s, -* cripple; **krüppelhaft** *adj*, crippled; **~holz** *sub, n, -es, hölzer* dwarf timber

Krustazee, *sub, f, -, -en (zool.)* crustacean

Kruste, *sub, f, -, -n* crackling, crust

Kryolith, *sub, m, -s oder -en, -e oder -en* cryolite

Krypta, *sub, f, -, -ten* crypt; **kryptisch** *adj*, cryptic; **kryptogen** *adj, (med.)* cryptogenic; **Kryptografie** *sub, f, -, -n* cryptography; **Kryptogramm** *sub, n, -s, -e* cryptogramme; **Krypton** *sub, n, -s, nur Einz. (chem.)* krypton

Kübel, *sub, m, -s, -* bucket, latrine; **~pflanze** *sub, f, -, -n* pot-plant

kubieren, *vt, (mat.)* raise number to the cube

Kubikfuß, *sub, m, -es, nur Einz.* cubic foot; **Kubikmeter** *sub, m, -s, -* cubic metre; **Kubikwurzel** *sub, f, -, -n* cube root

kubisch, *adj*, cubic

Kubismus, *sub, m, -, nur Einz. (kun.)* cubism; **Kubist** *sub, m, -en, -en* cubist

Kubus, *sub, m, -, -ben* cube

Küche, *sub, f, -, -n* kitchen

Kuchen, *sub, m, -s, -* cake

Küchenabfall, *sub, m, -s, -abfälle* kitchen scraps; **Küchenbüfett** *sub, n, -(e)s, -s oder -e* kitchen sideboard; **Küchenhilfe** *sub, f, -, -en* kitchen help; **Küchenkraut** *sub, n, -s, -kräuter* herb; **Küchenlatein** *sub, n, -s, nur Einz.* dog Latin; **Küchenmesser** *sub, n, -s, -* kitchen knife; **Küchenschabe** *sub, f, -, -n* cockroach; **Küchentisch** *sub, m, -s, -e* kitchen table; **Küchenwaage** *sub, f, -, -n* kitchen scales; **Küchenzeile** *sub, f, -, -n* kitchen unit; **Küchenzettel** *sub, m, -s, -* menu; **Küchlein** *sub, n, -s, -* s. Kuchen

Kuchenbäcker, *sub, m, -s, -* pastry-cook; **Kuchenblech** *sub, n, -s, -e* baking tray; **Kuchenbrett** *sub, n, -s, -er* pastry board; **Kuchengabel** *sub, f, -, -n* pastry fork; **Kuchenteller** *sub, m, -s, -* cake plate

Kuckuck, *sub, m, -s, -e* cuckoo; **~sblume** *sub, f, -, -n (bot.)* butterfly orchid, -**sci** *sub, n, -s, -er* cuckoo's egg; *(i. ü. S.) jemandem ein Kuckucksei ins Nest legen* to land someone (oneself) with a difficult child; **~suhr** *sub, f, -, -en* cuckoo clock

Kuddelmuddel, *sub, m, -s, -* muddle

Kufe, *sub, f, -, -n* runner

Kugel, *sub, f, -, -n* ball, bullet, sphere; **~blitz** *sub, m, -es, -e* ball-lightning; **~fang** *sub, m, -s, -fänge* butt; **kugelförmig** *adj*, spherical; **~gelenk** *sub, n, -s, -e* ball(-and-socket) joint; **~lager** *sub, n, -s, -läger* ball-bearing; **kugeln (1)** *vi*, roll **(2)** *vr*, roll (up); *der Stein kugelte mir vor den Füßen* the stone rolled before my feet, *sich kugeln vor Lachen* to roll up with laughter; **~schreiber** *sub, m, -s, -* ball-point pen; **kugelsicher** *adj*, bulletproof; **~stoßen** *sub, n, -s, nur Einz. (spo.)* shot-putting

kühl, *adj*, cool

Kühlaggregat, *sub, n, -s, -e* cooling aggregate; **Kühlanlage** *sub, f, -, -s* cold storage plant; **kühlen** *vt*, cool, refrigerate; **Kühler** *sub, m, -s, - radiator*: **Kühlerfigur** *sub, f, -, -en* radiator mascot; **Kühlergrill** *sub, m, -s, -s* radiator grid; **Kühlerhaube** *sub, f, -, -en* bonnet; **Kühlhaus** *sub, n, -es, -häuser* cold-storage depot; **Kühlraum** *sub, m, -s, -räume* cold-storage room; **Kühlschrank** *sub, m, -s, -schränke* refrigerator

Kuhle, *sub, f, -, -n* hole

Kühltruhe, *sub, f, -, -n* freezer; **Kühlturm** *sub, m, -s, -türme (tech.)* cooling tower; **Kühlung** *sub, f, -, (-en)* cooling

Kuhmilch, *sub, f, -, nur Einz.* cow´s milk

kühn, *adj*, bold, intrepid; **Kühnheit** *sub, f, -, (-en)* boldness, intrepidity

Kuhstall, *sub, m, -s, -ställe* cow-shed

kujonieren, *vt*, bully

Küken, *sub, n, -s, -* chick

Ku-Klux-Klan, *sub, m, (-s), nur Einz.* Ku Klux Klan

kulant, *adj*, generous, obliging; **Kulanz** *sub, f, -, nur Einz.* generousness, obligingness

Kuli, *sub, m, -s, -s* coolie; *(ugs.)* ballpoint

kulinarisch, *adj*, culinary

Kulisse, *sub, f, -, -n* backdrop, scenery

kulminieren, *vi*, culminate

Kult, *sub, m, -es, -e* cult; **~film** *sub, m, -s, -e* cult film; **~handlung** *sub, f, -, -en* ritualistic act; **kultisch** *adj*, ritual(istic); **kultivieren** *vt*, cultivate; **kultiviert** *adj*, cultivated, cultured; **~ivierung** *sub, f, -, nur Einz.* cultivation

Kumaronharz, *sub, n, -es, -e (chem.)* coumarone-resin

Kümmel, *sub, m, -es, nur Einz.* caraway seed

Kummer, *sub, m, -s, nur Einz.* grief, worry; *das ist mein geringster Kummer* that´s the least of my worries; *meine Tochter macht mir Kummer* my daughter is a worry; **kümmerlich** *adj*, meagre, paltry, wretched; *was für ein kümmerliches Dasein* what a wretched existence

kümmern, **(1)** *vr*, look after sth or so **(2)** *vt*, care; *ich kümmere mich um das Essen* I´ll get the meal ready; *sie kümmerte sich jahrelang um ihre kranke Mutter* she looked after her sick mother for years, *das kümmert mich wenig* I couldn´t care about that; **Kümmernis** *sub, f, -, -se* care, vexation; *die zahllosen Kümmernisse des Lebens* the thousand and one cares of life; *die kleinen Kümmernisse des Lebens* the little vexations of life

Kummerspeck, *sub, m, -s, nur Einz.* over-weight (caused by compensating problems with food); **kummervoll** *adj*, sorrowful

Kumpan, *sub, m, -s, -e (ugs.)* mate, pal; **~ei** *sub, f, -, nur Einz.* chumminess; **Kumpel** *sub, m, -s, -* mate, miner, pal

Kumulation, *sub, f, -, -en* accumulation; **kumulativ** *adj*, cumulative; **kumulieren** *vt*, accumulate; **Kumulierung** *sub, f, -, -en* accumulation

Kumulonimbus, *sub, m, -, -se* thundercloud

Kumulus, *sub, m, -, -li* cumulus cloud

Kunde, *sub, m, -n, -n* customer; **~nbesuch** *sub, m, -s, -e* call on a customer; **~ndienst** *sub, m, -s, -e* customer service department; **~nkreis** *sub, m, -es, -e* customers

künden, **(1)** *vi*, bear witness **(2)** *vt*, announce

Kundgebung, *sub, f, -, -en* demonstration, rally

kundig, *adj*, well-informed

kündigen, *vti*, cancel, give notice; *die Bank hat gedroht ihm die Kredite zu kündigen* the bank is threatening to cancel his credit; *nach 25 Jahren bei der Firma hat sie plötzlich gekündigt* she suddemy gave notice after having worked for the firm for 25 years; *warum kündigst du nicht?* why don´t you give notice?; **Kündigung** *sub, f, -, -en* cancellation, dismissal, notice

Kundschaft, *sub, f, -, nur Einz.* customers; **kundschaften** *vi, (mil.)* reconnoitre; **~er** *sub, m, -s, -* reconnoitrer

künftig, *adj,* future

Kunst, *sub, f, -, Künste* art, fine arts, skill; **~denkmal** *sub, n, -s, -mäler* monument of art; **~dünger** *sub, m, -s, nur Einz.* artificial fertilizer; **~eisbahn** *sub, f, -, -en* artificial ice-rink; **~fehler** *sub, m, -s, -* professional error; **kunstfertig** *adj,* skilful; **~galerie** *sub,* art gallery; **kunstgerecht** *adj,* skilful; **~geschichte** *sub, m, -, -n* art history; **~gewerbe** *sub, n, -s, nur Einz.* arts and crafts; **~handel** *sub, m, -s, nur Einz.* art trade; **~händler** *sub, m, -s, -* art dealer; **~handwerk** *sub, n, -s, nur Einz.* craft industry; **~kritik** *sub, f, -, -en* art criticism, art review

Künstler, *sub, m, -s, -* artist; **künstlerisch** *adj,* artistic; **~name** *sub, m, -, -n* pseudonym; **~pech** *sub, f, -s, nur Einz.* bad luck; **~tum** *sub, n, -, nur Einz.* artistry; **künstlich** *adj,* artificial, stilted, synthetic

kunstlos, *adj,* unsophisticated

Kunstsammler, *sub, m, -s, -* art collector; **Kunstschätze** *sub, nur Mehrz.* art treasures; **Kunstschule** *sub, f, -, -n* art school; **Kunstseide** *sub, f, -, (-n)* artificial silk; **kunstsinnig** *adj,* appreciative (of art); **Kunstsprache** *sub, f, -, -n* artificial language; **Kunststoff** *sub, m, -s, -e* plastic, synthetic material; **kunststopfen** *vt,* mend invisibly; **Kunststück** *sub, n, -s, -e* trick; *(ugs.)* achievement; *(ugs.) das ist kein Kunststück* that´t nothing to write home about; *ihn davon zu überzeugen war wirklich ein Kunststück* managing to convince him was really an achievement; **Kunststudent** *sub, m, -en, -en* art student

Kunstturnen, *sub, n, -s, nur Einz.* gymnastics; **Kunstverein** *sub, m, -s, -e* art(-promoting) association; **Kunstverlag** *sub, m, -s, -e* fine art publisher; **Kunstwerk** *sub, n, -es, -e* work of art

kunterbunt, *adj,* gaudy, motley, topsy-turvy

kupellieren, *vt,* cupel

Kupfer, *sub, n, -s, -* copper; **~draht** *sub, m, -s, -drähte* copper wire; **~druck** *sub, m, -s, -e* copperplate print; **kupferfarben** *adj,* copper-coloured; **~geld** *sub, n, -s, nur Einz.* coppers; **~kanne** *sub, f, -, -n* copper jug; **~kessel** *sub, m, -s, -* copper kettle; **~münze** *sub, f, -, -n* copper coin; **~stich** *sub, m, -s, -e* copperplate engraving; **~vitriol** *sub, n, -s, nur Einz.* blue vitriol

Kupon, *sub, m, -s, -s* coupon, voucher

Kuppe, *sub, f, -, -n* finger tip, knoll

Kuppel, *sub, f, -, n* dome

Kuppelei, *sub, f, -, -en* matchmaking; **kuppeln** *vi,* matchmake, use the clutch; **kupplerisch** *adj,* matchmaking, pandering

Kupplung, *sub, f, -, -en* clutch

Kur, *sub, f, -, -en* cure, spa

Kür, *sub, f, -, -en (spo.)* free section

kurabel, *adj,* curable

Kuratel, *sub, f, -, -en* guardianship, trusteeship

kurativ, *adj,* curative

Kurator, *sub, m, -s, -en* curator, trustee; **~ium** *sub, n, -s, -ien* board of trustees, curatorship

Kurbel, *sub, f, -, -n* crank; **~stange** *sub, f, -, -n* connecting rod

Kürbis, *sub, m, -ses, -se* pumpkin

kurdisch, *adj,* Kurd(ish)

küren, *vt,* elect

Kürettage, *sub, f, -, -n (med.)* curettage; **kürettieren** *vt,* curette

Kurfürst, *sub, m, -s, -en* Elector; **~entum** *sub, n, -s, -tümer* electorate; **kurfürstlich** *adj,* electoral

kurhessisch, *adj,* of the electorate of Hessen

Kurie, *sub, f, -, nur Einz.* Curia

Kurier, *sub, m, -s, -e* courier; **~gepäck** *sub, n, -s, nur Einz.* diplomatic luggage

kurieren, *vt,* cure

kurios, *adj,* odd, strange; **Kuriosität** *sub, f, -, -en* curiosity, oddity; **Kuriosum** *sub, n, -s, Kuriosa* strange thing

kurkölnisch, *adj,* of the electorate of Cologne

Kurkuma, *sub, f, -, -men* turmeric; **~gelb** *adj,* saffron (-yellow)

kurmärkisch, *adj,* of the electorate of the Mark of Brandenburg

Kurorchester, *sub, n, -s, -* spa orchestra

Kurort, *sub, m, -s, -e* health resort

kurpfälzisch, *adj,* of the electorate of the Palatinate

kurpfuschen, *vi,* play the quack; **Kurpfuscher** *sub, m, -s, -* quack (doctor); **Kurpfuscherei** *sub, f, -, -en* quackery

kurprinzlich, *adj,* of the elector´s heir

Kurpromenade, *sub, f, -, -n* spa promenade

Kurs, *sub, m, -es, -e* course, exchange rate, line; *den Kurs ändern* to change course; *den Kurs beibehalten* to hold one´s course; *(i. ü. S.) hoch im Kurs stehen* to be popular; *die Regierung wird nicht bei dem alten Kurs bleiben* the governement won´t stick to its old line; *harter/weicher Kurs* hard/soft line; **~abschlag** *sub, m, -s, -abschläge* fall in share prices and bond quotations; **~änderung** *sub, f, -, -en* change of course; **~anstieg** *sub, m, -s, -e* rise in quotations increasing prices

Kurschatten, *sub, m, -s, -* spa romance

Kürschner, *sub, m, -s, -* furrier; **~ei** *sub, f, -, -en* furrier´s workshop

kursieren, *vi,* circulate

kursiv, *adj,* italic; **Kursivdruck** *sub, m, -s, nur Einz.* italicized print

kursorisch, *adj,* cursory

Kursrückgang, *sub, m, -s, (-gänge)* price decline; **Kursverlust** *sub, m, -es, -e* loss; **Kurswagen** *sub, m, -s, -wägen* through coach; **Kurswechsel** *sub, m, -s, -* change of course

Kursus, *sub, m, -, Kurse* course

Kurtaxe, *sub, f, -, -n* health resort tax

kurtrierisch, *adj,* of the electorate of Trier

Kürübung, *sub, f, -, -en* optional exercise

Kurve, *sub, f, -, -n* bend, curve; *(ugs.) er wird nie die Kurve kriegen* he´ll never make the grade; **kurvenförmig** *adj,* curved; **~nlineal** *sub, n, -s, -e* curve template; **kurvenreich** *adj,* curvy, winding; **~nschar** *sub, f, -, -en (mat.)* family of curves; **Kurvimeter** *sub, n, -s, -* opisometer

kurz, *adj,* brief, short

Kurzarbeit, *sub, f, -, nur Einz.* short time; **~er** *sub, m, -s, -* short-time worker; **kurzärmelig** *adj,* short-sleeved; **Kurzbericht** *sub, m, -s, -e* brief report

Kürze, *sub, f, -, nur Einz.* brevity; **kürzen** *vt,* cut back, shorten; *Lohn kürzen* dock sb´s wages

Kürzel, *sub, n, -s, -* contraction

kurzerhand, *adv,* without further ado

Kurzfassung, *sub, f, -, -en* abridged version; **Kurzfilm** *sub, m, -s, -e* short (film); **kurzfristig (1)** *adj,* short-term (2) *adv,* at short notice; *einen Besuch kurzfristig absagen* to cancel a visit at short notice; *wir haben kurzfristig unsere Pläne geändert* we suddenly changed our plans; **Kurzgeschichte** *sub, f, -, -n* short story; **kurzlebig** *adj,* short-lived

kürzlich, *adv,* recently

Kurzmeldung, *sub, f, -, -en* news flash; **Kurzprogramm** *sub, n, -s, -e* short programme; **Kurzreaktion** *sub, f, -, -en* rash reaction; **Kurzschluss** *sub, m, -s, nur Einz.*

short-circuit; **Kurzschlusshandlung** sub, f, -, -en rash action; **Kurzschrift** sub, f, -, (-en) shorthand

kurzsichtig, adj, short-sighted; **Kurzsichtigkeit** sub, f, -, nur Einz. short-sightedness

kurzstämmig, adj, short-stemmed

Kurzstrecke, sub, f, -, -n short distance; ~**nlauf** sub, m, -s, -läufe sprint; ~**nrakete** sub, f, -n, - short-range missile

Kurztherapie, sub, f, -, -n short therapy

kurzum, adv, in brief

Kurzwarenhandlung, sub, f, -, -en haberdashery

Kurzweil, sub, f, -, nur Einz. diversion; **kurzweilig** adj, amusing, diverting; **kurzzeitig (1)** adj, temporary **(2)** adv, briefly

Kurzwort, sub, n, -s, -e abbreviation

kuscheln, vr, cuddle up; **Kuscheltier** sub, f, -s, -e toy animal

kuschen, vr, crouch; (i. ü. S.) knuckle under

Kusine, sub, f, -, -n cousin

Kuss, sub, m, -es, Küsse kiss; **Küsschen** sub, n, -s, - peck; **kussecht**

adj, kiss-proof; **küssen (1)** vr, kiss each other **(2)** vti, kiss; ~**hand** sub, f, -, -hände blown kiss; ~**händchen** sub, n, -s, - s. Kusshand

Küste, sub, f, -, -n coast, coastline, shore; ~**nfahrer** sub, m, -s, - coasting vessel; ~**nschifffahrt** sub, f, -, -en coastal shipping; ~**nstrich** sub, m, -, -e coastal area

Küster, sub, m, -s, - verger

Kutsche, sub, f, -, -n coach; ~**r** sub, m, -s, - coachman; **kutschieren** vti, drive (so) around; **Kutschkasten** sub, m, -s, - luggage box

Kutte, sub, f, -, -n habit

Kutter, sub, m, -s, - cutter

Küvelierung, sub, f, -, -en tub

Kuvert, sub, n, -s, -s cover, envelope; **kuvertieren** vt, (Austrian) put in an envelope; ~**üre** sub, f, -, -n chocolate coating

Küvette, sub, f, -, -n (chem.) bulb

Kwass, sub, m, -, nur Einz. kvass

Kybernetik, sub, f, -, nur Einz. cybernetics; **kybernetisch** adj, cybernetic

L

labberig, *adj*, floppy, mushy, watery

Label, *sub*, *n*, *-s*, *-s* label

laben, (1) *vr*, refresh oneself (2) *vt*, feast, refresh; *(geh.) wir labten uns an dem Ausblick* we feasted our eyes on the view

labern, *vi*, chatter, gabble

labil, *adj*, unstable; *eine labile politische Situation* an unstable political situation; *er hat labile Nerven* his nerves are shaky; **Labilität** *sub*, *f*, *-*, *-en* instability

labiodental, *adj*, labiodental

Labmagen, *sub*, *m*, *-s*, *-mägen (zool.)* fourth stomach

Labor, *sub*, *m*, *-s*, *-s oder -e* laboratory; **~ant** *sub*, *m*, *-en*, *-en* laboratory technician; **~atorium** *sub*, *n*, *-s*, *-ien* laboratory; **~befund** *sub*, *m*, *-s*, *-e* laboratory findings; **~versuch** *sub*, *m*, *-s*, *-e* laboratory experiment

laborieren, *vi*, *(ugs.)* suffer (from), toil over; *(ugs.) er laboriert wieder an einer Grippe* he´s suffering from flu again

Labradorhund, *sub*, *m*, *-s*, *-e* Labrador retriever

Labsal, *sub*, *n*, *f*, *-*, *-e* balm, feast; *(geh.) die Kühle des Waldes haben wir als Labsal empfunden* the coolness of the forest was a soothing balm; *(geh.) ein Labsal für die Augen* a feast for the eyes

Labskaus, *sub*, *n*, *-*, *nur Einz.* N. German stew (with fish and meat)

Labyrinth, *sub*, *n*, *-s*, *-e* labyrinth

Lache, *sub*, *f*, *-*, *-n* pool, puddle

lächeln, *vi*, smile; **Lachen** (1) *sub*, *n*, *-s*, *nur Einz.* laughter (2) **lachen** *vi*, laugh; **Lacher** *sub*, *m*, *-s*, *-* laugh; **lächerlich** *adj*, ridiculous; **Lachfältchen** *sub*, *n*, *-s*, *-* laugh lines

Lachs, *sub*, *m*, *-es*, *-e* salmon; **lachsfarben** *adj*, salmon-pink; **lachsfarbig** *adj*, salmon-coloured; **~schinken** *sub*, *m*, *-s*, *nur Einz.* lean cured ham

lacieren, *vt*, lace

Lack, *sub*, *m*, *-s*, *-e* paint, varnish;

lackglänzend *adj*, glossy; **lackieren** *vt*, lacquer, varnish; **~iererei** *pron*, paint shop, varnisher´s

Lackaffe, *sub*, *m*, *-n*, *-n* dandy; **Lackleder** *sub*, *n*, *-s*, *-* patent leather

Lackmus, *sub*, *m*, *n*, *-* litmus; **~papier** *sub*, *n*, *-s*, *-e* litmus paper

Lackschaden, *sub*, *m*, *-s*, *-schäden* damaged paintwork; **Lackstiefel** *sub*, *m*, *-s*, *-* patent-leather boot

Lade, *sub*, *f*, *-*, *-n* drawer; **~baum** *sub*, *m*, *-s*, *-bäume* derrick; **~gewicht** *sub*, *n*, *-s*, *-e* load capacity; **~klappe** *sub*, *f*, *-*, *-n* tailboard; **~luke** *sub*, *f*, *-*, *-n* loading hatch

Laden, (1) *sub*, *m*, *-s*, *Läden* shop, shutter (2) **laden** *vt*, invite, load, summon; *(i. ü. S.)* burden oneself; *(ugs.)* den Laden dichtmachen to give up a project (or venture); *(ugs.) der Laden läuft* business is good; *(ugs.) er schmeißt den Laden alleine* he runs the show on his own; *(ugs.) Tante Emma Laden* small grocery, *ich habe zu viel auf mich geladen* I took on too much (more than I could chew); *Verantwortung auf sich laden* to load oneself with responsibility

Ladenhüter, *sub*, *m*, *-s*, *-* non-seller; **Ladenkette** *sub*, *f*, *-*, *-n* chain of shops; **Ladenpassage** *sub*, *f*, *-*, *-n* shopping arcade; **Ladenpreis** *sub*, *m*, *-es*, *-e* retail price; **Ladenschluss** *sub*, *m*, *-es*, *nur Einz.* shop closing time; **Ladenstraße** *sub*, *f*, *-*, *-n* shopping street; **Ladentisch** *sub*, *m*, *-s*, *-e* shop counter; **Ladenzentrum** *sub*, *n*, *-s*, *-zentren* shopping centre

Laderaum, *sub*, *m*, *-s*, *-räume* loadroom

lädieren, *vt*, damage

Ladiner, *sub*, *m*, *-s*, *-* Ladin

Ladung, *sub*, *f*, *-*, *-en* cargo, load, summons; *(mil.)* charge

Lady, *sub, f, -, -s* oder *Ladies* lady!
ladylike *adj*, ladylike

Lafette, *sub, f, -, -n (mil.)* carriage

Lage, *sub, f, -, -n* layer; *f, -, -gen* location; *f, -, -n* position; *f, -, -gen* situation; *f, -, -n (i. ü. S.)* position; *dazu bin ich nicht in der Lage* I´m not in a postion to do that; *Herr der Lage sein* to be in control of the situation; **~bericht** *sub, m, -es, -e (mil.)* situation report; **~nstaffel** *sub, f, -, -n (spo.)* medley relay; **~plan** *sub, m, -s, -pläne* ground plan

lagern, **(1)** *vi*, be encamped **(2)** *vt*, bed, rest **(3)** *vti*, store

Lagerschild, *sub, m, -es, -e (tech.)* end plate; **Lagerstatt** *sub, f, -, -stätte* resting place; **Lagerung** *sub, f, -, -en* storage

Lagune, *sub, f, -, -n* lagoon; **~nstadt** *sub, f, -, -städte* town on a lagoon

lahm, *adj*, dull, lame, sluggish

lahmen, *vi*, be lame

lähmen, *vt*, paralyze; *(i. ü. S.)* hold back; *die Mißbilligung seines Vaters hat ihn ein lebenlang gelähmt* his father´s disapproval held him back his whole life; *(ugs.) ein lähmendes Gefühl haben* to feel debilitated; **Lähmung** *sub, f, -, -gen* immobilization, paralysis

Laib, *sub, m, -es, -be* loaf

Laich, *sub, m, -es, -che* spawning ground; **laichen** *vi*, spawn

Laie, *sub, m, -n, -n* layman; **~nbrevier** *sub, n, -s, -e* layman´s breviary; **laienhaft** *adj*, amateurish; **~nrichter** *sub, m, -s, -* lay judge

Laizismus, *sub, m, -es, nur Einz.* laicism

Lakai, *sub, m, -en, -en* lackey; **lakaienhaft** *adj*, servile

Lake, *sub, f, -, -n* brine

Laken, *sub, n, -s, -* sheet

lakonisch, *adj*, laconic; **Lakonismus** *sub, m, -es, -nismen* laconism

Lakritze, *sub, f, -, -n* liquorice

Laktation, *sub, f, -, -en* lactation; **laktieren** *vi*, lactate; **Laktose** *sub, f, -, nur Einz.* lactose

Lama, *sub, n, -s, -s* Lama

Lamaismus, *sub, m, -, nur Einz.* Lamaism; **lamaistisch** *adj*, Lamaist(ic)

Lamarckismus, *sub, m, -, nur Einz. (biol.)* Lamarckism

Lambda, *sub, n, -s, -s* lambda; **~zismus** *sub, m, -, nur Einz. (med.)* lambdacism

Lambris, *sub, m, -, u (Aust. obs.)* wainscot

Lambrusco, *sub, m, -s, nur Einz.* lambrusco

Lambskin, *sub, n, -s, -s* lambskin

Lambswool, *sub, f, -, nur Einz.* lambswool

Lamelle, *sub, f, -, -n (biol.)* lamella, slat

Lamentation, *sub, f, -, -en (obs.)* lamentation; **lamentieren** *vi*, lament, moan

Lametta, *sub, n, -s, nur Einz.* lametta

laminar, *adj, (phy.)* laminar; **laminieren** *vr*, laminate

Lamm, *sub, n, -es, Lämmer* lamb; **Lämmergeier** *sub, m, -s, - (zool.)* bearded vulture; **Lämmerwolke** *sub, f, -, -n* fleecy cloud; **~esgeduld** *sub, f, -, nur Einz.* patience of a saint; **~fell** *sub, n, -s, -e* lambskin; **~fleisch** *sub, n, -es, nur Einz.* lamb; **~kotelett** *sub, n, -s, -s* lamb chop

Lampas, *sub, m, -, - lampas;* **~sen** *sub, f, -, Mehrz.* trouser stripes

Lampe, *sub, f, -pen* lamp, light; **~ndocht** *sub, m, -es, -e* wick; **~nfieber** *sub, n, -s, -* stage fright; **~nlicht** *sub, n, -es, -er* lamplight; **~nschirm** *sub, m, -es, -e* lampshade

Lampion, *sub, m, -s, -s* Chinese lantern; **~blume** *sub, f, -, -n (bot.)* Chinese lantern flower

Lançade, *sub, f, -, -n* curvet; **lancieren** *vt*, launch; *eine Werbekampagne lancieren* to launch an advertising campaign; *(i. ü. S.) sie wurde in die Gesellschaft lanciert* she was launched into society

Land, *sub, m, -es, Länder* country; *m, -es, nur Einz.* land, rural area; *das Leben auf dem Land genießen* to enjoy country life; *ein Picknick auf dem Land machen* to have a picnic in the country; *Italien ist ein herrliches Land* Italy is a wonderful country; *Land in Sicht!* land ahoy!; *Land und Leute kennenlernen* to get to know a country and its inhabitants; *wir besuchen Freunde auf dem Land* we´re going to see some friends in the country; **~adel** *sub, m, -s, nur Mehrz.* landed gentry; **~arbeiter** *sub, m, -s,* - agricultural worker; **~arzt** *sub, m, -es, -ärzte* country doctor; **~bewohner** *sub, m, -s,* - country dweller; **~ebahn** *sub, f, -, -en* runway; **landeinwärts** *adv,* inland

Landekapsel, *sub, f, -, -s* landing capsule; **Landeklappe** *sub, f, -, -n* landing flap; **Landemanöver** *sub, n, -s,* - landing manoeuvre; **landen** *vi,* land; **Landeplatz** *sub, m, -es, -plätze* landing strip

Landenge, *sub, f, -, -n* isthmus

Länderkampf, *sub, m, -es, -kämpfe (spo.)* international contest; **Länderkunde** *sub, f, -, nur Einz.* geography; **länderkundig** *adj,* with knowledge of countries or regions; **Länderspiel** *sub, n, -s, -e* international match

Landesbrauch, *sub, m, -es, -bräuche* custom; **Landesebene** *sub, f, -, -n* regional (or state) level; **Landesfeind** *sub, m, -es, -e* national enemy; **Landesfürst** *sub, m, -en, -e (hist.)* prince; **Landesgrenze** *sub, f, -, -n* border; **Landeshoheit** *sub, f, -, -en* sovereignty; **Landesinnere** *sub, n, -n, nur Einz.* interior, up-country; **Landeskrone** *sub, f, -, -n* crown; **Landeskunde** *sub, f, -, nur Einz.* areal studies; **landeskundig** *adj,* with knowledge of a region; **Landesliste,** *sub, f, -, -n* list of (regional) candidates; **Landesmutter** *sub, f, -, -mütter (ugs.)* wife of a minister-president; **Landesregie-**

rung *sub, f, -, -en* government of a land; **Landessitte** *sub, f, -, -n* custom; **Landestracht** *sub, f, -, -en* national dress; **Landestrauer** *sub, f, -, -* national mourning; **landesüblich** *adj,* customary

Landesvater, *sub, m, -s, -väter (ugs.)* minister-president; **Landesverrat** *sub, m, -es, -räte ?* treason; **Landesverteidigung** *sub, f, -, -en* national defence; **Landeswappen** *sub, n, -s,* - coat of arms

Landeverbot, *sub, n, -es, -e* prohibition to land

Landfahrerin, *sub, f, -, -nen* female vagrant

Landflucht, *sub, f, -, -ten* rural exodus; **landflüchtig** *adj,* relating to rural exodus

Landgang, *sub, m, -es, -gänge* gangway, shore leave; **Landgemeinde** *sub, f, -, -n* rural community

landgestützt, *adj,* land-based

Landgut, *sub, n, -s, -e* country estate; **Landhaus** *sub, n, -es, -häuser* country house; **Landkarte** *sub, f, -, -ten* map; **Landkommune** *sub, f, -, -n* rural commune; **Landkreis** *sub, m, -es, -e* administrative district

landläufig, *adj,* popular; **ländlich** *adj,* bucolic, rural; **Ländlichkeit** *sub, f, -, -en* rural character; **landliebend** *adj,* country-loving

Landluft, *sub, f, -, nur Einz.* country air; **Landmann** *sub, m, -es, -männer (obs.)* farmer; **Landmaschine** *sub, f, -, -n* agricultural machine; **Landpartie** *sub, f, -, -tien (obs.)* country outing; **Landpfarrer** *sub, m, -s,* - country parson; **Landplage** *sub, f, -, -gen* plague (of insects); **Landrichter** *sub, m, -s,* - judge in a regional court; **Landschaft** *sub, f, -, -en* countryside, landscape, scenery; **Landschafter** *sub, m, -s,* - landscape painter; **landschaftlich** *adj,* scenic; **Landschaftspflege**

sub, j, -, nur Einz. rural preservation

Landsitz, *sub, m, -es, -e* country seat; **Landsmann** *sub, m, -es, -männer* compatriot; **Landstraße** *sub, f, -, -n* ordinary road; **Landstreicher** *sub, m, -s, -* tramp; **Landstreicherei** *sub, f, -, -en* vagrancy; **Landstrich** *sub, m, -es, -e* area

Landtag, *sub, m, -es, -e* Landtag (state parliament); **~swahl** *sub, f, -, -en* elections to the Landtag

Landung, *sub, f, -, -en* landing; **~sboot** *sub, n, -es, -e* landing craft; **~ssteg** *sub, m, -es, -e* gangway

Landwehrmann, *sub, m, -es, -männer (hist.)* Home Guard; **Landwein** *sub, m, -es, -e* cask wine

Landwirt, *sub, m, -es, -en* farmer

Landwirtschaft, *sub, f, -, -en* agriculture; **landwirtschaftlich** *adj,* agricultural; **~sausstellung** *sub, f, -, -en* agricultural show

Landzunge, *sub, f, -, -gen* promontory

lang, *adj,* lengthy, long

langärmelig, *adj,* long-sleeved; **langatmig** *adj,* long-winded

lange, *adv,* at all, for a long time; *die Sitzung hat heute lange gedauert* the meeting went on for a long time today; *du hast das Gemüse zu lange gekocht* the vegetables are overcooked

Länge, *sub, f, -, -gen* length

langen, *vi, (ugs.)* be enough; reach; *das Geld langt ihm* it´s enough money for him; *langt die Milch?* is there enough milk?

längen, *vt,* lengthen

Längengrad, *sub, m, -es, -grade* degree of longitude; **Längenkreis** *sub, m, -es, -e* meridian; **Längenmaß** *sub, n, -es, -e* measure of length

langettieren, *vt,* scallop

Langeweile, *sub, f, -, -* boredom

langfristig, *adj,* long-term

langgliedrig, *adj,* long-limbed

Langhaardackel, *sub, m, -s, -* long-haired dachshund

langjährig, *adj,* long-standing

Langlauf, *sub, n, -es, -* cross-country skiing; **~ski** *sub, m, -s, -er* cross-country ski

langlebig, *adj,* durable, long-lasting; **Langlebigkeit** *sub, f, -, -en* durability

länglich, *adj,* longish

langmütig, *adj,* forbearing

längs, (1) *adv,* lengthways **(2)** *präp,* along

langsam, *adj,* slow; **Langsamkeit** *sub, f, -, -en* slowness; **Langschäfter** *sub, m, -s, -* long boot, wader; **Langschläfer** *sub, m, -s, -* late-riser; **langschwänzig** *adj,* long-tailed

längsschiffs, *adv,* broadside on; **Längsschnitt** *sub, m, -es, -e* longitudinal section

längst, *adv,* for a long time, long ago

langstänglig, *adj,* long-stemmed

längstens, *adv,* at the latest, at the most

langstielig, *adj,* long-stemmed

Langstrecke, *sub, f, -, -n* long distance; **~nlauf** *sub, m, -es, -läufe* long-distance running

langweilen, (1) *vr,* get bored **(2)** *vti,* bore; *zu Tode gelangweilt sein* be bored stupid; **langweilig** *adj,* boring; **langwierig** *adj,* lengthy

Lanolin, *sub, n, -s, -* lanolin

Lanthan, *sub, n, -s, nur Einz.* lanthanum

Lanze, *sub, f, -, -n* lance; **~nreiter** *sub, m, -s, -* lancer; **~nspitze** *sub, f, -, -n* spearhead; **~nstich** *sub, m, -es, -e* wound from a lance

Lanzettfisch, *sub, m, -es, -e (zool.)* lancet fish

lanzinieren, *vi, (rare)* lancinate

lapidar, *adj,* concise; **Lapidarium** *sub, n, -s, Lapidarien* collection of stone monuments; **Lapidarstil** *sub, m, -s, -e* lapidary style

Lapislazuli, *sub, m, -, -* lapis lazuli

Lappalie, *sub, f, -, -n* trifle; *solche Schulden sind keine Lappalie*

mehr debts like that are no longer a trifling matter

Lappe, *sub, m, -n, -n* Lapp

Lappen, *sub, m, -s,* - cloth, fold of skin, rag

Läpperei, *sub, f, -, -en (ugs.)* trifle

läppern, *vr,* mount up; *die Fehler läppern sich langsam bis eines Tages* the mistakes slowly mount up till one day

läppisch, *adj,* mere, trivial

lappisch, *adj,* Lappic

Läppmaschine, *sub, f, -, -n* lapping machine

Lärche, *sub, f, -, -n* larch

Laren, *sub, f, -, nur Mehrz.* household gods

larifari, *adj,* airy-fairy

Lärm, *sub, m, -es,* - noise; **lärmen** *vi,* be noisy; **lärmend** *adj,* noisy; **~schutz** *sub, m, -es, nur Einz.* noise prevention

larmoyant, *adj,* lachrymose; **Larmoyanz** *sub, f, -, nur Einz.* sentimentality

larval, *adj,* larval

Larve, *sub, f, -, -n (zool.)* larva

Laryngal, *sub, m, -s,* -e laryngal; **Laryngitis** *sub, f, -, -gitiden* laryngitis; **Laryngoskop** *sub, n, -s,* -e laryngoscope; **Larynx** *sub, m, -, Laryngen* larynx

lasch, *adj,* insipid, limp, slack

Lasche, *sub, f, -, -schen* flap, loop

Laser, *sub, m, -s,* - (*phy.*) laser; **~drucker** *sub, m, -s,* - laser printer; **~impuls** *sub, m, -es, -e* laser impulse; **~strahl** *sub, m, -s, -en* laser beam; **~technik** *sub, f, -, -en* laser technology

lasieren, *vt,* glaze, varnish

Läsion, *sub, f, -en (med.)* lesion

Lassafieber, *sub, n, -s, nur Einz.* Lassa fever

lassen, *vt,* leave, let, stop; *dann lassen wir es eben* let´s drop the whole idea; *etwas ungesagt lassen* to leave something unsaid; *laß mich in Ruhe!* leave me in peace!; *er hat mich wissen lassen, dass* he let me know that; *laß die Kinder nicht auf*

die Straße don´t let the children out on the street; *kannst du das Rauchen nicht lassen?* can´t you stop (give up) smoking?; *laß das Jammern* stop your moaning; *wochenlang rief sie täglich an, aber dann hat sie es schließlich gelassen* she rang up every day for weeks, but then she finally stopped

lässig, *adj,* casual; (*ugs.*) cool; (*ugs.*) *ein lässiger Typ* a cool guy; (*ugs.*) *Mensch! die Frisur ist echt lässig!* man! what a cool haircut!;

Lässlichkeit *sub, f, -, -en* veniality

Last, *sub, f, -, -en* burden, load; **~auto** *sub, n, -s, -s* lorry, truck; **lasten** *vi* weigh heavily; *die ganze Arbeit lastet auf meinen Schultern zur Zeit* I´ve got the whole burden of work on my shoulders at the momemt; *eine schwere Sorge hat auf ihr gelastet* a terrible worry weighed her down; **~enaufzug** *sub, m, -es, -züge* goods lift; **~ensegler** *sub, m, -s,* - transport glider

Laster, *sub, m, -s,* - vice

Lästerei, *sub, f, -, -en* blaspheming, viciousness

Lasterhöhle, *sub, f, -, -n* den of vice; **Lasterleben** *sub, n, -s,* - depraved life

lästern, (1) *vi,* backbite (2) *vt,* blaspheme; **Lästerzunge** *sub, f, -, -n* vicious tongue

Lastesel, *sub, m, -s,* - pack-mule

Lastex, *sub, n, -, nur Einz.* stretch fabric

lästig, *adj,* annoying, tiresome

Lastkahn, *sub, m, -es, -kähne* barge; **Lasttier** *sub, n, -es, -e* beast of burden; **Lastwagen** *sub, m, -s, -wägen* lorry, truck

Lasur, *sub, f, -, -en* glaze, varnish

lasziv, *adj,* lascivious; **Laszivität** *sub, f, -, -en* lasciviousness

Lätare, *sub, m, -s,* - 3rd Sunday before Easter

Latein, *sub, n, -es,* - Latin; **~amerika** *sub, n, -s,* - Latin America;

lateinisch *adj*, Latin; **~ische** *sub, n, -n*, - Latin; **~schule** *sub, f, -, -n* grammar school; **~segel** *sub, m, -s*, - lateen

La-Tène-Zeit, *sub, f, -, nur Einz.* La-Tène period

latent, *adj*, latent; **Latenz** *sub, f, -, nur Einz.* latency; **Latenzperiode** *sub, f, -, -n* latency; **Latenzzeit** *sub, f, -, -en (med.)* latent period

lateral, *adj*, lateral

Lateritboden, *sub, m, -s, -böden (geol.)* laterite

Laterne, *sub, f, -, -n* lantern

Latex, *sub, m, -, Latizes* latex

latinisieren, *vt*, latinize; **Latinismus** *sub, m, -, Latinismen* Latinism; **Latinität** *sub, f, -, nur Einz.* latinity; **Latinum** *sub, n, -, nur Einz.* Latin proficiency examination

Latrine, *sub, f, -, -n* latrine; **~parole** *sub, f, -, -n* latrine rumour

Latschen, (1) *sub, m, -n*, - slipper (2) **latschen** *vi*, scuffle, slouch; *(ugs.) in den Schuh kriegst du deine Latschen niemals* you´ll never get your feet into those shoes; *(ugs.) sie passen zusammen wie ein Paar alte Latschen* they match like an old pair of slippers

Latschenkiefer, *sub, f, -, - (bot.)* dwarf pine

Latte, *sub, f, -, -ten* list, pale, slat; *(ugs.) er hat eine Latte von Vorstrafen* he´s got a long criminal record; *(ugs.) er kam mit einer Latte von Beschwerden* he came with a (long) list of complaints

Lattenkiste, *sub, f, -, -n* wooden crate; **Lattenkreuz** *sub, n, -es, -e* corner of the goalpost

Latz, *sub, m, -es, Lätze* bib, flap; **~hose** *sub, f, -, -n* dungarees; **~schürze** *sub, f, -, -n* pinafore

lau, *adj*, lukewarm, mild

Laub, *sub, n, -es*, - foliage, leaves; **~baum** *sub, m, -es, -bäume* deciduous tree

Laube, *sub, f, -, -ben* arbour, summer-house; **~ngang** *sub, m, -es, -gänge* covered path

Laubenpieper, *sub, m, -s*, - allotment gardener; **Laubfärbung** *sub, f, -, -en* autumn colouring; **Laubfrosch** *sub, m, -es, -frösche* tree-frog; **Laubholz** *sub, n, -es, -hölzer* deciduous tree; **Laubsäge** *sub, f, -, -n* fretsaw; **Laubwald** *sub, m, -es, -wälder* deciduous forest; **Laubwerk** *sub, n, -es*, -foliage

Lauch, *sub, m, -es, nur Einz.* leek

Laudatio, *sub, f, -, -dationes* eulogy

Lauer, *sub, m, -s*, - be on the lurk; **lauern** *vi*, lurk

Lauf, *sub, m, -es, Läufe* barrel (of a gun), course, race; *(i. ü. S.) der Lauf der Welt* the way of the world; *(i. ü. S.) im Laufe der Jahre* in the course of the years; *(i. ü. S.) wir müssen den Dingen ihren Lauf lassen* we must let things take their course; **~bahn** *sub, f, -, -en* career; **~bursche** *sub, m, -n, -n* errand-boy; **laufen** *vi*, be in progress, go, leak, melt, run; *auf dem laufenden sein* up to the minute; *der Film lief schon, als wir ankamen* the film had already started when we got there; *die Verhandlungen laufen schon* negotiations have started; *es lief besser als ich erwartet hatte* things have gone better than I expected; *das Geschäft läuft* business is going well; *läufst du schnell in die Bäckerei?* would you just go to the baker´s for me?; *sie läuft alle paar Tage zum Arzt* she goes to the doctor every couple of days; *wenn er Bier trinkt, läuft er ständig auf die Toilette* whenever he´s been drinking beer, he has to go to the toilet all the time; *die Butter läuft* the butter is melting; *(i. ü. S.) der Schweiß lief ihm ins Gesicht* sweat was running down his face; *lauf so schnell, wie du kannst!* run as fast as you can!; *um die Wette laufen* to run a race; **laufend** *adj*, current, regular, running; *die laufenden Kosten* regular expenses; *diesen Ärger habe ich laufend* I have this bother regularly; *halt´ mich auf dem laufenden* keep me up-to-date; **~erei** *sub, f, -, -en* running about; **~feuer** *sub, n, -s, -* wildfire; **lauffreudig** *adj,* keen on running; **~gewicht** *sub, n, -es, -er* sliding weight

läufig, *adj,* on heat

Laufmasche, *sub, f, -, -n* ladder; **Laufpass** *sub, m, -es, - (ugs.)* marching orders; *und hat sie dir den Laufpass gegeben?* did she give you your marching orders?; **Laufschiene** *sub, f, -, -n* rail; **Laufschrift** *sub, f, -, -en* moving screen, newscaster; **Laufschritt** *sub, m, -es, -e* doubletime, trot; **Laufsteg** *sub, m, -es, -e* cat-walk; **Laufstil** *sub, m, -s, -e* running style; **Laufwerk** *sub, n, -es, -e* drive, mechanism; **Laufzeit** *sub, f, -, -en* period, term; **Laufzettel** *sub, m, -s, -* docket

Lauge, *sub, f, -, -gen* brine, leaching agent, suds; **laugenartig** *adj, (chem.)* alkaline; **~nwasser** *sub, n, -s, -* suds

Laune, *sub, f, -n, -nen* mood; *f, -, -n* temper; *f, -n, -nen* whim; **launenhaft** *adj,* moody; **launig** *adj, (obsolete)* witty; **launisch** *adj,* moody

Laureat, *sub, m, -s, -en* laureate; **lauretanisch** *adj,* Loretto

Laurin, *sub, m, -s, -s* Laurin

Laus, *sub, f, -, Läuse* louse; **~bub** *sub, m, -s, -ben* scamp; **lausbübisch** *adj, (obsolete)* roguish

Lauschaktion, *sub, f, -, -en* bugging operation; **lauschen** *vi,* eavesdrop, listen, overhear; **Lauscher** *sub, f, -, Mz.* eavesdropper

lauschig, *adj,* cosy

Läusebefall, *sub, m, -s, -fälle* infestation with lice

Lausebengel, *sub, m, -s, -* little devil, scamp

lausen, *vt,* delouse; **lausig (1)** *adj,* lousy **(2)** *adv,* awfully

lausitzisch, *adj,* Lusatian

laut, (1) *adj,* loud **(2) Laut** *sub, m,*

-es, -e sound

lauten, *vi,* read; *der Brief lautet folgendermaßen* the letter reads as follows; *der Satz muß so lauten* the sentence should read like this

läuten, *vti,* ring

lauter, *adj,* pure, sheer; *das ist die lauter Wahrheit* that´s the unadulterated truth; *das ist lauter Unsinn* that´s sheer nonsense; *das sind lauter Lügen* that´s a pack of lies

läutern, *vt,* purify

lauthals, *adv,* at the top of one´s voice; **lautlos** *adj,* soundless

Lautschrift, *sub, f, -, -en* phonetic script; **Lautsprecher** *sub, m, -s, -* loudspeaker; **Lautstärke** *sub, f, -, -n* volume; **Lautwechsel** *sub, m, -s, -* transmutation of sounds; **Lautzeichen** *sub, n, -s, -* phonetic symbol

lauwarm, *adj,* lukewarm

Lava, *sub, f, -, Laven* lava

Lavabo, *sub, n, -s, -s* lavabo

Lavendel, *sub, m, -s, -* lavender

lavieren, *vi,* manoeuvre

Lawine, *sub, f, -, -n* avalanche; **lawinenartig** *adj,* like an avalanche; **~nhund** *sub, m, -es, -e* avalanche search dog

lax, *adj,* lax

Laxans, *sub, n, -, Laxanzien* laxative

laxieren, *vi,* purge one´s bowels

Lay-out, *sub, n, -s, -s* layout; **Layouter** *sub, m, -, -* layout man

Lead, *sub, n, -s, nur Einz.* lead player

Leader, *sub, m, -s, -* leader

leasen, *vt,* lease; **Leasingfirma** *sub, f, -, -men* leasing company

Lebedame, *sub, f, -, -n* courtesan; **Lebemann** *sub, m, -es, -männer* rake; **lebemännisch** *adj,* rakish

Leben, (1) *sub, n, -s, -* life **(2) leben** *vi,* live; *Lebensunterhalt* daily bread

lebend, *adj,* living; **Lebendgewicht** *sub, n, -s, -e* live weight;

~ig *adj*, alive, lively; **Lebendigkeit** *sub, f, -, -en* liveliness

Lebensabend, *sub, m, -, nur Einz.* old age; **Lebensalter** *sub, n, -s, -* age; **Lebensangst** *sub, f, -, Lebensängste* fear of life; **Lebensarbeit** *sub, f, -, -en* life´s work; **Lebensart** *sub, f, -, nur Einz.* way of life; **Lebensdauer** *sub, f, -, nur Einz.* life span; **lebensfähig** *adj*, capable (of living), viable

Lebensfrage, *sub, f, -, -n* vital question; **lebensfremd** *adj*, remote from life; **Lebensfreude** *sub, f, -, nur Einz.* zest; **Lebensgefahr** *sub, f, -, nur Einz.* mortal danger; **lebensgefährlich** *adj*, perilous; **Lebensgefühl** *sub, n, -(e)s, nur Einz.* feeling for life; *auf dem Land habe ich ein ganz anderes Lebensgefühl* I have a completely different feeling (for life) when I´m in the country; *durch Yoga habe ich ein neues Lebensgefühl bekommen* yoga has given me a new feeling for life; **Lebensgenuss** *sub, m, -es, -genüsse* enjoyment of life; **Lebensgröße** *sub, f, -, nur Einz.* life-size; *(ugs.) da stand er in voller Lebensgröße* there he was, as large as life; *ein Porträt in Lebensgröße* a life-sized portrait; **Lebenshilfe** *sub, f, -, nur Einz.* support; **Lebenshunger** *sub, m, -s, nur Einz.* thirst for life; **Lebensinhalt** *sub, m, -(e)s, -e* meaning of life; **Lebenskampf** *sub, m, -(e)s, -kämpfe* struggle for survival; **Lebenskraft** *sub, f, -, -kräfte* vitality; **Lebenskreis** *sub, m, -es, -e* sphere (in which one lives); **lebenslänglich** *adj*, life(long)

Lebenslauf, *sub, m, -(e)s, -läufe* career; **Lebenslicht** *sub, n, -(e)s, nur Einz.* flame of life; **lebenslustig** *adj*, vital

Lebensmittel, *sub, f, -, Mz.* food, groceries; **~laden** *sub, m, -s, -läden* grocer´s; **~vergiftung** *sub, f, -, -en* food poisoning

lebensmüde, *adj*, weary of life

Lebensniveau, *sub, n, -s, nur Einz.* standard of living; **Lebensqualität** *sub, f, -, -en* quality of life; **Lebensraum** *sub, m, -s, -räume* environment; *m, -(e)s, -räume (polit.)* lebensraum; **Lebensretter** *sub, m, -s, -* rescuer; **Lebensstandard** *sub, m, -s, -s* standard of living; **Lebensunterhalt** *sub, m, -(e)s, nur Einz.* living; *mit Musik wirst du deinen Lebenshalt nicht verdienen können* you won´t be able to earn your living with music; *sie verdient den Lebensunterhalt für die Familie* she supports the family; **Lebensversicherung** *sub, f, -, -en* life insurance; **Lebenswandel** *sub, m, -s, -* way of life; **lebenswichtig** *adj*, vital; **Lebenswille** *sub, m, -n, nur Einz.* will to live; **Lebenszeit** *sub, f, -, -* lifetime; **Lebenszweck** *sub, m, -(e)s, -e* purpose of life

Leber, *sub, f, -, -n* liver; **~balsam** *sub, m, -(e)s, -e (bot.)* ageratum; **~fleck** *sub, m, -(e)s, -en* mole; **~leiden** *sub, n, -s, -* liver disorder; **~pastete** *sub, f, -, -n* liver paté; **~tran** *sub, m, -(e)s, -* cod-liver oil

Lebewesen, *sub, n, -s, -* living thing

Lebewohl, *sub, n, -s, -* farewell

lebhaft, *adj*, lively, vivid

leblos, *adj*, lifeless; **Leblosigkeit** *sub, f, -, nur Einz.* lifelessness

lechzen, *vi*, crave for, pant

leck, **(1)** *adj*, leaky **(2) Leck** *sub, n, -(e)s, -s* leak; **~en (1)** *vi*, leak **(2)** *vt*, lick

lecker, *adj*, delicious, yummy **Leckerbissen**, *sub, m, -s, -* delicacy; **Leckermaul** *sub, n, -(e)s, -mäuler* sweet-toothed person

Leder, *sub, n, -s, -* leather; **~einband** *sub, m, -(e)s, -einbände* leatherbound volume; **lederfarben** *adj*, leather-coloured; **~gürtel** *sub, m, -s, -* leather belt; **~haut** *sub, f, -, -häute* dermis; **~mantel** *sub, m, -s, -mäntel* leather coat; **ledern** *adj*, leathery; **~polster** *sub, n, -s,* - leather upholstery; **~riemen** *sub, m, -s,* - leather strap; **~schurz** *sub, m, -es, -e* leather apron; **~sessel** *sub, m, -s,* - leather armchair; **~tasche** *sub, f, -, -n* leather bag

ledig, *adj*, single; **Ledigenheim** *sub, n, -(e)s, -e* home for singles

lediglich, *adv*, merely

Lee, *sub, f, -,* - lee

leer, *adj*, empty; **~ laufen** *vi*, run dry; **Leere** *sub, f, -,* - emptiness; **~en** *vt*, empty; **Leergewicht** *sub, n, -(e)s, -e* unladen weight; **Leerlauf** *sub, m, -(e)s, -läufe* neutral; **Leerstelle** *sub, f, -, -n* vacancy; **Leertaste** *sub, f, -, -n* space-bar; **Leerwohnung** *sub, f, -, -en* unfurnished flat

Lefze, *sub, f, -, -zen* chaps

legal, *adj*, lawful, legal; **Legalisation** *sub, f, -, -en* legalization; **~isieren** *vt*, legalize; **Legalismus** *sub, m, -, nur Einz.* legalism; **~istisch** *adj*, legalistic; **Legalität** *sub, f, -, nur Einz.* legality; **Legalitätsprinzip** *sub, n, -(e)s, nur Einz.* principle of legality

Legasthenie, *sub, f, -, -n* dislexia; **Legastheniker** *sub, m, -s,* - dislexic

Legat, *sub, n, -en, -en (jur.)* legacy; **~ar** *sub, m, -s, -e* legatee; **~ion** *sub, f, -, -en* legation; **~ionsrat** *sub, m, -(e)s, -räte* legation councillor

Legebatterie, *sub, f, -, -n* hen battery

legen, (1) *vr*, abate, lie down (2) *vt*, lay, put; *(i. ü. S.) der Sturm der Entrüstung wird sich nicht so schnell legen* the storm of indignation will not abate so quickly; *wir mußten warten bis der Wind sich legte* we had to wait till the wind abated; *(i. ü. S.) die Sache legte sich ihm aufs Gemüt* the matter began to prey on his mind; *sich auf den Rücken legen* to lie down on one´s back; *sie legte sich ins Gras* she lay down in the grass, *ein Buch auf den Tisch legen* to put a book on the table; *ich habe die Handtücher in den Schrank gelegt* I put the towels

in the cupboard; *ich konnte das Buch nicht aus der Hand legen* I couldn´t put the book down; *Wert auf etwas legen* to attach importance to something

Legende, *sub, f, -, -n* legend; **legendenhaft** *adj*, legendary

leger, *adj*, informal

Leghenne, *sub, f, -, -n* laying hen

legieren, *vt*, alloy; **Legierung** *sub, f, -, -en* alloy

Legion, *sub, f, -, -en* legion; **~ar** *sub, m, -s, -e (hist.)* member of a Roman legion; **~är** *sub, m, -s, -e* legionary; **~ärskrankheit** *sub, f, -, nur Einz.* Legionnaire´s disease

Legislative, *sub, f, -, -n* legislative body; **legislatorisch** *adj*, legislative; **Legislatur** *sub, f, -, -en* legislation; **Legislaturperiode** *sub, f, -, -n* parliamentary term

legitim, *adj*, legitimate; **Legitimation** *sub, f, -, -en* authorization, identification; **~ieren** (1) *vr*, show proof of identity (2) *vt*, legitimize; **Legitimismus** *sub, m, -,* - legitimism

Leguan, *sub, m, -s, -e (zool.)* iguana

Lehen, *sub, n, -s, - (hist.)* fief; **~swesen** *sub, n, -s, nur Einz.* feudalism

Lehm, *sub, m, -(e)s,* - clay

Lehne, *sub, f, -, -en* rest; **lehnen** (1) *vr*, lean (2) *vti*, lean (on or against); **Lehnsträger** *sub, m, -s,* - tenant

Lehrangebot, *sub, n, -(e)s, -e* educational programme; **Lehranstalt** *sub, f, -, -en* educational establishment; **Lehrbarkeit** *sub, f, -, nur Einz.* teachability; **Lehrbuch** *sub, n, -(e)s, -bücher* textbook; **Lehre** *sub, f, -, -ren* apprenticeship, lesson, teaching, teachings; **lehren** *vti*, teach; **Lehrer** *sub, m, -s,* - school master, teacher; **Lehrerin** *sub, f, -, -nen* school mistress; **Lehrerschaft** *sub, f, -, -en* teaching staff; **Lehrerzimmer** *sub, n, -s,* - staff room

Lehrfilm, *sub, m, (.)s, .e* educatio
nal film; **Lehrgang** *sub, m, -(e)s,
-gänge* course; **Lehrgedicht** *sub, n,
-(e)s, -e* didactic poem; **Lehrgeld**
sub, n, -(e)s, -er price paid for ignorance; *als er jung war, hat er kräftig Lehrgeld zahlen müssen* when
he was young, he had to pay dearly
for his ignorance; **lehrhaft** *adj,* didactic; **Lehrjahr** *sub, n, -(e)s, -e*
apprenticeship year; **Lehrkörper**
sub, m, -s, - staff; **Lehrling** *sub, m,
-(e)s, -e* apprentice; **Lehrmädchen** *sub, n, -s, -* female apprentice;
Lehrmeinung *sub, f, -, -en* academic opinion; **Lehrmeister** *sub, m,
-s, -* master (of a trade); **Lehrmethode** *sub, f, -, -en* teaching method
Lehrplan, *sub, m, -(e)s, -pläne* syllabus; **Lehrprobe** *sub, f, -, -en* demonstration lesson; **Lehrsatz** *sub,
m, -(e)s, -sätze* theorem; **Lehrstelle**
sub, f, -, -en position (for apprenticeship); **Lehrstuhl** *sub, m, -(e)s,
-stühle* chair; **Lehrstunde** *sub, f, -,
-n* teaching unit; **Lehrvertrag** *sub,
m, -(e)s, -verträge* indentures;
Lehrzeit *sub, f, -, -en* period of
apprenticeship
Leib, *sub, m, -(e)s, -er* body; **~arzt**
sub, m, -es, -ärzte personal physician; **~chen** *sub, n, -s, -* bodice, vest
leiben, *vi,* be (oneself); *das ist er ja,
wie er leibt und lebt* that´s him all
over
Leibgarde, *sub, f, -, -n* bodyguard;
Leibgardist *sub, m, -en, -en* soldier
(of a bodyguard); **Leibgericht** *sub,
n, -(e)s, -e* favourite meal
leibhaftig, *adj,* incarnate; **Leibhaftige** *sub, m, -n, nur Einz.* living
image
Leibkoch, *sub, m, -(e)s, -köche* personal chef
leiblich, *adj,* of the same blood,
physical; **Leiblichkeit** *sub, f, -, -*
corporeality
Leibrente, *sub, f, -, -ten* life annuity;
Leibschmerz *sub, m, -es, -schmer-
zen* stomach pains; **Leibwächter**
sub, m, -s, - bodyguard

Leiche, *sub, f, -, -,* 2*AAII MAIPU*;
~nacker *sub, m, -s, -äcker (dial.)*
churchyard; **~nbegängnis** *sub,
n, -es, -se* funeral; **leichenblass**
adj, deathly pale; **~nfledderei**
sub, f, -, -en looting of corpses;
~nfledderer *sub, m, -s, -* looter
of corpses; **~nfrau** *sub, f, -, -en*
layer-out; **~ngift** *sub, n, -(e)s, -e*
cadaveric poison; **~nhalle** *sub, f,
-, -n* mortuary; **~nhemd** *sub, n,
-(e)s, -en* shroud; **~nrede** *sub, f,
-, -n* funeral oration; **~ntuch**
pron, shroud; **~nverbrennung**
sub, f, -, -en cremation; **~nwagen**
sub, m, -s, -wägen hearse; **Leichnam** *sub, m, -(e)s, -me* body
leicht, *adj,* easy, light; *das ist
leicht zu lernen* that´s easy to learn; *das ist leichter gesagt als
getan* that´s easier said than
done; *du machst es dir zu leicht*
you don´t go to enough trouble;
*sie hat es im Leben immer leicht
gehabt* she has always had an easy
life; *der Koffer ist aus einem
leichten Material* it´s a light-
weight suitcase; *der Koffer ist
groß, aber leicht* the suitcase is
big, but it´s light; *ein leichtes Essen* a light meal; *leichte Musik*
light music
Leichtathlet, *sub, m, -en, -en* athlete; **~ik** *sub, f, -, -* athletics
Leichtbenzin, *sub, n, -s, -e* benzine
leichtblütig, *adj,* light-hearted
leichtfertig, *adj,* thoughtless;
leichtfüßig *adj,* light-footed;
leichtherzig *adj,* light-hearted
Leichtgewicht, *sub, n, -(e)s, -e*
lightweight; **Leichtgläubigkeit**
sub, f, -, - gullibility
Leichtigkeit, *sub, f, -, -en* ease,
lightness
leichtlebig, *adj,* easy-going;
Leichtlebigkeit *sub, f, -, nur
Einz.* easy-going attitude
Leichtmetall, *sub, n, -s, -e* light
metal
Leichtsinn, *sub, m, -s, -* reckless-

ness, thoughtlessness; **leichtsinnig** *adj*, rash, thoughtless; **~sehler** *sub*, *m*, -*s*, - careless mistake

Leideform, *sub*, *f*, -, -men passive voice; **Leiden (1)** *sub*, *n*, -*s*, - ailment, illness, suffering **(2) leiden** *vt*, endure, tolerate **(3)** *vti*, suffer (from); *die Farbe hat durch die grelle Sonne sehr gelitten* the colour faded badly in the sun; *er leidet unter der Einsamkeit* he suffers from loneliness; *er starb, ohne viel zu leiden* he died without suffering a lot; **Leidende** *sub*, *m*, -*n*, -*n* sufferer

Leidenschaft, *sub*, *f*, -, -ten passion; **leidenschaftlich** *adj*, passionate, very keen; **leidensfähig** *adj*, emotional

Leidensmiene, *sub*, *f*, -, -*n* display of suffering; **Leidenszeit** *sub*, *f*, -, -en period of suffering

leider, *adv*, unfortunately

leidgeprüft, *adj*, sorely tried

leidig, *adj*, tiresome

leidlich, *adj*, passable

leidtragend, *adj*, injured; **Leidtragende** *sub*, *m*, -*n*, -*n* victim

leidvoll, *adj*, sorrowful

Leier, *sub*, *f*, -, -*n* lyre; **~kasten** *sub*, *m*, -*s*, -kästen barrel-organ; **leiern (1)** *vi*, drone (on) **(2)** *vt*, grind, play

Leiharbeiter, *sub*, *m*, -*s*, - casual worker; **Leihbücherei** *sub*, *f*, -, -en lending library; **leihen** *vt*, borrow, lend; *er hat mir Geld geliehen* he lent me some money; *ich habe das Buch aus der Bücherei geliehen* I borrowed the book from the library; *können Sie mir eine Stunde Ihrer Zeit leihen?* could you lend me an hour of your time?; **Leihgabe** *sub*, *f*, -, -*n* loan; **Leihhaus** *sub*, *n*, -es, -häuser pawnshop; **Leihverkehr** *sub*, *m*, -*s*, nur Einz. lending channels; **Leihvertrag** *sub*, *m*, -(e)s, -vertäge loan contract; **Leihwagen** *sub*, *m*, -*s*, -wägen hired car

Leim, *sub*, *m*, -(e)s, -me glue; **leimen** *vt*, glue; (*ugs.*) take so for a ride; *er hat dich mit den Reparaturen regelrecht geleimt* he really took you for a ride with those repairs; **~rute** *sub*, *f*, -, -ten lime twig; **~topf** *sub*, *m*, -(e)s, -töpfe glue pot

Lein, *sub*, *m*, -(e)s, -ne flax

Leine, *sub*, *f*, -, -nen leash, line, rope

leinen, **(1)** *adj*, linen **(2) Leinen** *sub*, *n*, -*s*, - cloth, linen; **Leinenkleid** *sub*, *n*, -(e)s, -er linen dress; **Leinenweber** *sub*, *m*, -*s*, - linen weaver

Leintuch, *sub*, *n*, -(e)s, -tücher sheet; **Leinwand** *sub*, *f*, -, -wände canvas, screen

Leiste, *sub*, *f*, -, -sten skirting board; *(med.)* groin; **~n (1)** *sub*, *m*, -*s*, - last **(2) leisten** *vt*, achieve **(3)** *vtr*, treat oneself to sth; *er hat in seinem kurzen Leben Erstaunliches geleistet* he achieved an amazing amount in his short life; *er leistet genau soviel wie ich he´s as efficient as I am*; *sein Problem ist, daß er immer mehr leisten will* his problem is always wanting to achieve more; *wir haben gute Arbeit geleistet* we´ve done good work; **~nbruch** *sub*, *m*, -(e)s, -brüche *(med.)* hernia

Leistung, *sub*, *f*, -, -en achievement, performance, sevice; **leistungsfähig** *adj*, capable, efficient, powerful; **~ssport** *sub*, *m*, -(e)s, nur Einz. competitive sport

Leitartikel, *sub*, *m*, -*s*, - leader; **Leitartikler** *sub*, *m*, -*s*, - leaderwriter; **Leitbarkeit** *sub*, *f*, -, -en manageability; **Leitbild** *sub*, *n*, -(e)s, -er model

leiten, *vt*, be in charge of, conduct, guide, lead; **~d** *adj*, dominant, leading, managerial

Leiter, *sub*, *f*, -, -*n* ladder; *m*, -*s*, - director, manager

Leiterplatte, *sub*, *f*, -, -*n* (*comp.*) circuit board; **Leiterwagen** *sub*, *m*, -*s*, - hand-cart

Leitfaden, *sub, m, -s, -/fäden* guide, main theme; **Leitgedanke** *sub, m, -n, -n* central idea; **Leithammel** *sub, m, -s, -* bellwether; **Leitlinie** *sub, f, -, -n* guide line; **Leitmotiv** *sub, n, -s, -ve (mus.)* leitmotif; **Leitplanke** *sub, f, -, -ken* crash-barrier; **Leitsatz** *sub, m, -es, -sätze* basic principle

Leitung, *sub, f, -, -gen* cable, leadership, management, pipe; **~smast** *sub, m, -(e)s, -en* electricity pylon; **~snetz** *sub, n, -es, -e* grid, mains system, network; **~srohr** *sub, n, -(e)s, -e* pipe

Leitvermögen, *sub, n, -s, - (phy.)* conductivity; **Leitwerk** *sub, n, -(e)s, -e* tail unit

Lektion, *sub, f, -, -en* lesson

Lektor, *sub, m, -s, -oren* lecturer, reader; **~at** *sub, n, -(e)s, -e* editorial office; **lektorieren** *vt,* edit; **Lektüre** *sub, f, -, -n* reading; *das ist keine passende Lektüre für ein Kind* that´s not suitable reading for a child; *das wird zur Lektüre empfohlen* that´s recommended reading; *ist das eine interessante Lektüre?* does that make good reading?

Lemma, *sub, n, -s, -ta* lemma

Lemming, *sub, m, -s, -ge* lemming

lemurenhaft, *adj,* ghostlike

Lende, *sub, f, -, -en* loin; **~nbraten** *sub, m, -s, -* loin roast; **lendenlahm** *adj,* worn-out; **~nschurz** *sub, m, -es, -schürze* loincloth; **~nstück** *sub, n, -(e)s, -e* tenderloin; **~nwirbel** *sub, m, -s, - (med.)* lumbar vertebra

Leninismus, *sub, m, -, nur Einz.* Leninism; **leninistisch** *adj,* Leninist

Lenkbarkeit, *sub, f, -, nur Einz.* steerability, tractability

lenken, *vt,* control, direct attention to sth, influence, steer

Lenker, *sub, m, -s, -* driver; **Lenkrad** *sub, m, -(e)s, -räder* steering wheel

lenksam, *adj,* tractable

Lenz, *sub, m, -es, -ze (geh.)* spring

Leopard, *sub, m, -en, -en* leopard

Leporelloalbum, *sub, n, -s, -ben* fold-out picture album

Lepra, *sub, f, -, nur Einz.* leprosy

Lepton, *sub, n, -s, -en* lepton

Lerche, *sub, f, -, -chen* lark

lernbegierig, *adj,* eager to learn; **Lernbehinderte** *sub, m, -n, -n* educationally handicapped person; **lernen (1)** *vi,* train **(2)** *vti,* learn; **Lerner** *sub, m, -s, -* learner; **Lernprozess** *sub, m, -es, -e* learning process; **Lernschritt** *sub, m, -(e)s, -e* learning progress; **Lernziel** *sub, n, -(e)s, -e* learning goal

Lesart, *sub, f, -, -ten* version

lesbar, *adj,* legible, readable

Lesbe, *sub, f, -, -n (vulg.)* lesbian; **Lesbierin** *sub, f, -, -nen* lesbian; **lesbisch** *adj,* lesbian

Lese, *sub, f, -, -sen* harvest

letal, *adj,* lethal

Lethe, *sub, f, -, nur Einz.* waters of oblivion

Letter, *sub, f, -, -n* letter, type

letzt, *adj,* last, latest, ultimate

letztendlich, *adv,* at last; **letztgenannt** *adj,* last-mentioned; **letztjährig** *adj,* last year´s; **letztlich** *adv,* finally; **letztmöglich** *adj,* last possible; **letztwillig** *adj,* testamentary

Leuchtboje, *sub, f, -, -n* light-buoy; **Leuchtbombe** *sub, f, -, -n* flare; **Leuchte** *sub, f, -, -ten* light; **leuchten** *vi,* glow, shine; **Leuchter** *sub, m, -s, -* candlestick, chandelier, sconce; **Leuchtfarbe** *sub, f, -, -n* fluorescent colour; **Leuchtfeuer** *sub, n, -s, -* beacon; **Leuchtkäfer** *sub, m, -s, -* glow-worm; **Leuchtkraft** *sub, f, -, nur Einz.* brightness; **Leuchtkugel** *sub, f, -, -n* flare; **Leuchtrakete** *sub, f, -, -n* signal rocket; **Leuchtröhre** *sub, f, -, -n* fluorescent tube; **Leuchtsignal** *sub, n, -(e)s, -e* flare signal; **Leuchtturm** *sub, m, -(e)s, -türme* lighthouse; **Leuchtziffer** *sub, f, -, -n* luminous figure

leugnen, *vt,* deny; **Leugnung** *sub, f, -, -en* denial

Leukämie, *sub, f, -, nur Einz.* leu-

kaemia; **leukämisch** *adj*, leukaemic
Leukozyt, *sub*, *m*, *-en*, *-en* white cor-
puscles
Leumund, *sub*, *m*, *-(e)s*, - reputati-
on; **~szeugnis** *sub*, *n*, *-es*, *-se* char-
acter reference
Leute, *sub*, *f*, -, *Mz.* people
Leutnant, *sub*, *m*, *-(e)s*, *-s* lieutenant
leutselig, *adj*, affable
Levade, *sub*, *f*, -, *-n* levade
Levante, *sub*, *f*, -, *nur Einz.* Levant;
Levantine *sub*, *f*, -, *nur Einz.* levantine; **Levantiner** *sub*, *m*, *-s* Levantine; **levantinisch** *adj*, Levantine
Level, *sub*, *m*, *-s*, *-s* level
Leviathan, *sub*, *m*, *-s*, *-e* leviathan
Levitation, *sub*, *f*, -, *-en* levitation
Lex, *sub*, *f*, -, *Leges* parliamentary bill
Lexem, *sub*, *n*, *-s*, *-e* lexeme
lexikalisch, *adj*, lexical; **Lexikograf**
sub, *m*, *-en* lexicographer; **Lexikografie** *sub*, *f*, -, *nur Einz.* lexicography; **Lexikologie** *sub*, *f*, -, *nur Einz.*
lexicography, lexicology; **Lexikolo-
gin** *sub*, *f*, -, *-nen* lexicologist; **Lexikon** *sub*, *m*, *-s*, *Lexika oder Lexiken*
dictionary, encyclopaedia
Lezithin, *sub*, *n*, *-s*, *-e (chem.)* lecithin
Liaison, *sub*, *f*, -, *-s* liaison
Liane, *sub*, *f*, -, *die*. *-n* liana
libanesisch, *adj*, Lebanese
Libelle, *sub*, *f*, -, *-n* dragonfly
liberal, *adj*, liberal; **Liberale** *sub*, *m*,
-n, *-n* Liberal; **~isieren** *vt*, liberali-
ze; **Liberalismus** *sub*, *m*, -, *nur
Einz.* Liberalism; **Liberalist** *sub*, *m*,
-en, *-en* Liberal; **Liberalität** *sub*, *f*, -,
nur Einz. liberality
Liberianerin, *sub*, *f*, -, *-nen* Liberian;
liberianisch *adj*, Liberian
Libero, *sub*, *m*, *-s*, *-s (spo.)* sweeper
Libertinage, *sub*, *f*, -, *-n* libertinism
libidinös, *adj*, libidinal; **Libido** *sub*,
f, -, *nur Einz. (psych.)* libido
Librettist, *sub*, *m*, *-en*, *-en* librettist;
Libretto *sub*, *m*, *-s*, *-s oder Libretti*
libretto
Lichenologe, *sub*, *m*, *-n*, *-n (bot.)*
lichenologist

Lichtanlage, *sub*, *f*, -, *-n* lights;
lichtarm *adj*, poorly lit; **Lichtbild** *sub*, *m*, *-s*, *-er* photo; **Lichtblick** *sub*, *m*, *-s*, *-e* ray of hope;
Lichteffekt *sub*, *m*, *-s*, *-e* lighting
effect; **Lichteinfall** *sub*, *m*, *-s*, -
fälle incidence of light
lichten, **(1)** *vr*, clear up, get thinner **(2)** *vt*, clear, thin out; *allmählich lichteten sich die Reihen* the
rows were gradually thinning
out; *sein Haar lichtet sich schon*
his hair is getting thinner
Lichterbaum, *sub*, *m*, *-s*, *-bäume*
Christmas tree; **Lichterfest** *sub*,
n, *-s*, *nur Einz.* Christmas; **Lichterglanz** *sub*, *m*, *-es*, *-e* bright
lights; **Lichterkette** *sub*, *f*, -, *-n*
chain of lights; **Lichtermeer** *sub*,
n, *-s*, *-e* sea of lights; **Lichtfilter**
sub, *n*, *-s*, - light filter; **Lichtgeschwindigkeit** *sub*, *f*, -, *nur Einz.*
speed of light; **Lichtgestalt** *sub*,
f, -, *-en* shining light; **Lichthof**
sub, *m*, *-s*, *-höfe (arch.)* air well;
Lichthupe *sub*, *f*, -, *-n* warning
flash (of headlights); **Lichtjahr**
sub, *n*, *-es*, *-e* light year; **Lichtleitung** *sub*, *f*, -, *-en* lighting wire;
Lichtmangel *sub*, *m*, *-s*, *nur Einz.*
lack of light
Lichtmess, *sub*, *f*, -, - Candlemas;
~ung *sub*, *f*, -, *-en (phy.)* photometry; **Lichtorgel** *sub*, *f*, -, *-n* colour organ; **Lichtquelle** *sub*, *f*, -,
-n source of light; **Lichtreflex**
sub, *m*, *-s*, *-e* light reflection;
Lichtreklame *sub*, *f*, -, *-n* neon
sign; **Lichtschein** *sub*, *m*, *-s*, *-e*
gleam of light; **lichtscheu** *adj*,
averse to light; **Lichtschranke**
sub, *m*, *-s*, *-schränke* photoelec-
tric barrier; **Lichtsignal** *sub*, *n*, *-s*,
-e light signal; **Lichtspielhaus**
sub, *n*, *-es*, *-häuser* cinema; **Lichtstrahl** *sub*, *m*, *-s*, *-en* beam of
light; **lichttrunken** *adj*, dizzy
with light; **Lichtung** *sub*, *f*, -, *-en*
clearing; **lichtwendig** *adj*, *(biol.)*
phototropic

Lid, *sub*, *n*, *-s*, *-er* eyelid

Lido, sub, m, -s, -s or Lidi beach

Lidschatten, sub, m, -s, - eyeshadow
lieb, adj, dear, kind, nice, sweet; *ach, du liebe Zeit!* good gracious!; *er verlor alles, was ihm lieb war* he lost everything that was dear to him; *liebe Brüder und Schwestern* dearly beloved; *Liebe Monika, Lieber Manfred* Dear Monika, Dear Manfred; *sie ist eine liebe Freundin* she is a dear friend; **~äugeln** vi, toy with an idea; *mit einem neuen Auto liebäugeln* to toy with the idea of buying a new car; *sie liebäugeln mit dem Gedanken auf einer Insel zu leben* they´re flirting with idea of living on an island; **Liebchen** sub, n, -s, - sweetheart; **Liebe** sub, f, -, nur Einz. love, sex; *die große Liebe* the love of one´s life; *eine Nacht der Liebe* a night of love-making; *Liebe auf dem ersten Blick* love at first sight; *Liebe zum Vaterland* love of one´s country; *(ugs.) so weit geht die Liebe nicht* that´s going a bit too far; *von der Liebe leben* to sell one´s favours
Liebediener, sub, m, -s, - toady; **liebedienern** vi, fawn upon so
Liebelei, sub, f, -, -en flirtation; **lieben** vti, love, make love; **Liebende** sub, m,f, -n, -n lover; **liebenswert** adj, lovable; **liebenswürdig** adj, kind; *das ist sehr liebenswürdig von dir* that´s very kind of you; *sie hat so eine liebenswürdige Art* she has such an engaging way; **Liebenswürdigkeit** sub, f, -, nur Einz. goodness, kindness
lieber, **(1)** adj, s. lieb **(2)** adv, rather, sooner; *es wäre mir lieber mit dem Zug zu fahren* I´d rather go by train; *ich möchte lieber nichts sagen* I´d rather not say anything; *was ist dir lieber?* what would you prefer?; *er würde lieber sterben als* he´d sooner die than; *ich täte es lieber selbst* I´d sooner do it myself
Liebesaffäre, sub, f, -, -n love affair; **Liebesapfel** sub, m, -s, -äpfel (obs.) tomato; **Liebesbande** sub, nur

Mehrz. bonds of love; **Liebes brief** sub, m, -s, -e love-letter; **Liebesdienst** sub, m, -s, -e favour; **Liebesentzug** sub, m, -s, -züge withdrawal of affection; **Liebesgöttin** sub, f, -, -nen goddess of love; **Liebesheirat** sub, f, -, -en love-match; **Liebeskummer** sub, m, -s, nur Einz. lovesickness; **Liebeslaube** sub, n, -s, nur Einz. arbour; **Liebesleben** sub, n, -s, - love life; **Liebesnacht** sub, f, -, -nächte night of love; **Liebesroman** sub, m, -s, -e romantic novel; **Liebesspiel** sub, n, -s, -e petting; **Liebestöter** sub, nur Mehrz. long johns; **Liebeszauber** sub, m, -s, -s spell of love
liebevoll, adj, loving
lieb gewinnen, vt, grow fond of
Liebhaber, sub, m, -s, - acquired taste, enthusiast, lover; *für diese komischen Sachen wird man einen Liebhaber finden müssen* you´ll have to find someone with an acquired taste for these funny things; **~ei** sub, f, -, -en hobby
liebkosen, vt, caress; **Liebkosung** sub, f, -, -en caress
Liebling, sub, m, -s, -e darling, favourite
Lieblingstier, sub, n, -s, -e favourite animal
lieblos, adj, careless, unkind, unloving; *das Essen war sehr lieblos zubereitet* it was a carelessly prepared meal; *wenn du es so lieblos machst, kann es nichts werden* if you do it any old how, nothing can come of it
Liebreiz, sub, m, -es, -e charm; **liebreizend** adj, charming
Liebschaft, sub, f, -, -en love affair
Liebstöckel, sub, m, -s, - lovage
Lied, sub, n, -es, -er song; *(Weihnachten)* carol; *ein Lied anstimmen* to burst into song; *(ugs.) das Ende vom Lied* the outcome (of all this); *(ugs.) davon kann ich ein Lied singen* I can tell you a thing or two about that; *(ugs.) es*

ist immer dasselbe Lied it´s always the same old story

Liedchen, *sub, n, -s,* - little song; **Liederabend** *sub, m, -s, -e* evening of songs; **Liederjan** *sub, m, -(e)s, -e* wastrel

liederlich, *adj,* sloppy, slovenly; *Bruder Liederlich* wastrel

Liedermacher, *sub, m, -s,* - singer-songwriter

liederreich, *adj,* rich in songs

liedhaft, *adj,* song-like

Lieferant, *sub, m, -en, -en* deliveryman, supplier; **~in** *sub, f, -, -nen* deliverywoman, supplier

lieferbar, *adj,* available

Lieferfirma, *sub, f, -, -men* delivery firm, supplier; **Lieferfrist** *sub, f, -, -en* delivery period; *die Lieferfrist einhalten* to meet the delivery date, to meet the delivery date

liefern, *vti,* deliver, supply; *(spo.) ein spannendes Spiel liefern* to put on an exciting game; *(ugs.) jetzt sind wir geliefert* that´s the end; *jmd ein Wortgefecht liefern* to do verbal battle with sb; *(Handel) ins Ausland liefern* to supply the foreign market

Liege, *sub, f, -, -n* couch; *(Camping)* campbed

liegen, *vi, (ausgebreitet sein)* be, lie; *(sich befinden)* be; *an mir soll es nicht liegen* I´ll go along with that; *das liegt bei dir* that is up to you; *das liegt mir nicht* that does not suit me; *der Kopf muss hoch liegen* the head must be higher than the rest of the body; *die Schuld liegt schwer auf ihm* his guilt weighs heavily on him; *einen Ort links liegen lassen* to pass by a place; *im Sterben liegen* to lie dying; *(Auto) in der Kurve liegen* to hold the corner; *mir liegt viel daran* that matters a lot to me; *seine Fähigkeiten liegen auf einem anderen Gebiet* his abilities lie in a different direction

Liegenschaft, *sub, f, -, -en* property, real estate; **Liegestuhl** *sub, m, -s,*

-stühle deck chair; **Liegestütz** *sub, m, -es, -e (spo.)* press-up

Lift, *sub, m, -s, -e o. -s* elevator, lift; **~boy** *sub, m, -s, -s* elevator boy, liftboy

liften, *vt,* lift; *sich das Gesicht liften lassen* to have a face-lift

Liga, *sub, f, -, Ligen* league; **~tur** *sub, f, -, -en* ligature

Ligist, *sub, m, -en, -en* leaguer

Lignin, *sub, n, -s, -e* lignin(e); **Lignit** *sub, m, -s, -e* brown coal

Liguster, *sub, m, -s, nur Einz.* privet

liieren, (1) *vr,* join forces; *(polit.)* join an alliance **(2)** *vt,* bring or get together; *liiert sein* to have joined forces

Likör, *sub, m, -s, -e* liqueur; **~essenz** *sub, f, -, -en* liqueur essence; **~flasche** *sub, f, -, -n* liqueur bottle

Liktor, *sub, m, -s, -en* lictor

lila, *adj,* purple

Lilie, *sub, f, -, -n* lily

Liliput, *sub, n, -s, nur Einz.* Lilliput; **~aner** *sub, m, -s, -* dwarf; *(Bewohner von Liliput)* Lilliputian; **~bahn** *sub, f, -, -en* miniature railway

Limbo, *sub, m, -s, nur Einz.* limbo

Limeskastell, *sub, n, -s, -e* limes castle

Limette, *sub, f, -, -n* lime; **~nsaft** *sub, m, -s, -säfte* lime juice

Limit, *sub, n, -s, -s o. -e* limit; *jmd ein Limit setzen* to set sb a limit; **~ation** *sub, f, -, -en* limitation; **limitieren** *vt,* limit; **~ierung** *sub, f, -, -en* limitation

Limnimeter, *sub, n, -s, -* limnimeter

limnologisch, *adj,* limnological

Limonade, *sub, f, -, -n* lemonade; *(i.w.S)* soft drink

Limone, *sub, f, -, -n* lime

Limousine, *sub, f, -, -n* limousine

Linde, *sub, f, -, -n* lime (tree); **~nallee** *sub, f, -, -n* linden avenue; **~nblatt** *sub, n, -es, -blätter* lime leaf; **~nblüte** *sub, f, -, -n*

lime blossom; **~nblütentee** *sub*, *m*, *-s*, *-s* lime blossom tea; **~nhonig** *sub*, *m*, *-s*, *-e* lime honey

lindern, *vt*, ease, relieve; **Linderung** *sub*, *f*, *-*, *-en* relief

Lindwurm, *sub*, *m*, *-s*, *-würmer* dragon, wyvern

Lineal, *sub*, *n*, *-s*, *-e* ruler

linear, *adj*, linear

Lineatur, *sub*, *f*, *-*, *-en* ruling

Linguallaut, *sub*, *m*, *-s*, *-e* lingual sound; **Linguist** *sub*, *m*, *-en*, *-en* linguist; **Linguistik** *sub*, *f*, *-*, *nur Einz.* linguistics; **linguistisch** *adj*, linguistic

Linie, *sub*, *f*, *-*, *-n* line; *(Personen)* rank; *(Verkehr)* route; *(i. ü. S.) auf der ganzen Linie* all along the line; *(i. ü. S.) auf der gleichen Linie* along the same lines; *auf die Linie achten* to watch one´s figure; *(mil.) die feindlichen Linien* the enemy lines; *(i. ü. S.) eine klare Linie für etwas finden* to give sth a clear sense of direction; *in erster Linie kommen* to come first; *in Linien antreten* fall in!; *auf einer Linie verkehren* to work a route

Liniment, *sub*, *n*, *-s*, *-e* *(anat.)* liniment

link, *adj*, *(Person)* double-crossing; *(Sachverhalt)* dirty; *(ugs.) ein ganz linker Hund* a nasty piece of work; *(ugs.) ein ganz linkes Ding drehen* to get up to a bit of no good; *komm mir nicht so link* stop messing me around

Linke, *sub*, *f*, *-n*, *-n* *(Hand, Boxen)* left hand; *f*, *-n*, *nur Einz.* *(polit.)* Left; *(Seite)* left (hand) side; *zur Linken des Königs* to the left of the king

linken, *vt*, *(ugs.)* con

linkisch, *adj*, awkward

links, *adv*, on the left (hand side); *jmdn links liegenlassen* to ignore sb; *(pol.) links stehen* to be leftwing; *links stricken* to purl; *von links* from the left

linksbündig, *adj*, flush left; **linksdrehend** *adj*, *(chem.)* laevorotato-

ry; **Linksdrehung** *sub*, *f*, *-*, *-en* counterclockwise turn; **linksextrem** *adj*, *(polit.)* extreme leftwing

Linksgalopp, *sub*, *m*, *-s*, *-s o. -e* canter left; **Linksgewinde** *sub*, *n*, *-s*, *-* left-handed thread

Linkshänder, *sub*, *m*, *-s*, *-* left-handed person; **linkshändig** *adj*, left-handed

linkslastig, *adj*, listing the left; *(polit.)* leftist; **linksläufig** *adj*, *(Gewinde)* left-handed; *(Schrift)* right-to-left; **linksliberal** *adj*, left-wing liberal

Linkspartei, *sub*, *f*, *-*, *-en* left-wing party; **linksradikal** *adj*, radically left-wing

linksseitig, *adj*, on the left(-hand) side

Linksverkehr, *sub*, *m*, *-s*, *nur Einz.* driving on the left; **Linkswendung** *sub*, *f*, *-*, *-en* left turn

Linoleum, *sub*, *n*, *-s*, *nur Einz.* lino(leum)

Linon, *sub*, *m*, *-(s)*, *-s* cotton/linen lawn

Linse, *sub*, *f*, *-*, *-n* *(bot., Küche)* lentil; *(Optik)* lens

Linsenfehler, *sub*, *m*, *-s*, *-* lens defect

linsenförmig, *adj*, lentiform

Linsensuppe, *sub*, *f*, *-*, *-n* lentil soup

Lipgloss, *sub*, *n*, *-*, *nur Einz.* lipgloss

Lipizzaner, *sub*, *m*, *-s*, *-* Lipizzaner

Lipom, *sub*, *n*, *-s*, *-e* fatty tumor

Lippe, *sub*, *f*, *-*, *-n* lip; *das bringe ich nicht über die Lippen* I can´t bring myself to say it; *(ugs.) das Wort erstarb ihm auf den Lippen* the word froze on his lips; *(ugs.) eine dicke Lippe riskieren* to be brazen; **~nblütler** *sub*, *m*, *-s*, *-* labiate; **~nstift** *sub*, *m*, *-es*, *-e* lipstick

liquid, *adj*, liquid; **Liquida** *sub*, *f*, *-*, *Liquidä oder Liquiden* liquid; **Liquidation** *sub*, *f*, *-*, *-en* liquidation; **~ieren** *vt*, *(Geschäft)* put inliquidation; *(Person)* · eliminate; **Liquidierung** *sub, f, -, -en (von Firma)* liquidation; *(von Person)* elimination; **Liquidität** *sub, f, -, nur Einz. (wirt.)* liquidity

lispeln, *vti*, lisp

Lissabonner, *sub, m, -s, -* native of Lisbon

List, *sub, f, -, -en (Täuschung)* cunning; *(trickreicher Plan)* trick; *zu einer List greifen* to use a bit of cunning; *mit List und Tücke* with a lot of coaxing

Liste, *sub, f, -, -n* list; *sich in eine Liste eintragen* to put one's name down on a list; **listen** *vti*, list; ~**nplatz** *sub, m, -es, -plätze (polit.)* place on the party list; ~**npreis** *sub, m, -es, -e* list price; **listenreich** *adj*, cunning; **listig** *adj*, cunning

Litanei, *sub, f, -, -en (theol.)* litany; *eine Litanei von Klagen* a long catalogue of complaints

Liter, *sub, m oder n, -s, -* litre

Litera, *sub, f, -, -s* serial letter

literarisch, *adj*, literary; **Literatentum** *sub, n, -s, nur Einz.* literary world; **Literatur** *sub, f, -, -en* literature; **Literaturwissenschaft** *sub, f, -, -en* literary studies

Litewka, *sub, f, -, Litewken* undress jacket

Litfaßsäule, *sub, f, -, -n* advertising column

Lithium, *sub, n, -s, nur Einz.* lithium

lithografieren, *vt*, lithograph

Lithologie, *sub, f, -, nur Einz.* lithology

litoral, *adj, (geol.)* littoral

Litotes, *sub, f, -, -* litotes

Litschi, *sub, f, -, -s* lychee

Liturg, *sub, m, -en, -en (relig.)* liturgist; ~**ie** *sub, f, -, -n* liturgy; ~**ik** *sub, f, -, nur Einz. (relig.)* liturgics; **liturgisch** *adj*, liturgical

Litze, *sub, f, -, -n* braid; *(elektrisch)* flex

live, *adj, adv*, live

Livesendung, *sub, f, -, -en* live programme

livländisch, *adj*, Livonian

Livree, *sub, f, -, -n* livery; **livriert** *adj*, liveried

Lizenz, *sub, f, -, -en* licence; *eine Lizenz für etwas haben* to be licensed to do sth; *etwas in Lizenz herstellen* to manufacture sth under licence; ~**geber** *sub, m, -s, -* licenser; *(Behörde)* licensing authority; ~**gebühr** *sub, f, -, -en* licence fee; **lizenzieren** *vt, (geb.)* license; ~**nehmer** *sub, m, -s, -* licensee; ~**nummer** *sub, f, -, -n* licence number; ~**träger** *sub, m, -s, -* licensee

Lob, *sub, n, -s, nur Einz.* praise; *(spo.)* lob; *ein Lob der Köchin* my compliments to the chef!; *Lob verdienen* to deserve praise

Lobelie, *sub, f, -, -n* lobelia

loben, *vt*, praise; *das lob ich mir* that's what I like; *etwas wird allgemein sehr gelobt* something is universally acclaimed; *jmdn lobend erwähnen* to commend sb; ~**swert** *adj*, laudable, praiseworthy; **Lobhudelei** *sub, f, -, -en* gushing; **Lobpreisung** *sub, f, -, -en* song of praise

Lobotomie, *sub, f, -, -n* lobotomy

Loch, *sub, n, -(e)s, Löcher (im Reifen)* puncture; *(Luft~)* gap; *(Öffnung, Lücke)* hole; *(ugs.) Löcher in die Luft starren* to gaze into thin air; *ein großes Loch in jmds Geldbeutel reißen* to make a big hole in sb's pocket; *jmd Löcher in den Bauch fragen* to pester the living daylights out of somebody; *sich ein Loch ins Knie schlagen* to gash one's knee; **lochen** *vti*, perforate; ~**er** *sub, m, -s, -* punch; *(Mensch)* punch-card operator; **löcherig** *adj*, full of holes; **löchern** *vt*, pester (death) with questions; *er löchert mich seit Wochen, wann* he's been pestering me for weeks wanting to know when

Locke, *sub, f, -, Locken* curl; *Locken haben* to have curly hair; **locken (1)** *vt, (Tiere/Versuchung)*

lure, *(Versuchung)* tempt (*L*) vt, *(Haare)* curl; *die Henne lockt ihre Küken* the hen is calling to its chicks; *das Angebot lockt mich sehr* I´m very tempted by the offer; *jmdn in einen Hinterhalt locken* to lure sb into a trap; **lockenköpfig** *adj,* curlyheaded; **~npracht** *sub, f, -, nur Einz.* magnificent head of curls; **~nwickel** *sub, m, -s, -* curler; **~nwickler** *sub, m, -s, -* curler

locker, *adj,* loose; *(Haltung, Sitzweise)* relaxed; *(ugs.) bei ihr sitzt die Hand ziemlich locker* she´s quick to lash out; *(ugs.) das mache ich ganz locker* I can do it just like that; *(ugs.) ein lockerer Vogel* a bit of a lad; *jmdn locker machen* to relax sb; **~lassen** *vi,* let up; *nicht lockerlassen* not to give or let up; **~machen** *vt, (ugs.)* shell out; *bei jmd 100 Mark lockermachen* to get sb to shell out 100 marks; **~n (1)** *vr,* work itself loose **(2)** *vt, (Griff, Vorschriften)* relax; **Lockerung** *sub, f, -, -en* loosening; *(auch Beziehungen)* relaxation

lockig, *adj,* curly

Lockspitzel, *sub, m, -s, -* agent provocateur

Lockung, *sub, f, -, -en* lure; *(Versuchung)* temptation; **Lockvogel** *sub, m, -s, -vögel* decoy

Loden, *sub, m, -s, -* loden (cloth); **~mantel** *sub, m, -s, -mäntel* loden (coat)

Löffel, *sub, m, -s, - (Besteck)* spoon; *(Jagd)* ear; *(ugs.) den Löffel abgeben* to kick the bucket; *(i. ü. S.) den Löffel abgeben* hand over the bucket; *(ugs.) jmd eins hinter die Löffel geben* to give sb a clout round the ears; *(ugs.) schreib dir das hinter die Löffel!* get that into your head!; **löffeln** *vt,* spoon; **~stiel** *sub, m, -s, -e* spoon-handle; **löffelweise** *adv,* by the spoonful

Lofoteninseln, *sub, f, -, nur Mehrz.* Lofoten Islands

Log, *sub, n, -s, -e (naut.)* log

Logarithmentafel, *sub, f, -, - n* log table; **logarithmieren** *vt,* find the log(arithm) of; **Logarithmus** *sub, m, -, -men* logarithm

Logbuch, *sub, n, -s, -bücher* log (book)

Loge, *sub, f, -, -n (Pförtner~, Freimaurer~)* lodge; *(theat.)* box

Loggia, *sub, f, -, Loggien* loggia; *(Balkon auch)* balcony

Logierbesuch, *sub, m, -s, -e (veraltet)* house-guest; **logieren** *vi,* stay

Logik, *sub, f, -, nur Einz.* logic; *dieser Aussage fehlt die Logik* this statement is lacking in logic; *du hast vielleicht eine Logik!* your logic is a bit quaint; **~er** *sub, m, -s, -* logician; **Logis** *sub, n, -, - (veraltet)* lodgings; *Kost und Logis* board and lodging; **logisch** *adj,* logical; *(ugs.; selbstverständlich)* natural

Logistik, *sub, f, -, nur Einz. (mil.)* logistics; **logistisch** *adj,* logistic

Logopäde, *sub, m, -n, -n* speech therapist; **Logopädie** *sub, f, -, nur Einz.* speech therapy; **logopädisch** *adj,* logopaedic

Lohe, *sub, f, -, -n (geh.)* raging flames

lohen, *vi,* blaze

Lohn, *sub, m, -(e)s, Löhne* reward; *(Arbeitsentgelt)* wage(s); *(Strafe)* punishment; *jmds verdienter Lohn* sb´s just reward; *Undank ist der Welt Lohn* never expect thanks for anything; *(veraltet) bei jmd in Lohn und Brot stehen* to be in sb´s employ; *wieviel Lohn bekommst du?* what are your wages?; **lohnabhängig** *adj,* on a payroll; **~ausfall** *sub, m, -s, -fälle* loss of earnings; **~büro** *sub, n, -s, -s* wages office; **~empfänger** *sub, m, -s, -* wage-earner; **lohnen (1)** *vir,* be worthwhile **(2)** *vt,* reward; *das lohnt sich nicht für mich* it´s not worth my while; *die Mühe lohnt sich* it is worth the effort, *er hat mir meine*

Hilfe mit Undank gelohnt he repaid my help with ingratitude; **loh-nenswert** *adj*, worthwhile; **~erhöhung** *sub, f, -, -en* rise; **lohnintensiv** *adj*, wage-intensive; **~kürzung** *sub, f, -, -en* wage cut; **~steuer** *sub, f, -, -n* income tax; **~stopp** *sub, m, -s, -stopps* pay freeze; **~tüte** *sub, f, -, -n* pay packet; **~verhandlung** *sub, f, -, -en* wage negotiations; **~verzicht** *sub, m, -s, -e* renunciation of maximum pay; **~zettel** *sub, m, -s, -* pay slip

◄ **Loipe,** *sub, f, -, -n* cross-country ski run

lokal, (1) *adj*, local (2) **Lokal** *sub, n, -s, -e* pub, restaurant; **Lokalanästhesie** *adv*, local anaesthesia; **Lokalbericht** *sub, m, -s, -e* local news; **Lokalderby** *sub, n, -s, -s* local derby **Lokalisation,** *sub, f, -, -en* location; *(med.)* localization; **lokalisieren** *vt*, locate; *(med.)* localize

Lokalität, *sub, f, -, -en (örtl. Beschaffenheit)* locality; *(Raum)* facilities; *sich mit den Lokalitäten auskennen* to know the district; *die Lokalitäten verlassen* to leave the premises

Lokalkolorit, *sub, n, -s, -e* local colour; **Lokalpatriotismus** *sub, m, -, nur Einz.* local patriotism; **Lokalpresse** *sub, f, -, nur Einz.* local press; **Lokalredaktion** *sub, f, -, -en* local newsroom; **Lokaltermin** *sub, m, -s, -e (jur.)* visit the scene of the crime; **Lokalzeitung** *sub, f, -, -en* local newspaper

Lokativ, *sub, m, -s, -e (gramm.)* locative (case)

Lokogeschäft, *sub, n, -s, -e (wirt.)* spot deal

Lokomotive, *sub, f, -, -n* locomotive

Lokus, *sub, m, - oder -ses, -se* toilet; *(haupts. US)* bathroom

lombardieren, *vt, (wirt.)* accept as collateral; **Lombardsatz** *sub, m, -es, -sätze* rate for loans on security

Lomberspiel, *sub, n, -s, nur Einz. (Kartenspiel)* lomber

Longdrink, *sub, m, -s, -s* long drink

longieren, *vt, (Pferd)* lunge

longitudinal, *adj*, longitudinal

Longseller, *sub, m, -s, -* long seller

Look, *sub, m, -s, -s (Mode)* look

Looping, *sub, m oder n, -s, -s* looping the loop; *einen Looping machen* to loop the loop

Lorbass, *sub, m, -es, -e (dial.ugs.)* sly devil

Lorbeer, *sub, m, -s, -en* laurel; *damit kannst du keine Lorbeeren ernten* that´s no great achievement; *er hat allein die Lorbeeren eingeheimst* he took the credit himself; *sich auf seinen Lorbeeren ausruhen* to rest on one´s laurels; **~baum** *sub, m, -s, -bäume* laurel tree; **~blatt** *sub, n, -s, -blätter* bayleaf; **lorbeergrün** *adj*, laurel green; **~kranz** *sub, m, -es, -kränze* laurel wreath; **~zweig** *sub, m, -s, -e* sprig of laurel

Lorchel, *sub, f, -, -n* mitre mushroom

Lord, *sub, m, -s, -s* lord; **~kanzler** *sub, m, -s, -* lord chancellor

Lore, *sub, f, -, -n* tipper; *(Eisenbahn)* truck

Lorgnette, *sub, f, -, -n* lorgnette

Lorgnon, *sub, n, -s, -s* lorgnon

lösbar, *adj*, soluble

losbekommen, *vt*, get off; **losbinden** *vt*, untie

Löschapparat, *sub, m, -s, -e* fire extinguisher; **Löscharbeit** *sub, f, -, -en* fire-fighting operations; **löschen** *vt*, put out; *(Daten)* delete; *(Feuer)* extinguish; *(Ladung)* unload; *(Licht)* switch off; **Löschpapier** *sub, n, -s, nur Einz.* blotting paper; **Löschung** *sub, f, -, -en (Daten)* deletion; *(Ladung)* unloading; **Löschwasser** *sub, n, -s, nur Einz.* water for firefighting; **Löschzug** *sub, m, -s, -züge* set of fire-fighting appliances

lose, *adj*, loose; *(Seil)* slack

Lösegeld, *sub, n, -s, -er* ransom

loseisen, *vtr, (ugs.)* get away from

losen, *vi*, draw lots; *wir losen, wer*

lösen, (1) *vr, (Schmutz)* loosen; *(sich losmachen)* detach oneself **(2)** *vt,* remove; *(Problem)* solve **(3)** *vt/vr,* dissolve; *das Boot hat sich aus der Verankerung gelöst* the boat has broken its moorings, *eine Gestalt löste sich aus der Dunkelheit* a figure detached itself from the darkness; *sich lösen von jmd* to break away from sb; *sich von Verpflichtungen lösen* to free oneself of duties; *sich von Vorurteilen lösen* to rid oneself of prejudices; *sie löste ihre Hand aus der seinen* she slipped her hand out of his; *sich von selbst lösen* to solve itself, *ihre Anspannung löste sich in Tränen* her tension found relief in tears

Losentscheid, *sub, m, -s, -e* decision by drawing lots

losfahren, (1) *vi, (abfahren)* set off **(2)** *vt,* attack; **losfliegen** *vi,* fly off; **losgehen (1)** *vi, (ugs.; beginnen)* start; *(weggehen)* set off **(2)** *vt, (angreifen)* go for; *gleich geht´s los* it´s just about to start; *jetzt geht´s aber los!* do you mind!; *jetzt geht´s los* here we go!, *mit dem Messer auf jmdn losgehen* to go for sb with a knife; **loshaben** *vi, (ugs.)* be pretty clever; *nichts loshaben* to be pretty stupid; **loslassen** *vt, (abfeuern)* let off; *(nicht mehr festhalten)* let go (of); *das Buch lässt mich nicht mehr los* I can´t put the book down; *der Gedanke lässt mich nicht mehr los* the thought haunts me; **loslassen (auf)** *vt,* set loose (on); *die Hunde auf jmdn loslassen* to put the dogs on(to) sb; *sowas lässt man auf die Menschheit los* what a thing to unleash on an unsuspecting world; *wehe, wenn sie losgelassen* once let them off the leash; **loslegen** *vi, (ugs.)* get going/started; *er legte gleich mit seinen Ideen los* he started on about his ideas; *nun leg mal los und erzähle* now come on and tell me

lich not readily soluble; **Löslichkeit** *sub, f, -, -en* solubility

loslösen, (1) *vr,* become loose, detach oneself from **(2)** *vt,* remove from; *sich von jmd loslösen* to break away from sb; **losmachen (1)** *vi, (ugs.; sich beeilen)* step on it **(2)** *vr,* get away from **(3)** *vt,* free; *der Hund hat sich losgemacht* the dog has got loose, *jmdn von einer Kette losmachen* to unchain sb; *was losmachen* to have some action; **losreissen (1)** *vr,* break free **(2)** *vt,* tear off; *sich losreißen* to break loose, *jmdn losreißen* to tear sb away; **lossagen** *vr,* renounce; *sich von etwas lossagen* to renounce sth; *sich von seiner Vergangenheit lossagen* to break with one´s past; **losschicken** *vt,* send off; **losschießen** *vi, (zu schießen anfangen)* open fire; *schieß los!* fire away!; **losschlagen (1)** *vi,* hit out **(2)** *vt, (verkaufen)* get rid of; *aufeinander losschlagen* to go for one another; **losschrauben** *vt,* unscrew

lossprechen, *vt, (relig.)* absolve; **Lossprechung** *sub, f, -, -en* absolution

Löss, *sub, m, -es, -e* loess

Lost, *sub, m, -(e)s, nur Einz.* mustard gas

Lostrommel, *sub, f, -, -n* drum

Lösung, *sub, f, -, -en* solution; *(Annullierung)* cancellation; *zur Lösung dieser Schwierigkeiten* to resolve these problems; **~smittel** *sub, n, -s, -* solvent; **Lösungswort** *sub, n, -es, -worte* password

loswerden, *vt,* get rid of; *(Geld)* lose; *er wird seine Erkältung einfach nicht los* he can´t shake off his cold

losziehen, (1) *vi,* set out **(2)** *vt, (ugs.)* lay into

Lot, *sub, n, -(e)s, -e (math.)* perpendicular; *(naut.)* plumbline; *das Lot fällen* to drop a perpendicular; *die Sache ist wieder im Lot* things have been straightened out; *die Sache wieder ins Lot bringen* to put the record straight; *seine Finanzen wieder ins Lot bringen* to put one´s finances back on an even keel

loten, *vt,* plumb

löten, *vti,* solder

Lothringen, *sub, n, -s, nur Einz.* Lorraine; **lothringisch** *adj,* Lorrainese

Lotion, *sub, f, -, -en* lotion

Lötlampe, *sub, f, -, -n* blowlamp

Lotosblume, *sub, f, -, -n* lotus (flower)

Lotse, *sub, m, -n, -n* flight controller; *(i. ü. S.)* guide; **~ndienst** *sub, m, -es, -e* pilot service

lotsen, *vt,* guide; *(ugs.) jmdn irgendwohin lotsen* to drag sb somewhere

Lotterie, *sub, f, -, -n* lottery; *(Tombola)* raffle; **~los** *sub, n, -es, -e* lottery ticket

lotterig, *adj,* sloppy, slovenly; *lotterig herumlaufen* to go around looking a mess; **Lotterigkeit** *sub, f, -, nur Einz.* slovenliness

Lotterleben, *sub, n, -s, nur Einz. (ugs.)* dissolute life

Lotto, *sub, n, -s, -s* national lottery; *(ugs.) du hast wohl im Lotto gewonnen* you must have won the pools; *Lotto spielen* to do the national lottery; *Sie haben wohl Ihren Führerschein im Lotto gewonnen!* how on earth did you ever pass your driver´s licence?; **~gewinn** *sub, m, -s, -e* Lotwin; **~schein** *sub, m, -s, -e* Lotcoupon; **~zahlen** *sub, f, -, nur Mehrz.* winning Lotnumbers; **~zettel** *sub, m, -s, -* Lotcoupon

Lounge, *sub, f, -, -s* lounge

Löwe, *sub, m, -n, -n* lion; *(astron., astrol.)* leo; *sich in die Höhle des Löwen wagen* to beard the lion in his den; *im Zeichen des Löwen geboren sein* to be born under the sign of Leo; *Löwe sein* to be (a) Leo; **~nanteil** *sub, m, -s, nur Einz. (ugs.)* lion´s share; **~nmaul** *sub, n,*

-s, -mäuler snapdragon; **~nmut** *sub, m, -s, nur Einz. (geh.)* leonine courage; **~nzahn** *sub, m, -s, -zähne* dandelion; **Löwin** *sub, f, -, -nen* lioness

loyal, *adj,* loyal; *einen Vertrag loyal auslegen* to interpret a contract faithfully; **Loyalität** *sub, f, -, -en* loyalty

Luchs, *sub, m, -es, -e* lynx; *Augen wie ein Luchs haben* to be eagle-eyed, to have eyes like a hawk; **luchsen** *vi, (ugs.)* peep

Lücke, *sub, f, -, -n* gap; *(Unvollständigkeit)* hole; *(zwischen Wörtern)* space; *Lücken im Wissen haben* to have gaps in one´s knowledge; *sein Tod hinterließ eine schmerzliche Lücke* his death has left a void in our lives; **~nbüßer** *sub, m, -s, - (ugs.)* stopgap; **lückenhaft** *adj,* full of gaps; *(Bericht, Beweis)* incomplete; *sein Wissen ist sehr lückenhaft* there are great gaps in his knowledge; **lückenlos** *adj,* complete

Lude, *sub, m, -n, -n (ugs.)* pimp

Luder, *sub, n, -s, -* minx; *armes Luder* poor creature; *was für ein ordinäres Luder* what a common little hussy!

Luffa, *sub, f, -, -s* loofah; **~schwamm** *sub, m, -s, -schwämme* vegetable sponge

Luft, *sub, f, -, nur Einz.* air; *(Atem)* breath; *f, -, Lüfte (geh.; nur Plural)* skies; *f, -, nur Einz. (Platz)* space; *(Wind)* breeze; *das kann sich doch nicht in Luft aufgelöst haben* it can´t have vanished into thin air; *die Behauptung ist aus der Luft gegriffen* this statement is pure invention; *(geh.) die Lüfte* the skies; *es liegt ein Gewitter in der Luft* there´s a storm brewing in the air; *(ugs.) etwas in die Luft jagen* to blow sth up; *frische Luft schnappen* to get some fresh air; *im Zimmer ist schlechte Luft* the room is stuffy; *(ugs.) jmdn an die Luft setzen* to show sb the door;

jmdn in der Luft zerreißen to tear sb to pieces; *jmdn wie Luft behandeln* to treat sb as though he didn´t exist; *vor Freude in die Luft springen* to jump for joy; *der Kragen schnürt mir die Luft ab* this collar is choking me; *die Luft anhalten* to hold one´s breath; *nach Luft schnappen* to gasp for breath; *(ugs.) nun halt mal die Luft an!* hold your tongue!; *tief Luft holen* to take a deep breath; *etwas Luft dazwischen lassen* to leave a space in between; *laue Lüfte* gentle breezes; *seinem Ärger Luft machen* to give vent to one´s anger; *sich Luft machen* to get everything off one´s chest; **~angriff** *sub, f, -, -n* air-raid; *einen Luftangriff auf eine Stadt fliegen* to bomb a town; **~aufnahme** *sub, f, -, -n* aerial photo(graph); **~aufsicht** *sub, f, -, -en* air (traffic) control; **~bewegung** *sub, f, -, -en* movement of the air; **~bild** *sub, n, -s, -er* aerial picture; **~brücke** *sub, f, -, -n* airlift; *über eine Luftbrücke* by airlift

Lüftchen, *sub, n, -s, -* breeze

luftdicht, *adj*, airtight; *die Ware ist luftdicht verpackt* the article is in airtight packaging; *ein luftdicht verschlossener Behälter* a container with an airtight seal

Luftdruck, *sub, m, -s, -drücke* air pressure

Luftembolie, *sub, f, -, -n (med.)* air embolism

lüften, *(1) vt, (hochheben)* raise *(2) vti*, air

Lüfter, *sub, m, -s, -* fan

Luftfahrt, *sub, f, -, nur Einz.* aeronautics; *(Flugzeuge)* aviation; **Luftfahrzeug** *sub, n, -s, -e* aircraft

Luftfilter, *sub, m oder n, -s, -* air filter

Luftflotte, *sub, f, -, -n* air fleet

luftgekühlt, *adj*, air-cooled

Luftgewehr, *sub, n, -s, -e* air-rifle

Luftheizung, *sub, f, -, -en* hot-air heating

Lufthoheit, *sub, f, -, -en* air sovereignity

luftig, *adj, (Kleidung)* light, *(Zimmer)* airy; *in luftiger Höhe* at a dizzy height

Luftikus, *sub, m, -(ses), -se (ugs.)* happy-go-lucky sort of fellow

Luftkorridor, *sub, m, -s, -e* air corridor

luftkrank, *adj*, air-sick

Luftkrieg, *sub, m, -s, -e* aerial warfare; *Luft- und Seekrieg* warfare at sea and in the air

Luftlandetruppe, *sub, f, -, -n* airborne troops

luftleer sein, *vi*, be vacuum

Luftlinie, *sub, f, -, -n* as the crow flies

Luftloch, *sub, n, -s, -löcher* airhole

Luftmatratze, *sub, f, -, -n* airbed; *(Markenname)* lilo

Luftpolster, *sub, n, -s, -* air cushion

Luftpost, *sub, f, -, nur Einz.* airmail; *mit Luftpost* by airmail

Luftpumpe, *sub, f, -, -n* air pump; *(Fahrrad)* bicycle pump

Luftqualität, *sub, f, -, nur Einz.* air quality

Luftraum, *sub, m, -s, nur Einz.* airspace

Luftröhre, *sub, f, -, -n* windpipe

Luftschacht, *sub, m, -s, -schächte* ventilation shaft

Luftschaukel, *sub, f, -, -n* swingboat

Luftschicht, *sub, f, -, -en* layer of air

Luftschiff, *sub, n, -s, -e* airship

Luftschiffer, *sub, m, -s, -* aeronaut

Luftschlacht, *sub, f, -, -en* air battle; *die Luftschlacht um England* the Battle of Britain

Luftschlange, *sub, f, -, -n* streamer

Luftschloss, *sub, n, -es, -schlösser (i. ü. S.)* castle in the air; *(i. ü. S.) Luftschlösser bauen* to build castles in the air

Luftschraube, *sub, f, -, -n* propeller

Luftschutz, *sub, m, -es, nur Einz.* anti-aircraft defence; **~raum** *sub, m, -s, -räume* air-raid shelter

Luftverkehr, *sub, m, -s, nur Einz.* air traffic

Luftverschmutzung, *sub, f, -, nur Einz.* air pollution

Luftwaffe, *sub, f, -, nur Einz.* air force

Luftwechsel, *sub, m, -s, - (tech.)* air reversal

Luftweg, *sub, m, -s, -e* air route; *etwas auf dem Luftweg befördern* to transport by air

Luftzug, *sub, m, -s, nur Einz.* wind; *(in Gebäude)* draught

luganesisch, *adj,* of Lugano

Lüge, *sub, f, -, -n* lie; *das ist alles Lüge* it´s all lies; *jmdn einer Lüge beschuldigen* to accuse sb of lying; *jmdn Lügen strafen* to belie sb; *Lügen haben kurze Beine* truth will out; **lugen** *vi, (dial.)* peep; **lügen** *vi,* fib, lie; *Ich müsste lügen, wenn* I would be lying if; *das ist gelogen!* that´s a lie!; *lügen wie gedruckt* to lie like mad; *wer einmal lügt, dem glaubt man nicht, wenn er auch die Wahrheit spricht* remember the boy who cried `wolf´; **~nbold** *sub, m, -s, -e (veraltet)* inveterate liar; **~ndetektor** *sub, m, -s, -en* lie detector; **~ngebäude** *sub, n, -s, -* tissue of lies; **~ngewebe** *sub, n, -s, -* tissue of lies; **Lügner** *sub, m, -s, -* liar; **lügnerisch** *adj,* untruthful; *(Mensch)* lying

Luke, *sub, f, -, -n (Dach)* skylight

lukrativ, *adj,* lucrative

lukullisch, *adj,* epicurean

Lukullus, *sub, m, -s, nur Einz. (i. ü. S.)* gourmet

Lumberjack, *sub, m, -s, -s (veraltet)* lumberjack

Lumineszenz, *sub, f, -, -en* luminescence; **lumineszieren** *vi,* luminesce

Luminografie, *sub, f, -, nur Einz.* luminography

Lümmel, *sub, m, -s, -* lout; *du Lümmel, du* you rascal you, you rogue you

Lumpen, *sub, m, -s, -* rag; *(Lappen)* cloth

lumpig, *adj, (Gesinnung)* shabby; *(Kleidung)* ragged; *lumpige 10 Mark* 10 measly marks

lunar, *adj, (astr.)* lunar; **Lunarium** *sub, n, -s, Lunarien* lumarium

lunchen, *vi,* lunch

Lunchpaket, *sub, n, -s, -e* packed lunch

Lunge, *sub, f, -, -n* lungs; *auf Lunge rauchen* to inhale; *die grüne Lunge einer Großstadt* the lungs of a city; *(ugs.) sich die Lunge aus dem Leib husten* to cough one´s lungs out; *sich die Lunge aus dem Leib schreien* to yell till one is blue in the face; **~nbraten** *sub, m, -s, -* loin roast; **~nentzündung** *sub, f, -, -en* pneumonia; **~nfisch** *sub, m, -s, -e* lung fish; **~nflügel** *sub, m, -s, -* lung; **lungenkrank** *adj,* tubercular; *lungenkrank sein* to have a lung disease; **~nkrebs** *sub, m, -es, nur Einz.* lung cancer; **~ntumor** *sub, m, -s, -e* lung tumour

lungern, *vi, (ugs.)* hang about

Lunte, *sub, f, -, -n* fuse; *Lunte riechen* to smell a rat; **~nschnur** *sub, f, -, -schnüre* fuse

Lupe, *sub, f, -, -n* magnifying glass; *etwas unter die Lupe nehmen* to examine sth closely, to keep a close eye on sth; *so etwas kannst du mit der Lupe suchen* things like that are few and far between

Lurch, *sub, m, -(e)s, -e* amphibian

Lure, *sub, f, -, -n* lur

lusitanisch, *adj,* Lusitanian

Lust, *sub, f, -, Lüste* pleasure; *(Neigung)* inclination; *(sexuell)* lust; *(sinnlich)* desire; *da kann einem die Lust vergehen* it puts you off; *er hat die Lust daran verloren* he has lost all interest in it; *ich habe immer mit Lust und Liebe gekocht* I´ve always enjoyed cooking; *jmd die Lust an etwas nehmen* to take all the fun out of sth for sb; *hast du Lust?* how about it?; *ich habe keine Lust zu arbeiten* I´m not in the mood for working, *ich habe keine Lust, das zu tun* I don´t feel like doing that; *(ugs.) ich habe nicht übel Lust, I´ve* a good mind to; *ich hätte Lust dazu* I´d like to; *je nach Lust und Laune* just depending on your/my mood; *mach, wie du Lust hast* do as you like; *seinen Lüsten frönen* to indulge one´s lusts; *er/sie hat Lust* he/she is feeling like a bit; *(ugs.) Lust haben* to feel desire; *seinen Lüsten frönen* to indulge one´s desires; **~barkeit** *sub, f, -, -en (veraltet)* festivity; **~garten** *sub, m, -s, -gärten (veraltet)* pleasance; **~mord** *sub, m, -s, -e* sex murder; **~prinzip** *sub, n, -s, nur Einz.* pleasure principle; **~schloss** *sub, n, -schlosses, -schlösser* summer residence; **~spiel** *sub, n, -s, -e* comedy

Lüster, *sub, m, -s, -* chandelier

Lüsterklemme, *sub, f, -, -n (elektrisch)* connector

lüstern, *adj,* lecherous; *nach etwas lüstern sein* to lust after sth; **Lüsternheit** *sub, f, -, nur Einz.* lecherousness

Lustigkeit, *sub, f, -, nur Einz. (Komik)* funniness; *(Munterkeit)* merriness

Lüstling, *sub, m, -s, -e* debauchee; *ein alter Lüstling* a debauched old man, an old lecher

lustlos, *adj,* unenthusiastic

lustvoll, (1) *adj,* full of relish **(2)** *adv,* with relish

lustwandeln, *vi,* stroll

Lutein, *sub, n, -s, -e* xanthophyll

Lutetium, *sub, n, -s, nur Einz.* lutetium

Lutschbeutel, *sub, m, -s, -* suckingbag

lutschen, *vti,* suck

Lutscher, *sub, m, -s, -* lollipop

Luv, *sub, f, -, nur Einz.* windward side; *nach Luv* to windward

luven, *vi,* luff (up)

luxuriös, *adj,* luxurious; *ein luxuriöses Leben* a life of luxury

Luxus, *sub, m, -, nur Einz.* luxury; *den Luxus lieben* to love luxury; *ich leiste mir den Luxus und* I´ll treat myself to the luxury of; *im Luxus leben* to live in (the lap of) luxury; *mit etwas Luxus treiben* to be extravagant with sth, to lash out on sth; **~artikel** *sub, m, -s, -* luxury article; **~ausgabe** *sub, f, -, -n* de luxe edition; **~dampfer** *sub, m, -s, -* luxury cruise ship; **~wohnung** *sub, f, -, -en* luxury flat

Luzerne, *sub, f, -, -n (bot.)* lucerne; **~nheu** *sub, n, -s, nur Einz.* lucerne hay

Luzidität, *sub, f, -, nur Einz.* lucidity; **luzid** *adj, (durchsichtig)* translucent

Lymphe, *sub, f, -, nur Einz.* lymph; **lymphatisch** *adj,* lymphatic; **Lymphknoten** *sub, m, -s, -* lymph nod; **Lymphozyt** *sub, m, -en, -en* lymphocyte

lynchen, *vt,* lynch; **Lynchjustiz** *sub, f, -, nur Einz.* lynch-law

lyophil, *adj,* lyophil

Lyra, *sub, f, -, Lyren* lyre

Lyrik, *sub, f, -, nur Einz.* lyric poetry; **~er** *sub, m, -s, -* lyric poet; **lyrisch** *adj,* lyric(al)

Lysin, *sub, n, -s, -e (biol.)* lysin

Lyzeum, *sub, n, -s, Lyzeen* girls´ grammar school

M

Maat, *sub, m, -(e)s, -e, -en* mate

Machandel, *sub, m, -s, -n* juniper (tree)

Machbarkeit, *sub, f, -, nur Einz.* feasibility

Mache-Einheit, *sub, f, -, nur Einz. (phys.)* Mache-unit

machen, (1) *vi, (ugs.; sich beeilen)* get a move on **(2)** *vr, (sich entwickeln)* come on/along **(3)** *vt,* do, make; *(ergeben, kosten)* be; *sie machten, dass sie heimkamen* they hurried home, *(da ist) nichts zu machen* (there's) nothing to be done; *das Bett machen* to make the bed; *das Wohnzimmer muss mal wieder gemacht werden* the livingroom needs doing again; *er macht, was er will* he does what he wants; *es ist schon gut gemacht, wie* it's good the way; *ich kann da auch nichts machen* I can't do anything about it either; *ich mache einen Englischkurs* I'm doing an English course; *so etwas macht man nicht* that sort of thing just is not done; *was habe ich nur falsch gemacht?* what have I done wrong?; *was machst du da?* what what are you doing (there)?; *was macht das Auto hier in Frankfurt?* what's this car doing here in Frankfurt?; *was macht dein Bruder beruflich?* what does your brother do for a living?; *3 und 6 macht 9* 3 and 6 make(s) 9; *aus dem Haus könnte man schon etwas machen* you could really make sth of that house; *aus Holz gemacht* made of wood; *das macht die Kälte* it's the cold that does that; *das macht zusammen 25 altogether that's 25; *die Straße macht einen Knick* the road bends; *eine Prüfung machen* to take an exam; *einen Stuhl freimachen* to vacate a chair; *etwas machen lassen* to have sth made; *Fotos machen* to take photos; *Jagd machen auf etwas* to hunt sth; *(verursachen) jmd Angst machen* to make sb afraid; *jmd einen Drink machen* to get sb a drink; *jmd Hoffnung machen* to give sb hope; *jmdn nervös machen* to make sb nervous; *jmdn zu etwas machen* to turn sb into sth; *jmdn zum Anführer machen* to make sb leader; *lass ihn nur machen* just let him do it; *mach es ihm nicht noch schwerer* don't make it harder for him; *mach mir einen guten Preis!* make me an offer; *mach, dass du hier verschwindest* (you just) get out of here!; *machen, dass etwas geschieht* to make sth happen; *sich an etwas machen* to get down to sth; *sich in die Hosen machen* to wet oneself; *von sich reden machen* to be much talked about; *das lässt er nicht mit sich machen!* he won't stand for that; *der Regen macht mir nichts* I don't mind the rain; *die Kälte macht dem Motor nichts* the cold doesn't hurt the engine; *er macht auf Schau* he's out for effect; *(ugs.) er wird's nicht mehr lang machen* he won't last long; *(ugs.) es mit jmd machen* to do it with sb; *(beruflich) in etwas machen* to be in sth; *jetzt macht sie auf große Dame* she's playing the lady now; *mach's kurz!* be brief; *macht nichts!* doesn't matter; *(ugs.) mit mir kann man's ja machen!* the things I put up with!; *wieviel macht das?* how much is that?

machen (aus), *vr, (mögen)* like; *sich nichts aus etwas machen* not to let sth bother one; *sich wenig aus jmd machen* not to be very keen on sb

Machenschaft, *sub, f, -, -en, nur Mehrz.* wheelings and dealings

Macher, *sub, m, -s, -* man of action

Machete, *sub, f, -, -n* machete

Machination, *sub, f, -, -en* artifice,

intrigue

Machismo, *sub, m, -s, nur Einz.* machismo

Macho, *sub, m, -s, -s (ugs.)* macho

Machorka, *sub, m/f, -s/-, -s* wild tobacco

Macht, *sub, f, -, Mächte* power; *(Heer)* forces; *f, -, nur Einz. (Stärke)* might; *alles in unserer Macht stehende* everything within our power; *an der Macht sein* to be in power; *die Macht der Gewohnheit* the force of habit; *die Macht ergreifen* to seize power; *die Macht übernehmen* to assume power; *(überirdisch) die Mächte der Finsternis* the Powers of Darkness; *es stand nicht in seiner Macht* it did not lie within his power to; *seine Macht behaupten* to maintain control; *Macht geht vor Recht* might is right; *mit aller Macht* with all one´s might, with might and main; **~anspruch** *sub, m, -es, -sprüche* claim power; **~bereich** *sub, m, -(e)s, -e* sphere of influence; **Mächtegruppe** *sub, f, -, -n* group of powers; **~haber** *sub, m, -s, -* ruler; *(pej.)* dictator; *die Machthaber in Uganda* the rulers in Uganda; *die Machthaber in Uganda* the powers-that-be in Uganda; **~hunger** *sub, m, -s, nur Einz.* hunger for power; **~mittel** *sub, n, -s, -* instrument of power; **~streben** *sub, n, -s, nur Einz.* striving for power; **~wechsel** *sub, m, -s, -* changeover of power

mächtig, (1) *adj, (sehr groß)* mighty (2) *adv, (ugs.)* tremendously

machtlos, *adj*, powerless; *gegen diese Argumente war ich machtlos* I was powerless against these arguments

machtvoll, *adj*, powerful

Machwerk, *sub, n, -(e)s, -e* sorry effort; *das ist ein Machwerk des Teufels* that is the work of the devil

Macker, *sub, m, -s, - (ugs.)* bloke, guy; *(ugs.) spiel hier nicht den Macker* don´t come the tough guy here;

spiel hier nicht den Macker don´t come the tough guy here

madagassisch, *adj*, Madagascan

Madam, *sub, f, -, -s* lady; *meine Madam* my old lady; **~e** *sub, f, -, -s* lady

Mädchen, *sub, n, -s, -* girl; *ein Mädchen für alles* a dogsbody, *(Haushalt)* a maid-of-all-work; *ein unberührtes Mädchen* a virgin; **mädchenhaft** *adj*, girlish; *mädchenhaft aussehen* to look like a (young) girl; *sich mädchenhaft kleiden* to dress like a girl; **~herz** *sub, n, -ens, -en* heart of a girl; **~name** *sub, m, -ns, -n (von verheirateter Frau)* maiden name; *(Vorname)* girl´s name

Made, *sub, f, -, -n* maggot; *wie die Made im Speck leben* to live in (the lap of) luxury, to live in clover

Madeira, *sub, f, -s, nur Einz.* Madeira; **~wein** *sub, m, -es, -e* Madeira

Mademoiselle, *sub, f, -, -s* Miss

Madonna, *sub, f, -, -nen* Madonna; **Madonnenbild** *sub, n, -(e)s, -er* picture of the Madonna; **madonnenhaft** *adj*, madonna-like

Madrasgewebe, *sub, n, -s, nur Einz.* Madras (muslin)

Madrigal, *sub, n, -s, -e* madrigal; **~chor** *sub, m, -(e)s, -chöre* Madrigal choir; **~stil** *sub, m, -(e)s, -e* Madrigal style

Maestro, *sub, m, -s, -s oder Maestri* maestro

Mafioso, *sub, m, -s, Mafiosi* mafioso

Magazin, *sub, n, -s, -e (am Gewehr, Zeitschrift)* magazine; *(Lager)* store-room

magazinieren, *vt*, store

Magd, *sub, f, -, Mägde* maid(en); *Maria, die Magd des Herrn* Mary, the handmaid of the Lord; *Maria, die reine Magd* Mary, the holy virgin

Magdeburger, *sub, m, -s, -* inhabitant of Magdeburg

Magen, *sub, m, -s, Mägen* stomach; *auf nüchternen Magen* on an empty stomach; *es liegt jmd wie Blei im Magen* sth lies heavily on sb´s stomach; *etwas liegt jmd schwer im Magen* sth preys on sb´s mind; *jmd auf den Magen schlagen* to upset sb´s stomach; *Liebe geht durch den Magen* the way to a man´s heart is through his stomach; *sich den Magen verderben* to upset one´s stomach; **~ausgang** *sub, m, -es, -gänge (anat.)* pylorus; **~bitter** *sub, m, -s, nur Einz.* bitters; **~drükken** *sub, n, -s,* - stomach-ache; **~eingang** *sub, m, -es, -gänge (anat.)* entrance the stomach; **~fistel** *sub, f, -, -n* gastric fistula; **~gegend** *sub, f, -, -en* stomach region; **~geschwür** *sub, n, -(e)s, -e* stomach ulcer; **~katarr** *sub, m, -s, nur Einz.* stomach cold; **~knurren** *sub, n, -s, nur Einz.* rumbles; **~krampf** *sub, m, -es, -krämpfe* stomach cramp; **~leiden** *sub, n, -s,* - stomach disorder; **magenleidend sein** *vi,* have stomach trouble; **~schmerz** *sub, m, -es, -en* stomach pains

Magenta, *sub, n, -, nur Einz.* magenta

mager, *adj, (dünn)* thin; *(dürftig)* meagre; *(Fleisch)* lean; *die sieben mageren Jahre* the seven lean years

Magerkeit, *sub, f, -, nur Einz.* leanness; *(Menschen)* thinness

Magermilch, *sub, f, -, nur Einz.* skimmed milk

Magie, *sub, f, -, nur Einz.* magic; **~r** *sub, m, -s,* - magician

Magister, *sub, m, -s,* - *(univ.)* Master of Arts

Magistrat, *sub, m, -(e)s, -e* municipial authorities

Magma, *sub, n, -s, Magmen (geol.)* magma; **magmatisch** *adj,* magmatic

Magnesia, *sub, f, -, nur Einz. (chem.)* magnesia; *(spo.)* chalk

Magnesium, *sub, n, -s, nur Einz.* magnesium

Magnet, *sub, m, -s oder -en, -e* magnet; **~feld** *sub, n, -es, -er* magnetic field; **magnetisch** *adj,* magnetic; **~iseur** *sub, m, -s, -e* magnetizer; **magnetisieren** *vt,* magnetize; **~ismus** *sub, m, -ses, nur Einz.* magnetism; **~karte** *sub, f, -, -n* magnetic card; *(Bank)* cashpoint card; **~nadel** *sub, f, -, -n* magnetic needle; **~ometer** *sub, n, -s,* - magnetometer; **~opath** *sub, m, -en, -en* mesmerist; **~tongerät** *sub, n, -s, -e* magnetic (sound) recorder

Magnetit, *sub, m, -s, -e* magnetite

magnifik, *adj,* magnificent

Magnifizenz, *sub, f, -, -en (univ.)* Magnificence; *Seine Magnifizenz* His Magnificence

Magnolie, *sub, f, -, -n* magnolia

Mahagoni, *sub, n, -s, nur Einz.* mahogany; **~holz** *sub, n, -es, nur Einz.* mahogany wood

Maharadscha, *sub, m, -s, -s* maharaja(h)

Maharani, *sub, f, -, -s* maharani

Mahatma, *sub, m, -s, -s* mahatma

Mahdi, *sub, m, -(s), -s* Mahdi

Mähdrescher, *sub, m, -s,* - combine (harvester)

mähen, *(1) vi, (Schaf)* bleat *(2) vt, (Gras)* cut; *(Rasen)* mow

mahlen, *vti,* grind

Mahlzeit, *sub, f, -, -en* meal; *(ugs.) (prost) Mahlzeit!* that´s just great; *(Guten Appetit) Mahlzeit!* enjoy your meal

Mähmaschine, *sub, f, -, -n* mower

Mahnbescheid, *sub, m, -s, -e* reminder

Mähne, *sub, f, -, -n* mane

mahnen, *vt, (auffordern)* admonish; *(erinnern)* remind (of); *der Lehrer mahnte zur Ruhe* the teacher called for quiet; *die Uhr mahnte zur Eile* the clock indicated that haste was called for; *(poet.) eine mahnende Stimme* an admonishing voice; *jmdn zur Mäßigkeit mahnen* to urge moderation on sb; *gemahnt werden* to receive a reminder; *jmdn brief-lich mahnen* to remind sb by letter; *jmdn zur Eile mahnen* to urge sb to hurry

mähnenartig, *adj*, mane-like

Mahner, *sub, m, -s*, - admonisher, warner

Mahnmal, *sub, n, -s, -e* memorial

Mahnung, *sub, f, -, -en* reminder; *(Aufforderung)* exhortation; **Mahnverfahren** *sub, n, -s*, - collection proceedings; **Mahnwort** *sub, n, -(e)s, -e* word of exhortation; **Mahnzeichen** *sub, n, -s*, - omen

Mahr, *sub, m, -s, -e* nightmare

Mähre, *sub, f, -, -n* nag

Mai, *sub, m, -s, -en oder -e* may; *der erste Mai* May Day; *(poet.) des Lebens Mai* the springtime of one's life; *wie einst im Mai* (as if) in the first bloom of youth; **~feier** *sub, f, -, -n* May Day celebrations; **~glöckchen** *sub, n, -s*, - lily of the valley; **~käfer** *sub, m, -s*, - cock chafer; **~kätzchen** *sub, n, -s*, - pussy willow

Maid, *sub, f, -, -en (veraltet)* maid(en)

mailändisch, *adj*, Milanese

Mailbox, *sub, f, -, -en.* mailbox

Mais, *sub, m, -es, nur Einz.* corn, maize; *(bes. US)* corn; **~brei** *sub, m, -s, -e* thick maize porridge; **~korn** *sub, n, -s, -körner* grain of corn, grain of maize; **~mehl** *sub, n, -s, nur Einz.* corn flour, maize flour

Maisonnette, *sub, f, -, -s* maisonette

Majestät, *sub, f, -, -en* majesty; *die kaiserlichen Majestäten* their Imperial Majesties; *Seine Majestät* His Majesty; **majestätisch** *adj*, majestic

Majolika, *sub, f, -, -ken* majolica

Majonäse, *sub, f, -, -n* mayonnaise

Major, *sub, m, -s, -e* major; *(Luftwaffe)* squadron leader

Majoran, *sub, m, -s, nur Einz.* marjoram

Majoratsgut, *sub, n, -es, -güter* estate which the eldest son is entitled

Majordomus, *sub, m, -, -se* maître d´hôtel; *(hist.)* seneschal

majority; *Majorennität erreichen* to come of age

majorisieren, *vt*, outvote

Majorität, *sub, f, -, -en* majority; *die Majorität haben* to have a majority; **~sbeschluss** *sub, m, -es, -lüsse* majority decision

Majuskel, *sub, f, -, -n* capital (letter)

makaber, *adj*, macabre; *(Witz, Geschichte)* sick

Makadam, *sub, m, n, -s, -e* macadam

Makak, *sub, m, -s oder -en, -en* macaque

Makel, *sub, m, -s, - (Fehler)* flaw; *(Schandfleck)* stigma; *ein Makel auf seiner weißen Weste* a blot on his escutcheon; *(poet.) mit einem Makel behaftet sein* to be stigmatized; *ohne Makel* without a stain on one´s reputation, *(rel.)* unblemished

makellos, *adj, (Charakter)* unimpeachable; *(Figur, Haut)* flawless; *(Reinheit)* spotless

makeln, *vi*, act as a broker

mäkeln, *vi, (ugs.)* carp

mäkelsüchtig, *adj*, finicky

Make-up, *sub, n, -s, -s* make-up

Maki, *sub, m, -s, -s (biol.)* maki

Makimono, *sub, n, -s, -s (jap. Kunst)* makimono

makkabäisch, *adj*, Makkabean

Makkaroni, *sub, f, -, nur Mehrz.* macaroni

makkaronisch, *adj*, macaronics

Makler, *sub, m, -s*, - broker; **~gebühr** *sub, f, -, -en* broker´s commission

Mako, *sub, f/m/n, -(s), -s* Egyptian cotton

Makramee, *sub, n, -s, -s* macramé (work)

Makrele, *sub, f, -, -n* mackerel

Makrobiotik, *sub, f, -, nur Einz.* macrobiotics

Makroklima, *sub, m, -s, -s, -ta* macro-climate

Makrokosmos, *sub, m, -es, nur*

Einz. macrocosm

Makromolekül, *sub, n, -s, -e* macro molecule

makrozephal, *adj,* macrocephalic

Makrozephale, *sub, m, f, -n, -n* macrocephalic person

Makulatur, *sub, f, -, -en* wastepaper; *Makulatur reden* to talk rubbish

mal, (1) *adv, (ugs.)* s. einmal; *(math.)* times **(2) Mal** *sub, (Ehren~)* memorial; *(Fleck)* mark; *(Gelegenheit)* time; *das eine Mal* just once; *das eine oder andere Mal* from time to time, now and again; *ein für alle Mal* once and for all; *ein letztes Mal* one last time; *ein ums andere Mal* time after time; *für dieses Mal* for now; *mit einem Mal* all of a sudden; *von Mal zu Mal* every time; *voriges Mal* the time before; *zum ersten Mal* for the first time; *zum wiederholten Mal* repeatedly

Malachit, *sub, m, -s, -e* malachite; **malachitgrün** *adj,* malachite green; **~vase** *sub, f, -, -n* malachite vase

malade, *adj,* unwell

Malaga, *sub, m, -s, nur Einz.* Malaga

Malaria, *sub, f, -, nur Einz.* malaria; **malariakrank** *adj,* ill with malaria; **~logie** *sub, f, -, nur Einz.* malariology

maledivisch, *adj,* Maldivian

Malefizkerl, *sub, m, -s, -e (ugs.)* rascal

malen, *vti,* paint; *(zeichnen)* draw

Malepartus, *sub, m, -, nur Einz.* Malperdy

Maler, *sub, m, -s, -* painter; *(Kunst~ auch)* artist; **~arbeit** *sub, f, -, -en* painting (job); **~ei** *sub, f, -, nur Einz.* art; **~meister** *sub, m, -s, -* master painter; **malern** *vt,* paint

Malheur, *sub, n, -s, -e, -s* mishap; *das ist doch kein Malheur!* it´s not serious!; *ihm ist ein kleines Malheur passiert* he´s had a mishap

maligne, *adj, (med.)* malignant; **Malignität** *sub, f, -, nur Einz.* malignity

maliziös, *adj,* malicious

Mallorquiner, *sub, m, -s, -* Majorcan

malnehmen (mit), *vt,* multiply (by)

Maloche, *sub, f, -, nur Einz. (ugs.)* graft; *auf Maloche sein* to be grafting; *du musst zur Maloche* you´ve got to go to work; **malochen** *vi,* graft

Malteser, *sub, m, -s, -* Maltese; **~kreuz** *sub, n, -es, -e* Maltese cross; **~orden** *sub, m, -s, -* Knights of Malta

malthusisch, *adj, (wirt.)* Malthusian

Maltose, *sub, f, -, nur Einz.* maltose

malträtieren, *vt,* ill-treat

Malve, *sub, f, -, -n* hollyhock; **malvenfarben** *adj,* mauve; **malvenfarbig** *adj,* mauve

Malz, *sub, n, -es, nur Einz.* malt; **~bier** *sub, n, -es, -e* malt beer, stout; **~extrakt** *sub, n, -(e)s, -e* malt extract; **~kaffee** *sub, m, -s, -s* coffee substitute made from barley malt

Mamba, *sub, f, -, -s* mamba

Mambo, *sub, m, -s, nur Einz.* mambo

Mameluck, *sub, m, -en, -en* mameluke

Mammalia, *sub, f, -, nur Mehrz. (biol.)* mammals

Mammon, *sub, m, -s, nur Einz.* mammon; *dem Mammon dienen* to serve mammon; *der schnöde Mammon* mammon, filthy lucre

Mammonismus, *sub, m, -es, nur Einz.* mammonism

Mammut, *sub, m, -s, -s, -e* mammoth; **~schau** *sub, f, -, -en* gigantic show

mampfen, *vti, (ugs.)* munch; *ich brauche was zu mampfen* I want sth to eat

Mamsell, *sub, f, -, -en, -s (Wirtschafterin)* housekeeper

man, *pron,* one, somebody, you; *man kann nie wissen* there´s no knowing; *diese Röcke trägt man nicht mehr* these skirts aren´t worn anymore; *früher glaubte* *man people used to believe;* *man hat festgestellt, dass* it has been established that; *man hat mir gesagt* somebody told me; *man wende sich an* apply to; *man will die alten Häuser niederreissen* they want to pull down the old houses; *das tut man nicht* that is not done; *man kann nie wissen* you can never tell; *(ugs.) man wird doch wohl noch fragen dürfen* there´s no law against asking

Management, *sub, n, -s, -s* management

managen, *vt,* manage; *(hinkriegen)* fix; *ich manage das schon!* I´ll manage somehow!

Manager, *sub, m, -s, -* manager; **~krankheit** *sub, f, -, nur Einz.* (*ugs.*) executivitis

manch, (1) *adj/sub,* a good many **(2)** *pron,* many a; *gar manches* a good many things; *manche hundert Mark* several hundreds of marks; *mancher* a good many people, *in Manchem hat er recht* he´s right about some things; *manch anderer* many another; *manch eine(r)* many a person, many people; *manch einem kann man nie Vernunft beibringen* you can never teach sense to some people; *(geh.) manch Schönes* many a beautiful thing

manchenorts, *adv,* in a number of places

mancherorten, *adv,* in a number of places

mancherorts, *adv,* in a number of places

manchmal, *adv,* sometimes

Mandant, *sub, m, -en, -en* client

Mandarin, *sub, m, -s, -e* mandarin

Mandarinenöl, *sub, n, -s, -e* tangerine oil

Mandarinente, *sub, f, -, -n (orn.)* mandarin duck

Mandat, *sub, n, -s, -e* mandate; *(pol.) imperatives Mandat* fixed mandate; *sein Mandat niederlegen* to resign one´s seat

mandatorisch, *adj,* appoint mandatary

Mandel, *sub, f, -, -n* almond; *(med.)* tonsil; **mandeläugig** *adj,* almond-eyed; **~blüte** *sub, f, -, -n* almond blossom; **~entzündung** *sub, f, -, nur Einz.* tonsillitis; **mandelförmig** *adj,* almond-shaped; **~gebäck** *sub, n, -s, nur Einz.* almond cookies; **~öl** *sub, n, -s, -e* almond oil

Mandola, *sub, f, -, Mandolen* mandola

Mandoline, *sub, f, -, -n* mandolin

Mandragore, *sub, f, -, -n* mandrake

Mandrill, *sub, m, -s, -e* mandrill

Mandschukuo, *sub, m, nur Einz.* Manchoukuo

Manege, *sub, f, -, -n* arena

Mangabe, *sub, f, -, -n* mangabey

Mangan, *sub, n, -s, nur Einz.* manganese; **~eisen** *sub, n, -s, nur Einz.* ferro-manganese

Manganat, *sub, n, -(e)s, -e* manganate

Manganit, *sub, m, -s, -e* manganite

Mangel, *sub, m, -s, -n (Fehlen)* lack; *(Fehler)* fault; *(Wäsche)* mangle; *aus Mangel an Beweisen* for lack of evidence; *keinen Mangel leiden* to want for nothing; *(poet.) Mangel an etwas leiden* to be short of; *Mangel an Vitamin C* vitamin C deficiency; *(poet.) Mangel leiden* to suffer hardship; *durch die Mangel drehen* to put through the mangle; *jmdn in der Mangel haben* to give sb a going-over; **~beruf** *sub, m, -(e)s, -e* understaffed profession; **~wäsche** *sub, f, -, nur Einz.* ironing

mangeln, (1) *vi unpers., (es fehlt)* es mangelt: there is lack of **(2)** *vt, (Wäsche)* mangle

mangels, *präp,* for lack of

Manggetreide, *sub, n, -s, nur Einz.* mixed crops

Mango, *sub, f, -, -s* mango

Mangold, *sub, m, -(e)s, -e* mangel-wurzel

Mangrove 444

Mangrove, *sub, f, -, -n* mangrove
Manguste, *sub, f, -, -n* mangoose
Manie, *sub, f, -, -n* mania, obsession
Manier, *sub, f, -, -en (Art und Weise)* manner; *f, -, nur Mehrz. (Umgangsformen)* manners; *in überzeugender Manier* in a most convincing manner; *Manieren lernen* to learn to behave; *was sind das für Manieren* that´s no way to behave
Manieren, *sub, f, -, nur Mehrz.* manners
maniert, *adj,* affected; **Maniertheit** *sub, f, -, nur Einz.* affectation
Manierismus, *sub, m, -es, nur Einz.* mannerism; **Manierist** *sub, m, -en, -en* mannerist; **manieristisch** *adj,* manneristic
manierlich, **(1)** *adj, (Aussehen)* respectable; *(Kind)* well-mannered **(2)** *adv, (essen)* politely
manifest, **(1)** *adj,* manifest **(2) Manifest** *sub, n, -(e)s, -e* manifesto; **Manifestant** *sub, m, -en, -en* demonstrator; **Manifestation** *sub, f, -, -en* manifestation; *(Beweis)* demonstration; **~ieren** *vt,* demonstrate
Maniküre, *sub, f, -, -n* manicure; **maniküren** *vt,* manicure
Maniok, *sub, m, -s, -s* cassava; **~wurzel** *sub, f, -, -n* cassava root
manisch, *adj,* manic; **~-depressiv** *adj,* manic-depressive
Manismus, *sub, m, -, nur Einz. (psych.)* manism
Manitu, *sub, m, -s, nur Einz.* Manitou
Manko, *sub, n, -s, -s (i. ü. S.; Nachteil)* shortcoming; *(ugs.) Manko haben* to be short; *(Verkauf) Manko machen* to make a loss
Mann, (1) *interj, (Ausruf)* God **(2)** *sub, m, -es, Männer* man; *(Ehe~)* husband; *(ugs.) Mann, das kannst du doch·nicht machen!* hey, you can´t do that!; *(ugs.) Mann, oh Mann!* oh boy!; *(ugs.) mein lieber Mann!* oh my God!; *den dritten Mann spielen* to play the third hand; *der erste Mann sein* to be in

charge; *der schwarze Mann* the bogeyman; *(ugs.) drei Mann hoch* three of them altogether; *ein Mann aus dem Volk* a man of the people; *ein Mann des Todes* a dead man; *ein Überschuss an Männern* a surplus of men; *er ist unser Mann* he´s the man for us; *etwas an den Mann bringen* to get rid of sth; *(alle) Mann für Mann* every single one, *(hintereinander)* one after the other; *mit Mann und Maus untergehen* to go down with all hands; *seinen Mann stehen* to hold one´s own; *wo Männer noch Männer sind* where men are men; *jmdn an den Mann bringen* to marry sb off; *Mann und Frau werden* to become man and wife
Manna, *sub, n, -s, nur Einz.* manna
mannbar, *adj, (Junge)* sexually mature; *(Mädchen)* marriagable
Mannbarkeit, *sub, f, -, nur Einz. (Junge)* sexual maturity; *(Mädchen)* marriageability
Männchen, *sub, n, -s, -* little man; *(biol.)* male; *Männchen malen* to draw matchstick men; *(Hund) Männchen machen* to sit up and beg, *(Mensch)* to grovel, *(Tier)* to sit up on its hind legs
Manndeckung, *sub, f, -, -en* man-`to-man marking
Mannequin, *sub, n, -s, -s* model
Männerberuf, *sub, m, -(e)s, -e* male profession; **Männersache** *sub, f, -, -n* man´s business; **Männerstimme** *sub, f, -, -n (mus.)* male voice
Mannesalter, *sub, n, -s, nur Einz.* manhood; *im besten Mannesalter sein* to be in one´s prime; **Manneskraft** *sub, f, -, nur Einz. (veraltet)* virility; **Mannesstamm** *sub, m, -es, -stämme* male line; **Mannesstärke** *sub, f, -, -n* masculine strength; **Mannestreue** *sub, f, -, nur Einz.* masculine loyalty; **Manneszucht** *sub, f, -, nur Einz.* masculine discipline

mannhaft, *adj*, manly, (*happily*) valiant

mannigfaltig, *adj*, diverse; **Mannigfaltigkeit** *sub*, *f*, -, -*en* diversity

Mannit, *sub*, *m*, -*s*, -*e* mannitol

Männlichkeit, *sub*, *f*, -, -*en* manliness; *(Auftreten)* masculinity

Mannschaft, *sub*, *f*, -, -*en* team

Mannsperson, *sub*, *f*, -, -*en* fellow

Mannweib, *sub*, *n*, -(*e*)*s*, -*er* mannish woman

Manometer, (1) *interj*, *(ugs.)* oh boy! **(2)** *sub*, *n*, -*s*, - pressure gauge; **manometrisch** *adj*, *(tech.)* manometric(al)

Manöver, *sub*, *n*, -*s*, - manoeuvre; **manövrieren** *vti*, manoeuvre

Mansarddach, *sub*, *n*, -*es*, -*dächer* garret roof

Mansarde, *sub*, *f*, -, -*n* garret

manschen, *vi*, mess around

Manschette, *sub*, *f*, -, -*n* cuff; *(tech. Dichtung)* sleeve

Mantel, *sub*, *m*, -*s*, *Mäntel* coat; *(i. ü. S.)* cloak; *(Reifen)* outer tyre; *etwas mit dem Mantel des Vergessens zudecken* to forgive and forget sth; **~futter** *sub*, *n*, -*s*, - coat lining; **~kragen** *sub*, *m*, -*s*, -*krägen* coat collar; **~tarifvertrag** *sub*, *m*, -*s*, -*verträge* general agreement on conditions of employment; **~tasche** *sub*, *f*, -, -*n* coat pocket

Mantik, *sub*, *f*, -, *nur Einz*. *(Wahrsagekunst)* mantic

Mantille, *sub*, *f*, -, -*n* mantilla

mantuanisch, *adj*, of Mantua

Manual, *sub*, *n*, -*s*, -*e* manual

manuell, *adj*, manual; *manuell bedienen* to operate by hand, to operate manually

Manuskript, *sub*, *n*, -(*e*)*s*, -*e* script

Maoismus, *sub*, *m*, -*ses*, *nur Einz*. Maoism; **Maoist** *sub*, *m*, -*en*, -*en* Maoist; **maoistisch** *adj*, Maoist

maorisch, *adj*, Maori

Mappe, *sub*, *f*, -, -*n* file, folder; *(Aktentasche)* briefcase

Maquis, *sub*, *m*, -, *nur Einz*. *(hist.)* Maquis; **~ard** *sub*, *m*, -*s*, -*s* Maquisard

Milli, *sub*, *f*, -, -*en* *(betrüben, Märchen)* fairytale; *(veraltet; Neuigkeit)* news

Marabu, *sub*, *m*, -*s*, -*s* *(orn.)* marabou

Marabut, *sub*, *m*, -(*s*), -(*s*) *(rel.)* marabout

Maracuja, *sub*, *f*, -, -*s* passion fruit

Maräne, *sub*, *f*, -, -*n* whitefish

marantisch, *adj*, marasmic

Maraschino, *sub*, *m*, -*s*, -*s* maraschino

Marathonlauf, *sub*, *m*, -*s*, -*läufe* marathon

Marathonrede, *sub*, *f*, -, -*n* marathon speech

Märchen, *sub*, *n*, -*s*, - fairytale; **~buch** *sub*, *n*, -(*e*)*s*, -*bücher* book of fairytales; **~film** *sub*, *m*, -*s*, -*e* film of a fairytale; **märchenhaft** *adj*, fabulous; **~land** *sub*, *n*, -*es*, *nur Einz*. fairyland; **~onkel** *sub*, *m*, -*s*, - storyteller; **~prinz** *sub*, *m*, -*es*, -*en* Prince Charming; **~tante** *sub*, *f*, -, -*n* storyteller

Marder, *sub*, *m*, -*s*, - marten

Marge, *sub*, *f*, -, -*n* margin

Margerite, *sub*, *f*, -, -*n* daisy

marginal, *adj*, marginal; **Marginalie** *sub*, *f*, -, -*n* *(meist Mehrz.)* marginalia

Mariage, *sub*, *f*, -, -*n* *(Kartenspiel)* marriage

Marienkäfer, *sub*, *m*, -*s*, - ladybird

Marienkirche, *sub*, *f*, -, -*n* St. Mary´s church

Marihuana, *sub*, *n*, -*s*, *nur Einz*. marijuana

Marille, *sub*, *f*, -, -*n* *(österr.)* apricot

Marimba, *sub*, *f*, -, -*s* *(mus.)* marimba

marin, *adj*, *(Tiere, Pflanzen)* marine

Marinade, *sub*, *f*, -, *nur Mehrz*. *(Fisch)* canned fish; *f*, -, -*n* *(Küche)* marinade

Marine, *sub*, *f*, -, -*n* navy; **marineblau** *adj*, navy blue; **~infanterie** *sub*, *f*, -, *nur Einz*. marines; **~maler** *sub*, *m*, -*s*, - seascape painter;

~soldat *sub*, *m*, *-en*, *-en* marine

marinieren, *vt*, marinate; *marinierter Hering* pickled herring

mariologisch, *adj*, mariological

Marionette, *sub*, *f*, *-*, *-n* puppet

maritim, *adj*, maritime

markant, *adj*, *(ausgeprägt)* clearcut; *(Kinn etc.)* prominent

Marke, *sub*, *f*, *-*, *-n (Brief~)* stamp; *(Getränke)* brand; *(Lebensmittel~)* coupon; *(Rekord~)* record; *(ugs.) du bist vielleicht eine Marke!* you´re a fine one!; *(ugs.) eine komische Marke* a queer character; **~nartikel** *sub*, *m*, *-s*, *-* proprietary article; **~nbutter** *sub*, *f*, *-*, *nur Einz.* non-blended butter; **~nschutz** *sub*, *m*, *-es*, *nur Einz.* protection of trademarks

Marker, *sub*, *m*, *-s*, *- (Leuchtstift)* highlighter

Marketenderin, *sub*, *f*, *-*, *-nen (hist.)* sutler

Marketing, *sub*, *n*, *-s*, *nur Einz.* marketing

Markgraf, *sub*, *m*, *-*, *-en* margrave

markieren, *vt*, mark; *(vortäuschen)* play; *den Dummen markieren* to act daft; *den starken Mann markieren* to come the strong man

Markierung, *sub*, *f*, *-*, *-en* mark(ing)

markig, *adj*, vigorous; *(ironisch)* grandiloquent

Markise, *sub*, *f*, *-*, *-n* awning, blind

Markisette, *sub*, *m*, *f*, *-s*, *-s (Textil)* marquisette

Markknochen, *sub*, *m*, *-s*, *-* marrowbone

Markscheider, *sub*, *m*, *-s*, *-* mine surveyor

Markt, *sub*, *m*, *-es*, *Märkte* market; *(Jahr~)* fair; *(Warenverkehr)* trade; *am Markt* at the marketplace; *auf den Markt bringen* to put on the market; *auf den Markt gebracht werden* to come on the market; *auf den Markt gehen* to go to the market; *etwas in großen Mengen auf den Markt werfen* to flood the market with sth; *Markt abhalten* to have a market; *auf den Markt gehen*

to go to the fair; **~anteil** *sub*, *m*, *-s*, *-e* market share; **~bericht** *sub*, *m*, *-s*, *-e (wirt.)* stock-market report; **~brunnen** *sub*, *m*, *-s*, *-* market fountain; **~chance** *sub*, *f*, *-*, *-n* market prospects; **~flecken** *sub*, *m*, *-s*, *-* small market town; **~forschung** *sub*, *f*, *-*, *-en* market research; **marktführend** *adj*, market-leading; **~führer** *sub*, *m*, *-s*, *-* market leader; **marktgängig** *adj*, marketable; **~ordnung** *sub*, *f*, *-*, *-en* market regulations; **~platz** *sub*, *m*, *-es*, *-plätze* marketplace; *am Marktplatz* in the marketplace; *am Marktplatz wohnen* to live on the market-place; **marktschreierisch** *adj*, blatant; **~segment** *sub*, *n*, *-s*, *-e* market segment; **~stand** *sub*, *m*, *-s*, *-stände* market stall; **~tag** *sub*, *m*, *-es*, *-e* market day; **marktüblich** *adj*, *(Preis)* current; **~wirtschaft** *sub*, *f*, *-*, *nur Einz.* market economy

Markuskirche, *sub*, *f*, *-*, *nur Einz.* *(Venedig)* St. Mark´s (Cathedral)

Marmelade, *sub*, *f*, *-*, *-n* jam, marmalade

Marmor, *sub*, *m*, *-s*, *nur Einz.* marble; **marmorartig** *adj*, marble-like; **~block** *sub*, *m*, *-s*, *-blöcke* block of marble; **~büste** *sub*, *f*, *-*, *-n* marble bust; **marmorieren** *vt*, marble; **~kuchen** *sub*, *m*, *-s*, *-* marble cake; **~platte** *sub*, *f*, *-*, *-n* marble slab; *(Tisch~)* marble top; **~säule** *sub*, *f*, *-*, *-n* marble column; **~statue** *sub*, *f*, *-*, *-n* marble statue; **~treppe** *sub*, *f*, *-*, *-n* marble stairs

Marocain, *sub*, *n*, *m*, *-s*, *-s (Textil)* Marocain

marode, *adj*, washed-out

Marokko, *sub*, *n*, *-s*, *nur Einz.* Morocco; **marokkanisch** *adj*, Moroccan

Marone, *sub*, *f*, *-*, *Maroni* chestnut; *Maronen* roasted sweetchestnut; **~npilz** *sub*, *m*, *-es*, *-e* chestnut boletus

Maronibrater, *sub*, *m*, *s*, chestnut man

maronitisch, *adj*, Maronite

Maroquin, *sub*, *m,n*, *-s*, *nur Einz.* morocco

Marotte, *sub*, *f*, *-*, *-n* quirk; *das ist ihre Marotte* that´s one of her little quirks

Marquis, *sub*, *m*, *-*, - marquess; *~e sub*, *f*, *-*, *-n* marquise

Marsala, *sub*, *m*, *-s*, *-s* Marsala wine; *~wein sub*, *m*, *-s*, *-e* Marsala wine

Marsch, *sub*, *m*, *-es*, *Märsche* march; *f*, *-*, *- (Marschland)* marsh; *einen Marsch machen* to go on a march; *(ugs.) jmd den Marsch blasen* to give sb a rocket; *Marsch ins Bett!* off to bed with you at the double; *sich in Marsch setzen* to move off; *vorwärts marsch!* forward march!; *~befehl sub*, *m*, *-s*, *-e (mil.)* marching orders; **marschbereit** *adj*, ready move; **marschfertig** *adj*, ready to move; *~gepäck sub*, *n*, *-s*, *nur Einz.* pack; **marschmäßig** *adj*, marching; *marschmäßig angezogen* dressed for marching; *~musik sub*, *f*, *-*, *nur Einz.* military marches; *~route sub*, *f*, *-*, *-n* route of march; *~tempo sub*, *n*, *-s*, *-tempi* marching time; *~tritt sub*, *m*, *-s*, *nur Einz.* marching step

Marschall, *sub*, *m*, *-s*, *Marschälle* marshal

Marschendorf, *sub*, *n*, *-s*, *-dörfer* fenland village

marschieren, *vi*, march

Marschierer, *sub*, *m*, *-s*, - marcher

Marstall, *sub*, *m*, *-s*, *-ställe* royal stables

Marter, *sub*, *f*, *-*, *-n* torment; *~pfahl sub*, *m*, *-s*, *-pfähle* stake

martialisch, *adj*, warlike

Martinstag, *sub*, *m*, *-s*, *nur Einz.* Martinmas

Märtyrer, *sub*, *m*, *-s*, - martyr; *jmdn zum Märtyrer machen* to make a martyr of sb; *sich zum Märtyrer aufspielen* to make a martyr of oneself; **Martyrium** *sub*, *n*, *-s*, *Martyrien* martyrdom; *(i. ü. S.)* ordeal

Marxismus, *sub*, *m*, *-*, *nur Einz.* Marxism; **Marxist** *sub*, *m*, *-en*, *-en* Marxist; **marxistisch** *adj*, Marxist

März, *sub*, *m*, *(-es)*, *geb. auch -en*, *-e* March; *am zweiten März* on the second of March; *diesen März* this March; *im Laufe des März* during March; *im März* in March; *~veilchen sub*, *n*, *-s*, - sweet violet

Marzipan, *sub*, *n*, *-s*, *-e* marzipan

Masche, *sub*, *f*, *-*, *-n (Lauf~)* run; *(Stricken, Häkeln)* stitch; *(Trick)* trick; *dir läuft eine Masche am Strumpf* you´ve got a run (in your stocking); *die Maschen eines Netzes* the mesh of a net; *durch die Maschen des Gesetzes schlüpfen* to slip through a loophole in the law; *jmd durch die Maschen schlüpfen* to slip through sb´s net; *(ugs.) das ist seine neueste Masche* that´s his latest; *(ugs.) die Masche raushaben* to know how to do it; *(ugs.) er versucht es immer noch auf die alte Masche* he´s still trying the same old trick; *~ndraht sub*, *m*, *-s*, *nur Einz.* wire netting; *~nmode sub*, *f*, *-*, *-n* knit fashion; *~nnetz sub*, *n*, *-es*, *-e* mesh; *~nware sub*, *f*, *-*, *nur Einz.* knitwear

Maschine, *sub*, *f*, *-*, *-n* machine; *(ugs.; Motorrad)* bike; *(i. ü. S.)* eine bloße Maschine sein to be no more than a machine; *etwas auf der Maschine schreiben* to type sth; *ich habe den Brief meiner Sekretärin in die Maschine diktiert* my secretary typed the letter as I dictated it; **maschinell** *adv*, mechanically; *~nbau sub*, *m*, *-s*, *nur Einz.* mechanical engineering; *~nbauer sub*, *m*, *-s*, - mechanical engineer; *~ngewehr sub*, *n*, *-s*, *-e* machine-gun; *~nöl sub*, *n*, *-s*, *-e* lubricating oil; *~npistole sub*, *f*, *-*, *-n* submachine gun; *~nsprache sub*, *f*, *-*, *-n* machine language; *~rie sub*, *-*, *-n (i. ü. S.)* machinery; **Maschinist** *sub*, *m*,

-en, -en engineer

Maser, *sub, f, -, -n* vein; *Holz mit feinen Masern* wood with a fine grain

Masern, *sub, nur Mehrz.* measles

Maserung, *sub, f, -, -en* grain

Maske, *sub, f, -, -n* mask; *das ist alles nur Maske* that's all just pretence; *(i. ü. S.) die Maske abnehmen* to let fall one's mask; *jmd die Maske vom Gesicht reißen* to unmask sb; *sein Gesicht wurde zur Maske* his face froze to a mask; *unter der Maske von etwas* under the guise of sth; **~nkostüm** *sub, n, -s, -e* fancy-dress costume; **~nspiele** *sub, n, nur Mehrz.* masques; **maskieren** *vtr,* dress up

Maskerade, *sub, f, -, nur Einz.* costume

Maskottchen, *sub, n, -s, -* mascot

Masochismus, *sub, m, -, nur Einz.* masochism; **Masochist** *sub, m, -en, -en* masochist; **Masochistin** *sub, f, -, -nen* masochist; **masochistisch** *adj,* masochist

Maß, *sub, n, -es, -e (Ausmaß)* extent; *f, -, -en (Bier)* litre; *n, -es, -e (Einheit)* measure; *(Meßgröße)* measurement; *in besonderem Maße* especially; *in großem Maße* to a great extent; *in höchstem Maße* extremely; *über alle Maßen* beyond all measure; *zwei Maß Bier* two litres of beer; *(i. ü. S.) das Maß aller Dinge* the measure of all things; *das Maß ist voll* enough's enough; *das rechte Maß halten* to strike the right balance; *in reichem Maß* abundantly; *Maße und Gewichte* weights and measures; *über das übliche Maß hinausgehen* to overstep the mark; *um das Maß vollzumachen* to cap it all; *ihre Maße sind:* her measurements are:, her vital statistics are:; *Maß nehmen* to measure up; *sich etwas nach Maß schneidern lassen* to have sth made to measure

Massage, *sub, f, -, -n* massage; *Massagen nehmen* to have massage treatment; **~salon** *sub, m, -s, -s*

massage parlour; **~stab** *sub, m, -s, -stäbe* vibrator

Massaker, *sub, n, -s, -* massacre; **massakrieren** *vt,* massacre

Maßanzug, *sub, m, -s, -anzüge* made-to-measure suit

Maßband, *sub, m, -s, -bänder* tape measure

Masse, *sub, f, -, -n* mass; *(ugs.; große Menge)* heaps of; *(Menschen-)* crowd; *die wogenden Massen ihres Körpers* the heaving bulk of her body; *die breite Masse der Bevölkerung* the bulk of the population; *(Handel) die Masse muss es bringen* the profit only comes with quantity; *eine ganze Masse* a great deal; *sie kamen in wahren Massen* they came in their thousands; *der Geschmack der Masse* the taste of the masses; *die namenlose Masse* the masses; **~nabsatz** *sub, m, -es, nur Einz.* bulk selling; **~nbedarf** *sub, m, -s, nur Einz.* requirements of the masses; **~nentlassung** *sub, f, -, -en* mass redundancy; **massenhaft** *adj,* on a massive scale; **~nmedium** *sub, n, -s, -dien* mass medium; **~nmörder** *sub, m, -s, -* mass murderer; **~nproduktion** *sub, f, -, -en* mass production; **~nsport** *sub, m, -s, nur Einz.* mass sport; **massenweise** *adj,* on a massive scale

Massel, *sub, f, -, nur Einz.* luck; *Massel haben* to be dead lucky

Masseur, *sub, m, -s, -e* masseur; **Masseuse** *sub, f, -, -n* masseuse

maßgebend, *adj, (entscheidend)* decisive; *(zuständig)* competent; *maßgebende Kreise* influential circles; *von maßgebender Seite* from the corridors of power; *das war für mich nicht maßgebend* that didn't weigh with me; *seine Meinung ist hier nicht maßgebend* his opinion doesn't weigh here

massieren, *vt, (anhäufen)* mass; *(Massage)* massage

mäßig, *adj,* moderate; *(unterdurchschnittlich)* mediocre; *etwas mäßig tun* to do sth in moderation; *mäßig rauchen* to be a moderate smoker; *mäßig, aber regelmäßig* in moderation but regularly

Mäßigkeit, *sub, f, -, nur Einz.* moderation; *(Unterdurchschnittlichkeit)* mediocrity

Mäßigung, *sub, f, -, nur Einz.* restraint

massiv, **(1)** *adj, (Drohung)* heavy; *(nicht hohl)* solid **(2) Massiv** *sub, n, -s, -e* massif; **Massivität** *sub, f, -, nur Einz.* massiveness

Maßliebchen, *sub, n, -s, -* common daisy

Maßlosigkeit, *sub, f, -, nur Einz.* excessiveness, extremeness

Maßnahme, *sub, f, -, -n* measure; *Maßnahmen treffen, um etwas zu tun* to take measures to do sth; *sich zu Maßnahmen gezwungen sehen* to be forced to take action; *vor Maßnahmen zurückschrecken* to shrink from taking action

Massör, *sub, m, -s, -e* masseur

massoretisch, *adj, (relig. hist.)* Massoretic

Massöse, *sub, f, -, -n* masseuse

Maßregel, *sub, f, -, -n* rule

maßregeln, *vt,* reprimand; *(bestrafen)* discipline

Maßregelung, *sub, f, -, -en* rebuke, reprimand

Maßschneider, *sub, m, -s, -* bespoke tailor

Maßstab, *sub, m, -s, -stäbe (Karten~)* scale; *(i. ü. S.; Richtlinie)* standard; *die Karte hat einen großen Maßstab* the map is on a large scale; *etwas in verkleinertem Maßstab darstellen* to scale sth down; *einen strengen Maßstab anlegen* to apply a strict standard; *für jmdn einen Maßstab abgeben* to be a model for sb; *sich jmdn zum Maßstab nehmen* to take sb as a yardstick; **maßstäblich** *adj,* scale

Mast, *sub, f, -, -en (das Mästen)* fattening; *m, -[e]s, -en (naut.)* mast;

auf Halbmast at the dip

mästen, *vt,* fatten

Mästerei, *sub, f, -, -en* fattening unit

Mastgans, *sub, f, -, -gänse (gemästet)* fat(tened) goose; *(zu mästend)* fattening goose

Mastino, *sub, m, -s, Mastini* mastiff

Mastkorb, *sub, m, -s, -körbe* top

Mastodon, *sub, n, -s, -donten* mastodon

Mastschwein, *sub, n, -s, -e* porker

Masturbation, *sub, f, -, -en* masturbation; **masturbieren** *vtir,* masturbate

Mastvieh, *sub, n, -s, -ien* material; *die Materie beherrschen* to know

Matador, *sub, m, -s, -e* matador

Match, *sub, m,n, -(e)s, -(e)s* match; **~beutel** *sub, m, -s, -* duffel bag

Mater, *sub, f, -, -n* matrix

Material, *sub, n, -s, -ien* material; **~isation** *sub, f, -, nur Einz.* materialization; **materialisieren** *vtr,* materialize

Materialismus, *sub, m, -, nur Einz.* materialism; **Materialist** *sub, m, -en, -en* materialist; **materialistisch** *adj,* materialist(ic)

Materie, *sub, f, -, nur Einz.* matter; *die Materie beherrschen* to know one´s stuff

materiell, *adj,* material; *(wirtschaftlich)* financial; *nur materielle Interessen haben* to be only interested in material things; *materiell eingestellt sein* to be materialistic

Mathematik, *sub, f, -, nur Einz.* mathematics; **~er** *sub, m, -s, -* mathematician; **mathematisch** *adj,* mathematical; **mathematisieren** *vt,* mathematize

Matinee, *sub, f, -, Matineen* matinée

Matjeshering, *sub, m, -s, -e* young herring

Matratze, *sub, f, -, -n* mattress

Mätresse, *sub, f, -, -n* mistress

Matrikel, *sub*, *f*, -, *-n (univ.)* matriculation register

Matrix, *sub*, *f*, -, *Matrizen* matrix

Matrize, *sub*, *f*, -, *-n* matrix; *(Schreibmaschine)* stencil; *etwas auf Matrize schreiben* to stencil sth; **~nrand** *sub*, *m*, *-(e)s*, *-ränder* stencil offset

Matrone, *sub*, *f*, -, *-n* matron; **matronenhaft** *adj*, matronly

Matrose, *sub*, *m*, *-n*, *-n* sailor

Matsch, *sub*, *m*, *-es*, *nur Einz.* mud; *(Schnee~)* slush; **matschen** *vi*, *(ugs.)* splash about; **~wetter** *sub*, *n*, *-s*, *nur Einz.* muddy weather

matschig, *adj*, muddy; *(schneeig)* slushy

matt, (1) *adj*, weak; *(nicht glänzend)* dull; *(Witz, Pointe)* lame (2) **Matt** *sub*, *n*, *-s*, *nur Einz.* mate

Matte, *sub*, *f*, -, *-n* mat; *(ugs.) auf der Matte stehen* to be there and ready for action; *(ugs.) du musst um sechs bei mir auf der Matte stehen* you must be at my place at six; *(ugs.) jmdn auf die Matte legen* to floor sb

Mattheit, *sub*, *f*, -, *nur Einz.* weakness; *(kein Glanz)* dullness; *(Witz, Pointe)* lameness

mattieren, *vt*, give a mat finish; *mattiert sein* to have a mat finish; *mattierte Gläser* frosted glass

Mattscheibe, *sub*, *f*, -, *nur Einz.* *(ugs.)* TV; *f*, -, *-n (fot.)* focussing screen; *(ugs.) da muss ich wohl eine Mattscheibe gehabt haben* I can´t have been really with it; *(nicht klar denken können) eine Mattscheibe haben* to have a mental block, *(ugs.)* to be soft in the head

Matura, *sub*, *f*, -, *nur Einz.* school-leaving exam; *Matura machen* to take one´s school-leaving exam

Matz, *sub*, *m*, *-es*, *-e oder Mätze (ugs.)* laddie

Matze, *sub*, *f*, -, *-n* matzo

mau, *adj*, poor; *die Geschäfte gehen mau* business is slack; *mir ist mau* I feel poorly

Maul, *sub*, *n*, *-s*, *Mäuler* mouth; *(Tiere)* jaws; *darüber werden sich die Leute das Maul zerreißen* that will start people´s tongues wagging; *das Maul zu voll nehmen* to be to cocksure; *dem Volk aufs Maul schauen* to listen to what people really say; *ein gottloses Maul* a malicious tongue; *ein großes Maul haben* to have a big mouth; *(ugs.) ein lockeres Maul haben* to have a loose tongue; *halt´s Maul!* shut your face; *hungrige Mäuler stopfen* to feed hungry mouths; *sich das Maul verbrennen* talk one´s way into trouble; *mit der Beute im Maul* with its prey between its jaws; **~esel** *sub*, *m*, *-s*, - mule; **maulfaul** *adj*, *(ugs.)* uncommunicative; **~held** *sub*, *m*, *-en*, *-en* loud-mouth; **~korb** *sub*, *m*, *-s*, *-körbe* muzzle; *einem Hund einen Maulkorb umhängen* to put a muzzle on a dog; **~schelle** *sub*, *f*, -, *-n* slap in the face; **~tier** *sub*, *n*, *-s*, *-e* mule; **~trommel** *sub*, *f*, -, *-n* Jew´s harp; **~wurf** *sub*, *m*, *-s*, *-würfe* mole

maulen, *vi*, *(ugs.)* moan

Maurer, *sub*, *m*, *-s*, - bricklayer; *Maurer lernen* to learn to be a bricklayer; *(ugs.) pünktlich wie die Maurer* super-punctual; **~arbeit** *sub*, *f*, -, *-en* bricklaying, masonry; **~ei** *sub*, *f*, -, *nur Einz.* bricklaying; **~kelle** *sub*, *f*, -, *-n* bricklayer´s trowel; **~meister** *sub*, *m*, *-s*, - master builder; **~polier** *sub*, *m*, *-s*, *-e* foreman bricklayer; **~zunft** *sub*, *f*, -, *-zünfte* bricklayers´ guild

Mauretanier, *sub*, *m*, *-s*, - Mauritanian; **mauretanisch** *adj*, Mauritanian; **maurisch** *adj*, Moorish

Maus, *sub*, *f*, -, *Mäuse* mouse; *eine graue Maus* a mouse; *(ugs.) Mäuse* dough; *weiße Mäuse sehen* to see pink elephants; **Mäuschen** *sub*, *n*, *-s*, - little mouse; **Mäusebussard** *sub*, *m*, *-s*, *-e* common buzzard; **~efalle** *sub*, *f*, -, *-n* mouse trap; **mausetot** *adj*, *(ugs.)* as dead as a doornail; **mausgrau** *adj*, mouse-grey; *(i. ü. S.)* mousy

Mauschelei, *sub*, *f*, -, -en *(ugs.)* fiddle

mauscheln, *vi*, fiddle; *(sprachl.)* talk Yiddish

mausen, (1) *vi*, catch mice (2) *vt*, *(ugs.)* pinch; *diese Katze maust gut* the cat is a good mouser

Mauser, *sub*, *f*, -, *nur Einz*. moult; *(US)* molt

mausern, *vr*, moult; *(i. ü. S.)* blossom out

Mausoleum, *sub*, *n*, -s, -leen mausoleum

mauve, *adj*, mauve; **~farben** *adj*, mauve

maximal, *adv*, at most, up a maximum of

Maximalhöhe, *sub*, *f*, -, -n maximum height

Maximalwert, *sub*, *m*, -es, -e maximum value

Maxime, *sub*, *f*, -, -n maxim

Maximum, *sub*, *n*, -es, *Maxima* maximum

Mayday, *interj*, mayday

Mayonnaise, *sub*, *f*, -, *nur Einz*. mayonnaise

Mäzen, *sub*, *m*, -s, -e patron; **~atentum** *sub*, *n*, -s, *nur Einz*. patronage

mazerieren, *vti*, macerate

Mechanik, *sub*, *f*, -, *nur Einz*. mechanics; **~er** *sub*, *m*, -s, - mechanic; **~erin** *sub*, *f*, -, -nen mechanic

mechanisch, *adj*, mechanical; *mechanischer Webstuhl* power loom

mechanisieren, *vt*, mechanize; **Mechanisierung** *sub*, *f*, -, -en mechanization

Mechanismus, *sub*, *m*, -, -men mechanism

Meckerei, *sub*, *f*, -, -en *(ugs.)* moaning; **Meckerer** *sub*, *m*, -s, - grumbler; *(ugs.)* moaner; **Meckerfritze** *sub*, *m*, -n, -n belly-acher; **Meckerstimme** *sub*, *f*, -, -n bleating voice; **Meckerziege** *sub*, *f*, -, -n *(ugs.)* sourpuss

Medaille, *sub*, *f*, -, -n *(Wettbewerb)* medal

Medailleur, *sub*, *m*, -s, -e punch cutter

Medaillon, *sub*, *n*, -s, -s medaillon

medial, *adj*, *(gramm.)* middle; *(med.)* medial

Mediation, *sub*, *f*, -, -en mediation

Mediävistik, *sub*, *f*, -, *nur Einz*. medieval studies; **Mediävistin** *sub*, *f*, -, -nen medievalist

Medikus, *sub*, *m*, -, *Medizi oder -kusse* quack

medioker, *adj*, *(geh.)* mediocre; **Mediokrität** *sub*, *f*, -, *nur Einz*. mediocrity

Meditation, *sub*, *f*, -, -en meditation; *in meditativer Versunkenheit* lost in meditation; **meditativ** *adj*, meditative; *in meditativer Versunkenheit* lost in meditation; **meditieren** *vi*, meditate

mediterran, *adj*, Mediterranean

Medium, *sub*, *n*, -s, *Medien* medium

Medizin, *sub*, *f*, -, *nur Einz*. medicine; **~alrat** *sub*, *m*, -s, -räte medical officer of health; **~mann** *sub*, *m*, -s, -männer medicine man, witchdoctor

Mediziner, *sub*, *m*, -s, - doctor; *(univ.)* medic

Medizinerin, *sub*, *f*, -, -nen doctor; *(univ.)* medic

medizinisch, *adj*, *(ärztlich)* medical; *(heilend)* medicinal

Medley, *sub*, *n*, -s, -s medley

Meer, *sub*, *n*, -s, -e ocean, sea; *am Meer* by the sea; *ans Meer fahren* to go to the sea(side); *jenseits des Meeres* across the sea; *über dem Meer* above sea-level; *übers Meer fahren* to travel the seas; **~busen** *sub*, *m*, -s, - gulf; **~enge** *sub*, *f*, -, -n straits; **~esboden** *sub*, *m*, -s, -böden sea bottom; **~esbucht** *sub*, *f*, -, -en bay; **~esgrund** *sub*, *m*, -s, *nur Einz*. sea bottom; **~eskunde** *sub*, *f*, -, *nur Einz*. oceanography; **~esspiegel** *sub*, *m*, -es, *nur Einz*. sea level; **~esstrand** *sub*, *m*, -s, -strände seashore; **~esstraße** *sub*, *f*, -, -n waterway;

~estiefe *sub*, *m*, *-*, *-n* depth (of the sea or ocean); **~jungfrau** *sub*, *f*, *-*, *-en* mermaid; **~rettich** *sub*, *m*, *-s*, *nur Einz.* horseradish; **~salz** *sub*, *n*, *-es*, *nur Einz.* sea salt; **~schaum** *sub*, *m*, *-s*, *nur Einz. (min.)* meerschaum; **~schweinchen** *sub*, *n*, *-s*, *-* guineapig

Meeting, *sub*, *n*, *-s*, *-s* meeting

Megabyte, *sub*, *n*, *-s*, *-s* megabyte

Megafon, *sub*, *n*, *-s*, *-e* megaphone

Megalith, *sub*, *m*, *-en*, *-en (archäol.)* megalith; **~grab** *sub*, *n*, *-s*, *-gräber* megalith tomb; **megalithisch** *adj*, megalithic

Megalomanie, *sub*, *f*, *-*, *nur Einz. (geh.)* megalomania

Megaphon, *sub*, *n*, *-s*, *-e* megaphone

Mehl, *sub*, *n*, *-s*, *nur Einz. (bei Sorten: Mehle)* flour; *(Knochen~)* bonemeal; **mehlig** *adj*, mealy; **~kleister** *sub*, *m*, *-s*, *-* flour paste; **~schwitze** *sub*, *f*, *-*, *-n* roux; **~speise** *sub*, *f*, *-*, *-n* flummery

mehr, (1) *pron/adv*, more (2) **Mehr** *sub*, *n*, *-*, *nur Einz. (Zuwachs)* increase; *es gibt keine Hoffnung mehr* there´s no hope left; *ich habe kein Geld mehr* I have no more money; *immer mehr* more and more; *mehr kostet das nicht?* is that all it costs?; *mehr oder weniger* more or less; *mit mehr oder weniger Erfolg* with a greater of lesser degree of success; *nicht mehr* not anymore; *nie mehr* never again; *(ugs.) sich für mehr halten* to think one is sth more; *was wollen Sie mehr?* what more do you want?; *zu mehr hat es nicht gereicht* that was all I could manage, *mit einem Mehr an Mühe* with more effort

Mehraufwand, *sub*, *m*, *-*, *-wendungen* additional expenditure

Mehrausgabe, *sub*, *f*, *-*, *-n* additional expense

mehrdeutig, *adj*, ambiguous

Mehreinnahme, *sub*, *f*, *-*, *-n* additional revenue

mehren, (1) *vi*, *(sich vermehren)* multiply (2) *vt*, *(vergrößern)* in-

crease; *(bibl.) seid fruchtbar und mehret euch!* be fruitful and multiply

mehrere, *pron/adj*, several

mehrfach, (1) *adj*, multiple, repeated (2) *adv*, several times; *die Unterlagen in mehrfacher Ausfertigung einsenden* to send several copies of the documents; *ein mehrfacher Millionär* a multimillionaire; *der mehrfache Meister* the man who has several times been champion

mehrgliedrig, *adj*, having several links; *(math.)* polynomial

Mehrheit, *sub*, *f*, *-*, *-en* majority; *die absolute/einfache Mehrheit* an absolute/a simple majority; *die Mehrheit der Stimmen auf sich vereinigen* to secure a majority of votes; *die Mehrheit gewinnen* to gain a majority; *mit zwei Stimmen Mehrheit* with a majority of two

mehrheitlich, *adj*, majority; *das Parlament hat mehrheitlich beschlossen* the parliament has reached a majority decision; *wir sind mehrheitlich der Meinung* the majority of us think(s)

Mehrheitsbeschluss, *sub*, *m*, *-es*, *-schlüsse* majority decision

Mehrkampf, *sub*, *m*, *-(e)s*, *-kämpfe (spo.)* multi-discipline event; **Mehrkämpfer** *sub*, *m*, *-s*, *-* all-round athlete

Mehrleistung, *sub*, *f*, *-*, *-en* additional effort; *(wirt.)* additional payment

mehrsprachig, *adj*, multilingual; *mehrsprachig aufwachsen* to grow up multilingual

mehrstimmig, *adj*, for several voices; *mehrstimmig singen* to sing in harmony; *mehrstimmiges Lied* part-song

mehrstöckig, *adj*, multistorey; *mehrstöckig bauen* to erect multistorey buildings

Mehrstufenrakete, *sub*, *f*, *-*, *-n* multistage rocket

mehrstündig, *adj,* lasting several hours; *mit mehrstündiger Verspätung* several hours late

Mehrwertsteuer, *sub, f, -, -n* value added tax (VAT)

Mehrzahl, *sub, f, -, nur Einz. (gramm.)* plural; *(Mehrheit)* majority

Mehrzweckgerät, *sub, n, -s, -e* multipurpose device

meiden, *vt,* avoid

Meile, *sub, f, -, -n* mile; *(ugs.) das riecht man drei Meilen gegen den Wind* you can smell that a mile off; **~nstein** *sub, m, -s, -e (i. ü. S.)* milestone

Meiler, *sub, m, -s, -* charcoal pile; *(Atom~)* atomic pile

mein, *pron,* my; *ich trinke so meine 5 Flaschen Bier am Tag* I drink my five bottles of beer a day; *mein und dein verwechseln* to take what doesn´t belong to one; *mein verdammtes Auto* this damn car of mine

meine, *pron subst,* mine; *das Meine* what is mine; *die Meinen* my family; *ich tue das Meine* I´ll do my bit

Meineid, *sub, m, -s, -e* perjury; *einen Meineid leisten* to commit perjury

meinen, **(1)** *vt, (sagen wollen, bedeuten, beabsichtigen)* mean **(2)** *vti, (denken, der Ansicht sein)* think; *er meint es nicht böse* he means no harm; *so war es nicht gemeint* it wasn´t meant like that; *was meinen Sie damit?* what do you mean (drohend: by that)?, *das will ich meinen!* I quite agree; *(ugs.) ich meine nur so* it was just a thought; *ich meine,* I reckon; *man möchte meinen* one would think; *meinen Sie das im Ernst?* are you serious about that?; *wenn du meinst* if you like, I don´t mind; *wie meinen Sie?* I beg your pardon?

meinerseits, *adv,* as far as I am concerned; *Einwände meinerseits* objections from me; *ganz meinerseits!* the pleasure´s all mine; *ich meinerseits* I for my part

meinethalben, *adv,* *(veraltet)* vgl. meinetwegen

meinetwegen, *adv, (von mir aus)* as far as I am concerned; *(wegen mir, mir zuliebe)* because of me, on account of me; *meinetwasegen!* if you like; *wenn ihr das tun wollt, meinetwasegen aber* if you want to do that, fair enough, but

meinetwillen, *adv um ~,* for my sake

Meinung, *sub, f, -, -en* opinion; *(Anschauung auch)* view; *eine vorgefasste Meinung* a preconceived idea; *genau meine Meinung!* that´s just what I think!; *(ugs.) jmd kräftig die Meinung sagen* to give sb a piece of one´s mind; *meiner Meinung nach* in my opinion; *seine Meinung ändern* to change one´s mind; *was ist Ihre Meinung dazu?* what´s your opinion on that?; *einer Meinung sein* to share the same opinion; *ich bin der Meinung* I take the view; *ich bin seiner Meinung* I think with him; **~sforschung** *sub, f, -, -en* opinion research; **~sforschungsinstitut** *sub, n, -s, -e* opinion research institute; **~sfreiheit** *sub, f, -, nur Einz.* freedom of speech; **~stest** *sub, m, -s, -s o. -e* opinion poll

Meiose, *sub, f, -, -n (biol.)* meiosis

Meise, *sub, f, -, -n* titmouse

Meißel, *sub, m, -s, -* chisel

meißeln, *vti,* chisel

meist, *adv,* mostly; *(zum größten Teil)* for the most part

meistbietend, *adj,* highest bidding

meistenorts, *adv,* in most places

meistens, *adv,* mostly; *(zum größten Teil)* for the most part

meistenteils, *adv,* for the most part

Meister, *sub, m, -s, -* *(Handwerks~)* master (craftsman); *(spo.)* champion; *er hat seinen Meister gefunden* he´s met his match; *es ist noch kein Meister vom Himmel gefallen* no-one is born a master; *Meister einer Sache* past master at sth; *seinen Meister machen* to take one´s master craftman´s diploma; ~**brief** *sub, m, -s, -e* master craftsman´s certificate; ~**dieb** *sub, m, -s, -e* master thief; ~**gesang** *sub, m, -s, -gesänge* poetry of the meistersingers; **meisterhaft** (1) *adj*, masterly (2) *adv*, in a masterly manner; *er versteht es meisterhaft, zu lügen* he´s brilliant at lying; ~**hand** *sub, von ~*, by a master hand; **meisterlich** (1) *adj*, masterly (2) *adv*, in a masterly manner; **meistern** *vt*, master, overcome; *sein Leben meistern* to come to grips with one´s life; *Schwierigkeiten meistern* to overcome difficulties; ~**prüfung** *sub, f, -, -en* examination for master craftman´s certificate; ~**schaft** *sub, f, -, -en (Können)* mastery; *(spo.)* championship; *(Diebstahl etc) es zu wahrer Meisterschaft bringen* to get it down to a fine art, *(Kunst)* to achieve real mastery; ~**stück** *sub, n, -s, -e* masterpiece; ~**titel** *sub, m, -s, -e (Handwerk)* title of master craftsman; *(spo.)* championship title; ~**werk** *sub, n, -s, -e* masterpiece; ~**würde** *sub, f, -, nur Einz.* rank of master (craftsman)

meistgefragt, *adj*, most popular
meistgelesen, *adj*, most widely read
meistgenannt, *adj*, most frequently mentioned
Mekongdelta, *sub, n, -s, nur Einz.* Mekong delta
Melaminharz, *sub, n, -es, -e* melamine resin
Melancholie, *sub, f, -, nur Einz.* melancholy; **Melancholiker** *sub, m, -s, -* melancholic; **melancholisch** *adj*, melancholy
melanesisch, *adj*, Melanesian
Melange, *sub, f, -, -n (österr.; Milchkaffee)* white coffee; *(selten; Mischung)* blend
Melanit, *sub, m, -s, -e (min.)* melanite

Melanom, *sub, n, -s, -e (med.)* melanoma
Melasma, *sub, n, -s, -men oder -mata* melasma
Melasse, *sub, f, -, -n* molasses
Melde, *sub, f, -, -n* goosefoot, orache
melden, (1) *vr, (sich ankündigen)* announce one´s presence; *(von sich hören lassen)* get in touch with (2) *vtr*, report; *melde dich mal wieder!* keep in touch; *seitdem hat er sich nicht mehr gemeldet* he hasn´t been heard of since; *wenn du was brauchst, melde dich* if you need anything let me know, *bitte melden!* come in, please!; *melde gehorsamst* beg to report; *nichts zu melden haben* to have no say; *sich auf eine Anzeige melden* to answer an advertisement; *sich freiwillig melden* to volunteer; *wen darf ich melden?* who(m) shall I announce; *wie soeben gemeldet wird* according to reports just coming in
Meldung, *sub, f, -, -en (Computer)* message; *(Mitteilung)* announcement; *(Presse~, dienstliche ~)* report; *Meldungen in Kürze* news headlines; *Meldungen vom Sport* sports news; *Meldung machen* to make a report
melieren, *vt*, mix
meliert, *adj, (Haar)* streaked with grey; *(Wolle)* flecked
melismatisch, *adj, (mus.)* melismatic
Melisse, *sub, f, -, -n* balm
melken, *vti*, milk; *frisch gemolkene Milch* milk fresh from the cow; **Melker** *sub, m, -s, -* milker; **Melkmaschine** *sub, f, -, -n* milking machine; **Melkschemel** *sub, m, -s, -* milking stool
Melodie, *sub, f, -, -n* melody, tune; *nach der Melodie von* to the tune of; **Melodik** *sub, f, -, nur Einz.* melodics; **melodiös** *adj, (geh.)*

melodious, **melodisch** *adj*, melodic

Melodrama, *sub*, *n*, -s, -men melodrama; **melodramatisch** *adj*, melodramatic

Melone, *sub*, *f*, -, -n *(Frucht)* melon; *(Hut)* bowler

Membran, *sub*, *f*, -, -e(n) *(anat.)* membrane; *(phys.)* diaphragm

Membrane, *sub*, *f*, -, -n membrane; *(phys.)* diaphragm

Memme, *sub*, *f*, -, -n *(ugs.)* cissy, yellow-belly

Memoiren, *sub*, *Mehrz.* memoirs

Memorandum, *sub*, *n*, -s, -den o. -da *(polit.)* memorandum

memorieren, *vt*, memorize

Menagerie, *sub*, *f*, -, -n menagerie

Menarche, *sub*, *f*, -, *nur Einz. (med.)* first menstruation, menarche

Mendelevium, *sub*, *n*, -s, *nur Einz.* mendelevium

Mendelismus, *sub*, *m*, -, *nur Einz.* Mendelism

Menge, *sub*, *f*, -, -n *(ugs.; große Menge)* lot; *(Menschen-)* crowd; *(Quantum)* amount; *Bücher in Mengen* any amount of books; *(ugs.) eine Menge Zeit* a lot of time; *(ugs.) es gab jede Menge Wein* there was loads of wine; *(ugs.) wir haben jede Menge getrunken* we drank a hell of a lot; *in Mengen zu* in quantities of; **~nangabe** *sub*, *f*, -, -n indication of quantity; **~nlehre** *sub*, *f*, -, *nur Einz. (math.)* set theory; **mengenmäßig** *adj*, quantitative; **~npreis** *sub*, *m*, -es, -e bulk price; **~nrabatt** *sub*, *m*, -s, -e bulk discount

mengen, (1) *vr*, *(geh.)* mingle (under) (2) *vt*, mix

Menhir, *sub*, *m*, -s, -e *(archäol.)* standing stone

Meningitis, *sub*, *f*, -, -tiden meningitis

Meniskus, *sub*, *m*, -, -ken *(anat.)* meniscus

Mennige, *sub*, *f*, -, *nur Einz.* red lead

Mennonit, *sub*, *m*, -en, -en Mennonite

Menopause, *sub*, *f*, -, *nur Einz.* menopause

Menorquiner, *sub*, *m*, -s, - Minorcan

menorrhöisch, *adj*, *(physiol.)* menorrhoeal

Mensa, *sub*, *f*, -, -sen *(univ.)* canteen

Mensch, *sub*, *m*, -en, -en *(Gattung)* man(kind), people; *(Person)* man/woman, person; *alle Menschen* everyone; *(relig.) des Menschen Sohn* the Son of Man; *(ugs.) Mensch, hat die Beine!* wow! has she got a pair of legs; *alle Menschen müssen sterben* we are all mortal; *der Mensch* man; *ich bin auch nur ein Mensch* I´m only human; *sich aufführen wie der letzte Mensch* to behave like an animal; *wer so etwas macht, ist kein Mensch mehr* sb who does sth like that is not human; *des Menschen Wille ist sein Himmelreich* do what you want if it makes you happy; *ein anderer/neuer Mensch werden* to become a different/new person; *es war kein Mensch da* there was not a soul there; *man muss die Menschen nehmen, wie sie sind* you have to take people as they come; *viel unter Menschen kommen* to meet a lot of people; **~enaffe** *sub*, *m*, -n, -n ape; **menschenarm** *adj*, sparsely populated; **~enhand** *sub*, *f*, -, -hände human hand; *von Menschenhand geschaffen* fashioned by the hand of man; **~enhass** *sub*, *m*, -es, *nur Einz.* misanthropy; **~enherz** *sub*, *n*, -ens, -en human heart; **~enkind** *sub*, *n*, -(e)s, -er creature; **menschenleer** *adj*, deserted; **~enmenge** *sub*, *f*, -, -n crowd; **~enraub** *sub*, *m*, -s, *nur Einz.* kidnapping; **~enrecht** *sub*, *n*, -s, -e human right; *die Allgemeine Erklärung der Menschenrechte* the Universal Declaration of Human Rights; **~entum** *sub*, *n*, -s, *nur Einz.* mankind; **~enwerk** *sub, n, -s, -e (veraltet)* work of man; **~enwürde** *sub, f, -, nur Einz.* human dignity; **~heit** *sub, f, -, nur Einz.* humanity, mankind; *im Namen der Menschheit* in the name of humanity; *Verdienste um die Menschheit* services to humanity; *zum Wohle der Menschheit* for the benefit of mankind; **menschlich** *adj, (Gattung, zivilisiert)* human; *(human)* humane; *das menschliche Leben* human life; *die menschliche Gesellschaft* the society of man; *eine menschliche Seite haben* to have a human side to one; *(ugs.) einigermaßen menschlich aussehen* to look more or less human

Menschewist, *sub, m, -en, -en (hist.)* Menshevik

Menstruation, *sub, f, -, -en* menstruation; **menstruieren** *vi,* menstruate

Mensur, *sub, f, -, -en (univ.)* students´ fencing bout; *eine Mensur schlagen* to fight a duel

mensurabel, *adj,* measurable; **Mensurabilität** *sub, f, -, nur Einz.* measurability

Mentalität, *sub, f, -, -en* mentality

Menthol, *sub, n, -, -e* menthol

Mentor, *sub, m, -s, -en (geh.)* mentor

Menü, *sub, n, -s, -s* set meal; *Menü des Tages* (set) meal of the day

Menuett, *sub, n, -s, -e* minuet

Mephisto, *sub, m, -, nur Einz.* Mephistopheles; **mephistophelisch** *adj,* Mephistophelian

Mercatorprojektion, *sub, f, -, -en* Mercator projection

Merci!, *interj,* thanks!

Mergelboden, *sub, m, -s, -böden* marly soil

Meridian, *sub, m, -, -e* meridian

Meringe, *sub, f, -, -n (Küche)* meringue

Merino, *sub, m, -s, -s* merino (sheep); **~schaf** *sub, n, -s, -e* merino (sheep); **~wolle** *sub, f, -, nur Einz.* Merino wool

Meriten, *sub, nur Mehrz. (geh.)* merits; *auf seinen Meriten ruhen* to rest on one´s laurels; *sich Meriten erwerben* to receive plaudits

meritorisch, *adj,* meritorious

merkantil, *adj, (geh.; hist.)* mercantile

Merkantilismus, *sub, m, -, nur Einz. (hist.)* mercantilism; **Merkantilist** *sub, m, -en, -en* mercantilist; **merkantilistisch** *adj,* mercantilist(ic)

Merkblatt, *sub, n, -s, -blätter* leaflet

merken, (1) *vt, (bemerken)* notice (2) *vtr, (im Gedächtnis behalten)* remember; *das merkt jeder* everyone will notice; *ich merke nichts* I can´t feel anything; *seine Gefühle merken lassen* to let one´s feelings show; *wie hast du das gemerkt?* how could you tell?; *das ist leicht zu merken* that´s easy to remember; *das werde ich mir merken* I won´t forget that; *merk dir das!* mark my words!; *merke:; merken Sie sich den Mann!* keep an eye on that man!

Merker, *sub, m, -s, -* observer, watcher

Merkheft, *sub, n, -s, -e* notebook

merklich, *adj,* noticeable

Merkmal, *sub, n, -s, -e* feature; *(biol.)* mark; *besondere Merkmale* distinguishing marks

Merksatz, *sub, m, -es, -sätze* mnemonic sentence

Merkurialismus, *sub, m, -, nur Einz.* mercurialism

merkwürdig, *adj,* odd, strange; *er hat sich merkwürdig verändert* he has undergone a curious change

Merkwürdigkeit, *sub, f, -, -en* oddness, strangeness

Merkzeichen, *sub, n, -s, -* mark, sign

merowingisch, *adj,* Merovingian

Merseburger, (1) *adj,* of Merseburg (2) *sub, m, -s, -* inhabitant of Merseburg

merzerisieren, *nf*, *monooofim* (*aat* ton)

Mesalliance, *sub*, *f*, *-*, *-n* mésalliance

meschugge, *adj*, (*ugs.*) nuts

Meskalin, *sub*, *n*, *-s*, *nur Einz.* mescalin(e)

mesokephalisch, *adj*, mesocephalic

Mesolithikum, *sub*, *n*, *-s*, *nur Einz.* Mesolithic period; **mesolithisch** *adj*, Mesolithic

Meson, *sub*, *n*, *-s*, *-en* meson

Mesopotamier, *sub*, *m*, *-s*, *-* Mesopotamian

Mesozephalie, *sub*, *f*, *-*, *nur Einz.* mesocephalia

Mesozoikum, *sub*, *n*, *-s*, *nur Einz.* Mesozoic

Messband, *sub*, *n*, *-s*, *-bänder* tape measure

messbar, *adj*, measurable

Messbarkeit, *sub*, *f*, *-*, *nur Einz.* measurability

Messbecher, *sub*, *m*, *-s*, *-* measuring jug

Messbrief, *sub*, *m*, *-s*, *-e* (*naut.*) tonnage certificate

Messbuch, *sub*, *n*, *-s*, *-bücher* mass book

Messdiener, *sub*, *m*, *-s*, *-* server

Messdienerin, *sub*, *f*, *-*, *-nen* server

Messe, *sub*, *f*, *-*, *-n* (*Gewerbe*) fair; (*kirchl.*) mass; (*mil.*) mess; *die Messe halten* to say mass; *für jmdn eine Messe lesen lassen* to have a mass said for sb; *zur Messe gehen* to go to mass; **~gelände** *sub*, *n*, *-s*, *-* exhibition centre; **~katalog** *sub*, *m*, *-s*, *-e* fair catalogue

Messer, *sub*, *m*, *-s*, *-* knife; (*Rasier~*) razor; *die Messer wetzen* to get ready for the kill; *es wird eine Nacht der langen Messer geben* heads will roll; *ins offene Messer laufen* to walk straight into the trap; *jmd das Messer an die Kehle setzen* to hold a knife to sb's throat; (*ugs.*) *jmd ein Messer in den Bauch jagen* to stick a knife into sb; *sich bekämpfen bis aufs Messer* to fight to the finish; *auf Messers Schneide stehen* to be

on a razor's edge, *es steht auf* *Messers Schneide*, *ob it's* touch and go whether; **messerscharf** *adj*, razor-sharp; *messerscharf schließen* to conclude with incredible logic; **~spitze** *sub*, *f*, *-*, *-n* knife-point; (*Küche*) *eine Messerspitze* a pinch; **~stich** *sub*, *m*, *-s*, *-e* knife thrust; (*Wunde*) stab wound; **~werfer** *sub*, *m*, *-s*, *-* knife-thrower

Messgefäß, *sub*, *n*, *-es*, *-e* graduated measure

Messgerät, *sub*, *n*, *-s*, *-e* gauge, measuring instrument

Meßgewand, *sub*, *n*, *-s*, *-wänder* chasuble

Messglas, *sub*, *n*, *-es*, *-gläser* graduated measure

Messhemd, *sub*, *n*, *-s*, *-en* alb

messianisch, *adj*, (*relig.*) Messianic; **Messianismus** *sub*, *m*, *-*, *nur Einz.* Messianism

Messieurs, *sub*, *m*, *-*, *Einz. Monsieur* sirs; (*Anrede*) Mr.

Messing, *sub*, *n*, *-s*, *nur Einz.* brass; *mit Messing beschlagen* brass-bound; **~bett** *sub*, *n*, *-s*, *-en* brass bed; **~draht** *sub*, *m*, *-s*, *-drähte* brass wire; **~griff** *sub*, *m*, *-s*, *-e* brass handle; **~latte** *sub*, *f*, *-*, *-n* brass bar; **~stab** *sub*, *m*, *-s*, *-stäbe* brass bar; **~tisch** *sub*, *m*, *-(e)s*, *-e* brass table

Messinstrument, *sub*, *n*, *-s*, *-e* gauge

Messkelch, *sub*, *m*, *-s*, *-e* (*relig.*) chalice

Messlatte, *sub*, *f*, *-*, *-n* measuring rod

Messopfer, *sub*, *n*, *-s*, *-* (*relig.*) Sacrifice of the Mass

Messtechnik, *sub*, *f*, *-*, *-en* measure technology

Messuhr, *sub*, *f*, *-*, *-en* dial gauge

Messung, *sub*, *f*, *-*, *-en* (*das Messen*) measuring; (*Messergebnis*) measurement

Messwein, *sub*, *m*, *-s*, *-e* Communion wine

Messwert, *sub*, *m*, *-s*, *-e* measurement

Messzylinder, sub, m, -s, - measuring cylinder

Mestize, sub, m, -n, -n mestizo

Met, sub, m, -s, nur Einz. mead

Metabolismus, sub, m, -, nur Einz. (physiol.) metabolism; **metabolisch** adj, (biol.) metabolic

Metall, sub, n, -s, -e metal; **~block** sub, m, -s, -blöcke block of metal; **metallhaltig** adj, metalliferous; **metallisch** adj, metal; (Stimme, Klang) metallic; metallisch glänzen to gleam like metal; metallisch schmecken to have a metallic taste; **~kunde** sub, f, -, nur Einz. metallurgy; **~urgie** sub, f, -n, nur Einz. metallurgy

Metamorphose, sub, f, -, -n metamorphosis

Metapher, sub, f, -, -n metaphor; **Metaphorik** sub, f, -, nur Einz. imagery; **metaphorisch** adj, metaphoric(al)

Metaphysik, sub, f, -, nur Einz. metaphysics; **metaphysisch** adj, metaphysical

Metaplasmus, sub, m, -, -men metaplasm

Metasprache, sub, f, -, -n metalanguage

Metastase, sub, f, -, -n metastasis; **metastasieren** vi, metastasize

metastatisch, adj, metastatic

Metazentrum, sub, n, -s, -zentren metacentre

Metazoon, sub, n, -s, -zoen (zool.) metazoa

Meteorit, sub, m, -en, -en meteorite; **meteoritisch** adj, meteoric

Meteorologe, sub, m, -n, -n meteorologist, weather forcaster; **Meteorologie** sub, f, -, nur Einz. meteorology; **Meteorologin** sub, f, -, -nen meteorologist

meteorotrop, adj, (med.) meteorotropic

Meteorstein, sub, m, -s, -e meteorite

Meter, sub, m, n, -s, - metre; in 100 Meter Höhe at a height of 100 metres; in einer Entfernung von 100 Metern at a distance of 100 metres;

nach Metern by the metre; **~maß** sub, n, -es, -e (Maßband) tape measure; (Meterstab) rule

Methan, sub, n, -s, nur Einz. methane; **~ol** sub, n, -s, nur Einz. methyl alcohol

Methode, sub, f, -, -n method; das hat Methode there´s a method behind it; er hat so seine Methoden he´s got his methods; etwas mit Methode machen to do sth methodically

Methodik, sub, f, -, nur Einz. methodology; **methodisch** adj, methodical

Methodist, sub, m, -en, -en Methodist

Methodologie, sub, f, -, nur Einz. methodology

Methusalem, sub, m, -, nur Einz. Methuselah; alt wie Methusalem old as Methuselah

Methyl, sub, n, -s, nur Einz. methyl; **~alkohol** sub, m, -s, nur Einz. methyl alcohol

Metier, sub, n, -s, -s job, profession; sich auf sein Metier verstehen to be good at one´s job

Metonomasie, sub, f, -, -n alteration of a name by translating it in a foreign language

Metrik, sub, f, -, nur Einz. metrics; **metrisch** adj, metric

Metro, sub, f, -, -s metro

Metronom, sub, n, -s, -e metronome

Metropole, sub, f, -, -n (größte Stadt) metropolis; (Zentrum) capital

Metropolit, sub, m, -en, -en Metropolitan

Metrum, sub, n, -s, -tren meter

Mett, sub, n, -s, nur Einz. minced pork

Mette, sub, f, -, -n matins

Metteur, sub, m, -s, -e make-up man/woman

Mettwurst, sub, f, -, -würste pork/beef sausage

Metzelei, sub, f, -, -en butchery, slaughter

metzeln, *vt*, slaughter

Metzger, *sub, m, -s,* - butcher; **~ei** *sub, f, -, -en* butcher´s (shop)

meucheln, *vt, (veraltet)* assassinate; **Meuchelmord** *sub, m, -(e)s, -e* treacherous murder; **meuchlerisch** *adj,* murderous; *(Mörder)* treacherous; **meuchlings** *adv,* treacherously

Meute, *sub, f, -, -n* pack (of hounds); *(i. ü. S.)* mob; *die Meute loslassen* to release the hounds

Meuterei, *sub, f, -, -en* mutiny; **Meuterer** *sub, m, -s,* - rebel; **meutern** *vi,* mutiny, rebel; *die meuternden Soldaten* the mutinous soldiers

Mexikanerin, *sub, f, -, -nen* Mexican; **mexikanisch** *adj,* Mexican

Mezzanin, *sub, n, -s, -e (arch.)* mezzanine (floor)

miauen, *vi,* miaow

mich, *pron,* me; *(reflexiv)* myself; *ich fühle mich wohl* I feel fine

Midlifecrisis, *sub, f, -, nur Einz.* midlife crisis

Mieder, *sub, n, -s, - (Korsage)* girdle; *(Leibchen)* bodice; **~waren** *sub, f, -, nur Mehrz.* corsetry

miefen, *vi, (ugs.)* pong, stink; *hier mieft es there´s a pong in here; was mieft denn hier so?* what´s this awful pong?; *hier mieft es* the air in here is so stale

miefig, *adj,* pongy

Miene, *sub, f, -, -n* expression, face; *eine finstere Miene machen* to look grim; *etwas mit eisiger Miene anhören* to listen to sth in stony silence; *gute Miene zum bösen Spiel machen* to grin and bear it; *seine Miene verfinsterte sich* his face darkened; **~nspiel** *sub, n, -s, -e* facial expressions; *ein lebhaftes Mienenspiel haben* to express a lot with one´s face

Miere, *sub, f, -, -n* chickweed, pimpernel

mies, *adj, (ugs.)* lousy, rotten; *mies machen* to run down; *mir ist mies* I feel lousy; *in den Miesen sein* to be in the red; *mir ist mies* I feel

rotten

Miesepeter, *sub, m, -s,* - miseryguts; **miesepeterig** *adj,* miserable

mies machen, *vt,* run down; **Miesmacher** *sub, m, -s, - (ugs.)* kill-joy; **Miesmacherei** *sub, f, -, nur Einz.* belly-aching

Miesmuschel, *sub, f, -, -n* mussel

Miete, *sub, f, -, -n (Gegenstände)* rental; *(Wohnung)* rent; *(ugs.) das ist die halbe Miete* that´s half the battle; *rückständige Miete* (rent) arrears; *zur Miete wohnen* to live in rented accommodation; **~rhöhung** *sub, f, -, -en* rent increase; **~rschutz** *sub, m, -es, nur Einz.* rent control; **mietfrei** *adj,* rent-free; **Mietkauf** *sub, m, -s, -käufe* hire purchase; **Mietregelung** *sub, f, -, -en* rent agreement; **Mietshaus** *sub, n, -es, -häuser* block of (rented) flats; **Mietskaserne** *sub, f, -, -n* tenement house; **Mietspiegel** *sub, m, -s, -* rent level; **Mietverlust** *sub, m, -s, -e* loss of rent; **Mietvertrag** *sub, m, -s, -verträge* lease; **Mietwohnung** *sub, f, -, -en* apartment, rented flat; **Mietzahlung** *sub, f, -, -en* payment of the rent; **Mietzins** *sub, m, -es, -en (dial.)* rent

mieten, *vt,* rent; *(Boot, Auto)* hire

Mieter, *sub, m, -s,* - tenant; *(Unter~)* lodger

Mieze, *sub, f, -, -n (ugs.; Katze)* pussy; *(vulg.; Mädchen)* bird, chick

Migräne, *sub, f, -, nur Einz.* migraine

Migration, *sub, f, -, -en* migration

Mikrobe, *sub, f, -, -n* microbe

Mikrobiologie, *sub, f, -, nur Einz.* microbiology

Mikrochemie, *sub, f, -, nur Einz.* microchemistry

Mikrochip, *sub, m, -s, -s* microchip

Mikroelektronik, *sub, f, -, nur Einz.* microelectronics

Mikrofauna, *sub, f, -, -faunen* microfauna

Mikrofilm, *sub*, *m*, *-s*, *-e* microfilm

Mikrofon, *sub*, *n*, *-s*, *-e* microphone; **mikrofonisch** *adj*, microphonic

Mikrogramm, *sub*, *n*, *-s*, *-s* microgram(me)

mikrokephal, *adj*, microcephalic

Mikroskopie, *sub*, *f*, *-*, *nur Einz*. microscopy

Mikrokosmos, *sub*, *m*, *-*, *nur Einz*. microcosm

mikronesisch, *adj*, Micronesian

Mikroorganismus, *sub*, *m*, *-*, *-men* microorganism

Mikroskop, *sub*, *n*, *-s*, *-e* microscope; **mikroskopisch** *adj*, microscopic; *etwas mikroskopisch untersuchen* to examine sth under the microscope; *mikroskopisch klein* microscopically small

Mikrotom, *sub*, *m*,*n*, *-s*, *-e* microtome

Mikrowellenherd, *sub*, *m*, *-s*, *-e* microwave (oven)

Mikrozensus, *sub*, *m*, *-*, *nur Einz*. sample census

mikrozephal, *adj*, microcephalic; **Mikrozephale** *sub*, *m*,*f*, *-n*, *-n* microcephalic

Milan, *sub*, *m*, *-s*, *-e* (*orn*.) kite

Milbe, *sub*, *f*, *-*, *-n* mite

Milch, *sub*, *f*, *-*, *nur Einz*. milk; *aussehen wie Milch und Blut* to have a peaches-and-cream complexion; *das Land, wo Milch und Honig fließen* the land flowing with milk and honey; *Milch geben* to yield milk; **~bar** *sub*,*f*, *-*, *-s* milk bar; **~eis** *sub*, *n*, *-es*, *nur Einz*. milk icecream; **~eiweiß** *sub*, *n*, *-es*, *-e* lactoprotein; **~ertrag** *sub*, *m*, *-s*, *-träge* milk yield; **~flasche** *sub*, *f*, *-*, *-n* milk bottle; **~gebiss** *sub*, *n*, *-es*, *-e* milk teeth; **~gesicht** *sub*, *n*, *-s*, *-er* baby face; **milchig** *adj*, milky; **~kaffee** *sub*, *m*, *-s*, *-s* milky coffee; **~kuh** *sub*, *f*, *-*, *-kühe* milk/milch cow; **~produkt** *sub*, *n*, *-s*, *-e* milk product; **~pulver** *sub*,*n*, *-s*, *-* milk powder; **~straße** *sub*, *f*, *-*, *nur Einz*. Milky Way; **~zahn** *sub*, *m*, *-s*, *-zähne* milk tooth; **~zucker** *sub*, *m*, *-s*, *nur Einz*. lactose

Milchner, *sub*, *m*, *-s*, *-* milter

mild, *adj*, (*Luft*, *Seife*) gentle; (*Wetter*, *Zigaretten*) mild; *eine milde Gabe* alms; *jmdn milde stimmen* to put sb in a mild mood; *milde ausgedrückt* to put it mildly; **~e (1)** *adj*, (*Luft*, *Seife*) gentle; (*Urteil*) lenient; (*Wetter*, *Zigaretten*) mild **(2) Milde** *sub*,*f*, *-*, *nur Einz*. (*s. adj*) gentleness, leniency, mildness; *milde Gabe* alms; *milde ausfallen* to be lenient; *jmdn milde stimmen* to put sb in a mild mood; *milde ausgedrückt* to put it mildly; **~ern** *vt*, (*geb*.; *Gegensätze*) reduce; (*geb*.; *Schmerz*) ease; (*geb*.; *Strafe*, *Zorn*) moderate; *mildernde Umstände* mitigating circumstances; **~ernd** *adj*, (*~e Umstände*) mitigating circumstances

Mildtätigkeit, *sub*, *f*, *-*, *nur Einz*. (*geb*.) charity

Milieu, *sub*, *n*, *-s*, *-s* (*Lokalkolorit*) atmosphere; (*Umwelt*) environment; (*Verbrecher~*) underworld; **~theorie** *sub*, *f*, *-*, *nur Einz*. (*soziol*.) environmentalism

militant, *adj*, militant; **Militär** *sub*,*m*, *-s*, *nur Einz*. armed forces; *m*, *-s*, *-s* (*einzelner Soldat*) officer; *beim Militär sein* to be in the forces; *da geht es zu wie beim Militär* the place is run like an army camp; (*ugs*.) *wir sind doch hier nicht beim Militär* we´re not in the army, you know; *zum Militär einberufen werden* to be called up; (*ugs*.) *zum Militär müssen* to have to join up; **Militärarzt** *sub*, *m*, *-es*, *-ärzte* army doctor; **Militärblock** *sub*, *m*, *-s*, *-blöcke* military bloc; **Militärdiktatur** *sub*, *f*, *-*, *-en* military dictatorship; **Militäretat** *sub*, *m*, *-s*, *-s* military budget; **Militaria** *sub*, *nur Mehrz*. things military; **militärisch** *adj*, military; **militarisieren** *vt*, militarize; **Militarismus**

ᴜᴠᴇᴅ, ᴇᴛᴄ, , ᴠᴏᴍ ᴍᴠᴇᴇ. militarism, Mi-
litarist *sub, m, -en, -en* militarist;
militaristisch *adj,* militaristic; **Mi-**
litärjunta *sub, f, -, -s* military junta;
Militärmusik *sub, f, -, nur Einz.*
military music; **Militärregierung**
sub, f, -, -en military government;
Military *sub, f, -, -s* three-day event;
Militärzeit *sub, f, -, -en* army days
Miliz, *sub, f, -, -en* militia; *(in Osteu-*
ropa: Polizei) police; **~ionär** *sub,*
m, -s, -e militiaman; **~soldat** *sub,*
m, -en, -en militiaman
Mille, *sub, f, -, - (ugs.)* grand; *5 Mille*
5 grand; **Milliardär** *sub, m, -s, -e*
multi-millionaire; **Milliardärin**
sub, f, -, -nen multi-millionaire; **Mil-**
liarde *sub, f, -, -en* billion (US),
thousand millions (Brit.); *Milliar-*
den von Menschen billions of
people; *Milliarden von Menschen*
thousands of millions of people;
milliardste *adj,* billionth (US),
thousand millionth (Brit.); **Milli-**
ardstel *sub, n, -, -* billionth part
(US), thousand millionth part
(Brit.); **Millimeter** *sub, m, -s, -* millimetre; **Millimeterpapier** *sub, n,*
-s, nur Einz. graph paper; **Million**
sub, f, -, -en million; *eine Million*
Londoner sind unterwegs a million
Londoners are on their way; *zwei*
Millionen Einwohner two million
inhabitants; **Millionär** *sub, m, -s, -e*
millionaire; *es zum Millionär brin-*
gen to make a million; *vom Teller-*
wäscher zum Millionär from rags
to riches; **Millionärin** *sub, f, -, -nen*
millionaire; **Millionstel** *sub, n, -s, -*
millionth part
Milz, *sub, f, -, -en* spleen; **~brand**
sub, m, -s, nur Einz. anthrax
Mimik, *sub, f, -, nur Einz.* facial expression; **~ry** *sub, f, -, nur Einz.*
(auch i.ü.S; biol.) mimicry
mimisch, *adj,* mimic
Mimose, *sub, f, -, -en* mimosa; *emp-*
findlich wie eine Mimose sein to be
oversensitive; **mimosenhaft** *adj,*
oversensitive
Mimus, *sub, m, -, Mimen* mime

ᴍᴍᴀᴛᴇ, *sub, n, -s, -e* ᴍᴍᴀᴇᴛ
minder, *adj,* less; *mehr oder min-*
der more or less; *nicht mehr und*
nicht minder neither more nor
less; *nicht minder wichtig als* no
less important than; *und das*
nicht minder and no less so;
~begabt *adj,* less gifted; *Minder-*
begabte less gifted people; **~be-**
mittelt *adj,* less well-off; *(iro.)*
geistig minderbemittelt mentally
less gifted; **Minderbruder** *sub,*
m, -s, -brüder Franciscan; **Min-**
derheit *sub, f, -, -en* minority;
~jährig *adj,* who is (still) a
minor; **Minderung** *sub, f, -, -en*
reduction; *(Herabsetzung, Ver-*
ringerung) diminishing; **~wertig**
adj, inferior, low(-quality),
poor(-quality); **Minderwertig-**
keitsgefühl *sub, n, -s, -e* feeling
of inferiority; *Minderwertigkeits-*
gefühle haben to feel inferior;
Minderwertigkeitskomplex
sub, m, -es, -e inferiority complex
Mindestalter, *sub, n, -s, nur Einz.*
minimum age; **Mindestgebot**
sub, n, -(e)s, -e reserve price; **Min-**
destgröße *sub, f, -, -n* minimum
size; *(von Menschen)* minimum
height; **Mindestlohn** *sub, m, -s,*
-löhne minimum wage; **Mindest-**
maß *sub, n, -es, -e* minimum;
Mindestsatz *sub, m, -es, -sätze*
minimum rate; **Mindestzahl** *sub,*
f, -, -en minimum number; **Min-**
destzeit *sub, f, -, -en* minimum
time
Mine, *sub, f, -, -n (Bleistift~)* lead;
(Kugelschreiber~) reservoir;
(mil./min.) mine; *auf eine Mine*
laufen to hit a mine; *in den Mi-*
nen arbeiten to work in the mines; **~nstollen** *sub, m, -s, -*
(min.) mine tunnel; **~nwerfer**
sub, m, -s, - (veraltet; mil.) mortar; **~ral** *sub, n, -s, -e und -ien*
mineral; **~raldünger** *sub, m, -s, -*
inorganic fertilizer; **~ralogie**
sub, f, -, nur Einz. mineralogy;
~ralogin *sub, f, -, -nen* mineralo-

gist; **~ralöl** *sub, n, -(e)s, -e* mineral oil; **~ralölsteuer** *sub, f, -, -n* tax on oil; **~ralstoff** *sub, m, -(e)s, -e* mineral nutrient; **~ralwasser** *sub, n, -s, nur Einz.* mineral water

Minestrone, *sub, f, -, -n* minestrone

Mineur, *sub, m, -s, -e (Börse)* bull; *(mil.)* sapper

Miniatur, *sub, f, -, -en* miniature; **~bild** *sub, n, -(e)s, -er* miniature; **miniaturisieren** *vt,* miniaturize

Minicomputer, *sub, m, -s, -* minicomputer; **Minigolf** *sub, n, -s, nur Einz.* miniature golf; **minimal** *adj, (Gewinn)* very small; *(Steigerung)* marginal; *(Unterschied, Aufwand)* minimal; **Minimalwert** *sub, m, -s, -e* minimum; **minimieren** *vt,* minimize; **Minimierung** *sub, f, -, -en* minimization; **Minimum** *sub, n, -s, Minima* minimum; **Minirock** *sub, m, -(e)s, -röcke* mini-skirt; **Minispion** *sub, m, -s, -e* mimiaturized bugging device

Minister, *sub, m, -s, -* minister, secretary; **~amt** *sub, n, -(e)s, -ämter* ministerial office; **~ialdirektor** *sub, m, -s, -en* head of a government department; **~ialdirigent** *sub, m, -en, -en* assistant head of government department; **~iale** *sub, m, -n, -n (hist.)* ministerial(is); **ministeriell** *adj,* ministerial; **~ium** *sub, n, -s, Ministerien* department, ministry; **Verteidigungsministerium** Department of Defense; **~präsident** *sub, m, -en, -en* prime minister; *(eines Bundeslandes)* leader of a Federal German state; **~rat** *sub, m, -(e)s, -räte* council of ministers; **ministrabel** *adj,* capable of holding ministerial office; **Ministrant** *sub, m, -en, -en* server; **ministrieren** *vi,* serve

Mink, *sub, m, -s, -s* mink

Minne, *sub, f, -, nur Einz.* courtly love; **~dienst** *sub, m, -es, nur Einz.* homage rendered by a knight his lady; **~lied** *sub, m, -(e)s, -er* minnelied; **~sang** *sub, m, -(e)s, -gesänge* minnesong; **~sänger** *sub, m, -s, -*

minnesinger

Minorennität, *sub, f, -, nur Einz.* minority; **Minorität** *sub, f, -, -en* minority

Minute, *sub, f, -, -n* minute; *auf die Minute pünktlich* on the dot; *es vergeht keine Minute, ohne dass* not a moment goes by without; *in letzter Minute* at the last moment; **minutenlang (1)** *adj,* several minutes of (2) *adv,* for several minutes

minuziös, *adj, (Frage, Schilderung)* detailed; *(Nachbildung)* meticulous

mir, *pron,* me; *ein Freund von mir* a friend of mine; *mir nichts, dir nichts* without so much as a by-your-leave; *von mir aus* I don't mind; *wie du mir, so ich dir* tit for tat

Mirabelle, *sub, f, -, -n* mirabelle

Mirakel, *sub, n, -s, - (veraltet)* miracle; **~spiel** *sub, n, -(e)s, -e* miracle play

Misandrie, *sub, f, -, nur Einz. (psych.)* misandry

Misanthrop, *sub, m, -en, -en* misanthropist; **~ie** *sub, f, -, nur Einz.* misanthropy; **misanthropisch** *adj,* misanthropic

Mischbecher, *sub, m, -s, -* mixing beaker; *(Bar)* cocktail shaker; **mischen (1)** *vt, (Kaffee, Tabaksorten)* blend; *(Karten)* shuffle (2) *vtr,* mix; *sich in etwas mischen* to interfere in sth; *sich unter jmdn mischen* to mingle with sb; **Mischfarbe** *sub, f, -, -n* mixed colour; *(phys.)* secondary colour; **mischfarben** *adj,* mixed coloured; **mischfarbig** *adj,* mixed coloured; **Mischfutter** *sub, n, -s, nur Einz.* concentrated feed (stuff); **Mischgetränk** *sub, n, -s, -getränke* mixed drink; **Mischgewebe** *sub, n, -s, -* mixed fibres; **Mischkultur** *sub, f, -, -en (agr.)* mixed cultivation; *(soziol.)* mixed culture; *Mischkulturen anbauen* to grow different crops side by side; **Mischling** *sub, m, -s, -e* half-breed; **Mischmasch** *sub, m, -(e)s, nur Einz. (ugs.)* hotchpotch, mishmash

Mischsprache, *sub, f, -, -n* mixed language; **Mischtrommel** *sub, f, -, -n* cement-mixer; **Mischung** *sub, f, -, -en* mixture; *(das Mischen)* blending, mixing; *(die Mixtur)* blend; **Mischwald** *sub, m, -(e)s, -wälder* mixed woodland; **Misere** *sub, f, -, -n* (Hunger, Krieg) misery; *(Wirtschaft)* plight; *das war eine einzige Misere* that was a real disaster; *jmdn aus einer Misere herausholen* to get sb out of trouble; *in einer Misere stecken* to be in a dreadful state

miserabel, *adj*, lousy; *(Benehmen)* dreadful

Misogam, *sub, m, -en, -en* misogamist

missachten, *vt*, *(geringschätzen)* despise; *(ignorieren)* disregard; **Missachtung** *sub, f, -, nur Einz. (Geringschätzung)* disrespect; *(Ignorieren)* disregard; **Missbehagen** *sub, n, -s, nur Einz. (Missfallen)* discontent(ment); *(Unbehagen)* uneasiness; *jmd Missbehagen bereiten* to cause sb discontent; *jmd Missbehagen bereiten* to cause sb uneasiness; **Missbildung** *sub, f, -, -en* deformity; **missbilligen** *vt*, disapprove of; **Missbilligung** *sub, f, -, nur Einz.* disapproval; **Missbrauch** *sub, m, -s, nur Einz.* abuse; *(falsche Anwendung)* misuse; *(sexuell)* sexual assault; *unter Missbrauch seines Amtes* in abuse of his office; *vor Missbrauch wird gewarnt* use only as directed; *Missbrauch zur Unzucht* sexual offence commited by a person in position of authority over victim; **missbrauchen** *vt*, abuse; *(Güte)* impose on; *(sexuell)* assault; *den Namen Gottes missbrauchen* to take the Lord´s name in vain; *jmdn zu etwas missbrauchen* to use sb for sth; *jmdn zu allem Möglichen missbrauchen* to impo-

se on sb; **missbräuchlich** *adj*, improper; **missdeuten** *vt*, misinterpret; **Missdeutung** *sub, f, -, -en* misinterpretation

missen, *vt*, *(geb.)* do without, miss; *das möchte ich nicht missen* I wouldn´t do without it; **Misserfolg** *sub, m, -(e)s, -e* failure; *(Buch, Film)* flop; **Missernte** *sub, f, -, -n* crop failure; **Missetat** *sub, f, -, -en (veraltet)* misdeed, misdemeanour; **Missetäter** *sub, m, -s, -* culprit; **Missetäterin** *sub, f, -, -nen* culprit; **Missfallen (1)** *sub, n, -s, nur Einz.* disapproval (of), displeasure **(2) missfallen** *vi*, diplease; *Missfallensbekundung* expression of disapproval; *jmds Missfallen erregen* to encur sb´s displeasure, *es missfällt mir, wie er* I dislike the way he; **Missfallensäußerung** *sub, f, -, -en* expression of disapproval; **missfällig** *adj*, disparaging; **Missfarbe** *sub, f, -, -n* disagreeable colour; **missgebildet** *adj*, deformed; **Missgeburt** *sub, f, -, -en* deformed person/animal; **missgelaunt** *adj*, bad-tempered; **Missgeschick** *sub, n, -(e)s, -e* mishap; *ein kleines Missgeschick* a slight mishap; *vom Missgeschick verfolgt werden* to be dogged by misfortune; **Missgestalt** *sub, f, -, -en* misshapen figure; **missgestaltet** *adj*, misshapen

missgestimmt, *adj*, ill-humoured; *missgestimmt sein* to be in an ill humour; **missglücken** *vi*, be unsuccessful, fail; *es ist ihm missglückt* he failed; *der Versuch ist missglückt* the attempt was a failure; **missgönnen** *vt*, grudge; *er missgönnt ihr das* he begrudges her sth; **Missgriff** *sub, m, -s, -e* mistake; **Missgunst** *sub, f, -, nur Einz.* resentment; **missgünstig** *adj*, resentful; **misshandeln** *vt*, ill-treat, maltreat; **Misshandlung** *sub, f, -, -en* ill-treatment; *(Kindes~)* cruelty (children);

Missheirat *sub, f, -, -en* mésalliance; **misshellig** *adj, (geb.)* unpleasant; **Misshelligkeit** *sub, f, -, -en* disagreement

Mission, *sub, f, -, -en* mission; *(pol.)* delegation; *in der Mission tätig sein* to be a missionary; *Mission treiben* to do missionary work; **~ar** *sub, m, -s, -e* missionary; **~arin** *sub, f, -, -nen* missionary; **missionarisch** *adj,* missionary; *in der Mission tätig sein* to do missionary work; **missionieren** *vti,* proselytize; **~schef** *sub, m, -s, -s* leader of a delegation

Missklang, *sub, m, -s, -klänge* discord; *ein Missklang* a note of discord; **Misskredit** *sub, m, -s, nur Einz.* discredit; *in Misskredit geraten* to be discredited; *jmdn in Misskredit bringen* to bring sb into discredit; **misslaunig** *adj,* bad-tempered; **missleiten** *vt,* mislead; **Missleitung** *sub, f, -, -en* misleading; **misslich** *adj,* awkward, unfortunate; *das ist ja eine missliche Sache* that´s a bit awkward; *es steht misslich um dieses Vorhaben* the outlook for the plan is not good; **Misslichkeit** *sub, f, -, -en* awkwardness, unfortunate nature; **missliebig** *adj,* unpopular; *missliebige Politiker* politicians who have fallen out of favour; *sich missliebig machen* to make oneself unpopular; **Missliebigkeit** *sub, f, -, nur Einz.* unpopularity; **misslingen** *vi,* be unsuccessful, fail; *der Versuch ist misslungen* the attempt was unsuccessful; *das ist ihm misslungen* he failed; *ihm misslingt alles* everything he does goes wrong

Misston, *sub, m, -s, -töne* discordant note; **misstönend** *adj,* discordant; **Misstrauen (1)** *sub, n, -s, nur Einz.* mistrust, suspiciousness **(2) misstrauen** *vi,* mistrust; *jmd Misstrauen entgegenbringen* to mistrust sb; **Misstrauensantrag** *sub, m, -s, -anträge* motion of no confidence; **Misstrauensvotum** *sub, n, -s, -ten* vote of no confidence; **misstrau-**

isch *adj,* mistrustful, suspicious; *Misstrauen gegen jmdn hegen* to be suspicious of sb; **missvergnügt** *adj, (geb.)* disgruntled; **Missverhältnis** *sub, n, -ses, -se* discrepancy; *(in Proportionen)* imbalance; *seine Leistung steht im Missverhältnis zu seiner Bezahlung* there is a discrepancy between the work he does and his salary; **missverständlich** *adj,* unclear; *missverständliche Ausdrücke* expressions which could be misleading; **Missverständnis** *sub, n, -ses, -se* misunderstanding; *(falsche Vorstellung)* misconception; **missverstehen** *vt,* misunderstand; *in nicht misszuverstehender Weise* unequivocally; *Sie dürfen mich nicht missverstehen* please do not misunderstand me; **Misswahl** *sub, f, -, -en* beauty contest; **Misswirtschaft** *sub, f, -, nur Einz.* mismanagement

Mist, *sub, m, -(e)s, nur Einz. (Pferde~, Kuh~)* dung; *(Tierkot)* droppings; *(Unsinn)* rubbish; *Mist fahren* to spread manure; *(ugs.) es ist nicht auf seinem Mist gewachsen* he didn´t think that up himself; *(ugs.) da hat er Mist gebaut* he really messed that up; *(ugs.) Mist!* blast!; *(ugs.) so ein Mist!* what a blasted nuisance!

Mistel, *sub, f, -, -n* mistletoe; *ein Kuss unter dem Mistelzweig* a kiss under the mistletoe; **~zweig** *sub, m, -(e)s, -e* sprig of mistletoe

Mister, *sub, m, -s, - (Anrede)* Mister

Mistfink, *sub, m, -en, -en (ugs.; Kind)* mucky pup; *(ugs.; Schimpfwort)* filthy beggar; **Mistkäfer** *sub, m, -s, -* dung beetle; **Mistkerl** *sub, m, -s, -e (vulg.)* dirty swine

Mistral, *sub, m, -s, nur Einz.* mistral

Mistgabel, *sub, f, -, -n* pitchfork; **Miststück** *sub, n, -(e)s, -stücke (vulg.; Schimpfwort/Frau)* bitch;

(vulg.; Schimpfwort/Mann) bastard; **Mistvieh** *sub, n, -(e)s, nur
Einz. (Frau)* bitch; *(Mann)* bastard
mit, (1) *adv,* nur als Anwendung **(2)**
präp, with; *(zeitlich)* at; *das gehört
mit dazu* that´s part and parcel of
it; *er ist mit der Beste der Gruppe*
he is among the best in the group;
er wollte mit he wanted to come
too, *(ugs.) du mit Deinen dummen
Ideen!* you and your stupid ideas!;
ein Musiker, Brahms mit Namen a
musician, Brahms by name; *ein
Topf mit Suppe* a pot of soup; *mit
Bleistift schreiben* to write in pencil; *mit der Bahn* by train; *mit einem Wort* in a word; *mit lauter
Stimme* in a loud voice; *Wie war´s
mit einem Bier?* How about a beer?;
mit 16 Jahren at the age of 16; *mit
dem Glockenschlage sechs* at six on
the dot; *mit der Zeit* in time; *mit
einem Mal* all at once

mitarbeiten, *vi,* collaborate, cooperate; *beim Unterricht mitarbeiten*
to take an active part in lessons;
(ugs.) seine Frau arbeitet mit his
wife works too; *an etwas mitarbeiten* to work on sth; *er hat beim Bau
des Hauses mitgearbeitet* he helped build the house; **Mitarbeiter**
sub, m, -s, - (Betriebsangehöriger)
employee; *(Kollege)* colleague; **Mitautor** *sub, m, -s, -en* co-author;
Mitbegründer *sub, m, -s, -* co-founder; **mitbekommen** *vt,* be given
sth. (take with one); *(verstehen)*
get; *hast du das noch nicht mitbekommen?* you mean you didn´t
know that?; **mitbenutzen** *vt,* share;
Mitbenutzung *sub, f, -, nur Einz.*
joint use; **Mitbesitzer** *sub, m, -s, -*
co-owner; **mitbestimmen** *vti,* have
an influence (on); **Mitbestimmung** *sub, f, -, nur Einz.* co-determination,   participation;
Mitbestimmung der Arbeiter wor-
ker participation; **Mitbewerber**
sub, m, -s, - competitor, fellow applicant; **Mitbewohner** *sub, m, -s, -*
fellow occupant

mitbringen, *vt, (Begleiter)* bring
along; *(beim Zurück-Kommen)*
bring (back); *(Mitgift)* bring with
one; *(Voraussetzungen)* have;
*die richtige Einstellung mitbrin-
gen* to have the right attitude;
jmdn etwas mitbringen to bring
sth for sb; *jmdn etwas von der
Stadt mitbringen* to bring sth
back from town; *etwas in die Ehe
mitbringen* to have sth when one
gets married; *sie hat zwei Kinder
aus der ersten Ehe mitgebracht*
she has two children from her
first marriage; **Mitbringsel** *sub,
n, -s, -* souvenir; **Mitbürgerin**
sub, f, -, -nen fellow citizen; *meine Münchner Mitbürgerinnen* my
fellow citizens from Munich; **Miteigentum** *sub, n, -s, nur Einz.*
co-ownership; **miteinander (1)**
adv, together, with each other
(2) Miteinander *sub, n, -s, nur
Einz.* cooperation; *alle miteinander!* all together now!; *sie reden
nicht mehr miteinander* they are
not talking (to each other) any
more; *wir haben lange miteinander geredet* we had a long talk,
*ein Miteinander ist besser als ein
Gegeneinander!* it is better to
work with each other than against
each other!; **Mitempfinden** *sub,
n, -s, nur Einz.* sympathy; **mitessen (1)** *vt, (Schale)* eat as well **(2)**
vti, (Mahlzeit) share; *bei jmdn
mitessen* to have a meal with sb;
willst du nicht mitessen? why
don´t you have sth to eat too?;
Mitesser *sub, m, -s, -* blackhead; .
mitfahren *vi,* go (with sb); *jmdn
mitfahren lassen* to give sb a lift;
kann ich mitfahren? can you give
me a lift?; *wie viele Leute können
bei dir mitfahren?* how many
people can you take?; **Mitfahrerin** *sub, f, -, -nen* fellow passenger
mitfühlen, (1) *vi,* sympathize
(with) **(2)** *vt,* feel too; **~d** *adj,*
compassionate; **mitgeben** *vt,
(Person)* send along; *(Sache)*

give; *das geb ich dir noch mit* take that with you; *jmd jmdn mitgeben* to send sb along with sb; *jmd etwas mitgeben* to give sb sth to take with them; **mitgefangen** *adj*, (~, *mitgehangen*) caught together; **Mitgefangener** *sub*, *m*, *-n*, *-* fellow prisoner; **Mitgefühl** *sub*, *n*, *-s*, *nur Einz.* sympathy; **mitgehen** *vi*, go along; (*ugs.*; ~ *lassen*) pinch; (*Publikum*) respond (to); *ich gehe bis zur Ecke mit* I´ll go to the corner with you; *mit der Zeit gehen* to move with the times; *mit jmd mitgehen* to accompany sb; *man merkt wie die Zuhörer mitgehen* you can see that the audience is really with him; **mitgenommen** *adj*, exhausted; **Mitgift** *sub*, *f*, *-*, *-en* dowry; **Mitgiftjäger** *sub*, *m*, *-s*, *-* (*ugs.*) dowry-hunter; **Mitglied** *sub*, *m*, *-s*, *-er* member; **Mitgliedschaft** *sub*, *f*, *-*, *-en* membership

Mithelferin, *sub*, *f*, *-*, *-nen* helper; **Mithilfe** *sub*, *f*, *-*, *nur Einz.* aid, assistance; *unter Mithilfe der Kollegen* with the aid of colleagues; *unter Mithilfe der Kollegen* with the assistance of colleagues; **mithin** *adv*, (*veraltet*) therefore; **mithören** *vti*, listen (too), overhear; **Mitinhaberin** *sub*, *f*, *-*, *-nen* co-owner; **Mitkämpferin** *sub*, *f*, *-*, *-nen* partner; (*Krieg*) comrade in arms; **Mitklägerin** *sub*, *f*, *-*, *-nen* joint plaintiff; **mitkommen** *vi*, (*auch kommen*) come along; (*mithalten*) keep up; *bis zum Bahnhof mitkommen* to come as far as the station; *ich kann nicht mitkommen* I can´t come; *kommst du mit ins Kino?* are you coming to the cinema?; *da komm´ ich nicht mit* that´s beyond me; *sie kommt in der Schule gut mit* she´s getting on well at school; **Mitläufer** *sub*, *m*, *-s*, *-* fellow traveller; **Mitläuferin** *sub*, *f*, *-*, *-nen* fellow traveller

Mitlaut, *sub*, *m*, *-s*, *-te* consonant; **Mitleid** *sub*, *n*, *-s*, *nur Einz.* compassion, sympathy; **Mitleiden-**

schaft *sub*, *f*, *-*, *nur Einz.* (*in* ~ *ziehen*) affect; **mitleidslos** *adj*, heartless, pitiless; **mitleidsvoll** *adj*, sympathetic; **mitlesen** *vti*, read too; *etwas mit jmd mitlesen* to read sth at the same time as sb; **mitmachen** *vti*, (*einverstanden sein*) go along (with); (*erleben*) live through; (*teilnehmen*) join; *da kann ich nicht mitmachen* I can´t go along with that; *das mach´ ich nicht mehr mit* I´ve had quite enough of that; *ich mache das nicht mehr lange mit* I won´t take that much longer; *sie hat viel mitgemacht* she´s been through a lot in her time; *er macht alles mit* he always joins in; *jede Mode mitmachen* to follow every fashion; *meine Beine machen nicht mehr mit* my legs are giving up; **Mitmensch** *sub*, *m*, *-en*, *-en* fellow man; *wir müssen in jedem den Mitmenschen sehen* we must see people as neighbours; **Mitnahme** *sub*, *f*, *-*, *nur Einz.* taking away; **mitnehmen** *vt*, take (with one); (*erschöpfen*) exhaust; (*ugs.*; *stehlen*) walk off (with); *einmal Pommes frites zum Mitnehmen!* a bag of chips to take away! (brit), french fries to go! (US); *jmdn im Auto mitnehmen* to give sb a lift; *sie nimmt alles mit, was sich bietet* she makes the most of everything life has to offer; *mitgenommen aussehen* to look the worse for wear; **mitnichten** *adv*, (*veraltet*) by no means, not at all

Mitose, *sub*, *f*, *-*, *m* mitosis

Mitpatientin, *sub*, *f*, *-*, *-nen* fellow patient

Mitra, *sub*, *f*, *-*, *Mitren* (*relig.*) mitre

mitreden, (1) *vi*, join in (2) *vti*, have a say; *da kann er nicht mitreden* he wouldn´t know anything about that; *da kann ich mitreden* I should know, (*ugs.*) *da möchte ich auch ein Wörtchen* mitreden I'd like to have some say in this too; *Sie haben hier nichts mitzureden!* this is none of your concern!; *(ugs.) sie will überall mitreden* she always has to have her say; **Mitreisende** *sub, m, -n, -n* fellow traveller; **mitreißend** *adj, (Rede)* rousing; *(Rhythmus)* infectious; **mitschleifen** *vt, (ugs.)* drag along; **mitschleppen** *vt,* drag along; **mitschneiden** *vt,* record; **mitschreiben** *vt,* take down, take notes; *nicht so schnell, ich kann nicht mehr mitschreiben!* not so fast, I can´t keep up!; **Mitschuldige** *sub, m/f, -n, -n* accomplice; **Mitschüler** *sub, m, -s, -* class-mate; **Mitschülerin** *sub, f, -, -nen* class-mate; **mitschwingen** *vi,* resonate; *in seiner Stimme schwang ein Ton von Enttäuschung mit* there was a note of disappointment in his voice; *was bei diesem Wort mitschwingt* the associations conjured up by this word; **Mitspieler** *sub, f, -, -nen (theat.)* member of the cast; **Mitspielerin** *sub, f, -, -nen* player; **mitsprechen** *vi,* join in; *(mitbestimmen)* have a say; *da kann er nicht mitsprechen* he wouldn´t know anything about that; *da kann ich mitsprechen* I should know; *er will überall mitsprechen* he always has to have his say; *Sie haben hier nichts mitzusprechen* this is none of your concern!; **Mitstreiter** *sub, m, -s, - (geh.)* comrade in arms

mitschuldig, *adj, (Unfall)* partly responsible; *(Verbrechen)* implicated **Mittag,** *sub, m, -s, -e* midday, noon; *(~spause)* lunch-break; *etwas zu Mittag essen* to have sth for lunch; *gegen Mittag* around midday; *sie macht gerade Mittag* she´s (off) at lunch; **~essen** *sub, n, -s, -* lunch; *er kam zum Mittagessen* he came to lunch; **mittags** *adv,* at lunchtime; *die Deutschen essen mittags warm* the Germans have a hot meal at midday; *zwölf Uhr mittags* at twel-

ve noon; **~sbrot** *sub, n, -s, nur Einz.* lunch; **~shitze** *sub, f, -, nur Einz.* midday heat; **~slinie** *sub, f, -, -n* meridian; **~smahl** *sub, n, -(e)s, -mähler* midday meal; **~spause** *sub, f, -, -n* lunch-break; *Mittagspause machen* to take one´s lunch-break; **~ssonne** *sub, f, -, nur Einz.* midday sun; **~stisch** *sub, m, -s, -e* dinnertable; *am Mittagstisch sitzen* to be sitting at the table having lunch; *den Mittagstisch decken* to lay the table for lunch; **~szeit** *sub, f, -, nur Einz.* lunchtime; *in der Mittagszeit* at lunchtime; *um die Mittagszeit* around midday

Mittäter, *sub, m, -s, -* accomplice

Mitte, *sub, f, -, -n* middle; *(Kreis, Stadt, Politik)* centre; *ab durch die Mitte!* hop it!; *das Reich der Mitte* the Middle Kingdom; *die goldene Mitte* the golden mean; *er ist Mitte vierzig* he is in his mid-fourties; *Mitte August* in the middle of August; *einer aus unserer Mitte* one of us; *er wurde aus unserer Mitte gerissen* he was taken from our midst; *(polit.) in der Mitte stehen* to be moderate; *in unserer Mitte* among(st) us

mitteilen, (1) *vr,* communicate **(2)** *vt,* inform, tell; *er kann sich gut mitteilen* he finds it easy to communicate, *wir erlauben uns, ihnen mitzuteilen, daß* we beg to inform you that; *teil ihm die Nachricht schonened mit* break the news to him gently; **Mitteilung** *sub, f, -, -en* announcement; *(an Mitarbeiter)* memo; *(Erklärung)* statement; *(von Korrespondenten)* report; *eine Mitteilung bekommen, dass* to hear that; *jmd Mitteilung machen* to report sth to sb; **Mitteilungsbedürfnis** *sub, n, -ses, nur Einz.* need to talk to other people

Mittel, *sub, n, -s, - (~ zum Zweck)* means, method; *(Geld~)* resources; *(math.)* average; *(med.)* medicine; *(Putz~)* cleaning agent; *(Verkehrskontrolle)* device; *der Zweck heiligt die Mittel* the end justifies the means; *ihm ist jedes Mittel recht* he will do anything; *Mittel und Wege finden* to find ways and means; *Mittel zum Zweck* a means to an end; *er ist in der Wahl seiner Mittel nicht zimperlich* he is not fussy about what methods he chooses; *zu anderen Mitteln greifen* to employ other methods; *arithmetisches Mittel* arithmetical mean; *im Mittel* on average; *das ist ein Mittel gegen meinen Durchfall* that is for my diarrhoea; *ein Mittel zum Einreiben* an ointment to be rubbed in; *es gibt kein Mittel gegen Schnupfen* there is no cure for the common cold; *Mittel zum Putzen* cleaning stuff; *sie hat mit allen Mitteln gekämpft* she fought tooth and nail; **~alter** *sub, n, -s, nur Einz.* Middle Ages; *(ugs.) da herschen Zustände wie im Mittelalter!* it is positively medieval there!; **mittelalterlich** *adj,* medieval; **~europa** *sub, n, -s, nur Einz.* Central Europe; **~finger** *sub, m, -s, -* middle finger; **~gewicht** *sub, n, -(e)s, nur Einz.* middle weight; *Meister im Mittelgewicht* middle weight champion; **~glied** *sub, n, -(e)s, -er* connecting link; **~hand** *sub, f, -, -bände (anat.)* metacarpus; *(zool.)* barrel; **~klasse** *sub, f, -, -n (soziol.)* middle classes; *f, -, nur Einz. (wirt.)* middle of the market; *ein Wagen der Mittelklasse* a midrange car; **~kreis** *sub, m, -es, -e (spo.)* centre circle; **~läufer** *sub, m, -s, -* centre-half; **~linie** *sub, f, -, -n* centre line; **mittellos** *adj,* without means; **mittelmäßig** *adj,* mediocre; *als Redner gibt er eine recht mittelmäßige Figur ab* he´s a pretty mediocre speaker

Mittelmeer, *sub, n, -(e)s, nur Einz.* Mediterranean (Sea); **Mittelpunkt** *sub, m, -(e)s, -e* centre; *(visuell)*

focal point; *er muss immer im Mittelpunkt stehen* he always has to be the centre of attention; **mittels** *präp,* by means of; **Mittelscheitel** *sub, m, -s, -* centre part(ing); **Mittelschiff** *sub, n, -s, -e (archit.)* nave; **Mittelschule** *sub, f, -, -n (=Realschule)* secondary modern school; **Mittelschullehrer** *sub, m, -s, -* teacher at a secondary high school; **mittelschwer** *adj, (Text)* of medium difficulty; *(Verletzung)* moderately severe; **Mittelsmann** *sub, m, -es, -männer* intermediary; **Mittelstand** *sub, m, -(e)s, -stände* middle classes; **Mittelstellung** *sub, f, -, -en* intermediate position; **Mittelstimme** *sub, f, -, -n (mus.)* middle part; **Mittelstrekke** *sub, f, -, -en (Rakete)* medium range; *(spo.)* middle-distance event; **Mittelstreckenrakete** *sub, f, -, -n* medium range missile; **Mittelstück** *sub, n, -s, -e* middle part; **Mittelstufe** *sub, f, -, -n (Brit.)* middle school; *(US)* junior high; **Mittelstürmer** *sub, m, -s, -* *(spo.)* centre-forward; **Mittelwelle** *sub, f, -, nur Einz.* medium wave (band); *auf Mittelwelle senden* to broadcast on the medium wave band; **Mittelwert** *sub, m, -s, -e* mean

mitten, *adv,* in the middle of; *der Teller brach mitten entzwei* the plate broke clean in two; *mitten an/in/auf/bei etwas* (right) in the middle of sth; *mitten im Atlantik* in mid-Atlantic; *mitten ins Gesicht* right in the face; *mitten in der Arbeit* in the middle of it; *mittendrin in der Arbeit* (right) in the middle of one´s work; **~durch** *adv,* through the middle; **Mitternacht** *sub, f, -, Mitternächte* midnight; **mitternachts** *adv,* at the midnight hour; **Mitternachtssonne** *sub, f, -, nur Einz.* midnight sun

mittig, *adj,* middle

Mittler, *sub, m, -s, -* mediator;

rolle *sub, f, -, -n* mediatory position; **mittlerweile** *adv,* in the meantime

mittschiffs, *adv, (naut.)* midships; **mittsommers** *adv,* in midsummer; **mittwinters** *adv,* in midwinter; **Mittwoch** *sub, m, -s, -e* Wednesday; **mittwochs** *adv,* on Wednesdays

mitunter, *adv,* from time to time, now and again, once in a while

mitverdienen, *vi,* earn as well; **Mitverfasser** *sub, m, -s, -* co-author; **mitwirken** *vi,* play a part; *(beteiligt)* be involved; *(Fakten, Faktoren)* contribute; *(mitspielen)* take part; *ohne das Mitwirken meiner Frau* without my wife´s involvement; **Mitwirkende** *sub, m, -n, -n* participant; *(Mitspieler)* performer; *die Mitwirkenden* the cast; **Mitwisser** *sub, m, -s, -* accessory; *er wollte nicht so viele Mitwisser haben* he didn´t want so many people to know about it; *Mitwisser sein* to know about it; **Mitwisserin** *sub, f, -, -nen* accessory; *Mitwisserin sein* to know about it

Mix, *sub, m, -, -es* mixture; **~edpickles** *sub, f, -, nur Mehrz.* mixed pickles; **mixen** *vt,* mix; **~er** *sub, m, -s, - (Bar~)* cocktail waiter; *(Rührmaschine)* mixer; **~tur** *sub, f, -, -en* mixture

Mnemotechnik, *sub, f, -, nur Einz.* mnemotechnics

Möbel, *sub, n, nur Mehrz.* furniture; *Möbelrücken* to shift the furniture; **~händler** *sub, m, -s, -* furniture dealer; **~packer** *sub, m, -s, -* furniture packer; **~politur** *sub, f, -, -en* furniture polish

mobil, *adj,* mobile; *(munter)* lively; *(Vermögen)* movable; *(mil.) mobil machen* to mobilize; *jmdn mobil machen* to liven sb up; *mobiles Vermögen* movables; **Mobile** *sub, n, -s, -s* mobile; **Mobiliar** *sub, n, -s, nur Einz.* furnishings; **Mobilisation** *sub, f, -, -en* mobilization; **~isieren** *vt, (Kapital)* make liquid; *(mil.)* mobilize; *den Mop mobilisieren* to

rouse the mop; **Mobilität** *sub, f, -, nur Einz.* mobility; *(geistige)* agility; **Mobilmachung** *sub, f, -, -en (mil.)* mobilization; **Mobiltelefon** *sub, n, -s, -e* portable phone

möblieren, *vt,* furnish; **möbliert** *adj,* furnished; *ein möblierter Herr* a lodger; *ein möbliertes Zimmer* a furnished room

modal, *adj, (gramm.)* modal; **Modalität** *sub, f, -, -en (meist Mehrz.)* procedure; *(Plan, Vertrag)* arrangement; **Modalsatz** *sub, m, -es, -sätze* clause of manner; **Modalverb** *sub, n, -s, -en* modal verb

Modder, *sub, m, -s, nur Einz.* mud

Mode, *sub, f, -, -n* fashion; *(Sitte)* custom; *aus der Mode kommen* to go out of fashion; *das ist jetzt Mode* that´s the latest fashion; *aus der Mode* out of date; *(ugs.) wir wollen keine neuen Moden einführen* we don´t want any new ideas; **~artikel** *sub, m, -s, -* fashion accessory; *(in Zeitung)* fashion article; **~ausdruck** *sub, m, -s, -drücke* in-phrase; **modebewusst** *adj,* fashion-conscious; **~designer** *sub, m, -s, -* fashion designer; **~geschäft** *sub, n, -s, -e* fashion shop; **~heft** *sub, n, -s, -e* fashion magazine; **~journal** *sub, n, -s, -e* fashion magazine

Model, *sub, n, -s, -s (Foto~)* model; **~l** *sub, n, -s, -e* model; *jmd Modell stehen* to sit for sb; *Modell stehen* to be the model for sth; **~lbauer** *sub, m, -s, -* model-maker; **~leisenbahn** *sub, f, -, -en* model railway; **modellieren** *vti,* model; **~lierer** *sub, m, -s, -* modeller; **~lierung** *sub, f, -, -en* modelling; **~lkleid** *sub, n, -s, -er* model dress; **~lpuppe** *sub, f, -, -n* model type; **~lschutz** *sub, m, -es, nur Einz.* protection of patterns and designs; **~lversuch** *sub, m, -s, -e* experiment; **modeln** *vt,* model

Modem, *sub, n, -s, -s* modem

Modepüppchen, *sub, n, -s,* - model type

Moder, *sub, m, -s, nur Einz.* mustiness; *(Verwesung)* decay; *es riecht nach Moder* it smells musty; *in Moder übergehen* to decay

moderat *adj,* moderate; **Moderation** *sub, f, -, -en* presentation; *die Moderation heute abend hat to-night´s presentor is;* **Moderator** *sub, m, -s, -en* presenter; **Moderatorin** *sub, f, -, -nen* presenter; **Modergeruch** *sub, m, -s, -gerüche* musty odour; **moderieren** *vti,* present

modern, (1) *adj,* modern (2) *vi,* rot, up-to-date; *(Ansichten, Eltern)* progressive; *der moderne Mensch* modern man, *modern werden* to come into fashion; *modern sein* to be fashionable; **Moderne** *sub, f, -, nur Einz.* modern age; *das Zeitalter der Moderne* the modern age; **~isieren** *vt,* bring up date, modernize; **Modernismus** *sub, m, -, nur Einz.* modernism; **Modernität** *sub, f, -, nur Einz. (geh.)* modernity

Modeschmuck, *sub, m, -s, nur Einz.* costume jewellery; **Modeschöpfer** *sub, m, -s,* - fashion designer; **Modetanz** *sub, m, -es, -tänze* popular dance; **Modetorheit** *sub, f, -, -en* fashion fad; **Modewelt** *sub, f, -, nur Einz.* world of fashion; **Modewort** *sub, n, -(e)s, -e* in-word; **Modezeichner** *sub, m, -s,* - fashion illustrator

Modifikation, *sub, f, -, -en* modification; **modifizieren** *vt,* modify

modisch, *adj,* fashionable

Modistin, *sub, f, -, -nen* milliner

Modus, *sub, m, -, Modi (comp.)* mode; *(gramm.)* mood; *Modus Vivendi* modus vivendi

mogeln, *vi,* cheat; *beim Kartenspiel mogeln* to cheat at cards; **Mogelpackung** *sub, f, -, -en* misleading packaging; *(i. ü. S.) den Wählern im Mogelpackung verkaufen* to sell the electorate false promises

mögen, *vti,* like, want; *(Vermutung)* may; *das möcht´ ich auch wissen* I´d like to know that too; *hier möchte ich nicht wohnen* I wouldn´t like to live here; *ich mag nicht mehr* I´ve had enough; *möchten sie eine Tasse Tee?* would you care for a cup of tea?; *was möchten sie, bitte?* what would you like?; *ich möchte gerne nach hause* I want to go home; *ich möchte lieber gehen* I would rather leave; *jmd nicht mögen* conceive a dislike for sb; *sagen Sie ihm, er möchte zu mir kommen* would you tell him to come and see me; *sie möchten zuhause anrufen* you should call home; *(geh.) er mag wohl recht haben,* aber he may well be right, but; *mag kommen, was da will* come what may; *(geh.) möge die Macht mit dir sein!* may the force be with you!; *was mag das wohl heißen?* what might that mean?

Mogler, *sub, m, -s,* - cheat

möglich, *adj,* possible; *(ausführbar)* feasible; *(eventuell)* potential; *alles mögliche* everything you can think of; *aus allen möglichen Richtungen* from all directions; *ist denn sowas möglich?* would you credit it?; *wenn es irgend möglich ist* if at all possible; *er tat sein Möchlichstes* he did his utmost; **~erweise** *adv,* possibly; *da liegt möglicherweise ein Missverständnis vor* there is possibly a misunderstanding; *möglicherweise kommt er morgen* he may come tomorrow; **Möglichkeit** *sub, f, -, -en* possibility; *(Ausführbarkeit)* feasibility; *(Aussicht)* chance; *(Gelegenheit)* opportunity; *er hatte keine andere Möglichkeit* he had no other choice; *ist denn das die Möglichkeit?* I don´t believe it; *die Möglichkeit haben, etwasa zu tun* to have the chance of doing sth

Mogul, *sub, m, -s, -n (hist.)* mogul

Mohair, *sub, m, -s, -e (tex.)* mohair

Mohammedaner, *sub*, *m*, *-s*, - Mohammedan

Mohn, *sub*, *m*, *-s*, *-e* poppy; **~brötchen** *sub*, *n*, *-s*, - poppy-seed roll; **~zopf** *sub*, *m*, *-es*, *-zöpfe* poppy-seed plait

Mohr, *sub*, *m*, *-en*, *-en* (*veraltet*) moor; *der Mohr hat seine Schuldigkeit getan, der Mohr kann gehen* as soon as you´ve served your purpose they´ve no further interest in you; *der Mohr von Venedig* the Moor of Venice; *schwarz wie ein Mohr* brown as a berry

Möhre, *sub*, *f*, *-*, *-n* carrot; **Mohrenkopf** *sub*, *m*, *-s*, *-köpfe* small chocolate-covered cream-cake; **Mohrrübe** *sub*, *f*, *-*, *-n* carrot

Moiré, *sub*, *n* oder *m*, *-s*, *-s* (*tex.*) moiré

mokant, *adj*, (*geh.*) sardonic

Mokassin, *sub*, *m*, *-s*, *-s* moccasin

Mokick, *sub*, *n*, *-s*, *-s* moped with a kick-starter

mokieren, *vr*, sneer

Mul, *sub*, *n*, *-s*, - (*chem.*) mol(e)

Molch, *sub*, *m*, *-(e)s*, *-e* salamander

Molekül, *sub*, *n*, *-s*, *-e* molecule; **molekular** *adj*, molecular; **Molekulargewicht** *sub*, *n*, *-s*, *nur Einz.* molecular weight

molestieren, *vt*, (*geh.*) molest

Molke, *sub*, *f*, *-*, *nur Einz.* whey; **~rei** *sub*, *f*, *-*, *-en* dairy

Moll, *sub*, *n*, *-*, - minor; *alles in Moll sehen* to see only the gloomy side of things; *C-Moll-Tonleiter* scale of C minor; **mollig** *adj*, (*ugs.; behaglich*) cosy; (*ugs.; rundlich*) plump

Molluske, *sub*, *f*, *-*, *-n* mollusc

Moloch, *sub*, *m*, *-s*, *-e* moloch

Molotowcocktail, *sub*, *m*, *-s*, *-s* Molotov cocktail

Molton, *sub*, *m*, *-s*, *-s* (*tex.*) molleton

Molybdän, *sub*, *n*, *-s*, *nur Einz.* molybdenum

Moment, *sub*, *m*, *-s*, *-e* (*Augenblick*) moment; *n*, *-s*, *-e* (*Faktor*) factor; *m*, *-s*, *-e* (*phys.*) momentum; **momentan** (1) *adj*, present; (*vorübergehend*) momentary (2) *adv*,

(*augenblicklich*) at the moment; (*vorübergehend*) for the moment

Monade, *sub*, *f*, *-*, *nur Einz.* (*philos.*) monad

Monarch, *sub*, *m*, *-en*, *-en* monarch; **~ie** *sub*, *f*, *-*, *-n* monarchy; **monarchisch** *adj*, monarchic(al); **~ismus** *sub*, *m*, *-*, *nur Einz.* monarchism; **~ist** *sub*, *m*, *-en*, *-en* monarchist; **monarchistisch** *adj*, monarchistic

Monasterium, *sub*, *n*, *-s*, *-rien* monastery

Monat, *sub*, *m*, *-s*, *-te* month; *auf Monate hinaus* months ahead; *jmdn zu drei Monaten Haft verurteilen* to sentence sb to three months imprisonment; *sie ist im dritten Monat schwanger* she´s over two months pregnant; **monatlich** *adj*, monthly; *monatlich stattfinden* to take place every month; **~sanfang** *sub*, *m*, *-s*, *-anfänge* beginning of the month; **~sbinde** *sub*, *f*, *-*, *-n* sanitary towel; **~serste** *sub*, *m*, *-n*, *-n* first (day) of month; **~sfrist** *sub*, *f*, *-*, *nur Einz.* (*binnen ~*) within a month; **~sgehalt** *sub*, *m*, *-s*, *-hälter* monthly salary; *ein Monatsgehalt* one month´s salary; **~shälfte** *sub*, *f*, *-*, *-n* half of the month; **~skarte** *sub*, *f*, *-*, *-n* monthly season ticket; **~sletzte** *sub*, *m*, *-n*, *-n* last day of the month; **monatsweise** *adv/adj*, monthly

Mond, *sub*, *m*, *-es*, *-e* moon; (*veraltet; Monat auch*) month; *deine Uhr geht nach dem Mond* your watch is way out; (*i. ü. S.*) *den Mond anbellen* to bay at the moon; *hinter dem Mond leben* to live behind the times

mondän, *adj*, chic

Mondaufgang, *sub*, *m*, *-s*, *-gänge* moonrise; **Mondbahn** *sub*, *f*, *-*, *nur Einz.* moon´s orbit; (*astr.*) lunar orbit; **Mondenschein** *sub*, *m*, *-s*, *nur Einz.* (*poet.*) moonshine; **Mondesglanz** *sub*, *m*, *-es*, *nur*

Einz. moonshine; **Mondfähre** *sub, f, -, -n* lunar (excursion) module; **Mondfinsternis** *sub, f, -, -se* lunar eclipse; **Mondflug** *sub, m, -(e)s, -flüge* flight to the moon; **Mondjahr** *sub, n, -s, -e* lunar year; **Mondkalb** *sub, n, -s, -kälber (Dummkopf)* mooncalf; **Mondlandung** *sub, f, -, -en* moon landing; **Mondsichel** *sub, f, -, -n (poet.)* crescent moon; **Mondsonde** *sub, f, -, -n* lunar probe; **Mondsucht** *sub, f, -, nur Einz.* sleepwalking; *(geh.)* somnambulism; **mondsüchtig sein** *vi,* sleepwalk; **Mondwechsel** *sub, m, -s, -* lunation

monetär, *adj,* monetary

Moneten, *sub, f, nur Mehrz. (ugs.)* dough; *Moneten machen* to make some dough

Mongole, *sub, m, -n, -n* Mongol(ian); **Mongolismus** *sub, m, -, nur Einz. (med.)* mongolism; **mongoloid** *adj,* mongoloid

monieren, *vti,* complain (about); *sie monierte, dass* she complained that

Monitor, *sub, m, -s, -e* monitor

monochrom, *adj,* monochrome; **monogam** *adj,* monogamous; **Monogamie** *sub, f, -, nur Einz.* monogamy; **monogamisch** *adj,* monogamous; **Monografie** *sub, f, -, -n* monograph; **monografisch** *adj,* monographic; **Monogramm** *sub, n, -s, -e* monogram; **monokausal** *adj,* monocausal; *ein Problem monokausal sehen* to attribute a problem to a single cause

Monokel, *sub, n, -s, -* monocle

monokular, *adj,* monocular

Monokultur, *sub, f, -, -en (agr.)* monoculture

Monolith, *sub, m, -en, -e(n)* monolith; **monolithisch** *adj,* monolithic

Monolog, *sub, m, -s, -e* monologue; *(i. ü. S.) einen Monolog halten* to talk on and on; *einen Monolog sprechen* to give a soliloquy; **monologisch** *adj,* monologic(al); **monologisieren** *vi,* hold a mono-

logue

Monomane, *sub, m, -n, -n* monomaniac

Monomanie, *sub, f, -, -n* monomania; *(i. ü. S.)* obsession; **monomanisch** *adj,* monomanic

Monophthong, *sub, m, -s, -e* monophthong

Monopol, *sub, n, -s, -e* monopoly; **monopolisieren** *vt,* monopolize; **~isierung** *sub, f, -, -en* monopolization; **~ist** *sub, m, -en, -en* monopolist; **monopolistisch** *adj,* monopolistic

Monostichon, *sub, n, -s, -cha* monostich; **Monotheismus** *sub, m, -, nur Einz.* monotheism; **monotheistisch** *adj,* monotheistic

monoton, *adj,* monotonous; **Monotonie** *sub, f, -, nur Einz.* monotony

monovalent, *adj,* monovalent

Monözie, *sub, f, -, nur Einz. (biol.)* monoecism

Monster, *sub, n, -s, -* monster; *(ugs.)* hulking great piece of furniture; *(Missbildung)* monstrosity; **~a** *sub, f, -, -ren (bot.)* monstera; **~film** *sub, m, -s, -e* mammoth (film) production; **~schau** *sub, f, -, -en* gigantic show; **Monstranz** *sub, f, -, -en (kirchl.)* monstrance; **monströs** *adj,* monstrous; *(riesig)* monster; **Monstrosität** *sub, f, -, nur Einz.* monstrosity; **Monstrum** *sub, m, -s, Monstren oder Monstra* monster; *(ugs.)* hulking great piece of furniture; *(Missbildung)* monstrosity

Monsun, *sub, m, -s, -e* monsoon; **~regen** *sub, m, -s, nur Einz.* monsoon rain

Montag, *sub, m, -s, -e* Monday

Montage, *sub, f, -, -n (Aufstellung)* installation; *(von Gerüst)* erection; *(Zusammenbau)* assembly; *auf Montage sein* to be away on a job; **~band** *sub, n, -es, -bänder* assembly line; **~halle** *sub, f, -, -n* assembly shop; **~zeit** *sub, f, -, -en*

assembly time

montags, *adv*, on Mondays; **Montagsauto** *sub, n, -s, -s* problem car

montan, *adj*, montane

Montangesellschaft, *sub, f, -, -en* coal and steel company; **Montanindustrie** *sub, f, -, -n* coal and steel industry

Monteur, *sub, m, -s, -e (Auto~)* mechanic; *(Heizungs~)* engineer; *(tech.)* fitter; **montieren** *vt, (befestigen)* fit; *(künstl.)* create a montage from; *(tech.)* install; *(zusammenbauen)* assemble; **Montur** *sub, f, -, -en* gear

Monument, *sub, n, -s, -e* monument; **monumental** *adj*, monumental; **~alität** *sub, f, -, nur Einz.* monumentality

Moor, *sub, n, -(e)s, -e* bog; *(Hoch~)* moor; **~bad** *sub, n, -s, -bäder* mudbath; **~huhn** *sub, n, -s, -hühner* grouse; **moorig** *adj*, boggy; **~kolonie** *sub, f, -, -n* fen community; **~packung** *sub, f, -, -en* mudpack; **~siedlung** *sub, f, -, -en* fen community

Moped, *sub, n, -s, -s* moped; **~fahrer** *sub, m, -s, -* moped rider

Mops, *sub, m, -es, Möpse (vulg.; Brüste)* tits; *(ugs.; Dickwanst)* rolypoly; *(Hund)* pug (dog); **mopsen** *vt, (ugs.)* pinch

Mora, *sub, f, -, Moren* mora

Moral, *sub, f, -, nur Einz. (gesellschaftlich)* morality; *(Lehre)* moral; *(Sittlichkeit)* morals; *(Soldaten)* morale; *die bürgerliche Moral* bourgeois morality; *die Moral von der Geschicht´* the moral of the story; *eine doppelte Moral* double standards; *eine hohe Moral haben* to have high moral standards; *Moral predigen* to moralize; *die Moral sinkt* the morale is falling; **~begriff** *sub, m, -s, -e* moral code

Moralin, *sub, n, -s, nur Einz.* priggishness; **moralinsauer** *adj*, priggish

moralisch, *adj*, moral; *das war eine moralische Ohrfeige!* that was one in the eye!; *seinen Moralischen*

moralisieren *vi*, moralize; **Moralismus** *sub, m, -, nur Einz.* morality; **Moralist** *sub, m, -en, -en* moralist; **moralistisch** *adj*, moralistic; **Moralität** *sub, f, -, nur Einz.* morality; **Moralpredigt** *sub, f, -, -en* homily, sermon; *Moralpredigten halten* to moralize; *jmd eine Moralpredigt halten* to give sb a sermon

Moräne, *sub, f, -, -n (geol.)* moraine

Morast, *sub, m, -(e)s, -e und Moräste* quagmire; *(Sumpf auch)* morass

Moratorium, *sub, n, -s, -rien* moratorium

morbid, *adj*, morbid; *(i. ü. S.)* degenerate; **Morbidität** *sub, f, -, nur Einz.* morbidity; *(i. ü. S.)* degeneracy

Morchel, *sub, f, -, -n (bot.)* morel

Mord, *sub, m, -es, -e* homicide, murder; *von Mord und Totschlag handeln* to be full of violence; *auf Mord sinnen* do devise murderous schemes; *dann gibt es Mord und Totschlag* there´ll be hell to pay; *das ist ja Mord!* it´s (sheer) murder!; **~anklage** *sub, f, -n, -n* murder charge; *Mordanklage erheben* to lay a murder charge; *unter Mordanklage stehen* to be on a murder charge; **~anschlag** *sub, m, -s, -schläge* assassination; *(erfolglos)* assassination attempt; **mordbegierig** *adj*, bloodthirsty; **~bube** *sub, m, -n, -n* murderer; **~drohung** *sub, f, -, -en* murder threat; **morden** *vti*, kill, murder, slay; *das sinnlose Morden* senseless killing; **Mörder** *sub, m, -s, -* killer, murderer; **mörderisch (1)** *adj*, *(Konkurrenzkampf)* cutthroat; *(schrecklich)* dreadful, murderous; *(Tempo)* breakneck **(2)** *adv*, *(schrecklich)* dreadfully; *mörderisch fluchen* to curse like blazes; *mörderisch schreien* to yell blue murder; **~fall** *sub, m,*

-(e)s, -fälle murder; *der Mordfall Reithmeier* the Reithmeier murder; **~gier** *sub, f, -, nur Einz. (geh.)* desire to kill

Mordinstrument, *sub, n, -s, -e* murder weapon; **Mordlust** *sub, f, -, nur Einz.* desire to kill; **Mordprozess** *sub, m, -es, -e* murder trial; **Mordsarbeit** *sub, f, -, nur Einz.* man-sized job; **Mordsdurst** *sub, m, -(e)s, nur Einz. (ugs.)* incredible thirst; **Mordshitze** *sub, f, -, nur Einz.* incredible heat; **Mordshunger** *sub, m, -s, nur Einz.* incredible hunger; **Mordskerl** *sub, m, -s, -e (ugs.; starker Mann)* enormous guy; *(ugs.; verwegener Mensch)* hell of a guy; **Mordsschreck** *sub, m, -s, nur Einz.* terrible fright; **Mordsspaß** *sub, m, -es, nur Einz.* incredible fun; **Mordswut** *sub, f, -, nur Einz.* terrible rage; *eine Mordswut im Bauch haben* to be in a hell of a temper; **Mordtat** *sub, f, -, -en (poet.)* murderous deed; **Mordverdacht** *sub, m, -s, nur Einz.* suspicion of murder; *unter Mordverdacht stehen* to be suspected of murder; **Mordversuch** *sub, m, -s, -e* murder attempt; **Mordwaffe** *sub, f, -, -n* murder weapon

Mores, *sub, nur Mehrz.* manners; *jmdn Mores lehren* to teach sb some manners

morganatisch, *adj,* morganatic

morgen, (1) *adv,* tomorrow; *(gestern ~)* yesterday morning **(2) Morgen** *sub, m, -s, - (Maßeinheit)* acre; *(Tagesanfang)* morning; *m, -s, nur Einz. (Zukunft)* dawn; *bis morgen* see you tomorrow; *die Technik von morgen* the technology of tomorrow; *hast du morgen Zeit?* are you free tomorrow?; *morgen in acht Tagen* a week (from) tomorrow; *morgen ist auch noch ein Tag* there's always tomorrow; *morgen mittag* tomorrow lunchtime; *morgen, morgen, nur nicht heute, sagen alle faulen Leute* tomorrow never comes, *drei Morgen*

Land three acres of land; *am Morgen* in the morning; *bis in den Morgen* into the wee small hours; *eines Morgens* one morning; *Guten Morgen sagen* to say good morning; *der Morgen einer neuen Zeit* the dawn of a new age; *der Morgen graut* dawn is breaking; *es wird Morgen* day's breaking; *frisch wie der junge Morgen* fresh as a daisy; **Morgendämmerung** *sub, f, -, nur Einz.* dawn; *die Morgendämmerung bricht an* dawn is breaking; **~dlich** *adj,* morning; *morgendlich frisch aussehen* to look as fresh as a daisy; **~frisch** *adj,* morning; **Morgenfrühe** *sub, f, -, nur Einz.* early morning; *in aller Morgenfrühe* at break of dawn; **Morgengrauen** *sub, n, -s, nur Einz.* dawn; **Morgenland** *sub, m, -(e)s, nur Einz.* East, Orient; *die Weisen aus dem Morgenland* the Three Wise Men from the East; **Morgenländer** *sub, m, -s, -* Oriental; **Morgenlicht** *sub, n, -s, nur Einz.* early morning light; **Morgenmantel** *sub, m, -s, -mäntel* dressing-gown; **Morgenmuffel** *sub, m, -s, - (ein ~ sein)* be terribly grumpy in the morning; **Morgennebel** *sub, m, -s, nur Einz.* early morning mist; **Morgenrock** *sub, m, -s, -röcke* dressing-gown; **Morgenrot** *sub, n, -s, nur Einz.* sunrise; *Morgenrot, Schlechtwetterbot´* red sky in the morning, shepherd´s warning; **~s** *adv,* in the morning; *um drei Uhr morgens* at three in the morning; *von morgens bis abends* from morning to night; **Morgensonne** *sub, f, -, nur Einz.* morning sun; *Morgensonne haben* to catch the morning sun; **Morgenstern** *sub, m, -s, nur Einz.* morning star; *m, -s, -e (Waffe)* flail; **Morgenstunde** *sub, f, -, -n* morning hour; *bis in die frühen Morgenstunden* into the early hours; *Morgen-*

stund bat Gold im Mund the early
bird catches the worm

Morphem, *sub, n, -s, -e* morpheme

Morphin, *sub, n, -s, nur Einz.* morphine; **~ismus** *sub, m, -, nur Einz.*
morphine addiction; **Morphium**
sub, n, -s, nur Einz. morphine

Morphogenese, *sub, f, -, nur Einz.*
(biol.) morphogenesis; **Morphologie** *sub, f, -, nur Einz.* morphology;
morphologisch *adj,* morphlogical

morsch, *adj,* rotten; *(Gebäude)*
ramshackle

Morsealphabet, *sub, n, -s, nur Einz.*
Morse (code)

Mörser, *sub, m, -s, -* mortar; *etwas*
im Mörser zerstoßen to crush sth
with a pestle and mortar

Morsezeichen, *sub, n, -s, -* Morse signal

Mortalität, *sub, f, -, nur Einz.* mortality rate

Mörtel, *sub, m, -s, -* mortar; **~kelle**
sub, f, -, -n bricklayer´s trowel;
~pfanne *sub, f, -, -n* mortar bed

Morula, *sub, f, -, nur Einz.* morula

Mosaik, *sub, n, -s, -e(n)* mosaic; **~ar-
beit** *sub, f, -, -en* mosaic work; **mo-
saikartig** *adj,* tessellated; **~stein**
sub, m, -s, -e tessera; **mosaisch** *adj,*
Mosaic

Moschee, *sub, f, -, -n* mosque

Moschus, *sub, m, -, nur Einz.* musk;
moschusartig *adj,* musk-like

Möse, *sub, f, -, -n (vulg.)* cunt

Mosel, *sub, f, -, nur Einz.* Moselle

mosern, *vi, (ugs.)* belly-ache, gripe;
er hat immer was zu mosern he
always has sth to belly-ache about;
er hat immer was zu mosern he
always has sth to gripe about

Moslem, *sub, m, -s, -s* Moslem; **Moslime** *sub, f, -, -n* Moslem

Most, *sub, m, -s, nur Einz. (Apfel~)*
cidre; *(für Wein)* must

Mostrich, *sub, m, -s, nur Einz.* mustard

Motel, *sub, n, -s, -s* motel

Motette, *sub, f, -, -n* motet; **~nstil**
sub, m, -s, nur Einz. motet style

Motilität, *sub, f, -, nur Einz.* motility

Motiv, *sub, n, -s, -e (Grund)* motive; *(Kunst)* subject; *(Leit~)* motif; *aus welchem Motiv heraus?*
for what motive?; *das Motiv einer*
Tat the motive for a deed; *ohne*
erkennbares Motiv without any
apparent motive; **~ation** *sub, f, -,*
-en motivation; **motivieren** *vt,*
(anregen) motivate; *(begründen)*
give reasons (for); *(rechtfertigen)*
justify; **~ierung** *sub, f, -, nur*
Einz. motivation; **motivisch** *adj,*
of motifs/motives, with regard
motifs/motives; **~sammler** *sub,*
m, -s, - thematic collector

Motocross, *sub, n, -, nur Einz.* motocross

Motor, *sub, m, -s, -en* motor; *(i. ü.*
S.) driving force; *(von Fahrzeug)*
engine; **~boot** *sub, n, -s, -e* mo-
torboat; **~enlärm** *sub, m, -s, nur*
Einz. noise of (the) engines;
~haube *sub, f, -, -n (Brit.)* bonnet; *(US)* hood; **~ik** *sub, f, -, nur*
Einz. motor activity; **motorisch**
adj, motor; **motorisieren** *vt,* mo-
torize; *(Landwirtschaft)* mechanize; *sich motorisieren* to buy a
car; **~rad** *sub, n, -s, -räder* motorbike; *fahren Sie ein Motorrad?* do
you ride motorbike?; **~roller**
sub, m, -s, - scooter; **~schaden**
sub, m, -s, -schäden engine
trouble; **~segler** *sub, m, -s, -*
(Flug) powered glider; *(naut.)*
powered sailing boat; **~sport**
sub, m, -s, nur Einz. motorcycle
racing; **~spritze** *sub, f, -, -n* motor fire engine

Motte, *sub, f, -, -n* moth; *angezogen wie die Motten vom Licht* attracted like moths to a flame;
(ugs.) du kriegst die Motten blow
me!; *(ugs.) eine kesse Motte* a
cheeky young thing; *von Motten*
zerfressen moth-eaten

Mottenfiffi, *sub, m, -s, -s (ugs.)* fur
coat; **Mottenkiste** *sub, f, -, -n*
(aus der ~ holen) dig up; **Mottenkugel** *sub, f, -, -n* mothball;
Mottenpulver *sub, n, -s, nur*

Einz. moth powder

Motto, *sub, n, -s, -s* motto

motzen, *vi, (ugs.)* grouse; *was hast du jetzt zu motzen?* what are you beefing about now?; **motzig** *adj,* grumpy

mouillieren, *vt,* palatalize; **Mouillierung** *sub, f, -, -en* palatalization

Mouliné, *sub, m, -s, -s* moulinee yarn

Mountainbike, *sub, n, -s, -s* mountain bike

Mousterien, *sub, n, -s, nur Einz. (archäol.)* Mousterian Age

Möwe, *sub, f, -, -n* gull

mozarabisch, *adj,* Mozarabic

Mücke, *sub, f, -, -n* midge, mosquito; *aus einer Mücke einen Elefanten machen* to make a mountain out of a molehill; *(ugs.) ein paar Mücken* dough; **~nstich** *sub, m, -s, -e* mosquito bite

Mucker, *sub, m, -s, -* bigot, hypocrite; **~tum** *sub, n, -s, nur Einz.* bigotry, hypocrisy

Mucks, *sub, m, -es, -e (ugs.)* sound; *keinen Mucks sagen* not to make a sound; *ohne einen Mucks* without a murmur; **mucksen** *vr,* make a sound

müde, *adj,* tired, weary; *ich bin es müde, das zu tun* I´m tired of doing that; *keine müde Mark* not a single penny; *einer Sache müde werden* to grow weary of sth; **Müdigkeit** *sub, f, -, nur Einz.* fatigue, sleepiness, tiredness; *die Müdigkeit überwinden* to overcome one´s tiredness; *gegen die Müdigkeit ankämpfen* to fight one´s tiredness; *nur keine Müdigkeit vorschützen* don´t you tell me you´re tired; *vor Müdigkeit umfallen* to drop from exhaustion

Muezzin, *sub, m, -s, -s* muezzin

Muff, *sub, m, -s, -e* muff; *m, -s, nur Einz. (Moder)* mildew; *(Modergeruch)* mustiness

Muffel, *sub, m, -s, - (ugs.)* grouser; **muffelig** *adj,* grumpy; **muffig** *sub,* musty

Mufflon, *sub, m, -s, -s* moufflon

Mufti, *sub, m, -s, -s* mufti

Mühe, *sub, f, -, -n* trouble; *(Anstrengung)* effort; *alle Mühe haben* to have a tremendous amount of trouble; *die Mühe wert sein* to be worth the trouble; *gib dir keine Mühe* save your breath; *nur mit Mühe* only just; *ohne Mühe* without any trouble; *sich große Mühe geben* to take great pains; *sich keine Mühe geben* to take no trouble; *sie hatte sich die Mühe umsonst gemacht* her efforts were wasted; *verlorene Mühe* a waste of effort; *wenn es Ihnen keine Mühe macht* if it isn´t too much trouble; **mühelos** *adj,* easy, effortless; **muhen** *vi,* moo; **mühen** *vr,* strive; *so sehr er sich auch mühte* strive as he might; **mühevoll** *adj,* laborious; **~waltung** *sub, f, -, -en* trouble taken

Mühle, *sub, f, -, -n* mill; *(ugs.; Auto)* jalopy; *(Routine)* treadmill; *(Spiel)* nine men´s morris

Mühsal, *sub, f, -, -e (geb.)* tribulation; *die Mühsal des Lebens* the trials and tribulations of life; **mühsam (1)** *adj,* laborious **(2)** *adv,* with difficulty; *mühsam verdientes Geld* hard-earned money; *nur mühsam vorwärtskommen* to make painfully slow progress; **mühselig** *adj,* arduous; *ihr Mühseligen und Beladenen* ye that labour and are heavy laden; *sich mühselig durchschlagen* to toil for one´s living; **Mühseligkeit** *sub, f, -, nur Einz.* laboriousness, misery

Mulatte, *sub, m, -n, -n* mulatto

Muli, *sub, m oder n, -s, -s* mule

Mull, *sub, m, -s, -e (Gewebe)* muslin; *(Torf~)* garden peat; **Müllabfuhr** *sub, f, -, -en* refuse collection (department); **Müllauto** *sub, m, -s, -s* dust-cart, garbage truck; **Müllberg** *sub, m, -s, -e* rubbish heap; **~binde** *sub, f, -, -n* gauze bandage; **Mülldeponie** *sub, f, -,*

... sanitary land fill, waste disposal site; **Mülleimer** *sub, m, -s,* - garbage can, rubbish bin

Müll, *sub, m, -s, nur Einz.* garbage, rubbish, trash

Müller, *sub, m, -s,* - miller; **~bursch** *sub, m, -en, -en* miller´s lad

Mullgardine, *sub, f, -, -n* muslin curtains; **Müllmann** *sub, m, -(e)s, -männer* dustman; **Müllschlucker** *sub, m, -s,* - refuse chute; **Müllverbrennung** *sub, f, -, nur Einz.* incineration

mulmig, *adj, (ugs.)* uncomfortable; *es wird mulmig* things are getting uncomfortable; *mir war mulmig* I felt queasy

multilateral, *adj,* multilateral; **Multimedia** *sub, nur Mehrz.* multimedia; **multimedial** *adj,* multimedia; **Multimillionär** *sub, m, -s, -e* multimillionaire; **multinational** *adj,* multinational; **multipel** *adj,* multiple; *multiple Sklerose* multiple sclerosis; **Multiplex** *sub, n, -es, -e* multiplex; **Multiplikation** *sub, f, -, -en* mulitiplication; **Multiplikator** *sub, m, -s, -en* multiplier; **multiplizieren** *vtr,* multiply; **multivalent** *adj,* multivalent; **Multivalenz** *sub, f, -, nur Einz.* multivalence

Mumie, *sub, f, -, -n* mummy; *(ugs.) wie eine wandelnde Mumie* like death warmed up; **mumifizieren** *vt,* mummify

Mumm, *sub, m, -s, nur Einz. (ugs.)* guts, spunk; **~elgreis** *sub, m, -es, -e* old dodderer; **Mümmelmann** *sub, m, -s, -männer* hare; **mümmeln** *vi,* nibble

Mummenschanz, *sub, m, -es, nur Einz.* masquerade

Mumpitz, *sub, m, -es, nur Einz. (ugs.)* balderdash

Mumps, *sub, m oder f, -, nur Einz.* mumps

Münchhausiade, *sub, f, -, -n* cock-and-bull story

Mund, *sub, m, -es, Münder* mouth; *(Mundwerk)* tongue; *(ugs.; seine Meinung sagen)* den Mund aufma-

...*chen to speak up, dieses Wort nehme ich nicht in den Mund* I never use that word; *eine Tasse an den Mund setzen* to raise a cup to one´s mouth; *er kann einfach den Mund nicht halten* he can´t keep his big mouth shut; *halt den Mund!* shut up!; *in aller Munde sein* to be on everyone´s lips; *wie aus einem Munde* with one voice; *(ugs.) den Mund zu voll nehmen* to talk too big; *jmd nach dem Mund reden* to say what sb wants to hear; *sie ist nicht auf den Mund gefallen* she´s never at a loss for words; *Sie nehmen mir das Wort aus dem Mund* you´ve taken the very words out of my mouth; *von Mund zu Mund gehen* to be passed on from person to person; **~art** *sub, f, -, -en* dialect; *Mundart sprechen* to speak dialect; **mundartlich** *adj,* dialectal; *das Wort wird mundartlich gebraucht* the word is used in dialect

Mündel, *sub, n, -s,* - ward; **mündelsicher** *adj,* gilt-edged

munden, *vi,* taste; *es mundete ihm nicht* he found it unpalatable; *jmd köstlich munden* to taste delicious to sb; *sich etwas munden lassen* to savour sth

mundfaul, *adj, (ugs.)* too lazy to say much; **mundgerecht** *adj,* bite-sized; *etwas mundgerecht schneiden* to cut sth into bite-sized pieces; *jmd etwas mundgerecht machen* to make sth attractive to sb; **Mundgeruch** *sub, m, -s, nur Einz.* bad breath; *etwas gegen Mundgeruch tun* to do sth about one´s bad breath; *Mundgeruch haben* to have bad breath; **Mundharmonika** *sub, f, -, -s oder -ken* mouth organ; **mündig** *adj,* of age; *(i. ü. S.)* mature; *jmdn für mündig erklären* to declare sb of age; *mündig werden* to come of age; *der mündige Bürger* the politically mature citizen;

Mündigkeit *sub, f, -, nur Einz.* majority; *(i. ü. S.)* maturity; **mündlich** *adj,* verbal; *(Prüfung)* oral; *(jur.)* einen Fall mündlich verhandeln to hear a case; *(jur.) mündliche Verhandlung* hearing; *(ugs.) das Mündliche* the oral; *durch mündliche Überlieferung* by word of mouth; **Mündlichkeit** *sub, f, -, nur Einz.* orality; *(jur.)* oral proceedings; **Mundöffnung** *sub, f, -, -en* orifice of the mouth; **Mundraub** *sub, m, -s, nur Einz.* theft of comestibles for personal consumption; **Mundschenk** *sub, m, -s, -e (hist.)* cupbearer; **Mundtuch** *sub, n, -s, -tücher* serviette; **Mündung** *sub, f, -, -en (Fluss, Rohr)* mouth; *(Gewehr~)* muzzle; *(Straße)* end; *die Mündung der Isar in die Donau* the point where the Isar flows into the Danube; *an der Mündung der B300 auf die A9* at the point where the B300 joins the A9; **Mundvorrat** *sub, m, -s, -räte* provisions; **Mundwerk** *sub, n, -s, -e* tongue; *ein böses Mundwerk haben* to have a vicious tongue; *ein großes Mundwerk haben* to have a big mouth; *ein gutes Mundwerk haben* to be a fast talker; *ihr Mundwerk steht nie still* her tongue never stops wagging; **Mundwerkzeug** *sub, n, -s, -e (zool.)* mouth-parts

Mungo, *sub, m, -s, -s* mongoose

Munition, *sub, f, -, nur Einz.* ammunition; *(i. ü. S.) keine Munition mehr haben* to have run out of ammunition; *(mil.) Munition fassen* to be supplied with ammunition; *(i. ü. S.) seine Munition verschießen* to shoot one's bolt; **~szug** *sub, m, -s, -züge* ammunition train

munkeln, *vti, (man ~) it's* rumoured; *es wird allerlei gemunkelt* you hear all kinds of rumours; *Ich habe munkeln hören, dass* I've heard it rumoured that; *im Dunkeln ist gut munkeln* darkness is the friend of thieves/lovers

Münsteraner, (1) *adj,* of Münster

(2) *sub, m, -s, -* inhabitant of Münster

munter, *adj, (fröhlich)* cheerful; *(lebhaft)* lively; *(wach)* awake; *munter drauflos reden* to prattle away merrily; *munter und vergnügt* bright and cheery; *munter werden* to liven up; *jmdn munter machen* to wake sb up; **Munterkeit** *sub, f, -, nur Einz.* cheerfulness, liveliness; **Muntermacher** *sub, m, -s, -* stimulant

Münzanstalt, *sub, f, -, -en* mint; **Münzapparat** *sub, m, -s, -e* pay phone; **Münze** *sub, f, -, -n* coin; *(i. ü. S.) etwas für bare Münze nehmen* to take sth at face value; *(i. ü. S.) jmd mit gleicher Münze heimzahlen* to pay sb back in his own coin for sth; **münzen** *vt,* mint; *das war auf dich gemünzt* that was aimed at you; **Münzfernsprecher** *sub, m, -s, -* pay phone; **Münzgewicht** *sub, n, -s, -e* coin weight; **Münzsammlung** *sub, f, -, -en* numismatic collection; **Münzwechsler** *sub, m, -s, -* change machine

Muräne, *sub, f, -, -n* moray

mürbe, *adj,* crumbly; *(i. ü. S.; ~ machen)* wear down; *(Fleisch)* tender; **Mürbeteig** *sub, m, -s, nur Einz.* short (-crust) pastry; **Mürbheit** *sub, f, -, nur Einz.* crumbliness; *(Fleisch)* tenderness

Muring, *sub, f, -, -e* mooring; **~sboje** *sub, f, -, -n* mooring buoy

Murks, *sub, m, -es, nur Einz. (ugs.)* botch-up; *Murks machen* to botch things up; *so ein Murks!* what a botch-up!; **murksen** *vi,* botch things up, fiddle around

Murmel, *sub, f, -, -n* marble; **murmeln** *vti,* murmur, mutter; *etwas vor sich hin murmeln* to mutter sth to oneself; **~tier** *sub, n, -s, -e* marmot; *(ugs.) schlafen wie ein Murmeltier* to sleep like a log

murren, *vi,* grumble; *etwas ohne Murren ertragen* to put up with sth without grumbling; **mürrisch**

adj. (abweisend) snliett (st/impln gelaunt) grumpy; **Mürrischkeit** *sub, f, -, nur Einz.* moroseness, sullenness; **murrköpfisch** *adj,* grumpy, morose, sullen

Mus, *sub, n,m, -es, -e* mush; *(Apfel~)* puree; *(ugs.i.ü.S.) jmdn zu Mus schlagen* to make mincemeat of sb; *(ugs.) sie wurden fast zu Mus zerquetscht* they were nearly squeezed to death; *Kartoffeln zu Mus machen* to mash potatoes

Muschel *sub, f, -, -n* mussel; *(Ohr~)* external ear; *(Telefon)* mouth-/earpiece; **~bank** *sub, f, -, -bänke* mussel bed; **Müschelchen** *sub, n, -s, -* little mussel; **~werk** *sub, n, -s, nur Einz.* rocaille

Muschi, *sub, f, -, -s (ugs.)* pussy

Muse, *sub, f, -, -n* muse; *(i. ü. S.) die leichte Muse* light entertainment; *(i. ü. S.) von der Muse geküsst werden* to be inspired

Muselman, *sub, m, -en, -en (veraltet)* Moslem; **muselmanisch** *adj,* Moslem; **Muselmännin** *sub, f, -, -nen* Moslem

Musentempel, *sub, m, -s, -* theatre

Museum, *sub, n, -s, -seen* museum; **museumsreif** *adj,* antique; *museumsreif sein* to be almost a museum piece; **~sstück** *sub, n, -s, -e* museum piece

Musical, *sub, n, -s, -s* musical; **Musicbox** *sub, f, -, -en* jukebox; **Musik** *sub, f, -, -en* music; *(i. ü. S.) das ist Musik in meinen Ohren!* that´s music to my ears!; *(ugs.i.ü.S.) hier spielt die Musik!* this is where it´s at!; *Musik machen* to play some music; **Musikalien** *sub, Mehrz.* music; **musikalisch** *adj,* musical; *jmdn musikalisch ausbilden* to give sb a musical training; **Musikalität** *sub, f, -, nur Einz.* musicalness; **Musikant** *sub, m, -en, -en* musician; **musikantisch** *adj,* music-loving; *(anspruchslos)* light-weight; **Musikautomat** *sub, m, -en, -en* jukebox; **Musikbox** *sub, f, -, -en* jukebox; **Musiker** *sub, m, -s, -* mu-

sn uu **Musikgeschichte** *sub, f, -, nur Einz.* history of music

Musikinstrument, *sub, n, -s, -e* musical instrument; **Musikkapelle** *sub, f, -, -n* band; **Musiklehrer** *sub, m, -s, -* music teacher; **Musiklexikon** *sub, n, -s, -ka* encyclopaedia of music; **Musikologin** *sub, f, -, -nen* musicologist; **Musikstück** *sub, n, -s, -e* piece of music; **Musiktheater** *sub, n, -s, nur Einz.* music theatre; **Musikus** *sub, m, -, Musizi* musician; **Musikverlag** *sub, m, -s, -e* music publishers; **Musikwissenschaft** *sub, f, -, nur Einz.* musicology

musisch, *adj, (Fächer)* arts; *(Veranlagung)* artistic; **musivisch** *adj,* mosaic; **musizieren** *vi,* play a musical instrument; *am Wochenende musizieren wir immer abends* we always have a musical evening on weekends; *sie saßen zusammen und musizierten* they sat together playing their instruments

Muskat, *sub, m, -s, -e* nutmeg; **~blüte** *sub, f, -, -n* mace; **~nuss** *sub, f, -, -nüsse* nutmeg

Muskel, *sub, m, -s, -n* muscle; *Muskeln haben* to be muscular; *seine Muskeln spielen lassen* to flex one´s muscles; **~faser** *sub, f, -, -n* muscle fibre; **~kater** *sub, m, -s, nur Einz.* aching muscles; *ich habe einen Muskelkater in den Armen* my arms are stiff; **~kraft** *sub, f, -, nur Einz.* physical strength; **~krampf** *sub, m, -s, -krämpfe* muscle cramp; **~paket** *sub, n, -s, -e (ugs.)* muscleman; **~protz** *sub, m, -es, -e* muscleman; **~riss** *sub, m, -es, -e* torn muscle; *sich einen Muskelriss zuziehen* to tear a muscle; **~schwund** *sub, m, -s, nur Einz.* muscular atrophy

Muskete, *sub, f, -, -n* musket

Musketier, *sub, m, -s, -e* musketeer

muskulär, *adj,* muscular; **Musku-**

latur *sub, f, -, nur Einz.* muscular system; **muskulös** *adj,* muscular; *muskulös gebaut sein* to have a muscular build

Müsli, *sub, n, -s, -s* muesli

Muss, *sub, n, -, nur Einz.* must; *es ist kein Muss* it´s not a must; **~bestimmung** *sub, f, -, -en* fixed regulation

Muße, *sub, f, -, nur Einz.* leisure; *die Muße für etwas finden* to find the time and leisure for sth; *etwas mit Muße tun* to do sth in a leisurely way; *sich Muße gönnen* to allow oneself some leisure

Musselin, *sub, m, -s, -e (tex.)* muslin

müßig, *adj, (faul)* idle; *(unnütz)* futile; **Müßiggang** *sub, m, -s, nur Einz.* idleness; *Müßiggang ist aller Laster Anfang* the devil finds work for idle hands; *sich dem Müßiggang hingeben* to live a life of idleness, to live an idle life; **Müßiggänger** *sub, m, -s, -* idler

Mustang, *sub, m, -s, -s* mustang

Muster, *sub, n, -s, - (Probestück)* sample; *(Vorbild)* model; *(Vorlage)* pattern; *ein Muster an Tugend* a paragon of virtue; *er ist ein Muster von einem Ehemann* he is a model husband; *Muster ohne Wert* sample of no commercial value; *nach einem Muster stricken* to knit from a pattern; **~brief** *sub, m, -s, -e* specimen; **~gatte** *sub, m, -n, -n* model husband; **mustergültig** *adj,* exemplary; **~karte** *sub, f, -, -n* pattern card; **~knabe** *sub, m, -n, -n* paragon; **~koffer** *sub, m, -s, -* sample case; **~messe** *sub, f, -, -n* trade fair; **mustern** *vt, (betrachten)* scrutinize, survey; *(für Wehrdienst)* give sb their medical; *jmdn kühl mustern* to eye sb coolly; *jmdn von Kopf bis Fuß mustern* to scrutinize sb from head to toe; *jmdn skeptisch mustern* to survey sb sceptically; *von oben bis unten mustern* to look sb up and down; **~schutz** *sub, m, -es, nur Einz.* protection of patterns and designs; **~stück** *sub, n, -s, -e*

fine specimen; **~ung** *sub, f, -, -en (Betrachten)* scrutiny; *(für Wehrdienst)* medical examination for military service

Mut, *sub, m, -es, nur Einz.* courage; *(Laune)* spirits; *den Mut verlieren* to lose heart; *der Mut zum Leben* the will to live; *jmd Mut zusprechen* to encourage sb; *mit dem Mut der Verzweiflung* with the courage born of despair; *mit frischem Mut* with new heart; *Mut fassen* to pluck up courage; *Mut zur Lücke* the courage to admit when one doesn´t know sth; *allen Mut zusammennehmen* summon one´s courage; *guten Mutes sein* to be in good spirits; *mit frohem Mut* with good cheer

mutabel, *adj,* mutable; **Mutabilität** *sub, f, -, nur Einz.* mutability

Mutant, *sub, m, -en, -en* mutant; **Mutation** *sub, f, -, -en* mutation; **mutieren** *vi,* mutate

muten, *vi, (min.)* divine

mutig, *adj,* brave, courageous; *dem Mutigen gehört die Welt* fortune favours the brave; **mutlos** *adj,* discouraged; **Mutlosigkeit** *sub, f, -, nur Einz.* discouragement

mutmaßen, *vti,* conjecture; *es wurde viel gemutmaßt* there was a lot of conjecture; **mutmaßlich** *adj, (Vater)* presumed; *(Verbrecher)* suspected; **Mutmaßung** *sub, f, -, -en* conjecture; *wir müssen uns an Mutmaßungen halten* we can only conjecture

Mutprobe, *sub, f, -, -n* test of courage

Mutter, *sub, f, -, Mütter* mother; *f, -, -n* nut; *als Frau und Mutter* as a wife and a mother; *Mutter Erde* Mother Earth; *Mutter werden* to have a baby; *sie ist Mutter von zwei Kindern* she´s a mother of two; *wie bei Muttern* just like home, *(Essen)* just like mother makes

Mutterkirche, *sub, f, -, -n* mother

Einz. ergot; **Mutterkuchen** *sub, m, -s, - (anat.)* placenta

mütterlich, *adj,* maternal; *(liebevoll besorgt)* motherly; *die mütterlichen Pflichten* one´s duties as a mother; *mütterlicherseits* on the distaff side; *jmdn mütterlich umsorgen* to mother sb; **Mutterliebe** *sub, f, -, nur Einz.* motherly love

Muttermal, *sub, n, -s, -e* birthmark; **Muttermilch** *sub, f, -, ´nur Einz.* mother´s milk; *etwas mit der Muttermilch einsaugen* to learn sth from the cradle; **Muttermund** *sub, m, -s, nur Einz. (anat.)* cervix; **Mutterschaf** *sub, n, -s, -e* ewe; **Mutterschaft** *sub, f, -, nur Einz.* motherhood; **Mutterschiff** *sub, n, -s, -e* parent ship; **Mutterschutz** *sub, m, -es, nur Einz.* legal protection of expectant and nursing mothers; **Muttersprache** *sub, f, -, -n* mother tongue; *Walisisch ist seine Muttersprache* he´s a native speaker of Welsh; **Mutterstelle** *sub, f, -, nur Einz. (~ vertreten)* be like a mother; **Muttertag** *sub, m, -s, -e* Mother´s Day; **Mutterwitz** *sub, m, -es, nur Einz.* mother wit

mutual, *adj,* mutual; **Mutualismus** *sub, m, -, nur Einz.* mutualism

Mutwille, *sub, m, -ns, -ns, nur Einz. (böse Absicht)* malice; *(Übermut)* mischief; *etwas mit Mutwillen tun* to do sth out of malice; *aus reinem Mutwillen* out of pure mischief; **mutwillig (1)** *adj, (böswillig)* malicious; *(übermütig)* mischievous **(2)** *adv, (mit Absicht)* wilfully

My, *sub, n, -s, -s (griech. Buchst.)* mu

Mykose, *sub, f, -, -n* mycosis; **Myopie** *sub, f, -, nur Einz.* myopia; **Myriade** *sub, f, -, -n* myriad

Myrrhe, *sub, f, -, -n* myrrh; **Myrte** *sub, f, -, -n* myrtle

mysteriös, *adj,* mysterious; **Mysterium** *sub, n, -s, -rien* mystery; **mystifizieren** *vt,* mysticize; **Mystik** *sub, f, -, nur Einz.* mysticism; **Mystiker** *sub, m, -s, -* mystic; **mystisch** *adj,* mystic(al); *(geheimnisvoll)* mysterious;

Mystizismus *sub, m, -, nur Einz.* mysticism; **mythisch** *adj,* mythical; **Mythologie** *sub, f, -, nur Einz.* mythology; **mythologisch** *adj,* mythologic(al); **mythologisieren** *vt,* mythologize; **Mythos** *sub, m, -, -then* myth; *er war zeitlebens von einem Mythos umgeben* he was a myth in his time

N

Nabe, *sub, f, -, -n* hub

Nabel, *sub, m, -s, -* navel, umbilicus; *der Nabel der Welt* the centre of the world; *der Nabel der Welt* the hub of the universe; **~schnur** *sub, f, -, -schnüre* umbilical cord

nach, (1) *adv. (zeitlich, ~ und ~)* little by little (2) *präp. (laut; entsprechend)* according to; *(mit Verben oft)* for; *(zeitlich, in Reihenfolge, in Anlehnung an)* after (3) *präp. (örtlich)* to; *nach und nach* bit by bit; *nach wie vor* still; *wir treffen uns nach wie vor jede Woche* we still meet every week as always, *die Uhr nach dem Radio stellen* to put a clock right by the radio; *ihrer Sprache nach zu urteilen* judging by her language; *nach allem, was ich gehört habe* from what I´ve heard; *nach Artikel 215c* under article 215c; *nach dem Gesetz* according to the law; *nach Leistung bezahlt werden* to be paid according to productivity; *seiner Natur nach ist er sehr sanft* he is very gentle by nature; *nach etwas riechen* to smell of sth; *nach jmd suchen* to look for sb; *sich nach jmd sehnen* to long for sth; *eine Woche nach Erhalt* a week after receipt; *einer nach dem anderen* one after another; *er wurde nach seinem Onkel genannt* he was called after his uncle; *fünf nach zwölf* five past twelve; *ich komme nach Ihnen!* I´m after you; *mir nach!* follow me!; *nach allem, was geschehen ist* after all that has happened; *nach Christi Geburt* anno domini (AD); *nach einem Roman von Wilde* after a novel by Wilde; *nach Erhalt* on receipt; *nach fünf Minuten kam sie zurück* she was back five minutes later; *nach Ihnen!* after you!; *nach wegen steht der Genitive ´wegen´* takes the genitive, *der Zug fährt nach Augsburg* the train is bound for Augsburg; *der Zug nach Augsburg* the train to Augsburg; *(i. ü. S.)* nach allen Richtungen on all sides; *nach links* to the left; *nach vorn* to the front; *nach Westen* westwards; *von links nach rechts* from left to right

nachäffen, *vt, (Ideen)* ape; *(jemanden)* take off; **Nachäfferei** *sub, f, -,* -en *(Ideen)* aping; *(jemanden)* mimicry

nachahmen, *vt,* imitate; *(karikieren)* take off; *(nacheifern)* emulate; **Nachahmerin** *sub, f, -, -nen* imitator; *(eines Vorbilds)* emulator; **Nachahmung** *sub, f, -, -en* imitation; *(eines Vorbilds)* emulation; *(Karikieren)* taking off; *etwas zur Nachahmung empfehlen* to recommend sth as an example

nacharbeiten, (1) *vi, (aufholen)* make up the work (2) *vt,* make up; *(nachbilden)* copy

Nachbar, *sub, m, -n, -n* neighbour; *(iro.)* die lieben Nachbarn the neighbours; *er wär im Kino mein Nachbar* he sat next to me in the cinema; *Nachbars Garten* the next-door garden; **~dorf** *sub, n, -s, -dörfer* neighbouring village; **~haus** *sub, n, -es, -häuser* house next door; **~in** *sub, f, -, -nen* neighbour; **~land** *sub, n, -s, -länder* neighbouring country; **nachbarlich** *adj, (benachbart)* neighbouring; *(freundlich)* neighbourly; **~schaft** *sub, f, -s, nur Einz. (Gegend)* neighbourhood; *(Nachbarn)* neighbours; **~sfrau** *sub, f, -, -en* lady next door; **~skind** *sub, n, -(e)s, -er* child next door; **~staat** *sub, m, -s, -en* neighbouring state; **~stadt** *sub, f, -, -städte* neighbouring town

nachbekommen, *vt,* get later, receive later; **nachbereiten** *vt,* evaluate afterwards; **nachbessern** (1) *vi,* make improvements (2) *vt,* retouch; **Nachbesserung** *sub, f, -, -en* improvement

nachbeten, *vt,* repeat parrot-fashion

Nachbildung, *sub, f, -, -en* copy

nachbleiben, *vi,* stay behind; **nachblicken** *vt,* gaze after, watch

Nachblutung, *sub, f, -, -en* secondary haemorrhage

nachdatieren, *vt,* postdate

nachdem, *konj, (dial.; kausal)* since; *(zeitlich)* after

Nachdenken, (1) *sub, n, -s, nur Einz.* reflection, thought (2) **nachdenken** *vi,* think; *gib mir ein biss-*

eben Dehl zum Nachdenken give me a bit of time to think; *nach langem Nachdenken* after (giving the matter) considerable thought, *darüber darf man gar nicht nachdenken* it doesn´t bear thinking about; *denk doch mal nach!* think about it!; *denk mal scharf nach!* think carefully!; *laut nachdenken* to think aloud; **nachdenklich** *adj,* thoughtful; *jmdn nachdenklich stimmen* to set sb thinking; *nachdenklich gestimmt sein* to be in a thoughtful mood

nachdichten, *vt,* give a free rendering of; **Nachdichtung** *sub, f, -, -en* free rendering

Nachdruck, *sub, m, -s, nur Einz.* emphasis, stress; *m, -s, -e (Buch)* reprint(ing); *besonderen Nachdruck darauf legen, dass* to put special emphasis on the fact that; *etwas mit Nachdruck sagen* to say sth emphatically; *besonderen Nachdruck darauf legen, dass* to stress particularly that; *etwas mit Nachdruck betreiben* to pursue sth with vigour; *Nachdruck verboten* no part of this publication may be reprinted without the prior permission of the publishers; **nachdrucken** *vt,* reprint; **nachdrücklich** *adj,* emphatic; *(Warnung auch)* firm; *jmd nachdrücklich raten* to advise sb strongly to do sth, to urge sb to do sth; *jmdn nachdrücklich warnen* to give sb a firm warning; *nachdrücklich auf etwas bestehen* to insist firmly on sth

nachdunkeln, *vi,* grow darker; *(Bild)* darken

nacheifern, *vi,* emulate; **Nacheiferung** *sub, f, -, -en* emulation

nacheinander, *adv,* one after another; *dreimal nacheinander* three times in a row; *unmittelbar nacheinander* immediately after each other

Nachempfindung, *sub, f, -, nur Einz.* sympathy

Nachen, *sub, m, -s, - (poet.)* barque

nacherleben, *vt,* relive

nacherzählen, *vt,* retell; *aus dem Spanischen nacherzählt* adapted from the Spanish; **Nacherzählung** *sub, f, -, -en* retelling; *(Schule)* reproduction

Nachfahr, *sub, m, -en, -en* descendant; **~e** *sub, m, -n, -n* descendant; **Nach-**

folge *sub, f, -n, -n* emulation, succession; *die Nachfolge Christi* the imitation of Christ; *in der Nachfolge seines Meisters* in emulation of his master; *jmds Nachfolge antreten* to succeed sb

nachfolgen, *vi,* follow; *(Tod) er ist seiner Gattin nachgefolgt* he has gone to join his wife; *jmd im Amt nachfolgen* to succeed sb; *jmd nachfolgen* to follow sb; **~d** *adj,* following; *das Nachfolgende* the following; *können sie aus den nachfolgenden Beispielen etwas entnehmen?* can you gather anything from the following examples?; *wie im Nachfolgenden ausgeführt* as detailed below; **Nachfolgende** *sub, m,f, -n, -n* following; **Nachfolgerin** *sub, f, -, -nen* successor

nachfordern, *vt,* put in another demand for

nachforschen, *vi,* try to find out; *(amtlich)* make enquiries; *(polizeilich)* carry out an investigation; **Nachforschung** *sub, f, -, -en* enquiry, investigation; *Nachforschungen anstellen* to make enquiries; *FBI* Federal Bureau of Investigation; **Nachfrage** *sub, f, -, -n (Erkundigung)* enquiry; *(wirt.)* demand; *danke der Nachfrage* nice of you to ask, thank you for your concern *(förmlich)*; *es besteht eine rege Nachfrage* there is a great demand

nachfühlend, *adj,* sympathetic

Nachfüllung, *sub, f, -, -en* fill-up

nachgeben, *vi,* give way; *(aufgeben)* give up/in; *(Börsenkurse)* drop

nachgeboren, *adj,* late-born; **Nachgeborene** *sub, m,f, -n, -n (die ~n)* future generations; **Nachgebühr** *sub, f, -, -en* excess (postage); **nachgehen** *vi, (Beruf)* practise; *(erforschen)* investigate; *(hinterhergehen)* follow; *(Uhr)* be slow; *meine Uhr fünf Minuten geht nach* my watch is five minutes slow; *welchem Beruf gehen sie nach?* what do you do for a living?; *welcher Tätigkeit gehen sie nach?* what is your occupation?

Nachgeschmack, *sub, m, -s, nur Einz.* aftertaste; *einen üblen Nach-*

geschmack hinterlassen to leave a nasty taste in one´s mouth

nachgrübeln, *vi*, ponder, think

Nachhall, *sub, m, -s, nur Einz.* reverberation; *(Echo)* echo; *das Echo hatte einen langen Nachhall* the echo went on reverberating a long while; *künstlicher Nachhall* artificial echo, echo effect

nachhaltig, *adj*, lasting; *einen nachhaltigen Eindruck hinterlassen* to leave a lasting impression; *ihre Gesundheit hat sich nachhaltig gebessert* there has been a lasting improvement in her health; **Nachhaltigkeit** *sub, f, -, nur Einz.* lastingness

Nachhauseweg, *sub, m, -s, -e* way home

nachhelfen, *vi*, help; *er hat dem Glück ein wenig nachgeholfen* he engineered himself a little luck; *jmd nachhelfen* to give sb a hand; *na gut, ich hab auch ein bisschen nachgeholfen* well, I did help it a bit; *sie hat der Natur ein wenig nachgeholfen* she has improved a little on Mother Nature; **Nachhilfe** *sub, f, -, nur Einz.* private tuition

nachher, *adv, (danach)* afterwards; *(später)* later; *bis nachher!* see you later!; *nachher stimmt das alles gar nicht* could be that it´s not true at all

Nachholbedarf, *sub, m, -s, nur Einz.* a lot to catch up; *einen Nachholbedarf an etwas haben* to have a lot to catch up in the way of sth; **nachholen** *vt, (kommen lassen)* fetch over; *(Versäumtes)* make up; **Nachholspiel** *sub, n, -s, -e* postponed game

Nachhut, *sub, f, -, -en* rearguard; *bei der Nachgut* in the rearguard

Nachklang, *sub, m, -s, -klänge* distant echo; *die Nachklang der Posaunen* the sound of the trombones dying away; *ein ferner Nachklang von Parfum* a distant echo of perfume; **nachklingen** *vi, (Erinnerung)* linger (on); *(Ton)* go on sounding; *seine Worte klangen noch lange in mir nach* his words stayed in my head for some time

Nachkomme, *sub, m, -n, -n* descendant; *ohne Nachkommen* without issue; **nachkommen** *vi, (Pflicht, Forderung)* fulfil; *(Schritt halten)* keep up; *(später kommen)* follow la-

ter; *ich komme nicht mehr nach* I can´t keep up; *Sie können Ihr Gepäck nachkommen lassen* you can have your luggage sent on; *Sie können Ihre Familie nachkommen lassen* you can let your family join you later; *wir kommen gleich nach* we´ll come in just a couple of minutes; **Nachkömmling** *sub, m, -s, -e* descendant

Nachkriegszeit, *sub, f, -, -en* postwar time; **Nachkur** *sub, f, -, -en* follow-up cure

Nachlass, *sub, m, -es, -lässe (Erbe)* estate; *(Preis~)* discount; *den Nachlass eröffnen* to read the will; *Gedichte aus dem Nachlass* unpublished poems; *literarischer Nachlass* unpublished works; **nachlassen (1)** *vi, (abnehmen)* decrease, diminish; *(Gehör)* deteriorate; *(Sturm)* ease off **(2)** *vt, (Preis)* reduce; *10 % vom Preis nachlassen* to give a 10 % discount; **nachlässig** *adj*, careless; *(unachtsam)* thoughtless; *nachlässig gekleidet* carelessly dressed; **Nachlässigkeit** *sub, f, -, -en* carelessness; *(Unachtsamkeit)* thoughtlessness; **~ung** *sub, f, -, -en (Erbe)* estate; *(Preis~)* discount

nachlaufen, *vi*, chase, run after; *den Mädchen nachlaufen* to chase girls; *(i. ü. S.)* jmd/einer Sache *nachlaufen* to chase sb/sth; *jmd/einer Sache nachlaufen* to run after sb/sth

Nachlese, *sub, f, -, -n (Ernte)* second harvest; *(Kunst)* further selection; **nachlesen (1)** *vi, (Ähren)* have a second harvest **(2)** *vt*, glean; *(nachschlagen)* look up

nachliefern, *vt, (später liefern)* deliver at a later date; *(Unterlagen)* hand in later; **Nachlieferung** *sub, f, -, -en* delivery; *wir warten auf die Nachlieferung* we´re waiting for the rest to be delivered

Nachmieterin, *sub, f, -, -nen* next tenant; *unser(e) Nachmieter(in)* the tenant after us; *wir müssen einen Nachmieter finden* we have to find sb to take over the flat

Nachmittag, *sub, m, -s, -e* afternoon; *am Nachmittag* in the afternoon; *am Nachmittag des 7*

November on the afternoon of November 7th; *im Laufe des Nachmittags* in the course of the afternoon;
nachmittägig *adj,* afternoon; **nachmittäglich** *adj,* afternoon; **nachmittags** *adv,* in the afternoon; *Dienstag
nachmittags* on Tuesday afternoons

Nachnahme, *sub, f, -, -n* cash on delivery (COD); *etwas per Nachnahme
schicken* to send sth COD; *per Nachnahme* cash on delivery

Nachname, *sub, f, -ns, -n* family name,
surname

nachplappern, *vt, (ugs.)* repeat parrot-fashion; *jmd alles nachplappern*
to repeat everything sb says parrot-
fashion; **nachpolieren** *vt,* give a final
polish

Nachprägung, *sub, f, -, -en* copy(ing),
imitation

nachprüfbar, *adj,* verifiable; *die Ergebnisse sind jederzeit nachprüfbar*
the results can be verified at any time;
nachprüfen **(1)** *vt,* verify **(2)** *vti,*
check; *(nochmals prüfen)* re-exami-
ne; **Nachprüfung** *sub, f, -, -en* check;
(nochmalige Prüfung) re-examination; *bei der Nachprüfung der Meldungen* when the reports were checked

nachrechnen, *vti, (ugs.)* check; *rechne noch
einmal nach!* you'd better check
your arithmetic; **Nachrechnung** *sub,
f, -, -en* check

Nachrede, *sub, f, -, -n (Epilog)* epilogue; *(Verunglimpfung, jur. üble ~)*
defamation of character; *jmdn in
üble Nachrede bringen* to bring sb
into ill repute; *üble Nachrede über
jmdn verbreiten* to cast aspersions on
sb's character

nachreichen, *vt,* hand in later

Nachricht, *sub, f, -, -en (Botschaft)*
message; *(Meldung)* news; *wir geben
ihnen Nachricht* we'll let you know;
das sind aber schlechte Nachrichten
that's bad news; *die letzte Nachricht
von ihm kam aus Brasilien* the last
news of him was from Brazil; *eine
Nachricht* a piece of news; *sie hören
Nachrichten* this is the news; **~ena-
gentur** *sub, f, -, -en* news agency;
~endienst *sub, m, -es, -e (mil.)* intelligence (service); *(Radio, TV)* news
service; **~enmagazin** *sub, n, -s, -e*
news magazine; **~ensatellit** *sub, m,
-en, -en* telecommunications satellite

Nachrückerin, *sub, f,* _____ ___ ____
sor

Nachruf, *sub, m, -s, -e* obituary

Nachrüstung, *sub, f, -, nur Einz.
(mil.)* deployment of new arms;
(tech.) modernization

Nachsatz, *sub, m, -es, -sätze
(gramm.)* clause in sentence final
position; *(Nachschrift)* postscript

nachschauen, (1) *vi,* watch **(2)** *vt,
(nachschlagen)* look up; *(prüfen)*
check; **nachschenken** *vti,* give a
refill; *darf ich dir noch etwas Wein
nachschenken?* can I give you a
drop more wine?; *jmd etwas nachschenken* to top sb up with sth;
nachschicken *vt,* forward; *bitte
nachschicken!* please forward!;
nachschieben *vt,* provide afterwards; *nachgeschobene Gründe* rationalizations

Nachschrift, *sub, f, -, -en (Protokoll)* transcript; *(Zugefügtes)* postscript (PS)

Nachschub, *sub, m, -s, nur Einz.
(Material)* reinforcements; *(mil.)*
supplies; **~weg** *sub, m, -(e)s, -e*
supply route

Nachschuss, *sub, m, -es, -schüsse
(Fußball)* second shot; *(wirt.)* additional payment

Nachsehen, (1) *sub, n, -s, nur Einz.
(das ~ haben)* be left standing;
(das ~ haben, nichts bekommen)
be left empty-handed **(2) nachsehen** *vi,* watch; *(hinterherschauen)*
gaze after **(3)** *vt, (nachschlagen)*
look up; *(prüfen)* check; *(verzeihen)* forgive

nachsenden, *vt,* forward; *bitte
nachsenden!* please forward!;
Nachsendung *sub, f, -, -en* additional consignment

Nachsicht, *sub, f, -, nur Einz.* clemency, leniency; *er kennt keine
Nachsicht* he knows no mercy; *er
wurde ohne Nachsicht bestraft* he
was punished without mercy; *jmdn
um Nachsicht bitten* to ask sb to be
forbearing; *Nachsicht üben* to be
lenient; **nachsichtig** *adj,* lenient

nachsinnen, *vi,* ponder
(about/over); **nachsitzen** *vi,
(Schule)* have detention

Nachspeise, *sub, f, -, -n* dessert; *als
Nachspeise* for dessert

Nachspiel, *sub, n, -s, -e (i. ü. S.)* sequel; *(mus.)* postlude; *(theat.)* epilogue; *das wird ein unangenehmes Nachspiel haben* that will have unpleasant consequences; *ein gerichtliches Nachspiel haben* to have legal repercussions; **nachspielen** (1) *vi,* play extra-time (2) *vt,* play; *der Schiedsrichter ließ nachspielen* the referee allowed extra-time

nachsprechen, *vti,* repeat; **nachspüren** *vi,* track down; *(Verbrechen)* go into

nächst, *präp,* beside, next to

nächstbesser, *adj,* next in ascending order of quality, up in quality

Nächste, *sub, m, -n, -n (folgend)* next one; *(Mitmensch)* neighbour; *der Nächste, bitte!* first, please! (US u Scot), next, please! (engl); *(bibl.) du sollst deinen Nächsten lieben wie dich selbst* thou shalt love thy neighbour as thyself; *jeder ist sich selbst der Nächste* it´s every man for himself

nachstehend, *adj,* following; *jmd an Schönheit nicht nachstehen* to be every bit as beautiful as sb; *jmd in nichts nachstehen* to be sb´s equal in every way; **nachsteigen** *vi,* climb up after sb; *(ugs. i.ü.S)* chase

nachstellen, (1) *vi, (aufdringlich umwerben)* pester; *(jemandem)* follow (2) *vt, (einen Vorgang)* reconstruct; *(gramm.)* put after; *(tech.)* adjust; **Nachstellung** *sub, f, -, -en* pursuit; *(Aufdringlichkeit)* pestering; *f, -, nur Einz. (gramm.)* postposition; *f, -, -en (tech.)* adjustment

Nächstenliebe, *sub, f, -, nur Einz.* brotherly love; *etwas mit dem Mantel der Nächstenliebe zudecken* to forgive and forget sth; *Nächstenliebe üben* to love one´s neighbour as oneself

nächstjährig, *adj,* next year´s; **nächstliegend** *adj,* most obvious, nearest; **nächstmöglich** *adj,* next possible

nachstürzen, *vi, (Geröll)* cave in; *jmd nachstürzen* to dash after sb

nachsuchen, *vi,* look; *(um etwas)* request; *such mal nach,* ob have a look and see if; *bei jmd um etwas nachsuchen* to request sth of sb; **Nachsuchung** *sub, f, -, -en* request

Nacht, *sub, f, -, Nächte* night; *als die*

Nacht hereinbrach as night fell; *bei Nacht und Nebel* at dead of night; *bis in die späte Nacht arbeiten* to work late into the night; *des Nachts* at night; *die Nacht des Wahnsinns* the darkness of insanity; *die Nacht zum Tage machen* to stay up all night; *es wird eine Nacht der langen Messer geben* heads will roll; *es wird Nacht* it´s getting dark; *heute Nacht* tonight; *in der Nacht auf Dienstag* during Monday night; *in der Nacht vom 18 zum 19 Juli* during the night of July 18th to 19th; *in tiefster Nacht* at dead of night; *(ugs.) na, dann gute Nacht* what a prospect!; *sich die Nacht um die Ohren schlagen* to make a night of it; *über Nacht* overnight; *über Nacht bleiben* to stay the night; *zur Nacht essen* to have supper; **~angriff** *sub, m, -s, -e* night attack, night raid; **~arbeit** *sub, f, -, nur Einz.* night-work; **~ausgabe** *sub, f, -, -n* late final edition; **~bar** *sub, f, -, -s* night club; **~blindheit** *sub, f, -, nur Einz.* night blindness; **~dienst** *sub, m, -s, nur Einz.* night duty; *(Apotheke) Nachtdienst haben* to be open all night, *(Person)* to be on night duty

Nachteil, *sub, m, -s, -e* disadvantage; *daraus erwuchsen mir Nachteile* this brought its disadvantages for me; *das soll Ihr Nachteil nicht sein* you won´t lose by it; *er hat sich zu seinem Nachteil verändert* he has changed for the worse; *Nachteile durch etwas haben* to lose by sth; *sich jmd gegenüber im Nachteil befinden* to be at a disadvantage with sb

nächtens, *adv,* by night

Nachtfalter, *sub, m, -s, -* moth; **Nachtgewand** *sub, n, -s, -wänder* nightrobe; **Nachthemd** *sub, n, -s, -en (Damen~)* nightdress; *(Herren~)* nightshirt; **Nachthimmel** *sub, m, -s, nur Einz.* night sky; **Nachtigall** *sub, f, -, -en* nightingale; *es war die Nachtigall und nicht die Lerche* it was the nightingale and not the lark; *(ugs.) Nachtigall, ick hör dir trapsen!* now I see what you´re after

Nachtisch, *sub, m, -s, -e* dessert

stel; **nächtlich** *adj, (in der Nacht)* night; *(jede Nacht)* nightly; *zu nächtlicher Stunde* at a late hour; **Nachtmahr** *sub, m, -s, -e* nightmare

Nachtmarsch, *sub, m, -es, -märsche* night march; **Nachtmensch** *sub, m, -en, -en* night person; **Nachtportier** *sub, m, -s, -s* night porter

Nachtrag, *sub, m, -s, -träge* postscript; **nachtragen** *vt, (i. ü. S.)* bear sb a grudge for sth; *(hinterhertragen)* take sth after sb; *(hinzufügen)* add; **nachträglich** *adj, (verspätet)* later; *(zusätzlich)* additional

nachtrauern, *vi,* mourn

nachts, *adv,* at night; *dienstags nachts* (on) Tuesday nights

Nachtschicht, *sub, f, -, -en* night shift; *Nachtschicht haben* to be on nights; **Nachtschlaf** *sub, m, -s, nur Einz.* night's sleep; *zu nachschlafender Zeit* in the middle of the night; **Nachtschwärmer** *sub, m, -s, -* moth; *(i. ü. S.)* night owl; **Nachtschwester** *sub, f, -, -n* night nurse; **Nachttisch** *sub, m, -(e)s, -e* bedside table; **Nachttresor** *sub, m, -s, -e* night safe; **Nachtwächter** *sub, m, -s, (hist.)* watch; *(in Betrieben)* night watchman; **Nachtwandler** *sub, m, -s, -* sleepwalker; **Nachtwäsche** *sub, f, -, nur Einz.* nightwear; **Nachtzug** *sub, m, -s, -züge* night train

nachwachsen, *vi,* grow again; *die neue Generation, die jetzt nachwächst* the young generation who are now taking their place in society

Nachwahl, *sub, f, -, -en (pol.)* by-election; **Nachwehen** *sub, nur Mehrz.* after-pains; *(i. ü. S.)* painful aftermath

Nachwelt, *sub, f, -, nur Einz. (die ~)* posterity; **Nachwirkung** *sub, f, -, -en (i. ü. S.)* consequence; **Nachwort** *sub, n, -s, -e* epilogue; **Nachwuchs** *sub, m, -es, nur Einz. (junge Kräfte)* young people; *(Nachfahren)* offspring; *der wissenschaftliche Nachwuchs* the up-and-coming academics; *es mangelt an Nachwuchs* there's a lack of young blood

nachzahlen, *vti,* pay extra; *(später zahlen)* pay later; **Nachzahlung** *sub, f, -, -en (später)* back-payment; *(zusätzlich)* additional payment; **Nachzählung** *sub, f, -, -en* check

nachzeichnen, *vt,* go over; **nachziehen (1)** *vi,* follow **(2)** *vt, (hinterherziehen)* drag behind one; *(Linie)* go over; *(Lippen)* paint over; *(Schraube)* tighten (up); *das rechte Bein nachziehen* to drag one's right leg; **nachzotteln** *vi, (ugs.)* lag behind; **Nachzügler** *sub, m, -s, -* latecomer

Nackedei, *sub, m, -s, -s* naked body; *(Kind)* little bare monkey

Nacken, *sub, m, -s, -* neck; *den Nacken beugen* to submit; *er hat einen unbeugsamen Nacken* he's an unbending character; *ihm sitzt der Geiz im Nacken* he's a miserly so-and-so; *ihm sitzt der Schalk im Nacken* he's in a devilish mood; *ihm sitzt die Furcht im Nacken* he's frightened out of his wits; *jmd im Nacken sitzen* to breathe down sb's neck; **~schlag** *sub, m, -s, -schläge* rabbit-punch; **~schutz** *sub, m, -es, nur Einz.* neck guard; **~stütze** *sub, m, -, -n* headrest; **~wirbel** *sub, m, -s, -* cervical vertebra

nackt, *adj,* naked, nude; *(Körperteile, Erde)* bare; *die nackte Armut* sheer poverty; *er stand ganz nackt da* he was standing there stark naked; *nackt herumlaufen* to run around naked; *er stand ganz nackt da* he was standing there absolutely starkers; *nackt schlafen* to sleep in the nude; *das nackte Leben retten* to escape with one's bare life; **Nacktfrosch** *sub, m, -(e)s, -frösche (ugs.)* naked baby; **Nacktheit** *sub, f, -, nur Einz. (vgl. nackt)* bareness, nakedness, nudity; **Nacktmodell** *sub, n, -s, -e* nude model; **Nacktschnecke** *sub, f, -, -n* slug

Nadel, *sub, f, -, -n* needle; *(Häkel~)* hook; *(Steck~, Drucker)* pin; *(ugs.) er sitzt wie auf Nadeln* he's like a cat on hot bricks; *mit Nadel und Faden umgehen können* to be able to wield a needle and thread; *(ugs.) an der Nadel hängen* to be hooked on heroin; *(ugs.) von der Nadel kommen* to kick the habit; **~arbeit** *sub, f, -, -en* needlework; **~büchse** *sub, f, -, -n* pin tin; **nadelfertig** *adj,* ready for sewing; **nadel-**

förmig adj, needle-shaped; **~gehölze** sub, n, nur Mehrz. conifers; **~geld** sub, n, -es, -er pin-money; **~kissen** sub, n, -s, - pin-cushion; **~malerei** sub, f, -, nur Einz. embroidering of pictures

nadeln, vi, (Baum) shed (its needles)

Nadelöhr, sub, n, -s, -e eye of a needle; eher geht ein Kamel durch ein Nadelöhr it is easier for a camel to go through the eye of a needle; **Nadelspitze** sub, f, -, -n point (of a needle)

Nadir, sub, m, -s, nur Einz. nadir

Nagaika, sub, f, -, -s nagaika

Nagel, sub, m, -s, -nägel nail; (ugs.) den Nagel auf den Kopf treffen to hit the nail on the head; (ugs.) der Nagel zu jmds Sarg sein to be a nail in sb's coffin; (ugs.) etwas an den Nagel hängen to chuck sth in; (ugs.) Nägel mit Köpfen machen to do the job properly; (ugs.) sich etwas unter den Nagel reißen to pinch sth

Nagelbett, sub, n, -s, -en bed of the nail; **Nagelbohrer** sub, m, -s, - gimlet; **Nagelbürste** sub, f, -, -n nailbrush; **Nagelfeile** sub, f, -, -n nailfile; **Nagellack** sub, m, -s, -e nail varnish

nageln, vt, nail

nagelneu, adj, (ugs.) brand new

nagen, (1) vi, (knabbern) nibble (2) vti, gnaw; an einem Knochen nagen to gnaw a bone; wir haben nichts zu nagen noch zu beißen we've eaten our last crust; **Nager** sub, m, -s, - rodent; **Nagetier** sub, n, -s, -e rodent

Nahaufnahme, sub, f, -, -n close-up

nahe, (1) adj, (örtlich, Beziehung) close; (örtlich, zeitlich) near (2) adv, (eng) closely; (örtlich, zeitlich) near (3) präp, on the verge of; dem Wahnsinn nahe sein to be on the verge of madness; der Nahe Osten the Middle East; die nahe Zukunft the near future; gott ist uns nahe god is nigh; jmd zu nahe kommen to get too close to sb; (i. ü. S.) jmd zu nahe treten to offend sb; mit jmd nah verwandt sein to be a near relative of sb's; nahe bei close to; nahe beieinander close together; Rettung ist nah´ help is at hand; von nah und fern from near and far; von Nahem at close quarters

Nähe, sub, f, -, nur Einz. (örtlich) proximity; (örtlich, zeitlich) closeness; (Umgebung) neighbourhood; aus der Nähe at close quarters; in der Nähe des Gebäudes in the vicinity of the building; in meiner Nähe near me

nahe bringen, vt, (jdm etwas) bring sth home to sb; (jdn jdm) bring sb close to sb; **nahe gehen** vi, (i. ü. S.) upset; **nahe kommen** vi, get near; das kommt der Wahrheit schon näher that is getting nearer the truth; einander nahe kommen to become close; jmd nahe kommen to be on close terms with sb; **nahe liegen** vi, suggest itself; der Gedanke lag nahe the idea suggested itself; der Verdacht liegt nahe it seams reasonable to suspect; **nahelegen** vt, advise, suggest; er legte mir nahe zu kündigen he put it to me that I should resign; jmd nahelegen etwas zu tun to advise sb to do sth; jmd etwas nahelegen to suggest sth to sb

nahen, vi, (poet.) approach

nähen, (1) vr, (gut, schlecht) be easy/difficult sew (2) vt, (Wunde) stitch (up) (3) vti, sew; von Hand genäht hand sewn, dieser Stoff näht sich sehr gut this material is very easy to sew; sich die Finger wund nähen to sew one´s fingers to the bone

näher, (1) adj, (genauer) more detailed (2) adj, adv, (örtlich, zeitlich) closer; (örtlich, zeitlich, Beziehung) closer (3) adv, (genauer) in more detail; bitte, treten Sie näher just step up; näherrücken to approach; die nähere Umgebung the immediate vicinity; die nähere Verwandtschaft the immediate family; dieser Weg ist näher this road is shorter, ich kenne ihn nicht näher I don´t know him well; jmdn näher kennenlernen to get to know sb better; sich mit etwas näher beschäftigen to go into sth; **~ kommen** vi; get closer to; **~n** (1) vr, approach (2) vt, draw closer; der Abend näherte sich seinem Ende the evening was drawing to a close; **Näherung** sub, f, -, -en (math.) approximation

nahezu, adv, almost, nearly

Nahkampf, sub, m, -s, -kämpfe (mil.) close combat

Nähkästchen, sub, n, u, sewing box;
Nähmaschine sub, f, -, -n sewing machine; **Nähnadel** sub, f, -, -n needle
nähren, (1) vr, feed oneself (2) vt,
feed; (Hoffnungen) build up; sich
von etwas nähren to live on sth, das
Handwerk nährt seinen Mann there´s good living to be made as a
craftsman; er sieht gut genährt aus he
looks well-fed; er nährt den süßen
Traum, berühmt zu werden he has
fond hopes of becoming famous;
nahrhaft adj, (Boden) fertile; (Essen) nutritious; ein nahrhaftes Essen
a square meal; **Nahrung** sub, f, -, nur
Einz. food; das gab der Sache neue
Nahrung that just added fuel to the
fire; er verweigerte jegliche Nahrung
he refused all nourishment; flüssige/feste Nahrung liquids/solids; geistige Nahrung intellectual
stimulation
Nahrungskette, sub, f, -, -n (biol.)
food chain; **Nahrungsmittel** sub, n,
-s, - food (stuff)
Nährwert, sub, m, -s, -e nutritional value
Nähseide, sub, f, -, -n sewing-silk
Naht, sub, f, -, Nähte seam; (med.) stitches; (tech.) join; aus allen Nähten
platzen to be bursting at the seams
Nahverkehr, sub, m, -s, nur Einz. local
traffic
naiv, adj, naive; (theat.) die Naive the
ingénue; **Naivität** sub, f, -, nur Einz.
naivety; **Naivling** sub, m, -s, -e simpleton; wie kann man bloß so ein
Naivling sein? how can anyone be so
naive?
Name, sub, m, -ns, -n name; das Kind
beim Namen nennen to call a spade a
spade; dazu geb´ ich meinen Namen
nicht her I won´t lend my name to
that; ein angenommener Name an
assumed name; ein Pseudonym a
pseudonym; ich kenne das Stück nur
dem Namen nach I´ve heard of the
play but that´s all; im Namen des
Gesetzes in the name of the law;
(ugs.) in Gottes Namen! for heaven´s
sake!; mit Namen by the name of;
unter dem Namen under the name
of; wie war doch gleich Ihr Name?
what was the name?; **namenlos** (1)
adj, nameless, unnamed; (unsäglich)
unspeakable (2) adv, (äußerst) un-

speakably, die Millionen der Namenlosen the nameless millions; er
will namenlos bleiben he wishes to
remain anonymous; **~nnennung**
sub, f, -, -en naming names; auf
Namennennung wollen wir doch
verzichten we don´t need to name
names; **~nsgebung** sub, f, -, -en
naming; eine unglückliche Namensgebung an unfortunate choice
of name; **~nspapier** sub, n, -s, -e
(fin.) registered security;
~nsschild sub, n, -s, -er nameplate; **~nstag** sub, m, -s, -e name day;
~nsvetter sub, m, -s, -n namesake;
namentlich (1) adj, by name (2)
adv, (besonders) especially, in particular; namentliche Abstimmung
roll call vote; namentlicher Aufruf
role call; wir bitten, von einer namentlichen Aufführung der Spender abzusehen we would request
you to refrain from naming the donors; **namhaft** adj, famous, wellknown;   (beträchtlich)
considerable; namhaft machen to
identify
nämlich, (1) adj, (veraltet,
der/die/das ~) same (2) adv, namely; (jur.) wit; der/die/das Nämliche the same; mir schmeckt das
nicht, da ist nämlich Ingwer drin I
don´t like this, it´s got ginger in it,
you see
Nanosekunde, sub, f, -, -n nanosecond
Napalm, sub, n, -s, nur Einz. napalm; **~bombe** sub, f, -, -n napalm
bomb
Napf, sub, m, -s, Näpfe bowl; **~kuchen** sub, m, -s, - ring-shaped
poundcake
napoleonisch, adj, Napoleonic
Nappaleder, sub, n, -s, - napa
leather
Narbe, sub, f, -, -n scar; (bot.) stigma; (Gras~) turf; (Pocken~) pock
(mark); die Narbe bleibt, auch
wenn die Wunde heilt deep down,
you still bear the scars; eine Narbe
hinterlassen to leave a scar; **narbig**
adj, scarred
Narkose, sub, f, -, -n an(a)esthesia;
~arzt sub, m, -es, -ärzte
an(a)esthesist; **~maske** sub, f, -, -n
an(a)esthetic mask; **Narkotikum**

sub, n, -s, -ka narcotic; **narkotisch** *adj,* narcotic; *(Duft)* overpowering; *der süße Geruch wirkte narkotisch auf uns* the sweet smell had a druglike effect on us; **narkotisieren** *vt,* drug

Narr, *sub, m, -en, -en* fool; *(Hof~)* jester; *den Narren spielen* to act the fool; *die Narren werden nicht alle* there´s one born every minute; *dieser verliebte Narr* this love-torn fool; *einen Narren an jmd gefressen haben* to dote on sb; *jmdn zum Narren halten* to make a fool of sb; **narren** *vt, (geh.)* make a fool of; **~enkappe** *sub, f, -, -n* fool´s cap; **narrensicher** *adj,* foolproof; **~ensposse** *sub, f, -, -n* act of stupidity; **~enzepter** *sub, n, -s, -* fool´s sceptre; *das Narrenzepter führen* to carry the fool´s sceptre; **närrisch** *adj,* foolish; *(verrückt)* mad; *das närrische Treiben* Fasching celebrations; *die närrischen Tage* Fasching; *ganz närrisch auf jmdn sein* to be mad on sb; *sich wie närrisch gebärden* to act like a madman

Narwal, *sub, m, -s, -e* narwhal

Narziss, *sub, m, -en, -es, -e (poet.)* Narcissus; **~e** *sub, f, -, -n* narcissus; **~mus** *sub, m, -, nur Einz.* narcissism; **~t** *sub, m, -en, -en (psych.)* narcissist; **narzisstisch** *adj,* narcissistic

nasal, *adj,* nasal; *nasaler Ton* nasal twang; **~ieren** *vti,* nasalize; **Nasalierung** *sub, f, -, -en* nasalization

naschen, *(1) vi,* eat sweet things *(2) vti,* nibble; *darf ich mal naschen?* can I try a bit?; *er hat von allem nur genascht* he only had a taste of everything, *die Kinder haben den ganzen Tag nur genascht* the children have been nibbling all day; *er nascht gern* he has a sweet tooth; **Nascherei** *sub, f, -, -en* nibbling; *(nur Mehrz., Süßigkeiten)* sweets and biscuits; **naschhaft** *adj,* fond of sweet things; *sei nicht so naschhaft* you and your sweet tooth; **naschsüchtig** *adj,* craving for sweet things

Naserümpfen, *sub, n, -s, nur Einz.* wrinkling up one´s nose; *mit Naserümpfen reagieren* to turn one´s nose up at sth; **naserümpfend** *adj,* screwing up one´s nose; *die naserümpfenden Eltern* the disapproving parents; **naseweis** *(1) adj,* cheeky;

(neugierig) nos(e)y; *(vorlaut)* precocious *(2)* **Naseweis** *sub, m, -es, -e (neugierig)* nos(e)y parker; *(überschlau)* wise guy; *(vorlaut)* cheeky brat

Nashorn, *sub, n, -s, -hörner* rhino

Nasigoreng, *sub, n, -s, -s* nasi goreng

nass, *adj,* wet; *durch und durch nass* wet through; *ein nasses Grab* a watery grave; *nun mach dich bloß nicht nass!* keep your shirt/hair on!; *ordentlich nass werden* get a good ducking; *sich nass machen* to wet oneself; *wie ein nasser Sack* like a wet rag

Nassauer, *sub, m, -s, - (ugs.)* scrounger

Nässe, *sub, f, -, nur Einz.* moisture, wetness; **nässen** *(1) vi, (Wunde)* weep *(2) vt,* dampen; *das Bett nässen* to wet the bed; **nassforsch** *adj,* brash; **nasskalt** *adj,* chilly and damp; **Nassrasierer** *sub, m, -s, -* wet-shaver

naszierend, *adj,* arising

Natalität, *sub, f, -, nur Einz.* natality

Nation, *sub, f, -, -en* nation; **national** *adj,* national; **nationalbewusst** *adj,* nationally conscious; **~albewusstsein** *sub, n, -s, nur Einz.* national consciousness; **~alelf** *sub, f, -, -en* international (football) team; **~alflagge** *sub, f, -, -n* national flag; **~algarde** *sub, f, -, -n* National Guard; **~alheld** *sub, m, -en, -en* national hero; **~alhymne** *sub, f, -, -n* national anthem; **nationalisieren** *vt,* nationalize; **~alismus** *sub, m, -, nur Einz.* nationalism; **~alist** *sub, m, -en, -en* nationalist; **nationalistisch** *adj,* nationalist; **~alität** *sub, f, -, -en* nationality

Nationalliga, *sub, f, -, -en* national league; **Nationalökonomie** *sub, f, -, -n* economics

Nationalsozialismus, *sub, m, -, nur Einz.* National Socialism; **Nationalsozialist** *sub, m, -en, -en* National Socialist; **nationalsozialistisch** *adj,* National Socialist

Nationaltanz, *sub, m, -es, -tänze* national dance; **Nationaltracht** *sub, f, -, -en* national costume; **Nationalversammlung** *sub, f, -, -en* National Assembly

Natrium, *sub, n, -s, nur Einz.* sodium

Natron, *sub, n, -s, nur Einz.* sodium compound

Natter, *sub, f, -, -n* adder, viper; **~nbrut** *sub, f, -, nur Einz. (i. ü. S.)* viper's brood

Natur, *sub, f, -, -en (Beschaffenheit)* nature; *f, -, nur Einz. (freies Land)* countryside; *(Kosmos, Naturzustand) f, -, -en (Mensch)* type; *eine eiserne Natur haben* to have a cast-iron constitution; *eine Frage allgemeiner Natur* a question of a general nature; *es liegt in der Natur der Dinge* it is in the nature of things; *sein Haar ist von Natur aus blond* his hair is naturally blond; *sie sind von Natur aus wirksam* they are effective by nature; *zurück zur Natur!* back to nature!; *Gottes freie Natur* the open countryside; *in der freien Natur* in the open countryside; *Natur und Kultur* nature and civilization; *sie ist ein Meisterwerk der Natur* she's one of Nature's masterpieces; *wider die Natur sein* to be unnatural; *das entspricht nicht meiner Natur* it's not in my nature; *sie ist eine gutmütige Natur* she's a good-natured type; **~alien** *sub, nur Mehrz.* natural produce; *Handel mit Naturalien* barter with goods; *in Naturalien bezahlen* to pay in kind; **~alisation** *sub, f, -, -en* naturalization; **naturalisieren** *vt, (jur.)* naturalize; **~alismus** *sub, m, -, nur Einz.* naturalism; **~alist** *sub, m, -en, -en* naturalist; **~alistin** *sub, f, -, -nen* naturalist; **naturalistisch** *adj,* naturalistic

naturfarben, *adj,* natural-coloured; **Naturfreund** *sub, m, -s, -e* naturelover; **Naturgefühl** *sub, n, -s, nur Einz.* feeling for nature; **naturgegeben** *adj,* natural; **Naturgesetz** *sub, n, -es, -e* law of nature; **naturgetreu** *adj,* lifelike; *(in Lebensgröße)* life-size; *etwas naturgetreu wiedergeben* to reproduce sth true to life; **Naturheilkunde** *sub, f, -, nur Einz.* nature healing

natürlich, (1) *adj,* natural **(2)** *adv,* naturally; *(selbstverständlich)* of course; *die natürlichste Sache der Welt* the most natural thing in the world; *eines natürlichen Todes ster-* *ben* to die a natural death; *es geht nicht mit natürlichen Dingen zu* I smell a rat; *es ist doch nur zu natürlich, dass* it's only natural that; *in seiner natürlichen Größe* lifesize; *natürliche Auslese* natural selection, *die Krankheit verlief ganz natürlich* the illness took its natural course; **Naturmensch** *sub, m, -en, -en* child of nature; **Naturprodukt** *sub, n, -s, -e* natural product; **naturrein** *adj,* natural, pure; **Naturschutz** *sub, m, -es, nur Einz.* conservation; *unter Naturschutz stehen* to be listed; **Naturschutzgebiet** *sub, n, -s, -e* nature reserve; **Naturtalent** *sub, n, -s, -e* natural prodigy; *sie ist ein Naturtalent* she's a natural; **naturwidrig** *adj,* unnatural; *(nicht normal)* abnormal

Naturwissenschaft, *sub, f, -, -en* natural science; **Naturwunder** *sub, n, -s, -* miracle of nature; **Naturzustand** *sub, m, -s, -stände* natural state

Nausea, *sub, f, -, nur Einz.* nausea

Nautik, *sub, f, -, nur Einz.* navigation; **~er** *sub, m, -s, -* navigator; **Nautilus** *sub, m, -, -se* nautilus; **nautisch** *adj,* navigational; *(Instrumente, Ausbildung)* nautical; *nautische Meile* sea mile

Navelorange, *sub, f, -, -n* navel orange

Navigation, *sub, f, -, nur Einz.* navigation; **Navigator** *sub, m, -s, -en* navigator; **navigieren** *vti,* navigate

Nazibarbarei, *sub, f, -, -en* Nazi barbarity; **Nazidiktatur** *sub, f, -, nur Einz.* Nazi dictatorship; **Nazizeit** *sub, f, -, nur Einz.* Nazi period

Neandertaler, *sub, m, -s, -* Neanderthal man

Neapolitaner, *sub, m, -s, -* Neapolitan

Nebel, *sub, m, -s, -* mist; *(poet.)* fog; *(astr.)* nebula; *bei Nacht und Nebel* at the dead of night; *bei Nebel in* mist; *über der ganzen Sache lag ein Nebel* the whole affair was shrouded in mystery; **~bildung** *sub, f, -, -en* fog; *stellenweise Nebelbildung* foggy patches; **nebelig** *adj,* misty; *(dichter)* foggy; **~krähe** *sub, f, -, -n* hooded crow; **~werfer** *sub, m, -s,*

- *(mil.)* multiple rocket launcher
neben, *präp, (außer)* apart from, besides; *(örtlich)* beside, next to; *(vergleichen mit)* compared to; *du sollst keine anderen Götter neben mir haben!* thou shalt have no other gods before me!; *neben anderen Dingen* amongst other things; *er fuhr neben dem Zug her* he kept level with the train; *er ging neben ihr* he walked beside her; *ich stelle ihn neben die größten Musiker des 20 Jahrhunderts* I rank him among the greatest musicians of the 20th century
Nebenabrede, *sub, f, -, -n (jur.)* supplementary agreement; **Nebenabsicht** *sub, f, -, -en* secondary aim; **Nebenamt** *sub, n, -s, -ämter (Nebenberuf)* secondary office; *(Zweigstelle)* local exchange; **nebenamtlich** *adj,* secondary; *das macht er nur nebenamtlich* he does that just as a secondary occupation; **Nebenarbeit** *sub, f, -, -en (Zusatzarbeit)* extra work; *(Zweitberuf)* second job; **Nebenausgabe** *sub, f, -, -n* incidental expense; **Nebenausgang** *sub, m, -s, -gänge* side exit
nebenbei, *adv, (außerdem)* additionally; *(beiläufig)* incidentally; *(gleichzeitig)* at the same time; *die nebenbei entstandenen Kosten* the additional expenses; *das mache ich so nebenbei* that´s just a sideline; *nebenbei bemerkt* by the by(e); *etwas nebenbei machen* to do sth on the side
Nebenbeschäftigung, *sub, f, -, -en (Ablenkung)* something else do; *(Zweitberuf)* second job; **Nebenbuhler** *sub, m, -s, -* rival; **nebeneffekt** *sub, m, -s, -e* side effect; **nebeneinander (1)** *adv, (räumlich)* side by side; *(zeitlich)* simultaneously **(2) Nebeneinander** *sub, n, -s, nur Einz.* juxtaposition; *sie gingen nebeneinander durchs Ziel* they were neck and neck at the finish; *zu dritt nebeneinander* three abreast; **nebeneinanderher** *adv,* side by side; *sie leben nur noch nebeneinanderher* they are just two people living in the same house; **Nebenerwerb** *sub, m, -s, -e* second occupation; **Nebenfluss** *sub, m, -es, -flüsse* tributary; **Nebengedanke** *sub, m, -ns, -n* ulterior motive; **Nebengestein** *sub, n, -s, -e (min.)* coun-

ty rock
nebenher, *adv, (gleichzeitig)* simultaneously; *(zusätzlich)* in addition
nebenordnen, *vt, (gramm.)* coordinate; **Nebenordnung** *sub, f, -, -en* coordination
Nebenprodukt, *sub, n, -s, -e* by-product
Nebensache, *sub, f, -, -n* minor matter, triviality; *das ist Nebensache* that´s not the point; **nebensächlich** *adj,* minor; *etwas als nebensächlich abtun* to dismiss sth as beside the point
Nebensaison, *sub, f, -, -s* low season
nebenstehend, *adj,* in the margin; *nebenstehende Abbildung* illustration opposite; *nebenstehende Erklärungen* explanations in the margin
Nebenstelle, *sub, f, -, -n (telek.)* extension; *(wirt.)* branch; **Nebenstraße** *sub, f, -, -n (Land)* minor road; *(Stadt)* side street; **Nebenstrecke** *sub, f, -, -n (Bahn)* branch line; **Nebenwirkung** *sub, f, -, -en* side effect; **Nebenwohnung** *sub, f, -, -en* flat next door; *(Zweitwohnung)* second flat; **Nebenzimmer** *sub, n, -s, -* next room
neblig, *adj,* misty; *(dichter)* foggy; **nebulös** *adj,* nebulous; *er redete so nebulöses Zeug* he was so woolly
nebst, *präp,* together with; *viele Grüße, Euer Andreas nebst Gattin* greetings from Andreas and wife
Neck, *sub, m, -en, -en (myth.)* water sprite; **necken** *vt,* tease; *einander necken* to have a tease; **~erei** *sub, f, -, -en* teasing; *was sich neckt, das liebt sich* teasing is a sign of affection; **neckisch** *adj, (Kleid, Frisur)* coquettish; *(scherzhaft)* merry; *(Spielchen)* mischievous; *(Unterhaltung)* bantering
Neffe, *sub, m, -n, -n* nephew
Negation, *sub, f, -, -en* negation; **negativ (1)** *adj,* negative **(2) Negativ** *sub, n, -s, -e* negative; *das Untersuchungsergebnis war negativ* the examination proved negative; *etwas negativ aufladen* to put a negative charge on sth; *jmd auf eine Frage negativ antworten* to answer sb´s question in the negative; *sich negativ zu etwas äußern* to speak nega-

tively about sth; **Negativbild** *sub, n,* *-es, -bilder* negative; **Negativimage** *sub, n, -s, -s* negative image; **Negativität** *sub, f, -, nur Einz.* negativeness

Neger, *sub, m, -s, -* negro; *angeben wie 10 nackte Neger* to shoot big mouth off; **~kuss** *sub, m, -es, -küsse* chocolate marshmellow; **~sklave** *sub, m, -n, -n* negro slave

negieren, *vt, (leugnen)* deny; *(verneinen)* negate

Negligé, *sub, n, -s, -s* négligé; **Negligee** *sub, n, -s, -s* négligé

negrid, *adj,* negro; **Negride** *sub, m, f, -n, -n* negro; **negroid** *adj,* negroid

nehmen, *vti, (behandeln)* handle; *(berechnen)* charge; *(Schmerz)* take away; *(Schwierigkeiten)* overcome; *(Sicht versperren)* block; *(Zutaten benutzen)* use; *der Patient konnte nichts zu sich nehmen* the patient has been unable to take nourishment; *etwas an sich nehmen* to take charge of sth; *etwas in die Hand nehmen* to pick sth up; *sich eine Frau nehmen* to take a wife; *sie nimmt die Pille* she´s on the pill; *etwas als ein Zeichen nehmen* to take sth an omen; *ich weiß, wie man ihn nehmen muss* I know how to handle him; *wie man es nimmt* depending on your point of view; *der Herr hat´s gegeben, der Herr hat´s genommen* the Lord giveth and the Lord taketh away; *die Nehmenden und die Gebenden* the takers and the givers; *er ist immer der Nehmende* with him it´s just take take take; *etwas nehmen, wie es kommt* to take sth as it comes; *Gott hat ihn zu sich genommen* he has been called home to his maker; *jmdn nehmen wie er ist* to take sb as he is; *jmdn zu sich nehmen* to take sb in; *was nehmen Sie dafür?* how much will you take for it?; *er ließ es sich nicht nehmen* he insisted on; *jmd den Glauben nehmen* to deprive sb of his faith; *jmd die Angst nehmen* to stop sb being afraid; *jmd die Hoffnung nehmen* to take away sb´s hope; *sie nehmen sich nichts* there´s nothing to choose between them; *woher nehmen und nicht stehlen* where on earth am I going to find any?; *das Auto nahm den Berg im 3Gang* the car took the hill in 3rd gear; *man nehme* take; *sich*

einen Anwalt nehmen to get a lawyer; *sich noch etwas nehmen* to help oneself to sth more

Neid, *sub, m, -es, nur Einz.* envy, jealousy; *der Neid der Besitzlosen* sour grapes; *grün vor Neid* green with envy; *vor Neid platzen* to die of envy; *aus Neid* out of jealousy; *das muss ihm der Neid lassen* you have to say that much for him; *jmds Neid erregen* to make sb jealous; **~er** *sub, m, -s, -* envious/jealous person; *viele Neider haben* to be much envied; **neiderfüllt** *adj,* filled with envy; **~hammel** *sub, m, -s, -* (ugs.) envious person; **neidisch** *adj,* envious, jealous; *mit neidischen Blicken betrachten* to cast covetous glances at sth; *auf jmdn neidisch sein* to be jealous of sb; **neidvoll** *adj,* filled with envy

Neige, *sub, f, -, -n* remains; *das Glas bis zur Neige leeren* to drain the cup to the dregs; *den bitteren Kelch bis zur Neige leeren* to drain the bitter cup; *die Vorräte gehen zur Neige* the provisions are fast becoming exhausted; *etwas bis zur Neige auskosten* to savour sth to the full; *zur Neige gehen* to draw to an end; **neigen (1)** *vi, (tendieren)* tend (to) **(2)** *vtr,* bend; *(kippen)* incline; *(verneigen, unter Last)* bow; *er neigt zum Alkohol* he has a tendency to drink; *er neigt zum Sozialismus* he tends toward socialism; *zu der Ansicht neigen* to tend towards the view; *die Waagschale neigt sich zu seinen Gunsten* the tide is turning in his favour; *geneigte Ebene* sloping surface; *sich nach vorn neigen* to bend forwards; *geneigte Ebene* incline; *die Bäume neigen ihre Zweige bis zur Erde* the trees bow their branches to the ground; *mit seitwärts geneigtem Kopf* with the head held on one side; **Neigung** *sub, f, -, -en (das Neigen)* inclination; *(Tendenz)* tendency; *f, -, nur Einz. (Zuneigung)* affection; *er hat eine Neigung zum Geiz* he has a tendency to be mean; *keine Neigung verspüren, etwas zu tun* to feel no inclination to do sth; *künstlerische Neigungen* artistic leanings; *jmds Neigung erwidern* to

return sb´s affection; *zu jmd eine Nei-gung fassen* to take a liking to sb
nein, (1) *adv*, no **(2) Nein** *sub, n, -s, nur Einz.* no; *aber nein!* certainly not; *Hunderte, nein Tausende* hundreds, nay/no thousands; *nein und noch-mals nein* for the last time - no!; *nein, dass du dich mal wieder sehen lässt!* fancy seeing you again!; *nein, sowas!* well I never!, *bei seinem Nein bleiben* to stick to one´s refusal; *mit Ja oder Nein stimmen* to vote yes or no
Nekromantie, *sub, f, -, nur Einz.* ne-cromancy; **Nekrophilie** *sub, f, -, nur Einz.* necrophilia; **Nekrose** *sub, f, -, -n* necrosis; **nekrotisch** *adj*, necrotic
Nektar, *sub, m, -s, nur Einz.* nectar; **~ine** *sub, f, -, -n* nectarine
Nelke, *sub, f, -, -en (Blume)* carnation; *(Gewürz)* clove; **~nstrauß** *sub, m, -es, -sträuße* bouquet of carnations
Nemesis, *sub, f, -, nur Einz.* nemesis
nennen, (1) *vr*, call oneself **(2)** *vt*, call; *(eitenne Namen geben, aufzählen)* name; *(erwähnen)* mention; *er nennt sich nur so* that´s just what he calls himself; *und sowas nennt sich Hu-mor* and he calls himself funny, *das nenne ich Mut* that´s what I call cou-rage; *Ludwig II, genannt der Mär-chenkönig* Ludwig II, known as the Fairytale King; *sein eigen nennen* to have sth to one´s name; *die genann-ten Dialekte* the dialects mentioned; *jmdn nach jmd nennen* to name sb after/for (US) sb; *können Sie mir ei-nen guten Anwalt nennen?* could you give me the name of a good lawyer?; *das (weiter oben) Genannte* the abo-ve; *das genannte Museum* the above-mentioned museum; **~swert** *adj*, considerable; *nicht nennenswert* negligible; *nichts Nennenswertes* nothing of any consequence
Nennformsatz, *sub, m, -es, -sätze* in-finitive clause; **Nennwert** *sub, m, -s, -e (fin.)* nominal value
Neofaschismus, *sub, m, -, nur Einz.* neo-fascism; **Neofaschist** *sub, m, -en, -en* neo-fascist
neolithisch, *adj*, neolithic
Neologismus, *sub, m, -, -men* neolo-gism
Neon, *sub, n, -s, nur Einz.* neon; **~re-klame** *sub, f, -, -n* neon sign; **~röhre** *sub, f, -, -n* neon tube

nepalesisch, *adj*, Nepalesian
Neper, *sub, n, -s, nur Einz.* neper
Nephoskop, *sub, n, -s, -e* nephos-cope; **Nephrit** *sub, m, -s, -e* kidney stone
Nerv, *sub, m, -s, -en* nerve; *das gebt mir auf die Nerven* it gets on my nerves; *das kostet Nerven* it´s a strain on the nerves; *den Nerv ha-ben, etwas zu tun* to have the nerve to do sth; *der hat vielleicht Nerven!* he´s got a nerve!; *die Nerven sind mit ihm durchgegangen* he snap-ped; *er hat trotz allem die Nerven behalten* in spite of everything he didn´t lose his cool; *jmd den letz-ten Nerv rauben* to shatter sb´s ner-ve; *jmdn am Nerv treffen* to touch a raw nerve; *leicht die Nerven ver-lieren* to scare easily; *Nerven wie Drahtseile haben* to have nerves of steel; *schwache Nerven haben* to have weak nerves; **nerven** *vt*, get on sb´s nerves; **~enärztin** *sub, f, -, -nen* neurologist; **~enbündel** *sub, n, -s, - fascicle; **~enkitzel** *sub, m, -s, - thrill; **~enklinik** *sub, f, -, -en* psychatric clinic; **~enkostüm** *sub, n, -s, -e (ein starkes/schwaches ~ haben)* have strong/weak nerves; **~enkraft** *sub, f, -, -kräfte* strong nerves; **nervenkrank** *adj*, mental-ly disturbed; **~enkrieg** *sub, m, -s, -e* war of nerves; **~enkrise** *sub, f, -, -n* mental crisis; **~enleiden** *sub, n, -s, - nervous complaint; **~enprobe** *sub, f, -, -n* trial
Nervensache, *sub, f, -, -n* question of nerves; *reine Nervensache!* it´s all a question of nerves; **Nerven-schock** *sub, m, -s, -s* nervous shock; **nervenstark** *adj*, with strong nerves; **Nervenstärke** *sub, f, -, nur Einz.* strong nerves; **Ner-vensystem** *sub, n, -s, -e* neural sy-stem; **Nervenzusammenbruch** *sub, m, -s, -brüche* nervous break-downs
nervig, *adj*, irritating; *(Hand/Ge-stalt)* wiry; **nervlich** *adj*, concer-ning sb´s nerves; **nervös** *adj*, nervous; **Nervosität** *sub, f, -, -en* nervousness
Nerz, *sub, m, -es, -e* mink; **~farm** *sub, f, -, -en* mink farm; **~fell** *sub, n, -s, -e* mink fur

Nessel, sub, f, -, -n nettle; m, -s, nur
Einz. cotton; sich in die Nesseln setzen to put oneself in a spot; ~fieber
sub, n, -s, nur Einz. nettle rash;
~qualle sub, f, -, -n nettle jellyfish
Nessessär, sub, n, -s, -s work basket
Nest, sub, n, -es, -er nest; das Nest leer
finden to find the birds have flown;
ein Nest von Dieben a den of thieves;
sein eigenes Nest beschmutzen to
fowl one´s own nest; sich ins gemachte Nest setzen to marry (into)
money; **nesteln** vt, (an etwas her-
um~) fumble around with sth;
~flüchter sub, m, -s, - (i. ü. S.) bird
who leaves the nest early; ~häkchen
sub, n, -s, - baby of the family; ~hok-
ker sub, m, -s, - (i. ü. S.) bird that stays
a long time in its nest; **nestwarm** adj,
warm from the nest; ~wärme sub, f,
-, nur Einz. happy home life
nett, adj, nice; (iron.) great; (hübsch)
cute; ein ganz nettes Sümmchen a
nice little sum; Michael war so nett
und hat abgewaschen Michael very
nicely did the washing-up; nett, dass
Sie gekommen sind good of you to
come; sei so nett und hol die Post
would you mind getting the mail in?;
was Netteres ist dir wohl nicht eingefallen you do say some nice things;
~erweise adv, kindly
netto, adv, net; **Nettoertrag** sub, m,
-s, -erträge net profit; **Nettogewicht**
sub, n, -s, -e net weight; **Nettogewinn**
sub, m, -s, -e net profit; **Nettoregistertonne** sub, f, -, -n net register ton
Netz, sub, n, -es, -e net; (Gepäck~)
rack; (Spinnen~) web; ans Netz gehen to go up to the net; das soziale
Netz the social security net; das Werk
musste vom Netz genommen werden
the power station had to be shut
down; ins jmds Netz geraten to fall
into sb´s clutches; jmd durchs Netz
schlüpfen to give sb the slip; sich im
eigenen Netz verstricken to behoist
with one´s own petard
Netzanschluss, sub, m, -es, -anschlüs-
se mains connection; **Netzball** sub,
m, -es, -bälle (spo.) netball; **netzen**
vt, (geb.) wet; **Netzflügler** sub, m, -s,
- neuropter; **Netzhaut** sub, f, -, -häute
retina; **Netzhemd** sub, n, -s, -en
(brit.) string vest; (US) undershirt;
Netzplan sub, m, -s, -pläne critical

path; **Netzspannung** sub, f, -, -en
mains voltage; **Netzspieler** sub, m,
-s, - net player; **Netzstecker** sub,
m, -s, - mains plug; **Netzwerk** sub,
n, -s, -e network
neu, adj, fresh, new; (kürzl. ent-
standen) recent; (Wäsche) clean;
(Wein) young; ~artig adj, new;
Neuartigkeit sub, f, -, -en novelty
Neuaufnahme, sub, f, -, -n (Gerichtsverfahren) re-opening; **Neu-
bau** sub, m, -s, -ten new building;
Neubekehrte sub, m, f, -n, -n fresh
convert; **Neubesetzung** sub, f, -,
-en replacement; (theat.) recasting
Neuenburger, sub, m, -s, - inhabitant of Neuenburg; **neuenglisch**
adj, modern English
neuerdings, adv, recently; **Neueröffnung** sub, f, -, -en reopening;
Neuerung sub, f, -, -en innovation;
Neuerwerbung sub, f, -, -en new
aquisition
neugeboren, adj, newborn; **Neugeborene** sub, n, -n, -n newborn
child
Neugründung, sub, f, -, -en founding; (Wiederbegründung) re-establishment
Neuguineerin, sub, f, -, -nen New
Guinean; **neuguineisch** adj, New
Guinean; **neuhebräisch** adj, modern Hebrew
Neuheit, sub, f, -, -en innovation; f,
-, nur Einz. novelty; **Neuigkeit** sub,
f, -, -en news; **Neuinszenierung**
sub, f, -, -en new production
Neujahr, sub, n, -s, nur Einz. New
Year; jmd zu Neujahr gratulieren
to wish sb a Happy New Year; Neujahr feiern to celebrate the New
Year; Prosit Neujahr! to the New
Year!; ~sfest sub, n, -es, -e New
Year´s Day; ~sgruß sub, m, -es,
-grüße New Year greetings; ~stag
sub, m, -es, -e New Year´s Day
neulich, adv, recently, the other
day
Neuling sub, m, -s, -e newcomer;
(pej.) greenhorn; **Neumond** sub,
m, -s, -e new moon
neun, num, nine; alle neune! strike!; er warf alle neune he got a
strike
Neunauge, sub, n, -s, -n lamprey
neuneinhalb, num, nine and a half;

neunerlei (1) *num*, nine (different) kinds of **(2)** *num.*, ninefold; **neunfach** *num*, nine times; **neunhundert** *num*, nine hundred; **neunmalklug** *adj, (iron.)* smart-aleck; **neunstellig** *adj*, nine digits

neunstöckig, *adj*, nine storey; **neunstündig** *adj*, nine hour; **neuntausend** *num*, nine thousand; **Neuntel** *sub, n, -s,* - ninth

Neuntöter, *sub, m, -s,* - *(orn.)* red-bakked shrike

Neuphilologie, *sub, f, -, nur Einz.* modern languages

Neupreis, *sub, m, -es, -e* original price

Neuralgie, *sub, f, -,* -*n* neuralgia; **Neuralgiker** *sub, m, -s,* - person suffering from neuralgia; **neuralgisch** *adj*, neuralgic; *dieses Thema ist ein neuralgischer Punkt* this topic is a trouble spot; *ein neuralgischer Punkt* a trouble area

Neuregelung, *sub, f, -,* -*en* revision

neureich, *adj*, nouveau riche

Neuron, *sub, n, -s,* -*e* neuron; **neuronal** *adj*, neuronal

Neurose, *sub, f, -,* -*n* neurosis; **Neurotiker** *sub, m, -s,* - neurotic; **Neurotikerin** · *sub, f, -, -nen* neurotic; **neurotisch** *adj*, neurotic

Neuschöpfung, *sub, f, -,* -*en* new creation

Neuseeland, *sub, n, -s, nur Einz.* New Zealand; **Neuseeländer** *sub, m, -s,* - New Zealander

Neutralisation, *sub, f, -,* -*en* neutralisation; **neutralisieren** *vt*, neutralize; **Neutralisierung** *sub, f, -,* -*en* neutralisation; **Neutralität** *sub, f, -, nur Einz.* neutrality

Neutron, *sub, n, -s,* -*en* neutron; ~**enbombe** *sub, f, -,* -*n* neutron bomb

Neutrum, *sub, n, -s, Neutren oder Neutra (gram.)* neuter

Neuvermählte, *sub, m, f, -n,* -*n* newly-wed; **Neuwagen** *sub, m, -s, -wägen* new car; **Neuwert** *sub, m, -s, nur Einz.* value when new

Neuzeit, *sub, f, -, nur Einz.* modern age; **neuzeitlich** *adj*, modern

Neuzüchtung, *sub, f, -,* -*en* new breed, new variety; **Neuzulassung** *sub, f, -, -en* registration of a new vehicle

Newcomer, *sub, m, -s,* - newcomer

News, *sub, f, nur Mehrz.* news

Nexus, *sub, m, -,* - nexus

Nibelunge, *sub, m, -n,* -*n* Nibelung; ~**nsage** *sub, f, -, nur Einz.* Nibelungenplied

Nicaraguaner, *sub, m, -s,* - Nicaraguan

nicht, *adv*, not; *alle lachten, nur er nicht* everybody laughed except him; *alles, nur das nicht* anything but that; *das war´s, nicht?* that´s it, right?; *er kommt nicht, nicht wahr?* he isn´t coming, is he?; *er küsst gut, nicht wahr?* he kisses well, doesn´t he?; *er raucht nicht* he does not smoke; *ich weiß auch nicht, warum* I really don´t know why; *ich weiß das nicht - ich auch nicht* I don´t know - neither do I; *nicht berühren!* do not touch; *nicht doch!* stop it!; *nicht einmal* not even; *nicht mehr* not any longer; *nicht mehr als* no more than; *nicht rauchen!* no smoking; *nicht-* non-; *tu´s nicht* don´t do it; *was der Sabine nicht alles einfällt* the things Sabine comes up with

Nichtchrist, *sub, m, -en,* -*en* non-Christian; **nichtchristlich** *adj*, non-Christian

Nichte, *sub, f, -,* -*n* niece

nichtehelich, *adj, (Kind)* illegitimate

nichtig, *adj, (unbedeutend)* trivial; *(ungültig)* invalid, void; *die nichtigen Dinge dieser Welt* the vain things of this life; *etwas für nichtig erklären* to declare sth invalid; *für null und nichtig erklären* to declare sth null and void; **Nichtigkeit** *sub, f, -,* -*en (Bedeutungslosigkeit, Kleinigkeit)* triviality; *(Ungültigkeit)* invalidity, voidness

Nichtraucher, *sub, m, -s,* - non-smoker; *ich bin Nichtraucher* I don´t smoke

nichts, (1) *pron*, nothing; *(bedingend, fragend auch)* not ... anything **(2) Nichts** *sub, n, -, nur Einz. (Leere)* emptiness; *(phil.)* nothingness; *das ist nichts für mich* not my cup of tea; *das war wohl nichts* you can´t win them all; *er ist zu nichts nutze* he´s useless; *für nichts und wieder nichts* for damn all; *ich weiß nichts* I know nothing; *ich weiß nichts Genaues* I don´t know any details; *nichts da!* no you don´t!; *nichts Neues* nothing new; *nichts von Bedeutung* nothing of any importance; *nichts wie raus* let´s get out; *nichts zu danken* not at all; *nichts zu machen* you´ve had that; *nichts anderes als* anything but; *nichts mehr* not anything more, *etwas aus dem Nichts erschaffen* to create sth out of the void; *alle seine Hoffnungen endeten im Nichts* all his hopes came to nought; *dieser Physiker ist aus dem Nichts aufgetaucht* this physicist sprang out from nowhere; *vor dem Nichts stehen* to be left with nothing; **~destoweniger** *adv*, nevertheless; **Nichtskönner** *sub, m, -s,* - incompetent person; *er ist ein Nichtskönner* he is (worse than) useless; **Nichtsnutz** *sub, m, -es, -e* good-for-nothing; **~nutzig** *adj*, good-for-nothing; **Nichtstuer** *sub, m, -s,* - idler; **~würdig** *adj*, base; *(Mensch auch)* worthless; *du Nichtswürdiger!* base wretch!

Nichttänzer, *sub, m, -s,* - non-dancer; *ich bin Nichttänzer* I don´t dance

nichtzielend, *adj, (gramm.)* intransitive

Nickel, *sub, n, -s, nur Einz.* nickel

Nickelbrille, *sub, f, -,* -n metal-rimmed glasses; **Nickelmünze** *sub, f, -, -n* nickel coin

nicken, *vi,* nod; *ein leichtes Nicken* a slight nod; *mit dem Kopf nicken zu* nod one´s head

Nickerchen, *sub, n, -s,* - *(ugs.)* nap; *ein Nickerchen machen* to take forty winks

Nickhaut, *sub, f, -, -häute* nictating

nie, *adv,* never; *fast nie* hardly ever; *nie im Leben!* not on your life!; *nie mehr* never again; *nie und nimmer* never ever

nieder, (1) *adj, (niedrig; auch Triebe, Kulturstufe)* low; *(Volk)* common; *(weniger bedeutend; auch Stand)* lower (2) *adv,* down; *das Auf und Nieder* the ups and downs; *die Waffen nieder* lay down your arms; *nieder mit dem Spießbürgertum!* down with the petit-bourgeois conformism!

niederbeugen, (1) *vr,* bend down (2) *vt,* bow down; **niederdrücken** *vt,* press (down); *(bedrücken)* depress; *jmdn niederdrücken* to get sb down; **niederdrückend** depressing; **nieder-**

fallen *vi,* fall down

niederhalten, *vt, (auch mil.)* hold down; *(Volk)* oppress; **niederhauen** *vt,* fell; *(Baum)* chop down; *(Gegner)* floor; **niederholen** *vt, (Ballon)* bring down; *(Segel, Flagge)* haul down; **niederkauern** *vir,* crouch down; **niederknien** *vi,* kneel down

Niederkunft, *sub, f, -, -künfte (veraltet)* delivery; **Niederlage** *sub, f, -, -n* defeat; *(Misserfolg)* failure

Niederländer, *sub, m, -s,* - Dutchman; **niederländisch** *adj,* Dutch

niederlassen, *vr,* sit down; *(Praxis)* establish oneself; *(Wohnsitz)* settle down; *die niedergelassenen Ärzte* the general practitioners (GPs); *sich als Arzt niederlassen* to set up as a doctor; **Niederlassung** *sub, f, -, -en* settlement; *(eines Arztes)* establishment; *(Zweigstelle)* branch

niederlegen, (1) *vr,* lie down (2) *vt,* lay down; *(Amt, Führung)* give up; *(dial.ugs.) da legst di´ nieder!* by the ´eck!; **Niederlegung** *sub, f, -, -en (Amt)* resignation; *(Kranz)* laying; *(schriftlich)* setting out

niedermähen, *vt,* mow down; **niederregnen** *vi,* rain down; **niederreißen** *vt,* pull down; *(i. ü. S.; Schranken)* tear down

Niederrhein, *sub, m, -s, nur Einz.* Lower Rhine; **Niedersachse** *sub, m, -n, -n* Lower Saxon; **Niedersachsen** *sub, n, -s, nur Einz.* Lower Saxony

niederringen, *vt,* fight down

Niederschlag, *sub, f, -s, -schläge (Bodensatz)* sediment; *(Boxen)* knockdown blow; *(meteor.)* precipitation; **niederschlagen** (1) *vr, (Flüssigkeit)* condense (2) *vt, (Aufstand)* suppress; *(Augen)* lower; *(jemanden)* fell; *ein Verfahren niederschlagen* to dismiss a case; *sich in etwas niederschlagen* to find expression in sth

Niederschrift, *sub, f, -, -en (das Niederschreiben)* writing down; *(Niedergeschriebenes)* notes; *(Protokoll)* minutes; *die erste Niederschrift eines Romans* the first draft of a novel

niedersetzen, (1) *vr,* sit down (2)

vt, put down; **niedersinken** *vi*, *(geh.)* sink down; **niederstoßen (1)** *vi*, *(Adler)* shoot down **(2)** *vt*, knock down

niedertourig, *adj*, low-revving; *niedertourig fahren* to drive with low revs

Niedertracht, *sub, f, -, nur Einz.* despicableness, vileness; *(Rache)* malice; *die Niedertracht, mit der er vorgegangen ist* the despicable way he went about; *so viel Niedertracht hätte ich ihm nicht zugetraut* I would not have suspected him of such a vile act; **niederträchtig** *adj*, despicable, vile; *(Rache)* malicious; *jmdn niederträchtig verraten* to betray sb in a despicable way

niedertreten, *vt*, tread down

Niederung, *sub, f, -, -en (Mündungsgebiet)* flats; *(Senke)* depression; *die Niederungen des Lebens* the seamy side of life; *in solche Niederungen begebe ich mich nicht* I will not sink to such depths

niederwalzen, *vt*, flatten

niederwerfen, **(1)** *vr*, prostrate oneself **(2)** *vt*, throw down; *(i. ü. S.)* defeat; *(Aufstand)* suppress; *er wurde von einer Krankheit niedergeworfen* he was laid low with an illness; **niederziehen** *vt*, pull down

niedlich, *adj*, cute, sweet; *das Kätzchen lag so niedlich auf meinem Bett* the kitten looked so sweet lying on my bed; **Niedlichkeit** *sub, f, -, nur Einz.* cuteness, sweetness

Niednagel, *sub, m, -s, -nägel* agnail

niedrig, *adj*, low; *(Stand, Geburt auch)* lowly; *ich schätze seine Chancen sehr niedrig ein* I think his chances are very slim; *niedrigste Preise* rock-bottom prices; *von jmd niedrig denken* to have a low opinion of sb; **Niedrigkeit** *sub, f, -, nur Einz.* lowness

Nielloarbeit, *sub, f, -, -en* piece of niello-work

niemals, *adv*, never

niemand, **(1)** *pron*, no-one, nobody **(2) Niemand** *sub, m, -s, -e* nobody; *er ist ein Niemand* he is a nobody; **Niemandsland** *sub, n, -(e)s, nur Einz.* no man´s land

Niere, *sub, f, -, -en* kidney; *es geht mir an die Nieren* it gets me down; *künst-*

liche Niere kidney-machine; **~nbecken** *sub, n, -s,* - pelvis of the kidney; **~nbraten** *sub, m, -s,* - roast loin; **~nentzündung** *sub, f, -, -en* nephritis; **nierenförmig** *adj*, kidney-shaped; **~nkolik** *sub, f, -, -en* renal colic; **nierenkrank** *adj*, suffering from a kidney disease; **~nstein** *sub, m, -s, -e* kidney stone; **~ntisch** *sub, m, -s, -e* kidney-shaped table

nieseln, *vi*, drizzle; **Nieselregen** *sub, m, -s, nur Einz.* drizzle

niesen, *vi*, sneeze; **Niesreiz** *sub, m, -es, -e* urge sneeze; **Nießbrauch** *sub, m, -s, nur Einz. (jur.)* usufruct; **Nießnutz** *sub, m, -ens, nur Einz.* usufruct; **Nieswurz** *sub, f, -, nur Einz. (bot.)* hellebore

Niet, *sub, m, -(e)s, -e* rivet

Niete, *sub, f, -, -n* rivet; *(Los)* blank; *(Mensch)* dead loss; *eine Niete ziehen* to draw a blank; *mit ihm haben wir eine Niete gezogen* he´s a dead loss; **nieten** *vt*, rivet; **~nhose** *sub, f, -, -n* studded jeans; **Nietung** *sub, f, -, -en* riveting

Nigerianerin, *sub, f, -, -nen* Nigerian; **nigerianisch** *adj*, Nigerian

Nightclub, *sub, m, -s, -s* night club

Nihilismus, *sub, m, -, nur Einz.* nihilism; **Nihilist** *sub, m, -en, -en* nihilist; **nihilistisch** *adj*, nihilistic

Nikoloabend, *sub, m, -s, -e* Eve of St. Nicholas

Nildelta, *sub, n, -s, nur Einz.* Nile Delta; **Nilpferd** *sub, n, -s, -e* hippo(potamus)

Nimbus, *sub, m, -, -se (i. ü. S.)* aura; *(Heiligenschein)* halo; *im Nimbus der Heiligkeit stehen* to be thought of as a saint; *sich mit dem Nimbus der Anständigkeit umgeben* to surround oneself with an aura of respectability

nimmer, *adv*, never; **Nimmerleinstag** *sub, m, -(e)s, nur Einz.* never-never day; *am StNimmerleinstag* and pigs might fly; **~müde** *adj*, tireless; **Nimmersatt** *sub, m, -(e)s, -e* glutton; *ein Nimmersatt sein* to be insatiable

ninivitisch, *adj*, Ninevite

Niob, *sub, n, -s, nur Einz.* niobium

Nippel, *sub, m, -s,* - nipple

nippen, *vti*, nip; *vom Wein nippen*

to sip the wine

Nippes, *sub, nur Mehrz.* bric-à-brac, knick-knack, ornaments

nirgends, *adv,* not ... anywhere, nowhere; *ihm gefällt es nirgends* he doesn´t like it anywhere; *er fühlt sich nirgends so wohl wie* there´s nowhere he feels so happy as; *er ist überall und nirgends zu Hause* he has no real home; *überall und nirgends* here, there and everywhere; *~her adv,* from nowhere; **nirgendwoher** *adv,* from nowhere; **nirgendwohin** *adv,* not anywhere, nowhere; *wenn man nirgendwohin gehen kann, um zu übernachten* if you´ve got nowhere to spend the night

Nirosta, *sub, m, -s, nur Einz. (eingetragenes Markenzeichen)* stainless steel

Nirwana, *sub, n, -(s), nur Einz.* nirvana

Nische, *sub, f, -, -n* niche; *(Koch~)* recess

Nissenhütte, *sub, f, -, -n* Nissen hut

nisten, (1) *vi,* nest **(2)** *vir,* take possession (of); *dieses Vorurteil nistete in seinem Hirn* this prejudice lodged in his mind, *Hass nistete in ihr Herz ein* hatred gripped her heart; **Nistzeit** *sub, f, -, -en* nesting time

Nitrat, *sub, n, -s, -e* nitrate; **nitrieren** *vt,* nitrate

Nitroglyzerin, *sub, n, -s, nur Einz.* nitroglycerine

Nivellierung, *sub, f, -, nur Einz.* levelling (out)

Nixe, *sub, f, -, -n* mermaid, nix(ie), water-nymph

nobel, *adj,* noble; *(elegant; ugs.)* posh; *(großzügig)* generous; *ein nobler Kunde* a nice type of person; *nobel geht die Welt zugrunde* there´s nothing like bowing out in style; *sich nobel zeigen to* be generous; **Nobelium** *sub, n, -s, nur Einz.* nobelium; **Nobelpreis** *sub, m, -es, -e* Nobel prize **nobilitieren,** *vt,* bestow a peerage on; **Noblesse** *sub, f, -, nur Einz. (geh.)* noblesse

Nobody, *sub, m, -s, -dies* nobody

noch, (1) *adv,* some time; *(außerdem)* else; *(bei Vergleichen)* even; *(einschränkend)* just; *(weiterhin; auch bei Vergleichen)* still **(2)** *konj,* nor; *dumm und noch dazu frech* stu-

pid and cheeky with it; *Geld noch und nöcher* heaps and heaps of money; *ich gebe Ihnen noch zwei dazu* I´ll give you two extra; *ich kann Ihnen Beispiele noch und nöcher geben* I can give you any number of examples; *ich will noch etwas sagen* there´s something else I want to say; *noch dazu regnete es* on top of that it was raining; *noch ein Bier* another beer; *noch ein Wort!* another word!); *noch einmal* once more; *noch etwas Fleisch?* some more meat?; *noch zwei Bier* to more beers; *wer war noch da?* who else was there?; *wir fanden Fehler noch und nöcher* we found tons of mistakes; *das ist noch viel wichtiger* that is far more important yet; *noch größer* even bigger; *seien sie auch noch so jung* however young they may be; *und wenn du auch noch so viel fragst* however much you ask; *das kann noch passieren* that might still happen; *das muss noch vor Dienstag fertig sein* it has to be ready by Tuesday; *er ist noch am selben Tag gestorben* he died the very same day; *er wird noch kommen* he´ll come yet; *er wird sich schon noch daran gewöhnen* he´ll get used to it one day; *gerade noch gut genug* only just good enough; *ich habe ihn noch gestern gesehen* I saw him only yesterday; *noch im späten 18Jh* as late as the late 18th century; *noch keine drei Tage* not three days; *das habe ich noch nie gehört* I´ve never known that before; *du bist noch zu klein* you´re still too young; *er dachte noch lange an sie* it was a long time before he stopped thinking of her; *er ist noch nicht da* he still isn´t here; *ich gehe kaum noch aus* I hardly go out any more; *ich möchte gern noch bleiben* I´d like to stay on longer; *noch immer* still; *noch nicht* not yet; *noch nie* never, *nicht dies, nicht jenes* not this nor that

nochmalig, *adj,* renewed; *eine nochmalige Überprüfung* another check; **nochmals** *adv,* again

Nockenwelle, *sub, f, -, -n* camshaft

Nockerlsuppe, *sub, f, -, -n* dump-

ling soup
Noetik, *sub, f, -, nur Einz.* noetics
nölen, *vi,* moan
Nomade, *sub, m, -n, -n* nomad; **nomadenhaft** *adj,* nomadic; **~nleben** *sub, n, -s, nur Einz.* nomadic life; **~nvolk** *sub, n, -s, -völker* nomadic people; **nomadisch** *adj,* nomadic; **nomadisieren** *vi,* lead a nomadic existence
Nomen, *sub, n, -s, Nomina* noun; *Nomen est Omen* true to his name
Nomenklatur, *sub, f, -, -en* nomenclature
nominal, *adj,* nominal; **Nominalstil** *sub, m, -s, nur Einz.* nominal style; **Nominalwert** *sub, m, -(e)s, -e (fin.)* nominal value
Nominativ, *sub, m, -s, -e* nominative
nomografisch, *adj,* nomographic
Nonchalance, *sub, f, -, nur Einz. (geb.)* nonchalance; **nonchalant** *adj,* nonchalant
None, *sub, f, -, -n (mus.)* ninth
Nonett, *sub, n, -s, -e* nonet
Nonkonformismus, *sub, m, -, nur Einz.* nonconformism; **Nonkonformist** *sub, m, -en, -en* nonconformist; **nonkonformistisch** *adj,* nonconformist
Nonne, *sub, f, -, -en* nun; *(Schmetterling)* nun moth
Nonplusultra, *sub, n, -, nur Einz.* ultimate
Nonsens, *sub, m, -(es), nur Einz.* nonsense
nonstop, *adv,* non-stop; **Nonstopflug** *sub, m, -(e)s, -flüge* non-stop flight; **Nonstopkino** *sub, n, -s, -s* cinema with a continuous programme
nonverbal, *adj,* non-verbal
Noppe, *sub, f, -, -n (Gummi~)* knob, nipple; *(Schlinge)* loop; *Kondom mit Noppen* condom with nipples; *Garn mit Noppen* bouclé; *Teppich mit Noppen* a loop pile carpet; **~ngewebe** *sub, n, -s, -* knop fabric; **~nstoff** *sub, m, -s, -e* bouclé
Nord, *sub, m, -s, -e* north
Nordamerika, *sub, n, -, nur Einz.* North America
Nordatlantikpakt, *sub, m, -s, nur Einz.* North Atlantic Treaty
norddeutsch, *adj,* North German; *die norddeutsche Tiefebene* the North German Lowlands; *die Norddeutschen* the North Germans

Norden, *sub, m, -s, nur Einz.* north; *(von Land)* North; *der Balkon liegt nach Norden* the balcony faces northwards; *gen Norden* north(wards); *im hohen Norden* in the far north; *im Norden des Landes* in the north of the country; *von Norden (her)* from the north
nordisch, *adj,* northern; *(Völker, Sprache)* nordic; *nordische Kombination* nordic combined
Nordländerin, *sub, f, -, -nen* northern; *(Skandinavier)* Scandinavian; **nordländisch** *adj,* northern
nördlich, *adj,* northern
Nordlicht, *sub, n, -(e)s, nur Einz.* northern lights; *n, -(e)s, -er (i. ü. S.; Mensch)* Northerner
Nordosten, *sub, m, -s, nur Einz.* north-east; *(von Land)* North-East; *nach Nordosten* to the north-east; *von Nordosten* from the north-east; **nordöstlich** *adj,* north-eastern; *(Wind)* north-east(erly); **Nordostwind** *sub, m, -s, -e* north-easterly wind
Nordpol, *sub, m, -s, nur Einz.* North Pole
Nord-Süd-Gefälle, *sub, n, -s, nur Einz.* north-south divide; **nordsüdlich** *adj, adv,* from north south
Nordwand, *sub, f, -, -wände (von Berg)* north face; **nordwärts** *adv,* north(wards); *der Wind dreht nordwärts* the wind is moving round to the north
Nordwesten, *sub, m, -s, nur Einz.* north-west; *(von Land)* North-West; **nordwestlich** *adj, (Gegend)* north-western; *(Wind)* north-west(erly); **Nordwestwind** *sub, m, -(e)s, -e* north-westerly wind
Nordwind, *sub, m, -(e)s, -e* north wind
Nörgelei, *sub, f, -, -en* grumbling, moaning; **nörgelig** *adj,* grumbly, moaning; **nörgeln** *vi,* grumble, moan; *(kritteln)* carp; *er hat immer was zu nörgeln* he always finds something to carp about, he always finds something to moan about; **Nörgler** *sub, m, -s, -* grumbler, moaner; *(Krittler)* carper; **nörglerisch** *adj,* grumbly, moaning; *(krittelnd)* carping
Norm, *sub, f, -, -en* norm; *(Größen-*

vorschrift) standard; die Norm erreichen to meet one´s target; als Norm gelten to be considered normal, to be the usual thing

normal, adj, normal; (Format, Maß, Gewicht) standard; benimm dich doch mal normal! act like a normal human being, can´t you?; bist du noch normal? have you gone mad?

Normalbenzin, sub, n, -s, nur Einz. regular (petrol or gas); **Normaldruck** sub, m, -s, nur Einz. normal pressure; **Normalgröße** sub, f, -, -n normal size

normalisieren, (1) vr, get back normal **(2)** vt, normalize; **Normalität** sub, f, -, nur Einz. normality; **Normalnull** sub, n, -s, nur Einz. sea level; **normalspurig** adj, standard gauge

Normanne, sub, m, -n, -n Norman; **normannisch** adj, Norman

Norne, sub, f, -, -n Norn

norwegisch, adj, Norwegian

Nostalgie, sub, f, -, nur Einz. nostalgia; **nostalgisch** adj, nostalgic

nostrifizieren, vt, naturalize

Not, sub, f, -, Nöte (Bedrängnis) distress; (Mangel, Elend) poverty; (Mangel, Elend) need; (Sorge) trouble; (Zwang) necessity; als Ritter in der Not like a knight in shining armour; die Nöte des Alltags the problems ov everyday living; Freunde in der Not a friend in need; Hilfe in höchster Not help in the nick of time; in Not geraten to get into serious difficulties; jmd seine Not klagen to cry on sb´s shoulder; hier herrscht große Not there is great poverty here; Not kennt kein Gebot necessity knows no law; Not leiden to suffer deprivation; Not macht erfinderisch necessity is the mother of invention; eine Zeit der Not a time of need; in der Not frisst der Teufel Schmetterlinge beggars can´t be choosers; jmds Not lindern to improve sb´s lot; wenn Not am Mann ist in an emergency; damit hat´s keine Not there´s no rush; die Eltern hatten Not, ihre Kinder zu ernähren the parents had difficulty in feeding their children; er hat seine liebe Not mit ihr he really has his work cut out with her; aus der Not eine Tugend machen to make a virtue (out) of necessity; der Not ge-

horchend not (to) necessity; zur Not if needs be

Nota, sub, f, -, -s note

notabene, adv, (geh.) please note

Notanker, sub, m, -s, - sheet anchor

Notar, sub, m, -s, -e notary public; **~iat** sub, n, -s, -e notary´s office; **notariell** adj, notarial; notariell beglaubigt legally certified

Notarztwagen, sub, m, -s, -wägen emergency doctor´s car

Notation, sub, f, -, -en notation

Notaufnahme, sub, f, -, -n casualty unit; **Notausgang** sub, m, -s, -gänge emergency exit; **Notbremse** sub, f, -, -n emergency brake; die Notbremse ziehen to pull the emergency brake, (spo.) to commit a blatant foul; **Notbremsung** sub, f, -, -en emergency stop; **Notdienst** sub, m, -(e)s, -e (~ haben; Apotheke) be open 24 hours; (~ haben; Arzt) be on call; **Notdurft** sub, f, -, nur Einz. (geh.) call of nature; des Lebens Notdurft the bare necessities of life; seine Notdurft verrichten to anwer the call of nature

Note, sub, f, -, -n note; (Einrichtung, Kleidung) touch; (Schule) mark; ganze Note semibreve; halbe Note minim; nach Noten spielen to play from music; Noten music; das ist meine persönliche Note that´s my trademark; ein Parfum mit einer herben Note a perfume with something tangy about it; einer Sache eine persönlich Note verleihen to give sth a personal touch; **~book** sub, n, -s, -s notebook; **~nschlüssel** sub, m, -s, - clef; **~nschrift** sub, f, -, -en musical notation; **~nständer** sub, m, -s, - music stand; **~nstecher** sub, m, -s, - music engraver

Notfall, sub, m, -(e)s, -fälle ´emergency; bei einem Notfall in case of emergency; für den Notfall nehm´ ich einen Schirm mit I´ll take an umbrella just in case; im Notfall if needs be; **notfalls** adv, if necessary, if need(s) be

notgedrungen, (1) adj, essential **(2)** adv, perforce; ich muss mich notgedrungen dazu bereit erklären I´ve no choice but to agree

Notgroschen, sub, m, -s, - nest egg;

sich einen Notgroschen zurücklegen to some money away for a rainy day; **Nothelferin** *sub, f, -, -nen* auxiliary saint; **Nothilfe** *sub, f, -, nur Einz.* assistance in an emergency

nötig, (1) *adj,* necessary **(2)** *adv,* urgently; *das hab ich nicht nötig* I can do without that; *das nötige Geld für die Reise* the money needed for the journey; *das Nötigste* the essentials; *das war wirklich nicht nötig* there was no need for that; *du hast es gerade nötig,* so zu reden you´re a fine one to talk; *er hat das natürlich nicht nötig* but of course he´s different; *etwas bitter nötig haben* to need sth badly; *ich habe es nicht nötig, mich von dir anschreien zu lassen* I don´t need to let you shout at me; *ist das unbedingt nötig?* is that absolutely necessary?; *wenn nötig* if necessary, *ich muss mal nötig* I´m dying to go!; **Nötige** *sub, n, -n, nur Einz.* necessity; **~en** *vt, (auffordern)* urge; *(jur.)* coerce; *(zwingen)* force; *jmdn ins Zimmer nötigen* to force sb to go into a room; *lassen Sie sich nicht erst nötigen!* don´t wait to be asked; *sich nötigen lassen* to need prompting; **~enfalls** *adv,* if necessary, if need(s) be; **Nötigung** *sub, f, -, -en* compulsion; *(jur.)* coercion; *Nötigung zum Diebstahl* coercion to commit theft

Notiz, *sub, f, -, -en* note; *(Zeitungs~)* item; *keine Notiz nehmen* to ignore; *Notitz nehmen* to pay attention to; *sich Notitzen machen* to take notes; **~buch** *sub, n, -(e)s, -bücher* notebook; **~zettel** *sub, m, -s, -* piece of paper

Notlage, *sub, f, -, -n* crisis; *die wirtschaftliche Notlage Großbritanniens* Great Britain´s economic plight; *in Notlagen* in an emergency; *jmds Notlage ausnutzen* to exploit sb´s situation; *sich in einer Notlage befinden* to find oneself in serious difficulties; **Notlandung** *sub, f, -, -en* emergency landing; **Notleidende** *sub, m, -n, -n* needy; **Notmaßnahme** *sub, f, -, -n* emergency measure; **Notnagel** *sub, m, -s, -nägel (i. ü. S.)* last resort; **Notoperation** *sub, f, -, -en* emergency operation; **Notopfer** *sub, n, -s, -* emergency levy

notorisch, *adj,* notorious

Notprogramm, *sub, n, -s, -e* emergency programme; **Notrufanlage** *sub, f, -, -n* emergency telephone; **Notrufnummer** *sub, f, -, -n* emergency number; **Notrufsäule** *sub, f, -, -n* emergency telephone; **Notsignal** *sub, n, -s, -e* distress signal; **Notsituation** *sub, f, -, -en* emergency; **Notstand** *sub, m, -s, -stände* crisis; *(pol.)* state of emergency; *einen Notstand beheben* to end a crisis; *ziviler Notstand* disaster; *den Notstand ausrufen* to declare a state of emergency; *innerer Notstand* internal state of emergency

Notturno, *sub, n, -s, -s oder -ni* nocturne

Notwasserung, *sub, f, -, -en* crash-landing in the sea; **Notwehr** *sub, f, -, nur Einz.* self-defence; **notwendig** *adj,* necessary; *es folgt notwendig* it necessarily follows; *es musste notwendig zum Zusammenstoß kommen* the colosion was inevitable; *notwendig brauchen* to need urgently; *sich auf das Notwendigst beschränken* to stick to essentials; **Notwendigkeit** *sub, f, -, -en* necessity; *die Notwendigkeit, etwas zu tun* the necessity of doing sth; *mit Notwendigkeit* of necessity; **Notzucht** *sub, f, -, -en* rape; *Notzucht begehen* to commit rape; **notzüchtigen** *vt,* rape, violate

Nougat, *sub, m, -s, -s* nougat

Nova, *sub, f, -, -e* nova

Novelle, *sub, f, -, -n* novella; *(pol.)* amendment; **~nband** *sub, m, -(e)s, -bände* volume of novellas; **~nform** *sub, f, -, -en* novella form; **Novellierung** *sub, f, -, -en* amendment; **Novellist** *sub, m, -en, -en* novella writer

November, *sub, m, -s, -* November; **novemberhaft** *adj,* November-like; **novemberlich** *adj,* November-like

Novität, *sub, f, -, -en* innovation; *(Buch)* new publication; **Novize** *sub, m, -n, -n* novice; **Noviziatjahr** *sub, n, -(e)s, -e* novitiate; **Novizin** *sub, f, -, -nen* novice

Novum, *sub, n, -s, Nova* novelty

Nu, *sub, m, -s, nur Einz. (im ~)* in no time

Nuance, *sub, f, -, -n* nuance; *(Klei-*

nigke(il) shade, *nur eine Nuance zu laut* a shade too loud; **nuancenreich** *adj*, full of nuances; **nuancieren** *vt*, nuance; **Nuancierung** *sub*, *f*, -, -en nuance

nüchtern, *adj*, *(nicht betrunken)* sober; *(sachlich, vernünftig)* down-to-earth; *(vernünftig)* rational; *das war ein Schreck auf nüchtenen Magen* my heart skipped to beat; *wieder nüchtern werden* to sober up

Nudel, *sub*, *f*, -, -n pasta; *(Mensch; komische)* character; *(Suppen~)* noodle; **~holz** *sub*, *n*, -es, -hölzer rolling pin; **nudeln** *vt*, *(Gans)* forcefeed; **~walker** *sub*, *m*, -s, - rolling pin

Nudismus, *sub*, *m*, -, nur Einz. nudism; **Nudist** *sub*, *m*, -en, -en nudist; **Nudität** *sub*, *f*, -, -en nude (picture)

Nugat, *sub*, *m*, -s, -s nougat; **~füllung** *sub*, *f*, -, -en nougat centre

Nugget, *sub*, *n*, -s, -s nugget

nuklear, *adj*, nuclear; **Nuklearmacht** *sub*, *f*, -, -mächte nuclear power; **Nuklearmedizin** *sub*, *f*, -, nur Einz. nuclear medicine; **Nuklearwaffe** *sub*, *f*, -, -n nuclear weapon

Nukleus, *sub*, *m*, -, Nuklei nucleus

Null, *sub*, *f*, -, -en naught, zero; *(spo.)* nil; *(Tennis)* love; *(i. ü. S.; Versager)* dead loss

Nulldiät, *sub*, *f*, -, -en starvation diet; **nullifizieren** *vt*, nullify; **Nullität** *sub*, *f*, -, -n nullity; **Nullmeridian** *sub*, *m*, -s, nur Einz. Greenwich Meridian; **Nullpunkt** *sub*, *m*, -(e)s, -e zero; *absoluter Nullpunkt* absolute zero; *die Stimmung sank auf den Nullpunkt* the atmosphere froze; *seine Karriere war auf dem Nullpunkt angelangt* his carrear had reached a rock-bottom; **Nulltarif** *sub*, *m*, -s, -e *(Eintritt)* free admission; *(Verkehrsmittel)* free travel; *zum Nulltarif* free of charge; **Nullwachstum** *sub*, *n*, -s, nur Einz. *(pol.)* zero growth

Numerale, *sub*, *n*, -s, Numeralien *(gramm.)* numeral; **numerieren** *vt*, number; **numerisch** *adj*, numerical; **Numero** *sub*, *n*, -s, -s number; **Numerus** *sub*, *m*, -, Numeri *(~ clausus)* restricted entry; *(gram.)* number; **numinos** *adj*, divine

Numismatik, *sub*, *f*, -, nur Einz. numismatics; **~er** *sub*, *m*, -s, - numismatist; **numismatisch** *adj*, numismatic

Nummer, *sub*, *f*, -, -n number; *(Größe)* size; *(vulg.; Koitus)* screw; *auf Nummer sicher gehen* to play it safe; *eine Nummer abziehen* to put on an act; *eine Nummer schieben* to have it away; *Gesprächsthema Nummer eins* the number one talking point; *nur eine Nummer unter vielen sein* to be a cog (in the machine); *unser Haus hat die Nummer 7* our house is number 7; **nummerieren** *vt*, number; **~ierung** *dub*, numbering; **~ngirl** *sub*, *n*, -s, -s showgirl; **~nkonto** *sub*, *n*, -s, -konten numbered account; **~nschild** *sub*, *m*, -(e)s, -er number plate

nun, **(1)** *adv*, *(danach)* then; *(Fragen; ~?)* well?; *(jetzt; Folge)* now **(2)** *konj*, since; *das ist nun einmal so that's just the way things are*; *nun erst ging er* only then did he go; *nun erst recht* just for that; *nun gut* well all right; *nun ja* well yes; *nun, du hast ja recht* fair enough What you say is true; *das hast du nun davon* serves you right; *nun denn* well then; *nun endlich* at last; *nun erst* only now; *nun ist aber genug!* now that's enough!; *nun, da er da ist* now that he's here; *nun?* well?; *von nun an* as from now; *was nun?* what now?

nunmehr, *adv*, *(geb.)* at this point; *(geb.; von jetzt an)* as from now, henceforth; *die nunmehr herrschende Partei* the currently ruling party

Nuntiatur, *sub*, *f*, -, -en nunciature; **Nuntius** *sub*, *m*, -, Nuntien nuncio

nur, *adv*, *(einschr., verstärk., Negation, Aufford.)* just; *(einschr., Wunsch)* only; *(mit Fragepronomen)* ever; *ach, nur so!* oh, no special reason; *dass es nur so krachte* making a terrible din; *der Kranke isst fast nur noch Obst* the sick man eats virtually nothing but fruit these days; *ich hab das nur so gesagt* I was just talking; *ich hab nur ein Stück Brot gegessen* I've eaten just a piece of bread; *nur schade, dass it's just a pity that*; *wie schnell er nur redet* doesn't he speak fast!; *alle, nur ich nicht* everyone but me, everyone but me; *alles, nur* *das nicht* anything but that; *nur das only this; nur noch zwei Minuten* only two minutes to go; *geh nur!* just go!; *sagen Sie das nur nicht ihrer Frau!* just don´t tell your wife!; *sie brauchen es nur zu sagen* you only have to say (the word); *was hat er nur?* what on earth is the matter with him?; *wenn er nur nicht die nerven verliert* provided he doesn´t loose his nerve; *wie kannst du nur?* how could you?; *wüsst ich nur, wie* if only I knew how

Nurhausfrau, *sub, f, -, -en* full-time housewife

nuscheln *vti,* mutter

Nuss, *sub, f, -, Nüsse* nut; *(doofe ~)* stupid twit; *(Kopf~)* punch; **~baum** *sub, m, -s, -bäume* walnut tree; **nuss-braun** *adj,* hazel; **~füllung** *sub, f, -, -en* nut centre; **~knacker** *sub, m, -s, -* nutcracker; **~schale** *sub, f, -, -n* nutshell; *(i. ü. S.; Boot)* cockleshell

Nüster, *sub, f, -, -n* nostril

Nute, *sub, f, -, -n* groove; *(Keil~)* keyway; *(zur Einfügung)* slot; **~nfräser** *sub, m, -s, -* milling cutter for grooving

Nutrition, *sub, f, -, nur Einz.* nutrition

Nutte, *sub, f, -, -n (ugs.)* tart; *(ugs.; bes. US-Slang)* hooker

nutzbar, *adj,* us(e)able; *(Boden)* fertile; *nutzbar machen* to make usable; **Nutzbarkeit** *sub, f, -, nur Einz.* us(e)ability; *(Boden)* fertility; **Nutzeffekt** *sub, m, -s, -e* efficiency; **Nutzen (1)** *sub, m, -s, -* use; *(Nützlichkeit)* usefulness; benefit **(2) nutzen** *vi,* be of use **(3)** *vt,* make use of; *es hat keinen Nutzen, das zu tun* there´s no use doing that; *jmd von Nutzen sein* to be of use to sb; *jmd von Nutzen sein* to be useful to sb; *aus etwas Nutzen ziehen* to reap the benefits of sth; *jmd Nutzen bringen* to be of advantage to sb; *sich großen Nutzen versprechen* to expect to benefit greatly; *von etwas Nutzen haben* to gain by sth; *zum Nutzen der Öffentlichkeit* for the benefit of the public; *alle Anstrengungen haben nichts genützt* all our efforts were in vain; *da nützt alles nichts* there´s nothing to be done; *die Ermahnun-*

gen haben nichts genützt the warnings didn´t do any good; *es nützt nichts* it´s no use; *wozu soll das alles nützen?* what´s the point of that?, *nütze den Tag!* gather ye rosebuds while ye may; *sein Talent nicht nutzen* wrap up one´s talent in a napkin; **Nutzfahrzeug** *sub, n, -(e)s, -e* commercial vehicle; **Nutzholz** *sub, n, -es, -hölzer* timber; **Nutzlast** *sub, f, -, -en* payload; **Nutzleistung** *sub, f, -, -en* effective capacity

nützlich, *adj,* useful; *(Hinweis, Kenntnisse)* useful; *er könnte dir eines Tages sehr nützlich werden* he might be very useful to you one day; *kann ich Ihnen nützlich sein?* may I be of service to you?; *nützlich für die Gesundheit* beneficial for the health; *sich nützlich machen* to make oneself useful; **Nützlichkeit** *sub, f, -, nur Einz.* usefulness; *(Vorteil)* advantage; **nutzlos** *adj,* futile, useless; *(unnötig)* needless; *er hat seine Zeit nutzlos mit Spielen verplempert* he frittered away his time playing; *es ist völlig nutzlos, das zu tun* It´s absolutely futile doing that; *es ist völlig nutzlos, das zu tun* it´s absolutely useless doing that; *sein Leben nutzlos aufs Spiel setzen* to risk one´s life needlessly

Nutznießerin, *sub, f, -, -nen* beneficiary; **Nutzpflanze** *sub, f, -, -n* useful plant; **Nutztier** *sub, n, -(e)s, -e* working animal; **Nutzung** *sub, f, -, -en* use; *(Ausnutzen)* exploitation; *(Ertrag)* benefit; *ich habe ihr meinen Computer zur Nutzung überlassen* I gave her the use of my computer; *die Nutzungen aus etwas ziehen* to enjoy the benefit of sth; **Nutzungsrecht** *sub, n, -s, -e* usufruct

Nylon, *sub, n, -(s), nur Einz. (eingetr. Markenzeichen)* nylon

Nymphe, *sub, f, -, -n* nymph; *(i. ü. S.)* sylph; **nymphoman** *adj,* nymphomaniac; **Nymphomanie** *sub, f, -, nur Einz.* nymphomania; **Nymphomanin** *sub, f, -, -nen* nymphomaniac

Oase, *sub, f, -, -n* oasis

ob, *konj,* if, whether; *als ob* as if; *kommst Du mit? - was? - ob du mitkommen willst* are you coming? - what? - are you coming?; *ob er wohl morgen kommt?* I wonder if he'll come tomorrow; *ob ich nicht besser gehe?* hadn't I better go?; *ob sie mir wohl mal helfen könnten?* I wonder if you could you help?; *ob wir jetzt Pause machen?* shall we have a break now?; *so tun, als ob* to pretend; *und ob!* you bet!; *Du musst die Schuhe ausziehen, ob du nun willst oder nicht* Like it or not, you have to take off your shoes; *er hat gefragt, ob du nass geworden bist* he asked if you got wet; *wir gehen spazieren, ob es regnet oder nicht* we're going for a walk whether it rains or not

Obacht, *sub, f, -, nur Einz.* attention; *gib doch Obacht!* watch it!; *Obacht geben auf* to keep an eye on

Obdach, *sub, n, -s, nur Einz.* shelter; *jmd Obdach gewähren* to offer sb shelter; *kein Obdach haben* to be homeless; **~lose** *sub, m, -n, -n* homeless person

Obduktion, *sub, f, -, -en* autopsy; **~sbefund** *sub, m, -(e)s, -e* autopsy results; **obduzieren** *vt,* do an autopsy on

O-Beine, *sub, f, -, nur Mehrz.* bow legs; **O-beinig** *adj,* bow-legged

Obelisk, *sub, m, -en, -en* obelisk

oben, *adv, (am oberen Ende)* at the top; *(an der Oberfläche)* at the surface; *(in der Höhe)* up; *(in Haus)* upstairs; *(vorher)* above; *das wird oben entschieden* that's decided higher up; *der Befehl kommt von oben* it's orders from above; *die da oben* the powers that be; *er will sich nur oben beliebt machen* he's just sucking up to the management; *der ist oben nicht ganz richtig* he's not right in the head; *der Weg nach oben* the road to the top; *die ganze Sache steht mir bis hier oben* I'm sick to death of the whole thing; *ganz oben* right at the top; *jmdn von oben bis unten mustern* to look sb up and down; *jmdn von oben herab ansehen* to look down on sb; *jmdn von oben herab behandeln* to be condescending to sb; *nach oben* up; *oben am Himmel* up in the sky; *oben auf dem Berg* on top of the mountain; *oben im Norden* up north; *oben ohne sein* to be topless; *oben und unten verwechseln* to get sth upside down; *rechts oben* in the top right hand corner; *von oben bis unten* from top to bottom; *weiter oben* further up; *wir sind im Lift nach oben gefahren* we went up in the lift; *wo geht es hier nach oben?* which is the right way up?; *die Leute, die oben wohnen* the people who live upstairs; *möchten Sie lieber oben schlafen?* would you like the top bunk?; *der oben erwähnte Harfenist* the above-mentioned harpist; *der weiter oben erwähnte Fall* the case referred to before; *siehe oben* see above

obenan, *adv,* at the top; *sein Name steht obenan* his name is at the top; **oben stehend** *adj,* above-mentioned; **obenauf** *adv,* on the top; *gestern war er krank, aber heute ist er wieder obenauf* he wasn't well yesterday, but he's back on form today; *sie ist immer obenauf* she's always bright and cheery; **obendrein** *adv,* on top of everything; **obenhin** *adv,* superficially; *etwas nur so obenhin sagen* to say sth in an offhand way

Ober, *sub, m, -s,* - waiter; *(Karten)* Queen

Oberarm, *sub, m, -s, -e* upper arm; **Oberarzt** *sub, m, -es, -ärzte* senior physician; **Oberaufsicht** *sub, f, -, nur Einz.* supervision; *die Oberaufsicht haben* to be in overall control; **Oberbau** *sub, m, -(e)s, -ten (Bahn)* permanent way; *(Brücken)* superstructure; **Oberbefehlshaber** *sub, m, -s, - (mil.)* commander-in-chief; **Oberbegriff** *sub, m, -s, -e* generic term; **Oberbergamt** *sub, n, -(e)s, nur Einz.* Superior Board of the Mines; **Oberbett** *sub, n, -(e)s, -en* quilt; **Oberbürgermeister** *sub, m, -s,* - mayor; **Oberdeck** *sub, n, -s, -s* top deck; **Oberdeutsche** *sub, m, -n, -n* Upper German

obere, *adj*, top, upper; *die Oberen* the top brass; *die oberen Zehntausend* high society

oberfaul, *adj, (ugs.)* very odd

Oberfläche, *sub*, *f, -, -n* surface; *an der Oberfläche schwimmen* to float; *an die Oberfläche kommen* to surface; **oberflächlich** *adj*, superficial; *(Kenntnisse, Mensch auch)* shallow; *bei oberflächlicher Betrachtung* at a quick glance; *er ist nur oberflächlich verletzt* he´s only got superficial injuries; *etwas oberflächlich lesen* to skim through sth; *jmdn nur oberflächlich kennen* to have a nodding acquaintance with sb; *nach oberflächlicher Schätzung* at a rough estimate; *seine Kenntnisse sind nur oberflächlich* his knowledge doesn´t go very deep; **Oberförster** *sub*, *m, -s, -* head forester; **obergärig** *adj, (Bier)* top fermented; **Obergefreite** *sub*, *m, -n, -n (brit.)* lance-corporal; *(US)* private first class; **Obergericht** *sub*, *n, -s, -e* supreme court; **Obergeschoss** *sub*, *n, -es, -e* top floor; *im dritten Obergeschoss* on the third floor; *im zweiten Obergeschoss* on the second floor (brit); **oberhalb** *adv, präp*, above; *oberhalb von Prien* above Prien

Oberhand, *sub*, *f, -, nur Einz.* upper hand; *die Oberhand gewinnen* to gain the upper hand; *die Oberhand haben* to have the upper hand; **Oberhaupt** *sub*, *n, -(e)s, -häupter* head, leader; **Oberhaus** *sub*, *n, -es, nur Einz.* upper house; *(in GB)* House of Lords; **Oberhemd** *sub*, *n, -s, -en* shirt; **Oberin** *sub*, *f, -, -nen* Mother Superior; *(Krankenhaus)* matron; **oberirdisch** *adj*, above ground

Oberkellner, *sub*, *m, -s, -* head waiter; **Oberkiefer** *sub*, *m, -s, -* upper jaw; **Oberkommando** *sub*, *n, -s, -s* Supreme Command; *(Stab)* headquarters; **Oberkörper** *sub*, *m, -s, -* trunk; *den Oberkörper freimachen* to strip to the waist; *mit nacktem Oberkörper* stripped to the waist; **Oberlauf** *sub*, *m, -s, -läufe* upper reaches; *am Oberlauf der Paar* in the upper reaches of the Paar; **Oberleitung** *sub*, *f, -, -en* overhead cable; **Oberleutnant** *sub*, *m, -s, -s* lieutenant; *Oberleutnant zur See* lieutenant; **Oberlicht** *sub*, *n, -(e)s, -er* fanlight; **Oberliga** *sub*, *f, -,*

-ligen first league; **Oberlippe** *sub*, *f, -, -n* upper lip; **Obermaat** *sub*, *m, -(e)s, -e(n)* leading seaman

Obermaterial, *sub*, *n, -s, -materialien* upper; **Oberpriester** *sub*, *m, -s, -* high priest; **Oberschenkel** *sub*, *m, -s, -* thigh; **Oberschicht** *sub*, *f, -, -en* top layer; *(soziol.)* upper strata (of society); **Oberschule** *sub*, *f, -, -n* grammar school; **Oberschüler** *sub*, *m, -s, -* grammar school pupil; **Oberst** *sub*, *m, -en, -en* colonel; **Oberstleutnant** *sub*, *m, -s, -s* lieutenant colonel

Obersteiger, *sub*, *m, -s, -* head foreman (in a mine); **Oberteil** *sub*, *n, -s, -e* top; **Obervoltaer** *sub*, *m, -s, -* Upper Voltan; **Oberwasser** *sub*, *n, -s, nur Einz.* backwater; *Oberwasser haben* to be going great guns; **Oberweite** *sub*, *f, -, -n* bust measurement; *die hat eine ganz schöne Oberweite* she´s very well endowed; *sie hat Oberweite 94* she has a 38-inch bust

obgleich, *konj*, although, though; **obig** *adj*, above; *vgl obige Abbildung* compare the above illustration

Obhut, *sub*, *f, -, nur Einz. (geh.)* care; *etwas jmds Obhut anvertrauen* to place sth in sb´s care

Objekt, *sub*, *n, -(e)s, -e* object; *(Grundstück)* property; **objektiv (1)** *adj*, objective **(2)** **Objektiv** *sub*, *n, -s, -e* objective; *objektiv über etwas urteilen* to judge sth objectively; **~ivation** *sub*, *f, -, -en* objectivation; **objektivieren (1)** *vi*, objectify **(2)** *vt, (Problem)* objectivize; **~ivismus** *sub*, *m, -, nur Einz.* objectivism; **~ivität** *sub*, *f, -, nur Einz.* objectivity; **~schutz** *sub*, *m, -es, nur Einz.* protection of property; **~tisch** *sub*, *m, -(e)s, -e (Mikroskop)* stage

obliegen, *vi, (geh.)* be incumbent on; **Obliegenheit** *sub*, *f, -, -en* duty, incumbency

obligat, *adj*, obligatory; *der obligate Sparwitz* the obligatory corny joke; *mit obligatem Cembalo* with cembalo obligato; **Obligation** *sub*, *f, -, -en* obligation; *die Firma übernimmt keine Obligation* the firm is under no obligation; **~orisch** *adj*, obligto... *(...)* ...

Obligatorium *sub, n, -s, -rien* compulsory subject; **Obligo** *sub, n, -s, -s (fin.)* guarantee; *ohne Obligo* without recourse

Obmann, *sub, m, -es, Obleute o. Obmänner* representative

Oboe, *sub, f, -, -n* oboe; **Oboist** *sub, m, -en, -en* oboe player

Obolus, *sub, m, -, - oder -se* contribution

Obrigkeit, *sub, f, -, -en* authority; *(die Behörden)* authorities; *die geistliche Obrigkeit* the spiritual authorities; *die weltliche Obrigkeit* the secular authorities; **obrigkeitlich** *adj,* authoritarian

obschon, *konj, (geh.)* albeit, although

Observanz, *sub, f, -, -en* observance; **Observation** *sub, f, -, -en* observation; **Observator** *sub, m, -s, -en* observer; **Observatorium** *sub, n, -s, -rien* observatory; **observieren** *vt,* observe; *er ist observiert worden* he has been under surveillance; **Obsession** *sub, f, -, -en* obsession

Obsidian, *sub, m, -s, -e* obsidian

obsiegen, *vi, (geh.)* prevail

obskur, *adj,* obscure; *(verdächtig)* suspect; *diese obskuren Gestalten der Unterwelt* these twilight figures of the underworld; **Obskurantismus** *sub, m, -, nur Einz.* obscurantism; **Obskurität** *sub, f, -, nur Einz.* obscurity

Obst, *sub, n, -(e)s, nur Einz.* fruit; **~bau** *sub, m, -s, nur Einz.* fruit-growing; **obstbaulich** *adj,* fruit-growing; **~baum** *sub, m, -s, -bäume* fruit-tree; **~garten** *sub, m, -s, -gärten* orchard; **~händler** *sub, m, -s, -* greengrocer

obstinat, *adj, (geh.)* obstinate

Obstkern, *sub, m, -s, -e* kernel; **Obstplantage** *sub, f, -, -n* fruit plantation; **Obstsaft** *sub, m, -s, -säfte* fruit juice

obstruktiv, *adj,* obstructive

obszön, *adj,* obscene; **Obszönität** *sub, f, -, -en* obscenity

obwohl, *konj,* although, though

Ochlokratie, *sub, f, -, -n* ochlocracy

Ochse, *sub, m, -n, -n* ox; *(Dummkopf)* twit; **~nbrust** *sub, f, -, nur Einz.* brisket of beef; **~nfiesel** *sub, m, -s, -* bull's pizzle; **~nfrosch** *sub, m, -es, -frösche* bullfrog; **~nkarren** *sub, m,*

..., ..., ..., ..., ... bullwhip

Öchsle, *sub, n, -s, -* measure of alcohol content according specific gravity

ocker, *adj,* ochre; **~farben** *adj,* ochre; **~farbig** *adj,* ochre; **~haltig** *adj,* containing ochre

Ockhamismus, *sub, m, -, nur Einz.* Ockhamism

Odaliske, *sub, f, -, -n* odalisque

Odds, *sub, nur Mehrz.* odds

Ode, *sub, f, -, -n* ode

öde, (1) *adj,* deserted; desolate; *(langweilig)* dreary (2) *sub, f, -, -n* wasteland; *(Langeweile)* barrenness; *öd und leer* dreary and desolate

Odel, *sub, m, -s, nur Einz.* liquid manure

Ödem, *sub, m, -s, -e* oedema

Odem, *sub, m, -s, nur Einz. (poet.)* breath

Odeon, *sub, n, -s, -s* odeum

oder, *conj,* or (else); *eins oder das andere* one or the other; *entweder oder* either or; *lassen wir es so, oder?* let's leave it at that, right?; *oder aber* or else; *oder auch* or perhaps; *oder soll ich lieber mitkommen?* maybe I should come along?; *so war's doch, oder?* that was what happened, wasn't it?

Odeum, *sub, n, -s, Odeen* odeum

ödipal, *adj,* oedipal; **Ödipuskomplex** *sub, m, -es, -e* Oedipus complex

Odyssee, *sub, f, -, -n* odyssey

Ofen, *sub, m, -s, Öfen* oven, stove; *(Heiz~)* heater

Ofenbank, *sub, f, -, -bänke* fireside, hearth; **Ofenheizung** *sub, f, -, -en* stove heating; **Ofenrohr** *sub, n, -s, -e* stovepipe

offen, *adj,* open; *(Bein)* ulcerated; *(Haare)* loose; *(Stelle)* vacant; *allem Neuen gegenüber offen sein* to be open to new ideas; *auf offener See* on the open sea; *auf offener Strecke* on the open road; *der Kurs ist für alle offen* the course is open to everyone; *die Geschäfte haben bis 8 Uhr offen* the shops are open until 8 o'clock; *ein offener Brief* an open letter; *ein offenes Wort mit jmd reden* to have a frank talk with;

eine offene Hand haben to be open-handed; *er hat einen offenen Blick* he´s got an open face; *etwas offen zugeben* to admit sth openly; *jmdn mit offenen Armen empfangen* to welcome sb with open arms; *mit offenem Hemd gehen* to wear an open neck; *mit offenem Mund dastehen* to stand gaping; *mit offenen Augen durchs Leben gehen* to go through life with one´s eyes open; *offen gestanden* to tell you the truth; *offene Stellen* vacancies; *(i. ü. S.) offene Türen einrennen* to kick at an open door; *seine Meinung offen sagen* to speak one´s mind; *Tag der offenen Tür* open day; *wir hielten auf offener Strecke* we stopped in the middle of nowhere; *die Haare offen tragen* to wear one´s hair loose

offenbar, (1) *adj,* obvious **(2)** *adv, (vermutlich)* apparently; *offenbar werden* to become obvious; *sein Zögern machte offenbar, dass* it was obvious from the way that he hesitated that; *da haben Sie sich offenbar geirrt* you seem to have made a mistake; *er hat offenbar den Zug verpasst* he must have missed the train; *~en vtr,* reveal; *sich als etwas offenbaren* to show oneself to be sth; *sich jmd offenbaren* to reveal oneself (Liebe: one´s feelings) to sb; **Offenbarung** *sub, f, -, -en* revelation; **Offenbarungseid** *sub, m, -s, -e* oath of disclosure; *einen Offenbarungseid leisten* to swear an oath of disclosure; *mit diesem Programm hat die Partei ihren Offenbarungseid geleistet* with this programme the party has revealed its political bankruptcy

offen halten, *vt,* keep open; *die Ohren offenhalten* to keep one´s ear to the ground; *eine Stelle für jmdn offenhalten* to keep a job open for sb; **offen lassen** *vt,* leave open; **offen legen** *vt,* expose, reveal; **offenherzig** *adj,* frank, open; *(ugs.; Kleidung)* revealing; **offenkundig** *adj,* clear, obvious; *es ist offenkundig, dass* it is clear that; *es ist offenkundig, dass* it is obvious that; **Offenlegung** *sub, f, -, nur Einz.* exposure; *(Geheimnis)* disclosure; **offensichtlich** *adj,* clear, obvious; *(Lüge)* blatant; *er hat sich da offensichtlich vertan* he has clear-

ly made a mistake there; *es war offensichtlich, dass er uns mied* he was obviously avoiding us

offensiv, *adj,* offensive; **Offensive** *sub, f, -, nur Einz.* offensive; *in die Offensive gehen* take the offensive

öffentlich, *adj,* public; *Anstalt des öffentlichen Rechts* public institution; *die öffentliche Hand* government; *die öffentliche Meinung* public opinion; *die öffentliche Ordnung* law and order; *etwas in die öffentliche Hand überführen* to take sth under public control; *etwas öffentlich bekanntmachen* to make sth public; *im öffentlichen Leben stehen* to be in public life; *jmdn öffentlich hinrichten* to execute sb publicly; *öffentlich versteigern* to sell by public auction; *öffentliche Schule* state school; **Öffentlichkeit** *sub, f, -, nur Einz.* public; *als er das erste Mal vor die Öffentlichkeit trat* when he made his first public appearance; *die Öffentlichkeit scheuen* to shun publicity; *in aller Öffentlichkeit* in public; *mit etwas an die Öffentlichkeit treten* to bring sth before the public; *unter Ausschluss der Öffentlichkeit* in private

offerieren, *vt,* offer; **Offerte** *sub, f, -, -n* offer

offiziell, *adj,* official; *(Einladung)* formal; *etwas offiziell bekanntgeben* to announce sth officially; *wie von offizieller Seite verlautet* according to official sources; *auf dem Empfang ging es schrecklich offiziell zu* the reception was terribly formal; **offiziös** *adj,* semiofficial

Offizier, *sub, m, -s, -e* officer; *Offizier werden* to become an (army) officer

Offizium, *sub, n, -s, -zien* duty

öffnen, *vtir,* open; *das Geschäft wird um 10 Uhr geöffnet* the shop opens at 10 o´clock; *das Tal öffnet sich nach Westen* the valley is open to the west; *der Nachtportier öffnete mir* the night porter opened the door for me; *die Erde öffnete sich* the ground opened (up); *(comp.) eine Datei öffnen* to open a file; *es hat geklingelt, könntest du mal öffnen?* that was the doorbell, would

~~...~~ *etwas öffnen* to make sb aware of sth; **Öffner** *sub, m, -s, -* opener; **Öffnung** *sub, f, -, -en* opening; *eine Politik der Öffnung* a policy of openness; *Öffnung der Leiche* autopsy; **Öffnungszeit** *sub, f, -, -en* hours of business

Offsetdruck, *sub, m, -s, nur Einz.* offset (printing)

oft, *adv,* frequently, often; *des öfteren* quite frequently; *wie oft fährt der Bus?* how frequently does the bus go?; *der Bus fährt nicht oft* the bus doesn´t go very often; *je öfter* the more often; *öfter mal was Neues* variety is the spice of life; *schon so oft* often enough; *wie oft warst du schon in Baden?* how often have you been to Baden?

Oheim, *sub, m, -s, -e (veraltet)* uncle

ohne, *präp, konj,* without; *die Sache ist nicht ohne* it´s not bad; *er ist nicht ohne* he´s got what it takes; *er ist ohne jede Begabung* he lacks talent; *ich hätte das ohne Weiteres getan* I would have done it without thinking twice about it; *ich würde ohne Weiteres sagen, dass* I would not hesitate to say that; *ihm können Sie ohne Weiteres vertrauen* you can trust him implicitly; *ohne einen Pfennig Geld* pennyless; *ohne etwas sein* to be minus sth; *ohne ihn wären wir immer noch dort* if it weren´t for him we´d still be there; *ohne mich!* count me out!; *ohne zu zögern* without hesitating

ohnedies, *adv,* anyway; *das hat ohnedies keinen Zweck!* there´s no point in that anyway!; *es ist ohnedies schon spät* it´s late enough already; *wir sind ohnedies zu viele Leute* there are too many of us as it is; **ohne einander** *adv,* without each other; **ohnegleichen** *adj,* unparalleled; *ein Erfolg ohnegleichen* an unparalleled success; *er singt ohnegleichen* as a singer he´s without compare; *seine Frechheit ist ohnegleichen* I´ve never known anybody to have such nerve; **Ohnehaltflug** *sub, m, -s, -flüge* non-stop flight; **ohnehin** *adv,* anyway; *es hat ohnehin keinen Sinn* there´s no point in that anyway; *es ist ohnehin schon spät* it´s late enough as it is; *wir sind ohnehin schon zu viele Leute*

~~we´re too many as it is, ohnewei-~~ **ters** *adv,* certainly, easily

Ohnmacht, *sub, f, -, nur Einz.* faint; *(Machtlosigkeit)* impotence, powerlessness; **ohnmächtig** *adj,* unconscious; *(machtlos)* helpless, impotent; *einer Sache ohnmächtig gegenüber stehen* to stand helpless in the face of sth; *ohnmächtig zusehen* to look on helplessly; *ohnmächtige Wut* impotent rage

Ohr, *sub, n, -s, -en* ear; *(i. ü. S.) auf dem Ohr bin ich taub* I won´t hear of it; *bis über beide Ohren verliebt sein* to be head over heels in love; *dein Wort in Gottes Ohr!* god willing!; *die Ohren hängen lassen* to look downhearted; *die Ohren spitzen* to prick up one´s ears; *es ist mir zu Ohren gekommen* it has come to my ears; *ich bin ganz Ohr* I´m all ear; *ich habe seine Worte noch deutlich im Ohr* his words are still ringing in my ears; *jmd ein geneigtes Ohr schenken* to lend sb a willig ear; *jmd eins hinter die Ohren geben* to give sb a clip round the ear; *jmd etwas um die Ohren hauen* to hit sb over the head with sth; *jmd in den Ohren liegen* to badger sb; *jmdn über´s Ohr hauen* to take sb for a ride; *mit klingen die Ohren* my ears are burning; *noch nicht trocken hinter den Ohren sein* to be still wet behind the ears; *schreib dir das hinter die Ohren!* has that sunk in?; *seine Ohren sind nicht mehr so gut* his hearing isn´t too good anymore; *sich auf´s Ohr hauen* to hit the hay; *sitzt der auf seinen Ohren?* is he deaf or sth?; *sperr die Ohren auf!* clean out your ears!; *viel um die Ohren haben* to be rushed off one´s feet

Öhr, *sub, n, -s, -e* eye

Ohrenbeichte, *sub, f, -, -n* auricular confession; **Ohrenbläser** *sub, m, -s, -* scandalmonger; **ohrenfällig** *adj,* obvious; **Ohrenklappe** *sub, f, -, -n* earflap; **Ohrensausen** *sub, n, -s, nur Einz.* buzzling in one´s ears; **Ohrenschmalz** *sub, n, -es, nur Einz.* earwax; **Ohrenschmaus** *sub, m, -es, nur Einz.* feast for the ears; *das Konzert war ein richtiger Ohrenschmaus* the concert was a real delight to hear; *moderne Musik ist oft kein Ohrenschmaus* modern music is often far from easy on the ear; **Ohrenschmerz** *sub, m, -es, -en* earache; **Ohrensessel** *sub, m, -s, -* wing chair

Ohrfeige, *sub, f, -, -n* clip round the ears, slap; *wenn du nicht gleich still bist, bekommst du eine Ohrfeige* if you don´t shut up I´ll box your ears; *eine Ohrfeige bekommen* to get a slap round the face; *jmd eine Ohrfeige geben* to slap sb´s face; **ohrfeigen** *vt*, slap; *ich könnte mich selbst ohrfeigen, dass ich das gemacht habe* I could kick myself for doing it; *jmdn ohrfeigen* to box sb´s ears

Ohrklipp, *sub, m, -s, -s* clip-on earring; **Ohrläppchen** *sub, n, -s, -* lobe; **Ohrmuschel** *sub, f, -, -n* auricle; **Ohrring** *sub, m, -s, -e* earring; **Ohrschmuck** *sub, m, -s, nur Einz.* ear jewellery; **Ohrtrompete** *sub, f, -, -n* Eustachian tube; **Ohrwurm** *sub, m, -s, -würmer* earwig; *der Schlager ist ein richtiger Ohrwurm* that´s a really catchy record

Okapi, *sub, n, -s, -s* okapi

Okarina, *sub, f, -, -s o. -nen* ocarina

okay, *interj*, okay

Okkasion, *sub, f, -, -en* occasion

okkludieren, *vt*, occlude; **Okklusion** *sub, f, -, -en* occlusion

okkult, *adj*, occult; **Okkultismus** *sub, m, -, nur Einz.* occultism; **Okkultist** *sub, m, -en, -en* occultist; **Okkultistin** *sub, f, -, -nen* occultist

Okkupant, *sub, m, -en, -en* occupier; *die Okkupanten* the occupying forces; **Okkupation** *sub, f, -, -en* occupation; **okkupieren** *vt*, occupy

Ökonom, *sub, m, -en, -en* economist; **~ie** *sub, f, -, nur Einz.* economy; *(Wissenschaft)* economics; *durch kluge Ökonomie* by clever economies; *politische Ökonomie studieren* to study political economy; **~ik** *sub, f, -, nur Einz.* economics; **ökonomisch** *adj*, economic

Ökosystem, *sub, n, -s, -e* ecosystem

Oktaeder, *sub, n, -s, -* octohedron; **oktaedrisch** *adj*, octahedral

Oktanzahl, *sub, f, -, -en* octane number; *Benzin mit hoher Oktanzahl* high octane petrol

Oktave, *sub, f, -, -n* octave; **Oktavformat** *sub, n, -s, -e* octavo

Oktett, *sub, n, -s, -e* octet

Oktober, *sub, m, -s, -* October; **~fest** *sub, n, -(e)s, -e* Oktoberfest (Munich beer festival)

Oktogon, *sub, n, -s, -e* octagon; **oktogonal** *adj*, octagonal

Oktopode, *sub, m, -n, -n* octopod

oktroyieren, *vt, (geh.)* force, impose

Okular, *sub, n, -s, -e* eyepiece

Ökumene, *sub, f, -, nur Einz.* ecumenical movement; **ökumenisch** *adj*, ecumenical; **Ökumenismus** *sub, m, -, nur Einz.* ecumenism

Okzident, *sub, m, -s, nur Einz.* occident; **okzidental** *adj*, occidental

Öl, *sub, n, -s, -e* oil; *ätherische Öle* essential oils; *auf Öl stoßen* to strike oil; *im Öl malen* to paint in oils; *Öl auf die Wogen gießen* to pour oil on troubled waters; *Öl fördern* to extract oil; *Öl ins Feuer gießen* to add fuel to the fire

Ölbild, *sub, n, -s, -er* oil painting

Oldie, *sub, m, -s, -s* oldie; **Oldtimer** *sub, m, -s, -* veteran car

Oleat, *sub, n, -s, -e* oleate; **Oleum** *sub, n, -s, Olea* oleum

ölen, *vt*, oil; *wie ein geölter Blitz* like greased lightning; *wie geölt* like clockwork

Ölfilm, *sub, m, -s, -e* film of oil; **Ölförderung** *sub, f, -, -en* bringing oil out of the earth; **Ölfrucht** *sub, f, -, -früchte* olive

Oligarchie, *sub, f, -, -n* oligarchy; **oligarchisch** *adj*, oligarchic

Ölindustrie, *sub, f, -, -n* oil industry

Ölkrise, *sub, f, -, -n* oil crisis; **Ölluftpumpe** *sub, f, -, -n* oil vacuum pump

Olm, *sub, m, -s, -e* olm

Ölmalerei, *sub, f, -, -en* oil painting; **Ölofen** *sub, m, -s, -öfen* oil stove; **Ölpest** *sub, f, -, nur Einz.* oil pollution; **Ölplattform** *sub, f, -, -en* oil-rig; **Ölquelle** *sub, f, -, -n* oil well; **Ölraffinerie** *sub, f, -, -n* oil refinery; **Ölsardine** *sub, f, -, -n* sardine; *da sitzt ihr ja wie die Ölsardinen!* you must be crammed in like sardines; **Öltank** *sub, m, -s, -s* oil tank; **Öltanker** *sub, m, -s, -* oil tanker; **Ölvorkommen** *sub, n, -s, -* oil deposit; **Ölwechsel** *sub, m, -s, -* oil change; *den Ölwechsel machen* to

change the oil, ich muss mit dem
Moped zum Ölwechsel I must take my
motobike in for an oil change

Olympiade, *sub, f, -, -n* Olympic Games; *(Zeitraum)* Olympiad; **Olym-**
pier *sub, m, -s,* - Olympian;
Olympionike *sub, m, -n, -n* Olympic
athlete; **olympisch** *adj, (Götter)*
Olympian; *(spo.)* Olympic; *die olym-*
pischen Götter to Olympian deities;
die olympischen Spiele the Olympic
Games

Ölzeug, *sub, n, -s, nur Einz.* oilskins

Oma, *sub, f, -, -s* grandma, granny; *die*
alte Oma da drüben the old dear
over there

Ombudsmann, *sub, m, -es, -männer*
ombudsman

Omega, *sub, n, -s, -s* omega

Omelett, *sub, n, -s, -s oder -e* omelette;
~*e sub, n, -s, -s oder -* omelette

Omen, *sub, n, -s, - oder Omina* omen

Omikron, *sub, n, -s, -s* omicron

Omnibus, *sub, m, -ses, -se* bus; ~**fahrt**
sub, f, -, -en bus trip; ~**linie** *sub, f, -,*
-n bus route

omnipräsent, *adj,* omnipresent

Onanie, *sub, f, -, nur Einz.* masturbation; **onanistisch** *adj,* onanistic

ondulieren, *vt,* crimp; **Ondulierung**
sub, f, -, -en crimping

Onkel, *sub, m, -s, -* uncle; *der Onkel*
Doktor the nice doctor; *sag dem On-*
kel guten Tag! say hello to the nice
man

onkologisch, *adj,* oncologic

online, *adj,* on-line

Onomastikon, *sub, n, -s, -ka* list of
names

ontologisch, *adj,* ontological; *der on-*
tologische Gottesbeweis to ontological argument

Onyx, *sub, m, -(es), -e* onyx

Opa, *sub, m, -s, -s* grandad, grandpa;
na Opa, nun mach mal schneller! go
on grandpa, hurry up!

Opal, *sub, m, -s, -e* opal; **opaleszieren**
vi, opalesce

Openairfestival, *sub, n, -s, -s* open-air
festival

open end, *adj,* open end

Oper, *sub, f, -, -n* opera; *an die Oper*
gehen to become an opera singer; *in*
die Oper gehen to go to the opera

operabel, *adj,* operable; **Operateur**
sub, m, -s, -e (med.) surgeon; **Opera-**

tional *adj,* operational; **operativ**
adj, operative, surgical; *eine Ge-*
schwulst operativ entfernen to remove a growth surgically; *das ist*
nur durch einen operativen Ein-
griff zu beseitigen that can only be
removed by means of surgery

Operette, *sub, f, -, -n* operetta;
Opernarie *sub, f, -, -n* aria; **Opern-**
führer *sub, m, -s, -* opera guide;
Opernmelodie *sub, f, -, -n* operatic
melody; **Opernsänger** *sub, m, -s, -*
opera singer

operieren, *vti,* operate; *der Blind-*
darm muss sofort operiert werden
that appendix needs immediate
surgery; *jmdn am Magen operieren*
to operate on sb´s stomach; *sich*
operieren lassen to have an operation; *wir müssen sehr vorsichtig*
operieren we must tread very carefully

Opfer, *sub, n, -s, - (~gabe)* sacrifice;
(Geschädigter) victim; *jmd etwas*
als Opfer darbringen to offer sth as
a sacrifice to sb; *sie brachten ein*
Opfer dar they made an offering;
wir müssen alle Opfer bringen we
must all make sacrifices; *das Erdbe-*
ben forderte viele Opfer the
earthquake took a heavy toll; *jmd*
zum Opfer fallen to be (the) victim
of sb; *Opfer des Straßenverkehrs*
victims of road accidents; *sie fiel*
seinem Charme zum Opfer she fell
vitim to his charme

opferbereit, *adj,* ready to make
sacrifices; **Opferbereitschaft** *sub,*
f, -, nur Einz. readiness make sacrifices; **Opfermut** *sub, m, -(e)s, nur*
Einz. self-sacrifice; **opfern** (1) *vr,*
(sich bereiterklären) be martyr (2)
vt, (aufgeben) give up (3) *vtir,*
sacrifice; *wer opfert sich, die reste*
aufzuessen? who is going to be a
martyr and eat up the remains?,
einem Gotte opfern to pay homage
to a god; *sein Leben opfern* to sacrifice one´s life; **Opferpfennig** *sub,*
m, -s, -e small contribution; **Opfer-**
schale *sub, f, -, -n* sacrificial bowl;
Opfertod *sub, m, -es, nur Einz.*
self-sacrifice; *Christus starb den*
Opfertod Christ gave up his life;
Opferung *sub, f, -, -en* sacrifice;

(kirchl.) offertory; **opferwillig** *adj*, willing to make sacrifices

Ophiolatrie, *sub, f, -, nur Einz. (rel.)* ophiolatry

Opiat, *sub, n, -s, -e* opiate; **Opium** *sub, n, -s, nur Einz.* opium; **Opiumgesetz** *sub, n, -es, -e* opium law; **opiumhaltig** *adj*, containing opium; **Opiumhandel** *sub, m, -s, nur Einz.* opium trade; **Opiumpfeife** *sub, f, -, -n* opium pipe; **Opiumraucher** *sub, m, -s, -* opium smoker

Opossum, *sub, n, -s, -s* opossum

Opponent, *sub, m, -en, -en* opponent; **opponieren** *vi*, oppose; *ihr müsst auch immer opponieren!* do you always have to oppose everything

opportun, *adj, (geb.)* opportune; **Opportunismus** *sub, m, -, nur Einz.* opportunism; **Opportunist** *sub, m, -en, -en* opportunist; **~istisch** *adj*, opportunist(ic); *opportunistisch handeln* to act in an opportunist fashion; *(med.) opportunistische Infektion* secondary infection; **Opportunität** *sub, f, -, nur Einz. (geb.)* opportuneness

Opposition, *sub, f, -, -en* opposition; *diese Gruppe macht ständig Opposition* this Group is always making trouble; *etwas aus reiner Opposition tun* to do sth out of sheer contrariness; **oppositionell** *adj*, opposition

Oppression, *sub, f, -, -en* oppresion

OP-Schwester, *sub, f, -, -n* theatre sister

Optant, *sub, m, -en, -en* optant; **Optativ** *sub, m, -s, -e* optative; **optieren** *vi, (pol.)* opt for

Optik, *sub, f, -, nur Einz.* lens sytem, optics; *(Aussehen)* look; *(i. ü. S.) das ist eine Frage der Optik!* it depends on your point of view; *du hast wohl einen Knick in der Optik!* can´t you see straight?; *das ist nur hier wegen der Optik* it´s just here because it looks good; *etwas in die rechte Optik bringen* to put sth into the right perspective; **~er** *sub, m, -s, -* optician

optimal, *adj*, optimum; **optimieren** *vt*, optimize; **Optimierung** *sub, f, -, -en* optimization; **Optimist** *sub, m, -en, -en* optimist; **optimistisch** *adj*, optimistic; **Optimum** *sub, n, -s, Optima* optimum

Option, *sub, f, -, -en* option; **optional** *adj*, optional

opulent, *adj*, lavish; **Opulenz** *sub, f, -, nur Einz.* lavishness

Opuntie, *sub, f, -, -n (bot.)* opuntia

Opus, *sub, n, -, Opera* work; *(mus.; Gesamtwerk)* opus

Orakel, *sub, n, -s, -* oracle; *das Orakel befragen* to consult the oracle; *er spricht in Orakeln* he speaks like an oracle; **orakeln** *vi*, prognosticate; **~spruch** *sub, m, -(e)s, -sprüche* prophecy

oral, *adj*, oral

orange, (1) *adj*, orange **(2) Orange** *sub, f, -, -n* orange; **Orangeade** *sub, f, -, -n* orangeade; **Orangeat** *sub, n, -s, -e* candied (orange) peel; **~farben** *adj*, orange; **~farbig** *adj*, orange; **Orangenbaum** *sub, m, -s, -bäume* orange tree; **Orangenblüte** *sub, f, -, -n* orange blossom; **Orangensaft** *sub, m, -s, -säfte* orange juice; **Orangerie** *sub, f, -, -n* orangery

Orang-Utan, *sub, m, -s, -s* orang-(o)utan(g)

oratorisch, *adj*, rhetorical; **Oratorium** *sub, n, -s, -rien* oratorio

Orbit, *sub, m, -s, -s* orbit; **orbital** *adj*, orbital; **~albahn** *sub, f, -, -en* orbital

Orchester, *sub, n, -s, -* orchestra; **orchestrieren** *vt*, orchestrate; **Orchestrion** *sub, n, -s, -trien* orchestrion

Orchidee, *sub, f, -, -n* orchid; **~nart** *sub, f, -, -en* orchid species

Orden, *sub, m, -s, -* decoration, order; *einen Orden bekommen* to receive a decoration; *jmd einen Orden verleihen* to decorate sb; *in einen Orden eintreten* to become a monk/nun; **~sbruder** *sub, m, -s, -brüder* monk; *meine Ordensbrüder* my brother monks; **~sregel** *sub, f, -, -n* rule (of the order); **~sritter** *sub, m, -s, -* member of an order of knights; **~sspange** *sub, f, -, -n (mil.)* clasp; **~sstern** *sub, m, -s, -e (bot.)* carrion flower; **~stracht** *sub, f, -, -en* habit

ordentlich, *adj*, orderly, tidy; *(annehmbar)* reasonable; *(anständig)* respectable; *ein ordentliches Frühstück* a proper breakfast; *eine ordentliche Tracht Prügel* a proper hiding; greift nur ordentlich zu[puck in!; *in ihrem Haushalt geht es sehr ordentlich zu* she runs a very orderly household; *ordentliches Gericht* court of law; *ordentliches Mitglied* full member; *sich ordentlich benehmen* to behave properly; *wir haben ordentlich gearbeitet* we really got down to it; *bei ihr sieht es immer ordentlich aus* her house always looks neat and tidy; *ordentlich arbeiten* to be a thorough and precise worker

Order, *sub, f, -, -s oder -n* order; *an Order lautend* made out to order; *ich habe meine Order* I have my orders; *jmd Order erteilen* to order sb; **ordern** *vt,* order; **~papier** *sub, n, -s, -e (fin.)* instrument order

Ordinalzahl, *sub, f, -, -en* ordinal number

ordinär, *adj,* vulgar; *(alltäglich)* ordinary; *sie wollen so viel für eine ganz ordinäre Hupe?* you are wanting that much for a perfectly ordinary horn?

Ordinärpreis, *sub, m, -es, -e (Handel)* retail price

Ordinate, *sub, f, -, -n* ordinate; **~nachse** *sub, f, -, -n* axis of ordinates

Ordination, *sub, f, -, -en (kirchl.)* ordination

ordnen, (1) *vr,* get in order **(2)** *vt,* order; *(sortieren)* arrange; **Ordner** *sub, m, -s, -* steward; *(Akten~)* file; **Ordnung** *sub, f, -, -en (geordneter Zustand; Rang)* order; *(Gesetzmäßigkeit) (Vorschrift)* rules; *das war ein Fauxpas erster Ordnung* that was a faux pas of the first water; *ein Kind zur Ordnung erziehen* to teach a child tidy habits; *ein Stern fünfter Ordnung* a star of the fifth magnitude; *es ist alles in bester Ordnung* things couldn´t be better; *etwas in Ordnung bringen* to fix sth; *etwas in Ordnung halten* to keep sth in order; *geht in Ordnung* fine; *hier bei uns herrscht Ordnung* we like to have a little order around here; *ich finde es ganz in Ordnung, dass* I find it quite right that; *ihre Bestellung geht in Ordnung* we´ll see to your order; *in Ordnung!* all right!; *mit ihm ist etwas nicht in Ordnung* there´s sth the matter with him; *Ordnung halten* to keep things tidy; *Ordnung ist das*

halbe Leben a tidy mind is half the battle; *Ordnung schaffen* to sort things out; *Ruhe und Ordnung* law and order; *seid ruhig, sonst schaffe ich gleich mal Ordnung* be quiet or I´ll come and sort you out; *alles muss seine Ordnung haben* he does everything according to a fixed schedule; *der Ordnung gemäß* according to the rules; *ich frage nur der Ordnung halber* it´s only a routine question; **Ordnungsamt** *sub, n, -(e)s, -ämter* town clerk´s office; **Ordnungsruf** *sub, m, -s, -e* call order; **Ordnungssinn** *sub, m, -s, nur Einz.* conception of order; **Ordnungsstrafe** *sub, f, -, -n* fine; *jmdn mit einer Ordnungsstrafe belegen* to fine sb; **ordnungswidrig** *adj,* irregular; *(Parken, Verkehr)* illegal; **Ordnungswidrigkeit** *sub, f, -, -en* infringement; **Ordnungszahl** *sub, f, -, -en* ordinal number

Ordonanz, *sub, f, -, -en* orderly

Öre, *sub, n, -s, -öre*

Oregano, *sub, m, -s, -s* oregano

Organ, *sub, n, -s, -e* organ; *(Behörde)* instrument; *(Stimme)* voice; *kein Organ für etwas haben* not to have any feel for sth; *beratendes Organ* advisory body; *die ausführenden Organe* the executors

Organisation, *sub, f, -, -en* organization; **Organisator** *sub, m, -s, -en* organizer; **organisatorisch** *adj,* organizational; *das hat organisatorisch gar nicht geklappt* organizationally it was a failure; *eine organisatorische Höchstleistung* a masterpiece of organization

organisch, *adj,* organic;´ *(Erkrankung)* physical; *ein organisches Ganzes* an organic whole; *sich organisch einfügen* to blend

organisieren, *vti,* organize; *(ugs.; stehlen)* lift; **organisiert** *adj,* organized

organismisch, *adj,* organismic; **Organismus** *sub, m, -, -men* organism

Organist, *sub, m, -en, -en* organist

Organmandat *sub, n, -s, -e (österr.)* fine; **Organografie** *sub, f, -, -n (med.)* organography; **Organologie** *sub, f, -, nur Einz.* organology

Organspender, *sub, m, -s, -* donor

Orgasmus, *sub, m, -, -men* orgasm;

orgastisch *adj*, orgasmic

Orgelbauerin, *sub*, *f*, *-*, *-nen* organ builder; **Orgelkonzert** *sub*, *n*, *-s*, *-e* organ concert; **orgeln** *vi*, *(ugs.)* play the organ; **Orgelpfeife** *sub*, *f*, *-*, *-n* organ pipe; *dastehen wie die Orgelpfeifen* to be standing like a row of Russian dolls

Orgiasmus, *sub*, *m*, *-*, *nur Einz.* orgiasm; **orgiastisch** *adj*, orgiastic; **Orgie** *sub*, *f*, *-*, *-n* orgy; *Orgien feiern* to go wild, to have orgies, *(i. ü. S.)* to run riot

Orient, *sub*, *m*, *-s*, *nur Einz.* Orient; *(geog.)* Middle East; *das Denken des Orients* Eastern thought; *vom Orient zum Okzident* from east to west; *der Vordere Orient* the Near East; **~ale** *sub*, *m*, *-n*, *-n* person from the Middle East; **orientalisch** *adj*, Middle Eastern; **~alist** *sub*, *m*, *-en*, *-en* specialist in Middle Eastern and oriental studies; **~alistik** *sub*, *f*, *-*, *nur Einz.* Middle Eastern studies

orientieren, (1) *vr*, inform oneself (2) *vti*, *(unterrichten)* put sb in the picture (3) *vtir*, orientate; *darüber ist er gut orientiert* he´s well informed on that; *ein positivistisch orientierter Denker* a positivistically orientated thinker; *links orientiert sein* to tend to the left; *links orientierte Gruppen* left-wing groups; *von da an kann ich mich alleine orientieren* I can find my own way from there; **Orientierung** *sub*, *f*, *-*, *nur Einz.* *(Unterrichtung)* information; *(Zurechtfinden, Ausrichtung)* orientation; *die Orientierung verlieren* to lose one´s bearings

Orientkunde, *sub*, *f*, *-*, *nur Einz.* Middle Eastern studies

Origano, *sub*, *m*, *-s*, *nur Einz.* oregano

original, (1) *adj*, original (2) **Original** *sub*, *n*, *-s*, *-e* original; *(Mensch)* character; *original aus Österreich* guaranteed from Austria; *original Meißener Porzellan* genuine Meißen porcelaine; **Originalität** *sub*, *f*, *-*, *nur Einz.* *(Echtheit)* genuineness; *(Urtümlichkeit)* originality; **Originaltext** *sub*, *m*, *-(e)s*, *-e* original text; **Originalton** *sub*, *m*, *-s*, *nur Einz.* original soundtrack; *Originalton Blair* in Blair´s own words; **originär** *adj*, original; **originell** *adj*, *(geistreich)*

witty; *(neu)* novel; *(selbständig)* original; *das finde ich originell* that´s pretty witty; *er ist ein origineller Kopf* his got an original mind; *das hat er sich sehr originell* that´s a very original idea of his

Orkan, *sub*, *m*, *-s*, *-e* hurricane; *(i. ü. S.)* storm; *ein Orkan des Beifalls brach los* thunderous applause broke out; **~stärke** *sub*, *f*, *-*, *nur Einz.* hurricane force

Ornament, *sub*, *n*, *-s*, *-e* decoration, ornament; **ornamental** *adj*, ornamental; **~form** *sub*, *f*, *-*, *-en* ornamental form; **~ik** *sub*, *f*, *-*, *nur Einz.* ornamentation

Ornat, *sub*, *m*, *-s*, *-e* regalia; *in vollem Ornat* dressed up to the nines

Ornithologe, *sub*, *m*, *-n*, *-n* ornithologist; **Ornithologie** *sub*, *f*, *-*, *nur Einz.* ornithology; **Ornithologin** *sub*, *f*, *-*, *-nen* ornithologist; **ornithologisch** *adj*, ornithological

orografisch, *adj*, orographical

orphisch, *adj*, Orphic

Ort, *sub*, *m*, *-es*, *-e* place; *m*, *-es*, *Örter* position; *m*, *-es*, *-e (min.)* coal face; *am angegebenen Ort* in the place quoted; *an Ort und Stelle* there and then; *das ist höheren Ortes entschieden worden* the decision came from higher places; *ein Ort der Einkehr* a place for quiet contemplation; *ein Ort des Friedens* a place of peace; *er ist im ganzen Ort bekannt* everyone knows him; *hier bin ich wohl nicht am richtigen Ort* I´ve obviously not come to the right place; *hier ist nicht der Ort, darüber zu sprechen* this is not the time or place to talk about it; *in einem kleinen Ort in Niederbayern* in a little spot in Lower Bavaria; *jeder größere Ort hat ein Postamt* a place of any size has a post office; *mitten im Ort* in the centre of the place/town; *Ort der Handlung* scene of the action; *Ort des Treffens* meeting venue; *Ort des Verbrechens* scene of the crime; *von Ort zu Ort* from place to place; *wir haben keinen Arzt am Ort* we have no resident doctor; *wir sind mit dem halben Ort verwandt* we´re related to half the people in the place; **orten** *vt*, locate

orthodox, *adj*, orthodox; **Ortho-**
doxie *sub, f, -, nur Einz.* orthodoxy
Orthogon, *sub, n, -s, -e* rectangle; **or-**
thogonal *adj*, orthogonal
Orthopäde, *sub, m, -n, -n* orthopaedist; **Orthopädie** *sub, f, -, nur Einz.*
orthopaedics; **orthopädisch** *adj*,
orthopaedic; **Orthopädist** *sub, m, -en,*
-en orthopaedist
örtlich, *adj*, local; *das ist örtlich ver-*
schieden it varies from place to place;
der Konflikt war örtlich begrenzt it
was limited to a local encounter; *ört-*
liche Betäubung local anaesthetic;
Örtlichkeit *sub, f, -, -en* locality; *er ist*
mit den Örtlichkeiten gut vertraut he
knows his way about; **ortsansässig**
adj, local; **Ortsausgang** *sub, m, -s,*
-gänge end of the village/town; **Ort-**
schaft *sub, f, -, -en* town, village; *ge-*
schlossene Ortschaft built-up area;
Ortseingang *sub, m, -s, -gänge* entrance of the village/town
Ortsgespräch, *sub, f, -, -e* local call;
Ortskenntnis *sub, f, -, -se* local knowledge; *Ortskenntnisse haben* to know
one´s way around; **ortskundig** *adj*,
knowing one´s way round; *ich bin*
nicht sehr ortskundig I don´t know
my way round very well; **Ortsname**
sub, m, -ns, -n place name; **Ortsnetz**
sub, n, -es, -e local (telephone) exchange area; **Ortssinn** *sub, m, -es,*
nur Einz. sense of direction; **Ortsteil**
sub, m, -s, -e quarter; **ortsüblich** *adj*,
local; *das ist hier ortsüblich* it is customary here; *ortsübliche Mieten*
standard local rents; **Ortsverkehr**
sub, m, -s, nur Einz. local traffic; **Orts-**
wechsel *sub, m, -s, -* change of environment; **Ortszeit** *sub, f, -, -en* local
time; **Ortszuschlag** *sub, m, -s, -schlä-*
ge weighting allowance
Ortung, *sub, f, -, -en* locating
Öse, *sub, f, -, -n* loop; *(an einer Kleidung)*
eye
Osmium, *sub, n, -s, nur Einz.* osmium
Osmose, *sub, f, -, nur Einz.* osmosis;
osmotisch *adj*, osmotic
Ossarium, *sub, n, -s, -rien* charnelhouse
Ossi, *sub, m, -s, -s (ugs.)* East German,
Easterner; **ossifizieren** *vi*, ossify
Ost, *sub, m, -es, nur Einz. (poet.; auch*
Wind) East; *10 Mark Ost* 10 East Ger-
man marks; *aus Ost und West* from

East and West; *der Wind kommt*
aus Ost the wind is coming from
the East
ostasiatisch, *adj*, Eastern Asian;
ostbaltisch *adj*, East Baltic
Ostberliner, *sub, m, -s, -* East Berliner
Ostblock, *sub, m, -s, nur Einz.* Eastern bloc; **~land** *sub, n, -s, -länder*
Eastern bloc country
Osten, *sub, m, -s, nur Einz.* east;
(von Land) East; *gen Osten* to the
east; *im Osten Bayerns* in the east
of Bavaria; *von Osten her* from the
east; *der Ferne Osten* the Far East;
der Mittlere Osten the Middle East;
der Nahe Osten the Near East
Osterbrauch, *sub, m, -s, -bräuche*
Easter tradition; **Ostermontag**
sub, m, -s, -e Easter Monday;
Ostern *sub, n, -, -* Easter; *frohe*
Ostern! happy Easter!; *über Ostern*
fahren wir weg we´re going away
over Easter; *wenn Ostern und*
Pfingsten auf einen Tag fallen if
pigs could fly
Ostersonntag, *sub, m, -s, -e* Easter
Sunday; **Osterverkehr** *sub, m, -s,*
nur Einz. Easter traffic
Osteuropa, *sub, n, -s, nur Einz.*
East(ern) Europe
ostfränkisch, *adj*, Eastern Franco-
nian; **ostfriesisch** *adj*, East Frisian
Ostitis, *sub, f, -, -tiden (med.)* ostei-
tis
Ostküste, *sub, f, -, -n* East coast
östlich, (1) *adj. (Gebiet)* eastern (2)
adv, präp, east of; *östlich von Burg-*
hausen east of Burghausen
Ostrazismus, *sub, m, -, nur Einz.*
ostracism
Östrogen, *sub, n, -s, -e* oestrogen
Ostsee, *sub, f, -, nur Einz.* Baltic
(Sea); **~insel** *sub, f, -, -n* island in
the Baltic (Sea)
Ostseite, *sub, f, -, -n* eastern side
ost-westlich, *adj*, East-West
Oszillation, *sub, f, -, -en* oscillation;
Oszillator *sub, m, -en, -en* oscillator; **oszillieren** *vi*, oscillate; **Oszil-**
logramm *sub, n, -s, -e* oscillograph
Otiatrie, *sub, f, -, nur Einz. (med.)*
otology
Otter, *sub, f, -, -n* viper; *m, -s, -* otter
Ottomane, *sub, f, -, -n* ottoman
out, *adj*, out

Outcast, *sub, m, -s, -s* outcast; **Outfit** *sub, n, -s, -s* outfit; **Outlaw** *sub, m, -s, -s* outlaw; **Output** *sub, m, -s, -s* output; **Outsider** *sub, m, -s, -* outsider

Ouvertüre, *sub, f, -, -n* overture

oval, (1) *adj*, oval (2) **Oval** *sub, n, -s, -e* oval

Ovarium, *sub, n, -s, -rien* ovary

Ovation, *sub, f, -, -en* ovation; *jmd Ovationen darbringen* to give sb an ovation; *stehende Ovationen* standing ovations

Overall, *sub, m, -s, -s* overalls

overdressed, *adj*, overdressed

Overheadprojektor, *sub, m, -s, -en* overhead projector

Overkill, *sub, m, -s, nur Einz.* overkill

ovoid, *adj*, ovoid

Ovulation, *sub, f, -, -en* ovulation

Oxer, *sub, m, -s, -* ox-fence

Oxid, *sub, n, -s, -e* oxide; **~ation** *sub, f, -, -en* oxidation; **oxidieren** *vti*, oxidize; **~ierung** *sub, f, -, -en* oxidation; **Oxygen** *sub, n, -s, nur Einz.* oxygen

Oxymoron, *sub, n, -s, -ra oder -ren* oxymoron

Ozalidpapier, *sub, n, -s, nur Einz.* *(phot.)* ozalid paper

Ozelot, *sub, m, -s, -e* ocelot

Ozon, *sub, n, -s, nur Einz.* ozone; **~alarm** *sub, m, -s, nur Einz.* ozone alarm; **ozonisieren** *vt*, ozonize; **~loch** *sub, n, -s, nur Einz.* hole in the ozone layer; **~schicht** *sub, f, -, nur Einz.* ozone layer

paar, (1) adj, *(ein ~)* a few, couple of **(2) Paar** sub, n, -es, -e pair; *(Mann und Frau)* couple; *alle paar Minuten* every other minute; *ein paar Male* a couple of times; *schreiben Sie mir ein paar Zeilen* drop me a line, *ein Paar mit jmd bilden* to pair off with sb; *ein Paar Ochsen* a yoke of oxen; *ein Paar Schuhe* a pair of shoes; *ein Paar werden* to be made one; *zwei Paar Schuhe* two pairs of shoes; *ein Paar Würstchen* two sausages; *ein ungleiches Paar* an odd couple

Paarbildung, sub, f, -, -en *(biol.)* mating; **paaren (1)** vr, copulate **(2)** vt, *(spo.)* match **(3)** vtr, mate; **Paarhufer** sub, m, -s, *meist Mehrz.* cloven-hoofed animals; **paarig** adj, in pairs

Paarlauf, sub, m, -s, *nur Einz.* pair-skating; **Paarläuferin** sub, f, -, -nen pair-skater

Paarung, sub, f, -, -en combination; *(Kopulation)* copulation; *(Kreuzung)* mating

paarweise, adv, in pairs

Pacemaker, sub, m, -s, -s pacemaker

Pacht, sub, f, -, -en lease, rent; *etwas in Pacht geben* to let out sth on lease; *etwas in/zur Pacht haben* to have sth on leasehold; **pachten** vt, lease; *er tat so, als hätte er die Weisheit für sich gepachtet* he thought he was the only clever person around; **Pächter** sub, m, -s, - tenant; *er ist Pächter eines Bauernhofs* he's a tenant farmer; **~gut** sub, n, -s, -güter smallholding; **~ung** sub, f, -, *nur Einz.* leasing; **~vertrag** sub, m, -s, -träge lease

Pack, sub, m, -s, - pile, stack; n, -s, - rabble; *Pack schlägt sich, Pack verträgt sich* rabble like that are at at each others throats one minute and friend again the next; *zwei Pack Spielkarten* two packs of playing cards

Packagetour, sub, f, -, -en package tour; **Päckchen** sub, n, -s, - packet, parcel; *ein Päckchen Zigaretten* a packet of cigarettes; *jeder hat sein Päckchen zu tragen* we all have our cross to bear; *ein Päckchen aufgeben* to post a small parcel; **Packeis** sub, n, -es, *nur Einz.* pack ice

Packen, (1) sub, m, -s, - pile, stack **(2) packen** vt, *(fassen)* grab (hold of); *(Gefühle)* seize; *(Koffer)* pack; *(mitreißen)* grip; *den hat es aber ganz schön gepackt* he's got it bad(ly); *jmdn am Kragen packen* to grab sb by the collar; *jmdn bei der Ehre packen* to appeal to sb´s sense of honour; *das Theaterstück hat mich gepackt* I was really gripped by the play; *er packt es nie* he´ll never get; *hast du die Prüfung gepackt?* did you get through the exam; *pack dich nach Hause!* clear off home!; *packen wir´s!* let´s go!; *ein Paket packen* to make up a parcel; *etwas in Watte packen* to pack sth in cotton wool; *jmdn ins Bett packen* to tuck sb up; *von der Leidenschaft gepackt* in the grip of passion

Packerei, sub, f, -, *nur Einz.* packing; f, -, -en packing department; **Packesel** sub, m, -s, - pack-mule; **Packleinwand** sub, f, -, -wände burlap; **Packraum** sub, m, -s, -räume packing department; **Packwagen** sub, m, -s, -wägen luggage van

Pädagoge, sub, m, -n, -n educationalist; **Pädagogik** sub, f, -, *nur Einz.* educational theory; **pädagogisch** adj, educational; *pädagogische Fähigkeiten* ability to teach; *Pädagogische Hochschule* teacher-training college

Paddel, sub, n, -s, - paddle

Päderast, sub, m, -en, -en pederast; **~ie** sub, f, -, *nur Einz.* pederasty

pädophil, adj, p(a)edophile; **Pädophilie** sub, f, -, *nur Einz.* p(a)edophilia

Paella, sub, f, -, -s paella

paffen, vi, *(ugs.; heftig rauchen)* puff away; *(ugs.; nicht inhalieren)* puff; *du paffst ja bloß!* you´re just puffing at!

Paganismus, sub, m, -, *nur Einz.* paganism

Page, sub, m, -n, -n page; *(Hotel~)* bellboy; **~nfrisur** sub, f, -, -en page-boy (cut)

Paginierung, sub, f, -, -en pagination

Pagode, sub, f, -, -n pagoda;

~ndach *sub, n, -s, -dächer* pagoda roof

Paillette, *sub, f, -, -n* sequin

Pair, *sub, m, -s, -s* pair

Paket, *sub, n, -s, -e* packet; *(Bündel)* pile; *(Post)* parcel

Paketadresse, *sub, f, -, -n* stick-on address label; **Paketannahme** *sub, f, -, -n* parcels office; **Paketkarte** *sub, f, -, -n* dispatch form

Pakistan, *sub, n, -s, nur Einz.* Pakistan; **~erin** *sub, f, -, -nen* Pakistani; **pakistanisch** *adj,* Pakistani

Pakt, *sub, m, -es, -e* agreement, pact; *einem Pakt beitreten* to enter into an agreement; *einen Pakt abschließen* to make a pact

paläarktisch, *adj,* Palaearctic

Paladin, *sub, m, -s, -e (hist.)* paladin

Paläobotanik, *sub, f, -, nur Einz.* palaeobotany; **Paläolithikum** *sub, n, -s, nur Einz.* Palaeolithic Age; **Paläontologe** *sub, m, -n, -n* palaeontologist; **Paläontologie** *sub, f, -, nur Einz.* palaeontology; **Paläozän** *sub, n, -s, nur Einz.* Pal(a)eocene; **Paläozoikum** *sub, n, -s, nur Einz.* Palaeozoic; **paläozoisch** *adj,* Palaeozoic

Palast, *sub, m, -es, Paläste* palace

Palästina, *sub, n, -s, nur Einz.* Palestine; **palästinisch** *adj,* Palestinian

Palastrevolution, *sub, f, -, -en* palace revolution; **Palastwache** *sub, f, -, -n* palace guard

Palatschinken, *sub, m, -s, - (österr.)* stuffed pancake

Palaver, *sub, n, -s, -* palaver; **palavern** *vi,* palaver

Paletot, *sub, m, -s, -s (veraltet)* overcoat

Palette, *sub, f, -, -n (i. ü. S.)* range; *(Malerei)* palette; *(Stapelplatte)* pallet; **palettieren** *vt,* palletize

Palindrom, *sub, n, -s, -e* palindrome

Palisade, *sub, f, -, -n* palisade

Palisander, *sub, m, -s, -* jacaranda

Palliativ, *sub, n, -s, -e* palliative; **Pallium** *sub, n, -s, Pallien* pallium

Palme, *sub, f, -, -n* palm; *die Palme des Sieges erringen* to bear off the palm; *jmdn auf die Palme bringen* to make sb´s blood boil; **palmenartig** *adj,* palm-like; **~nblatt** *sub, n, -(e)s, -blätter* palm leaf; **~nwedel** *sub, m, -s, -* palm leaf; **~nzweig** *sub, m, -(e)s, -e* palm leaf; **Palmkätzchen** *sub, n, -s, -*

pussy willow; **Palmwedel** *sub, m, -s, -* palm leaf

palpabel, *adj,* palpable

Palpitation, *sub, f, -, -en* palpitation

Pampa, *sub, f, -, -s* pampas; **~sgras** *sub, n, -es, -gräser* pampas grass

Pampelmuse, *sub, f, -, -n* grapefruit

Panade, *sub, f, -, -n* breadcrumb coating

panarabisch, *adj,* pan-Arab; **Panarabismus** *sub, m, -, nur Einz.* pan-Arabism

panchromatisch, *adj,* panchromatic

Panda, *sub, m, -s, -s* panda

Pandit, *sub, m, -s, -e* Pundit

Paneel, *sub, n, -s, -e* panel; **paneelieren** *vt,* panel; **Panel** *sub, n, -s, -s (soziol.)* panel

Panentheismus, *sub, m, -, nur Einz. (philos.)* panentheism

Paneuropa, *sub, n, -s, nur Einz.* pan-Europe

Panflöte, *sub, f, -, -n* panpipes

panieren, *vt,* bread

Panik, *sub, f, -, -en* panic; *nur keine Panik!* don´t panic!; *Panik brach aus* panic broke out; *von Panik ergriffen* panic-stricken; **panisch** *adj,* panic-stricken; *panische Angst* panic-stricken fear

Pankreas, *sub, n, -, -kreaten (anat.)* pancreas

Panne, *sub, f, -, -n* breakdown; *(Reifen~)* puncture; *eine Panne mit dem Auto haben* to have a breakdown; *mit der neuen Maschine passieren dauernd Pannen* things keep going wrong with the new machine; *eine Panne mit dem Fahrrad haben* to have a puncture

Pannendienst, *sub, m, -es, -e* breakdown service; **Pannenkoffer** *sub, m, -s, -* emergency toolkit

Panoptikum, *sub, n, -s, -ken* waxworks

Panorama, *sub, n, -s, -ramen* panorama; **~bus** *sub, m, -ses, -se* panorama coach

Pansen, *sub, m, -s, -* rumen

Panter, *sub, m, -s, -* panther; **~katze** *sub, f, -, -n* panther

Pantheismus, *sub, m, -, nur Einz.* pantheism

Pantoffel, *sub, m, -s, -n* slipper; *unterm Pantoffel stehen* be under so´s thumbs, to be henpecked; **~held** *sub, m, -en, -en (ugs.)* henpecked husband; **~tierchen** *sub, n, -s, -* slipper animalcule

Pantograph, *sub, m, -en, -en* pantograph; **~ie** *sub, f, -, -n* pantography

Pantolette, *sub, f, -, -n* slip-on

Pantomime, *sub, m, -n, -n* mime; **pantomimisch** *adj,* in mime; *sich pantomimisch verständlich machen* to communicate with gestures

Pantry, *sub, f, -, -s* pantry

Panzer, *sub, m, -s, - (i. ü. S.)* shield; *(mil.)* tank; *(Panzerung)* armour; *ein Panzer der Gleichgültigkeit* a wall of indifference; *sich mit einem Panzer umgeben* to harden oneself; **~abwehr** *sub, f, -, nur Einz.* anti-tank defence; **~echse** *sub, f, -, -n* crocodilian; **~faust** *sub, f, -, -fäuste* bazooka; **~glas** *sub, n, -es, nur Einz.* bulletproof glass; **~graben** *sub, m, -s, -gräben* anti-tank ditch; **~jäger** *sub, m, -s, -* anti-tank gunner; **~kampfwagen** *sub, m, -s, -* armoured vehicle; **~schiff** *sub, n, (e)s, -e* armoured (war) ship; **~sperre** *sub, f, -, -n* tank trap; **~wagen** *sub, m, -s, -* armoured car

Papa, *sub, m, -s, -s* daddy

Papagei, *sub, m, -s, -en* parrot; *alles wie ein Papagei nachplappern* to repeat everything parrot fashion; **~fisch** *sub, m, -s, -e* parrot-fish

Papaya, *sub, f, -, -s* papaya

Paperback, *sub, n, -s, -s* paperback

Papeterie, *sub, f, -, -n* stationer´s

Papier, *sub, n, -s, -e* paper; *(Wert~)* security; *das steht nur auf dem Papier* that´s only in theory; *ein Blatt Papier* a sheet of paper; *er hatte keine Papiere bei sich* he had no means of identification on him; *Papier ist geduldig* you can say what you like on paper; *sein Gedanken zu Papier bringen* to commit one´s thoughts to paper; *seine Papiere bekommen* to get one´s cards

Papierblock, *sub, m, -s, -blöcke* pad; **Papierblume** *sub, f, -, -n* paper flower; **Papierbogen** *sub, m, -s, -bögen* sheet; **Papierfabrik** *sub, f, -, -en* paper mill; **Papierfetzen** *sub, m, -s, -* scrap of paper; **Papiergeld** *sub, n, -(e)s, nur Einz.* paper money; **Papierkorb** *sub, m, -s, -körbe* paper basket;

Papierkrieg *sub, m, -(e)s, -e* a lot of red tape; *einen Papierkrieg mit jmd führen* to go through a lot of read tape with sb; *vor lauter Papierkrieg kommen wir nicht zur Forschung* there´s so much paperwork we can´t get on with our research; **Papiermesser** *sub, n, -s, -* paper knife; **Papiermühle** *sub, f, -, -en* paper mill; **Papierschere** *sub, f, -, -n* paper scissors; **Papiertiger** *sub, m, -s, - (i. ü. S.)* paper tiger; **Papierwaren** *sub, f, -, nur Mehrz.* stationery

Pappe, *sub, f, -, -n* cardboard; *dieser linke Haken war nicht von Pappe* that was no mean left hook

Pappel, *sub, f, -, -n* poplar; **~allee** *sub, f, -, -n* avenue of poplars

päppeln, *vt, (ugs.)* nourish

pappen, (1) *vi,* be sticky (2) *vt,* glue, stick; *das Hemd pappt an mir* the shirt is sticking to me, *der Leim pappt gut* the glue sticks well

Pappendeckel, *sub, m, -s, -* thin cardboard

pappig, *adj, (ugs.)* sticky

Pappkamerad, *sub, m, -en, -en (ugs.; mil.)* silhouette target; **Pappmaschee** *sub, n, -s, -s* papier-mâché; **Pappnase** *sub, f, -, -n* false nose; **Pappteller** *sub, m, -s, -* paper plate

Paprika, *sub, m, -s, -s (Gewürz)* paprika; *(Schote)* pepper

Papst, *sub, m, -es, Päpste* pope; *(i. ü. S.)* high priest; **~familie** *sub, f, -, -n* papal family; **~tum** *sub, n, -s, nur Einz.* papacy

Papuasprache, *sub, f, -, -n* Papuan language

Papyrus, *sub, m, -, -ri* papyrus

Parabel, *sub, f, -, -n (lit.)* parable; *(math.)* parabola

Parabolantenne, *sub, f, -, -n* satellite dish

Parade, *sub, f, -, -n (Boxen)* parry; *(mil.)* parade; *jmd in die Parade fahren* to cut sb off short; *die Parade abnehmen* to take the salute

Paradekissen, *sub, n, -s, -* scatter cushion; **Parademarsch** *sub, m, -(e)s, -märsche* parade step; *(Musik)* march; **Paradepferd** *sub, n, -(e)s, -e* show horse; **Paradestück** *sub, n, -(e)s, -e* showpiece; **paradieren** *vi,* parade

Paradies, *sub, n, -es, -e* paradise; *da haben sie wie im Paradies gelebt* they were living in paradise; *das Paradies auf Erden* heaven on earth; *die Vertreibung aus dem Paradies* the expulsion from paradise; *ein Paradies für Kinder* a children´s paradise; ~**apfel** *sub, m, -s, -äpfel (österr.)* tomato; **paradiesisch** *adj, (i. ü. S.)* heavenly; *hier ist es paradiesisch schön* this is paradise; *paradiesisch leere Strände* blissfully empty beaches; ~**vogel** *sub, m, -s, -vögel* bird of paradise

paradox, (1) *adj,* paradoxical **(2) Paradox** *sub, n, -es, -e* paradox

Paraffin, *sub, n, -s, -e* paraffin; **paraffinisch** *adj,* paraffinic

Paragraf, *sub, m, -en, -en (Abschnitt)* paragraph; *(jur.)* section; ~**endschungel** *sub, m, -s, nur Einz.* jungle of regulations

Paralexie, *sub, f, -, -n (med.)* paralexia

Paralipomenon, *sub, n, -s, nur Einz.* Paralipomenon

Parallaxe, *sub, f, -, -n* parallax

parallel, *adj,* parallel; *(elek.) parallel schalten* to connect in parallel; **Parallele** *sub, f, -, -n* parallel; *eine Parallele zu etwas ziehen* to draw a parallel to sth; **Parallelfall** *sub, m, -(e)s, -fälle* parallel (case); **Parallelismus** *sub, m, -, nur Einz.* parallelism; **Parallelität** *sub, f, -, nur Einz.* parallelism; **Parallelogramm** *sub, n, -s, -e* parallelogram; **Parallelprojektion** *sub, f, -, -en* parallel projection

Paralogismus, *sub, m, -, -ismen* fallacy

Paralyse, *sub, f, -, -n* paralysis; **paralysieren** *vt,* paralyse

Parameter, *sub, m, -s, -* paramater

paramilitärisch, *adj,* paramilitary

Paranoia, *sub, f, -, nur Einz.* paranoia; **paranoid** *adj,* paranoid; **paranormal** *adj* paranormal

Paranuss, *sub, f, -, -nüsse (bot.)* Brazil nut

Paraphe, *sub, f, -, -n* signature; **paraphieren** *vt,* initial; **Paraphierung** *sub, f, -, -en* initialling; **Paraphrase** *sub, f, -, -n* paraphrase; **paraphrasieren** *vt,* paraphrase

Parapsychologie, *sub, f, -, nur Einz* parapsychology

Parasit, *sub, m, -en, -en* parasite; **para-**

sitär *adj,* parasitic(al); ~**entum** *sub, n, -s, nur Einz.* parasitism; **parasitisch** *adj,* parasitic(al)

Parasympathikus, *sub, m, -, nur Einz.* parasympathetic nervous system

parat, *adj,* prepared, ready; *er hat immer eine Ausrede parat* he always has an excuse on tap; *er hat immer eine Ausrede parat* he was always ready with an excuse; *halte dich parat!* be ready!

Parataxe, *sub, f, -, -n* coordination

Paravent, *sub,,* screen

Pärchen, *sub, n, -s, -* couple

Parcours, *sub, m, -, -* show-jumping course; *einen Parcours reiten* to jump a course; *Sie reitet nicht gern Parcours* She doesn´t like show-jumping

Pardon, *sub, n, -s, nur Einz.* pardon; *das Zeug räumst Du auf, da gibts kein Pardon* you clear the stuff up and that´s that; *jmdn kein Pardon geben* to give sb no quarter; *jmdn um Pardon bitten* to ask sb´s pardon; *kein Pardon kennen* to be ruthless; **pardonieren** *vt,* pardon

Parenthese, *sub, f, -, -n* parenthesis

Parforcejagd, *sub, f, -, -en* hunt; **Parforceritt** *sub, m, -(e)s, -e* forced ride

Parfüm, *sub, n, -s, -e und -s* perfume, scent; ~**erie** *sub, f, -, -n* perfumery; **parfümieren (1)** *vr,* put perfume on **(2)** *vt,* perfume; *du parfümierst dich zu stark* you put too much perfume on

Paria, *sub, m, -s, -s* pariah

parieren, (1) *vi,* obey **(2)** *vt,* parry; *aufs Wort parieren* to jump to it

Parietalauge, *sub, n, -s, -n* parietal eye

Pariser, (1) *adj,* Parisian **(2)** *sub, m, -s, - (Kondom)* French letter; **pariserisch** *adj,* Parisian

Parität, *sub, f, -, -en* parity; **paritätisch** *adj,* equal

Park, *sub, m, -s, -s* park; *(Schloss~)* grounds

Parkbank, *sub, f, -, -bänke* park bench; **Parkdeck** *sub, n, -s, -s* parking level; **parken** *vti,* park; *ein parkendes Auto* a parked car; *parken verboten!* no Parking!

Parkett, *sub, n, -s, -e (Fußboden)*

parquet; *(Tanzfläche)* floor; *(thea.)* stalls; *auf dem internationalen Parkett* in international circles; *ein Zimmer mit Parkett auslegen* to lay parquet in a room; *sich auf jedem Parkett bewegen können* to be able to move in any society; *eine tolle Nummer aufs Parkett legen* to put on a great show; *das Parkett klatschte Beifall* there was applause from the stalls; **~boden** *sub, m, -s, -böden* parquet floor; **parkettieren** *vt*, parquet; **~leger** *sub, m, -s, -* parquet layer; **~sitz** *sub, m, -e* seat in the stalls

Parkleuchte, *sub, f, -, -n* parking light; **Parkplatz** *sub, m, -es, -plätze* car park; *(für einzelne Autos)* parking space; **Parkraum** *sub, m, -s, -räume* parking space; **Parkscheibe** *sub, f, -, -n* parking disc; **Parkuhr** *sub, f, -, -en* parking meter; **Parkverbot** *sub, n, -s, -e* parking ban; *hier ist Parkverbot* there is no parking here; **Parkwächter** *sub, m, -s, -* car-park attendant; **Parkzeit** *sub, f, -, -en* parking time

Parlament, *sub, n, -s, -e* parliament; *das Parlament auflösen* to dissolve parliament; *jmdn ins Parlament wählen* to elect sb to parliament; **~är** *sub, m, -s, -e* peace envoy; **~arier** *sub, m, -s, -* parliamentarian; **parlamentarisch** *adj*, parliamentary; *parlamentarisch regieren* to govern by a parliament; *parlamentarische Demokratie* parliamentary democracy; **~arismus** *sub, m, -, nur Einz.* parliamentarianism; **~sbeschluss** *sub, m, -es, -schlüsse* vote of parliament

parlieren, *vi*, talk away

Parmesan, *sub, m, -s, nur Einz.* Parmesan (cheese); **parmesanisch** *adj*, Parmesan

parnassisch, *adj*, Parnassian

Parodie, *sub, f, -, -n* parody; *eine Parodie von jmd geben* to take sb off; *er ist nur noch eine Parodie seiner selbst* he is now only a parody of his former self; **~messe** *sub, f, -, -n* parody mass; **parodieren** *vt*, parody; **Parodist** *sub, m, -en, -en* parodist; **parodistisch** *adj*, parodistic; *er hat parodistische Fähigkeiten* he´s a good imersonator; *parodistische Sendung* parody

Parodontose, *sub, f, -, -n* periodontosis

Parole, *sub, f, -, -n (mil.)* password; *(pol.)* slogan

Paroli, *sub, n, -s, nur Einz. (~ bieten)* defy

Paronomasie, *sub, f, -, -n* annomination

Parotitis, *sub, f, -, Parotitiden* mumps

Partei, *sub, f, -, -en* party, tenant; *die Partei wechseln* to change parties; *die streitenden Parteien* the disputing parties; *ein Richter sollte über den Parteien stehen* a judge should be impartial; *es mit beiden Parteien halten* to run with the hare and hunt with the hounds; *gegen jmdn Partei ergreifen* to take sides against sb; *meine Partei* my client

Parteichefin, *sub, f, -, -nen* party leader; **Parteifreund** *sub, m, -(e)s, -e* fellow party member; **Parteiführer** *sub, m, -s, -* party leader; **Parteigänger** *sub, m, -s, -* party supporter; **parteiintern** *adj*, internal party; *etwas parteiintern lösen* to solve sth within the party; **parteiisch** *adj*, bias; **Parteilinie** *sub, f, -, -n* party line; *auf die Parteilinie einschwenken* to tow the party line; **Parteinahme** *sub, f, -, -n* partisanship; **Parteiorgan** *sub, n, -s, -e* party organ; **Parteiprogramm** *sub, n, -s, -e* party programme; **Parteispitze** *sub, f, -, -n* party leadership

parterre, (1) *adv, (brit.)* on the ground floor; *(US)* on the first floor **(2) Parterre** *sub, n, -s, -s (brit.)* ground floor; *(US)* first floor; **Parterrewohnung** *sub, f, -, -en (brit.)* ground-floor flat; *(US)* first-floor apartment

Partie, *sub, f, -, -n (ugs.)* catch; *(Handel)* lot; *(Sport)* game; *(Teil, Ausschnitt)* part; *eine gute Partie machen* to marry money; *eine gute Partie sein* to be a good catch; *die Partie verloren geben* to give up the game as lost; *(Landpartie) eine Partie machen* to go on a trip; *eine Partie Schach spielen* to play a game of chess; *da bin ich mit von der Partie* I´m with you; *mit von der Partie sein* to join in

Partieführer, *sub, m, -s, -* foreman of a gang of labourers

partiell, *adj*, partial

partienweise, *adv*, *(Handel)* in lots; **Partiepreis** *sub*, *m*, *-es*, *-e* special terms; **partieweise** *adv*, in lots

Partikel, *sub*, *f*, *-s*, *-n* particle; **partikular** *adj*, separate; **Partikularismus** *sub*, *m*, *-*, *nur Einz.* particularism; **Partikulier** *sub*, *m*, *-s*, *-e* independent barge-owner

Partisan, *sub*, *m*, *-en*, *-en* partisan

partitiv, *adj*, *(gramm.)* partitive; **Partitur** *sub*, *f*, *-*, *-en* score

Partizip, *sub*, *n*, *-s*, *-ien* participle; *Partizip Präsens* present participle; **~ation** *sub*, *f*, *-*, *-en* participation; **partizipieren** *vi*, participate

Partner, *sub*, *m*, *-s*, *-* partner; *(Film)* co-stars; *als jmds Partner spielen* to be sb's partner; *als jmds Partner spielen* to play opposite sb

Partnerland, *sub*, *n*, *-(e)s*, *-länder* partner (country); **Partnerschaft** *sub*, *f*, *-*, *-en* partnership; *(Städte~)* twinning; **Partnerstaat** *sub*, *m*, *-(e)s*, *-en* partner (country); **Partnerstadt** *sub*, *f*, *-*, *-städte* twin town; **Partnertausch** *sub*, *m*, *-(e)s*, *-e* change of partners; *(sexuell)* partner-swopping; **Partnerwahl** *sub*, *f*, *-*, *-en* choice of partner

Party, *sub*, *f*, *-*, *Parties* party; *auf einer Party* at a party; *eine Party geben* to have a party; *zu einer Party gehen* to go to a party; **~löwe** *sub*, *m*, *-n*, *-n* socialite

Parvenü, *sub*, *m*, *-s*, *-s* parvenu

Parzelle, *sub*, *f*, *-*, *-n* parcel of land, plot; **parzellieren** *vt*, parcel out

Pas, *sub*, *m*, *-*, *-* step

Pasch, *sub*, *m*, *-(e)s*, *-e und Päsche* doublets; **paschen** *vi*, throw doublets

Pascha, *sub*, *m*, *-s*, *-s* pasha; *wie ein Pascha* like Lord Muck

Pasquillant, *sub*, *m*, *-en*, *-en* calumniator

Pass, *sub*, *m*, *-es*, *-Pässe (Ausweis)* passport; *(Gebirge, Ballsport)* pass

passabel, *adj*, reasonable; *mir geht's ganz passabel* I'm all right

Passage, *sub*, *f*, *-*, *-n* passage; **Passagier** *sub*, *m*, *-s*, *-e* passenger; *blinder Passagier* stowaway

Passah, *sub*, *n*, *-s*, *nur Einz.* Passover

Passant, *sub*, *m*, *-en*, *-en* passer-by

Passat, *sub*, *m*, *-s*, *-e* trade wind

Passbild, *sub*, *n*, *-es*, *-er* passport photograph

passé, *adj*, passé; *die Sache ist längst passé* that's all ancient history; *diese Mode ist längst passé* this fashion went out long ago

passen, *vi*, *(genehm sein)* suit; *(Größe)* fit; *(harmonieren)* go with, match; *(Karten, Fußball)* pass; *das könnte dir so passen* you'd love that wouldn't you?; *das passt zu ihm, so etwas zu sagen* It's just like him to say that; *diese Einstellung passt zu ihm* that attitude is typical of him; *er passt mir einfach nicht!* I just don't like him!; *Freitag passt und nicht* Friday is no good for us; *ihre Faulheit passt mir schon lange nicht* this laziness of hers has been annoying me for a long time; *zu jmd (menschlich) passen* to be suited to sb; *zueinander passen* to go together; *der Deckel passt nicht* the lid won't fit; *die Schuhe passen mir gut* the shoes fit me well; *er passt nicht in dieses Team* he doesn't fit in this team; *wie angegossen passen* to fit like a glove; *das Rot passt da nicht* the red is all wrong there; *dieser Ausdruck passt nicht in den Satz* this expression is out of place in this sentence; *zu etwas passen* to go with sth; *zu etwas im Ton passen* to match sth; *bei dieser Frage muß ich passen* I'll have to pass on this question; *passe!* pass!; **~d** *adj*, *(angenehm)* suitable; *(Geld)* exact; *(Größe)* fitting; *(harmonisch)* matching; *er findet immer das passende Wort* he always knows the right thing to say; *er kam zu jeder passenden und unpassenden Zeit* he came at any time, no matter how inconvenient; *haben Sie's passend?* have you got the right money?; *ein passender Schlüssel* a key to fit; *er trägt kaum mal einen passenden Anzug* he hardly ever wears a suit that fits; *eine im Ton genau dazu passende Tasche* a bag which matches it exactly; *ich muß passende Schuhe kaufen* I must buy some matching shoes

Passepartout, *sub*, *n*, *m*, *-s*, *-s* passepartout

Passfoto, *sub, m, -s, -s* passport photo

graph; **Passgang** *sub, m, -s, -gänge* amble; **passgerecht** *adj,* well-fitting
Passhöhe, *sub, f, -, -n* top of the pass; **passierbar** *adj,* passable; **passieren** **(1)** *vi, (geschehen)* happen **(2)** *vt,* pass; *(Küche)* strain; *beim Sturz ist ihm nichts passiert* he wasn´t hurt in the fall; *das kann auch nur mir passieren* just my luck!; *das passiert nun mal* these things happen; *es ist ein Unfall passiert* there has been an accident; *ihm ist etwas Schreckliches passiert* something terrible has happened to him; *sowas ist mir noch nie passiert!* I´ve never known anything like it; *was ist denn passiert?* what´s the matter?, *der Zug passierte die Brücke* the train crossed the bridge; *jmdn ungehindert passieren lassen* to let sb pass; **Passiersieb** *sub, n, -s, -e* strainer
Passion, *sub, f, -, -en* passion; *f, -, nur Einz. (relig.)* Passion; **passioniert** *adj,* enthusiastic; **~sweg** *sub, m, -(e)s, nur Einz. (relig.)* Passion; **~szeit** *sub, f, -, nur Einz.* Holy Week
passiv, (1) *adj,* passive **(2) Passiv** *sub, n, -s, -e* passive (voice); *passive Bestechung* corruption; *passive Handelsbilanz* adverse trade balance; *passives Mitglied* non-active member; *sich passiv verhalten* to be passive, *das Verb steht im Passiv* the verb is in the passive voice; **Passivhandel** *sub, m, -s, nur Einz. (pol., wirt.)* excess of imports over exports; **Passivität** *sub, f, -, nur Einz.* passiveness; **Passivmasse** *sub, f, -, -n* debt; **Passivposten** *sub, m, -s, - (Handel)* debit entry; **Passivzins** *sub, m, -es, -en, meist Mehrz.* interest payable creditors
Passkontrolle, *sub, f, -, -n* passport control; *Passkontrolle!* passports please!; **Passwort** *sub, n, -(e)s, -wörter* password
Passus, *sub, m, -, -* passage
Paste, *sub, f, -, -n* paste
Pastell, *sub, n, -s, -e* pastel; **~farbe** *sub, f, -, -n* pastel; **pastellfarben** *adj,* pastel; *etwas pastellfarben streichen* to paint sth in pastels; **~malerei** *sub, f, -, nur Einz.* drawing in pastel; **~stift** *sub, m, -es, -e* pastel (crayon)
Pastete, *sub, f, -, -n* pie; *(Leber~ etc.)*

Pasteurisation, *sub, f, -, -en* pasteurization; **pasteurisieren** *vt,* pasteurize; **Pasteurisierung** *sub, f, -, -en* pasteurization
Pastille, *sub, f, -, -n* pastille
Pastinak, *sub, m, -s, -e (bot.)* parsnip
Pastor, *sub, m, -s, -en* parish priest; **pastoral** *adj,* pastoral; **~at** *sub, n, -s, -e (Büro)* pastorate; *(Haus)* pastorage; **~in** *sub, f, -, -nen* parish priest
patagonisch, *adj,* Patagonian
Patchwork *sub, n, -s, -s* patchwork
Pate, *sub, m, -n, -n (Firm~)* sponsor; *(Tauf~)* godfather; *bei etwas Pate gestanden haben* to be the force behind sth; *bei einem Kind Pate stehen* to be child´s godparent
Patene, *sub, f, -, -n (kirchl.)* paten
Patenschaft, *sub, f, -, -en (Firmung)* sponsorship; *(Taufe)* godparenthood; *er nahm seine Patenschaft nicht ernst* he didn´t take his responsibilities as godfather seriously; *er übernimmt die Patenschaft für das Kind* he´s going to be the child´s godfather
patent, (1) *adj,* clever, ingenious **(2) Patent** *sub, n, -s, -e (Erfindung)* patent; *(ugs.; Mechanismus)* apparatus; *ein patenter Kerl* a great bloke; *sie ist eine patente Frau* she´s a tremendous woman, *etwas zum Patent anmelden* to apply for a patent on sth; *so ein blödes Patent!* stupid thing!; *zum Patent angemeldet* patent pending
Patentamt, *sub, n, -s, -ämter* Patent Office; **patentfähig** *adj,* patentable; **patentieren** *vt,* patent; *sich etwas patentieren lassen* to have sth patented; **Patentlösung** *sub, f, -, -en* patent remedy; *es gibt keine Patentlösung* there´s no instant recipe (for success)
Patentochter, *sub, f, -, -töchter* goddaughter
Pater, *sub, m, -s, -, Patres* father
Paternoster, *sub, m, -s, nur Einz.* Lord´s prayer; *m, -s, - (Aufzug)* paternoster
pathetisch, *adj,* emotional; *(Geha-*

be) histrionic; *(Rede,Stil)* emotive; *das war zu pathetisch gespielt* that was overacted!

pathogen, *adj*, pathogenic; **Pathogenese** *sub,f, -, -n* pathogenesis

Pathologe, *sub, m, -n, -n* pathologist; **Pathologie** *sub,f, -, nur Einz.* pathology; **pathologisch** *adj*, pathological

Pathos, *sub, n, -, nur Einz.* emotiveness

Patience, *sub, f, -, -n* patience; *eine Patience legen* to play patience

Patient, *sub, m, -en, -en* patient; *ich bin Patient von DrBurzler* I´m being treated by Dr Burzler

Patin, *sub, f, -, -nen (Firm~)* sponsor; *(Tauf~)* godmother

Patina, *sub, f, -, nur Einz.* patina; *Patina ansetzen* to patinate, *(i. ü. S.)* to take on a hallowed air of tradition; **patinieren** *vt*, patinate

Patio, *sub, m, -s, -s* patio

Patisserie, *sub, f, -, -n* pastry kitchen

Patriarch, *sub, m, -en, -en* patriarch; **patriarchalisch** *adj*, patriarchal; ~at *sub, n, -s, nur Einz.* patriarchy; **patriarchisch** *adj*, venerable

patrimonial, *adj*, inherited

Patriot, *sub, m, -en, -en* patriot; **patriotisch** *adj*, patriotic; ~ismus *sub, m, -, nur Einz.* patriotism

Patristiker, *sub, m, -s, - (theol.)* patristic; **patristisch** *adj*, patristic

Patrizier, *sub, m, -s, -* patrician; ~in *sub, f, -, -nen* patrician

Patron, *sub, m, -s, -e (rel.)* patron saint; *(Schirmherr)* patron; ~age *sub, f, -, -n* patronage; ~at *sub, n, -(e)s, -e* patronage

Patrone, *sub, f, -, -n* cartridge; ~ngurt *sub, m, -s, -e* ammunition belt

patronieren, *vt, (tex.)* draft; **Patronin** *sub, f, -, -nen (rel.)* patron saint; *(Schirmherr)* patron

Patrouille, *sub, f, -, -n* patrol; **patrouillieren** *vi*, patrol

patschenass, *adj, (ugs.)* soaking wet

patschnass, *adj*, soaking wet

Patschuli, *sub, n, -s, nur Einz.* patchouli; ~öl *sub, n, -s, -e* patchouli oil

patt, **(1)** *adj, adv*, in stalemate **(2) Patt** *sub, n, -s, -s* stalemate; *jetzt steht es patt* now we´ve both reached a stalemate, *ein Patt erreichen* to come to (a) stalemate; **Pattsituation** *sub, f, -, -en* stalemate; *aus einer Pattsitua-*

tion herauskommen to break the deadlock

Pattern, *sub, n, -s, -s* pattern

patzen, *vi, (ugs.)* slip up; *der Pianist hat gepatzt* the pianist fluffed a passage; **Patzer** *sub, m, -s, -* slip; *mir ist ein Patzer unterlaufen* I made a slip; **Patzerei** *sub, f, -, nur Einz.* slapdash work; **patzig** *adj*, insolent

Pauke, *sub, f, -, -n* kettledrum, timpani; *auf die Pauke hauen* to paint the town red; *jmdn mit Pauken und Trompeten empfangen* to give sb the red-carpet treatment; *mit Pauken und Trompeten durchfallen* to fail miserably; **pauken (1)** *vi*, drum; *(ugs.; lernen)* swot **(2)** *vt*, swot up; *meine Mutter hat immer mit mir gepaukt* my mother always helped my with my swotting, *mit jmd Lateinvokabeln pauken* to help sb swot up their Latin vocabulary; ~nschall *sub, m, -s, -e* drum sound; ~nschlag *sub, m, -(e)s, -schläge* drum beat; ~nwirbel *sub, m, -s, -* drum roll

Pauker, *sub, m, -s, -* drummer; *(ugs.; Lehrer)* teacher

Pauperismus, *sub, m, -, nur Einz.* pauperism

Pausbacken, *sub, f, nur Mehrz.* chubby cheeks; **pausbackig** *adj*, chubby-cheeked

pauschal, *adj, (einheitlich)* flat-rate; *(geschätzt)* estimated; *(inklusive)* inclusive; *die Einkommensteuer kann pauschal festgesetzt werden* income tax can be set at a flat-rate; *die Gebühren werden pauschal bezahlt* the charges are paid in a lump sum; *ich schätze die Baukosten pauschal auf 300000 Mark* I´d estimate the overall building costs to be 300,000 Marks; *die Reisekosten verstehen sich pauschal* the travelling costs are inclusive; *ein Volk pauschal verurteilen* to condemn a people wholesale; *so pauschal kann man das nicht sagen* that´s much too sweeping a statement; **Pauschale** *sub, f, -, -n (Einheitspreis)* flat rate; *(geschätzter Betrag)* estimated amount; ~ieren *vt*, estimate at a flat rate; **Pauschsumme** *sub, f, -, -el* flat rate

pausen, *vt,* trace

Pausenfüller, *sub, m, -s, -* stopgap; **Pausenhalle** *sub, f, -, -n* break hall; **pausenlos** *adj,* continuous, nonstop; **Pausenpfiff** *sub, m, -(e)s, -e* time-out whistle; **Pausenstand** *sub, m, -s, -stände* half-time score; **pausieren** *vi,* have a break; *der Torwart musste pausieren* the goal keeper had to rest up

Pavane, *sub, f, -, -n* pavan(e)

Pavian, *sub, m, -s, -e* baboon

Pavillon, *sub, m, -s, -s* pavilion

Pay-TV, *sub, n, -s, nur Einz.* pay TV

Pazifik, *sub, m, -s, nur Einz.* Pacific

Pazifismus, *sub, m, -, nur Einz.* pacifism; **Pazifist** *sub, m, -en, -en* pacifist; **pazifistisch** *adj,* pacifist; **pazifizieren** *vt,* pacify

Pech, *sub, n, -s, -e* pitch; *n, -s, nur Einz. (Unglück)* bad luck; *schwarz wie Pech* black as pitch; *zusammenhalten wie Pech und Schwefel* to be as thick as thieves; *bei etwas Pech haben* to be unlucky with sth; *er ist vom Pech verfolgt* bad luck follows him around; *Pech gehabt!* tough!; *so ein Pech!* just my luck!; **pechfinster** *adj,* pitch-dark; **~strähne** *sub, f, -, -n* streak of bad luck; *eine Pechsträhne haben* to go through an unlucky patch, to have a streak of bad luck

Pedal, *sub, n, -s, -e* pedal; *in die Pedale treten* to pedal hard

Pedant, *sub, m, -en, -en* pedant; **~erie** *sub, f, -, nur Einz.* pedantry; **pedantisch** *adj,* pedantic

Pedell, *sub, m, -s, -e* janitor

Pediküre, *sub, f, -, nur Einz.* pedicure; **pediküren** *vt,* give a pedicure to

Pedometer, *sub, n, -s, -* pedometer

Peeling, *sub, n, -s, -s* peeling

Peepshow, *sub, f, -, -s* peep show

Pegnitzorden, *sub, m, -s, nur Einz. (hist.)* Pegnitz order

Peies, *sub, f, -, nur Mehrz.* ringlets

peilen, *vt, (Richtung)* plot; *(Sender, Standort)* get a fix on; *(Wassertiefe)* sound; *über den Daumen gepeilt* at a rough estimate; *über den Daumen peilen* to guess roughly; *die Lage peilen* to see how the land lies, to see which way the wind is blowing; **Peilung** *sub, f, -, -en (Richtung)* plotting; *(Sender)* locating; *(Wassertiefe)* so-

Pein, *sub, f, -, nur Einz.* agony, suffering; *jmd das Leben zur Pein machen* to make sb´s life a misery; *sein Leben war eine einzige Pein* his life was one long torment; **peinigen** *vt,* torture; *(i. ü. S.)* torment; *jmdn bis aufs Blut peinigen* to torture sb till he bleeds; *von Schmerzen gepeinigt* racked with pain; *von Zweifeln gepeinigt* tormented by doubt; **~iger** *sub, m, -s, -* torturer; *(i. ü. S.)* tormentor; **peinlich** *adj, (gewissenhaft)* meticulous; *(unangenehm)* embarassing; *auf seinem Schreibtisch herrschte peinlichste Ordnung* his desk was scrupulously tidy; *der Koffer wurde peinlich genau untersucht* the case was given a very thorough going-over; *er vermied es peinlichst, davon zu sprechen* he was at pains not to talk about it; *etwas peinlichst geheimhalten* to keep sth top secret; *in seinem Zimmer herrschte peinliche Ordnung* his room was meticulously tidy; *jmdn einem peinlichen Verhör unterziehen* to question sb very closely; *peinlich sauber* meticulously clean; *das ist mir ja so peinlich* I feel awful about it; *es ist mir sehr peinlich, aber ich muss es Ihnen einmal sagen* I don´t know how to put it, but you really ought to know; *es war ihm peinlich* he felt embarrassed; *es war so schlecht, dass es schon peinlich war* it was so bad it was really painful; *ich habe das peinliche Gefühl, dass* I have a terrible feeling that; **~lichkeit** *sub, f, -, nur Einz. (Gewissenhaftigkeit)* meticulousness; *f, -, -en (Unangenehmheit)* embarassment; **peinvoll** *adj,* painful

Peitsche, *sub, f, -, -n* whip; *er gab seinem Pferd die Peitsche* he whipped his horse; *mit Zuckerbrot und Peitsche* with a stick and a carrot; **peitschen** *vt,* whip; *(i. ü. S.)* lash

Pekinese, *sub, m, -n, -n* pekinese

Pektin, *sub, n, -s, -e* pectin

Pektorale, *sub, n, -s, -lien (kirchl.)* pectoral cross

pekuniär, *adj,* financial

Pelagial, *sub, n, -s, nur Einz.* pelagic region

Pelerine, *sub, f, -, -n* cape

Pelikan, *sub, m, -s, -e* pelican

Pelle, *sub, f, -, -n* skin; *auf die Pelle rücken* to crowd sb; *der Chef sitzt mir auf der Pelle* I´ve got the boss on my back; *er geht mir nicht von der Pelle* he won´t stop pestering me; **pellen (1)** *vt,* skin **(2)** *vtr,* peel

pelletieren, *vt,* pelletize

Pelz, *sub, m, -es, -e* fur; *jmdn eins auf den Pelz brennen* to singe sb´s hide; *sich die Sonne auf den Pelz brennen lassen* to toast oneself; **pelzbesetzt** *adj,* fur-trimmed; **pelzig** *adj,* furry; **~tier** *sub, n, -(e)s, -e* animal prized for its fur; **~tierfarm** *sub, f, -, -en* fur farm; **~waren** *sub, f, nur Mehrz.* furs

Pemmikan, *sub, m, -s, nur Einz.* pemmican

Pence, *sub, m, -, Einz. Penny* pence

P.E.N.-Club, *sub, m, -s, nur Einz.* PEN Club

Pendant, *sub, n, -s, -s* counterpart

Pendel, *sub, n, -s, -* pendulum; *das Pendel schlug nach der entgegengesetzten Seite aus* the pendulum swung in the other direction; *keiner kann das Pendel der Zeit aufhalten* time and tide wait for no man; **pendeln** *vi,* swing (and fro); **~verkehr** *sub, m, -s, nur Einz.* shuttle service; *(Berufsverkehr)* commuter traffic

Pendüle, *sub, f, -, -n* pendule

penetrant, *adj,* pungent; *(aufdringlich)* insistent; *das schmeckt penetrant nach Ingwer* you can´t taste anything for ginger; *der Typ war mir zu penetrant* he was too pushy for my liking; *ein penetranter Kerl* a pest; *seine Selbstsicherheit ist schon penetrant* his self-confidence is overpowering; **Penetranz** *sub, f, -, -en* pungency; *(Aufdringlichkeit)* insistence; **Penetration** *sub, f, -, -en* penetration; **penetrieren** *vt,* penetrate

penibel, *adj,* exact, precise; **Penibilität** *sub, f, -, -en* meticulousness

Penicillin, *sub, n, -s, -e* penicillin

Peninsula, *sub, f, -, -suln* peninsula

Penis, *sub, m, -, -se* penis

Penizillin, *sub, n, -s, -e* penicillin

Pennäler, *sub, m, -s, - (veraltet)* high-school boy/girl

Pennbruder, *sub, m, -s, -brüder (ugs.)* tramp; *(ugs.; US)* hobo

pennen, *vi, (ugs.)* kip; *der Wimmer pennt schon wieder im Unterricht* Wimmer´s having a little sleep again during the lesson; *du bist dran - penn nicht!* it´s your turn, wake up!; *ich habe gerade ein bisschen gepennt* I´ve just been kipping

Penny, *sub, m, -s, -ies oder Pence* penny

penseefarbig, *adj,* pansy; **Penseekleid** *sub, n, -s, -er* pansy dress

Pensum, *sub, n, -s, Pensen und Pensa* workload; *ein hohes Pensum an Arbeit* a heavy workload; *er hat sein Pensum nicht geschafft* he didn´t achieve his target; *tägliches Pensum* daily quota

Pentaeder, *sub, n, -s, -* pentahedron

Pentagon, *sub, n, -s, -e* pentagon; **Pentagramm** *sub, n, -s, -e* pentagram; **Pentameter** *sub, m, -s, -* pentameter; **Pentathlon** *sub, n, -s, -len* pentathlon; **Pentatonik** *sub, f, -, nur Einz.* pentatonic scale

Penthaus, *sub, n, -es, -häuser* penthouse

Penthouse, *sub, n, -s, -s* penthouse

Pep, *sub, m, -s, nur Einz.* pep; *das Kleid hat Pep* that dress has style; *etwas mit Pep machen* to put a bit of pep into sth, to put a bit of zip into sth

Peperoni, *sub, nur Mehrz.* chillies

Pepita, *sub, m, -s, -s* shepherd´(s) plaid

peppig, *adj, (ugs.)* lively

Pepsin, *sub, n, -s, -e* pepsin

per, *präp,* by; *mit jmd per du sein* to be one Christian-name terms with sb; *per Adresse* care of (c/o); *per definitionem* by definition; *per pedes* on Shanks´ pony; *per se* per se

Perborsäure, *sub, f, -, nur Einz.* perboric acid

Percussion, *sub, f, -, -s* percussion

Perestroika, *sub, f, -, nur Einz.* perestroika

perfekt, (1) *adj,* perfect; *(abgemacht)* settled **(2) Perfekt** *sub, n, -s, -e* perfect (tense); *damit war die Niederlage perfekt* total defeat was then inevitable; *der Vertrag ist perfekt* the contract is signed, sealed and delivered; *die Sache perfekt machen* to settle the matter; *per-*

lish perfectly, to speak perfect English; **Perfektion** *sub, f, -, nur Einz.* perfection; *das war Artistik in höchster Perfektion* that was the epitome of artistry; **~ionieren** *vt,* perfect; **Perfektionismus** *sub, m, -, nur Einz.* perfectionism; **Perfektionist** *sub, m, -en, -en* perfectionist; **~ionistisch** *adj,* perfectionist

perfektiv, *adj,* perfective

Perforation, *sub, f, -, -en* perforation; **perforieren** *vt,* perforate

Performance, *sub, f, -, -s* performance

Pergament, *sub, n, -s, -e (~papier)* greaseproof paper; *(Handschrift)* parchment; **~papier** *sub, n, -s, -e* greaseproof paper

Pergola, *sub, f, -, -len* arbour

Perigon, *sub, n, -s, -ien (bot.)* perigone

Perikope, *sub, f, -, -n* pericope

Periode, *sub, f, -, -n* period; *(elektr.)* cycle; **~nzahl** *sub, f, -, -en* periodic number; **Periodikum** *sub, n, -s, -ka* periodical; **periodisch** *adj,* periodic(al), regular; *periodischer Dezimalbruch* recurring fraction; **periodisieren** *vt,* divide up inte periods; **Periodisierung** *sub, f, -, -en* periodization

peripher, *adj,* peripheral; **Peripherie** *sub, f, -, -n* periphery; *(von Stadt)* outskirts

Periphrase, *sub, f, -, -n* periphrasis

Periskop, *sub, n, -s, -e* periscope; **periskopisch** *adj,* periscopic

Peristaltik, *sub, f, -, nur Einz.* peristalsis

Peristyl, *sub, n, -s, -e* peristyle

Perkal, *sub, m, -s, nur Einz.* percale

Perkolat, *sub, n, -s, -e* percolate

Perkussion, *sub, f, -, -en* percussion

perkutan, *adj,* percutaneous

Perle, *sub, f, -, -n* pearl; *(Glas~)* bead; *dabei fällt dir keine Perle aus der Krone* it won't hurt you; *Perlen vor die Säue werfen* to cast pearls before swine; **perlen** *vi, (rollen)* trickle; *(sprudeln)* sparkle; *der Schweiß perlte ihm von der Stirn* beads of sweat were running down his forehead; *perlendes Lachen* rippling laughter; *der Tau perlt auf den Blättern* beads of dew glisten on the leaves; **~nkette** *sub, f, -, -n* pearl necklace; **~nschnur**

Perlhuhn *sub, n, -s, -hühner* guinea fowl; **Perlmuschel** *sub, f, -, -n* pearl oyster; **Perlmutt** *sub, n, -s, nur Einz.* mother-of-pearl; **perlmuttern** *adj,* mother-of-pearl

Perlon, *sub, n, -s, nur Einz. (eingetr. Markenzeichen)* nylon

Perlschrift, *sub, f, -, -en* pearl

perlweiß, *adj,* pearl white

Perlzwiebel, *sub, f, -, -n* cocktail onion

Perm, *sub, n, -s, nur Einz.* Permian

permanent, *adj,* permanent; **Permanenz** *sub, f, -, nur Einz.* permanence

Permanganat, *sub, n, -s, -e* permanganate

Permission, *sub, f, -, -en* permission

permissiv, *adj,* permissive; **Permissivität** *sub, f, -, nur Einz.* permissiveness

permutabel, *adj,* permutable

Permutation, *sub, f, -, -en* permutation; **permutieren** *vt,* permute

Perpendikel, *sub, m, -s, -* pendulum; **perpendikular** *adj,* perpendicular

perplex, *adj,* thunderstruck

Persenning, *sub, f, -, -e(n)* tarpaulin

Perserkatze, *sub, f, -, -n* Persian cat; **Perserkrieg** *sub, m, -es, -e (die ~e)* Persian wars; **Perserteppich** *sub, m, -s, -e* Persian carpet

Persianer, *sub, m, -s, -* Persian lamb (coat)

Persien, *sub, n, -s, nur Einz.* Persia

Persiflage, *sub, f, -, -n* pastiche, satire; **persiflieren** *vt,* satirize

persisch, *adj,* Persian

persistent, *adj,* persistent; **Persistenz** *sub, f, -, nur Einz.* persistence

Person, *sub, f, -, -en* individual; *(auch gramm.)* person; *(Rolle)* character; *eine hochgestellte Person* a high-ranking personage; *er ist Finanz- und Aussenminister in einer Person* he is the Chancellor of the Exchequer and Foreign Secretary rolled into one; *in Person erscheinen* to appear in person; *jede Person bezahlt* everybody pays; *jmdn zur Person vernehmen* to question sb concerning his identity; *juristische Person* juristic person; *Personen* people; *pro Person* per person; *was seine eigene Person betrifft* as for himself; *die Person des Königs ist unantastbar* (the person of) the king is inviolable; *es geht um die Person des Kanzlers, nicht um das Amt* it concerns the chancellor as person, not the office; *sie ist die Geduld in Person* she is patience personified; *die Personen der Handlung* the dramatis personae; *eine stumme Person* a non-speaking part

personal, (1) *adj*, personal (2) **Personal** *sub*, *n*, *-s*, *nur Einz.* personnel, staff; **Personalakte** *sub*, *f*, *-*, *-n* personal file; **Personalausweis** *sub*, *m*, *-es*, *-e* identity card; **Personalbüro** *sub*, *n*, *-s*, *-s* personnel department; **Personalcomputer** *sub*, *m*, *-s*, *-* personal computer; **Personalien** *sub*, *nur Mehrz.* particulars; **~intensiv** *adj*, personnel-intensive; **~isieren** *vti*, personalize; **Personalität** *sub*, *f*, *-*, *-en* personality; **Personalpronomen** *sub*, *n*, *-s*, *-* oder *-mina* personal pronoun; **Personalrat** *sub*, *m*, *-s*, *-räte* staff council for civil servants; **Personalunion** *sub*, *f*, *-*, *nur Einz.* personal union; *er ist Kanzler und Parteivorsitzender in Personalunion* he is at the same time Prime Minister and party chairman

personell, *adj*, personnel, staff; *die Verzögerungen in unserer Produktion sind personell bedingt* the delays in production are caused by personnel problems; *unsere Schwierigkeiten sind rein personell* our difficulties are simply to do with staffing

Personenkreis, *sub*, *m*, *-es*, *-e* group of people; **Personenkult** *sub*, *m*, *-s*, *-e* personality cult; *mit Che Guevara wird viel Personenkult betrieben* a great personality cult has been built up around Che Guevara; **Personenname** *sub*, *m*, *-ns*, *-n* name; **Personenschutz** *sub*, *m*, *-es*, *nur Einz.* personal security; **Personenstand** *sub*, *m*, *-es*, *-stände* marital status; **Personenzahl** *sub*, *f*, *-*, *-en* number of people; **Personenzug** *sub*, *m*, *-(e)s*, *-züge* passenger train

Personifikation, *sub*, *f*, *-*, *-en* personification; **personifizieren** *vti*, personify; *er läuft herum wie das personifizierte schleche Gewissen* he´s going around with guilt written

all over his face; **Personifizierung** *sub*, *f*, *-*, *-en* personification

persönlich, (1) *adj*, personal; *(Atmosphäre)* friendly (2) *adv*, personally; *persönliche Auslagen* out-of-pocket expenses; *persönliche Meinung* one´s own opinion; *persönliches Fürwort* personal pronoun, *der Chef persönlich* the boss himself; *etwas persönlich nehmen* to take sth personally; *persönlich haften* to be personally liable; *persönlich werden* get personal; *sie müssen persönlich erscheinen* you are required to appear in person; **Persönlichkeit** *sub*, *f*, *-*, *-en* personality; *er besitzt wenig Persönlichkeit* he hasn´t got much personality; *er ist eine Persönlichkeit* he´s quite a personality; *Persönlichkeiten des öffentlichen Lebens* public figures

Perspiration, *sub*, *f*, *-*, *nur Einz.* perspiration

Perücke, *sub*, *f*, *-*, *-n* wig

pervers, *adj*, perverted; *ein perverser Mensch* a pervert; **Perversion** *sub*, *f*, *-*, *-en* perversion; **Perversität** *sub*, *f*, *-*, *-en* perversion; **pervertieren** (1) *vi*, become perverted (2) *vt*, pervert; **Pervertiertheit** *sub*, *f*, *-*, *nur Einz.* pervertedness

Perzeption, *sub*, *f*, *-*, *-en* perception; **perzipieren** *vt*, perceive

Pessar, *sub*, *n*, *-s*, *-e* pessary; *(zur Empfängnisverhütung)* diaphragm

Pest, *sub*, *f*, *-*, *nur Einz.* pest(ilence), plague; *jmd die Pest an den Hals wünschen* to wish sb would drop dead; *jmdn wie die Pest hassen* to loathe and detest sb; *stinken wie die Pest* to stink to high heaven; *jmdn wie die Pest meiden* to avoid sb like the plague; *sich wie die Pest ausbreiten* to spread like the plague

Pestilenz, *sub*, *f*, *-*, *nur Einz.* *(veraltet)* pestilence

Pestizid, *sub*, *n*, *-s*, *-e* pesticide

Petarde, *sub*, *f*, *-*, *-n* petard

Petermännchen, *sub*, *n*, *-s*, *-* weever

Petersilie, *sub*, *f*, *-*, *nur Einz.* parsley; *du siehst aus, als wäre dir die Petersilie verhagelt* you look as though you´ve lost a pound and found a sixpence

Petition, sub, f. -, en petition

Petitschrift, sub, f. -, nur Einz. brevier

Petrefakt, sub, n, -s, -e petrifaction

Petrikirche, sub, f. -, -n St Peter´s

Petrochemie, sub, f. -, nur Einz. petrochemistry

Petrodollar, sub, m, -s, -s petrodollar

Petroleum, sub, n, -s, nur Einz. kerosene, paraffin

Petschaft, sub, n, -s, -e seal

petschieren, vt, seal

Petticoat, sub, m, -s, -s stiff petticoat

Petunie, sub, f, -, -n petunia

Petz, sub, m, -es, -e (poet.; Meister ~) Master Bruin; **~e** sub, f, -, -n (ugs.) telltale; **petzen** vti, tell; der petzt alles he always tells; er hat gepetzt, dass he went and told that; er hat´s dem Lehrer gepetzt he told sir

Pfad, sub, m, -s, -e path, track; auf dem Pfad der Tugend wandeln to follow the path of virtue; neue Pfade in der Medizin new directions in medicine; **~finder** sub, m, -s, - scout; er ist bei den Pfadfindern he´s in the Boy Scouts; **~finderin** sub, f, -, -nen girl guide

Pfaffe, sub, m, -n, -n (ugs.; Schimpfwort) cleric

Pfahl, sub, m, -s, Pfähle post; (Brükken~) pile; (Zaun~) stake; **~bau** sub, m, -s, -ten (Bauweise) building on stilts; (Gebäude) pile dwelling; **~graben** sub, m, -s, -gräben (hist.) palisaded ditch; **~muschel** sub, f, -, -n common mussel; **~wurzel** sub, f, -, -n taproot

Pfand, sub, n, -(e)s, Pfänder pledge; (Flaschen~) deposit; auf der Flasche ist Pfand there something (back) on the bottle; ein Pfand einlösen to redeem a pledge; etwas zum Pfand geben to pledge sth, (Pfänderspiel) to pay sth as a forfeit; ich gebe mein Wort als Pfand I pledge my word; **pfändbar** adj, distrainable; **Pfändbarkeit** sub, f, -, nur Einz. distrainability; **pfänden** vt, impound, seize; jmdn pfänden to impound some of sb´s possessions; jmdn pfänden lassen to get the bailiffs onto sb; man hat ihm die Möbel gepfändet the bailiffs took away his furniture; **Pfänderspiel** sub, n, -s, -e forfeits; **~flasche** sub, f, -, -n returnable bottle; **~haus** sub, n, -es, -häuser pawnshop; **~lei-** **~schein** sub, m, -s, -e pawn ticket; **Pfändung** sub, f, -, -en distraint, seizure; **~zettel** sub, m, -s, - pawn ticket

Pfanne, sub, f. -, -n pan; (anat.) socket; (Dach~) pantile; ein paar Eier in die Pfanne schlagen to bung a couple of eggs in the pan; jmdn in die Pfanne hauen to do the dirty on sb, (vernichtend schlagen) to wipe the floor with sb; **~nstiel** sub, m, -s, -e pan handle; **Pfannkuchen** sub, m, -s, - pancake

Pfarramt, sub, n, -(e)s, -ämter priest´s office; **Pfarrei** sub, f, -, -en parish; **pfarreilich** adj, parish; **Pfarrer** sub, m, -s, - (anglikanisch) vicar; (Gefängnis~, Militär~) chaplain; (kath., evang.) parish priest; **Pfarrersfrau** sub, f, -, -en clergyman´s wife; **Pfarrhelfer** sub, m, -s, - curate; **Pfarrkirche** sub, f, -, -n parish church

Pfau, sub, m, -(e)s, -en peacock; aufgedonnert wie ein Pfau done up to the nines; er stolziert daher wie ein Pfau he struts around like a peacock; **~enauge** sub, n, -s, -n (Nacht~) peacock moth; (Tag~) peacock butterfly

Pfeffer, sub, m, -s, - pepper; das brennt wie Pfeffer that´s red-hot; er kann bleiben, wo der Pfeffer wächst he can take a running jump; Pfeffer und Salz salt and pepper; (vulg.) sie hat Pfeffer im Arsch she´s got lots of get-up-and-go; **~kuchen** sub, m, -s, - gingerbread; **~ling** sub, m, -s, -e chanterelle; **~minze** sub, f, -, nur Einz. peppermint; **~minzlikör** sub, m, -s, nur Einz. crème de menthe; **~mühle** sub, f, -, -n pepper-mill; **pfeffern** vt, (heftig werfen) fling; (Küche) pepper; jmd eine gepfefferte Ohrfeige geben to give sb a clout; **~steak** sub, n, -s, -s pepper steak

Pfeife, sub, f, -, -n whistle; (Orgel~, Rauchen) pipe; (ugs.; Versager) wash-out; **pfeifen (1)** vi, (auf einer Trillerpfeife) blow one´s whistle **(2)** vti, whistle; auf dem letzten Loch pfeifen to be on one´s last legs, (finanziell) to be on one´s beam ends; das pfeifen ja schon die

Spatzen von den Dächern it´s all over town; *ich pfeife drauf* I couldn´t care less, *(vulg.)* I don´t give a fuck; *sein Atem ging pfeifend* his breath was coming in wheezes; ~**nkopf** *sub, m, -(e)s, -köpfe* bowl (of a pipe); ~**nkraut** *sub, n, -(e)s, -kräuter (bot.)* aristolochia; ~**nmann** *sub, m, -(e)s, -männer* referee; ~**ntabak** *sub, m, -s, -e* pipe tobacco; **Pfeifkessel** *sub, m, -s, -* whistling kettle; **Pfeifkonzert** *sub, n, -(e)s, -e* hail of whistles; **Pfeifton** *sub, m, -s, -töne* whistle

Pfeil, *sub, m, -s, -e* arrow; *(bei Armbrust)* bolt; *(dart)* Amors Pfeil Cupid´s arrow; *die Pfeile seines Spottes* the barbs of his mockery; *er schoss wie ein Pfeil davon* he was off like a shot; *Pfeil und Bogen* bow and arrow; *alle seine Pfeile verschossen haben* to have shot one´s bolt; ~**er** *sub, m, -s, -* pillar; *(Stütz~)* buttress; *(von Hängebrücke)* pylon; **pfeilgerade** *adj*, as straight as a die; *eine pfeilgerade Linie* a dead-straight line; *sie kam pfeilgerade auf uns zu* she made a beeline for us; **pfeilschnell** *adj*, as quick as lighting, as swift as an arrow

Pfennig, *sub, m, -s, -e* pfennig; *auf den Pfennig genau* to count every penny; *er hat keinen Pfennig Geld* he hasn´t got a penny to his name; *er hat nicht für fünf Pfennig Verstand* he hasn´t an ounce of intelligence; *es ist keinen Pfennig wert* it´s not worth a thing; *jeden Pfennig dreimal umdrehen* to think twice about every penny one spends; *wer der Pfennig nicht ehrt, ist den Taler nicht wert* take care of the pennies, and the pounds will look after themselves; ~**fuchser** *sub, m, -s, - (ugs.)* skinflint; **pfenniggroß** *adj*, size of a penny; ~**stück** *sub, n, -s, -e* pfennig; **pfennigweise** *adv*, one penny at a time

Pferch, *sub, m, -es, -e* fold; **pferchen** *vt*, cram, pack

Pferd, *sub, n, -es, -e* horse; *(Reit~ auch)* mount; *arbeiten wie ein Pferd* to work like a Trojan; *aufs richtige Pferd setzen* to back the right horse; *das hält ja kein Pferd aus* it´s more than flesh and blood; *er ist unser bestes Pferd im Stall* he´s our best man; *es geben leicht die Pferde mit ihm durch* he flies off the handle ea-

sily; *im glaub´, mich tritt ein Pferd* blow me down; *immer sachte mit den jungen Pferden* hold your horses; *keine 10 Pferde brächten mich dahin* wild horses would not drag me there; *mit ihm kann man Pferde stehlen* he´s great sport; ~**eapfel** *sub, m, -s, -äpfel* piece of horsedung; ~**edroschke** *sub, f, -, -n* hackney-cab; ~**egebiss** *sub, n, -es, -e* horsey teeth; ~**ekoppel** *sub, f, -, -n* paddock; ~**elänge** *sub, f, -, -n* length; ~**enatur** *sub, f, -, -en (er hat eine ~)* as strong as a horse; ~**erennen** *sub, n, -s, - (einzelnes Rennen)* horse race; *(Sportart)* horse-racing; ~**eschwanz** *sub, m, -es, -schwänze (Frisur)* pony-tail; ~**esport** *sub, m, -s, nur Einz.* equestrian sport; ~**estall** *sub, m, -s, -ställe* stable; ~**estärke** *sub, f, -, -n* horse power (hp); ~**ezucht** *sub, f, -, nur Einz.* horse-breeding; ~**sprung** *sub, m, -s, -sprünge* vault (over a horse)

Pfettendach, *sub, n, -(e)s, -dächer* purlin roof

Pfifferling, *sub, m, -s, -e* chanterelle; *er schert sich keinen Pfifferling um seine Kinder* he doesn´t give a damn about his children; *keinen Pfifferling wert* not worth a thing

Pfingsten, *sub, n, -s, -* Pentecost, Whitsun; **Pfingstfest** *sub, n, -es, -e* Pentecost, Whitsun; **pfingstlich** *adj*, Whitsun; **Pfingstochse** *sub, m, -n, -n* adorned ox; *herausgeputzt wie ein Pfingstochse* dressed up to the nines; **Pfingstrose** *sub, f, -, -n* peony; **Pfingstwoche** *sub, f, -, -n* Whit week

Pfirsich, *sub, m, -s, -e* peach; ~**baum** *sub, m, -s, -bäume* peach tree; ~**haut** *sub, f, -, nur Einz.* peach skin

Pflanze, *sub, f, -, -n* plant; **pflanzen** *vt(r), (ugs.)* plant; ~**nbau** *sub, m, -s, nur Einz.* agriculture; ~**nfett** *sub, n, -s, -e* vegetable fat; ~**nfresser** *sub, m, -s, -* herbivore; ~**ngift** *sub, n, -es, -e* plant poison; ~**ngrün** *sub, n, -s, nur Einz.* chlorophyll; ~**nkost** *sub, f, -, nur Einz.* vegetable foodstuffs; ~**nkunde** *sub, f, -, nur Einz.* botany; ~**nschutz** *sub, m, -es, nur Einz.* protection of

trol; **~r** sub, m, -s, - planter; **Pflanzgarten** sub, m, -s, -gärten forest nursery; **pflanzlich** adj, vegetable; **Pflanzstock** sub, m, -s, -stöcke digging stick; **Pflanzung** sub, f, -, -en (Plantage) plantation; (Vorgang) planting

Pflaster, sub, n, -s, - (Heft~) plaster; (Kopfstein~) cobbles; (Staßen~) surface; **Pflästerchen** sub, n, -s, - little plaster; **~maler** sub, m, -s, - pavement artist; **pflastermüde** adj, (ugs.) dead on one´s feet; **pflastern** vt, (mit Kopfsteinpflaster) cobble; (Straße, Hof) surface

Pflaume, sub, f, -, -n plum; (ugs.; Mensch) dope; **pflaumen** vt, (an~) have a go at; **~nbaum** sub, m, -s, -bäume plum tree; **~nmus** sub, n, -es, nur Einz. stewed plums

Pflege, sub, f, -, nur Einz. care; (Beziehungen) fostering; (Maschinen, Gebäude) maintenance; der Hund hat bei uns gute Pflege the dog is well looked after by us; der Kranke braucht viel Pflege the sick man needs a lot of care and attention; die Pflege von jmd übernehmen to look after sb; jmd gute Pflege angedeihen lassen to take good care of sb; jmdn in Pflege geben to have sb looked after; jmdn in Pflege nehmen to look after sb; ein Kind in Pflege geben to have a child fostered; ein Kind in Pflege nehmen to foster a child; **pflegebedürftig** adj, in need of care (and attention); **~eltern** sub, nur Mehrz. foster parents; **~geld** sub, n, -es, -er attendance allowance; **~heim** sub, n, -s, -e nursing home; **~kind** sub, n, -es, -er foster child; **pflegeleicht** adj, easy-care; (i. ü. S.) easy handle; **~mutter** sub, f, -, -mütter foster mother; **pflegen (1)** vi, (gwöhnlich tun) be in the habit (2) vt, (Beziehungen) foster; (Gebäude) maintain; ein Kind pflegen to look after a child; **~personal** sub, n, -s, nur Einz. nursing staff; **~r** sub, m, -s, - nurse; (Nachlass~) trustee; **pflegerisch** adj, nursing; **~stätte** sub, f, -, -n foster home; **~vater** sub, m, -s, -väter foster father; **pfleglich** adj, careful; etwas pfleglich behandeln to treat sth with care; **Pflegschaft** sub, f, -, -en guardianship

compulsory section; als Abteilungsleiter hat er die Pflicht it´s his responsibility as head of department; (spo.) bei der Pflicht in the compulsory section; der Pflicht gehorchen to obey the call of duty; die bürgerlichen Pflichten one´s civic duties; die Pflicht ruft! duty calls!; eheliche Pflichten marital duties; es ist seine verdammte Pflicht und Schuldigkeit he damn well ought to do it; ich habe die traurige Pflicht it is my sad duty; ich habe es mir zur Pflicht gemacht I´ve taken it upon myself; ich tue nur meine Pflicht I´m only doing my duty; jmdn in die Pflicht nehmen to remind sb of his duty; Rechte und Pflichten rights and responsibilities; seine Pflicht erfüllen to do one´s duty; **pflichtbewusst** adj, conscientious; er ist sehr pflichtbewusst he has a great sense of duty, he takes his duties very seriously; **~bewusstsein** sub, n, -s, nur Einz. sense of duty; **~eifer** sub, m, -s, nur Einz. zeal; **~fach** sub, n, -es, -fächer compulsory subject; **~gefühl** sub, n, -s, nur Einz. sense of duty; **pflichtgemäß** adj, dutiful; **~jahr** sub, n, -(e)s, -e year´s compulsory community service for girls during the Nazi period; **~lauf** sub, m, -s, -läufe compulsory figures; **~lektüre** sub, f, -, nur Einz. compulsory reading; **~teil** sub, m, -s, -e statutory portion; **~treue** sub, f, -, nur Einz. devotion duty; **~übung** sub, f, -, -en compulsory exercise; **~versicherung** sub, f, -, -en compulsory insurance; **~verteidiger** sub, m, -s, - counsel for the defence appointed by the court

Pflock, sub, m, -s, Pflöcke peg; (für Tiere) stake; **pflocken** vt, tether

pflücken, vt, pick; **Pflücker** sub, m, -s, - picker; **Pflücksalat** sub, m, -s, -e non-heading lettuce

Pflug, sub, m, -(e)s, Pflüge (brit.) plough; (US) plow; **pflügen** vti, (brit.) plough; (US) plow; **~messer** sub, n, -s, - (brit.) ploughshare; (US) plowshare; **~schar** sub, f, -, -en (brit.) ploughshare; (US) plowshare

Pforte, *sub, f, -, -n* gate; *das Theater hat seine Pforten für immer geschlossen* the theatre has closed its doors for good; *die Pforten des Himmels* the gates of heaven; *Stirling, die Pforte zu den Highlands* Stirling, the gateway; **Pförtner** *sub, m, -s, -* porter; *(Fabrik)* gateman; *(Wohnhaus)* doorman; **Pförtnerloge** *sub, f, -, -n* porter's office; *(Fabrik)* gatehouse; *(Wohnhaus)* doorman's office

Pfosten, *sub, m, -s, -* post; *(Tür~, Fenster~)* jamb

Pfote, *sub, f, -, -n* paw; *seine Pfoten überall drin haben* to have a finger in every pie; *sich die Pfoten verbrennen* to burn one's fingers

Pfriem, *sub, m, -s, -e* awl; **~engras** *sub, n, -es, -gräser* feathergrass

Pfropf, *sub, m, -es, -e (Sekt~)* cork; *(Stöpsel)* stopper; *(Watte)* plug; **~en** **(1)** *sub, m, -s, -* plug; *(Sekt~)* cork; *(Stöpsel)* stopper **(2) pfropfen** *vt, (Pflanzen)* graft; *(verschließen)* bung; **~messer** *sub, n, -s, -* grafting knife

Pfuhl, *sub, m, -s, -e* mudhole; *(i. ü. S.)* quagmire

Pfühl, *sub, m, -s, -e* pillow

pfui, *interj,* yuck; *da kann ich nur sagen: pfui!* it's simply disgraceful!; *fass das nicht an, das ist pfui* don't touch it, it's nasty; *pfui Teufel!* ugh!; *pfui, schäm dich!* shame on you!; **Pfuiruf** *sub, m, -s, -e* boo

Pfund, *sub, n, -(e)s, -e oder (nach Zahl)* - pound; *20 Pfund Sterling* 20 pounds sterling; *3 Pfund Bierschinken, bitte!* 3 pounds of ham sausage, please!; *das Pfund fällt* sterling is falling; *er bewegte seine Pfunde mit Mühe* he moved his great bulk with effort; *mit seinem Pfunde wuchern* to make the most of one's opportunities; **~note** *sub, f, -, -n* one-pound note

Pfusch, *sub, m, -s, nur Einz.* slapdash work; **~arbeit** *sub, f, -, -en* slapdash work; **pfuschen** *vi,* bungle; *(einen Fehler machen)* slip up; *jmd ins Handwerk pfuschen* to meddle in sb's affairs; **~er** *sub, m, -s, - (ugs.)* bungler

Pfütze, *sub, f, -, -n* puddle

Phäakenleben, *sub, n, -s, nur Einz.* carefree existence

Phagozyt, *sub, m, -en, -en* phagocyte

Phalanx, *sub, f, -, Phalangen (hist.)* phalanx; *(mil.)* battery

phallisch, *adj,* phallic; **Phallus** *sub, m, -, Phalli und Phallen* phallus; **Phalluskult** *sub, m, -s, -e* phallic cult

Phänomen, *sub, n, -s, -e* phenomenon; *dieser Mensch ist ein Phänomen* this person is an absolute phenomenon; **phänomenal** *adj,* phenomenal; *dieser Film ist phänomenal* this film is phenomenal; **~ologie** *sub, f, -, nur Einz.* phenomenology

Phantom, *sub, n, -s, -e* phantom; *einem Phantom nachjagen* to tilt at windmills; **~bild** *sub, n, -s, -er* identikit

Pharao, *sub, n, -s, -nen* Pharaoh; **~ameise** *sub, f, -, -n* Pharaoh's ant; **pharaonisch** *adj,* pharaonic

Pharisäer, *sub, m, -s, - (i. ü. S.)* hypocrite; *(hist.)* pharisee; **~tum** *sub, n, -s, nur Einz. (i. ü. S.)* self-righteousness; **pharisäisch** *adj,* pharisaic(al); *(i. ü. S.)* holier-than-thou

Pharmaindustrie, *sub, f, -, -n* pharmaceuticals industry; **Pharmakologie** *sub, f, -, nur Einz.* pharmacology; **Pharmakon** *sub, n, -s, -ka* love potion, pharmacon; **Pharmazeut** *sub, m, -en, -en* pharmacist; **Pharmazeutik** *sub, f, -, nur Einz.* pharmacy; **Pharmazeutikum** *sub, n, -s, -ka* pharmaceutical; **Pharmazeutin** *sub, f, -, -nen* pharmacist; **Pharmazie** *sub, f, -, nur Einz.* pharmacy

Philanthropie, *sub, f, -, nur Einz.* philanthropy; **philanthropisch** *adj,* philanthropic(al)

philharmonisch, *adj,* philharmonic

Philippiner, *sub, m, -s, -* Filipino

Philisterei, *sub, f, -, -en* philistinism; **Philistertum** *sub, n, -s, nur Einz.* philistinism

Philodendron, *sub, m, -s, -ren* philodendron

Philologe, *sub, m, -n, -n* philologist; **Philologie** *sub, f, -, nur Einz.* philology; **philologisch** *adj,* philological

Philosoph, *sub, m, -en, -en* philosopher; **~ie** *sub, f, -, -n* philosophy; **philosophieren** *vi*, philosophize; **~in** *sub, f, -, -nen* philosopher; **philosophisch** *adj*, philosophical

Phimose, *sub, f, -, -n* phimosis

Phiole, *sub, f, -, -n* phial

Phlegma, *sub, n, -s, nur Einz.* apathy; **~tiker** *sub, m, -s, -* apathetic person; **phlegmatisch** *adj*, apathetic

Phobie, *sub, f, -, -n* phobia

Phonem, *sub, n, -s, -e* phoneme; **phonematisch** *adj*, phonematic

Phonetik, *sub, f, -, nur Einz.* phonetics; **phonetisch** *adj*, phonetic

Phonometrie, *sub, f, -, nur Einz.* phonometrics

Phosphat, *sub, n, -s, -e* phosphate

Phosphor, *sub, m, -s, nur Einz.* phosphorus; **~eszenz** *sub, f, -, nur Einz.* phosphorescence; **phosphoreszieren** *vi*, phophoresce

Phrase, *sub, f, -, -n* phrase; *abgedroschene Phrase* hackneyed phrase; *das sind alles nur Phrasen* that´s just so many words; *hohle Phrasen* hollow words; *Phrasen dreschen* to churn out one cliché after another; **phrasenhaft** *adj*, empty, hollow; **phrasenreich** *adj*, cliché-ridden; **~ologie** *sub, f, -, nur Einz.* phraseology; **phrasieren** *vt*, phrase; **Phrasierung** *sub, f, -, -en* phrasing

Physik, *sub, f, -, nur Einz.* physics; **physikalisch** *adj*, physical; *das ist physikalisch nicht erklärbar* that can´t be explained by physics; *physikalische Experimente durchführen* to experiment in physics; *physikalische Therapie* physiotherapy; **~er** *sub, m, -s, -* physicist; **~um** *sub, n, -s, nur Einz.* preliminary examination in medicine

Physiognomie, *sub, f, -, -n* physiognomy; **Physiognomik** *sub, f, -, nur Einz.* physiognomy

Physiologe, *sub, m, -n, -n* physiologist; **Physiologie** *sub, f, -, nur Einz.* physiology; **physiologisch** *adj*, physiological

Physiotherapeut, *sub, m, -en, -en* physiotherapist; **Physiotherapie** *sub, f, -, nur Einz.* physiotherapy

Physis, *sub, f, -, nur Einz.* physique; **physisch** *adj*, physical

phytogen, *adj*, phytogenic

Pianist, *sub, m, -en, -en* pianist; **Piano** *sub, n, -s, -s* piano; **Pianola** *sub, n, -s, -s* player-piano

Piassava, *sub, f, -, -ven* bass

Picke, *sub, f, -, -n* pick(axe); **~l** *sub, m, -s, -* pimple, spot; *(Spitzhacke)* pick(axe); **~lhaube** *sub, f, -, -n* spiked helmet; **pickelig** *adj*, spotty; **picken** *vti*, peck

Picknick, *sub, n, -s, -e und -s* picnic; *Picknick machen* to have a picnic; *zum Picknick fahren* to go for a picnic; **~korb** *sub, m, -s, -körbe* picnic basket

Piedestal, *sub, n, -s, -e* pedestal

piekfein, *adj, (ugs.)* posh

piemontisch, *adj*, Piedmontese

Piep, *sub, m, -s, -e (ugs.; kein ~)* not a single word; *du hast ja einen Piep* you´re off your head; *keinen Piep mehr machen* to have had it; **piepegal** *adj, (ugs.)* all one; *das ist mir piepegal* I couldn´t care less; **~en (1)** *sub, nur Mehrz.* dough **(2) piepen** *vi, (Funkgerät)* bleep; *(Kinderstimme)* squeak; *(Vogel)* cheep; *mit piepender Stimme* in a piping voice; *bei dir piept´s wohl!* are you off your head?; *es war zum Piepen!* it was a scream; **~matz** *sub, m, -es, -mätze (ugs.)* dickybird; **piepsen** *vi, (Funkgerät)* bleep; *(Kinderstimme, Maus)* squeak; *(Vogel)* cheep; **~sigkeit** *sub, f, -, nur Einz. (ugs.)* squeakiness; **~vogel** *sub, m, -s, -vögel* dickybird

Pier, *sub, m, -s, -e oder -s* pier

Pierrette, *sub, f, -, -n* Pierrette

piesacken, *vt, (belästigen)* pester; *(quälen)* torment; *er piesackt mich schon den ganzen Tag* he´s been pestering me all day; **Piesackerei** *sub, f, -, -en* pastering

Pietät, *sub, f, -, nur Einz.* piety, respect; **pietätlos** *adj*, impious, irreverent; **pietistisch** *adj*, pietistic

Pigment, *sub, n, -s, -e* pigment; **~farbe** *sub, f, -, -n* pigment; **~fleck** *sub, m, -s, -en* pigmentation mark; **pigmentieren** *vti*, pigment

Pignole, *sub, f, -, -n* pine-nut

Pik, *sub, n, -s, nur Einz. (Karten)* spades; *dastehen wie Pik Sieben* to look completely at a loss; *einen Pik auf jmdn haben* to have a grudge against sb; *Pik As* ace of spades; *Pik*

König king of spades

pikant, *adj,* piquant; **Pikanterie** *sub, f, -, -n* piquancy

Pikeekragen, *sub, m, -s, -, auch -krägen* piqué collar

pikieren, *vt,* transplant; **pikiert** *adj,* peeved; *pikiert reagieren* to get put out; *sie machte ein pikiertes Gesicht* she looked peeved

Pikkolo, *sub, m, -s, -s* trainee waiter; *(kleine Ausgabe)* mini-version; **~flöte** *sub, f, -, -n* piccolo

Pikör, *sub, m, -s, -e* huntsman

Piktografie, *sub, f, -, -n* pictography

Piktogramm, *sub, n, -s, -e* pictogram

Pilaw, *sub, m, -s, nur Einz.* pilaw

Pilger, *sub, m, -s, -* pilgrim; **~fahrt** *sub, f, -, -en* pilgrimage; **~schaft** *sub, f, -, nur Einz.* pilgrimage; **~smann** *sub, m, -es, -männer* pilgrim

Pille, *sub, f, -, -n* pill; *das war eine bittere Pille für ihm* that was a bitter pill for him; *die Pille danach* the morning-after pill; *sie nimmt die Pille* she´s on the pill

Pilot, *sub, m, -en, -en* pilot; **~film** *sub, m, -s, -e* pilot film; **~sendung** *sub, f, -, -en* pilot programme; **~studie** *sub, f, -, -n* pilot study; **~versuch** *sub, m, -s, -e* pilot experiment

Pilz, *sub, m, -es, -e (Atom~)* mushroom cloud; *(essbar)* mushroom; *(Mikro~)* mould; **~gericht** *sub, n, -s, -e* mushroom meal; **~krankheit** *sub, f, -, -en* fungal disease

Piment, *sub, m, n, -s, -e* pimento

Pimmel, *sub, m, -s, - (ugs.)* willie

Pinakothek, *sub, f, -, -en* picture gallery

Pinasse, *sub, f, -, -n* pinnace

pingelig, *adj, (ugs.)* finicky; **Pingeligkeit** *sub, m, -, nur Einz.* fussiness

Pingpong, *sub, n, -s, -s (ugs.)* pingpong

Pinguin, *sub, m, -s, -e* penguin

Pinie, *sub, f, -, -n* pine tree; **~nzapfen** *sub, m, -s, -* pine cone

Pinke, *sub, f, -, nur Einz. (ugs.)* dough

pinkeln, *vi,* pee

Pinne, *sub, f, -, -n (für Kompassnadel)* pivot; *(Ruder~)* tiller; **pinnen** *vt,* pin; **Pinnwand** *sub, f, -, -wände* notice board

Pinscher, *sub, m, -s, -* pinscher; *(ugs.; Mensch)* self-important little pipsqueak

Pinsel, *sub, m, -s, -* brush; *(ugs.; eingebildeter ~)* self-optionated twit; **pinseln** *vti, (ugs.)* paint; **~strich** *sub, m, -s, -e* brushstroke

Pinte, *sub, f, -, -n (Einheit)* pint; *(ugs.; Lokal)* boozer

Pin-up-Girl, *sub, n, -s, -s* pin-up

Pionier, *sub, m, -s, -e (i. ü. S.)* pioneer; *(mil.)* sapper; **~geist** *sub, m, -es, nur Einz.* pioneering spirit

Pipe, *sub, f, -, -s* pipe

Pipeline, *sub, f, -, -s* pipeline

Pipette, *sub, f, -, -n* pipette

Piranha, *sub, m, -s, -s* piranha

Pirat, *sub, m, -en, -en* pirate; *(Luft~)* hijacker

Piroge, *sub, f, -, -n* pirogue

Pirogge, *sub, f, -, -n (meist Mehz)* piroshki

Pirol, *sub, m, -s, -e* oriole

Pirouette, *sub, f, -, -n* pirouette

Pirsch, *sub, f, -, nur Einz.* stalk; *auf die Pirsch gehen* to go stalking; **pirschen** *vi,* stalk; *pirschen* to go stalking

Pisse, *sub, f, -, nur Einz. (vulg.)* piss; **pissen** *vi,* piss; *(vulg.; regnen)* piss down; **Pissoir** *sub, n, -s, -e und -s (veraltet)* urinal

Pistazie, *sub, f, -, -n* pistachio

Piste, *sub, f, -, -n (Luftfahrt)* runway; *(Ski~)* piste

pistoiaisch, *adj,* of Pistoia

Pistole, *sub, f, -, -n* pistol; *jmd die Pistole auf die Brust setzen* to hold a pistol to sb´s head; *mit vorgehaltener Pistole* at gunpoint; *wie aus der Pistole geschossen* like a shot; **~nlauf** *sub, m, -s, -läufe* pistol barrel

Piz, *sub, m, -es, -e* peak

Pizza, *sub, f, -, -s oder Pizzen* pizza; **~bäcker** *sub, m, -s, -* pizza cook

Placebo, *sub, n, -s, -s* placebo

Plackerei, *sub, f, -, -en (ugs.)* grind

plädieren, *vi,* plead

Plädoyer, *sub, m, -s, -s* address the jury; *(i. ü. S.)* plea

Plafond, *sub, m, -s, -s* ceiling

Plage, *sub, f, -, -n* plague; *(i. ü. S.)* nuisance; *sie bat ihre Plage mit ihm* he´s a trial for her; *zu einer Plage werden* to become a nuisance; **plagen (1)** *vr, (leiden)* be troubled; *(sich bemühen)* take great pains **(2)** *vt,* torment; *(belästigen)*

pester; *schon die ganze Woche plage ich mich mit meinem Heuschnupfen* my hay-fever has been bothering me all week; **~rei** *sub, f, -, -en* grind
Plagiat, *sub, n, -s, -e* plagiarism
Plakat, *sub, n, -s, -e* poster; **plakatieren** *vt,* placard; **plakativ** *adj, (Sprache)* pithy; *(Wirkung)* striking; **~kunst** *sub, f, -, nur Einz.* poster art; **~säule** *sub, f, -, -n* advertisement pillar; **Plakette** *sub, f, -, -n* badge
Plan, *sub, m, -s, Pläne* plan; *(ebene Fläche)* plain; *(Straßen~)* map; *den Plan fassen, etwas zu tun* to form the intention of doing sth; *die Pläne zur Renovierung des Hauses* the plans for the renovation of the house; *nach Plan verlaufen* to run according to plan; *Pläne schmieden* to make plans; *auf den Plan treten* to arrive on the scene; *jmdn auf den Plan rufen* to bring sb into the arena; **~e** *sub, f, -, -n* tarpaulin; *(Schutzdach)* awning; **planen (1)** *vt, (Verbrechen, Attentat)* plot **(2)** *vti,* plan; **Pläneschmied** *sub, m, -s, -e* planner
Planet, *sub, m, -en, -en* planet; **planetar** *adj, m, -en, -en* planet; **planetarisch** *adj,* planetary; **~arium** *sub, n, -s, -rien* planetarium; **~enbahn** *sub, f, -, -en* planetary orbit; **~enjahr** *sub, n, -s, -e* planetary year; **~oid** *sub, m, -en, -en* asteroid, planetoid
Planierbank, *sub, f, -, -bänke* smoothing lathe; **planieren** *vt,* level (off); **Planierraupe** *sub, f, -, -n* bulldozer
Planke, *sub, f, -, -n* plank; *(Leit~)* crash barrier; **~nzaun** *sub, m, -s, -zäune* fencing
Plänkelei, *sub, f, -, -en (i. ü. S.)* squabble; *(mil.)* skirmish; **plänkeln** *vi, (i. ü. S.)* squabble; *(mil.)* skirmish
Plankton, *sub, n, -s, nur Einz.* plankton; **planktonisch** *adj,* planktonic; **~netz** *sub, n, -es, -e* plankton net
Planquadrat, *sub, n, -s, -e* grid square
Planschbecken, *sub, n, -s, -* paddling pool; **planschen** *vi,* splash around
Plansoll, *sub, n, -s, -s* output target
Plantage, *sub, f, -, -n* plantation
Planung, *sub, f, -, -en* planning; *dieses Haus ist noch in Planung* this house is still being planned; *schon in Planung* at the planning stage; **planvoll** *adj,* systematic; **Planwirtschaft** *sub, f, -, nur Einz.* planned economy;

Planzeichner *sub, m, -s, -* designer; **Planziel** *sub, n, -s, -e* planned target
Plaque, *sub, f, -, -s* plaque
plärren, *vi, (ugs.; Radio)* blare (out); *(ugs.; schreien)* yell; *(ugs.; weinen)* howl
Pläsanterie, *sub, f, -, -n* amusement
Pläsier, *sub, n, -s, -e* pleasure; *nun lass ihm doch sein Pläsier* let him have his bit of fun
Plasma, *sub, n, -s, -men* plasma; **~chemie** *sub, f, -, nur Einz.* plasma chemistry
Plasmodium, *sub, n, -s, -ien* plasmodium
Plastik, *sub, n, -s, -s (Kunststoff)* plastic; *f, -, -en (Skulptur)* sculpture; **~bombe** *sub, f, -, -n* plastic bomb; **~folie** *sub, f, -, -n* plastic film; **~geld** *sub, n, -es, nur Einz.* plastic money; **~helm** *sub, m, -s, -e* plastic helmet; **~sack** *sub, m, -s, -säcke* plastic bag; **~tüte** *sub, f, -, -n* plastic bag
Plastilin, *sub, n, -s, nur Einz.* plasticine
plastisch, *adj, (anschaulich)* vivid; *(dreidimensional)* three-dimensional (3D); *(Kunst, med.)* plastic; **Plastizität** *sub, f, -, nur Einz. (Anschaulichkeit)* graphicness, vividness
Plateau, *sub, n, -s, -s* plateau; *(von Schuh)* platform
Platin, *sub, n, -s, nur Einz.* platinum; **platinblond** *adj,* platinum blonde
plätschern, *vi, (Bach, Brunnen)* splash; *(Regen)* patter; *eine plätschernde Unterhaltung* light conversation
platt, *adj,* flat; *(ugs.; verblüfft)* flabbergasted; *(Witz, Mensch)* dull; *da bist du platt, nicht?* that's surprised you; *das platte Land* the flat country; *einen Platten haben* to have a flat tyre; *etwas platt drücken* to press sth flat; **Platte** *sub, f, -, -n (Beton, Stein)* slab; *(Fleisch~)* plate; *(Glatze)* bald head; *(Holz, Glas, Plastik)* piece of wood/glass/plastic; *(Schall~)* record; *(Tisch~)* top; *(ugs.) die Platte putzen* to hop it; *ein Ereignis auf die Platte bannen* to capture an event on film;

kalte Platte cold dish; *die Platte hat einen Kratzer* the record´s stuck; *die Platte kenne ich schon* I know that line; *eine Platte mit Funkmusik* a record of funk music; *er legte die alte Platte auf* he started on his old theme; *etwas auf Platte aufnehmen* to record sth; *leg doch mal eine neue Platte auf!* change the record, can´t you!

Plätteisen, *sub, n, -s, -* iron; **plätten** *vt,* iron

Plattenbelag, *sub, m, -s, -läge* slab covering

Plattenhülle, *sub, f, -, -n* record sleeve; **Plattenleger** *sub, m, -s, -* paver; **Plattenspieler** *sub, m, -s, -* record-player; **Plattenteller** *sub, m, -s, -* turntable

platterdings, *adv,* absolutely

Plattfuß, *sub, m, -es, -füße* flat foot

Plattitüde, *sub, f, -, -n* platitude

Platz, *sub, m, -es, Plätze (freier Raum)* room, space; *(Markt~)* square; *(Sitzplatz)* seat; *(Sport~)* field; *den ganzen Platz wegnehmen* to take up all the room; *es sind noch ein paar Plätze frei* there are a few places left; *mach mal ein bisschen Platz* make a bit of room; *mehr als 10 Leute haben hier nicht Platz* there´s not room for more than 10 people here; *Platz da!* out of the way there; *Platz einnehmen* to occupy room; *Platz finden für etwas* to find room for sth; *Platz schaffen* to make room; *wir haben noch einen freien Platz* we´ve still got one vacancy; *auf dem Platz* in the square; *das Buch hat keinen Platz mehr im Regal* there´s no more space on the shelf for that book; *das erste Haus am Platz* the best hotel in town; *ein freier Platz vor der Kirche* an open space in front of the church; *Platz da!* gangway!; *Platz für etwas bieten* to hold sth; *Platz greifen* to gain ground; *behalten Sie doch bitte Platz!* please remain seated!; *dieser Platz ist belegt* this seat is taken; *mit jmd den Platz tauschen* to change places with sb; *Platz nehmen* to take a seat; *(zum Hund) Platz!* sit!; *auf eigenem Platz* at home; *einen Spieler vom Platz stellen* to send a player off; **~angst** *sub, f, -, nur Einz.* agoraphobia; *(ugs.)* claustrophobia; *Platz-*

angst bekommen to get claustrophobic; **~bedarf** *sub, m, -s, nur Einz. (Handel)* local requirements; **Plätzchen** *sub, n, -s, - (Gebäck)* biscuit; *(kleiner Platz)* little place

platzen, *vi, (aufreißen)* burst; *(fehlschlagen)* fall through; *(Naht)* split; *ihm ist eine Ader geplatzt* he burst a blood-vessel; *mir ist ein Reifen geplatzt* a tyre burst; *vor Wut platzen* to burst with rage; *die Verlobung ist geplatzt* the engagement is off; *etwas platzen lassen* to make sth fall through; *jmd ins Haus platzen* to descend on sb; *wir sind vor Lachen fast geplatzt* we split our sides laughing

Platzhalter, *sub, m, -s, -* place-marker; *(math.)* parameter; **Platzhirsch** *sub, m, -s, -e* dominant male; **Platzierung** *sub, f, -, -en (Platz)* place; *(Rennen)* order; *welche Platzierung hatte er?* what position did he come in?; **Platzkarte** *sub, f, -, -n* seat reservation (ticket); **Platzkonzert** *sub, n, -s, -e* open-air concert; **Platzmangel** *sub, m, -s, nur Einz.* lack of space; **Platzordner** *sub, m, -s, -* steward; **Platzpatrone** *sub, f, -, -n* blank (cartridge); **Platzregen** *sub, m, -s, nur Einz.* cloudburst; *das ist nur ein Platzregen* it´s only a shower; **Platzverweis** *sub, m, -es, -e* sending-off; *es gab zwei Platzverweise* two players were sent off; **Platzwechsel** *sub, m, -s, -* change of place; *(spo.)* change of position; **Platzziffer** *sub, f, -, -n* place number

Plauderei, *sub, f, -, -en* chat; **plaudern** *vi,* chat; **Plaudertasche** *sub, f, -, -n (ugs.)* chatterbox

Plausch, *sub, m, -es, -e* chat; **plauschen** *vi,* chat

plausibel, *adj,* plausible; *jmd etwas plausibel machen* to explain sth to sb, to make sth clear to sb

Play-back, *sub, n, -s, -s (Band bei Platte)* backing track; *(TV)* miming; *(Verfahren bei Platte)* double-trakking

Playboy, *sub, m, -s, -s* playboy

Play-off, *sub, n, -s, -s* play-off

Plazenta, *sub, f, -, -s und -ten* placenta

Plazet, *sub, n, -s, -s* approval

Plebiszit, *sub, n, (-)s, -e plebiscite*; **plebiszitär** *adj*, **plebiscitary**

pleite, (1) *adj*, broke; *(Firma auch)* bust **(2) Pleite** *sub, f, -, -n* bankruptcy; *(ugs. i.ü.S)* flop; *pleite gehen* to go bust, *Pleite machen* to go bankrupt; *damit haben wir eine Pleite erlebt* that was a disaster; **Pleitegeier** *sub, m, -s, -* vulture; *über der Firma schwebt der Pleitegeier* the vultures are hovering over the firm

Plektron, *sub, n, -s, -tren oder -tra* plectrum

plempern, *vi, (ugs.: trödeln)* dawdle; *(ugs.: verschütten)* splash

plemplem, *adj, (ugs.)* nuts

Plenum, *sub, n, -s, -na* plenum

Pleonasmus, *sub, m, -, -men* pleonasm; **pleonastisch** *adj*, pleonastic

Plesiosaurier, *sub, m, -s, -* plesiosaur

Pleuelstange, *sub, f, -, -n* connecting rod

Plexiglas, *sub, n, -es, nur Einz. (eingetr. Markenzeichen)* acrylic glass

Plexus, *sub, m, -, nur Einz.* plexus

Plombe, *sub, f, -, -n (Siegel)* lead seal; *(Zahn~)* filling; *er hat mir zwei Plomben gemacht* he did two fillings; **plombieren** *vt, (Siegel)* seal; *(Zahn)* fill; *er hat mir zwei Zähne plombiert* he did two fillings; **Plombierung** *sub, f, -, -en (Siegel)* seal; *(Zahn)* filling

Plot, *sub, m, -s, -s* plot

plötzlich, (1) *adj*, sudden **(2)** *adv*, all of a sudden, suddenly

Plumeau, *sub, n, -s, -s* eiderdown

plump, *adj, (Ausdruck)* clumsy; *(Bewegung)* awkward; *(Schmeichelei, Lüge)* crude

plumpsen, *vi, (ugs.)* fall, tumble; *er plumpste ins Wasser* he went splash into the water; *ich habe es plumpsen hören* I heard a bang; *ich ließ mich aufs Bett plumpsen* I flopped onto the bed

Plumpudding, *sub, m, -s, -s* plum pudding

Plunder, *sub, m, -s, nur Einz.* junk, rubbish; **~markt** *sub, m, -es, -märkte* flea market; **plündern** *vt*, loot, plunder; *(ausrauben)* raid; *jemand hat unsere Apfelbäume geplündert* sb has raided our apple trees; **~teig** *sub, m, -s, -e* puff-paste; **Plünderung** *sub, f, -, -en* looting, plunder

Plural, *sub, m, -s, -e plural*; **~endung** *sub, f, -, -en plural ending*; **~etantum** *sub, n, -s, -s, -liatantum* noun that occurs only in the plural; **~ismus** *sub, m, -, nur Einz.* pluralism; **pluralistisch** *adj*, pluralistic; **~ität** *sub, f, -, -en* plurality; *(Mehrheit)* majority

plus, (1) *präp, adv*, plus **(2) Plus** *sub, n, -, - (~pol)* positive pole; *(~zeichen)* plus sign; *(Handel)* increase; *(Vorteil)* advantage; *bei 3 Grad plus* at 3 degrees (above zero); *das Ergebnis war plus minus null* nothing was gained, nothing was lost; *mit plus minus null abschließen* to break even; *plus minus 5 Jahre* plus or minus 5 years, *das. ist ein Plus für dich* that´s a point in your favour; *das können Sie als Plus für sich buchen* you´ve scored a point there; *ein Plus machen* to put a plus (sign)

Plüsch, *sub, m, -es, -e* plush; **~augen** *sub, nur Mehrz. (~ machen)* make sheep´s eyes; **~sessel** *sub, m, -s, -* plush chair

Plusquamperfekt, *sub, n, -s, -e* past perfect

plustern, *vtr*, fluff up

Pluszeichen, *sub, n, -s, -* plus sign

plutonisch, *adj*, plutonic; **Plutonium** *sub, n, -s, nur Einz.* plutonium

Pluviometer, *sub, n, -s, -* rain gauge

Pneumatik, *sub, f, -, nur Einz.* pneumatics; **pneumatisch** *adj*, pneumatic

Pneumonie, *sub, f, -, -n* pneumonia

Pöbel, *sub, m, -s, nur Einz.* mob, rabble; **pöbeln** *vi*, swear

pochen, *vi, (Herz, Blut)* pound; *(klopfen)* knock; *(leise)* tap; *auf etwas pochen* to insist on sth; *auf sein Recht pochen* to stand up for one´s right

pochieren, *vt*, poach

Pochstempel, *sub, m, -s, - (min.)* stamp

Pocke, *sub, f, -, -n pock*; **~n** *sub, nur Mehrz.* smallpox; **~nnarbe** *sub, f, -, -n* pockmark; **pockennarbig** *adj*, pockmarked; **~nvirus** *sub, n, -, -ren* smallpox virus

Pocketkamera, *sub, f, -, -s* pocket camera

Podest, *sub, n, -es, -e (Podium)* platform; *(Sockel)* pedestal

Podex, *sub, m, -es, -e (ugs.)* posterior

Podium, *sub, n, -s, -dien* platform; *(bei Diskussionen)* panel

Podsol, *sub, m, -s, nur Einz.* podsol soil

Poem, *sub, n, -s, -e* poem

Poesie, *sub, f, -, nur Einz.* poetry; **~album** *sub, n, -s, -ben* autograph book

Poetaster, *sub, m, -s, -* poetaster

Poetik, *sub, f, -, nur Einz.* poetics; **poetisch** *adj,* poetic; *eine poetische Ader haben* to have a poetic streak; **poetisieren** *vti,* poetize

Pogrom, *sub, m, n, -s, -e* pogrom; **~hetze** *sub, f, -, -n* hate campaign; **~opfer** *sub, n, -s, -* pogrom victim

Pointe, *sub, f, -, -n (Geschichte)* point; *(Witz)* punch-line; *die Pointe einer Geschichte verstehen* to get the point of a story; **~r** *sub, m, -s, -* pointer; **pointieren** *vt,* emphasize; **Pointillismus** *sub, m, -, nur Einz.* pointillism; **Pointillist** *sub, m, -en, -en* pointillist

Pökel, *sub, m, -s, -* brine; **~fleisch** *sub, n, -es, nur Einz.* salt meat; **~hering** *sub, m, -s, -e* pickled herring; **pökeln** *vt,* pickle, salt

Poker, *sub, n, -s, nur Einz.* poker; **~face** *sub, n, -s, -s* poker face; *ein Pokerface aufsetzen* to put on a poker-faced expression; **~gesicht** *sub, n, -es, -er* poker face; *ein Pokergesicht machen* to put on a deadpan expression; **pokern** *vi,* play poker

Pol, *sub, m, -s, -e* pole; *(i. ü. S.) der ruhende Pol* the calming influence; **polar** *adj,* polar; **~areis** *sub, n, -es, nur Einz.* polar ice; **~arfront** *sub, f, -, -en* polar front; **~argebiet** *sub, n, -es, -e* polar region; **~argegend** *sub, f, -, -en* polar region; **~arisation** *sub, f, -, -en* polarization; **~arisator** *sub, m, -s, -en* polarizer; **polarisieren** *vtr,* polarize; **~arität** *sub, f, -, -en* polarity; **~arkreis** *sub, m, -es, -e* polar circle; **~arlicht** *sub, n, -es, -er* polar lights; **~arluft** *sub, f, -, nur Einz.* polar air; **~arnacht** *sub, f, -, nur Einz.* polar night; **~aroidkamera** *sub, f, -, -s* polaroid camera; **~arstern** *sub, m, -s, nur Einz.* North Star

Polder, *sub, m, -s, -* polder; **~deich** *sub, m, -s, -e* polder dyke

Polemik, *sub, f, -, nur Einz.* polemics; *die Polemik dieser Rede* the polemic

nature of this speech; *seine Polemik ist unerträglich* his polemics are unbearable; **~erin** *sub, f, -, -nen* controversialist, polemicist; **polemisch** *adj,* polemic(al); **polemisieren** *vi,* polemicize; *polemisieren gegen* to inveigh against

polen, *vt,* polarize

Polenta, *sub, f, -, -s* polenta

Polente, *sub, f, -, nur Einz. (ugs.)* cops

Poleposition, *sub, f, -, -s* pole position

Police, *sub, f, -, -n* policy

Polichinelle, *sub, f, -s, -li* Pulcinello

Polier, *sub, m, -s, -e* site foreman; **polieren** *vt,* polish; *die Fresse polieren* to smash sb´s face in; **~er** *sub, m, -s, -* polisher; **~mittel** *sub, n, -s, -* polish; **~stahl** *sub, m, -s, nur Einz.* steel burnisher; **~wachs** *sub, n, -es, -e* wax polish

Poliklinik, *sub, f, -, -en* clinic; **poliklinisch** *adj,* outpatient

Polio, *sub, f, -, nur Einz.* polio (myelitis)

Politesse, *sub, f, -, -n* woman traffic warden

Politik, *sub, f, -, nur Einz.* politics; *(bestimmte)* policy; *in die Politik gehen* to go into politics; *welche Politik vertritt er?* what are his politics?; *eine Politik der starken Hand treiben* to take a tough line; *eine Politik verfolgen* to pursue a policy; **~aster** *sub, m, -s, -* alehouse politician; **~er** *sub, m, -s, -* politician; **~erin** *sub, f, -, -nen* politician; **~um** *sub, n, -s, -ka* political issue; **politisch** *adj,* political; *(klug)* politic; *er ist ein politischer Gefangener* he´s a political prisoner; **politisieren** *vti,* politicize; **Politologe** *sub, m, -n, -n* political scientist; **Politologie** *sub, f, -, nur Einz.* political science, politics

Polizei, *sub, f, -, -en* police; **~auto** *sub, n, -s, -s* policecar; **~chef** *sub, m, -s, -s* police chief; **~funk** *sub, m, -s, nur Einz.* police radio; **~griff** *sub, m, -s, -e* wristlock; **~hund** *sub, m, -es, -e* police dog; **~inspektor** *sub, m, -s, -en* police inspector; **polizeilich** *adj,* police; **~organ** *sub, n, -s, -e* police branch; **~staat** *sub, m, -es, -en* police state; **~stunde**

f, -, -n police station; **~wesen** *sub, n, -s,* - police force; **Polizist** *sub, m, -en, -en* policeman

Polka, *sub, f, -, -s* polka

Pollen, *sub, m, -s,* - pollen; **~allergie** *sub, f, -, -n* allergy to pollen

Pollution, *sub, f, -, -en* pollution

polnisch, *adj,* Polish

Polo, *sub, m, -s, nur Einz.* polo; **~hemd** *sub, n, -s, -en* sports shirt

Polonäse, *sub, f, -, -n* polonaise

polonistisch, *adj,* Polish

Polonium, *sub, n, -s, nur Einz.* polonium

Polster, *sub, n, -s,* - cushion, upholstery; **Pölsterchen** *sub, n, -s,* - flab, spare tyre; **~möbel** *sub, n, -s,* - upholstered furniture; **polstern** *vt, (Kleidung)* upholster; *(Tür)* pad; **~stoff** *sub, m, -s, -e* upholstery; **~stuhl** *sub, m, -s, -stühle* upholstered chair

Polterabend, *sub, m, -s, -e* party on the eve of a wedding at which old crockery is smashed to bring luck; **Polterer** *sub, m, -s,* - noisy person; *(beim Sprechen)* ranter; **Poltergeist** *sub, m, -es, -er* poltergeist; **poltern** *vi,* bang about, crash about

Polyandrie, *sub, f, -, nur Einz.* polyandry

Polyäthylen, *sub, n, -s, -e* polyethylene

Polychromie, *sub, f, -, -n* polychrome

Polyeder, *sub, n, -s,* - *(mat.)* polyedron

Polyester, *sub, m, -s,* - polyester

polygam, *adj,* polygamous; **Polygamie** *sub, f, -, nur Einz.* polygamy

polyglott, *adj,* polyglot

Polygon, *sub, n, -s, -e* polygon; **polygonal** *adj, (mat.)* polygonal

Polygynie, *sub, f, -, nur Einz.* polygamy

Polymeter, *sub, n, -s,* - polymeter

polymorph, *adj,* multiform; **Polymorphie** *sub, f, -, nur Einz. (Naturwissenschaft)* polymorphism

Polyp, *sub, m, -en, -en (med.)* adenoids; *(zool.)* polyp

polyploid, *adj,* polyploid

Polysemie, *sub, f, -, -n* ambiguity

Polystyrol, *sub, n, -s, -e* polystyrene

Polysyndeton, *sub, n, -s, -ta* polysyndeton

Polytechnikum, *sub, n, -s, -ka, -en* po-

Polytheismus, *sub, m, -, nur Einz.* polytheism

polytrop, *adj,* polytrop

Polyvinylchlorid, *sub, n, -s, -e* polyvinyl chloride

Pomade, *sub, f, -, -n* pomade; **pomadig** *adj,* smarmy; **pomadisieren** *vt,* pomade

Pomp, *sub, m, -s, nur Einz.* pomp; **pompös** *adj,* grandiose

pompejanisch, *adj,* Pompeian

Pönalgesetz, *sub, n, -es, -e* criminal law

Poncho, *sub, m, -s, -s* poncho

Pönitent, *sub, m, -en, -en* penitent; **~iar** *sub, m, -s, -e* father confessor

Pontifex, *sub, m, -, -fizes* Pontifex

Pontifikalamt, *sub, n, -s, -ämter* Pontifical Mass

Pontifikat, *sub, m, n, -es, -e* pontificate

Ponton, *sub, m, -s, -s* pontoon; **~brücke** *sub, f, -, -n* pontoon bridge

Pony, *sub, m, -s, -s* pony; *(Frisur)* fringe

Poolbillard, *sub, n, -s, nur Einz.* pocket billiards

Popanz, *sub, m, -es, -e* bugbear

Pop-Art, *pron,* pop-art

Popcorn, *sub, n, -s, nur Einz.* popcorn

Pope, *sub, m, -n, -n* priest; **popeln** *vi, (ugs.)* pick one´s nose

Popel, *sub, m, -s,* - *(ugs.)* bogey; *(ugs.; Mensch)* pleb

Popfestival, *sub, n, -s, -s* popfestival; **Popmusik** *sub, f, -, nur Einz.* pop-music; **poppig** *adj, (Kleidung)* trendy; *(ugs.; kun./mus.)* pop; **Popsängerin** *sub, f, -, -nen* pop singer; **Popstar** *sub, m, -s, -s* pop star; **Popszene** *sub, f, -, -n* pop scene

Popo, *pron, (ugs.)* bottom

Popper, *sub, m, -s,* - preppie

populär, *adj,* popular; **popularisieren** *vt,* popularize; **Popularität** *sub, f, -, nur Einz.* popularity; **Population** *sub, f, -, -en (biol.)* population; **populistisch** *adj,* populist

Pore, *sub, f, -, -n* pore; **porig** *adj,* porous; **porös** *adj,* porous

Porno, *sub, m, -s, -s (ugs.)* porn; **~grafie** *sub, f, -, -n* pornography

Porphyr, *sub, m, -s, -e* porphyry

Porree, *sub, m, -s, -s* leek

Porridge, *sub, m, -s, nur Einz.* porridge

Port, *sub, m, -s, -es, -e (comp.)* port; *(Wein)* port

Portable, *sub, m, -s, -s* portable TV

Portal, *sub, n, -s, -e* portal

Portechaise, *sub, f, -, -n* sedan chair

Portemonnaie, *sub, n, -s, -s* purse

Porter, *sub, m, n, -s, -s* porter; **~housesteak** *sub, n, -s, -s* porterhouse steak

Portier, *sub, m, -s, -s* porter; **~e** *sub, f, -, -n* portiere; **~sfrau** *sub, f, -, -en* porter

Portion, *sub, f, -, -en* portion; **portionieren** *vt,* split (up)

Porto, *sub, n, -s, -s, -ti* postage; **portofrei** *adj,* post free

Porträt, *sub, n, -s, -e* portrait; **porträtieren** *vt,* portray; **~maler** *sub, m, -s, -* portrait painter

Portugiesin, *sub, f, -, -en* Portuguese

Portwein, *sub, m, -es, -(e)s* port

Porzellan, *sub, n, -s, -e* porcelain; **porzellanen** *adj,* made from porcelain

Posaune, *sub, f, -, -n* trombone; **posaunen** *vi,* play the trombone; **~nchor** *sub, m, -s, -chöre* trombone band; **Posaunistin** *sub, f, -, -nen* trombonist

Pose, *sub, f, -, -n* pose; **posieren** *vi,* pose

Position, *sub, f, -, -en* position; **positionell** *adj,* positionel

positiv, *adj,* positive; **~istisch** *adj,* positivist

Positivum, *sub, n, -s, -va* positiveness

Positron, *sub, n, -s, -en* positron

Positur, *sub, f, -, -en* posture

Posse, *sub, f, -, -n* farce; **~nreißer** *sub, m, -s, -* clown

possessiv, *adj,* possessive; **Possessivpronomen** *sub, n, -s, -* possessive pronoun; **Possessivum** *sub, n, -s, -va* possessive pronoun

possierlich, *adj,* comical

Posten, *sub, m, -s, -* position, post; **~dienst** *sub, m, -es, -e* guard duty; **~kette** *sub, f, -, -n* cordon

Poster, *sub, n, -s, -* poster

Postfach, *sub, n, -es, -fächer* post office box; **Postflugzeug** *sub, n, -s, -e* mail plane; **Postgeheimnis** *sub, n, -ses, -se* secrecy of the post; **Postgiro-**

amt *sub, n, -es, -ämter* National Giro office; **postglazial** *adj,* postglacial; **Posthorn** *sub, n, -(e)s, -hörner* post-horn

postieren, *vt,* post

Postillion, *sub, m, -s, -e* mail coach driver

Postkarte, *sub, f, -, -n* postcard; **Postkutsche** *sub, f, -, -n* mail coach; **postlagernd** *adj,* poste restante; **Postleitzahl** *sub, f, -, -en* postal code; **Postminister** *sub, m, -s, -* postmaster general

postmortal, *adj,* post mortem

postnatal, *adj,* post-natal

postnumerando, *adv,* postnumerando

postoperativ, *adj,* postoperative

Postsack, *sub, m, -es, -säcke* mailbag; **Postscheckkonto** *sub, n, -s, -ten o. -s o. -ti* Post Office Giro account; **Postschließfach** *sub, n, -s, -fächer* post office box

Postskript, *sub, n, -(e)s, -e* postscript; **~um** *sub, n, -s, -ta* postscript

Postsparbuch, *sub, n, -s, -bücher* Post Office savings book; **Poststempel** *sub, m, -s, -* postmark

Postszenium, *sub, n, -s, -ien* proscenium

Postulant, *sub, m, -en, -en* postulant

Postulat, *sub, n, -s, -e* postulate; **postulieren** *vt,* postulate; **Postulierung** *sub, f, -, -en* postulate

Postverkehr, *sub, m, -s, -e* postal system; **postwendend** *adv,* by return mail; **Postwertzeichen** *sub, n, -s, -* postage stamp

Pot, *sub, m, -s, nur Einz. (ugs.)* pot

potent, *adj,* potent; **Potentat** *sub, m, -en, -en* potentate; **~ial** *sub, n, -s,* po-tential; **Potentialis** *sub, m, -, -es* potentiality

Potenz, *sub, f, -, -en* potency; **~ial** *sub, n, -s, -e* potential; **potenziell** *adv,* potentially; **potenzieren** *vt,* multiply; **~ierung** *sub, f, -, -en* multiplication

Pott, *sub, m, -s, Pötte* pot; **~asche** *sub, f, -, nur Einz.* potash; **potthässlich** *adj, (ugs.)* plug-ugly; **~wal** *sub, m, -s, -e* sperm whale

Poularde, *sub, f, -, -n* poullard

poussieren, *vi,* flirt

Pouvoir, *sub, n, -s, -s* ability

Power, *sub, f, -, nur Einz. (ugs.)* power; **power** *vt,* get things moving; ~play *sub, n, -, nur Einz.* powerplay

Powidlknödel, *sub, m, -s, - (ugs.)* plum dumpling

Präambel, *sub, f, -, -n* preamble

PR-Abteilung, *sub, f, -, -en* public relations departement

Pracht, *sub, f, -, nur Einz.* splendour; **prächtig** *adj,* splendid; **Prächtigkeit** *sub, f, -, nur Einz.* magnificence; ~junge *sub, m, -n, -n (ugs.)* great guy; ~liebe *sub, f, -, -n* great love; ~straße *sub, f, -, -n* boulevard; ~stück *sub, n, -s, -e (ugs.)* splendid specimen; **prachtvoll** *adj,* magnificent

Prädestination, *sub, f, -, nur Einz.* predestination; **prädestinieren** *vt,* predestine; **prädestiniert** *adv,* predestined

Prädikant, *sub, m, -en, -en* curate; **Prädikat** *sub, n, -s, -e* predicate; **Prädikativum** *sub, n, -s, -va* predicative noun/adjective/pronoun

prädisponieren, *vt,* predispose

Präfekt, *sub, m, -en, -en* prefect; ~ur *sub, f, -, -en* prefecture

Präferenz, *sub, f, -, -en* preference; **präferieren** *vt,* prefer

Präfix, *sub, n, -es, -e* prefix

präformieren, *vt,* preform

Prägbarkeit, *sub, f, -, nur Einz.* shapeability; **prägen** *vt,* shape, stamp; **Prägepresse** *sub, f, -, -n* mint; **Präger** *sub, m, -s, -* stamper; **Prägestätte** *sub, f, -, -n* mint; **Prägestempel** *sub, m, -s, -* stamp

Pragmatik, *sub, f, -, nur Einz.* pragmatism; ~er *sub, m, -s, -* pragmatist; **pragmatisch** *adj,* pragmatic; **Pragmatismus** *sub, m, -, nur Einz.* pragmatism

prägnant, *adj,* succinct; **Prägnanz** *sub, f, -, nur Einz.* succinctness

Prähistorie, *sub, f, -, nur Einz.* prehistory; **Prähistoriker** *sub, m, -s, -* prehistorian; **prähistorisch** *adj,* prehistoric

prahlen, *vi,* boast; **prahlerisch** *adj,* boastful; **Prahlhans** *sub, m, -es, -hänse* show-off; **prahlsüchtig** *adj,* boastful

präjudiziell, *adj,* prejudiced; **präjudizieren** *vt,* prejudge

präkambrisch, *adj,* Pre-Cambrian

Praktik, *sub, f, -, -en* practice, procedure; **praktikabel** *adj,* practicable; ~ant *sub, m, -en, -en* trainee; ~antin *sub, f, -, -nen* trainee; ~er *sub, m, -s, -* practician; ~um *sub, n, -s, -ka* practical; ~us *sub, m, -, -se* know-all; **praktisch** *adj,* practical; **praktizieren** *vi,* practise

Prälat, *sub, m, -en, -en* prelate

Präliminarien, *sub, f, -, nur Mehrz.* preliminary talks

Praline, *sub, f, -, -n* chocolate candy

Pralinee, *sub, n, -s, -s* chocolate candy

Präludium, *sub, n, -s, -dien* prelude

Prämaturität, *sub, f, -, nur Einz.* prematurity

Prämie, *sub, f, -, -n* bonus, premium; **prämienfrei** *adj,* premium-free; ~nkurs *sub, m, -es, -e* premium rate; ~nlohn *sub, m, -s, -löhne* bonus; **prämieren** *vt,* give a bonus, give an award; **Prämiierung** *sub, f, -, -en* award

Prämisse, *sub, f, -, -n* premise

pränatal, *adj,* prenatal

prangen, *vi,* be resplendent; **Pranger** *sub, m, -s, -* pillory

Pranke, *sub, f, -, -n* paw; ~nhieb *sub, m, -s, -e* swipe or blow from a paw

pränumerando, *adv,* prenumerando

Präparat, *sub, n, -s, -e* preparation; ~ion *sub, f, -, -en* preparation; ~or *sub, m, -s, -en* lab technician; ~orin *sub, f, -, -nen* lab technician; **präparieren** *vt,* prepare

Präponderanz, *sub, f, -, -en* preponderance

Präposition, *sub, f, -, -en* preposition; **präpositional** *adj,* prepositional

Prärie, *sub, f, -, -n* prairie; ~auster *sub, f, -, -n* prairieoyster; ~hund *sub, m, -es, -e* prairiedog; ~wolf *sub, m, -s, -wölfe* prairiewolf

Prärogativ, *sub, n, -s, -e* prerogative; ~e *sub, f, -, -n* prerogative

Präsens, *sub, m, -, Präsentia oder Präsentien* present (tense)

Präsent, *sub, n, -s, -e* present; ~korb *sub, m, -(e)s, -körbe* hamper

präsentabel, *adj,* presentable; **Präsentation** *sub, f, -, -en* presentation; **präsentieren** *vt*, present; **prä-sentisch** *adj*, presently

Präservativ, *sub*, *n*, *-s*, *-e* contraceptive; **Präserve** *sub*, *f*, *-*, *-n* preserve; **präservieren** *vt*, preserve

Präsident, *sub*, *m*, *-en*, *-en* president; **~in** *sub*, *f*, *-*, *-nen* president; **präsidial** *adj*, presidential; **Präsidialsystem** *sub*, *n*, *-s*, *-e* presidential system

präsidieren, *vi*, preside; **Präsidium** *sub*, *n*, *-s*, *-dien* headquarters, presidency

präskriptiv, *adj*, prescriptive

prasseln, *vi*, clatter

prassen, *vi*, feast

präsumieren, *vt*, presuppose; **Präsumtion** *sub*, *f*, *-*, *-en* assumption

Prätendent, *sub*, *m*, *-en*, *-en* pretender; **prätendieren** *vt*, pretend

Prätention, *sub*, *f*, *-*, *-en* pretension; **prätentiös** *adj*, pretentious

Präterition, *sub*, *f*, *-*, *-en* apparent omission

Präteritum, *sub*, *n*, *-s*, *-rita* preterite

Prävention, *sub*, *f*, *-*, *-en* prevention; **präventiv** *adj*, preventive

Praxis, *sub*, *f*, *-*, *Praxen* practice; **~bezug** *sub*, *m*, *-s*, *-bezüge* experience; **praxisfremd** *adj*, impractical; **präzise** *adj*, precise; **präzisieren** *vt*, state more precisely; **Präzisierung** *sub*, *f*, *-*, *-en* preciseness; **Präzision** *sub*, *f*, *-*, *nur Einz.* precision

Präzedenzfall, *sub*, *m*, *-s*, *-fälle* precedent

Präzeptor, *sub*, *m*, *-s*, *-en* preceptor

präzis, *adj*, precise

Preis, *sub*, *m*, *-es*, *-se* price; **~angabe** *sub*, *f*, *-*, *-n* price quotation; **~anstieg** *sub*, *m*, *-s*, *-e* rise in prices; **~aufgabe** *sub*, *f*, *-*, *-n* prize competition; **~ausschreiben** *sub*, *n*, *-s*, *-* competition; **~behörde** *sub*, *f*, *-*, *-n* pricing authority; **~bildung** *sub*, *f*, *-*, *-en* price fixing; **~bindung** *sub*, *f*, *-*, *-en* price fixing; **~brecher** *sub*, *m*, *-s*, *-* undercutter; *(ugs.)* snip; **~fahren** *sub*, *n*, *-s*, *-* competitive racing; **~gefälle** *sub*, *n*, *-s*, *-* price gap; **~gefüge** *sub*, *n*, *-s*, *-* price structure; **preisgekrönt** *adj*, award-winning; **~gericht** *sub*, *n*, *-s*, *-e* jury; **~grenze** *sub*, *f*, *-*, *-n* price limit; **preisgünstig** *adj*, inexpensive; **~kartell** *sub*, *n*, *-s*, *-e* price cartel; **~klasse** *sub*, *f*, *-*, *-n* price range; **~nachlass** *sub*, *m*, *-es*, *-e o.* *-lässe*

price reduction; **~niveau** *sub*, *n*, *-s*, *-s* price level

Preiselbeere, *sub*, *f*, *-*, *-n* cranberry

preisen, *vt*, praise

preisgeben, *vt*, expose

Preispolitik, *sub*, *f*, *-*, *-en* pricing policy; **Preisrätsel** *sub*, *n*, *-s*, *-* prize competition; **Preisrichter** *sub*, *m*, *-s*, *-* judge; **Preisschild** *sub*, *n*, *-es*, *-er* price-tag; **Preissenkung** *sub*, *f*, *-*, *-en* price cut; **preisstabil** *adj*, stable in price; **Preisstopp** *sub*, *m*, *-s*, *-s* price freeze; **Preisträger** *sub*, *m*, *-s*, *-* prizewinner; **Preistreiber** *sub*, *m*, *-s*, *-* person who forces prices up; **preiswert** *adj*, good in value; **Preiswucher** *sub*, *m*, *-s*, *nur Einz.* exorbitant price; **preiswürdig** *adj*, priceworthy

prekär, *adj*, awkward

Prellbock, *sub*, *m*, *-s*, *-böcke* buffers; *(ugs.)* scapegoat; **prellen** *vt*, bruise; *(ugs.)* cheat; **Prellung** *sub*, *f*, *-*, *-en* bruise

Premiere, *sub*, *f*, *-*, *-n* premiere; **Premierminister** *sub*, *m*, *-s*, *-* prime minister

Presbyter, *sub*, *m*, *-s*, *-* Presbyterian

preschen, *vi*, dash

Presse, *sub*, *f*, *-*, *-n* press; **~dienst** *sub*, *m*, *-es*, *-e* news service; **~freiheit** *sub*, *f*, *-*, *-en* freedom of the press; **~gesetz** *sub*, *n*, *-es*, *-e* press law; **~notiz** *sub*, *f*, *-*, *-en* paragraph in the press; **~organ** *sub*, *n*, *-s*, *-e* organ; **~stelle** *sub*, *f*, *-*, *-n* press office; **~stimme** *sub*, *f*, *-*, *-n* press commentary; **~wesen** *sub*, *n*, *-s*, *-* press; **~zensur** *sub*, *f*, *-*, *-en* censorship of the press

pressen, *vt*, press

Pressglas, *sub*, *n*, *-es*, *-gläser* pressed glass

Pression, *sub*, *f*, *-*, *-en* pressure

Presskohle, *sub*, *f*, *-*, *-n* briquette

Pressluft, *sub*, *f*, *-*, *nur Einz.* compressed air; **~bohrer** *sub*, *m*, *-s*, *-* pneumatic drill; **~hammer** *sub*, *m*, *-s*, *-hämmer* pneumatic hammer

Prestige, *sub*, *n*, *-s*, *nur Einz.* prestige

Preußen, *sub*, *n*, *-s*, *nur Einz.* Prussia

preziös, *adj*, precious; **Preziosen** *sub*, *f*, *-*, *nur Mehrz.* valuables

prickeln, *vi*, tickle, tingle; **~d** *adj*,

snarkling tingling
Priel, *sub, m, -s, -e* tideway
Priem, *sub, m, -s, -e* quid of tobacco
priemen, *vi,* chew tobacco
Prießnitzkur, *sub, f, -, -en* cure with cold water
Priester, *sub, m, -s, -* priest; **~amt** *sub, n, -(e)s, -ämter* priesthood; **priesterhaft** *adj,* priestly; **priesterlich** *adj,* clerical; **~tum** *sub, n, -s, -tümer* priesthood
prima, *adj,* fantastic
Primaballerina, *sub, f, -, -rinen* prima ballerina; **Primadonna** *sub, f, -, -donnen* prima donna
primär, *adj,* primary; **Primärenergie** *sub, f, -, -n* primary energy; **Primärstrom** *sub, m, -s, -ströme* primary power
Primarstufe, *sub, f, -, -n* primary education
Primat, *sub, m, n, -s, -e* priority
Primel, *sub, f, -, -n* primrose, primula; *(i. ü. S.) wie eine Primel eingehen* to fade away
primitiv, *adj,* primitive; **Primitivismus** *sub, m, -, nur Einz.* primitiveness; **Primitivität** *sub, f, -, nur Einz.* crudeness; **Primitivling** *sub, m, -s, -e (ugs.)* peasant, primitive
Primus, *sub, m, -, -se und Primi* top pupil
Primzahl, *sub, f, -, -en* prime number
Printe, *sub, f, -, -n* ginger snap
Printer, *sub, m, -s, -* printer
Printmedium, *sub, n, -s, -dien* printmedium
Prinz, *sub, m, -en, -en* prince
Prinzenpaar, *sub, n, -s, -e* royal couple; **Prinzessin** *sub, f, -, -nen* princess; **Prinzgemahl** *sub, m, -s, -e* prince consort
Prinzip, *sub, n, -s, -ien* principle; **prinzipiell** *adj,* in principle
Prinzipal, *sub, m, -s, -e* master, proprietor; **~in** *sub, f, -, -nen* proprietor
Prior, *sub, m, -s, -en* prior; **~ität** *sub, f, -, -en* priority
Prise, *sub, f, -, -n* pinch
Prisma, *sub, n, -s, Prismen* prism; **prismatisch** *adj,* prismatic; **Prismenform** *sub, f, -, -en* in the form of a prism; **Prismenglas** *sub, n, -es, -gläser* prismatic telescope
Pritsche, *sub, f, -, -n* fool's wand, plank bed

privat, *adj,* private; **Privataudienz** *sub, f, -, -en* private audience; **Privatbesitz** *sub, m, -es, nur Einz.* private property; **Privatbrief** *sub, m, -s, -e* private letter; **Privatdozent** *sub, m, -en, -en* outside lecturer; **Privatdruck** *sub, m, -s, -e* private print; **Privatier** *sub, m, -s, -s* man of independent means; **~im** *adv,* private; **Privatinitiative** *sub, f, -, -n* private initiative; **~isieren** *vt,* privatize; **Privatisierung** *sub, f, -, -en* privatization; **~issime** *adj,* private and confidential; **Privatklinik** *sub, f, -, -en* private clinic; **Privatkontor** *sub, n, -s, -e* private office; **Privatleben** *sub, n, -s, -* private life; **Privatlehrer** *sub, m, -s, -* private tutor; **Privatleute** *sub, f, -, nur Mehrz.* private individuals; **Privatmittel** *sub, n, -s, -* private means; **Privatperson** *sub, f, -, -en* private person; **Privatquartier** *sub, n, -s, -e* private quarters; **Privatrecht** *sub, n, -s, -e* civil law
Privatsache, *sub, f, -, -n* private matter; **Privatschule** *sub, f, -, -n* private school; **Privatsphäre** *sub, f, -, -n* one's own space; **Privatstunde** *sub, f, -, -n* private tuition; **Privatzimmer** *sub, n, -s, -* private room
Privileg, *sub, n, -s, -ien* privilege; **privilegieren** *vt,* privilege; **privilegiert** *adj,* privileged
pro, *präp,* per
probabel, *adj,* propable; **Probabilität** *sub, f, -, -en* probability; **Proband** *sub, m, -en, -en* experimentee; **probat** *adj,* tested, tried
Probe, *sub, f, -, -n* rehearsal, test; **~abzug** *sub, m, -s, -züge* proof; **~arbeit** *sub, f, -, -en* trial work; **~bohrung** *sub, f, -, -en* probe, test drill; **probehalber** *adv,* for a test; **probehaltig** *adj,* stand the test; **proben** *vti,* rehearse; **~narbeit** *sub, f, -, -en* rehearsal; **~nummer** *sub, f, -, -n* trial copy; **~sendung** *sub, f, -, -en* sample pack; **~zeit** *sub, f, -, -en* trial period; **probieren** *vti,* try; **Probierglas** *sub, n, -es, -gläser* tasting glass; **Probierstube** *sub, f, -, -n* place where drinks are tested
Problem, *sub, n, -s, -e* problem; **~atik** *sub, f, -, -en* problem; **proble-**

matisch *adj*, problematic; **problematisieren** *vt*, make more difficult; **~film** *sub*, *m*, *-s*, *-e* reality film; **~haar** *sub*, *n*, *-s*, *-e* problem hair; **~haut** *sub*, *f*, *-*, *-häute* problem skin; **~kind** *sub*, *n*, *-s*, *-er* problem child; **~kreis** *sub*, *m*, *-es*, *-e* problem area; **~müll** *sub*, *m*, *-s*, *nur Einz.* hard to dispose of rubbish; **~stück** *sub*, *n*, *-s*, *-e* problem play; **~zone** *sub*, *f*, *-*, *-n* problem area

Procedere, *sub*, *n*, *-*, *-* proceedings

Produkt, *sub*, *n*, *-s*, *-e* product; **~ion** *sub*, *f*, *-*, *-en* production; **~ionskosten** *sub*, *f*, *-*, *nur Mehrz.* production costs

produktiv, *adj*, productive; **Produktivität** *sub*, *f*, *-*, *nur Einz.* productivity

Produzent, *sub*, *m*, *-en*, *-en* producer; **~in** *sub*, *f*, *-*, *-nen* producer; **produzieren** *vt*, produce; *(ugs.)* show off

profan, *adj*, profane; **Profanation** *sub*, *f*, *-*, *-en* profanation; **~ieren** *vt*, profane; **Profanierung** *sub*, *f*, *-*, *-en* profanation; **Profanität** *sub*, *f*, *-*, *nur Einz.* ordinariness

Profession, *sub*, *f*, *-*, *-en* profession; **~al** *sub*, *m*, *-s*, *-e* professional; **professionalisieren** *vt*, professionalize; **professionell** *adj*, professional

Professor, *sub*, *m*, *-s*, *-en* professor; **professoral** *adj*, professorial; **~in** *sub*, *f*, *-*, *-nen* lady professor; **Professur** *sub*, *f*, *-*, *-en* chair

Profi, *sub*, *m*, *-s*, *-s (ugs.)* pro; **~fußball** *sub*, *m*, *-s*, *nur Einz.* professional football

Profil, *sub*, *n*, *-s*, *-e* profile; *(Reifen)* tread; **~eisen** *sub*, *n*, *-s*, *-* profile; **profilieren (1)** *vt*, create a distinctive personal image for oneself **(2)** *vt*, define; **~ierung** *sub*, *f*, *-*, *-en* making one´s mark; **~neurose** *sub*, *f*, *-*, *-n* image neurosis; **~sohle** *sub*, *f*, *-*, *-n* treaded sole; **~stahl** *sub*, *m*, *-s*, *-stähle* sectional steel

Profit, *sub*, *m*, *-(e)s*, *-e* profit; **profitabel** *adj*, profitable; **~center** *sub*, *n*, *-s*, *-* profit centre; **profitieren** *vti*, profit; *von etwas profitieren* to benefit by sth; **~jäger** *sub*, *m*, *-s*, *-* profiteer

profund, *adj*, profound; **profus** *adj*, profuse

Progesteron, *sub*, *n*, *-s*, *nur Einz.* progesterone

Programm, *sub*, *n*, *-(e)s*, *-e* programme; **~atik** *sub*, *f*, *-*, *-en* objective; **programmatisch** *adj*, programmatic; **~heft** *sub*, *n*, *-(e)s*, *-e* programme; **programmieren** *vt*, programme; **~ierer** *sub*, *m*, *-s*, *-* programmer; **~iersprache** *sub*, *f*, *-*, *-n* programming language; **~steuerung** *sub*, *f*, *-*, *-en* programme control

Progress, *sub*, *m*, *-es*, *Progresse* progress; **~ion** *sub*, *f*, *-*, *-en* progression; **~ist** *sub*, *m*, *-en*, *-en* progressive party supporter; **progressiv** *adj*, progressive

Prohibition, *sub*, *f*, *-*, *-en* Prohibition; **~ist** *sub*, *m*, *-en*, *-en* Prohibitionist; **prohibitiv** *adj*, prohibitive

Projekt, *sub*, *n*, *-(e)s*, *-e* project; **projektieren** *vt*, project; **~il** *sub*, *n*, *-s*, *-e* projectile; **~ion** *sub*, *f*, *-*, *-en* projection; **~ionsapparat** *sub*, *m*, *-(e)s*, *-e* projector; **~or** *sub*, *m*, *-s*, *-en* projector; **projizieren** *vt*, project; **Projizierung** *sub*, *f*, *-*, *-en* projection

Proklamation, *sub*, *f*, *-*, *-en* proclamation; **proklamieren** *vt*, proclaim

Prokonsul, *sub*, *m*, *-s*, *-n* proconsul; **~at** *sub*, *n*, *-(e)s*, *-e* proconsulate

Prokura, *sub*, *f*, *-*, *Prokuren* procuration; **Prokurist** *sub*, *m*, *-en*, *-en* company secretary; **Prokuristin** *sub*, *f*, *-*, *-nen* company secretary

proleptisch, *adj*, anticipatory

Prolet, *sub*, *m*, *-en*, *-en* prole; **~ariat** *sub*, *n*, *-(e)s*, *-e* proletariat; **~arier** *sub*, *m*, *-s*, *-* proletarian; **proletarisch** *adj*, proletarian; **proletarisieren** *vt*, proletarianize

Proliferation, *sub*, *f*, *-*, *nur Einz.* proliferation; **proliferieren** *vt*, proliferate

Prolog, *sub*, *m*, *-(e)s*, *-e* prologue

Prolongation, *sub*, *f*, *-*, *-en* prolongation; **prolongieren** *vt*, prolong

Promenade, *sub*, *f*, *-*, *-n* promenade; **promenieren** *vi*, promenade

prometheisch, *adj*, Promethean

Promille, *sub*, *n*, *-*, *-* alcohol level; **~satz** *sub*, *m*, *-es*, *-sätze* thousandth part

prominent, *adj*, prominent; **Prominenz** *sub*, *f*, *-*, *-en* prominent figures

Promoter, *sub*, *m*, *-s*, *-* promoter;

Promotion *sub, f, -, nur Einz.* promotion; **promovieren** *vi,* do a doctor´s degree

prompt, *adj,* promt

Promulgation, *sub, f, -, -en* promulgation; **promulgieren** *vt,* promulgate

Pronomen, *sub, n, -s, -mina* pronoun; **pronominal** *adj,* pronominal

Propädeutik, *sub, f, -, -en* preparatory course

Propaganda, *sub, f, -, nur Einz.* propaganda; **Propagandist** *sub, m, -en, -en* propagandist; **propagandistisch** *adj,* propagandistic

propagieren, *vt,* propagate; **Propagierung** *sub, f, -, -en* propaganda

Propan, *sub, n, -s, nur Einz.* propane

Propeller, *sub, m, -s, -* propeller

proper, *adj,* neat; **Prophet** *sub, m, -en, -en* prophet; **Prophetie** *sub, f, -, -n* prophecy; **prophetisch** *adj,* prophetic

prophezeien, *vt,* prophesy; **Prophezeiung** *sub, f, -, -en* prophecy

prophylaktisch, *adj,* prophylactic; **Prophylaxe** *sub, f, -, -n* prophylaxis

proponieren, *vt,* propose; **Proportion** *sub, f, -, -en* proportion; **proportional** *adj,* proportional; **Proportionalität** *sub, f, -, -en* appropriateness of the means; **proportioniert** *adj,* proportioned; **Proporz** *sub, m, -es, -e* proportional representation

Propst, *sub, m, -(e)s, Pröpste* provost

Prorektor, *sub, m, -s, -en* deputy rector; **~at** *sub, n, -(e)s, -e* office of vice-principal

Prorogation, *sub, f, -, -en* prorogation; **prorogativ** *adj,* put off; **prorogieren** *vt,* prorogue

Prosekution, *sub, f, -, -en* prosecution

Proseminar, *sub, n, -s, -e* introductory seminar for students in their first and second year

Prosit, *sub, n, -s, -s* toast

prosit!, *interj,* your health

proskribieren, *vt,* proscribe; **Proskription** *sub, f, -, -en* proscription

Prosodie, *sub, f, -, -n* prosody

Prospekt, *sub, m, -(e)s, -e* brochure; **prospektieren** *vt,* prospect; **~ierung** *sub, f, -, -en* prospecting; **prospektiv** *adj,* prospective; **~or** *sub, m, -s, -en* prospector

prosperieren, *vi,* prosper; **Prosperität** *sub, f, -, -* prosperity

prost!, *interj,* cheers

Prostata, *sub, f, -, Prostatae* prostate gland

Prostatitis, *sub, f, -, nur Einz.* inflamation of prostate

prostituieren, *vr,* prostitute oneself; **Prostituierte** *sub, f, -, -n* prostitute; **Prostitution** *sub, f, -, nur Einz.* prostitution

Proszenium, *sub, n, -s, -ien* proscenium

Protactinium, *sub, n, -s, nur Einz.* protactinium

Protagonist, *sub, m, -en, -en* protagonist

Protegé, *sub, m, -s, -s* protégé

Protektion, *sub, f, -, -en* protection; **Protektor** *sub, m, -s, -en* protector; **Protektorat** *sub, n, -(e)s, -e* protectorate

Protest, *sub, m, -(e)s, -e* protest; **~ant** *sub, m, -en, -en* protestant; **~antin** *sub, f, -, -nen* protestant; **protestantisch** *adj,* protestant; **~antismus** *sub, m, -, nur Einz.* protestantism

Protestation, *sub, f, -, -en* protest; **protestieren** *vi,* protest; **Protestnote** *sub, f, -, -n* letter of protest; **Protestsong** *sub, m, -(e)s, -s* protest song; **Proteststurm** *sub, m, -(e)s, -türme* storm of protest; **Protestwelle** *sub, f, -, -n* wave of protest

Prothese, *sub, f, -, -n* artificial limb or joint; **prothetisch** *adj,* prosthetic

protogen, *adj,* protogen

Protokoll, *sub, n, -s, -e* record; **~ant** *sub, m, -en, -en* secretary; **protokollarisch** *adj,* on record; **protokollieren** *vi,* take the minutes of a meeting

Proton, *sub, n, -s, -en* proton

Protoplasma, *sub, n, -s, nur Einz.* protoplasm

Prototyp, *sub, m, -en, -en* prototype

Protuberanz, *sub, f, -, -en* protuberance

Protz, *sub, m, -es, -ze* swank; **protzenhaft** *adj, (ugs.)* posy; **protzig** *adj,* swanky; **~igkeit** *sub, f, -, nur Einz.* showing off

Protze, *sub, f, -, -n* front part of gun carriage

Provenienz, *sub*, *f*, *-*, *-en* provenance
Provenzalin, *sub*, *f*, *-*, *-nen* Provençal
Proverb, *sub*, *n*, *-s*, *-en* proverb
Proviant, *sub*, *m*, *-s*, *-e* provisions
Provision, *sub*, *f*, *-*, *-en* commission; **Provisor** *sub*, *m*, *-s*, *-en* manager of a chemist´s shop; **provisorisch** *adj*, provisional; **Provisorium** *sub*, *n*, *-s*, *-ien* provisional arrangement
provokant, *adj*, provocative; **Provokateur** *sub*, *m*, *-s*, *-e* trouble maker; **Provokation** *sub*, *f*, *-*, *-en* provocation; **provokatorisch** *adj*, provocative; **provozieren** *vti*, provoke; **Provozierung** *sub*, *f*, *-*, *-en* provocation
prozedieren, *vt*, proceed; **Prozedur** *sub*, *f*, *-*, *-en* procedure
Prozent, *sub*, *n*, *-(e)s*, *-e* per cent; **prozentisch** *adj*, per cent; **~kurs** *sub*, *m*, *-(e)s*, *-e* per cent rate; **~punkt** *sub*, *m*, *-(e)s*, *-e* percentage point; **~satz** *sub*, *m*, *-es*, *-sätze* percentage; **prozentual** *adj*, percentage; **prozentuell** *adj*, percentage; **~wert** *sub*, *m*, *-(e)s*, *-e* percentage
Prozess, *sub*, *m*, *-es*, *-e* trial; **~akte** *sub*, *f*, *-*, *-n* case files; **prozessfähig** *adj*, able to take legal action; **prozessieren** *vi*, go to court; **~ion** *sub*, *f*, *-*, *-en* procession; **~recht** *sub*, *n*, *-(e)s*, *nur Einz*. procedural law
prüde, *adj*, prudish; **Prüderie** *sub*, *f*, *-*, *-n* prudery
Prüfautomat, *sub*, *m*, *-en*, *-en* testing machine; **Prüfbericht** *sub*, *m*, *-(e)s*, *-e* test report; **prüfen** *vt*, check, consider, test; **Prüfer** *sub*, *m*, *-s*, *-* examiner, inspector; **Prüferbilanz** *sub*, *f*, *-*, *-en* inspector´s report; **Prüfling** *sub*, *m*, *-s*, *-e* examinee; **Prüfmethode** *sub*, *f*, *-*, *-n* method of examination; **Prüfnorm** *sub*, *f*, *-*, *-en* test standard; **Prüfung** *sub*, *f*, *-*, *-en* examination; **Prüfungsfach** *sub*, *n*, *-(e)s*, *-fächer* examination subject
Prügel, *sub*, *m*, *-s*, *-* beating, club; **~ei** *sub*, *f*, *-*, *-en* fight; **~knabe** *sub*, *m*, *-n*, *-n* whipping boy; **prügeln (1)** *vr*, fight **(2)** *vti*, beat; **~strafe** *sub*, *f*, *-*, *-n* corporal punishment; **~szene** *sub*, *f*, *-*, *-n* fight scene
Prunk, *sub*, *m*, *-(e)s*, *nur Einz*. splendour; **~bau** *sub*, *m*, *-(e)s*, *-bauten* state building; **prunken** *vi*, be resplendent; **~gemach** *sub*, *n*, *-(e)s*,

-gemächer state apartment; **~gewand** *sub*, *n*, *-(e)s*, *-gewänder* sumptuous garment; **prunklos** *adj*, modest; **~sessel** *sub*, *m*, *-s*, *-* antique chair; **~sitzung** *sub*, *f*, *-*, *-en* carnival session; **~sucht** *sub*, *f*, *-*, *nur Einz*. great love of splendour; **prunksüchtig** *adj*, have a craving for splendour
prusten, *vi*, snort
Psalm, *sub*, *m*, *-s*, *-en* psalm; **~ist** *sub*, *m*, *-en*, *-en* psalmist
Psalmodie, *sub*, *f*, *-*, *-n* psalmody; **psalmodieren** *vt*, sing psalms; **psalmodisch** *adj*, psalmlike
Pseudokrupp, *sub*, *m*, *-s*, *nur Einz*. *(med.)* pseudo-croup; **pseudomorph** *adj*, pseudomorph; **Pseudonym** *sub*, *n*, *-s*, *-e* pseudonym
Psi, *sub*, *n*, *-s*, *nur Einz*. psi
Psoriatiker, *sub*, *m*, *-s*, *-* psoriatist
PS-stark, *adj*, powerful
Psychiater, *sub*, *m*, *-s*, *-* psychiatrist; **Psychiatrie** *sub*, *f*, *-*, *-n* psychiatry; **psychiatrisch** *adj*, psychiatric
psychisch, *adj*, psychological; **Psychoanalyse** *sub*, *f*, *-*, *-n* psychoanalysis; **psychoanalysieren** *vt*, psychoanalyse; **Psychoanalytiker** *sub*, *m*, *-s*, *-* psychoanalyst; **psychoanalytisch** *adj*, psychoanalytical
psychogen, *adj*, psychogenic
Psychokinese, *sub*, *f*, *-*, *-n* psychokinesis
Psychologe, *sub*, *m*, *-n*, *-n* psychologist; **Psychologie** *sub*, *f*, *-*, *nur Einz*. psychology; **psychologisch** *adj*, psychological; **psychologisieren** *vt*, psychologize
Psychopath, *sub*, *m*, *-en*, *-en* psychopath; **psychopathisch** *adj*, psychopathic
Psychopharmakon, *sub*, *n*, *-*, *Psychopharmaka* psychiatric drugs
Psychose, *sub*, *f*, *-*, *-n* psychosis
Psychosomatik, *sub*, *f*, *-*, *nur Einz*. psychosomatics; **psychosomatisch** *adj*, psychosomatic
Psychoterror, *sub*, *m*, *-s*, *nur Einz*. psychological terror
Psychotherapeut, *sub*, *m*, *-en*, *-en* psychotherapist; **Psychotherapie** *sub*, *f*, *-*, *-n* psychotherapy
psychotisch, *adj*, psychotic
ptolemäisch, *adj*, Ptolemaic
pubertär, *adj*, of puberty; **Pubertät**

sub, f, -, nur Einz. puberty; **pubertie-ren** *vi,* reach puberty

Publicity, *sub, f, -, nur Einz.* publicity
Publicrelations, *sub, f, -, nur Mehrz.* public relations

publizieren, *vti,* publish; **Publizist** *sub, m, -en, -en* journalist, publicist; **Publizistik** *sub, f, -, nur Einz.* journalism; **Publizistin** *sub, f, -, -nen* journalist, publicist; **Publizität** *sub, f, -, nur Einz.* publicity

Puck, *sub, m, -s, -s* puck

Puddeleisen, *sub, n, -s, -* refined steel

Pudding, *sub, m, -s, -s* thick custard-based dessert often flavoured with vanilla, chocolate etc; **~from** *sub, f, -, -en* pudding mould

Pudel, *sub, m, -s, -* poodle; **pudelnass** *adj,* soaking wet; **pudelwohl** *adj, (ugs.)* feel completely contented

Puder, *sub, m, -s, nur Einz.* powder; **pudern (1)** *vr,* powder oneself **(2)** *vti,* powder; **~quaste** *sub, f, -, -en* powder puff; **~zucker** *sub, m, -s, nur Einz.* icing sugar

Pueblo, *sub, m, -s, -s* pueblo

pueril, *adj,* boyish; *(geh.)* puerile; **Puerilität** *sub, f, -, nur Einz.* puerility

Puff, *sub, m, -s, -s* thump; *(ugs.)* brothel; **puffen** *vt,* puff, thump; **~reis** *sub, m, -es, nur Einz.* puffed rice

Pulk, *sub, m, -(e)s, -s* pile; *(mil.)* group

Pulle, *sub, f, -, -n (ugs.)* bottle

Pullover, *sub, m, -s, -* jumper; **~hemd** *sub, n, -(e)s, -en* pullover

Pullunder, *sub, m, -s, -* tank top

Pulp, *sub, m, -s, -en* pulp; **pulpös** *adj,* pulpy

Pulque, *sub, m, -s, nur Einz.* pulque

Puls, *sub, m, -es, -e* pulse; **~ader** *sub, f, -, -n* artery; **pulsieren** *vi,* pulsate; **~zahl** *sub, f, -, -en* pulse count

Pulver, *sub, n, -s, -* powder; **~dampf** *sub, m, -(e)s, -dämpfe* gunsmoke; **~fass** *sub, n, -es, -fässer* barrel of gunpowder; **pulverisieren** *vt,* pulverize; **~kaffee** *sub, m, -s, -s* instant coffee; **~mühle** *sub, f, -, -n* powder factory; **~schnee** *sub, m, -s, nur Einz.* powder snow

Puma, *sub, m, -s, -s* puma

pummelig, *adj, (ugs.)* chubby

Pumpe, *sub, f, -, -n* pump; **pumpen** *vti,* pump; **~rnickel** *sub, m, -s, -* pumpernickel; **Pumphose** *sub, f, -, -n* baggy breeches, knickerbockers; **Pumpwerk** *sub, n, -(e)s, -e* pumping station

Pumps, *sub, m, -, nur Mehrz.* pump

Punch, *sub, m, -s, -s* punch; **~ingball** *sub, m, -(e)s, -bälle* punchball

Punk, *sub, m, -s, nur Einz.* punk; **punkig** *adj,* punk

Punkt, *sub, m, -(e)s* full stop, point, spot; **~ekampf** *sub, m, -(e)s, -kämpfe* points fight; **~espiel** *sub, n, -(e)s, -e* game decided on points; **punktgleich** *adj,* level; **punktieren** *vt,* dot; *(med.)* aspirate; **~ion** *sub, f, -, -en* aspiration; **~landung** *sub, f, -, -en* precision landing; **pünktlich (1)** *adj,* punctual **(2)** *adv,* on time; **~richter** *sub, m, -s, -* judge; **~sieg** *sub, m, -(e)s, -e* win on points; **punktuell** *adj,* dealing with certain points, selective; **~verlust** *sub, m, -(e)s, -e* loss of points; **~wertung** *sub, f, -, -en* points system; **~zahl** *sub, f, -, -en* score

Punsch, *sub, m, -(e)s, -* hot punch; **~essenz** *sub, f, -, -en* punchessence

pupen, *vi, (ugs.)* make a rude noise/smell

Pupille, *sub, f, -, -n* pupil

Püppchen, *sub, n, -s, -* little sweetie; *(ugs.)* dolly; **Puppe** *sub, f, -, -n* doll; *Puppenspiel* Punch and Judy show; **Puppendoktor** *sub, m, -s, -en* dolls´ doctor; **Puppenklinik** *sub, f, -, -en* doll´s hospital; **Puppenküche** *sub, f, -, -n* doll´s kitchen; **Puppenmutter** *sub, f, -, -mütter* doll´s mother; **Puppenspiel** *sub, n, -(e)s, -e* puppet show; **Puppenstube** *sub, f, -, -n* doll´s house; **Puppentheater** *sub, n, -s, -* puppet theatre; **Puppenwagen** *sub, m, -s, -wägen* doll´s pram; **puppig** *adj,* cute

Pups, *sub, m, -es, -e (ugs.)* rude noise/smell; **pupsen** *vi,* make a rude noise/smell

pur, *adj,* pure, sheer

Püree *sub, n, -s, -s* puree

Purgativ, *sub, n, -s, -e* aperient, laxative; **Purgatorium** *sub, n, -s, nur Einz.* purgatory; **purgieren** *vt,* have a laxative effect

Purifikation, *sub, f, -, -en* purification; **purifizieren** *vt,* purify

Purim, *sub, n, -s, nur Einz.* Purim

Purismus, *sub, m, -, nur Einz.* purism; **Purist** *sub, m, -en, -en* purist

Puritaner, *sub, m, -s, -* Puritan; **~in** *sub, f, -, -nen* Puritan; **puritanisch** *adj,* Puritan; **Puritanismus** *sub, m, -, nur Einz.* Puritanism

Purpur, *sub, m, -s, nur Einz.* crimson; **purpurfarben** *adj,* crimson; **purpurfarbig** *adj,* crimson; **~mantel** *sub, m, -s, -mäntel* crimson robe

Purzelbaum, *sub, m, -s, -bäume* somersault; **purzeln** *vi,* tumble

puschen, *vt,* push

Pusselarbeit, *sub, f, -, -en* tinkering; **pusseln** *vi,* fiddle about, fuss; **pusslig** *adj,* fussy, pernickety

Puste, *sub, f, -, nur Einz. (ugs.)* breath, puff; **~kuchen** *interj,* fiddlesticks; **pusten** *vti,* puff

Pustel, *sub, f, -, -n* pimple, spot; *(med.)* postule

pustulös, *adj,* pustulous

putativ, *adj. (geh.)* putative

Pute, *sub, f, -, -n* turkey hen; **~r** *sub, m, -s, -* turkey cock; **puterrot** *adj,* bright red

Putrefaktion, *sub, f, -, -en* putrefaction

Putsch, *sub, m, -es, -e* putsch; **putschen** *vi,* revolt

Putte, *sub, f, -, -n* cherub

Putz, *sub, m, -es, -* finery, plaster; **~er** *sub, m, -s, -* cleaner; **~erei** *sub, f, -, nur Einz.* cleaning; **~macherin** *sub, f, -, -nen* milliner

putzen, *vt,* clean, plaster; **Putzfimmel** *sub, m, -s, nur Einz.* overtidiness; **Putzfrau** *sub, f, -, -en* cleaning lady; **putzsüchtig** *adj,* excessively fond of dressing up; **Putztuch** *sub, n, -s, -tücher* cloth, duster; **Putzzeug** *sub, n, -s, nur Einz.* cleaning things

putzig, *adj,* cute, funny

puzzeln, *vi,* do a jigsaw; **Puzzle** *sub, n, -s, -s* jigsaw, puzzle; **Puzzlespiel** *sub, n, -s, -e* jigsaw puzzle

Pygmäe, *sub, m, -n, -n* Pygmy

Pyjama, *sub, m, -s, -s* pyjamas

Pykniker, *sub, m, -s, -* stocky person; **pyknisch** *adj,* stockily built

Pyknometer, *sub, n, -s, - (phy.)* densimeter

Pyramide, *sub, f, -, -n* pyramid

Pyromane, *sub, m, -n, -n* pyromaniac; **Pyromanie** *sub, f, -, nur Einz.* pyromania

Pyrometer, *sub, n, -s, -* pyrometer

Pyrotechnik, *sub, f, -, nur Einz.* pyrotechnics; **~er** *sub, m, -s, -* pyrotechnist

Python, *sub, m, -s, -s* python

Pyxis, *sub, f, -, -iden oder -ides* pyx

Q

Quabbe, *sub, f, -, -n* potbelly

quabbelig, *adj,* slimy, wobbly

Quaddel, *sub, f, -, -n* heat spot, hives, rash

Quader, *sub, m, -s, -* cuboid; **~stein** *sub, m, -s, -e* square stone block

Quadrant, *sub, m, -en, -en* quadrant; **Quadrat** *sub, n, -s, -e* square; **quadratisch** *adj,* square; **Quadratmeile** *sub, f, -, -n* square mile; **Quadratur** *sub, f, -, -en* quadrature; **Quadratwurzel** *sub, f, -, -n* square root; **Quadratzahl** *sub, f, -, -en* square number; **Quadratzoll** *sub, m, -es, -* square inch; **quadrieren** *vt,* square

Quadriga, *sub, f, -, Quadrigen* four-horsed chariot

Quadrille, *sub, f, -, -n* quadrille

Quadrofonie, *sub, f, -, nur Einz.* quadrophony

Quadrosound, *sub, m, -s, nur Einz.* quadrosound

quäken, *vti,* screech, squawk

quaken, *vi,* croak, quack; **Quäker** *sub, m, -s, -* Quaker

Qual, *sub, f, -, -en* agony, pain; **quälen** (1) *vr,* torture oneself (2) *vt,* torment; *er war von Zweifeln gequält* he was distracted with doubt; **Quälerei** *sub, f, -, -en* atrocity, torture

Qualifikation, *sub, f, -, -en* qualification; **qualifizieren** *vt,* qualify; **qualifiziert** *adj,* qualified

Qualität, *sub, f, -, en* quality; **qualitativ** *adj,* qualitative

Qualle, *sub, f, -, -n* jellyfish

Qualm, *sub, m, -s, nur Einz.* fug, smoke; **qualmen** (1) *vt,* puff away at (2) *vti,* smoke; **qualmig** *adj,* smoky

qualvoll, *adj,* agonizing, painful

Quant, *sub, n, -s, -en* quantum; **Quäntchen** *sub, n, -s, -* tiny bit; **~enmechanik** *sub, f, -, nur Einz.* quantum mechanics

Quantität, *sub, f, -, nur Einz.* quantity; **quantitativ** *adj,* quantitative; **Quantum** *sub, n, -s, Quanten* quantum

Quappe, *sub, f, -, -n* tadpole

Quarantäne, *sub, f, -, -n* quarantine

Quark, *sub, m, -s, -s* quark; *(ugs.)* rubbish; **~kuchen** *sub, m, -s, -* cheesecake; **~speise** *sub, f, -, -n* pudding made with curd cheese, sugar, milk, fruit etc

Quart, *sub, n, -s, -e* quart; *(mus.)* fourth

Quartal, *sub, n, -s, -e* quarter

Quartanerin, *sub, f, -, -nen* pupil in third year of German secondary school

Quarte, *sub, f, -, -n (mus.)* fourth

Quartett, *sub, n, -s, -e* set of four cards; *(mus.)* quartet

Quartformat, *sub, n, -s, nur Einz.* quarto (format)

Quartier, *sub, n, -s, -e* accomodation, district; *(mil.)* quarters

Quarz, *sub, m, -es, -e* quartz; **~filter** *sub, m, -s, -* quartz filter; **~glas** *sub, n, -es, -gläser* quartz glass; **quarzhaltig** *adj,* quarziferous; **~lampe** *sub, f, -, -n* quartz lamp; **~uhr** *sub, f, -, -en* quartz clock/watch

quasi, *adv,* quasi, virtually; **~optisch** *adj,* quasioptical

Quasselei, *sub, f, -, -en (ugs.)* gabbling; **quasseln** *vti,* gabble; **Quasselstrippe** *sub, f, -, nur Einz.* blabbermouth, chatterbox

Quaste, *sub, f, -, -n* bristles, powder puff, tassel

Quästor, *sub, m, -s, -en* bursar

Quecke, *sub, f, -, -n* couch grass

Quecksilber, *sub, n, -s, nur Einz.* quicksilver; **quecksilbern** *vi,* fidget; **~vergiftung** *sub, f, -, nur Einz.* quicksilver poisoning; **quecksilbrig** *adj, (i. ü. S.)* fidgety, restless

Quelle, *sub, f, -, -n* source, spring; **quellen** (1) *vi,* pour, swell (2) *vt,* soak; **~nkunde** *sub, f, -, nur Einz.* source research; **quellenmäßig** *adj,* concerning sources; **quellenreich** *adj,* abundance of sources; **Quellfassung** *sub, f, -, -en* original version; **Quellgebiet** *sub, n, -s, -e* headwaters; **Quellwasser** *sub, n, -s, -* spring water

quengeln, *vi,* *(ugs.)* whine; **Quengler** *sub, m, -s, -* whiner

quer, *adv,* crossways, crosswise, diagonally; *kreuz und quer* all over; **~ durch** *adv,* straight through; **~beet** *adv, (ugs.)* all over the place; **Querdenkerin** *sub, f, -, -nen* open-minded thinker

Quere, *sub, f, -, -* widthways; *jmd in die Quere kommen* to cross sb´s path

Querele, *sub*, *f*, -, *-n* quarrel

queren, *vti*, cross

querfeldein, *adv*, across country; **Querfeldeinlauf** *sub*, *m*, *-s, -läufe* cross-country (run)

Querflöte, *sub*, *f*, -, *-n* transverse flute

Quergang, *sub*, *m*, *-s, -gänge* go wrong

Querholz, *sub*, *n*, *-es, -hölzer* crossbeam, transom

Querkopf, *sub*, *m*, *-s, -köpfe* (*ugs.*) awkward so-and-so

Querlage, *sub*, *f*, -, *nur Einz.* (*med.*) transverse presentation

Querpass, *sub*, *m*, *-es, -pässe* cross

Querschiff, *sub*, *n*, *-s, -e* transept

Querschnitt, *sub*, *m*, *-s, -e* cross-section; **~slähmung** *sub*, *f*, -, *-en* paraplegia

Querschuss, *sub*, *m*, *-es, -schüsse* objection

Querstraße, *sub*, *f*, -, *-n* street that runs at right angles to another street

Quersumme, *sub*, *f*, -, *-n* sum of digits of a number

Quertreiber, *sub*, *m*, *-s* - (*ugs.*) trouble maker

querüber, *adv*, straight through

Querulant, *sub*, *m*, *-en, -en* grumbler; (*ugs.*) grouser; **~in** *sub*, *f*, -, *-nen* grumbler; (*ugs.*) grouser

Querulation, *sub*, *f*, -, *-en* querulation; **querulieren** *vi*, grumble; (*ugs.*) grouse

Querverweis, *sub*, *m*, *-es, -e* cross-reference

quetschen, (1) *vr*, squash oneself (2) *vt*, squash, squeeze; **Quetschfalte** *sub*, *f*, -, *-n* box pleat; **Quetschung** *sub*, *f*, -, *-en* bruise, contusion; **Quetschwunde** *sub*, *f*, -, *-n* contusion

wound

Queue, *sub*, *f*, -, *-s* cue

quick, *adj*, lively

Quidproquo, *sub*, *n*, *-s, -s* quid pro quo

quieken, *vi*, squeak, squeal

quietschen, *vi*, squeak, squeal

Quinquennium, *sub*, *n*, *-s, -ien* quinquennium; **Quint** *sub*, *f*, -, *-en* quint; **Quintanerin** *sub*, *f*, -, *-nen* pupil in second year of German secondary school; **Quinte** *sub*, *f*, -, *-n* quinte; (*mus.*) fifth; **Quintessenz** *sub*, *f*, -, *-en* quintessence; **Quintett** *sub*, *n*, *-s, -e* quintet

Quirl, *sub*, *m*, *-s, -e* whisk, whorl; **quirlen** *vt*, beat, whisk; **quirlig** *adj*, lively

Quisling, *sub*, *m*, *-s, -e* quisling

quitt, *adj*, be quits with sb, quitt

Quitte, *sub*, *f*, -, *-n* quince; **~nbrot** *sub*, *n*, *-s, -e* quince bread; **~ngelee** *sub*, *n*, *-s, -s* quincejelly

quittieren, (1) *vi*, sign (2) *vt*, give a receipt for, quit; **Quittung** *sub*, *f*, -, *-en* receipt; *das ist die Quittung dafür*, *dass* that´s the price you have to pay for

Quivive, *sub*, *n*, - qui vive; *auf dem Quivive* on the alert

Quiz, *sub*, *n*, - quiz; **~master** *sub*, *m*, *-s*, - quizmaster; **~sendung** *sub*, *f*, -, *-en* quizprogram

Quorum, *sub*, *n*, *-s, nur Einz.* quorum

Quotation, *sub*, *f*, -, *-en* quotation; **Quote** *sub*, *f*, -, *-n* proportion, quota; **Quotient** *sub*, *m*, *-en, -en* quotient; **quotieren** *vt*, quote

Rabatt, *sub, m, -s, -e* discount; **~e** *sub, m, -, -n* border; **~ierung** *sub, f, -, -en* discount; **~marke** *sub, f, -, -n* trading stamp

Rabatz, *sub, m, -es, nur Einz.* din; *(ugs.)* row, shindy

Rabauke, *sub, m, -n, -n* hooligan, rowdy

Rabbi, *sub, m, -s, -s* rabbi; **~ner** *sub, m, -s, -* rabbi

Rabe, *sub, m, -n, -n* raven; *(ugs.) wie ein Rabe stehlen* to thieve like a magpie; **~naas** *sub, m, -es, -e oder -äser (ugs.)* bad lot; **~neltern** *sub, f, -, nur Mehrz.* bad parents; **~nmutter** *sub, f, -, -mütter* bad mother; **rabenschwarz** *adj*, coal-black, pitch-black, raven(-black)

rabiat, *adj*, rough, violent

Rabulist, *sub, m, -en, -en* quibbler, sophist; **~erei** *sub, f, -, -en* quibbling, sophistry; **~ik** *sub, f, -, -en* quibbling, sophistry; **rabulistisch** *adj*, quibbling, sophistic

Rachen, *sub, m, -s, -* throat; *(tt)* pharynx; *(ugs.) jmd den Rachen stopfen* to give sb what she/he wants; *(ugs.) jmd etwas in den Rachen werfen* to shove sth down sb's throat

rächen, *(1) vr*, get one's revenge *(2) vt*, avenge; *deine Faulheit wird sich rächen* you'll pay for being so lazy

Rachenmandel, *sub, f, -, -n* pharyngeal tonsil

Rächer, *sub, m, -s, -* avenger; **Racheschwur** *sub, m, -s, -schwüre* oath of revenge; **Rachgier** *sub, f, -, nur Einz.* vindictiveness; **rachsüchtig** *adj*, vindictive

Rachitis, *sub, f, -, nur Einz.* rachitis; **rachitisch** *adj*, rachitic

Racker, *sub, m, -s, -* rascal, scamp; **~ei** *sub, f, -, nur Einz. (ugs.)* grind; **rackern** *vir*, slave (away)

Racket, *sub, n, -s, -s* racket

Raclette, *sub, n, -s, -s* raclette; **~käse** *sub, m, -s, nur Einz.* raclette cheese

Rad, *sub, n, -(e)s, Räder* bicycle, wheel; *(ugs.) unter die Räder kommen* to fall into bad ways; *(ugs.) das fünfte Rad am Wagen sein* to be in the way; *(ugs.) ein Rad abhaben* to have a screw loose

Radar, *sub, m, m, -s, -e* radar; **~kon**trolle *sub, f, -, -n* radar speed check; **~schirm** *sub, m, -s, -e* radar screen; **~station** *sub, f, -, -en* radar station

Radau, *sub, m, -s, nur Einz. (ugs.)* row; *(ugs.) Radau machen* to kick up a row; **~bruder** *sub, m, -s, -brüder* rowdy; **~macher** *sub, m, -s, -* hooligan; **rädeln** *vt*, trace

Radballspiel, *sub, n, -s, -e* bicycle polo

Rade, *pron*, corncockle

radebrechen, *vti*, speak broken English/German etc.

radeln, *vi, (ugs.)* cycle

Rädelsführer, *sub, m, -s, -* ringleader

Radfahren, *sub, n, -s, nur Einz.* cycle

Radfahrer, *sub, m, -s, -* cyclist; **~in** *sub, f, -, -nen* cyclist

Radfelge, *sub, f, -, -n* rim

radial, *adj*, radial; **Radialreifen** *sub, m, -s, -* radial tyre

radiär, *adj*, radial

Radiator, *sub, m, -s, -en* radiator

Radicchio, *sub, m, -s, Radicchi* radicchio

radieren, *vti*, erase, rub out; *(kun.)* etch; **Radierer** *sub, m, -s, -* rubber; **Radiergummi** *sub, m, -s, -s* rubber; **Radierkunst** *sub, f, -, nur Einz. (kun.)* etching; **Radiermesser** *sub, n, -s, -* erasing knife; **Radiernadel** *sub, f, -, -n (kun.)* etching needle; **Radierung** *sub, f, -, -en* etching

Radieschen, *sub, n, -s, -* radish; *(ugs.) sich die Radieschen von unten ansehen* to be pushing up the daisies

radikal, *sub*, drastic, radical; **Radikale** *sub, m, f, -n, -n* radical; **~isieren** *vt*, radicalize; **Radikalismus** *sub, m, -, -ismen* radicalism; **Radikalität** *sub, f, -, nur Einz.* radicalisation; **Radikalkur** *sub, f, -, -en (ugs.)* kill-or-cure remedy

Radio, *sub, n, -s, -s* radio; **radioaktiv** *adj*, radioactive; **~aktivität** *sub, f, -, nur Einz.* radioactivity; **~amateur** *sub, m, -s, -e (ugs.)* radio ham; **~apparat** *sub, m, -s, -e* radio set; **~chemie** *sub, f, -, nur Einz.* radiochemistry; **~element**

sub, n, -s, -e radio element; **~gerät**
sub, n, -s, -e radio set; **~loge** *sub, m, -n, -n (med.)* radiologist; **~logie** *sub, f, -, nur Einz.* radiology; **radiologisch** *adj,* radiological; **~meter** *sub, n, -s, -* radiometer; **~metrie** *sub, f, -, nur Einz.* radiometry; **~phonie** *sub, f, -, nur Einz.* radiophony; **~sender** *sub, m, -s, -* radio station; **~technik** *sub, f, -, nur Einz.* radio technology; **~teleskop** *sub, n, -s, -e* radio telescope
Radium, *sub, n, -s, nur Einz.* radium; **radiumhaltig** *adj,* containing radium
Radius, *sub, m, -, Radien* radius
Radix, *sub, f, -, Radizes* radix
Radkappe, *sub, f, -, -n* hub cap; **Radkranz** *sub, m, es, -kränze* rim (of a wheel)
Radler, *sub, m, -s, - (ugs.)* cyclist, shandy
Radrennbahn, *sub, f, -, -en* cycle track
Rad schlagen, *sub, n, -s, nur Einz.* do/turn cartwheels
Radsport, *sub, m, -s, nur Einz.* cycling; **~ler** *sub, m, -s, -* cyclist
Radwanderung, *sub, f, -, -en* cycling tour
Radweg, *sub, m, -s, -e* cycleway
raffen, *vti,* comb, grate
raffen, *vt,* pile; *(ugs.)* suss; *etwas an sich raffen* to grab sth; **Raffgier** *sub, f, -, nur Einz.* greed; **raffgierig** *adj,* greedy
Raffinade, *sub, f, -, -n* refined sugar
Raffination, *sub, f, -, -en* refining
Raffinerie, *sub, f, -, -n* refinery
Raffinesse, *sub, f, -, -n* cunning, refinement
raffinieren, *vt,* refine
raffiniert, *adj,* cunning, refined; **Raffiniertheit** *sub, f, -, nur Einz.* cleverness
Raffzahn, *sub, m, -s, -zähne (ugs.)* money-grubber
Rage, *sub, f, -, nur Einz.* fury, rage
ragen, *vi,* jut, rise
Ragout, *sub, n, -s, -s* ragout
Ragtime, *sub, m, -s, nur Einz.* ragtime
Rahe, *sub, f, -, -n* yard
Rahm, *sub, m, -s, nur Einz.* cream
Rähm, *sub, m, -s, -e* mount
Rahmen, (1) *sub, m, -s, - frame (2)* **rahmen** *vt,* frame; *aus dem Rahmen fallen* to go too far; *das würde den Rahmen sprengen* it would be

beyond my/our etc scope
Rahmenantenne, *sub, f, -, -n* frame aerial
Rahmengesetz, *sub, n, -es, -e* general outline of a law providing guidelines for specific elaboration
Rahmkäse, *sub, m, -s, -* cream cheese
Rahmsoße, *sub, f, -, -n* cream sauce
Rahsegel, *sub, n, -s, -* square sail
räkeln, *vr,* loll about, stretch
Rakete, *sub, f, -, -n* missile, rocket; **~nauto** *sub, n, -s, -s* rocket car; **~nbasis** *sub, f, -, -basen* launching site; **~nstart** *sub, m, -s, -s* rocket launch(ing); **~nstufe** *sub, f, -, -n* stage (of a rocket); **~nwaffe** *sub, f, -, -n* antimissile weapon; **~nwerfer** *sub, m, -s, -* rocket launcher
Rakett, *sub, n, -s, -s* racket
Raki, *sub, m, -s, -s* raki
Rallye, *sub, f, -s, -s* rally
Ramadan, *sub, m, -, nur Einz.* Ramadan
Rammbock, *sub, m, -s, -böcke* pile-driver, ram(mer)
Ramme, *sub, f, -, -n* pile-driver
Rammelei, *sub, f, -, -en (ugs.)* banging away, crush; **rammeln (1)** *vi,* mate **(2)** *vir,* charge about; **rammen** *vt,* ram; **Rammler** *sub, m, -s, - buck
Rampe, *sub, f, -, -n* ramp; **~nlicht** *sub, n, -s, nur Einz.* footlights; *(i. ü. S.) im Rampenlicht der Öffentlichkeit stehen* to be in the limelight
ramponieren, *vt, (ugs.)* ruin; *(ugs.) er sah ziemlich ramponiert aus* he looked the worse for wear
Ramsch, *sub, m, -s, nur Einz.* junk; **ramschen** *vi,* buy cheap junk; **ramschweise** *adj,* like junk
Ramschladen, *sub, m, -s, -läden* junk shop
Ranch, *sub, f, -, -es* ranch; **~er** *sub, m, -s, -* rancher
Rand, *sub, m, -es, Ränder* edge, rim; *(Buch)* margin; *am Rande des Todes* at death´s door; *(ugs.) halt den Rand* shut your face; *sie waren außer Rand und Band* they were going wild
Randale, *sub, f, -, nur Einz.* rioting; **randalieren** *vi,* rampage (about); **Randalierer** *sub, m, -s, -* hooligan
Randbemerkung, *sub, f, -, -en* com-

Randgruppe, *sub, f, -, -n* fringe group

Randsiedlung, *sub, f, -, -en* outside settlement

Randsteller, *sub, m, -s, -* margin stop

randvoll, *adj*, full to the rim, packed

Ranft, *sub, m, -es, Ränfte (ugs.)* crust

Rang, *sub, m, -es, Ränge* position; *(mil.)* rank; *(i. ü. S.) jmd den Rang ablaufen* to outstrip sb; *(i. ü. S.) jmd den Rang streitig machen* to challenge sb´s position; **~abzeichen** *sub, n, -s, -* badge of rank; **~älteste** *sub, m, -n, -n* senior officer; **~höchste** *sub, m, -n, -n* highest-ranking officer

rangehen, *vi, (ugs.)* get stuck in

Rangelei, *sub, f, -, -en* scrapping; **rangeln** *vi*, scrap, tussle

rangieren, (1) *vi*, rank (2) *vt*, shunt; *an erster/letzter Stelle rangieren* to come first/last; **Rangiergleis** *sub, n, -es, -e* siding

Rangliste, *sub, f, -, -n (mil.)* active list

Rangordnung, *sub, f, -, -en* hierarchy

rank, *adj*, slender and supple; *(Mädchen) rank und schlank* slim and sylphlike

Ränke, *sub, f, -, nur Mehrz.* intrigue

Ranke, *sub, f, -, -n* tendril

ranken, *vr*, entwine itself around sth.

rankenartig, *adj*, like a tendril

Ränkeschmied, *sub, m, -s, -e* intriguer

ränkesüchtig, *adj*, scheming

Ranküne, *sub, f, -, -* rancour

ranschmeißen, *vr, (ugs.)* fling oneself at sb

Ranzen, *sub, m, -s, -* satchel; *(ugs.)* belly; *(ugs.) jmd ordentlich den Ranzen vollhauen* to give sb a good trashing; *(ugs.) sich den Ranzen voll schlagen* to stuff oneself

ranzig, *adj*, rancid

Rap, *sub, m, -s, -s* rap

rapide, *adj*, rapid

Rapier, *sub, n, -s, -e* rapier

Rappe, *sub, m, -n, -n* black horse

Rappel, *sub, m, -s, - (ugs.)* crazy mood; *(ugs.) dabei kann man ja einen Rappel kriegen* it´s enough to drive you mad; *(ugs.) seinen Rappel kriegen* to get one of one´s crazy moods; **rappelig** *adj*, crazy, jumpy; *(ugs.) bei dem Lärm kann man rappelig werden* the noise is enough to drive you round the twist

Rapper, *sub, m, -s, -* rapper

Rapport, *sub, m, -s, -e report*; **rapportieren** *vi*, report

Raps, *sub, m, -es, -e (bot.)* rape; **~feld** *sub, n, -s, -er* rape field; **~öl** *sub, n, -s, -e* rape oil

Rapunzel, *sub, f, -, -n* Rapunzel; *(bot.)* corn salad

rar, *adj*, rare; *(ugs.) sich rar machen* to keep away; **Rarität** *sub, f, -, -en* rarity

rasant, *adj*, fast; *(ugs.)* vivacious; **Rasanz** *sub, f, -, nur Einz.* speed; *etwas mit Rasanz tun* to do sth in great style

rasch, (1) *adj*, rash (2) *adv*, rapidly

rascheln, *vi*, rustle

raschestens, *adj*, quickly

Rasen, (1) *sub, m, -s, -* grass (2) **rasen** *vi*, race, rave; *die Zeit rast* time flies; **rasenbedeckt** *adj*, grassy; **rasend** (1) *adj*, furious (2) *adv*, like mad; *(ugs.) jmdn rasend machen* to make sb furious; *rasende Kopfschmerzen* a splitting headache; **~fläche** *sub, f, -, -n* lawn; **~mäher** *sub, m, -s, -* lawn-mower; **Raser** *sub, m, -, - (ugs.)* speed maniac; **Raserei** *sub, f, -, -en* fury, mad rush

Rasierapparat, *sub, m, -s, -e* razor, shaver; **Rasiercreme** *sub, f, -, -s* shaving cream; **rasieren** (1) *vr*, have a shave (2) *vt*, shave; **Rasierer** *sub, m, -s, -* razor; **Rasierklinge** *sub, f, -, -n* razor blade; **Rasiermesser** *sub, n, -s, -* cut-throat razor; **Rasierpinsel** *sub, m, -s, -* shaving brush; **Rasierschaum** *sub, m, -es. -schäume* shaving foam; **Rasierseife** *sub, f, -, -n* shaving soap; **Rasierwasser** *sub, n, -s, -* aftershave

Räson, *sub, f, -, nur Einz.* reason; *jmdn zur Räson bringen* to make sb listen to reason; **räsonieren** *vi*, grumble; **~nement** *sub, n, -s, -s* reasonableness

Raspel, *sub, f, -, -n* grater, rasp; **raspeln** *vt*, grate, rasp; *(i. ü. S.) Süßholz raspeln* to turn on the blarney; *(ugs.) du kannst aufhören, Süßholz zu raspeln* you can stop softsoaping me/him etc

Rasse, *sub, f, -, -n* breed, race

Rassel, *sub, f, -, -n* rattle; **~bande** *sub, f, -, -n (ugs.)* mischievous bunch; **rasseln** *vi*, rattle

Rassenfrage, *sub, f, -, -n* racial problem; **Rassengesetz** *sub, n, -es, -e* racial law; **Rassenhass** *sub, m, -es, nur Einz.* racial hatred; **Rassenhetze** *sub, f, -, nur Einz.* malicious racial campaign; **Rassenkunde** *sub, f, -, -n (tt)* ethnogeny

rassig, *adj,* sleek, striking; **Rassismus** *sub, m, -, nur Einz.* racism; **Rassist** *sub, m, -en, -en* racist; **rassistisch** *adj,* racist

Rast, *sub, f, -, -en* rest; **rasten** *vi,* rest; *wer rastet, der rostet* you have to keep active; **~haus** *sub, n, -es, -häuser* inn; **rastlos** *adj,* restless; **~platz** *sub, m, -es, -plätze* picnic area, resting place

Raster, *sub, m, -s,* - raster; *(arch.)* grid; **~ätzung** *sub, f, -, -en* halftone (engraving); **~punkt** *sub, m, -es, -e* halftone dot

Rasur, *sub, f, -, -en* shave

Rat, *sub, m, -es, Räte* advice

Rate, *sub, f, -, -n* rate; **~nzahlung** *sub, f, -, -en* payment by instalment

raten *vti,* advise, guess

Rater, *sub, m, -s, - (ugs.)* guesser

Räterepublik, *sub, f, -, -en* soviet republic

Ratgeber, *sub, m, -s,* - adviser

Rathaus, *sub, n, -es, -häuser* town hall; **~saal** *sub, m, -s, -säle* council chamber

Ratifikation, *sub, f, -, -en* ratification; **ratifizieren** *vt,* ratify

Ratiné, *sub, m, -s, -s* ratiné

Ratio, *sub, f, -, nur Einz.* reason

Ration, *sub, f, -, -en* ration; **rational** *adj,* rational; **rationalisieren** *vti,* rationalize; **~alismus** *sub, m, -, nur Einz.* rationalism; **~alist** *sub, m, -en, -en* rationalist; **~alität** *sub, f, -, nur Einz.* rationality; **rationell** *adj,* efficient; **rationieren** *vt,* ration; **~ierung** *sub, f, -, -en* rationing

ratlos, *adj,* helpless; **Ratlosigkeit** *sub, f, -, -en* helplessness

ratsam, *adj,* advisable

Ratsbeschluss, *sub, m, -es, -schlüsse* decision of the local council

ratschen, *vi, (ugs.)* blather

Ratschlag, *sub, m, -es, -schläge* bit of advice; **ratschlagen** *vi,* consult, deliberate

Rätsel, *sub, n, -s,* - crossword, riddle; *vor einem Rätsel stehen* to be faced

with a riddle; **~frage** *sub, f, -, -n* question; **~freund** *sub, m, -es, -e* crossword fan; **rätselhaft** *adj,* mysterious; **~löser** *sub, m, -s,* - puzzle-solver; **~lösung** *sub, f, -, -en* crossword solution; **~raten** *sub, n, -s, -s* guessing game

Ratsherr, *sub, m, -en, -en* councillor; **Ratssitzung** *sub, f, -, -en* council meeting; **Ratsuchende** *sub, m, -n, -n* people seeking advice

Ratte, *sub, f, -, -n* rat; **~nfalle** *sub, f, -, -n* rat trap; **~nfänger** *sub, m, -s,* - rat-catcher; *der Rattenfänger von Hameln* the Pied Piper of Hamelin; **~nkönig** *sub, m, -s, -e* rat´s king; **~nschwanz** *sub, m, -es, -schwänze* rat´s tail, string

rattern, *vi,* rattle

Ratze, *sub, f, -, -n (ugs.)* rat

Raub, *sub, m, -es,* - robbery; **~bau** *sub, m, -es, -ten* overexploitation; **rauben (1)** *vi,* rob **(2)** *vt,* steal; **Räuber** *sub, m, -s,* - robber; **Räuberbande** *sub, f, -, -n* robber band; **Räuberei** *sub, f, -, -en (ugs.)* robbery; **Räuberhöhle** *sub, f, -, -n* robber´s cave; **räubern** *vi, (ugs.)* thieve; **Räuberpistole** *sub, f, -, -n (i. ü. S.)* cock-and-bull story; **Räuberzivil** *sub, n, -s, nur Einz. (ugs.)* scruffy old clothes; **~gier** *sub, f, -, nur Einz.* rapacity; **~mord** *sub, m, -s, -e* robbery with murder; **~pressung** *sub, f, -, -en* pirate copy; **~tier** *sub, n, -s, -e* predator; **~überfall** *sub, m, -es, -fälle* robbery

Rauch, *sub, m, -es, nur Einz.* fumes, smoke; *kein Rauch ohne Feuer* there´s no smoke without fire; *(i. ü. S.)* *sich in Rauch auflösen* to go up in smoke; **rauchen** *vti,* smoke

Räucherfisch, *sub, m, -es, -e* smoked fish; **Räucherkerze** *sub, f, -, -n* incense con; **Räucherlachs** *sub, m, -es, -e* smoked salmon; **räuchern** *vt,* smoke; **Räucherspeck** *sub, m, -es, -e* smoked bacon; **Räucherware** *sub, f, -, -n* smoked foods; **rauchfarben** *adj,* smoke-coloured; **rauchfarbig** *adj,* smoke-coloured; **Rauchfleisch** *sub, n, -es, nur Einz.* smoked meat; **rauchlos** *adj,* smokeless; **Rauchsignal** *sub, n, -s, -e* smoke signal; **Rauchverbot** *sub, n, -es, -e* smoking ban;

Rauchware *sub, f, -, -n* tobacco; **Rauchzeichen** *sub, n, -s, -* smoke signal; **Rauchzimmer** *sub, n, -s, -* smoke room

Räude, *sub, f, -, -n* mange; **räudig** *adj*, mangy

rauen, *vt*, roughen (up)

rauf, *adv*, up

Raufaser, *sub, f, -, -n* woodchip paper

Raufbold, *sub, m, -s, -e* ruffian; **raufen** (1) *vir*, fight (2) *vt*, pull up; *sich die Haare raufen* to tear at one's hair; **Rauferei** *sub, f, -, -en* scrap; **Rauflust** *sub, f, -, -lüste* pugnacity

Raufe, *sub, f, -, -n* hay rack

Raufrost, *sub, m, -s, nur Einz.* white frost

Raum, *sub, f, -, Räume* area, room; *(geh.) einer Sache Raum geben* to yield to sth; **~anzug** *sub, m, -s, -züge* spacesuit; **räumen** *vt*, clear, evacuate; **~fähre** *sub, f, -, -n* space shuttle; **~fahrt** *sub, f, -, -en* space travel; **~fahrzeug** *sub, n, -s, -e* spacecraft; **Räumfahrzeug** *sub, n, -s, -e* bulldozer, snow-clearer; **~flug** *sub, m, -es, -flüge* space flight; **~gleiter** *sub, m, -s, -* orbiter; **raumgreifend** *adj*, far-reaching; **~inhalt** *sub, m, -s, -e* volume; **Räumkommando** *sub, n, -s, -s* clearance gang; **~lehre** *sub, f, -, nur Einz.* geometry; **räumlich** *adj*, spatial, three-dimensional; **Räumlichkeit** *sub, f, -, -en* three-dimensionality; **~maß** *sub, n, -es, -e* unit of volume; **~meter** *sub, m, -s, -* cubic metre

Raumplanung, *sub, f, -, -en* development planning; **Raum sparend** *adj*, space-saving; **Raumprogramm** *sub, n, -s, -e* space programme; **Raumschifffahrt** *sub, f, -, -en* space travel; **Raumsonde** *sub, f, -, -n* space probe; **Raumstation** *pron*, space station; **Räumungsklage** *sub, f, -, -n* action for eviction; **Räumungsverkauf** *sub, m, -es, -käufe* clearance sale

Raunen, (1) *sub, n, -s, nur Einz.* murmur (2) *raunen vti*, whisper

raunzen, *vi, (ugs.)* grouse; **Raunzer** *sub, m, -s, -* grouser

Raupe, *sub, f, -, -n* caterpillar; **raupenartig** *adj*, like a caterpillar; **~nbagger** *sub, m, -s, -* caterpillar; **~nkette** *sub, f, -, -n* caterpillar track; **~nschlepper** *sub, m, -s, -* caterpillar tractor

Rauren, *sub, m, -s, nur Einz.* hoarfrost

Rausch, *sub, m, -es, Räusche* ecstasy, intoxication; *einen Rausch haben* to be drunk; *seinen Rausch ausschlafen* to sleep it off; **rauschen** *vi*, roar, sweep; *rauschende Feste* glittering parties; *sie rauschte in das/aus dem Zimmer* she swept into/out of the room

Rauschgift, *sub, n, -s, -e* drug; **rauschgiftsüchtig** *adj*, addicted to drugs

Rauschgold, *sub, n, -s, nur Einz.* gold foil

rausfliegen, *vi, (ugs.)* be chucked out

rauskriegen, *vt*, find out, get out

räuspern, *vr*, clear one's throat

Rausschmiss, *sub, m, -es, -e (ugs.)* booting out

Raute, *sub, f, -, -n (bot.)* rue; *(mat.)* rhombus; **rautenförmig** *adj*, diamond-shaped, rhomboid

Ravensberger, *sub, m, -s, -* Ravensberger

Razzia, *sub, f, -, -zien, -s* raid

Reader, *sub, m, -s, -* reader

Reagenz, *sub, n, -es, -ien* reagent; **~glas** *sub, n, -es, -gläser (chem.)* test-tube

reagieren, *vi*, react

Reaktion, *sub, f, -, -en* raction; **reaktionär** (1) *adj*, reactionary (2) **Reaktionär** *sub, m, -s, -e* reactionary; **~szeit** *sub, f, -, -en* reaction time; **reaktiv** *adj*, reactive; **reaktivieren** *vt*, reactivate, revive; **Reaktivität** *sub, f, -, -en* reactivation

Reaktor, *sub, m, -s, -en* reactor; **~block** *sub, m, -s, -blöcke* reactor block

real, *adj*, real

Realisation, *sub, f, -, -en* realization; **realisierbar** *adj*, realizable; **realisieren** *vt*, carry out, realize; **Realisierung** *sub, f, -, -en* realization

Realismus, *sub, m, -, nur Einz.* realism; **Realist** *sub, m, -en, -en* realist; **realistisch** *adj*, realistic

Realität, *sub, f, -, -en* reality; **realiter** *adv*, in reality

Realkapital, *sub, n, -s, nur Einz.* physical assets

Realkatalog, *sub, m, -(e)s, -e* subject catalogue

Realkonkurrenz, *sub, f, -, -en* in conjunction with

Realpolitik, *sub, f, -, nur Einz.* political realism

Realschule, *sub, f, -, -n* secondary school

Realschüler, *sub, m, -s, -* student at secondary school

Reanimation, *sub, f, -, -en (med.)* resuscitation; **reanimieren** *vt,* resusciate; **Reanimierung** *sub, f, -, -en* resuscitation

Rebberg, *sub, m, -(e)s, -e* vineyard; **Rebe** *sub, f, -, -n* vine

Rebell, *sub, m, -s, -en* rebel; **rebellieren** *vi,* rebel; **~ion** *sub, f, -, -en* rebellion; **rebellisch** *adj,* rebellious

Rebhuhn, *sub, n, -(e)s, -hühner* partridge

Reblaus, *sub, f, -, -läuse* vine pest

Rebsorte, *sub, f, -, -n* type of vine

Rebstock, *sub, m, -(e)s, -stöcke* vine

Receiver, *sub, m, -s, -* receiver

Rechen, (1) *sub, m, -s, -* rake (2) **rechen** *vt,* rake

Rechenanlage, *sub, f, -, -n* computer; **Rechenaufgabe** *sub, f, -, -n* sum; **Rechenbrett** *sub, n, -(e)s, -er* abacus; **Rechenfehler** *sub, m, -s, -* miscalculation; **Rechenmaschine** *sub, f, -, -n* adding machine; **Rechenschaft** *sub, f, -, -en* account; *jmd über etwas Rechenschaft ablegen* to account to sb for sth; **Rechenschieber** *sub, m, -s, -* slide-rule; **Rechentafel** *sub, f, -n, -n* arithmetic slate; **Rechenzentrum** *sub, n, -s, -zentren* computer centre

Recherche, *sub, f, -, -n* investigation; **recherchieren** *vti,* investigate

Rechnen, (1) *sub, n, -s, nur Einz.* arithmetic (2) **rechnen** *vi,* do calculations (3) *vr,* pay off (4) *vt,* calculate, count; *damit rechnen müssen, dass* to have to expect that; *etwas rechnet sich schlecht/nicht* sth is barely/not economical; **Rechner** *sub, m, -s, -* arithmetician; **rechnerisch** *adj,* arithmetical; **Rechnung** *sub, f, -, -en* bill, calculation; *nicht auf Rechnung (auch mit Kreditkarte)* pay cash; **Rechnungsamt** *sub, n, -(e)s, -ämter* audit office; **Rechnungsart** *sub, f, -, -en* type of calculation

recht, (1) *adj,* right (2) *adv,* quite (3) **Recht** *sub, n, -(e)s, -e* law, right; *alles, was recht ist* fair´s fair, *recht viel*

quite a lot, *das Recht des Stärkeren* the law of the jungle; *Recht sprechen* to administer justice

Rechte, *sub, f, -n, -n* right hand

Rechteck, *sub, n, -(e)s, -e* rectangle; **rechteckig** *adj,* rectangular

rechtfertigen, *vt,* justify; **Rechtfertigung** *sub, f, -, -en* justification

rechtgläubig, *adj,* orthodox

Rechthaberei, *sub, f, -, nur Einz. (ugs.)* know-all attitude; **rechthaberisch** *adj,* know-all

rechtlich, *adj,* legal; *jmdn rechtlich belangen* to take sb to court

rechtlos, *adj,* without rights; **Rechtlosigkeit** *sub, f, -, -en* lack of rights

rechtmäßig, *adj,* lawful, rightful

rechts, *adv,* on the right; *(ugs.) ich weiss nicht mehr, wo rechts und links ist* I don´t know whether I´m coming or going

Rechtsanspruch, *sub, m, -(e)s, -sprüche* legal right

Rechtsaußen, *sub, m, -, -* outside-right

Rechtsberatung, *sub, f, -, -en* citizens´ advice bureau

Rechtsbruch, *sub, n, -(e)s, -brüche* infringement of the law

rechtsbündig, *adj,* ranged

rechtschaffen, (1) *adj,* honest (2) *adv,* really

rechtschreiben, *vi,* spell; **Rechtschreibung** *sub, f, -, -en* spelling

Rechtsdrall, *sub, m, -(e)s, -drälle (selten)* pull to the right

rechtsextrem, *adj,* right-wing extremist; **Rechtsextremismus** *sub, m, -, -men* right-wing extremism; **Rechtsextremist** *sub, m, -en, -en* right-wing extremist

rechtsfähig, *adj,* legally responsible

Rechtsfall, *sub, m, -(e)s, -fälle* court case

Rechtsgeschäft, *sub, n, -(e)s, -e* legal transaction

Rechtsgrund, *sub, m, -(e)s, -gründe* legal justification

rechtsgültig, *adj,* legally valid

Rechtshandel, *sub, m, -s, nur Einz.* lawsuit

Rechtshänder, *sub, m, -s, -* right-hander; **rechtsanhängig** *adj,* sub judice; **rechtshändig** *adj,* right-handed rechtskundig, *adj*, versed in the law

Rechtskurve, *sub, f, -, -n* right-hand bend

rechtslastig, *adj*, listing to the right

rechtsläufig, *adj*, right-handed

Rechtslehre, *sub, f, -, -n* jurisprudence

Rechtsmissbrauch, *sub, m, -s, -bräuche* abuse of the law

Rechtsmittel, *sub, n, -s, -* means of legal redress

Rechtspartei, *sub, f, -, -en* right-wing party

Rechtsprechung, *sub, f, -, -en* jurisdiction

Rechtssache, *sub, f, -, -n* legal matter

Rechtsschutz, *sub, m, -es, nur Einz.* legal protection

rechtsseitig, *adj*, on the right(-hand) side

Rechtsspruch, *sub, m, -(e)s, -sprüche* verdict

Rechtsstaat, *sub, m, -(e)s, -en* state under the rule of the law

Rechtsstreit, *sub, m, -(e)s, -e* lawsuit

rechtsuchend, *adj*, seeking justice

Rechtswesen, *sub, n, -s, nur Einz.* law

rechtswidrig, *adj*, illegal

Rechtswissenschaft, *sub, f, -, -en* jurisprudence

rechtwinklig, *adj*, right-angled

rechtzeitig, *adj*, punctual

Reck, *sub, n, -(e)s, -e (spo.)* horizontal bar

Recke, *sub, m, -n, -n* warrior

recken, (1) *vr*, stretch oneself (2) *vt*, stretch

Recorder, *sub, m, -s, -* recorder

Recycling, *sub, n, -s, nur Einz.* recycling; ~papier *sub, n, -s, nur Einz.* recycled paper

Redakteur, *sub, m, -s, -e* editor; ~in *sub, f, -, -nen* editor

Redaktion, *sub, f, -, -en* editing; redaktionell *adj*, editorial; ~sschluss *sub, m, -es, -schlüsse* time of going to press

Rede, *sub, f, -, -n* speech; *das ist nicht der Rede wert* it's not worth mentioning; *jmdn zur Rede stellen* to take sb to task; ~fluss *sub, m, -es, nur Einz.* volubility; ~freiheit *sub, f, -, -en* freedom of speech; redegewandt *adj*, eloquent; ~kunst *sub, f, -, -künste* rhetoric; reden *vi*, speak, talk; *um*

den heissen Brei reden beat about the bush; *das ist wie gegen eine Wand reden* it's like talking to a brick wall; *Reden ist Silber, Schweigen ist Gold* speech is silver but silence is golden; *(ugs.) wie ein Wasserfall reden* to talk nineteen to the dozen; ~nsart *sub, f, -, -en* saying; ~schwall *sub, m, -(e)s, -e* flood of words; ~wendung *sub, f, -, -en* idiom

redigieren, *vt*, edit

redlich, *adj*, honest; *sich etwas redlich verdient haben* to have genuinely earned sth; Redlichkeit *sub, f, -, nur Einz.* honesty

Redner, *sub, m, -s, -* speaker; ~bühne *sub, f, -, -n* platform; rednerisch *adj*, rhetorical

redselig, *adj*, talkative; Redseligkeit *sub, f, -, nur Einz.* talkativeness

Reduktion, *sub, f, -, -en* reduction

redundant, *adj*, redundant; Redundanz *sub, f, -en* redundancy

Reduplikation, *sub, f, -, -en* reduplication; reduplizieren *vt*, reduplicate

reduzieren, *vt*, reduce; Reduzierung *sub, f, -, -en* reduction

Reede, *sub, f, -, -n* roads; ~r *sub, m, -s, -* ship owner; ~rei *sub, f, -, -en* shipping company

reell, *adj*, honest; *(mat.)* real

Referat, *sub, n, -(e)s, -e* seminar paper

Referendar, *sub, m, -s, -e* student teacher, trainee; ~in *sub, f, -, -nen* student teacher, trainee

Referendum, *sub, n, -s, Referenden* referendum

Referent, *sub, m, -en, -en* consultant, speaker

Referenz, *sub, f, -, -en* reference

referieren, *vi*, give a report

reffen, *vt*, reef

Reflation, *sub, f, -, -en* reflation; reflationär *adj*, reflationary

Reflektant, *sub, m, -en, -en* prospective purchaser; reflektieren *vti*, reflect; Reflektor *sub, m, -s, -en* reflector

Reform, *sub, f, -, -en* reform; ~ation *sub, f, -, nur Einz.* Reformation; ~ator *sub, m, -s, -en* Reformer; reformatorisch *adj*, reforming; ~er *sub, m, -s, -* reformer; reformerisch *adj*, reforming; **~haus** *sub, n, -es, -häuser* health food shop; **reformieren** *vt*, reform; **~ierter** *sub, m, -en, -n* member of the Reformed Church; **~ierung** *sub, f, -, -en* reformation; **~ismus** *sub, m, -, nur Einz.* reformism

Refrain, *sub, m, -s, -s* chorus

Refrigerator, *sub, m, -s, -en* refrigerator

Refugium, *sub, n, -s, -gien (geh.)* refuge

Regal, *sub, n, -s, -ien* shelves

Regatta, *sub, f, -, -ten* regatta

rege, *adj*, busy; *ein reges Treiben* a hustle and bustle; *noch sehr rege sein* to be very active still

Regel, *sub, f, -, -n* regulation, rule; **regelbar** *adj*, adjustable; **~barkeit** *sub, f, -, nur Einz.* adjustability; **~blutung** *sub, f, -, -en* menstruation; **regellos** *adj*, irregular; **regelmäßig** *adj*, regular; **regeln** *vt*, control, settle; **regelrecht** *adj*, real; **~technik** *sub, f, -, nur Einz.* control engineer; **~ung** *sub, f, -, -en* regulation; **regelwidrig** *adj*, against the rules

Regen, (1) *sub, m, -s, -* rain (2) *regen vrt*, move; *(i. ü. S.) jmdn im Regen stehen lassen* to leave sb out in the cold; *vom Regen in die Traufe kommen* to fall out of the frying-pan into the fire, *(i. ü. S.) keinen Finger mehr regen* not to lift a finger any more; *sich regen bringt Segen* hard work brings its own reward; **~bogen** *sub, m, -s, -bögen* rainbow; **~bogenhaut** *sub, f, -, -bäute* iris; **~bogenpresse** *sub, f, -, nur Einz.* yellow press; **~eration** *sub, f, -, -en* regeneration; **~erator** *sub, m, -s, -en (tech.)* regenerator; **regenerieren** *vrt*, regenerate; **~mantel** *sub, m, -s, -mäntel* raincoat; **~pfeifer** *sub, m, -s, -* plover; **~schatten** *sub, m, -s, -* rain shadow; **~schauer** *sub, m, -s, -* shower (of rain); **~schirm** *sub, m, -s, -e* umbrella; **~schutz** *sub, m, -s, -e* rain shelter; **regenschwer** *adj*, black clouds; **~tag** *sub, m, -s, -e* rainy day; **~tropfen** *sub, m, -s, -* rain drop; **~tschaft** *sub, f, -, -en* reign; **~wald** *sub, m, -s, -wälder* rain forest; **~wasser** *sub, n, -s, -wässer* rainwater; **~wetter** *sub, m, -s, -* rainy weather

regenarm, *adj*, dry

Regent, *sub, m, -en, -en* sovereign

Regie, *sub, f, -, nur Einz.* direction, production; **~anweisung** *sub, f, -, -en* direction; **~betrieb** *sub, m, -s, -e* stage-owned factory; **~einfall** *sub, m, -s, -fälle* production idea; **~fehler** *sub, m, -s, - (ugs.)* slip-up; **~kosten** *sub, f, -, nur Mehrz.* production costs

regieren, *vti*, rule; **Regierung** *sub, f, -, -en* government; *Regierung (US)* Big Brother; **Regierungsbezirk** *sub, m, -s, -e* primary administrative division of a Land

Regime, *sub, n, -s, -* regime; **~nt** *sub, n, -s, -e oder -er* regiment

Region, *sub, f, -, -en* region; **regional** *adj*, regional; **~alismus** *sub, m, -s, nur Einz.* regionalism; **~alist** *sub, m, -en, -en* regionalist; **~alliga** *sub, f, -, -ligen* regional league; **~alprogramm** *sub, n, -s, -e* regional station

Regisseur, *sub, m, -s, -e* director; **~in** *sub, f, -, -nen* director

Registrator, *sub, m, -s, -en* registrar; **Registratur** *sub, f, -, -en* registration

registrieren, *vti*, note, register; **Registrierkasse** *sub, f, -, -n* cash register

Reglement, *sub, n, -s, -s* rules; **reglementarisch (1)** *adj*, regulative **(2)** *adv*, according to the regulations; **reglementieren** *vt*, regulate; **~ierung** *sub, f, -, -en* regimentation

Regler, *sub, m, -s, -* regulator

reglos, *adj*, motionless

regnen, *vti*, rain; *es regnet in Strömen it´s* pouring with rain

Regress, *sub, m, -es, -e* regress; **~anspruch** *sub, m, -s, -sprüche* claim for compensation; **~ion** *sub, f, -, -en* regression; **regressiv** *adj*, regressive; **regresspflichtig** *adj*, liable for compensation

regsam, *adj*, active

regulär, *adj*, normal, regular; **Regularität** *sub, f, -, -en* regularity; **Regulation** *sub, f, -, -en (biol.)* regulation; **regulativ (1)** *adj*, regulative **(2) Regulativ** *sub, n, -s, -e (med.)* counterbalance; **Regulator** *sub, m, -s, -en* wall clock; **regulierbar** *adj*, regul(at)able; **regulieren**

(1) *vr*, become regular (2) *vt*, regulate; **Regulierung** *sub*, *f*, -, *-en* regulation

Regung, *sub*, *f*, -, *-en* movement; *eine menschliche Regung verspüren* to have to answer a call of nature; *ohne jede Regung* without a flicker of emotion; **regungslos** *adj*, motionless

Reh, *sub*, *n*, -s, -e roedeer; *scheu wie ein Reh* as timid as a fawn

Rehabilitand, *sub*, *m*, -en, *-en* person undergoing rehabilitation; **Rehabilitation** *sub*, *f*, -, *-en* rehabilitation; **rehabilitieren** (1) *vr*, vindicate oneself (2) *vt*, rehabilitate

rehbraun, *adj*, hazel, russet

Rehkeule, *sub*, *f*, -, *-n* haunch of venison

Reibach, *sub*, *m*, -s, *nur Einz.* (*ugs.*) killing

Reibe, *sub*, *f*, -, *-n* grater

reiben, (1) *vr*, rub oneself (2) *vti*, grate, rub

Reiberei, *sub*, *f*, -, *-en* (*ugs.*) friction

Reibung, *sub*, *f*, -, *-en* rubbing; (*phy.*) friction; **reibungslos** *adj*, frictionless; (*ugs.*) trouble-free

reich, (1) *adj*, rich, wealthy (2) **Reich** *sub*, *n*, -s, -e empire, realm; (*ugs.*) *reich heiraten* to marry into money; *jmdn reich beschenken* to shower sb with presents

reichen, (1) *vi*, reach, stretch, suffice (2) *vt*, hand

reichhaltig, *adj*, extensive, large

reichlich, *adj*, ample, plentiful; *reichlich vorhanden sein* to exist in plenty

Reichsapfel, *sub*, *m*, -s, *-äpfel* imperial orb

Reichsgrenze, *sub*, *f*, -, *-n* border of the empire

Reichspräsident, *sub*, *m*, -en, *-en* German president (until 1934)

Reichsstadt, *sub*, *f*, -, *-städte* (*hist.*) free city (of the Holy Roman Empire)

Reichstag, *sub*, *m*, -s, -e Parliament

Reichtum, *sub*, *m*, -s, *-tümer* richness, wealth

Reichweite, *sub*, *f*, -, *-n* range, reach; *in Reichweite* within range; *jmd ist in Reichweite* sb is nearby

reif, (1) *adj*, mature, ready, ripe (2) **Reif** *sub*, circlet, hoarfrost

Reife, *sub*, *f*, -, *nur Einz.* maturity, ripening

Reifeprüfung, *sub*, *f*, -, *-en* school-lea-

ving exam and university entrance qualification

Reifezeugnis, *sub*, *n*, -ses, *-se* Abitur certificate

reiflich, *adj*, careful, thorough

Reifrock, *sub*, *m*, -s, *-röcke* farthingale

Reifungsprozess, *sub*, *m*, -es, -e process of ripening

Reigen, *sub*, *m*, -s, - round dance; (*geb.*) *den Reigen beschließen* to bring up the rear

Reihe, *sub*, *f*, -, *-n* row, series; *außer der Reihe* out of order; *er ist an der Reihe* it´s his turn; (*ugs.*) *etwas auf die Reihe kriegen* to handle sth; ~**nfolge** *sub*, *f*, -, *-n* order; ~**nhaus** *sub*, *n*, -es, *-häuser* terraced house; ~**nsiedlung** *sub*, *f*, -, *-en* estate of terraced houses; **reihenweise** *adv*, by the dozen, in rows

reihen, *vt*, tack; *etwas reiht sich an etwas* sth follows after sth

Reiher, *sub*, *m*, -s, - heron; (*ugs.*) *kotzen wie ein Reiher* to puke one´s guts up

reihum, *adv*, round

Reim, *sub*, *m*, -s, -e rhyme; (*ugs.*) *ich kann mir keinen Reim darauf machen* I can´t make head nor tail of it; **reimen** *vti*, rhyme; ~**erei** *sub*, *f*, -, *-en* versifying; ~**lexikon** *sub*, *n*, -s, *-ka* rhyming dictionary; ~**schmied** *sub*, *m*, -s, -e rhymester; ~**wort** *sub*, *n*, -s, *-wörter* rhyme

rein, (1) *adj*, clean, pure (2) *adv*, purely

Reineinnahme, *sub*, *f*, -, *-n* net profit; **Reinfall** *sub*, *m*, -s, *-fälle* (*ugs.*) disaster; **Reingewicht** *sub*, *n*, -s, -e net weight; **Reingewinn** *sub*, *m*, -s, -e net profit; **Reinhaltung** *sub*, *f*, -, *nur Einz.* keeping clean; **Reinheit** *sub*, *f*, -, *-en* cleanness, purity; **Reinheitsgebot** *sub*, *n*, -s, -e purity regulations

Reinfektion, *sub*, *f*, -, *-en* reinfection

reinigen, (1) *vr*, clean oneself (2) *vt*, clean, purify; **Reiniger** *sub*, *m*, -s, - cleaner; **Reinigung** *sub*, *f*, -, *-en* cleaning, purification; **reinlich** *adj*, cleanly, clear, tidy; **Reinlichkeit** *sub*, *f*, -, *-en* cleanliness, tidiness

Reinkarnation, *sub*, *f*, -, *-en* reincarnation

reinrassig, *adj*, of pure race; **Rein-zucht** *sub*, *f*, -, -*en* cultivation of pure cultures, inbreeding

Reinschrift, *sub*, *f*, -, -*en* fair copy

reinsilbern, *adj*, pure silver

Reis, *sub*, *n*, -*es*, -*er* rice; ~**feld** *sub*, *n*, -*s*, -*er* paddy-field; ~**korn** *sub*, *n*, -*s*, -*körner* grain of rice; ~**mehl** *sub*, *n*, -*s*, -*e* ground rice

Reise, *sub*, *f*, -, -*n* journey; *wenn einer eine Reise tut, so kann er was erzählen* strange things happen when you´re abroad; ~**bericht** *sub*, *m*, -*s*, -*e* report on one´s journey; ~**besteck** *sub*, *n*, -*s*, -*e* travel cutlery; ~**büro** *sub*, *n*, -*s*, -*s* travel agency; ~**bus** *sub*, *m*, -*ses*, -*se* coach; **reisefertig** *adj*, ready to go; ~**fieber** *sub*, *n*, -*s*, - travel nerves; ~**führer** *sub*, *m*, -*s*, - courier, guidebook; ~**kosten** *sub*, *f*, -, *nur Mehrz.* travelling expenses; ~**leiter** *sub*, *m*, -*s*, - courier; ~**lektüre** *sub*, *f*, -, -*n* reading matter (for a journey); **reiselustig** *adj*, keen on travel(ling)

reisen, *vi*, travel; **Reisende** *sub*, *m*, *f*, -*n*, -*n* traveller; **Reisepass** *sub*, *m*, -*es*, -*pässe* passport; **Reiserei** *sub*, *f*, -, -*en* travelling around; **Reiseruf** *sub*, *m*, -*s*, -*e* personal message; **Reisesaison** *sub*, *f*, -, -*s* travel season; **Reisescheck** *sub*, *m*, -*s*, -*s* traveller´s cheque; **Reisespesen** *sub*, *f*, -, *nur Mehrz.* travelling expenses; **Reisetasche** *sub*, *f*, -, -*n* travelling bag; **Reiseverkehr** *sub*, *m*, -*s*, -*e* holiday traffic; **Reisewecker** *sub*, *m*, -*s*, - travelling alarm clock; **Reisewetter** *sub*, *n*, -*s*, - travelling weather

Reisig, *sub*, *m*, -*s*, *nur Einz.* brushwood; ~**besen** *sub*, *m*, -*s*, - besom; ~**bündel** *sub*, *n*, -*s*, - bundle of twigs

Reißbrett, *sub*, *n*, -*s*, -*er* drawing-board

reißen, (1) *vi*, pull (2) *vt*, rip (3) *vti*, tear; *(i. ü. S.) hin und her gerissen sein* to be torn; *sich um jmdn/etwas reißen* to scramble to get sb/sth; *(i. ü. S.) wenn alle Stricke reißen* if the worst comes to the worst; ~**d** *adj*, massive, torrential; **reißfest** *adj*, tearproof; **Reißfestigkeit** *sub*, *f*, -, *nur Einz.* tensible strength

Reißverschluss, *sub*, *m*, -*es*, -*schlüsse* zipper

Reißwolf, *sub*, *m*, -*s*, -*wölfe* shredder

Reißzahn, *sub*, *m*, -*s*, -*zähne* fang

Reißzwecke, *sub*, *f*, -, -*n* drawing pin

Reitbahn, *sub*, *f*, -, -*en* arena; **Reitdress** *sub*, *m*, -*es*, -*e* riding-habit; **reiten** *vti*, ride; *(ugs.) auf diesem Messer kann man reiten* you couldn´t cut butter with this knife; *(ugs.) Prinzipien reiten* to insist on one´s principles; **Reiter** *sub*, *m*, -*s*, - horseman, rider; **Reiterei** *sub*, *f*, -, -*en* cavalry; **Reitersmann** *sub*, *m*, -*es*, -*männer* horseman; **Reiterstandbild** *sub*, *n*, -*s*, -*er* equestrian statue; **Reithose** *sub*, *f*, -, -*n* riding-breeches; **Reitlehrerin** *sub*, *f*, -, -*nen* riding instructor; **Reitpeitsche** *sub*, *f*, -, -*n* riding whip; **Reitsport** *sub*, *m*, -*s*, *nur Einz.* horse-riding; **Reitstiefel** *sub*, *m*, -*s*, - riding-boot; **Reittier** *sub*, *n*, -*s*, -*e* animal used for riding; **Reitturnier** *sub*, *n*, -*s*, -*e* horse show

Reiz, *sub*, *m*, -*es*, -*e* attraction, stimulus; *das erhöht den Reiz* it adds to the thrill; *der Reiz des Verbotenen* the lure of forbidden fruits; *seine Reize zeigen* to reveal one´s charms; **reizbar** *adj*, sensitive; *(ugs.)* touchy; ~**barkeit** *sub*, *f*, -, *nur Einz.* sensitiveness; *(ugs.)* touchiness; **reizend** *adj*, charming; **reizlos** *adj*, dull; ~**schwelle** *sub*, *f*, -, -*n* stimulus threshold; ~**therapie** *sub*, *f*, -, -*n* (*med.*) stimulation therapy; ~**überflutung** *sub*, *f*, -, -*en* overstimulation; **reizvoll** *adj*, charming; *die Aussicht ist nicht gerade reizvoll* the prospect is not particularly appealing; ~**wort** *sub*, *n*, -*s*, -*wörter* emotive word

rekapitulieren, *vt*, recapitulate

Reklamation, *sub*, *f*, -, -*en* complaint

Reklame, *sub*, *f*, -, -*n* advertising; **reklamehaft** *adj*, advertising; ~**trick** *sub*, *m*, -*s*, -*s* sales trick

reklamieren, (1) *vi*, make a complaint (2) *vt*, complain about

rekompensieren, *vt*, recompense

rekonstruieren, *vt*, reconstruct; **Rekonstruktion** *sub*, *f*, -, -*en* reconstruction

Rekonvaleszenz, *sub, f, -, nur Einz.* convalescene

Rekord, *sub, m, -s, -e* record; **~besuch** *sub, m, -s, -e* record visitation; **~ernte** *sub, f, -, -n* record harvest; **~halter** *sub, m, -s, -* record-holder; **~marke** *sub, f, -, -n* record; **~weite** *sub, f, -, -n* record length

Rekorder, *sub, m, -s, -* recorder

Rekreation, *sub, f, -, -en* recreation

Rekrut, *sub, m, -en, -en (mil.)* recruit; **~enzeit** *sub, f, -, -en* time as a recruit; **rekrutieren** *vt, (mil.)* recruit; **~ierung** *sub, f, -, -en* recruitment

rektal, *adj, (med.)* rectal; **Rektum** *sub, n, -s, Rekta* rectum

Rektifikation, *sub, f, -, -en* rectification

Rektor, *sub, m, -s, -en* headteacher; **~at** *sub, n, -s, -e* headship

Relais, *sub, n, -, -* relay; **~station** *sub, f, -, -en* relay station

Relation, *sub, f, -, -en* relation

relativ, **(1)** *adj,* relative **(2)** *adv,* relatively; **~ieren** **(1)** *vi,* think in relative terms **(2)** *vt,* qualify; **Relativität** *sub, f, -, -en* relativity; **Relativitätstheorie** *sub, f, -, nur Einz.* theory of relativity

relaxed, *adj, (ugs.)* relaxed

relaxen, *vi,* relax

Release-center, *sub, n, -s, -* release-centre

Relegation, *sub, f, -, -en* expulsion; **relegieren** *vt,* expel

relevant, *adj,* relevant; **Relevanz** *sub, f, -, nur Einz.* relevance

Relief, *sub, n, -s, -s oder -e* relief; **reliefartig** *adj,* like a relief; **~druck** *sub, m, -s, -e* relief printing; **~karte** *sub, f, -, -n* relief map

Religion, *sub, f, -, -en* religion; *(ugs.) Religion sehr gut, Kopfrechnen schwach* virtuous but stupid; **~sfreiheit** *sub, f, -, -en* religious freedom; **religionslos** *adj,* not religious; **~swissenschaft** *sub, f, -, nur Einz.* religious studies; **religiös** *adj,* religious; **Religiosität** *sub, f, -, nur Einz.* religiousness

Relikt, *sub, n, -s, -e* relic

Reling, *sub, f, -, -s* rail

Reliquie, *sub, f, -, -n* reliquary

Remake, *sub, n, -s, -s* remake

Remigrant, *sub, m, -en, -en* returning emigrant; **~in** *sub, f, -, -nen* returning emigrant

remis, *adj,* drawn

Remise, *sub, f, -, -n* draw

Remittende, *sub, f, -, -n* return; **Remittent** *sub, m, -en, -en* payee

Rempelei, *sub, f, -, -en (ugs.)* barging, pushing and shoving; **rempeln** *vti,* barge

Renaissance, *sub, f, -, -n (hist.)* renaissance

Rendant, *sub, m, -en, -en* chief accountant; **Rendement** *sub, n, -s, -s* return

Rendezvous, *sub, n, -, -* rendezvous

Rendite, *sub, f, -, -n* return on capital

Renditenhaus, *sub, n, -es, häuser* block of (rented) flats

Renegat, *sub, m, -en, -en* renegade

renitent, *adj,* awkward; **Renitenz** *sub, f, -, nur Einz.* awkwardness

Renke, *sub, f, -, -n* whitefish

Renkontre, *sub, n, -s, -s* rencontre

Rennauto, *sub, n, -s, -s* racing car; **Rennbahn** *sub, f, -, -en* race track; **Rennboot** *sub, n, -s, -e* powerboat; **Rennen** **(1)** *sub, n, -s, -* race, running **(2) rennen** *vti,* run; **Rennerei** *sub, f, -, -en* running around; **Rennfahrerin** *sub, f, -, -en* racing cyclist, racing driver; **Rennmaschine** *sub, f, -, -n* racer; **Rennpferd** *sub, m, -s, -e* racehorse; **Rennstall** *sub, m, -(e)s, -ställe* stable; **Rennstrecke** *sub, f, -, -n* race track

renommieren, *vi,* show off; **renommiert** *adj,* renowned

renovieren, *vt,* renovate; **Renovierung** *sub, f, -, -en* renovation

rentabel, *adj,* profitable; **Rentabilität** *sub, f, -, nur Einz.* profitability

Rente, *sub, f, -, -n* annuity, pension; **~nalter** *sub, n, -s, -* retirement age; **~nbasis** *sub, f, -, -basen* annuity basis; **~npapier** *sub, n, -s, -e* fixed-interest security; **~nreform** *sub, f, -, -en* reform of pensions; **~nversicherung** *sub, f, -, -en* pension scheme; **rentieren** *vir,* be worthwhile, pay; **Rentner** *sub, m, -s, -* pensioner

Rentier, *sub, n, -s, -e* pensioner, reindeer

renunzieren, **(1)** *vi,* resign **(2)** *vt,* renounce

reokkupieren, vt, (mil.) reoccupy

Reorganisation, sub, f, -, -en reorganisation; **reorganisieren** vt, reorganize

reparabel, adj, repairable; **Reparatur** sub, f, -, -en repair; **Reparaturwerkstatt** sub, f, -, -stätten garage; **reparieren** vt, repair

Reparation, sub, f, -, -en reparations

repartieren, vt, scale down; **Repartition** sub, f, -, -en repartition

repassieren, vt, mend ladders

repatriieren, vt, repatriate

Repertoire, sub, n, -s, -s repertoire

Repertorium, sub, n, -s, Repertorien reference book or work

repetieren, vt, repeat, revise

Repetiergewehr, sub, n, -s, -e repeating rifle

Repetition, sub, f, -, -en repetition, revision

Repetitor, sub, m, -s, -en coach

Repetitorium, sub, n, -s, -ien revision book/course

Replik, sub, f, -, -en (jur.) replication; **replizieren** vti, reply

Reportage, sub, f, -, -n report; **Reporter** sub, m, -s, - reporter

Reposition, sub, f, -, -en (med.) resetting

repräsentabel, adj, impressive, presentable; **Repräsentant** sub, m, -en, -en representative; **Repräsentation** sub, f, -, -en representation; **repräsentativ** adj, representative; **repräsentieren** (1) vi, perform official duties (2) vt, represent

Repräsentantenhaus, sub, n, -es, nur Einz. (polit.) House of Representatives

Repräsentanz, sub, f, -, -en representation

Repressalie, sub, f, -, -n reprisal; **Repression** sub, f, -en repression; **repressiv** adj, repressive

Reprint, sub, m, -s, -s reprint

Reprise, sub, f, -, -n repeat, rerun

reprivatisieren, vt, denationalize

Reproduktion, sub, f, -, -en reproduction; **reproduktiv** adj, reproductive; **reproduzieren** vt, reproduce

Reptil, sub, n, -s, -ien reptile

Republik, sub, f, -, -en republic; **~aner** sub, m, -s, - republican; **republikanisch** adj, republican

repulsiv, adj, repulsive

Repunze, sub, f, -, -n hallmark

Reputation, sub, f, -, -en reputation; **reputierlich** adj, reputable

Requiem, sub, n, -s, -s requiem

Requisit, sub, n, -(e)s, -en equipment; **~eur** sub, m, -s, -e property manager

Reservat, sub, n, -(e)s, -e reservation, right

Reservation, sub, f, -, -en reservation

Reserve, sub, f, -, -n reserve, savings; **~bank** sub, f, -, -en reserves bench; **~fonds** sub, m, -, - reserve fond; **~tank** sub, m, -s, -s reserve tank; **~übung** sub, f, -, -en reserve training; **reservieren** vt, reserve; **reserviert** adj, reserved; **Reservist** sub, m, -en, -en reservist; **Reservoir** sub, n, -s, -e reservoir

Resident, sub, m, -en, -en resident; **Residenz** sub, f, -, -en residence; **residieren** vt, reside

Resignation, sub, f, -, -en (geh.) resignation; **resignieren** vi, give up

resistent, adj, resistant; **Resistenz** sub, f, -, -en resistance

resistieren, vt, (med.) resist

resolut, adj, determined; **Resolutheit** sub, f, -, -en resolution; **Resolution** sub, f, -, -en resolution

Resonanz, sub, f, -, -en resonance, response; **~körper** sub, m, -s, - soundbox

resorbieren, vt, absorb; **Resorption** sub, f, -, -en absorption

resozialisieren, vt, rehabilitate; **Resozialisierung** sub, f, -, -en rehabilitation

Respekt, sub, m, -s, nur Einz. respect; **respektabel** adj, respectable; **respektieren** vt, respect; **respektive** adv, respectively; **respektlos** adj, disrespectful; **respektvoll** adj, respectful

Respiration, sub, f, -, nur Einz. respiration; **respirieren** vi, respire

Respons, sub, m, -es, -e response

Ressentiment, sub, n, -s, -s resentment

Ressource, sub, f, -, -n (meist Mehrz. resource

Rest, sub, m, -(e)s, -e, -er left-overs, rest; der letzte Rest vom Schützenfest the last little bit; (ugs.) sich den Rest holen to make oneself really ill; **~alkohol** *sub, m, -s, -e* left alcohol; **~bestand** *sub, m, -(e)s, -bestände* remaining stock; **~everkauf** *sub, m, -(e)s, -verkäufe* remnants sale; **restlich** *adj,* remaining; **restlos** *adj,* complete; **~müll** *sub, m, -(e)s, nur Einz.* left over rubbish

Restant, *sub, m, -en, -en* defaulter

Restaurant, *sub, n, -s, -s* restaurant

Restauration, *sub, f, -, -en* restoration; *(hist.)* Restauration; **Restaurator** *sub, m, -s, -en* restorer; **restaurieren** *vt,* restore

restituieren, *vt,* make restitution of; **Restitution** *sub, f, -en* restitution

Restriktion, *sub, f, -, -en* restriction; **restriktiv** *adj, (geb.)* restrictive

restringieren, *vt,* restrain

Resultat, *sub, n, -es, -e* result; **resultatlos** *adj,* without result; **resultieren** *vi,* result

Resümee, *sub, n, -s, -s* summary; **resümieren** *vti,* summarize

Retardation, *sub, f, -, -en* retardation; **retardieren** *vt,* retard

retikulär, *adj,* reticulated; **retikuliert** *adj,* reticulate

Retina, *sub, f, -, ...nae* retina

retirieren, *vi,* beat a retreat

Retorsion, *sub, f, -, -en* retort

Retorte, *sub, f, -, -n* retort; **~nbaby** *sub, n, -s, -s* test-tube baby

Retraktion, *sub, f, -, -en* retraction

Retribution, *sub, f, -, -en* retribution

retrograd, *adj,* retrograde

retrospektiv, *adj,* retrospective; **Retrospektive** *sub, f, -, -n* retrospective

Retsina, *sub, m, -s, nur Einz.* retsina

retten, (1) *vr,* escape **(2)** *vt,* rescue; **Retter** *sub, m, -s, -* rescuer, saviour; **Rettung** *sub, f, -, -en* deliverance, rescue; **Rettungsarzt** *sub, m, -es, -ärzte* emergency doctor; **Rettungsboot** *sub, n, -(e)s, -e* lifeboat; **Rettungsdienst** *sub, m, -es, -e* rescue service; **Rettungsgürtel** *sub, m, -s, -* lifebelt; **rettungslos** *adj,* beyond saving, hopeless; **Rettungsring** *sub, m, -(e)s, -e* lifebelt, spare tyre

Rettich, *sub, m, -s, -e* radish

Return, *sub, m, -s, -s* return

Retusche, *sub, f, -, -n* retouching; **retuschieren** *vt,* retouch

Reue, *sub, f, -, -* remorse, repentance; **reuen** *vt,* sb regrets sth.; **reuevoll** *adj,* remorseful, repentant; **reuig**

adj, remorseful, repentant; **reumütig** *adj,* remorseful, repentant

Reunion, *sub, f, -, -s* reunion

Reuse, *sub, f, -, -n* fish trap

reüssieren, *vi,* be successful with

Revanche, *sub, f, -, -en* revenge; **revanchieren** *vr,* get one´s revenge, reciprocate; **Revanchismus** *sub, m, -, nur Einz.* revanchism

Reverenz, *sub, f, -, -en* reverence

Reverie, *sub, f, -, -n* reverie

revidieren, *vt,* revise

Revier, *sub, n, -s, -e* district, station, territory; **revierkrank** *adj,* in the sick-bay

Review, *sub, f, -, -s* review

Revision, *sub, f, -en* revision; **~ismus** *sub, m, -, nur Einz.* revisionism; **~ist** *sub, m, -en, -en* revisionist; **Revisor** *sub, m, -en, -en* auditor, proof-reader

Revival, *sub, n, -s, -s* revival

Revokation, *sub, f, -, -en* revocation

Revolte, *sub, f, -, -n* revolt; **revoltieren** *vi,* revolt; **Revolution** *sub, f, -, -en* revolution; **revolutionär (1)** *adj,* revolutionary **(2)** **Revolutionär** *sub, m, -s, -e* revolutionary; **revolutionieren** *vt,* revolutionize

Revolver, *sub, m, -s, -* revolver; **~blatt** *sub, n, -(e)s, -blätter* scandal sheet; **~held** *sub, m, -en, -en* gunslinger; **~lauf** *sub, m, -(e)s, -verläufe* barrel of a revolver; **revolvieren** *vti,* revolve

revozieren, *vt,* revoke

Revue, *sub, f, -, -n* review, revue; *(i. ü. S.)* etwas Revue passieren lassen to pass sth in review; **~theater** *sub, n, -s, -* revue theatre

Rezensent, *sub, m, -en, -en* reviewer; **rezensieren** *vt,* review; **Rezension** *sub, f, -, -en* review

rezent, *adj, (biol.)* living

Rezept, *sub, n, -(e)s, -e* recipe; *(med.)* prescription; **~block** *sub, m, -s, -blöcke* prescription pad; **~ion** *sub, f, -, -en* adoption, reception; **rezeptiv** *adj,* receptive; **~or** *sub, m, -en, -en* receptor; **rezeptpflichtig** *adj,* available only on prescription; **~ur** *sub, f, -, -en* dispensing

Rezession, *sub, f, -, -en* recession

rezessiv, *adj, (biol.)* recessive

Rezipient, *sub, m, -en, -en* recipient;

rezipieren *vt*, receive
Rezitativ, *sub*, *n*, *-s*, *-e (mus.)* recitative
Rhabarber, *sub*, *m*, *-s*, - rhubarb
Rhapsodie, *sub*, *f*, *-*, *-n* rhapsody
Rhesus, *sub*, *m*, *-*, - rhesus; **~faktor** *sub*, *m*, *-s*, *-en* rhesus
Rhetorik, *sub*, *f*, *-*, *nur Einz.* rhetoric; **~er** *sub*, *m*, *-s*, - rhetorician; **rhetorisch** *adj*, rhetorical
Rheuma, *sub*, *n*, *-s*, *nur Einz.* rheumatism; **~decke** *sub*, *f*, *-*, *-n* rheumatism blanket; **~tiker** *sub*, *m*, *-s*, - rheumatic; **rheumatisch** *adj*, rheumatic; **~tismus** *sub*, *m*, *-*, *-tismen* rheumatism; **~tologe** *sub*, *m*, *-n*, *-n* rheumatologist; **~wäsche** *sub*, *f*, *-*, *nur Einz.* rheumatism clothes
Rhinozeros, *sub*, *n*, *-*, *-ses*, *-se* rhinoceros
rhombisch, *adj*, rhomboidal; **Rhombus** *sub*, *m*, *-*, *-ben* rhombus
Rhythmik, *sub*, *f*, *-*, *nur Einz.* rhythmics; **rhythmisch** *adj*, rhythmical; **Rhythmus** *sub*, *m*, *-*, *Rhythmen* rhythm
ribbeln, *vti*, *(ugs.)* rub
Ribonukleinsäure, *sub*, *f*, *-*, *-n* ribonucleic acid
richten, (1) *vi*, judge (2) *vr*, focus (3) *vt*, direct, point, prepare, set; *sich selbst richten* to find death by one's own hand; **Richter** *sub*, *m*, *-s*, - judge; **richterlich** *adj*, judicial; **Richterstuhl** *sub*, *m*, *-s*, *-stühle* bench; **Richtfest** *sub*, *n*, *-s*, *-e* topping-out ceremony; **Richtgeschwindigkeit** *sub*, *f*, *-*, *-en* recommended speed
richtig, (1) *adj*, real, right (2) *adv*, correctly; **Richtigkeit** *sub*, *f*, *-*, *nur Einz.* correctness; **Richtigstellung** *sub*, *f*, *-*, *-en* correction
Richtpreis, *sub*, *m*, *-es*, *-e* recommended price; **Richtschnur** *sub*, *f*, *-*, *nur Einz.* guide line; **Richtstätte** *sub*, *f*, *-*, *-n* place of execution; **Richtstrahler** *sub*, *m*, *-s*, - directional antenna
Richtung, *sub*, *f*, *-*, *-en* direction, trend; **~sanzeiger** *sub*, *m*, *-s*, - direction sign; **richtungslos** *adj*, lacking a sense of direction
Ricke, *sub*, *f*, *-*, *-n* doe
Ried, *sub*, *n*, *-s*, *-e* reeds
Riefe, *sub*, *f*, *-*, *-n* groove
Riege, *sub*, *f*, *-*, *-n (spo.)* team; **~führer** *sub*, *m*, *-s*, - team leader; **riegenweise** *adj*, in teams

Riegel, *sub*, *m*, *-s*, - bar, bolt
Riemen, *sub*, *m*, *-s*, - belt, strap
Riese, *sub*, *m*, *-*, *-n* giant; *(ugs.) das macht nach Adam Riese DM 3,50* the way I learned it at school that makes DM 350; **~nschlange** *sub*, *f*, *-*, *-n* boa; **~nslalom** *sub*, *m*, *-s*, *-s* giant slalom; **riesenstark** *adj*, tremendous; **riesig (1)** *adj*, gigantic (2) *adv*, tremendously
Rieselfeld, *sub*, *n*, *-s*, *-er* sewage farm; **rieseln** *vi*, float, trickle; *ein Schauer rieselte mir über den Rükken* a shiver went down my spine
Riet, *sub*, *n*, *-s*, *-e* weaver's reed
Riff, *sub*, *m*, *-s*, *-s* reef; *(mus.)* riff
riffeln, *vt*, comb
rigide, *adj*, *(geh.)* rigid; **Rigorismus** *sub*, *m*, *-*, *nur Einz. (geh.)* rigour; **rigoristisch** *adj*, ridorous
Rigidität, *sub*, *f*, *-*, *nur Einz. (med.)* rigidity
Rigole, *sub*, *m*, *-*, *-n* drainage trench
rigoros, *adj*, rigorous; **Rigorosität** *sub*, *f*, *-*, *nur Einz.* rigorousness; **Rigorosum** *sub*, *n*, *-s*, *-sa* doctoral viva
Rikscha, *sub*, *f*, *-*, *-s* rickshaw
Rille, *sub*, *f*, *-*, *-n* groove; **rillenförmig** *adj*, groove-like; **~nprofil** *sub*, *n*, *-s*, *-e* tread
Rinde, *sub*, *f*, *-*, *-n* bark, crust
Ring, *sub*, *m*, *-es*, *-e* circle, ring; **~bahn** *sub*, *f*, *-*, *-en* circle line; **~buch** *sub*, *n*, *-s*, *-bücher* ring binder
Ringelblume, *sub*, *f*, *-*, *-n* marigold
ringelig, *adj*, ringleted
Ringellocke, *sub*, *f*, *-*, *-n* ringlet
ringeln, (1) *vr*, curl (2) *vt*, entwine; **Ringelnatter** *sub*, *f*, *-*, *-n* grass snake
Ringelreihen, *sub*, *m*, *-s*, - ring-a-ring-o' roses
Ringeltaube, *sub*, *f*, *-*, *-n* woodpigeon
Ringen, (1) *sub*, *n*, *-s*, *nur Einz.* struggle; *(spo.)* wrestling (2) **ringen** *vi*, wrestle; *die Hände ringen* to wring one's hands; *mit den Tränen ringen* to fight to keep back one's tears; **Ringer** *sub*, *m*, *-s*, - wrestler; **Ringergriff** *sub*, *m*, *-s*, *-e* wrestling hold; **Ringkampf** *sub*, *m*, *-s*, *-kämpfe* wrestling match; **Ringkämpfer** *sub*, *m*, *-s*, - wrestler;

Ringrichter *sub*, *m*, *-s*, - *(spo.)* referee
Ringfinger, *sub*, *m*, *-s*, - ring finger;
Ringgeschäft *sub*, *n*, *-s*, *-e* shop for
rings
rings, *adv*, all around; **~herum** *adv*,
all the way around
Ringvorlesung, *sub*, *f*, *-*, *-en* series of
lectures by different speakers
Rinne, (1) *pron*, channel (2) *sub*, *f*, *-*,
-n groove; **rinnen** *vi*, run; *(i. ü. S.)*
das Geld rinnt ihm durch die Finger
money slips through his fingers;
Rinnsal *sub*, *n*, *-s*, *-e* rivulet; **Rinnstein** *sub*, *m*, *-s*, *-e* gutter
Rippchen, *sub*, *n*, *-s*, - slightly cured
pork rib; **Rippe** *sub*, *f*, *-*, *-n* rib; *(ugs.)*
*ich kann es doch nicht durch die
Rippen schwitzen* I can´t just produce it from nowhere; **Rippenbogen**
sub, *m*, *-s*, *-oder-bögen (anat.)* costal
arch; **Rippenbruch** *sub*, *m*, *-s*, *-brü-
che* fractured rib; **Rippenspeer** *sub*,
m, *n*, *-s*, *nur Einz.* spare rib; **Rippenstück** *sub*, *n*, *-s*, *-e* joint of meat including ribs
Rips, *sub*, *m*, *-es*, *-e* rep
Risiko, *sub*, *n*, *-s*, *-s und -ken* öster.
Risken risk; **~faktor** *sub*, *m*, *-s*, *-en*
risk factor; **~geburt** *sub*, *f*, *-*, *-en* risky
birth; **~gruppe** *sub*, *f*, *-*, *-n* risk
group; **riskant** *adj*, risky; **riskieren**
vt, risk, venture; *etwas riskieren* to
take a chance
Riss, *sub*, crack, tear; **rissfest** *adj*, tearproof; **rissig** *adj*, chapped, cracked
Rist, *sub*, *m*, *-es*, *-e* instep, whithers
Ritt, *sub*, *m*, *-s*, *-e* ride; **~er** *sub*, *m*, *-s*,
- knight; **~ergut** *sub*, *n*, *-s*, *-güter*
manor; **ritterlich** *adj*, knightly; **~er-
orden** *sub*, *m*, *-s*, - order of knights;
~erroman *sub*, *m*, *-s*, *-e* romance of
chivalry; **~erschaft** *sub*, *f*, *-*, *nur Einz.*
knighthood; **~erschlag** *sub*, *m*, *-s*,
-schläge (hist.) dubbing; **~ersmann**
sub, *m*, *-(e)s*, *-leute* knight; **~ersporn**
sub, *m*, *-s*, *-e (bot.)* larkspur; **~erwe-
sen** *sub*, *n*, *-s*, *nur Einz.* knighthood;
rittlings *adj*, astride; **~meister** *sub*,
m, *-s*, - cavalry captain
Ritual, *sub*, *n*, *-s*, *-e* ritual; **~handlung**
sub, *f*, *-*, *-en* ritual act; **~mord** *sub*, *m*,
-es, *-e* ritual murder; **rituell** *adj*, ritual; **Ritus** *sub*, *m*, *-*, *-ten* rite
Ritz, *sub*, *m*, *-es*, *-e* crack, scratch; **~e**
sub, *f*, *-*, *-n* crack, gap; **ritzen** *vt*,

scratch
Rivale, *sub*, *m*, *-n*, *-n* rival; **rivalisie-
ren** *vi*, compete with sb; **Rivalität**
sub, *f*, *-*, *-en* rivalry
Rizinus, *sub*, *m*, *-*, *- und -se (bot.)*
caster-oil plant; **~öl** *sub*, *n*, *-s*, *nur
Einz.* caster oil
Roadster, *sub*, *m*, *-*, - roadster
Roastbeef, *sub*, *n*, *-s*, *-s* roast beef
Robbe, *sub*, *f*, *-*, *-n* seal; **~nfänger**
sub, *m*, *-s*, - seal hunter; **~njäger**
sub, *m*, *-s*, - sealer
robben, *vi*, *(mil.)* crawl
Robe, *sub*, *f*, *-*, *-en* evening gown,
robe
Robinie, *sub*, *f*, *-*, *-n* robinia
Robinsonade, *sub*, *f*, *-*, *-n* Robinsonade
roboten, *vi*, *(ugs.)* slave; **Roboter**
sub, *m*, *-s*, - robot; **roboterhaft** *adj*,
like a robot
robust, *adj*, robust
Rock, *sub*, *m*, *-s*, *Röcke* skirt;
~saum *sub*, *m*, *-s*, *-säume* hem of
 a skirt
rocken, *vi*,   *(mus.)*   rock;
Rock'n'Roll *sub*, *m*, *-s*, *nur Einz.*
Rock´n´Roll; **Rocker** *sub*, *m*, *-s*, -
rocker; **Rockerbande** *sub*, *f*, *-*, *-n*
rocker gang; **Rockerbraut** *sub*, *f*, *-*,
-bräute rocker´s girl-friend; **Rockkonzert** *sub*, *n*, *-s*, *-e* rock concert;
Rockmusik *sub*, *f*, *-*, *nur Einz.* rock
music; **Rockmusiker** *sub*, *m*, *-s*, -
rock musician; **Rockoper** *sub*, *f*, *-*,
-n rock opera; **Rocksängerin** *sub*,
f, *-*, *-nen* rock singer
Rodel, *sub*, *m*, *-*, *-n* sledge; **rodeln**
vi, sledge; **~schlitten** *sub*, *m*, *-s*, -
toboggan; **Rodler** *sub*, *m*, *-s*, - to-
bogganer
roden, *vt*, clear; **Rodung** *sub*, *f*, *-*,
-en clearing
Rodeo, *sub*, *m*, *n*, *-s*, *-s* rodeo
Rogate, *sub*, *f*, *-*, - Rogation Sunday
Rogen, *sub*, *m*, *-s*, - roe
Roggen, *sub*, *m*, *-s*, - rye; **~ernte**
sub, *f*, *-*, *-n* rye harvest
Rogner, *sub*, *m*, *-s*, - spawner
roh, *adj*, raw, rough; **Rohbau** *sub*,
m, *-s*, *-bauten* shell; **Rohkost** *sub*,
f, *-*, - raw fruit and vegetables; **Rohköstler** *sub*, *m*, *-s*, - person who
prefers fruit and vegetables uncooked; **Rohköstlerin** *sub*, *f*, *-*, *-nen*
person who prefers fruit and vege-

tables uncooked; **Rohmaterial** *sub*, *n*, *-s*, *-materialien* raw material; **Rohöl** *sub*, *n*, *-s*, *nur Einz*. crude oil; **Rohseide** *sub*, *f*, *-*, *nur Einz*. wild silk; **Rohstahl** *sub*, *m*, *-(e)s*, *nur Einz*. raw steel; **~stoffarm** *adj*, lack of raw material; **Rohtabak** *sub*, *m*, *-s*, *nur Einz*. uncured tobacco

Rohr, *sub*, *n*, *-(e)s*, *-e* cane, pipe, reed; **~dommel** *sub*, *f*, *-*, *-n* bittern; **Röhre** *sub*, *f*, *-*, *-n* oven, tube; *(ugs.) in die Röhre gucken* to be left out; *(ugs.) in die Röhre glotzen* to sit in front of the box; **röhren** *vi*, roar; **Röhrenhose** *sub*, *f*, *-*, *-n (ugs.)* drainpipe trousers; **~geflecht** *sub*, *n*, *-(e)s*, *-e* wickerwork; **Röhricht** *sub*, *n*, *-(e)s*, *-e* reed bed; **~krepierer** *sub*, *m*, *-s*, *- (ugs.; mil.)* barrel burst; **~leitung** *sub*, *f*, *-*, *-en* pipe; **~zucker** *sub*, *m*, *-s*, *nur Einz*. cane sugar

Rokoko, *sub*, *n*, *-s*, *nur Einz*. Rococo period

Rollbahn, *sub*, *f*, *-*, *-en* runway; **Rolle** *sub*, *f*, *-*, *-n* reel, roll; *(Theater)* role; *(i. ü. S.) seine Rolle ausgespielt haben* to have played one´s part; *(i. ü. S.) aus der Rolle fallen* to say the wrong thing; *es spielt keine Rolle, ob it doesn´t matter whether*; **rollen (1)** *vi*, roll **(2)** *vr*, curl up; **rollenförmig** *adj*, cylindrical; **Rollenspiel** *sub*, *n*, *-(e)s*, *-e* role play; **Rollentausch** *sub*, *m*, *-(e)s*, *-e* exchange of roles; **Roller** *sub*, *m*, *-s*, *-* roller, scooter; **Rollerskates** *sub*, *f*, *-*, *-* rollerskates; **Rollfeld** *sub*, *n*, *-(e)s*, *-er* runway; **Rollfilm** *sub*, *m*, *-(e)s*, *-e* roll film; **Rollkommando** *sub*, *n*, *-s*, *-s* raiding party; **Rollladen** *sub*, *m*, *-s*, *-läden* shutters; **Rollmops** *sub*, *m*, *-es*, *-möpse* rollmops; **Rollschinken** *sub*, *m*, *-s*, *-* smoked ham; **Rollschrank** *sub*, *m*, *-(e)s*, *-schränke* roll-fronted cupboard; **Rollschuh** *sub*, *m*, *-(e)s*, *-e* roller-skate; **Rollstuhl** *sub*, *m*, *-(e)s*, *-stühle* wheelchair; **Rolltreppe** *sub*, *f*, *-*, *-n* escalator

Rom, *sub*, *m*, *-*, *Roma* Rome; **Römer** *sub*, *m*, *-s*, *-* Roman; **Römerstraße** *sub*, *f*, *-*, *nur Einz*. Roman road; **Römertopf** *sub*, *m*, *-(e)s*, *-töpfe* chicken brick; **Römertum** *sub*, *n*, *-s*, *nur Einz*. Roman culture; **römisch** *adj*, Roman; **römisch-katholisch** *adj*, Roman Catholic

Roman, *sub*, *m*, *-s*, *-e* novel; **~autorin** *sub*, *f*, *-*, *-nen* novelist; **~cier** *sub*, *m*, *-s*, *-s* novelist; **~e** *sub*, *m*, *-n*, *-n* person speaking a Romance language; **~gestalt** *sub*, *f*, *-*, *-en* figure of a novel; **~heldin** *sub*, *f*, *-*, *-nen* hero of a novel; **~literatur** *sub*, *f*, *-*, *nur Einz*. novels; **~tik** *sub*, *f*, *-*, *nur Einz*. romance, Romanticism; **~tiker** *sub*, *m*, *-* Romantic; *(i. ü. S.)* romantic; **~tikerin** *sub*, *f*, *-*, *-nen* Romantic; *(i. ü. S.)* romantic; **romantisch** *adj*, romantic; **~ze** *sub*, *f*, *-*, *-n* romance

Romanik, *sub*, *f*, *-*, *nur Einz*. Romanesque period; **romanisch** *adj*, Romance; *(kun.)* Romanesque; **romanisieren** *vt*, romanticize; **Romanist** *sub*, *m*, *-en*, *-* teacher/student/scholar of Romance languages and literature; **Romanistik** *sub*, *f*, *-*, *nur Einz*. Romance languages and literature; **romanistisch** *adj*, Romance

Rondo, *sub*, *n*, *-s*, *-s (mus.)* rondo

röntgen, *vt*, X-ray; **Röntgenarzt** *sub*, *m*, *-(e)s*, *-ärzte* X-ray doctor; **Röntgenbild** *sub*, *n*, *-(e)s*, *-er* X-ray plate; **Röntgenologe** *sub*, *m*, *-n*, *-n* radiologist; **Röntgenologie** *sub*, *f*, *-*, *nur Einz*. radiology; **Röntgenoskopie** *sub*, *f*, *-*, *-n* radioscopy; **Röntgenpass** *sub*, *m*, *-es*, *-pässe* X-ray registration card

Rooming-in, *sub*, *n*, *-s*, *-s* rooming-in

Roquefort, *sub*, *m*, *-s*, *-s* Roquefort

rosa, *adj*, pink

rösch, *adj*, crusty

Rose, *sub*, *f*, *-*, *-n* rose; **rosenfarben** *adj*, rose-coloured; **rosenfarbig** *sub*, rosy; **~nkohl** *sub*, *m*, *-s*, *-* Brussels sprouts; **~nkranz** *sub*, *m*, *-es*, *-kränze* rosary; **~nmontag** *sub*, *m*, *-s*, *-e* Monday preceding Ash Wednesday; **~nöl** *sub*, *n*, *-s*, *-e* attar of roses; **~nstrauch** *sub*, *m*, *-(e)s*, *-sträucher* rosebush; **~nstrauß** *sub*, *m*, *-es*, *-sträuße* bunch of roses; **~nwasser** *sub*, *n*, *-s*, *nur Einz*. rose water; **~nzüchter** *sub*, *m*, *-s*, *-* rose-grower; **rosig** *adj*, rosy

Rosette, *sub*, *f*, *-*, *-n* rosette

Rosinante, *sub*, *f*, *-*, *-n* nag

Rosine, *sub*, *f*, *-*, *-n* raisin; *(ugs.) die größten Rosinen aus dem Kuchen*

berauschen to take the pick of the bunch; *(ugs.)* **große Rosinen im Kopf haben** to have big ideas; **~nbrot** *sub, n, -(e)s, -e* raisin bread; **rosinfarben** *adj,* raisin coloured

Rosmarin, *sub, m, -s, nur Einz.* rosemary

Ross, *sub, n, -es, Rosse* horse, steed; **~elenker** *sub, m, -s, -* reinsman; **~haar** *sub, n, -s, -e* horsehair; **~kastanie** *sub, f, -, -n* horse chestnut; **~kur** *sub, f, -, -en* drastic cure; **Rösslein** *sub, n, -s, -* small horse; **~täuscher** *sub, m, -s, -* horse-trader

Rössel, *sub, n, -s, -* horse; *(Schach)* knight; **~sprung** *sub, n, -(e)s, -sprünge (Schach)* knight´s move

Rost, *sub, m, -(e)s, -e* grill; *m, -(e)s, -* rust; **~bildung** *sub, f, -, -en* rust formation; **~braten** *sub, m, -s, -* roast; **rosten** *vi,* rust; *alte Liebe rostet nicht* old love never dies; *wer rastet, der rostet* you have to keep active; **rösten** *vt,* roast; **rostfrei** *adj,* stainless; **rostig** *adj,* rusty; **~laube** *sub, f, -, -n* rust-heap; **Rotisserie** *sub, f, -, -n* rotisserie

rot, *adj,* red; *bis über beide Ohren rot werden* to blush furiously; **~ sehen** *vi, (ugs.)* see red; **Rotbuche** *sub, f, -, -n* beech; **Röte** *sub, f, -, nur Einz.* redness; **Röteln** *sub, f, -, nur Einz.* German measles; **röten (1)** *vt, (2) vt,* redden; **Rotfuchs** *sub, m, -es, -füchse* red fox; *(ugs.)* carrot-top; **~gesichtig** *adj,* red-faced; **Rotkäppchen** *sub, n, -s, nur Einz.* Little Red Ridinghood; **Rotkehlchen** *sub, n, -s, - robin; **Rotkohl** *sub, m, -(e)s, nur Einz.* red cabbage; **Rotkraut** *sub, n, -es, nur Einz.* red cabbage; **Rotlauf** *sub, m, -es, -* swine erysipelas; **Rotlicht** *sub, n, -(e)s, nur Einz.* red light; **~nasig** *adj,* red-nosed; **Rotstift** *sub, m, -(e)s, -e* red pencil; **Rötung** *sub, f, -, -en* reddening; **Rotwein** *sub, m, -(e)s, -e* red wine; **Rotwild** *sub, n, -es, nur Einz.* red deer

Rotation, *sub, f, -, -en* rotation; **rotieren** *vi,* rotate; *(ugs.) am Rotieren sein* to be rushing around like a mad thing; *(ugs.) anfangen zu rotieren* to get into a flap; **Rotor** *sub, m, -en, -en* rotor

Rottweiler, *sub, m, -s, -* Rottweiler

Rotz, *sub, m, -es, nur Einz. (ugs.)* snot;

Löffel sub, m, -, ... **cheeky brat,** *~*nase **sub,** *f, -, -n* snotty nose

Rouge, *sub, n, -s, -s* rouge

Roulade, *sub, f, -, -n* beef olive

Roulette, *sub, n, -s, -s* roulette

Route, *sub, f, -, -n* route

Routine, *sub, f, -, -n* routine; **routinemäßig** *adj,* routine; **~sache** *sub, f, -, -n* routine matter; **Routinier** *sub, m, -s, -s* routined person; **routiniert** *adj,* experienced

Rowdy, *sub, m, -s, -s* hooligan; **~tum** *sub, n, -s, nur Einz.* hooliganism

royal, *adj,* royal; **Royalist** *sub, m, -en, -en* royalist

Rübe, *sub, f, -, -n* carrot, turnip; *(ugs.)* nut; *(ugs.) eins auf die Rübe bekommen* to get a bash on the nut; **~nzucker** *sub, m, -s, -* beet sugar; **~zahl** *sub, m, -s, nur Einz.* spirit of the Sudeten Mountains

rüberbringen, *vt, (ugs.)* get across

rüberkommen, *vi,* come over

Rubidium, *sub, n, -s, nur Einz.* rubidium

Rubin, *sub, m, -s, -e* ruby

Rubrik, *sub, f, -, -en* category, column; **rubrizieren** *vt,* categorize; **Rubrizierung** *sub, f, -, -en* categorization

ruchbar, *adj, (geb.)* become known

Rückansicht, *sub, f, -, -en* back view; **Rückantwort** *sub, f, -, -en* answer; **Rückäußerung** *sub, f, -, -en* reply; **rückbezüglich** *adj,* reflexive; **Rückbildung** *sub, f, -, -en* back-formation; **Rückbleibsel** *sub, n, -s, -* remnant; **Rückblende** *sub, f, -, -n* flashback; **rückblenden** *vi,* flash back; **Rückblick** *sub, m, -es, -e* look back; **rückblickend** *adj,* retrospective; **Rückbuchung** *sub, f, -, -en* back transfer; **rückdatieren** *vt,* backdate

Rücken, (1) *sub, m, -s, -* back **(2) rücken** *vi,* jerk; *(ugs.) ein schöner Rücken kann auch entzücken* you´ve got a lovely back; *(ugs.) ich bin ja auf den Rücken gefallen!* you could have knocked me down with a feather; *(i. ü. S.) jmd in den Rücken fallen* to stab sb in the back; **~flosse** *sub, f, -, -n* dorsal fin; **~lehne** *sub, f, -, -n* back-rest; **~mark** *sub, n, -(e)s, nur Einz.* spinal cord; **~muskel** *sub, m, -s, -n* back muscle; **~wirbel** *sub, m, -s,* - thoracic; **Rückgrat** *sub, n, -(e)s, -e* backbone; *jmd das Rückgrat brechen* to ruin sb; **rückgratlos** *adj,* spineless

Rückfahrkarte, *sub, f, -, -n* return ticket; **Rückfahrt** *sub, f, -, -en* return journey; **Rückfall** *sub, m, -(e)s, -fälle* relapse; **rückfällig** *adj,* relapsed; **Rückflug** *sub, m, -es, -flüge* return flight; **Rückfrage** *sub, f, -, -n* question; **Rückführung** *sub, f, -, -en* repatriation, tracing back; **Rückgabe** *sub, f, -, -n* return; **Rückgang** *sub, m, -(e)s, -gänge* drop; **rückgängig** *adj,* declining; **rückgebildet** *adj,* degenerate

Rückgriff, *sub, m, -(e)s, -e* by reverting to sb/sth; **Rückhalt** *sub, m, -(e)s, -e, -s* support; **rückhaltlos** *adj,* complete, implicit; **Rückhand** *sub, f, -, nur Einz. (spo.)* backhand; **Rückkauf** *sub, m, -(e)s, -käufe* repurchase; **Rückkehr** *sub, f, -, nur Einz.* return; **Rückkehrerin** *sub, f, -, -nen* person who returns; **rückkoppeln** *vti,* feed back; **Rückkopplung** *sub, f, -, -en* feedback; **Rückkreuzung** *sub, f, -, -en* back-cross

Rückkunft, *sub, f, -, -künfte* return; **Rücklage** *sub, f, -, -n* reserves; **Rücklauf** *sub, m, -es, -läufe* returns, reverse running; **rückläufig** *adj,* declining; **Rückleuchte** *sub, f, -, -n* rear light; **Rückmeldung** *sub, f, -, -en* re-registration; **Rücknahme** *sub, f, -, -n* taking back; **Rückpass** *sub, m, -es, -pässe (spo.)* return pass

Rucksack, *sub, m, -(e)s, -säcke* rucksack; **~tourist** *sub, m, -en, -en* backpacker; **rucksen** *vi,* coo

Rückschlag, *sub, m, -es, -schläge* relapse, set-back; **Rückschluss** *sub, m, -es, -schlüsse* conclusion; **Rückschritt** *sub, m, -es, -e* step backwards; **Rückseite** *sub, f, -, -n* back, reverse; **Rücksendung** *sub, f, -, -en* return

Rücksicht, *sub, f, -, -en* consideration; **rücksichtslos** *adj,* inconsiderate, reckless; **~slosigkeit** *sub, f, -, -en* inconsiderateness; **rücksichtsvoll** *adj,* considerate

Rücksiedlung, *sub, f, -, -en* return settlement; **Rücksitz** *sub, m, -es, -e* back seat; **Rückspiegel** *sub, m, -s,* - driving mirror; **Rücksprache** *sub, f, -, -n* consultation; **Rückstand** *sub, m, -es, -*

stände arrears, remains; **rückständig** *adj,* backward, in arrears; **Rückstau** *sub, m, -(e)s, -s, -e* tailback; **Rückstoß** *sub, m, -es, -stöße* repulsion; **Rückstrahler** *sub, m, -s,* - reflector

Rücktritt, *sub, m, -es, -e* resignation, withdrawal; **~bremse** *sub, f, -, -n* backpedal; **rückvergüten** *vt,* refund; **Rückwand** *sub, f, -, -wände* back wall; **rückwärts** *adj,* backwards; **Rückwärtsgang** *sub, m, -s, -gänge* reverse gear; **Rückwendung** *sub, f, -, -en* return; **rückwirkend** *adj,* backdated; **Rückwirkung** *sub, f, -, -en* repercussion; **rückzahlbar** *adj,* repayable; **Rückzahlung** *sub, f, -, -en* repayment; **Rückzug** *sub, m, -es, -e* retreat

rüde, (1) *adj,* brusque, impolite **(2) Rüde** *sub, m, -n, -n* dog

Rudel, *sub, n, -s,* - herd, pack

Ruder, *sub, n, -s,* - rudder; *(i. ü. S.) das Ruder fest in der Hand haben* to be in control of the situation; *(i. ü. S.) sich in die Ruder legen* to put one´s back into it/sth; **~boot** *sub, n, -es, -e* rowing boat; **rudern** *vti,* row; **~regatta** *sub, f, -, -tten* rowing regatta; **~sport** *sub, m, -s, nur Einz.* rowing; **~verband** *sub, m, -s, -verbände* row club; **~verein** *sub, m, -s, -e* row club

Rudiment, *sub, n, -s, -e* rudiment; **rudimentär** *adj,* rudimentary

Ruf, *sub, m, -s, nur Einz.* call, reputation; **rufen (1)** *vi,* call **(2)** *vt,* send for, shout; **~mord** *sub, m, -s, -e* character assassination; **~name** *sub, m, -ns, -n* forename; **~nummer** *sub, f, -, -n* telephone number; **~säule** *sub, f, -, -n* emergency telephone; **~weite** *sub, f, -, nur Einz.* within calling distance

Rufer, *sub, m, -s,* - *(liter)* leader in the battle

Rüge, *sub, f, -, -n* criticism, reprimand; **rügen** *vt,* reprimand

Ruhe, *sub, f, -, nur Einz.* peace, rest, silence; **~bank** *sub, f, -, -bänke* bench; **~bett** *sub, n, -es, -en* bed; **~gehalt** *sub, n, -es, -gehälter* superannuation; **~lage** *sub, f, -, -n* immobility, reclining position; **ruhelos** *adj,* restless; **ruhen** *vi,* cea-

ruhend adj, resting; **~raum** sub, m, -s, -räume rest room; **~sitz** sub, m, -es, Plural selten (-e) retirement home; **~stand** sub, m, -s, nur Einz. retirement; **~stellung** sub, f, -, nur Einz. resting position; **ruhestörend** adj, (jur.) disturbance of the peace; **~störung** sub, f, -, -en disturbance of the peace; **~tag** sub, m, -s, -e rest-day; **~zeit** sub, f, -, -en rest period; **ruhig** adj, calm, quiet

Ruhm, sub, m, -s, - fame, glory; **ruhmbedeckt** adj, covered with glory; **~begierde** sub, f, -, -n thirst for glory; **ruhmbegierig** adj, thirsty for glory; **rühmen** (1) vr, boast about sth (2) vt, praise; sich einer Sache rühmen to boast about sth; **rühmenswert** adj, praiseworthy; **~esblatt** sub, n, -es, nur Einz. (i. ü. S.) glorious chapter; **~eshalle** sub, f, -, -n hall of fame; **rühmlich** adj, praiseworthy; **ruhmreich** adj, glorious; **~sucht** sub, f, -, nur Einz. thirst for glory; **ruhmsüchtig** adj, thirsty for glory; **ruhmvoll** sub, glorious

Ruhr, sub, f, -, nur Einz. dysentery

Rührei, sub, n, -s, -er scrambled eggs

rühren, (1) vi, stir; (i. ü. S.) touch sth (2) vt, move; daran wollen wir nicht rühren let's not go into it; **~d** adj, touching; **rührig** adj, active; **Rührmaschine** sub, f, -, -n mixing machine; **Rührmichnichtan** sub, n, -s, nur Einz. (bot.) touch-me-not; **rührselig** adj, touching; **Rührteig** sub, m, -es, -e sponge mixture; **Rührung** sub, f, -, nur Einz. emotion

Ruhrgebiet, sub, n, -s, nur Einz. Ruhr area

Ruin, sub, m, -s, nur Einz. ruin; **~e** sub, f, -, -n ruin; **ruinenartig** adj, ruined; **ruinieren** vt, ruin; **ruinös** adj, ruinous

rülpsen, vi, belch; **Rülpser** sub, m, -s, - (ugs.) belch

Rum, sub, m, -s, -s oder -e rum; **~kugel** sub, f, -, -n rum ball; **~topf** sub, m, -s, -töpfe rumpot

Rumänien, sub, n, -s, - Romania

Rumba, sub, f, m, -s, -s rumba

Rummel, sub, m, -s, nur Einz. (ugs.) fuss, hustle and bustle; (ugs.) großen Rummmel um jmdn/etwas machen to make a great fuss about sb/sth; den it; **~platz** sub, m, -es, -plätze fairground

rumoren, vi, make a noise, rumble

Rumpelkammer, sub, f, -, -n (ugs.) junk room

Rumpf, sub, m, -es, Rümpfe trunk; (Schiff) hull

Rumpsteak, sub, n, -s, -s rump steak

Run, sub, m, -s, -s run

rund, (1) adj, round (2) adv, round; rund um die Uhr right round the clock; **Rundbank** sub, f, -, -bänke circular bench; **Rundbeet** sub, n, -s, -e round bed; **Runde** sub, f, -, -n company, walk; (spo.) lap; (ugs.) eine Runde Schlaf to have a kip; (i. ü. S.) etwas über die Runden bringen to manage sth; **Rundenrekord** sub, m, -s, -e rounds record; **~erneuert** adj, remoulded; **Rundfahrt** sub, f, -, -en tour; **Rundflug** sub, m, -s, -flüge sightseeing flight

Rundfunk, sub, m, -s, nur Einz. broadcasting, radio; **~apparat** sub, m, -s, -e radio set; **~gerät** sub, n, -s, -e radio set; **~programm** sub, n, -s, -e radio programme; **~sendung** sub, f, -, -en radio programme; **~station** sub, f, -, -en radio station; **~übertragung** sub, f, -, -en radio broadcast; **~werbung** sub, f, -, -en radio advertisement

Rundgang, sub, m, -s, -gänge rounds, walk; **Rundheit** sub, f, -, nur Einz. roundness; **rundherum** adv, all round; **Rundkurs** sub, m, -es, -e circuit; **rundlich** adj, plump; **Rundlichkeit** sub, f, -, nur Einz. plumpness; **Rundling** sub, m, -s, -e nuclear village; **Rundschädel** sub, m, -s, - shorthead; **Rundschreiben** sub, n, -s, - circular; **Rundschrift** sub, f, -, -en circular; **Rundsicht** sub, f, -, nur Einz. panorama; **rundum** adv, all round; (i. ü. S.) completely; **Rundumschlag** sub, m, -s, -schläge sweeping blow

Rune, sub, f, -, -n rune; **~nschrift** sub, f, -, -en runic writing; **runisch** adj, runic

Runkelrübe, sub, f, -, -n mangelwurzel

Runzel, sub, f, -, -n wrinkle; **runzelig** adj, wrinkled; **runzeln** vt, wrinkle

Rüpel, *sub, m, -s,* - lout; **rüpelhaft** *adj,* loutish

Rupfen, (1) *sub, m, -s,* - gunny **(2) rupfen** *vt,* pluck; *(ugs.) mit jmd ein Hühnchen zu rupfen haben* to have a bone to pick with sb; *wie ein gerupftes Huhn aussehen* to look like a shorn sheep

ruppig, *adj,* rough

Ruptur, *sub, f, -, -en* rupture

Rüsche, *sub, f, -, -n* ruche; **~nbluse** *sub, f, -, -n* ruched blouse; **~nhemd** *sub, n, -s, -en* ruched shirt

Rushhour, *sub, f, -, -s* rush hour

Ruß, *sub, m, -es, fachspr. Ruße* soot; **rußig** *adj,* sooty

Russe, *sub, m, -n, -n* Russian; **~nbluse** *sub, f, -, -n* Russian blouse; **~nkittel** *sub, m, -s, -* smock; **russisch** *adj,* Russian; **Russland** *sub, n, -s,* - Russia

rüsten, (1) *vi, (mil.)* arm **(2)** *vr,* prepare

Rüster, *sub, f, -, -n* elm

rüstig, *adj,* sprightly

Rüstung, *sub, f, -, -en* armament, arms; **Rüstzeug** *sub, n, -es, nur Einz.* tools

Rute, *sub, f, -, -n* rod, switch; **~nbündel** *sub, n, -s, -* *(hist.)* fasces; **~ngänger** *sub, m, -s,* - diviner

Ruthenium, *sub, n, -s, nur Einz.* ruthenium

Rutsch, *sub, m, -(e)s, -e* slip, swing; *(ugs.) guten Rutsch* have a good new year; **~bahn** *sub, f, -, -en* slide; *(mechanisch)* chute; **~e** *sub, f, -, -n* slide; **rutschen** *vt,* slide, slip; **~gefahr** *sub, f, -, -en* danger of skidding; **rutschig** *adj,* slippery; **~partie** *sub, f, -, -n* slip; *(Auto)* skid; **rutschsicher** *adj,* non-slip

Rüttelei, *sub, f, -, -en* rattling, shaking; **rütteln (1)** *vi,* rattle **(2)** *vt,* shake

Saal, *sub, m, -s, Säle* hall; **~schlacht** *sub, f, -, -en (ugs.)* brawl

Saarbrücker, *sub, m, -s, -* Saarbrücker

Saarländerin, *sub, f, -, -nen* Saarländer

Saarlouiser, *sub, m, -s, -* Saarlouiser

Saat, *sub, f, -, -en* seed, seedlings; **~enpflege** *sub, f, -, nur Einz.* seedlings care; **~enstand** *sub, m, -s, -stände* state of the crop(s); **~gut** *sub, n, -s, nur Einz.* seed; **~korn** *sub, n, -s, -körner* seed corn; **~krähe** *sub, f, -, -n* rook

Sabbat, *sub, m, -s, -e* Sabbath

sabbeln, (1) *vi,* sobbler (2) *vt,* blather

Sabber, *sub, m, -s, nur Einz. (ugs.)* slobber; **sabbern** (1) *vi,* slobber (2) *vt, (ugs.)* blather

Sabotage, *sub, f, -, -n* sabotage; **~akt** *sub, m, -s, -e* act of sabotage; **Saboteur** *sub, m, -s, -e* saboteur; **sabotieren** *vt,* sabotage

Saccharin, *sub, n, -s, nur Einz.* saccharin

Sachbereich, *sub, m, -s, -e* specialist area; **Sachbeschädigung** *sub, f, -, -en* damage of property; **sachbezogen** *adj,* relevant; **Sachbuch** *sub, n, -s, -bücher* non-fiction book; **sachdienlich** *adj,* useful

Sache, *sub, f, -, -n* affair, matter, thing; *(ugs.) bei der Sache sein* to be on the ball; *das ist meine Sache* that´s my business; *(ugs.) mach keine Sachen* don´t be silly

Sacheinlage, *sub, f, -, -n* contribution in kind

Sachertorte, *sub, f, -, -n* sachertorte

sachgemäß, *adj,* proper; **sachgerecht** *adj,* proper

Sachkatalog, *sub, m, -s, -e* subject index; **Sachkenntnis** *sub, f, -, -se* knowledge of the subject; **sachkundig** *adj,* well-informed; **Sachlage** *sub, f, -, -n* state of affairs; **Sachleistung** *sub, f, -, -en* payment of kind

sachlich, *adj,* factual, objective; **Sachlichkeit** *sub, f, -, nur Einz.* functionality, objectivity; **Sachregister** *sub, n, -s, -* subject index; **Sachschaden** *sub, m, -s, -schäden* damage to property

sächlich, *adj,* neuter

sacht, *adj,* gentle, soft; **~e** *adj,* careful, gentle

Sachverhalt, *sub, m, -s, -e* facts; **Sachverstand** *sub, m, -s, nur Einz.* expertise; **sachverständig** *adj,* expert; **Sachverständige** *sub, m, f, -n, -n* expert; **Sachwalterin** *sub, f, -, -nen* agent, trustee; **Sachwert** *sub, m, -s, nur Einz.* material assets; **Sachzwang** *sub, m, -s, -zwänge* practical constraint

Sack, *sub, m, -s, Säcke* bag, sack; **~bahnhof** *sub, m, -s, -höfe* terminus; **sacken** (1) *vi,* sink (2) *vt,* sack; **~gasse** *sub, f, -, -n* cul-de-sac

Sackleinwand, *sub, f, -, -wände* sacking

Sacktuch, *sub, n, -s, -tücher* sacking

Sadismus, *sub, m, -, nur Einz.* sadism; **Sadist** *sub, m, -en, -en* sadist; **sadistisch** *adj,* sadistic

säen, *vti,* sow

Safari, *sub, f, -, -s* safari

Safe, *sub, m, -s, -s* safe; **~rsex** *sub, m, -, nur Einz.* safer sex

Saffian, *sub, m, -s, nur Einz.* morocco leather; **~leder** *sub, n, -s, nur Einz.* morocco leather

Safran, *sub, m, -s, -e* saffron

Saft, *sub, m, -s, Säfte* juice; *(Pflanzen)* sap; **saftig** *adj,* juicy; *(ugs.) da habe ich ihm einen saftigen Brief geschrieben* so I wrote him a pretty potent letter

Saga, *sub, f, -, -gas* saga

Sage, *sub, f, -, -n* legend; **Sägefisch** *sub, m, -s, -e* sawfish; **Sägemehl** *sub, n, -s, nur Einz.* sawdust; **Sägemühle** *sub, f, -, -n* sawmill

Säge, *sub, f, -, -n* saw

sagen, *vt,* say; *das kann man wohl sagen* you can say that again; *(ugs.) unter uns gesagt* between you and me and the gatepost

sägen, *vti,* saw

Sagengestalt, *sub, f, -, -en* legend figure; **sagenhaft** *adj,* legendary; **sagenumwoben** *adj,* legendary

Sägewerk, *sub, n, -s, -e* sawmill; **Sägezahn** *sub, m, -s, -zähne* saw tooth

Sago, *sub, m, n, -s, nur Einz.* sago

Sahib, *sub, m, -s, -s* sahib

Sahne, *sub, f, -, nur Einz.* cream; **~bonbon** *sub, n, -s, -s* toffee; **~eis** *sub, n, -es, -e* icecream; **sahnig** *adj,* creamy

Saison, *sub, f, -, -s* season; **saisonal** *adj,* seasonal; **~arbeit** *sub, f, -, nur Einz.* seasonal work; **~beginn** *sub, m, -s, nur Einz.* start of the season; **saisonweise** *adj,* seasonal

Saite, *sub, f, -, -n* string; **~ninstrument** *sub, n, -s, -e* string instrument; **~nspiel** *sub, n, -s, nur Einz.* playing of stringed instrument

Sake, *sub, m, -, nur Einz.* sake

Sakko, *sub, n, -s, -s* sports jacket

sakral, *adj,* sacral; **Sakralbau** *sub, m, -s, -ten* sacral building

Sakrament, *sub, n, -s, -e* sacrament; **sakramental** *adj,* sacramental

Sakrifizium, *sub, n, -s, -fizien* sacrifice

Sakrileg, *sub, n, -s, -e (geh.)* sacrilege; **sakrilegisch** *adj,* sacrilegious

Sakristan, *sub, m, -s, -e* sacristan; **~in** *sub, f, -, -nen* sacristan; **Sakristei** *sub, f, -, -en* sacristy

sakrosankt, *adj,* sacrosanct

säkular, *adj,* secular; **Säkularisation** *sub, f, -, -en* secularization; **~isieren** *vt,* secularize

Säkulum, *sub, n, -s, Säkula (geh.)* century

Salam, *sub, -, nur Einz.* Salem; **~ander** *sub, m, -s, -* salamander

Salami, *sub, f, -, -s* salami; **~wurst** *sub, f, -, -würste* salami

Salär, *sub, n, -s, -e* salary

Salat, *sub, m, -s, -e* lettuce, salad; **~besteck** *sub, n, -s, -e* salad servers; **~pflanze** *sub, f, -, -n* lettuce plant; **~platte** *sub, f, -, -n* salad; **~teller** *sub, m, -s, -* salad

Salbe, *sub, f, -, -n* ointment

Salbei, *sub, m, -s, nur Einz.* sage

salben, *vt,* anoint; **Salbung** *sub, f, -, -en* anointing; **salbungsvoll** *adj,* unctuous

Saldenliste, *sub, f, -, -n* balance list; **saldieren** *vt,* balance; **Saldo** *sub, m, -s, Saldi oder Salden* balance; **Saldovortrag** *sub, m, -s, -träge* balance brought forward

Salesmanship, *sub, n, -s, nur Einz.* salesmanship

Saline, *sub, f, -, -n* salt-works

Salmiak, *sub, m,n, -s, nur Einz.* sal ammoniac

Salmonellen, *sub, f, -, nur Mehrz.* salmonellae; **Salmonellose** *sub, f, -, -n* salmonellosis; **salomonisch** *adj,* of

Solomon

Salon, *sub, m, -s, -s* salon; **salonfähig** *adj,* presentable

Saloon, *sub, m, -s, -s* saloon

salopp, *adj,* casual, sloppy

Salpeter, *sub, m, -s, nur Einz.* saltpetre; **~säure** *sub, f, -, -n* nitric acid

Salto, *sub, m, -s, -s oder Salti* somersault; **~ mortale** *sub, m, - -, -ti...-ti oder - - (Zirkus)* perform a deathdefying leap

Salut, *sub, m, -s, -e (mil.)* salute; **salutieren** *vti,* salute; **~schuss** *sub, m, -ses, -schüsse* five-gun salute

Salve!, *sub, f, -, -n* salvo; *(mil.)* salute **salve!,** *interj,* salve!

Samariter, *sub, m, -s, -* Samaritan; **Samarium** *sub, n, -s, nur Einz.* samarium

Samba, *sub, f, -, -s* samba

Same, *sub, m, -ns, -n* seed; **~n** *sub, m, -s, -* seeds; **~nerguss** *sub, m, -es, -güsse* ejaculation; **~nfaden** *sub, m, -s, -fäden* spermtozoon; **~nkapsel** *sub, f, -, -n* seed capsule; **~nleiter** *sub, m, -s, -* vas deferens; **~nstrang** *sub, m, -s, -stränge* spermatic cord

Sämischleder, *sub, n, -s, -* chamois leather

Sammelalbum, *sub, n, -s, -ben* collector´s album; **Sammelanschluss** *sub, m, -es, -schlüsse* party branch exchange; **Sammelbecken** *sub, n, -s, -* collecting tank; **Sammelbüchse** *sub, f, -, -n* collecting tin; **Sammeldepot** *sub, n, -s, -s* collective securities deposit; **Sammelei** *sub, f, -, nur Einz.* collecting; **Sammeleifer** *sub, m, -s, nur Einz.* enthusiasm about collecting; **Sammelkonto** *sub, n, -s, -ten* collective account; **Sammellager** *sub, n, -s, -* collective camp; **Sammelmappe** *sub, f, -, -n* file; **sammeln (1)** *vi,* gather **(2)** *vt,* collect

Sammelname, *sub, m, -ns, -n* collective name; **Sammelnummer** *sub, f, -, -n* private exchange number; **Sammelplatz** *sub, m, -es, -plätze* assembly point; **Sammelstelle** *sub, f, -, -n* collecting point; **Sammelsurium** *sub, n, -s, -rien* conglomeration; **Sammeltasse** *sub, f, -, -n* ornamental cup; **Sammeltrieb** *sub, m, -s, nur Einz.*

-s, - collector; **Sammlerfleiß** *sub, m,
-es, nur Einz.* collector´s enthusiasm;
Sammlung *sub, f, -, -en* collection,
composure

Samoainseln, *sub, f, -, nur Einz.* Samoa islands

Samos, *sub, m, -, -* Samos

Samowar, *sub, m, -s, -e* samovar

Samstag, *sub, m, -s, -e* Saturday; **samstags** *adv,* on Saturdays

Samt, *sub, m, -s, -e* velvet; **~hose** *sub,
f, -s, -n* velvet trousers; **samtig** *adj,*
velvety

sämtlich, *adj,* all, complete

Samtpfötchen, *sub, n, -s, - (ugs.)* velvet paw; **Samtteppich** *sub, m, -s, -e*
velvet carpet

Samurai, *sub, m, -s, -s* Samurai

Sanatorium, *sub, n, -s, Sanatorien* se-
natorium

Sanctitas, *sub, f, -, nur Einz.* Sancitas

Sandale, *sub, f, -, -n* sandal

Sandbahn, *sub, f, -, -en* sand track;
Sandbank *sub, f, -, -bänke* sandbank

Sandelholz, *sub, n, -es, -hölzer* sandalwood; **~öl** *sub, n, -s, -e* sandalwood
oil; **Sandelöl** *sub, n, -s, -e* sandalwood oil

sandig, *adj,* sandy; **Sandkorn** *sub, n,
-s, -körner* grain of sand; **Sandmann**
sub, m, -s, nur Einz. sandman; **Sandmännchen** *sub, n, -s, nur Einz.* sandman; **Sandsack** *sub, m, -s, -säcke*
sandbag; *(Boxen)* punchbag; **Sandstein** *sub, m, -s, -ne* sandstone; **Sanduhr** *sub, f, -, -ren* hourglass

Sandwich, *sub, n, -es, -es* sandwich

Sänfte, *sub, f, -, -n* litter, sedan chair;
Sanftmut *sub, f, -, nur Einz.* gentleness; **sanftmütig** *adj,* gentle

Sang, *sub, m, -s, Sänge* song; **Sänger**
sub, m, -s, - singer; **Sängerin** *sub, f, -,
-nen* singer; **~esbruder** *sub, m, -s,
-brüder* chorister; **~esfreund** *sub,
m, -s, -e* friend of songs; **sangeslustig**
adj, song-loving

Sangria, *sub, f, -, -s* sangria

Sanguiniker, *sub, m, -s, - (psych.)* sanguine person; **sanguinisch** *adj,* sanguine

sanieren, (1) *vr, (ugs.)* line one´s own
pocket **(2)** *vt,* rehabilitate, renovate;
Sanierung *sub, f, -, -en* rehabilitation,
renovation, self-enrichment; **Sanie-
rungsmaßnahme** *sub, f, -, -n* redeve-

lopment measures, **Umierungs-
plan** *sub, m, -s, -pläne* redevelop-
ment plan

sanitär, *adj,* sanitary

Sanitäter, *sub, m, -s,* - first-aid attendant; **Sanitätsauto** *sub, n, -s, -s* ambulance; **Sanitätsrat** *sub, m, -s,
-räte* medical advice; **Sanitätszelt**
sub, n, -s, -e medical tent

Sankt, *adj,* saint; **~ion** *sub, f, -, -en*
sanction; **sanktionieren** *vt,* sanction; **~ionierung** *sub, f, -, -en* sanc-
tioning; **~uarium** *sub, n, -s, -ien*
sanctuary

Sansculotte, *sub, m, -n, -n* Sansculotte

sansibarisch, *adj,* Zanzibari

Sanskrit, *sub, n, -s, nur Einz.* Sanskrit; **sanskritisch** *adj,* Sanskrit;
~ist *adj,* Sanskritian

saprogen, *adj,* putrefactive

Saprophyt, *sub, m, -en, -en* saprophyt

Sarabande, *sub, f, -, -n (mus.)* saraband; **Sarazene** *sub, m, -n, -n* Saracen; **sarazenisch** *adj,* Saracen

Sardelle, *sub, f, -, -n* anchovy

Sardine, *sub, f, -, -n* sardine

Sardinierin, *sub, f, -, -nen* Sardinian; **sardisch** *adj,* Sardinian; **sardonisch** *adj,* Sardinian

Sardonyx, *sub, m, -es, -e* sardonyx

Sarg, *sub, m, -s, Särge* coffin

Sari, *sub, m, -s, -s* sari

Sarkasmus, *sub, m, -, Sarkasmen*
sarcasm; **sarkastisch** *adj,* sarcastic

Sarkophag, *sub, m, -s, -e* sarcophagus

Sarong, *sub, m, -s, -s* sarong

Sass, *sub, m, -en, -en* local resident;
~afrasöl *sub, n, -s, -e* sassafras oil

Satan, *sub, m, -s, -e* Satan; **satanisch**
adj, satanic; **~sbraten** *sub, f, -,
(ugs.)* young devil

Satellit, *sub, m, -en, -en* satellite

Satin, *sub, m, -s, -s* satin

Satisfaktion, *sub, f, -, -en* satisfaction

Satrap, *sub, m, -en, -en (hist.)* satrap

satt, *adj,* full, replete; *(Farben)* rich

Satte, *sub, f, -, -n (ugs.)* bowl

Sattel, *sub, m, -s, Sättel* saddle; *(i. ü.
S.) fest im Sattel sitzen* to be firmly
in the saddle; **~decke** *sub, f, -, -n*
saddlecloth; **sattelfest** *adj,* have a
good seat; **~kissen** *sub, n, -s, -*

paddock; **~knopf** *sub, m, -s, -knöpfe* pommel

satteln, *vt*, saddle (up); **Sattelpferd** *sub, n, -s, -e* saddle horse; **Sattelschlepper** *sub, m, -s,* - articulated lorry; **Satteltasche** *sub, f, -, -n* saddlebag

Sattheit, *sub, f, -, nur Einz.* feeling of repletion; *(Farben)* richness; **sättigen (1)** *vi*, be filling **(2)** *vt*, satisfy; **Sättigung** *sub, f, -, -en (geb.)* repletion; *(chem.)* saturation

Sattler, *sub, m, -s,* - saddler, upholsterer

saturieren, *vt*, satisfy; **saturiert** *adj*, saturated

Saturnrakete, *sub, f, -, -n* Saturn rokket

Satyr, *sub, m, -s oder-n, -n* satyr

Satz, *sub, m, -es, Sätze* clause, sentence; **~aussage** *sub, f, -, -n* predicate; **~bauplan** *sub, m, -s, -pläne* sentence construction plan; **~spiegel** *sub, m, -s,* - type area; **~teil** *sub, m, -s, -e* part of a sentence; **~ung** *sub, f, -, -en* statutes; **~zeichen** *sub, n, -s,* - punctuation mark

Sau, *sub, f, -, Säue* pig, sow; *(ugs.)* dirty swine; *(ugs.) die Sau rauslassen* to let it all hang out; *(ugs.) unter aller Sau* goddamn awful

sauber, *adj*, clean, neat; **Sauberkeit** *sub, f, -, nur Einz.* cleanliness; **Saubermann** *sub, m, -s, -männer (ugs.)* cleanliness freak; **säubern** *vt*, clean; **Säuberung** *sub, f, -, -en* cleaning; *(polit.)* purge

Saubohne, *sub, f, -, -nen* broad bean

Sauce, *sub, f, -n, -n* gravy, sauce

sauer, *adj*, pickled, sour; *(ugs.) gib ihm Saures* let him have it; **Sauerampfer** *sub, m, -s, nur Einz.* sorrel; **Sauerbraten** *sub, m, -s,* - braised beef

Sauerei, *sub, f, -, -en (ugs.)* mess; *eine Sauerei machen* to make a mess; *Sauereien erzählen* to tell filthy stories

Sauerkirsche, *sub, f, -, -en* sour cherry; **Sauerkraut** *sub, n, -s, nur Einz.* sauerkraut; **Sauerstoff** *sub, m, -s, nur Einz.* oxygen; **Sauerstoffzelt** *sub, n, -es, -e* oxygen tent; **Sauerteig** *sub, m, -es, -e* sour dough; **sauertöpfisch** *adj*, sour; **Säuerung** *sub, f, -, -en* leavening

Saufbold, *sub, m, -s oder -es, -e (ugs.)* drunkard; **saufen** *vti*, drink; **Säufer** *sub, m, -s,* - *(ugs.)* drunkard; **Sauferei** *sub, f, -, -en* booze-up; **Saufgelage** *sub, n, -s,* - booze-up

saugen, *vti*, suck; **Sauger** *sub, m, -s,* - teat; *(ugs.)* vacuum cleaner; **Säugetier** *sub, n, -s od. -es, -e* mammal; **Saugflasche** *sub, f, -, -n* feeding bottle; **Säugling** *sub, m, -s od. -es, -e* baby; **Säuglingssterblichkeit** *sub, f, -, nur Einz.* infant mortality; **Saugmassage** *sub, f, -, -n* vacuum massage; **Saugnapf** *sub, m, -s od. -es, -näpfe* sucker; **Saugrohr** *sub, n, -s od. -es, -e* pipette

säugen, *vt*, suckle

Säule, *sub, f, -, -n* column, pillar; **säulenförmig** *adj*, like a column; **~nhalle** *sub, f, -, -n* columned hall; **~nschaft** *sub, m, -es, -e* shaft of a column; **~ntempel** *sub, m, -s,* - colonnaded temple

Saum, *sub, m, -s od. -es, Säume* hem, seam; **~agen** *sub, m, -s, -mägen (ugs.)* robust stomach; **saumäßig (1)** *adj*, lousy **(2)** *adv*, lousily; **säumen (1)** *vi*, tarry **(2)** *vt*, hem; **säumig** *adj*, dilatory; overdue; **~tier** *sub, n, -s od. -es, -e* pack animal

Sauna, *sub, f, -, -s oder Saunen* sauna; **saunen** *vi*, have a sauna

Säure, *sub, f, -, -n* acid, sourness; **~gehalt** *sub, m, -s od. -es, -e* acid content; **säurehaltig** *adj*, acidic; **~mangel** *sub, m, -s, nur Einz.* shortage of acid; **~messer** *sub, m, -s,* - instrument to measure acid

Saurier, *sub, m, -s,* - dinosaur

Sause, *sub, f, -, -n (ugs.)* pub crawl; **sausen** *vi*, buzz; *(Wind)* whistle; **Saustall** *sub, m, -s od. -es, nur Einz.* *(ugs.)* pigsty

Sauwetter, *sub, n, -s,* - awful weather

Savanne, *sub, f, -, -n* savanna

Saxofon, *sub, n, -s, -e* saxophone; **~ist** *sub, m, -en, -en* saxophonist

S-Bahn, *sub, f, -, -en* suburban railway; **~-Wagen** *sub, m, -s, -wägen* suburban railway carriage

Scandium, *sub, n, -s, nur Einz.* scandium

Scanner, *sub, m, -s,* - scanner; **Scanning** *sub, n, -s, nur Einz.* scanning

Scene, *sub, f, -, nur Einz.* scene

Schabe, *sub*, *f*, -, -n cockroach; **~messer** *sub*, *n*, -s, - scraper; **schaben** *vt*, scrape

Schabernack, *sub*, *m*, -es, -nacks prank

schäbig, *adj*, shabby; **Schäbigkeit** *sub*, *f*, -, -en shabbiness

Schablone, *sub*, *f*, -, -n stencil, template

Schabmesser, *sub*, *n*, -s, - scraping knife; **Schabracke** *sub*, *f*, -, -n saddlecloth

Schach, *sub*, *f*, -s, Schachs chess; **den König ins Schach setzen** to check the king; *(i. ü. S.)* **jmdn in Schach halten** to stall sb; **~brett** *sub*, *n*, -s od. -es, -bretter chessboard

Schacher, *sub*, *m*, -s, - haggling; **schachern** *vi*, haggle over sth.

Schächer, *sub*, *m*, -s, - *(bibl.)* thief

Schachfigur, *sub*, *f*, -, -en chess piece; **Schachpartie** *sub*, *f*, -, -n game of chess; **Schachspiel** *sub*, *n*, -s od -es, -e game of chess

Schacht, *sub*, *m*, -s od. -es, Schächte shaft

Schachtel, *sub*, *f*, -, -n box; **Schächtelein** *sub*, *n*, -s, - small box; **~halm** *sub*, *m*, -s od. -es, -e *(bot.)* horsetail

schachten, *vi*, dig a pit

Schachtisch, *sub*, *m*, -s od. -es, -e square; **Schachzug** *sub*, *m*, -s od. -es, -züge move

Schädel, *sub*, *m*, -s, - skull; *(ugs.)* **einen dicken Schädel haben** to be stubborn; *(ugs.)* **mir brummt der Schädel** my head is going round and round; **~basis** *sub*, *f*, -, -basen base of the skull; **~bruch** *sub*, *m*, -s od. -es, -brüche fractured skull; **~dach** *sub*, *n*, -s od. -es, -dächer top of the skull; **~decke** *sub*, *f*, -, -n top of the skull; **~form** *sub*, *f*, -, -en form of the skull

Schaden, (1) *sub*, *m*, -s, Schäden damage, fault, harm (2) **schaden** *vi*, damage, harm; *wer den Schaden hat, braucht für den Spott nicht zu sorgen* don´t mock the afflicted; *durch Schaden wird man klug* you learn from your mistakes; **~ersatz** *sub*, *m*, -es, nur Einz. compensation; **~freude** *sub*, *f*, -, nur Einz. malicious joy; **schadenfroh** *adj*, gloating; **~sbericht** *sub*, *m*, -s od. -es, -e damage report; **~sfall** *sub*, *m*, -s od. -es, -fälle in the event of a claim; **schadhaft** *adj*, defective, faulty; **schadügen** *vt*, damage, harm; **Schadinsekt** *sub*, *n*, -s, -en harmful insect; **schädlich** *adj*, harmful; **Schädling** *sub*, *m*, -s, -e pest; **Schädlingsbekämpfungsmittel** *sub*, *n*, -s, - pesticide; **schadlos** *adj*, take advantage of sb/sth.; *(ugs.)* **wir halten uns schadlos am Bier** schadlos but we´ll make up for it on the beer; **Schadstoff** *sub*, *m*, -s od. -es, -e harmful substance

Schaf, *sub*, *n*, -s od. -es, -e sheep; **Schäfer** *sub*, *m*, -s, - shepherd; **Schäferhund** *sub*, *m*, -s od. -es, -e German shepherd dog; **Schäferroman** *sub*, *m*, -s, -e pastoral novel; **Schäferstündchen** *sub*, *n*, -s, - *(ugs.)* bit of hanky-panky

Schaff, *sub*, *n*, -s od. -es, -e small cupboard

schaffen, *vt*, create, make, manage; *jmd schwer zu schaffen machen* to cause sb a lot of trouble; *(ugs.)* *das hat mich geschafft* it took it out of me

Schaffensdrang, *sub*, *m*, -s od. -es, nur Einz. creative urge

Schaffner, *sub*, *m*, -s, - conductor; **~in** *sub*, *f*, -, -nen conductor, housekeeper; **schaffnerlos** *adj*, without a conductor

Schafgarbe, *sub*, *f*, -, -n yarrow

Schafott, *sub*, *n*, -, -e scaffold

Schafskleid, *sub*, *n*, -s od. -es, -er sheepskin; **Schafskopf** *sub*, *m*, -s od. -es, -köpfe *(ugs.)* blockhead; *(Spiel)* sheep´s head; **Schafsmilch** *sub*, *f*, -, nur Einz. sheep´s milk; **Schafsnase** *sub*, *f*, -, -n fool

Schaft, *sub*, *m*, -es, Schäfte shank; *(arch.)* shaft

Schakal, *sub*, *m*, -s, -e jackal

schäkern, *vi*, flirt

schal, (1) *adj*, flat, stale (2) **Schal** *sub*, *m*, -s, -s scarf

Schale, *sub*, *f*, -, -n bowl; *(Obst)* peel; **schälen** *vti*, peel; **~nsitz** *sub*, *m*, -es, -e bucket seat

Schalk, *sub*, *m*, -es, -e joker; *ihm sitzt der Schalk im Nacken* he´s in a devilish mood; **schalkhaft** *adj*, roguish; **~ragen** *sub*, *m*, -s, -krägen shawl collar; **~snarr** *sub*, *m*, -en, -en court jester

Schalmei, *sub*, *f*, -, -en shawm

schalom!, *interj*, schalom!

Schalotte, *sub, f, -, -n* shallot

Schaltanlage, *sub, f, -, -n* switchgear

schalten, *vt,* switch, turn; *jmdn frei schalten und walten lassen* to give sb a free hand; *schalten und walten* to bustle around; *(Amt)* counter; switch; Schalterraum *sub, m, -s od.-es, -räume* hall; Schalthebel *sub, m, -s, -* switch lever; Schaltjahr *sub, n, -es, -re* leap year; Schaltkreis *sub, m, -es, -e (tech.)* switching circuit; Schaltplan *sub, m, -s od. -es, -pläne* circuit diagram; Schaltskizze *sub, f, -, -n* wiring diagram; Schaltstelle *sub, f, -, -n* coordinating point; Schalttafel *sub, f, -, -n* switchboard; Schaltung, *sub, f, -, -en* switching

Schalung, *sub, f, -, -en* formwork

Schaluppe, *sub, f, -, -n* sloop

Scham, *sub, f, -, nur Einz.* shame; *ich hätte vor Scham in den Boden versinken können* I wanted the floor to swallow me up; *(ugs.) nur keine falsche Scham* no need to feel embarrassed

Schamane, *sub, m, -n, -n* shaman

Schamdreieck, *sub, n, -s, -e* private parts; schämen *vr,* be ashamed; *schäme dich!* shame on you!; Schamgefühl *sub, n, -s, nur Einz.* sense of shame; Schamgegend *sub, f, -, nur Einz.* pubic region; schamhaft *adj,* bashful; Schämigkeit *sub, f, -, nur Einz.* modesty; schamlos *adj,* indecent, shameless

Schamott, *sub, n, -s, nur Einz. (ugs.)* junk; schamottieren *vt,* line with firebricks

schamponieren, *vt,* shampoo

Schampun, *sub, n, -s, -e* shampoo

Schampus, *sub, m, -, nur Einz. (ugs.)* champers

Schande, *sub, f, -, -* disgrace, shame; *mit Schimpf und Schande* in disgrace; *er ist eine Schande für seine Familie* he disgraces his family; *(ugs.) mach mir keine Schande* don't show me up

schänden, *vt,* desecrate, violate; Schänder *sub, m, -s, -* violator

schändlich, *adj,* disgraceful

Schandmaul, *sub, n, -s od. -es, -mäuler* evil tongue; Schandpfahl *sub, m, -s od. -es, -pfähle* pillory

Schändung, *sub, f, -, -en* desecration,

violation; Schandurteil *sub, n, -s, -e* disgraceful decision

schanghaien, *vt,* shanghai

Schänke, *sub, f, -, -n* bar; Schankstube *sub, f, -, -en* public bar; Schanktisch *sub, m, -es, -e* bar

Schanzarbeit, *sub, f, -, -en* trenchwork; Schanze *sub, f, -, -n (mil.)* fieldwork; *(spo.)* ski-jump; schanzen *vi, (mil.)* dig; Schanzenbau *sub, m, -s od. -es, -bauten* construction of fieldwork

Schar, *sub, f, -, -en* crowd, swarm; *(Pflug)* ploughshare

Scharade, *sub, f, -, -n* charade

Scharbockskraut, *sub, n, -s od. -es, -kräuter* lesser celandine

Schäre, *sub, f, -, -n* skerry; scharen *vt,* gather people around one; scharenweise *adv,* in droves

scharf, *adj,* sharp; *(ugs.)* randy; *(Gewürz)* hot; *(Maßnahmen)* tough; Scharfblick *sub, m, -s od. -es, nur Einz.* keen insight; schärfen *vt,* sharpen; ~kantig *adj,* sharp-edged; ~machen *vt,* stir up; Scharfmacher *sub, m, -s, -* agitator; Scharfrichter *sub, m, -s, -* executioner; Scharfsichtigkeit *sub, f, -, nur Einz.* perspicacity; Scharfsinn *sub, m, -s od. -es, nur Einz.* keen perception; ~sinnig *adj,* astute; ~züngig *adj,* spiteful

Scharlach, *sub, n, -s, nur Einz.* scarlet; ~fieber *sub, n, -s, -* scarlet fever; scharlachrot *adj,* scarlet red

Scharlatan, *sub, m, -s, -e* charlatan; ~erie *sub, f, -, -n* charlatanism

Scharm, *sub, m, -s, nur Einz.* charm; scharmant *adj,* charming

Scharmützel, *sub, n, -s, -* skirmish; scharmützeln *vi,* skirmish

Scharnier, *sub, n, -s, -e* hinge

scharren, *vti,* scrape

Scharschmied, *sub, m, -s od. -es, -e* blacksmith

Scharte, *sub, f, -, -n* nick

schartig, *adj,* jagged

Scharwenzel, *sub, m, -s, -* fawning; scharwenzeln *vi, (ugs.)* dance attendence; scharwerken *vi,* labour for one's feudal lord; Scharwerker *sub, m, -s, -* socage worker

Schaschlik, *sub, n,m, -s* kebab

schassen, *vt, (ugs.)* chuck out

Schatten, (1) *sub, f, -s, -* shade, sha-

man kann nicht über seinen eigenen Schatten springen the leopard cannot change his spots; *(ugs.) du hast ja einen Schatten* you must be nuts; *wo Licht ist, ist auch Schatten* there´s no joy without sorrow; **~bild** *sub, n, -s od. -es, -er* silhouette; **schattenhaft** *adj,* shadowy; **schattenlos** *adj,* shadowless; **~riss** *sub, m, -ses, -e* silhouette; **~spiel** *sub, n, -s od. -es, -e* shadow play; **schattieren** *vt,* shade; **Schattierung** *sub, f, -, -en* shading; **schattig** *adj,* shady

Schatulle, *sub, f, -, -n* casket

Schatz, *sub, m, -es, Schätze* riches, treasure; **~anweisung** *sub, f, -, -en* treasury bond

schätzen, (1) *vi,* guess (2) *vt,* estimate, regard highly; **Schätzer** *sub, m, -s, -* valuer; **Schatzgräber** *sub, m, -s, -* treasure-hunter; **Schatzinsel** *sub, f, -, -n* treasure island; **Schatzkammer** *sub, f, -, -n* treasure chamber; **Schatzmeister** *sub, m, -s, -* treasurer; **Schätzpreis** *sub, m, -s od. -es, -e* valuation price; **Schatzsuche** *sub, f, -, -n* treasure hunt; **Schatzsucher** *sub, m, -s, -* treasure hunter; **Schätzwert** *sub, m, -es, -e* estimated value

Schau, *sub, f, -, -en* show; *sich zur Schau stellen* to make a spectacle of oneself; **~bude** *sub, f, -, -n* show booth; **~bühne** *sub, f, -, -n* stage

Schauder, *sub, m, -s, -* shudder; **schauderbar** *adj,* terrible; **schauderhaft** *adj,* horrible; **schaudern** *vi,* shudder, tremble; **schaudervoll** *adj,* dreadful

schauen, (1) *vi,* look (2) *vt,* see; **Schauer** *sub, m, -s, -* shudder; *(Regen)* shower; **schauerartig** *adj,* showery; **Schauergeschichte** *sub, f, -, -n* horror story; **schauerlich** *adj,* horrific; **Schauermann** *sub, m, -s od. -es, -männer* docker

schauern, *vi,* shudder

Schauerroman, *sub, m, -s od. -es, -e* horror story

Schaufel, *sub, f, -, -n* shovel; **schaufeln** *vti,* dig, shovel; **~rad** *sub, n, -s od. -es, -räder* paddlewheel

Schaufenster, *sub, n, -s, -* shop window; **~auslage** *sub, f, -, -n* window display; **Schaukasten** *sub, m, -s, -kästen* showcase

schaukeln (1) *vi,* swing (2) *vt,* rock; **~pferd** *sub, n, -s od. -es, -e* rocking horse

schaulustig, *adj,* curious; **Schaulustige** *sub, f, -, -n* curious onlookers

Schaum, *sub, m, -s od. -es, Schäume* foam, froth; **~blase** *sub, f, -, -n* bubble; **schäumen** *vi,* foam, froth; **~gebäck** *sub, n, -s od. -es, nur Einz.* frothy biscuits; **~gummi** *sub, m, -s, nur Einz.* foam rubber; **schaumig** *adj,* foamy, frothy; **~kelle** *sub, f, -, -n* skimmer; **~krone** *sub, f, -, -n* whitecap; **~löffel** *sub, m, -s, -* skimmer; **~schläger** *sub, m, -s, -* *(ugs.)* hot-air merchant; **~speise** *sub, f, -, -en* frothy dish; **~stoff** *sub, m, -s od. -es, -e* foam material; **~wein** *sub, m, -s od. -es, -e* sparkling wine

Schauobjekt, *sub, n, -s od. -es, -e* exhibition object; **Schauplatz** *sub, m, -es, -plätze* scene; **Schauprozess** *sub, m, -es, -e* show trial

schaurig, *adj,* gruesome; *schaurig schön* hazy fantasy; **Schaurigkeit** *sub, f, -, nur Einz.* gruesomeness

Schauspiel, *sub, n, -s od. -es, -e (i. ü. S.)* spectacle; *(Theater)* drama; **~er** *sub, m, -s, -* actor; **~erin** *sub, f, -, -nen* actress; **Schausteller** *sub, m, -s, -* showman; **Schauturnen** *sub, m, -s od. -es, -türme* gymnastic display; **Schauturnier** *sub, n, -s, -e* show tournament

Scheck, *sub, m, -s, -s* cheque; *Verrechnungsscheck* a crossed cheque; **~betrug** *sub, m, -s, -e* cheque fraud; **~buch** *sub, n, -s od. -es, -bücher* chequebook

Schecke, *sub, m, -n, -n* dappled horse; **scheckig** *adj,* spotted; *(Pferd)* dappled

Scheckkarte, *sub, f, -, -n* cheque card

scheeläugig, *adj,* dirty look

Scheffel, *sub, m, -s, -* bushel; *(ugs.) sein Licht unter den Scheffel stellen* to hide one´s light under a bushel

Scheibe, *sub, f, -, -n* disc, slice; *(Auto)* window

Scheibenschießen, *sub, n, -s, nur Einz.* target shooting; **Scheibenwischer** *sub, m, -s, -* windscreen wiper

Scheich, *sub*, *m*, *-s od. -es*, *-s* sheikh

Schein, *sub*, *m*, *-s od. -es*, *-e* appearances, light; *(Geld)* note; **scheinbar** *adj*, apparent; **~blüte** *sub*, *f*, *-*, *-n* illusory flowering; **~dasein** *sub*, *n*, *-s*, *nur Einz.* phantom existence; **scheinen** *vi*, seem, shine; **~firma** *sub*, *f*, *-*, *-firmen* fictitious firm; **~friede** *sub*, *m*, *-n*, *-n* phoney peace; **~gewinn** *sub*, *m*, *-s od. -es*, *-e* fictitious win; **~grund** *sub*, *m*, *-s od. -es*, *-gründe* spurious reason; **scheinheilig** *adj*, hypocritical; **~tod** *sub*, *m*, *-es*, *-e* apparent death; **scheintot** *adj*, in a state of apparent death; **~werfer** *sub*, *m*, *-s*, *-* floodlight

Scheiß, *sub*, *m*, *-*, *nur Einz.* (vulg.) crap, shit; **~dreck** *sub*, *m*, *-s*, *nur Einz.* crap, load of shit; **~e** *sub*, *f*, *-*, *nur Einz.* crap, shit (2) **Scheißer** *sub*, *m*, *-s*, *-* (ugs.) bugger; *(vulg.) vor Angst in die Hosen scheißen* to get the shits; **~kerl** *sub*, *m*, *-s*, *-e* bastard; **~laden** *sub*, *m*, *-s*, *-läden* shitty shop; **~wetter** *sub*, *n*, *-s*, *nur Einz.* shitty weather

Scheit, *sub*, *m*, *-es*, *-e* log

Scheitel, *sub*, *m*, *-s*, *-* *(Haare)* parting; *vom Scheitel bis zur Sohle* from top to toe

Scheiterhaufen, *sub*, *m*, *-s*, *-* pyre, stake

scheitern, *vi*, break down, fail

Schelch, *sub*, *m*, *-s*, *-e* barge

Schelle, *vi*, *(Klingel)* bell; *(Ohrfeige)* slap in the face; *(tech.)* clamp; **schellen** *vi*, ring; **~nass** *sub*, *n*, *-es*, *-e* diamonds ace

Schellfisch, *sub*, *m*, *-es*, *-e* haddock

Schelm, *sub*, *m*, *-es*, *-e* rogue; *den Schelm im Nacken haben* to be up to mischief; **schelmisch** *adj*, mischievous

Schelte, *sub*, *f*, *-*, *-n* scolding; **schelten** (1) *vi*, curse (2) *vt*, scold

Schema, *sub*, *n*, *-s*, *-s*, *-ta* plan, scheme; **~brief** *sub*, *m*, *-es*, *-e* example letter; **schematisch** *adj*, schematic; **schematisieren** *vti*, schematize; **~tismus** *sub*, *m*, *-es*, *-tismen* schematism

Schemel, *sub*, *m*, *-s*, *-* stool

Schemen, *sub*, *m*, *-s*, *-* silhouette; **schemenhaft** *adj*, shadowy; *etwas schemenhaft sehen* to see the outlines of sth

Schenke, *sub*, *f*, *-*, *-n* tavern

Schenkel, *sub*, *m*, *-s*, *-* *(anat.)* thigh; *(mat.)* side

scheppern, *vi*, *(ugs.)* clatter

Scherbe, *sub*, *f*, *-*, *-n* broken piece, fragment

Scherbengericht, *sub*, *n*, *-es*, *-e* ostracism

Schere, *sub*, *f*, *-*, *-n* scissors; **scheren** (1) *vt*, clip (2) *vti*, not to care about sb/sth.; **~nschnitt** *sub*, *m*, *-s*, *-e* silhouette

Schererei, *sub*, *f*, *-*, *-en* *(ugs.)* trouble

Scherflein, *sub*, *n*, *-s*, *-* *(bibl.)* mite

Scherge, *sub*, *m*, *-n*, *-n* thug

Scherif, *sub*, *m*, *-s*, *-s*, *-e* sheriff

Scherkopf, *sub*, *m*, *-es*, *-köpfe* shaving head; **Schermesser** *sub*, *n*, *-s*, *-* shearing knife; **Scherwenzel** *sub*, *m*, *-s*, *-* fawning

Scherz, *sub*, *m*, *-es*, *-ze* joke; **scherzen** *vi*, joke, trifle; **~frage** *sub*, *f*, *-*, *-n* riddle; **scherzhaft** *adj*, jocular; **~o** *sub*, *n*, *-s*, *-s*, *-zi* scherzo; **scherzweise** *adj*, joking

scheu, (1) *adj*, shy (2) **Scheu** *sub*, *f*, *-*, *nur Einz.* fear; *(Tier)* shyness

Scheuche, *sub*, *f*, *-*, *-n* terrible vision

scheuchen, *vt*, shoo away

scheuen, (1) *vr*, be afraid of sth. (2) *vt*, shy away from

Scheuerbesen, *sub*, *m*, *-s*, *-* scrubbing broom

Scheuerfrau, *sub*, *f*, *-*, *-en* cleaning woman; **scheuern** (1) *vr*, rub against sth. (2) *vti*, scour; **Scheuersand** *sub*, *m*, *-s*, *-e* scouring powder; **Scheuertuch** *sub*, *n*, *-s*, *-tücher* floorcloth

Scheune, *sub*, *f*, *-*, *-n* barn; **~ntor** *sub*, *n*, *-s*, *-e* barn door

Scheusal, *sub*, *n*, *-s*, *-e* monster

scheußlich, *adj*, dreadful

Schi, *sub*, *m*, *-s*, *-s* ski

Schibboleth, *sub*, *m*, *-en*, *-en* identification

Schicht, *sub*, *f*, *-*, *-en* layer, shift; **schichten** *vt*, layer; **~lohn** *sub*, *m*, *-es*, *-löhne* shift rates; **schichtweise** *adj*, in layers; **~zeit** *sub*, *f*, *-*, *-en* shift time

schick, (1) *adj*, elegant (2) **Schick** *sub*, *m*, *-es*, *nur Einz.* styles

schicken, (1) *vr*, be fitting (2) *vti*, send

Schickeria, *sub, f, -, nur Einz.* in people; **Schickimicki** *sub, m, -s, -s (ugs.)* trendy; **schicklich** *adj,* proper

Schicksal, *sub, n, -s, -e* destiny; fate; *(ugs.) das ist Schicksal* that´s life; **Schickse** *sub, f, -, -n* floozy

Schiebebühne, *sub, f, -, -n (Theater)* sliding stage; **Schiebedach** *sub, n, -s, -dächer* sunroof; **schieben** *vt,* push, shove; *(i. ü. S.) etwas vor sich her schieben* to put off sth; *(ugs.) mit etwas schieben* to traffic in sth; **Schieber** *sub, m, -s, -* black marketeer, slide; **Schiebung** *sub, f, -, -en* shady deals, string-pulling

Schiedsfrau, *sub, f, -, -en* arbitrator; **Schiedsmann** *sub, m, -es, -männer* arbitrator; **Schiedsrichter** *sub, m, -s, -* arbitrator

schief, *adj,* not straight, wry; *(i. ü. S.) auf die schiefe Bahn geraten* to leave the straight and narrow; **~ gehen** *vi,* go wrong; **Schieferdach** *sub, n, -es, -dächer* slate roof; **~ergrau** *adj,* slate-grey; **Schiefertafel** *sub, f, -, -n* slate; **~lachen** *vr, (ugs.)* kill oneself laughing

schieläugig, *adj,* cross-eyed; **schielen** *vi,* squint

Schienbein, *sub, n, -es, -e* shin

Schiene, *sub, f, -, -n* guide, rail; **schienen** *vt,* splint; **~nbahn** *sub, f, -, -en* track transport; **~nbus** *sub, m, -es, -e* rail bus; **~nnetz** *sub, n, -es, -e* rail network; **~nweg** *sub, m, -es, -e* railway line

Schierling, *sub, m, -s, -e* hemlock; **~sbecher** *sub, m, -s, -* cup of hemlock

Schießbefehl, *sub, m, -s, -e* order to fire; **Schießeisen** *sub, n, -s, - (ugs.)* shooting iron; **Schießen (1)** *sub, n, -s, nur Einz.* shooting **(2) schießen** *vt,* fire, shoot; *(i. ü. S.) aus dem Boden schießen* to sprout up; *(ugs.) das ist zum Schießen* that´s a scream; **Schießgewehr** *sub, n, -es, -e* gun; **Schießhund** *sub, m, -s, -e (ugs.)* keep a close watch; *(ugs.) wie ein Schießhund aufpassen* to watch like a hawk; **Schießplatz** *sub, m, -es, -plätze* shooting range; **Schießprügel** *sub, m, -s, - (ugs.)* iron; **Schießpulver** *sub, m, -s, nur Einz.* gunpowder; **Schießstand** *sub, m, -es, -stände* shooting gallery; **Schießübung** *sub, f, -, -en* shooting

practice; **schießwütig** *adj,* eager to shoot

Schifahrerin, *sub, f, -, -en* skier

Schiff, *sub, n, -es, -e* ship; **schiffbar** *adj,* navigable; **~bauer** *sub, m, -s, -* shipwright; **~bruch** *sub, f, -, -n* bridge; **schiffen** *vi,* ship; *(ugs.)* piss; **~fahrt** *sub, f, -, -en* shipping; **~sarzt** *sub, m, -es, -ärzte* ship´s doctor; **~sfahrt** *sub, f, -, -en* shipping; **~sjunge** *sub, m, -n, -n* ship´s boy; **~skoch** *sub, m, -es, -köche* ship´s cook; **~sladung** *sub, f, -, -en* shipload; **~sname** *sub, m, -n, -n* ship´s name; **~soffizier** *sub, m, -s, -e* officer on a ship; **~sraum** *sub, m, -es, -räume* hold; **~sreise** *sub, f, -, -n* sea voyage; **~srumpf** *sub, m, -es, -rümpfe* hull; **~sschraube** *sub, f, -, -n* ship´s propeller; **~staufe** *sub, f, -, -n* naming of a ship; **~swerft** *sub, f, -, -en* shipyard

Schiismus, *sub, m, -es, nur Einz.* schiism

Schiit, *sub, m, -en, -en* Shiite; **schiitisch** *adj,* Shiite

Schikane, *sub, f, -, -n* harassment; *(spo.)* chicane; **~ur** *sub, m, -s, -e* harasser; **schikanieren** *vt,* harass, mess around; **schikanös** *adj,* bloody-minded, harassing

Schikoree, *sub, m, -s, -* chicory

Schiläuferin, *sub, f, -, -en* skier

Schild, *sub, n, -es, -er* shield, sign; **~bürger** *sub, m, -s, -* fool; **~bürgerstreich** *sub, m, -es, -e* foolish act; **~drüse** *sub, f, -, -n* thyroid gland; **~erhaus** *sub, n, -es, -häuser* sentry-box; **schildern** *vt,* describe; **~erung** *sub, f, -, -en* description; **~erwald** *sub, m, -es, -wälder* jungle of traffic signs; **~knappe** *sub, m, -n, -n* shield-bearer; **~kröte** *sub, f, -, -n* turtle; **~wache** *sub, f, -, -n* sentry

Schilehrerin, *sub, f, -, -en* ski instructor

schilfig, *adj,* reeds

Schillebold, *sub, m, -es, -e* dragonfly

schillern, *sub, f, -,* shimmer

Schillerwein, *sub, m, -s, -e* rosé wine

schilpen, *vi,* twitter

Schimmel, *sub, m, -s, -* mould, white horse; **schimmeln** *vi*, go mouldy; **~pilz** *sub, m, -es, -e* mould

Schimmer, *sub, m, -s,* - glimmer, shimmer; *(ugs.)* **keinen blassen Schimmer von etwas haben** not to have the slightest idea about sth; **schimmern** *vi*, glimmer, shimmer

Schimpanse, *sub, m, -n, -n* chimpanzee

schimpfen, (1) *vi*, get angry (2) *vt*, scold; **Schimpferei** *sub, f, -, -en* scolding; **schimpflich** *adj*, insulting; **Schimpfname** *sub, m, -n, -n* nickname; **Schimpfwort** *sub, n, -es, -e* swearword

Schindanger, *sub, m, -s,* - knacker´s yard

Schindel, *sub, f, -, -n* shingle; **~dach** *sub, n, -es, -dächer* shingle roof

schinden, (1) *vr*, struggle (2) *vt*, maltreat; **Eindruck schinden** to make a good impression; **Mitleid schinden** try to get some sympathy; **Schinder** *sub, m, -s,* - slavedriver; **Schinderei** *sub, f, -, -en* struggle; **Schindluder** *sub, n, -s,* - *(ugs.)* make sb suffer; *(ugs.)* **mit etwas Schindluder treiben** to misuse sth; **Schindmähre** *sub, f, -, -n* nag

Schinken, *sub, m, -s,* - ham; **~brot** *sub, n, -s, -e* ham roll

Schintoismus, *sub, m, -es, nur Einz. (theol.)* shintoism; **Schintoist** *sub, m, -en, -en* shintoist

Schippe, *sub, f, -, -n* shovel; *(Karten)* spades; *(ugs.)* **dem Tod von der Schippe springen** to be snatched from the jaws of death; *(i. ü. S.)* **jmdn auf die Schippe nehmen** to pull sb´s leg

Schirm, *sub, m, -es, -e* shade, umbrella; **schirmen** *vt, (geh.)* shield; **~fabrik** *sub, f, -, -en* umbrella factory; **~herr** *sub, m, -en, -en* patron; **~herrin** *sub, f, -, -en* patroness; **~hülle** *sub, f, -, -n* umbrella cover; **~macher** *sub, m, -s,* - maker of umbrellas; **~mütze** *sub, f, -, -n* peaked cap

Schirokko, *sub, m, -s, -s* sirocco

schirren, *vt*, harness a horse

Schisma, *sub, n, -s, -ta, -men* schism; **schismatisch** *adj*, schismatic

Schispringer, *sub, m, -s,* - ski-jumper

Schiss, *sub, m, -es, -e (vulg.)* shit; *(vulg.)* **Schiss haben** to be shit scared; **~er** *sub, m, -s,* - *(ugs.)* scaredy-cat; **~laweng** *sub, m, -s, -s* sweeping

schizoid, *adj*, schizoid; **schizophren** *adj, (med.)* schizophrenic; **Schizophrenie** *sub, f, -, nur Einz.* schizophrenia

Schlabberei, *sub, f, -, -en (ugs.)* slobbering; **schlabberig** *adj*, slithery; **schlabbern** *vi*, slobber

Schlacht, *sub, f, -, -en* battle; **~bank** *sub, f, -, -en* butcher´s table; **jmdn wie ein Lamm zur Schlachtbank führen** to lead sb like a lamb to the slaughter; **schlachtbar** *adj*, slaughterable; **schlachten** (1) *vi*, do one´s slaughtering (2) *vt*, slaughter; **Schlächter** *sub, m, -s,* - butcher; **~erei** *sub, f, -, -en* butcher´s shop; **~feld** *sub, n, -es, -er* battle-field; **~fest** *sub, n, -es, -e* country feast to eat up meat from freshly slaughtered pigs; **~haus** *sub, n, -es, -häuser* slaughter-house; **~hof** *sub, m, -es, -höfe* slaughter-house; **~plan** *sub, m, -es, -pläne* battle plan; **schlachtreif** *adj*, ready for the slaughter; **~ross** *sub, n, -es, -rösser* war-horse; **~ruf** *sub, m, -es, -e* battle cry; **~schiff** *sub, n, -es, -e* battleship; **~tag** *sub, m, -es, -e* slaughtering day; **~tier** *sub, n, -es, -e* animals for slaughter; **~ung** *sub, f, -, -en* slaughtering; **~vieh** *sub, n, -es, nur Einz.* animals for slaughter

Schlacke, *sub, f, -, -n* clinker, waste products

schlackern, *vi*, tremble; *(i. ü. S.)* **mit den Ohren schlackern** to be left speechless

Schlaf, *sub, m, -es, nur Einz.* sleep; *(ugs.)* **es fällt mir nicht im Schlaf ein, das zu tun** I wouldn´t dream of doing that; **~anzug** *sub, m, -es, -züge* pyjamas; **Schläfchen** *sub, n, -s,* - snooze; **~couch** *sub, f, -, -en* studio couch; **Schläfe** *sub, f, -, -n* temple; **schlafen** *vi*, be asleep, sleep; *(ugs.)* **schlafen wie ein Murmeltier** to sleep like a log; **schlafend** *adj*, asleep, sleeping; **Schläfer** *sub, m, -s,* - sleeper

schlaff, *adj*, floppy, limp; **Schlaffheit** *sub, f, -, nur Einz.* flabbiness, limpness; **Schlafgemach** *sub, n, -s, -mächer* bedchamber

Schlafittchen, *sub, n, -s,* - wing feather; *(ugs.)* **jmdn beim Schlafitt-**

... *_____ ___ ____ __ ___ _____* of the neck

Schlafkrankheit, *sub, f, -, nur Einz.* sleeping sickness; **schlaflos** *adj,* sleepless; **Schlaflosigkeit** *sub, f, -, -en* sleeplessness; **Schlafmittel** *sub, n, -s, -* sleeping drug; **Schlafmütze** *sub, f, -, -n* nightcap; *(ugs.)* dope; **schlafmützig** *adj,* dozy; **Schlafpuppe** *sub, f, -, -n* sleeping doll; **schläfrig** *adj,* sleepy; **Schlafsack** *sub, m, -es, -säcke* sleeping-bag; **Schlaftrunk** *sub, m, -es, -trünke* sleeping draught; **Schlafwagen** *sub, m, -s, -wägen* sleeping-car; **Schlafwandler** *sub, m, -s, -* sleepwalker; **schlafwandlerisch** *adj,* sleepwalking; **Schlafzimmer** *sub, n, -s, -* bedroom

Schlag, *sub, m, -es, Schläge* blow, punch; *(Herz)* beat; **~abtausch** *sub, m, -es, nur Einz. (Boxen)* exchange of blows

Schlagader, *sub, f, -, -n* artery

Schlaganfall, *sub, m, -s, -fälle* stroke; **schlagartig** (1) *adj,* sudden (2) *adv,* suddenly; **Schlagball** *sub, m, -es, -bälle* rounders; **Schlagbaum** *sub, m, -es, -bäume* barrier; **Schlagbohrer** *sub, m, -s, -* hammer drill; **Schlägelchen** *sub, n, -s, -* miner´s hammer; **schlagen** (1) *vr,* fight (2) *vt,* strike (3) *vti,* beat, hit; *sich tapfer schlagen* to make a good showing; **Schlager** *sub, m, -s, -* bestseller, pop-song; **Schläger** *sub, m, -s, -* ruffian; *(spo.)* racquet; **Schlägerei** *sub, f, -, -en* fight

Schlagerstar, *sub, m, -s, -s* pop star; **Schlagertext** *sub, m, -es, -e* pop music lyrics; **schlagfertig** *adj,* quick-witted; **Schlagkraft** *sub, f, -, -kräfte* power; **Schlaglicht** *sub, n, -es, -er* highlight

Schlagobers, *sub, m, -, nur Einz.* whipped cream; **Schlagsahne** *sub, f, -, -n* whipping cream; **Schlagseite** *sub, f, -, -n* list; **Schlagstock** *sub, m, -es, -stöcke* truncheon; **Schlagwetter** *sub, n, -s, nur Einz.* firedamp; **Schlagwort** *sub, n, -es, -wörter* *or* catchword; **Schlagzeile** *sub, f, -, -n* headline; **Schlagzeug** *sub, n, -es, -e* drums; **Schlagzeuger** *sub, m, -s, -* drummer

schlaksig, (1) *adj,* gangling (2) *adv,* in a gangling way

Schlamassel, *sub, m, -s, nur Einz.*

mess; (ugs.) der ganze Schlamassel the whole caboodle; **Schlamm** *sub, m, -es, -e* mud; **Schlammbad** *sub, n, -es, -bäder* mugbath

Schlampe, *sub, f, -, -n (ugs.)* slut; **schlampen** *vi,* be sloppy; **~rei** *sub, f, -, -en (ugs.)* sloppiness; **schlampig** *adj,* sloppy

Schlange, *sub, f, -, -n* queue, snake; **schlängelig** *adj, (Weg)* winding; **schlängeln** *vr,* wind; **~nbiss** *sub, m, -es, -e* snakebite; **~ngift** *sub, n, -es, -e* snake poison; **~nlinie** *sub, f, -, -n* swerve around

schlank, *adj,* slender, slim; **Schlankheit** *sub, f, -, nur Einz.* slenderness, slimness; **Schlankheitskur** *sub, f, -, -en* diet

schlapp, *adj,* listless, worn-out; **Schläppchen** *sub, n, -s, - (ugs.)* slipper

Schlappe, *sub, f, -, -n* set-back; **~n** *sub, m, -s, - (ugs.)* slipper; **Schlappheit** *sub, f, -, -en* exhaustion, listlessness; **Schlapphut** *sub, m, -(e)s, -hüte* floppy hat; **schlappmachen** *vi, (ugs.)* wilt; **Schlappschwanz** *sub, m, -es, -schwänze* wimp

Schlaraffenland, *sub, n, -(e)s, -länder* land of milk and honey

schlau, *adj,* clever, smart; **Schlauberger** *sub, m, -s, - (ugs.)* cleverdick

Schlauch, *sub, m, -(e)s, Schläuche* hose; *(Auto)* inner tube; **~boot** *sub, n, -(e)s, -e* rubber dinghy; **schlauchen** (1) *vi,* wear one out (2) *vt,* wear out; **schlauchlos** *adj,* tubeless

Schläue, *sub, f, -, nur Einz.* cunning

Schlaufe, *sub, f, -, -n* loop

Schlauigkeit, *sub, f, -, -en* cleverness

Schlawiner, *sub, m, -s, - (ugs.)* villain

schlecht, (1) *adj,* bad, poor; *(Milch/Fleisch)* off (2) *adv,* badly; **~ machen** *vt,* denigrate; **~er** *adj,* worse; **~erdings** *adv,* absolutely; **~este** *adj,* worst; **Schlechtheit** *sub, f, -, nur Einz.* badness; **~hin** *adv,* per se; **Schlechtigkeit** *sub, f, -, -ten* inferiority; **~weg** *adv,* per se; **Schlechtwetter** *sub, n, -s, -* bad weather

schlecken, (1) vi, eat sweets **(2)** vti, lick; **Schleckerei** sub, f, -, -en delicacy, eating sweet things, licking

Schlegel, sub, m, -s, - stick; (Geflügel) leg

Schlehe, sub, f, -, -n sloe

Schleier, sub, m, -s, -veil; einen Schleier vor den Augen haben to have a mist in front of one´s eyes; ~**eule** sub, f, -, -n barn owl; **schleierhaft** adj, (ugs.) mysterious; ~**schwanz** sub, m, -es, -schwänze goldfish; ~**tanz** sub, m, -es, -tänze veil-dance

Schleifbank, sub, f, -, -en grinding machine; **Schleife** sub, f, -e, -en bow, loop; **schleifen (1)** vi, sharpen, trail **(2)** vt, drag; **Schleiferei** sub, f, -, -en grinding, grinding shop; **Schleiflack** sub, m, -(e)s, -e coloured lacquer; **Schleifpapier** sub, n, -s, -e abrasive paper; **Schleifstein** sub, m, -(e)s, -e grinding stone

Schleim, sub, m, -(e)s, -e slime; ~**beutel** sub, m, -s, -bursa; ~**drüse** sub, f, -, -n mucous gland; **schleimen** vi, leave a coating; (ugs.) crawl; ~**er** sub, m, -s, -crawler; ~**haut** sub, f, -, -häute mucous membrane; ~**pilz** sub, m, -es, -e slime mould

schleißen, vt, wear out

Schlemihl, sub, m, -s, -e (ugs.) unlucky person

schlemmen, vi, feast; **Schlemmer** sub, m, -s, -gourmet; **Schlemmerei** sub, f, -, -en feasting; **Schlemmerin** sub, f, -, -nen gourmet

schlendern, vi, stroll; **Schlendrian** sub, m, -s, -e (ugs.) rut

Schlenkerich, sub, m, -(e)s, -e shove; **schlenkern (1)** vi, (Auto) swerve **(2)** vti, swing

Schlepp, sub, m, nur Einz. have in tow; (i. ü. S.) jmdn/etwas in Schlepp nehmen to take sb/sth in tow; ~**e** sub, f, -, -n (Hut) drag; (Kleid) train; **schleppen (1)** vi, (ugs.) drag **(2)** vt, lug; ~**er** sub, m, -s, -tractor; ~**erei** sub, f, -, -en (ugs.) lugging around; ~**kahn** sub, m, -(e)s, -kähne lighter; ~**kleid** sub, n, -(e)s, -er dress with train; ~**lift** sub, m, -(e)s, -e ski tow; ~**netz** sub, n, -es, -e trawl net; ~**seil** sub, n, -(e)s, -e trail rope

Schlesien, sub, n, -s, -Silesia

Schleuder, sub, f, -, -n (Waffe) sling; (Wäsche) spin-drier; ~**ei** sub, f, -, -en flinging; ~**er** sub, m, -s, -slinger; **schleudern (1)** vi, (Auto) skid **(2)** vti, hurl, spin; ~**preis** sub, m, -es, -e giveaway price; ~**sitz** sub, m, -es, -e ejection seat

schleunig, adj, prompt, rapid; ~**st** adv, at once

Schleuse, sub, f, -, -n floodgate; (Schiffe) lock; **schleusen** vt, filter; (Schiffe) lock; ~**ntor** sub, n, -(e)s, -e lock gate

Schlich, sub, m, -(e)s, -e trick; jmd auf die Schliche kommen to catch on to sb

schlicht, adj, simple; ~**en** vti, mediate; **Schlichter** sub, m, -s, -mediator; **Schlichtheit** sub, f, -, nur Einz. simplicity; **Schlichtung** sub, f, -, -en mediation; ~**weg** adv, as simple as that

Schlick, sub, m, -(e)s, -e silt; **schlickerig** adj, muddy

schließen, (1) vi, infer **(2)** vt, close, conclude; von sich auf andere schließen to judge others by one´s own standards; **Schließerin** sub, f, -, -nen (ugs.) jailer; **Schließfach** sub, n, -(e)s, -fächer locker; **Schließkette** sub, f, -, -n lock and chain; **Schließkorb** sub, m, -(e)s, -körbe hamper; **schließlich** adv, finally; **Schließmuskel** sub, m, -s, -n (anat.) sphincter; **Schließzeit** sub, f, -, -en closing-time

Schliff, sub, m, -(e)s, -e cutting, polish

schlimm, adj, awful, bad; ~**er** adj, worse; **Schlimmste** sub, n, -n, -worst; ~**stenfalls** adv, at the worst

Schlinge, sub, f, -, -n loop, sling; (i. ü. S.) den Kopf aus der Schlinge ziehen to get out of a tight spot

Schlingel, sub, m, -s, -rascal

schlingen, (1) vi, gobble **(2)** vt, tie, wrap

schlingern, vi, roll; **Schlingpflanze** sub, f, -, -n creeper

Schlips, sub, m, -es, -e tie; (ugs.) jmd auf den Schlips treten to tread on sb´s toes; ~**nadel** sub, f, -, -n tiepin

Schlitten, sub, m, -s, -n sledge; **Schlitterbahn** sub, f, -, -en slide; **schlittern** vi, slide; **Schlittschuh** sub, m, -(e)s, -e ice-skate; **Schlittschuh laufen** sub, n, -s, - ice-skaring

Schlitz, *sub, m, -es, -e* slit; *(Hose)* fly; **schlitzäugig** *adj,* slit-eyed; **schlitzen** *vt,* slit; **~ohr** *sub, n, -(e)s, -n (ugs.)* sly fox; **schlitzohrig** *adj,* shifty

schlohweiß, *adj,* snow-white

Schloss, *sub, n, -es, Schlösser* castle; *(Tür)* lock; **Schlösschen** *sub, n, -s, -* small castle

Schlosser, *sub, m, -s, -* lock-smith; **~ei** *sub, f, -, -en* metalworking shop; **~in** *sub, f, -, -nen* lock-smith; **Schlossherr** *sub, m, -n, -en* owner of a castle; **Schlosshof** *sub, m, -(e)s, -höfe* court-yard; **Schlosshund** *sub, m, -(e)s, -e* watchdog; **Schlösslein** *sub, n, -s, -* small castle; **Schlosspark** *sub, m, -s, -s* estate; **Schlossruine** *sub, f, -, -n* ruins of castle

Schlot, *sub, m, -(e)s, -e* chimney; **~baron** *sub, m, -s, -e (ugs.)* big industrialist; **~feger** *sub, m, -s, -* chimney-sweep; **schlotterig** *adj,* shivering; **schlottern** *vi,* shiver

Schlucht, *sub, f, -, -en* gorge

schluchzen *vti,* sob

schludern, **(1)** *vi,* do sloppy work **(2)** *vt,* skimp

Schlummer, *sub, m, -s, nur Einz.* slumber; **schlummern** *vi,* slumber; **~trunk** *sub, m, -(e)s, -trünke (selten)* night cap

Schlumpf, *sub, m, -(e)s, Schlümpfe* smurf

Schlund, *sub, m, -(e)s, Schlünde (anat.)* pharynx

schlüpfen, *vi,* slip; **Schlüpfer** *sub, m, -s, -* knickers; **Schlupfjacke** *sub, f, -, -n* slip-on jacket; **Schlupfloch** *sub, n, -(e)s, -löcher* hide-out; **schlüpfrig** *adj,* slippery; **Schlupfwespe** *sub, f, -, -n* ichneumon; **Schlupfwinkel** *sub, m, -s, -* hiding place; **Schlupfzeit** *sub, f, -, -en* hatching time

schlurfen, *vi,* shuffle

schlürfen, *vt,* slurp

Schluss, *sub, m, -es, Schlüsse* closing, conclusion, end; **~akkord** *sub, m, -(e)s, -e* final chord; **~akt** *sub, m, -es, -e* final act; **~ball** *sub, m, -(e)s, -bälle* last shot; **~besprechung** *sub, f, -, -en* final observation; **~bild** *sub, n, -(e)s, -er* end picture; **~brief** *sub, m, -(e)s, -e* final letter

Schlüssel, *sub, m, -s, -* key; **~bein** *sub, n, -(e)s, -e* collar-bone; **~blume** *sub,*

f, | w e o n.llip, **gewalt** *sub, f, -, -en (theol.)* power of the keys; **~industrie** *sub, f, -, -n* key industry; **~reiz** *sub, m, -es, -e* key reaction; **~roman** *sub, m, -s, -e* roman à clef; **~ung** *sub, f, -, -en* coding; **~wort** *sub, n, -(e)s, -e* keyword; **schlussendlich** *adv,* in conclusion; **Schlussfeier** *sub, f, -s, -n* closing party; **Schlussfolge** *sub, f, -, -n* conclusion; **schlussfolgern** *vi,* conclude; **Schlussfolgerung** *sub, f, -, -en* inference; **schlüssig** *adj,* conclusive; **Schlusslicht** *sub, m, -(e)s, -er* rear light

Schlusspfiff, *sub, m, -es, -e* final whistle; **Schlussphase** *sub, f, -, -n* final stages; **Schlusspunkt** *sub, m, -(e)s, -e* round off sth.; *einen Schlusspunkt unter etwas setzen* to write sth off; **Schlusssatz** *sub, m, -es, -sätze* closing sentence; **Schlussspurt** *sub, f, -, -n* final spurt; **Schlussstrich** *sub, m, -(e)s, -e* final stroke; *einen Schlussstrich unter etwas ziehen* to consider sth finished; **Schlussszene** *sub, f, -, -n* final scene; **Schlussverkauf** *sub, m, -(e)s, -verkäufe* sale; **Schlusswort** *sub, n, -(e)s, -e* closing words

Schmach, *sub, f, -, -* disgrace; **schmachten** *vi,* languish; **~tfetzen** *sub, m, -, - (ugs.)* tear-jerker; **schmächtig** *adj,* slight; **schmachvoll** *adj,* ignominious; **schmackhaft** *adj,* tasty

schmähen, *vti,* abuse; **schmählich** *adj,* shameful; **Schmähschrift** *sub, f, -en* defamatory piece of writing; **Schmähsucht** *sub, f, -, -süchte* sukker for abuse; **Schmähwort** *sub, n, -(e)s, -worte* abusive word

schmal, *adj,* narrow, slender; **schmälern** *vt,* diminish; **Schmälerung** *sub, f, -, nur Einz.* diminishing; **Schmalfilmer** *sub, m, -s, -* cine-filmer; **Schmalhans** *sub, m, -, nur Einz. (ugs.)* frugil; **~randig** *adj,* narrow edged; **Schmalseite** *pron,* narrow side; **~spurig** *adj,* narrow-gauge

Schmalz, *sub, n, -es, -e* fat, lard; **~brot** *sub, n, -(e)s, -e* schmaltz bread; **schmalzig** *adj, (ugs.)* slushy

schmarotzen, *vi,* sponge; **Schma-**

rotzer *sub, m, -s,* - sponger; *(biol.)* parasite; **Schmarotzerpflanze** *sub, f, -, -n* parasitic plant

Schmarren, *sub, m, -s,* - pancake cut up into small pieces, rubbish

Schmauch, *sub, m, -(e)s, -e* smoke; **schmauchen** *vi,* puff away

Schmaus, *sub, m, -es, Schmäuse* feast; **schmausen** *vi,* feast; **~erei** *sub, f, -, -en* feast

schmecken, *vi,* taste; *es sich schmekken lassen* to tuck in; *(i. ü. S.) nach etwas schmecken* to smack of sth

Schmeichelei, *sub, f, -, -en* flattery; **schmeichelhaft** *adj,* flattering; **schmeicheln** *vi,* flatter; **Schmeichler** *sub, m, -s,* - flatterer

schmeißen, (1) *vi,* throw (2) *vt, (ugs.)* chuck; *mit Fremdwörtern um sich schmeißen* to bandy loanwords; *(i. ü. S.) sie jmd an den Hals schmeißen* to throw oneself at sb; **Schmeißfliege** *sub, f, -, -n* bluebottle

Schmelz, *sub, m, -es, -e* glaze; **schmelzbar** *adj,* meltable; **schmelzen** *vi,* melt; **~erei** *sub, f, -, -en* smelting plant; **~farbe** *sub, f, -, -n* vitrifiable colour; **~glas** *sub, n, -es, -gläser* enamel; **~hütte** *sub, f, -, -n* smelting plant; **~käse** *sub, m, -s,* - cheese spread; **~ofen** *sub, m, -s, -öfen* melting furnace; **~punkt** *sub, m, -(e)s, -e* melting point; **~wärme** *sub, f, -, -* nur Einz. heat of fusion; **~zone** *sub, f, -, -n* melting area

Schmer, *sub, m, n, -s, nur Einz. (ugs.)* pork fat; **~bauch** *sub, m, -(e)s, -bäuche* potbelly

Schmerz, *sub, m, -, -en* pain; *m, -es, -en* sore; **schmerzen** (1) *vi,* be sore (2) *vt,* hurt; **~ensgeld** *sub, n, -(e)s, -er (jur.)* damages; **schmerzfrei** *adj,* painless; **schmerzhaft** *adj,* painful; **schmerzlich** *adj, (geh.)* painful; **schmerzlos** *adj,* painless; **~schwelle** *sub, f, -, -n* pain threshold; **schmerzvoll** *adj,* painful

Schmetterling, *sub, m, -(e)s, -e* butterfly; **~sblütler** *sub, m, -s,* - papilionaceae; **schmettern** *vt,* smash; *(Tür)* slam

Schmied, *sub, m, -(e)s, -e* blacksmith; **~e** *sub, f, -, -n* forge; **schmieden** *vt,* forge; *jmdn in Ketten schmieden* to bind sb in chains; **~eofen** *sub, m, -s, -öfen* blacksmith´s oven

Schmiege, *sub, f, -, -n* foldable measurement instrument; **schmiegen** *vr,* cuddle; **schmiegsam** *adj,* supple

Schmiere, *sub, f, -, -n (ugs.)* grease; *(ugs.) Schmiere stehen* to be the look-out; **schmieren** *vt,* smear, spread; *es läuft wie geschmiert* it´s going like clockwork; *(ugs.) jmd eine schmieren* to clout sb one; *(ugs.) jmdn schmieren* to grease sb´s palms; **~nkomödiant** *sub, m, -, -en (ugs.)* ham actor; **~nstück** *sub, n, -(e)s, -e* slapstick farce; **~rei** *sub, f, -, -en* scrawl, smearing; **Schmierfett** *sub, n, -(e)s, -e* lubricating grease; **Schmierfink** *sub, m, -(e)s, -e* scribbler; **Schmiergeld** *sub, n, -(e)s, -er* bribe money; **Schmierheft** *sub, n, -(e)s, -e* jotter; **Schmierkäse** *sub, m, -es, nur Einz.* cheese spread; **Schmiermittel** *sub, n, -s,* - lubricant; **Schmierseife** *sub, f, -, -en* soft soap; **Schmierung** *sub, f, -, -en* lubrication

Schminke, *sub, f, -, -n* make-up; **schminken** (1) *vr,* make oneself up (2) *vt,* make up; **Schminkstift** *sub, m, -(e)s, -e* make-up pencil; **Schminktisch** *sub, m, -(e)s, -e* dressing table

Schmirgel, *sub, m, -s,* - emery; **schmirgeln** *vt,* sand

Schmiss, *sub, m, -es, Schmisse* dash, wound; **schmissig** *adj,* dashing

schmökern, *vi,* bury oneself in a book

Schmonzes *sub, m, -, nur Einz.* balderdash

Schmorbraten, *sub, m, -s,* - potroast

schmoren, (1) *vi,* roast (2) *vt,* braise

schmuck, (1) *adj,* neat (2) **Schmuck** *sub, m, -es -s, nur Einz.* decoration, jewellery; **schmücken** *vt,* decorate; **schmückend** *adj,* jewelled; **~los** *adj,* plain; **Schmucknadel** *sub, f, -, -n* brooch; **Schmuckstein** *sub, m, -(e)s, -e* gem; **Schmuckstück** *sub, n, -(e)s, -e* ornament; **~voll** *adj,* proper; **Schmuckwaren** *sub, f, -, nur Mehrz.* jewellery

Schmuddelei, *sub, f, -, -en* mess; **schmuddelig** *adj,* dirty, messy;

schmuddeln *vi* botch

Schmuggel, *sub, m, -s, -* smuggling; **~ei** *sub, f, -, -en* smuggling; **schmuggeln** *vti*, smuggle; **Schmuggler** *sub, m, -s, -* smuggler

schmunzeln, *vi*, smile

Schmus, *sub, m, -es, nur Einz.* nonsense; **schmusen** *vi*, cuddle

Schmutz, *sub, m, -es, nur Einz.* dirt, filth; **~blatt** *sub, n, -es, -blätter* half-title; **~fink** *sub, m, -(e)s, -e (ugs.)* dirty slob; **~fleck** *sub, m, -(e)s, -en* dirty mark; **schmutzig** *adj*, dirty; **~titel** *sub, m, -s, -* half-title

Schnabel, *sub, m, -s, Schnäbel* beak; *reden, wie einem der Schnabel gewachsen ist* to say exactly what comes into one´s head; **Schnäbelein** *sub, n, -s, - (ugs.)* beak; **~hieb** *sub, m, -(e)s, -e* peck; **~kerf** *sub, m, -s, -e* biting insect; **schnäbeln** *vi*, bill and coo; **~schuh** *sub, m, -s, -e* pointed shoe; **~tasse** *sub, f, -, -n* feeding cup; **~tier** *sub, n, -s, -e* duckbilled platypus

schnabulieren, *vi, (ugs.)* nibble

Schnake, *sub, f, -, -n* gnat

Schnällchen, *sub, n, -s, - (ugs.)* buk-kel; **Schnalle** *sub, f, -, -n* buckle; **schnallen** *vt*, buckle, strap; *(ugs.) etwas schnallen* to catch on to sth

schnalzen, *vi*, click one´s tongue; *mit der Peitsche schnalzen* to crack one´s whip; **Schnalzlaut** *sub, m, -s, -e* click

schnappen, (1) *vi*, snap (2) *vt*, snatch; **Schnapphahn** *sub, m, -s, -hähne (hist.)* highwayman; **Schnappschuss** *sub, m, -es, -schüsse* snapshot

Schnaps, *sub, m, -es, Schnäpse* spirits; **~bude** *sub, f, -, -n (ugs.)* distillery; **Schnäpschen** *sub, n, -s, -* little drink; **~fahne** *sub, f, -, -n (ugs.)* boozy breath; **~glas** *sub, n, -es, -gläser* small glass for spirits; **~idee** *sub, f, -, -n (ugs.)* crazy idea; **~nase** *sub, f, -, -n* boozer´s nose

Schnatterer, *sub, m, -s, -* chatterbox; **schnatterig** *adj*, chattery; **Schnatterin** *sub, f, -, -nen* chatterbox; **schnattern** *vi*, chatter; *(Gans)* gabble

schnauben, *vi*, snort

schnaufen, *vi*, wheeze; **Schnaufer** *sub, m, -s, - (ugs.)* breath; **Schnauferl** *sub, n, -s, -n* veteran car

Schnauzbart, *sub, m, -s, -bärte* walrus moustache; **Schnäuzchen** *sub, n, -s, -* nose; **Schnauze** *sub, f, -, -n (ugs.)*

gob, *(Tier)* muzzle, *(ugs.)* die **Schnauze gestrichen voll haben** to be fed up to the back teeth; *(ugs.) die Schnauze halten* to hold one´s tongue; *(ugs.) etwas frei nach Schnauze machen* to do sth any old how; **schnauzen** *vi*, snap; **schnäuzen** *vi*, blow one´s nose; **Schnauzer** *sub, m, -s, -* walrus moustache; *(Hund)* schnauzer

Schnecke, *sub, f, -, -n* slug, snail; **~nhaus** *sub, n, -es, -häuser* snailshell; **~ntempo** *sub, n, -s, nur Einz.* at a snail´s pace

Schnee, *sub, m, -s, nur Einz.* snow; *das ist Schnee von gestern* that´s old hat; **~ball** *sub, m, -s, -bälle* snowball; **schneeballen** *vi*, play snowballs; **~besen** *sub, m, -s, -* whisk; **schneeblind** *adj*, snow-blind; **~blindheit** *sub, f, -, nur Einz.* snow blindness; **~brille** *sub, f, -, -n* snow-goggles; **~bruch** *sub, m, -s, -brüche* damage to trees due to heavy snow; **~decke** *sub, f, -, nur Einz.* blanket of snow; **~eule** *sub, f, -, -n* snowy owl; **~fläche** *sub, f, -, -n* snow field; **~flocke** *sub, f, -, -n* snowflake; **~fräse** *sub, f, -, -n* snow blower; **schneeglatt** *adj*, icy; **~glätte** *sub, f, -, nur Einz.* hard-packed snow

Schneeglöckchen, *sub, n, -s, -* snowdrop; **Schneehuhn** *sub, n, -s, -hühner* Alpine snow chicken; **Schneekanone** *sub, f, -, -n* snow cannon; **Schneekette** *sub, f, -, -n* snow chain; **Schneematsch** *sub, m, -s, nur Einz.* slush; **Schneemensch** *sub, m, -en, -en* snow person; **Schneemonat** *sub, m, -s, -e (ugs.)* January; **Schneemond** *sub, m, -s, -e* January; **Schneepflug** *sub, m, -s, -pflüge* snowplough; **Schneeräumer** *sub, m, -s, -* snow cat; **Schneeregen** *sub, m, -s, nur Einz.* sleet; **Schneeschuh** *sub, m, -s, -e* snow-shoe; **schneesicher** *adj*, snow proof; **Schneesturm** *sub, m, -s, -stürme* snowstorm; **Schneewasser** *sub, n, -s, nur Einz.* water from melting snow; **Schneewittchen** *sub, n, -s, nur Einz.* Snow White

Schneide, *sub, f, -, -n* edge; **~isen** *sub, n, -s, -* dowl; **schneiden** (1) *vi*, cut (2) *vt*, *(Gemüse)* chop; *(i. ü. S.)* *die Luft ist zum Schneiden* the air is very bad; *Grimassen schneiden* to pull faces; **~r** *sub, m, -s, -* cutter, tailor; *(i. ü. S.) aus dem Schneider sein* to be out of the woods; **~rei** *sub, f, -, -en* tailoring; **~rin** *sub, f, -, -nen* dressmaker; **schneidern** *vt*, sew; **~zahn** *sub, m, -s, -zähne* incisor; **schneidig** *adj*, dashing

schneien, *vi*, snow; *(ugs.) jmd ins Haus schneien* to drop in on sb

Schneise, *sub, f, -, -n* break; *(Wald)* aisle

schnell, *adj*, fast, quick; **Schnellboot** *sub, n, -s, -e* speedboat; **Schnelle** *sub, f, -, -n* quickness, speed; **~en** *vi*, shoot; **Schnellfeuer** *sub, n, -s, nur Einz. (mil.)* rapid fire; **~füßig** *adj*, fleet-footed; **Schnellgang** *sub, m, -s, nur Einz.* top gear; **Schnellheit** *sub, f, -, nur Einz.* speed; **Schnelligkeit** *sub, f, -, -en* quickness; **Schnellkraft** *sub, f, -, nur Einz.* springiness; **Schnellkurs** *sub, m, -es, -e* crash course; **~lebig** *adj*, fast-moving

Schnellpaket, *sub, n, -s, -e* express parcel; **Schnellschuss** *sub, m, -es, -schüsse* quick fire; **schnellstens** *adv*, as quickly as possible; **Schnellstraße** *sub, f, -, -n* expressway; **Schnellzug** *sub, m, -s, -züge* fast train

Schnepfe, *sub, f, -, -n* snipe

Schnickschnack, *sub, m, -, -schnacks (ugs.)* twaddle

schniegeln, *vt*, spruce up

schnieke, *adj*, swish

schnippeln, *vti*, snip at; **schnippisch** *adj*, saucy; **Schnipsel** *sub, m, -s, - (ugs.)* scrap; **schnippeln** *vti*, snip at

Schnitt, *sub, m, -s, -e* cut; **~blume** *sub, f, -, -n* cut flowers; **~bohne** *sub, f, -, -n* green beans; **~brot** *sub, n, -s, -e* sliced bread; **~e** *sub, f, -, -n* slice; **~er** *sub, m, -s, -* reaper; **~erin** *sub, f, -, -nen* reaper; **schnittfest** *adj*, firm; **~holz** *sub, n, -es, nur Einz.* cut wood; **schnittig** *adj*, smart; **~käse** *sub, m, -s, -* cut cheese; **~lauch** *sub, m, -s, -e* chives; **~linie** *sub, f, -, -n* cutting line; **~menge** *sub, f, -, -n (mat.)* intersection; **~muster** *sub, n, -s, -* pattern

Schnittpunkt, *sub, m, -s, -e* intersection; **Schnittware** *sub, f, -, -n* carved goods; **schnittweise** *adj*, cut by cut; **Schnittwunde** *sub, f, -, -n* cut

Schnitz, *sub, m, -es, -e* piece; **~bank** *sub, f, -, -bänke* carving table; **~bild** *sub, n, -s, -er* carving; **~el** *sub, n, -s, -* schnitzel, scrap of paper; **~elei** *sub, f, -, -en* carving; **~eljagd** *sub, f, -, -en* paper-chase; **schnitzen** *vti*, carve; **~er** *sub, m, -s, -* wood carver; **~erei** *sub, f, -, -en* wood-carving; **~werk** *sub, n, -s, -e* wood carving

schnobern, *vi*, snuffle

Schnodder, *sub, m, -s, nur Einz. (ugs.)* brashness; **schnodderig** *adj*, brash

schnöde, *adj*, despicable; **Schnödigkeit** *sub, f, -, -en* despicableness

Schnorchel, *sub, m, -s, -* snorkel; **schnorcheln** *vi*, snorkel; **Schnörkel** *sub, m, -s, -* flourish, scroll; **Schnörkelei** *sub, f, -, -en* scroll, squiggle; **schnörkelig** *adj*, ornate

schnorren, *vti, (ugs.)* scrounge; **Schnorrer** *sub, m, -s, -* scrounger; **Schnorrerei** *sub, f, -, -en* scrounging

Schnösel, *sub, m, -s, -* snotty little upstart

Schnuckelchen, *sub, n, -s, -* sweetheart; **schnuckelig** *adj*, cosy

Schnüffelei, *sub, f, -, -en* snuffling; *(ugs.)* snooping; **schnüffeln** *vi*, sniff; *(ugs.)* snoop around; **Schnüffler** *sub, m, -s, -* snooper

Schnuller, *sub, m, -s, -* dummy

Schnulze, *sub, f, -, -n* schmaltzy film/book/song

Schnupfen, **(1)** *sub, m, -s, nur Einz.* cold **(2)** *vi* **schnupfen** *vti*, sniff; **Schnupftabak** *sub, m, -s, nur Einz.* snuff; **Schnupftuch** *sub, n, -s, -tücher (ugs.)* hanky

schnuppe, *adj*, be all the same to sb; *(ugs.) das Wohl seiner Angestellten ist ihm völlig schnuppe* he couldn´t care less about the welfare of his employees; **~rn** *vi*, sniff

Schnurre, *sub, f, -, -n* funny story; **schnurren** *vi*, hum; *(Katze)* purr; **Schnurrhaar** *sub, n, -s, -e* whiskers; **Schnürriemen** *sub, m, -s, -* shoelace; **schnurrig** *adj*, droll; **Schnürschuh** *sub, m, -, -e* laced shoe; **Schnürsenkel** *vi*, shoelace; **schnurstracks** *adv*, straight; **schnurzpiepe** *adj*, he couldn´t care less; *(ugs.) das ist ihm* *schwuppslos he couldn't give a damn* about it

Schnute, *sub, f, -, -n* pout

Schock, *sub, n, -s, -e* shock; **schocken** *vt, (ugs.)* shock; **~er** *sub, m, -s, -* shock film/novel; **schockfarben** *adj*, electric coloured; **schockieren** *vti*, shock; **schockweise** *adv*, by the three score

Schöffe, *sub, m, -n, -n* juror; **~nbank** *sub, f, -, -bänke* jury bench

Schogun, *sub, m, -s, -e* Shogun

Schokolade, *sub, f, -, -n* chocolate; **schokoladen** *adj*, chocolate; **Schokoriegel** *sub, m, -s, -* chocolate bar

Scholar, *sub, m, -en, -en* scholar; **Scholastik** *sub, f, -, nur Einz.* scholasticism; **Scholastiker** *sub, m, -s, -* scholastic; **scholastisch** *adj*, scholastic

Scholle, *sub, f, -, -n (Eis)* floe; *(Fisch)* plaice

schon, *adv*, already, before, just

schön, (1) *adj*, beautiful, good, lovely (2) *adv*, well; **~ machen** *vr*, dress oneself up; **schonen** (1) *vr*, take care of oneself (2) *vt*, look after; **~en** *vt*, brighten; **Schoner** *sub, m, -s, -* cover; **~färben** *vt*, gloss over; **Schönfärber** *sub, m, -s, -* someone who tends to gloss things over; **Schongebiet** *sub, n, -es, -e* nature reserve; **Schongehege** *sub, n, -s, -* wild life reserve; **Schöngeist** *sub, m, -es, -er* aesthete; **~geistig** *adj*, aesthetic; **Schönheit** *sub, f, -, -en* beauty; **Schönheitskrem** *sub, f, -, -s* beauty creme; **Schönheitspflege** *sub, f, -, nur Einz.* beauty care; **Schonkost** *sub, f, -, nur Einz.* light diet; **Schönling** *sub, m, -s, -e (ugs.)* pretty boy

Schönredner, *sub, m, -s, -* flatterer; **Schönschreiben** *sub, n, -s, -* writing; **Schönschrift** *sub, f, -, nur Einz.* in one's best handwriting; **Schöntuerei** *sub, f, -, -en* blandishments; **Schonung** *sub, f, -, nur Einz.* mercy, sparing; **schonungslos** *adj*, merciless; **Schonzeit** *sub, f, -, -en* close season

Schopf, *sub, m, -(e)s, Schöpfe* shock of hair; *eine Gelegenheit beim Schopf packen* to grasp an opportunity with both hands; *jmdn beim Schopf packen* to grab sb by the hair

Schöpfe *sub, f, -, -n* ladle; **~imer** *sub,*

m, s, bucket; **schöpfen** *vt, (Atem)* draw; *(Wasser)* scoop

Schöpfer, *sub, m, -s, -* creator; *(Gott)* Creator; **~hand** *sub, f, -s, -hände (theol.)* Hand of the Creator; **schöpferisch** *adj*, creative; **~tum** *sub, n, -s, nur Einz.* creativity

Schöpfgefäß, *sub, n, -es, -e* ladle; **Schöpfkelle** *sub, f, -, -n* ladle; **Schöpflöffel** *sub, m, -s, -* ladle; **Schöpfung** *sub, f, -, -en* creation

Schoppen, *sub, m, -s, -* half-litre; **~wein** *sub, m, -(e)s, -e (ugs.)* glass of wine

Schorle, *sub, f, -, -n* spritzer

Schornstein, *sub, m, -(e)s, -e* chimney; **~feger** *sub, m, -s, -* chimneysweep

Schose, *sub, f, -, -n (ugs.)* thing; *die ganze Schose* the whole lot

Schoß, *sub, m, -es, Schöße* womb; *(bot.)* shoot; *sicher wie in Abrahams Schoß* safe and secure; *(i. ü. S.) das ist ihm nicht in den Schoß gefallen* it wasn´t handed to him on a plate; **~hündchen** *sub, n, -s, - * lap-dog; **~kind** *sub, n, -es, -der* spoilt child; **Schössling** *sub, m, -s, -e (bot.)* shoot

Schote, *sub, f, -, -n (ugs.)* yarn; *(bot.)* pod

Schott, *sub, n, -(e)s, -en* bulkhead; *(ugs.) die Schotten dichtmachen* to close up shop

Schotten, *sub, m, -s, - (ugs.)* quark; **~rock** *sub, m, -(e)s, -röcke* kilt; **~witz** *sub, m, -es, -e* Scot´s joke; **Schotter** *sub, m, -s, -* gravel; *(ugs.; Geld)* dough; **Schotterung** *sub, f, -, -en* ballast; **schottisch** *adj*, Scottish; **Schottische** *sub, m, -n, -n* Scottish dance; **Schottländer** *sub, m, -s, -* Scotsman

schraffieren, *vt*, hatch; **Schraffierung** *sub, f, -, -en* hatching

Schraffur, *sub, f, -, -en* hatching

schräg, (1) *adj*, sloping, weird (2) *adv*, obliquely; *(ugs.) jmdn schräg ansehen* to look at sb out of the corner of one´s eye; *schräg gedruckt* in italics; **Schräge** *sub, f, -, -n* slant, slope; **Schrägstrich** *sub, m, -(e)s, -e* oblique

Schramme, *sub, f, -, -n* scratch; **~lmusik** *sub, f, -, nur Einz.* popular Viennese music for violins, guitar and accordion; **Schrankfach** sub, n, -(e)s, -fächer shelf; **Schrankwand** sub, f, -, -wände wall unit

Schrank, sub, m, -(e)s, Schränke cupboard, wardrobe

Schrankbett, sub, n, -(e)s, -en foldaway bed

Schranke, sub, f, -, -n barrier, gate; **Schränkeisen** sub, n, -s, - tool for repairing sawblades; **schränken** vt, repair a sawblade; **schrankenlos** adj, boundless, unrestrained

schrapen, vt, (ugs.) scratch off

Schrapnell, sub, n, -s, -s oder -e shrapnel

Schrat, sub, m, -(e)s, -e forest demon

Schraube, sub, f, -, -n screw; (ugs.) bei ihr ist eine Schraube locker she´s got a scew loose; **schrauben** vti, screw; **~nmutter** sub, f, -, -n nut; **~nrad** sub, n, -es, -räder screw wheel; **~nschlüssel** sub, m, -s, - spanner; **~nzieher** sub, m, -es, - screwdriver; **Schraubstock** sub, m, -(e)s, -stöcke vice

Schrebergarten, sub, m, -s, -gärten allotment

Schreck, sub, m, -(e)s, -e fright; (ugs.) der Schreck fuhr mir in die Glieder my knees turned to jelly; **~bild** sub, n, -es, -er terrible vision; **~en** (1) sub, m, -s, nur Einz. fright, horror (2) **schrecken** vt, frighten; lieber ein Ende mit Schrecken als ein Schrecken ohne Ende it´s best to get unpleasant things over and done with, jmdn aus seinen Träumen schrecken to startle sb out of his dreams; **~ensherrschaft** sub, f, -, -en reign of terror; **schreckhaft** adj, easily startled; **schrecklich** adj, frightful, terrible; **~nis** sub, n, -ses, -se horror; **~schraube** sub, f, -, -n (ugs.) dolledup old bag; **~schuss** sub, m, -es, -schüsse warning shot; **~sekunde** sub, f, -, -n moment of shock

Schredder, sub, m, -s, - shredder

Schrei, sub, m, -(e)s, -e shout, yell; (ugs.) der letzte Schrei the latest thing

Schreibblock, sub, m, -s, -blöcke writing pad; **Schreibbüro** sub, n, -s, -s office; **Schreibe** sub, f, -, -n (ugs.) writing; **Schreiben** (1) sub, n, -s, - writing (2) **schreiben** vti, write; es steht Ihnen auf der Stirn geschrieben it´s written all over your face; **Schrei-**

berei sub, f, -, -en paperwork; **Schreiberin** sub, f, -, -nen writer; **Schreiberling** sub, m, -s, -e scribbler; **schreibfaul** adj, lazy about writing letters; **Schreibfehler** sub, f, -, -n spelling mistake; **Schreibheft** sub, n, -es, -e exercise book; **Schreibkraft** sub, f, -, -kräfte typist; **Schreibkrampf** sub, m, -(e)s, -krämpfe writer´s cramp; **Schreibmappe** sub, f, -, -n folder; **Schreibmaschine** sub, f, -, -n typewriter; **Schreibpult** sub, n, -(e)s, -e writing desk; **Schreibstube** sub, f, -, -n writing room; **Schreibtisch** sub, m, -es, -e desk; **Schreibübung** sub, f, -, -en writing exercise

Schreibung, sub, f, -, -en spelling; **Schreibunterricht** sub, m, -(e)s, nur Einz. writing lessons; **Schreibwaren** sub, f, -, nur Mehrz. stationery; **Schreibweise** sub, f, -, -n style; **Schreibzeug** sub, n, -(e)s, nur Einz. writing things

schreien, vi, scream, shout; **Schreier** sub, m, -s, - rowdy; (Baby) bawler; **Schreihals** sub, m, -es, -hälse (ugs.) bawler; **Schreikrampf** sub, m, -(e)s, -krämpfe screaming fit

Schrein, sub, m, -(e)s, -e (geh.) shrine; **~er** sub, m, -s, - carpenter; **~erei** sub, f, -, -en workshop

schreiten, vi, stride; **Schreitvogel** sub, m, -s, -vögel wader

Schrieb, sub, m, -s, -e (ugs.) missive

Schrift, sub, f, -, -en document, writing; **~bild** sub, n, -es, -er script; **~deutsch** sub, n, -, nur Einz. written German; **~form** sub, f, -, -en (jur.) this contract must be drawn up in writing; (jur.) dieser Vertrag erfordert die Schriftform this contract must be drawn up in writing; **~führer** sub, m, -s, - secretary; **~gelehrte** sub, m, -n, -n (bibl.) scribe; **schriftgemäß** adj, according to written convention; **~grad** sub, m, -(e)s, -e type size; **~höhe** sub, f, -, -n height of the type; **schriftlich** (1) adj, written (2) adv, in writing; **~probe** sub, f, -, -n specimen of one´s writing; **~rolle** sub, f, -, -n scroll; **~satz** sub, m, -es, -sätze compositor; **~sprache** sub, f, -, nur Einz. written language; **~steller** sub, m, -s, - author;

blück *sub, n, -(e)s, -e (jur.)* document; **~tum** *sub, n, -s, nur Einz.* literature; **~wechsel** *sub, m, -s, -* correspondence

schrill, *adj*, brash, shrill; **Schrillheit** *sub, f, -, nur Einz.* shrillness

Schrimp, *sub, m, -s, -s* shrimp

Schrippe, *sub, f, -, -n (ugs.)* bread roll

schroff, *adj*, brusque, curt; **Schroffheit** *sub, f, -, -en* curt remark, curtness

schröpfen, *vt*, bleed; *(ugs.) jmdn schröpfen* to fleece sb; **Schröpfkopf** *sub, m, -es, -köpfe (med.)* cupping glass

Schrot, *sub, n, -es, -.s, -e* shot, wholecorn/-rye etc. meal; **~brot** *sub, n, -es, -e* wholemeal bread; **schroten** *vt*, grind coarsely; **~flinte** *sub, f, -, -n* shotgun; **~kugel** *sub, f, -, -n* pellet; **~ladung** *sub, f, -, -en* round of shot; **~mühle** *sub, f, -, -n* mill stone; **~schuss** *sub, m, -es, -schüsse* round of shot

Schrott, *sub, m, -(e)s, -e* scrap metal; **schrotten** *vt*, write off; **~haufen** *sub, m, -s, -* scrap heap; **~platz** *sub, m, -es, -plätze* scrap yard; **schrottreif** *adj*, only fit for scrap; **~wert** *sub, m, -(e)s, nur Einz.* scrap value

Schrubbbesen, *sub, m, -s, -* scrubbing brush; **schrubben** *vt*, scrub; **Schrubber** *sub, m, -s, -* long-handled scrubbing brush

Schrulle, *sub, f, -, -n* quirk; *(ugs.)* old crone; **schrullig** *adj*, odd

schrumpfen, *vi*, shrink; **Schrumpfkopf** *sub, m, -es, -köpfe* shrunken head; **Schrumpfung** *sub, f, -, -en* shrinking

Schrunde, *sub, f, -, -n (Fels)* crevasse; *(Haut)* crack; **schrundig** *adj*, cracked

Schruppfeile, *sub, f, -, -n* rough file; **Schrupphobel** *sub, m, -s, -* jack plane

Schub, *sub, m, -(e)s, Schübe* push; *(ugs.; Fach)* drawer; **~kasten** *sub, m, -s, -kästen* drawer; **~lade** *sub, f, -, -n* drawer; **~s** *sub, m, -es, -e* shove; **~schiff** *sub, n, -es, -e* tug; **schubsen** *vti, (ugs.)* shove

schüchtern, *adj*, shy; **Schüchternheit** *sub, f, -, -en* shyness

Schuft, *sub, m, -(e)s, -e (ugs.)* heel; **schuften** *vi*, slave away; **schuftig** *adj*, mean; **~igkeit** *sub, f, -, nur Einz.* meanness

Schuh, *sub, m, -es, -e* shoe; *(ugs.) jmd etwas in die Schuhe schieben* to put the blame for sth on sb; *wo drückt der Schuh?* what´s the trouble; **~bürste** *sub, f, -, -n* shoe brush; **~fabrik** *sub, f, -, -en* shoe factory; **~karton** *sub, m, -s, -s* shoe box; **~löffel** *sub, m, -s, -* shoehorn; **~macher** *pron,* shoemaker; **~nummer** *sub, f, -, -n* shoe size; **~plattler** *sub, m, -s, -* Bavarian folk dance; **~putzer** *sub, m, -s, -* bootblack; **~riemen** *sub, m, -s, -* strap; **~spanner** *sub, m, -s, -* shoetree

Schulamt, *sub, n, -(e)s, -ämter* education authority; **Schulanfang** *sub, m, -(e)s, nur Einz.* beginning of term; **Schularbeit** *sub, f, -, -en* homework; **Schulärztin** *sub, f, -, -nen* school doctor; **Schulaufgabe** *sub, f, -, -n* homework; **Schulaufsatz** *sub, m, -es, -sätze* class essay; **Schulbeginn** *sub, m, -(e)s, nur Einz.* beginning of term; **Schulbehörde** *sub, f, -, -n* education authority; **Schulbesuch** *sub, m, -(e)s, -e* school attendance; **Schulbildung** *sub, f, -, nur Einz.* school education; **Schulbuch** *sub, n, -(e)s, -bücher* schoolbook; **Schulbus** *sub, m, -es, -busse* school bus

schuld, **(1)** *adj*, be to blame **(2)** **Schuld** *sub, f, -, -en* debt, guilt; *jmd/einer Sache schuld geben* to blame sb/sth, *(ugs.) mehr Schulden als Haare auf dem Kopf haben* to be up to one´s ears in debt; *(i. ü. S.) ich stehe tief in seiner Schuld* I´m deeply indebted to him; **Schuldbeweis** *sub, m, -es, -e* evidence of one´s guilt; **~bewusst** *adj*, feeling guilty; **Schuldbewusstsein** *sub, n, -s, nur Einz.* feelings of guilt; **~en** *vt*, owe; **Schuldenberg** *sub, m, -es, -e* mountain of debts; **~enfrei** *adj*, free of debts; **Schuldenlast** *sub, f, -, nur Einz.* debts; **~fähig** *adj*, suffering from diminished responsibility; **~haft (1)** *adj, (jur.)* culpable **(2) Schuldhaft** *sub, f, -, nur Einz. (hist.)* imprisonment for debt; **~ig** *adj*, guilty; *(i. ü. S.) er hat ihr nichts schuldig* he gave as good as he got; *(i. ü. S.) jmd etwas schuldig sein* to owe sb sth; **Schuldiger** *sub,* *m*, *-s*, *-* guilty person; **Schuldigkeit** *sub*, *f*, *-*, *nur Einz.* duty; **~los** *adj*, innocent; **Schuldner** *sub*, *m*, *-s*, *-* debtor; **Schuldnerin** *sub*, *f*, *-*, *-nen* debtor; **Schuldrecht** *sub*, *n*, *-s*, *nur Einz.* (jur.) law of contract; **Schuldschein** *sub*, *m*, *-s*, *-e* promissory note; **Schuldspruch** *sub*, *m*, *-es*, *-sprüche* verdict of guilty

Schuldienst, *sub*, *m*, *-(e)s*, *-e* teaching

Schule, *sub*, *f*, *-*, *-n* school; **schulen** *vt*, train; **Schüler** *sub*, *m*, *-s*, *-* pupil; **schülerhaft** *adj*, *(ugs.)* childish; **Schülerlotse** *sub*, *m*, *-*, *-n* pupil acting as road crossing warden; **Schulferien** *sub*, *f*, *-*, *nur Mehrz.* school holidays; **Schulfreund** *sub*, *m*, *-s*, *-* schoolfriend; **Schulfunk** *sub*, *m*, *-s* school´s radio; **Schulgarten** *sub*, *m*, *-s*, *-gärten* schoolyard; **Schulgebäude** *sub*, *n*, *-es*, *-* school building; **Schulgeld** *sub*, *n*, *-s*, *nur Einz.* school fees; **Schulgesetz** *sub*, *n*, *-es*, *-e* education act; **Schulhof** *sub*, *m*, *-s*, *-höfe* school playground; **Schuljahr** *sub*, *n*, *-s*, *-e* school year; **Schuljugend** *sub*, *f*, *-*, *-er* schoolchildren; **Schulkamerad** *sub*, *m*, *-s*, *-en* schoolmate; **Schulklasse** *sub*, *f*, *-*, *-n* class; **Schullehrer** *sub*, *m*, *-s*, *-* schoolteacher; **Schulleiter** *sub*, *m*, *-s*, *-* headmaster; **Schulleitung** *sub*, *f*, *-*, *-en* school management; **Schulmädchen** *sub*, *n*, *-s*, *-* schoolgirl

Schulmeister, *sub*, *m*, *-s*, *-* school master; **schulmeistern** *vt*, lecture; **Schulordnung** *sub*, *f*, *-*, *-en* school rules; **Schulpflicht** *sub*, *f*, *-*, *nur Einz.* compulsory school attendance; **Schulpolitik** *sub*, *f*, *-*, *nur Einz.* education policy; **Schulranzen** *sub*, *m*, *-s*, *-* school satchel; **Schulrat** *sub*, *m*, *-s*, *-räte* schools inspector; **Schulreife** *sub*, *f*, *-*, *nur Einz.* school readiness; **Schulschiff** *sub*, *n*, *-s*, *-e* training school; **Schulschluss** *sub*, *m*, *-es*, *-* end of school; **Schulsport** *sub*, *m*, *-s*, *nur Einz.* school sport; **Schulstress** *sub*, *m*, *-es*, *nur Einz.* stress at school; **Schulstunde** *sub*, *f*, *-*, *-en* lesson; **Schultag** *sub*, *m*, *-s*, *-e* schoolday; **Schultasche** *sub*, *f*, *-*, *-n* schoolbag

Schulter, *sub*, *f*, *-*, *-n* shoulder; *etwas auf die leichte Schulter nehmen* to take sth lightly; *(i. ü. S.) sich selbst auf*

die Schulter klopfen to blow one´s own trumpet; **~blatt** *sub*, *n*, *-s*, *-blätter* shoulder blade; **schulterfrei** *adj*, off-the-shoulder; **schulterlang** *adj*, shoulder-length; **schultern** *vt*, shoulder; **~sieg** *sub*, *m*, *-*, *-e* (spo.) fall

Schulung, *sub*, *f*, *-* training; **Schulweg** *sub*, *m*, *-s*, *-e* way to/from school; **Schulwesen** *sub*, *n*, *-s*, *-* school system; **Schulwissen** *sub*, *n*, *-s*, *nur Einz.* knowledge acquired at school

Schulze, *sub*, *m*, *-n*, *-n* (hist.) mayor

Schulzenamt, *sub*, *n*, *-es*, *-ämter* office of mayor

Schulzentrum, *sub*, *-s*, *-zentren* school complex; **Schulzeugnis** *sub*, *n*, *-ses*, *-se* school report; **Schulzimmer** *sub*, *n*, *-s*, *-n* classroom

Schummel, *sub*, *m*, *-*, *nur Einz.* crib; **schummeln** *vi*, cheat; **Schummelrin** *sub*, *f*, *-*, *-nen* cheater

schummerig, *adj*, dim

Schund, *sub*, *m*, *-s*, *-er* trash; **~blatt** *sub*, *n*, *-s*, *-blätter* pulp paper; **~literatur** *sub*, *f*, *-*, *nur Einz.* pulp literature; **~roman** *sub*, *m*, *-s*, *-e* pulp novel

schunkeln, *vi*, link arms and sway from side to side

Schuppe, *sub*, *f*, *-*, *-n* dandruff; *(bot.)* scale; *es fiel mir wie Schuppen von den Augen* the scales fell from my eyes; **schuppen** (1) *vr*, flake (2) *vt*, *(Fische)* scale; **~nflechte** *sub*, *f*, *-*, *nur Einz.* (med.) psoriasis; **~npanzer** *sub*, *m*, *-s*, *-* scale armour; **schuppig** *adj*, flaking, scaly

Schur, *sub*, *f*, *-es*, *-en* shearing

Schüreisen, *sub*, *n*, *-* poker; **schüren** *vt*, rake, stir up

schürfen, (1) *vt*, mine (2) *vtr*, graze oneself; **Schürfrecht** *sub*, *n*, *-s*, *-e* mining rights; **Schürfwunde** *sub*, *f*, *-*, *-n* graze; **Schürhaken** *sub*, *m*, *-s*, *-* poker

Schurigelei, *sub*, *f*, *-*, *-en* bullying; **schurigeln** *vt*, *(ugs.)* bully

schurren, *vi*, grate

Schurwolle, *sub*, *f*, *-*, *nur Einz.* virgin wool; **schurwollen** *adj*, virgin wool

Schurz, *sub*, *m*, *-es*, *-e* loincloth

Schurze, *sub*, *f*, -, -*n* pinafore; **schürzen** *vt*, gather up; *die Lippen schürzen* to purse one´s lips; **~nband** *sub*, *n*, -*es*, -*bänder* apron-string; **~njäger** *sub*, *m*, -*s*, - philanderer

Schuss, *sub*, *m*, -*es*, *Schüsse* shot; *(Wein)* dash; *(ugs.) ein Schuss in den Ofen* a complete waste of time; *(i. ü. S.) ein Schuss ins Schwarze* a bull´s-eye; *(i. ü. S.) er ist keinen Schuss Pulver wert* he is not worth tuppence; **~abgabe** *sub*, *f*, -, *nur Einz.* dischargement of weapon; **schussbereit** *adj*, ready to fire

Schussel, *sub*, *f*, -, -*n* (*ugs.*) dolt; **schusselig** *adj*, (*ugs.*) daft

Schüssel, *sub*, *f*, -, -*n* bowl

Schusser, *sub*, *m*, -*s*, - marble

Schussfaden, *sub*, *m*, -*s*, -*fäden* weft thread; **Schussfahrt** *sub*, *f*, -, -*en* schussing; **schussfertig** *adj*, ready to fire; **schussfest** *adj*, bulletproof; **schussgerecht** *adj*, get a good shot; **Schusskanal** *sub*, *m*, -*s*, -*kanäle* (*med.*) path of a bullet through the body; **Schusslinie** *sub*, *f*, -, -*n* line of fire; **Schussschwäche** *sub*, *f*, -, -*en* weakness of fire; **schusssicher** *adj*, bulletproof; **schussstark** *adj*, heavy fire; **Schussstärke** *sub*, *f*, -, -*en* level of fire; **Schusswaffe** *sub*, *f*, -*s*, -*n* firearm; **Schussweite** *sub*, *f*, -, *nur Einz.* range of fire; **Schusswunde** *sub*, *f*, -*s*, -*n* bullet wound

Schuster, *sub*, *m*, -*s*, - shoemaker; *Schuster, bleib bei deinem Leisten!* cobbler, stick to your last; **~pech** *sub*, *n*, -*s*, *nur Einz.* shoemaker´s wax

Schutt, *sub*, *m*, -*s*, *nur Einz.* debris, rubble

Schüttbeton, *sub*, *m*, -*s*, *nur Einz.* cast concrete; **Schüttelfrost** *sub*, *m*, -*s*, -*e* (*med.*) shivering fit; **schütteln (1)** *vr*, shiver (2) *vt*, shake; **Schüttelreim** *sub*, *m*, -*s*, -*e* goat rhyme; **schütten** *vt*, pour

schütter, *adj*, thin

Schutthalde, *sub*, *f*, -, -*n* rubble tip; **Schutthaufen** *sub*, *m*, -*s*, - heap of rubble; **Schuttkegel** *sub*, *m*, -*s*, - cone of scree; **Schuttplatz** *sub*, *m*, -*es*, -*plätze* tip

Schüttstroh, *sub*, *n*, -*s*, *nur Einz.* bedding straw

Schutz, *sub*, *m*, -*es*, *Einz.*, *Technik* -*e* protection, shelter; **~anzug** *sub*, *m*,

-*s*, -*anzuge* protective clothing; **~befohlene** *sub*, *m*, *f*, -*n*, -*n* protégé; **~blech** *sub*, *n*, -*s*, -*e* mudguard; **~brief** *sub*, *m*, -*s*, -*e* letter of safe-conduct; **~brille** *sub*, *f*, -, -*n* protective goggles

Schutzengel, *sub*, *m*, -*s*, - guardian angel

Schutzgebiet, *sub*, *n*, -*s*, -*e* protectorate; **Schutzgebühr** *sub*, *f*, -, -*en* token fee; **Schutzgeist** *sub*, *m*, -*es*, -*er* protecting spirit; **Schutzgitter** *sub*, *n*, -*s*, - protective barrier; **Schutzhafen** *sub*, *m*, -*s*, -*häfen* port of refuge; **Schutzhaft** *sub*, *f*, -, *nur Einz.* protective custody; **Schutzhaube** *sub*, *f*, -, -*s* protective hood; **Schutzheilige** *sub*, *f*, -*n*, -*n* patron saint; **Schutzherrschaft** *sub*, *f*, -, *nur Einz.* protectorate; **Schutzhülle** *sub*, *f*, -, -*n* protective cover

schutzimpfen, *vt*, vaccinate; **Schutzimpfung** *sub*, *f*, -, -*en* vaccination

Schützling, *sub*, *m*, -*s*, -*e* protégé

schutzlos, *adj*, defenceless

Schutzmann, *sub*, *m*, -*s*, -*männer* policeman

Schutzmarke, *sub*, *f*, -, -*n* trademark

Schutzmaske, *sub*, *f*, -, -*n* protective mask

Schutzmittel, *sub*, *n*, -*s*, - means of protection

Schutzpatron, *sub*, *f*, -*s*, -*e* saint

Schutzpolizei, *sub*, *f*, -, *nur Einz.* police force

Schutzschild, *sub*, *m*, -*s* shield

Schutzvorkehrung, *sub*, *f*, -, -*en* safety device

Schutzzoll, *sub*, *m*, -*s*, -*zölle* protective tariff

schwabbelig, *adj*, flabby

Schwabenstreich, *sub*, *m*, -*s*, -*e* piece of folly

Schwaden, *sub*, *m*, -*s*, - cloud

Schwadron, *sub*, -*s*, -*en* (*mil.*) squadron; **schwadronieren** *vi*, bluster

Schwafelei *sub*, *f*, -, -*en* (*ugs.*) drivel; **schwafeln** *vi*, drivel

Schwager, *sub*, -*s*, *Schwäger* brother-in-law; **Schwägerin** *sub*, -, -*nen* sister-in-law; **schwägerlich** *adj*, sister-/brother-in-lawly

Schwälbchen, *sub*, *n*, -*s*, - swallow; **Schwalbe** *sub*, *f*, -, -*n* swallow;

Schwalbenschwanz *sub*, *m*, *-es*, - *schwänze* swallowtail

Schwall, *sub*, *m*, *-es*, *-e* flood

Schwamm, *sub*, *m*, *-s*, *Schwämme* sponge; *(ugs.) Schwamm drüber!* forget it; **schwammartig** *adj*, spongy; **schwammig** *adj*, spongy; **~tuch** *sub*, *n*, *-s*, *-tücher* sponge

Schwan, *sub*, *m*, *-s*, *Schwäne* swan; **schwanen** *vi*, forebode; *ihm schwante etwas* he had forebodings; **~engesang** *sub*, *m*, *-s*, *-gesänge* swansong; **schwanenweiß** *adj*, *(geh.)* lily-white

schwanger, *adj*, pregnant; *(i. ü. S.) mit etwas schwanger gehen* to be big with sth; **schwängern** *vt*, make pregnant; **Schwangerschaft** *sub*, *f*, *-*, *-en* pregnancy; **Schwangerschaftsabbruch** *sub*, *m*, *-s*, *-abbrüche* abortion; **Schwangerschaftsverhütung** *sub*, *f*, *-*, *nur Einz.* contraception; **Schwängerung** *sub*, *f*, *-*, *-en* making a woman pregnant

Schwank, *sub*, *m*, *-s*, *Schwänke* merry tale; **schwanken** *vi*, hesitate, stagger, sway; *(i. ü. S.) der Boden schwankte unter meinen Füßen* the ground rocked beneath my feet; **~figur** *sub*, *f*, *-en* merry tale figure

Schwanz, *sub*, *m*, *-es*, *Schwänze* tail; *das Pferd am Schwanz aufzäumen* to do things back to front; **Schwänzchen** *sub*, *n*, *-s*, - tail; **~ende** *sub*, *n*, *-es*, *-s* tip of the tail; **~feder** *sub*, *f*, *-n* tail feather; **~flosse** *sub*, *f*, *-*, *-n* tail fin; **~lurch** *sub*, *m*, *-s*, *-e (zool.)* caudate; **~stück** *sub*, *n*, *-s*, *-e* piece of tail

schwänzen, *vt*, *(ugs.)* skip

schwappen, *vi*, slosh around

Schwäre, *sub*, *f*, *-*, *-n* ulcer; **schwären** *vi*, fester

Schwarm, *sub*, *m*, *-s*, *Schwärme* swarm; *(ugs.)* idol; **schwärmen** *vi*, enthuse, swarm; **Schwärmer** *sub*, *m*, *-s*, - enthusiast; *(zool.)* hawkmoth; **Schwärmerei** *sub*, *f*, *-*, *-en* enthusiasm; **Schwärmerin** *sub*, *f*, *-*, *-nen* enthusiast

Schwarte, *sub*, *f*, *-*, *-n* rind; *(ugs.)* old book

Schwarzseher, *sub*, *m*, *-s*, - pessimist; **~ei** *sub*, *f*, *-*, *nur Einz.* pessimism; **Schwarzwald** *sub*, *m*, *-s*, *nur Einz.* Black Forest; **schwarzweiß** *adj*, black-and-white; **Schwarzweißaufnahme** *sub*, *f*, *-*, *-en* black-and-white

shot; **Schwarzwild** *sub*, *n*, *-s*, *nur Einz.* wild boars

Schwatz, *sub*, *f*, *-es*, *-e (ugs.)* chat; **~base** *sub*, *f*, *-*, *-n* gossip; **Schwätzchen** *sub*, *n*, *-s*, - chat; **schwatzen** *vti*, chatter; **Schwätzer** *sub*, *m*, *-s*, - chatterer; **Schwätzerei** *sub*, *f*, *-*, *-en* chatter; **Schwätzerin** *sub*, *f*, *-*, *-nen* chatterer; **schwatzhaft** *adj*, talkative

Schwebe, *sub*, *f*, *-*, *nur Einz.* hover; *(i. ü. S.) in der Schwebe sein* to be in the balance; **~bahn** *sub*, *f*, *-*, *-en* suspension railway; **~balken** *sub*, *m*, *-s*, - *(spo.)* beam; **schweben** *vi*, float, hang; *(i. ü. S.) etwas schwebt jmd vor Augen* sb envisages sth

Schwede, *sub*, *m*, *-*, *-n* Swede; **~n** *sub*, *n*, *-s*, - Sweden; **~nplatte** *sub*, *f*, *-*, *-n* smorgasbord; **schwedisch** *adj*, Swedish; *(ugs.) hinter schwedischen Gardinen* behind bars; **Schwedische** *sub*, *n*, *-n*, *nur Einz.* Swedish

Schwefel, *sub*, *m*, *-s*, *nur Einz.* sulphur; **schwefelgelb** *adj*, sulphurous yellow; **~holz** *sub*, *n*, *-es*, *-hölzer* match; **schwefeln** *vt*, sulphurize; **~quelle** *sub*, *f*, *-*, *-n* sulphur spring; **~salbe** *sub*, *f*, *-*, *nur Einz.* sulphur creme; **~säure** *sub*, *f*, *-*, *nur Einz.* sulphuric acid; **~ung** *sub*, *f*, *-*, *-en* sulphurization

Schweif, *sub*, *m*, *-s*, *-e* tail; **schweifen (1)** *vi*, roam **(2)** *vt*, curve; **~säge** *sub*, *f*, *-*, *-s* fretsaw

Schweigegeld, *sub*, *n*, *-es*, *-er* hushmoney; **Schweigemarsch** *sub*, *m*, *-s*, *-märsche* silent march; **Schweigen (1)** *sub*, *-s*, *nur Einz.* silence **(2) schweigen** *vi*, be silent; *er kann schweigen wie ein Grab* he knows how to keep quiet; *ganz zu schweigen von* to say nothing of; **schweigend** *adj*, silent; **Schweigepflicht** *sub*, *f*, *-*, *nur Einz.* pledge of secrecy; **schweigsam** *adj*, silent

Schwein, *sub*, *n*, *-s*, *-e* pig; **~ebraten** *sub*, *m*, *-s*, - roast pork; **~efett** *sub*, *n*, *-*, *nur Einz.* pig fat; **~efleisch** *sub*, *n*, *-s*, *nur Einz.* pork; **~ehund** *sub*, *m*, *-s*, *-e (ugs.)* bastard; **~ekotelett** *sub*, *n*, *-s*, *-s* pork chop; **~epest** *sub*, *f*, *-*, *nur Einz.* swine fever; **~erei** *sub*, *f*, *-*, *-en* mess, scandal; **~estall** *sub*, *m*, *-s*, *-ställe*

plgut; uchn ch b ch undf, plgglulh;
~skopf sub, m, -s, (-köpfe) pig´s head

Schweiß, sub, m, -es, -e sweat; **~band** sub, n, -s, -bänder sweatband; **~draht** sub, m, -s, -drähte welding rod; **~drüse** sub, f, -, -n sweat gland;

schweißen (1) vt, weld **(2) Schweißer** sub, m, -s, - welder; **~fleck** sub, m, -s, -e(n) sweat stain; **~hund** sub, m, -s, -e bloodhound; **~naht** sub, f, -, -nähte welded joint; **~perle** sub, f, -, -n bead of sweat; **~pore** sub, f, -, -n pore; **~tuch** sub, n, -s, nur Einz. handkerchief

Schweiz, sub, f, -, - Switzerland; **~er** sub, m, -s, - Swiss; **~erin** sub, f, -, -nen Swiss; **schweizerisch** adj, Swiss; **~reise** sub, f, -, (-n) trip to Switzerland

Schwelbrand, sub, m, -s, -brände smouldering fire

schwelen, vi, smoulder

schwelgen, vi, indulge oneself; in Gefühlen schwelgen to revel in one´s emotions; **Schwelgerei** sub, -, -en indulgence

Schwelkohle, sub, f, -, -en high-bituminous brown coal

Schwelle, sub, f, -, -n threshold; keinen Fuß über die Schwelle setzen not to set foot in sb´s house; **schwellen** vi, swell; **~nangst** sub, f, -, -ängste (psych.) fear of entering a place; **~nwert** sub, m, -s, -e threshold value; **Schwellkörper** sub, m, -s, - (anat.) erectile tissue; **Schwellung** sub, f, -, -en swelling

Schwemmboden, sub, m, -s, -böden alluvial land; **Schwemme** sub, f, -, -n glut; (Tiere) watering-place; **schwemmen** vt, soak, wash; **Schwemmland** sub, n, -s, nur Einz. alluvial land; **Schwemmsand** sub, m, -s, -er alluvial sand

schwenken, (1) vi, swing **(2)** vt, wave; **Schwenkglas** sub, n, -es, -gläser balloon glass; **Schwenkkran** sub, m, -s, -kräne/-e swing crane; **Schwenkseil** sub, n, -s, -e tackle; **schwer reich** adj, (ugs.) stinking rich; **Schwerathlet** sub, m, -en, -en weight-lifter; **Schwerbehinderte** sub, m, f, -, -n seriously handicapped person; **schwerbeschädigt** adj, seriously disabled; **schwerblütig** adj, serious; **Schwere-**

loolghchl und f, ; nur Einm. weight lessness; **Schwerenöter** sub, m, -s, - philanderer; **schwerfällig** adj, clumsy, ponderous; **Schwergewicht** sub, n, -s, nur Einz. heavyweight;

Schwergewichtsmeisterschaft sub, f, -, -en heavyweight championship; **schwerhörig** adj, hard of hearing; **Schwerhörigkeit** sub, f, -, nur Einz. hardness of hearing; **Schwerindustrie** sub, -, -n heavy industry; **Schwerkraft** sub, f, -, -ten gravity; **Schwerkranke** sub, m, -n, -n seriously ill patient; **schwerlich** adv, hardly; **Schwermetall** sub, n, -s, -e heavy metal; **Schwermut** sub, f, -, nur Einz. melancholy; **schwermütig** adj, melancholy; **Schwerpunkt** sub, m, -s, -e centre of gravity, main focus

schwer, (1) adj, difficult, grave, heavy **(2)** adv, really; (ugs.) ich werde mich schwer hüten there´s no way I will; sich schwer blamieren to make a proper fool out of oneself

Schwert, sub, n, -s, -er sword; **~fisch** sub, m, -s, -e swordfish; **~knauf** sub, m, -(e)s, -knäufe sword pommel; **~lilie** sub, f, -, -n (bot.) iris

schwerwiegend, adj, serious

Schwester, sub, f, -, -n sister; **schwesterlich** adj, sisterly; **~nhelferin** sub, f, -, -nen nursing auxiliary; **~nschule** sub, f, -, -n nurses´ training college; **~nschülerin** sub, f, -, -nen trainee nurse; **~ntracht** sub, f, -, -en nurse´s uniform; **~nwohnheim** sub, n, -s, -e nurses´ home

Schwetzinger, sub, m, -, - citizen of Schwetzingen

Schwibbogen, sub, m, -s, -bögen (arch.) flying buttress

Schwiegereltern, sub, nur Mehrz. parents-in-law; **Schwiegermutter** sub, f, -, -mütter mother-in-law; **Schwiegersohn** sub, m, -s, -söhne son-in-law

Schwiele, sub, f, -, -en callus

schwierig, adj, difficult; **Schwierigkeit** sub, f, -, -en difficulty; sich in Schwierigkeiten verstricken tie oneself up in knots

Schwimmanzug, sub, m, -s, -anzüge swimsuit; **Schwimmbad** sub, n,

-s, -bäder swimming pool;
Schwimmdock sub, n, -s, -s, auch -e
floating dock; **schwimmen** vi, swim;
es schwimmt mir vor Augen I feel
dizzy; (ugs.) in Geld schwimmen to
be rolling in money; **Schwimmer**
sub, m, -s, - swimmer; **Schwimmerin**
sub, f, -, -nen swimmer; **Schwimmflosse** sub, f, -, -n fin; **Schwimmhalle**
sub, f, -, -n swimming bath;
Schwimmhaut sub, f, -, -häute web;
Schwimmkran sub, m, -s, -kräne, -
krane floating crane; **Schwimmsport** sub, m, -s, nur Einz. swimming;
Schwimmstil sub, m, -s, -e swimming
style; **Schwimmvogel** sub, m, -s, -vö-
gel water-bird; **Schwimmweste** sub,
f, -, -n life jacket
Schwindel, sub, m, -s, nur Einz. dizziness, swindle; (ugs.) auf den Schwindel falle ich nicht herein that´s an old
trick; (ugs.) der ganze Schwindel the
whole caboodle; ~anfall sub, m, -s,
-anfälle dizzy turn; ~ei sub, f, -, -en
fib; **schwindelig** adj, dizzy; **schwindeln** vi, (ugs.) fib; ein schwindelnder
Abgrund a yawning abyss; sich
durchs Leben schwindeln to con
one´s way through life; **Schwindler**
sub, m, -s, - swindler; **Schwindlerin**
sub, f, -, -nen swindler
schwinden, vi, fade
Schwindsucht, sub, f, -, nur Einz. consumption
Schwingbühne, sub, f, -, -n (tech.) resonant platform; **Schwinge** sub, f, -,
-n wing; **Schwingen** (1) sub, n, -s,
nur Einz. (spo.) wrestling (2)
schwingen vi, swing; (ugs.) das
Tanzbein schwingen to shake a leg;
(ugs.) große Reden schwingen to talk
big; **Schwinger** sub, m, -s, - swing;
Schwingquarz sub, m, -es, -e (tech.)
oscillating quarz; **Schwingung** sub, f,
-, -en vibration
Schwippschwager, sub, m, -s, -schwä-
ger (ugs.) sister-in-law´s husband;
Schwippschwägerin sub, f, -, -nen
brother-in-law´s wife
Schwitze, sub, f, -, -n roux; **schwitzen**
vi, sweat; **Schwitzkasten** sub, m, -s,
-kästen headlock; **Schwitzkur** sub, f,
-, -en sweating cure
schwofen, vi, (ugs.) dance
schwören, vti, swear
Schwuchtel, sub, f, -, -n (ugs.) queen

schwul, adj, gay
schwül, adj, sultry
Schwule, sub, m, -, -n (ugs.) gay
Schwüle, sub, f, -, nur Einz. sultriness
Schwulität, sub, f, -, -en (ugs.)
trouble
Schwulst, sub, m, -es, Schwülste
bombast; **schwülstig** adj, bombastic
schwummerig, adj, dizzy, uneasy;
schwummrig adj, dizzy, uneasy
Schwund, sub, m, -s, nur Einz. decrease, shrinkage; ~stufe sub, f, -,
-n zero grade
Schwung, sub, m, -s, Schwünge
swing, verve; (i. ü. S.) in Schwung
kommen to get going; voller
Schwung full of life; ~brett sub, n,
-s, -er swinging board; ~feder sub,
f, -, -n wing feather; **schwunghaft**
adj, flourishing; ~kraft sub, f, -s,
-kräfte centrifugal force; **schwungvoll** adj, sweeping
Schwur, sub, m, -s, Schwüre oath;
~gericht sub, n, -s, -te court with a
jury
Sciencefiction, sub, f, -, nur Einz.
science fiction
Scotch, sub, m, -s, -s Scotch; ~ter-
rier sub, m, -s, - Scotch terrier
Seal, sub, m,n, -s, -s sealskin
Séance, sub, f, -, -n séance
sechs, num, six; **Sechsachser** sub,
m, -s, - six wheeler; ~achsig adj,
six axled; **Sechseck** sub, n, -s, -e
hexagon; ~einhalb num, six and a
half; **Sechserpack** sub, n, -s, -s six
pack; **Sechserreihe** sub, f, -, -n six
in a row; ~hundert num, six hundred; ~kantig adj, six edged; ~stel-
lig adj, six digit; **Sechstagerennen**
sub, n, -s, - six-days bicycle race;
~tausend num, six thousand;
Sechstel sub, m, -s, - sixth; **sechzehn** num, sixteen; **sechzig** num,
sixty
Secondhandshop, sub, m, -s, -s secondhand shop
Sedativ, sub, n, -s, -e sedative
Sedezformat, sub, n, -s, nur Einz.
sextodecimo
Sediment, sub, n, -s, -e (geol.) sediment; **sedimentär** adj, sedimenta-
ry; ~ation sub, f, -, -en
sedimentation; **sedimentieren** vi,

become sedimented

See, sub, f, -, - lake, sea; **~aal** sub, m, -s, -e (zool.) conger eel; **~adler** sub, m, -s, - sea eagle; **~bad** sub, n, -s, -bäder seaside resort; **~bär** sub, m, -s, -en (zool.) fur seal; **~beben** sub, n, -s, - seaquake; **~blick** sub, m, -s, nur Einz. sea view; **~blokade** sub, f, -, -en sea blockade; **~elefant** sub, m, -en, -en sea-elephant; **seeerfahren** adj, experienced at navigation; **~erfahrung** sub, f, -, nur Einz. experience at seafaring; **~fahrt** sub, f, -, -en sea voyage; **~fahrtbuch** sub, n, -s, -bücher seaman's registration book; **seefest** adj, not subject to seasickness; **~fisch** sub, m, -s, -e salt-water fish; **~gang** sub, m, -s, nur Einz. swell; **~gurke** sub, f, -, -s sea tubor; **~hafen** sub, m, -s, -häfen seaport; **~herrschaft** sub, f, -, -en naval supremacy; **~hund** sub, m, -s, -e seal; **~igel** sub, m, -s, - sea urchin

Seejungfrau, sub, f, -, -en mermaid; **Seekadett** sub, m, -en, -en (mil.) naval cadet; **Seekarte** sub, f, -, -n sea chart; **Seeklima** sub, n, -s, -s oder -te maritime climate; **seekrank** adj, seasick; **Seekrankheit** sub, f, -, -en seasickness; **Seekrieg** sub, m, -s, -e naval war; **Seekuh** sub, f, -, -kühe manatee; **Seelachs** sub, m, -es, -e pollack

Seelchen, sub, n, -s, - (ugs.) dear soul; **Seele** sub, f, -, -n soul; eine Seele von Mensch an absolute dear; (ugs.) sich die Seele aus dem Leib reden to talk until one is blue in the face; sich etwas von der Seele reden to get sth off one's chest; **seelen(s)gut** adj, kind-hearted; **Seelenarzt** sub, m, -es, -ärzte (ugs.) head-shrinker; **Seelengröße** sub, f, -, nur Einz. (geh.) magnanimity; **Seelenhirt** sub, m, -en, -en pastor; **Seelenkunde** sub, f, -, nur Einz. psychology; **Seelenleben** sub, n, -s, nur Einz. inner life; **Seelenlehre** sub, f, -, nur Einz. psychology; **Seelenmassage** sub, f, -, -n gentle persuasion; **seelenruhig** adv, calmly; **seelenstark** adj, inner strength; **seelenvergnügt** adj, (ugs.) happy; **Seelenverkäufer** sub, m, -s, - seller of souls; **Seelenwanderung** sub, f, -, -en transmigration of souls; **seelisch** adj, mental, spiritual; **Seelsorge** sub, f, -, nur Einz. spiritual

welfare; **Seelsorger** sub, m, -s, - pastor; **Seelsorgerin** sub, f, -, -nen pastor; **seelsorglich** adj, pastoral

Seemacht, sub, f, -, -mächte naval power; **seemännisch** adj, nautical; **Seemannsgarn** sub, n, -s, nur Einz. (ugs.) sailor's yarn; **Seemannsheim** sub, n, -s, -e sailor's home; **Seemannslied** sub, n, -s, -er sea shanty; **Seemannstod** sub, m, -s, nur Einz. sailor's death; **Seenot** sub, f, -, nur Einz. distress; **Seepferdchen** sub, n, -s, - sea-horse; **Seeräuberei** sub, f, -, nur Einz. piracy; **Seereise** sub, f, -, -n sea voyage; **Seeschlacht** sub, f, -, -en sea battle; **Seeschlange** sub, f, -, -n sea snake; **Seestern** sub, m, -s, -e (zool.) starfish; **Seetang** sub, m, -s, -e seaweed; **seetüchtig** adj, seaworthy; **Seewarte** sub, f, -, -n viewing point (by sea); **seewärts** adv, seawards; **Seeweg** sub, m, -s, -e sea route; **Seewesen** sub, n, -s, nur Einz. maritime affairs; **Seezollhafen** sub, m, -s, -häfen custom's port; **Seezunge** sub, f, -, -n sole

Segel, sub, n, -s, - sail; **~boot** sub, n, -s, -e sailing boat; **segelfertig** adj, ready to sail; **segelfliegen** vi, go gliding; **~flieger** sub, m, -es, - glider pilot; **~flug** sub, m, -s, -flüge gliding; **~flugzeug** sub, n, -s, -e glider; **~macher** sub, m, -s, - sailmaker; **segeln** vti, sail; **~regatta** sub, f, -, -gatten sailing regatta; **~schiff** sub, n, -s, -e sailing ship; **~surfen** sub, n, -s, nur Einz. windsurfing; **~tuch** sub, n, -s, -e canvas

Segen, sub, m, -s, nur Einz. blessing; **segensreich** adj, beneficial; **~sspruch** sub, m, -s, -sprüche blessing; **~swunsch** sub, m, -es, -wünsche blessing

Segge, sub, f, -, -n (ugs.) sedge

Segment, sub, n, -s, -e segment; **segmental** adj, segmental; **segmentär** adj, segmentary; **segmentieren** vt, segment

segnen, vt, bless

sehbehindert, adj, partially sighted

sehen, vt, look at, see; (Fernsehen) watch; (Spiel) ich sehe was, was du nicht siehst I spy with my little eye; jeder muß sehen, wo er bleibt it's every man for himself; **~swert** adj, worth seeing; **~swürdig** *adj*, worth seeing; **Sehenswürdigkeit** *sub, f, -, -en* sight; **Seher** *sub, m, -s, -* seer; **seherisch** *adj*, prophetic; **Sehhilfe** *sub, f, -, -n* glasses; **Sehkraft** *sub, f, -, nur Einz.* eyesight

Sehne, *sub, f, -, -n (anat.)* tendon; **sehnig** *adj*, sinewy

sehnen, *vr*, long for sb/sth; **sehnlich** *adj*, ardent, eager; **Sehnsucht** *sub, f, -, -süchte* longing; **sehnsüchtig** *adj*, longing

Sehorgan, *sub, n, -s, -e* visual organ; **Sehprobe** *sub, f, -, -n* eye test; **Sehrohr** *sub, n, -s, -e* periscope; **Sehschärfe** *sub, f, -, -n* visual acuity; **Sehschwäche** *sub, f, -, -n* poor eyesight; **Sehtest** *sub, m, -s, -s* eye test; **Sehvermögen** *sub, n, -s, nur Einz.* powers of vision

sehr, *adv*, a lot, very; *wie sehr er sich auch* however much he

seicht, *adj*, shallow; **Seichtigkeit** *sub, f, -, -en* shallowness

seid, *pron*, are

Seide, *sub, f, -, -n* silk

Seidel, *sub, n, -s, -* stein

Seidelbast, *sub, m, -s, -e (bot.)* daphne

seiden, *adj*, silk; **~artig** *adj*, silky; **Seidenatlas** *sub, m, -ses, -se* silk satin; **Seidenbluse** *sub, f, -, -n* silk blouse; **Seidenfaden** *sub, m, -s, -fäden* silk thread; **Seidenglanz** *sub, m, -es, nur Einz.* silky sheen; **Seidenkleid** *sub, n, -s, -er* silk dress; **Seidenpapier** *sub, n, -s, -e* tissue paper; **Seidenraupe** *sub, f, -, -n* silkworm; **Seidenschal** *sub, m, -s, -s oder -e* silk scarf; **~weich** *adj*, soft as silk

seidig, *adj*, silky

Seife, *sub, f, -, -n* soap; **seifen** *vt*, soap; **seifenartig** *adj*, soapy; **~nblase** *sub, f, -, -n* soap-bubble; **~nflocke** *sub, f, -, -n* soapflakes; **~nlappen** *sub, m, -s, -* soap cloth; **~nlauge** *sub, f, -, -n* soapsuds; **~noper** *sub, f, -, -n (ugs.)* soap opera; **~npulver** *sub, n, -s, nur Einz.* soap powder; **~nschale** *sub, f, -, -n* soap dish; **~nschaum** *sub, m, -s, nur Einz.* lather; **~nwasser** *sub, n, -s, nur Einz.* soapy water

seihen, *vt*, sieve

Seil, *sub, n, -s, -e* rope; **~bahn** *sub, f, -, -en* cable railway; **~er** *sub, m, -s, -* ropemaker; **~schaft** *sub, f, -, -en* roped party; **seilspringen** *vi*, skip;

~tänzer *sub, m, -s, -* tightrope walker; **~tänzerin** *sub, f, -, -nen* tightrope walker; **~trommel** *sub, f, -, -n* bail for rope

sein, **(1)** *pron*, her, his, its **(2) Sein** *sub, n, -s, nur Einz.* being **(3)** *vi, sein oder Nichtsein* to be or not to be; *Sein und Schein* appearance and reality, *(ugs.) das brauchte nicht zu sein* it need not have happened

seine, *pron*, his

seinerseits, *adv*, on his part; **seinerzeitig** *adj*, then; **seines** *pron*, his; **seinethalben** *adv*, because of him; **seinetwegen** *adv*, because of him; **seinetwillen** *adv*, for his sake; **seinige** *pron*, his

Seismik, *sub, f, -, nur Einz.* seismology; **seismisch** *adj*, seismic; **Seismograf** *sub, m, -en, -en* seismograph; **Seismogramm** *sub, n, -s, -e* seismogram; **Seismologie** *sub, f, -, nur Einz.* seismology; **Seismologin** *sub, f, -, -nen* seismologist; **Seismometer** *sub, n, -s, -* seismometer

seit, **(1)** *konj*, since **(2)** *präp*, for, since; **~dem** *adv*, since then

Seite, *sub, f, -, -n* side; *(Buch)* page; *auf der einen Seite, auf der anderen Seite* on the one hand, on the other hand; *Gelbe Seiten* yellow pages; **~naltar** *sub, m, -s, -e* side altar; **~nblick** *sub, m, -s, -e* sidelong glance; **~nflügel** *sub, m, -es, -* wing; **~ngewehr** *sub, n, -s, -e* bayonet; **~nhieb** *sub, m, -s, -e* sideswipe; **seitenlang** *adj*, several pages long; **~nlinie** *sub, f, -, -n (Eisenbahn)* branch line; *(Tennis)* sideline; **~nportal** *sub, n, -s, -e* side portal; **~nrampe** *sub, f, -, -n* side ramp; **~nruder** *sub, n, -s, -* rudder; **seitens** *präp*, on the part of; **~nschiff** *sub, n, -s, -e (arch.)* side aisle; **~nschutz** *sub, m, -es, -e* side protection; **~nsprung** *sub, m, -s, -sprünge* bit on the side; **~nstechen** *sub, n, -s, nur Einz.* stitch; **~nstraße** *sub, f, -, -n* side street; **~nstück** *sub, n, -s, -e* side piece; **~ntasche** *sub, f, -, -n* side pocket; **~ntrakt** *sub, m, -s, -e* side wing of building

Seitenwagen, *sub, m, -s, -* sidecar

seither, *adv*, since then

seitlich, (1) *adj*, lateral (2) *adv*, at the side (3) *präp*, at the side of

seitwärts, *adv*, sideways

Sejm, *sub*, *m*, -s, nur Einz. Sejm

Sekante, *sub*, *f*, -, -n *(mat.)* secant

Sekret, *sub*, *n*, -s, -e secretion; *(theol.)* secret

Sekretär, *sub*, *m*, -s, -e secretary; Sekretariat *sub*, *n*, -s, -e office; ~in *sub*, *f*, -, -en secretary; sekretieren *vi*, *(med.)* secrete; Sekretion *sub*, *f*, -, -en secretion; sekretorisch *adj*, *(mat.)* secretive

Sekt, *sub*, *m*, -es, -e sparkling wine; ~flasche *sub*, *f*, -, -n champagne bottle; ~glas *sub*, *n*, -es, -gläser champagne glass

Sekte, *sub*, *f*, -, -n sect; ~nwesen *sub*, *n*, -s, - sectarianism

Sektion, *sub*, *f*, -, -en department, section; ~schef *sub*, *m*, -s, -s head of department

Sektkellerei, *sub*, *f*, -, -en winery

Sektor, *sub*, *m*, -s, -en sector

sekundär, *adj*, secondary; Sekundärenergie *sub*, *f*, -, -n secondary energy; Sekundärliteratur *sub*, *f*, -, nur Einz. secondary literature

Sekunde, *sub*, *f*, -, -n second; sekundenlang (1) *adj*, of a few seconds (2) *adv*, for a few seconds

sekundieren, *vi*, be sb´s second

Seladon, *sub*, *n*, -s, -s *(ugs.)* yearning lover

selber, *pron*, he himself, I myself, she herself, they themselves, we ourselves, you yourself; Selbermachen *sub*, *n*, -s, nur Einz. *(ugs.)* do-it-yourself

selbst, (1) *adv*, even (2) *pron*, alone, he himself, I myself, she herself, they themselves, we ourselves (3) Selbst *sub*, *n*, -, nur Einz. self

Selbstachtung, *sub*, *f*, -, -en self-respect

selbständig, *adj*, independent; Selbständige *sub*, *f*, -, nur Einz. independent businessman/woman

Selbstanzeige, *sub*, *f*, -, -n voluntary declaration

Selbstbedienung, *sub*, *f*, -, -en self-service; ~sladen *sub*, *m*, -s, -läden self-service shop

Selbstbefriedigung, *sub*, *f*, -, -en masturbation

Selbstbeherrschung, *sub*, *f*, -, nur Einz. self-control

Selbstbestimmung, *sub*, *f*, -, -en self-determination

selbstbewusst, *adj*, self-confident; Selbstbewusstsein *sub*, *n*, -s, nur Einz. self-confidence

Selbstbildnis, *sub*, *n*, -es, -e self-portrait

Selbstbinder, *sub*, *m*, -s, - tie

Selbsterhaltungstrieb, *sub*, *m*, -s, -e survival instinct

Selbsterkenntnis, *sub*, *f*, -, -e self-knowledge; *Selbsterkenntnis ist der erste Weg zur Besserung* self-knowledge is the first step towards self-improvement

Selbstfahrer, *sub*, *m*, -s, - self-propelling wheelchair

Selbstgefälligkeit, *sub*, *f*, -, nur Einz. self-satisfaction

Selbstgefühl, *sub*, *n*, -es, nur Einz. self-esteem

Selbstgespräch, *sub*, *n*, -s, -e talk to oneself

Selbsthilfe, *sub*, *f*, -, -n self-help

Selbstironie, *sub*, *f*, -, -n self-irony

Selbstjustiz, *sub*, *f*, -, nur Einz. arbitrary law

Selbstkontrolle, *sub*, *f*, -, -n check on oneself

Selbstkosten, *sub*, *f*, -, nur Mehrz. prime costs

Selbstkritik, *sub*, *f*, -, -en self-criticism

Selbstlaut, *sub*, *m*, -s, -e vowel

Selbstmord, *sub*, *m*, -es, -e suicide; *Selbstmord begehen* commit suicide; Selbstmörder *sub*, *m*, -s, - suicide

selbstredend, *adv*, naturally

Selbstreinigung, *sub*, *f*, -, -en self-purification

Selbstschuss, *sub*, *m*, -es, -schüsse set-gun

Selbstschutz, *sub*, *m*, -es, nur Einz. self-protection

selbstsicher, *adj*, self-assured

Selbstsucht, *sub*, *f*, -, nur Einz. egoism

selbsttätig, *adj*, automatic

Selbsttötung, *sub*, *f*, -, -en suicide

selbstverständlich, (1) *adj*, natural (2) *adv*, of course

Selbstverstümmelung, *sub*, *f*, -, -en self-mutilation

Selbstvertrauen, *sub, n, -s, nur Einz.* self-confidence

Selbstzucht, *sub, f, -, nur Einz.* self-discipline

Selbstzünder, *sub, m, -s,* - self-ignition

Selbstzweck, *sub, m, -es, nur Einz.* end in itself

Selcher, *sub, m, -s,* - *(ugs.)* pork butcher

Selchkammer, *sub, f, -, -n* smokehouse

Selchkarree, *sub, n, -s, -s* lightly smoked pork loin

selektieren, *vt,* select; **Selektion** *sub, f, -, -en* selection; **selektionieren** *vt,* select; **selektiv** *adj,* selective; **Selektivität** *sub, f, -, nur Einz.* selectiveness

Selen, *sub, n, -s,* - selenium

Selfmademan, *sub, m, -s, -men* selfmade man

selig, *adj,* overjoyed; *(theol.)* blessed; **Seligkeit** *sub, f, -, -en* happiness; *(theol.)* salvation

Sellerie, *sub, m, -s, -s* celeriac

selten, (1) *adj,* rare (2) *adv,* rarely; **Seltenheit** *sub, f, -, -en* rareness, rarity

seltsam, *adj,* strange; ~**erweise** *adj,* strangely enough; **Seltsamkeit** *sub, f, -, -en* strangeness

Semantik, *sub, f, -, nur Einz.* semantics; **semantisch** *adj,* semantic

Semaphor, *sub, n, -en, -e* semaphore; **semaphorisch** *adj,* semaphoric

Semester, *sub, n, -s,* - semester; ~**ende** *sub, n, -s, -n* end of semester

Semifinale, *sub, n, -s,* - semi-final

Semikolon, *sub, n, -s, -s, -kola* semicolon

semilunar, *adj,* créscent-shaped

Seminar, *sub, n, -s, -e* seminar; ~**ist** *sub, m, -en, -en* seminarist; ~**istin** *sub, f, -, -en* seminarist; ~**übung** *sub, f, -, -en* seminar

semipermeabel, *adj,* semipermeable

Semit, *sub, m, -en, -en* Semite; **semitisch** *adj,* Semitic; ~**istik** *sub, f, -, nur Einz.* Semitics; **semitistisch** *adj,* Semitic

Semivokal, *sub, m, -es, -e* semivowel

Semmel, *sub, f, -, -n* roll; **semmelblond** *adj,* flaxen-haired; ~**brösel** *sub, m, -s, -n* breadcrumbs; ~**knödel** *sub, m, -s,* - bread dumpling; ~**mehl** *sub, n, -s, nur Einz.* breadcrumbs

Senat, *sub, m, -s, -e* senate; ~**or** *sub, m, -s, -en* senator; **senatorisch** *adj,* senatorial; ~**sbeschluss** *sub, m, -es, -lüsse* decision made by senate

Sendbote, *sub, m, -s, -ten* emissary; **Sendeanlage** *sub, f, -, -n* transmitting installation; **Sendeanstalt** *sub, f, -, -n* television/radio company; **Sendebeginn** *sub, m, -s, -e* start of programme; **Sendebereich** *sub, m, -s, -e* transmission range; **Sendegebiet** *sub, n, -es, -e* transmission area; **Sendeleiter** *sub, m, -s,* - producer; **senden** *vt,* send; **Sender** *sub, m, -s,* - transmitter; **Senderanlage** *sub, f, -, -n* transmitting installation; **Senderaum** *sub, m, -es, -räume* studio; **Sendeschluss** *sub, m, -es, nur Einz.* closedown; **Sendestation** *sub, f, -, -en* station; **Sendezeichen** *sub, n, -s,* - call sign; **Sendezentrum** *sub, n, -s, -tren* station; **Sendung** *sub, f, -, -en* programme, sending; **Sendungsbewusstsein** *sub, n, -s, nur Einz.* sense of mission

senegalisch, *adj,* Senegalese

Senf, *sub, m, -s, -e* mustard; ~**korn** *sub, n, -s, -körner* mustard seed; ~**pflaster** *sub, n, -s,* - *(med.)* mustard plaster; ~**soße** *sub, f, -, -n* mustard sauce

Senge, *sub, f, -, nur Mehrz.* *(ugs.)* get a good hiding; **sengen** *vt,* singe; **sengerig** *adj,* precarious; **Senhor** *sub, m, -es, -s* Senhor

Senhora, *sub, f, -s, -s* Senhora; **Senhorita** *sub, f, -, -s* Senhorita

senil, *adj,* senile; **Senilität** *sub, f, -, nur Einz.* senility

Senior, *sub, m, -s, -en* boss, senior; ~**at** *sub, n, -es, -e* council of elders; ~**enheim** *sub, n, -s, -e* old people´s home

Senkblei, *sub, n, -s, -e* plumbline; **Senke** *sub, f, -, -n* valley; **Senkel** *sub, m, -s,* - lace; **senken** (1) *vr,* sink (2) *vt,* lower; **Senkgrube** *sub, f, -, -n* cesspit; **senkrecht** *adj,* vertical; **Senkrechte** *sub, f, -, -n (mat.)* perpendicular; **Senkrechtstarter** *sub, m, -s,* - vertical take-off aircraft; **Senkung** *sub, f, -, -en* sinking

Senn, *sub, m, -es, -e* dairyman; ~**e** *sub, f, -, -n* Alpine pasture; ~**erei** *sub, f, -, -en* Alpine dairy; ~**hütte**

sub, f, -, ... Alpine dairy hut

Sensation, *sub, f, -, -en* sensation; **sensationell** *adj,* sensational

Sense, *sub, f, -, -n* scythe

sensitiv, *adj,* sensitive; **Sensitivität** *sub, f, -, nur Einz.* sensitivity

Sensitometer, *sub, n, -s, -* machine to measure photosensitivity

Sensor, *sub, m, -s, -en* sensor; **sensorisch** *adj,* sensory; **~taste** *sub, f, -, -n* touch-sensitive button

Sensualismus, *sub, m, -es, nur Einz.* sensualism; **Sensualität** *sub, f, -en, nur Einz.* sensuality; **sensuell** *adj,* sensory

sentenzartig, *adj,* easily remembered; **sentenzhaft** *adj,* catchy

Sentiment, *sub, n, -s, -s* feeling, sensation; **sentimental** *adj,* sentimental; **~alität** *sub, f, -, -en* sentimentality

separat, *adj,* separate; **Separatdruck** *sub, m, -es, -e* offprint; **Separation** *sub, f, -, -en* separation; **Separatismus** *sub, m, -es, nur Einz.* separatism; **Separatist** *sub, m, -en, -en* separatist; **~istisch** *adj,* separatist; **Separator** *sub, m, -s, -en* separator; **Separee** *sub, n, -s, -s* private room; **separieren** *vt,* separate

Sepiaknochen, *sub, m, -s, -* sepia bone; **Sepiaschale** *sub, f, -, -n* cuttlefish shell

Sepsis, *sub, f, -, Sepsen (med.)* sepsis

September, *sub, m, -s, nur Einz.* September

Septett, *sub, n, -s, -e (mus.)* septet

Septime, *sub, -n (Satz)* seventh; **septisch** *adj,* septic

Sequenz, *sub, f, -, -en* sequence; **sequenziell** *adj,* sequential

sequestrieren, *vt,* sequester

Serail, *sub, m, -s, -s* seraglio

seraphisch, *adj,* seraphic

Serenade, *sub, f, -, -n* serenade

Serge, *sub, f, -, -n* serge; **~ant** *sub, m, -s, -en, -s (mil.)* sergeant

Serie, *sub, f, -, -n (Satz)* set; *(TV)* series; *in Serie gehen* go into production; **seriell** *adj,* serial; **serienmäßig** *adj,* series(-produced); **~nreife** *sub, f, -, nur Einz.* fitness for serial production; **serienweise** *adv,* in series

Serife, *sub, f, -, -n* serif

seriös, *adj, (allg.)* honest, respectable; *(Zeitung)* serious; *ein seriöser älterer Herr* a respectable elderly

serious offer; *eine seriöse Firma* a sound firm; *er wirkt seriös* he makes a serious impression; **Seriosität** *sub, f, -, nur Einz.* seriousness

Sermon, *sub, m, -s, -e* sermon; *jemandem einen Sermon halten* give someone a lecture

serologisch, *adj,* serous; **serös** *adj,* serous

Serpentin, *sub, m, -s, -e* serpentine; **~e** *sub, f, -, -n* winding road

Serum, *sub, n, -s, -ren, -ra* serum

Serval, *sub, m, -s, -e, -s* servaline cat; *(zool.)* serval

Service, *sub, m, -es, -e* service; *n, -es, -e (Geschirr)* set; *erstklassiger Service* first-class service; **~netz** *sub, n, -es, -e* service net

servieren, *vt,* serve; *das Abendessen ist serviert* dinner is served; *(ugs.; spo.) jemandem den Ball servieren* hit the ball right to someone; **Serviererin** *sub, f, -, -en* waitress; **Serviertisch** *sub, m, -es, -e* serving-table; **Servierwagen** *sub, m, -s, -wägen* trolley; **Serviette** *sub, f, -, -n* napkin

servil, *adj,* servile; **Servilität** *sub, f, -, nur Einz.* servility

Servolenkung, *sub, f, -, -en* power steering

servus!, *interj, (ugs.)* see you!; *(ugs.; US)* so long!

Sesam, *sub, m, -s, -s* sesame

sesshaft, *adj,* resident; *(stationär)* settled; *sesshaft werden* settle; *sich sesshaft machen* settle down; **Sesshaftigkeit** *sub, f, -, -* settlement

Session, *sub, f, -, -en* session

Set, *sub, n, -s, -s* set

Setter, *sub, m, -s, - (tt; zool.)* setter

setzen, (1) *vr, (sich setzen)* sit down **(2)** *vt, plant; (legen)* put; *(platzieren)* place, set; *(i. ü. S.; Glücksspiel) auf das falsche Pferd setzen* back the wrong horse; *darf ich mich zu Ihnen setzen?* may I join you?; *etwas auf die Tagesordnung setzen* put something on the agenda; *jemandem ein Messer an die Kehle setzen* place a knife at someone´s throat; **Setzer** *sub, m, -s, -* type-compositor; *(Verlag)* type-setter; **Setzerei** *sub, f, -, -en (Firma)* typesetting room; *(Verlag)* composing room; **Setzling** *sub, m, -s, -e* seedling

Seuche, *sub, f, -, -n* epidemic (disease); *(i. ü. S.) es ist wie eine Seuche* it´s like an epidemic; **seuchenhaft** *adj,* epidemic; **~nherd** *sub, m, -es, -e* centre of an epidemic

seufzen, *vi,* sigh; *er seufzte tief* he heaved a deep sigh; **Seufzer** *sub, m, -s, -* groan, sigh

Sex, *sub, m, -, nur Einz.* sex; **sexagesimal** *adj,* sexagesimal; **~appeal** *sub, m, -s, nur Einz.* sex appeal; **~bombe** *sub, f, -, -n (ugs.)* sex bomb; **~boutique** *sub, f, -, -n* sex shop; **~ismus** *sub, m, -es, nur Einz.* sexism; **~ist** *sub, m, -en, -en* sexist; **sexistisch** *adj,* sexist; **~ologie** *sub, f, -, nur Einz.* sexology; **sexologisch** *adj,* sexologist; **~shop** *sub, m, -s, -s* sex shop

Sextourismus, *sub, m, -es, nur Einz.* sex tourism; **Sexualdelikt** *sub, n, -s, -e* sex crime; **Sexualerziehung** *sub, f, -, nur Einz.* sex education; **Sexualhormon** *sub, n, -s, -e* sex hormone; **Sexualität** *sub, f, -, nur Einz.* sexuality; **Sexualkunde** *sub.,* sexual education; **Sexualleben** *sub, n, -s, nur Einz.* sex life; **Sexualtäter** *sub, m, -s, -* sex offender; **Sexualtrieb** *sub, m, -(e)s, nur Einz.* sexual drive; **sexuell** *adj,* sexual; **Sexus** *sub, m, -, - * sexuality; **sexy** *adj,* sexy

Sezession, *sub, f, -, -en* secession; **~ist** *sub, m, -en, -en* secessionist; **~skrieg** *sub, m, -es, -e* War of Secession; *(hist.) der Amerikanische Sezessionskrieg* the American Civil War

sezieren, *vt,* dissect; *(med.) jemanden sezieren* perform an autopsy; **Seziermesser** *sub, n, -s, -* scalpel

Shag, *sub, m, -s, -s (ugs.)* shag

Shake, *sub, m, -s, -s* shake; **~hands** *sub, n, -, -* shaking hands

Shampoo, *sub, n, -s, -s* shampoo

Share, *sub, m, -s, -s* share

Sheriff, *sub, m, -s, -s (ugs.)* sheriff

Sherry, *sub, m, -s, -s* sherry

Shetland, *sub, m, -s, -s (geogr.)* Shetland

Shilling, *sub, m, -s, -s (wirt.)* shilling

Shirt, *sub, n, -s, -s* shirt

Shit, *sub, n, -s, nur Einz. (vulg.)* shit; *(ugs.; Haschisch)* dope

Shop, *sub, m, -s, -s* shop; **~ping** *sub, n, -s, -s* shopping; **~pingcenter** *sub,*

m, -s, - shopping centre, shopping mall

Shorts, *sub, f, -, nur Mehrz.* shorts

Show, *sub, f, -, -s* show; *(ugs.) eine Show abziehen* to put on a show; **~down** *sub, m, -s, -s* show-down; **~business** *sub, n, -es, nur Einz.* show business; **~geschäft** *sub, n, -s, nur Einz.* show business; **~master** *sub, m, -s, -* compère; *(US)* emcee

Shrimp, *sub, m, -s, -s* shrimp

Sial, *sub, n, -s, nur Einz. (geol.)* Sial

Sibilant, *sub, m, -en, -en* sibilant

Sibylle, *sub, f, -, -n* Sibyl; **sibyllinisch** *adj,* Sibylline

Sichel, *sub, f, -, -n* sickle; *(Mond)* crescent; **sichelförmig** *adj,* sickle-shaped; **~wagen** *sub, m, -s, -wägen* scythed chariot

sicher, *adj,* *(Geborgenheit)* secure; *(Gefahr)* safe; *(Gewissheit)* certain, sure; *so sicher wie das Amen in der Kirche* as sure as eggs are eggs; *es ist so gut wie sicher* it´s a safe guess; *vor etwas sicher sein* be safe from something; *sich seiner Sache sicher sein* be sure of oneself; *(ugs.) so sicher wie das Amen in der Kirche* as sure as fate; **~ gehen** *vt,* make sure; *sicher ist sicher* it´s best to make sure; **Sicherheit** *sub, f, -, -en (Auftreten)* self-assurance; *(Gefahr)* safety; *(Geld)* security; *(Gewissheit)* certainty; *(spo.) auf Sicherheit spielen* play for safety; *sich in Sicherheit bringen* leap to safety; *man kann mit Sicherheit behaupten, dass* one can say for certain that; *mit tödlicher Sicherheit* with absolute certainty; **Sicherheitsglas** *sub, n, -es, -gläser* safety glass; **Sicherheitsgurt** *sub, m, -s, -e* safety (seat) belt; **~heitshalber** *adv,* be on the safe side, for safety reasons; **Sicherheitspolitik** *sub, f, -, nur Einz.* security measure; **Sicherheitsschloss** *sub, n, -es, -schlösser* safety lock; **~lich** *adj,* certainly, sure; **~n (1)** *vr,* protect **(2)** *vt,* safeguard, secure; **~stellen** *vt,* guarantee, secure; **Sicherung** *sub, f, -, -en* safeguard(ing); *(tech.)* fuse, safety mechanism; *zur Sicherung des Friedens* (in order) to safeguard peace; *(tech.) die Siche-*

rune ist durchgebraunt the fuse has blown; *(tech.) eine neue Sicherung einsetzen* replace a fuse

Sicht, *sub, f, -,* - view, visibility; *auf lange Sicht* in the long run; *in Sicht kommen* come into view; *die Sicht beträgt nur 100 Meter* visibility is down to only 100 metres; *gute (schlechte) Sicht* good (poor) visibility; *in Sicht sein* be within sight; **sichtbar** *adj,* visible; *(i. ü. S.) sichtbar werden* become apparent; **~barkeit** *sub, f, -, nur Einz.* visibility; **sichtbarlich** *adv,* visibly; **~einlage** *sub, f, -, -n* demand deposit; **sichten** *vt,* sight; **~grenze** *sub, f, -, -n* visibility limit; **sichtlich** *adj,* obvious; **~ung** *sub, f, -, -en* inspection, sighting, sorting; **~vermerk** *sub, m, -s, -e* endorsement; **~weite** *sub, f, -, -n* sighting distance; *in Sichtweite* within sight; **~werbung** *sub, f, -, nur Einz.* visual advertising

Sickergrube, *sub, f, -, -n* soakaway; **sickern** *vi,* ooze, seep, trickle; *(i. ü. S.) nach außen sickern* leak out; **Sickerwasser** *sub, n, -s, nur Einz.* seeping water; *(Grundwasser)* ground water

sie, *pron, she; der; (geh.; Anrede)* you; *da ist sie!* there she is!; *wenn ich sie wäre* if I were her; *(geh.) ich möchte Sie etwas fragen* I´d like to ask you something; *(geh.) verzeihen Sie!* excuse me!; *(geh.) wenn Sie gestatten* with your permission

Sieb, *sub, m, -s, -e* sieve; *(Teesieb)* strainer; *ein Gedächtnis wie ein Sieb* a memory like a sieve; *Tee durch ein Sieb gießen* pour tea through a strainer; **~druck** *sub, m, -s, nur Einz.* silk-screen print

sieben, (1) *vt,* sieve, sift; *(aussieben)* weed (2) *Zahl,* seven; *(i. ü. S.) es wird sehr gesiebt* they are very selective; **~eckig** *adj,* heptagonal; **~erlei** *adj,* of seven different kinds; **Siebenfache** *sub, n, -s, nur Einz.* sevenfold amount; **Siebengestirn** *sub, n, -s, - (astron.)* Pleiades; **~jährig** *adj,* seven-year-old; *der Siebenjährige Krieg* the Seven Year´s War; **~köpfig** *adj,* of seven; **~malig** *adv,* seven times; **Siebensachen** *sub, f, -, nur Mehrz. (ugs.)* all one´s things, belongings; **Siebenschläfer** *sub, m, -s, - (zool.)*

durchbrannt; **Glühlampe** *sub, f, -,* -n screener, sifter; **siebzig** *Zahl,* seventy

siech, *adj,* ailing, infirm; **Siechtum** *sub, n, -s, nur Einz.* infirmity

siedeln, *vi,* settle

sieden, *vi,* boil; *siedend heiß* boiling hot; **Siedepunkt** *sub, m, -s, -e (tt; chem.)* boiling-point

Siedlung, *sub, f, -, -en* settlement; *(Wohn-)* housing estates

Sieg, *sub, m, -s, -e* victory; *den Sieg davontragen* win the day; *der Gerechtigkeit zum Sieg verhelfen* make justice triumph

Siegel, *sub, n, -s, -* seal; *ein Siegel auf etwas drücken* affix a seal to something; *unter dem Siegel der Verschwiegenheit* under the seal of secrecy; **~lack** *sub, m, -s, -e* sealing wax

siegen, (1) *vi,* be victorious (2) *vt, (spo.)* win; **Sieger** *sub, m, -s, -* victor; *(spo.)* winner; **Siegerehrung** *sub, f, -, -en* presentation ceremony; **Siegerkranz** *sub, m, -es, -kränze* victor´s laurels; **Siegermacht** *sub, f, -, -mächte* victorious power; **Siegermiene** *sub, f, -, -n* triumphant expression; **Siegerpodest** *sub, n, -s, -e (spo.)* winner´s pedestal; **Siegerpokal** *sub, m, -s, -e* winner´s cup; **Siegerstraße** *sub, f, -, -n* road to victory; **siegesbewusst** *adj,* confident of victory; **Siegesfeier** *sub, f, -, -n* victory celebration; **Siegesfreude** *sub, f, -, nur Einz.* drunk with victory; **siegesgewiss** *adj,* sure of victory; **Siegesgewissheit** *sub, f, -, nur Einz.* certainty of victory; **Siegesgöttin** *sub, f, -, -nen* goddess of victory; **Siegeskranz** *sub, m, -es, -kränze* victor´s laurels; **Siegespreis** *sub, m, -es, -e (spo.)* winner´s prize; **Siegessäule** *sub, f, -, -n* victory column; **Siegesserie** *sub, f, -, -n* series of victories; **siegessicher** *adj,* sure of victory; **Siegeswille** *sub, m, -n, nur Einz.* will to win

sieggewohnt, *adj,* used to winning; **siegreich** *adj,* victorious; **Siegtreffer** *sub, m, -s, -* golden goal

Siel, *sub, n,m, -s, -e* floodgate; *(Abwasserkanal)* sewer; *(Schleuse)*

sluice

Sierra, *sub, f, -, -s oder Sierren* sierra

Siesta, *sub, f, -, -s oder Siesten* siesta

siezen, *vt,* address so formally

Sigel, *sub, n, -s, -* abbreviation, short form

Sigma, *sub, n, -s, -s* sigma

Signal, *sub, n, -s, -e* signal; *(Zeichen)* sign; *ein Signal geben* give a signal; *(i. ü. S.) Signale setzen* blaze a trail; *das war das Signal zum Aufbruch* that was the sign to leave; **~anlage** *sub, f, -, -n* set of signals; **~farbe** *sub, f, -, -n* signaling colour; **~feuer** *sub, n, -s, -* signal fire; **~flagge** *sub, f, -, -n* signal flag; **~glocke** *sub, f, -, -n* signal bell; **signalisieren** *vt,* signal; **~knopf** *sub, m, -s, -knöpfe* signal knob; **~lampe** *sub, f, -, -n* signal lamp; **~licht** *sub, n, -s, -er* signal light; **~pfiff** *sub, m, -s, -e* signaling whistle; **~reiz** *sub, m, -es, -e (biol.)* stimulant

Signatur, *sub, f, -, -en* signature; *(Buch)* shelf-mark; *(Karten)* symbol

Signet, *sub, n, -s, -s* publisher´s mark, signet; **signieren** *vt,* sign; **signifikant** *adj,* significant; **Signifikanz** *sub, f, -, nur Einz.* significance

Signor, *sub, f, -, -i* signor; **~a** *sub, f, -, -s* signora; **~ina** *sub, f, -, -s* signorina; **~ino** *sub, m, -, -s* signorino

Signum, *sub, n, -s, Signa* signature, symbol

Sikh, *sub, m, -s, -s* Sikh; **~religion** *sub, f, -, nur Einz.* Sikh religion

Sikkativ, *sub, n, -s, -e* siccative

Silage, *sub, f, -, -n* silage

Silbe, *sub, f, -, -n* syllable; *(ugs.) ich verstehe keine Silbe* I don´t understand a word; *keine Silbe sagen* not breathe a word; **~nrätsel** *sub, n, -s, -* word game; **~ntrennung** *sub, f, -, -en* syllabication

Silber, *sub, n, -s, nur Einz.* silver; **~arbeit** *sub, f, -, -en* silver work; **~barren** *sub, m, -s, -* bar of silver; **~blick** *sub, m, -s, nur Einz. (ugs.)* squint; **~brokat** *sub, n, -s, nur Einz.* silver brocade; **~draht** *sub, m, -s, -drähte* silver wire; **~faden** *sub, m, -s, -fäden* silver thread; **silberfarben** *adj,* silver; **silberfarbig** *adj,* silvery; **~fischchen** *sub, n, -s, - (zool.)* silver-fish; **~fuchs** *sub, m, -es, -füchse* silverfox; **silberhaarig** *adj,* silvery hair; **silberhaltig** *adj,* argentiferous, silver-bearing;

~löwe *sub, m, -n, -n (zool.)* puma; **~münze** *sub, f, -, -n* silver coin; **silbern** *adj,* silver; **~papier** *sub, n, -s, -e* tinfoil; **~pappel** *sub, f, -, -n* silver poplar; **~stift** *sub, m, -s, -e* silver pin; **silbrig** *adj,* silvery

Sild, *sub, m, -s, -e* sild

Silhouette, *sub, f, -, -n* silhouette; *sich als Silhouette abzeichnen gegen* be silhouetted against

Silicium, *sub, n, -s, nur Einz. (chem.)* silicon; **Silikat** *sub, n, -s, -e* silicate; **Silikon** *sub, n, -s, -e* silicone

Silo, *sub, m, n, -s, -s* silo

Silur, *sub, n, -s, nur Einz.* Silurian

Silvester, *sub, n, -s, -* New Year´s Eve

simbabwisch, *adv,* of Zimbabwe

Similistein, *sub, m, -s, -e (kun.)* artificial stone

Simmentaler, *sub, m, -s, -* Simmental

Simonie, *sub, f, -, -n* simony

simpel, *adj, (dumm)* stupid; *(einfach)* plain, simple

Simplex, *sub, n, -, -e* simplex

simplifizieren, *vt,* simplify; **Simplizität** *sub, f, -, nur Einz.* simplicity

Sims, *sub, m, -es, -e (Fenster)* sill; *(Kamin)* mantelpiece; *(Rand)* ledge

Simulant, *sub, m, -en, -en* malingerer; **Simulation** *sub, f, -, -en* simulation; **Simulator** *sub, m, -en, -en (tech.)* simulator; **simulieren** *vti,* feign; *(phys.)* simulate; *(vortäuschen)* malinger, sham; **simultan** *adj,* simultaneous; **Simultanität** *sub, f, -, -* simultaneity, simultaneousness

Sinfonie, *sub, f, -, -n* symphony; **Sinfoniker** *sub, m, -s, -* symphony orchestra; **sinfonisch** *adj,* symphonic

Singakademie, *sub, f, -, -n* choral society

Singapurerin, *sub, f, -, -nen (geogr.)* Singaporean; **singapurisch** *adv,* of Singapore

singbar, *adj,* singable

Singdrossel, *sub, f, -, -n* song thrush

Singegruppe, *sub, f, -, -n* choir

Singhalesin, *sub, f, -, -nen* Sin(g)halese

Single, *sub, n, -s, -s* single

singular, *adj*, singularly; Singular *sub*, *n*, -s, -e singular; **Singularform** *sub*, *f*, -, -en singular form; **singularisch** *adj*, singular; **Singularität** *sub*, *f*, -, -en singularity

Singvogel, *sub*, *m*, -s, -vögel *(zool.)* song-bird

sinister, *adj*, sinister

sinken, *vi*, go down, sink; *(fig.)* drop, fall; *(ugs.)* er ist tief gesunken he has gone down a lot; *ich hätte vor Scham in den Boden sinken mögen* I wish the earth could have swallowed me up; *im Wert sinken* decline in value; *in jemandes Achtung sinken* sink in someone's eyes; *auf die Knie sinken* drop to one's knees; *auf einen Stuhl sinken* drop into a chair; *in tiefen Schlaf sinken* fall into a deep sleep; *jemandem zu Füßen sinken* fall at someone's feet

Sinn, *sub*, *m*, -s od. -es, -e *(Bedeutung)* meaning; *(organ.)* sense; *(Sache)* idea, point; *(Verstand)* mind; *das hat einen tieferen Sinn* there is a deeper meaning; *lange Rede, kurzer Sinn* the long and the short of it; *das hat keinen Sinn* there is no sense; *einen Sinn ergeben* make sense; *von Sinnen sein* be out of senses; *das ist der Sinn der Sache* that's the whole point; *das geht mir nicht aus dem Sinn* I can't get it out pf my mind; *im Sinnen haben, etwas zu tun* have in mind to do something; **sinnbetörend**, sensuously intoxicating; **~bild** *sub*, *n*, -s od. -es, -er symbol; **sinnbildlich** *adj*, symbolic(al); **sinnen** *vi*, brood over sth; *auf Rache sinnen* mediate revenge; *über etwas sinnen* brood over something; **~enmensch** *sub*, *m*, -en, -en sensuous person; **~enrausch** *sub*, *m*, -s od. -es, -räusche sensual passion; **sinnentleert** *adj*, bereft of content; **~esorgan** *sub*, *n*, -s od. -es, -e *(anat.)* sense organ; **~eswandel** *sub*, *m*, -s, - change of mind; **~eszelle** *sub*, *f*, -, -n sensory cell; **sinnfällig** *adj*, obvious; **sinngemäß** *adj*, faithful; *etwas sinngemäß wiedergeben* give the gist of something; **sinnieren** *vi*, brood; **sinnig** *adj*, *(Vernunft)* sensible; *(Zweck)* practical; **sinnlich** *adj*, sensual, sensuous; *ein sinnlicher Mensch* a sensualist; **~lichkeit** *sub*, *f*, -, - nur Einz.

sensuality

sinnlos, *adj*, *(absurd)* absurd; *(bedeutungslos)* meaningless; *(zwecklos)* useless; *mein Leben ist sinnlos* my life is meaningless; *es ist sinnlos, länger zu warten* it's useless to wait any longer; **Sinnlosigkeit** *sub*, *f*, -, nur Einz. *(Absurdität)* absurdity; *(Zwecklosigkeit)* uselessness; **Sinnspruch** *sub*, *m*, -s od. -es, -sprüche epigram; **sinnverwandt** *adj*, synonymous; *ein sinnverwandtes Wort* a synonym; **sinnvoll** *adj*, *(klug)* ingenious; *(zweckmäßig)* convenient

Sinologe, *sub*, *m*, -n, -n *(tt; wiss.)* sinologist; **Sinologie** *sub*, *f*, -, nur Einz. sinology; **sinologisch** *adj*, sino-

Sintflut, *sub*, *f*, -, nur Einz. deluge; *(i. ü. S.; bibl.)* Deluge, Flood

Sinus, *sub*, *m*, -es, -se *(mat.)* sinus

Siphon, *sub*, *m*, -s, -s *(tt; tech.)* siphon

Sippe, *sub*, *f*, -, -n *(biol.)* family; *(zool.)* species; **~nkunde** *sub*, *f*, -, nur Einz. genealogy; **Sippschaft** *sub*, *f*, -, -en *(abig.)* clique, lot, set; *(ugs.)* die ganze Sippschaft every mother's son of them; *(ugs.)* mit der ganzen Sippschaft with kith and kin

Sire, *sub*, *m*, -, -s *(geh.)* sire

Sirene, *sub*, *f*, -, -en siren; **~nprobe** *sub*, *f*, -, -n practice alarm

Sirtaki, *sub*, *m*, -s, -s sirtaki

Sisallläufer, *sub*, *m*, -s, - sisal mat

Sisyphusarbeit, *sub*, *f*, -, nur Einz. neverending task; *(i. ü. S.)* Sisyphean task

Sitar, *sub*, *m*, -s, -s *(mus.)* sitar

Sit-in, *sub*, *m*, -s, -s sit-in

Sitte, *sub*, *f*, -, -n custom; *das ist hier so Sitte* that's the custom here; *gegen die guten Sitten verstoßen* offend against good manners; *(ugs.)* hier herrschen aber rauhe Sitten! people have a pretty rough way of doing things here!; **~ngesetz** *sub*, *n*, -es, -e moral law; **~nkodex** *sub*, *m*, -es, -e moral code; **~nlehre** *sub*, *f*, -, nur Einz. ethics; **~nlosigkeit** *sub*, *f*, -, nur Einz. immorality; **~npolizei** *sub*, *f*, -, nur Einz. vice squad; **~nroman** *sub*, *m*, -s od. -es, -e moral novel; **sittenstreng** *adj*, puritanical; **~nstrolch** *sub, m, -s od. -es, -e (ugs.)* sex fiend; **sittenwidrig** *adj,* immoral

Sittich, *sub, m, -s od. -es, -e (zool.)* parakeet

sittlich, *adj,* moral; **Sittlichkeit** *sub, f, -, nur Einz.* morality

sittsam, *adj, decent; (anständig)* modest; *(manierlich)* well-behaved; **Sittsamkeit** *sub, f, -, nur Einz.* decency

Situation, *sub, f, -, -en* situation; *der neuen Situation gerecht werden* meet the new situation; *er war der Situation gewachsen* he rose to the situation; *Herr der Situation sein* to be master of the situation; **situativ** *adj,* dependent on the situation; **situieren** *vt,* situate; **situiert** *adj,* situated

Sitz, *sub, m, -es, -e (allg.)* seat; *(Kleider)* fit; *(Wohn-)* residence; *die Gäste nahmen ihre Sitze ein* the guests took their seats; *(wirt.) mit dem Sitz in Berlin* with the place of business and legal seat in Berlin; **~bank** *sub, f, -, -bänke* bench; **~blockade** *sub, f, -, -n* sit-down strike; **~ecke** *sub, f, -, -n* corner seating unit; **sitzen** *vi, (allg.)* sit; *(Kleidung)* fit; *(wohnen)* dwell, live; *auf dem trockenen sitzen* be left high and dry; *das Kleid sitzt wie angegossen* the dress sits perfectly; *(i. ü. S.) die Bemerkung hat gesessen* the remark hit home; *(ugs.) einen sitzen haben* be a little high; **~enbleiber** *sub, m, -s,* - pupil who has to repeat a year; **~fleisch** *sub, n, -es, nur Einz.* stamina; *(Ausdauer)* perseverance; **~ordnung** *sub, f, -, -en* seating arrangement, seating plan

Sitzung, *sub, f, -, -en (Arzt)* visit; *(jur.)* session; *(Konferenz)* meeting; **~geld** *sub, n, -es, -er (polit.)* attendance allowance; **~ssaal** *sub, m, -s od. -es, -säle (jur.)* court room; *(Konferenz)* conference hall

Sizilianerin, *sub, f, -, -nen (geogr.)* Sicilian; **sizilianisch** *adj,* Sicilian; **skalar** *adj, (mat.)* scalar; **Skalenzeiger** *sub, m, -s,* - indicator

Skai, *sub, n, -s, nur Einz.* imitation leather

Skala, *sub, f, -, Skalen (elektrisch)* scale; *(figurativ)* range

Skalp, *sub, m, -s, -e* scalp

Skalpell, *sub, n, -s, -e (med.)* scalpel

Skandal, *sub, m, -s od. -es, -e (allg.)* scandal; *(Lärm)* fuss, row; *einen Skandal machen* kick up a row; *einen Skandal vertuschen* hush up a scandal; *es ist ein Skandal, wie er sich benimmt* it´s a disgrace the way he acts; **skandalieren** *vi,* make noise; **~nudel** *sub, f, -, -n (i. ü. S.)* glutton for scandal; **skandalös** *adj,* scandalous; **~presse** *sub, f, -, nur Einz.* gutter press

skandieren, *vti,* scan

Skarabäus, *sub, m, -, Skarabäen* scarab

Skat, *sub, m, -s od. -es, -e od. -s* skat

Skateboard, *sub, n, -s, -s* skateboard; **~er** *sub, m, -s,* - skateboarder

skaten, *vti,* skate; **Skater** *sub, m, -s,* - skater; **Skatspieler** *sub, m, -s,* - skat player; **Skatturnier** *sub, n, -s od. -es, -e* skat tournament

Skeetschießen, *sub, n, -s, nur Einz. (spo.)* skeet

Skeleton, *sub, m, -s, -s* skeleton

Skelett, *sub, n, -s od. -es, -e* skeleton; **skelettieren** *vt,* skeletonize

Skelettform, *sub, f, -, -en* type of skeleton

Skepsis, *sub, f, -, nur Einz.* scepticism; **Skeptiker** *sub, m, -s,* - sceptic; **skeptisch** *adj,* sceptical

Sketch, *sub, m, -es, -e* sketch; **Sketsch** *sub, m, -es, -e* sketch

Ski, *sub, m, -s, -er* ski; *die Skier anschnallen* put on the skis; **~fahren** *vi,* ski; **~akrobatik** *sub, f, -, nur Einz.* ski acrobatics; **~bob** *sub, m, -s, -s* ski-bob; **~fahrerin** *sub, f, -, -nen* skier; **~läuferin** *sub, f, -, -nen* skier; **~lehrerin** *sub, f, -, -nen* instructor; **~mütze** *sub, f, -, -n* ski cap; **~piste** *sub, f, -, -n* ski-run; **~sport** *sub, m, -s od. -es, nur Einz.* skiing; **~springer** *sub, m, -s,* - ski-jumper; **~stock** *sub, m, -s od -es, -stöcke* ski-stick; **~wachs** *sub, n, -es, -e* ski-wax

Skiff, *sub, n, -s, -e (spo.)* skiff

Skikjöring, *sub, n, -s, -s* skijoring

Skinhead, *sub, m, -s, -s* skinhead

Skizze, *sub, f, -, -n (Entwurf)* sketch; *(Entwurf)* draft; *(Plan)* outline; **~nblock** *sub, m, -s od. -es, -blöcke* sketch-pad; **~nbuch** *sub, n, -s od. -es, -bücher* sketch-book; **skizzen-**

nan *adj*, in broad outline; **skizzieren** *vt*, *(Plan)* outline; *(umreißen)* sketch; **Skizzierung** *sub*, *f*, -, -en outline

Sklave, *sub*, *m*, -en, -en slave; *jmd zum Sklaven machen* make a slave of so; *Sklave seiner Arbeit sein* be a slave to one´s work; **sklavenartig** *adj*, slavish; **~nmarkt** *sub*, *m*, -s, -märkte slave market; **~rei** *sub*, *f*, -, -en slavery; **sklavisch** *adj*, slavish

Sklerose, *sub*, *f*, -, -n *(med.)* sclerosis; **sklerotisch** *adj*, sclerotic

skontieren, *vt*, allow a discount; **Skonto** *sub*, *n*, -s, -s *(wirt.)* cash discount

Skontration, *sub*, *f*, -, -en making entries in a stock book of incomings and outgoings; **skontrieren** *vi*, make adjusting entries in a stock book; **Skontrobuch** *sub*, *n*, -s, -bücher stock book

Skooter, *sub*, *m*, -s, - scooter

Skorbut, *sub*, *m*, -s, nur Einz. *(med.)* scurvy

Skorpion, *sub*, *m*, -s, -e *(astrol.)* Scorpio; *(zool.)* scorpion

Skribent, *sub*, *m*, -en, -en scribbler; **Skript**, *sub*, *n*, -s, -en script

Skrotum, *sub*, *n*, -s, -ta *(anat.)* scrotum

skrupellos, *adj*, unscrupulous

skullen, *vti*, *(spo.)* scull; **Skuller** *sub*, *m*, -s, - sculler

skulptieren, *vt*, *(kun.)* sculpture; **Skulptur** *sub*, *f*, -, nur Einz. sculpture

Skunk, *sub*, *m*, -s, -e *(zool.)* skunk

skurril, *adj*, bizarre, ludicrous; **Skurrilität** *sub*, *f*, -, -en bizarreness, ludicrousness

Skylight, *sub*, *n*, -s, -s *(arch.)* skylight; **Skyline** *sub*, *f*, -, -s skyline

Slang, *sub*, *m*, -s, -s *(ugs.)* slang

Slapstick, *sub*, *m*, -s, -s slapstick

Slawe, *sub*, *m*, -n, -n Slav; **slawisch** *adj*, Slavonic; **slawisieren** *vt*, slavicise; **Slawist** *sub*, *m*, -en, -en Slavist; **Slawistik** *sub*, *f*, -, nur Einz. Slavonic studies; **slawistisch** *adj*, Slavonic

Slibowitz, *sub*, *m*, -es, -e slivovitz

Slip, *sub*, *m*, -s, -s *(allg.)* briefs; *(Damen-)* panties; **~per** *sub*, *m*, -s, - casual; *(US)* loafer

Slogan, *sub*, *m*, -s, -s slogan

Sloop, *sub*, *f*, -, -s sloop

slowakisch, *adj*, Slovak(ian); **Slowa-**

kische *sub*, *n*, -, - Slovac

Slowenierin, *sub*, *f*, -, -nen Slovene; **Slowenische** *sub*, *n*, -n, - Slovenian

Slowfox, *sub*, *m*, -es, -e slow foxtrot

Slum, *sub*, *m*, -s, -s slum

Slup, *sub*, *f*, -, -s sloop

Smaragd, *sub*, *m*, -es, -e emerald; **smaragdgrün** *adj*, emerald-green

smart, *adj*, smart

Smash, *sub*, *m*, -s, -s smash

Smog, *sub*, *m*, -s, -s smog

Smörrebröd, *sub*, *n*, -s, -s open sandwich

Smutje, *sub*, *m*, -s, -s ship´s cook

Snack, *sub*, *m*, -s, -s snack; **~bar** *sub*, *f*, -, -s snack bar

Snob, *sub*, *m*, -s, -s snob; **~ismus** *sub*, *m*, -, -men snobbishness; **snobistisch** *adj*, snobbish

snowboarden, *vti*, snowboard; **Snowboarder** *sub*, *m*, -s, - snowboarder; **Snowboarding** *sub*, *n*, -s, - snowboarding

so, **(1)** *adv*, so; *(auf diese Art)* like this **(2)** *konj*, *(so daß)* so that; *er war so dumm* he was so stupid; *so kam es, daß* so it was that; *so weit, so gut* so far so good; *wie lange dauert das? - so eine Woche* how long will it take? - a week or so; *ach so!* oh, I see; *ich habe es nicht so gemeint* I didn´t mean it like that; *ich lasse mich von dir nicht so behandeln* I won´t let you treat me like that; *so oder so* one way or another; *(ugs.) so siehst du aus!* that´s what you think!; *sowie* asas; *wie der Vater, so der Sohn* like father, like son, *er hat zuviel gegessen, so daß ihm jetzt schlecht ist* he ate too much so that he feels sick now

sobald, *konj*, as soon as

Söckchen, *sub*, *n*, -s, - ankle sock; **Socke** *sub*, *f*, -, -n sock; *(ugs.) sich auf die Socken machen* take to one´s heels

Sockel, *sub*, *m*, -s, - base; *(Statue)* pedestal; **~betrag** *sub*, *m*, -s, -äge flat cash supplement; *ein Sockelbetrag von 10 DM* a basic rate of 10 DM; **Sockenhalter** *sub*, *m*, -s, - suspender; *(US)* garter

Soda, *sub*, *f*, -, nur Einz. soda; **~wasser** *sub*, *n*, -s, -wässer soda water

sodann, *interj, (Sodann!)* well then!

Sodbrennen, *sub, n, -s,* - heartburn

Sode, *sub, f, -, -n* piece of turf, sod

Sodomie, *sub, f, -, nur Einz.* bestiality, buggery

Sodomit, *sub, m, -s, -en* sodomite; **sodomitisch** *adj,* bestial

soeben, *adv,* just, this minute

sofern, *konj,* if, provided that; *sofern nur irgend möglich* if at all possible

sofort, *adv,* at once, immediately, right away; *bist du fertig? - sofort!* are you ready? - just a moment!; *komm sofort nach hause!* come home at once!; *(wirt.) sofort lieferbar* immediately deliverable

Soforthilfe, *sub, f, -, -n* emergency aid

sofortig, *adj,* immediate, instant

Softdrink, *sub, m, -s, -s* non-alcoholic beverage; **Softeis** *sub, n, -es,* - soft ice-cream; **Softie** *sub, m, -s, -s (ugs.)* caring type, softy; **Softporno** *sub, m, -s, -s* soft porn; **Software** *sub, f, -, nur Einz.* software

Sog, *sub, m, -es, -e (Explosions-)* suction; *(Wasser-)* undertow

sogar, *adv,* even

sogleich, *adv,* at once

Sohle, *sub, f, -, -n (Fuß-)* sole; *(Tal-)* bottom; **~nleder** *sub, n, -s,* - sole leather

Sohn, *sub, m, -es, Söhne* son; *(bibl.) der verlorene Sohn* the prodigal son; *wie der Vater, so der Sohn* like father like son; **~esliebe** *sub, f, -, nur Einz.* filial love

Soiree, *sub, f, -, -s (US)* soirée

Soja, *sub, f, -, -jen* Soy, Soya; **~bohne** *sub, f, -, -n* soya bean; *(bes. US)* soy bean; **~mehl** *sub, n, -s,* - soya flour; **~öl** *sub, n, -s, -e* soya oil; **~soße** *sub, f, -, -n* soy sauce, soya sauce

solang, *konj.,* as, as long as

solange, *adv,* as long as

Solanin, *sub, n, -s, nur Einz. (chem.)* solanine

solar, *adj,* solar; **Solarenergie** *sub, f, -, nur Einz.* solar energy; **Solarium** *sub, n, -s, -ien* solarium; **Solarplexus** *sub, m, -, -* solar plexus; **Solartechnik** *sub, f, -, -en* solar technology; **Solarzelle** *sub, f, -, -n* solar cell

Sold, *sub, m, -es, -e* pay; **~buch** *sub, n, -es, -bücher* military passbook; **Söldner** *sub, m, -s,* - mercenary; **Söldnerheer** *sub, n, -es, -e* mercenary army

Soldat, *sub, m, -en, -en* soldier; *das Grabmal des Unbekannten Soldaten* the tomb of the Unknown Warrior; *zu den Soldaten gehen* enter the army; **~enrock** *sub, m, -es, -röcke* uniform; **~entum** *sub, n, -es, nur Einz.* soldiery; **soldatisch** *adj,* soldier-like, soldierly

Sole, *sub, f, -, -en* brine, saltwater; **~i** *sub, n, -s, -er* pickled egg; **~nleitung** *sub, f, -, -en* brine conduit

solenn, *adj,* solemn

solid, *adj,* solid

solidarisch, (1) *adj,* solidary (2) *adv,* in solidarity; *sich mit jemandem solidarisch erklären* declare one´s solidarity with someone; *solidarisch sein mit* show solidarity with, *solidarisch handeln* act in solidarity; **solidarisieren** *vr,* solidarize; *sich mit jemandem solidarisieren* solidarize with someone; **Solidarität** *sub, f, -, nur Einz.* solidarity; **Solidaritätserklärung** *sub, f, -, -en* declaration of solidarity

solide, *adj, (ansehnlich)* sound; *(anständig)* respectable; *(festgebaut)* solid; *(Person)* steady; **Solidität** *sub, f, -, nur Einz. (Ansehnlichkeit)* soundness; *(Stärke)* solidity

Solist, *sub, m, -en, -en* soloist; **solistisch** (1) *adj,* solo (2) *adv,* solo

Solitär, *sub, m, -s, -e* solitaire

Soll, *sub, n, -s, - (Plan)* target; *(wirt.)* debit; *(wirt.) im Soll verbuchen* enter on the debit side; *(wirt.) Soll und Haben* debit and credit; **~bestand** *sub, m, -es, -stände* calculated assets; **~einnahme** *sub, f, -, -n* supposed revenue; **sollen** (1) *vi,* shall; *(bestimmt)* be to (2) *vt, (verpflichtet)* be supposed to; *man sollte es ihm sagen* one ought to tell him; *was sollen wir jetzt tun?* what shall we do now?; *du sollst morgen zum Chef kommen* you are to see the boss tomorrow; *was soll ich tun?* what am I to do?; *ich soll auf sie aufpassen* I am to look after her; *soll ich das etwas essen?* am I supposed to eat that?; *was soll das bedeuten?* what´s that supposed to mean?; *wer soll das sein?*

~~who is that supposed to be?~~; **Inauf**
mann *sub*, *m*, *-s*, *-männer* obligatorily registrable trader; ~**zeit** *sub*, *f*, *-*, *-en* required time

solo, (1) *adv*, solo (2) **Solo** *sub*, *n*, *-s*, *-li* solo; **Solokantate** *sub*, *f*, *-*, *-n* voice solo; **Solomaschine** *sub*, *f*, *-*, *-n* motorcycle without sidecar; **Solopart** *sub*, *m*, *-s*, *nur Einz.* solo (part); **Solosängerin** *sub*, *f*, *-*, *-nen* solo singer; **Solotanz** *sub*, *m*, *-es*, *-tänze* solo dance; **Solotänzerin** *sub*, *f*, *-*, *-nen* solo dancer

Solution, *sub*, *f*, *-*, *-en* solution

Solvenz, *sub*, *f*, *-*, *-en* solvent; *n*, *-*, *-venzien* solvency; **solvent** *adj*, solvent

Soma, *sub*, *n*, *-s*, *-ta* (*med.*) body

somatisch, *adj*, somatic

Sombrero *sub*, *m*, *-s*, *-s* sombrero

Sommer, *sub*, *m*, *-s*, *-* summer; *der Sommer naht* summer is drawing near; *(i. ü. S.) im Sommer des Lebens stehen* be in the summer of one´s life; ~**abend** *sub*, *m*, *-s*, *-e* summer´s evening; ~**anfang** *sub*, *m*, *-s*, *-* beginning of summer; ~**anzug** *sub*, *f*, *-s*, *-züge* summerwear; ~**ferien** *sub*, *f*, *-*, *nur Mehrz.* summer holidays; ~**frische** *sub*, *f*, *-*, *-n* (*Ort*) summer resort; ~**gerste** *sub*, *f*, *-*, *-* spring barley; ~**hitze** *sub*, *f*, *-*, *-* summer heat; ~**kleid** *sub*, *n*, *-es*, *-er* summer dress; ~**kleidung** *sub*, *f*, *-*, *-* summer clothing; ~**monat** *sub*, *m*, *-s*, *-e* summer month; ~**nacht** *sub*, *f*, *-*, *-nächte* summer night; *(Drama) Ein Sommernachtstraum* A Midsummernight´s Dream; ~**pause** *sub*, *f*, *-*, *-n* summer break; ~**preis** *sub*, *m*, *-es*, *-e* summer sale; ~**regen** *sub*, *m*, *-s*, *-* summer rain; ~**reise** *sub*, *f*, *-*, *-n* summer journey

Sommerresidenz, *sub*, *f*, *-*, *-en* summer-house; **Sommerschlussverkauf** *sub*, *m*, *-s*, *-käufe* summer sale; **Sommerschuh** *sub*, *m*, *-s*, *-e* summer shoe; **Sommersonnenwende** *sub*, *f*, *-*, *-* summer solstice; **Sommersprosse** *sub*, *f*, *-*, *-n* freckle; **Sommerszeit** *sub*, *f*, *-*, *-en* summer time; **Sommerwetter** *sub*, *n*, *-s*, *-* summer weather; **Sommerzeit** *sub*, *f*, *-*, *nur Einz.* Summer Time

somnambul, *adv*, somnambulary; **Somnambulismus** *sub*, *m*, *-*, *nur Einz.* sleepwalking, somnambulism

~~Sonntag, und; ni; bis; ein Syllable~~

Sonate, *sub*, *f*, *-*, *-n* sonata; **Sonatine** *sub*, *f*, *-*, *-n* sonatina

Sonde, *sub*, *f*, *-*, *-n* (*med.*) probe; *(Seefahrt)* plummet; *(Wetter-)* sonde

Sonderabzug, *sub*, *m*, *-s*, *-züge* special discount

Sonderangebot, *sub*, *n*, *-s*, *-e* special offer

Sonderausgabe, *sub*, *f*, *-*, *-n* special edition

sonderbar, *adj*, odd, strange; *mir ist sonderbar zumute* I have a strange feeling; *was ist daran sonderbar?* what´s strange about it?

Sonderdeponie, *sub*, *f*, *-*, *-n* hazardous waste depot

Sonderdezernat, *sub*, *n*, *-es*, *-e* Special Branch

Sonderdruck, *sub*, *m*, *-s*, *-e* offprint

Sonderfahrt, *sub*, *f*, *-*, *-en* special trip

sondergleichen, *adv*, unequalled, unparalleled; *das ist eine Frechheit sondergleichen!* that´s the height of cheek!

Sonderklasse, *sub*, *f*, *-*, *-en* special class, top grade

Sonderkonto, *sub*, *n*, *-s*, *-ten* special account

Sonderkosten, *sub*, *f*, *-*, *nur Mehrz.* extra expense

sonderlich, *adv*, particularly

Sonderling, *sub*, *m*, *-s*, *-e* eccentric

Sondermüll, *sub*, *m*, *-s*, *nur Einz.* special refuse

sondern, (1) *konj*, but (2) *vt*, separate; *nicht nur, sondern auch* not only, but also; *sondern was?* what then?

Sondernummer, *sub*, *f*, *-*, *-n* special edition

Sonderpreis, *sub*, *m*, *-es*, *-e* special price

Sonderrabatt, *sub*, *m*, *-es*, *-e* special discount

Sonderration, *sub*, *f*, *-*, *-en* extra ration

Sonderrecht, *sub*, *n*, *-es*, *-e* privilege

Sonderschule, *sub*, *f*, *-*, *-n* special school

Sondersendung, *sub*, *f*, *-*, *-en* special delivery

Sonderstatus, *sub*, *m*, *-*, *-* special status

Sonderstellung, *sub, f, -, -en* special position

Sondersteuer, *sub, f, -, -n* special tax

Sonderwunsch, *sub, m, -es, -wünsche* special request

Sonderzug, *sub, m, -es, -züge* special train

sondieren, *vt,* sound out; *(ugs.) die Lage sondieren* find out how the land lies

Sonett, *sub, n, -s, -e* sonnet

Song, *sub, m, -s, -s* song

Sonnabend, *sub, m, -s, -de* Saturday; **sonnabends** *adv,* on a Saturday; *(immer)* on Saturdays

Sonne, *sub, f, -, -n* sun; *an die Sonne gehen* go out in the sun; *(i. ü. S.) ein Platz an der Sonne* a place in the sun; *(ugs.) geh mir aus der Sonne!* get out of my light!; **sonnen** *vr,* sunbathe; **~naufgang** *sub, m, -es, -gänge* sunrise; *(Drama) "Vor Sonnenaufgang"* "Before Sunrise"; *bei Sonnenaufgang* at sunrise; **sonnenbaden** *vi,* sunbathe; **~nbank** *sub, f, -, -bänke* sun bench; **~nblende** *sub, f, -, -n* sunblind; **~nblume** *sub, f, -, -n* sunflower; **~nbrand** *sub, m, -es, -brände* sunburn; **~nbräune** *sub, f, -, nur Einz.* sun-tan; **~nbrille** *sub, f, -, -n* sun-glasses; **~ncreme** *sub, f, -, -s* sun cream; **~ndeck** *sub, n, -s, -s* sun deck; **~nenergie** *sub, f, -, -* solar energy; **~nfinsternis** *sub, f, -, -se* solar eclipse; **~nfleck** *sub, m, -en (astron.)* sunspot; **sonnengebräunt** *adj,* sun-tanned; **~nhut** *sub, m, -es, -hüte* sun-hat; **~nkraftwerk** *sub, n, -s, -e* solar power station; **~nlicht** *sub, n, -es, nur Einz.* sunlight; **~nöl** *sub, n, -s, -e* sun-tan lotion; **~nschein** *sub, m, -s, -e* sunshine

Sonnenschirm, *sub, m, -s, -e (Garten)* sunshade; *(Straße)* parasol; **Sonnenschutz** *sub, m, -es, nur Einz.* protection against the sun; **Sonnenseite** *sub, f, -, -n* sunny side; **Sonnenstich** *sub, m, -s, -e* sunstroke; *(ugs.) du hast wohl einen Sonnenstich!* you must have been out in the sun too long!; **Sonnenstrahl** *sub, m, -s, -e* sunbeam; **Sonnensystem** *sub, n, -s, -e* solar system; **Sonnenuhr** *sub, f, -, -en* sundial; **Sonnenuntergang** *sub, m, -es, -gänge* sunset; *(US)* sundown; **Sonnenwärme** *sub, f, -, -n* warmth of the

sun; **Sonnenwende** *sub, f, -, -n* solstice; **Sonnenzelle** *sub, f, -, -n* solar cell

sonnig, *adj,* sunny

Sonntag, *sub, m, -s, -e* Sunday; **~abend** *sub, m, -s, -e* Sunday evening; **sonntags** *adv,* on Sundays; **~sausgabe** *sub, f, -, -n* Sunday edition; **~sfahrer** *sub, m, -s, -* Sunday driver; **~skind** *sub, n, -es, -er* born on a Sunday; **~sruhe** *sub, f, -, -* observe Sunday as a day of rest

sonnverbrannt, *adj,* sunburnt

Sonnyboy, *sub, m, -s, -s* sunshine boy

sonor, *adj,* sonorous

sonst, *adv, (außerdem)* else, otherwise; *(ehemals)* formerly; *(gewöhnlich)* usually; *(im übrigen)* otherwise; *sonst etwas* anything else; *sonst jemanden* anybody else; *sonst nichts* nothing else; *sonst nirgends* nowhere else; *ich habe heute mehr als sonst verdient* today I earned more than usually; *ich muß mich beeilen, sonst komme ich zu spät* I have to hurry, otherwise I´ll be late; **~ jemand** *adv,* anybody else; **~ wo** *adv,* anywhere else; **~ woher** *adv,* from somewhere else; **~ wohin** *adv,* somewhere else

sooft, *konj.,* every time, whenever

Soor, *sub, m, -es, -* scab

Sophist, *sub, m, -en, -en* sophist; **~erei** *sub, f, -, -en* sophistry; **~ik** *sub, f, -, nur Einz.* sophistication; **sophistisch** *adj,* sophisticated

sophokleisch, *adj,* Sophoclean

Sopran, *sub, m, -s, -e* soprano; **~istin** *sub, f, -, -nen* soprano

Sorbet, *sub, m, n, -s, -s* sorbet

sorbisch, *adj,* Sorbian

Sorge, *sub, f, -, -n* worry; *(Ärger)* trouble; *(Kummer)* sorrow; *keine Sorge!* don´t worry!; *lass das meine Sorge sein!* leave that to me!; *mach dir deshalb keine Sorgen!* don´t worry about that!; *Sorgen haben* have problems; **sorgen (1)** *vr,* worry **(2)** *vt,* take care; *sich sorgen um* be worried about; *bitte sorgen Sie dafür, dass* please, make sure that; **~nfalte** *sub, f, -, -n* worry line; **sorgenschwer** *adj,* troubled; **~pflicht** *sub, f, -, -en* duty of care; **~recht** *sub, n, -s, -e* custody; **Sorg-**

fall auf... f... put ... rush roof ...

fall aufwenden auf etwas put a lot of care into something; **sorgfältig** *adj*, careful; **sorglos** *adj*, *(unachtsam)* careless; *(unbekümmert)* carefree; **sorgsam** *adj*, careful; **Sorgsamkeit** *sub, f, -, nur Einz.* carefulness

Sorte, *sub, f, -, -n* kind; *(Art)* sort; *(Marke)* brand; *(Qualität)* grade; *(wirt.)* foreign currency; *andere Sorten von Käse* other kinds of cheese; *er ist ein Schwindler übelster Sorte* he´s a fraud of the worst kind; *er ist eine seltsame Sorte Mensch* he´s an odd sort; *von allen Sorten* of all sorts; *eine besonders milde Sorte Zigaretten* a particularly mild brand of cigarettes; *feinste Sorte* first(-class) grade; *Waren nach Sorten einteilen* grade goods; **~nhandel** *sub, m, -s, nur Einz.* transactions in foreign notes and coins; **~nzettel** *sub, m, -s, -* list of registered share varieties

sortieren, *vt*, sort; *(ordnen)* arrange; *nach Größen sortieren* sort according to size; **Sortiererin** *sub, f, -, -nen* sorter; **sortiert** *adj*, well-stocked; *(ausgewählt)* select

Sortilegium, *sub, n, -s, -gien* sortilege

Sortiment, *sub, n, -s, -e* *(Auswahl)* assortment; *(Handel)* collection; **~er** *sub, m, -s, -* retail bookseller

sosehr, *adv*, so much

soso, (1) *adv*, *(ugs.)* so-so, well, well! (2) *interj*, I see!

Soße, *sub, f, -, -n* sauce; *(Braten-)* gravy; *(vulg.; schmieriges Zeug)* gunge; **~nlöffel** *sub, m, -s, -* gravy spoon; **~nrezept** *sub, n, -s, -e* sauce recipe

Sottise, *sub, f, -, -n* rudeness, stupidity

Sou, *sub, m, -, -s* sou

Souchongtee, *sub, m, -s, -s* souchong (tea)

Souffleur, *sub, m, -s, -e* prompter; **Souffleuse** *sub, f, -, -n* prompter; **soufflieren** *vi*, prompt

Soul, *sub, m, -s, nur Einz.* soul music

Sound, *sub, m, -s, nur Einz.* sound; **~track** *sub, m, -s, -s* sound-track

soundso, *adv*, so and so

Souper, *sub, n, -s, -s* supper; **soupieren** *vi*, dine

Soutane, *sub, f, -, -n* cassock

Souterrain, *sub, n, -s, -s* basement

Souvenir, *sub, n, -s, -s* souvenir

souverän, (1) *adj*, *(i. ü. S.)* superior;

sub, m, -s, -e sovereign; *die Lage souverän meistern* deal with the situation supremely well; *er siegte ganz souverän* he won in superior style; **Souveränität** *sub, f, -, nur Einz.* sovereignty

Sovereign, *sub, m, -s, -s* sovereign

soviel, (1) *adv*, so much (2) *konj*, as much as; *rede nicht so viel!* don´t talk so much!, *halb soviel* half as much; *soviel du willst* as much as you like

soweit, (1) *adv*, so far (2) *konj*, as far as; *soweit fertig sein* be more or less ready; *soweit so gut* so far so good, *soweit als möglich* as far as possible; *soweit es mich betrifft* as far as I´m concerned

sowie, *konj*, *(und auch)* as well as; *(zeitlich)* as soon as

sowieso, *adv*, anyhow, anyway, in any case; *ich gehe sowieso hin* I´m going there anyhow; *daraus wird sowieso nichts* that won´t come to anything anyway; *er kommt sowieso nicht* he won´t come anyway

sowjetisch, *adj*, Soviet; **Sowjetrusse** *sub, m, -n, -n* Soviet Russian; **sowjetrussisch** *adj*, Soviet Russian; **sowohl**, *konj*, as well; *sowohlals auch* as well as

sozial, *adj*, social; *die sozialen Verhältnisse* social conditions; *sozial denken* be socially minded; *soziale Fürsorge* social welfare; **Sozialarbeit** *sub, f, -, -* social work; **Sozialarbeiter** *sub, m, -s, -* social worker; **Sozialberuf** *sub, m, -s, -e* caring profession; **Sozialfürsorge** *sub, f, -, -n* social welfare; **Sozialhilfe** *sub, f, -, -n* welfare aid; **Sozialhilfeempfänger** *sub, m, -s, -* person receiving welfare; **Sozialhygiene** *sub, f, -, nur Einz.* public health; **Sozialisation** *sub, f, -, -en* socialization; **~isieren** *vt*, nationalize, socialize; **Sozialismus** *sub, m, -, nur Einz.* socialism; **Sozialist** *sub, m, -en, -en* socialist; **~istisch** *adj*, socialist; *sozialistische Einheitspartei* Socialist Unity Party; **Sozialkritik** *sub, f, -, nur Einz.* social criticism; **Sozialkunde** *sub, f, -, nur Einz.* social studies; **Soziallasten** *sub, f, -, nur Mehrz.* social expediture; **Sozialpädagogik** *sub, f, -, nur Einz.* social education; **Sozialpartner** *sub, f, -, nur Mehrz.* employers and employees, unions and management; **Sozialprodukt** *sub, n, -es, -e* gross national product

Sozialrecht, *sub, n, -s, -e* social legislation; **Sozialreform** *sub, f, -, -en* social reforms; **Sozialrente** *sub, f, -, -n* social security pension; **Sozialstaat** *sub, m, -es, -en* welfare state; **Sozialtarif** *sub, m, -s, -e* subsidized rate; **Sozialversicherung** *sub, f, -, -en* social insurance; **Sozialzulage** *sub, f, -, -n* welfare allowance

Soziologe, *sub, m, -n, -n* sociologist; **Soziologie** *sub, f, -, nur Einz.* sociology; **soziologisch** *adj,* sociological

Soziometrie, *sub, f, -, -* sociometry

Sozius, *sub, m, -, -se* partner; *(KFZ)* pillion rider

sozusagen, *adv,* as it were, so to speak

Spaceshuttle, *sub, m, -s, -s* space shuttle

Spachtel, *sub, f, -, -n* spatula; *(Kitt-)* filler; **spachteln** *vt,* fill

Spagat, *sub, m, -s, -e* split; *einen Spagat machen* do the splits

Spagetti, *sub, f, -, nur Mehrz.* spaghetti

spähen, *vi, (kundschaften)* scout; *(verstohlen)* peer; *durch die Zaunlücke spähen* peep through the gap in the fence; *nach jemandem spähen* look out for someone; **Späher** *sub, m, -s, -* scout; **Späherei** *sub, f, -, -n* peering

Spalier, *sub, n, -s, -e (Haus)* trellis; *(Reihe)* line; *ein Spalier bilden* form a line; **~baum** *sub, m, -es, -bäume* espalier, trellis tree; **~obst** *sub, n, -es, nur Einz.* wall fruit

Spalt, *sub, m, -s, -e (i. ü. S.)* split; *(Fels-)* crevice, fissure; *(Öffnung)* opening; *(Riss)* crack; *der Vorhang war nur einen winzigen Spalt geöffnet* the curtain was only open a narrow slit; *lass die Tür einen Spalt offen* leave the door open a crack; **spaltbar** *adj, (Holz)* cleavable; *(phy.)* fissionable; *(phy.) spaltbarer Stoff* fissionable material; **~barkeit** *sub, f, -, nur Einz.* *(Holz)* cleavability; *(phy.)* fissionability; **~e** *sub, f, -n, -n (Gletscher-)* crevasse; *(Holz)* crack; *(Zeitung)* column; **spalten** *vt,* split; *(allg.)* chop; *(chem.)* crack; *(Holz)* cleave;

die Meinungen über diese Frage sind gespalten opinions are divided on this question; *die Partei hat sich gespalten* the party has split; **spaltenweise** *adv,* from column to column; **~produkt** *sub, n, -es, -e* product of fission; **~ung** *sub, f, -, -en (allg.)* splitting; *(phy.)* fission; *(polit.)* split

Span, *sub, m, -s, Späne (Holz)* shavings; *(Metall)* filing; **spanabhebend** *adj,* cutting; **~ferkel** *sub, n, -s, -* sucking pig

Spange, *sub, f, -, -n (Arm-)* bracelet; *(Haar-)* hair slide; *(Schuh)* bar; *(Verschluss)* clasp

Spaniel, *sub, m, -s, -s* spaniel

Spann, *sub, m, -s, -e* instep

Spanne, *sub, f, -, -n (Entfernung)* short distance; *(Preis-)* margin; *(Reichweite)* range; *(Zeit-)* while; **spannen (1)** *vi, (Kleider)* fit tightly; *(ugs.; mitbekommen)* grasp **(2)** *vr, (Haut)* go taut **(3)** *vt,* stretch; *(Feder)* tension; *(Saite)* tighten; *einen Bogen spannen* bend a bow, bend a bow; **spannend** *adj, (i. ü. S.)* exciting; *(aufregend)* thrilling; **~r** *sub, m, -s, - (Schuh-)* shoetree; *(i. ü. S.; Voyeur)* peeping Tom; *(zool.)* geometer moth; **Spanngardine** *sub, f, -, -n* net curtain; **Spannrahmen** *sub, m, -s, -* tenter frame; **Spannung** *sub, f, -, -en (i. ü. S.; Erregung)* excitement; *(phy.)* tension voltage; *(tech.)* tension; *(Ungewissheit)* suspense; *die Spannung des Seils ließ nach* the tension of the rope decreased; *im Saal herrschte atemlose Spannung* there was an atmosphere of breathless suspense in the hall; *voller Spannung warten* wait in suspense; **spannungslos** *adj,* boring; **Spannweite** *sub, f, -, -n (Brücke)* span width; *(Flügel-)* wing-spread

Spant, *sub, n,m, -s, -en (Luftfahrt)* frame; *(Schifffahrt)* rib; **~enriss** *sub, m, -es, -e* body plan; **Sparbrenner** *sub, m, -s, -* low flame burner

Sparbuch, *sub, n, -s, -bücher* savings book; **Spareinlage** *sub, f, -, -n* savings deposit; **sparen (1)** *vi, (Geld)* save; *(sparsam sein)* economize **(2)** *vt,* save; *wir müssen Proviant sparen* we have to be economical

with our provisions, *Kosten es sparen*
sie 10 DM die Woche that will save
you 10 DM a week; *spar dir deine
Ratschläge!* keep your advice!; **Sparer** *sub, m, -s, -* saver; **Spargroschen**
sub, m, -s, - nest egg; **Sparguthaben**
sub, n, -s, - savings account; **Sparkasse** *sub, f, -, -n* savings bank

Spargel, *sub, m, -s, -* asparagus; **~beet**
sub, n, -s, -e asparagus patch; **~suppe**
sub, f, -, -n asparagus soup

spärlich, *adj, (dürftig)* scanty; *(zerstreut)* sparse; *spärlich bekleidet*
scantily dressed; *spärlich bevölkert*
sparsely populated; *spärliches Haar*
thin hair; **Spärlichkeit** *sub, f, -, nur
Einz.* scantiness

Sparmaßnahme, *sub, f, -, -n* economy
measure; **Sparpfennig** *sub, m, -s, -e*
nest egg; **Sparpolitik** *sub, f, -, nur
Einz.* political economy; **Sparprogramm** *sub, n, -s, -e (polit.)* austerity
program(me); *(Waschmaschine)*
economy cycle

Sparren, (1) *sub, m, -s, -* rafter (2)
sparren *vi,* spar; **~dach** *sub, n, -s,
-dächer* rafters

Sparring, *sub, n, -s, nur Einz.* sparring

sparsam, *adj,* thrifty; *(Haushalt)* economical; *sparsam umgeben mit et-
was* use something sparingly;
Sparsamkeit *sub, f, -, nur Einz.*
thrift; *(Haushalt)* economizing;
Sparschwein *sub, n, -s, -e* piggy
bank; **Sparstrumpf** *sub, m, -es, -
strümpfe* money sock

Spartakiade, *sub, f, -, -n* Spartakiad;
Spartakist *sub, m, -en, -en* Spartacist;
Spartakusbund *sub, m, -es, nur
Einz.* Spartacus league

spartanisch, *adj,* spartan

Sparte, *sub, f, -, -n (wirt.)* line of business; **~nsender** *sub, m, -s, -* area
station

Sparvertrag, *sub, m, -s, -träge* savings
agreement; **Sparziel** *sub, n, -s, -e* object of saving; **Sparzins** *sub, m, -es,
-en* interest

spasmolytisch, *adj,* anti-spasmodic;
Spasmus *sub, m, -, - Spasmen* spasm

Spaß, *sub, m, -es, Späße (Scherz)* joke;
(Vergnügen) fun; *den Spaß verderben*
spoil the fun; *er versteht keinen Spaß*
he can´t take a joke; *es macht Spaß*
it´s fun; *ich habe doch nur Spaß gemacht* I was just having a bit of fun;

Spaß beiseite! joking apart!; *viel
Spaß!* enjoy yourself!; **Späßchen**
sub, n, -s, - joke; **spaßen** *vi,* jest,
joke; *damit ist nicht zu spaßen* that
is no joking matter; *er lässt nicht
mit sich spaßen* he is not to be
joked with; *sie spaßen wohl!* you
must be joking!; **spaßeshalber**
adv, for fun; **spaßhaft** *adj,* droll,
funny; **spaßig** *adj,* funny; **~vogel**
sub, m, -s, -vögel comedian, joker

spät, (1) *adj,* late (2) *adv,* late; *er
bezahlt seine Miete immer zu spät*
he is always late with his rent; *es ist
schon spät* it´s getting late; *zu etwas zu spät kommen* be late for
something; **~er** *adj,* later; *bis später!* see you later!; *es ist später als
ich dachte* it is later than I thought;
früher oder später sooner or later;
~estens *adv,* at the latest

Spat, *sub, m, -s, nur Einz.* spar

Spatel, *sub, f,m, -, -n* spatula

Spaten, *sub, m, -s, -* spade; **~stich**
sub, m, -s, -e cut of the spade

Spätentwickler, *sub, m, -s, -* slow
on the uptake

Spatienkeil, *sub, m, -s, -e* space-
band

Spatium, *sub, n, -s, Spatien* space

Spätlese, *sub, f, -, -n* late vintage;
Spätprogramm *sub, n, -s, -e* late-
night show; **Spätromantik** *sub, f,
-, nur Einz.* late Romanticism; **Spätschaden** *sub, m, -s, -schäden* late
side-effect, long-term damage;
Spätschicht *sub, f, -, -en* late shift;
Spätwerk *sub, n, -s, -e* late work

Spatz, *sub, m, -en oder -es, -en* sparrow; *(i. ü. S.) besser ein Spatz in der
Hand als eine Taube auf dem Dach*
a bird in the hand is worth two in
the bush; *(i. ü. S.) das pfeifen die
Spatzen von den Dächern* that is
the talk of the town; *frech wie ein
Spatz* cheeky as a sparrow; **~en-
nest** *sub, n, -s, -er* sparrow´s nest

Spätzle, *sub, f, -, nur Mehrz.* spaetzle

Spätzündung, *sub, f, -, -en* retarded
ignition

spazieren, *vi,* stroll; **Spazierengehen** *sub, n, -s, nur Einz.* go for a
walk; **Spazierfahrt** *sub, f, -s, -en
(Auto)* drive; *(Zweirad)* ride; **Spaziergang** *sub, m, -s, -gänge* stroll,

walk; *einen Spaziergang machen* go for a stroll; **Spaziergänger** *sub, m, -s, -* stroller; **Spazierritt** *sub, m, -s, -e* ride; **Spazierstock** *sub, m, -s, -stöcke* walking stick

Specht, *sub, m, -s, -te* woodpecker

Speck, *sub, m, -s, -e* bacon; *(i. ü. S.) mit Speck fängt man Mäuse* catches fine fish; *(ugs.) Speck ansetzen* get fat; *(i. ü. S.) wie die Made im Speck leben* live in clover; **speckbäuchig** *adj,* paunchy; **speckig** *adj, (fettig)* lardy; *(schmierig)* greasy; **~nacken** *sub, m, -s, -* fat neck; **~stein** *sub, m, -s, -e* soapstone, steatite

spedieren, *vt,* transport; **Spediteur** *sub, m, -s, -e (Fuhrunternehmer)* forwarding agent; *(Möbel-)* furniture remover; *(Schiffsfracht-)* shipping agent; **Spedition** *sub, f, -, en (Möbel-)* removal firm; *(Schiffsfracht-)* shipping agency

Speech, *sub, m, -es, -e oder -es* speech

Speer, *sub, m, -s, -e (spo.)* javelin; *(Waffe)* spear; **~werfer** *sub, m, -s, -* javelin thrower

Speiche, *sub, f, -, -n* spoke; *(anat.)* radius; **~l** *sub, m, -s, nur Einz.* spittle; *(med.)* saliva

Speicher, *sub, m, -s, - (Dachboden)* attic; *(EDV)* memory; *(Lager-)* storehouse; *(Wasser-)* reservoir; *auf dem Speicher* in the loft; **speichern (1)** *vr,* accumulate **(2)** *vt,* store; **~ofen** *sub, m, -s, -öfen* storage heater; **~ung** *sub, f, -, -en (allg.)* storing; *(EDV)* storage

speien, *vti,* spit; *(sich erbrechen)* vomit

Speil, *sub, m, -s, -e* skewer

Speise, *sub, f, -, -n (Gericht)* dish; *(Nahrung)* food; **~fisch** *sub, m, -es, -e* edible fish; **~kammer** *sub, f, -, -n* pantry; **~karte** *sub, f, -, -n* menu; *eine reichhaltige Speisekarte* a wide choice of menu; *Herr Ober, bitte die Speisekarte!* waiter, may I have the menu, please?; **speisen (1)** *vi, (essen)* eat; *(tech.)* feed **(2)** *vt, (beköstigen)* feed; **~nfolge** *sub, f, -, nur Einz.* order of the menu; **~nkarte** *sub, f, -, -n* menu; **~öl** *sub, n, -s, -e* cooking oil; **~opfer** *sub, n, -s, -* meal offering; **~röhre** *sub, f, -s, -n (anat.)* gullet; **~wagen** *sub, m, -s, - (Bahn-)* dining car; *(US)* diner; **~würze** *sub, f, -, -n* spice; **~zettel**

sub, m, -s, - menu; **~zimmer** *sub, n, -s, -* dining-room; **Speisung** *sub, f, -, -en (Beköstigung)* feeding; *(tech.)* supply

speiübel, *adj,* sick; *mir ist speiübel!* I think I´m going to be sick

Spektakel, *sub, m, -s, - row; (Radau)* shindy; *ein großes Spektakel machen über* make a great fuss about; **spektakeln** *vi,* act; **spektakulär** *adj,* spectacular

spektral, *adj,* spectral; **Spektralanalyse** *sub, f, -, -n* spectrum analysis; **Spektralapparat** *sub, m, -s, -e* spectroscope

Spektrometer, *sub, n, -s, -* spectrometer

Spektroskop, *sub, n, -s, -e* spectroscope

Spektrum, *sub, n, -s, Spektren* spectrum

Spekulant, *sub, m, -en, -en* speculator; **Spekulation** *sub, f, -, -en* speculation; *eine Spekulation anstellen* make a speculation; **spekulativ** *adj,* speculative; **spekulieren** *vi,* speculate; *(i. ü. S.) auf etwas spekulieren* have hopes of something

Spekulatius, *sub, m, -, -* almond biscuit

Speläologin, *sub, f, -, -nen* spel(a)eologist

Spelunke, *sub, f, -, -n (ugs.)* dive

Sperber, *sub, m, -s, -* sparrowhawk

Sperling, *sub, m, -s, -e* sparrow

Sperma, *sub, n, -s, -ta oder Spermen* sperm; **~torrhö** *sub, f, -, -en* spermatorrh(o)ea; **Spermium** *sub, n, -s, Spermien* sperm

Sperrballon, *sub, m, -s, -s (mil.)* barrage balloon

Sperrbetrag, *sub, m, -s, -träge* blocked amount

Sperre, *sub, f, -, -n (Bahn-)* barrier; *(Blockierung)* blockade; *(Straßen-)* roadblock; *(tech.)* stop; *(Verbot)* ban

sperren, *vt, (spo.)* disqualify; *(Straße)* close; *(tech.)* cut off; *(wirt.) einen Scheck sperren* stop a cheque; *etwas für jemanden sperren* close something for someone; *(tech.) jemandem das Telefon sperren* cut off somebody´s telephone

Sperrfrist, *sub, f, -, -en* suspension

Operrgebiet, *sub, n, -s,* - prohibited area

Sperrgürtel, *sub, m, -s,* - cordon

Sperrgut, *sub, n, -s, -güter* bulky goods; *(US)* bulk freight

Sperrholz, *sub, n, -es, nur Einz.* plywood

Sperrklausel, *sub, f, -, -n* exclution clause

Sperrklinke, *sub, f, -, -n* pawl

Sperrriegel, *sub, m, -s,* - bolt

Sperrsitz, *sub, m, -es, -e* back seats

Sperrung, *sub, f, -, -en (allg.)* closing; *(tech.)* cutting off; *(wirt.)* blocking, stopping

Sperrvermerk, *sub, m, -s, -e* notice of non-negotiability

Spesen, *sub, f, -, nur Mehrz.* expenses; *abzüglich aller Spesen* all expenses deducted; *auf Spesen essen* eat on expenses; **~ritter** *sub, m, -s,* - *(ugs.)* expense-account type

Spezerei, *sub, f, -, -en (allg.)* spice; *(Delikatesse)* exotic delicacy

Spezialfach, *sub, n, -s, -fächer* special subject; **spezialisieren** *vr,* specialize; *sich auf Geschichte spezialisieren* specialize in history; **Spezialist** *sub, m, -en, -en* specialist; **Spezialistin** *sub, f, -, -nen* specialist; **Spezialität** *sub, f, -, -en* specialty; **speziell** *adj,* special; **Spezies** *sub, f, -,* - species; *die Spezies Mensch* the human species; **Spezifikation** *sub, f, -, -en* specification; **Spezifikum** *sub, n, -s, Spezifika* specimen; **spezifisch** *adj,* specific; **spezifizieren** *vt,* specify

Sphäre, *sub, f, -, -n* sphere; **sphärisch** *adj, (himmlisch)* celestial; *(mat.)* spherical

Sphärometer, *sub, n, -s,* - spherometer

Sphinx, *sub, f, -, nur Einz.* sphinx

Sphragistik, *sub, f, -, nur Einz.* sphragistics

spicken, (1) *vi, (ugs.; abschreiben)* crib (2) *vt, (Braten)* lard; **Spickzettel** *sub, m, -s,* - crib

Spider, *sub, m, -s,* - spider

Spiegel, *sub, m, -s,* - mirror; *(Meeres-)* level; *(Wasser-)* surface; *in den Spiegel sehen* look in the mirror; *(i. ü. S.) jemandem den Spiegel vorhalten* hold up a mirror to someone; **~bild** *sub, n, -s, -er* reflected image; *(i. ü. S.)* reflection; **spiegelblank** *adj,* bright

as a mirror, mirror-like; **~ei** *sub, n, -s, -er* fried egg; **~glas** *sub, n, -es, -gläser* mirror glass; **spiegelglatt** *adj,* as smooth as glass; *(Straße)* icy; *(Wasser)* glassy; **spiegeln** (1) *vi,* gleam, reflect, shine (2) *vr,* be reflected (3) *vt,* mirror; **~reflexkamera** *sub, f, -, -s* reflex camera; **~saal** *sub, m, -s, -säle* hall of mirrors; **~schrift** *sub, f, -, -en* mirror writing; **~teleskop** *sub, n, -s, -e* reflector telescope; **~ung** *sub, f, -, -en* reflection; *(Luft-)* mirage

Spiel, *sub, n, -s, -e* play; *(Glücks-)* gambling; *(spo.)* game; *(Wettkampf)* match; *auf dem Spiel stehen* to be at stake; **~abbruch** *sub, m, -s, -brüche* abandonment of a match; **~art** *sub, f, -, -en* variety; **~automat** *sub, m, -en, -en* slot machine; **~bank** *sub, f, -s, -en* casino; **~beginn** *sub, m, -s, nur Einz.* start of play; **~einsatz** *sub, m, -es, -sätze* stake; **~er** *sub, m, -s,* - player; *(Glücks-)* gambler; **spielerisch** (1) *adj,* playful (2) *adv,* with the greatest of ease; *er tat es mit spielerischer Leichtigkeit* he did it with the greatest of ease; **~feld** *sub, n, -s, -er* playing-field; **~film** *sub, m, -s, -e* feature film; **~fläche** *sub, f, -, -n (spo.)* playfield; **~freude** *sub, f, -, nur Einz.* playfulness; **spielfreudig** *adj,* playful; **~führer** *sub, m, -s,* - captain

spielen, *vt,* play, toy; *(Film)* show; *(Schauspiel)* act; *den Unschuldigen spielen* play the innocent; *jemandem einen Streich spielen* play a trick on someone; *seine Muskeln spielen lassen* brace one´s muscles; *(ugs.) was wird hier gespielt?* what´s going on here?; *eine Komödie spielen* go through the motions

Spielhälfte, *aub,* half of the field; **Spielhölle** *sub, f, -, -n* gambling den; **Spielhöschen** *sub, n, -s,* - rompers; **Spielkamerad** *sub, m, -en, -en* playfellow, playmate; **Spielkasino** *sub, n, -s, -s* casino; **Spielklasse** *sub, f, -, -n (spo.)* league; **Spielleiter** *sub, m, -s,* - *(Film)* producer; *(spo.)* organizer; *(Theater)* director; *(TV)* emcee; **Spielleitung** *sub, f, -, nur Einz. (Film)* production; *(spo.)* refereeing;

(Theater) direction; **Spielmacher** *sub, m, -s, - (spo.)* key player; **Spielmann** *sub, m, -s, -männer (hist.)* minstrel; *(mil.)* bandsman; **Spielminute** *sub, f, -, -n* minute (of play); **Spielplatz** *sub, m, -es, -plätze* playground; **Spielraum** *sub, m, -s, -räume (tech.)* play; *(wirt.)* margin; *(i. ü. S.)* scope; *Spielraum lassen* leave a margin

Spielsachen, *sub, f, -, nur Mehrz.* toys; **Spielschuld** *sub, f, -, -en* gambling debt; **Spielschule** *sub, f, -, -n* kindergarten; **Spielstärke** *sub, f, -, nur Einz.* fighting power, strength of the team; **Spielstraße** *sub, f, -, -n* playstreet; **Spieltag** *sub, m, -s, -e* day of the play; **Spielteufel** *sub, m, -s, - (ugs.)* gambling bug; **Spieluhr** *sub, f, -, -en* musical box; *(US)* music box; **Spielverbot** *sub, n, -s, nur Einz. (spo.)* ban; *(spo.) Spielverbot haben* be banned; **Spielverderber** *sub, m, -s, -* spoil-sport; **Spielzeug** *sub, n, -s, -e* toy; **Spielzimmer** *sub, n, -s, -* playroom

Spieß, *sub, m, -es, -e (Brat-)* spit; *(Fleisch-)* skewer; *(ugs.; mil.)* kissem; *(ugs.; US mil.)* topkick; *(Waffe)* spear; **~bürger** *sub, m, -s, -* low-brow; **~er** *sub, m, -s, -* low-brow; **spießerhaft** *adj,* low-brow, narrow-minded; **spießerisch** *adj,* narrow-minded; **~geselle** *sub, m, -n, -n* accomplice; **spießig** *adj,* narrow-minded, stuffy; **~igkeit** *sub, f, -, -en* stuffiness; **~rutenlaufen** *sub, n, -s, nur Einz.* run the gauntlet

Spike, *sub, m, -s, -s* spike; **~reifen** *sub, m, -s, -* studded tires

spinal, *adj,* spinal

Spinat, *sub, m, -s, -e* spinach; **~wachtel** *sub, f, -, -n (ugs.)* old crone

Spind, *sub, m,n, -s, -e* locker

Spindel, *sub, f, -, -n* spindle; **spindeldürr** *adj,* lean as a rake

Spinell, *sub, m, -s, -e* spinel(le)

Spinett, *sub, n, -s, -e (mus.)* spinet

Spinnaker, *sub, m, -s, -* spinnaker

Spinne, *sub, f, -, -n* spider; **spinnen** **(1)** *vi, (i. ü. S.)* be nuts, talk nonsense **(2)** *vt, (Garn)* spin; *spinnst du?!* are you nuts?!; **~narme** *sub, f, -, nur Mehrz.* spindly arms; **~nbeine** *sub, f, -, nur Mehrz.* spindly legs; **~nfaden** *sub, m, -s, -fäden* spinning-thread;

~nnetz *sub, n, -es, -e* cobweb; **~r** *sub, m, -s, - (i. ü. S.)* nutcase; *(Garn-)* spinner; *(i. ü. S.; US)* screwball; *(zool.)* silkworm moth; **~rei** *sub, f, -, -en (i. ü. S.)* rubbish; *(Fabrik)* spinning mill; **~rlied** *sub, n, -s, -e* spinning song; **Spinngewebe** *sub, n, -s, -* cobweb; **Spinnrad** *sub, n, -s, -räder* spinning-wheel; **Spinnwebe** *sub, f, -, -n* spider´s web

spinozaisch, *adj,* Spinozistic

Spion, *sub, m, -s, -e (mil.)* spy; *(Tür-)* spy-hole; *(i. ü. S.)* nur Einz. espionage; **~agefall** *sub, m, -s, -fälle* espionage affair; **~agefilm** *sub, m, -s, -e* spy film; **~agenetz** *sub, n, -es, -e* spy network; **~agering** *sub, m, -s, -e* spy-ring; **spionieren** *vi, (i. ü. S.)* snoop; *(mil.)* spy; **~iererei** *sub, f, -, nur Einz.* spying

Spiralbohrer, *sub, m, -s, -* twist drill; **Spirale** *sub, f, -, -n* spiral; *(Draht-)* coil; **Spiralfeder** *sub, f, -, -n* coil spring; **spiralförmig** *adj,* spiral; **spiralig** *adj,* spiral; **Spirallinie** *sub, f, -, -n* spiral line

spirantisch, *adj,* fricative

Spiritismus, *sub, m, -, nur Einz.* spiritism; **Spiritist** *sub, m, -en, -en* spiritualist; **spiritistisch** *adj,* spiritualist

Spiritual, *sub, n, -s, -s (mus.)* spiritual; **~ien** *sub, f, -s, Mehrz.* spirits; **~ismus** *sub, m, -, nur Einz.* spiritualism; **~ist** *sub, m, -en, -en* spiritualist; **~ität** *sub, f, -, nur Einz.* spirituality; **spirituell** *adj,* spiritual

Spital, *sub, n, -s, Spitäler (ugs.)* hospital

spitz, (1) *adj,* pointed; *(vulg.)* horny **(2)** **Spitz** *sub, m, -es, - (zool.)* Pomeranian, Spitz; *(i. ü. S.) eine spitze Zunge haben* have a sharp tongue; *(ugs.) etwas spitzkriegen* get wind of something; *spitz auslaufen* end in a point; *spitzer Winkel* acute angle; **~bärtig** *adj,* with a goatee; **Spitzbohrer** *sub, m, -s, -* gimlet bit; **Spitzbube** *sub, m, -, -n* scamp, scoundrel; *(ugs.)* spiv; **~bübisch** *adj,* mischievous; **~e** **(1)** *adj, (ugs.)* great, super **(2)** **Spitze** *sub, f, -, -n (Gebäude)* top; *(Gegenstände)* point; *(Gewebe)* lace; *(Glieder)* tip

Spitzel, *sub, m, -s, -* police-informer;

(ugs.) snooper stool-pigeon; **snitzeln** *vi*, act as an informer; *(ugs.)* snoop

spitzen, *vt*, sharpen; *(i. ü. S.) die Lippen spitzen* pucker one´s lips; *(i. ü. S.) die Ohren spitzen* prick up

Spitzenbluse, *sub, f, -, -en* lace blouse; **Spitzenfilm** *sub, m, -(e)s, -e* top movie; **Spitzenkraft** *sub, f, -, -kräfte* highly qualified worker; **Spitzenleistung** *sub, f, -, -en* top-rate performance; *(tech.)* peak performance; **Spitzenlohn** *sub, m, -(e)s, -löhne* maximum pay; **Spitzenreiter** *sub, m, -s, -* *(mus.)* hit; *(spo.)* leader; *(wirt.)* top seller; **Spitzenspiel** *sub, n, -(e)s, -e* top play; **Spitzensport** *sub, m, -(e)s, -e (selten)* top sports; **Spitzentuch** *sub, n, -(e)s, -tücher* lace cloth; **Spitzenverband** *sub, m, -(e)s, -verbände* leading organization; **Spitzenwert** *sub, m, -(e)s, -e* peak value; **Spitzenzeit** *sub, f, -, -en* record time

spitzfindig, *adj*, over-subtle; **Spitzfindigkeit** *sub, f, -, -en* hairsplitting, subtlety; **Spitzgiebel** *sub, m, -s, -* pointed gable; **Spitzhacke** *sub, f, -, -n* pickaxe; **Spitzmaus** *sub, f, -, -mäuse* shrew; **Spitzname** *sub, m, -ns, -n* nickname; **Spitzpfeiler** *sub, m, -s, -* pointed column; **Spitzwegerich** *sub, m, -(e)s, -che* ribwort; **spitzwinklig** *adj*, acute-angled; **spitzzüngig** *adj*, sharp-tongued

Spleen, *sub, m, -s, -e oder -s (ugs.)* crazy habit; *(ugs.) du hast wohl einen Spleen!* you must be round the bend!; **spleenig** *adj*, crazy, nutty

spleißen, *vt*, *(Holz)* split

splendid, *adj*, generous; **Splendidität** *sub, f, -, -en* generosity

splissen, *vt*, *(Leine)* splice

splitten, *vt*, split; **Splitter** *sub, m, -s, -* splinter; *(Bruchstück)* fragment; **splitterfasernackt** *adj*, stark-naked; *(ugs.)* starkers; *er rannte splitterfasernackt herum* he ran around without a stitch on; **splitterfrei** *adj*, shatterproof; **Splittergruppe** *sub, f, -, -n (polit.)* splinter group; **splittern** *vi*, splinter; **splitternackt** *adj*, stark-naked; **Splitterpartei** *sub, f, -, -en (polit.)* splinter party

Spoiler, *sub, m, -s, -* spoiler

spongiös, *adj*, spongy

sponsern *vt*, sponsor; **Sponsor** *sub, m, -s, -en* sponsor

spontan, *adj*, spontaneous; **Spontaneität** *sub, f, -, -en* spontaneity; **Spontanität** *sub, f, -, -en* spontaneousness

Sponti, *sub, m, -s, -s* member of alternative movement rejecting traditional procedures; **~gruppe** *sub, f, -, -n* group supporting traditional procedures

Spore, *sub, f, -, -n* spore; **~nblatt** *sub, n, -s, -blätter* spore leaf; **~nkapsel** *sub, f, -, -n* spore capsule

Sporn, *sub, m, -s, Sporen oder Sporne* spur; *(Flugzeug)* tail-skid; *einem Pferd die Sporen geben* spur a horse; *sich die Sporen verdienen* win one´s spurs; **~rädchen** *sub, n, -s, - tail-wheel

Sport, *sub, m, -s, -e* sport; *(Schulfach)* physical education; **~angeln** *sub, n, -s, nur Einz.* fishing; **~angler** *sub, m, -s, -* angler; **~anlage** *sub, f, -, -n* sports grounds; **~art** *sub, f, -, -en* sport; **~artikel** *sub, m, -s, -* sports equipment; **sportbegeistert** *adj*, keen on sport; *(ugs.)* sports-mad; **~beilage** *sub, f, -, -n* sports section; **~bericht** *sub, m, -s, -e* sports report; **~fischen** *sub, n, -s, nur Einz.* fishing; **~flieger** *sub, n, -s, -* amateur pilot; **~gewehr** *sub, n, -s, -e* competition rifle; **~hochschule** *sub, f, -, -n* college of physical education; **~hotel** *sub, n, -s, -s* sport hotel; **~invalide** *sub, m, -n, -n* sports invalid; **sportiv** *adj*, sporty; **~kamerad** *sub, m, -en, -en* sports friend, sports pal; **~klub** *sub, m, -s, -s* sports club

Sportlehrer, *sub, m, -s, -* physical education teacher, sports instructor; **Sportler** *sub, m, -s, -* athlete, sportsman; **Sportlerherz** *sub, n, -en, -en* athlete´s heart; **Sportlerin** *sub, f, -, -nen* sportswoman; **sportlich** *adj*, athletic; *(Veranstaltung)* sporting; **sportlich-elegant** *adj*, smart but casual; **Sportmedizin** *sub, f, -, nur Einz.* sports medicine; **sportmedizinisch** *adj*, of sports medicine; **Sportplatz** *sub, m, -es, -plätze* sports field, sports grounds; **Sportpresse** *sub, f, -, nur Einz.* sports press; **Sportsendung** *sub, f,*

-, -en sports program(me); **Sportsgeist** *sub, m, -s, nur Einz.* sporting spirit; *er hat großen Sportsgeist bewiesen* he showed great sporting spirit; **Sportskanone** *sub, f, -, -n (ugs.)* sporting ace; **Sportstätte** *sub, f, -, -n* sports stadium; **Sportstrumpf** *sub, m, -s, -strümpfe* sport sock; **Sportstudent** *sub, m, -en, -en* student of physical education

Sporttauchen, *sub, n, -s, nur Einz.* skin diving; *(mit Atemgerät)* scuba diving; **Sporttaucher** *sub, m, -s, -* skin diver; *(mit Atemgerät)* scuba diver; **Sportunfall** *sub, m, -s, -unfälle* sports accident; **Sportveranstaltung** *sub, f, -, -en* sporting event; **Sportverband** *sub, m, -s, -verbände* sports association; **Sportverein** *sub, m, -s, -e* sports club; **Sportzeitung** *sub, f, -, -en* sports magazine

Spot, *sub, m, -s, -s (Licht)* spotlight; *(Werbe-)* commercial; ~**light** *sub, n, -s, -s* spotlight; ~**markt** *sub, m, -s, -märkte* spot market

Spott, *sub, m, -s, nur Einz.* mockery; *(Hohn)* ridicule; *(Verachtung)* scorn; *zur Zielscheibe des Spotts werden* become the laughing-stock; *Gegenstand des allgemeinen Spottes sein* be object of general ridicule; *jemanden dem Spott preisgeben* hold someone up to ridicule; *jemanden mit Spott und Hohn überschütten* pour scorn on someone; *Spott und Hohn ernten* earn scorn and derision; **spottbillig** *adj,* dirt cheap; **spötteln** *vi,* gibe, mock; **spotten** *vi,* mock; *(Hohn)* ridicule; *(lustig)* make fun of; *das spottet jeder Beschreibung* that simply defies description; *spotte nicht!* don´t mock!; ~**geburt** *sub, f, -, -en* joke figur; *(ugs.)* butt of ridicule; ~**gedicht** *sub, n, -s, -e* satirical poem; **spöttisch** *adj,* mocking; *(höhnisch)* sneering; *(verächtlich)* derisive; ~**preis** *sub, m, -es, -e* giveaway price; ~**vogel** *sub, m, -s, -vögel (ugs.)* mocker; *(zool.)* mocking-bird

Sprachatlas, *sub, m, -es, -atlanten* linguistic atlas; **sprachbegabt** *adj,* linguistically talented; **Sprache** *sub, f, -, -n* language; *(Ausdrucksweise)* way of speaking; *(Sprachfähigkeit)* speech; *es verschlägt einem die Sprache* it takes your breath away; *etwas zur* *Sprache bringen* mention something; *heraus mit der Sprache!* out with it!; *mit der Sprache herausrücken* speak freely; *(i. ü. S.) wir sprechen nicht dieselbe Sprache* we do not speak the same language; **Spracherwerb** *sub, m, -s, -e* language acquisition; **Sprachfehler** *sub, m, -s, -* speech impediment; **sprachfertig** *adj,* articulate; **Sprachführer** *sub, m, -s, -* phrasebook; **Sprachgebiet** *sub, n, -s, -e* speech area; **Sprachgefühl** *sub, n, -s, nur Einz.* feeling for language; **Sprachgenie** *sub, n, -s, -s* linguistic genius; **Sprachgesetz** *sub, n, -es, -e* linguistic law; **Sprachgewalt** *sub, f, -, nur Einz.* eloquence; **Sprachgrenze** *sub, f, -, -n* language boundary; **Sprachinsel** *sub, f, -, -n* linguistic island; **Sprachkarte** *sub, f, -, -n* language map; **Sprachkenner** *sub, m, -s, -* linguist; **Sprachkritik** *sub, f, -, -en* linguistic criticism; **Sprachkultur** *sub, f, -, nur Einz.* linguistic sophistication

Sprachkunde, *sub, f, -, nur Einz.* philology; **sprachkundig** *adj,* proficient in languages; **Sprachkunst** *sub, f, -, nur Einz.* literary artistry; **Sprachlabor** *sub, n, -s, -e* language laboratory; **Sprachlehre** *sub, f, -, nur Einz.* grammar; **Sprachlehrer** *sub, m, -s, -* language teacher; **sprachlos** *adj,* speechless; *einfach sprachlos sein* be simply speechless; *jemanden sprachlos machen* strike someone dumb; **Sprachpflege** *sub, f, -, nur Einz.* maintaining linguistic standards; **Sprachreise** *sub, f, -, -n* language tour; **Sprachrohr** *sub, n, -s, -e* megaphone; *(i. ü. S.)* organ; *(ugs.)* mouthpiece; **Sprachschatz** *sub, m, -es, nur Einz.* vocabulary; **Sprachsilbe** *sub, f, -, -n* syllable; **Sprachstamm** *sub, m, -s, -stämme* language stock; **Sprachtalent** *sub, n, -s, -e* talent for languages; **Sprachübung** *sub, f, -, -en* linguistic exercise; **Sprachverein** *sub, m, -s, -e* language society; **Sprachwandel** *sub, m, -s, -* language change; **sprachwidrig** *adj,* contrary to the rules of grammar; **Sprachwissenschaft** *sub, f, -, -en* linguistics

[spray, auf, spin, spray, spray]
vti, spray

Sprechanlage, *sub, f, -, -n* intercom; **Sprechblase** *sub, f, -, -n* speech balloon, speech bubble; **Sprechbühne** *sub, f, -, -n* stage; **sprechen** *vti*, speak, talk; **Sprecher** *sub, m, -s, -* speaker; *(Ansager)* announcer; *(Nachrichten-)* newsreader; *(Wortführer)* spokesman; **sprecherisch** *adj*, verbal; **Sprechgesang** *sub, m, -s, -gesänge* speech song; **Sprechkunde** *sub, f, -, nur Einz.* study of speech; **Sprechkunst** *sub, f, -, -künste* way with words; **Sprechlehrer** *sub, m, -s, -* language instructor; **Sprechpause** *sub, f, -, -n* speech break; **Sprechplatte** *sub, f, -, -n* spoken-word record; **Sprechrolle** *sub, f, -, -n* speaking part; **Sprechsilbe** *sub, f, -, -n* phonetic syllable; **Sprechstunde** *sub, f, -, -n* office hours; *(Arzt)* consulting hours; **Sprechübung** *sub, f, -, -en* speech exercise; **Sprechweise** *sub, f, -, -n* way of speaking; **Sprechzelle** *sub, f, -, -n (Fern-)* telephone-box; *(Kloster)* locutory; **Sprechzimmer** *sub, n, -s, -* consulting room

spreizbeinig, *adj*, with one´s legs apart; **Spreizdübel** *sub, m, -s, -* cavity plug; **spreizen (1)** *vr*, kick up **(2)** *vti*, spread

Sprengbombe, *sub, f, -, -n* high-explosive bomb

Sprengel, *sub, m, -s, - (Bischofs-)* diocese; *(Pfarrers-)* parish

sprengen (1) *vi, (reiten)* thunder **(2)** *vt*, blow up; *(Fesseln)* break; *(Rasen)* sprinkle; **Sprengkammer** *sub, f, -, -n* demolition chamber; **Sprengkörper** *sub, m, -s, -* explosive device; **Sprengkraft** *sub, f, -, nur Einz.* explosive force; **Sprengladung** *sub, f, -, -en* explosive charge; **Sprengmittel** *sub, n, -s, -* explosive ammunition; **Sprengpulver** *sub, n, -s, nur Einz.* explosive powder; **Sprengpunkt** *sub, m, -es, -e* point of detonation; **Sprengstoff** *sub, m, -s, -e* explosive; **Sprengtrupp** *sub, m, -s, -s* demolition squad; **Sprengung** *sub, f, -, -en* blowing-up; *(Fesseln)* breaking; *(Rasen-)* sprinkling; **Sprengwagen** *sub, m, -s, -wägen* street sprinkler

Spreu, *sub, f, -, nur Einz.* chaff, *(i. ü. S.)* **die Spreu vom Weizen trennen** separate the chaff from the wheat

Sprichwort, *sub, n, -s, -wörter* proverb; **wie das Sprichwort sagt** as the saying goes; **sprichwörtlich** *adj*, proverbial; **das war die sprichwörtliche Katze im Sack** it was your proverbial pig in a poke; **ihre Gastfreundschaft ist sprichwörtlich** they´re a byword for hospitality

sprießen, *vi*, sprout; *(Knospen)* shoot

Spriet, *sub, n, -s, -e* sprit

Springbrunnen, *sub, m, -s, -* fountain; **springen** *vi*, hop, jump, leap, skip; **das Glas ist gesprungen** the glass is cracked; *(ugs.)* **etwas springen lassen** fork something out; **in die Bresche springen** throw oneself into the breach; **von einem Thema zum anderen springen** jump around from one subject to another; **Springflut** *sub, f, -, -en* spring tide; **Springinsfeld** *sub, m, -es, -e* harum-scarum, madcap; **Springmaus** *sub, f, -, -mäuse* jerboa; **Springmesser** *sub, n, -s, -* flick knife; *(US)* switchblade; **Springpferd** *sub, n, -es, -e* jumper; **Springreiter** *sub, m, -s, -* show jumper

Sprinkler, *sub, m, -s, -* sprinkler

Sprint, *sub, m, -s, -s* sprint; **sprinten** *vti*, sprint; **~er** *sub, m, -s, -* sprinter

Sprit, *sub, m, -s, -e (Alkohol)* spirit; *(ugs.; Benzin)* juice; **~zarbeit** *sub, f, -, -en* spray work; **~zbeton** *sub, m, -s, nur Einz.* gunned concrete; **~zbeutel** *sub, m, -s, -* piping bag; **~ze** *sub, f, -, -n* syringe; *(Feuer-)* hose; *(med.)* injection; *(ugs.)* **an der Spritze hängen** be on the needle; **eine Spritze bekommen** have an injection; **eine Spritze geben** give an injection; **spritzen (1)** *vti*, spray **(2)** *vt*, splash, spray, squirt; *(med.)* inject; **~zenhaus** *sub, n, -es, -häuser* fire station

Spritzfahrt, *sub, f, -, -en* spin; **spritzig** *adj*, lively; *(Wein)* tangy; **Spritzigkeit** *sub, f, -, nur Einz.* liveliness; **Spritzkuchen** *sub, m, -s, -* fritter; *(US)* cruller; **Spritzpistole** *sub, f, -, -n* spray gun; **Spritztour** *sub, f, -, -en* spin

spröde, *adj*, brittle; *(i. ü. S.; abweisend)* aloof; *(Haut)* rough; **Sprödigkeit** *sub, f, -, -en* brittleness;

(Haut) roughness; *(Person)* aloofness

Spross, *sub*, *m*, *-es*, *-e* shoot; *(i. ü. S.; Nachkomme)* offspring; **~e** *sub*, *f*, *-*, *-n (Fenster-)* mullion; *(Geweih)* tine; *(Leiter-)* rung; **~enwand** *sub*, *f*, *-wände* wall bars; **~er** *sub*, *m*, *-s*, *- (zool.)* thrush nightingale

Sprotte, *sub*, *f*, *-n* sprat

Spruch, *sub*, *m*, *-s*, *Sprüche* saying; *(Lehr-)* aphorism; *(Richter-)* judgement; **~band** *sub*, *n*, *-s*, *-bänder* banner; **spruchreif** *adj*, *(allg.)* definite; *(jur.)* ripe for decision

Sprudel, *sub*, *m*, *-s*, *-* mineral water; **sprudeln** *vi*, bubble; *(Getränk)* fizz

sprühen, (1) *vi*, *(Augen)* sparkle; *(Flüssigkeit)* spray **(2)** *vt*, *(lackieren)* spray; **Sprühflasche** *sub*, *f*, *-*, *-n* spray can; **Sprühregen** *sub*, *m*, *-s*, *-* drizzle

Sprung, *sub*, *m*, *-s*, *Sprünge* jump; *(Turnen)* vault; *(Wasser)* dive; **~anlage** *sub*, *f*, *-*, *-n* jumping facilities; **~balken** *sub*, *m*, *-s*, *-* take-off board; **~becken** *sub*, *m*, *-s*, *-* diving pool; **sprungbereit** *adj*, ready to jump; **~brett** *sub*, *n*, *-s*, *-er* springboard; *(Wasser)* diveboard; **~deckel** *sub*, *m*, *-s*, *-* spring lid; **~feder** *sub*, *f*, *-*, *-n* spring; **sprungfertig** *adj*, ready to jump; **~gelenk** *sub*, *n*, *-s*, *-e* ankle joint; **~grube** *sub*, *f*, *-*, *-n* pit; **sprunghaft (1)** *adj*, *(Entwicklung)* rapid; *(unbeständig)* volatile **(2)** *adv*, by leaps and bounds; **~hügel** *sub*, *m*, *-s*, *-* jump hill; **~kraft** *sub*, *f*, *-*, *nur Einz.* take-off power; **~pferd** *sub*, *n*, *-es*, *-e* jumper; **~schanze** *sub*, *f*, *-*, *-n* ski-jump; **~tuch** *sub*, *n*, *-s*, *-tücher* jumping sheet; *(US)* life net

Spuk, *sub*, *m*, *-s od. -es*, *-e* strange happenings; *(Gespenst)* apparition; **spuken** *vi*, haunt; *(ugs.) bei dir spukt´s wohl!* you must be round the bend!; *(i. ü. S.) die Idee spukt ihm immernoch im Kopf herum* he is still obsessed with the idea; *hier spukt´s!* this place is haunted!; **~gestalt** *sub*, *f*, *-*, *-en* apparition, spectre; **spukhaft** *adj*, eerie

Spülautomat, *sub*, *m*, *-en*, *-en* automatic dishwasher; **Spüle** *sub*, *f*, *-*, *-n* sink unit; **spulen** *vt*, reed, spool; **spülen** *vti*, *(Geschirr)* wash up; *(Waschmaschine)* rinse; *(WC)* flush; **Spüler** *sub*, *m*, *-s*, *-* dishwasher; **Spül-**

maschine *sub*, *f*, *-*, *-n* open-reel tape deck; **Spülmaschine** *sub*, *f*, *-*, *-n* dishwasher; **Spültisch** *sub*, *m*, *-es*, *-e* sink; **Spülung** *sub*, *f*, *-*, *-en* rinsing; *(Wasser-)* flush

Spule, *sub*, *f*, *-*, *-n* reel, spool; *(Nähmaschine)* bobbin; *(tech.)* coil

Spulwurm, *sub*, *m*, *-s*, *-würmer* roundworm

Spund, *sub*, *m*, *-*, *-e* bung, spigot; *(i. ü. S.) junger Spund* (young) whippersnapper; **~bohrer** *sub*, *m*, *-s*, *-* bunghole borer; **~loch** *sub*, *m*, *-s*, *-löcher* bunghole; **~zapfen** *sub*, *m*, *-s*, *-* stopper

Spur, *sub*, *f*, *-*, *-en (Abdruck)* track; *(Fahr-)* lane; *(Zeichen)* trace; *(i. ü. S.) auf der falschen Spur sein* be barking up the wrong tree; *jemanden auf die richtige Spur bringen* put someone on the right track; *(i. ü. S.) keine Spur!* not at all!; *seine Spuren verwischen* cover up one´s tracks; **spuren** *vi*, *(sich fügen)* toe the line; *(spo.)* lay a track; **spüren** *vt*, feel; *(ugs.) du kriegst es noch zu spüren!* some day you´ll regret it!; *es zu spüren bekommen, dass* feel the effects of the fact that; **Spürhund** *sub*, *m*, *-s*, *-e* tracker dog; *(i. ü. S.; Mensch)* sleuth; **spurlos** *adj*, without trace; *spurlos an jemandem vorübergehen* have no effect on someone; *spurlos verschwinden* disappear without trace; **Spürnase** *sub*, *f*, *-*, *-n* good nose; *(i. ü. S.; Mensch)* prying fellow; **Spürsinn** *sub*, *m*, *-s*, *nur Einz.* instinct, nose

Spurt, *sub*, *m*, *-s*, *-s* spurt; *einen Spurt einlegen* put on a sprint; *zum Spurt ansetzen* make a dash for it; **spurten** *vi*, make a final spurt, sprint

Spurwechsel, *sub*, *m*, *-s*, *-* changing lanes

sputen, *vr*, hurry, make haste

Sputnik, *sub*, *m*, *-s*, *-s* sputnik

Sputum, *sub*, *n*, *-s*, *Sputa* sputum; *(Schleim)* phlegm

Squash, *sub*, *n*, *-*, *nur Einz.* squash

Squaw, *sub*, *f*, *-*, *-s* squaw

Staat, *sub*, *m*, *-s*, *-en* state; *(Land)* country; *(ugs.) eine Staatsaktion aus etwas machen* to make a song and dance about sth; **~enbund**

~si｜, *m, -s, ~nnde confederation;*
staatlich *adj,* state, state-owned;
~saffäre *sub, f, -, -n* affair of state;
eine Staatsaffäre aus etwas machen
make a big affair out of something;
~saktion *sub, f, -, -en* major operation; **~sangehörigkeit** *sub, f, -, -en*
nationality
Staatsanwalt, *sub, m, -s, -anwälte*
public prosecutor; *(US)* district attorney; **~schaft** *sub, f, -, -en* public prosecutor´s office; *(US)* district
attorney´s office; **Staatsarchiv** *sub,
n, -s, -e* state archives; **Staatsbeamte**
sub, m, -n, -n civil servant; **Staatsbesuch** *sub, m, -s, -e* state visit; **Staatsbürger** *sub, m, -s, -* citizen;
Staatsbürgerkunde *sub, f, -, nur
Einz.* civics; **Staatsdiener** *sub, m, -s,
-* civil servant; **Staatsdienst** *sub, m,
-es, -e* civil service; **staatseigen** *adj,*
state-owned; **Staatsexamen** *sub, n,
-s, -mina* state exam(ination); **Staatsflagge** *sub, f, -, -n* national flag;
Staatsgebiet *sub, n, -s, -e* national
territory; **Staatsgelder** *sub, f, -, nur
Mehrz.* public funds; **Staatsgewalt**
sub, f, -, -en authority of the state
Staatsgrenze, *sub, f, -, -n* border, state
frontier; **Staatshaushalt** *sub, m, -s, -e*
national budget; **Staatshoheit** *sub, f,
-, nur Einz.* sovereignty; **Staatskasse**
sub, f, -, -n treasury; **Staatskosten**
sub, f, -, nur Mehrz. public expenses;
Staatskunst *sub, f, -, nur Einz.* statesmanship; **Staatsoberhaupt** *sub, m,
-es, -häupter* head of state; **Staatsorgan** *sub, n, -s, -e* instrument of state;
Staatspapier *sub, n, -s, -e* government loan; **Staatspartei** *sub, f, -, -en*
official party; **Staatsräson** *sub, f, -,
nur Einz.* reasons of state; **Staatsrecht** *sub, n, -s, nur Einz.* constitutional law; **Staatssäckel** *sub, n, -s, -*
national coffers; **Staatsschutz** *sub,
m, -es, nur Einz.* national security;
Staatssekretär *sub, m, -s, -e* permanent secretary; *(US)* undersecretary;
Staatssteuer *sub, f, -, -n* tax; **Staatsstreich** *sub, m, -s, -e* coup d´état;
Staatstrauer *sub, f, -, nur Einz.* national mourning; **Staatsvertrag** *sub, m,
-s, -verträge* international treaty;
Staatswesen *sub, n, -s, nur Einz.* state; *(geb.)* body politic
stabil, *adj,* stable; *(kräftig)* sturdy;

~sli｜**sator** *sub, m, -en, -en* stabilizer; **~isieren** *vt,* stabilize; **Stabilisierung** *sub, f, -, -en* stabilization;
Stabilität *sub, f, -, nur Einz.* stability
Stabreim, *sub, m, -s, -e* alliteration;
stabreimend *adj,* alliterative;
Stabsarzt *sub, m, -es, -ärzte* captain in the medical corps; **stabsichtig** *adj,* astigmatic; **Stabwechsel**
sub, m, -s, - baton change
Stachel, *sub, m, -s, -n* prickle;
(Dorn) thorn; *(Insekten)* sting;
~beere *sub, f, -, -n* gooseberry;
~draht *sub, m, -s, -drähte* barbed
wire; **stachelig** *adj,* prickly; *(bot.)*
thorny; *(zool.)* spiny; **stacheln** *vt,*
spur on; **~schwein** *sub, n, -s, -e*
porcupine; **~zaun** *sub, m, -s, -zäune* barbed fence; **stachlig** *adj,*
prickly; *(bot.)* thorny; *(zool.)* stiny;
Stachligkeit *sub, f, -, nur Einz.*
prickliness
Stadel, *sub, m, -s, -* barn
Stadion, *sub, n, -s, Stadien* stadium;
Stadium *sub, n, -s, Stadien* stage;
alle Stadien durchlaufen go
through all the stages; *(med.) in
vorgerücktem Stadium* at an
advanced stage
Stadt, *sub, f, -, Städte* town; *(Groß-)*
city; *(Rom) die Ewige Stadt* the
Eternal City; *in die Stadt gehen* go
into town; **~archiv** *sub, n, -s, -e*
municipal archives; **~bauamt** *sub,
n, -s, -ämter* municipal development authority; **~baurat** *sub, m,
-s, -räte* municipal building surveyor; **stadtbekannt** *adj,* known
all over town; **~bezirk** *sub, m, -s,
-e* municipal district; **~bummel**
sub, m, -s, - stroll through town;
~chronik *sub, f, -, -en* town chronicles; **Städtebau** *sub, m, -s, nur
Einz.* urban development; **Städtebilder** *sub, f, -, nur Mehrz.* townscape, urban features; **Städter** *sub,
m, -s, -* city dweller; **~flucht** *sub, f,
-, nur Einz.* exodus from the cities;
~führer *sub, m, -s, -* city guide;
~garten *sub, m, -s, -gärten* municipal park; **~gebiet** *sub, n, -s, -e*
municipal area; *(Großstadt)* city
zone
Stadtgespräch, *sub, n, -s, -e* talk of
the town; *(Telefon)* local call;

Stadtgraben sub, m, -s, -gräben city boundary; **Stadtinnere** sub, n, -n, nur Einz. city centre; **städtisch** adj, urban; (groß-) metropolitan; (Verwaltung) municipal; **Stadtkern** sub, m, -s, -e city centre; **Stadtklatsch** sub, m, -es, nur Einz. town gossip; **stadtkundig** adj, know the town; **Stadtmensch** sub, m, -en, -en urbanite; (ugs.) townie; **Stadtpfeifer** sub, m, -s, - town musician; **Stadtplan** sub, m, -s, -pläne town map; **Stadtplanung** sub, f, -, -en town planning; **Stadtrand** sub, m, -s, -ränder outskirts; am Stadtrand leben live in the suburbs; **Stadtrat** sub, m, -s, -räte town council; (Person) town councillor; **Stadtrecht** sub, n, -s, -e (hist.) town charter

Stadtstaat sub, m, -s, -en city state; **Stadtstreicher** sub, m, -s, - town vagrant; **Stadttheater** sub, n, -s, - municipal theatre; **Stadttor** sub, n, -s, -e town gate; **Stadtverkehr** sub, m, -s, nur Einz. city traffic; **Stadtverwaltung** sub, f, -, -en municipal authority, town council; **Stadtviertel** sub, n, -s, - district, part of town; **Stadtwappen** sub, n, -s, (-n) municipal coat of arms; **Stadtwohnung** sub, f, -, -en city flat; (US) city apartment; **Stadtzentrum** sub, n, -s, (-zentren) city centre

Stafette, sub, f, -, -n relay
Staffage, sub, f, -, -n (i. ü. S.) window-dressing; (kun.) staffage
Staffel, sub, f, -, -n (mil.) squadron; (spo.) relay, relay team; **~ei** sub, f, -, -en easel; **~lauf** sub, m, -s, -läufe relay race; **staffeln** vt, graduate; (US) grade; **~preis** sub, m, -es, -e graduated price; **~ung** sub, f, -, -en graduation, staggering; **staffelweise** adv, by graduation; **Staffierung** sub, f, -, -en decoration
Stagnation, sub, f, -, (-en) stagnation; **stagnieren** vi, stagnate; **Stagnierung** sub, f, -, nur Einz. stagnancy
Stahl, sub, m, -s, nur Einz. steel; Nerven aus Stahl nerves of steel; so hart wie Stahl as hard as steel; **~bau** sub, m, -s, -bauten steel-girder construction; **~beton** sub, m, -s, nur Einz. reinforced concrete; **~bürste** sub, f, -, -n wire brush
stählen, (1) vr, steel (2) vt, toughen; **stählern** adj, made of steel, steel;

einen stählernen Willen haben have an iron will; stählerne Muskeln muscles of steel
Stahlflasche, sub, f, -, -n steel bottle; **Stahlhelm** sub, m, -s, -e steel helmet; **Stahlkammer** sub, f, -s, -n strongroom; **Stahlplatte** sub, f, -, -n steel sheet; **Stahlross** sub, n, -es, -e oder -rösser bike; **Stahlstecher** sub, m, -s, - steel engraver; **Stahlstraße** sub, f, -, -n steel overpass; **Stahlträger** sub, m, -s, - steel girder; **Stahltrosse** sub, f, -, -n steel rope
Stake, sub, f, -, -n grappling hook; **staken** vti, pole, punt; **~t** sub, m, -s, -e picket fence
Stalagmit, sub, m, -en, -en (geol.) stalagmite; **Stalaktit** sub, m, -en, -en stalactite
Stalinismus, sub, m, -, nur Einz. Stalinism
Stall, sub, m, -s, Ställe (Kuh-) cowshed; (Pferde-) stable; (Schweine-) pigsty; (i. ü. S.; Familie) aus einem guten Stall from a good stable; **~bursche** sub, m, -n, -n stable boy; **~dünger** sub, m, -s, - manure; **~hase** sub, m, -n, -n rabbit; **~knecht** sub, m, -s, -e farm hand, stableman; **~laterne** sub, f, -, -n stable lamp; **~meister** sub, m, -s, - equerry; **~ung** sub, f, -, -en stables
Stamm, sub, m, -s, Stämme (bot.) trunk; (ling.) stem; (Volks-) tribe; **~baum** sub, m, -s, -bäume family tree; (zool.) pedigree; **~buch** sub, n, -s, -bücher family register; **stammeln** vti, stammer; **stammen** vi, come, date; das stammt nicht von mir! I had nothing to do with that!; woher stammen Sie? where do you come from?; aus einer alten Familie stammen descend from an old family
Stammesfürst, sub, m, -en, -en tribal chieftain; **Stammeskunde** sub, f, -, nur Einz. ethnology; **Stammesname** sub, m, -ns, -n tribal name; **Stammessage** sub, f, -, -n tribal legend; **Stammgast** sub, m, -es, -gäste regular; **Stammgericht** sub, n, -s, -e standard meal; **Stammhalter** sub, m, -s, - son and heir
stämmig, adj, stocky, thickset; (kräftig) sturdy; **Stämmigkeit** sub,

f, -, *nur Einz.* stockiness, sturdiness; **Stammkapital** *sub, n, -s, nur Einz.* ordinary share capital; *(US)* common stock capital; **Stammkneipe** *sub, f, -, -n* favourite restaurant, local; **Stammkunde** *sub, m, -n, -n* regular customer; **Stammler** *sub, m, -s, -* stammerer; **Stammmieter** *sub, m, -s, -* regular tenant; **Stammmutter** *sub, f, -, -mütter* progenitrix; **Stammplatz** *sub, m, -es, -plätze* usual seat; **Stammrolle** *sub, f, -, -n* muster roll; **Stammvater** *sub, m, -s, -väter* progenitor; **Stammwähler** *sub, m, -s, -* loyal voter, staunch supporter

Stampede, *sub, f, -, -n* stampede

Stampfbeton, *sub, m, -s, nur Einz.* tamped concrete; **stampfen (1)** *vi, (Maschine)* pound (2) *vti*, stamp

Stand, *sub, m, -s, Stände* standing position; *(fester Halt)* foothold; *(Markt-)* stand; *(Spiel-)* standings; *(Wasser-)* level; *einen schweren Stand haben* have a tough job; *etwas auf den neusten Stand bringen* bring something up to date; *nach Stand der Dinge* as things stand

Standard, *sub, m, -s, -s* standard; **~form** *sub, f, -, -en* standard design; **standardisieren** *vt*, standardize; **~tanz** *sub, m, -es, -tänze* standard dance; **~werk** *sub, n, -s, -e* standard work; **~wert** *sub, m, -s, -e* standard value

Standarte, *sub, f, -, -en* standard

Standbein, *sub, n, -s, -e* standing leg; *(spo.)* pivot leg; **Standbild** *sub, n, -s, -er* statue; *(TV)* freeze frame; **Ständchen** *sub, n, -s, -* serenade; *jemandem ein Ständchen bringen* serenade sb

Ständekammer, *sub, f, -, -n* corporative chamber

Ständer, *sub, m, -s, -* stand; *(ugs.; Erektion)* hard-on; *(Gestell)* rack; **~lampe** *sub, f, -, -n* standard lamp; **Standesamt** *sub, n, -s, -ämter* registry office

standesbewusst, *adj*, class-conscious; **Standesbewusstsein** *sub, n, -s, nur Einz.* class consciousness; **Standesehre** *sub, f, -, -n* professional honour; **standesgemäß** *adj*, befitting one's rank; **Standesherr** *sub, m, -en, -en (hist.)* mediatized prince; **Standesrecht** *sub, n, -s, -e* class privilege;

Standeswürde *sub, f, -, nur Einz.* honour as a nobleman; **Ständewesen** *sub, n, -s, nur Einz.* corporative state

Standgas, *sub, n, -es, nur Einz.* idling mixture (supply); **Standgericht** *sub, n, -s, -e* drumhead court martial; **standhaft** *adj*, steadfast; *sich standhaft weigern* refuse staunchly; **standhalten** *vi, (Gebäude)* hold; *(Person)* stand firm; **Standheizung** *sub, f, -, -en* stationary heating

Standlicht, *sub, n, -s, nur Einz.* sidelights; **Standort** *sub, m, -s, -e* location, position; **Standpauke** *sub, f, -, -n* lecture; **Standpunkt** *sub, m, -s, -e* point of view; *(Ansicht)* standpoint; **Standrecht** *sub, n, -s, nur Einz.* martial law; **standsicher** *adj*, firm, steady; **Standspur** *sub, f, -, (-en)* hard shoulder; **Standuhr** *sub, f, -, -en* grandfather clock

Stange, *sub, f, -, -n* rod; *(Kleider-)* rail; *(Stab)* pole; *ein Anzug von der Stange* a suit off the peg; *jemandem die Stange halten* stand up for someone; *(i. ü. S.) jemanden bei der Stange halten* bring someone up to scratch

Stängel, *sub, m, -s, -* stalk, stem; **~blatt** *sub, n, -s, -blätter* stem leaf; **~chen** *sub, n, -s, -* little stalk; **~glas** *sub, n, -es, (-gläser)* stemmed glass

Stangenholz, *sub, n, -es, (-hölzer)* pole wood; **Stangenpferd** *sub, n, -s, -e* hobby horse; **Stangenspargel** *sub, m, -s, nur Einz.* asparagus spears; **Stangenware** *sub, f, -, nur Einz.* off-the-peg

Stänker, *sub, m, -s, -* grouser; **~ei** *sub, f, -, (-en)* grousing; **stänkern** *vi*, grouse; *(ugs.)* make trouble

Stanniol, *sub, n, -s, -e* silver foil

Stanze, *sub, f, -, -n (Loch-)* punch; *(Präge-)* die; **stanzen** *vt*, punch, stamp

Stapel, *sub, m, -s, -* pile, stack; *(i. ü. S.) vom Stapel lassen* come out with; *vom Stapel laufen* be launched; **~faser** *sub, f, -, -n* staple fibre; **~lauf** *sub, m, -s, (-läufe)* launching; **stapeln (1)** *vr*, pile up (2) *vt*, stack; **~platz** *sub, m, -es, -plätze* depot, store; **stapelweise** *adv*, in piles; *bei ihm liegen stapel-*

weise Zeitschriften herum he´s got piles of magazines lying around

Stapfe, *sub, f, -, -n* footprint; **~n (1)** *sub, m, -s, -* footprints **(2) stapfen** *vi,* trudge

Star, *sub, m, -s, -s (Film-)* star; *m, -s, -e (zool.)* starling; **~anwalt** *sub, m, -s, -anwälte* top lawyer; **~aufgebot** *sub, n, -s, nur Einz.* star-studded; **~besetzung** *sub, f, -, nur Einz.* star cast

stark, *adj, (allg.)* strong; *(mächtig)* powerful; *das ist ja ein starkes Stück!* that´s really a bit thick!; *das starke Geschlecht* the stronger sex; *(i. ü. S.) sich für etwas stark machen* stand up for something; **Starkbier** *sub, n, -, -e* strong beer

Stärke, *sub, f, -, -n (Intensität)* intensity; *(Kraft)* strength; *(Macht)* power; *(Speise-)* starch; **~fabrik** *sub, f, -, -n* starch factory; **stärken** *vt,* strengthen; *(Wäsche)* starch; **~zucker** *sub, m, -s, (-)* glucose

starkknochig, *adj,* heavy-boned; **starkleibig** *adj,* large; **Starkstrom** *sub, m, -s, nur Einz.* heavy current; **Starkkult** *sub, m, -s, (-e)* star cult

Stärkung, *sub, f, -, nur Einz.* refreshment, strengthening; *(Kräftigung)* invigoration

Starost, *sub, m, -en, -en* starost(a)

starr, *adj, (bewegungslos)* motionless; *(steif)* stiff; *(unbeweglich)* rigid; *jemanden starr ansehen* stare at someone; *starr vor Kälte* numb with cold; *starr vor Schreck* paralyzed with terror; **~en** *vi,* stare; *(strotzen)* be thick with; **Starrkopf** *sub, m, -s, -köpfe* obstinate mule; **~köpfig** *adj,* obstinate, stubborn; **Starrkrampf** *sub, m, -es, -krämpfe* lockjaw; *(med.)* tetanus; **Starrsinn** *sub, m, -s, nur Einz.* obstinacy, stubbornness; **~sinnig** *adj,* obstinate, stubborn

Statement, *sub, n, -s, -s* statement; *ein Statement abgeben* give a statement

Statik, *sub, f, -, nur Einz.* statics; **~er** *sub, m, -s, -* structural engineer

Station, *sub, f, -, -en* station; *(Haltestelle)* stop; *zwei Tage Station machen* stop over for two days

stationär, *adj,* stationary; *(med.)* inpatient; *stationär behandeln* treat in hospital; **stationieren** *vt,* station; **Stationsarzt** *sub, m, -es, -ärzte* ward doctor; **Stationsvorstand** *sub, f, -s,*

-vorstände station-master; *(US)* station-agent

statisch, *adj, (Bau)* structural; *(phy.)* static; **Statist** *sub, m, -en, -en (Film)* extra; *(Theater)* supernumerary; **Statisterie** *sub, f, -, -n (Film)* extras; *(Theater)* supernumeraries

Statistik, *sub, f, -, -en* statistics; *die Statistik zeigt* statistics show; *eine Statistik aufstellen* conduct a survey; **~er** *sub, m, -s, -* statistician; **statistisch** *adj,* statistical

Stativ, *sub, n, -s, -e* tripod

statt, *präp,* instead of

Stätte, *sub, f, -, -n* place; *historische Stätte* historical site; *keine bleibende Stätte haben* have no fixed abode

stattfinden, *vi,* take place; *(sich ereignen)* occur; **statthaft** *adj,* allowed, permitted; **Statthalter** *sub, m, -s, -* governor; **stattlich** *adj, (Eindruck)* imposing; *(Gebäude)* stately; *(Pracht)* magnificent; *(ugs.) ein stattliches Sümmchen* a nice little sum; *eine stattliche Erscheinung* a commanding figure

statuarisch, *adj,* statuesque; **Statue** *sub, f, -, -n* statue; **statuenhaft** *adj,* statue-like

Statuette, *sub, f, -, -n* statuette

statuieren, *vt,* set an example

Statur, *sub, f, -, (-en)* build, stature

Status, *sub, m, -, -* status; **~denken** *sub, n, -s, -* status consciousness; **~symbol** *sub, n, -s, -e* status symbol

Statut, *sub, n, -es, -en* statute; **statutarisch** *adj,* statutory

Staub, *sub, m, -, Staube, Stäube* dust; *(i. ü. S.) sich aus dem Staub machen* make a getaway; *(US) Staub wegwischen* brush off dust; *(i. ü. S.) viel Staub aufwirbeln* cause a big stir; **staubbedeckt** *adj,* dust-covered, dusty; **~beutel** *sub, m, -s, - (bot.)* anther; *(Staubsauger)* dust bag; **stauben** *vi,* make a lot of dust; **~faden** *sub, m, -s, -fäden (bot.)* filament; **~fänger** *sub, m, -s, -* dust collector; **staubgeboren** *adj,* mortal (being); **~gefäß** *sub, n, -es, -e (bot.)* stamen; **~kamm** *sub, m, -s, -kämme* fine-tooth comb; **~korn** *sub, n, -s, -körner* dust particle;

lappen sub, m, -s, - dust(er); **lawine** sub, f, -, -n (Schnee) dry avalanche; (Vulkan) hot ash avalanche

Staubpinsel, sub, m, -s, - dusting brush; **Staub saugen** vti, hoover, vacuum; **Staubsauger** sub, m, -s, - hoover, vacuum cleaner; **Staubschicht** sub, f, -, -en layer of dust; **staubtrocken** adj, bone-dry

stauchen, vt, compress; (tech.) upset

Staudamm, sub, m, -s, -dämme dam

Staude, sub, f, -, -n herbaceous plant; (Strauch) shrub; **staudenartig** adj, herbaceous

stauen, (1) vr, (Verkehr) get jammed (2) vt, (Güter) stow; (Wasser) dam up

Staunen, (1) sub, n, -s, nur Einz. amazement, astonishment (2) **staunen** vi, be amazed, be astonished; da staune ich aber! you amaze me!; sie sind aus dem staunen nicht mehr herausgekommen they couldn´t believe their eyes; **staunenswert** adj, amazing, astonishing

Staupe, sub, f, -, -n distemper

Stauraum, sub, m, -s, -räume storage space; **Stauwehr** sub, f, -s, nur Einz. dam; **Stauwerk** sub, n, -s, -e dam

Steak, sub, n, -s, -s steak

Stearin, sub, n, -s, -e stearin; **~kerze** sub, f, -, -n stearin candle

Stechen, (1) sub, n, -s, - (Schmerz) sharp pain; (spo.) play-off (2) **stechen** vti, prick; (Biene) sting; (Mücke) bite; (Waffe) stab; **Stechfliege** sub, f, -, -n stable fly; **Stechkarte** sub, f, -, -n clocking-in card; **Stechschritt** sub, m, -s, -e goose-step; **Stechuhr** sub, f, -, -en time clock

Steckbecken, sub, n, -s, - (med.) bedpan; **Steckbrief** sub, m, -s, -e personal description, warrant of arrest; **Steckdose** sub, f, -, -n socket; **Stecken** (1) sub, m, -s, - stick (2) **stecken** vi, (fest-) be stuck (3) vt, put; (fest-) pin; Hände in die Tasche stecken dive into one´s pocket, (ugs.) (verraten) jemandem etwas stecken tell someone sth; jemanden ins Gefängnis stecken put someone in prison; (i. ü. S.) was steckt dahinter? what´s behind it?; zeigen, was in einem steckt show what one is made of; **stecken bleiben** vi, come to a standstill, get stuck; **Steckenpferd** sub, n, -es, -e hobby;

(spielzeug) hobby horse; **stecker** sub, m, -s, - plug

Steckkissen, sub, n, -s, - papoose; **Steckkontakt** sub, m, -s, -e plug; **Steckling** sub, m, -s, -e cutting; **Steckmuschel** sub, f, -n, -n (zool.) wing shell; **Stecknadel** sub, f, -, -n pin; da sucht man eine Stecknadel im Heuhaufen it´s like looking for a needle in a haystack; (i. ü. S.) es war so still, daß man eine Stecknadel hätte fallen hören können it was so quiet you could have heard a pin drop; (i. ü. S.) jemanden wie eine Stecknadel suchen look for someone high and low; **Steckrübe** sub, f, -, -n swede, turnip; **Steckschuss** sub, m, -es, -schüsse bullet lodged in the body; **Steckzwiebel** sub, f, -, -n bulb

Steg, sub, m, -s, -e footbridge; (US) walkway; **~reif** sub, m, -s, -e improvise; (Rede) make an impromptu speech; **~reifrede** sub, f, -, -n impromptu speech

Stehaufmännchen, sub, n, -s, - tumbler; **Stehempfang** sub, m, -s, -empfänge standing reception; **stehen** vi, stand; (passen) das steht dir that suits you; mir steht es bis hier! I´m sick and tired of it; unter der Dusche stehen be having a shower; vor dem Ruin stehen be on the brink of ruin; (ugs.) vor Dreck stehen be stiff with dirt; **stehen bleiben** vi, come to a standstill, remain standing, stop; die Zeit scheint hier stehengeblieben zu sein it´s as if time had stood still here; ich bin auf Seite 20 stehengeblieben I left off on page 20; mir ist das Herz fast stehengeblieben my heart missed a beat; **Stehenbleiben** sub, n, -s, nur Einz. standstill; **stehend** adj, standing; (Wasser) stagnant; **Steherrennen** sub, n, -s, - motor-paced race; **Stehimbiss** sub, m, -s, -oder -es, (imbisse) stand-up snack bar; **Stehkragen** sub, m, -s, -kragen -oder -krägen stand-up collar; **Stehleiter** sub, f, -, -n stepladder

Stehplatz, sub, m, -es, -plätze standing room; die Anzahl der Stehplätze ist begrenzt only a limited number of people are allowed to stand; *einen Stehplatz haben* have to stand; **Stehvermögen** *sub, n, -s, nur Einz.* stamina; *(Durchhaltevermögen)* staying power

Steiermärker, *sub, m, -s,* - Styrian

steif, *adj,* numb, stiff; *das Eiweiß steif schlagen* beat the egg white until stiff; *(i. ü. S.) die Ohren steif halten* keep a stiff upper lip; *eine steife Brise* a stiff breeze; *steif und fest behaupten, daß* swear up and down that; **~beinig (1)** *adj,* stiff-legged (2) *adv,* with stiff legs

Steife, *sub, f, -, -n* stiffness; *(Stärkemittel)* starch

Steifigkeit, *sub, f, -, -en* stiffness; *(Starrheit)* numbness

Steig, *sub, m, -s, -e* steep track; **~bügel** *sub, m, -s,* - stirrup; **steigen** *vi,* climb; *(anwachsen)* increase; *(Temperatur etc.)* rise; **~er** *sub, m, -s,* - pit foreman

steigern, (1) *vi, (Grammatik)* compare (2) *vr, (verbessern)* improve (3) *vt,* increase, intensify; **Steigerung** *sub, f, -, -en* increase, intensification; *(Grammatik)* comparison; *(Verbesserung)* improvement

Steigleiter, *sub, f, -, -n* stepladder; **Steigriemen** *sub, f, -s, -en* stirrupstrap; **Steigung** *sub, f, -, -en* gradient; *(Hang-)* slope; *(US)* grade

steil, *adj,* steep; *ein steiles Ufer* a steep coast; *eine steile Karriere machen* have a rapid rise; **Steilhang** *sub, m, -s, -hänge* steep slope; **Steilkurve** *sub, f, -, -n* steep turn; *(Boden)* ground loop; **Steilküste** *sub, f, -, -n* cliff; **Steilschrift** *sub, f, -, -en* vertical writing; **Steilvorlage** *sub, f, - nur Einz. (spo.)* through ball

Stein, *sub, m, -s, -e* stone; *(i. ü. S.) bei jemandem einen Stein im Brett haben* be well in with someone; *(i. ü. S.) das könnte einen Stein erweichen!* that would move the hardest heart to pity!; *(i. ü. S.) der Stein der Weisen* the philosophers´ stone; *(Gebäude) es blieb kein Stein auf dem anderen* not a stone was left standing; *(i. ü. S.) mir fällt ein Stein vom Herzen!* that´s a load off my mind!; **~adler** *sub, m, -s,* - golden eagle; **steinalt** *adj,* as old as the hills; **~axt** *sub, f, -, -äxte* stone axe; **~bau** *sub, m, -s, -bauten* stone building; **~block** *sub, m, -s, -blöcke* block of stone; **~bock** *sub, m, -s,*

-böcke (astrol.) Capricorn; *(zool.)* ibex; **~bohrer** *sub, m, -s,* - masonry drill; **~bruch** *sub, m, -s, -brüche* quarry; **~butt** *sub, m, -es, -e* turbot; **steinern** *adj,* stone; **~fliese** *sub, f, -, -n* stone tile

Steinfrucht, *sub, f, -, -früchte* stone fruit; **Steingut** *sub, n, -, nur Einz.* stoneware; **Steinhaufen** *sub, m, -s,* - heap of stones; **steinig** *adj,* stony; *(i. ü. S.) ein steiniger Weg* a path of trial and tribulation; **Steinkohle** *sub, f, -, -n* mineral coal; **Steinkohlenteer** *sub, m, -s, -e* tar of mineral coal; **Steinlawine** *sub, f, -, -n* avalanche of stones; **Steinleiden** *sub, n, -s, nur Mehrz. (Blasen-)* bladder stones; *(Gallen-)* gallstones; *(Nieren-)* kidney stones; **Steinmarder** *sub, m, -s,* - beech marten; **Steinmetz** *sub, m, -es, -e* stonemason; **Steinobst** *sub, n, -es, nur Einz.* stone fruit; **Steinpilz** *sub, m, -es, -e* yellow boletus; **steinreich** *adj,* stinking rich; **Steinsalz** *sub, n, -es, (-salze)* rock salt; **Steinschlag** *sub, m, -s, -schläge* rockfall; **Steinwurf** *sub, m, -s, -würfe* stone´s throw; **Steinzeit** *sub, f, -s, nur Einz.* Stone Age

Steiß, *sub, m, -es, -e* buttocks; **~bein** *sub, n, -s, nur Einz.* coccyx

Stellage, *sub, f, -, -n* rack; *(ugs.)* frame

stellar, *adj,* stellar

Stelle, *sub, f, -, -n* place, spot; *an erster Stelle* in the first place; *an jemandes Stelle treten* take the place of someone; *sich um eine Stelle bewerben* apply for a vacancy; *zur Stelle sein* be at hand; **stellen** *vt,* place, put; *(regulieren)* set; *das Radio leiser (lauter) stellen* turn down (up) the radio; *eine Frage stellen* ask a question; *sich auf Zehenspitzen stellen* stand on tiptoe; *sich einer Herausforderung stellen* take up a challenge; *sich schlafend stellen* pretend to be asleep; **~nangebot** *sub, n, -s, -e* job offer; **~ngesuch** *sub, n, -s, -e* application for a job; **~nmarkt** *sub, m, -s, (-märkte)* job market; **~nplan** *sub, m, -s, -pläne* staff plan; *(US)* staffing schedule; **stellenweise** *adv,* here and there, in places;

~nwert *sub, m, -s, nur Einz.* rank, status; *einen hohen Stellenwert haben* play an important role; **Stellfläche** *sub, f, -, -n* parking space; **Stellmacher** *sub, m, -s, -* cartwright; **Stellplatz** *sub, m, -es, -plätze* parking place

Stellung, *sub, f, -, (-en)* position, status; *(Arbeits-)* employment; *(i. ü. S.) die Stellung halten* hold the fort; *ohne Stellung sein* be unemployed; *seine Stellung behaupten* stand one's ground; *(mil.) Stellung beziehen* move into position; *Stellung nehmen zu* express one's opinion on; **~nahme** *sub, f, -s, -s* statement; **~skrieg** *sub, m, -s, -e* positional warfare; **stellungslos** *adj,* unemployed

Stelze, *sub, f, -, -n* stilt; **stelzen** *vi,* stalk; **Stelzvogel** *sub, m, -s, -vögel* wader

Stemmbogen, *sub, m, -es, -bögen* stem turn; **Stemmeisen** *sub, n, -s, -* crowbar; **stemmen (1)** *vr, (gegen-)* brace o.s. against **(2)** *vt,* press; *(hoch-)* lift

Stempel, *sub, m, -s, - (Gummi-)* stamp; *(Post-)* postmark; *(Präge-)* die; *den Stempel vortragen* bear the stamp of; *(i. ü. S.) etwas seinen Stempel aufdrücken* make one's mark on something; **~farbe** *sub, f, -, -n* stamping ink; **~karte** *sub, f, -, -n* punch card; **~marke** *sub, f, -, -n* stamp; **stempeln** *vt,* stamp; *(Post)* postmark; *(i. ü. S.) jemanden zum Lügner stempeln* brand someone as a liar; *(ugs.) stempeln gehen* be on the dole; *der Brief trägt den Stempel vom 5 Mai* the letter bears the postmark of May 5

Stenografie, *sub, f, -, -* shorthand; **stenografieren** *vi,* do shorthand, take down in shorthand; **Stenografin** *sub, f, -, -nen* shorthand writer; *(Amts-)* stenographer; **Stenogramm** *sub, n, -s, -e* shorthand dictation; **stenotypieren** *vi,* type in shorthand; **Stenotypistin** *sub, m, -, -nen* steno typist

Steppdecke, *sub, f, -, -n* quilt; *(US)* comforter

Steppe, *sub, f, -, -n* steppe; **steppen (1)** *vi,* tap-dance **(2)** *vt, (wattieren)* quilt; **~nfuchs** *sub, m, -es, -füchse* corsac; *(zool.)* Afghan fox; **~nwolf**

sub, m, -s, -wölfe coyote; *(zool.)* prairie wolf

Steppfutter, *sub, n, -s, -* lining; **Steppmantel** *sub, m, -s, -mäntel* quilted coat; **Stepptänzer** *sub, f, -s, -* tap-dancer

Sterbedatum, *sub, n, -s, -data* date of death; **Sterbehilfe** *sub, f, -, -s* euthanasia; **Sterben (1)** *sub, n, -s, nur Einz.* dying **(2) sterben** *vi,* decease, die, pass away; *die Angst vom Sterben* the fear of death; *im Sterben liegen* be dying; *(i. ü. S.) zum Sterben langweilig* deadly boring, *(i. ü. S.) daran wirst du nicht sterben!* it won't kill you!; *eines natürlichen Todes sterben* die a natural death; *(i. ü. S.) er ist für mich gestorben* he might as well be dead! **sterbenselend** *adj,* ghastly; *ich fühle mich sterbenselend!* I feel ghastly!; **sterbenskrank** *adj,* dangerously ill; **sterbensmatt** *adj,* dead tired

Sterbesakrament, *sub, n, -s, -e* last rites; **Sterbestunde** *sub, f, -, (-n)* hour of death; **Sterbezimmer** *sub, n, -s, Plural selten* death chamber; **sterblich** *adj,* mortal; *seine sterblichen Überreste* his mortal remains; **Sterbliche** *sub, m, f, -n, -n* mortal; **Sterblichkeit** *sub, f, -, nur Einz.* mortality

stereo, *adj,* stereo; **Stereoanlage** *sub, f, -, -n* stereo set; **~fon** *adj,* stereo, stereophonic; **Stereokamera** *sub, f, -, -s* stereo(scopic) camera; **Stereometer** *sub, n, -s, - (mat.)* stereometer; **Stereoplatte** *sub, f, -es, -n* stereo(phonic) record; *(Druck)* stereo(type) plate

Stereoskop, *sub, n, -s, -e* stereoscope; **~ie** *sub, f, -, nur Einz.* stereoscopy; **stereoskopisch** *adj,* stereoscopic

stereotyp, (1) *adj,* stereotype; *(unpersönlich)* impersonal **(2) Stereotyp** *sub, m, -s, -en* stereotype; **Stereotypie** *sub, f, -, -n* stereotype printing

steril, *adj,* sterile; *(keimfrei)* aseptic; *(unfruchtbar)* infertile; **Sterilisation** *sub, f, -, -en* sterilization; **Sterilisator** *sub, m, -s, -en* sterilizer; **~isieren** *vt,* sterilize; **Sterilität** *sub, f, -, nur Einz.* sterility;

(Keimfreiheit) asepsis; *(Unfruchtbarkeit)* infertility

Sterlet, *sub, m, -s, -e (zool.)* sterlet

Stern, *sub, m, -s, -e* star; *es steht in den Sternen* it´s all in the stars; *(i. ü. S.) nach den Sternen greifen* reach for the stars; *(benommen sein)* Sterne sehen see stars; *(i. ü. S.) unter einem glücklichen Stern geboren sein* be born under a lucky star; **~bild** *sub, n, -s, -er (astrol.)* sign; *(astron.)* constellation; **~deuter** *sub, m, -s, -* astrologer; **~deutung** *sub, f, -, nur Einz.* astrology

Sternenbanner, *sub, m, -s, -* star-spangled banner; *(US)* Stars and Stripes; **sternenhell** *adj,* starlit; **Sternenhimmel** *sub, m, -,* - starry sky; **sternenklar** *adj,* starlit, starry; **Sternenlicht** *sub, n, -s, Plural seltern (-er)* starlight; **Sternenzelt** *sub, n, -s, nur Einz.* firmament

Sterz, *sub, m, -es, -e* tail; *(Pflug-)* handle

Stethoskop, *sub, n, -s, -e* stethoscope

stetig, (1) *adj,* steady **(2)** *adv,* constantly; **Stetigkeit** *sub, f, -, nur Einz.* constancy, continuity, steadiness

stets, *adv,* always; *du bist stets willkommen* you're always welcome; *stets zu Diensten!* always at your service!

Steuer, *sub, n, -s, -* tax; *(Auto)* steering wheel; *das Steuer übernehmen* take over; *jemanden ans Steuer lassen* let someone drive; *(wirt.)* Steuern hinterziehen evade taxes; *Trunkenheit am Steuer* drunkenness at the wheel; **~behörde** *sub, f, -, -n* tax authority; **~berater** *sub, m, -s, -* tax consultant; **~bescheid** *sub, m, -s, -e* tax assessment (bill); **~betrag** *sub, m, -s, (-beträge)* tax amount; **~bord** *sub, n, -es, -e* starboard; **~erklärung** *sub, f, -, -en* tax return; **~erlass** *sub, m, -, nur Einz.* tax remission; **~ermittlungsverfahren** *sub, n, -s, -* tax ascertainment procedure; **~fahndung** *sub, f, -, -en* fiscal investigation; **~flucht** *sub, f, -, nur Einz.* tax evasion; **steuerfrei** *adj, (Waren)* duty-free; *(wirt.)* tax-free; **~gelder** *sub, -, nur Mehrz.* taxes; **~gerät** *sub, n, -s, -e* controller; *(tech.)* control unit

Steuergesetz, *sub, n, -es, -e* fiscal law; **Steuerhelfer** *sub, m, -s, -* tax advisor;

Steuerhinterziehung *sub, f, -, nur Einz.* tax evasion; **Steuerkarte** *sub, f, -, -n* tax card; *(Lohn-)* wage tax card; **Steuerklasse** *sub, f, -, -n* tax group; **Steuerknüppel** *sub, m, -s, -* control stick; **steuerlich** *adj,* fiscal; **Steuermann** *sub, m, -s, -männer, -leute* helmsman; *(spo.)* coxswain; **Steuermarke** *sub, f, -, -n* tax stamp; *(Hunde-)* dog tag; **steuern** *vt, (Auto)* drive; *(Schiff)* steer; *(tech.)* control; *(i. ü. S.) direkt ins Unglück steuern* head straight for desaster; *eine Unterhaltung in die gewünschte Richtung steuern* steer a conversation in the desired direction; **Steuerparadies** *sub, n, -es, -e* tax haven; **Steuerpolitik** *sub, f, -, -en* fiscal policy

Steuerprüfer, *sub, m, -s, -* tax inspector; **Steuerrad** *sub, n, -s, -räder* steering wheel; *(i. ü. S.) das Steuerrad übernehmen* take over; **Steuerrecht** *sub, n, -s, nur Einz.* fiscal law; **Steuerreform** *sub, f, -s, -en* tax reform; **Steuerruder** *sub, n, -s, -* rudder; **Steuerschuld** *sub, f, -, -en* tax owed; **Steuertarif** *sub, m, -s, -e* tax scale; **Steuerträger** *sub, m, -s, -* taxpayer; **Steuerung** *sub, f, -, (-en) (Auto)* steering; *(tech.)* control; **Steuerventil** *sub, n, -s, -e* control valve; **Steuerwesen** *sub, n, -s, nur Einz.* tax system; **Steuerzahler** *sub, m, -s, -* taxpayer; **Steuerzettel** *sub, m, -s, -* notice of assessment

Steward, *sub, m, -s, -s* steward; **~ess** *sub, f, -, Stewardessen* stewardess

Stich, *sub, m, -es, -e (Insekten-)* bite; *(Messer-)* stab; *(Nadel-)* prick; *(Näb-)* stitch; *(ugs.) du hast ja einen Stich!* you must be round the bend!; *(Speisen) einen Stich haben* be off; *es gab ihm jedesmal einen Stich, wenn er sie sah* he always felt a pang when he saw her; *jemanden im Stich lassen* let someone down

Stichelhaar, *sub, n, -s, -e* stubby hair; *(textil)* kemp fibre; **sticheln** *vi, (ugs.) sub-* gibe; *(nähen)* sew

Stichflamme, *sub, f, -, (-n)* darting flame; **Stichgraben** *sub, m, -s, -gräben (tech.)* taphole; **stichhaltig** *adj,* sound, valid; *stichhaltige Gründe* sound arguments;

Stichling *sub, m, -s, -e (zool.)* stick-

lchuch, Uchprobe *sub, j; ., .n* spot
check; **Stichsäge** *sub, f, -, -n* fret-saw;
Stichtag *sub, m, -s, (-tage)* deadline,
fixed day; **Stichwahl** *sub, f, -, (-en)*
final ballot; *(US)* run-off; **Stichwort**
sub, n, -s, nur Einz. key word; *(Thea-*
ter) cue; **stichwortartig** *adj,* shorthand; *geben Sie es nur stichwortartig*
wieder! recount it in shorthand!;
Stichwortverzeichnis *sub, n, -ses, -*
se index of headings; **Stichwunde**
sub, f, -, -n stab wound

sticken, *vti,* embroider; **Sticker** *sub,*
m, -s, - embroiderer; **Stickerei** *sub, f,*
-, -en embroidery; *(Fabrik)* embroidery works; **stickig** *adj,* stifling,
stuffy; **Stickstoff** *sub, m, -s, -e* nitrogen

Stiefbruder, *sub, m, -s, -brüder* stepbrother

Stiefel, *sub, m, -s, -* boot; *(ugs.) einen*
Stiefel zusammenreden talk a lot of
nonsense; *(ugs.) er kann einen Stiefel*
vertragen he can take quite a lot;
~chen *sub, n, -s, -* ankle boot, bootie;
stiefeln *vi,* stride; **~tern** *sub, m, -,*
nur Mehrz. stepparents

Stiefmutter, *sub, f, -, -n* stepmother;
Stiefmütterchen *sub, n, -s, - (bot.)*
pansy; **Stieftochter** *sub, f, -, -töchter*
stepdaughter; **Stiefvater** *sub, m, -s,*
-väter stepfather

Stiege, *sub, f, -, -n* staircase; *(Obst-*
kiste) crate; **~nhaus** *sub, n, -es, -häuser*
stairwell

Stier, *sub, m, -s, -e (astrol.)* Taurus;
(zool.) bull; *(i. ü. S.) den Stier bei den*
Hörnern anpacken take the bull by
the horns; *(i. ü. S.) wütend wie ein*
Stier raving mad; **stieren** *vi,* stare;
(wütend schauen) glare; **~kampf**
sub, m, -es, -kämpfe bullfight;
~kämpfer *sub, m, -s, -* bullfighter;
~nacken *sub, m, -s, -* bull neck;
stiernackig *adj,* bull-necked

Stift, *sub, m, -es, -e (geistliches)* ecclesiastic foundation; *(Halte-)* pin;
(ugs.; Lehrling) apprentice boy;
(Schreibgerät) pen; **stiften** *vt, (grün-*
den) found; *(spenden)* donate; *(ugs.)*
stiften gehen take to one´s heels; *Un-*
frieden stiften sow discord; **~er** *sub,*
m, -s, - (Gründer) founder; *(Spender)*
donator

Stiftskirche, *sub, f, -, -n* collegiate
church; **Stiftsschule** *sub, f, -, -n* ca-

Stiftung, *sub, f, -, -en (Gründung)*
foundation; *(Schenkung)* donation; **~srat** *sub, m, -es, -räte* board
of a foundation; *(Mitglied)* member of a board of a foundation

Stigma, *sub, n, -s, -ta, -men* stigma;
stigmatisieren *vt,* stigmatize

Stil, *sub, m, -s, -e* style; *alles im gro-*
ßen Stil tun do things in style; *im*
Stil unserer Zeit in the style of our
time; **stilbildend** *adj,* stylistically
instructive; **~blüte** *sub, f, -, -n* stylistic lapse; *(ugs.)* howler; **stilecht**
adj, true to style; **~element** *sub, n,*
-s, -e element of style; **~ett** *sub, n,*
-s, -e stiletto; **stilgerecht** *adj,* appropriate in style; *eine gemütliche,*
wenn auch nicht ganz stilgerechte
Wohnung a cosy appartment, although the decor is not altogether
appropriate in style; **stilisieren** *vt,*
stylize; **~isierung** *sub, f, -, -en* stylization; **~ist** *sub, m, -en, -en* stylist;
~istik *sub, f, -, nur Einz.* stylistics;
stilistisch *adj,* stylistic; *in stilisti-*
scher Hinsicht from the stylistic
point of view; **stilkundlich** *adj,*
stylistic

still, *adj,* quiet, silent; *(unbewegt)*
still; *die Füße still halten* keep
one´s feet still; *sei still!* be quiet!;
(wirt.) stiller Teilhaber sleeping
partner

stille, (1) *adj,* quiet, silent **(2) Stille**
sub, f, -, nur Einz. quietness, silence, stillness; *(ugs.) das stille*
Örtchen the loo; *(i. ü. S.) stille Was-*
ser gründen tief still waters run
deep, *er wurde in aller Stille beige-*
setzt he was given a quiet burial;
sich in aller Stille davonmachen
make off secretly; **~n** *vt, (Durst)*
quench; *(Hunger)* allay; *(Kind)*
nurse

stillhalten, *vi,* keep still; **Stillleben**
sub, n, -s, - still-life; **Stilllegung**
sub, f, -, -en closure; *(Betrieb)* shut-
down; *(Verkehr)* stoppage;
stillliegen *vi,* be closed down; *(Be-*
trieb) be shut down; *(tech.)* be at a
standstill; **stillschweigend (1)**
adj, tacit **(2)** *adv,* silently; *eine still-*
schweigende Übereinkunft a tacid
understanding; **stillsitzen** *vi,* sit
still; **Stillstand** *sub, m, -es, nur*

Einz. standstill, stop; **stillstehen** *vi*, stand still; *(mil.)* stand at attention

Stillung, *sub*, *f*, -, *-en (Durst)* appeasement; *(Hunger)* allayment; *(Säugling)* lactation

Stilrichtung, *sub*, *f*, -, *-en* style; **stilvoll** *adj*, stylish

Stimmabgabe, *sub*, *f*, -, *-n* voting; **Stimmaufwand** *sub*, *m*, *-es*, nur *Einz.* vocal effort; **Stimmband** *sub*, *n*, *-es*, *-bänder* vocal cord; **Stimmbezirk** *sub*, *m*, *-s*, *-e* electoral district; **Stimmbildung** *sub*, *f*, -, *-en* voice formation; **Stimmbruch** *sub*, *m*, *-es*, *-brüche* breaking of the voice; **Stimmbürger** *sub*, *m*, *-s*, - voter

Stimme, *sub*, *f*, -, *-n* voice; *(Wahl-)* vote; *die Stimme des Volkes* the voice of the people; *die Stimme verlieren* lose one´s voice; *(polit.) jemandem seine Stimme geben* give one´s vote to a person; *mit tiefer Stimme* in deep voice; **stimmen (1)** *vi*, *(richtig sein)* be right; *(Wahl)* vote **(2)** *vt*, *(mus.)* tune; *(mus.) das Orchester stimmt die Instrumente* the orchestra is tuning up; *für einen Kandidaten stimmen* vote for a candidate; *stimmt das?* is that true?; *stimmt so!* keep the change!; **~nfang** *sub*, *m*, *-es*, nur *Einz.* vote catching; **~nkauf** *sub*, *m*, *-s*, *-käufe* buying of votes; **~nmehrheit** *sub*, *f*, -, *-en* majority of votes; *einfache Stimmenmehrheit* bare majority of votes; *mit Stimmenmehrheit gewählt werden* be elected by a majority of votes; *relative Stimmenmehrheit* relative majority of votes; **~nzahl** *sub*, *f*, -, - number of votes

Stimmführung, *sub*, *f*, -, *-en* part writing; **Stimmgabel** *sub*, *f*, -, *-n* tuning fork; **stimmlos** *adj*, voiceless; **Stimmmittel** *sub*, *n*, *-s*, - vocal resource, voice; **Stimmrecht** *sub*, *n*, *-s*, *-e* right to vote; **Stimmzettel** *sub*, *m*, *-s*, - ballot paper; *(Wahl-)* voting paper

Stimmung, *sub*, *f*, -, *-en* atmosphere; *(Gemüts-)* mood

Stimulans, *sub*, *n*, -, *-lanzien* stimulant

Stimulus, *sub*, *m*, -, *-muli* stimulus

Stinkefinger, *sub*, *m*, *-s*, - dirty finger

stinken, *vi*, smell, stink; *(ugs.) das stinkt wie die Pest* that stinks like hell; *(ugs.) die Angelegenheit stinkt*

mir! I´m fed up to the back teeth!; *(ugs.) die ganze Sache stinkt* the whole business stinks; **stinkfaul** *adj*, bone-lazy; **Stinktier** *sub*, *n*, *-es*, *-e* skunk; **stinkvornehm** *adj*, posh; **Stinkwut** *sub*, *f*, -, nur *Einz.* towering rage

Stint, *sub*, *m*, *-es*, *-e* smelt, sparling

Stipendiat, *sub*, *n*, *-s*, *-e* scholarship holder; **Stipendium** *sub*, *n*, *-s*, *Stipendien* grant, scholarship

Stipp, *sub*, *m*, *-es*, *-e* dip; **~besuch** *sub*, *m*, *-s*, *-e* flying visit; **stippen** *vt*, dip; **~visite** *sub*, *f*, -, *-n* flying visit; *eine Stippvisite nach Paris machen* go on a flying visit to Paris

Stirn, *sub*, *f*, -, *-en* forehead; *die Stirn bieten* defy; *die Stirn runzeln* frown; *er hatte die Stirn zu behaupten* he had the cheek to maintain; *sich das Haar aus der Stirn streichen* brush one´s hair back from the forehead; *sich den Schweiß von der Stirn wischen* wipe the perspiration off one´s forehead; **~band** *sub*, *n*, *-es*, *-bänder* headband; **~fläche** *sub*, *f*, -, *-n* front face; *(Holz)* crosscut end; **~glatze** *sub*, *f*, -, *-n* bald forehead; **~höhle** *sub*, *f*, -, *-n* frontal sinus; **~riemen** *sub*, *m*, *-s*, - browband; **~runzeln** *sub*, *n*, *-s*, nur *Einz.* frowning; **~ziegel** *sub*, *m*, *-s*, - antefix tile

Stöberei, *sub*, *f*, -, *-en* rummage; **stöbern** *vi*, rummage; *(ugs.)* poke; *ich habe in allen Schubladen gestöbert* I rooted around in every drawer

Stochastik, *sub*, *f*, -, nur *Einz.* stochastic studies; **stochastisch** *adj*, stochastic

Stocher, *sub*, *m*, *-s*, - toothpick; **stochern** *vi*, poke; *in den Zähnen stochern* pick in one´s teeth; *in der Glut stochern* poke the fire

Stock, *sub*, *m*, *-es*, *Stöcke* stick; *(Spazier-)* cane; *am Stock gehen* walk with a stick; *im ersten Stock* on the first floor; *über Stock und Stein* up hill and down dale; **~car** *sub*, *n*, *-s*, *-s* stock car; **stockdunkel** *adj*, pitch-dark

stöckeln, *vi*, trip along on high heels; **Stöckelschuh** *sub*, *m*, *-s*, *-e* high-heeled shoe

stockfinster, *adj*, pitch-dark; **Stockfisch** *sub*, *f*, -, *-e* dried cod; *(i.*

ü. S.) stuffed shirt; **Stockflecken** *sub, m, -s, -* mildew mark; **stockfleckig** *adj,* mildewed; **stockheiser** *adj,* as hoarse as a crow; **Stockschirm** *sub, m, -s, -e* walking-stick umbrella; **Stockung** *sub, f, -, -en* hold-up; *(Verkehr)* traffic jam; **Stockwerk** *sub, n, -s, -e* floor, storey

Stoff, *sub, m, -s, -e (chem.)* substance; *(Gesprächs-)* subject; *(Gewebe)* fabric; *(Kleidung)* cloth; *(Material)* material; *(ugs.; Rauschgift) sich Stoff beschaffen* score some stuff; *Stoff für einen Roman* material for a novel; *(i. ü. S.; Gespräch) uns ist der Stoff ausgegangen* we ran out of topics; **~ballen** *sub, m, -s, -* bale of cloth; **~behang** *sub, m, -es, -hänge* fabric covering

Stoffel, *sub, m, -s, -* boor; **stoffelig** *adj,* boorish; **Stofffetzen** *sub, m, -s, -* rag, tatter; **Stoffwechsel** *sub, m, -s, -* metabolism

stöhnen, *vi,* groan, moan; *ächzen und stöhnen* moan and groan; *(i. ü. S.) der Wind stöhnte in den Bäumen* the wind moaned in the trees; *vor Schmerzen stöhnen* groan with pain

Stolperdraht, *sub, m, -es, -drähte* trip wire; **stolpern** *vi,* stumble, trip; **Stolperstein** *sub, m, -s, -e* obstacle

stolz, (1) *adj,* proud; *(anmaßend)* arrogant **(2) Stolz** *sub, m, -es, nur Einz.* pride; *(Hochmut)* arrogance; *das ist nichts, worauf man stolz sein kann* that´s nothing to be proud of; *stolz sein auf* be proud of; *zu stolz sein, etwas zu tun* have too much pride to do something, *ihr ganzer Stolz* her pride and joy; *jemanden mit Stolz erfüllen* be a source of pride to someone; **~ieren** *vi, (angeberisch)* strut; *(hochmütig)* stalk

Stopfen, (1) *sub, n, -s, nur Einz.* plug, stopper **(2) stopfen** *vt, (füllen)* fill; *(pressen)* stuff; *(Strumpf)* darn

stopp, (1) *interj,* stop! **(2) Stopp** *sub, m, -s, -s* halt, stop

Stoppel, *sub, m, -s, -n* stubble; **~bart** *sub, m, -es, -bärte* stubbly beard; **~feld** *sub, n, -es, -er* stubble field; **~haar** *sub, n, -es, -e* stubbly hair; **stoppelig** *adj,* bristly, stubbly; **stoppeln** *vi,* glean

stoppen, *vti,* stop; **Stoppschild** *sub, n, -es, -er* stop sign; **Stoppsignal** *sub,*

m, s, u stop signal; **Stoppstraße** *sub, f, -, -n* stop street; **Stoppuhr** *sub, f, -, -en* stop-watch

Stöpsel, *sub, m, -s, -* plug, stopper; *(Korken)* cork; *den Stöpsel aus der Flasche ziehen* uncork a bottle; **stöpseln** *vt,* plug

Stör, *sub, m, -es, -e* sturgeon; **störanfällig** *adj,* susceptible to interference

Storch, *sub, m, -es, Störche* stork; *(i. ü. S.) bei den Nachbarn kommt bald der Storch* the neighbours are expecting the stork soon; *(ugs.) da brat mir aber einer einen Storch!* well, blow me down!; **storchbeinig** *adj,* spindle-legged; **~ennest** *sub, n, -es, -er* stork´s nest; **~schnabel** *sub, m, -s, -schnäbel* stork´s bill; *(bot.)* cranesbill

stören, *vti,* disturb; *(belästigen)* bother; *(irritieren)* annoy; *(unterbrechen)* interrupt; *eins stört mich noch* one thing is still bothering me; *jemanden bei der Arbeit stören* disturb someone at his work; **Störenfried** *sub, m, -s, -e* trouble maker; **Störfall** *sub, m, -es, -fälle* interference; **störfrei** *adj,* without interference; **Störgeräusch** *sub, n, -es, -e (atmosphärisch)* statics interference; *(Radio)* background noise; **Störmanöver** *sub, n, -s, -* disruptive action

stornieren, *vt, (Auftrag)* cancel; *(Buchung)* reverse; **Stornierung** *sub, f, -, -en (Auftrag)* cancellation; *(Buchung)* reversal

Storno, *sub, m, n, -s, -s, -ni (Auftrag)* cancellation; *(Buchung)* reversal

Störrigkeit, *sub, f, -, -en* obstinacy, stubbornness; **störrisch** *adj,* obstinate, stubborn

Storting, *sub, n, -s, nur Einz. (polit.)* Storting

Störung, *sub, f, -, -en* disturbance; *(Radio-)* interference; *(Unterbrechung)* disruption; **störungsfrei** *adj,* undisturbed; *(Radio)* interference-free

Story, *sub, f, -, -s , -ies* story

Stoßtrupp, *sub, m, -s, -s* combat patrol; **~ler** *sub, m, -s, -* member of a combat patrol; **Stoßverkehr** *sub, m, -s, nur Einz.* rush-hour traffic; **Stoßzahn** *sub, m, -es, -zähne (Ele-*

fant) ivory; *(zool.)* tusk; **Stoßzeit** *sub, f, -, -en* rush hour

stottern, *vi*, stutter; *(Motor)* splutter

stracks, *adv*, straight away

Straddle, *sub, m, -s, -s (spo.)* straddle

Strafaktion, *sub, f, -, -en* punitive action

Strafanstalt, *sub, f, -, -en* penal institution; *(US)* correctional institution; **Strafanzeige** *sub, f, -, -n* penal charge; *Strafanzeige gegen jemanden erstatten* bring a charge against someone; **Strafarbeit** *sub, f, -, -n* imposition; **Strafarrest** *sub, m, -es, -e* detention; **strafbar** *adj*, punishable; *sich strafbar machen* commit an offence; *(jur.) strafbar nach* punishable under; **Strafbarkeit** *sub, f, -, -en* punishability; **Strafbefehl** *sub, m, -s, -e* order of punishment; **Strafe** *sub, f, -, -en* punishment; *(Gefängnis-)* sentence; *(Geld-)* fine; *(spo.)* penalty; **strafen** *vt*, punish; *jemanden für etwas strafen* punish someone for something; *jemanden Lügen strafen* give the lie to someone; *jmd mit Verachtung strafen* treat so with contempt; **Straferlass** *sub, m, -es, -e* remission

straff, *adj*, *(gespannt)* tight; *(Haltung)* straight; *(Organisation)* strict; **~ällig** *adj*, liable to punishment; **~en** *vt*, tighten; *(spannen)* tauten; **Strafgericht** *sub, n, -s, -e* criminal court; *(i. ü. S.)* punishment; **Strafgesetz** *sub, n, -es, -e* penal law; **Strafgesetzbuch** *sub, n, -es, -bücher* criminal code; **Strafgewalt** *sub, f, -, -en* penal authority; **Strafkammer** *sub, f, -, -n* criminal court; **Strafkolonie** *sub, f, -, -n* convict settlement

Sträfling, *sub, m, -s, -e* convict, prisoner

straflos, *adj*, unpunished; *straflos ausgehen* come off clear; **Strafmaß** *sub, n, -es, nur Einz.* sentence; **Strafminute** *sub, f, -, -n* penalty minute; **strafmündig** *adj*, criminally liable; **Strafpredigt** *sub, f, -, -en* lecture; *jemandem eine Strafpredigt halten* lecture someone; **Strafprozess** *sub, m, -es, -e* criminal case; **Strafpunkt** *sub, m, -es, -e* penalty point; **Strafrecht** *sub, n, -es, -e* criminal law; **Strafstoß** *sub, m, -es, -stöße* penalty kick; **Straftat** *sub, f, -, -en* criminal offence;

Straftilgung *sub, f, -, -en* extinction in the criminal record; **Strafversetzung** *sub, f, -, -en* disciplinary transfer; **Strafvollzug** *sub, m, -es, nur Einz.* execution of sentence, penal system; **strafwürdig** *adj*, punishable; **Strafzettel** *sub, m, -s, -* ticket

Strahl, *sub, m, -s, -en (Licht-)* beam, ray; *(Wasser-)* jet

Strahlemann, *sub, m, -es, -männer* sunshine boy

strahlen, *vi*, shine; *(Radioaktivität)* be radioactive; *(Wärme)* radiate; *er strahlte übers ganze Gesicht* his face was beaming with joy; *ihre Augen strahlten* her eyes shone; **Strahlenbehandlung** *sub, f, -, -en* radiotherapy; **~d** *adj*, radiant; *(Wetter)* bright; **Strahlenpilz** *sub, m, -es, -e (bot.)* ray fungus; **Strahlenschutz** *sub, m, -es, nur Einz.* radiation protection; **Strahler** *sub, m, -s, -* radiator; *(Licht-)* spotlight; **strahlig** *adj*, radial; **Strahlkraft** *sub, f, -, nur Einz.* power of radiation; **Strahlstärke** *sub, f, -, nur Einz.* intensity of radiation; **Strahltriebwerk** *sub, n, -es, -e* jet engine

Strahlung, *sub, f, -, -en* radiation

Strähne, *sub, f, -, -n* strand; *Strähnen machen lassen* have one´s hair streaked; **strähnig (1)** *adj*, straggly **(2)** *adv*, in strands

Stramindecke, *sub, f, -, -n* canvas

stramm, *adj*, *(Disziplin)* strict; *(Haltung)* straight; *(Kleidung)* tight; *(Seil)* taut; *(i. ü. S.)* jemandem die Hosen stramm ziehen give someone a good hiding; *(Kleidung)* stramm sitzen fit tightly; *(mil.) stramm stehen* stand at attention; **~stehen** *adj*, stand at attention

Strand, *sub, m, -es, Strände (Bade-)* beach; *(Ufer)* shore; **~anzug** *sub, m, -es, -züge* beach suit; **~distel** *sub, f, -, -n* sea holly; **stranden** *vi*, be stranded; *(i. ü. S.; scheitern)* fail; **~gut** *sub, n, -es, -güter* stranded goods; *(angespültes)* jetsam; *(treibendes)* flotsam; **~kleid** *sub, n, -es, -er* beach dress; **~korb** *sub, m, -es, -körbe* canopied beach chair; **~krabbe** *sub, f, -, -n* shore crab; **~wache** *sub, f, -, -n* lifeguard

Strang, *sub, m, -es, Stränge* rope;

(anat.) cord; *(i. ü. S.) am gleichen Strang ziehen* be in the same boat; *(i. ü. S.) über die Stränge schlagen* kick over the traces; *(i. ü. S.) wenn alle Stränge reissen* if it comes to the worst; **~ulation** *sub, f, -, -en* strangulation; **strangulieren** *vt,* strangle; *(med.)* strangulate

Strapaze, *sub, f, -, -n* exertion, strain; *den Strapazen nicht gewachsen sein* be not able to stand the strain; **strapazieren** *vt, (abnützen)* wear hard; *(erschöpfen)* knock up; **strapazierfähig** *adj,* hard-wearing; **strapaziös** *adj, (Arbeit etc.)* strenuous; *(ermüdend)* tiring; *(erschöpfend)* exhausting

Straps, *sub, m, -es, -e* suspender; *(US)* garter

Strass, *sub, m, -es, -e* paste

Straße, *sub, f, -, -en* street; *(Land-)* road; *(Meerenge)* strait; *(i. ü. S.) auf der Straße sitzen* be on the street; *(demonstrieren) auf die Straße gehen* take to the streets; *(i. ü. S.) jemanden auf die Straße setzen* throw someone out; *über die Straße gehen* cross the street; **~nanzug** *sub, m, -es, -anzüge* lounge suit; *(US)* business suit; **~narbeiten** *sub, f, -, nur Mehrz.* roadworks; **~nbahn** *sub, f, -, -en* tram(way); *(US)* streetcar; **~nbahn** *sub, m, -es, nur Einz.* road construction; **~nbelag** *sub, m, -es, -beläge* road surfacing; **~nbild** *sub, n, -es, -er* streetscape; **~ncafé** *sub, n, -s, -s* street café; **~ndamm** *sub, m, -es, -dämme* road embankment; **~ndecke** *sub, f, -, -n* road surface; **~ndorf** *sub, n, -es, -dörfer* ribbon-built village; **~necke** *sub, f, -, -n* street corner; **~nfeger** *sub, m, -s, -* road-sweeper; *(US)* street cleaner; **~nfest** *sub, n, -es, -e* street party

Straßenhandel, *sub, m, -s, nur Einz.* street sale; **Straßenkarte** *sub, f, -, -n* road map; **Straßenlage** *sub, f, -, -en* road holding; **Straßenlärm** *sub, m, -s, nur Einz.* street noise; **Straßenmädchen** *sub, n, -s, -* prostitute, street girl; **Straßenname** *sub, m, -n, -n* street name; **Straßennetz** *sub, n, -es, -e* road network, road system; **Straßenrand** *sub, m, -es, -ränder* roadside; **Straßenraub** *sub, m, -es, -e* highway robbery; **Straßenschuh**

sub, m. -s, -e walking shoe; Straßenseite *sub, f, -, -n* roadside; **Straßenverkehrsordnung** *sub, f, -, -en* Highway Code, road traffic regulations; **Straßenzoll** *sub, m, -s, -zölle* road toll

Stratege, *sub, f, -n, -n* strategist; **Strategie** *sub, f, -, -n* strategy; **strategisch** *adj,* strategic

Stratosphäre, *sub, f, -, nur Einz.* stratosphere

Stratus, *sub, m, -es, Strati* stratus; **~wolke** *sub, f, -, -n* stratus cloud

sträuben, (1) *vr,* refuse; *(Haare)* stand on end **(2)** *vt,* bristle; *da sträuben sich einem ja die Haare!* that's enough to make your hair stand on end; *sich mit Händen und Füßen sträuben* refuse to do something

Strauch, *sub, m, -es, Sträucher* bush, shrub; **strauchartig** *adj,* bushlike, shrublike; **~dieb** *sub, m, -es, -be* prowler; **straucheln** *vi,* stumble; *(i. ü. S.)* go astray; **Sträuchlein** *sub, n, -s, -* little shrug; **~ritter** *sub, m, -s, -* footpad, prowler; **~werk** *sub, n, -s, -e* shrubbery

Strauß, *sub, m, -es, Sträuße (Blumen-)* bunch; *(zool.)* ostrich; **~enfarm** *sub, f, -, -en* ostrich farm

Strebe, *sub, f, -, -n* prop; *(Verstrebung)* strut; **~balken** *sub, m, -s, -* brace; **~bogen** *sub, m, -s, -bögen* arched buttress; **streben** *vi,* strive; **~r** *sub, m, -s, -* swot; *(US)* grind; **streberhaft** *adj,* overambitious, pushing; **streberisch** *adj,* overambitious, pushing; **strebsam** *adj, (eifrig)* zealous; *(fleißig)* industrious; **Strebsamkeit** *sub, f, -, nur Einz.* strenuousness; *(Eifer)* zeal

Strecke, *sub, f, -, -n* distance; *(Weg-)* way; *(i. ü. S.) auf der Strecke bleiben* fall by the wayside; *er hat eine tüchtige Strecke zurückgelegt* he covered quite a distance; *(i. ü. S.) zur Strecke bringen* hunt down; **strecken (1)** *vr, (sich ausstrecken)* stretch out **(2)** *vt, (dehnen)* stretch; *(i. ü. S.; verlängern)* eke out; *(ugs.) alle viere von sich strecken* stretch oneself out; *(verdünnen) die Suppe strecken* eke out the soup with water; *die Zunge aus dem Mund strecken* stick out one's tongue;

jemanden zu Boden strecken knock someone to the ground; **~nnetz** *sub, n, -es, -e* railway network; **Streckmetall** *sub, n, -s, -e* expanded metal; **Streckmuskel** *sub, m, -s, -n* extensor muscle; **Streckung** *sub, f, -, -en* extension; *(med.)* stretching

Streetworker, *sub, m, -s, -* street worker

Streichmusik, *sub, f, -, nur Einz.* music for strings; **Streichtrio** *sub, n, -s, -s* string trio; **Streichung** *sub, f, -, -en* cut, deletion; *(wirt.)* cancellation; **Streichwurst** *sub, f, -, -würste* meat paste

Streife, *sub, f, -, -n* patrol; **~n (1)** *sub, m, -s, -* *(Papier etc.)* strip; *(regelmäßig)* stripe; *(unregelmäßig)* streak **(2) streifen** *vi, (i. ü. S.; angrenzen)* border **(3)** *vt,* brush, touch; **~ngang** *sub, m, -s, nur Einz.* patrol; **Streiflicht** *sub, n, -s, -er* sidelight; *ein Streiflicht auf etwas werfen* highlight something; **Streifschuss** *sub, m, -es, -schüsse* graze; **Streifzug** *sub, m, -s, -züge* scouting trip; *(i. ü. S.; Wissensgebiet)* discourse

Streik, *sub, m, -s, -s* strike; *einen Streik abbrechen* call off a strike; *einen Streik ausrufen* call a strike; *in den Streik treten* go on strike; *wilder Streik* wildcat strike; **~aktion** *sub, f, -, -en* strike movement; **~aufruf** *sub, m, -s, -e* call to strike; **~bruch** *sub, m, -s, -brüche* breaking of a strike; **streiken** *vi,* be on strike, strike; **~kasse** *sub, f, -, -n* strike fund; **~lokal** *sub, n, -s, -e* strike committee; **~posten** *m, -s, -* picket; **~recht** *sub, n, -s, -e* right to strike; **~welle** *sub, f, -, -n* series of strikes

Streit, *sub, m, -s, -e* quarrel; *(Kampf)* fight; *(Wort-)* dispute; **~axt** *sub, f, -, -äxte* battle-axe; **streiten** *vi,* quarrel; *(handgreiflich)* fight; *(verbal)* argue; *darüber lässt sich streiten* this is open to argument; *(Sprichwort)* *wenn zwei sich streiten, freut sich der Dritte* when two people quarrel there´s always a third who rejoices; *wir wollen uns nicht darüber streiten* let´s not have a quarrel about it; **~er** *sub, m, -s, -* fighter; *(i. ü. S.; Überzeugung)* proponent; **~frage** *sub, f, -, -n* issue, point of issue; **~gegenstand** *sub, m, -s, -stände* object of dispute;

~gespräch *sub, n, -s, -e* discussion, dispute; **~hammel** *sub, m, -s, -* squabbler; **streitig** *adj,* contentious; *jemandem den Rang streitig machen* rival someone; *jemandem ein Recht streitig machen* contest someone´s right to do something **Streitkräfte**, *sub, f, -, nur Mehrz.* armed forces; **streitlustig** *adj,* pugnatious; **Streitmacht** *sub, f, -, -mächte* armed forces; **Streitobjekt** *sub, n, -s, -e* object of dispute; **Streitpunkt** *sub, m, -s, -e* issue, point in controversy; **Streitross** *sub, n, -es, -rosse oder -rösser* warhorse; **Streitsache** *sub, f, -, -n* controversy; **Streitschrift** *sub, f, -, -en* polemical pamphlet; **Streitsucht** *sub, f, -, nur Einz.* pugnacy, quarrelsomeness; **Streitwagen** *sub, m, -s, -* chariot; **Streitwert** *sub, m, -s, -e* value in dispute

streng, *adj,* rigid, severe, strict; *jemanden streng bestrafen* punish someone severely; *mit stenger Miene* with a stern face; *streng geheim!* top secret!; *streng verboten!* strictly forbidden!; **Strenge** *sub, f, -, nur Einz.* rigidity, severity, strictness; **~gläubig** *adj,* orthodox; **~stens** *adv,* most severely; *Rauchen strengstens verboten* smoking strictly prohibited; *strengstens bestraft werden* be punished most severely

Stress, *sub, m, -es, Stresse* stress

Stretch, *sub, m, -es, -es* elastic material

Streu, *sub, f, -, -en* litter; **~besitz** *sub, m, -es, -e* scattered property; **~büchse** *sub, f, -, -n* shaker; **streuen (1)** *vi,* sprinkle **(2)** *vt,* scatter; **~er** *sub, m, -s, -* caster, shaker; **~gebiet** *sub, n, -s, -e* scattering surface; **~gut** *sub, n, -s, nur Einz.* grit

streunen, *vi,* stray; *(herum-)* roam about; **Streuner** *sub, m, -s, -* *(Person)* tramp; *(Tier)* stray

Streupflicht, *sub, f, -, nur Einz.* obligation to strew; **Streusel** *sub, m, n, -s, -* crumble; **Streuung** *sub, f, -, -en* *(Geschütz)* dispersion; *(phy.)* scattering; **Streuungsmaß** *sub, n, -es, -e* scattering coefficient; **Streuzucker** *sub, m, -s, nur Einz.* caster sugar

Strich, *sub, m, -es, -e* stroke; *(kurzer*

Strich) dash; *(Linie)* line; *(ugs.) auf den Strich gehen* go on the game; *(i. ü. S.) es geht mir gegen den Strich!* it goes against the grain!; *(i. ü. S.) jmd einen Strich durch die Rechnung machen* thwart so´s plans; *(i. ü. S.) nach Strich und Faden* thoroughly; *unter dem Strich* in total; *(schraffieren)* hatch; **~er** *sub, m, -s,* - street-walker; **~junge** *sub, m, -n, -n* male prostitute; **~mädchen** *sub, n, -s,* - prostitute; **~punkt** *sub, m, -s, -e* semicolon; **~regen** *sub, m, -s, nur Einz.* local rain; **~vogel** *sub, m, -s, -vögel* migratory bird; **strichweise** *adv,* here and there

Strick, *sub, m, -s, Stricke* rope; *(i. ü. S.) jmd einen Strick aus etwas drehen* trip so up with sth; *(i. ü. S.) wenn alle Stricke reissen* if everything else fails; **~arbeit** *sub, f, -, -en* piece of knitting; **~beutel** *sub, m, -s,* - knitting bag; **stricken** *vti,* knit; **~er** *sub, m, -s,* - knitter; **~jacke** *sub, f, -, -n* cardigan; **~kleid** *sub, n, -s, -er* knitted dress; **~leiter** *sub, f, -, -n* rope ladder; **~muster** *sub, n, -s,* - *(Anleitung)* knitting pattern; *(Probe)* knitting sample; **~nadel** *sub, f, -, -n* knitting needle; **~stoff** *sub, m, -s, -e* knitting yarn; **~waren** *sub, f, -, nur Mehrz.* knitwear; **~weste** *sub, f, -, -n* knitted vest; **~zeug** *sub, n, -s, -e* knitting

Striegel, *sub, m, -s,* - currycomb; **striegeln** *vt,* curry

Strieme, *sub, f, -, -n* weal; **~n** *sub, m, -s,* - weal

striezen, *vt,* tease

stringent, *adj, (logisch)* necessary; *(schlüssig)* conclusive

Strippe, *sub, f, -, -n (Schnur)* string; *(i. ü. S.; Telefon)* blower; *(ugs.) an der Strippe hängen* be on the blower; *(ugs.) jemanden an der Strippe haben* have someone on the blower;

strippen *vi,* striptease; **~rin** *sub, f, -, -nen (ugs.)* stripper; **Striptease** *sub, m,n, -, nur Einz.* striptease

strittig, *adj,* contentious, controversal, debatable

Stroboskop, *sub, n, -s, -e* stroboscope

Stroh, *sub, n, -s, nur Einz.* straw; *Stroh im Kopf haben* have sawdust between one´s ears, *(US)* be dead from the neck up; **~ballen** *sub, m, -s,* - bale of

straw, **~blume** *sub, f, -, -n* dried flower; **strohdumm** *adj,* empty-headed; **strohfarben** *adj,* straw-coloured; **strohfarbig** *adj,* stramineous; **~feuer** *sub, n, -s,* - straw fire; *(i. ü. S.)* passing fancy; *seine große Liebe war nur ein Strohfeuer* his great love was only a flash in the pan; **~halm** *sub, m, -s, -e* straw; *(i. ü. S.) sich an einen Strohhalm klammern* clutch at any straw; **~haufen** *sub, m, -s,* - heap of straw; **~hut** *sub, m, -s, -hüte* straw hat; **~mann** *sub, m, -s, -männer (i. ü. S.; jur.)* front man; *(Vogelscheuche)* scarecrow; *(Vogelpresse* *sub, f, -, -n* straw baler; **~witwe** *sub, f, -, -n* grass widow; *(US)* sod widow; **~witwer** *sub, m, -s,* - grass widower

Strolch, *sub, m, -s, -e* scamp; *(ugs.; US)* bum

Strom, *sub, m, -s, Ströme (Fluss)* river; *(Menschen-)* stream; *(Strömung)* current; **~abnahme** *sub, f, -, -n (Anzapfung)* collection of current; *(Entnahme)* current drain; *(Stromstärke)* fall of current; **stromabwärts** *adv,* downstream; **~ausfall** *sub, m, -s, -fälle* power failure; **strömen** *vi,* stream; *Blut strömte ihm über das Gesicht* his face streamed blood; *die Menge strömte aus dem Saal* the crowd poured out of the hall; **~er** *sub, m, -s,* - *(Landstreicher)* tramp; *(Tier)* stray; **stromern** *vi,* tramp; *(streunen)* stray; **~kreis** *sub, m, -es, -e* circuit; **~leitung** *sub, f, -, -en* circuit line; **~messer** *sub, m, -s,* - amperemeter; **~schiene** *sub, f, -, -n* conductor rail; **~schlag** *sub, m, -s, -schläge* electric shock; **~schnelle** *sub, f, -, -n* rapid; **~sperre** *sub, f, -, -n* power cut; **~stärke** *sub, f, -, -n* current intensity; **Strömung** *sub, f, -, -en* current, stream; *(Tendenz)* trend; **~zähler** *sub, m, -s,* - electric current meter

Strontium, *sub, n, -s, nur Einz. (chem.)* strontium

Strophanthin, *sub, n, -s, -e (med.)* strophantin

Strophe, *sub, f, -, -n (Gedicht)* stanza; *(Lied)* verse; **~nbau** *sub, m, -s,* *nur Einz.* stanzaic structure; **~nform** *sub, f, -, -en* stanzaic form; **~nlied** *sub, n, -s, -er* strophic song; **strophisch** *adj,* stanzaic; *(Lied)* in verses

strotzen, *vi,* brim; *vor Gesundheit strotzen* be bursting with health; *vor Ungeziefer strotzen* be teeming with vermin

strubbelig, *adj,* dishevelled; *(Haar)* tousled; **Strubbelkopf** *sub, m, -s, -köpfe* dishevelled hair; *(Person)* tousle-headed person

Strudel, *sub, m, -s, - (i. ü. S.)* whirl; *(Mehlspeise)* strudel; *(Wasserwirbel)* whirlpool; **strudeln** *vi,* whirl

Struktur, *sub, f, -, -en* structure; *(Gewebe)* texture; **~analyse** *sub, f, -, -n* structural analysis; **strukturell** *adj,* structural; **strukturieren** *vt,* structure; *(Gewebe)* texture

strullen, *vi,* pee

Strumpf, *sub, m, -s, Strümpfe (Damen-)* stocking; *(Herren-)* sock; *(i. ü. S.) sein Geld in den Strumpf stecken* save one´s money; **~band** *sub, n, -s, -bänder* garter; **~hose** *sub, f, -, -n* tights; *(US)* panty hose; **~waren** *sub, f, -, nur Mehrz.* hosiery

struppig, *adj,* unkempt; *(Tier)* shaggy; **Struppigkeit** *sub, f, -, nur Einz.* unkemptness; *(Tier)* shagginess

Struwwelpeter, *sub, m, -s, -* Shock-headed Peter

Strychnin, *sub, n, -s, nur Einz. (chem.)* strychnine

Stuartkragen, *sub, m, -s, -krägen* Stuart collar

Stube, *sub, f, -, -n* room; *die gute Stube* the parlour; **~narrest** *sub, m, -s, -e* house arrest; *(mil.)* confinement to barracks; **~ndienst** *sub, m, -es, -e* barrack room duty; **~nfliege** *sub, f, -, -n* housefly; **~nhocker** *sub, m, -s, -* house-mouse; *(ugs.)* stay-at-home; **~nmädchen** *sub, n, -s, -* parlour-maid; *(Hotel)* chambermaid; **~nwagen** *sub, m, -s, -* bassinet (on wheels)

Stuck, *sub, m, -s, nur Einz.* stucco

Stück, *sub, m, -s, -e* piece; *(Abschnitt)* part; *(Bruch-)* fragment; *5 DM das Stück* 5 DM each; *auf freien Stücken* voluntarily; *(i. ü. S.) große Stücke auf jemanden halten* think highly of someone; *jemanden ein Stück mitnehmen* give sb a lift; *Stück für Stück* piece by piece; **Stuckarbeit** *sub, f, -,*

-en stuccowork; **stückeln** *vti,* add a piece, piece together; *(Wertpapiere)* denominate; **~elung** *sub, f, -, -en* denomination; **~gewicht** *sub, n, -s, -e* individual weight; **~gut** *sub, n, -s, -güter* parcelled goods; **~kosten** *sub, f, -, nur Mehrz.* price for one; **stückweise (1)** *adj,* by the piece **(2)** *adv,* piece by piece; **~werk** *sub, n, -s, nur Einz.* patchwork; **~zinsen** *sub, f, -, nur Mehrz.* broken-period interest

Student, *sub, m, -en, -en* student; **~enrevolte** *sub, f, -, -n* students´ revolt; **~enverbindung** *sub, f, -, -en* students´ society; **studentisch** *adj,* student

Studie, *sub, f, -, -n* study; *(literarisch)* essay; **~n** *sub, f, -, nur Mehrz.* studies; **~nbuch** *sub, n, -s, -bücher* student´s record; **~nfach** *sub, n, -s, -fächer* subject; **~ngang** *sub, m, -s, -gänge* course of studies; **~nrat** *sub, m, -s, -räte* teacher at a secondary school; **~nrätin** *sub, f, -, -nen* teacher at a secondary school; **~nreise** *sub, f, -, -n* study trip; **~nzeit** *sub, f, -, -en* student days; **~nzweck** *sub, m, -s, -e* purpose of study; **studieren** *vti,* study; **~rende** *sub, m,f, -, -n* student; **~rstube** *sub, f, -, -n* study; **~rzimmer** *sub, n, -s, -* study

Studio, *sub, n, -s, -s* studio; *(Künstler-)* atelier; **~bühne** *sub, f, -, -n* studio

Studium, *sub, n, -s, -dien* study; *ein Studium abbrechen* break off one´s studies; *ein Studium aufnehmen* begin one´s studies

Stufe, *sub, f, -, -n* step; *(i. ü. S.; Rang)* grade; *(i. ü. S.; Stadium)* stage; **stufen** *vt,* step; *(Haare)* cut in tiers; *(stufenförmig anlegen)* terrace; **~nbarren** *sub, m, -s, -* asymmetric bar; **~nfolge** *sub, f, -, -n* arrangement of steps; *(i. ü. S.)* graduation; **stufenförmig (1)** *adj,* stepped **(2)** *adv,* in steps; **~nheck** *sub, n, -s, -e* oder *-s* notchback; **~nleiter** *sub, f, -, -n* stepladder; **~nrakete** *sub, f, -, -n* multistage rocket; **stufenweise** *adv,* step by step

Stuhl, *sub, m, -s, Stühle* chair; *(ugs.) das haut einen ja vom Stuhl!* it knocks you sideways!; *(theol.) der*

Stuhl noch frei? is this chair taken?; *(i. ü. S.) sich zwischen zwei Stühle setzen* fall between two stools; **~gang** *sub, m, -s, nur Einz.* discharge of the bowels; **~kissen** *sub, n, -s, -* chair cushion

Stulle, *sub, f, -, -n* sandwich

Stulpe, *sub, f, -, -n* cuff; *(Stiefel)* turn-down; **stülpen** *vt,* put sth over sth; *etwas über etwas stülpen* put something over somthing; *sich den Helm über den Kopf stülpen* clap one´s helmet on one´s head; **~närmel** *sub, m, -s, -* turn-back sleeve

stumm, *adj,* dumb, mute; *(schweigend)* silent; **Stumme** *sub, m,f, -n, -n* dumb person; **Stummel** *sub, m, -s, -* stub; **Stummelaffe** *sub, m, -n, -n (zool.)* stub; **Stummelchen** *sub, n, -s, -* stub; **Stummheit** *sub, f, -, nur Einz.* dumbness, muteness; *(Schweigen)* silence

stumpf, (1) *adj,* blunt, dull **(2) Stumpf** *sub, m, -es, Stümpfe* stump; **~nasig** *adj,* flat-nosed; **Stumpfsinn** *sub, m, -s, nur Einz.* dullness; **~sinnig** *adj, (Arbeit)* tedious; *(Person)* dull

Stunde, *sub, f, -, -n* hour; *(Unterricht)* lesson; **stunden** *vt,* grant delay for payment; **~nglas** *sub, n, -es, -gläser* hourglass; **~nhotel** *sub, n, -s, -s* ill-famed hotel; **stundenlang (1)** *adj,* for hours **(2)** *adv,* for hours; **~nlohn** *sub, m, -s, -löbne* hourly wage; **~nplan** *sub, m, -s, -pläne* timetable; *(US)* schedule; **~ntakt** *sub, m, -s, -e* every hour; **stundenweise** *adv,* by the hour; **stundenweit** *adv,* several hours (away); **stündlich (1)** *adj,* hourly **(2)** *adv,* every hour; **Stundung** *sub, f, -, -en* delay of payment

Stunk, *sub, m, -s, nur Einz.* hullabaloo; *(ugs.) Stunk machen* cause a hullabaloo, kick up a row

Stunt, *sub, m, -s, -s* stunt; **~man** *sub, m, -s, -men* stunt man

stupfen, *vt,* jog

stupide, *adj,* dull; *(geistlos)* mindless; **Stupidität** *sub, f, -, -en* dullness, mindlessness

stupsen, *vt,* jog, push

stur, *adj,* stubborn; *(unnachgiebig)* obdurate; **Sturheit** *sub, f, -, -ten* stubbornness; *(Unnachgiebigkeit)* obdu-

Sturm, *sub, m, -s, Stürme (spo.)* forward ,line; *(Unwetter)* storm; *die Ruhe vor dem Sturm* the calm before the storm; *im Sturm nehmen* take by storm; *(i. ü. S.) Sturm laufen gegen* be up in arms against; *Sturm läuten* ring the alarm; **~angriff** *sub, m, -s, -e* assault; **sturmbereit** *adj, (mil.)* ready to attack; **stürmen (1)** *vi, (Wind)* blow, rage **(2)** *vt, (mil.)* storm; **Stürmer** *sub, m, -s, - (spo.)* forward; **sturmerprobt** *adj,* storm-proof; **~flut** *sub, f, -, -en* storm tide; **sturmfrei** *adj,* sheltered from the storm; *(ugs.) eine sturmfreie Bude* trouble-free digs; **~gepäck** *sub, n, -s, nur Einz. (mil.)* combat pack; **~glocke** *sub, f, -, -n* storm bell; **stürmisch** *adj,* stormy; *(ungestüm)* impetuous

Sturmlaterne, *sub, f, -, -n* storm lantern; *(US)* hurricane lamp; **Sturmläuten** *sub, n, -s, nur Einz.* sounding of alarm; **Sturmleiter** *sub, f, -, -n* scaling ladder; **Sturmriemen** *sub, m, -s, -* chin strap; **Sturmschritt** *sub, m, -s, nur Einz.* double time; **Sturmsignal** *sub, n, -s, -e* storm signal; **Sturmvogel** *sub, m, -s, -vögel (zool.)* petrel; **Sturmwarnung** *sub, f, -, -en* storm warning; **Sturmzeichen** *sub, n, -s, -* storm signal

Sturz, *sub, m, -es, Stürze* fall; *(i. ü. S.)* overthrow; *(i. ü. S.) der Sturz einer Regierung* the overthrow of a government; **~acker** *sub, m, -s, -äcker* new-ploughed field; **~bach** *sub, m, -s, -bäche* torrent; **stürzen (1)** *vi,* fall; *(i. ü. S.)* overthrow; *(rennen)* rush **(2)** *vr,* pounce on so **(3)** *vt,* turn upside down; *ins Zimmer stürzen* rush into the room; *sich auf die Zeitung stürzen* grab the newspaper; *sich ins Unglück stürzen* plunge into misery; *von einem Gerüst stürzen* fall from a scaffold, *sich in die Politik stürzen* dive into politics; **~flug** *sub, m, -s, -flüge* nose dive; **~see** *sub, f, -, -n* breaker

Stuss, *sub, m, -es, nur Einz.* nonsense; *rede keinen Stuss!* don´t talk such nonsense!

Stute, *sub, f, -, -n* mare

Stutenzucht, *sub, f, -, -en* stud

Stützbalken, *sub, m, -s, -* supporting bar; **Stütze** *sub, f, -, -n* support; *der Stock dient mir als Stütze* the stick serves me as a support; *(i. ü. S.) in jemandem eine Stütze haben* have a mainstay in someone; **Stutzen (1)** *sub, m, -s, - (ugs.)* short rifle; *(spo.)* football sock; *(tech.)* connecting piece **(2) stutzen** *vi,* be puzzled, hesitate **(3)** *vt,* trim; *(Hecke etc.)* clip; **stützen (1)** *vr,* lean **(2)** *vt,* back, support; *die Ellbogen auf den Tisch stützen* prop one´s ellbows on the table; *einen Verdacht durch etwas stützen* base a suspicion on something; *er wurde von zwei Freunden gestützt* he was supported by two friends; **Stutzer** *sub, m, -s, - (ugs.)* bumfreezer

Stutzflügel, *sub, m, -s, -* baby grand piano; **Stützgewebe** *sub, n, -s, -* supporting tissue; **stutzig** *adj,* puzzled; *jemanden stutzig machen* make someone suspicious; *stutzig werden* begin to wonder; **Stützkorsett** *sub, n, -s, -e* supporting corset; **Stützpfeiler** *sub, m, -s, -* buttress, supporting column; **Stützrad** *sub, n, -s, -räder* supporting wheel; **Stützsprung** *sub, m, -s, -sprünge (spo.)* vault with support; **Stützstrumpf** *sub, m, -s, -strümpfe* supporting stocking; **Stützverband** *sub, m, -s, -bände* fixed dressing

Styrol, *sub, n, -s, nur Einz. (chem.)* styrene

subaltern, *adj,* subaltern, subordinate

Subjekt, *sub, n, -s, -e* subject; **subjektiv** *adj,* subjective; **~ivismus** *sub, m, -, nur Einz.* subjectivism; **subjektivistisch** *adj,* subjectivistic; **~ivität** *sub, f, -, nur Einz.* subjectivity; **~satz** *sub, m, -es, -sätze* nominative clause

Subkategorie, *sub, f, -, -n* subordinated category; **Subkontinent** *sub, m, -s, -e* subcontinent; **Subkultur** *sub, f, -, -en* subculture; **subkulturell** *adj,* subcultural; **subkutan** *adj, (med.)* subcutaneous

sublim, *adj,* sublime; **Sublimation** *sub, f, -, -en* sublimation; **~ieren** *vt,* sublime; *(chem.)* sublimate; **Sublimierung** *sub, f, -, -en* sublimation

submarin, *adj,* submarine

Subordination, *sub, f, -, -en* subordination; **subordinieren** *vt,* subordinate

Subsidiarität, *sub, f, -, nur Einz.* subsidiarity

Subskribent, *sub, m, -en, -en* subscriber; **subskribieren** *vt,* subscribe; **Subskription** *sub, f, -, -en* subscription

Subspezies, *sub, f, -, nur Einz.* subspecies

Substandard, *sub, m, -s, nur Einz.* substandard

substantiell, *adj,* substantial; **substantiieren** *vt,* substantiate

Substantiv, *sub, n, -s, -e* noun, substantive; **substantivieren** *vt,* substantivate

Substanz, *sub, f, -, -en* substance; *(phil.)* essence; *(wirt.)* capital assets; **substanziell** *adj,* substantial

substituieren, *vt,* substitute; *(Computer)* extract; *A durch B substituieren* substitute B for A; **Substitut** *sub, m, -en, -en* assistant of sales manager; **Substitutin** *sub, f, -, -in* assistant of sales manager; **Substitution** *sub, f, -, -en* substitution

Substrat, *sub, n, -s, -e (biol.)* substrate; *(chem.)* reactant

subtil, *adj, (feinsinnig)* subtle; *(zart)* delicate

Subtrahend, *sub, m, -en, -en (mat.)* subtrahend; **subtrahieren** *vti,* subtract

Subtraktion, *sub, f, -, -en* subtraction

Subtropen, *sub, f, -, Mehrz.* subtropical regions, subtropics; **subtropisch** *adj,* subtropical

Subvention, *sub, f, -, -en (privat)* subvention; *(staatlich)* subsidy; **subventionieren** *vt,* subsidize

Subversion, *sub, f, -, -en* subversion; **subversiv** *adj,* subversionary, subversive

Suchanzeige, *sub, f, -, -n* advertisement; **Suchbild** *sub, n, -s, -er* searching image; **Suche** *sub, f, -, -n* search; *auf der Suche nach etwas sein* be looking for something; *auf die Suche gehen nach* go in search of; *vergebliche Suche* wild goose chase; **suchen** *vti,* look for; *(danach streben)* seek; *(eingehend)* search for; **Sucher** *sub, m, -s, - (Kamera)* viewfinder; *(Person)* searcher; **Sucherei** *sub, f, , -en* constant [illegible] of the announcement *sub, f, , -en* police announcement about wanted persons, radio call

Sucht, *sub, f, -, Süchte* addiction; **~gefahr** *sub, f, -, -en* danger of habit formation; **süchtig** *adj*, addicted; **Süchtige** *sub, m,f, -n, -n* addict; **Süchtigkeit** *sub, f, -, nur Einz.* addiction; **~kranke** *sub, m,f, -n, -n* addict

Sud, *sub, m, -s, -e (gastronomisch)* stock; *(med.)* extract; **Südafrika** *sub, n, -s, -* South Africa; **Südafrikaner** *sub, m, -s, -* South African; **Südamerika** *sub, n, -s, -* South America; **sudanesisch** *adj*, Sudanese; **südasiatisch** *adj*, South Asiatic; **~dendeath** *sub, m, -s, -s (spo.)* sudden death; **Süddeutsche** *sub, m,f, -n, -n* South German

Sudelei, *sub, f, -, -en* mess; *(Arbeit)* botchery

Süden, *sub, m, -s, nur Einz.* south

Südfrucht, *sub, f, -, -früchte* tropical and subtropical fruit; **Südländerin** *sub, f, -, -nen* inhabitant of Italy, Greece, Spain or Portugal; **südländisch** *adj*, of Italy, Greece, Spain or Portugal; **südlich (1)** *adj*, southern **(2)** *adv*, south; **Südosten** *sub, m, -s, nur Einz.* southeast; **Südpol** *sub, m, -s, nur Einz.* South Pole; **Südsee** *sub, f, -, nur Einz.* South Pacific; **Südseite** *sub, f, -, -n* south side; **Südstaaten** *sub, f, -, nur Mehrz.* southern states; *(USA)* Southern States; **Südsüdosten** *sub, m, -s, nur Einz.* south-southeast; **Südsüdwesten** *sub, m, -s, nur Einz.* south-southwest; **südtirolisch** *adj*, South Tyrolean; **südwärts** *adv*, southward(s); **Südwesten** *sub, m, -s, nur Einz.* south-west; **Südwester** *sub, m, -s, -* southwester; **südwestlich** *adj*, south-western; **Südweststaat** *sub, m, -s, -en* south-western state; **Südwestwind** *sub, m, -s, -e* south-west wind

Suff, *sub, m, -s, nur Einz. (Handlung)* drinking; *(Zustand)* state of drunkenness; *(ugs.)* dem Suff verfallen sein be on the bottle; **süffeln** *vti*, tipple; *(ugs.)* have a couple; **süffig** *adj*, pleasant to drink; der Wein ist süffig the wine is nice to drink

süffisant, *adj*, self-satisfied; **Süffisanz** *sub, f, -, nur Einz.* self-satisfaction

Suffix *sub, n, -es, -e* suffix

suffizient, *adj*, sufficient

suggerieren, *vt*, suggest; *jemandem etwas suggerieren* influence someone by suggesting something; **suggestibel** *adj*, suggestible; **Suggestion** *sub, f, -, -en* suggestion; **suggestiv** *adj*, suggestive

Suhle, *sub, f, -, -n* wallow; *(Lache)* slough; **suhlen** *vr*, wallow

Sühne, *sub, f, -, -n* atonement, expiation; *als Sühne für* to atone for; *das verlangt Sühne* this demands atonement; **~gericht** *sub, n, -s, -e* conciliation; **sühnen** *vt*, atone, expiate; *ein Verbrechen sühnen* atone for a crime; *seine Schuld sühnen* atone for one´s wrongs; **~richter** *sub, m, -s, -* conciliation judge; **~termin** *sub, m, -s, -e* conciliation hearing

Suitcase, *sub, m,n, -, - oder -s* suitcase

Suite, *sub, f, -, -n* suite

Suizid, *sub, m,n, -s, -e* suicide; **suizidal** *adj*, suicidal; **~risiko** *sub, n, -s, -s oder -ken* danger of committing suicide

Sujet, *sub, n, -s, -s* subject

Sukkade, *sub, f, -, -n* succade

Sukzession, *sub, f, -, -en* succession; **sukzessiv** *adj*, gradual, successive; **sukzessive** *adv*, gradually, successively

Sulfat, *sub, n, -s, -e* sulfate

Sulky, *sub, n, -s, -s* sulky

Sultan, *sub, m, -s, -e* sultan; **~at** *sub, n, -s, -e* sultanate

Sultanine, *sub, f, -, -n* sultana; *(US)* seedless raisin

Sulz, *sub, f, -, -en (ugs.)* brawn; **Sülze** *sub, f, -, -n* brawn; **sülzen** *vt*, boil until jellified; **Sülzkotelett** *sub, m, -s, -s* cutlet in aspic

Summa, *sub, f, -, -en* summa

Summand, *sub, m, -en, -en* summand; *(mat.)* addend

Summation, *sub, f, -, -en* summation

Summe, *sub, f, -, -n* sum; *(Geld)* amount; *die Summe meiner Wünsche* the total of my ambitions; *(ugs.)* es hat eine hübsche Summe gekostet* that cost a pretty penny; *sie konnten sich über die Höhe der Summe nicht einigen* they couldn´t agree on the sum; **summen** (1) *vi, (Biene)* buzz (2) *vti,* hum; **~nbilanz** *sub, f, -, -en* turnover balance

Summer, *sub, m, -s,* - buzzer, hummer

summieren, (1) *vr,* add up (2) *vt,* sum up; *(ugs.) das summiert sich!* it all adds up!; *sich summieren auf* amount to

Sumpf, *sub, m, -s, Sümpfe* marsh, swamp; *(i. ü. S.) ein Sumpf des Lasters* a den of vice; *(i. ü. S.) im Sumpf der Großstadt* in the slough of the big city; *in einen Sumpf geraten* get lost in a swamp; **~dotterblume** *sub, f, -, -n* marsh marigold; **~fieber** *sub, n, -s, -* malaria; **~gas** *sub, n, -es, -e* marsh gas; **~gebiet** *sub, n, -s, -e* marshland; **~gegend** *sub, f, -, -en* swampy district; **~huhn** *sub, n, -s, -hühner (zool.)* crake; **sumpfig** *adj,* marshy, swampy; **~pflanze** *sub, f, -, -n* marsh plant

Sund, *sub, m, -s, -e* sound; **Sünde** *sub, f, -, -n (i. ü. S.) ich hasse ihn wie die Sünde* I hate him like poison; *jemandem seine Sünden vergeben* forgive someone his sins; *seine Sünden beichten* confess one´s sins; *(i. ü. S.) sie ist hässlich wie die Sünde* she is ugly as sin; **Sündenbabel** *sub, n, -s, -* sink of iniquity; *(ugs.; US)* hell´s kitchen; **Sündenbock** *sub, m, -s, -böcke* scapegoat; **Sündenfall** *sub, m, -s, -fälle* Fall; **Sündenpfuhl** *sub, m, -s, -e* cesspool of vice; **Sünder** *sub, m, -s, -* sinner; **Sündermiene** *sub, f, -, -n* hangdog expression; **Sündflut** *sub, f, -, -en* Flood; **sündhaft** *adj,* iniquitous, sinful; *(i. ü. S.) wicked; (i. ü. S.) das Kleid hat ein sündhaftes Geld gekostet* the dress cost a wicked amount of money; *ein sündhaftes Leben führen* lead a sinful life; *(i. ü. S.) sündhaft teuer* frightfully expensive; **sündig** *adj,* iniquitous, sinful; **sündigen** *vi,* sin

Sunnit, *sub, m, -en, -en* Sunnite

Suomi, *sub, n, -, nur Einz.* Finland

super, (1) *adj,* super (2) **Super** *sub, n, -s, nur Einz. (Benzin)* super; *das finde ich super!* that´s great!; *sein neues Auto ist einfach super* his new car is absolutely super; **~b** *adj,* splendid, superb; **Superbenzin** *sub, n, -s, -e* super; **Superintendentur** *sub, f, -,*

-en superintendency; **Superkargo** *sub, m, -s, -s* supercargo; **Superlativ** *sub, m, -s, -e* superlative; *in Superlativen sprechen* speak in superlatives; **~leicht** *adj,* ultralight; **Supermarkt** *sub, m, -s, -märkte* supermarket; **~modern** *adj,* ultramodern; **Supernova** *sub, f, -, -novä* supernova; **Superstar** *sub, m, -s, -s* superstar

Supinum, *sub, n, -s, Supina* supine

Süppchen, *sub, n, -s, -* soup; *(i. ü. S.) sein Süppchen am Feuer anderer kochen* get an advantage to the detriment of others; **Suppe** *sub, f, -, -n* soup; *(Fleischbrühe)* broth; *(i. ü. S.) die Suppe auslöffeln müssen* have to face the music; *(i. ü. S.) jemandem die Suppe versalzen* queer someone´s pitch; *(i. ü. S.) jemandem eine schöne Suppe einbrocken* get someone into a nice mess; *(i. ü. S.) jemandem in die Suppe spucken* spoil someone´s fun; **Suppenkaspar** *sub, m, -s, -* nickname for a child who will not eat its soup; **Suppenkelle** *sub, f, -, -n* soup ladle; **Suppenkraut** *sub, n, -s, -kräuter* potherb; **Suppenlöffel** *sub, m, -s, -* soup spoon; **Suppennudel** *sub, f, -, -n* soup noodle; **Suppentasse** *sub, f, -, -n* soup cup; **Suppenteller** *sub, m, -s, -* soup plate; **Suppenwürfel** *sub, m, -s, -* bouillon cube; **suppig** *adj,* soupy

Supplement, *sub, n, -s, -e* supplement

supplizieren, *vt,* supplement

Support, *sub, m, -s, -e* slide rest

Suppression, *sub, f, -, -en* suppression; **suppressiv** *adj,* suppressible

supprimieren, *vt,* suppress

Supremat, *sub, m,n, -s, -e* supremacy; **~seid** *sub, m, -s, -e* oath of supremacy

Sure, *sub, f, -, -n* sura

Surfbrett, *sub, n, -s, -er* surfboard; **surfen** *vi,* surf; **Surfer** *sub, m, -s, -* surfer

Surinamerin, *sub, f, -, -nen* Surinamese; **surinamisch** *adj,* Surinamese

Surplus, *sub, n, -, -* surplus

Surrealismus, *sub, m, -, nur Einz.* surrealism; **Surrealist** *sub, m, -en, -en,*

... surrealist, finer-ellektin sub, f -,
-nen surrealist; **surrealistisch** adj,
surrealist(ic)

surren, vi, buzz; der Pfeil surrte durch
die Luft the arrow whizzed through
the air

Surrogat, sub, n, -s, -e substitute, surrogate; **~ion** sub, f, -, -en surrogation

suspekt, adj, suspicious; (fragwürdig) dubious; das ist mir suspekt that
seems fishy to me; ich finde sein Benehmen reichlich suspekt I find his
behaviour rather suspicious

suspendieren, vt, suspend; jmdn von
Dienst suspendieren suspend so
from office; **Suspension** sub, f, -, -en
suspension; **Suspensorium** sub, n,
-s, -sorien suspensory

süß, adj, sweet; das süße Nichtstun
sweet idleness; ich trinke meinen Tee
gerne sehr süß I like my tea very
sweet; (schmeichlerisch) ihr süßes
Lächeln geht mir auf die Nerven her
sugary smile gets on my nerves;
(niedlich) ist das Baby nicht süß?
isn´t the baby sweet?; Rache ist süß!
I´ll get you for that!; süße Träume!
sweet dreams!; **~en** vt, sweeten; **Süßigkeit** sub, f, -, -en sweets; (US) candy; **Süßkartoffel** sub, f, -, -n sweet
potato; **~lich** adj, sweetish; (widerlich) mawkish; **Süßlichkeit** sub, f, -,
-en sweetishness; (i. ü. S.) mawki-
shness; **~sauer** adj, sweet-and-sour;
Süßstoff sub, m, -s, -e sweetener;
Süßwasser sub, n, -s, -e freshwater;
Süßwasserfisch sub, m, -s, -e freshwater fish

suszeptibel, adj, susceptible

Swami, sub, m, -s, -s Swami

Sweater, sub, m, -s, - pullover, sweater; **Sweatshirt** sub, n, -s, -s sweatshirt

Swimmingpool, sub, m, -s, -s swimming pool

Sykophant, sub, m, -en, -en sycophant

Syllogismus, sub, m, -, -logismen syllogism

Sylvester, sub, m,n, -, - Sylvester

Symbiont, sub, m, -en, -en symbiont

Symbiose, sub, f, -, -n symbiosis

symbiotisch, adj, symbiotic(al)

Symbol, sub, n, -s, -e symbol; die Waage ist das Symbol der Gerechtigkeit
the balance is the symbol of justice;
~ik sub, f, -, nur Einz. symbolism;

symbolisch (1) adj, symbolic(al)
(2) adv, symbolically; das muss
symbolisch aufgefasst werden that
is meant symbolically; die symbolische Darstellung des Todes the
symbolic representation of death;
symbolisieren vt, symbolize; **~is-
mus** sub, m, -, nur Einz. symbolism

Symmetrie, sub, f, -, -n symmetry;
symmetrisch adj, symmetric(al)

Sympathie, sub, f, -, -n sympathy;
die Sympathien der Zuschauer lagen auf Seiten des Verlierers the
sympathies of the spectators were
on the loser´s side; etwas (keine)
große Sympathie entgegenbringen
show (no) great sympathy for
something; sich alle Sympathien
verscherzen be no longer liked;
Sympathikus sub, m, -, -thizi sympathetic system; **Sympathisant**
sub, m, -en, -en sympathizer; **sympathisch** adj, likeable, pleasant;
(med.) sympathetic; ein sympathisches Mädchen a nice girl; er hat
ein sympathisches Lächeln he has
a pleasant smile; sie war mir vom
ersten Moment an sympathisch I
liked her at once; (med.) das sympathische Nervensystem the sympathetic nervous system;
sympathisieren vi, sympathize

Symptom, sub, n, -s, -e symptom;
(objektiv) sign; **symptomatisch**
adj, symptomatic

Synagoge, sub, f, -, -n synagogue

Synapse, sub, f, -, -n synapsis

synchron, adj, synchronous; **Synchronisation** sub, f, -, -en synchronization; **~isieren** vt, (Film) dub;
(tech.) synchronize

syndetisch, adj, syndetic

Syndikat, sub, n, -s, -e syndicate;
sich zu einem Syndikat zusammenschließen form a syndicate;
Syndikus sub, m, -, -se (jur.) syndic; (US) corporation lawyer

Syndrom, sub, n, -s, -e syndrome

synergetisch, adj, synergetic(al);
Synergie sub, f, -, -n synergy

Synod, sub, m, -s, -e Holy Synod;
synodal adj, synodal; **~ale** sub,
m,f, -n, -n synodalist

Synode, sub, f, -, -n church council,
synod; **synodisch** adj, synodic(al)

synonym, (1) adj, synonymous (2)

Synonym *sub, n, -s, -e* synonym; **Synonymie** *sub, f, -, -n* synonymy; **Synonymik** *sub, f, -, nur Einz.* synonymics

Synoptik, *sub, f, -, nur Einz.* synoptics; **synoptisch** *adj,* synoptic(al)

Syntagma, *sub, n, -s, -ta oder -men* syntagm

syntaktisch, *adj,* syntactic(al)

Syntax, *sub, f, -, -en* syntax

Synthese, *sub, f, -, -n* synthesis; **Synthesizer** *sub, m, -s, -* synthesizer; **Synthetik** *sub, n, -s, nur Einz.* synthetics; **synthetisch (1)** *adj,* synthetic(al) **(2)** *adv,* synthetically; *ein synthetisches Verfahren* a synthetic process; *synthetische Fasern* synthetic fibres

Syphilis, *sub, f, -, nur Einz.* syphilis; **Syphilitiker** *sub, m, -s, -* syphilitic patient; **syphilitisch** *adj,* syphilitic

System, *sub, n, -s, -e* system; *(Methode)* method; *dahinter steckt System* there´s method behind it; *nach seinem eigenen System wetten* bet according to one´s own system; **~atik** *sub, f, -, -en* systematics; **systematisch** *adj,* methodic(al), systematic; **systematisieren** *vt,* methodize, systematize; *(bot.)* classify; **systemimmanent** *adj,* immanent in a system

Systole, *sub, f, -, -n* systole

Szenario, *sub, n, -s, -s* scenario; **Szenarium** *sub, n, -s, -rien* scenario; **Szene** *sub, f, -, -n* scene; *(Bühne)* stage; *etwas in Szene setzen* put something on the stage; *jemandem eine Szene machen* make a scene in front of someone; *(ugs.) sich in der Szene auskennen* know the scene; **Szenegänger** *sub, m, -s, -* insider; **Szenenfolge** *sub, f, -, -n* scene change; **Szenerie** *sub, f, -, -n* scenery; **szenisch (1)** *adj,* scenic(al) **(2)** *adv,* scenically; *etwas szenisch darstellen* present something scenically

Tabak, *sub*, *m*, -s, -e tobacco; **~bau** *sub*, *m*, -s, *nur Einz.* cultivation of tobacco; **~monopol** *sub*, *n*, -s, *nur Einz.* tobacco monopoly; **~pflanze** *sub*, *f*, -, -n tobacco plant; **~raucher** *sub*, *m*, -s, - tobacco smoker; **~sbeutel** *sub*, *m*, -s, - tobacco pouch; **~spfeife** *sub*, *f*, -, -n tobacco pipe; **~strauch** *sub*, *m*, -s, -sträucher tobacco (plant); **~trafik** *sub*, *f*, -, -en tobacco shop; *(US)* tobacco store

Tabasco, *sub*, *m*, -s, *nur Einz.* tabasco

tabellarisch, *adj*, tabular; **tabellarisieren** *vt*, tabulate

Tabelle, *sub*, *f*, -, -n table; *(Grafik)* chart; **~nende** *sub*, *n*, -s, -n bottom of the table; **~nform** *sub*, *f*, -, -en tabular form; *in Tabellenform* in tabular form; **~nführer** *sub*, *m*, -s, - table leader; **tabellieren** *vt*, tabulate; **Tabellierer** *sub*, *m*, -s, - tabulator

Tableau, *sub*, *n*, -s, -s tableau

Tablett, *sub*, *n*, -s, -s tray; **~e** *sub*, *f*, -, -n pill, tablet; **~enmissbrauch** *sub*, *m*, -s, *-bräuche* pharmacophilia

tabu, (1) *adj*, taboo (2) **Tabu** *sub*, *n*, -s, -s taboo; *dieses Thema ist für dich tabu* this subject is taboo for you, *ein Tabu brechen* break a taboo; *sich über alle Tabus der Gesellschaft hinwegsetzen* ignore all social taboos; **~isieren** *vt*, put sth under taboo, taboo

Tabulator, *sub*, *m*, -s, -en tab(ulator)

Tabuschranke, *sub*, *m*, -s, *-schränke* taboo; **Tabuwort** *sub*, *n*, -s, *-wörter* taboo word

Tacheles, *sub*, *m*, -, - *(ugs.)* plain terms; *(ugs.) mit jemandem Tacheles reden* tell someone off; *Tacheles reden* speak in plain terms

Tachismus, *sub*, *m*, -, *nur Einz. (kun.)* tachism

Tacho, *sub*, *m*, -s, -s speedo; **~meter** *sub*, *n*, -s, - speedometer; **Tachymeter** *sub*, *n*, -s, - tachymeter

Tadel, *sub*, *m*, -s, - reprimand, reproach; *(Kritik)* censure; **tadellos** *adj*, irreproachable; **tadeln** *vt*, reprimand; *(kritisieren)* criticize; *(zurechtweisen)* rebuke; **tadelnswert** *adj*, blameworthy, reproachable; **tadelsüchtig** *adj*, censorious, critical

tadschikisch, *adj*, Tadzhik

Taekwondo, *sub*, *n*, -s, *nur Einz.* taek won do

Tafel, *sub*, *f*, -, -n *(Gedenk-)* plaque; *(Schokoladen-)* bar; *(Schule)* blackboard; *(Tisch)* dinner table; *Tafel* blackboard; **~aufsatz** *sub*, *m*, -es, *-sätze* centrepiece; **~besteck** *sub*, *n*, -s, -e flatware; **tafelfertig** *adj*, ready-to-serve; **tafelförmig** *adj*, tabular; **~freuden** *sub*, *f*, -, *nur Mehrz.* delights of the table; **~gebirge** *sub*, *n*, -s, - table mountains; **tafeln** *vi*, dine; *(schmausen)* feast; *er tafelt gern* he is fond of good food; **täfeln** *vt*, *(Decke)* panel; *(Wand)* wainscot; **~schere** *sub*, *f*, -, -n plate shears; **Täfelung** *sub*, *f*, -, -en wainscot; **~wasser** *sub*, *n*, -s, *-wässer* table water

Taft, *sub*, *m*, -s, -e taffeta

Tag, *sub*, *m*, -s, -e day; *(i. ü. S.) an den Tag bringen* bring to light; *den ganzen Tag* all day; *eines schönen Tages* one fine day; *(i. ü. S.) es ist noch nicht aller Tage Abend* it´s early days yet; *guten Tag!* good morning!, *(nachmittags)* good afternoon!; *schönen Tag noch!* have a nice day!; *(i. ü. S.) seine Tage haben* have one´s period; *Tag für Tag* day after day; *welcher Tag ist heute?* what day is today?; *zweimal am Tag* twice a day; **tagaus** *adv*, day out; *tagaus, tagein* day in, day out; **~ebau** *sub*, *n*, -s, -e open-cast mining; **~ebuch** *sub*, *n*, -s, *-bücher* diary; *(wirt.)* journal; **~edieb** *sub*, *m*, -s, -e idler, loafer; **~egeld** *sub*, *n*, -s, -er daily allowance; **tagein** *adv*, day in; *tagaus, tagein* day in, day out; **tagelang** (1) *adj*, lasting for days (2) *adv*, for days on end; **~elied** *sub*, *n*, -s, -er morning song; **~elohn** *sub*, *m*, -s, *-löhne* daily wages; *im Tagelohn arbeiten* work by the day; **tagelöhnern** *vi*, work by the day

tagen, *vi*, hold a meeting, sit; *(Tag werden)* dawn

Tagesablauf, *sub*, *m*, -s, *-läufe* daily routine; **Tagesanbruch** *sub*, *m*, -s, *-brüche* dawn, daybreak; *bei Tagesanbruch* at daybreak; *vor Tagesanbruch* before daybreak;

Tagesarbeit *sub, f, -, -en* day´s work; **Tagesausflug** *sub, m, -s, -flüge* day trip; **Tagesbedarf** *sub, m, -s, -e* daily requirement; **Tagesbefehl** *sub, m, -s, -e* order of the day; **Tagesdienst** *sub, m, -s, -e* day duty; **Tageslosung** *sub, f, -, -en* parole, password; **Tagesmarsch** *sub, m, -es, -märsche* day´s march; **Tagesordnung** *sub, f, -, -en* agenda; *(ugs.) das ist hier an der Tagesordnung* that´s nothing out of the ordinary here; *etwas auf die Tagesordnung setzen* put something down on the agenda; *zur Tagesordnung übergeben* proceed to the agenda; **Tagespolitik** *sub, f, -, -en* politics of the day; **Tagespresse** *sub, f, -, nur Einz.* daily press; **Tagesration** *sub, f, -, -en* daily ration; **Tagessieger** *sub, m, -s, -* winner of the day; **Tageszeitung** *sub, f, -, -en* daily (news)paper; **Tagewerk** *sub, n, -s, -e* day´s work; *sein Tagewerk verrichten* do one´s daily work

Tagliatelle, *sub, f, -, nur Mehrz.* pasta

täglich, (1) *adj*, daily (2) *adv*, every day; *der tägliche Bedarf an Nahrungsmitteln* the daily food requirements; *über die täglichen Vorfälle berichten* report on the daily events, *es wird täglich schwieriger* it´s getting more difficult every day; *so etwas kommt täglich vor* things like this happen every day; **tagsüber** *adv*, during the day; **Tagtraum** *sub, m, -s, -träume* daydream; **Tagträumerin** *sub, f, -, -nen* daydreamer

Tagung, *sub, f, -, -en* conference; *(polit.)* sitting; *eine Tagung abhalten* hold a meeting; *eine Tagung einberufen* call a meeting; **~sbüro** *sub, n, -s, -s* meeting office

Taifun, *sub, m, -s, -e* typhoon

Taiga, *sub, f, -, nur Einz.* taiga

Taille, *sub, f, -, -n* waist; *eine schlanke Taille haben* have a slim waist; *jemanden um die Taille fassen* put one´s arm round someone´s waist; **~nweite** *sub, f, -, -n* waist (measurement); **taillieren** *vt*, waist

Takelage, *sub, f, -, -n* rig; *zu schwere Takelage haben* be overrigged; **Take-off** *sub, m,n, -s, -s* take-off; **Takelwerk** *sub, n, -s, -e* rigging

Takt, *sub, m, -s, -e (Feingefühl)* tact; *(mus.)* time; *eine Angelegenheit mit*

Takt behandeln handle an affair with tact; *es fehlt ihm an Takt* he lacks tact; *(mus.) aus dem Takt kommen* play out of time; *(mus.) den Takt halten* keep the time; *(mus.) im Takt* in time; **taktieren** *vi*, manoeuvre

Taktik, *sub, f, -, -en* tactics; *eine raffinierte Taktik anwenden* use subtle tactics; *nach einer bestimmten Taktik vorgehen* proceed according to certain tactics; **~er** *sub, m, -s, -* tactician; **taktisch** *adj*, tactical; **taktlos** *adj*, tactless; **Taktlosigkeit** *sub, f, -, -en* tactlessness; **Taktstock** *sub, m, -s, -stöcke* baton; *den Taktstock schwingen* wield the baton; **taktvoll** *adj*, tactful

Tal, *sub, n, -s, Täler* valley; *über Berg und Tal wandern* hike cross-country

Talar, *sub, m, -s, -e* gown; *(jur.)* robe

talaufwärts, *adv*, up the valley

Talent, *sub, n, -s, -e* talent; *(Begabung)* gift; *(Person)* talented person; **talentiert** *adj*, gifted, talented; **~probe** *sub, f, -, -n* proof of one´s talent

Taler, *sub, m, -s, -* German dollar, taler

Talfahrt, *sub, f, -, -en* descent; *(spo.)* downhill run

Talg, *sub, m, -s, -e (anat.)* sebum; *(ausgelassen)* tallow; *(roh)* suet; **talgig** *adj*, suety; *(med.)* sebaceous; **~licht** *sub, n, -s, -er* tallow candle

Talisman, *sub, m, -s, -e* charm, talisman

Talk, *sub, m, -s, -s* talk; **talken** *vti*, talk

Talkum, *sub, n, -s, nur Einz.* soapstone, talcum; **talkumieren** *vt*, powder sth with talcum

Talmi, *sub, n, -s, nur Einz.* pinchbeck

Talmud, *sub, m, -s, -e* Talmud; **~ismus** *sub, m, -, nur Einz.* Talmudism

Talmulde, *sub, f, -, -n* hollow, valley basin; **Talsenke** *sub, f, -, -n* hollow; **Talsohle** *sub, f, -, -n* valley bottom; **Talsperre** *sub, f, -, -n (Speichersee)* storage reservoir; *(Staumauer)* river dam; **talwärts** *adv*, down to the valley

Tamarinde, *sub, f, -, -n* tamarind

Tamariske, *sub, f, -, -n* tamarisk

Tambourmajor, *sub, m, -s, -e* drum major

tamburieren, *vt*, embroider on a tambour; **Tamburin** *sub, n, -s, -e* tambourine

Tampon, *sub, m, -s, -s* tampon; **~ade** *sub, f, -, -n* tamponade

Tamtam, *sub, n, -s, -s (ugs.)* fuss; *(mus.)* tam-tam; *(ugs.) das Fest wurde mit großem Tamtam eröffnet* the festival was opened with a lot of ballyhoo; *(ugs.) viel Tamtam machen* make a lot of fuss

Tanagrafigur, *sub, f, -, -en* Tanagra

Tand, *sub, m, -s, nur Einz.* knicknacks, trinkets

Tändelmarkt, *sub, m, -s, -märkte* jumble market; **tändeln** *vi*, play about; *(flirten)* dally

Tandem, *sub, n, -s, -s* tandem; **~achse** *sub, f, -, -n* tandem axle

Tangens, *sub, m, -, nur Einz.* tangent; **~kurve** *sub, f, -, -n* tangent curve

Tangente, *sub, f, -, -n* tangent; *(Städteplanung)* tangential trunk road; **tangential** *adj*, tangential; **tangieren** *vt*, touch; *(i. ü. S.)* affect

Tango, *sub, m, -s, -s* tango; *Tango tanzen* dance the tango

Tank, *sub, m, -s, -s* tank; *(Behälter)* container; **tanken** *vti*, fill up; *(i. ü. S.) er hat zuviel getankt* he has had one too many; *(i. ü. S.) frische Kräfte tanken* work up one's strength; *ich muß noch tanken* I have to fill up; **~er** *sub, m, -s, -* tanker; **~erflotte** *sub, f, -, -n* tanker fleet; **~fahrzeug** *sub, n, -s, -e* tanker; **~füllung** *sub, f, -, -en* tank filling; **~schloss** *sub, n, -es, -schlösser* tank lock; **~stelle** *sub, f, -, -n* filling station; *(US)* gas station; **~wart** *sub, m, -s, -e* petrol pump attendant; *(US)* gas station attendant

Tann, *sub, m, -s, -* fir wood

Tanne, *sub, f, -, -n* fir; **~nbaum** *sub, m, -s, -bäume* fir tree; **~nhonig** *sub, m, -s, nur Einz.* fir honey; **~nadel** *sub, f, -, -n* fir needle; **~nreisig** *sub, n, -s, nur Einz.* fir brushwood; **~nwald** *sub, m, -s od. -es, -wälder* fir forest, fir wood; **~nzapfen** *sub, m, -s, -* fir cone; **~nzweig** *sub, m, -s od. -es, -e* fir twig; *(Ast)* fir branch

Tannin, *sub, n, -s, -e* tannin; **~beize** *sub, f, -, -n* tannin mordant

Tansanierin, *sub, f, -, -nen* Tanzanian

Tantalusqualen, *sub, f, -, nur Mehrz.* torments of Tantalus; *jemandem Tantalusqualen bereiten* tantalize someone

Tante, *sub, f, -, -n* aunt; **~-Emma-Laden** *sub, m, -s, -Läden* little shop

Tantieme, *sub, f, -, -n* royalty

Tanz, *sub, m, -es, Tänze* dance; *(ugs.) dann ging der Tanz erst richtig los!* this was but the beginning of the fun; *(geh.) darf ich Sie um den nächsten Tanz bitten?* may I have the next dance?; *zum Tanz gehen* go to a dance; **~bein** *sub, n, -s, nur Einz.* nur in Anwendungen; **~café** *sub, n, -s, -s* café with dancing; **Tänzchen** *sub, n, -s, -* dance; *wollen wir ein Tänzchen wagen?* shall we venture a dance?; **tänzeln** *vi, (Person)* mince; *(Pferd)* prance; **tanzen** *vti*, dance; *das Boot tanzt auf den Wellen* the boat dances on the waves; *möchtest Du tanzen?* would you like to dance?; *Walzer tanzen* dance the waltz; **Tänzer** *sub, m, -s, -* dancer; **~erei** *sub, f, -, -en* dancing; **Tänzerin** *sub, f, -, -nen* dancer; **~girl** *sub, n, -s, -s* chorus girl; **~kapelle** *sub, f, -, -n* dance band

Tanzkurs, *sub, m, -es, -e* dancing lessons; **Tanzlehrerin** *sub, f, -, -nen* dancing instructor; **Tanzlied** *sub, n, -s od. -es, -er* dancing song; **Tanzpartner** *sub, m, -s, -* dancing partner; **Tanzsaal** *sub, m, -s, -säle* dancing hall; *(Hotel)* ballroom; **Tanzschritt** *sub, m, -s od. -es, -e* dance step; **Tanzschüler** *sub, m, -s, -* dancing pupil; **Tanzstunde** *sub, f, -, -en* dancing lesson; **Tanzturnier** *sub, n, -s, -e* dancing contest

Tao, *sub, n, -s, nur Einz.* tao; **~ismus** *sub, m, -, nur Einz.* Taoism

Tape, *sub, n, -s, -s* tape; **~deck** *sub, n, -s, -s* tape deck

Tapergreis, *sub, m, -es, -e* dodderer; **taperig** *adj*, doddery; **tapern** *vi*, dodder

tapezieren, *vti*, decorate, paper; **Tapezierer** *sub, m, -s, -* decorator, paperhanger

tapfer, *adj*, brave; *(mutig)* courageous; **Tapferkeit** *sub, f, -, nur Einz.* bravery; *(Mut)* courage

Tapir, *sub, m, -s, -e* tapir

Tapisserie, *sub, f, -, -n* tapestry

tappen, *vi*, grope; *im Dunkeln tappen* grope in the dark; **täppisch** *adj*, awkward, clumsy

tapsen, *vi, (Person)* tramp; *(Tier)* pat; **tapsig** *adj*, awkward, clumsy

Tara, *sub, f, -*, *Taren* tare

Tarantel, *sub, f, -, -n* tarantula; *wie von der Tarantel gestochen* as if stung by a bee; **~la** *sub, m, -s, -llen* tarantella

Tarbusch, *sub, m, -s, -e* tarboosh

tarentinisch, *adj*, Tarentine

tarieren, *vt*, tare; **Tarierwaage** *sub, f, -, -n* tare balance

Tarif, *sub, m, -s, -e (Lohn-)* rate; *(wirt.)* tariff; **tarifarisch (1)** *adj*, contractual **(2)** *adv*, according to tariff; **~autonomie** *sub, f, -, -n (Lohnverhandlungen)* autonomy in negotiating wage rates; *(Zollwesen)* tariff autonomy; **~bezirk** *sub, m, -s, -e* collective-agreement area; **~gruppe** *sub, f, -, -n* grade; **~hoheit** *sub, f, -, -en* right to conclude collective agreements; **~ierung** *sub, f, -, -en* tariff; **~lohn** *sub, m, -s, -löhne* standard wage; **~ordnung** *sub, f, -, -en* wage scale; **~partner** *sub, m, -s, -* party to a (collective) wage agreement; **~politik** *sub, f, -, nur Einz. (Lohn)* wage policy; *(Zoll)* tariff policy; **~vertrag** *sub, m, -s, -verträge* collective wage agreement

Tarnanstrich, *sub, m, -s, -e* camouflage coating

tarnen, *vt*, camouflage; *(i. ü. S.)* disguise; **Tarnkappe** *sub, f, -, -n* magic cap; **Tarnname** *sub, m, -s, -n* code name; **Tarnung** *sub, f, -, -en (i. ü. S.)* disguise; *(mil.)* camouflage

Tarock, *sub, m, -s, -s* tarot

tarocken, *vi*, tarot

Tarzan, *sub, m, -s, -s* Tarzan

Tasche, *sub, f, -, -en (Akten-)* briefcase; *(Beutel)* pouch; *(Hand-)* bag; *(Kleidung)* pocket; *(US)* purse; **Täschelkraut** *sub, n, -s, nur Einz. (bot.)* shepherd´s purse; **~nbuch** *sub, n, -s od. -es, -bücher* paperback; **~ndieb** *sub, m, -s, -e* pickpocket; **~ngeld** *sub, n, -s od. -es, -er* pocket-money; **~nkamm** *sub, m, -s, -kämme* pocket comb; **~nkrebs** *sub, m, -es, -e* com-

mon crab; **~nlampe** *sub, f, -, -n* torch; *(US)* flashlight; **~nrechner** *sub, m, -s, -* pocket calculator; **~nspieler** *sub, m, -s, -* conjurer, jugger; **~ntuch** *sub, n, -s od. -es, -tücher* handkerchief; *(ugs.)* hanky; **~nuhr** *sub, f, -, -en* pocket watch

Tässchen, *sub, n, -s, -* little cup; *sich ein Tässchen genehmigen* have a nice cup; **Tasse** *sub, f, -, -n* cup; *(i. ü. S.) du bist eine trübe Tasse!* you are a proper drip!; *eine Tasse Kaffee* a cup of coffee; *(i. ü. S.) er hat nicht alle Tassen im Schrank!* he´s off his rocker!; *(ugs.) hoch die Tassen!* cheers!

Tastatur, *sub, f, -, -en* keyboard; **Taste** *sub, f, -, -n* key; *(i. ü. S.) auf die Tasten hauen* hammer away at the keyboard; *eine Taste drücken* press a key; **tasten** *vti*, feel; *(i. ü. S.)* grope; *nach dem Lichtschalter tasten* grope for the light switch; *(i. ü. S.) sich zur Lösung eines Problems tasten* grope one´s way towards the solution of a problem; *sie tastete nach seiner Hand* she felt for his hand; **Tastendruck** *sub, m, -s, nur Einz.* key pressure

Tastsinn, *sub, m, -s, nur Einz.* sense of touch

Tat, *sub, f, -, -en* act, deed; *(Handeln)* action; *(jur.)* offence; *auf frischer Tat ertappen* catch in the act; *ein Mann der Tat* a man of action; *in der Tat!* indeed!; *in die Tat umsetzen* put into action; *jemandem mit Rat und Tat beistehen* assist someone in word and deed

Tatar, *sub, n, -s, -s* minced beef

Tatbestand, *sub, m, -es, -stände* facts; *(jur.)* facts of the case; **tatendurstig** *adj*, burning for action; **tatenlos** *adj*, idle, inactive; **Täter** *sub, m, -s, - (jur.)* perpetrator; **Täterschaft** *sub, f, -, -en* perpetration; *(Schuld)* guilt; **Tatgeschehen** *sub, n, -s, -* course of events

tätig, *adj*, active; *(beruflich) in einer Firma tätig sein* be employed with a firm; *in einer Sache tätig werden* take action in matter; **Tätigkeit** *sub, f, -, -en (Aktivität)* activity; *(Arbeit)* work; *(Beruf)* job; *(Beschäftigung)* occupation; **Tätigung** *sub, f, -, -en* conclusion, tran-

ve; *(Energie)* energy; **tatkräftig** *adj*, energetic; **tätlich** *adj*, violent; *gegen jemanden tätlich werden* assault someone; *tätlich werden* become violent; **Tätlichkeit** *sub, f, -, -en* violence; *die Diskussion artete in Tätlichkeiten aus* the discussion ended in blows; *sich zu Tätlichkeiten hinreissen lassen* get violent; **Tatort** *sub, m, -s od. -es, -e* scene of the crime **tätowieren**, *vt*, tattoo; *sich tätowieren lassen* have oneself tattooed; **Tätowierung** *sub, f, -, -en* tattoo(ing)

Tatsache, *sub, f, -, -n* fact; *den Tatsachen ins Auge blicken* face the facts; *etwas als Tatsache hinstellen* lay something down as fact; *in Anbetracht der Tatsache, daß* considering the facts that; *sich mit den Tatsachen abfinden* put up with the facts; **~nbericht** *sub, m, -s od. -es, -e* documentary; **tatsächlich (1)** *adj*, actual, real **(2)** *adv*, actually, really

tätscheln, *vt*, pat

tatschen, *vi*, finger; *(ugs.)* paw

Tattergreis, *sub, m, -es, -e* dodderer; **Tatterich** *sub, m, -s, -e* shake, tremble; *den Tatterich haben* have the shakes; *(ugs.) er ist ein alter Tatterich!* he´s a dodderer!; **Tattersall** *sub, m, -s, -s* manege, riding school

Tattoo, *sub, n, -s, -s* tattoo

Tatverdacht, *sub, m, -s, -e* suspicion; *der Tatverdacht fiel auf ihn* suspicion fell on him; **Tatwaffe** *sub, f, -n, -n* murder weapon

Tatzeuge, *sub, m, -en, -en* witness

Tau, *sub, n, -s, -e* dew, rope; *(spo.) am Tau klettern* climb the rope; *an den Gräsern funkelte der Tau* dew was sparkling on the grass

taub, *adj*, *(betäubt)* numb; *(Gehör)* deaf; **Taube** *sub, m, -n, -n* dove, pigeon; *(i. ü. S.; Sprichwort) besser ein Spatz in der Hand als eine Taube auf dem Dach* a bird in the hand is worth two in the bush; *sanft wie eine Taube* gentle as a dove; **Taubenei** *sub, n, -es, -er* pigeon´s egg; **Taubenschlag** *sub, m, -s od. -es, -schläge* dovecot; *(für Brieftauben)* pigeon loft; *(i. ü. S.) hier geht´s ja zu wie in einem Taubenschlag!* it´s like a railway station here!; **Taubenzucht** *sub, f, -, -en* pigeon breeding; **Taubheit** *sub, f, -, -*

(Gefühllosigkeit) numbness; *(Gehörlosigkeit)* deafness; **Täubling** *sub, m, -s, -e (bot.)* russula; **Taubnessel** *sub, f, -, -n* dead nettle; **~stumm** *adj*, deaf and dumb

tauchen, *vti*, dive; *(kurz)* dip; *(U-Boot)* submerge; *die Hände ins Wasser tauchen* dip one´s hands into the water; *nach Schätzen tauchen* dive for treasures; **Taucher** *sub, m, -s, -* diver; **Taucheranzug** *sub, m, -s od. -es, -anzüge* diving suit; **Taucherhelm** *sub, m, -s, -e* diving helmet; **Taucherkrankheit** *sub, f, -, nur Einz.* diver´s paralysis; **Taucherkugel** *sub, f, -, -n* bathysphere; **Tauchmanöver** *sub, n, -s, -* dive; **Tauchsieder** *sub, m, -s, -* immersion coil; **Tauchstation** *sub, f, -, -en* diving station; *auf Tauchstation* at diving station

tauen, *vti*, melt, thaw

Taufbecken, *sub, n, -s, -* baptismal font; **Taufbrunnen** *sub, m, -s, -* baptismal font

Taufe, *sub, f, -, -n (Einrichtung)* baptism; *(Vorgang)* christening; *(i. ü. S.) ein Kind aus der Taufe heben* stand sponsor to a child; *(i. ü. S.) etwas aus der Taufe heben* start something up; **taufen** *vt*, baptize; *(i. ü. S.; Namen geben)* christen; **Täufer** *sub, m, -s, -* baptist; *(bibl.) Johannes der Täufer* John the Baptist; **Taufgelübde** *sub, n, -s, -* baptismal vow; **Taufkapelle** *sub, f, -, -n* baptistry; **Täufling** *sub, m, -s od. -es, -e* child to be baptized; **Taufname** *sub, m, -n, -n* Christian name, forename; **Taufpate** *sub, m, -n, -n* godparent; **Taufregister** *sub, m, -s, -* parish register; **Taufstein** *sub, m, -s, -e* baptismal font

taugen, *vi*, be good; *(geeignet sein)* be suitable; *er taugt nichts* he is no good; *ob das wohl was taugt?* I wonder whether it is any good; *zu etwas taugen* be fit for something; **Taugenichts** *sub, m, -es, -e* good-for-nothing; **tauglich** *adj*, *(geeignet)* suitable; *(geistig)* qualified; *(nützlich)* useful; *für tauglich erklärt werden* be passed as fit; *(mil.) nicht tauglich!* unfit for service!; **Tauglichkeit** *sub, f, -, nur Einz. (Eignung)* suitability; *(geistige)* qualification; *(Nützlichkeit)* usefulness

Taumel, *sub, m, -s,* - giddiness; *(Schwindelgefühl)* dizziness; **taumeln** *vi,* stagger

Tausch, *sub, m, -es, -e* exchange; *(Handel)* barter; **tauschen** *vti,* exchange; *(Güter)* barter; **täuschen** *vti,* be eceptive, be mistaken, deceive; *der Schein täuscht* appearances are deceptive; *ich sah mich in meinen Erwartungen getäuscht* my expectations were disappointed; *sie hat sich gründlich in ihm getäuscht* she has been completely mistaken about him; *so leicht kannst du mich nicht täuschen!* you won´t fool me so easy!; *jemandes Vertrauen täuschen* deceive someone´s confidence; *wenn mich meine Augen nicht täuschen* if my eyes do not deceive me; **Täuscher** *sub, m, -s,* - deceiver; **~handel** *sub, m, -s, nur Einz.* barter; **~objekt** *sub, n, -s od. -es, -e* barter object; **Täuschung** *sub, f, -, -en* deception, delusion; *gib dich keiner Täuschung hin!* you must not delude yourself!; **tauschweise** *adv,* by way of exchange

tausend, -, thousand; *ich habe tausend verschiedene Dinge zu tun* I have a thousand and one different things to do; *(ugs.) tausend Ängste ausstehen* die a thousand deaths; *viele Tausende* thousands of; **Tausende** *sub, n, -n,* - thousands of; **~eins** *adj,* thousand and one; **~erlei** *adj,* of a thousand (different) kinds; *ich habe noch tausenderlei Dinge zu erledigen* I still have a thousand things to do; **~fach (1)** *adj,* thousandfold **(2)** *adv,* in a thousand ways; **Tausendfache** *sub, n, -n, nur Einz.* thousandfold; **Tausendfüßler** *sub, m, -s,* - millipede; **Tausendgüldenkraut** *sub, n, -es, nur Einz. (bot.)* centaury; **Tausendkünstler** *sub, m, -s,* - *(Alleskönner)* Jack of all trades; *(Gaukler)* conjurer; **~malig** *adv,* thousand times; **Tausendsasa** *sub, m, -s, -s* Jack of all trades; *(ugs.) (Teufelskerl)* devil of a fellow; **Tausendschönchen** *sub, n, -s,* - *(bot.)* daisy; **Tausendstel** *sub, n, -s,* - thousandth (part); **~stens** *adj,* thousandth

Tautropfen, *sub, m, -s,* - dewdrop;

Tauwerk *sub, n, -s od. -es, nur Einz.* rigging, ropes; **Tauwetter** *sub, n, -s,* - thaw; **Tauziehen** *sub, n, -s, nur Einz.* tug of war

Taverne, *sub, f, -, -n* tavern

Taxameter, *sub, n,m, -s,* - taximeter

Taxation, *sub, f, -, -en (jur.)* valuation; *(wirt.)* rating; **Taxator** *sub, m, -en, -en* valuator; *(jur.)* appraiser; **Taxe** *sub, f, -, -n (wirt.)* fixed value, rate; *(wirt.) einer Taxe unterliegen* be subject to a tax

Taxi, *sub, n, -s, -s* cab, taxi; *ein Taxi nehmen* take a taxi; *mit dem Taxi fahren* go by taxi; **taxieren** *vt, (jur.)* value; *(wirt.)* rate; **~fahrerin** *sub, f, -, -nen* cabdriver, taxi driver

Teach-in, *sub, n, -s, -s* teach-in

Teakholz, *sub, n, -es, nur Einz.* teak (wood)

Team, *sub, n, -s, -s* team; **~chef** *sub, m, -s, -s (spo.)* captain of the team; **~work** *sub, n, -s, nur Einz.* teamwork

Technik, *sub, f, -, -en* technics, technology; *(Funktionsweise)* mechanics; *(Verfahren)* technique; **~er** *sub, m, -s,* - technician; *(Ingenieur)* engineer; **~erin** *sub, f, -, -nen* technician; *(Ingenieurin)* engineer; **~um** *sub, n, -, -ka* college of technology; **technisch** *adj,* technical, technological; **technisieren** *vt,* technicalize, technicize

Techno, *sub, n, -s, nur Einz. (mus.)* techno; **~krat** *sub, m, -en, -en* technocrat; **~kratie** *sub, f, -, nur Einz.* technocracy; **technokratisch** *adj,* technocratic; **~loge** *sub, m, -n, -n* technologist; **~logie** *sub, f, -, nur Einz.* technology; **~logietransfer** *sub, m, -s, -s* transfer of technology; **technologisch** *adj,* technological

Techtelmechtel, *sub, n, -s, -s (ugs.)* affair

Teckel, *sub, m, -s,* - dachshund

Tedeum, *sub, n, -s, -s* Te Deum

Tee, *sub, m, -s, Tees* tea; *(i. ü. S.) abwarten und Tee trinken!* let´s wait and see!; *den Tee ziehen lassen* let the tea infuse; *eine Tasse Tee* a cup of tea; *Fünf-Uhr-Tee* five o´clock tea; **~blatt** *sub, n, -s od. -es, -blätter* tea leaf; **~ei** *sub, n, -s, -er* infuser; **~ernte** *sub, f, -, -n* tea

~küche *sub, f, -, -n* tea-house; ~licht *sub, n, -s od. -es, -er* teapot warmer

Teenager, *sub, m, -s,* - teener; Teenie *sub, m, -s, -s* teener

Teer, *sub, m, -s, -e* tar; teeren *vt,* tar; *ein Schiff teeren* tar a vessel; *(ugs.) jmd teeren und federn* tar and feather so; ~fass *sub, n, -es, -fässer* tar barrel; ~ose *sub, f, -, -n (bot.)* tea-rose; Teestube *sub, f, -, -n* tea-room; Teetasse *sub, f, -, -n* tea cup; Teetisch *sub, m, -es, -e* tea-table; Teewagen *sub, m, -s, -wägen* tea-trolley; *(US)* tea-wagon

Teich, *sub, m, -s, -e* pond; *(ugs.: Atlantischer Ozean) der große Teich* the herring pond; ~muschel *sub, f, -, -n* swan mussel; ~pflanze *sub, f, -, -n* aquatic plant

Teig, *sub, m, -s od. -es, -e* dough, pastry; teigig *adj,* doughy; ~rädchen *sub, n, -s,* - pastry jagging wheel; ~schüssel *sub, f, -, -n* pastry bowl; ~waren *sub, nur Mehrz.* pasta

Teil, *sub, m, n, -s, -e (Anteil)* share; *(Bruchteil)* part; *der größte Teil davon* the greater part of it; *ein Teil der Menschen* some of the people; *ich für meinen Teil* I, for my part; *sich seinen Teil denken* draw one´s own conclusions; *zum größten Teil* for the most part; ~ansicht *sub, f, -, -en* partial view; teilbar *adj,* divisible; ~barkeit *sub, f, -, -en* divisibility; ~bereich *sub, m, -s, -e* branch, subsection; ~chen *sub, n, -s,* - particle; teilen (1) *vr,* share; teilen (2) *vt,* divide; *(auf-)* share; ~er *sub, m, -s,* - divisor; ~fabrikat *sub, n, -s, -e* partial product; teilhaben *vi,* participate; ~haber *sub, m, -s,* - associate, partner; ~haberin *sub, f, -, -nen* associate, partner

Teilleistung, *sub, f, -, -en* part performance; teilmöbliert *adj,* partly furnished; Teilnahme *sub, f, -, -n (Beileid)* condolence; *(Beteiligung)* participation; *(Interesse)* interest; teilnahmslos *adj,* indifferent, unconcerned; teilnehmen *vi,* participate, show interest, take part; teilnehmend *adj,* interested, taking part; Teilnehmer *sub, m, -s,* - participant; *(spo.)* competitor; *(Telefon)* subscriber; Teilnehmerin *sub, f, -, -nen* participant; *(spo.)* competitor;

Teilstrecke, *sub, f, -, -n* stage; Teilung *sub, f, -, -en* division; teilweise (1) *adj,* partial (2) *adv,* partly; Teilzahlung *sub, f, -, -en* hire purchase; *(Rate)* instal(l)ment; Teilzeitarbeit *sub, f, -, nur Einz.* part-time employment

Tektonik, *sub, f, -, nur Einz.* tectonics; tektonisch *adj,* tectonic

Tektur, *sub, f, -, -en* amendment slip

Telebanking, *sub, n, -s, nur Einz.* telebanking; Telefax *sub, n, -es,* - telefax; Telefon *sub, n, -s, -e* telephone; *ans Telefon gehen* answer the phone; *bleiben Sie bitte am Telefon!* hold the line, please!; *das Telefon läutet!* the phone is ringing!; Telefonanruf *sub, m, -s od. -es, -e* phone call; Telefonat *sub, n, -s od. -es, -e* phone call; Telefonbuch *sub, n, -s od. -es, -bücher* phone book; Telefonhörer *sub, m, -s,* - telephone receiver; telefonieren *vi,* make a telephone call; *(ugs.)* telephone; *kann ich mal bei dir telefonieren?* can I use your phone?; *mit jemandem telefonieren* speak to someone on the phone; telefonisch (1) *adj,* telephonic (2) *adv,* by telephone; Telefonistin *sub, f, -, -nen* telephone operator; Telefonkabel *sub, n, -s,* - phone cable; Telefonkarte *sub, f, -, -n* calling card; Telefonnetz *sub, n, -es, -e* telephone network; Telefonzelle *sub, f, -, -n* telephone-box; Telefonzelle kiosk; telegen *adj,* telegenic

Telegraf, *sub, m, -en, -en* telegraph; ~ie *sub, f, -, nur Einz.* telegraphy; telegrafieren *vti,* telegraph, wire; telegrafisch (1) *adj,* telegraphic (2) *adv,* by wire; *jemandem telegrafisch Geld überweisen* wire someone money; *man wird Sie telegrafisch verständigen!* they will let you know by telegram; ~ist *sub, m, -en, -en* telegraph operator; Telegramm *sub, n, -s, -e* telegram; *(US)* wire; Telegrammformular *sub, n, -s, -e* telegram form; Telekinese *sub, f, -, nur Einz.* telekinesis; Telekom *sub, f, -, nur Einz.* Telekom; Telekommunikation *sub, f, -, nur Einz.* telecommunication; telekopieren *vt*, telecopy; **telekratisch** *adj*, telecratic

Telemetrie, *sub*, *f*, -, *nur Einz.* telemetry; **telemetrisch** *adj*, telemetric; **Teleobjektiv** *sub*, *n*, -s, -e telephoto lens; **teleologisch** *adj*, finalist(ic); teleologic(al); **Telepath** *sub*, *m*, -en, -en telepathist; **Telepathie** *sub*, *f*, -, *nur Einz.* telepathy; **telepathisch** *adj*, telepathic; **Teleskop** *sub*, *n*, -s, -e telescope; **Teleskopantenne** *sub*, *f*, -n, -n telescopic antenna; **Teleskopauge** *sub*, *n*, -s, -n *(zool.)* telescope eye; **teleskopisch** *adj*, telescopic(al); **Television** *sub*, *f*, -, *nur Einz.* television

Teller, *sub*, *m*, -s, - plate; ~**brett** *sub*, *n*, -s *od.* -es, -er plate rail; ~**eisen** *sub*, *n*, -s, - spring trap; **tellerfertig** *adj*, ready-to-serve; **tellerförmig** *adj*, plate-shaped; ~**gericht** *sub*, *n*, -s *od.* -es, -e one course meal; ~**mütze** *sub*, *f*, -, -n flatcap; *(Baskenmütze)* beret

Tellur, *sub*, *n*, -s, *nur Einz.* tellurium

Tempel, *sub*, *m*, -s, - temple; ~**orden** *sub*, *m*, -s, - Order of the Temple; ~**ritter** *sub*, *m*, -s, - Knight Templar

Temperafarbe, *sub*, *f*, -, -n tempera; **Temperamalerei** *sub*, *f*, -, -en tempera-painting

Temperament, *sub*, *n*, -s *od.* -es, -e temperament; *(Lebhaftigkeit)* vivacity

Temperatur, *sub*, *f*, -, -en temperature; *die Temperatur ist unter null Grad gesunken* the temperature has dropped below zero; *erhöhte Temperatur haben* have a temperature; *jemandes Temperatur messen* take someone's temperature

Temperenz, *sub*, *f*, -, -en abstention

temperieren, *vt*, keep at a moderate temperature; *(mus.)* temper; **Temperierung** *sub*, *f*, -, - temperature; **Temperkohle** *sub*, *f*, -, *nur Einz.* temper carbon

Tempo, *sub*, *n*, -s, -s *und Tempi* speed; *(mus.)* time; *bei diesem Tempo werden wir nie fertig!* we'll never finish at this rate!; *(i. ü. S.) das Tempo angeben* set the pace; *ein mörderisches Tempo fahren* drive at a lunatic speed; *Tempo zulegen* speed up; ~**limit** *sub*, *n*, -s, -s speed limit

temporal, *adj*, temporal; **Temporalsatz** *sub*, *m*, -es, -sätze temporal clau-

se; **temporär (1)** *adj*, temporary **(2)** *adv*, temporarily

Tempoverlust, *sub*, *m*, -s *od.* -es, *nur Einz.* loss of speed

Tenakel, *sub*, *n*, -s, - copyholder

Tendenz, *sub*, *f*, -, -en trend; *(Neigung)* tendency; *(wirt.) die Preise zeigen eine steigende Tendenz* prices show a tendency to rise; *die Tendenz haben zu* tend to; *eine Tendenz verfolgen* follow a trend; **tendenziell** *adv*, according to tendency; **tendenziös** *adj*, tendentious; *(voreingenommen)* bias(s)ed; ~**stück** *sub*, *n*, -s *od.* -es, -e thesis play; ~**wende** *sub*, *f*, -, -n trend change

Tender, *sub*, *m*, -s, - tender; **tendieren** *vi*, tend

Tenne, *sub*, *f*, -, -n threshing floor

Tennis, *sub*, *n*, -, *nur Einz.* tennis; ~**ball** *sub*, *m*, -s *od.* -es, -bälle tennis-ball; ~**match** *sub*, *n*, -es, -e tennis-match; ~**platz** *sub*, *m*, -es, -plätze tennis-court; ~**schläger** *sub*, *m*, -s, - tennis-racket; ~**schuh** *sub*, *m*, -s, -e tennis-shoe; ~**spiel** *sub*, *n*, -s, -e game of tennis

Tenor, *sub*, *m*, -s, *nur Einz.* tenor

Tension, *sub*, *f*, -, -en tension

Tentakel, *sub*, *n,m*, -s, -e tentacle

Teppich, *sub*, *m*, -s, -e carpet; *(Brücke)* rug; *(i. ü. S.) bleib auf dem Teppich!* keep your feet on the ground!; *den Teppich klopfen* beat the carpet; *(i. ü. S.) etwas unter den Teppich kehren* sweep something under the carpet; ~**boden** *sub*, *m*, -s, -böden carpet floor; ~**muster** *sub*, *n*, -s, - carpet pattern

Tequila, *sub*, *m*, -s, *nur Einz.* tequila

Teratologin, *sub*, *f*, -, -nen teratologist

Term, *sub*, *m*, -s, -e term; ~**in** *sub*, *m*, -s, -e date; *(Verabredung)* appointment; *einen Termin anberaumen für* set a date for; *einen Termin einhalten* keep a date; *schon einen anderen Termin haben* have a prior engagement; ~**inal** *sub*, *n*, -s, -s terminal; ~**indruck** *sub*, *m*, -s *od.* -es, *nur Einz.* pressure of time; **termingemäß (1)** *adj*, on time **(2)** *adv*, due time; **terminieren** *vt*, restrict; ~**inierung** *sub*, *f*, -, -en restriction, time

limit, ~~~~~~~~~~~~ sub, m, -s, -~ appointment book; *(US)* tickler; **~ino-
loge** *sub, m, -n, -n* terminologist;
~inologie *sub, f, -, -n* terminology;
~inus *sub, m, -, Termini* expression,
term

ternär, *adj*, ternary

Terpentin, *sub, n, m, -s, -e* turpentine

Terrain, *sub, n, -s, -s* terrain; *(i. ü. S.)*
territory; *das Terrain sondieren* reconnoitre the terrain; *(mil.) in unwegsamem Terrain vorrücken*
advance in difficult terrain; *(i. ü. S.)
sich auf unsicheres Terrain begeben*
get onto shaky ground

Terrakotta, *sub, f, -, nur Einz.* terra-
cotta

Terrarium, *sub, n, -s, -rien* terrarium

Terrasse, *sub, f, -, -n* terrace

Terrazzo, *sub, n, (-s), -zzi* terrazzo

terrestrisch, *adj,* terrestrial

Terrier, *sub, m, -s, -* terrier

Terrine, *sub, f, -, -n* tureen

territorial, *adj,* territorial; **Territorialhoheit** *sub, f, -, nur Einz.* territorial sovereignty; **Territorium** *sub, n,
-s, -rien* territory; *sich auf fremdem
Territorium befinden* be in foreign
territory

Terror, *sub, m, -s, nur Einz.* terror;
*dieses Land wird vom Terror be-
herrscht* this country is ruled by terror; *es kam zum blutigen Terror*
there was terror and bloodshed; **terrorisieren** *vt,* terrorize; **~isierung**
sub, f, -, -en terrorization; **~ismus**
sub, m, -s, nur Einz. terrorism; **~ist**
sub, m, -s, -en terrorist; **~istin** *sub, f,
-, -nen* terrorist; **~kommando** *sub,
n, -s, -s* terrorist commando; **~welle**
sub, f, -, (-n) wave of terror

Terz, *sub, f, -, -en (mus.)* third; *(spo.)*
tierce

Terzett, *sub, n, -s, -e* trio

Tesafilm, *sub, m, -s, (-e)* Sellotape;
(US) Scotch tape

Test, *sub, m, -s, -e* test

Testament, *sub, n, -s, -e (jur.)* will,
will; *(bibl.) Altes (Neues) Testament*
Old (New) Testament; *durch Testament verfügen* provide by will; *ein
Testament anfechten* contest a will;
sein Testament machen make one´s
will; **testamentarisch (1)** *adj,* testamentary **(2)** *adv,* by will

Testat, *sub, n, -s, -e* certificate

Testbild, *sub, n, -s, -er* testcard; **testen** *vt,* test; **Tester** *sub, m, -s, -*
tester; **Testfall** *sub, m, -s, (-fälle)*
test; **Testflug** *sub, m, -s, (-flüge* test
flight; **Testgelände** *sub, n, -s, nur
Einz.* testing area; **testieren** *vt,* certify

Testikel, *sub, n, -s, -* testicle

Tetanus, *sub, m, -, nur Einz.* tetanus

Tete-a-tete, *sub, n, -, -s* tête-à-tête

Tetraeder, *sub, m, -s, -* tetrahedron

tetragonal, *adj,* tetragonal

teuer, *adj,* expensive; *(i. ü. S.; lieb)*
dear; *da ist guter Rat teuer* it´s
hard to know what to do; *(i. ü. S.)
das wird ihn teuer zu stehen kommen!* that will cost him dear!; *wie
teuer ist dieser Wagen?* how much
is this car?; **Teuerung** *sub, f, -, -en*
rise in prices

Teufel, *sub, m, -s, -* devil; *(i. ü. S.) in
Teufels Küche kommen* get into
trouble; *jemanden zum Teufel
wünschen* wish someone in hell;
mal den Teufel nicht an die Wand!
don´t think the worst!; *pfui Teufel!*
how disgusting!; *(ugs.) wer zum
Teufel hat das getan?* who the devil
did it?; **~ei** *sub, f, -, -en* devilry;
~sbraten *sub, m, -s, -* Satan´s
brood; **~skerl** *sub, m, -s, -e* devil of
a fellow; **~skreis** *sub, m, -s, nur
Einz.* vicious circle; **~skunst** *sub,
f, -, -künste* black magic, diabolic
art; **~swerk** *sub, n, -s, Plural selten*
work of the devil; **~szeug** *sub, n,
-s, nur Einz.* devilish things; **teuflisch** *adj,* devilish, diabolical, satanic

Text, *sub, m, -es, -e* text; *weiter im
Text!* go on!; **~abdruck** *sub, m, -s,
-e* text printing; **~buch** *sub, n, -s,
-bücher* book; *(Film)* script; **texten
(1)** *vt, (Werbung)* copywrite **(2)** *vti,
(mus.)* write the text; **~er** *sub, m,
-s, -* text writer; *(Werbung)* copywriter

textil, *adj,* textile; **Textilfabrik** *sub,
f, -, -en* textile factory; **Textilien**
sub, nur Mehrz. textiles; **Textilindustrie** *sub, f, -, -n* textile industry;
Textilwaren *sub, nur Mehrz.* textile goods

Textkritik, *sub, f, -, -en* textual criticism; **textlich (1)** *adj,* textual **(2)**
adv, as far as the text is concerned;

Textur *sub, f, -, -en* texture; **Textverarbeitung** *sub, f, -, nur Einz.* word processing
Thailand, *sub, n, -s,* - Thailand; **Thailänderin** *sub, f, -, -nen* Thai; **thailändisch** *adj,* Thai
Thalamus, *sub, m, -, -mi* thalamus
Theater, *sub, n, -s,* - theatre; *(i. ü. S.) das ist doch alles bloß Theater!* it´s all just play-acting!; *(ugs.) mach kein Theater!* don´t make a fuss!; *(i. ü. S.) Theater spielen* put on an act; **~besucher** *sub, m, -s,* - theatre-goer; **~karte** *sub, f, -, -s* theatre ticket; **~kasse** *sub, f, -, -n* box-office; *(US)* ticket-office; **~probe** *sub, f, -, -n* rehearsal; **~raum** *sub, m, -s, -räume* auditorium; **~saal** *sub, m, -es, -säle* auditorium, theatre hall; **~stück** *sub, n, -s, -e* play; **Theatralik** *sub, f, -, nur Einz.* theatricality; **theatralisch** *adj,* theatrical
Theismus, *sub, m, -, nur Einz.* theism
Theke, *sub, f, -, -n (Laden)* counter; *(Lokal)* bar
Thema, *sub, n, -s, -men* subject; topic; *(Leitgedanke)* theme; *das ist ein interessantes Thema für eine Diskussion* that´s an interesting topic to discuss; *das Thema wechseln* change the subject; *kommen wir zum Thema!* let´s get to the point!; **~tik** *sub, f, -, -en* subject matter, theme; **Themenkreis** *sub, m, -es, -e* interrelated subjects
Theodolit, *sub, m, -s, -e* theodolite
Therapeut, *sub, m, -en, -en* therapeutist, therapist; **~ikum** *sub, n, -s, -ka* therapeutic agent; **~in** *sub, f, -, -nen* therapeutist, therapist; **therapeutisch** *adj,* therapeutic; **Therapie** *sub, f, -, -n* therapy; **therapieren** *vt,* treat
thermal, *adj,* thermal; **Thermalsalz** *sub, n, -es, (-e)* thermal salt
Therme, *sub, f, -, -n* thermal spring; **Thermik** *sub, f, -, nur Einz. (phy.)* thermionics; *(spo.)* thermic current; **thermisch** *adj,* thermal, thermic
Thermodynamik, *sub, f, -, nur Einz.* thermodynamics; **Thermometer** *sub, n, -s,* - thermometer; **thermonuklear** *adj,* thermonuclear; **Thermosflasche** *sub, f, -, -n* thermos bottle; **Thermostat** *sub, m, -en oder -s, -en oder -e* thermostat
These, *sub, f, -, -n* thesis; *eine These*

aufstellen evolve a thesis
thessalisch, *adj,* Thessalian
Theta, *sub, n, -s, -s* theta
Thora, *sub, f, -, nur Einz.* Torah
Thorax, *sub, m, -es, -e* thorax
Thriller, *sub, m, -s,* - thriller
Thrombose, *sub, f, -, -n* thrombosis; **thrombotisch** *adj,* thrombotic; **Thrombozyt** *sub, m, -s, -en* blood platelet; *(tt; med.)* thrombocyte
Thron, *sub, m, -es, -e* throne; *den Thron besteigen* ascend the throne; *jemanden vom Thron stoßen* dethrone someone; *(i. ü. S.) komm wieder von deinem Thron herunter!* come down from your high horse!; **~anwärter** *sub, m, -s,* - heir to the throne; **thronen** *vi,* sit enthroned; **~folge** *sub, f, -, nur Einz.* succession to the throne; **~folger** *sub, m, -s,* - successor to the throne; **~räuber** *sub, m, -s,* - usurper (of the throne); **~sessel** *sub, m, -es,* - throne-chair
Thüringen, *sub, n, -s,* - Thuringia; **Thüringerin** *sub, f, -, -nen* Thuringian; **thüringisch** *adj,* Thuringian
Thymian, *sub, m, -s, nur Einz.* thyme
Tic, *sub, m, -s, -s* tic, twitching
Tick, *sub, m, -s, -s (Eigenart)* quirk; *(Schrulle)* kink; *(ugs.) der Kerl hat doch einen Tick!* that fellow is just crazy!; **ticken** *vi,* tick; *(ugs.) du tickst ja nicht richtig!* you´re off your rocker!; **~er** *sub, m, -s,* - *(ugs.)* ticker
Tide, *sub, f, -, -n* tide; **~nhub** *sub, m, -s, (-bübe)* tidal amplitude
Tie-Break, *sub, m, n, -s, -s* tie-break
tief, (1) *adj,* deep; *(niedrig)* low (2) **Tief** *sub, n, -s, -s* depression; *(meteorologisch)* low-pressure area; *er atmete tief* he drew a deep breath; *im tiefsten Afrika* in darkest Africa; *im tiefsten Winter* in the depths of winter; *tief in jemandes Schuld stehen* be deeply indepted to someone; **~ betrübt** *adj,* deeply distressed; **~ bewegt** *adj,* deeply moved; **Tiefbau** *sub, m, -s, nur Einz.* civil engineering; **~blau** *adj,* deep-blue
Tiefe, *sub, f, -, -n* depth; *(i. ü. S.)* deepness; *(i. ü. S.) aus der Tiefe des Herzens* from the bottom of one´s

heart; *in der Tiefe versinken* sink into the depths; **~bene** *sub, f, -, -n* lowland; **~nlinie** *sub, f, -, -s* bathometer; **Tiefflieger** *sub, m, -s, -* low-flying aircraft; *(ugs.)* hedgehopper; **Tiefflug** *sub, m, -s, -flüge* low-level flight; **Tiefgang** *sub, m, -s, nur Einz.* draught; *(i. ü. S.)* depth; **Tiefgeschoss** *sub, m, -es, -e* basement; **tiefgründig** *adj*, deep, profound; **Tiefkühlfach** *sub, n, -s, -fächer* deepfreeze compartment; **Tiefkühlkost** *sub, f, -, nur Einz.* frozen food; **Tiefkühltruhe** *sub, f, -, -n* freezer

Tiefland, *sub, n, -s, -lande, -länder* lowland; **tief stehend** *adj*, low; *(i. ü. S.)* inferior; **Tiefpunkt** *sub, m, -s, -e* low; *(ugs.)* er *befindet sich auf dem absoluten Tiefpunkt* he has reached an all-time low; **Tiefschlag** *sub, m, -s, -schläge* low blow; *(spo.)* hit below the belt; **tiefschwarz** *adj*, deepblack; **Tiefsee** *sub, f, -, nur Einz.* deep sea; **Tiefsinn** *sub, m, -s, nur Einz.* profundity; **Tiefstand** *sub, m, -s, (-stände)* lowest level; **Tiefstapelei** *sub, f, -, -en* overmodesty; **tiefstapeln** *vi,* be overmodest; **Tiefstpreis** *sub, f, -es, -e* minimum price; **Tiefstrahler** *sub, m, -s, -* narrow-angle lighting fitting; **Tiefststand** *sub, m, -s, (-stände)* lowest level; **tieftauchen** *vi,* dive deep; **tieftraurig** *adj*, very sad

Tiegel, *sub, m, -s, -* *(Koch-)* saucepan; *(Schmelz-)* crucible; **~druck** *sub, m, -s, -e* platen print

Tier, *sub, n, -s, -e* animal; *(wildes Tier)* beast; *(i. ü. S.) das Tier in jemandem wecken* bring out the brute in someone; *(i. ü. S.) er ist ein hohes Tier* he´s a big shot; *(i. ü. S.)* depth; **~arzt** *sub, m, -es, -ärzte* veterinary surgeon; *(US)* veterinarian; **tierärztlich** *adj*, veterinary; **~asyl** *sub, n, -s, -e* animal home; **~bändiger** *sub, m, -s, -* animal tamer; **~buch** *sub, n, -s, -bücher* book about animals; **~garten** *sub, m, -s, -gärten* zoo, zoological garden; **~gärtner** *sub, m, -s, -* keeper; **~gestalt** *sub, f, -, -en* animal creature; **~halterin** *sub, f, -, -nen* animal owner; **~haltung** *sub, f, -, nur Einz.* animal keeping; **~händler** *sub, m, -s, -* trader in animals; **~handlung** *sub, f, -, -en* pet shop; **~heilkunde** *sub, f, -, nur Einz.* veterinary medicine; **~heim** *sub, n,*

-s, -e animal home

tierisch, *adj*, animal; *(i. ü. S.; roh)* bestial; *(i. ü. S.) mit tierischem Ernst* dead seriously; **Tierkreis** *sub, m, -es, -e* zodiac; **Tierkreiszeichen** *sub, n, -s, -* sign of the zodiac; **Tierkunde** *sub, f, -, nur Einz.* zoology; **tierlieb** *adj*, fond of animals; **tierliebend** *adj*, animal-loving; **Tiermedizin** *sub, f, -, nur Einz.* veterinary medicine; **Tierpark** *sub, m, -s, -s* zoo; **Tierpfleger** *sub, m, -s, -* keeper; **Tierquälerei** *sub, f, -, (-en)* cruelty to animals; **Tierreich** *sub, n, -s, nur Einz.* animal kingdom; **Tierschau** *sub, f, -, (-en)* animal show; **Tierschutz** *sub, m, -es, nur Einz.* protection of animals; **Tierschützer** *sub, m, -s, -* protector of animals; **Tierversuch** *sub, m, -s, -e* animal experiment; **Tierwelt** *sub, f, -, nur Einz.* animal world; **Tierzucht** *sub, f, -, nur Einz.* livestock breeding; **Tierzüchter** *sub, m, -s, -* animal breeder

Tiger, *sub, m, -s, -* tiger; *gestreift wie ein Tiger* striped like a tiger; *(i. ü. S.) sich wie ein Tiger auf die Arbeit stürzen* set to work like a madman; **~hai** *sub, m, -s, -e* tiger shark

Tilde, *sub, f, -, -n* tilde

tilgen, *vt*, wipe out; *(Schuld)* pay off; **Tilgung** *sub, f, -, -en* erasure; *(Schuld)* repayment; **Tilgungsrate** *sub, f, -, -n* redemption rate; **Tilgungssumme** *sub, f, -, -n* redemption amount

Timbre, *sub, n, -s, -s* tone colour

timen, *vt*, time; **Timing** *sub, n, -s, -s* timing

timokratisch, *adj*, timocratic(al)

Tingeltangel, *sub, m, n, -s, -* *(ugs.)* honky-tonk

Tinktur, *sub, f, -, -en* tincture

Tinte, *sub, f, -, -n* ink; *(i. ü. S.) in der Tinte sitzen* be in the soup; **~nfass** *sub, n, -es, -fässer* inkpot; **~nfisch** *sub, m, -s, -e* cuttlefish; *(tt)* octopus; **~nfleck** *sub, m, -s, -e* *(Kleidung)* ink-stain; *(Papier)* ink-blot; **~nklecks** *sub, m, -es, -e* ink-blot; **~nstift** *sub, m, -s, -e* fountain pen

Tipi, *sub, n, -s, -s* tee-pee

Tipp, *sub, m, -s, -s* tip; *(Hinweis)* hint; **tippeln** *vi,* trip; *(ugs.)* traipse; **tippen (1)** *vi, (raten)* guess **(2)** *vti,* tap; *(an-)* touch; *(Schreibmaschine)* type(write); **3** *Richtige tippen* have three right; *ich tippe im Lotto* I do the lottery; *(i. ü. S.) auf etwas tippen* reckon; *jemandem auf die Schulter tippen* tap someone on the shoulder; **~fräulein** *sub, n, -s, -en* typist; **~se** *sub, f, -s, -n (ugs.)* silly little typist

Tirade, *sub, f, -, -n* tirade; *sich in Tiraden ergehen* go into tirades

Tirol, *sub, n, -s,* - Tyrol; **tirolerisch** *adj,* Tyrolean

Tisch, *sub, m, -es, -e* table; *(Mahlzeit)* meal; *den Tisch decken* lay the table; *(i. ü. S.) etwas unter den Tisch fallen lassen* drop something; *(ugs.) jemanden unter den Tisch trinken* drink someone under the table; *(i. ü. S.) reinen Tisch machen* get things straight; *sich zu Tisch setzen* sit down at table; *bitte zu Tisch!* dinner (lunch) is served; *jmd zu Tisch rufen* summon sb to table; **tischfertig** *adj,* ready-to-serve; **~ler** *sub, m, -s,* - joiner; **~nachbar** *sub, m, -n, -s, -n,* neighbour at table; **~ordnung** *sub, f, -, nur Einz.* seating order (at table); **~platte** *sub, f, -, -n* table-top; **~rechner** *sub, m, -s,* - desk computer; **~rücken** *sub, n, -s* table tipping; **~telefon** *sub, n, -s, -e* desk telephone; **~tennis** *sub, n, -, nur Einz.* table tennis; **~tuch** *sub, n, -s, (tücher)* table-cloth

Titan, *sub, n, -s, nur Einz. (chem.)* titanium; *m, -en, -en (myth.)* Titan; **titanisch** *adj,* gigantic, titanic

Titel, *sub, m, -s,* - title; *einen Titel führen* hold a title; *jemandem einen Titel verleihen* bestow a title on someone; *seinen Titel verteidigen* defend one´s title; **~auflage** *sub, f, -, -n* re-issue under a new title; **~heldin** *sub, f, -, -nen* title heroine; **~schrift** *sub, f, -, (-en)* titling type; **titelsüchtig** *adj,* keen on titles; **~träger** *sub, m, -s,* - holder of a title; **~verteidiger** *sub, m, -s,* - title holder

Titular, *sub, m, -s, -e* titulary; **titulieren** *vt,* address, call; *jemanden als Esel titulieren* call someone a jackass; *jemanden mit etwas titulieren* call someone something

Tivoli, *sub, n, (-)s, -s* tivoli

Toast, *sub, m, -s, -s* toast, toasted bread; *einen Toast auf jemanden*

---

ausbringen propose a toast to someone; **toasten** *vt,* toast

toben, *vi,* rage; *(lärmend spielen)* romper; *(wüten)* storm; **Tobsucht** *sub, f, -, nur Einz.* mad rage; *in Tobsucht verfallen* become raving mad; **tobsüchtig** *adj,* raving mad

Tochter, *sub, f, -, Töchter* daughter; **Töchterchen** *sub, n, -s,* - little daughter; **~firma** *sub, f, -, -firmen* subsidiary company; **~gesellschaft** *sub, f, -, -en* subsidiary company; **töchterlich** *adj,* daughterly; **~zelle** *sub, f, -, -n* daughter cell

Tod, *sub, m, -es, nur Einz.* death; *(i. ü. S.) jemanden zu Tode erschrecken* scare the daylights out of someone; *(ugs.) sich den Tod holen (vor Kälte)* catch one´s death (of cold); *sich vor dem Tod fürchten* be afraid of death; *sich zu Tode schämen* be utterly ashamed; *zu Tode betrübt* in the depths of despair; *zu Tode erschrocken sein* be frightened to death; *(i. ü. S.) zu Tode langweilen* bore to death; *zum Tode verurteilen* sentence to death; **todblass** *adj,* deadly pale; **todbringend** *adj,* deadly, fatal; **todernst** *adj,* deadly serious

Todesahnung, *sub, f, -, -en* presentiment of death; **Todesanzeige** *sub, f, -, -n* obituary; **Todesart** *sub, f, -, (-en)* manner of death; **Todesfall** *sub, m, -s, -fälle* death; *wegen Todesfall geschlossen!* closed because of death!; **Todesfurcht** *sub, f, -, nur Einz.* fear of death; *(tt; psych.)* necrophobia; **Todesgefahr** *sub, f, -, -en* deadly peril; **Todesmut** *sub, f, -es, nur Einz.* courage which defies death; **Todesnot** *sub, f, -, -nöte* peril of death; **Todesschuss** *sub, m, schusses, -schüsse* death-shot; **Todesstrafe** *sub, f, -, -n* capital punishment, death penalty; **Todesstunde** *sub, f, -, (-n)* hour of so´s death; **Todestag** *sub, m, -e* day of so´s death; *(Jahrestag)* anniversary of so´s death; **Todesursache** *sub, f, -, -n* cause of death; **Todesurteil** *sub, n, -s, -e* death sentence; **todeswürdig** *adj,* deserving of death

Todfeind, *sub, m, -s, -e* deadly enemy; **Todgeweihte** *sub, m, f, -n,* dangerously ill; **tödlich** *adj*, deadly, mortal; *(i. ü. S.)* *mit tödlicher Sicherheit* as sure as death; *sich tödlich langweilen* be bored to death; *tödlich verunglücken* be killed in an accident; **todmüde** *adj*, dead tired; **todschick** *adj*, dead smart; **todsicher** *adj*, dead certain; **Todsünde** *sub, f, -, -n* mortal sin

Töfftöff, *sub, n, -s, -s* (ugs.) phut-machine

Tofu, *sub, m, (-s), nur Einz.* tofu

Toga, *sub, f, -, -gen* toga

Tohuwabohu, *sub, n, (-s), -s* chaos, tohubohu

Toilette, *sub,f, -, -n (Körperpflege)* toilet; *(WC)* lavatory; *(Körperpflege) in großer Toilette erscheinen* appear in full dress; *(Körperpflege) Toilette machen* make one´s toilet; *(WC) auf die Toilette gehen* go to the toilet, *(ugs.; WC)* spend a penny; **~nartikel** *sub, m, -s, -* toiletry

Tokaierwein, *sub, m, -es, -e* Tokay (wine)

Tokkata, *sub, f, -, -ten* toccata

Töle, *sub, f, -, -n (ugs.)* cur

tolerabel, *adj*, tolerable

tolerant, *adj*, tolerant; **Toleranz** *sub, f, -, -en* tolerance; **tolerieren** *vt*, tolerate; **Tolerierung** *sub, f, -, -en* toleration

toll, *adj*, great; *(großartig)* terrific; *(verrückt)* crazy; *(ugs.) das ist das Tollste was ich je gehört habe!* that beats everything I´ve heard!; *(ugs.) das Tollste dabei ist* the most incredible part about it is; *(ugs.) er treibt es etwas zu toll* he´s carrying on a little too much; *(ugs.) es ging toll her* it was a riot; *(ugs.) es kommt noch toller!* there´s more to come!

Tolle, *sub, f, -, -n* quiff

tollen, *vi,* romp (about); **Tollerei** *sub, f, -, -en* romp; **Tollhaus** *sub, n, -es, -häuser* madhouse; **Tollheit** *sub, f, -, -en* craziness, madness; **Tollkirsche** *sub, f, -, -n* deadly nightshade; *(tt; bot.)* belladonna; **tollkühn** *adj,* daring, reckless; *ein tollkühner Kerl* a daredevil; *ein tollkühnes Unternehmen* a foolhardy undertaking; **Tollkühnheit** *sub, f, -, -en* daring, recklessness; **tollpatschig** *adj,* awkward; *(ungeschickt)* clumsy; **Tollwut**

Tölpel, *sub, m, -s, - (Dummkopf)* fool; *(Tollpatsch)* clumsy fellow; *(zool.)* booby; **~ei** *sub, f, -, -en* clumsiness, foolishness; **tölpisch** *adj,* clumsy, foolish

Tomahawk, *sub, n, -s, -s* tomahawk

Tomate, *sub,f, -, -n* tomato; *gefüllte Tomaten* stuffed tomatoes; *(ugs.) sie wurde rot wie eine Tomate* she went crimson; *(ugs.) treulose Tomate!* faithless friend!; **~nketschup** *sub, n, -s, -s* tomato ketchup; **~nmark** *sub, n, -s, nur Einz.* tomato pulp; **~nsaft** *sub, m, -es, -säfte* tomato juice; **~nsalat** *sub, m, -s, -e* tomato salad; **~nsoße** *sub, f, -, -n* tomato sauce; **~nsuppe** *sub, f, -, -n* tomato soup

Tombola, *sub, f, -, -s* tombola

Tomografie, *sub, f, -, -n* tomography

Ton, *sub, m, -es, -e (Erdart)* clay; *(Farbe)* colour; *(Laut)* sound, tone; *(Erdart) feuerfester Ton* fire-resistant clay; *(Erdart) gebrannter Ton* burned clay; *(i. ü. S.) das gehört zum guten Ton* that´s how the best people do it; *den Ton angeben* give the note; *(i. ü. S.) der Ton macht die Musik* it´s not what you say but the way you say it; *ich verbitte mir diesen Ton!* I won´t be spoken to like that!; *keinen Ton von sich geben* not to utter a sound; *(i. ü. S.) sich im Ton vergreifen* hit the wrong note; **~abnehmer** *sub, m, -s, -* pick-up; **tonal** *adj,* tonal; **~alität** *sub, f, -, nur Einz.* tonality; **tonangebend** *adj,* dominant, leading; **~arm** *sub, m, -s, -e* pick-up arm; **~art** *sub, f, -, -en (mineralogisch)* type of clay; *(mus.)* key; *(i. ü. S.) eine andere Tonart anschlagen* change one´s tune; **tonartig** *adj,* claylike; *(tt)* argilloid; **~aufnahme** *sub, f, -, -n* sound recording; **~band** *sub, n, -es, -bänder* tape; *auf Tonband aufnehmen* record on tape; **~dichter** *sub, m, -s, -* composer, tone poet; **~dichtung** *sub, f, -, -en* tone poem; **tönen (1)** *vi, (klingen)* sound; *(i. ü. S.; prahlen)* sound off (2) *vt, (färben)* tint; **tönern** *adj,* of clay; **~film** *sub, m, -s, -e* sound film; **~folge** *sub, f, -, -n* melody, sequence of tones

Tonfrequenz, *sub, f, -, -en* audio frequency; **Tongainseln** *sub, f, -, nur Mehrz.* Tonga; **Tongasprache** *sub, f, -, -n* Tongan language; **Tongefäß** *sub, n, -es, -e* earthenware vessel; **Tongeschirr** *sub, n, -s, -e* earthenware

Tonic, *sub, n, -s, -s* tonic

Tonika, *sub, f, -, Toniken* tonic; *(mus.)* keynote

Tonikum, *sub, n, -s, Tonika* tonic

Toningenieur, *sub, m, -s, -e* sound engineer; **Tonkünstler** *sub, m, -s, -* musician; **Tonleiter** *sub, f, -, -n* scale; **tonlos** *adj,* toneless; *(Stimme)* flat; **Tonlosigkeit** *sub, f, -, nur Einz.* tonelessness; **Tonmeisterin** *sub, f, -, -en* sound engineer

Tonnage, *sub, f, -, -n* tonnage

Tonne, *sub, f, -, -n (Behälter)* barrel; *(Gewicht)* ton; *(i. ü. S.)* sie ist eine Tonne she´s a fatty; **~nleger** *sub, m, -s, -* buoy-laying vessel; **tonnenweise** *adv,* by the ton

Tonqualität, *sub, f, -, -en* sound quality; **Tonschneider** *sub, m, -s, -* sound editor

Tonsur, *sub, f, -, -en* tonsure; **tonsurieren** *vt,* shave the top of one´s head

Tontaube, *sub, f, -, -n* clay pigeon

Tontechniker, *sub, m, -s, -* sound technician

Tönung, *sub, f, -, -en* tinting; *(Farbton)* shade

Tonus, *sub, m, -es, Toni* tonus

Topf, *sub, m, -es, Töpfe* pot; *(i. ü. S.)* alles in einen Topf werfen lump everything together; *(i. ü. S.; Sprichwort)* jeder Topf findet seinen Deckel there´s a lid for every bolt; *(i. ü. S.)* seine Nase in alle Töpfe stecken nose into other people´s business; **Töpfchen** *sub, n, -s, - little pot; (ugs.; Nachttopf)* potty; **~en (1)** *sub, m, -s, - curd (2) topfen vt,* pot; **Töpfer** *sub, m, -s, -* potter; **Töpferei** *sub, f, -, -en* pottery; **Töpfermarkt** *sub, m, -es, -märkte* pottery market; **töpfern** *vi,* make pottery; **~gucker** *sub, m, -s, - (ugs.)* nosy parker; **~pflanze** *sub, f, -, -n* potted plant; **~reiniger** *sub, m, -s, -* scourer

topfit, *adj,* very fit

Topik, *sub, f, -, nur Einz.* topics

topless, *adj,* topless

Topmanagement, *sub, n, -s, -s* top management

Topografie, *sub, f, -, -n* topography; **topografisch** *adj,* topographical

Topologie, *sub, f, -, nur Einz.* topology; **topologisch** *adj,* topological; **Topos** *sub, m, -, Topoi* topos

Topplaterne, *sub, f, -, -n* masthead light

Tor, *sub, n, -es, -e* gate; *(Narr)* fool; *(spo.)* goal; das Tor öffnen (schließen) open (shut) the gate; *(spo.)* ein Tor erzielen score a goal; *(spo.)* im Tor stehen be in goal; *(i. ü. S.)* vor den Toren der Stadt outside the town; **~ausbeute** *sub, f, -, nur Einz.* number of goals; **~bogen** *sub, m, -s, -bögen* arch; **~differenz** *sub, f, -, -en* goals difference; **~einfahrt** *sub, f, -, -en* gateway

Torero, *sub, m, -s, -s* torero

Toresschluss, *sub, m, -es, nur Einz.* closing time

Torf, *sub, m, -es, -e* peat; Torf stechen cut peat; **~feuerung** *sub, f, -, -en* peat firing; **~moor** *sub, n, -es, -e* peat bog; **~stecher** *sub, m, -s, -* peat cutter

Torheit, *sub, f, -, -en* foolishness; *(Dummheit)* silliness; *(i. ü. S.; Sprichwort)* Alter schützt vor Torheit nicht there is no fool like an old fool; *(Dummheit)* eine Torheit begehen do something foolish; **Torhüter** *sub, m, -s, -* gatekeeper; *(spo.)* goalkeeper

töricht, *adj,* foolish; *(dumm)* silly

Torjäger, *sub, m, -s, -* goalgetter

torkeln, *vi,* reel, stagger

Tornado, *sub, m, -s, -s* tornado; *(US)* twister

Tornister, *sub, m, -s, - (mil.)* knapsack; *(Schulranzen)* satchel

torpedieren, *vt,* torpedo; **Torpedierung** *sub, f, -, -en* torpedo; **Torpedo** *sub, m, -s, -s* torpedo; **Torpedoboot** *sub, n, -es, -e* torpedo-boat

Torraumlinie, *sub, f, -, -n* goal area line

Torschluss, *sub, m, -es, -schlüsse* closing time; **~panik** *sub, m, -, -en* last-minute panic; *(ugs.)* fear of being left on the shelf

Torsion, *sub, f, -, -en* torsion; *(tech.)* twist

Torso, *sub, m, -s, -s* torso

Törtchen, *sub, n, -s,* - little flan, tart; *(Obst-)* tartlet; **Torte** *sub, f, -, -n* flan; *(Sahne-)* gâteau; **Tortenboden** *sub, m, -s, -böden* baked pastry case; **Tortenheber** *sub, m, -s,* - cake slice

Tortur, *sub, f, -, -en* torture; *(i. ü. S.)* ordeal

Torwache, *sub, f, -, -n* gatekeeper; **Torwart** *sub, m, -es, -e* goalkeeper; **Torweg** *sub, m, -es, -e* gateway

Tory, *sub, m, -s, Tories* Tory; *(polit.)* Conservative

tosen, *vi,* roar; *(Beifall)* thunder; *(Sturm)* rage

tot, *adj,* dead; *(geogr.) das Tote Meer* the Dead Sea; *tot umfallen* drop dead; *(i. ü. S.; Verhandlung etc.) toter Punkt* deadlock; *toter Winkel* blind spot; *(wirt.) totes Kapital* dead capital

total, *adj,* complete, total; **Totalansicht** *sub, f, -, -en* general view; **Totale** *sub, f, -, -n* long shot; **~isieren** *vt,* add up, totalize; **Totalitarismus** *sub, m, -es, -men* totalitarism; **Totalität** *sub, f, -, -en* totality; **Totalschaden** *sub, m, -s, -schäden* write-off

totarbeiten, *vr,* work to death; **Tote** *sub, m, -n, -n* dead person; *(Verstorbene)* deceased; *der Toten gedenken* commemorate the dead; *die Toten ruhen lassen* leave the dead in peace; *(i. ü. S.) dieser Lärm würde Tote aufwecken* that noise would awaken the dead; *es gab 10 Tote* 10 people were killed

Totem, *sub, n, -s, -s* totem; **~glaube** *sub, m, -ns, nur Einz.* totemism; **~ismus** *sub, m, -es, nur Einz.* totemism; **totemistisch** *adj,* totemistic; **~pfahl** *sub, m, -es, -pfähle* totem pole

Totenkopf, *sub, m, -es, -köpfe* death´s head; *(Schädel)* skull; *(Symbol)* skull and crossbones

Toto, *sub, n, -s, -s (Fußball)* football pool; **~ergebnis** *sub, n, -es, -e* result of the football pools

Totpunkt, *sub, m, -es, -e* dead centre; **totsagen** *vt,* declare so dead; **totschießen** *vt,* shoot so dead; **Totschlag** *sub, m, -es, -schläge* manslaughter; *(US)* homicide; **totschlagen** *vt,* kill; **Totschläger** *sub, m, -s, -* (Knüppel) cudgel; *(Person)* killer; **totschweigen** *vt,* hush up; **tottrampeln** *vt,* trample to death; **Tö-**

tung *sub, f, -, -en* killing

Touch, *sub, m, -s, -s* touch

Toupet, *sub, n, -s, -s* toupee; **toupieren** *vt,* back-comb

Tour, *sub, f, -, -en* tour; *(Fahrt)* trip; *(i. ü. S.) auf Touren kommen* get into top gear; *er macht es auf die gemütliche Tour* he does it the easy way; *(i. ü. S.) er redet in einer Tour* he talks incessantly; *(ugs.) jemandem die Tour vermasseln* mess up someone´s plans; *(ugs.) krumme Touren* sharp practices; **tour-retour** *adv,* there and back; **~enwagen** *sub, m, -s,* - touring car; **~enzähler** *sub, m, -s,* - revolution indicator; **~ismus** *sub, m, -es, nur Einz.* tourism; **~ist** *sub, m, -en, -en* tourist; **~istik** *sub, f, -, nur Einz.* tourism; **~nee** *sub, f, -, -n* tour

Tower, *sub, m, -s,* - tower; **~brücke** *sub, f, -, -n* tower bridge

Toxikologie, *sub, f, -, nur Einz.* toxicology; **Toxikologin** *sub, f, -, -en* toxicologist; **Toxikum** *sub, n, -s, Toxika* poison; **Toxin** *sub, n, -s, -e* toxin; **toxisch** *adj,* poisonous, toxicant

Trab, *sub, m, -es, nur Einz.* trot; *im Trab* at a trot; *(i. ü. S.) jemanden auf Trab bringen* make someone get a move on; *(i. ü. S.) jemanden in Trab halten* keep someone on the go

Trabant, *sub, m, -s, -s* satellite; *(Mond)* moon; **~enstadt** *sub, f, -, -städte* satellite town

traben, *vi,* trot; **Traber** *sub, m, -s,* - *(Fahrer)* sulky driver; *(Pferd)* trotter

Trabrennbahn, *sub, f, -, -en* trotting course; **Trabrennen** *sub, n, -s,* - trotting race

Trachea, *sub, f, -, -een* windpipe; *(tt; med.)* trachea

Tracht, *sub, f, -, -en (Amts-)* garb; *(Volks-)* traditional costume; *(ugs.) jemandem eine Tracht Prügel geben* give someone a good hiding; **trachten** *vi,* strive; **~enfest** *sub, n, -es, -e* festival of traditional costumes; **trächtig** *adj,* pregnant; **Trächtigkeit** *sub, f, -, nur Einz.* pregnancy

Tradeskantie, *sub, f, -, -n (bot.)* spiderwort

tradieren, *vt*, hand down; **Tradition** *sub, f, -, -en* tradition; **Traditionalismus** *sub, m, -es, nur Einz.* traditionalism; **traditionell** *adj*, traditional

Tragbahre, *sub, f, -, -n* stretcher

Trage, *sub, f, -, -n* stretcher

träge, *adj*, *(bequem)* sluggish; *(faul)* lazy; **tragen** *vt*, carry; *(Kleidung)* wear; *(Kosten etc.)* bear; *etwas bei sich tragen* carry something; *sich mit dem Gedanken tragen, etwas zu tun* entertain the idea of doing something; *viele Früchte tragen* produce a good crop of fruit; **Träger** *sub, m, -s, -* carrier; *(Eisen-)* girder; *(Gepäck-)* porter; *(Metall-)* beam; **Trägerkleid** *sub, n, -es, -er* dress with shoulder straps; **Trägerrakete** *sub, f, -, -n* carrier rocket; **Trägerwelle** *sub, f, -, -n* carrier wave; **Tragetasche** *sub, f, -, -n* bag; **Tragfläche** *sub, f, -, -n* wing; **Tragflächenboot** *sub, n, -es, -e* hydrofoil; **Trägheit** *sub, f, -, -en (Bequemlichkeit)* sluggishness; *(Faulheit)* laziness

Tragik, *sub, f, -, nur Einz.* tragedy; **~er** *sub, m, -s, -* tragedian, tragic poet; **tragikomisch** *adj*, tragicomic(al); **~omödie** *sub, f, -, -n* tragicomedy; **tragisch** *adj*, tragic; *das ist nicht so tragisch* that´s not the end of the world; *ein tragisches Ende nehmen* come to a tragic end

Tragkorb, *sub, m, -es, -körbe* pack basket; **tragkräftig** *adj*, load-carrying, strong; **Traglast** *sub, f, -, -en* load; *(Gepäck)* heavy luggage

Tragödie, *sub, f, -, -n* tragedy

Tragtier, *sub, n, -s, -e* pack animal; **Tragweite** *sub, f, -, -n (i. ü. S.; Bedeutung)* consequence; *(Reichweite)* range; **Tragwerk** *sub, n, -s, -e (Bauwerk)* load-bearing member; *(Flugzeug)* wing assembly

Trailer, *sub, m, -s, -* trailer

Trainer, *sub, m, -s, -* coach, trainer; **trainieren** *vti*, practise, train; *(üben)* exercise; **Training** *sub, m, -s, -s* training; *(Übung)* practice

Trajekt, *sub, m, n, -s, -e* traject; **~orien** *sub, f, -, nur Mehrz.* trajectory

Trakt, *sub, m, -es, -e* tract; *(Gebäude)* wing

Traktat, *sub, m, -es, -e* tractate, treatise

Traktätchen, *sub, n, -s, -* brochure, pamphlet

traktieren, *vt*, maltreat; **Traktierung** *sub, f, -, -en* maltreatment

Traktor, *sub, m, -s, -en* tractor; **~ist** *sub, m, -en, -en* tractor driver

trällern, *vti*, lilt

Tramp, *sub, m, -s, -s* tramp, vagabond; **trampeln** *vti*, stamp, trample; **~elpfad** *sub, m, -es, -e* path, trail; **~eltier** *sub, n, -es, -e* Bactrian camel; *(ugs.; Person)* bumpkin

trampen, *vti*, hitchhike; **Tramper** *sub, m, -s, -* hitchhiker

Trampolin, *sub, n, -s, -e* trampoline

Trampschiff, *sub, n, -s, -e* tramper

Tran, *sub, m, -es, -e* train-oil

Trance, *sub, f, -, -n* trance; *in Trance fallen* fall into trance; *jemanden in Trance versetzen* put someone into trance

Tranche, *sub, f, -, -n (Scheibe Fleisch)* slice; *(wirt.)* tranche

Träne, *sub, f, -, -n* tear; *in Tränen ausbrechen* burst into tears; *(i. ü. S.)* to be inclined into tears; *(i. ü. S.) mir kommen die Tränen!* you are bringing tears to my eyes!; *Tränen lachen* laugh till one cries; *Tränen vergießen* shed tears; *unter Tränen* in tears; **tränen** *vi*, water; **~ndrüse** *sub, f, -, -n* lachrymal gland; **tränenfeucht** *adj*, moist with tears; **~nfluss** *sub, m, -es, -flüsse* flow of tears; **~ngas** *sub, n, -es, -se* tear-gas; **~ngrube** *sub, f, -, -n* tear-duct; **tränenreich** *adj*, tearful

tranig, *adj*, tasting like train-oil; *(trödelig)* dawdling

Trank, *sub, m, -es, Tränke* beverage, drink; **Tränke** *sub, f, -, -n* watering-place; **tränken** *vt*, *(durchnässen)* soak; *(Tiere)* water

Tranquilizer, *sub, m, -s, -* tranquillizer

Transaktion, *sub, f, -, -en* transaction

transalpin, *adj*, transalpine; **transatlantisch** *adj*, transatlantic

transchieren, *vt*, carve

Transept, *sub, m, n, -es, -e* transept

Transfer, *sub, m, -s, -s* transfer; **transferabel** *adj*, transferable; **transferieren** *vt*, transfer

Transfusion, *sub, f, -, -en* transfusion

Transistor, *sub, m, -, -en* transistor

Transit sub, m, -s, -e; **Transit** **transit** Transship.
ren vt, transit

transitiv, adj, transitive

transitorisch, adj, transitory; **Transitorium** sub, n, -s, -ien deferred item; **Transitvisum** sub, n, -s, -sa, -sen transit visa; **Transitware** sub, f, -, -n transit goods; **Transitzoll** sub, m, -es, -zölle duty on goods in transit

transkribieren, vt, transliterate; (mus.) transcribe

Transliteration, sub, f, -, -en transliteration

transmittieren, vt, transmit

transparent, (1) adj, pellucid, transparent (2) **Transparent** sub, n, -s, -e (Durchscheinbild) transparency; (Spruchband) banner; **Transparenz** sub, f, -, nur Einz. pellucidity, transparency

Transpiration, sub, f, -, nur Einz. perspiration; (bot.) transpiration; **transpirieren** vi, perspire; (bot.) transpire

Transplantat, sub, n, -s, -e (Gewebe) graft(ing); (Organ) transplant; **~ion** sub, f, -, -en transplantation; **transplantieren** vt, transplant

Transport, sub, m, -s, -e transport; **transportabel** adj, transportable; **~er** sub, m, -s, - (Auto) van; (Flugzeug) transport plane; (Schiff) cargo ship; **~eur** sub, m, -s, -e transporter; **transportieren** vt, convey, transport

Transuse, sub, f, -, -n slow coach

transversal, adj, transverse

Transvestismus, sub, m, -es, nur Einz. transvestism

Transvestit, sub, m, -en, -en transvestite

Trapez, sub, n, -es, -e (mat.) trapezium; (Zirkus) trapeze; **trapezförmig** adj, trapeziform; **~oeder** sub, n, -es, - trapezohedron

Trapper, sub, m, -s, - trapper

Trasse, sub, f, -, -n marked-out route

Trassierung, sub, f, -, -en location

Tratsch, sub, m, -es, nur Einz. gossip, tittle-tattle; **tratschen** vi, gossip; **~erei** sub, f, -, -en tittle-tattle

Tratte, sub, f, -, -n draft

Traube, sub, f, -, -n grape; (i. ü. S.; Haufen) bunch; **~nkamm** sub, m, -es, -kämme grapecomb; **~nlese** sub, f, -, -n grape harvest, vintage; **~nmost** sub, m, -s, nur Einz. grape must; **~nsaft** sub, m, -es, -säfte grape juice;

Dextrose sub, m, -, -, nur Einz. dextrose, glucose

trauen, (1) vi, (vertrauen) trust (2) vr, (wagen) dare (3) vt, (verheiraten) marry; ich traute meinen Ohren nicht I couldn´t believe my ears; jmd nicht über den Weg trauen not to trust someone an inch, (heiraten) sich trauen lassen get married

Trauer, sub, f, -, nur Einz. (Gram) grief; (Kummer) sorrow; (Trauern) mourning; **~arbeit** sub, f, -, -en giering; **~binde** sub, f, -, -n mourning band; **~brief** sub, m, -s, -e condolence letter; **~feier** sub, f, -, -n funeral ceremony; **~flor** sub, m, -es, -e black ribbon; **~geleit** sub, n, -s, -e cortege; **~karte** sub, f, -, -n condolence card; **~marsch** sub, m, -es, -märsche funeral march; **~miene** sub, f, -, -n sad face; **trauern** vi, mourn; **~spiel** sub, n, -s, -e tragedy; **~weide** sub, f, -, -n weeping willow

Traufe, sub, f, -, -n eaves; (i. ü. S.; Sprichwort) vom Regen in die Traufe kommen fall out of the frying pan into the fire

träufeln, (1) vi, trickle (2) vt, dribble

traulich, adj, (gemütlich) cosy; (harmonisch) harmonious; **Traulichkeit** sub, f, -, -en (Gemütlichkeit) cosiness; (Harmonie) harmony

Traum, sub, m, -es, Träume dream; (i. ü. S.) das ging wie im Traum it worked like a dream; (i. ü. S.) der Traum ist ausgeträumt! the honeymoon is over!; ich denke nicht im Traum daran I wouldn´t dream of it; mein Traum ging in Erfüllung my dream came true

Trauma, sub, n, -s, -ta, -men trauma; **traumatisch** adj, traumatic; **Traumdeuter** sub, m, -s, - interpreter of dreams; **Traumdeutung** sub, f, -, -en interpretation of dreams; **träumen** vti, dream; das hätte ich mir nie träumen lassen I´d never have thought it possible; etwas schönes träumen have a pleasant dream; schlecht träumen have a bad dream; **träumerisch** adj, (schwärmerisch) wistful; (ver-

träumt) dreamy; **Traumfabrik** *sub, f, -, -en* dream factory; **Traumgebilde** *sub, n, -s, -* phantasm, vision; **Traumgesicht** *sub, n, -es, -er* phantom, vision; **Traumjob** *sub, m, -s, -s* job of one´s dreams; **Traumtänzer** *sub, m, -s, -* dreamer, fantast; **traumwandeln** *vi,* sleepwalk

traurig, *adj,* sad; *(beklagenswert)* sorry; *(betrübt)* upset; **Traurigkeit** *sub, f, -, nur Einz.* sadness; *eine tiefe Traurigkeit erfüllte ihn* he was filled with deep sadness; *(i. ü. S.) kein Kind von Traurigkeit sein* be no child of sorrow; **Trauring** *sub, m, -s, -e* wedding-ring

traut, *adj,* *(gemütlich)* cosy; *(vertraut)* familiar

Travellerscheck, *sub, m, -s, -s* traveller´s cheque

Traverse *sub, f, -, -n (Querbalken)* cross-beam; *(Quergang)* traverse

Travertin, *sub, m, -s, -e* travertine

Travestie *sub, f, -, -n* travesty; **travestieren** *vt,* travesty

Trawl, *sub, n, -s, -s* trawl net; **~er** *sub, m, -s, -* trawler

Treatment, *sub, n, -s, -s* treatment

Trebegänger, *sub, m, -s, -* vagabond; **Treber** *sub, nur Mehrz.* draff

Treck, *sub, m, -s, -s* trek; **~er** *sub, m, -s, -* tractor

Treff, *sub, m, -s, -s (Treffen)* meeting; *(Treffpunkt)* meeting place; **~en (1)** *sub, n, -s, -* meeting **(2) treffen** *vti,* *(begegnen)* meet; *(geschehen)* happen; *(schlagen)* hit, strike; *auf jemanden treffen* meet someone; *es trifft sich gut, daß* it is convenient that; *sich getroffen fühlen* feel hurt; **treffend** *adj,* apt; *(Ähnlichkeit)* striking; *(Antwort etc.)* appropriate; **~er** *sub, m, -s, -* hit; *(spo.)* goal; *einen Treffer erzielen* score a hit, *(Fußball)* score a goal; **~erquote** *sub, f, -, -n* score; **~erzahl** *sub, f, -, -en* number of hits; *(spo.)* score; **treffsicher** *adj,* sure; *(Ausdrucksweise)* precise

Treibeis, *sub, n, -es, -* drift-ice; **Treiben (1)** *sub, n, -s, -* drive; *(Drängen)* urge **(2) treiben** *vti,* drift, drive; *(Knospen)* sprout; *(ugs.) du treibst mich noch zum Wahnsinn!* you´re driving me mad; *(vulg.; sexuell) es mit jemandem treiben* have it off with someone; *es zu weit treiben* go too far;

etwas an die Spitze treiben carry something too far; *zur Verzweiflung treiben* drive to despair; **Treiber** *sub, m, -s, - (Jagd-)* beater; *(Vieh-)* drover; **Treibfäustel** *sub, m, -s, - hammer;* **Treibgas** *sub, n, -es, -e* fuel gas; **Treibgut** *sub, n, -s, -güter* flotsam; **Treibhaus** *sub, n, -es, -häuser* hothouse; **Treibjagd** *sub, f, -, -en* battue; **Treibladung** *sub, f, -, -en* propelling charge; **Treibmittel** *sub, n, -s, - (backen)* raising agent; *(chem.)* propellant; **Treibriemen** *sub, m, -s, - driving belt;* **Treibsand** *sub, m, -s, -e* quicksand; **Treibstoff** *sub, m, -s, -e* fuel; *(Raketen-)* propellant

treideln, *vti,* tow; **Treidelpfad** *sub, m, -s, -e* towing path

treife, *adj,* impure, tref

tremolieren, *vi,* quaver, trill

Tremolo, *sub, n, -s, -s und -li* tremolo

tremulieren, *vi,* quaver, trill

Trenchcoat, *sub, m, -, -s* trench coat

Trensenring, *sub, m, -s, -e* snaffle bit

treppauf, *adv,* upstairs

Treppe, *sub, f, -, -n* staircase, stairs; *(US)* stairway; **~nflur** *sub, f, -, -en* stairwell; **~nhaus** *sub, n, -es, -häuser* stairwell; **~nstufe** *sub, f, -, -n* stair, step; **~nwange** *sub, f, -, -n* string; **~nwitz** *sub, m, -es, -e* afterthought

Tresen, *sub, m, -s, - (Ladentisch)* counter; *(Theke)* bar

Tresor, *sub, m, -s, -e* safe; *(Raum)* vault

Tressenrock, *sub, m, -s, -röcke* braided coat; **Tressenstern** *sub, m, -s, -e* lacing star

Tretauto, *sub, n, -s, -s* pedal car; **Tretboot** *sub, n, -s, -e* oder *-döre* pedal boat; **treten** *vti,* kick, step; *(Radfahrer)* pedal; *gegen das Bein getreten werden* get kicked in the leg; *nach jemandem treten* take a kick at someone; *(i. ü. S.) jemandem auf die Füsse treten* tread on someone´s toes; *Sie sind mir auf den Fuß getreten!* you stepped on my foot!; *tritt näher!* move closer!; **Treter** *sub, m, -s, - (ugs.)* clodhopper; **Tretmine** *sub, f, -, -n* antipersonnel mine; **Tretrad** *sub, n, -s, -räder* treadwheel

treu, *adj*. *(Diener)* de... *(Ehegatte)* faithful; *(Freund etc.)* loyal; *seinem Vorsatz treu bleiben* keep to one's resolution; *zu treuen Händen* in trust; **~ergeben** *adj*, truly devoted; **~brüchig** *adj*, disloyal, faithless; **~doof** *adj*, credulous; **Treue** *sub*, *f*, -, *nur Einz.* faith; *(Ergebenheit)* loyalty; *jemandem die Treue beweisen* give a proof of loyalty; *jemandem die Treue halten* keep faith with someone; **Treuepflicht** *sub*, *f*, -, -en allegiance; **Treueprämie** *sub*, *f*, -, -n bonus for loyal service; *(Kunden-)* bonus for long-standing custom; **Treuerabatt** *sub*, *m*, -s, -e discount allowed to long-standing customers; **Treueschwur** *sub*, *m*, -s, -schwüre oath of allegiance; **Treuhänder** *sub*, *m*, -s, - fiduciary, trustee; **Treuhandgesellschaft** *sub*, *f*, -, -en trust company

treuherzig, *adj*, guileless; *(unbefangen)* ingenuous; *(unschuldig)* innocent; **treulos** *adj*, disloyal, faithless; **Treupflicht** *sub*, *f*, -, -en duty of allegiance; **treusorgend** *adj*, devoted, loving

Triade, *sub*, *f*, -, -n triad

Trial, *sub*, *n*, -s, -s trial; **~-and-Error-Methode** *sub*, *f*, -, *nur Einz.* trial and error (method)

Triangel, *sub*, *m*, -s, - triangle; **triangulär** *adj*, triangular; **Triangulation** *sub*, *f*, -, -en triangulation; **triangulieren** *vt*, triangulate

Tribalismus, *sub*, *m*, -, *nur Einz.* tribalism

Tribunal, *sub*, *n*, -s, -e court of justice, tribunal; **Tribüne** *sub*, *f*, -, -n *(Redner-)* platform; *(Zuschauer-)* stand

Tribut, *sub*, *m*, -s, -e tribute; *(i. ü. S.)* *jemandem Tribut zollen* pay tribute to someone

Trichine, *sub*, *f*, -, -n trichina

Trichter, *sub*, *m*, -s, - funnel; *(Granat-)* crater; *(i. ü. S.)* *jemanden auf den Trichter bringen* start someone off on the right foot; *(i. ü. S.)* *jetzt bin ich auf den richtigen Trichter gekommen* I'm on the right track now

Trick, *sub*, *m*, -s, -s trick; *da ist ein Trick dabei* there's a special trick to it; *ein gemeiner Trick* a dirty trick, a dirty trick; *wenn du erst einmal den Trick heraus hast* once you get the

trick, betrug *sub*, *m*, -s, *nur Einz.* tricksing; **~diebin** *sub*, *f*, -, -nen trickster; **~film** *sub*, *m*, -s, -e trick film; *(Zeichen-)* cartoon; **tricksen** *vi*, fiddle, trick

Trident, *sub*, *m*, -s, -e trident

Trieb, *sub*, *m*, -s, -e drive; *(bot.)* shoot; *(Drang)* urge; *(Instinkt)* instinct; *(Verlangen)* desire; **triebhaft** *adj*, compulsive, instinctive; **~kraft** *sub*, *f*, -, -kräfte *(i. ü. S.)* driving force; *(tech.)* motive power; **~mörder** *sub*, *m*, -s, - sex murderer; **~täter** *sub*, *m*, -s, - sex offender; **~wagen** *sub*, *m*, -s, - railcar; **~werk** *sub*, *n*, -s, -e *(i. ü. S.)* power plant; *(Flugzeug)* engine

triefen, *vi*, drip; *(i. ü. S.)* *vor Freundlichkeit triefen* gush with friendliness; *vor Nässe triefen* be soaking wet

Triere, *sub*, *f*, -, -n trireme

triezen, *vt*, *(necken)* tease; *(quälen)* plague

triftig, *adj*, *(überzeugend)* convincing; *(wichtig)* important; **Triftigkeit** *sub*, *f*, -, *nur Einz.* convincingness, importance

Trigonometrie, *sub*, *f*, -, *nur Einz.* trigonometry; **trigonometrisch** *adj*, trigonometrical

Trikolore, *sub*, *f*, -, -n tricolour

Trikot, *sub*, *m,n*, -s, -s jersey; *(spo.)* leotard

Triller, *sub*, *m*, -s, - trill; *(Vogel-)* warble; **trillern** *vi*, trill; *(Vogel)* warble; **~pfeife** *sub*, *f*, -, -n whistle

Trilliarde, *sub*, *f*, -, -n thousand trillions; **Trillion** *sub*, *f*, -, -en trillion

Trilogie, *sub*, *f*, -, -n trilogy

Trimester, *sub*, *n*, -s, - trimester

Trimmaktion, *sub*, *f*, -, -en keep-fit program(me)

Trinität, *sub*, *f*, -, *nur Einz.* Trinity

trinkbar, *adj*, drinkable; **Trinkbarkeit** *sub*, *f*, -, -en drinkableness; **Trinkbecher** *sub*, *m*, -s, - drinking cup; **trinken** *vti*, drink; *darauf trinke ich!* I'll drink to that!; *einen trinken, zechen* bend one's elbow; *jemandem etwas zu trinken geben* give someone a drink; *möchtest du etwas zu trinken?* would you like something to drink?; **Trinker** *sub*, *m*, -s, - drinker; *(Säufer)* drunkard; **Trinkflasche** *sub*, *f*, -, -n water-bottle; **trinkfreudig** *adj,* willing to drink; **Trinkgelage** *sub, f, -, -n* drinking session; **Trinkgeld** *sub, n, -s, -er* tip; **Trinkkur** *sub, f, -, -en* mineral water cure; **Trinkschale** *sub, f, -, -n* bowl; **Trinkspruch** *sub, m, -s, -sprüche* toast; **Trinkwasser** *sub, n, -s, nur Einz.* drinking water

Trio, *sub, n, -s, -s* trio

trippeln, *vi,* trip; *(geziert gehen)* mince

Tripper, *sub, m, -s, - (tt)* gonorrhoea; *(ugs.)* clap; *(ugs.) sich den Tripper holen* get a dose

trist, *adj,* dismal, dreary; **Tristesse** *sub, f, -, -n* dreariness

Tritt, *sub, m, -s, -e (Fuß-)* kick; *(Fußspur)* footprint; *(Schritt)* step; *aus dem Tritt kommen* get out of step; *(ugs.) ein Tritt in den Hintern* a kick in the backside; *jemandem einen Tritt geben* give someone a kick; *(i. ü. S.) Tritt fassen* get off the mark; **~brett** *sub, m, -s, -er* footboard; **~leiter** *sub, f, -, -n* stepladder; **trittsicher** *adj,* durable

Triumph, *sub, m, -s, -e* triumph; **triumphal** *adj,* triumphant; **triumphieren** *vi,* triumph; *(frohlocken)* exult; **~wagen** *sub, m, -s, -* triumphal chariot; **Triumvirat** *sub, n, -s, -e* triumvirate

trivial, *adj,* trivial; **Trivialität** *sub, f, -, -en* triviality; **Trivialroman** *sub, m, -s, -e* light novel

Trizeps, *sub, m, -, -e* triceps

Trochäus, *sub, m, -, Trochäen* trochee

Trochophora, *sub, f, -, -ren* trochophore

trocken, *adj,* dry; *(dürr)* arid; *(i. ü. S.) auf dem Trockenen sitzen* be in a tight spot; *(i. ü. S.) noch nicht trocken hinter den Ohren sein* be still wet behind the ears; *trocken werden* dry off; **Trockenblume** *sub, f, -, -n* strawflower; **Trockenboden** *sub, m, -s, -böden* drying loft; **Trockendock** *sub, n, -s, -s* dry dock; **Trockeneis** *sub, n, -, -* dry ice; **Trockenfarbe** *sub, f, -, -n* dry colour; **Trockenhaube** *sub, f, -, -n* hairdryer; **Trockenhefe** *sub, f, -, -n* dry yeast; **Trockenheit** *sub, f, -, nur Einz.* dryness; *(Dürre)* drought; **~legen** *vt,* drain; *(Kind)* change; **Trockenofen** *sub, m, -s, -öfen* drying oven; **Trockenplatz** *sub,*

---

m, -es, -plätze place for drying laundry; **Trockenrasur** *sub, f, -, -en* dry shave; **Trockenraum** *sub, m, -s, -räume* drying room; **trocknen** *vti,* dry; **Trockner** *sub, m, -s, -* dryer

Troddel, *sub, f, -, -n* tassel, tuft; **~blume** *sub, f, -, -n* soldanella

Trödel, *sub, m, -s, nur Einz.* junk; **~ei** *sub, f, -, -en* dawdling; **~laden** *sub, m, -s, -läden* secondhand shop; **~liese** *sub, f, -, -n (ugs.)* slow coach; **~markt** *sub, m, -s, -märkte* jumble market; *(Flohmarkt)* flea market; **trödeln** *vi,* dawdle; **Trödler** *sub, m, -s, - (ugs.)* dawdler; *(Händler)* junk-dealer; **Trödlerladen** *sub, m, -s, -läden* secondhand shop

Trog, *sub, m, -s, Tröge* trough; *(Bottich)* vat

Troll, *sub, m, -s, -e* troll; **trollen** *vr,* push off; *troll dich!* push off!

Trommel, *sub, f, -, -n (mus.)* drum; *(tech.)* barrel; *(i. ü. S.) die Trommel für etwas rühren* drum up support for something; *(mus.) die Trommel schlagen* play the drum; **Trömmelchen** *sub, n, -s, -* side drum; **~fell** *sub, n, -s, -e (med.)* eardrum; *(mus.)* drumhead; **~feuer** *sub, n, -s, -* drumfire; **trommeln** *vti,* drum; *(Regen)* beat down; **~stock** *sub, m, -s, -stöcke* drumstick; **Trommler** *sub, m, -s, -* drummer

Trompete, *sub, f, -, -n* trumpet; **~r** *sub, m, -s, -* trumpeter

Tropen, *sub, nur Mehrz.* tropics; **~anzug** *sub, m, -s, -züge* tropical suit; **~fieber** *sub, n, -s, -* tropical fever; **~klima** *sub, n, -s, -s oder -te* tropical climate

Tropf, *sub, m, -s, Tröpfe (med.)* drip; *(ugs.) am Tropf hängen* be on the drip; *(ugs.) armer Tropf!* poor devil!

Trophäe, *sub, f, -, -n* trophy

Troposphäre, *sub, f, -, nur Einz.* troposphere

Tross, *sub, m, -es, -e* baggage train; *(i. ü. S.) einen großen Tross mit sich führen* have a crowd of followers; **~knecht** *sub, m, -s, -e (hist.)* wagoner; *(mil.)* baggage servant; **~schiff** *sub, n, -s, -e* supply ship

Trost, *sub, m, -es, nur Einz.* comfort, consolation; *(ironisch) das ist ein*

schuagehen Trost *koma* comfort that is; *(ugs.) nicht recht bei Trost sein* be out of one´s mind; **trösten (1)** *vr*, cheer up **(2)** *vt*, comfort, console; **tröstlich** *adj*, comforting, consoling; **trostlos** *adj*, desolate, hopeless; **~losigkeit** *sub, f, -, nur Einz.* desolateness, hopelessness; **~spruch** *sub, m, -s, -sprüche* comforting words; **Tröstung** *sub, f, -, -en* comfort, consolation

tröten, *vti*, screech

Trott, *sub, m, -s, -e (i. ü. S.)* routine; *(Gangart)* trot

Trottel, *sub, m, -s, - (ugs.)* fod; **trottelhaft** *adj*, awkward, clumsy; **trotteln** *vi*, trot; **trotten** *vi*, trot along

Trottoir, *sub, n, -s, -e und -s* pavement; *(US)* sidewalk

trotz, (1) *präp*, despite, in spite of **(2) Trotz** *sub, m, -es, nur Einz.* defiance; *(Boshaftigkeit)* spite; *aus purem Trotz* out of sheer spite; *etwas zum Trotz* in defiance of something; **~dem** *adv*, nevertheless; **~en** *vi*, be awkward, defy; **~ig** *adj*, defiant; **~köpfig** *adj*, defiant; *(eigensinnig)* obstinate

Trotzkismus, *sub, m, -, nur Einz.* Trotskyism; **Trotzkist** *sub, m, -en, -en* Trotskyist

Troubadour, *sub, m, -s, -e und -s* troubadour

trüb, *adj*, *(Flüssigkeit)* muddy; *(glanzlos)* dim; *(Himmel)* cloudy; *(Stimmung)* gloomy; *in trüber Stimmung sein* be in gloomy mood; *(ugs.) trübe Tasse!* drip!; *trüben Zeiten entgegensehen* foresee gloomy days; **~en (1)** *vr*, grow cloudy **(2)** *vt*, dim; *(i. ü. S.; Freude)* spoil; *(i. ü. S.) er sieht aus, als könne er kein Wässerchen trüben* he looks as if butter would not melt in his mouth; *kein Wölkchen trübte den Himmel* not a cloud obscured the sky; **Trübheit** *sub, f, -, nur Einz.* cloudiness, dimness

Trubel, *sub, m, -s, nur Einz.* hurly-burly

Trübsal, *sub, f, -, -e* affliction; *(Kummer)* sorrow; *(i. ü. S.) Trübsal blasen* mope; **trübselig** *adj*, *(betrübt)* gloomy; *(trostlos)* bleak; **Trübsinn** *sub, m, -s, nur Einz.* gloom, melancholy; **trübsinnig** *adj*, gloomy, me-

lancholy, **Trübung** *sub,), -, -en* cloudiness, dulling

Truck, *sub, m, -s, -s* truck

trudeln, *vi*, spin

Trüffel, *sub, f, -, -n* truffle; **~wurst** *sub, f, -, -würste* truffled sausage

Trug, *sub, m, -s, nur Einz. (Fantasiegebilde)* delusion; *(Täuschung)* deceit; **~bild** *sub, n, -s, -er* delusion; **trügen (1)** *vi*, be deceptive **(2)** *vt*, deceive; *der Schein trügt* appearances are deceptive; *wenn mich nicht alles trügt* I´m very much mistaken; **trügerisch** *adj*, *(betrügerisch)* deceitful; *(irreführend)* deceptive; **~gebilde** *sub, n, -s, -* delusion; *(Erscheinung)* phantom; **~schluss** *sub, m, -es, -schlüsse* fallacy

Truhe, *sub, f, -, -n* chest; **~ndeckel** *sub, m, -s, -* chest lid

Trümmer, *sub, Mz. (Gebäude-)* ruins; *(Schutt)* rubble; *(Überreste)* remnants; *in Trümmer gehen* be ruined; *in Trümmern liegen* be in ruins; **~feld** *sub, n, -s, -er* expanse of rubble; *(i. ü. S.)* scene of devastation; **~flora** *sub, f, -, -ren* ruderal flora; **trümmerhaft** *adj*, fragmentary

Trumpf, *sub, m, -es, Trümpfe* trump; *(i. ü. S.) alle Trümpfe in der Hand haben* hold all the trumps; *(i. ü. S.) Herz ist Trumpf* hearts are trumps; **trumpfen** *vti*, trump; **~farbe** *sub, f, -, -n* trump (suit); **~karte** *sub, f, -, -n* trump (card); **~könig** *sub, m, -s, -e* king of trumps

Trunk, *sub, m, -es, Trünke* drink; **trunken** *adj*, drunk; *(geh.)* intoxicated; **~enbold** *sub, m, -es, -e* drunkard; **~enheit** *sub, f, -, nur Einz.* drunkenness; *(geh.)* intoxication; *Trunkenheit am Steuer* drunkenness at the wheel; *(jur.) wegen Trunkenheit am Steuer* for drunken driving; **~sucht** *sub, f, -, nur Einz.* alcoholism; **trunksüchtig** *adj*, addicted to drink

Trupp, *sub, m, -s, Trupps* bunch; *(Arbeits-)* troop; *(Polizei)* squad; **~e** *sub, f, -, -n (Einheit)* unit; *(mil.)* troop; *(i. ü. S.) er ist nicht gerade von der schnellen Truppe* he´s pretty slow on the uptake; *(mil.)*

kämpfende Truppe combat element; **~en** *sub, f, -, nur Mehrz.* troops; *(mil.)* armed forces; **~enabbau** *sub, m, -s, nur Einz.* force reduction; **~enabzug** *sub, m, -s, -züge* withdrawal of troops; **~enarzt** *sub, m, -es, -ärzte* medical officer; **~enteil** *sub, m, -s, -e* formation, unit; **~enunterkunft** *sub, f, -, -künfte* barracks, quarters; **truppweise** *adv,* in gangs, in squads

Truthahn, *sub, m, -es, -hähne* turkey cock; **Truthenne** *sub, f, -, -nen* turkey hen

Tschako, *sub, m, -s, -s* shako

Tscheche, *sub, m, -n, -n* Czech; **tschechisch** *adj,* Czech

Tscherkesse, *sub, m, -n, -n* Circassian; **Tscherkessin** *sub, f, -, -nen* Circassian

Tschetschene, *sub, m, -n, -n* Chechenian

Tschibuk, *sub, m, -s, -s* chibouk

Tsetsefliege, *sub, f, -n, -gen* tsetse fly; **Tsetseplage** *sub, f, -, -n* tsetse plague

T-Shirt, *sub, n, -s, -s* T-shirt

Tuba, *sub, f, -, Tuben* tuba

Tube, *sub, f, -, -n* tube; *(i. ü. S.) auf die Tube drücken* put one´s foot down

Tuberkel, *sub, m, -s, -s* tubercle; **tuberkulös** *adj,* tuberculous; **Tuberkulose** *sub, f, -, -n* tuberculosis

tubulär, *adj,* tubular; **Tubus** *sub, m, -, Tuben oder -se* tube

Tuch, *sub, n, -es, Tücher* cloth; *(Hals-)* scarf; *(i. ü. S.) wie ein rotes Tuch wirken* be like a red rag to a bull; **~bahn** *sub, f, -, -en* length of cloth; **~fühlung** *sub, f, -, -en* close touch; *auf Tuchfühlung gehen* move closer; *Tuchfühlung haben mit jemandem* be in close touch with someone; **Tüchlein** *sub, n, -s, -* little scarf; **~macher** *sub, m, -s, -* clothworker

tüchtig, *adj,* efficient; *(fähig)* capable; *(fleissig)* good; *jemanden tüchtig verprügeln* give someone a good hiding; *tüchtig arbeiten* work hard; *tüchtig essen* eat heartily; **Tüchtigkeit** *sub, f, -, -* ability, efficiency

Tücke, *sub, f, -, -ken* malice, spite; *das hat seine Tücken* that´s rather intricate; *das ist die Tücke des Objekts!* things have a will of their own; **tückisch** *adj, (boshaft)* malicious; *(gefährlich)* treacherous

Tüftelarbeit, *sub, f, -, -en* fiddly job;

Tüftelei *sub, f, -, nur Einz.* fiddly job; **tüfteln** *vi,* fiddle, puzzle over sth; **Tüftler** *sub, m, -s, - (ugs.)* fiddler

Tugend, *sub, f, -, -den* virtue; *(i. ü. S.) auf dem Pfad der Tugend wandeln* follow the path of virtue; *(i. ü. S.) aus der Not eine Tugend machen* make a virtue of necessity; **~bold** *sub, m, -es, -de* paragon of virtue; **tugendhaft** *adj,* virtuous; **~heldin** *sub, f, -, -nen* paragon of virtue

Tukan, *sub, m, -s, -e* tucan

Tüll, *sub, m, -s, -e* tulle; **~gardine** *sub, f, -, -n* lace curtain; **~schleier** *sub, m, -s, - tulle* veil; **~vorhang** *sub, m, -es, -hänge* lace curtain

Tulpe, *sub, f, -, -pen* tulip

Tumor, *sub, m, -s, -en* tumo(u)r

Tümpel, *sub, m, -s, -* pool

Tumult, *sub, m, -s, -e* commotion, tumult

Tumulus, *sub, m, -, Tumuli* tumulus

Tun, (1) *sub, n, -s, nur Einz.* conduct, doing; *(Tat)* deed **(2) tun** *vti,* do; *mein ganzes Tun* everything I do; *Sagen und Tun ist zweierlei* saying is one thing and doing another, *alle Hände voll zu tun haben* have one´s hands full with something; *(ugs.) das Auto tut es nicht mehr* the car has had it; *er tut nur so* he´s only pretending; *es zu tun bekommen mit* get into trouble with; *gesagt, getan* no sooner said than done; *sein möglichstes tun* do one´s best; *zu tun haben* be busy

Tünche, *sub, f, -, -chen* whitewash; *(i. ü. S.; äußerer Anstrich)* veneer; **tünchen** *vt,* whitewash

Tundra, *sub, f, -, Tundren* tundra

tunen, *vt,* tune; **Tuner** *sub, m, -s, -* tuner; **Tuning** *sub, n, -s, -s* tuning

Tunfisch, *sub, m, -es, -e* tuna (fish)

Tunichtgut, *sub, m, -s, -e* good-for-nothing

Tunika, *sub, f, -, Tuniken* tunic

Tunke, *sub, f, -, -ken* sauce; *(Braten-)* gravy; **tunken** *vt,* dip

Tunlichkeit, *sub, f, -, -en* advisability

Tunnel, *sub, m, -s, -s* tunnel

Tunte, *sub, f, -, -n (ugs.; Homosexueller)* fairy; *(ugs.; zimperliche Frau)* prude; **tuntig** *adj,* prudish

tüpfeln, *vt,* dot, spot; **Tupfen (1)**

dot, spot (2) **tupfen** *vt*, dab; **Tupfer** *sub, m, -s, -* swab
Turban, *sub, m, -s, -e* turban; **turbanartig** *adj*, turban-like
Turbellarie, *sub, f, -, -n* flatworm
Turbine, *sub, f, -, -n* turbine; **~nhaus** *sub, n, -es, -häuser* power house
Turbolader, *sub, m, -s, -* turbocharger
turbulent, *adj*, turbulent; **Turbulenz** *sub, f, -, -en* turbulence
Turf, *sub, m, -s, -s* turf
Türflügel, *sub, m, -s, -* wing of a door; **Türgriff** *sub, m, -s, -e* door handle
Türke, *sub, m, -n, -n* Turk; **~i** *sub, f, -, nur Einz.* Turkey; **~npfeife** *sub, f, -, -n* chibouk; **~nsäbel** *sub, m, -s, -* Turkish scimitar; **türkisch** *adj*, Turkish; **Türkischrot** *sub, n, -s, nur Einz.* Turkey red
türkis, (1) *adj*, turquoise **(2) Türkis** *sub, m, -es, -e* turquoise; **~farben** *adj*, turquoise; **~farbig** *adj*, turquoise; **turkisieren** *vt*, turkicize; **turkmenisch** *adj*, Turkmenian; **Turksprache** *sub, f, -, -n* Turkic language
Turm, *sub, m, -s, Türme* tower; *(Kirch-)* steeple; *(Schach)* castle; **~alin** *sub, m, -s, -e* tourmaline; **Türmchen** *sub, n, -s, -* turret; **~drehkran** *sub, m, -es, -krähne* tower crane; **türmen (1)** *vi, (i. ü. S.; flüchten)* take to one´s heels **(2)** *vr*, tower **(3)** *vt*, pile up; **turmhoch** *adj*, lofty, towering; **~springen** *sub, n, -s, nur Einz.* high diving; **~wächter** *sub, m, -s, -* look-out
Turn, *sub, m, -s, -s* turn; **~en (1)** *sub, n, -s, nur Einz.* gymnastics **(2) turnen** *vi*, do gymnastics; *(herum-)* climb about; **~er** *sub, m, -s, -* gymnast; **~erei** *sub, f, -, nur Einz.* gymnastics; **~erschaft** *sub, f, -, -en* gymnastic club; **~fest** *sub, n, -es, -e* gymnastic festival; **~halle** *sub, f, -, -n* gymnasium; *(ugs.)* gym; **~hemd** *sub, n, -s, -en* gym shirt; **~hose** *sub, f, -, -n* gym shorts
Turnier, *sub, n, -s, -e (Tanz-)* competition; *(Wettkampf)* tournament; **~pferd** *sub, n, -s, -e* competition horse
Turnkleidung, *sub, f, -, -en* gym outfit; **Turnlehrer** *sub, m, -s, -* gym teacher; **Turnschuh** *sub, m, -s, -e* gym shoe; *(US)* sneaker; **Turnstunde** *sub, f, -, -n* gym lesson; **Turnunterricht** *sub, m, -s, nur Einz.* gymnastic instruction
Turnus, *sub, m, -, -se* rotation; **turnusmäßig (1)** *adj*, regular **(2)** *adv*, by rotation; **Turnzeug** *sub, n, -s, -e* gym outfit; *(ugs.)* gym things
Türschließer, *sub, m, -s, - (Person)* doorkeeper; *(tech.)* door check; *(Theater etc.)* commissionaire; **Türschwelle** *sub, f, -, -n* sill, threshold; **Türspalt** *sub, m, -s, -e* crack of the door; **Türsteher** *sub, m, -s, - (Gericht)* usher; *(Hotel)* concierge; **Türstock** *sub, m, -s, -stöcke* doorframe; *(arch.)* architrave
Tusch, *sub, m, -s, -e* flourish
Tusche, *sub, f, -, -n* Indian ink; *(Wimpern-)* mascara
Tuschelei, *sub, f, -, -en* whispering; **tuscheln** *vi*, whisper
tuschen, *vt*, colour-wash, draw in Indian ink; *(Kosmetik)* put mascara on; **tuschieren** *vt*, touch up;**Tuschkasten** *sub, m, -s, -kästen* paintbox; **Tuschzeichnung** *sub, f, -, -en* pen-and-ink drawing
Tüte, *sub, f, -, -n* bag; *in Tüten verpacken* put in bags; *(i. ü. S.) kommt nicht in die Tüte!* no way!; *(i. ü. S.) Tüten kleben* do time
Tutel, *sub, f, -, -en* guardianship
Tutor, *sub, m, -s, -en* tutor
Tuttifrutti, *sub, n, -s, -s* tutti-frutti
Tweed, *sub, m, -s, -s und -e* tweed
Twen, *sub, m, -s, -s* young man/woman in his/her twenties
Twinset, *sub, n, -s, -s* twinset
Typ, *sub, m, -s oder -en, -en* type; *(Art)* kind, sort; *(Modell)* model; *(ugs.) dein Typ wird verlangt!* you´re wanted!; *er ist nicht mein Typ* he´s not my type; *(vulg.) kaputter Typ* bum; **~e** *sub, f, -, -n (ugs.; Person)* character; *(Scheibmaschinen-)* type
typhös, *adj*, typhous
Typhus, *sub, m, -, nur Einz.* typhoid fever
Typik, *sub, f, -, -en* typology
typisch, *adj*, characteristic, typical; **typisieren** *vt*, *(Charakter)* stylize; *(Produkte)* standardize
Tyrann, *sub, m, -en, -en* tyrant; **~ei** *sub, f, -, -en* tyranny; **tyrannisch** *adj*, tyrannical; **tyrannisieren** *vt*, tyrannize

U

U-Bahn, *sub, f, -, -en* underground; *(US)* subway; **~-Netz** *sub, n, -es, -e* underground system; *(US)* subway system

übel, (1) *adj,* bad; *(böse)* wicked; *(körperlich)* nasty **(2)** *adv,* badly **(3)** *sub, n, -s, -* evil; *(ugs.) ein übler Bursche* a bad lot; *in eine üble Lage geraten* fall on evil days; *mir ist übel!* I feel sick!; *nicht übel!* not bad!; *wohl oder übel* willy-nilly, *das kleinere (größere) Übel* the lesser (greater) evil; *das Übel an der Wurzel packen* get down to the root of the grievance; **~ nehmen** *vti,* take amiss; *ich nehme es dir nicht übel* I don´t blame you for it; *nehmen Sie es mir nicht übel, aber* don´t take it amiss but; **~ wollen** *vi,* wish so ill; **Übelkeit** *sub, f, -, -en* nausea, sickness; **Übelnehmerei** *sub, f, -, -en* resentfulness; **Übelsein** *sub, n, -s, nur Einz.* sickness; **Übelstand** *sub, m, -s, -stände* evil, ill; **Übeltäter** *sub, m, -s, -* wrongdoer; **Übeltäterin** *sub, f, -, -nen* wrongdoer

üben, *vti,* exercise, practise; *Geduld üben* be patient; *Kritik an jemandem üben* criticize someone

über, (1) *adv,* all over **(2)** *präp, (betreffend)* about; *(darüber hinaus)* beyond; *(mittels)* via; *(oberhalb)* above; *(räumlich)* over; *bis über beide Ohren* up to one´s ears; *ein Buch über Bäume* a book on trees; *ein Scheck über 100 DM* a cheque for 100 DM; *Fehler über Fehler* one mistake after another; *über achtzig Jahre alt* past eighty; *über den Dingen stehen* be above it all; *über Frankfurt nach Berlin* via Frankfurt to Berlin; **~all** *adv,* all over, everywhere; *überall und nirgends* here, there and everywhere; **Überalterung** *sub, f, -, -en* superannuation; **Überangebot** *sub, n, -s, -e* surplus; **~anstrengen (1)** *vr,* overexert **(2)** *vt,* overstrain; **~antworten (1)** *vr,* surrender **(2)** *vt,* entrust, hand over; **~arbeiten (1)** *vr,* overwork **(2)** *vt,* go over; *(Buch)* revise; **Überarbeitung** *sub, f, -, -en* overwork; *(Aufsatz etc.)* revision

überaus, *adv,* exceedingly, extremely; **Überbau** *sub, m, -s, nur Einz. (Brücke etc.)* superstructure; *(vorstehender Teil)* projecting part; **überbehalten** *vt,* keep sth over; **Überbein** *sub, n, -s, -e* ganglion; **überbekommen** *vt,* grow weary of sth; **überbelasten** *vt,* overload; **überbelegen** *vt,* overcrowd; **Überbelegung** *sub, f, -, -en* overcrowding; **überbelichten** *vt,* overexpose; **Überbelichtung** *sub, f, -, -en* overexposure; **Überbeschäftigung** *sub, f, -, -en* overemployment; **überbetonen** *vt,* overstress; *(Körperteil)* overaccentuate; **Überbetonung** *sub, f, -, -en* overaccentuation, overstress

überbewerten *vt,* overvalue; *(i. ü. S.)* overrate; *(i. ü. S.) sie haben seine Fähigkeiten überbewertet* they have overrated his abilities; *wollen wir das doch nicht überbewerten!* let´s not attach too much importance to this!; **überbezahlen** *vt,* overpay, pay too much; **überbietbar** *adj,* overbiddable; **überbieten (1)** *vr,* surpass o.s. **(2)** *vt,* make a higher bid, overbid; *das ist nicht mehr zu überbieten!* that beats everything!; *einen Rekord überbieten* beat a record; **Überbietung** *sub, f, -, -en* overbid; **Überbiss** *sub, m, -es, -e* overbite; **überblatten** *vt, (Bauholz)* rebate; *(Schienen)* scarf; **Überblattung** *sub, f, -, -en* scarf; **überbleiben** *vi,* be left over, remain; **Überbleibsel** *sub, n, -s, -* remain, remnant

überblenden, *vi,* cut, dissolve; **Überblendung** *sub, f, -, -en* cut, fade effect; **Überblick** *sub, m, -s, -* general view; *(Abriss)* survey; *den Überblick verlieren* lose track; *einen Überblick verschaffen über* get a general idea of; **überblicken** *vt,* overlook; *(i. ü. S.)* have a view of; *(i. ü. S.) das lässt sich noch nicht überblicken* I cannot say as yet; *(i. ü. S.) es lässt sich leicht überblicken* it can be seen at a glance; **überbringen** *vt,* deliver; **Überbringer** *sub, m, -s, -* deliverer; *(wirt.)* bearer; **Überbringung** *sub, f, -, -en* delivery; **überbrückbar** *adj, (Gegensätze)* reconcilable; *(Zeitspanne)* bridgeable;

Blutkreislauf und Lunge überführ- **kung** *sub, f, -, -en (Gegensätze)* reconciliation; *(Überführung)* bridge; **Überbürdung** *sub, f, -, -en* overburdening

Überdach, *sub, n, -s, -dächer* roof; **überdachen** *vt,* roof over; **~ung** *sub, f, -, -en* roofing; **überdecken** *vt,* cover (over); **Überdeckung** *sub, f, -, -en* cover(ing); **überdehnen** *vt,* overstretch; **Überdehnung** *sub, f, -, -en (Gelenk)* hyperextension; *(Muskel)* strain; **überdenken** *vt,* consider, think over; *etwas noch einmal überdenken* reconsider something; **überdeutlich** *adj,* more than clear; **überdies** *adv, (außerdem)* moreover; *(ohnehin)* anyway; **überdimensional** *adj,* oversize; **Überdosis** *sub, f, -, -dosen* over-dose; **überdrucken** *vt,* overprint; **Überdruss** *sub, m, -es, - (Übersättigung)* surfeit; *(Widerwille)* aversion; **überdrüssig** *adj,* weary of sth

überdüngen, *vt,* over-fertilize; **Überdüngung** *sub, f, -, -en* over-fertilization; **überdurchschnittlich** *adj,* above average; **übereignen** *vt,* convey; **übereilen** *vt,* hurry, rush; *nur nichts übereilen!* don´t rush things!; **übereilt** *adj,* rash; *(voreilig)* premature; *(zu eilig)* hasty; **übereinander** *adv,* on top of each other; *(einander betreffend)* about each other; **übereinkommen** *vi,* agree; **Übereinkunft** *sub, f, -, -künfte* agreement, arrangement; **übereinstimmen** *vi, (Daten etc.)* correspond; *(Personen)* agree; *(zusammenpassen)* match; **Übereinstimmung** *sub, f, -, -en (Meinungen)* agreement; **Übereinstimmung** *sub, f, -, -en (Einklang)* correspondence

übererfüllen, *vt,* overfulfil; **Überernährung** *sub, f, -, -* hyperalimentation; **übererregbar** *adj,* overexcitable; **überfahren (1)** *vi,* cross over **(2)** *vt, (Boot etc.)* take across; *(Tier etc.)* run over; **Überfahrt** *sub, f, -, -en* crossing; **Überfall** *sub, m, -s, -fälle* assault; *(Bank-)* holdup; *(i. ü. S.) unerwartetes Auftauchen)* invasion; *einen Überfall auf jemanden machen* carry out an attack on someone; *keine Bewegung, das ist ein Überfall!* freeze, this is a holdup!; **überfallen** *vt,* assault;

(Bank) hold up; (i. ü. S., unerwartetet) descend upon; *(i. ü. S.) jemanden mit Fragen überfallen* bombard someone with questions; *(i. ü. S.) tiefe Traurigkeit überfiel ihn* he was overcome by deep sadness; **Überfallhose** *sub, f, -, -n* knickerbockers; **überfällig** *adj,* overdue; **Überfallkommando** *sub, n, -s, -s* flying squad

Überfangglas, *sub, n, -es, -gläser* flashed glass; **überfeinern** *vt,* over-refine; **Überfischung** *sub, f, -, -en* overfishing; **überfleißig** *adj,* over-diligent; **überfliegen** *vt,* fly over; *(i. ü. S.)* glace over; **überfließen** *vi,* overflow; *sein Herz fließt vor Liebe über* his heart is overflowing with love; **Überflug** *sub, m, -es, -flüge* flight (across); **überflügeln** *vt, (i. ü. S.)* outstrip; **Überflüglung** *sub, f, -, -en* outstripping

Überfluss, *sub, m, -es, -* abundance; *im Überfluss leben* live in luxury; *im Überfluss vorhanden* in plentiful supply; *zu allem Überfluss* superfluously; **überflüssig** *adj, (entbehrlich)* superfluous; *(unnötig)* unnecessary; **überfluten** *vt, (absichtlich)* flood; *(Damm etc.)* overflow; **Überflutung** *sub, f, -, -en* flood, overflow; **überfordern** *vt, (geistig)* ask too much of so; *(körperlich)* overtax; **überfrachten** *vt,* overfreight; **überfremden** *vt,* foreignize; **überfressen** *vr,* overeat; *(ugs.) sich an etwas überfressen* gorge oneself on something; **überfrieren** *vi,* freeze over; **überführen** *vt,* transfer; *(jur.)* convict; **Überführung** *sub, f, -, -en (Brücke)* bridge; *(jur.)* conviction; *(Transport)* transport

überfüllen, *vt,* overfill; **überfüllt** *adj,* overcrowded; *(Lager)* overstocked; **Überfüllung** *sub, f, -, -en* overcrowding; **Überfunktion** *sub, f, -, -en* hyperactivity; **Überfüttern** *sub, n, -s, -* overfeeding; **Übergabe** *sub, f, -, -n* handing over; *(Waren etc.)* delivery; **Übergang** *sub, m, -s, -gänge* crossing; *(Grenz-)* checkpoint; **übergangslos** *adv,* infinitely; **Übergangszeit** *sub, f, -, -en* transitional period; **Übergardine** *sub, f, -, -n* curtain; *(US)* drape

übergeben, (1) *vr, (erbrechen)* vomit; **(2)** *vt,* hand over

übergehen, (1) *vi,* go over; *(verändern)* change into **(2)** *vt, (auslassen)* skip; *(übersehen)* overlook; *in jemandes Besitz übergehen* become someone´s property; *jemandes Einwände übergehen* ignore someone´s objections; *(i. ü. S.) seine Augen gingen ihm über* his eyes were almost popping out of his head; *zum Angriff übergehen* take the offensive; *zum nächsten Punkt übergehen* go on to the next point; **übergenau** *adj,* overprecise; **übergeordnet** *adj, (Bedeutung)* primary; *(Behörde)* superior; *von übergeordneter Bedeutung* of overriding significance; **Übergewicht** *sub, n, -es, nur Einz.* overweight; *(i. ü. S.) an Übergewicht leiden* be overweight; *(i. ü. S.) das Übergewicht bekommen* become predominant; **übergewichtig** *adj,* overweight; **übergießen** *vt, (Soße)* pour over; *(verschütten)* spill; **Übergießung** *sub, f, -, -en* affusion; **Übergipsung** *sub, f, -, -en* overplastering; **überglücklich** *adj,* overjoyed; **übergreifen** *vi, (ineinander)* overlap; *(unberechtigt)* encroach; *(verbreiten)* spread; **übergroß** *adj,* oversized; *(riesig)* huge; *(sehr groß)* extra large; **Übergröße** *sub, f, -, -n* oversize

überheblich, *adj,* arrogant; **Überheblichkeit** *sub, f, -, -en* arrogance; **überhitzen** *vt,* overheat; **Überhitzung** *sub, f, -, -en* overheating; **überholen** *vt,* overtake; *(ausbessern)* overhaul; *überholen verboten!* no passing!; **Überholspur** *sub, f, -, -en* overtaking lane; **überhören** *vt,* not to hear; *(absichtlich)* ignore; **überirdisch** *adj, (himmlisch)* heavenly; *(übernatürlich)* supernatural; **überkleiden** *vt,* line over; *(täfeln)* wainscot; **überklettern** *vt,* climb over; **überkochen** *vi,* boil over; **überkommen** *vt,* come over; *es überkam mich ganz plötzlich, daß* it suddenly struck me that; *Furcht überkam mich* I was overcome with fear; **überkreuzen** *vt,* cross; **überkriegen,** *vt,* get fed up with, get sick of; **überkrusten** *vt,* crust (over); **überladen** *vt,* overload; *(i. ü. S.)* clutter; **Überlagerung** *sub, f, -, -en* over-

laying; *(tech.)* superimposition; **Überlandbahn** *sub, f, -, -en* interurban railway; *(Zug)* intercity train; **Überlandbus** *sub, m, -ses, -se* interurban coach; **überlang** *adj,* extra long; **überlappen** *vr,* overlap; **Überlappung** *sub, f, -, -en* overlap; **überlassen** *vt,* let so have sth; *(anheimstellen)* leave it up to so; *(übriglassen)* leave; *sie überließen es ihm widerstandslos* they let him have it without resistance; *das bleibt Ihnen überlassen* that´s up to you; *jemanden sich selbst überlassen* leave someone to his own devices; **Überlassung** *sub, f, -, -en* abandonment

überlasten, *vt, (Person)* overtax; *(tech.)* overload; **Überlastung** *sub, f, -, -en (Person)* overstrain; *(tech.)* overload; **Überlauf** *sub, m, -es, -läufe* overflow; **überlaufen (1)** *adj,* overcrowded **(2)** *vi,* overflow, run over; **Überläufer** *sub, m, -s, - (mil.)* deserter; *(polit.)* turncoat; **überlaut** *adj,* overloud; *(geb.)* stentorious; **überleben (1)** *vt,* outlive **(2)** *vti,* survive; *(i. ü. S.) das überlebe ich nicht!* that´ll be the death of me!; *(i. ü. S.; ironisch) du wirst es schon überleben* it won´t kill you; **Überlebende** *sub, m, -n, -n* survivor; **Überlebensgröße** *sub, f, -, -n* larger than life

überlegen, (1) *adj,* superior **(2)** *vi, (nachdenken)* think **(3)** *vt,* put over; *(durchdenken)* think over; *ein überlegener Sieg* a convincing victory, *das wäre zu überlegen* it´s worth thinking about; *hin und her überlegen* deliberate; *lass mich mal überlegen* now let me think; *sie hat es sich anders überlegt* she has changed her mind, *das werde ich mir überlegen* I´ll give it some thought; **Überlegenheit** *sub, f, -, nur Einz.* superiority; *(Hochmut)* superciliousness; **überlegt** *adj,* considered; **Überlegung** *sub, f, -, -en* consideration, thought; *das wäre eine Überlegung wert* that is worth thinking about; *eine Überlegung anstellen* make observations; **Überleitung** *sub, f, -, -en* transition; **überlesen** *vt, (flüchtig lesen)* glance through; *(übersehen)* over-

look, überliefern *vt*, hand down;
Überlieferung *sub, f, -, -en* tradition;
überlisten *vt*, outwit; **Überlistung**
sub, f, -, -en dupery; **Übermacht** *sub,
f, -, -mächte* superior strength; *(Gefühle)* predominance; **übermächtig**
adj, superior

übermalen, *vt*, paint over; **übermannen** *vt*, overcome; *der Schlaf übermannte ihn* sleep overcame him; *die
Rührung hat ihn übermannt* he was
overcome with emotion; **übermäßig**
adj, excessive; **Übermensch** *sub, m,
-en, -en* superman; **übermenschlich**
adj, superhuman; **Übermikroskop**
sub, n, -s, -e electron microscope;
übermitteln *vt*, convey, transmit;
Übermittlung *sub, f, -, -en* conveyance; *(tech.)* transmission; **übermorgen** *adv*, day after tomorrow;
übermüdet *adj*, overtired; **Übermut**
sub, m, -s, nur Einz. high spirits;
(Mutwille) mischief; **übermütig** *adj*,
high-spirited

übernachten, *vi*, stay overnight;
Übernachtung *sub, f, -, -en* overnight
stay; *Übernachtung mit Frühstück*
bed and breakfast; *was berechnen Sie
für die Übernachtung?* what do you
charge for the night?; **Übernahme**
sub, f, -, -n (Amts-) assumption; *(Meinung etc.)* adoption; *(wirt.)* takeover;
übernatürlich *adj*, supernatural;
übernehmen (1) *vr*, take on too
much **(2)** *vt*, take-over; *(Amt)* assume; *sich finanziell übernehmen* overreach oneself; *(i. ü. S.) übernimm
dich nicht!* don´t strain yourself!, *ein
Amt von jmd übernehmen* take over
an office from so

Überordnung, *sub, f, -, -en* superordination; **überparteilich** *adj*, crossbench, non-party; **überpflanzen** *vt*,
bed out, transplant; **überpinseln** *vt*,
paint over; **Überproduktion** *sub, f, -,
-en* overproduction; **überprüfbar**
adj, verifiable; **überprüfen** *vt*, check;
(Maschine) inspect; *(Situation etc.)*
examine; **Überprüfung** *sub, f, -, -en*
check, examination, inspection;
überquellen *vi*, overflow

überqueren, *vt*, cross; **Überquerung**
sub, f, -, -en crossing, traverse; **überragen (1)** *vi*, *(überstehen)* protrude
(2) *vt*, *(größer sein)* tower above; *(i.
ü. S.; übertreffen)* outshine; **überra-**

schen *vt*, surprise; *(ugs.) lassen
wir uns überraschen* let´s wait and
see; *sie wurden von einem Gewitter überrascht* they were caught in
a storm; **überraschend** *adj*, surprising; **Überraschung** *sub, f, -, -en*
surprise; **Überreaktion** *sub, f, -,
-en* overreaction; **überrechnen** *vt*,
calculate; **überreden** *vt*, persuade;
Überredung *sub, f, -, -en* persuasion; **überregional** *adj*, nationwide;
überreichen *vt*, hand over; *(feierlich)* present; **Überreichung** *sub,
f, -, -en* presentation

überreif, *adj*, overmature, overripe;
Überreizung *sub, f, -, -en (Fantasie)* overexcitement; *(Nerv etc.)*
overstrain; **Überrest** *sub, m, -s, -e*
remains; **überrieseln** *vt*, irrigate;
Überrieslung *sub, f, -, -en* irrigation; **Überrock** *sub, m, -s, -röcke*
overcoat; **überrumpeln** *vt*, take by
surprise; *jemanden mit einer Frage überrumpeln* throw someone
with a question; **Überrumplung**
sub, f, -, -en surprise; *(mil.)* surprise attack; **überrunden** *vt*, *(i. ü. S.)*
outstrip; *(spo.)* lap; **Überrundung**
sub, f, -, -en lapping

übersatt, *adj*, glutted; **übersättigen** *vt*, supersaturate; **Übersäuerung** *sub, f, -, -en*
superacidification; **Überschallflugzeug** *sub, n, -s, -e* supersonic
aircraft; **Überschallgeschwindigkeit** *sub, f, -, nur Einz.* supersonic
speed; **überschatten** *vt*, overshadow; **überschätzen** *vt*, overestimate, overrate; **überschaubar** *adj*,
visible at a glance; **überschauen**
vt, overlook; *(i. ü. S.)* see; **überschäumen** *vi*, foam over; *(i. ü. S.)*
brim over; *(i. ü. S.) vor Freude
überschäumen* bubble over with
joy; *(i. ü. S.) vor Wut überschäumen* fume with rage; **überschießen (1)** *vi*, *(Flüssigkeit)* overflow;
(Summe) be in excess **(2)** *vt*, *(mil.)*
overshoot; **überschlafen** *vt*, sleep
on

überschlagen, **(1)** *vr*, turn over;
(Stimme) crack **(2)** *vt*, *(Beine)*
cross; *(berechnen)* estimate roughly; *(weglassen)* skip; *ich hatte
mich mehrmals überschlagen* I had
gone head over heels several times;

seine Beine überschlagen cross one´s legs; **überschneiden** *vr*, intersect; *(i. ü. S.)* overlap; **überschneien** *vt*, snow; **überschnell** *adj*, superfast; **überschreiben** *vt*, write over; *(beiteln)* head; *(übertragen)* sign over; **überschreien** *vt*, shout down; **überschreiten** *vt*, cross; *(i. ü. S.; Maß)* exceed; *die zulässige Höchstgeschwindigkeit überschreiten* exceed the speed limit; *sie hat die Vierzig schon überschritten* she´s past fourty already; **Überschrift** *sub*, *f*, -, *-en* heading; *(Schlagzeile)* headline; **Überschuh** *sub*, *m*, -*s*, -*e* overshoe; **überschuldet** *adj*, heavily indebted; **Überschuss** *sub*, *m*, -*es*, -*schüsse* surplus; **überschüssig** *adj*, surplus; **überschütten** *vt*, cover with, shower; **Überschwang** *sub*, *m*, -*s*, *nur Einz.* exuberance

überschwemmen, *vt*, flood, overflow; **Überschwemmung** *sub*, *f*, -, *-en* flood, overflow; **Übersee** *sub*, *nur Einz.* overseas; **Überseehafen** *sub*, *m*, -*s*, -*häfen* transatlantic harbour; **übersehen** *vt*, look over; *(ignorieren)* overlook; *bei der Übersetzung habe ich ein Wort übersehen* I left a word out in the translation; *die Lage übersehen* be in full command of the situation; *man kann ihn nicht übersehen* he cannot be missed; **übersenden** *vt*, send; *(Geld)* remit; *hiermit übersenden wir Ihnen* enclosed please find; **Übersendung** *sub*, *f*, -, *-en* sending; *(Geld)* remittance

übersetzbar, *adj*, translatable; **übersetzen** (1) *vi*, ferry across (2) *vti*, translate; **Übersetzerin** *sub*, *f*, -, *-nen* translator; **Übersetzung** *sub*, *f*, -, *-nen* *(sprachlich)* translation; *(tech.)* transmission; **Übersicht** *sub*, *f*, -, *-en* *(Überblick)* overall view; *(Zusammenfassung)* survey; **übersichtig** *adj*, farsighted; *(tt)* hyperopic; **übersichtlich** *adj*, *(klar)* clear; *(leicht überschaubar)* easy to survey; **übersiedeln** *vi*, *(auswandern)* emigrate; *(umziehen)* move; **Übersiedler** *sub*, *m*, -*s*, - emigrant; **Übersiedlung** *sub*, *f*, -, *-en* *(Auswanderung)* emigration; *(Umzug)* move

übersinnlich, *adj*, supersensory; *(übernatürlich)* supernatural; **überspannen** *vt*, span; *(zu stark span-*

nen) overstrain; *(i. ü. S.)* *den Bogen überspannen* overstep the mark; *eine neue Brücke überspannt den Fluss* a new bridge spans the river; **überspannt** *adj*, eccentric; *(Ansicht etc.)* extravagant; **überspielen** *vt*, re-record; *(i. ü. S.; Fehler)* cover (up); **Überspielung** *sub*, *f*, -, *-en* re-recording; **überspitzen** *vt*, exaggerate; **Überspitzung** *sub*, *f*, -, *-en* exaggeration, oversubtlety; **übersprechen** *vt*, cross talk; **überspringen** *vt*, *(auslassen)* skip; *(spo.)* jump; *(i. ü. S.)* *zwischen ihnen sprang der Funke über* something clicked between them; **übersprudeln** *vi*, bubble over

Überständer, *sub*, *m*, -*s*, - holdover; **überständig** *adj*, declining, overmature; **überstehen** (1) *vt*, jut out; *(durchstehen)* get through (2) *vt*, get through; *(überleben)* survive; *das wäre überstanden!* thank heavens, that´s over!; *(ugs.; ironisch)* *du wirst es schon überstehen!* you ´ll survive it; **übersteigbar** *adj*, surpassable; **übersteigen** *vt*, climb over; *(i. ü. S.)* exceed; *(i. ü. S.)* *das übersteigt alles!* that beats all!; *(i. ü. S.)* *jemandes Erwartungen übersteigen* exceed someone´s expectations; **übersteigern** *vt*, exaggerate, go too far; **Übersteigung** *sub*, *f*, -, *-en* exaggeration; **überstellen** *vt*, put over; **Überstellung** *sub*, *f*, -, *-en* commitment

überstempeln, *vt*, postmark; *(entwerten)* cancel; **übersteuern** *vi*, oversteer; **überstimmen** *vt*, *(Antrg etc.)* vote down; *(Person)* outvote; **Überstimmung** *sub*, *f*, -, *-en* outvoting; **überstrahlen** *vt*, illuminate; *(i. ü. S.)* outshine; **überstreifen** *vt*, slip on; **überstreuen** *vt*, sprinkle, strew; **überströmen** *vi*, overflow, run over; *(i. ü. S.)* *von Tränen überströmen* brim with tears; *(i. ü. S.)* *vor Freude überströmen* exult with joy; **Überstrumpf** *sub*, *m*, -*s*, -*strümpfe* gaiter; **überstülpen** *vt*, clap on; **Überstunde** *sub*, *f*, -, -*n* overtime; **überstürzen** (1) *vr*, *(Ereignisse)* happen in a rush (2) *vt*, rush into; *die Ereignisse überstürzen sich* the news happen in a rush; *nur nichts überstürzen!* don´t let´s rush into anything!; **Überstürzung** sub, f, -, -en rush; nur keine Überstürzung! easy does it!; **Überteuerung** sub, f, -, -en overcharging

übertreiben, vt, exaggerate; (zu weit treiben) overdo; man kann es auch übertreiben you can overdo things; **Übertreibung** sub, f, -, -en exaggeration; **übertreten (1)** vi, go over; (Gesetz) break; (spo.) overstep **(2)** vt, (Grenze) cross; **Übertretung** sub, f, -, -en violation; **übertrieben** adj, exaggerated; (unmäßig) excessive; **übertrumpfen** vt, (i. ü. S.) outdo; (Kartenspiel) overtrump; **übertünchen** vt, whitewash; (i. ü. S.) cover up

übervölkern, vt, overpopulate; **Übervölkerung** sub, f, -, -en overpopulation; **übervoll** adj, overfull; (ugs.; Menschen) cram-full; **übervorteilen** vt, overcharge; **überwach** adj, tensely awake; **überwachen** vt, (beobachten) keep an eye on; (kontrollieren) supervise; **überwachsen (1)** adj, overgrown **(2)** vt, overgrow; **Überwachung** sub, f, -, -en (Kontrolle) supervision; (Verdächtige) surveillance; **überwältigen** vt, overpower; (i. ü. S.; Angst) overcome; (i. ü. S.; Schönheit) overwhelm; **überwältigend** adj, overwhelming; **überwechseln** vt, change over; **Überweg** sub, m, -s, -e crossing

überweisen, vt, (Geld) transfer; (Patienten) refer; **Überweisung** sub, f, -, -en (Geld) transfer; (Patienten) referral; **überweit** adj, extra wide; **überwerfen (1)** vr, fall out **(2)** vt, (Kleidung) throw on; **Überwerfung** sub, f, -, -en overpass; **Überwertung** sub, f, -, -en overvaluation; **überwiegen (1)** vi, predominate **(2)** vt, outweigh; **überwiegend** adj, predominant; **überwindbar** adj, superable; (Feind) vincible; **überwinden (1)** vr, overcome one's inclinations **(2)** vt, get over, overcome; **Überwindung** sub, f, -, -en effort; (Selbst-) willpower

überwintern, vi, winter; (Tiere) hibernate; **Überwölbung** sub, f, -, -en arch, vault; **überwuchern** vt, overgrow; **Überwurf** sub, m, -s, -würfe wrapper; (US) robe; **Überzahl** sub, f, -, nur Einz. majority; **überzählig** adj, (überflüssig) superfluous; (über-

schüssig) surplus; (übrig) spare; **Überzahlung** sub, f, -, -en overcharge; **überzeichnen** vt, (i. ü. S.; Charakter) overdraw; (wirt.) oversubscribe

überzeugen, vt, convince, persuade; überzeugen Sie sich selbst davon! go and see for yourself!; **~d** adj, convincing; **Überzeugung** sub, f, -, -en conviction; **überziehen (1)** vr, put sth on **(2)** vt, (bedecken) cover; (Konto) overdraw; ein Bett frisch überziehen change a bed; ein Land mit Krieg überziehen turn a country into a battlefield; einen Kuchen mit Schokolade überziehen ice a cake with chocolate; Wolken überziehen den Himmel clouds are covering the sky; **Überzieher** sub, m, -s, - (ugs.; Kondom) French letter; (Übermantel) topcoat; **überzüchtet** adj, overbred; **überzuckern** vt, ice; (US) frost; **Überzug** sub, m, -s, -züge (Bett etc.) cover; (Metall-) coating

ubiquitär, adj, ubiquitous

üblich, adj, (allg.) usual; (herkömmlich) customary; (normal) normal; allgemein üblich be common practice; das ist bei uns so üblich that's usual for us; **~erweise** adv, normally, usually

U-Boot, sub, n, -e, -e submarine; **~-Krieg** sub, m, -s, -e submarine warfare

übrig, adj, left (over), remaining; ein übriges tun do one more thing; (i. ü. S.) für jemanden etwas übrig haben have a soft spot for someone; (i. ü. S.) für jemanden nichts übrig haben have no time for someone; im Übrigen by the way; **~lassen** vt, leave; zu wünschen übrig lassen leave something to be desired; **~ens** adv, by the way, incidentally

Übung, sub, f, -, -en practice; (spo.) exercise; alles nur eine Sache der Übung it all comes with practice; aus der Übung out of practice; in der Übung bleiben keep in practice; Übung macht den Meister practice makes perfect; **~sanzug** sub, m, -s, -züge tracksuit; **~sarbeit** sub, f, -, -en exercise; **übungshalber** adv, for practice; **~splatz** *sub, m, -es, -plätze* training ground; **~sstück** *sub, n, -s, -e* exercise

Ufer, *sub, n, -s, -* (*Fluss-*) bank; (*See-*) shore; **~böschung** *sub, f, -, -en* embankment; **uferlos** *adj,* boundless; *die Debatte ging ins Uferlose* the debate went on and on; *die Kosten gehen ins Uferlose* the costs are going up and up; **~schwalbe** *sub, f, -, -n* bank swallow

Uhr, *sub, f, -, -en* (*Armband-*) watch; (*Wand-*) clock; *meine Uhr geht genau* my watch keeps exact time; *meine Uhr geht vor (nach)* my watch is fast (slow); *nach meiner Uhr* by my watch; *um wieviel Uhr?* at what time?; *wieviel Uhr ist es?* what time is it?; **~enkasten** *sub, m, -s, -kästen* clock case; **~kette** *sub, f, -, -n* watch chain; **~macher** *sub, m, -s, -* watchmaker; **~macherei** *sub, f, -, -en* watchmaking; (*Werkstätte*) watchmaker´s workshop; **~macherin** *sub, f, -, -nen* watchmaker; **~werk** *sub, n, -s, -e* clockwork; **~zeit** *sub, f, -, -en* time; *haben Sie die genaue Uhrzeit?* do you have the correct time?

Uhu, *sub, m, -s, -s* eagle-owl

Ukas, *sub, m, -ses, -se* ukase

Ukulele, *sub, f, n, -, -n* ukulele

Ulan, *sub, m, -en, -en* lancer, uhlan

Ulk, *sub, m, -s, -e* lark; (*Scherz*) joke; *etwas aus Ulk tun* do something as a joke; *seinen Ulk mit jemandem treiben* play jokes on someone; **ulken** *vi,* lark (around); **ulkig** *adj,* funny; **~nudel** *sub, f, -, -n* queer bird; **~us** *sub, n, -, Ulzera* ulcus

Ulme, *sub, f, -, -n* elm

ultimativ, *adj,* in the form of an ultimatum; **Ultimatum** *sub, n, -s, -ten* ultimatum; **Ultimo** *sub, m, -s, -s* end of month

Ultra, *sub, m, -s, -s* extremist, ultra; **~schall** *sub, m, -s, nur Einz.* ultrasound; **ultraviolett** *adj,* ultraviolet

Ulzeration, *sub, f, -, -en* ulceration; **ulzerieren** *vi,* ulcerate; **ulzerös** *adj,* ulcerous

um, (1) *adv, (ungefähr)* about (2) *konj, (final)* in order to (3) *präp, (Maß)* around; (*Maß*) about, by, for; (*Zeit*) at; *sich ängstigen um* be worried about; *wann fährst du in den Urlaub?- so um Ostern* when are you

going on holidays?- about Easter, *er ging ins Nebenzimmer um zu telefonieren* he went into the next room in order to make a phone call, *die Touristen sammelten sich um den Führer* the tourists gathered around the guide; *um den Tisch herum sitzen* sit around the table; *es geht mir nicht um Geld* I´m not concerned about money; *um ein Haar* by a hair; *um einen Kopf größer* taller by a head; *um alles in der Welt* for anything in the world; *um Himmels willen* for heaven´s sake; *um 6 Uhr* at six o´clock; *um jeden Preis* at any rate; **~ändern** *vt,* alter; (*modifizieren*) modify; **~arbeiten** *vt,* alter; (*Buch etc.*) revise; **Umarbeitung** *sub, f, -, -en* modification, revision; **~armen** *vt,* embrace, hug; **Umarmung** *sub, f, -, -en* embrace, hug; **Umbau** *sub, m, -s, -ten* rebuilding, renovation; *wegen Umbaus geschlossen!* closed for renovations!; **~bauen** *vt,* rebuild, renovate; **Umbenennung** *sub, f, -, -en* rename

Umbesetzung, *sub, f, -, -en* (*polit.*) reshuffle; (*Theater*) recast; **umbetten** *vt,* transfer so to another bed; **umbiegen (1)** *vi,* turn round (2) *vt,* bend; **umbilden** *vt,* (*polit.*) reshuffle; (*Verwaltung*) reorganize; **umbinden** *vt,* put on; **umblasen** *vt,* blow down

Umbra, *sub, f, -, -* umber

umbrechen, *vt,* break down; **umbringen** *vt,* kill; (*i. ü. S.*) *dieses endlose Warten bringt mich noch um!* this endless waiting will be the death of me!; (*i. ü. S.*) *sich vor Höflichkeit fast umbringen* fall over oneself to be polite; **Umbruch** *sub, m, -s, -brüche* radical change; (*Schriftstück*) makeup; **umbuchen** *vt,* (*Reise*) alter one´s booking; (*wirt.*) transfer; **umdenken (1)** *vi,* change one´s view (2) *vt,* rethink; **umdeuten** *vt,* re-interpret; **umdirigieren** *vt,* re-direct; **umdisponieren** *vi,* change one´s arrangements, re-plan; **umdrehen (1)** *vr,* turn round (2) *vt,* turn over; (*i. ü. S.*) *dem Spieß umdrehen* turn the tables; *jmd den Arm umdrehen* twist so´s arm; **Umdrehung** *sub, f,*

-, -en *(ung.)* turn; *(Motor)* revolution; *(phy.)* rotation

umeinander, *adv,* about each other; *(räumlich)* round each other; **Umerziehung** *sub, f, -, -en* re-education; **umfahren** *vt,* drive round; *(niederfahren)* run down; **umfallen** *vi,* fall down; *(ugs.; ohnmächtig werden)* pass out; *verwundet/tot umfallen* bite the dust; **Umfang** *sub, m, -s, -fänge (i. ü. S.; Ausmaß)* extent; *(Größe)* size; *(Kreis-)* perimeter; *in großem Umfang* on a large scale; *in vollem Umfang* fully; **umfangen** *vt,* clasp; *(i. ü. S.)* envelope; *(i. ü. S.) Dunkelheit umfing sie* darkness enveloped them; **umfangmäßig** *adv,* extensively; **umfangreich** *adj, (dick)* voluminous; *(Studien etc.)* extensive; **umfangsmäßig** *adv,* voluminously; **umfärben** *vt,* dye sth a different colour

umfassen, *vt,* clasp; *(umarmen)* embrace; **~d** *adj,* comprehensive; *(weitreichend)* extensive; **Umfeld** *sub, n, -s, -er* surrounding field; **umformen** *vt,* remodel; *(tech.)* convert; **Umformer** *sub, m, -s, -* converter; **umformulieren** *vt,* re-formulate; **Umfrage** *sub, f, -, -n* survey; *(Meinungs-)* opinion poll; **umfrieden** *vt,* enclose; **Umfriedigung** *sub, f, -, -en* enclosure; *(Zaun)* fence; **umfüllen** *vt,* decant; **umfunktionieren** *vt,* turn sth into sth

Umgang, *sub, m, -s, Umgänge* intercourse; *(Bekanntenkreis)* acquaintances; *(Umzug)* procession; *ich habe so gut wie keinen Umgang mit ihm* I have little to do with him; *im Umgang mit* in dealing with; **~sform** *sub, f, -, -en* manner; **~ssprache** *sub, f, -, -n* colloquial speech; **umgarnen** *vt,* ensnare; **Umgaukelung** *sub, f, -, -en* fluttering (a)round; **Umgebung** *sub, f, -, -en* surroundings; *(Umwelt)* environment; **umgehen** (1) *vi, (behandeln)* handle; *(Gerücht etc.)* circulate; *(Verordnung etc.)* circumvent (2) *vt, (herumgehen)* go round; *es geht das Gerücht um, daß* the rumour circulates that; *hier geht ein Gespenst um* this place is haunted; *mit jmd grob umgehen* treat so roughly; **umgehend** *adj,* immediate; **Umgehung**

sub, f, -, -en circumvention; *(Straße)* detour

umgeben, *vt,* surround, wall

umgekehrt, *adj, (gegenteilig)* contrary; *(Reihenfolge)* reverse; **umgestalten** *vt, (ändern)* alter; *(umbilden)* remodel; **Umgestaltung** *sub, f, -, -en* alteration, modification; **umgraben** *vt,* dig over; **umgreifen** *vt,* clasp; **umgrenzen** *vt,* border; **umgruppieren** *vt,* rearrange, regroup; **umhacken** *vt,* cut down, fell; **umhalsen** *vt,* hug; **Umhang** *sub, m, -s, -hänge* cape; **umhängen** *vt,* put on; **Umhängetasche** *sub, f, -, -n* shoulder bag; **Umhängetuch** *sub, n, -s, -tücher* shawl

umhauen, *vt,* cut down, fell; *(i. ü. S.)* knock out; **umher** *adv,* about, around; **umherblicken** *vi,* glance around, look about; **umherfahren** *vi,* drive around; **umherfliegen** *vi,* fly around; **umherirren** *vi,* wander around; *(Blicke)* roam about; **umherlaufen** *vi,* run around; **umherliegen** *vi,* lie around; **umherreisen** *vi,* travel around; **umhertragen** *vi,* carry around; **umherziehen** *vi,* wander around; **umhinkommen** *vi,* be not able to avoid sth; **umhinkönnen** *vi,* be not able to avoid sth

umhüllen, *vt,* cover, wrap; **umjubeln** *vt,* cheer so enthusiastically; **Umkehr** *sub, f, -, nur Einz.* turning back; **umkehren** (1) *vi,* turn back (2) *vt, (Situation)* overturn; **Umkehrung** *sub, f, -, -en* reversal; *(mat.)* inversion; **umkippen** (1) *vi, (ugs.; ohnmächtig werden)* pass out (2) *vt, (Gegenstand)* fall over (3) *vt/i, (von der)* tip over; **umklammern** *vt,* clasp; *(Boxen)* clinch; **Umklammerung** *sub, f, -, -en* clutch; *(Boxen)* clinch

Umlage, *sub, f, -, -n* apportioned fee; *(Versicherungswesen)* contribution; **umlagern** *vt, (mil.)* besiege; *(Waren)* re-store; **Umland** *sub, n, -s, nur Einz.* environs; **Umlauf** *sub, m, -s, -läufe (Erd-)* revolution; *(Geld-)* circulation; **umlaufen** (1) *vi,* circulate (2) *vt, (umrennen)* knock over; **Umlaufmittel** *sub, n, -s, -* currency; **Umlaufzeit** *sub, f, -,*

-en period of circulation; **Umlaut** sub, m, -s, -e umlaut, vowel mutation; **Umlegekragen** sub, m, -s, -krägen turn-down collar; **umlegen** vt, (tech.) re-lay; (ugs.; töten) bump off; (umhängen) put round

umleiten, vt, divert; **Umleitung** sub, f, -, -en detour, diversion; **umlenken** vt, turn sth round; **umlernen** vi, retrain; (i. ü. S.; Ansichten ändern) change one´s view; **umliegend** adj, surrounding; **Ummantelung** sub, f, -, -en encasement, jacket; **ummodeln** vt, (Form) remodel; (Person) change; **ummünzen** vt, (i. ü. S.) cash in; (neu prägen) recoin; **umnachtet** adj, mentally disturbed; **umnebeln** vt, becloud, daze; **umnieten** vt, knock down

umpflügen, vt, plough up; **umquartieren** vt, move so to another accommodation; (mil.) requarter; **umrahmen** vt, frame; **Umrahmung** sub, f, -, -en frame; **umranden** vt, edge sth with sth; (Fehler etc.) mark with a circle; **umrangieren** vt, shunt; **umranken** vt, twine (a)round; **umräumen** vt, (anders anordnen) rearrange; (umstellen) shift; **umrechnen** vt, convert; **umreißen** vt, tear down; (grob darstellen) outline; **umrennen** vt, run down; **umringen** vt, surround

Umriss, sub, m, -es, -risse outline; **~linie** sub, f, -, -n outline, skyline; **~zeichnung** sub, f, -, -en contour drawing; **umrühren** vt, stir; **umrunden** vt, (astron.) orbit; (spo.) lap; **umrüsten** vt, (mil.) re-equip; (tech.) re-set; **umsatteln (1)** vi, (i. ü. S.) switch (2) vt, resaddle; **Umsattelung** sub, f, -, -en switching

Umsatz, sub, m, -es, -sätze turnover; **~steuer** sub, f, -, -n sales tax; **umsäumen** vt, (nähen) edge; (umgeben) line; **Umschaffung** sub, f, -, -en transformation; **umschalten** vt, switch over; **Umschaltung** sub, f, -, -en changeover; **umschatten** vt, surround with shadow; **Umschau** sub, f, -, nur Einz. review; Umschau halten look around; **umschauen** vr, look around; **umschichten** vt, repile; (i. ü. S.) rearrange; **umschichtig** adv, alternately, in turns; **Umschichtung** sub, f, -, -en rearrangement, shifting

Umschlag, sub, m, -s, -schläge (Brief-) envelope; (Hülle) cover; **umschlagen (1)** vi, (Wetter) change (2) vt, (Ärmel) tuck up; (Kragen) turn down; (Seite) turn over; **~tuch** sub, n, -s, -tücher shawl; **umschleichen** vt, creep around; **umschließen** vt, enclose, surround; **Umschließung** sub, f, -, -en enclosure; **umschlingen** vt, (Person) embrace; (Pflanze) twine round; **Umschlingung** sub, f, -, -en embrace, twisting; **umschmeißen** vt, knock flying; (ugs.) das schmeißt meine Pläne um that mucks my plans up; **umschmelzen** vt, remelt; **Umschmelzung** sub, f, -, -en remelt

umschnallen, vt, buckle on; **umschreiben** vt, (Besitz) transfer; (mit anderen Worten ausdrücken) paraphrase; (Text) rewrite; **Umschreibung** sub, f, -, -en (mit Worten) paraphrase; (wirt.) transfer; **umschrieben** adj, circumscribed; **Umschuldung** sub, f, -, -en conversion (of a debt); **umschulen** vt, retrain; (Schulwechsel) transfer to another school; **Umschülerin** sub, f, -, -nen retrainee; **Umschulung** sub, f, -, -en retraining; **umschwärmen** vt, idolize; von Verehrern umschwärmt besieged by admirers; **Umschweife** sub, f, -, nur Mehrz. nur in Anwendungen; ohne Umschweife etwas sagen say something bluntly; **umschwenken** vi, change one´s mind; **umschwirren** vt, buzz round

Umschwung, sub, m, -s, -schwünge change, reversal; **umsegeln** vt, sail round; **umsehen** vr, look around; sich in der Stadt umsehen have a look around the town; sich in der Welt umsehen see something of the world; **umseitig** adj, overleaf; **umsetzen** vt, (Pflanze) transplant; (wirt.) turn over; etwas in die Tat umsetzen translate something into action; **Umsetzung** sub, f, -, -en (chem.) transformation; (tech.) transposition; **Umsicht** sub, f, -, nur Einz. circumspection, prudence; **umsichtig** adj, circumspect, prudent; **umsiedeln** vi, resettle; **Umsiedelung** sub, f, -, -en

resettler; **Umsiedlerin** *sub, f, -, -nen* resettler; **Umsiedlung** *sub, f, -, -en* resettlement

umsinken, *vi,* sink to the ground; *vor Müdigkeit umsinken* drop with exhaustion; **umsonst** *adv, (erfolglos)* without success; *(ohne Bezahlung)* for nothing; *(vergeblich)* in vain; *das hast du nicht umsonst getan!* you´ll pay for that!; *(i. ü. S.) umsonst ist nur der Tod* you don´t get anything for nothing in the world; **umsorgen** *vt,* care for, look after; **umspannen** *vt, (i. ü. S.; räumlich)* encompass; *(Strom)* transform; **Umspannwerk** *sub, n, -s, -e* transformer plant; **umspringen** *vt, (Hindernis)* leap round; *(Wind)* veer round; *mit jmd grob umspringen* treat so roughly; *so können Sie mit mir nicht umspringen!* you can´t push me around like that!; **umspulen** *vt,* rewind; **umspülen** *vt,* wash round

Umstand, *sub, m, -s, -stände* circumstance; *(Tatsache)* fact; *ein unvorhergesehener Umstand* something unforeseen; *(geh.) in anderen Umständen sein* be pregnant; *machen Sie sich meinetwasegen keine Umstände!* don´t trouble yourself on my account; *unter keinen Umständen* under no circumstances; *unter Umständen* circumstances permitting; **umständlich** *adj, (schwerfällig)* awkward; *(verwickelt)* intricate; *(weitschweifig)* long-winded; *sei doch nicht so umständlich!* don´t make such heavy weather of everything; **~skleid** *sub, n, -s, -er* maternity dress; **~ssatz** *sub, m, -es, -sätze* adverbial clause; **~swort** *sub, n, -s, -wörter* adverb; **umsteigen** *vi,* change; **Umsteiger** *sub, m, -s, -* transfer (ticket); **Umsteigkarte** *sub, f, -, -n* transfer (ticket); **umstellen (1)** *vr,* change one´s lifestyle **(2)** *vt,* surround; *(Hebel)* switch over; *(Möbel etc.)* rearrange; **Umsteuerung** *sub, f, -, -en (Einrichtung)* reversing mechanism; *(Vorgang)* reversion; **umstimmen** *vt,* change so´s mind; *er lässt sich nicht umstimmen* he´s not to be persuaded; *jemanden umstimmen* change someone´s mind

umstoßen, *vt,* knock over; *einen My-*

thos/Aberglauben/eine Theorie umstoßen explode a myth/superstition/theory; **umstritten** *adj,* controversal; **umstülpen** *vt,* turn inside out, turn upside down; **Umsturz** *sub, m, -es, -stürze* coup d´état, overthrow; **umstürzen (1)** *vi,* fall **(2)** *vt,* overturn; *(polit.)* overthrow; **Umstürzler** *sub, m, -s, -* revolutionary; **Umstürzlerin** *sub, f, -, -nen* revolutionary; **umstürzlerisch** *adj,* revolutionary, subversive

umtanzen, *vt,* dance round; **umtaufen** *vt,* rechristen, rename; **Umtausch** *sub, m, -s od. -es, -e* exchange; **umtauschen** *vt,* exchange; **umtopfen** *vt,* repot; **Umtrieb** *sub, m, -s, -e* intrigue; **Umtriebe** *sub, Mz.* intrigues, subversive activities; **umtun (1)** *vr,* stir oneself **(2)** *vt,* put on; **Umverpackung** *sub, f, -, -en* repacking; **umverteilen** *vt,* shift; **Umverteilung** *sub, f, -, -en* shifting; **Umwälzanlage** *sub, f, -, -n* circulation equipment

umwälzen, *vt,* roll round; *(i. ü. S.)* revolutionize; **Umwälzpumpe** *sub, f, -, -n* circulating pump; **umwandeln** *vt,* change, convert; *eine Freiheitsstrafe in eine Geldstrafe umwandeln* commute a prison sentence into a fine; *sie ist wie umgewandelt* she´s a different person; **Umwandelung** *sub, f, -, -en* conversion, transformation; **umwechseln** *vt, (Geld)* change; *(Währung)* exchange; **Umwechslung** *sub, f, -, -en* exchange; **Umweg** *sub, m, -s, -e* detour; *(i. ü. S.)* roundabout way; *(absichtlich) einen Umweg machen* make a detour, *(unabsichtlich)* go a long way round; **Umwelt** *sub, f, -, nur Einz.* environment

Umwelteinfluss, *sub, m, -es, -einflüsse* environmental influence; **Umweltfaktor** *sub, m, -s, -en* environmental factor; **Umweltpapier** *sub, n, -s, -e* non-polluting paper; **Umweltsünder** *sub, m, -s, -* polluter

umwenden, (1) *vr,* turn round **(2)** *vt,* turn over; **umwerben** *vt,* court; **umwerfen** *vt,* overturn; *(i. ü. S.;*

ändern) upset; **umwerfend** *adj*, fantastic; *(ugs.) seine Leistungen waren nicht gerade umwerfend* his achievements were no great shakes; *(ugs.) umwerfend komisch* screamingly funny; **umwickeln** *vt*, wrap round; **umwinden** *vt*, entwist; **umwohnend** *adj*, neighbouring; **umwölken (1)** *vr*, cloud over **(2)** *vt*, *(verdüstern)* darken; **umzäunen** *vt*, fence round; **Umzäunung** *sub*, *f*, *-*, *-en* fence; **umziehen (1)** *vi*, move **(2)** *vr*, change one´s clothes; **umzingeln** *vt*, encircle, surround; **Umzingelung** *sub*, *f*, *-*, *-en* encirclement

Umzug, *sub*, *m*, *-s od. -es, -züge* move, removal; *(Festzug)* parade; **umzugshalber** *adv*, for removal; **~skosten** *sub*, *nur Mehrz.* removal expenses

unabsehbar, *adj*, *(Folgen)* unforeseeable; *(Schaden)* immeasurable; **unabsichtlich** *adj*, unintentional; **unabweisbar** *adj*, unrefusable; **unabweislich** *adj*, irrefusable, unrefusable; **unabwendbar** *adj*, inevitable; **unachtsam** *adj*, inattentive; *(unvorsichtig)* careless

unähnlich, *adj*, dissimilar, unlike; **unanfechtbar** *adj*, incontestable; **unangebracht** *adj*, inappropriate, unsuitable; **unangefochten** *adj*, unchallenged; **unangemeldet** *adj*, unannounced; *(Besucher)* unexpected; **unangemessen** *adj*, *(unvernünftig)* unreasonable; *(unzulänglich)* inadequate; **unangenehm** *adj*, unpleasant; *er kann unangenehm werden* he can get quite nasty; *unangenehm berührt sein von etwas* be embarrassed by something; **unangepasst** *adj*, inapt, unfitting; **unangetastet** *adj*, untouched; **unangreifbar** *adj*, unassailable; **unannehmbar** *adj*, unacceptable; **Unannehmlichkeit** *sub*, *f*, *-*, *-en (Schwierigkeit)* trouble; *(Unbequemlichkeit)* inconvenience; *Unannehmlichkeiten bekommen* get into trouble

unansehnlich, *adj*, unsightly; *(Person)* plain; **unanständig** *adj*, *(Kleidung)* indecent; *(obszön)* dirty; **unantastbar** *adj*, untouchable; *(Person)* unimpeachable; **unappetitlich** *adj*, unappetizing; **unartig** *adj*, naughty; **Unartigkeit** *sub*, *f*, *-*, *nur Einz.* naughtiness; **unartikuliert**

adj, unarticulated; **unästhetisch** *adj*, unaesthetic; **unauffällig** *adj*, unobtrusive; **unauffindbar** *adj*, nowhere to be found

unaufgefordert, (1) *adj*, unsolicited **(2)** *adv*, without being asked; **unaufgeklärt** *adj*, *(Irrtum)* unclarified; *(unwissend)* uninformed; *(Verbrechen)* unsolved; **unaufhaltbar** *adj*, unstoppable; *(unerbittlich)* inexorable; **unaufhaltsam** *adj*, unstoppable; *(unerbittlich)* inexorable; **unaufhörlich** *adj*, incessant; **unauflösbar** *adj*, unsolvable; **unauflöslich** *adj*, indissoluble; *(chem.)* insoluble; **unaufmerksam** *adj*, inattentive; **unaufrichtig** *adj*, insincere; **unaufschiebbar** *adj*, urgent; *die Angelegenheit ist unaufschiebbar* the matter can´t be put off; **unausbleiblich** *adj*, inevitable **unausdenkbar,** *adj*, unimaginable; **unausführbar** *adj*, impracticable; **unausgefüllt** *adj*, *(Formular)* blank; *(Person)* unfulfilled; **unausgeglichen** *adj*, unbalanced; *(Person)* moody; **unausgegoren** *adj*, *(i. ü. S.)* immature; *(ugs.)* half-baked; **unausgesetzt** *adj*, constant, incessant; **unauslöschlich** *adj*, indelible; **unausrottbar** *adj*, ineradicable

unaussprechlich, *adj*, unpronounceable; *(i. ü. S.)* unspeakable; **unausstehlich** *adj*, intolerable; **unaustilgbar** *adj*, indelible; *(Schuld)* inexpiable; **unausweichlich** *adj*, unavoidable; **unbändig** *adj*, *(ausgelassen)* boisterous; *(ungezügelt)* unrestrained

unbar, *adv*, by cheque, by credit card; **~mherzig** *adj*, merciless; **unbeabsichtigt** *adj*, unintentional; **unbeachtet** *adj*, unnoticed; *etwas unbeachtet lassen* let something pass; **unbeachtlich** *adj*, irrelevant; **unbearbeitet** *adj*, untreated; **unbebaut** *adj*, *(Feld)* uncultivated; *(Grundstück)* vacant; **unbedacht** *adj*, thoughtless; **unbedachtsam** *adj*, thoughtless; **unbedenklich** *adj*, completely harmless; **unbedeutend** *adj*, insignificant, unimportant; **unbedingt (1)** *adj*, absolute; *(bedingungslos)* *impliaii* **(a)** *adv, absolutely, that ist nicht unbedingt nötig* that´s not absolutely necessary; *du musst unbedingt dieses Buch lesen* you really must read this book

unbeeinflusst, *adj,* unaffected, uninfluenced; **unbefahrbar** *adj,* impassable; **unbefangen** *adj, (natürlich)* natural; *(ungehemmt)* uninhibited; **Unbefangenheit** *sub, f, -, nur Einz.* naturalness; *(Unparteilichkeit)* impartiality; **unbefleckt** *adj,* undefiled; *(geh.; bibl.) die Unbefleckte Empfängnis Mariens* the Immaculate Conception of Mary; **unbefriedigt** *adj,* unsatisfied; **unbefristet** *adj,* unlimited; **unbefugt** *adj,* unauthorized; **Unbefugte** *sub, m, -n, -n* trespasser, unauthorized person; *Zutritt für Unbefugte verboten!* no trespassing!; **unbegabt** *adj,* untalented; **Unbegabtheit** *sub, f, -, nur Einz.* lack of talent; **unbegreiflich** *adj,* incomprehensible

unbegrenzt, *adj,* unlimited; **ungegründet** *adj,* groundless, unfounded; **Unbehagen** *sub, n, -s, nur Einz. (körperlich)* discomfort; *(seelisch)* uneasiness; **unbehaglich** *adj, (körperlich)* uncomfortable; *(seelisch)* uneasy; **unbehelligt** *adj,* unmolested; **unbeherrscht** *adj,* uncontrolled; *(zügellos)* unrestrained; **unbehilflich** *adj,* unpractical; **unbehindert** *adj,* unhindered, unobstructed; **unbeholfen** *adj,* awkward, clumsy; **unbeirrt** *adv,* unwaveringly

unbekannt, *adj,* unknown; *das ist mir unbekannt* I don´t know that; *er ist hier unbekannt* he´s a stranger here; *unbekanntes Flugobjekt* unidentified flying object (UFO); **Unbekannte** *sub, f,n, -n, -n (Fremder)* stranger; **unbekleidet** *adj,* bare; **unbekümmert** *adj,* lighthearted, unconcerned; *seien Sie ganz unbekümmert!* don´t worry!; **unbelebt** *adj,* inanimate; *(leblos)* lifeless; **unbelehrbar** *adj,* fixed in one´s views; **unbeleuchtet** *adj,* unilluminated; **unbelichtet** *adj,* unexposed; **unbeliebt** *adj,* unpopular; **unbemittelt** *adj,* impecunious; poor; **unbenutzbar** *adj,* unusable; **unbeobachtet** *adj,* unobserved; *in*

einem unbeobachteten Augenblick when nobody was looking

unbequem, *adj, (lästig)* inconvenient; *(ungemütlich)* uncomfortable; **unberechenbar** *adj,* unpredictable; **unberechtigt** *adj,* unauthorized

unberufen, -, knock on wood!; **unbeschadet** *präp,* notwithstanding, regardless of; **unbeschädigt** *adj,* undamaged; **unbescheiden** *adj,* immodest, presumptuous; **unbescholten** *adj,* respectable; **Unbescholtenheit** *sub, f, -, nur Einz.* blamelessness; **unbeschrankt** *adj,* without gates; **unbeschränkt** *adj,* unlimited, unrestricted; **unbeschreiblich** *adj,* indescribable

unbeschützt, *adj,* helpless, unprotected; **unbeschwert** *adj,* carefree, lighthearted; **unbesehen** *adv,* indiscriminately; **unbesiegbar** *adj,* invincible; **unbesieglich** *adj,* invincible, unconquerable; **unbesonnen** *adj,* rash, thoughtless; **unbespielbar** *adj,* unplayable; **unbeständig** *adj, (Person)* unsteady; *(Wetter)* changeable; **unbestätigt** *adj,* unconfirmed; **unbestechlich** *adj,* incorruptible

unbestimmbar, *adj,* indeterminable; *(undefinierbar)* undefinable; **unbestimmt** *adj, (ungewiss)* uncertain; *(unklar)* vague; *(Zeitraum)* indefinite; *auf unbestimmte Zeit* for an indefinite period; *etwas unbestimmt lassen* leave something open; **unbestreitbar** *adj,* unquestionable; *(Tatsache)* indisputable; **unbestritten** *adj,* undisputed; *es ist unbestritten, dass* nobody denies that; **unbeteiligt** *adj, (gleichgültig)* indifferent; *(nicht teilnehmend)* uninvolved; **unbetont** *adj,* unstressed; **unbeträchtlich** *adj,* inconsiderable, insignificant; *eine nicht unbeträchtliche Summe* quite a considerable amount; **unbeugsam** *adj,* inflexible; *(willensstark)* inexorable; **unbewaffnet** *adj,* unarmed; **unbewältigt** *adj,* unconquered, unmastered

unbeweglich, *adj, (bewegungslos)* motionless; *(nicht bewegbar)* immovable; **unbewegt** *adj,* motionless; *(i. ü. S.; ungerührt)* unmoved; **unbewohnbar** *adj,* uninhabitable; **unbewusst** *adj,* unconscious; **unbezahlbar** *adj, (äußerst nützlich)* invaluable; *(i. ü. S.; unersetzlich)* priceless; *(zu teuer)* exorbitantly expensive; *(i. ü. S.; treu)* sie ist einfach *unbezahlbar!* she´s worth her weight in gold!; **unbezähmbar** *adj,* uncontrollable, unrestrainable; **unbezwingbar** *adj, (Berg etc.)* unconquerable; *(Gegner)* invincible; **Unbill,** *sub, f, -, nur Einz.* injustice, wrong; **unbillig** *adj,* unfair; *(ungerecht)* inequitable; **unblutig** *adj,* unbloody; **unbotmäßig** *adj, (Person)* insubordinate; *(Verhalten)* disorderly; **unbrauchbar** *adj,* useless; *(nicht zu verwenden)* unusable; **unbußfertig** *adj,* impenitent; **unchristlich** *adj,* unchristian

Undank, *sub, m, -s, nur Einz.* ingratitude; *Undank ernten* get little thanks; **undankbar** *adj, (Aufgabe)* thankless; *(Person)* ungrateful; **undenkbar** *adj,* unthinkable; **Undercoveragent** *sub, m, -en, -en* undercover agent; **Underdog** *sub, m, -s, -s (ugs.)* underdog; **underdressed** *adj,* inadequately dressed; **Understatement** *sub, n, -s, -s* understatement; **undeutlich** *adj,* indistinct

Unding, *sub, n, -s od. -es, -e* absurdity; *es ist ein Unding zu sagen, daß it´s* preposterous to say that

undiskutabel, *adj,* undiscussable; **undiszipliniert** *adj,* undisciplined; **undogmatisch** *adj,* undogmatic; **undramatisch** *adj,* undramatic; **undulatorisch** *adj,* undulatory; **unduldsam** *adj,* intolerant; **undurchdringlich** *adj,* impenetrable; *(Miene)* inscrutable; **undurchsichtig** *adj, (Glas etc.)* non-transparent; *(i. ü. S.; Person)* obscure

uneben, *adj,* uneven; *(rauh)* rough; *(i. ü. S.) gar kein so unebener Bursche, dieser* not a bad sort, this; **unecht** *adj,* false; *(künstlich)* artificial; *(vorgetäuscht)* fake; **unehelich** *adj,* illegitimate; **unehrenhaft** *adj,* dishonourable; **unehrerbietig** *adj,* disrespectful; **unehrlich** *adj,* dishonest; **uneigentlich** *adj,* improper; **uneingeschränkt** *adj,* unlimited, unrestricted; **uneingeweiht** *adj,*

uninitiated; **uneinig** *adj,* divided; *ich bin mit mir selbst noch uneinig* I haven´t made up my mind yet; *mit jemandem uneinig sein* disagree with someone; **Uneinigkeit** *sub, f, -, -en* disagreement; **uneinnehmbar** *adj,* impregnable

uneins, *adj,* divided; **~ichtig** *adj,* unreasonable; **unempfindlich** *adj,* insensitive; **unendlich** *adj,* infinite; *(zeitlich)* endless; *(mat.) unendlich klein* infinitesimal; *unendlich viele* no end of; **Unendlichkeit** *sub, f, -, nur Einz.* infinity; *(zeitlich)* endlessness; **unendlichmal** *adv,* endless times; **unentbehrlich** *adj, (Person)* indispensable; *(Wissen etc.)* essential; **unentgeltlich** *adj,* free of charge; **unentrinnbar** *adj,* inescapable; **unentschieden (1)** *adj, (noch nicht entschieden)* undecided; *(Spiel)* drawn; *(unentschlossen)* undecisive **(2) Unentschieden** *sub, n, -s, -* draw; *(Spiel) unentschieden enden* end in a draw; **unentschlossen** *adj,* indecisive; *ich bin noch unentschlossen* I haven´t decided yet; **unentwegt** *adj,* continuous; **unentwirrbar** *adj,* inextricable; **unerbittlich** *adj,* inexorable; **unerfahren** *adj,* inexperienced

unerfindlich, *adj,* incomprehensible, inexplicable; *aus unerfindlichen Gründen* for some obscure reasons; **unerforschlich** *adj,* impenetrable; *(Geist etc.)* unfathomable; *(geh.; bibl.) die Wege des Herrn sind unerforschlich* the ways of the Lord are unfathomable; **unerfreulich** *adj,* unpleasant; **unerfüllbar** *adj,* unrealizable; **unergründbar** *adj,* unfathomable; **unergründlich** *adj,* unfathomable; *die unergründliche Tiefe des Meeres* the fathomless depth of the sea; **unerheblich** *adj,* insignificant; **unerhört (1)** *adj,* outrageous; *(ungeheuer)* enormous **(2)** *adv,* incredibly; *eine unerhörte Frechheit!* an outrageous insolence!; *(ungeheuer) er weiß unerhört viel* he knows a tremendous amount, *(unglaublich) unerhört begabt* exceedingly gifted; **uner-**

kennbar *adj*, unrecognizable; **kll.bar** *adj*, inexplicable; **unerklärlich** *adj*, inexplicable; **unerlässlich** *adj*, imperative

unerlaubt, *adj*, forbidden; *(gesetzlich)* illegal; *(mil.)* unerlaubte Entfernung von der Truppe absence without leave; **unermesslich** *adj*, immense; **Unermesslichkeit** *sub*, *f*, -, *nur Einz.* immensity; **unermüdlich** *adj*, tireless, untiring; **unerquicklich** *adj*, unedifying; **unerreichbar** *adj*, inaccessible, unattainable; **unerreicht** *adj*, unattained; **unersättlich** *adj*, insatiable; **unerschöpflich** *adj*, inexhaustible

unerschrocken, *adj*, fearless, undaunted; **Unerschrockenheit** *sub*, *f*, -, *nur Einz.* dauntlessness, fearlessness; **unerschütterlich** *adj*, unshakable; **unerschwinglich** *adj*, exorbitant, prohibitive; **unersetzbar** *adj*, irreplaceable; **unersetzlich** *adj*, irreplaceable; **unersprießlich** *adj*, unprofitable; **unerträglich** *adj*, unbearable; **unerwartet** *adj*, unexpected; **unerweisbar** *adj*, unprovable; **unerweislich** *adj*, unprovable; **unerwünscht** *adj*, unwelcome; *(Kind)* unwanted; *ein unerwünschter Ausländer* an undesirable alien

unfähig, *sub*, *m*, *s*, incapable, incompetent; *dessen ist er unfähig* he is incapable of that; *er ist einfach unfähig!* he's simply incompetent; *er ist einfach unfähig!* he's simply incompetent!; **Unfähigkeit** *sub*, *f*, -, *nur Einz.* incapacity; *(mangelndes Können)* inability; **unfair** *adj*, unfair; *(spo.)* foul

Unfall, *sub*, *m*, *s*, *-fälle* accident; **~fahrer** *sub*, *m*, *-s*, - driver at fault in the accident; **~flucht** *sub*, *f*, -, *-en* abscondence after the accident; hit-and-run driving; *Unfallflucht begehen* abscond after an accident; **~folgen** *sub*, *nur Mehrz.* consequence of the accident; **~gefahr** *sub*, *f*, -, *-en* danger of accident; **~hilfe** *sub*, *f*, -, *nur Einz.* first aid; **~klinik** *sub*, *f*, -, *-en* hospital for accident cases; **~opfer** *sub*, *n*, *-s*, - victim of an accident; **~quote** *sub*, *f*, -, *-n* accident rate; **~schutz** *sub*, *m*, *-es*, *nur Einz.* prevention of accidents; *(Versicherung)* accident insurance cover; **~station** *sub*, *f*, -, *-en* first-aid station;

~ung *sub*, *f*, -, - scene of the accident; **~versicherung** *sub*, *f*, -, *-en* accident insurance; **~wagen** *sub*, *m*, *-s*, *-wägen (Rettungswagen)* ambulance; *(unfallbeteiligter Wagen)* car involved in the accident; *(verunfallter Wagen)* crash car; **~zeuge** *sub*, *m*, *-n*, *-n* witness of the accident

unfassbar, *adj*, incomprehensible; **Unfassbarkeit** *sub*, *f*, -, *nur Einz.* incomprehensibility; **unfasslich** *adj*, incomprehensible; **unfehlbar** *adj*, infallible; **Unfehlbarkeit** *sub*, *f*, -, *nur Einz.* infallibility; **unfein** *adj*, indelicate; *(Damen) das ist mehr als unfein* that's most unladylike, *(Männer)* that's most ungentlemanly; **unfertig** *adj*, uncompleted, unfinished; **Unfertigkeit** *sub*, *f*, -, *nur Einz.* incompleteness; **unflätig** *adj*, offensive; *(Sprache)* obscene; **Unflätigkeit** *sub*, *f*, -, *-en* obscenity; **unflektiert** *adj*, uninflected; **unförmig** *adj*, shapeless; *(med.)* deformed; **unfrankiert** *adj*, unpaid

unfrei, *adj*, unfree; *(befangen)* embarrassed; *(Post)* unpaid; **~willig** *adj*, involuntary; *(unbeabsichtigt)* unintentional; **unfreundlich** *adj*, unfriendly; *(Wetter)* inclement; **Unfreundlichkeit** *sub*, *f*, -, *-en* unfriendliness; **unfruchtbar** *adj*, infertile, sterile; *(i. ü. S.; Verhandlung etc.)* fruitless; **Unfruchtbarkeit** *sub*, *f*, -, *nur Einz.* infertility, sterility

Unfug, *sub*, *m*, *-s od. -es*, *nur Einz.* nonsense; *lass den Unfug!* stop that nonsense!; *Unfug treiben* get up to mischief

Ungar, *sub*, *m*, *-n*, *-n* Hungarian

ungeachtet, *präp*, despite, in spite of; *ungeachtet aller Warnungen* despite all warnings; *ungeachtet dessen, daß es regnet* in spite of it raining; **ungeahnt** *adj*, undreamt-of; **ungebärdig** *adj*, *(Benehmen)* unmannerly; *(Kind)* unruly; **ungebildet** *adj*, *(ohne Bildung)* uneducated; *(unkultiviert)* uncultured; **ungebraucht** *adj*, unused; **ungebrochen** *adj*, unbroken; **ungebührend** *adj*, improper; **ungebührlich** *adj*, improper; **un-**

gebunden *adj*, unbound; *(i. ü. S.)* free; **ungedeckt** *adj*, *(Scheck)* uncovered; *(schutzlos)* unprotected; *(spo.)* unmarked; *(Tisch)* unlaid

Ungeduld, *sub*, *f*, *-*, *nur Einz.* impatience; **ungeduldig** *adj*, impatient; **ungefähr** *adv*, approximately, roughly; *kannst du mir ungefähr sagen, wie?* can you give me a rough idea of how?; *ungefähr 12 Uhr* about 12 o´clock; *wenn ich nur ungefähr wüsste, was er meint* if I only knew approximately what he means; *wieviele brauchst du ungefähr?* how many do you need roughly?; **ungefährdet (1)** *adj*, safe, unendangered **(2)** *adv*, safe and sound; **ungefährlich** *adj*, *(harmlos)* harmless; *(sicher)* safe; **ungefällig** *adj*, disobliging; **Ungefälligkeit** *sub*, *f*, *-*, *nur Einz.* disobligingness, uncomplaisance

ungehörig, *adj*, impertinent; **ungehorsam (1)** *adj*, disobedient **(2)** **Ungehorsam** *sub*, *m*, *-s*, *nur Einz.* disobedience; *(mil.)* insubordination; **ungehört** *adj*, unheard; **ungeklärt** *adj*, unsolved; **ungekündigt** *adj*, not under notice to leave; **ungekünstelt** *adj*, unaffected; **ungekürzt** *adj*, *(Buch)* unabridged; *(Film)* uncut; **ungelegen** *adj*, inconvenient; *das kommt mir ungelegen* that´s inconvenient for me; *komme ich ungelegen?* is this an inconvenient time for you?; **ungelehrig** *adj*, unteachable; **ungelehrt** *adj*, uneducated; **ungelenk** *adj*, awkward; **ungelöst** *adj*, *(chem.)* undissolved; *(Problem)* unsolved

Ungemach, *sub*, *n*, *-s od. -es, nur Einz.* hardship, trouble; **ungemein (1)** *adj*, immense **(2)** *adv*, exceedingly; **ungemindert** *adj*, undiminished; **ungemütlich** *adj*, uncomfortable, unpleasant; *er kann auch sehr ungemütlich werden* he can be very unpleasant; *es kann hier gleich sehr ungemütlich werden* things could get very nasty here in a moment; *sei doch nicht so ungemütlich!* don´t be so unsociable!; **Ungemütlichkeit** *sub*, *f*, *-*, *nur Einz.* lack of warmth, unhomeliness

ungenau, *adj*, *(nicht fehlerlos)* inaccurate; *(nicht wahrheitsgetreu)*

inexact; *(ungefähr)* rough; **ungeniert** *adj*, *(taktlos)* uninhibited; *(ungehemmt)* free and easy; *(ungehemmt)* greifen Sie bitte ungeniert zu! please feel free to help yourself!; **ungenießbar** *adj*, *(nicht essbar)* inedible; *(nicht trinkbar)* undrinkable; *(i. ü. S.; Person)* unbearable; **ungenügend** *adj*, *(allg.)* insufficient; *(Schulnote)* unsatisfactory; **ungepflegt** *adj*, neglected; *(Person)* untidy

ungerade, *adj*, *(Linie etc.)* uneven; *(Zahl)* odd; **ungeraten** *adj*, rude; *(unerzogen)* ill-mannered; **ungerechnet** *präp*, not including; **ungerecht** *adj*, unjust; *(ugs.)* unfair; **ungerechtfertigt** *adj*, unjustified; **Ungerechtigkeit** *sub*, *f*, *-, -en* injustice; **ungeregelt** *adj*, irregular; *(ugs.)* chaotic; **ungereimt** *adj*, blank, incoherent; *(kun.)* ungereimte *Verse* blank verse; *(ugs.)* ungereimtes *Zeug* nonsense; **ungern** *adv*, *(ugs.)* unwillingly; **ungesagt** *adj*, *(i. ü. S.)* unsaid; **ungesättigt** *adj*, not satisfied, still hungry; *(tt; chem.)* unsaturated

Ungeschicklichkeit, *sub*, *f*, *-, -en* clumsiness; **ungeschickt** *adj*, clumsy; *(ugs.)* ham-fisted; *sich ungeschickt ausdrücken* to express oneself awkwardly; *(ugs.)* ungeschickte *Finger haben* to be all thumbs; *(ugs.)* Ungeschick *läßt grüßen* butter fingers; **ungeschlacht** *adj*, cumbersome; **ungeschlagen** *adj*, unbeaten; **ungeschliffen** *adj*, *(tt; tech.)* uncut, unpolished; *(ugs.)* ungeschliffener *Kerl* rough diamond; **ungeschminkt** *adj*, without make - up; *(ugs.)* die ungeschminkte *Wahrheit* unvarnished truth; *(ugs.)* etwas ungeschminkt *berichten* to give an unvarnished report of sth; **ungeschoren** *adj*, unshorn; *(ugs.)* jemanden ungeschoren *lassen* to leave so in peace; *(ugs.)* ungeschoren *davonkommen* to get off (scot-free); **ungeschützt** *adj*, unprotected, unsheltered; **ungesetzlich** *adj*, illegal; **Ungesetzlichkeit** *sub*, *f*, *-, -en* illegality

Ungestalt, *sub*, *f*, *-en, -en* monster; **ungestaltet** *adj*, shapeless; **unge-**

unstampft *adj*, unstamped; **ungestört** *adj*, undisturbed, uninterrupted; **Ungestörtheit** *sub, f, -, nur Einz. (i. ü. S.)* peace and quiet; **ungestüm** *adj*, impetuous, passionate; **ungesund** *adj*, unhealthy; **ungesüßt** *adj, (i. ü. S.)* without sugar; **Ungetüm** *sub, n, -s od. -es, -e* monster; **ungewachsen** *adj, (i. ü. S.)* ungrown; **ungewandt** *adj*, unskilled; **ungewiss** *adj*, uncertain; **Ungewissheit** *sub, f, -, -en* uncertainty

ungewöhnlich, *adj*, exceptional, unusual; **ungewohnt** *adj*, unaccustomed; **ungezeichnet** *adj*, not signed; **Ungeziefer** *sub, n, -s, -* vermin; **ungezogen** *adj*, naughty; *(ugs.)* cheeky; **Ungezogenheit** *sub, f, -, -en* naughtiness; **ungezuckert** *adj, (i. ü. S.)* without sugar; **ungezwungen** *adj*, informal, unaffected; **Ungezwungenheit** *sub, f, -, nur Einz.* informality

ungiftig, *adj, (i. ü. S.)* invicious; *(ugs.)* unpoisonous

unglaubhaft, *adj*, incredible; **ungläubig** *adj*, unbelieving; **unglaublich (1)** *adj*, incredible **(2)** *adv*, incredibly; **unglaubwürdig** *adj*, implausible, untrustworthy; **Unglaubwürdigkeit** *sub, f, -, nur Einz.* incredibility

ungleich, *adj*, unequal; *(ugs.)* odd; **Ungleichheit** *sub, f, -, -en* difference, dissimilarity, inequality; **~mäßig** *adj*, irregular, unequal, uneven; **Ungleichung** *sub, f, -, -en* inequation

Unglück, *sub, n, -s od. -es, -e* misfortune; *(ugs.)* bad luck; *(i. ü. S.) in sein Unglück rennen/sich ins Unglück stürzen* to rush headalong into disaster; *(i. ü. S.) welch ein Unglück* what a disaster; *(i. ü. S.) zu allem Unglück* to make things worse; *(ugs.) das bringt Unglück* that´s bad luck; *(i. ü. S.) ein Unglück kommt selten allein* it never rains but it pours; **unglücklich** *adj*, unfortunate, unlucky; **~liche** *sub, m, -n, -n (i. ü. S.)* poor man; **unglücklicherweise** *adv*, unfortunately; **~sbote** *sub, m, -n, -n* bearer of bad news; **unglückselig** *adj*, ill-fated, miserable, unfortunate; **~sfall** *sub, m, -s od. -es, -fälle* accident, misfortune; **~sort** *sub, m, -s od. -es, -e (i. ü. S.)* unlucky place; **~srabe** *sub, m, -n, -n* unlucky person; **~stag** *sub, m, -s öd. -es, -e* fateful day; **~swurm** *sub, m, -s od. -es, -würmer (ugs.)* hapeless person

Ungnade, *sub, f, -, nur Einz. (i. ü. S.)* out of favour; *(i. ü. S.) in Ungnade fallen/sein* to fall/be out of favour with so; **ungnädig** *adj*, ungracious; **ungültig** *adj*, expired, invalid; *(tt; jur.)* void; *(tt; spo.)* disallowed; *eine Ehe für ungültig erklären* to annul a marriage; *etwas für ungültig erkären* to declare sth null and void; *ungültig werden* to expire; **Ungültigkeit** *sub, f, -, nur Einz.* invalidity; *(tt; jur.)* nullity; **Ungunst** *sub, f, -, nur Einz.* inconvenience; *zu jmds Ungunsten* to sb´s disadvantage; **ungünstig** *adj*, inconvenient, unfavourable; **ungut** *adj*, bad; *ein ungutes Gefühl haben* to have an uneasy/bad feeling; *nichts für ungut* no offence; **unhaltbar** *adj*, untenable, untolerable; *(tt; spo.)* unstoppable

unharmonisch, *adj*, unharmonious; *(mus.)* easily confused harmonies

Unheil, *sub, n, -s, nur Einz.* damage, disaster; *Unheil stiften* to do damage; *großes Unheil anrichten* to cause havoc; **unheilbar** *adj*, *(tt; med.)* incurable; **unheilig** *adj, (i. ü. S.)* unsacred; **unheilvoll** *adj*, disastrous; **unheimlich** *adj*, eery; *(ugs.)* weird; *(ugs.) das/er ist mir unheimlich* it/he gives me the creep; *(ugs.) mir ist unheimlich (zumute)* it is uncanny; *(ugs.) unheimlich viel Geld* incredible amount of money; *unheimliches Durcheinander* terrible mess; **unhistorisch** *adj*, unhistoric; **unhöflich** *adj*, impolite; *(ugs.)* rude; **Unhöflichkeit** *sub, f, -, -en* impoliteness; **Unhold** *sub, m, -s od. -es, -e* fiend

unhörbar, *adj*, inaudible; **Unhörbarkeit** *sub, f, -, nur Einz.* inaudibility; **unhygienisch** *adj*, unhygienic

uni, *adj*, plain; *uniblau* plain blue

unifizieren, *vt*, standardize, unify; **Unifizierung** *sub, f, -, -en* standardization, unification; **Uniform (1)** *adj*, uniform **(2)** *sub, f, -, -en* uniform; **uniformieren** vt, uniform; **Uniformität** sub, f, -, -en uniformity **Unikat,** sub, n, -s od. -es, -e unique specimen; (ugs.) real character **Unikum,** sub, n, -s, -s unique thing; (ugs.) queer fish **unilateral,** adj, unilateral; **uninformiert** adj, uninformed; **uninteressant** adj, uninteresting **Union,** sub, f, -, -en union; **~ist** sub, m, -en, -en unionist; **~skirche** sub, f, -, nur Einz. (i. ü. S.) union-church **unisono,** adj, unisono **Unitarier,** sub, m, -s, - Unitarian; **Unitarismus** sub, m, -, nur Einz. Unitarianism **Unität,** sub, f, -, nur Einz. unity **universal,** adj, universal; **Universalerbe** sub, m, -n, -n (tt; jur.) sole heir; **Universalgenie** sub, n, -s, -s universal genius; **Universalien** sub, f, -, nur Mehrz. universals; **Universalismus** sub, m, -, nur Einz. universalism; **universell** adj, universal; **universitär** adj, university; **Universität** sub, f, -, nur Einz. university; **Universum** sub, n, -s, -sen. universe **Unke,** sub, f, -, -n toad; (ugs.) moaner, prophet of doom; **unken** vi, phrophesy doom **unkenntlich,** adj, unrecognizable; **Unkenntnis** sub, f, -, nur Einz. ignorance; **Unkenruf** sub, m, -s od. -es, -e (i. ü. S.) toadcry; **unkeusch** adj, unchaste; **Unkeuschheit** sub, f, -, nur Einz. unchastity **unklar,** adj, cloudy, uncertain, unclear; (ugs.) jmd über etwas im Unklaren lassen to leave sb in the dark about sth; nur unklar zu erkennen sein not to be easily discernible; (ugs.) über etwas völlig im Unklaren sein to be completely in the dark about sth; **unklug** adj, imprudent; **unkollegial** adj, (i. ü. S.) not helpful; **unkompliziert** adj, uncomplicated; **unkörperlich** adj, (i. ü. S.) corpless; **Unkosten** sub, f, -, nur Mehrz. expenses; mit etwas Unkosten haben to incure expenses; sich in Unkosten stürzen to get to a lot of expenses; **Unkraut** sub, n, -s, -kräuter weeds; (i. ü. S.) Unkraut vergeht nicht it would take more than that to finish (me/him etc) off; **unkultiviert** adj, uncultivated, uneducated; **unkun-**

dig adj, inexpert, unable to do sth.; **unlängst** adv, recently; **unlauter** adj, dishonest; unlauterer Wettbewerb unfair competition **unleidlich,** adj, bad-tempered; (ugs.) cross; **unleserlich** adj, illegible, unreadable; **unlimitiert** adj, unlimited; **unlogisch** adj, illogical **unlösbar,** adj, impossible, indissoluble, inseperable, insoluble; **Unlösbarkeit** sub, f, -, -en insolubility; **Unlust** sub, f, -, nur Einz. disinclination; (wirt.) slackness; etwas mit Unlust tun to do sth reluctantly; **Unlustgefühl** sub, n, -s, -e (i. ü. S.) reluctance-feeling; **unlustig** adj, (ugs.) reluctant; **unmanierlich** adj, (i. ü. S.) not well-behaved; **unmaßgeblich** adj, unauthoritative; (ugs.) of no consequence; das ist meine unmaßgebliche Meinung that is my humble opinion; ein unmaßgebliches Urteil a not authoritative judgement; **unmäßig** adj, excessive, immoderate; **Unmäßigkeit** sub, f, -, nur Einz. immoderation; **unmelodisch** adj, (i. ü. S.) unmelodious; **Unmenge** sub, f, -, -n mass **Unmensch,** sub, m, -en, -en brute; (ugs.) ich bin ja kein Unmensch I´m not a orge; **unmenschlich** adj, inhuman; (ugs.) terrible; **unmethodisch** adj, unmethodical; **unmissverständlich** adj, unmistakable **unmittelbar,** adj, direct, immediate; aus unmittelbarer Nähe at close range; das berührt mich unmittelbar it affects me directly; unmittelbar danach immediatly afterwards; unmittelbar neben mir right next to me **unmöglich,** adj, impossible; das ist mir unmöglich that´s impossible for me; das Unmögliche the impossible; jmd/sich unmöglich machen to make a fool of so/oneself; unmöglich aussehen it look ridiculous; **Unmöglichkeit** sub, f, -, -en impossibility **unmoralisch,** adj, immoral **unmotiviert,** adj, unmotivated **unmündig,** adj, (i. ü. S.) under age; **Unmündigkeit** sub, f, -, nur Einz. minority

Unmut, *sub, m, -s, nur Einz. (i. ü. S.)* displeasure; **unmutig** *adj,* uncouraged

unnachgiebig, *adj,* inflexible, unyielding; **Unnachgiebigkeit** *sub, f, -, nur Einz.* inflexibility

unnachsichtig, *adj,* inlenient

unnahbar, *adj,* unapproachable; *(ugs.)* standoffish; **Unnahbarkeit** *sub, f, -, nur Einz.* coldness, distance

unnatürlich, *adj,* unnatural; **Unnatürlichkeit** *sub, f, -, nur Einz. (i. ü. S.)* unnaturality

unnormal, *adj,* abnormal

unnötig, *adj,* unnecessary

unnütz, *adj,* pointless, useless

unökonomisch, *adj,* uneconomical

unordentlich, *adj,* untidy; **Unordnung** *sub, f, -, nur Einz.* untidiness

unorthographisch, *adj, (i. ü. S.)* unorthographic

unparteiisch, *adj,* impartial; *(tt; polit.)* independent; **Unparteiische** *sub, m,f, -n, -n (ugs.; spo.)* referee

unpassend, *adj,* inconvenient, out of place, unsuitable; **unpassierbar** *adj,* impassable; **unpässlich** *adj,* poorly; **Unpässlichkeit** *sub, f, -, -en* indisposition

unpathetisch, *adj,* impathetic

unpersönlich, *adj,* impersonal

unplatziert, *adj, (tt; spo.)* off target, unplaced

unpolitisch, *adj,* non-political, unpolitical

unpraktisch, *adj,* impractibal

unprätentiös, *adj,* unambitious, undemanding, unpretentious

unpräzis, *adj,* inaccurate

unproduktiv, *adj,* unproductive

unproportioniert, *adj,* unproportioned

unpünktlich, *adj,* not in time, unpunctual

Unrast, *sub, n, -s, nur Einz.* restlessness

Unrat, *sub, m, -s, nur Einz.* refuse; **unrationell** *adj,* inefficient; **unratsam** *adj,* inadvisable

unreal, *adj,* unreal

unrecht, (1) *adj,* wrong **(2) Unrecht** *sub, n, -s, -e* injustice; *jmd ins Unrecht setzen* to put sb in the wrong; *nicht ganz Unrecht haben* to be not entirely wrong; *nicht zu Unrecht* not without good reason; *Unrecht*

bekommen to be shown to be wrong; *Unrecht tun* to do wrong; **~mäßig** *adj,* illegal, unlawful

unredigiert, *adj, (i. ü. S.)* unedited

unreell, *adj,* unreliable; *(tt; wirt.)* dishonest

unregelmäßig, *adj,* irregular, uneven

unregierbar, *adj, (i. ü. S.)* not rulable

unreif, *adj,* unripe; *(ugs.)* immature

unrein, *adj,* unclean; *(i. ü. S.)* impure; *(tt; mus.)* false; **~lich** *adj,* unclean; **Unreinlichkeit** *sub, f, -, nur Einz.* uncleanliness

unrentabel, *adj,* unprofitable

unrichtig, *adj,* incorrect, wrong

unritterlich, *adj, (i. ü. S.; hist.)* unknightly

unromantisch, *adj,* unromantic

Unruh, *sub, f, -, -en (tt; tech.)* balance wheel; **~e** *sub, f, -, nur Einz.* agitation, anxiety, disturbance, restlessness, uneasiness; *(ugs.) die Unruhen der Großstadt* the hustle and bustle of the big city; *(ugs.) in Unruhe sein* to be restless; *(ugs.) Unruhe stiften* to stir up trouble; **~en** *sub, f, -, n (tt; polit.)* riots; *(tt; polit.) politische Unruhen* political disturbances; **unruhig** *adj,* choppy, excited, restless, troubled, turbulent

uns, (1) *pers.pron,* us **(2)** *refl..pron,* our **(3)** *refl.pron,* each other, ourselves

unsachgemäß, *adj,* improper, inexpert; **unsachlich** *adj,* irrelevant, subjective

unsagbar, *adj, (i. ü. S.)* inexpressive, unutterable

unsanft, *adv,* rough

unsauber, *adj,* dirty, untidy; *(i. ü. S.)* blurry; *(tt; spo.)* unfair; **Unsauberkeit** *sub, f, -, -en* dirtiness, untidiness; *(i. ü. S.)* shady nature

unschädlich, *adj,* harmless; *jmd/etwas unschädlich machen* to take care of sb/sth

unschätzbar, *adj,* inestimable, invaluable

unscheinbar, *adj,* inconspicuous, unspectacular; *(tt; bot.)* nondescript

unschicklich, *adj,* unseemly

unschlagbar, *adj,* unbeatable;

(ugs.) terrific

unschlüssig, *adj,* irresolute, undecided; *ich bin mir noch unschlüssig* I can´t make up my mind; *über etwas unschlüssig sein* to be undecided

unschmelzbar, *adj, (i. ü. S.)* unmelting

Unschuld, *pron,* innocence; *(tt; med.)* virginity; **unschuldig** *adj,* innocent; *(tt; jur.)* not guilty; *daran ist er nicht ganz unschuldig* he is partly to blame for that; *noch unschuldig sein* still a virgin; *unschuldig in die Ehe gehen* to be married as a virgin; *unschuldig tun* to act the innocent; *jmd unschuldig verurteilen* to convict sb when he is innocent; *sich für unschuldig bekennen* to plead not guilty; **~ige** *sub, m,f, -n, -n (i. ü. S.)* innocent person; *die Unschuldigen* the innocent

unschwer, *adj,* easily, without difficulty

unser, (1) *poss.adj,* our **(2)** *poss.pron,* of us, ours; **~e** *poss.pron,* our; **~erseits** *adv,* for our part; **~es** *pron,* ours; **~esteils** *adv,* for our part

unseriös, *adj,* unrespectable

unserthalben, *adv, (i. ü. S.)* on our half; **unsertwegen** *adv,* for our sake; **unsertwillen** *adv,* on our account

unsicher, *adj,* dangerous, diffident, insecure, uncertain, unstable; *(ugs.) die Gegend unsicher machen* to knock about the district; *jmd unsicher machen* to make sb feel unsure; *mit unsicherer Hand* with an unsteady hand; *sich unsicher fühlen* to feel insecure; *unsicher auf den Beinen stehen* unsteady on one´s feet; **Unsicherheit** *sub, f, -, -en* insecurity, uncertainty

unsichtbar, *adj,* invisible; **Unsichtbarkeit** *sub, f, -, -en* invisibility

Unsinn, *sub, m, -s, nur Einz. (ugs.)* nonsense; *laß den Unsinn* stop fooling about; *(ugs.) mach keinen Unsinn* no clever stuff; *(ugs.) Unsinn reden* to talk nonsense; **unsinnig** *adj,* foolish, senseless; *(i. ü. S.)* insane; *sich unsinnig verlieben* to fall madly in love; *unsinnig viel* an incredible amount; **~igkeit** *sub, f, -, -en* insanity; *(ugs.)* foolishness

Unsitte, *sub, f, -, -n* bad habit; **unsittlich** *adj,* immoral; *sich jmd unsittlich nähern* to make indecent advances to

so; *sich unsittlich benehmen* to behave immoral

unsoldatisch, *adj, (ugs.)* unsoldierly

unsozial, *adj,* antisocial

unspezifisch, *adj,* unspecific

unsportlich, *adj,* unfair, unsporting

unsrerseits, *adv,* for our part

unsresteils, *adv,* for our part

unsrige, *pron,* ours,our one

unstabil, *adj,* unstable; **Unstabilität** *sub, f, -, -en* unstability

unstatthaft, *adj,* impermissible

unsterblich, *adj,* immortal; *jmd unsterblich machen* to immortalize sb; *sich unsterblich blamieren* to make an utter fool of oneself; *(ugs.) unsterblich verliebt sein* to be head over heels; **Unsterblichkeit** *sub, f, -, nur Einz.* immortality

unstet, *adj,* restless, vacillating, wandering; **Unstetigkeit** *sub, f, -, -en* restlessness

Unstimmigkeit, *sub, f, -, -en* difference, inconsistence

unsträflich, *adj,* uncriminal

Unsumme, *sub, f, -, -n* enormous sum

unsymmetrisch, *adj,* unsymetric

unsympathisch, *adj,* disagreeable, uncongenial; *er ist mir unsympathisch* I don´t like him; *er ist unsympathisch* he is unpleasant

unsystematisch, *adj,* unsystematic

Untat, *sub, f, -, -en* atrocity; **untätig** *adj,* inactive; **Untätigkeit** *sub, f, -, nur Einz.* inactivity

untauglich, *adj,* unsuitable; **Untauglichkeit** *sub, f, -, -en* unsuitableness; *(tt; mil.)* unfitness (for service)

unteilbar, *adj,* indivisible; **unteilhaftig** *adj,* indivisical

unten, *adv,* at the bottom, below, down below, downstairs, downwards, underneath; **~an** *adv,* down below; **~her** *adv,* underneath

unter, (1) *adj,* lower **(2)** *adv,* less than **(3)** *präp,* among, below, under; *(weniger) Temperaturen unter 25 Grad* temperatures below 25 degrees; *(geringer) unter einer Stunde zurück sein* to be back in less than one hour, *(innerhalb)* nicht einer unter tausend not one in a thousand; *(zwischen) unter anderem* among other things; *(zwischen) unter uns gesagt* between you and me; *(unterhalb) jmd unter sich haben* to have sb under one; *(unterhalb) Städte unter 10 000 Einwohnern* towns with a population of under 10000; *(unterhalb) unter 18 Jahren* under 18 years; *(darunter) unter etwas leiden* to suffer from sth; *(innerhalb) unter sich sein* to be by themselves; **Unterarm** *sub, m, -s, -e* forearm; **Unterbau** *sub, m, -s, -ten (tt; arch.)* foundations; **Unterbauung** *sub, f, -, -en* underpinning; **Unterbegriff** *sub, m, -s, -e* subsumable concept; ~**belegt** *adj,* undersubscribed; ~**besetzt** *adj,* understaffed; ~**bewusst** *adj,* subconcious; **Unterbewusstsein** *sub, n, -s, nur Einz. (tt; psych.)* subconcious; ~**bieten** *vt,* undercut; *(tt; spo.)* beat; **Unterbietung** *sub, f, -, -en* undercutting; ~**binden** *vt,* put a stop to; **Unterbindung** *sub, f, -, -en* prevention; ~**bleiben** *vi,* be stopped; ~**brechen** *vt,* disconnect, disrupt, interrupt; *(tt; med.)* terminate; **Unterbrechung** *sub, f, -, -en* break, disconnection, interruption; *(tt; chem.)* termination

unterbreiten, *vt,* submit sth; **unterbringen** *vt,* accomodate, store; *(tt; mil.)* quarter; *(tt; tech.)* install; *etwas bei jmd unterbringen* to leave sth with sb; *ich kann sie nicht alle unterbringen* I can´t get them all in; *jmd bei einer Firma unterbringen* to get so a job with a firm; *schlecht/gut untergebracht sein* to have good/bad accommodation; **unterbügeln** *vt, (ugs.)* ride roughshod over; **unterbuttern** *vt,* sneak in; **unterchlorig** *adj,* inchlorinated; **Unterdeckung** *sub, f, -, -en (tt; arch.)* underroofing; **unterdessen** *adv,* meanwhile

Unterdruck, *sub, m, -s, -drücke (tt; med.)* low blood pressure; *(tt; phy.)* vacuum; **unterdrücken** *vt,* oppress, put down, stifle, suppress; **Unterdrücker** *sub, m, -s, -* oppressor; **unterducken** *vr, (ugs.)* duck down; **untere** *adj,* lower; **untereinander** *adv,* beneath the other, with one another; **Untereinheit** *sub, f, -, -en* subunity; **unterentwickelt** *adj,*

underdeveloped; **unterernährt** *adj,* undernourished; **Unterernährung** *sub, f, -, nur Einz.* malnutrition; **unterfahren** *vt, (i. ü. S.)* underdrive; **Unterfamilie** *sub, f, -, -n (tt; biol.)* subspecies

Unterfangen, *sub, n, -s, -* undertaking; **unterfliegen** *vi, (i. ü. S.)* underfly; **unterfordern** *vi,* subchallenge; **unterführen** *vt,* underpass; **Unterführer** *sub, m, -s, - (ugs.)* underpasser; **Unterführung** *sub, f, -, -en* subway, underpass; **Unterfutter** *sub, n, -s, -* interfaceing; **unterfüttern** *vt,* interface; **Untergang** *sub, m, -s, -gänge* downfall, setting, sinking; **untergärig** *adj,* bottom-fermented; **Untergärung** *sub, f, -, -en* bottom-ferment; **Untergebene** *sub, m, f, -n, -n* subordinate

untergehen, *vi,* go under, perish, set, sink; **untergeordnet** *adj,* secondary, subordinate; **Untergestell** *sub, n, -s, -e* subframe; **Untergewicht** *sub, n, -s, -e* underweight; **Untergliederung** *sub, f, -, -en* subdivision; **untergraben** *vt,* dig in, undermine; **Untergrabung** *sub, f, -, -en* undermining; **Untergrenze** *sub, f, -, -n* subbarrier; **Untergrund** *sub, m, -s, -gründe* underground; *(tt; agrar)* subsoil; **Untergrundbahn** *sub, f, -, -en* subway; **Untergrundbewegung** *sub, f, -, -en* underground movement; **untergründig** *adj,* underground; **Untergruppe** *sub, f, -, -n (tt; med.)* subgroup

unterhalb, *präp,* below, underneath; **Unterhalt** *sub, m, -s, -en* support; *(tt; jur.)* alimony; **unterhalten** *vt,* amuse, entertain, run, support, talk so; **Unterhalter** *sub, m, -s, -* entertainer; **unterhaltsam** *adj,* entertaining; **Unterhaltung** *sub, f, -, -en* amusement, conversation, entertainment, maintance; **Unterhaltungselektronik** *sub, f, -, -en (tt; tech.)* consumer electronics; **Unterhaltungsmusik** *sub, f, -, nur Einz.* light music

unterhandeln, *vi,* negotiate; **Unterhändler** *sub, m, -s, -* mediator, negotiator; **Unterhaus** *sub, n, -es, -häuser* lower Einz. house; **Unterhemd**

sub, n, -s, -en undershirt; **unterhöhlen** *vt,* hollow out, undermine; **Unterholz** *sub, n, -es, -bölzer* undergrowth; **Unterhose** *sub, f, -, -n (f)* briefs, panties; *(m)* pants, underpants; **Unterinstanz** *sub, f, -, -en* lower authority; *(tt; jur.)* lower court; **unterirdisch (1)** *adj,* subterranean, underground **(2)** *adv,* below ground **unterjochen,** *vt,* subjugate; **Unterjochung** *sub, f, -, -en* subjugation; **unterjubeln** *vt, (ugs.)* palm sth off on so; **unterkellern** *vt,* build a cellar under; **Unterkiefer** *sub, m, -s, - (tt; med.)* lower jaw; **Unterkleid** *sub, n, -s, -er* full-length slip; **unterkommen** *vi,* find accommodation; *(ugs.)* get a job; **Unterkörper** *sub, m, -s, -* lower part (of the body); **unterkriegen** *vt, (ugs.)* bring down; **unterkühlen** *vt,* undercool; **Unterkühlung** *sub, f, -, -en* undercooling; *(tt; med.)* hypothermia; **Unterkunft** *sub, f, -, -künfte* accommodation; *(tt; mil.)* quaters **Unterlage,** *sub, f, -, -n* base, document, underlay; *(tt; tech.)* bed; **Unterländer** *sub, m, -s, -* lowlander; **Unterlass** *sub, m, -es, nur Einz. (ohne ~)* incessantly; **unterlassen** *vt,* not to carry out, omit, refrain from, stop; **Unterlassung** *sub, f, -, -en* failure, omission; *(tt; jur.)* default; **unterlaufen (1)** *adj, (tt; med.)* bloodshot **(2)** *vi,* has made; **unterläufig** *adj, (i. ü. S.)* undergoing; **Unterlaufung** *sub, f, -, -en* undermining; **unterlegen (1)** *adj,* defeated, inferior **(2)** *vi,* provide **(3)** *vt,* add, put underneath; *(i. ü. S.)* attribute **Unterleib,** *sub, m, -s, -er (ugs.)* womb; *(tt; med.)* lower abdomen, uterus; **unterliegen** *vi,* be defeated, be subjected to, lose; **Unterlippe** *sub, f, -, -n (tt; med.)* lower lip; **unterm** *präp, (ugs.)* under the; **untermalen** *vt, (tt; kun.)* prime; *(tt; mus.)* provide sth; **Untermalung** *sub, f, -, -en (tt; kun.)* priming; *(tt; mus.)* background music; **untermauern** *vt,* underpin; **Untermauerung** *sub, f, -, -en (tt; arch.)* underpinning **Untermensch,** *sub, m, -en, -en* subhuman creature; **Untermiete** *sub, f, -, -n* subtenancy; **Untermieter** *sub, m, -s, -* subtenant; **unterminieren** *vt,* undermine; **Unterminierung** *sub, f, -,*

-en undermining; **untermischen** *vt,* mix in; **Unternächte** *sub, f, nur Mehrz. (ugs.)* undernights; **Unternehmen (1)** *sub, n, -s, -* venture; *(ugs.)* undertaking; *(tt; mil.)* operation; *(tt; wirt.)* enterprise **(2) unternehmen** *vt,* do, make, undertake; **unternehmend** *adj,* dynamic; *(tt; wirt.)* enterprising; **Unternehmer** *sub, m, -s, - (tt; indu.)* industrialist; *(tt; wirt.)* employer, entrepreneur; **Unternehmung** *sub, f, -, -en (= Unternehmen)* scheme; **unternehmungslustig** *adj,* adventurous **Unteroffizier,** *sub, m, -s, -e (tt; mil.)* non-commissioned officer NCO, sergeant; **unterordnen** *vt,* subordinate; **unterordnend** *adj,* subordinated; **Unterordnung** *sub, f, -, -en* subordination; **Unterpfand** *sub, n, -s, -pfänder* pledge; **unterpflügen** *vti,* plough under; **unterqueren** *vi,* underrun; **Unterredung** *sub, f, -, -en* conversation, discussion, interview **Unterschlag,** *sub, m, -s, -schläge* misappropriation; **unterschlagen** *vt,* embezzle, suppress; **~ung** *sub, f, -, -en* embezzlement; **Unterschlupf** *sub, m, -s, -schlüpfe* hideout, shelter; **unterschreiben** *vt,* sign; **Unterschrift** *sub, f, -, -en* signature; **Unterseeboot** *sub, n, -s, -e oder -böte* submarine; **unterseeisch** *adj,* submarine; **Untersekunda** *sub, f, -, -den* lower fifth form; **untersetzen** *vt,* place sth. underneath; **Untersetzer** *sub, m, -s, -* mat coaster; **untersetzt** *adj, (ugs.)* stocky; **Untersetzung** *sub, f, -, -en (tt; tech.)* reduction gear **untersinken,** *vt,* sink; **unterspielen** *vt,* play down; **unterspülen** *vt,* undermine sth.; **unterst** *adj,* bottom, lowest; **Unterstand** *sub, m, -s, -stände* shelter; **unterste** *adj,* lowest; **unterstehen (1)** *vi,* be under so, take shelter **(2)** *vr,* have the audacity do sth; *dem Vorstand unmittelbar unterstehen* to be directly responsible to the board; *untersteh' dich* you dare, *dem Gesetz unterstehen* to be subject to; **unterstellen (1)** *vr,* take shelter **(2)** *vt,* assume, impute sth., store;

Unterstellung *sub, f, -, -en* imputation, subordination; **untersteuern** *vi*, understeer; **unterstopfen** *vt, (ugs.)* stuff under; **unterstreichen** *vt*, corroborate, underline; **unterstützen** *vt*, encourage, support; **Unterstützung** *sub, f, -, -en* aid, assistance, support

untersuchen, *vt*, check, inspect, investigate, search; **Untersuchung** *sub, f, -, -en* inspection, investigation; *(tt; chem.)* analysis; *(tt; med.)* examination; *bei näherer Untersuchung* on closer investigation; **Untersuchungshaft** *sub, f, -, nur Einz. (tt; jur.)* custody, imprisonment awaiting trial; **Untertagebau** *sub, m, -s, -ten* underground mining; **untertan (1)** *adj*, subservient **(2) Untertan** *sub, m, -en oder -s, -en* subject; **Untertasse** *sub, f, -, -n* saucer; **untertauchen (1)** *vi*, dive; *(i. ü. S.)* disappear **(2)** *vt*, dip, duck; *untertauchen* to lie low

unterteilen, *vt*, subdivide; **Unterteilung** *sub, f, -, -en* subdivision

Untertertia, *sub, f, -, -tien* fourth year

Untertitel, *sub, m, -s, -* subtitle; **untertiteln** *vt*, caption, subtitle

Unterton, *sub, m, -s, -töne* undertone

untertourig, *adj*, with low revs

untertreiben, **(1)** *vi*, understate **(2)** *vt*, play down

untertunneln, *vt, (tt; arch.)* undertunnel; **unterwandern** *vt*, infiltrate; **Unterwanderung** *sub, f, -, -gen* infiltration; **unterwärts** *adj, (i. ü. S.)* underwards; **Unterwäsche** *sub, f, -, -n* underwear; **unterwaschen** *vt, (i. ü. S.)* underwash; **Unterwasser** *sub, n, -s, nur Einz.* underwater; **unterwegs** *adv*, on the way; **unterweisen (1)** *vi, (i. ü. S.)* underlinger **(2)** *vt*, instruct; **Unterweisung** *sub, f, -, -en* instruction; **Unterwelt** *sub, f, -, nur Einz.* underworld; **unterwerfen** *vt*, subjugate, submit, surrender; **Unterwerfung** *sub, f, -, -en* subjugation, submission

unterwinden, *vt, (i. ü. S.)* underwind; **unterworfen** *adj*, submitted; **unterwürfig** *adj*, obsequious, meek; **Unterwürfigkeit** *sub, f, -, nur Einz.* obsequiousness, servility; **unterzeichnen** *vt*, sign; **Unterzeug** *sub, n, -s, -e (ugs.)* underwear; **unterziehen**

vt, put on underneath, subject s.ö.; *(tt; med.)* undergo

Untief, *adj*, shallow; **Untiefe** *sub, f, -, -n* enormous depth, shoal

Untier, *sub, n, -s, -e* creature, monster

Untote, *sub, m,f, -n, -n (ugs.)* undead

untragbar, *adj*, intolerable

untrainiert, *adj*, untrained

untröstlich, *adj*, inconsolable

untrüglich, *adj*, infallible, unmistakable; **Untugend** *sub, f, -, -en* bad habit, vice

unüberhörbar, *adj, (i. ü. S.)* not not to hear

unüberlegt, *adj*, ill-considered; **unübersehbar** *adj*, conspicous, inestimable, vast; **unübersichtlich** *adj*, broken, unclear; *unübersichtliche Kurve* blind corner; **unübertrefflich** *adj*, matchless

unüblich, *adj*, unusual

unumgänglich, *adj*, unavoidable; **unumschränkt** *adj*, unlimited; **unumstößlich** *adj*, irrefutable; *(i. ü. S.)* definetly; **unumstritten** *adj*, undisputed; **unumwunden** *adv*, uninterrupted; *(ugs.)* unumwunden without beating about the bush

ununterbrochen, *adj*, continuous, unbroken

unverändert, *adj*, unchanged; **unverantwortlich** *adj*, irresponsible

unveräußerlich *adj*, undisposable; **unverbaubar** *adj*, unblockable; **unverbesserlich** *adj*, incorrigible; **unverbildet** *adj*, unspoilt; **unverbindlich** *adj*, non-committal, not binding; **unverblümt** *adj*, blunt; **unverbraucht** *adv*, unspent; **unverbürgt** *adj*, unwarranted; **unverdächtig** *adj*, unsusbicious; **unverdaulich** *adj*, indigestible; **unverdient** *adj*, undeserved; **unverdorben** *adj*, unspoilt; **unverdrossen** *adj*, untiring; **unvereinbar** *adj*, incompatible

unverfälscht, *adj*, unadulterated; **unverfänglich** *adj*, harmless; **unverfroren** *adv*, impudent; **unvergänglich** *adj*, immortal, undying; **unvergessen** *adj*, unforgotten; **unvergesslich** *adj*, unforgettable; **unvergleichlich** *adj*, incomparable; **unverheiratet** *adj*, unmarried; **unverhofft** *adj*, unexpected; **unverhohlen** *adj*, unconcealed; **unverkäuflich** *adj*, not for sale; **unverkennbar** *adv*, unmistakable; **unverletzbar** *adj*, invulnerable; **unverletzlich** *adj*, unviolable; **unverlierbar** *adj*, not to lose

unvermählt, *adj*, unwedded; **unvermeidbar** *adj*, unavoidable; **unvermeidlich** *adj*, inevitable; **unvermindert** *adj*, undiminished; **unvermischt** *adv*, unmixed; **unvermittelt** *adj*, sudden; **Unvermögen** *sub, n, -s, nur Einz.* inability; **unvermögend** *adj*, impecunious; **unvermutet** *adj*, unexpected; **Unvernunft** *sub, f, -, nur Einz.* unreasonableness; **unvernünftig** *adj*, unreasonable; **unverrichtet** *adj*, without having accomplished anything; **unverrückbar** *adj*, unmovable; **unverschämt** *adj*, outrageous; **Unverschämtheit** *sub, f, -, -en* outrageousness; **unverschuldet** *adj*, innocent; **unversehens** *adv*, unexpectedly; **unversehrt** *adj*, undamaged, unhurt; **unversiegbar** *adj*, inexhaustible; **unversöhnbar** *adj*, implacable; **unversöhnlich** *adj*, irreconcilable

Unverstand, *sub, m, -s, nur Einz.* folly; **unverstanden** *adj*, misunderstood; **unverständig** *adj*, unintelligible; **unverständlich** *adj*, incomprehensible; **unverstellt** *adj*, unfeigned; **unversteuert** *adj*, untaxed; **unverträglich** *adj*, cantankerous; **Unverträglichkeit** *sub, f, -, -en* cantankerousness; **unverwandt** *adj*, fixed; **unverweslich** *adj*, durable; **unverwundbar** *adj*, invulnerable; **unverwüstlich** *adj*, undefatigable; **unverzagt** *adj*, undaunted; **Unverzagtheit** *sub, f, -, nur Einz.* undauntedness; **unverzeihbar** *adj*, unforgivable; **unverzeihlich** *adj*, inexcusable; **unverzinslich** *adj*, interest-free; **unverzüglich** *adj*, immediate

unvollendet, *adj*, unfinished; **unvollkommen** *adj*, imperfect; **Unvollkommenheit** *sub, f, -, -en* imperfection; **unvollständig** *adj*, incomplete; **Unvollständigkeit** *sub, f, -, nur Einz.* incompleteness

unvoreingenommen, *adj*, unbiased;

Unvoreingenommenheit *sub, f, -, nur Einz.* unbiasness

unvorhergesehen, *adj*, unforeseen

unvorsichtig, *adj*, unwary; **Unvorsichtigkeit** *sub, f, -, -ten* carelessness

unwägbar, *adj*, imponderable; **Unwägbarkeit** *sub, f, -, -en* imponderability

unwahr, *adj*, untrue; **~haftig** *adj*, false; **Unwahrheit** *sub, f, -, -en* falseness; **~scheinlich** *adj*, improbable, unlikely; **Unwahrscheinlichkeit** *sub, f, -, -en* improbability

unwandelbar, *adj*, changeless

unwegsam, *adj*, impassable

unweigerlich, *adj*, inevitable

unweit, *adv*, not far from

Unwesen, *sub, n, -s, nur Einz.* curse; *sein Unwesen treiben* to be up to mischief; **unwesentlich** *adj*, insignificant

Unwetter, *sub, n, -s, -* storm

unwichtig, *adj*, unimportant

unwiderlegbar, *adj*, irrefutable; **unwiderruflich** *adj*, irrevocable; **unwiderstehlich** *adj*, irresistible

unwiederbringlich, *adj*, irretrievable

Unwillen, *sub, m, -s, nur Einz.* indignation; **unwillig** *adj*, indignant; **unwillkommen** *adj*, unwelcome; **unwillkürlich** *adj*, involuntary

unwirklich, *adj*, unreal; **Unwirklichkeit** *sub, f, -, nur Einz.* unreality

unwirksam, *adj*, ineffective

unwirsch, *adj*, gruff

unwirtlich, *adj*, inhospitable

unwohl, *adj*, unwell; **Unwohlsein** *sub, n, -s, nur Einz.* indisposition

unwürdig, *adj*, undignified, unworthy; **Unwürdigkeit** *sub, f, -, nur Einz.* unworthiness

Unzahl, *sub, f, -, nur Einz.* enormous number; **unzählig** *adj*, innumerable

Unze, *sub, f, -, -n* ounce; **~it** *sub, f, -, nur Einz.* inopportunely; **unzeitgemäß** *adj*, old-fashioned

unzerbrechlich, *adj*, unbreakable; **unzerreißbar** *adj*, tearproof; **unzerstörbar** *adj*, indestructible; **unzertrennlich** *adj*, inseperable

unziemlich, *adj*, inconsiderable

Unmoht, sub, f, , nur Mehr. sexual offence; **unzüchtig** adj, lewd

unzufrieden, adj, dissatisfied; **Unzufriedenheit** sub, f, -, nur Einz. dissatisfaction

unzugänglich, adj, inaccessible

unzukömmlich, adj, (i. ü. S.) unbefitting

unzulänglich, adj, insufficient

unzulässig, adj, inadmissible

unzumutbar, adj, unreasonable

Unzurechnungsfähigkeit, sub, f, -, nur Einz. unsoundness of mind; (tt; jur.) insanity; **unzureichend** adj, inadequate; **unzuständig** adj, unresponsible; **unzustellbar** adj, undeliverable; **unzuträglich** adj, unwholesome; **unzutreffend** adj, inapplicable; **unzuverlässig** adj, unreliable; **Unzuverlässigkeit** sub, f, -, nur Einz. unreliability

unzweckmäßig, adj, inexpedient

unzweideutig, adj, unequivocal

Uppercut, sub, m, -s, -s uppercut

üppig, adj, luxuriant, thick; (ugs.) jetzt werde mal nicht zu üppig let´s have more of your cheek; **üppig leben** to live in style; **Üppigkeit** sub, f, -, nur Einz. luxuriance, opulence, voluptuousness

Ur, sub, m, -s, -e (tt; zool.) aurochs

Urahn, sub, m, -en, -en forefather; **~e** sub, m, -n, -n forebear

uralt, adj, ancient

Uran, sub, n, -s, nur Einz. (tt; chem.) uranium; **~bergwerk** sub, n, -s od. -es, -e uranium mine; **uranfänglich** adj, (i. ü. S.) first beginning

Uranismus, sub, m, -, nur Einz. uranism; **Uranmine** sub, f, -, -n uranium mine

uraufführen, vt, give the first performance; **Uraufführung** sub, f, -, -en premiere

urban, adj, urban; **~isieren** vt, urbanize

Urbanität, sub, f, -, nur Einz. urbanity

urbar, adj, cultivate; **Urbarmachung** sub, f, -, -en cultivation

Urbedeutung, sub, f, -, -en original meaning

Urbild, sub, n, -s od. -es, -er archetype

Urchristentum, sub, n, -, nur Einz. early Christianity; **urchristlich** adj, early Christian

Urd, sub, f, -, nur Einz. (i. ü. S.) Urd

Urchiwohner, sub, m, -s, - native

Urenkel, sub, m, -s, - great-grandchild

Urfassung, sub, f, -, -en original (text,film..)

Urfehde, sub, f, -, -n (tt; hist.) oath of truce

Urform, sub, f, -, -en prototype

urgemütlich, adj, really comfortable

urgent, adj, (i. ü. S.) urgent; **Urgenz** sub, f, -, -en urgency

urgermanisch, adj, Proto-Germanic

Urgeschichte, sub, f, -, nur Einz. prehistory

Urgestein, sub, n, -s, -e prehistoric rock

Urgewalt, sub, f, -, -en elemental force

Urgroßeltern, sub, f, -, nur Mehrz. great-grandparents; **Urgroßmutter** sub, f, -, -mütter great-grandmother; **Urgroßvater** sub, m, -s, -väter great-grandfather

Urheber, sub, m, -s, - creator; **~recht** sub, n, -s, -e (tt; jur.) copyright; **~schutz** sub, m, -es, nur Einz. copyright

Urian, sub, m, -s, -e (i. ü. S.) urian; **Urias** sub, f, -, -e urias

urig, adj, ethnic

Urin, sub, m, -s, -e urine; **~al** sub, n, -s, -e (tt; med.) urinal; **urinieren** vti, urinate

Urknall, sub, m, -s, nur Einz. big bang

Urlandschaft, sub, f, -, -en primeval landscape

Urlaub, sub, m, -s od. -es, -e holiday; **~er** sub, m, -s, - vacationist; **~erzug** sub, m, -s od. -es, -züge (i. ü. S.) holiday train; **~sgeld** sub, n, -s od. -es, -gelder holiday pay; **~skasse** sub, f, -, -n (i. ü. S.) holiday till; **~sliste** sub, f, -, -n holiday list; **urlaubsreif** adj, ready for a holiday; **~sreise** sub, f, -, -n holiday trip; **~szeit** sub, f, -, -en holiday period

Urmeer, sub, n, -s, -e primeval sea

Urmensch, sub, m, -en, -en caveman, primeval man; **urmenschlich** adj, (i. ü. S.) prehuman

Urne, sub, f, -, -n urn

Urologe, *sub, m, -n, -n (tt; med.)* urologist; **Urologie** *sub, f, -, nur Einz.* urology

urplötzlich, *adj,* very sudden

Ursache, *sub, f, -, -n* cause, reason; **ursächlich** *adj,* causal

Urschrift, *sub, f, -, -en* original (text)

Ursprung, *sub, m, -s, -sprünge* beginning, extraction, origin; **ursprünglich (1)** *adj,* inital, natural, original **(2)** *adv,* in the beginning, originally

urstofflich, *adj, (i. ü. S.)* prematerial

Urteil, *sub, n, -s, -e* decision, judgement, opinion; **urteilen** *vi,* judge; **urteilsfähig** *adj,* competent; ~**kraft** *sub, f, -, nur Einz.* power of judgement; ~**sspruch** *sub, m, -s od. -es, -sprüche* judgement; *(tt; jur.)* verdict

Urtext, *sub, m, -s od. -es, -e* original (text)

Urtierchen, *sub, n, -s, - (tt; zool.)* protozoon

Urtyp, *sub, m, -en, -en* prototype

urväterlich, *adj, (i. ü. S.)* olden; **Urväterzeit** *sub, f, -, -en* olden times

Usambaraveilchen, *sub, n, -s, - (tt; bot.)* African violet

Usance, *sub, f, -, -n* usage; **usancemä-ßig** *adj,* usable

User, *sub, m, -s, - (tt; comp.)* user

usuell, *adj, (i. ü. S.)* usable

Usurpation, *sub, f, -, -en* Usurpation; **Usurpator** *sub, m, -s, -patoren* usurper; **usurpieren** *vt,* usurp; **Usurpierung** *sub, f, -, -en* usurpation

Usus, *sub, m, -, nur Einz. (ugs.)* custom

Utensil, *sub, n, -s, -ien* implement

Uterus, *sub, m, -, Uteri (tt; med.)* uterus

Utilitarismus, *sub, m, -, nur Einz.* Utilitarism; **Utilitarist** *sub, m, -en, -en* Utilitarian

Utopia, *sub, n, -s, nur Einz.* Utopia; **Utopie** *sub, f, -, -n* utopia; **utopisch** *adj,* utopian; **Utopismus** *sub, m, -, -men* utopianism

UV-bestrahlt, *adj, (ugs.)* UV-soaked; **UV-Lampe** *sub, f, -, -n* UV-lamp; **UV-Strahlen** *sub, f, -, nur Mehrz.* UV-rays; **UV-Strahlung** *sub, f, -, -en* UV-radiation

uvular, *adj,* uvular

Vabanquespiel, *sub, n, -, nur Einz. (i. ü. S.)* dangerous game

Vademekum, *sub, n, -s, -s* vademecum

vag, *adj*, vague; **Vagabund** *sub, m, -en, -en* vagabond; **~abundieren** *vi*, live as a vagabond, rove around

Vagant, *sub, m, -en, -en* vagant; **~enlied** *sub, n, -s, -er* vagantsong

Vagina, *sub, f, -, Vaginen (tt; med.)* vagina; **vaginal** *adj*, vaginal

vakant, *adj*, vacant

Vakat, *sub, n, -s, -s* blank

Vakuum, *sub, n, -s, Vakuen oder Vakua* vacuum; **~bremse** *sub, f, -, -n* vacuum brake; **~meter** *sub, n, -s, -* vacuum meter; **~pumpe** *sub, f, -, -n* vacuum pump; **~röhre** *sub, f, -, -n* vacuum tube

Vakzination, *sub, f, -, -en (tt; med.)* vaccination; **Vakzine** *sub, f, -, -n* vaccine; **vakzinieren** *vi*, vaccinate; **Vakzinierung** *sub, f, -, -en* vaccination

vale!, *-, vale!* farewell!

Valentinstag, *sub, m, -s od. -es, -e* Valentine´s Day

Valenz, *sub, f, -, -en (tt; chem.)* valency

Validierung, *sub, f, -, -en (tt; jur.)* validation; **Validität** *sub, f, -, nur Einz.* validity

Valoren, *sub, Mehrz.* securities; **valorisieren** *vt, (tt; wirt.)* revalue

Valuta, *sub, f, -, Valuten* foreign currency, value; **~kredit** *sub, m, -s od. -es, -e* value credit; **valutieren** *vt*, value

Valvation, *sub, f, -, -en* determination of value

Vamp, *sub, m, -s, -s* vamp; **~ir** *sub, m, -s, -e* vampire

Vanadium, *sub, n, -s, nur Einz. (tt; chem.)* vanadium

Vandale, *sub, f, -, -n (tt; hist.)* Vandal; **Vandalismus** *sub, m, -, nur Einz.* vandalism

Vanille, *sub, f, -, nur Einz.* vanilla; **~soße** *sub, f, -, -n* custard; **Vanillin** *sub, n, -s, nur Einz.* vanilla

Varia, *sub, Mehrz.* varia; **variabel** *adj*, variable; **~bilität** *sub, f, -, -en* variability; **~ble** *sub, f, -, -n* variable; **~nte** *sub, f, -, -n* variant; **~tion** *sub, f, -, -en* variation

Varietät, *sub, f, -, -en (tt; biol.)* variety;

Varieté *sub, n, -, -s* variety; **variieren** *vti, (ugs.)* vary

Varikosität, *sub, f, -, -en (tt; med.)* varicosity

Variometer, *sub, n, -s, - (tt; tech.)* variometer

Vasall, *sub, m, -en, -en (tt; hist.)* vassal; **~entum** *sub, n, -s, nur Einz.* vassalage

Vase, *sub, f, -, -n* vase; **~ktomie** *sub, f, -, -n (tt; med.)* vasectomy; **~line** *sub, f, -, nur Einz.* Vaseline; **vasenförmig** *adj*, vase shaped

Vaterbindung, *sub, f, -, -en (tt; psych.)* father fixation; **Vaterfreuden** *sub, nur Mehrz.* joys of fatherhood; **Vaterhaus** *sub, n, -es, -häuser* parental home; **Vaterland** *sub, n, -s od. -es, -länder* native country; **väterlich** *adj*, paternal; **vaterlos** *adj*, fatherless; **Vaterschaft** *sub, f, -, -en* fatherhood; *(tt; jur.)* paternity; **Vaterstelle** *sub, f, -, nur Einz.* be father to sb; **Vatertag** *sub, m, -s od. -es, -e* Father´s Day; **Vaterunser** *sub, n, -s, - (tt; relig)* Lord´s Prayer; **Vati** *sub, m, -s, -s (ugs.)* dad(dy)

Vatikan, *sub, m, -s, nur Einz.* Vatican; **vatikanisch** *adj*, Vatican

V-Ausschnitt, *sub, m, -s, -e* V-neck

Vedutenmaler, *sub, m, -s, - (tt; kun.)* vedutenpainter/original representation painter

vegetabil, *adj*, vegetable; **Vegetabilien** *sub, Mehrz. (tt; bot.)* vegetables; **Vegetarier** *sub, m, -s, -* vegetarian; **Vegetarierin** *sub, f, -, -nen* vegetarian; **vegetarisch** *adj*, vegetarian; **Vegetarismus** *sub, m, -, nur Einz.* vegetarianism; **Vegetation** *sub, f, -, -en* vegetation; **vegetativ** *adj*, vegetative; **vegetieren** *vi*, vegetate

vehement, *adj*, vehement

Vehemenz, *sub, f, -, nur Einz.* vehemence

Vehikel, *sub, n, -s, -* vehicle

Veilchen, *sub, n, -s, - (ugs.)* black eye; *(tt; bot.)* violet; *(ugs.) blau wie ein Veilchen* drunk as a lord; *(ugs.) wie ein Veilchen, das im Verborgenen blüht* modesty itself; **veilchenblau** *adj*, violet; *(ugs.)* roaring drunk; **~duft** sub, m, -s od. -es, -düfte fragrance of violets

Veitstanz, sub, m, '-es, nur Einz. St. Vitus Dance; (ugs.) einen Veitstanz aufführen to hop about like crazy

Velar, sub, m, -s, -e velar

Velodrom, sub, n, -s, -e Cycle racing track, Velodrom

Velours, sub, n, -, nur Einz. velours; **~leder** sub, n, -s, nur Einz. velvet leather

Veloziped, sub, ŋ, -s, -e velociped

Velvet, sub, n,m, -s, -s velvet

Vendetta, sub, f, -, Vendetten vendetta

Vene, sub, f, -, -n vein; **venerisch** adj, veneral; **~zianerin** sub, f, -s, -nen Venetian; **venezianisch** adj, Venetian

venös, adj, venous

Ventil, sub, n, -s, -e (tt; tech.) valve; **~ation** sub, f, -, -en ventilation; **~ator** sub, m, -s, -en ventilator; **~gummi** sub, n,m, -s, -s valve gum; **ventilieren** vt, ventilate; **~ierung** sub, f, -, -en ventilation; **~kolben** sub, m, -s, - (tt; tech.) valve piston; **~spiel** sub, n, -s, -e valve (free) play

Ventrikel, sub, m, -s, - (tt; med.) ventricle

ventrikulär, adj, ventricular

Venushügel, sub, m, -s, - (ugs.) venus hillock

verabfolgen, vt, (tt; med.) administer; **verabreden** (1) vr, arrange to meet sb (2) vt, arrange, conspire in; (tt; jur.) collude in; **Verabredung** sub, f, -, -en appointment, arrangement; (ugs.) date; **verabreichen** vt, give, prescribe; **verabsäumen** vt, neglect; **verabscheuen** vt, detest; **verabschieden** (1) vr, say goodbye (2) vt, say goodbye to; **Verabschiedung** sub, f, -, -en discharge; (tt; polit.) passing

verachten, vt, despise; nicht zu verachten not to despise; **Verächterin** sub, f, -, -nen (i. ü. S.) despiser; **verächtlich** adj, contemptuous; **Verachtung** sub, f, -, nur Einz. contempt

veralbern, vt, make fun of; **Veralberung** sub, f, -, -en (i. ü. S.) making fun of

verallgemeinern, vti, generalize; **Verallgemeinerung** sub, f, -, -en generalization

Veranda, sub, f, -, Veranden veranda;

verandaartig adj, (ugs.) veranda like

veränderbar, adj, changeable; **veränderlich** adj, variable; **verändern** vtr, change; **Veränderung** sub, f, -, -en change

verängstigen, vt, frighten; **verängstigt** adj, scared

verankern, vt, (tt; jur.) establish; (tt; tech.) anchor; **Verankerung** sub, f, -, -en (tt; jur.) establishment; (tt; tech.) anchoring

veranlagen, vt, assess; **veranlagt** adj, have a .... disposition; **Veranlagung** sub, f, -, -en disposition, natural abilities; (tt; anat.) predisposition

veranlassen, (1) vi, give rise (2) vt, arrange for sth; **Veranlasser** sub, m, -s, - leader; **Veranlassung** sub, f, -, -en cause, reason

veranschaulichen, vt, illustrate

veranschlagen, vt, estimate

veranstalten, vt, organize; (tt; polit.) hold; **Veranstalter** sub, m, -s, - organizer; **Veranstaltung** sub, f, -, -en event, organization

verantworten, (1) vr, justify sth (2) vt, accept responsibility; **verantwortlich** adj, responsible; **Verantwortung** sub, f, -, nur Einz. responsibility; **verantwortungsbewusst** adj, responsible; **Verantwortungsbewusstsein** sub, n, -s, nur Einz. sense of responsibility; **verantwortungslos** adj, irresponsible

verarbeitbar, adj, workable; **verarbeiten** vt, assimilate, use; (tt; biol., techn) process; **Verarbeitung** sub, f, -, -en assimilation, use; (tt; biol., tech) processing

verargen, vt, hold sth against sb; **verärgern** vt, annoy; **Verärgerung** sub, f, -, -en annoyance

verarmen, vi, become impoverished

verarschen, vt, (vulg.) take the piss out of

verarzten, vt, fix up

Verästelung, sub, f, -, -en branching

verausgaben, vr, overspend, overtax oneself; **Verausgabung** sub, f, -, -en overspending, overtaxing; **verauslagen** vt, disburse; **Verauslagung** sub, f, -, -en laying out; **ver-**

äußerlichen (1) *vi,* become superficial **(2)** *vt,* trivialize; **veräußern** *vt,* dispose of; **Veräußerung** *sub, f, -, -en* disposal

Verb, *sub, n, -s, -en* verb; **verbal** *adj,* verbal; **~ale** *sub, n, -s, Verbalien* verbal; **~alinjurie** *sub, f, -, -n* verbal injury; **verbalisieren** *vt,* verbalize; **verballhornen** *vt, (ugs.)* parody; **~alnote** *sub, f, -, -n* verbal mark; **~alstil** *sub, m, -s, nur Einz.* verbal style; **~alsubstantiv** *sub, n, -s, -e* verbal noun

Verband, *sub, m, -s, -bände* dressing; *(tt; med.)* bandage; *(tt; polit.)* association; **~szeug** *sub, n, -s, -e* dressing material

verbannen, *vt,* banish; **Verbannung** *sub, f, -, -en* banishment

verbarrikadieren, *vtr,* barricade

verbauen, *vt,* botch, obstruct; **Verbauung** *sub, f, -, -en (tt; arch.)* blokking, obstruction

Verbeamtung, *sub, f, -, -en* getting the status of a civil servant

verbeißen, (1) *vr,* bite insth **(2)** *vt,* bite back sth, suppress sth

Verbene, *sub, f, -, -n (i. ü. S.)* verbene

verbergen, (1) *vr,* conceal oneself **(2)** *vt,* hide

Verbesserer, *sub, m, -s, -* improver; **verbessern (1)** *vr,* get better **(2)** *vt,* improve; **Verbesserung** *sub, f, -, -en* improvement

verbeugen, *vr,* bow; **Verbeugung** *sub, f, -, -en* bow

verbiegen, *vtr,* bend

verbiestern, (1) *vr,* become fixed on sth **(2)** *vt,* throw

verbieten, *vt,* forbid, prohibit

verbildlichen, *vt,* illustrate

verbinden, *vt,* combine, connect, unit; *(tt; med.)* dress; **verbindlich** *adj,* obligatory, obliging; **Verbindlichkeit** *sub, f, -, -en* commitments, obligatory, obligingness; **Verbindung** *sub, f, -, -en* combination, connection, line; *(tt; mil.)* contact; *(tt; wirt.)* association

verbissen, *adj,* determined, grim

verbitten, *vr,* refuse; **verbittern (1)** *vi,* become embittered **(2)** *vt,* embitter; **Verbitterung** *sub, f, -, -en* bitterness

verblassen, *vi,* fade

verblättern, *vt,* leaf wrong

Verbleib, *sub, m, -, -* [unclear]; **verbleiben** *vi,* remain

verbleichen, *vi,* pale

verblenden, *vt,* blend

verblichen, *vi,* pale

verblöden, *vi, (i. ü. S.)* become a zombie

verblüffen, *vt,* amaze, stun; **~d** *adj,* amazing; **verblüfft** *adj,* amazed; **Verblüffung** *sub, f, -, -en* amazement

verbluten, *vi,* bleed to death; *verbluten* to bleed to death

verbocken, *vt, (ugs.)* botch

verbogen, *adj,* bent

verbohrt, *vi, (ugs.)* stubborn; **Verbohrtheit** *sub, f, -, -en* inflexibility

verborgen, (1) *adj,* hidden **(2)** *vt,* lend out

verbrämen, *vt,* trim, veil; **Verbrämung** *sub, f, -, -en* trimming

Verbrauch, *sub, m, -s, -bräuche* consumption, expenditure; **verbrauchen** *vt,* exhaust, use up; **~er** *sub, m, -s, -* consumer; **~ergenossenschaft** *sub, f, -, -en* consumer cooperative; **~ermarkt** *sub, m, -s, -märkte* hypermarket

Verbrechen, *sub, n, -s, -* crime; **Verbrecher** *sub, m, -s, -* criminal; **Verbrecheralbum** *sub, n, -s, -alben* rogue´s gallery; **Verbrecherin** *sub, f, -, -nen* criminal; **verbrecherisch** *adj,* criminal

verbreiten, *vtr,* spread; **Verbreiterin** *sub, f, -, -nen* spreader; **verbreitern** *vt,* widen; **Verbreitung** *sub, f, -, -en* spreading

verbrennbar, *adj,* combustible; **verbrennen (1)** *vt,* incinerate, scorch **(2)** *vtir,* burn; **Verbrennung** *sub, f, -, -en* burning, incineration; *(tt; med.)* burn; **Verbrennungsmotor** *sub, m, -s, -en (tt; tech.)* internal combusting engine

verbriefen, *vt,* document

verbringen, *vt,* spend; **Verbringung** *sub, f, -, -en (ugs.)* spending

verbrüdern, *vr,* swear eternal friendship; **Verbrüderung** *sub, f, -, -en* avowal of friendship

verbuchen, *vt,* enter (up), notch up

Verbum, *sub, n, -s, -ba oder -ben* verb; **verbummeln (1)** *vi,* get lazy **(2)** *vt,* fritter away, lose; **verbum-**

melt *adj*, wasted

verbünden, *vr*, alley oneself; *(tt; polit.)* form an alliance; **Verbundenheit** *sub*, *f*, -, -en solidarity; **Verbündete** *sub*, *m,f*, -n, -n ally; **Verbundglas** *sub*, *n*, -es, -gläser laminated glass; **Verbundkarte** *sub*, *f*, -, -n dual card; **Verbundlampe** *sub*, *f*, -, -n integrated lamp; **Verbundnetz** *sub*, *n*, -es, -e (tt; tech.) integrated grid system

verbürgen, *vtr*, guarantee

verbüßen, *vt*, serve

Verchromung *sub*, *f*, -, -en (tt; tech.) chromium-plating

Verdacht, *sub*, *m*, -s, -dächte suspicion; **verdächtig** *adj*, suspicious; **Verdächtige** *sub*, *m,f*, -n, -n suspect; **verdächtigen** *vt*, suspect; **Verdächtigung** *sub*, *f*, -, -en suspicion

verdammen, *vt*, damn; **Verdammnis** *sub*, *f*, -, nur Einz. damnation; **verdammt** *adj*, damned; *(ugs.) das tut verdammt web* that hurts like hell; *(ugs.) Verdammt nochmal* damn it all; *(vulg.) verdammter Mist* sod it

verdanken, *vt*, owe sth sb

verdattert, *adj & adv*, *(ugs.)* flabbergasted

verdauen, *vt*, digest; **Verdauung** *sub*, *m*, -, -en digestion; **Verdauungsstörung** *sub*, *f*, -, -en indigestion

Verdeck, *sub*, *n*, -s, -e hood, soft top; **verdecken** *vt*, conceal, hide; **verdenken** *vt*, hold sth against sb

Verderb, *sub*, *m*, -s, nur Einz. ruin; ~en (1) *sub*, *n*, -, nur Einz. ruin, spoiling (2) **verderben** *vi*, go bad/off (3) *vt*, ruin, spoil; **verderblich** *adj*, pernicious; ~theit *sub*, *f*, -, -en corruptness

verdeutlichen, *vt*, show clearly

verdichtbar, *adj*, compressed;, **verdichten** (1) *vr*, thicken (2) *vt*, compress; **Verdichtung** *sub*, *f*, -, -en compression, thickening; **verdicken** *vtr*, thicken

verdienen, (1) *vt*, (i. ü. S.) deserve (2) *vti*, earn; **Verdienst** *sub*, *m*, -es, -e contribution, credit, income; **Verdienstorden** *sub*, *m*, -s, - order of merit; **verdient** *adj*, rightful, well-deserved

Verdikt, *sub*, *n*, -s, -e verdict

verdingen, *vt*, put inservice

verdonnern, *vt*, *(ugs.)* condemn

verdoppeln, *vt*, double; **Verdopplung** *sub*, *f*, -, -en redoubling; *(ugs.)* doubling

verdorben, *adj*, corrupt, ruined; *(ugs.)* off; **Verdorbenheit** *sub*, *f*, -, -en depravity

verdorren, *vi*, wither

verdrängen, *vt*, drive out, replace; **Verdrängung** *sub*, *f*, -, -en superseding

verdrehen, *vt*, twist; **verdreht** *adj*, crazy, screwed-up; **Verdrehtheit** *sub*, *f*, -, -en craziness

verdrießen, *vt*, irritate; **verdrießlich** *adj*, morose

verdrossen, *adj*, morose

verdrücken, (1) *vr*, slip away (2) *vt*, crumble

Verdruss, *sub*, *m*, -es, nur Einz. frustration

verduften, *vi*, *(ugs.)* beat it, lose its scent

verdummen, *vi*, become stultified

Verdumpfung, *sub*, *f*, -, -en stultification

Verdunkelung, *sub*, *f*, -, -en curtain, darkening; *(tt; jur.)* suppression of evidence

verdünnen, (1) *vr*, become deluted (2) *vt*, thin (down); **verdunsten** *vi*, evaporate; **Verdunstung** *sub*, *f*, -, -en evaporation

verdursten, *vi*, die of thirst

verdutzt, *adj*, *(ugs.)* nonplussed; **Verdutztheit** *sub*, *f*, -, -en bafflement

verebben, *vi*, subside

veredeln, *vt*, refine

Veredlung, *sub*, *f*, -, -en refining

verehelichen, *vr*, marry

verehren, *vt*, admire, honour; **Verehrer** *sub*, *m*, -s, - admirer

Verein, *sub*, *m*, -s, -e organization, society; *(tt; spo.)* club; **vereinbaren** *vt*, agree, reconcile; ~barung *sub*, *f*, -, -en agreement; **vereinen** (1) *vr*, join together (2) *vt*, unite; **vereinfachen** *vt*, simplify; **vereinheitlichen** *vt*, standardize; **vereinigen** (1) *vt*, (tt; wirt.) merge (2) *vtr*, unite; **vereinigt** *adj*, united; ~igung *sub*, *f*, -, -en organization, uniting; *(tt; wirt.)* merging; **Anwohnervereinigung** association of residents

vereinnahmen, *vt*, occupy sb. take;

vereinsamen *vi*, become isolated; Vereinsamung *sub, f, -, -en* isolation; **Vereinsfarbe** *sub, f, -, -n* club colour; **Vereinshaus** *sub, n, -es, -häuser* club house; **Vereinslokal** *sub, n, -s, -e (ugs.)* club pub/bar; **Vereinswesen** *sub, n, -s, nur Einz.* clubs, societies, organizations; **vereinzelt (1)** *adj*, occasional **(2)** *adv*, occasionally; **Vereinzelung** *sub, f, -, -en* isolation

vereisen *vti*, freeze; **Vereisung** *sub, f, -, -en* freezing

vereiteln, *vt*, foil, thwart; **Vereitelung** *sub, f, -, -en* thwarting; **Vereiterung** *sub, f, -, -en (tt; med.)* sepsis

verekeln, *vt*, *(ugs.)* put sb off sth

Verelendung, *sub, f, -, -en* impoverishment

verenden *vi*, perish

verengen, **(1)** *vr*, narrow **(2)** *vt*, make narrow; **Verengerung** *sub, f, -, -en* narrowing

vererben, **(1)** *vr*, be transmitted **(2)** *vt*, bequeath, leave; *sich vom Vater zum Sohn vererben* descend from father to son; **Vererbung** *sub, f, -, -en* bequeathing, heredity, leaving

verewigen, **(1)** *vt*, perpetuate **(2)** *vtr*, immortalize

verfahren, **(1)** *adj*, muddled **(2)** **Verfahren** *sub, n, -s, -* actions, procedure; *(tt; jur.)* proceeding **(3)** *vi*, act **(4)** *vr*, get muddled **(5)** *vt*, use up

Verfall, *sub, m, -s, nur Einz.* decay, decline, fall, lapsing; **verfallen (1)** *adj*, dilapidated **(2)** *vi*, be forfeited, decay, expire, sink in sth; **~stag** *sub, m, -es, -e* expiry day; **~szeit** *sub, f, -, -en* expiry time

verfälschen, *vt*, distort, falsify; **Verfälschung** *sub, f, -, -en* distortion, falsification

verfangen, **(1)** *vi*, be accepted **(2)** *vr*, get caught; **verfänglich** *adj*, awkward, embarrassing

verfärben, **(1)** *vr*, change colour **(2)** *vt*, discolour

verfassen, *vt*, write; **Verfasser** *sub, m, -s, -* author, writer; **Verfasserin** *sub, f, -, -nen* author, writer; **Verfassung** *sub, f, -, -en* state of; *(tt; polit.)* constitution; **Verfassungsbeschwerde** *sub, f, -, -n (tt; jur.)* complaint about infringement of the constitution; **Verfassungsgericht** *sub, n, -es, -e* constitutional court; **verfassungs-**

widrig *adj*, unconstitutional

verfechten, *vt*, defend; **Verfechterin** *sub, f, -, -nen* advocate; *(tt; spo.)* champion; **Verfechtung** *sub, f, -, -en* advocacy, championing

verfehlen, *vt*, miss; **Verfehlung** *sub, f, -, -en* misdemeanour, missing

Verfeindung, *sub, f, -, -en* quarreling; **verfeinern (1)** *vt*, refine **(2)** *vtr*, improve; **Verfeinerung** *sub, f, -, -en* improvement

verfertigen, *vt*, manufacture; **Verfertigung** *sub, f, -, -en* production

verfestigen, *vtr*, harden, solidify; **Verfestigung** *sub, f, -, -en* solidification

verfetten, *vi*, *(tt; med.)* become obese; **Verfettung** *sub, f, -, nur Einz.* obesity

verfilmen, *vt*, make a film of

verfilzen, *vi*, become felted

verfinstern, *vt*, darken

Verflachung, *sub, f, -, -en* flattening

verflechten, *vtr*, interweave; **Verflechtung** *sub, f, -, -en* interweaving; *(tt; polit.)* integration

verfliegen, **(1)** *vi*, blow over, vanish **(2)** *vr*, stray

verflixt, **(1)** *adj*, blessed **(2)** *adv*, darned

verflossen, *adj*, bygone

verfluchen, *vt*, curse; **Verfluchung** *sub, f, -, -en* cursing

verflüssigen, *vtr*, liquefy; **Verflüssigung** *sub, f, -, -en* liquefaction

verfrachten, *vt*, transport; **Verfrachter** *sub, m, -s, -* transport agent; **Verfrachtung** *sub, f, -, -en* transporting

verfrüht, *adj*, early, premature

verfügbar, *adj*, available; **verfugen** *vt*, grout; **verfügen (1)** *vi*, have sth **(2)** *vr*, proceed **(3)** *vt*, order; **Verfügung** *sub, f, -, -en* possession; *(tt; jur.)* order; **Verfügungsgewalt** *sub, f, -, nur Einz.* right of disposal

verführen, *vt*, seduce, tempt; **Verführer** *sub, m, -s, -* seducer; **Verführerin** *sub, f, -, -nen* seductress; **verführerisch** *adj*, tempting; **Verführung** *sub, f, -, -en* seduction, temptation

vergällen, *vt*, denature

vergaloppieren, *vr*, *(i. ü. S.)* go far

vergangen, *adj*, bygone, past; **Ver-**

gangenheit *sub, f, -, -en* history, past; **vergänglich** *adj,* transitory

vergasen, *vt, (tt; tech.)* carburet; *(tt; zool.)* gas; **Vergaser** *sub, m, -s, - (tt; tech.)* carburettor; **Vergasung** *sub, f, -, -en* gassing; *(tt; tech.)* carburation

Vergatterung, *sub, f, -, -en* fencing

vergeben, *vt,* award, forgive, misdeal; **vergeblich (1)** *adj,* futile **(2)** *adv,* in vain; **Vergebung** *sub, f, -, -en* forgiveness

vergegenwärtigen, *vr,* visualize

Vergehen, (1) *sub, n, -s, -* fading, offence **(2) vergehen** *vi,* be dying of sth, pass **(3)** *vr,* assault sb

vergeigen, *vt, (ugs.)* lose; **vergeistigen** *vt,* spirit

vergelten, *vt,* repay; **Vergeltung** *sub, f, -, -en* retaliation

vergessen, *vti,* forget; **vergesslich** *adj,* forgetful; **Vergesslichkeit** *sub, f, -, nur Einz.* forgetfulness

vergeuden, *vt,* waste

vergewissern, *vr,* make sure

vergießen, *vt,* shed, spill

vergiften, *vt,* poison; **Vergiftung** *sub, f, -, -en* poisoning

vergilben, *vi,* become yellow

Vergissmeinnicht, *sub, n, -s, -e* forget-me-not

verglasen, *vt,* glaze

Vergleich, *sub, m, -s, -e* comparison; *(tt; jur.)* settlement; *das ist doch gar kein Vergleich* there is no comparison; *im Vergleich zu/mit* in comparison to/with; *in keinem Vergleich zu etwas stehen* to be out of all proportion to sth; *einen außergerichtlichen Vergleich schließen* to reach a settlement out of court; *im Vergleich zu A spielt B besser* compared with A plays B better; **vergleichbar** *adj,* comparable; **vergleichen** *vt,* compare; **vergleichsweise** *adj,* comparatively; **~ung** *sub, f, -, -en* comparison; **verglichen** *adj,* compared

Vergnügen, (1) *sub, n, -s, -* entertainment, pleasure; *(ugs.)* fun **(2) vergnügen** *vt,* amuse; **vergnüglich** *adj,* enjoyable; **vergnügungssüchtig** *adj,* sybaritic

vergolden, *vt,* gild, gold-plate, paint gold; *(i. ü. S.)* turn to gold; **Vergolderin** *sub, f, -, -nen* gilder

vergönnen, *vt,* fate granted

vergöttern, *vt,* idolize; **Vergötterung**

sub, f, -, -en idolization

vergraben, *vt,* bury

vergraulen, *vt, (ugs.)* scare off

vergreifen, *vr,* make a mistake, misappropriate

vergreisen, *vi,* age; **Vergreisung** *sub, f, -, nur Einz.* ageing

vergriffen, *adj,* unavailable

Vergrößerer, *sub, m, -s, -* extender; **vergrößern** *vt,* enlarge, extend, increase; **Vergrößerung** *sub, f, -, -en* enlargement, extension; **Vergrößerungsglas** *sub, n, -es, -gläser* magnifying glass

Vergünstigung, *sub, f, -, -en* privilege

vergüten, *vt,* refund sbsth, temper; **Vergütung** *sub, f, -, -en* refunding, tempering

verhaften, *vt,* arrest; **Verhaftung** *sub, f, -, -en* arrest

verhalten, (1) *adj,* restrained **(2) Verhalten** *sub, n, -,* behaviour **(3)** *vr,* behave **(4)** *vt,* hold, react, stop; **Verhaltensforschung** *sub, f, -, -en (tt; biol.)* behavioural research; **Verhältnis** *sub, n, -ses, -se* affair, proportion, relationship; *außereheliches Verhältnis* dinner without grace; **verhältnismäßig** *adj,* proportional, reasonable; **Verhältniswort** *sub, n, -s, -wörter* preposition

verhandeln, *vti,* negotiate; **Verhandlung** *sub, f, -, -en* negotiations; *(tt; jur.)* trial

verhängen, *vt,* cover, impose; **Verhängnis** *sub, n, -ses, -se* disaster, undoing; **verhängnisvoll** *adj,* disasterous

verharmlosen, *vt,* play down; **verhärmt** *adj,* careworn

verharren, *vi,* pause, remain

verharschen, *vi,* crust

verhärten, *vtr,* harden

verhaspeln, *vr,* get in a muddle; **Verhaspelung** *sub, f, -, -en* getting into a muddle; **Verhasplung** *sub, f, -, -en* getting into a muddle

verhasst, *adj,* hated

verhätscheln, *vt,* pamper

Verhau, *sub, m,n, -s, -e* barrier, mess; **verhauen (1)** *vr,* make a mistake **(2)** *vt,* beat

verheddern, *vr,* get tangled up

verhehlen, *vt,* conceal

verheilen, *vi*, heal up

verheimlichen, *vt*, keep secret

verheiraten, *vt*, marry; **verheiratet** *adj*, married; **Verheiratete** *sub, m,f, -n, -n* married one; **Verheiratung** *sub, f, -, -en* marriage

verheißen, *vt*, promise; **verheißungsvoll** *adj*, promising

verhelfen, *vi*, help sb to

verherrlichen, *vt*, glorify

verhetzen, *vt*, stir up

verhexen, *vt*, bewitch

verhindern, *vt*, prevent; **Verhinderung** *sub, f, -, -en* prevention

verhohlen, *adj*, concealed

verhöhnen, *vt*, mock; **verhohnepipeln** *vt*, *(ugs.)* send up

verhökern, *vt*, get rid of

Verhör, *sub, n, -s, -e* questioning; **verhören** *vt*, question

verhüllen, *vt*, cover, veil; **verhüllt** *adj*, covered, veiled

verhungern, *vi*, starve

verhüten, *vt*, prevent

verhütten, *vt*, smelt; **Verhüttung** *sub, f, -, -en* smelting

Verifikation, *sub, f, -, -en* verification

verifizieren, *vt*, verify

Verinnerlichung, *sub, f, -, nur Einz.* internalization

verirren, *vr*, get lost

veritabel, *adj*, veritable

verjagen, *vt*, chase away

verjähren, *vi*, come under the statute of limitations; **Verjährung** *sub, f, -, -en* limitation

verjüngen, *vt*, regenerate, rejuvenate; **Verjüngung** *sub, f, -, -en* regeneration, rejuvenation

verjuxen, *vt*, blow

Verkabelung, *sub, f, -, -en* linking up to the cable network

verkalken, *vi*, become hardened, calcify; **Verkalkung** *sub, f, -, -en* calcification, hardening

verkannt, *adj*, unrecognized

verkappt, *adj*, hidden

Verkapslung, *sub, f, -, -en* encapsulation, encapsulation

verkatert, *adj*, *(ugs.)* hung over

Verkauf, *sub, m, -s, -käufe* sale; **verkaufen** *vtr*, sell; **Verkäufer** *sub, m, -, -* sales assistance, seller; **Verkäuferin** *sub, f, -, -n* salesperson; **verkäuflich** *adj*, for sale; **~sraum** *sub, m, -s, -räume* sales room

Verkehr, *sub, m, -s, nur Einz.* contact, trade, traffic; **verkehren (1)** *vi*, frequent, run **(2)** *vtr*, turn; **~sader** *sub, f, -, -n* arterial road; **~sampel** *sub, f, -, -n* traffic light; **~samt** *sub, n, -s, -ämter* divisional railway office; **~sbüro** *sub, n, -s, -s* tourist information office; **~sflugzeug** *sub, n, -es, -e* commercial aircraft; **verkehrsfrei** *adj, (i. ü. S.)* without traffic; **~sfunk** *sub, m, -s, nur Einz.* radio traffic service; **~sinsel** *sub, f, -, -n* traffic island; **~sknotenpunkt** *sub, m, -s, -e* traffic junction; **~slage** *sub, f, -, nur Einz.* traffic situation; **~slärm** *sub, m, -s, nur Einz.* traffic noise; **~smittel** *sub, n, -s, -* means of transport; **~snetz** *sub, n, -es, (-e)* traffic network

Verkehrsordnung, *sub, f, -, nur Einz.* Road Traffic Act; **Verkehrsplan** *sub, m, -s, -pläne* traffic map; **Verkehrspolizei** *sub, f, -, -er* traffic police; **verkehrsreich** *adj*, busy; **Verkehrssicherheit** *sub, f, -, nur Einz.* road-worthyness; **Verkehrssprache** *sub, f, -, -en* lingua franca; **Verkehrsstau** *sub, m, -s, -s* traffic jam; **Verkehrsstockung** *sub, f, -, -en* traffic hold-up; **Verkehrstote** *sub, m, f, -n, -n* road casualty; **Verkehrstüchtigkeit** *sub, f, -, nur Einz.* roadworthiness; **Verkehrsunfall** *sub, m, -s, -unfälle* road accident; **Verkehrsweg** *sub, m, -s, -e* highway; **Verkehrszeichen** *sub, n, -s, -* road sign

verkehrt, **(1)** *adj*, wrong **(2)** *adv*, wrongly; **Verkehrtheit** *sub, f, -, nur Einz.* *(ugs.)* wrong thing

verkennen, *vt*, misjudge

Verkettung, *sub, f, -, -en* chaining

Verketzerung, *sub, f, -, -en* denouncing

verkitschen, *vt*, *(tt; kun.)* make kitschy

verklagen, *vt*, sue, take proceedings against

verklären, **(1)** *vr*, become transfigured **(2)** *vt*, transfigure

verklatschen, *vt*, *(ugs.)* tell on

verklausulieren, *vt*, hedge in

verkleiden, **(1)** *vr*, dress **(2)** *vt*, disguise, line; **Verkleidung** *sub, f, -, -en* disguising, dressing up, lining

verkleinern, (1) *vr*, be reduced (2) *vt*, reduce

verkleistern, *vt*, get glue on, stick together

verklingen, *vi*, fade away

verklumpen, *vi*, *(ugs.)* get lumpy; **Verklumpung** *sub, f, -, -en* getting lumpy

verknacken, *vt*, do sb for

verknacksen, *vt*, *(ugs.)* twist

verknallen, *vr*, fall for sb

verknappen, *vt*, cut back; **Verknappung** *sub, f, -, nur Einz.* cutting down

verkneifen, *vr*, *(ugs.)* hide sth

verknittern, *vt*, crush

verknöchern, *vi*, ossify; **verknöchert** *adj*, ossified

verknorpeln, *vi*, become cartiginous; **Verknorplung** *sub, f, -, -en* becoming cartilagnous

verknoten, *vt*, knot

verknüpfen, *vt*, combine, tie; **Verknüpfung** *sub, f, -, -en* combination, tying

verkohlen, *vi*, char; *(ugs.)* have sb on

verkoken, *vt*, carbonize

verkommen, *vi*, *(ugs.)* go pieces, go waste; *(ugs.; arch.)* become dilapidated

verkomplizieren, *vt*, complicate

verkorken, *vt*, cork

verkörpern, *vt*, embody, personify; **Verkörperung** *sub, f, -, -en* embodiment, personification

verköstigen, *vt*, feed; **Verköstigung** *sub, f, -, - feeding

verkracht, *adj*, *(ugs.)* ruined

verkraften, *vt*, cope with, manage

verkrampfen, *vr*, become cramped; **Verkrampfung** *sub, f, -, -en* tension

verkriechen, *vr*, creep away

verkrümeln, (1) *vr*, *(ugs.)* disappear (2) *vt*, crumble; **Verkrümmung** *sub, f, -, -en* crookedness, distortion

verkrüppeln, (1) *vi*, become crippled (2) *vt*, cripple; **verkrüppelt** *adj*, crippled

Verkrustung, *sub, f, -, -en (tt; med.)* scab formation

verkühlen, *vr*, catch a cold

verkümmert, *adj*, wasted away; **Verkümmerung** *sub, f, -, nur Einz.* *(ugs.)* wasting away; *(tt; med.)* atrophy

verkünden, *vt*, announce; **Verkünderin** *sub, f, -, -n* preacher; **verkündigen** *vt*, proclaim; **Verkündiger** *sub, m, -s, -* harbinger; **Verkündigung** *sub, f, -, -er* proclamation; **Verkündung** *sub, f, -, -en* announcement

Verkupferung, *sub, f, -, nur Einz.* copper-plating

verkuppeln, *vt*, *(ugs.)* pair off, procure sb for sb; **Verkuppelung** *sub, f, -, -en* pairing off, procuring

verkürzen, (1) *vr*, be shortened (2) *vt*, shorten

Verlag, *sub, m, -es, -e* publishing firm; **~erung** *sub, f, -, -en* shift; **~shaus** *sub, n, -es, -häuser* publishing house; **~srecht** *sub, n, -s, -e* publishing rights; **~swesen** *sub, n, -s, nur Einz.* publishing

verlanden, *vi*, *(ugs.)* silt up

Verlangen, (1) *sub, n, -es, nur Einz.* desire, longing, request (2) **verlangen** *vi*, long for (3) *vt*, ask, demand, require; **verlängern** *vt*, extend, lengthen; **Verlängerung** *sub, f, -, -en* extension; **verlangsamen** *vtr*, slow down

verläppern, *vr*, *(ugs.)* be lost; **Verläpperung** *sub, f, -, nur Einz.* disappearing

Verlass, *sub, m, -es, nur Einz.* relying; **verlassen** (1) *vr*, rely (2) *vt*, leave; **verlässlich** *adj*, reliable

Verlauf, *sub, m, -s, -läufe* course; **verlaufen** (1) *vi*, go off, run (2) *vr*, get lost

verlautbaren, *vti*, announce; **Verlautbarung** *sub, f, -, -en* announcement

verleben, *vt*, spend; **verlebt** *adj*, dissipated

verlegen, *vt*, lay, mislay, postpone, publish, transfer; **Verlegenheit** *sub, f, -, -en* embarrassment, embarrassing situation; **Verleger** *sub, m, -s, -* publisher

Verleih, *sub, m, -s, -e* rental company; **verleihen** *vt*, laward, lend; **~er** *sub, m, -s, -* distributor, rental firm; **~erin** *sub, f, -, -nen* hirer; **~ung** *sub, f, -, -en* award(ing), lending

verleiten, *vt*, lead sb to sth, tempt

verlernen, *vt*, unlearn

verlesen, (1) *vr*, make a slip (2) *vt*, read, sort

verletzen, (1) *vt*, break, wound **(2)** *vb*, injure; **verletzlich** *adj*, vulnerable; **verletzt** *adj*, hurt, injured, wounded; **Verletzung** *sub, f, -, -en* hurting, injury

verleugnen, *vt*, deny; **Verleugnung** *sub, f, -, -er* denial

verlieben, *vr*, fall in love; **verliebt** *adj*, amorous, be in love; **Verliebtheit** *sub, f, -, (-en)* being in love

verlieren, (1) *vr*, lose each other **(2)** *vti*, lose; **Verliererin** *sub, f, -, -n* loser

Verlies, *sub, n, -es, -e* dungeon

verloben, *vr*, get engaged; **Verlöbnis** *sub, n, -ses, -se* engagement; **Verlobte** *sub, m, f, -n, -n* fiancé; **Verlobung** *sub, f, -, -en* engagement

verlocken, *vti*, entice; **~d** *adj*, enticing; **Verlockung** *sub, f, -, -en* enticement

verlogen, *adj*, mendacious; **Verlogenheit** *sub, f, -, -en* mendacity

verloren, *adj*, lost, vain; **Verlorenheit** *sub, f, -, nur Einz.* forlornness

verlöschen, *vi*, go out; *(i. ü. S.)* fade

verlosen, *vt*, raffle; **Verlosung** *sub, f, -, -en* raffling

verlöten, *vt*, solder

Verlust, *sub, m, -s, -e* loss; *mit Verlust* at a discount; **verlustieren** *vr*, amuse oneself; **verlustreich** *adj*, heavily loss-making

vermachen, *vt*, bequeath sth; **Vermächtnis** *sub, n, -ses, -se* bequest

vermahlen, *vt*, grind; **vermählen** *vtr*, marry; **vermählt** *adj*, married; **Vermählung** *sub, f, -, -en* marriage

vermännlichen, *vt*, masculinize

vermarkten, *vt*, commercialize; **Vermarktung** *sub, f, -, nur Einz.* marketing

vermasseln, *vt*, ruin

vermeiden, *vt*, avoid; **vermeidlich** *adj*, avoidable

vermeintlich, *adj*, supposed

vermengen, *vt*, mix

vermenschlichen, *vt*, humanize

Vermerk, *sub, m, -s, -e* remark

vermessen, (1) *adj*, presumptuous **(2)** *vt*, measure

vermiesen, *vt*, spoil sth for sb

vermieten, *vti*, rent; **Vermieter** *sub, m, -s, - landlord*, lessor; **Vermieterin** *sub, f, -, -nen* landlady

vermindern, (1) *vr*, decrease **(2)** *vt*, reduce; **Verminderung** *sub, f, -, nur*

verminen, *vt*, mine

vermischen, *vtr*, mix; **Vermischung** *sub, f, -, -en* mixture

vermissen, *vt*, miss; **vermisst** *adj*, missing; **Vermisste** *sub, m, f, -n, -en* missing person

vermitteln, (1) *vi*, mediate **(2)** *vt*, arrange; **Vermittler** *sub, m, -s, -* mediator; **Vermittlerin** *sub, f, -s, -nen* agent; **Vermittlung** *sub, f, -, -en* agency, arrangement, mediation

vermöbeln, *vt*, *(ugs.)* beat up

vermodern, *vi*, moulder; **Vermoderung** *sub, f, -, nur Einz.* decay

Vermögen, (1) *sub, n, -s, nur Einz.* ability, fortune, property **(2)** **vermögen** *vt*, be able to; **vermögend** *adj*, wealthy; **vermögenslos** *adj*, without wealth

vermuten, *vt*, suspect; **vermutlich (1)** *adj*, presumable **(2)** *adv*, presumably; **Vermutung** *sub, f, -, -en* assumption, conjecture

vernachlässigen, *vtr*, neglect; **vernachlässigt** *adj*, neglected; **Vernachlässigung** *sub, f, -, -en* ignoring, neglect

Vernagelung, *sub, f, -, nur Einz.* nailing up

vernähen, *vt*, neaten; *(tt; med.)* stich

vernarben, *vi*, heal up

Vernarrtheit, *sub, f, -, nur Einz.* infatuation

vernaschen, *vt*, eat up, make it with

Vernebelung, *sub, f, -, nur Einz.* obscuring, screening

vernehmbar, *adj*, able to be questioned, audible; **Vernehmen (1)** *sub, n, -s, -* reliable source **(2)** **vernehmen** *vt*, hear; *(tt; jur.)* examine; **vernehmlich** *adj*, clear; **Vernehmung** *sub, f, -, -en (tt; jur.)* examination

verneigen, *vr*, bow

verneinen, *vti*, answer in the negative, deny; **~d** *adj*, negative; **Verneinerin** *sub, f, -, -n* negator; **Verneinung** *sub, f, -, -en* denial, negation; **Verneinungsfall** *sub, m, -s, nur Einz.* negation case

vernichten, *vt*, destroy; **~d** *adj*, withering; **Vernichter** *sub, m, -, -* terminator; **Vernichterin** *sub, f, -,*

-nen destroyer; **Vernichtung** sub, f, -, -en destruction, extermination; **Vernichtungslager** sub, n, -s, - extermination camp

Vernickelung, sub, f, -, nur Einz. nikkel plating; f, -s, nur Einz. nickel plating

verniedlichen, vt, trivialize

vernieten, vt, rivet

Vernissage, sub, f, -, -n (tt; kun.) opening day

veröden, (1) vi, become desolate **(2)** vt, (tt; med.) sclerose

veröffentlichen, vti, publish; **Veröffentlichung** sub, f, -, -en publlcation

verordnen, vt, decree, prescribe; **Verordnung** sub, f, -, -en decree, prescription

verpachten, vt, lease; **Verpächterin** sub, f, -, -nen lessor

verpacken, vt, pack, tuck

verpassen, vt, give sb sth, miss

verpatzen, vt, spoil

verpennen, (1) vri, oversleep **(2)** vt, sleep through

verpesten, vt, pollute

verpetzen, vt, (ugs.) sneak on

verpfänden, vt, pawn; **Verpfändung** sub, f, -, nur Einz. pawning; (tt; jur.) mortage

verpfeifen, vt, (ugs.) grass on

verpflanzen, vt, (tt; bot.&med.) transplant; **Verpflanzung** sub, f, -, -en transplantation; (tt; med.) transplant

verpflegen, vtr, feed; **Verpflegung** sub, f, -, nur Einz. catering, feeding, food

verpflichten, (1) vi, be binding **(2)** vr, commit oneself **(3)** vt, commit, oblige; **verpflichtet** adj, obliged; **Verpflichtung** sub, f, -, -en engaging, obligation, signing on

verpfuschen, vt, bungle

verplappern, vt, (ugs.) chat away

verplempern, vt, fritter away

verplomben, vt, (tt; tech.) seal; **Verplombung** sub, f, -, -en sealing

verpönt, adj, frowned upon

verprassen, vt, (ugs.) blow; etwas sinnlos verprassen to fritter sth away

verprellen, vt, intimidate

verproviantieren, vt, supply with food

verprügeln, vt, (ugs.) beat up

verpuffen, vi, pop

verpulvern, vt, fritter away

Verpuppung, sub, f, -, nur Einz. (tt; biol.) pupation

Verputz, sub, m, -s, nur Einz. plastérwork; **verputzen** vt, plaster, polish off

verquicken, vt, combine; (tt; chem.) amalgamate; **Verquickung** sub, f, -, nur Einz. combination; (tt; chem.) amalgamation

verquirlen, vt, whisk

verquollen, vt, swell

verrammeln, vt, (ugs.) barricade; **Verrammelung** sub, f, -en, nur Einz. barricade; f, -, nur Einz. (ugs.) barricading

verrauschen, vi, fade away

verrechnen, (1) vr, miscalculate **(2)** vt, clear; **Verrechnung** sub, f, -, nur Einz. clearing

verrecken, vi, (ugs.) die

verreisen, vi, go away; **verreißen** vt, (ugs.) tear into pieces

verrenken, vt, dislocate; **Verrenkung** sub, f, -, -en contortion

verrichten, vt, perform; **Verrichtung** sub, f, -, -en performing

verriegeln, vt, bolt; **Verriegelung** sub, f, -, -en locking

verringern, (1) vr, decrease **(2)** vt, reduce; **Verringerung** sub, f, -, -en decrease, reduction

Verriss, sub, m, -es, -e (tt; kun.) slating review

verrohen, vt, brutalize; **verroht** adj, brutalized

verrosten, vi, rust

verrotten, vi, rot

verrucht, adj, despicable; **Verruchtheit** sub, f, -, nur Einz. despicable nature

verrücken, vt, disàrrange; **verrückt** adj, crazy, mad; **Verrücktheit** sub, f, -, -en madness

Verruf, sub, m, -s, nur Einz. disrepute; **verrufen** adj, disreputable

verrutschen, vi, slip

versacken, vi, sink

versagen, (1) vi, fail **(2)** vt, refuse sb sth; **Versager** sub, m, -s, - failure

Versal, sub, m, -s, -ien capital letter

versammeln, vtr, assemble; **Versammlung** sub, f, -, -en assembly; **Versammlungsfreiheit** sub, f, -, nur Einz. freedom of assembly

Versand, sub, m, -s, nur Einz. dispatch; **versanden** vi, silt;

~haus *sub*, *n*, *-es*, *-häuser* mail order firm

Versatzstück, *sub*, *n*, *-s*, *-e* set piece

versauen, *vt*, *(ugs.)* mess up; **versauern** (1) *vi*, stagnate (2) *vt*, ruin sb sth; *eine versauerte alte Jungfer* an embittered old spinster, *jmd etwas versauern* to ruin sth for sb

versäumen, *vt*, miss; **Versäumnis** *sub*, *n*, *-ses*, *-se* absence, failing

verschachern, *vt*, *(ugs.)* sell off

verschaffen, (1) *vr*, obtain sth (2) *vt*, provide sb with sth

Verschalung, *sub*, *f*, *-*, *-en* framework, panelling

verschämt, *adj*, coy; **Verschämttun** *sub*, *n*, *-s*, *nur Einz.* coyness

verschandeln, *vt*, *(ugs.)* ruin

verschanzen, (1) *vr*, *(tt; mil.)* entrench (2) *vt*, fortify; **Verschanzung** *sub*, *f*, *-*, *nur Einz.* fortification

verschärfen, *vtr*, increase, intensify; **Verschärfung** *sub*, *f*, *-*, *-en* increase, intensification

verscharren, *vt*, *(ugs.)* bury

verscheiden, *vi*, expire

verscheißern, *vt*, *(ugs.)* take the piss out of sb

verschenken, (1) *vr*, throw oneself away (2) *vt*, give away

verscherbeln, *vt*, *(ugs.)* flog

verscherzen, *vr*, forfeit sth

verscheuchen, *vt*, frighten off

verscheuern, *vt*, sell off

verschicken, *vt*, deport, send out

verschiebbar, *adj*, movable; **verschieben** (1) *vr*, be postponed, shift (2) *vt*, change, move; **Verschiebung** *sub*, *f*, *-*, *-en* displacement, moving, postponement, shifting

verschieden, (1) *adj*, different, various (2) *adv*, differently; **~artig** *adj*, different; **Verschiedenheit** *sub*, *f*, *-*, *-en* difference, variety; **~tlich** *adv*, occasionally, several times

verschiffen, *vt*, ship; **Verschiffung** *sub*, *f*, *-s*, *-en* *(tt; naut.)* shipment

verschimmeln, *vi*, go mouldy

verschlafen, (1) *adj*, sleepy (2) *vi*, oversleep (3) *vt*, sleep through

Verschlag, *sub*, *m*, *-s*, *-schläge* partitioned room, shed; **verschlagen** *vt*, board sth, take away; *(ugs.)* trash; *(tt; spo.)* mishit

verschlechtern, (1) *vr*, get worse (2) *vt*, worsen; **Verschlechterung** *sub*, *f*,

-, *-en* decline, worsening, financial/berufliche *Verschlechterung* a financial/professional setback

verschleiern, (1) *vr*, veil oneself (2) *vt*, disguise, veil

Verschleiß, *sub*, *m*, *-es*, *-e* consumption; *(ugs.)* wear and tear; **verschleißen** (1) *vi*, wear out (2) *vt*, retail, use up

verschleppen, *vt*, abduct, carry, protract; **Verschleppung** *sub*, *f*, *-*, *nur Einz.* abduction, carrying, protraction

verschleudern, *vt*, *(ugs.)* dump

verschließen, (1) *vr*, be closed (2) *vt*, close, lock (up)

verschlimmern, *vt*, make worse

verschlingen, (1) *vr*, become intertwined (2) *vt*, devour, entwine

verschlossen, *adj*, closed, locked, sealed; **Verschlossenheit** *sub*, *f*, *-*, *nur Einz.* reticence

verschlucken, (1) *vr*, *(i. ü. S.)* splutter (2) *vt*, swallow

Verschluss, *sub*, *m*, *-es*, *-schlüsse* lid, lock, seal, shutter; *(tt; med.)* occlusion; **verschlüsseln** *vt*, encode; **~sache** *sub*, *f*, *-*, *-n* item of classified information

verschmähen, *vt*, spurn; **Verschmähung** *sub*, *f*, *-*, *-en* rejection

verschmälern (1) *vr*, narrow (2) *vt*, make narrower

verschmausen, *vt*, feast on

verschmelzen, (1) *vi*, melt together (2) *vt*, blend, fuse, unify; **Verschmelzung** *sub*, *f*, *-*, *-en* blending, fusion, merger

verschmerzen, *vt*, get over

verschmieren, *vt*, fill in, spread

verschmitzt, *adj*, mischievous

verschmutzen, (1) *vi*, get dirty (2) *vt*, pollute, soil; **verschmutzt** *adj*, dirty

verschneiden, *vt*, blend, cut, cut wrongly; **Verschnitt** *sub*, *m*, *-es*, *-e* blend, clippings

verschnupfen, *vi*, get a cold; **verschnupft** *adj*, with a cold

verschnüren, *vt*, tie up; **Verschnürung** *sub*, *f*, *-*, *-en* tying up

verschollen, *adj*, missing; *(tt; kun.)* forgotten

verschönen, *vt*, brighten up, improve

verschonen, *vt*, spare; *verschone*

mich damit spare me that; *verschone mich mit deinen Reden* spare me your speeches; **verschönern** *vt*, improve; **Verschonung** *sub, f, -, -en* sparing; **Verschönung** *sub, f, -, -en* improvement

verschorfen, *vi*, scab; **Verschorfung** *sub, f, -, -en (tt; med.)* encrustation

verschossen, *vt, (ugs.)* fall in love with sb

verschrammen, *vt*, scratch

verschränken, *vt*, cable, cross over

verschrauben, *vt*, screw together

verschrecken, *vt*, frighten off; **verschreckt** *adj*, scared

verschreiben, (1) *vr*, make a slip (2) *vt*, prescribe; **Verschreibung** *sub, f, -, -gen* error, prescription; **verschroten** *vt*, grind coarsely

verschrieen, *adj*, notorious

verschroben, *adj*, eccentric

verschrotten, *vt*, scarp •

Verschulden, (1) *sub, n, -s,* - fault (2) **verschulden** *vi*, get into debt (3) *vt*, be to blame for; *durch eigenes Verschulden* through one´s own fault; *ohne sein Verschulden* through no fault of his (own); **verschuldet** *adj*, be in debt; **Verschuldung** *sub, f, -, -gen* blame, indebtedness

verschusseln, *vt*, mess up

verschütten, *vt*, be buried, spill; **Verschüttung** *sub, f, -, -en* submerging

verschwägert, *adj*, related

verschweigen, *vt*, conceal, hide

verschweißen, *vt*, weld

verschwelen, *vti*, burn

Verschwenden, *vt*, waste; **Verschwender** *sub, m, -s,* - squanderer; **verschwenderisch** *adj*, extravagant, wasteful; **Verschwendung** *sub, f, -, -en* wastfulness

verschwiegen, *adj*, discreet

Verschwinden, (1) *sub, n, -s* - disappereance (2) **verschwinden** *vi*, disappear, vanish

verschwistert, *adj*, be brother and sister; *(i. ü. S.; kun.) verschwisterte Seelen* kindred spirits

verschwitzen, *vt*, forget, make sweaty

verschwollen, *adj*, swollen

verschwommen, *adj*, blurred, fuzzy

verschwören, *vr*, conspire, plot; **Verschworene** *sub, m, -n, -s* conspirator; *(i. ü. S.)* ally; **Verschwörer** *sub, m, -s,* - conspirator; **Verschworne** *sub, f,*

-n, -n plotter; **Verschwörung** *sub, f, -, -gen* conspiracy, plot

Versehen, (1) *sub, n, -s,* - mistake (2) **versehen** *vr*, make a mistake (3) *vt*, give, occupy, provide sb; *(ugs.) bevor man es sich versieht* before you could say Jack Robinson; *(kümmern) den Dienst eines Kollegen versehen* to take a college´s place; *(geben) jmd mit einer Vollmacht versehen* to invest sb with full power; *jmd mit etwas versehen* to provide sb with sth; *(ausstatten) mit etwas versehen sein* to have sth; *(versorgen.) sich mit etwas versehen* to provide oneself with sth; **versehentlich** (1) *adj*, inadvertent (2) *adv*, by mistake

Versemacher, *sub, m, -s,* - poet

versenden, *vt*, send away

versengen, *vt*, scorch

Versenkbühne, *sub, f, -, -n (tt; theat)* lower stage; **versenken** (1) *vr*, become immersed (2) *vt*, countersink, lower, sink; **Versenkung** *sub, f, -, -en* immersion, lowering, sinking; *(tt; theat)* trap (door); *aus der Versenkung auftauchen* to reappear (on the scene); *in der Versenkung´ verschwinden* to vanish from the scene; *innere/mystische Versenkung* inner/mystic contemplation; *jmd aus seiner Versenkung reißen* to tear sb from his absorption in sth

Verseschmied, *sub, m, -es, -e (ugs.)* rhymester

versessen, *adj*, be very keen on sth; **Versessenheit** *sub, f, -, -en* keenness

versetzen, (1) *vr*, change places (2) *vt*, mix, move, stand sb up, transfer; *(ugs.) flog*; **Versetzung** *sub, f, -, -gen* mixing, moving up, transfer

verseuchen, *vt*, contaminate, infect; **Verseuchung** *sub, f, -, -en* contamination, infection

Versicherer, *sub, m, -s,* - insurer; **versichern** (1) *vr*, make secure (2) *vt*, assure, insure; **Versicherte** *sub, m, -n, -n* insured (party); **Versicherung** *sub, f, -, -gen* assurance, insurance; **Versicherungspflicht** *sub, f, -, -en* compulsory insurance

Versickerung, *sub, f, -, -en* seeping

versiegeln, *vt*, seal; **Versiegelung**

...b, f., -, ... sealing; **versiegen** *vi, dry* up; **Versieglung** *sub, f, -, -en* sealing

versiert, *adj,* experienced; **Versiertheit** *sub, f, -s, -en* experience

versifft, *adj, (ugs.)* dirty

Versifikation, *sub, f, -, -en* versification; **versifizieren** *vt,* versify

Versilberer, *sub, m, -s, -* silver-plater; **versilbern** *vt,* silver-plate; **Versilberung** *sub, f, -, -en* silver-plate, silvering

versimpeln, *vt,* make easier

Version, *sub, f, -, -en* version

versippt, *adj, (ugs.)* interrelated

versitzen, *vt,* crease

Versklavung, *sub, f, -, -en* enslavement

Verso, *sub, n, -s, -s* verso

versohlen, *vt, (ugs.)* belt

versöhnen, (1) *vr,* become reconciled **(2)** *vt,* reconcile; **Versöhnerin** *sub, f, -s, -nen* reconciler; **versöhnlich** *adj,* conciliatory; *(i. ü. S.) die Götter versöhnlich stimmen* to placate the gods; **Versöhnlichkeit** *sub, f, -, -* reconciliation; **Versöhnung** *sub, f, -, -gen* appeasement

versonnen, *adj,* pensive

versorgen, *vt,* look after, provide for, supply; **Versorgung** *sub, f, -, -en* care, providing, supply

verspachteln, *vt,* fill in; *(ugs.)* tuck away

Verspannung, *sub, f, -, -en* bracing, tenseness

verspäten, *vr,* be late; **verspätet** *adj,* delayed, late; **Verspätung** *sub, f, -, -en* delay, late arrival

verspeisen, *vt,* consume; **Verspeisung** *sub, f, -, -en* consumption

versperren, *vt,* block, lock; **Versperrung** *sub, f, -, -en* blockade, locking

verspielen, *vt,* bargain away, gamble away

verspießern, *vi, (i. ü. S.)* become middle-class

Versprechen, (1) *sub, n, -s, -* promise **(2) versprechen** *vr,* pronounce wrong **(3)** *vt,* promise; **Versprecher** *sub, m, -s, -* slip; **Versprechung** *sub, f, -, -en* promise

versprengen, *vt,* disperse; **Versprengte** *sub, n, -, nur Einz.* scattered persons; **Versprengung** *sub, f, -, -en* dispersion

verspritzen, *vt,* splash, spray

versprudeln, *vt (ugs.)* sprinkle

verstaatlichen, *vt,* nationalize; **Verstaatlichung** *sub, f, -, -en* nationalization

verstädtern, *vt,* urbanize; **Verstädterung** *sub, f, -, -en* urbanization

Verstand, *sub, m, -es, -* common sense, mind, reason; **verständig** *adj,* sensible; **verständigen** *vt,* notify; **Verständigung** *sub, f, -, -en* notification, understanding; **verständlich** *adj,* understandable; *allgemein verständlich* readily comprehensible; *jmd etwas verständlich machen* to make sb understand sth; *sich verständlich machen* to make oneself clear; **Verständlichkeit** *sub, f, -, -en* comprehensibility; **Verständnis** *sub, n, -es, nur Einz.* understanding; *(tt; kun.)* appreciation; **verständnislos** *adj,* uncomprehending; **verständnisvoll** *adj,* understanding

verstänkern, *vt, (ugs.)* make a stink

verstärken, (1) *vr,* intensify **(2)** *vt,* reinforce; **Verstärker** *sub, m, -s, -* amplifier; **Verstärkung** *sub, f, -, -en* reinforcement

verstauchen, *vt,* sprain; **Verstauchung** *sub, f, -, -en (tt; med.)* sprain

Versteck, *sub, n, -s, -stecke* hiding place, hide-out; **~en (1)** *sub, n, -s, nur Einz. (ugs.)* hide-out **(2) verstecken** *vt,* conceal, hide

Verstehen, (1) *sub, n, -s, nur Einz.* understanding **(2) verstehen** *vr,* get along **(3)** *vti,* comprehend, know, understand

versteifen, (1) *vr, (ugs.)* become set on sth **(2)** *vt,* strengthen; **Versteifung** *sub, f, -, -en* stiffener, strengthening

Versteigerer, *sub, m, -s, -* auctioneer; **versteigern** *vt,* auction; **Versteigerung** *sub, f, -, -gen* auction

versteinern, *vi,* fossilize; **Versteinerung** *sub, f, -, -gen* fossilization

verstellbar, *adj,* adjustable; **verstellen** *vt,* adjust; **Verstellung** *sub, f, -, -en* adjustment, obstruction

verstimmt, *adj,* out of tune, upset; **Verstimmung** *sub, f, -, -en* disgruntlement

verstockt, *adj,* obstinate

verstohlen, *adj,* furtive

verstopfen, *vt,* plug, stop up; **Ver-**

stopfung *sub, f, -, -en* blockage, jam; *(tt; med.)* constipation

verstorben, *adj,* deceased; **Verstorbene** *sub, m, -n, -nen* decease

verstört, *adj,* disturbed; **Verstörtheit** *sub, f, -, -en* distraction

Verstoß, *sub, m, -es, -stöße* violation; **verstoßen** (1) *vi,* offend (2) *vt,* disown

Verstrebung, *sub, f, -, -en* supporting

verstreichen, (1) *vi,* pass (2) *vt,* put on, spread

verstreuen, *vt,* scatter, spill

verstricken, *vt,* become entangled, involve, use; **Verstrickung** *sub, f, -, -en* entanglement

Verstromung, *sub, f, -, -en* conversion into electricity

verstümmeln, *vt,* distort, mutilate; **Verstümmelung** *sub, f, -, -en* distortion, mutilation

verstummen, *vi,* go silent, stop talking; **Verstümmlung** *sub, f, -, -en* maiming

Versuch, *sub, m, -es, -e* attempt, try; **versuchen** *vt,* attempt, tempt, try; *nichts unversucht lassen* to strive one´s hardest; **~er** *sub, m, -s, -* tempter; **~erin** *sub, f, -, -nen* temptress; **~stier** *sub, n, -es, -e* laboratory animal; **~ung** *sub, f, -, -en* temptation; *(geh.; bibl.) in Versuchung geraten* to be tempted; *jmd in Versuchung führen* to lead sb into temptation; *(geh.; bibl.) und führe uns nicht in Versuchung* and lead us not into temptation

Versumpfung, *sub, f, -, -en* increasing marshiness

versunken, *adj,* submerged, sunken; *in Gedanken versunken* lost in thought; *völlig in diesen Augenblick versunken* completely caught up in this sight

versüßen, *vt,* sweeten; *jmd etwas versüßen* to sweeten sth for sb

Vertäfelung, *sub, f, -, -en* panelling

vertagen, *vti,* adjourn

vertäuen, *vt,* *(tt; naut)* moor

vertauschbar, *adj,* exchangable; **vertauschen** *vt,* exchange, mix up; **Vertauschung** *sub, f, -, -en* exchange, mixing up

verteidigen, *vti,* defend; **Verteidiger** *sub, m, -s, -* advocate, defender; *(tt; jur.)* defence lawyer; **Verteidigung**

sub, f, -, -en defence

verteilen, (1) *vr,* spread (2) *vt,* distribute; *Geschenke verteilen* distribute gifts; **Verteilung** *sub, f, -, -en* distribution

verteuern, *vt,* make dearer; **Verteuerung** *sub, f, -, -en* rise in price

verteufelt, (1) *adj,* devilish (2) *adv,* damned; *verteufeltes Glück haben* to be damned lucky; **Verteuflung** *sub, f, -, -en* condemnation

vertiefen, *vtr,* deepen; **Vertiefung** *sub, f, -, -en* absorption, deepening, depression

vertikal, *adj,* vertical; **Vertikale** *sub, f, -, -n* *(tt; mat.)* vertical line

Vertiko, *sub, m, -s, -s* vertico

vertilgen, *vt,* demolish, eradicate

vertippen, *vr,* make a typing error, slip up

vertonen, *vt,* set to music; **Vertonung** *sub, f, -, -en* setting (to music)

Vertrag, *sub, m, -es, -träge* agreement, contract; *Vertrag abschliessen* bind a contract; **vertragen** (1) *vr,* get along with (2) *vt,* stand; **vertraglich** (1) *adj,* contractual (2) *adv,* by contract; **verträglich** *adj,* easy-going, wholesome; **vertragsgemäß** (1) *adj,* stipulated in the contract (2) *adv,* as stipulated in the contract; **~stext** *sub, m, -es, -e* *(i. ü. S.)* text of the contract; **vertragswidrig** (1) *adj,* contrary to the terms of the contract (2) *adv,* in breach of contract

Vertrauen, (1) *sub, n, -s, nur Einz.* confidence, trust (2) **vertrauen** *vi,* have confidence in, trust sb/sth; **~sbruch** *sub, m, -es, -brüche* breach of confidence; **~sfrage** *sub, f, -, -n* question of matter; **vertraulich** (1) *adj,* confidential, friendly (2) *adv,* confidentially; **Vertraulichkeit** *sub, f, -, -en* confidentiality

verträumt, *adj,* dreamy

vertraut, *adj,* familiar, intimate; *mit etwas vertraut sein* to be familiar with sth; *mit jmd sehr vertraut werden* to become close friends with sth; *sich mit dem Gedanken vertraut machen, daß* to get used to the idea that; *sich mit etwas vertraut machen* to familiarize oneself with sth; **Vertrautheit** *sub, f, -, -en* closeness, familiarity vertreiben, *vt*, drive away, repulse; *ich wollte sie nicht vertreiben* I didn´t mean to drive you away; *jmd aus seinem Amt vertreiben* to oust sb from his office; *sich die Zeit mit etwas vertreiben* to pass away the time with sth; **Vertreibung** *sub, f, -, -en* expulsion, ousting; *(bibl.) Vertreibung aus dem Paradies* expulsion from paradise

vertretbar *adj*, justifiable

vertreten, *vt*, replace, represent, strain, support; **Vertreter** *sub, m, -s, -* agent, representative; **Vertreterin** *sub, f, -, -nen* representative; **Vertretung** *sub, f, -, -en* agency, replacement, representation

Vertrieb, *sub, m, -es, -e* sales, sales departement; **~ene** *sub, m, -n, -n* exile

vertrocknen, *vi*, dry out; *(tt; bot.)* shrivel

vertrödeln, *vt*, fritter away; **Vertrödlung** *sub, f, -, -en (ugs.)* frittering away

vertrösten, (1) *vr*, be content wait (2) *vt*, put of; **Vertröstung** *sub, f, -, -en (ugs.)* putting off

vertrotteln, *vi*, vegetate; **vertrottelt** *adj*, vegetated

Vertrustung, *sub, f, -, -en (tt; wirt.)* forming (of a trust)

vertun, *vt*, *(ugs.)* waste

vertuschen, *vt*, hush up; **Vertuschung** *sub, f, -, -en* cover-up

verübeln, *vt*, take sth amiss

verulken, *vt*, *(ugs.)* make fun of

verunfallen, *vt*, have an accident; **Verunfallte** *sub, m, -n, -n* casualty

verunglimpfen, *vt*, disparage

verunglücken, *vi*, crash; **Verunglückte** *sub, m, -n, -n* casualty, victim

verunkrauten, *vt*, *(ugs.)* grow weed

verunreinigen, *vt*, pollute

verunsichern, *vt*, make unsure

verunstalten, *vt*, disfigure

veruntreuen, *vt*, embezzle; **Veruntreuer** *sub, m, -s, -* embezzler; **Veruntreuung** *sub, f, -, -en* embezzlement

verunzieren, *vt*, spoil; **Verunzierung** *sub, f, -, -en* spoiling

verursachen, *vt*, cause, create; **Verursacher** *sub, m, -s, -* cause; **Verursachung** *sub, f, -, -en* causing

verurteilen, *vt*, condemn; *(tt; jur.)* convict; **Verurteilung** *sub, f, -, -en* condemnation, conviction

Verve, *sub, f, -, nur Einz.* spirit

vervielfältigen, *vt*, duplicate

vervollkommnen, *vt*, perfect

vervollständigen, *vt*, complete

verwahren, (1) *vr*, protest against (2) *vt*, keep; **Verwahrerin** *sub, f, -, -nen (ugs.)* keeper; **verwahrlosen** *vi*, go seed, neglect oneself; **Verwahrloste** *sub, m, -n, -n* unkempt; **Verwahrung** *sub, f, -, -en* keeping, protest

verwaisen, *vi*, become an orphan; **verwaist** *adj*, be orphaned

verwalten, *vt*, manage, run; **Verwalterin** *sub, f, -, -nen* administrator; **Verwaltung** *sub, f, -, -en* management; **Verwaltungsprozess** *sub, m, -es, -e* administrative process

verwandelbar, *adj*, convertible; **verwandeln** (1) *vr*, metamorphose (2) *vt*, change, convert, transform; **Verwandlung** *sub, f, -, -en* metamorphosis, transformation

verwandt, *adj*, allied, related; **Verwandte** *sub, m, -n, -n* relativ; **Verwandtschaft** *sub, f, -, nur Mehrz.* relations

verwanzt, *adj*, *(ugs.)* bug-ridden

verwarnen, *vt*, warn; **Verwarnung** *sub, f, -, -en* warning

verwaschen, *adj*, faded; *(ugs.)* wishy-washy

Verwässerung, *sub, f, -, -en* watering-down, watering-down

verwechseln, *vt*, get muddled, mix up; **Verwechslung** *sub, f, -, -en* confusion

verwegen, *adj*, daring, foolhardy; **Verwegenheit** *sub, f, -, -en* boldness

verwehen, (1) *vi*, be carried away (2) *vt*, blow away

verwehren, *vt*, refuse; *den Blick verwehren auf* to bar the view of; *jmd etwas verwehren* to refuse sb sth

verweichlichen, *vt*, make sb soft

Verweigerer *sub, m, -s, -* refusenik; *(tt; mil.)* conscientious objector; **verweigern** *vt*, refuse; *das Pferd hat verweigert* the horse has refused; *er kann ihr keinen Wunsch verweigern* he can refuse nothing; *es war ihr verweigert etwas zu tun* she was denied sth; *sich jmd verweigern* to refuse intimacy with sb; **Verweigerung** sub, f, -, -en denial, refusal

Verweildauer, sub, f, -, nur Einz. time of stay; **verweilen** vi, dwell, rest, stay

• **verwelken,** vi, wilt

verwendbar, adj, usable; **verwenden** vt, use; **Verwendung** sub, f, -, -en expenditure, use

verwerfen, (1) vr, misdeal (2) vt, reject; (tt; spo.) lose; **verwerflich** adj, reprehensible

verwerten, vt, exploit, utilize; **Verwertung** sub, f, -, -en exploitation, utilization

verwesen, vi, decay; **Verwesung** sub, f, -, -en decay

verwickeln, vtr, tangle; **verwickelt** adj, involved; **Verwicklung** sub, f, -, -en embroilment, involvement

verwildert, adj, wild; **Verwilderung** sub, f, -, (-en) (tt; bot.) overgrowing; Zustand der Verwilderung state of neglect

verwinden, vt, get over

verwinkelt, adj, full of corners

verwirken, vt, forfeit

verwirklichen, (1) vr, be realized (2) vt, realize; sich selbst verwirklichen to fulfil oneself

verwirren, (1) vr, become tangled (2) vt, confuse, ruffle; **Verwirrspiel** sub, n, -s, -e confusion; **Verwirrtheit** sub, f, -, (-en) confusion; **Verwirrung** sub, f, -, (-en) bewilderment

verwischen, vt, cover over, fade, smudge; **Verwischung** sub, f, -, -en blurring

verwittern, vi, weather; **Verwitterung** sub, f, -, -en weathering

verwitwet, adj, widowed

verwöhnen, vt, be good to, spoil; **verwöhnt** adj, spoilt; **Verwöhntheit** sub, f, -, nur Einz. spoiltness

verworren, adj, confused

verwundbar, adj, vulnerable; **verwunden** vt, wound; **verwunderlich** adj, amazing, surprising

verwundern, (1) vr, wonder (2) vt, astonish; **Verwunderung** sub, f, -, nur Einz. amazement

verwundet, adj, injured, wounded

verwünschen, vt, curse, enchant

Verwurzelung, sub, f, -, -en rooting, rooting

verwüsten, vt, devastate; **Verwüstung** sub, m, -, -en devastation

verzagen, vi, lose heart; **verzagt** adj, disheartened

verzählen, vr, miscount

Verzärtelung, sub, f, -, -en (ugs.) pampering

verzaubern, vt, enchant, put a spell on; **Verzauberung** sub, f, -, nur Einz. bewitchment, enchantment

Verzehr, sub, m, -, nur Einz. consumption; **verzehren** (1) vr, languish (2) vt, consume

verzeichnen, (1) vr, make a mistake (2) vt, draw wrong, record; **Verzeichnis** sub, n, -ses, -se index

verzeihen, vt, forgive; **verzeihlich** adj, forgivable; **Verzeihung** sub, f, -, nur Einz. forgiveness; ich bitte vielmals um Verzeihung I am terribly sorry for; jmd um Verzeihung bitten to apologize to sb

verzerren, (1) vt, strain (2) vti, distort

verzetteln, (1) vr, waste a lot of time (2) vt, waste

verziehen, (1) vi, move (2) vr, contort, disappear (3) vt, stretch, twist

verzieren, vt, decorate

Verzimmerung, sub, f, -, nur Einz. panelling

verzinsen, (1) vr, bear interest (2) vt, (tt; wirt.) pay interest on; **verzinslich** adj, interest-bearing; (tt; wirt.) fest verzinslich sein to yield a fixed rate of interest; nicht verzinslich free of interest; **Verzinsung** sub, f, -, (-en) interest rate, payment of interest

verzogen, adj, badly brought up, spoilt

verzögern, vt, delay; **Verzögerung** sub, f, -, -en delay, delaying

verzollen, vt, pay duty on

Verzuckerung, sub, f, -, nur Einz. crystallization

verzückt, adj, ecstatic, enraptured; **Verzücktheit** sub, f, -, nur Einz. ecstasy, rapture

Verzug, sub, m, -s, nur Einz. delay, moving away; bei Verzug der Zahlung on default of payment; es ist Gefahr im Verzug there´s danger ahead; mit etwas in Verzug geraten to fall behind with sth; ohne Verzug without delay

verzweifeln, vi, despair; am Leben verzweifeln to despair of life; es ist *zum Verzweifeln* it makes you despair; *nur nicht verzweifeln* don´t despair

verzweifelt, *adj*, despairing, desperate; **Verzweiflung** *sub, f, -, nur Einz.* despair, desperation

verzweigen, *vr*, branch; **Verzweigung** *sub, f, -, -en* branching

verzwickt, *adj*, tricky

Vesper, *sub, f, -, -n* break

Vestibül, *sub, n, -s, -e* vestibule

Veteran, *sub, m, -n, -en* veteran

veterinär, **(1)** *adj, (tt; med.)* veterinarian **(2) Veterinär** *sub, m, -s, -e* veterinary surgeon; **Veterinärin** *sub, f, -, -nen* veterinary surgeon; **Veterinärmedizin** *sub, f, -s, nur Einz.* veterinary medicine

Veto, *sub, n, -s, -s* veto; **~recht** *sub, n, -s, nur Einz.* right of veto

Vetter, *sub, m, -s, -n* cousin; **~nwirtschaft** *sub, f, -, nur Einz. (i. ü. S.)* nepotism

Vexierbild, *sub, n, -s, -er* picture puzzle; **vexieren** *vt*, vex

via, *adv*, via

Vibrafon, *sub, n, -s, -e (tt; mus.)* vibraphone

Vibration, *sub, f, -, -en* vibration; **Vibrator** *sub, m, -s, -en* vibrator; **vibrieren** *vt*, vibrate; **Vibromassage** *sub, f, -, -n* vibro massage

Vicomte, *sub, m, -s, -s* vicomte

Video, *sub, n, -s, -s* video; **~clip** *sub, m, -s, -s* video clip; **~film** *sub, m, -s, -e* video film; **~kamera** *sub, f, -, -s* video camera; **~kassette** *sub, f, -, -n* video cassette; **~recorder** *sub, m, -s, -s* video recorder; **~spiel** *sub, n, -s, -e* video game; **~technik** *sub, f, -, -en* video technology; **~text** *sub, m, -s, -e* teletext; **~thek** *sub, f, -, -en* video library

Vieh, *sub, n, -s, nur Einz.* livestock; *(ugs.)* swine; **~bestand** *sub, m, -s, -stände* livestock; **~haltung** *sub, f, -, -en* livestock owning; **~händler** *sub, m, -s, -* livestock dealer; **~herde** *sub, f, -, -n* livestock herd; **viehisch** *adj*, brutish; **~zeug** *sub, n, -s, -e* creatures; **~zucht** *sub, f, -, -en* livestock breeding; **~züchter** *sub, m, -s, -* livestock breeder

viel, **(1)** *adj*, a lot of, many **(2)** *adv*, much; **~ gelesen** *adj*, much-read; **~ gereist** *adj*, much-travelled; **~e** *adj*,

many; **Vieleck** *sub, n, -s, -e* polygon; **~erlei** *adj*, all kinds of, various; **~fach (1)** *adj*, multiple **(2)** *adv*, many times; **Vielfalt** *sub, f, -, nur Einz.* variety; **~fältig** *adj*, divers; **~flächig** *adj, (tt; mat.)* polyhedral; **Vielflächner** *sub, m, -s, -* polyhedron; **Vielfraß** *sub, m, -es, -e (i. ü. S.)* glutton; **Vielgereister** *sub, m, f, -n, -n* much-travelled person; **~gliedrig** *adj, (tt; mat.)* polynomial; **Vielgötterei** *sub, f, -, -en* polytheism; **Vielheit** *sub, f, -, -en* variety

vielleicht, *adv*, by any chance, maybe, perhaps

vielmals, *adv*, many times, very much; **Vielmännerei** *sub, f, -, -en* polygamy; **vielmehr** *adv*, rather; **vielseitig** *adj*, many-sided; **Vielseitigkeit** *sub, f, -, -en* many-sidedness; **vielsprachig** *adj*, polyglot; **vielstimmig** *adj*, many-voiced; **vielstrophig** *adj*, many-verses; **Vielweiberei** *sub, f, -, -en* polygyny; **Vielzahl** *sub, f, -, -en* multitude

vier, *sub, f, ers, -en* four; *alle viere von sich strecken* to stretch out; *jmd unter vier Augen sprechen* to speak to sb in private; *(ugs.) sich auf seine vier Buchstaben setzen* to sit oneself down; *(i. ü. S.) vier Augen sehen mehr als zwei* two heads are better than one; **~blättrig** *adj*, four-leaf; **Viereck** *sub, m, -s, -e (tt; mat.)* four-sided figure; **~einhalb** *Zahl*, four and a half; **Viererreihe** *sub, f, -, -n* row of four; **~fach (1)** *adj*, fourfold **(2)** *adv*, four times; **Vierflächner** *sub, m, -s, - (tt; mat.)* tetrahedron; **Vierfüßler** *sub, m, -s, - (tt; zool.)* tetrapod; **~händig** *adj*, four-handed; **~hundert** *Zahl*, four hundred; **Viermastzelt** *sub, n, -s, -e* four-mast-tent; **~motorig** *adj*, four-engined; **~räderig** *adj*, four-wheeled; **Vierruderer** *sub, m, -s, -* four-rower; **~schrötig** *adj*, burly; **Vierspänner** *sub, m, -s, -* four-in-hand; **~spännig** *adj*, four-horse; **~stellig** *adj*, four-figured; **~stimmig** *adj*, four-part; **~stöckig** *adj*, four-storeyed; **Viertaktmotor** *sub, m, -s, -en (tt; tech.)* four stroke engine; **~tausend** *numm*, four thousand; **~teilen** *vt*, quarter; **Viertel** *sub, m, -, -* quarter; **Vierteljahr** *sub, n, -s, -e* three months

vierteljährig, *adj*, three months´; **vierteljährlich (1)** *adj*, quarterly **(2)** *adv*, quarterly; **Viertelliter** *sub, m,n, -s, -e* quarter-litre; **vierteln** *vt*, divide in four; **Viertelnote** *sub, f, -, -n* quarter note; **Viertelpfund** *sub, n, -s, -e* quarter-pound; **Viertelstunde** *sub, f, -, -n* quarter of an hour; **viertelstündig** *adj*, quarter-hour; **viertelstündlich (1)** *adj*, quarter-hour **(2)** *adv*, every quarter of an hour; **viertens** *adv*, fourthly; **vierzehn** *num*, fourteen

Vigil, *sub, f, -, -ien* vigil

Vignette, *sub, f, -, -n* vignette

Vikar, *sub, m, -s, -e* curate; **~iat** *sub, n, -s, -e* curacy; **vikariieren** *vt*, curace

Viktualien, *sub, Mehrz.* victuals

Vikunja, *sub, n, -s, -s* vicunja; **~wolle** *sub, f, -, -n* vicunja wool

Villa, *sub, f, -, Villen* villa

villenartig, *adj*, villa-like; **Villengegend** *sub, f, -, -en* exclusive residential area

Vinaigrette, *sub, f, -, -n* vinaigrette

vincentisch, *adj*, vincentical

Vindelizier, *sub, m, -s, -* Vindelizian; **vindelizisch** *adj*, vindelizian

Vinkulation, *sub, f, -, -en (tt; wirt.)* vinculation; **vinkulieren** *vt*, restrict transferability of; **Vinkulierung** *sub, f, -, -en* vinculation

Viola, *sub, f, -, Violen (tt; bot.)* violet; *(tt; mus.)* viola

violent, *adj*, violent

violett, *adj*, purple, violet

Violine, *sub, f, -, -n (tt; mus.)* violin; **Violinist** *sub, m, -en, -en* violinist; **Violinschlüssel** *sub, m, -s, -* treble clef; **Violoncello** *sub, n, -s, -s oder -li* violoncello; **Violone** *sub, m, -, -s oder -ni* violon

Viper, *sub, f, -, -n (tt; zool.)* viper

Virement, *sub, n, -s, -s (tt; polit.)* virement

Viren, *sub, f, -, - (tt; med.)* virus

Virginität, *sub, f, -, nur Einz.* virginity

viril, *adj*, virile; **Virilismus** *sub, m, -, nur Einz. (tt; med.)* virilinism; **Virilität** *sub, f, -, nur Einz.* virility

Virologe, *sub, m, -n, -n* virologist; **Virologie** *sub, f, -, nur Einz.* virology; **virologisch** *adj*, virological

Virtualität, *sub, f, -, -en* virtuality; **virtuell** *adj*, virtual

virtuos, *adj*, virtuoso; **Virtuose** *sub, m,f, -n, -n* virtuoso; **Virtuosität** *sub, f, -, nur Einz.* virtuosity

virulent, *adj*, virulent; **Virulenz** *sub, f, -, nur Einz. (tt; med.)* virulence

Virus, *sub, m, -, Viren (tt; mat.)* virus; **~grippe** *sub, f, -, -n (tt; med.)* viral cold

Visage, *sub, f, -, -n* face; **Visagist** *sub, m, -en, -en* make.up artist

vis-a-vis, *adv*, opposite

Viscount, *sub, m, -s, -s* viscount; **~ess** *sub, f, -, -es* viscountess

Visier, *sub, n, -s, -e* sight, visor; **visieren** *vi*, take aim at; **~linie** *sub, f, -, -n (tt; mil.)* sight line

Vision, *sub, f, -, -en* vision; **visionär (1)** *adj*, visionary **(2)** **Visionär** *sub, m, -s, -e* visionary

Visitation, *sub, f, -, -en* inspection, visitation; **Visite** *sub, f, -, -n (tt; med.)* round; **Visitenkarte** *sub, f, -, -n* calling card; **visitieren** *vt*, visit

viskos, *adj*, viscous; **Viskose** *sub, f, -, nur Einz.* viscose; **Viskosität** *sub, f, -, nur Einz.* viscosity

visualisieren, *vt*, visualize; **visuell** *adj*, visual

Visum, *sub, n, -s, Visa od. Visen* visa; **~antrag** *sub, m, -s, -anträge* visa application

Vita, *sub, f, -, Vitae od. Viten* life; **vital** *adj*, energetic, vital; **vitalisieren** *vt*, vitalize; **vitalistisch** *adj*, vigorous; **~lität** *sub, f, -, nur Einz.* vitality

Vitamin, *sub, n, -s, -e* vitamin; **vitaminieren** *vt*, vitamin; **vitaminreich** *adj*, rich in vitamins; **~stoß** *sub, m, -es, -stöße* massive dose of vitamins

Vitrine, *sub, f, -, -n* glass cabinet, show case

vivat!, *interj*, vivat

Vivisektion, *sub, f, -, -en* vivisection; **vivisezieren** *vti*, vivisect

Vizekanzler, *sub, m, -s, - (tt; polit.)* vice-chancellor; **Vizemeister** *sub, m, -s, - (tt; spo.)* runner-up; **Vizepräsident** *sub, m, -en, -en (tt; polit.)* vice-president

Vlies, *sub, n, -es, -e* fleece

Vogel, *sub, m, -s, -vögel* bird; *(i. ü.*

S.) *den Vogel abschießen* to surpass
~~·····~~ ~~·····~~, (i. ü. S.) *ein lustiger Vogel*
a lively character; *(i. ü. S.) ein seltsamer Vogel* a queer bird; *(i. ü. S.) jmd den Vogel zeigen* to give sb the V sign; **~art** *sub, f, -, -en (tt; biol.)* species of bird; **~beere** *sub, f, -, -n (tt; bot.)* rowan (tree)/(berry); **~fänger** *sub, f, -s, -* bird-catcher; **vogelfrei** *adj,* outlawed; **~futter** *sub, n, -s, nur Einz.* bird food; **vögeln** *vti, (vulg.)* screw; **~schutz** *sub, m, -es, -e* protection of birds; **~schwarm** *sub, m, -s, -schwärme* birds swarm; **~spinne** *sub, f, -, -n (tt; zool.)* birdspider; **~stimme** *sub, f, -, -n* birdsvoice; **~warte** *sub, f, -, -n* ornithological station; **~züchter** *sub, m, -s, -* breeder of birds; **~zug** *sub, m, -s, -züge* bird migration

Vogt, *sub, m, -s, Vögte* church advocate; *(tt; hist.)* landvogt, protector

Voile, *sub, m, -, -s* veil

Vokabel, *sub, f, -, -n* vocabulary, word; **~heft** *sub, n, -s, -e* vocabulary book; **Vokabular** *sub, n, -s, -e* vocabulary; **Vokabularium** *sub, n, -s, -ien* vocabulary

vokal, (1) *adj, (tt; mus.)* vocal (2) **Vokal** *sub, m, -s, -e* vowel; **Vokalisation** *sub, f, -, -en* vocalization; **~isieren** *vti,* vocalize; **Vokalist** *sub, m, -en, -en (tt; mus.)* vocalist

Vokation, *sub, f, -, -en* vocation; **Vokativ** *sub, m, -s, -e* vocative

Voliere, *sub, f, -, -n* voliere

Volksentscheid, *sub, m, -s, -e (tt; phy.)* referendum; **Volksglauben** *sub, n, -s, -* popular belief; **Volkshochschule** *sub, f, -, -n* adult education centre; **Volkskirche** *sub, f, -, -n* national church; **Volkskunde** *sub, f, -, nur Einz.* folklore; **Volkskundler** *sub, m, -s, -* folklorist; **Volkslied** *sub, n, -s, -er* folk song; **Volksmärchen** *sub, n, -s, -* folktale; **Volksmarine** *sub, f, -, nur Einz. (tt; mil.)* national marine; **Volksmusik** *sub, f, -, -en* folk music; **Volksredner** *sub, m, -s, -* public speaker

Volksrepublik, *sub, f, -, -en* people´s republic; **Volksschicht** *sub, f, -, -en* level of society; **Volksschule** *sub, f, -, -n* elementary school; **Volksschüler** *sub, m, -s, -* pupil at the elementary school; **Volkssprache** *sub, f, -, -n* everyday language; **Volkstanz** *sub, m,*

~~·····~~ ~~·····~~ ~~folk dance~~; **Volkstracht** *sub, f, -, -ten* traditional costume; **volkstümlich** *adj,* folksy; **Volksvertretung** *sub, f, -, -en* representative body; **Volkswirtschaft** *sub, f, -, -en (tt; wirt.)* national economy; **Volkszählung** *sub, f, -, -en* census

voll, (1) *adj,* full (2) *adv,* fully; *aus dem Vollen schöpfen* to draw on unlimited sources; *aus voller Kehle* at the top of one´s voice; *(ugs.) den Mund voll nehmen* to overdo it; *(i. ü. S.) jmd nicht für voll nehmen* not to take sb seriously; *voll des Lobes* full of praise, *gerammelt voll* as full as an egg; *ich habe die Nase voll* I´m through; *nicht voll da sein* not to be with it; *voll drinstecken* to be in the middle of it; *voll und ganz* completely; **~auf** *adv,* completely; **Vollbart** *sub, m, -s, -bärte* beard; **Vollbeschäftigung** *sub, f, -, -en (tt; wirt.)* full employment; **Vollblut** *sub, n, -s, -e (i. ü. S.)* full-blooded; **Vollblüter** *sub, m, -s, - (tt; zool.)* thoroughbred; **Vollbremsung** *sub, f, -, -en* emergency stop; **~bringen** *vt,* achieve; **Vollbringung** *sub, f, -, -en* achievement; **Völlegefühl** *sub, n, -s, nur Einz.* feeling of fullness; **~enden** (1) *vr,* come an end (2) *vt,* complete; **Vollenderin** *sub, f, -, -nen* completer; **~endet** *adj,* completed, perfect; **~ends** *adv,* altogether, especially; **Völlerei** *sub, f, -, -en* gluttony

Volleyball, *sub, m, -s, -s (tt; spo.)* volleyball; **voll laufen** *vr, (ugs.)* get full, get totally drunk; **voll machen** (1) *vr,* get messed (2) *vt,* fill (up); **vollführen** *vt,* perform; **Vollführung** *sub, f, -, -en* performance; **Vollidiot** *sub, m, -en, -en (ugs.)* complete idiot; **völlig** *adj,* complete; **volljährig** *adj,* of age; **Volljährigkeit** *sub, f, -, -* majority; **vollkommen** (1) *adj,* absolut, perfect (2) *adv,* completely; **Vollkornbrot** *sub, n, -s, -e* coarse wholemeal bread; **Vollmacht** *sub, f, -, -en* authority; **Vollmatrose** *sub, m, -n, -n* able-bodied seaman

Vollmitglied, *sub, m, -s, -er* full member; **voll packen** *vt,* pack full; **voll stopfen** *vt, (ugs.)* cram full;

Vollmond *sub, m, -s, -e* full moon; **Vollnarkose** *sub, f, -, -n* general anasesthetic; **Vollpension** *sub, f, -, -en* full board; **vollschlank** *adj,* stout; **vollständig** *adj,* complete, entire; **vollstopfen** *vt,* cram full; **vollstrecken** *vt,* execute; **Vollstrecker** *sub, m, -s, -* executor; **Vollstreckung** *sub, f, -, -en* execution; **Vollstreckungsbescheid** *sub, m, -s, -e* enforcement order

voll tanken, *vt,* fill up

Volontär, *sub, m, -s, -e* trainee; **Volontariat** *sub, n, -s, -e* practical training; **volontieren** *vi,* be trained

Volt, *sub, n, - oder -s, -s* volt

Voltaelement, *sub, n, -s, -e (tt; tech.)* voltaic element

Voltairianer, *sub, m, -s* Voltairianian

Voltampere, *sub, n, -, -* volt ampere

voltigieren, *vi, (tt; spo.)* perform exercises on a horseback

Voltmeter, *sub, n, -s, - (tt; tech.)* voltmeter; **Voltsekunde** *sub, f, -, -n* volt second

Volumen, *sub, n, -s, - oder -mina* volume; **Volumgewicht** *sub, n, -s, -e (tt; mat.)* volume weight; **voluminös** *adj,* voluminous; **Volumprozent** *sub, n, -s, -e (tt; mat.)* volume percent

Voluntarismus, *sub, m, nur Einz.* Volutarinism; **Voluntarist** *sub, m, -en, -en* Voluntarian

Volute, *sub, f, -, -n (tt; arch.)* volute

vor, (1) *adv,* front (2) *präp,* before, from, in front of, outside, with; **~ab** *adv,* begin with; **Vorabend** *sub, m, -s, -e* evening before; **Vorahnung** *sub, f, -, -en* premonition; **~an** *adv,* in front of

vorangehen, *vi,* go in front, go on ahead; **~d** *adj,* as...before

vorankommen, *vi,* make progress

voranmachen, *vi,* hurry up

voranmelden, *vr,* make a booking; **Voranmeldung** *sub, f, -, -en* appointment

Voranschlag, *sub, m, -s, -schläge* estimate

voranstellen, *vt,* place in front

vorantreiben, *vt,* hurry along

vorarbeiten, *vti,* work in advance; **Vorarbeiter** *sub, m, -s, -* foreman

vorauf, *adv,* in front; **~gehen** *vi, (ugs.)* go in front; **voraus** (1) *adv,* ahead, in advance, in front (2) **Voraus** *sub, m, -, nur Einz.* advance; **vorauseilen** *vi,* hurry on ahead; **vorausfahren** *vi,* drive ahead; **vorausgehen** *vi,* precede; **vorausgehend** *adj,* as...before; **vorausgesetzt** *adj,* provided that; **voraushaben** *vt,* have the advantage; **Vorauskasse** *sub, f, -, -n (ugs.)* cash in advance; **vorauslaufen** *vi,* walk ahead; **voraussagbar** *adj,* predictable; **voraussagen** *vt,* predict

Vorausschau, *sub, f, -, -en* foresight; **voraussehbar** *adj,* foreseeable; **voraussehen** *vt,* foresee; **voraussetzen** *vt,* presuppose; **Voraussetzung** *sub, f, -, -en* precondition; **Voraussicht** *sub, f, -, nur Einz.* foresight; **voraussichtlich** (1) *adj,* expected (2) *adj,* probably; **vorauswissen** *vt,* know in advance; **vorauszahlen** *vt,* pay in advance; **Vorauszahlung** *sub, f, -, -en* advance payment

Vorbau, *sub, m, -s, -ten (tt; arch.)* porch; **vorbauen** (1) *vi,* take precautions (2) *vt,* built on

vorbedacht, *adj,* considered

Vorbedeutung, *sub, f, -, -en* prognostic

Vorbedingung, *sub, f, -, -en* precondition

Vorbehalt, *sub, m, -s, -e* reservation; **vorbehalten** *vt,* reserve sth; **vorbehaltlich** *adj,* subject to; **vorbehaltlos** *adj,* unreserved

vorbei, *adv,* be over, by, past; **~dürfen** *vi,* be allowed past; **~fahren** (1) *vi,* drive past (2) *vt,* drive sb past; **~führen** *vt,* lead sb past; **~gehen** *vi,* bypass, go by, pass; **~kommen** *vi,* drop in, pass; **~können** *vi,* be able to get past; **~lassen** *vt,* let past; **~laufen** *vi,* run past; **Vorbeimarsch** *sub, m, -es, -märsche* march-past; **~müssen** *vi,* have go past; **~planen** *vi,* plan past; **~reden** *vi,* talk round sth; **~reiten** *vi,* ride past; **~ziehen** (1) *vi,* file past (2) *vt,* pull past

vorbelastet, *adj,* handicapped; **Vorbelastung** *sub, f, -, -en* handicap

Vorbemerkung, *sub, f, -, -en* preliminary remark

Vorberatung, *sub, f, -, -en* preliminary consultation

vorbereiten, *vtr,* prepare; **Vorbereitung** *sub, j, -, -en* preparation

Vorbescheid, *sub, m, -s, -e* preliminary decision

Vorbesitzer, *sub, m, -s, -* previous owner

vorbestellen, *vt,* order in advance

vorbestimmen, *vt,* decide in advance

vorbestraft, *adj,* previously convicted; **Vorbestrafte** *sub, m.f, -n, -n* man/woman with a previous conviction

vorbeten, *vi,* lead the prayer; **Vorbeter** *sub, m, -s, -* prayer leader

Vorbeugehaft, *sub, f, -, -en (tt; jur.)* preventive custody; **vorbeugen (1)** *vi,* prevent **(2)** *vt,* bend forward; **Vorbeugung** *sub, f, -, -en* prevention

Vorbild, *sub, n, -s, -er* model; **vorbildhaft** *adj,* exemplary; **vorbildlich** *adj,* exemplary

vorbörslich, *adj, (i. ü. S.)* before hours market

Vorbote, *sub, m, -n, -n* herald

vorbringen, *vt,* get out, say, take up

vordem, *adv,* in olden days

Vordenkerin, *pron,* mentor, prophet

Vorderachse, *sub, f, -, -n (tt; tech.)* front axle; **Vorderfront** *sub, f, -, -en* frontage; **Vordergaumen** *sub, m, -s, - (tt; med.)* palatal; **Vordergrund** *sub, m, -s, -gründe* foreground; **vordergründig** *adj,* superficial; **Vorderkipper** *sub, m, -s, -* front tipper; **Vorderlader** *sub, m, -s, -* muzzel loader; **Vorderpfote** *sub, f, -, -n* front paw; **Vorderrad** *sub, n, -es, -räder* front wheel; **Vorderreifen** *sub, m, -s, - front-tyre;* **Vorderschiff** *sub, n, -s, -e* front ship; **Vorderseite** *sub, f, -, -n* front head; **Vordersteven** *sub, m, -s, - (tt; naut)* stem; **Vorderzimmer** *sub, n, -s, -* front room

vordrängeln, *vr,* push to the front; **vordrängen** *vr,* push to the front

vordringen, *vi,* advance; **vordringlich** *adj,* urgent

Vordruck, *sub, m, -s, -e* form

voreilig, *adj,* rash; **Voreiligkeit** *sub, f, -, -en* rashing

voreinander, *adv,* from each other, in front of each other

voreingenommen, *adj,* biased; **Voreingenommenheit** *sub, f, -, -en* bias

vorenthalten, *vt,* withhold sth from sb

Vorentscheid, *sub, m, -s, -e* preliminary **Vorentscheidung** *sub, f, -, -en* preliminary decision

vorerst, *adv,* for the present

vorerwähnt, *adj,* aforementioned

vorerzählen, *vt,* foretell

Vorfahre, *sub, m, -n, -n* ancestor; **Vorfahrt** *sub, f, -, -en* right of way

Vorfall, *sub, m, -es, -fälle* incident

Vorfrühling, *sub, m, -s, -e* early spring

vorführen, *vt,* present; *(tt; jur.)* bring foreward; **Vorführerin** *sub, f, -, -en* projectionist; **Vorführgerät** *sub, n, -s, -e* projector; **Vorführraum** *sub, m, -es, -räume* projection room; **Vorführwagen** *sub, m, -s, -wägen* demonstration car

Vorgabe, *sub, f, -, -n* handicap; **~zeit** *sub, f, -, -en* handicap time

Vorgang, *sub, m, -es, -gänge* event, file; *(tt; biol.)* process; **Vorgängerin** *sub, f, -, -en* predecessor

vorgeben, *vt,* pretend; **Vorgebirge** *sub, n, -s, -* foothills; **vorgefasst** *adj,* preconceived; **vorgefertigt** *adj,* preconceived, preproduced; **Vorgefühl** *sub, n, -s, -e* anticipation; **Vorgegenwart** *sub, f, -, -en (tt; gram)* conditional; **Vorgehen (1)** *sub, n, -s, nur Einz.* action **(2) vorgehen** *vi,* act, be fast, go first, happen; **vorgelagert** *adj,* offshore; **vorgenannt** *adj,* aforementioned; **vorgeordnet** *adj,* preordered; **Vorgeplänkel** *sub, m, -s, -* presquabble; **Vorgeschichte** *sub. f, -, nur Einz.* prehistory; **Vorgeschmack** *sub, m, -s, nur Einz.* foretaste; **Vorgesetzte** *sub, m, -n, -n* superior; **Vorgespräch** *sub, n, -es, -e* interview; **vorgestern** *adv,* day before yesterday

vorgreiflich, *adj,* anticipated; **Vorgriff** *sub, m, -s, -e* anticipation

Vorhaben, (1) *sub, n, -s, -* plan **(2) vorhaben** *vt,* itend

Vorhalle, *sub, f, -, -n* entrance hall

Vorhand, *sub, f, -, nur Einz. (tt; spo.)* forehand; **vorhanden** *adj,* available; **~ensein** *sub, n, -s, nur Einz.* existence

Vorhang, *sub, m, -es, -hänge* curtain; **Vorhängeschloss** *sub, n, -es, -schlösser* padlock; **~stoff** *sub, m, -es, -e* curtainning

Vorhaut, *sub, f, -, -häute* foreskin

vorher, *adv*, before; **~gehen** *vi*, go first; **~gehend** *adj*, preceding; **~ig** *adj*, prior; **Vorherrschaft** *sub*, *f*, -, *-en* predominance; **~rschen** *vi*, predominate; **~sagbar** *adj*, predictable; **Vorhersage** *sub*, *f*, -, *-n* forecast; **~sagen** *vt*, predict; **~sehbar** *adj*, foreseeable; **~sehen** *vt*, foresee

vorhin, *adv*, just now; **Vorhof** *sub*, *m*, *-es*, *-höfe* forecourt; **Vorhut** *sub*, *f*, -, *-en* (*tt*; *mil.*) vanguard; **vorig** *adj*, last, previous

Vorjahr, *sub*, *n*, -*s*, *-e* previous year; **vorjährig** *adj*, year before; **Vorkämpferin** *sub*, *f*, -, *-en* pioneer; **Vorkasse** *sub*, *f*, -, *-n* cash in advance; **vorkauen** *vt*, chew; **Vorkehrung** *sub*, *f*, -, *-en* precaution; **Vorkenntnis** *sub*, *f*, -, *-e* previous knowledge; **vorklinisch** *adj*, preclinical; **Vorkommen** (1) *sub*, *n*, -*s*, - incidence, occurence (2) **vorkommen** *vi*, happen, occur; **Vorkommnis** *sub*, *n*, *-es*, *-se* incident; **vorladen** *vt*, (*tt*; *jur.*) summons

Vorlage, *sub*, *f*, -, *-n* pattern, presentation; (*tt*; *jur.*) submission; **Vorläuferin** *sub*, *f*, -, *-en* forerunner; **vorläufig** (1) *adj*, temporary (2) *adv*, temporarily; **vorlaut** *adj*, cheeky; **Vorleben** (1) *sub*, *n*, -*s*, - past (life) (2) **vorleben** *vt*, set an example of sth; **Vorlegegabel** *sub*, *f*, -, *-n* serving-fork; **vorlegen** *vt*, present, serve; **Vorleger** *sub*, *m*, -*s*, - mat; **Vorleistung** *sub*, *f*, -, *-en* advance, preliminary work

vorlesen, *vti*, read aloud; **Vorlesepult** *sub*, *n*, -*s*, *-e* reading desk; **Vorleser** *sub*, *m*, -*s*, *-e* reader; **Vorlesung** *sub*, *f*, -, *-en* lecture; **Vorlesungsverzeichnis** *sub*, *n*, *-es*, *-e* lecture timetable **Vorliebe**, *sub*, *f*, -, *-n* preference **vorliegen**, *vi*, be, be available **vorlügen**, *vt*, lie to sb **vorm**, *adv*, in the morning **vormachen**, *vt*, fool sb, show sb how do sth; **Vormacht** *sub*, *f*, -, *nur Einz.* supremacy; **vormalig** *adj*, former; **vormals** *adv*, formerly; **Vormarsch** *sub*, *m*, *-es*, *-märsche* (*tt*; *mil.*) advance; **Vormerkbuch** *sub*, *n*, *-es*, *-bücher* reservation book; **vormerken** *vt*, note down, reserve; **Vormieterin** *sub*, *f*, -, *-en* previous tenant; **Vormittag** *sub*, *m*, -*s*, *-e* morning; **vormittägig** *adj*, morning; **vormittags** *adv*, in

the morning; **Vormonat** *sub*, *m*, -*s*, *-e* previous month; **Vormund** *sub*, *m*, *-es*, *-münder* guardian

vorn, *adv*, forwards, in front, in front of

Vorname, *sub*, *m*, *-n*, *-n* first name **vornehm**, *adj*, distinguished, genteel, noble; **~en** *vt*, attend to, carry out, intend do sth; **Vornehmheit** *sub*, *f*, -, *-en* nobility; **~lich** (1) *adj*, principal (2) *adv*, principally **vornüber**, *adv*, forwards

Vorort, *sub*, *m*, -*s*, *-te* suburb; **Vorplatz** *sub*, *m*, -, *-plätze* forecourt; **Vorposten** *sub*, *m*, -*s*, - (*tt*; *mil.*) outpost; **vorpreschen** *vi*, (*ugs.*) press ahead; **Vorprogramm** *sub*, *n*, -*s*, *-e* supporting programme; **Vorrang** *sub*, *m*, *-es*, *nur Einz.* priority; **Vorrat** *sub*, *m*, *-es*, *-räte* stock; **vorrätig** *adj*, in stock; **Vorratsraum** *sub*, *m*, *-es*, *-räume* storeroom; **Vorrecht** *sub*, *n*, -*s*, *-e* privilege; **Vorrede** *sub*, *f*, -, *-n* prologue; **Vorrichtung** *sub*, *f*, -, *-en* device; **vorrücken** *vti*, move forward; **Vorruhestand** *sub*, *m*, *-es*, *-stände* early retirement; **Vorrunde** *sub*, *f*, -, *-n* (*tt*; *spo.*) qualifying round

vors, *adv*, in front of

vorsagen, *vt*, recite, tell sb sth; **Vorsager** *sub*, *m*, -*s*, - (*ugs.*) foreteller; **Vorsängerin** *sub*, *f*, -, *-en* leading voice; **Vorsatz** *sub*, *m*, *-es*, *-sätze* intention; **Vorsatzblatt** *sub*, *n*, *-es*, *-blätter* endpaper; **vorsätzlich** *adj*, intentional; (*tt*; *jur.*) wilful; **Vorschau** *sub*, *f*, -, *-en* preview; **Vorschein** *sub*, *m*, -*s*, *-e* come light, show up

vorschicken, *vt*, send in advance; **vorschieben** (1) *vr*, move forward (2) *vt*, push in front, put forward; **vorschießen** (1) *vi*, shoot forward (2) *vt*, advance sb money; **vorschlafen** *vi*, sleep in advance; **Vorschlag** *sub*, *m*, *-es*, *-schläge* suggestion; **vorschlagen** *vt*, suggest; **vorschmecken** *vi*, taste before sb; **Vorschotmann** *sub*, *m*, *-es*, *-männer* (*tt*; *naut*) foresheetman; **vorschreiben** *vt*, stipulate, write out; **Vorschrift** *sub*, *f*, -, *-en* regulation; **vorschriftsmäßig** (1) *adj*, correct (2) *adv*, as instructed

Vorschub, sub, m, -es, nur Einz. encouragement; **Vorschule** sub, f, -, -n nursery-school; **Vorschulerziehung** sub, f, -, -en pre-school-education; **vorschulisch** adj, pre-school; **Vorschuss** sub, m, -es, -schüsse advance; **Vorschusslorbeeren** sub, f, -, nur Mehrz. premature praise; **vorschützen** vt, plead; **vorschwärmen** vti, go into raptures; **vorschweben** vi, have sth in mind; **vorsehen** (1) vi, appear (2) vr, be careful (3) vt, plan; **Vorsehung** sub, f, -, nur Einz. Providence; **vorsetzen** vt, move forward, put sb in charge of sb

Vorsicht, sub, f, -, nur Einz. care, caution; **vorsichtig** adj, careful, guarded; **vorsichtshalber** adv, as a precaution; **~maßregel** sub, f, -, -n precaution

Vorsilbe, sub, f, -, -n prefix

Vorsitz, sub, m, -es, -e chairmanship; **~ende** sub, m, f, -n, -n chairman, leader; **~erin** sub, f, -, -en president

Vorsorge, sub, f, -, nur Einz. precaution; **vorsorgen** vi, make provisions; **~untersuchung** sub, f, -, -en (tt; med.) medical check-up; **vorsorglich** (1) adj, cautious (2) adv, as a precaution

Vorspann, sub, m, -s, nur Einz. opening credits

Vorspeise, sub, f, -, -n starter

vorspiegeln, vt, feign; **Vorspiegelung** sub, f, -, -en pretence

Vorspiel, sub, n, -s, -e (ugs.) foreplay; (tt; mus.) overture, prelude; **vorspielen** vt, play first, play sth to

vorsprechen, vt, recite; (tt; kun.) audition

vorspringen, vi, jump out; **Vorspringer** sub, m, -s, - protruder; **Vorsprung** sub, m, -s, -sprünge ledge; (tt; arch.) projection

Vorstadt, sub, f, -, -städte suburb; **vorstädtisch** adj, suburban; **~kino** sub, n, -s, -s suburb-cinema

Vorstand, sub, m, -es, -stände (tt; wirt.) board, chairman; **vorstehen** vi, jut out, preside over sth; **Vorsteher** sub, m, -s, - (tt; relig) abbot/abbess; (tt; wirt.) manager; **Vorsteherdrüse** sub, f, -, -n (tt; med.) prostate; **Vorsteherin** sub, f, -, -en manager; **Vorstehhund** sub, m, -es, -e pointer

vorstellbar, adj, conceivable; **vorstellen** vt, introduce, move forward, represent; **Vorstellung** sub, f, -, -en idea, introduction, performance

Vorstoß, sub, m, -es, -stöße venture; **Vorstrafe** sub, f, -, -n previous conviction; **vorstrecken** vt, advance, stretch forward; **vorstreichen** vt, paint; **Vorstufe** sub, f, -, -n preliminary stage; **Vortag** sub, m, -s, -e day before; **Vortänzerin** sub, f, -, -en leading dancer; **vortäuschen** vt, fake, feign; **Vortäuschung** sub, f, -, -en fake

Vorteil, sub, m, -s, -e advantage; **vorteilhaft** adj, advantageous

Vortrag, sub, m, -es, -träge lecture; **vortragen** vt, carry forward, recite, report; **~ende** sub, m, f, -n, -n lecturer

vortrefflich, adj, excellent, splendid

vortreten, vi, project, step forward; **Vortritt** sub, m, -es, nur Einz. precedence, priority

vorüber, adv, be over, be past; **~gehen** vi, pass (by); **~gehend** adj, momentary, temporary

Vorübung, sub, f, -, -en preliminary exercise; **Voruntersuchung** sub, f, -, -en (tt; jur.) preliminary investigation; (tt; med.) preliminary examination; **Vorurteil** sub, n, -s, -e prejudice; **vorverlegen** vt, bring forward; **Vorverlegung** sub, f, -, -en bringing forward; **Vorvertrag** sub, m, -s, -träge (tt; jur.) preliminary contract; **vorvorletzt** adj, (ugs.) last but two; **Vorwand** sub, m, -es, -wände pretext; **vorwärts** adj, forward; **Vorwärtsgang** sub, m, -es, nur Einz. forward gear; **Vorwaschgang** sub, m, -es, -gänge prewash; **vorweg** adv, at the front, before (hand); **Vorwegnahme** sub, f, -, nur Einz. anticipation; **vorwegnehmen** vt, anticipate; **vorwegsagen** vt, say before hand; **Vorwegweiser** sub, m, -s, - previous sign

vorweisen, vt, show; **vorweltlich** adj, pre-wordly; **vorwerfen** vt, accuse, reproach, throw sth down; **Vorwerk** sub, n, -s, -e outlying estate; **vorwiegend** (1) adj, predominant (2) *adv*, predominantly; **Vor-wissen** *sub*, *n*, *-s*, *nur Einz.* previous knowledge; **Vorwoche** *sub*, *f*, *-*, *-n* previous week; **Vorwort** *sub*, *n*, *-s*, *-e* foreword, preface; **Vorwurf** *sub*, *m*, *-s*, *-würfe* accusation, subject; **vor-wurfsfrei** *adj*, reproachfree; **vor-wurfsvoll** *adj*, reproachful

Vorzeichen, *sub*, *n*, *-s*, *-* omen; *(tt; med.)* early symptom; *(tt; mus.)* key-signature

vorzeichnen, *vt*, sketch out; **Vor-zeichnung** *sub*, *f*, *-*, *-en* drawing out; **Vorzeigefrau** *sub*, *f*, *-*, *-en* token wo-man; **vorzeigen** *vt*, produce

Vorzeit, *sub*, *f*, *-*, *-en* prehistoric times; **vorzeitig** *adj*, early; **vorzeitlich** *adj*, prehistoric; **vorziehen** *vt*, prefer, pull out; **Vorzug** *sub*, *m*, *-es*, *-züge* preference, train in front; **vorzüglich** (1) *adj*, excellent (2) *adv*, superbly; **Vorzugsaktie** *sub*, *f*, *-*, *-n* *(tt; wirt.)* preference share; **Vorzugsmilch** *sub*, *f*, *-*, *nur Einz.* *(ugs.)* gold-top milk; **Vorzugspreis** *sub*, *m*, *-es*, *-e* special discount price; **vorzugsweise** *adv*, preferably

votieren, *vi*, vote

Votivbild, *sub*, *n*, *-es*, *-er* votive pic-ture; **Votivkapelle** *sub*, *f*, *-*, *-n* voti-ve chapel; **Votivkirche** *sub*, *f*, *-*, *-n* votive church

Votum, *sub*, *n*, *-s*, *Voten* *(tt; polit.)* vote

Voucher, *sub*, *m*, *n*, *-s*, *-s* voucher

Voyeur, *sub*, *m*, *-s*, *-e* voyeur

vulgär, *adj*, vulgar; **Vulgarismus** *sub*, *m*, *-es*, *-men* vulgarism; **Vul-garität** *sub*, *f*, *-*, *nur Einz.* vulgarity; **Vulgärlatein** *sub*, *n*, *-s*, *nur Einz.* vulgar Latin

Vulgata, *sub*, *f*, *-*, *nur Einz.* vulgata

vulgo, *adj*, vulgo

Vulkan, *sub*, *m*, *-s*, *nur Einz.* volca-no; *auf einem Vulkan leben* to be living on the edge of a volcano; *(i. ü. S.) Tanz auf dem Vulkan* playing with fire; **~isation** *sub*, *f*, *-*, *-en* vulcanization; **vulkanisch** *adj*, volcanic; **~iseur** *sub*, *m*, *-s*, *-e* vulcanizer; **vulkanisieren** *vt*, vulcanize

Vulva, *sub*, *f*, *-*, *Vulven* *(tt; med.)* vul-va

wabbelig, *adj*, *(ugs.)* flabby, wobbly
Wabe, *sub*, *f*, *-*, *-n* *(tt*; *biol.)* honey-comb
wabern, *vi*, drift, undulate
wach, *adj*, awake; **Wachablösung** *sub*, *f*, *-*, *-en* changing of the guard; **Wachbuch** *sub*, *n*, *-es*, *-bücher (i. ü. S.)* guardbook; **Wache** *sub*, *f*, *-*, *-n* guard, station, watch; **Wachebeamte** *sub*, *m*, *-n*, *-n* guard; **~en** *vi*, be awake, keep watch
Wachestehen, *sub*, *n*, *-s*, *nur Einz.* be on guard; *(ugs.)* keep a look-out; **Wachhabende** *sub*, *m*, *-n*, *-n* duty officer; **Wachheit** *sub*, *f*, *-*, *nur Einz.* alertness; **Wachhund** *sub*, *m*, *-es*, *-e* watchdog; **Wachmann** *sub*, *m*, *-es*, *-männer* watchman
Wacholder, *sub*, *m*, *-s*, *nur Einz.* *(tt*; *bot.)* juniper; **~schnaps** *sub*, *m*, *-es*, *-schnäpse* gin
Wachposten, *sub*, *m*, *-s*, *-* sentry
Wachs, *sub*, *n*, *-es*, *-e* wax; *(ugs.)* *Wachs in jmd Hand sein* to be putty in sb hands; *(ugs.) Knie weich wie Wachs haben* to have knees like jelly; *weich wie Wachs* as soft as butter; **~abguss** *sub*, *m*, *-es*, *-abgüsse* waxcast; **wachsam** *adj*, watchful; *ein wachsames Auge haben auf etwas* to keep a watchful eye on sth; **~amkeit** *sub*, *f*, *-*, *-en* watchfulness; **wachsbleich** *adj*, waxen; **wachsen** *vi*, broaden, grow, mount; **wächsern** *adj*, waxen
Wachsmodell, *sub*, *n*, *-s*, *-e* wax model; **Wachsplatte** *sub*, *f*, *-*, *-n* wax plate
Wachstation, *sub*, *f*, *-*, *-en* guard-station
Wachstuch, *sub*, *n*, *-s*, *-tücher* oilcloth; **Wachstum** *sub*, *n*, *-s*, *-* growth; **Wachszieher** *sub*, *m*, *-s*, *-* chandler
Wacht, *sub*, *f*, *-*, *-en* guard
Wachtel, *sub*, *f*, *-*, *-n* *(ugs.)* silly goose; *(tt*; *zool.)* quail; **~hund** *sub*, *m*, *-es*, *-e* quaildog
Wächter, *sub*, *m*, *-s*, *-* attendant, guardian; **~lied** *sub*, *n*, *-es*, *-er (i. ü. S.)* guardiansong; **Wachtmeister** *sub*, *m*, *-s*, *-* constabler; *(tt*; *mil.)* sergant; **Wachtparade** *sub*, *f*, *-*, *-n (i. ü. S.)* guards-parade; **Wachtposten** *sub*, *m*, *-s*, *-* sentry; **Wachtraum** *sub*, *m*, *-s*, *-träume* daydream; **Wachturm** *sub*, *m*, *-es*, *-türme* watch-tower
Wachzustand, *sub*, *m*, *-es*, *-stände* *(i. ü. S.)* in the waking state
Wackelei, *sub*, *f*, *-*, *nur Einz.* wobbling; **wackelig** *adj*, loose, rickety, shaky, wobbly; **wackeln** *vi*, shake, toddle, totter, wobble; **Wackelpeter** *sub*, *m*, *-s*, *-* *(ugs.)* jelly
Wade, *sub*, *f*, *-*, *-n* calf
Wadenbein, *sub*, *n*, *-s*, *-e* *(tt*; *med.)* fibula; **Wadenkrampf** *sub*, *m*, *-es*, *-krämpfe* cramp in the calf; **Wadenwickel** *sub*, *m*, *-s*, *-* *(tt*; *med.)* compress around the leg
Waffe, *sub*, *f*, *-*, *-n* weapon; *(ugs.)* gun; *(tt*; *mil.)* arm; *die Waffen strecken* to lay down one´s arms; *jmd mit seinen eigenen Waffen schlagen* to beat sb with his own weapons; *zu den Waffen rufen* to call to arms
Waffel, *sub*, *f*, *-*, *-n* waffle; **~eisen** *sub*, *n*, *-s*, *-* waffle-iron
Waffenbesitz, *pron*, possession of firearms; **Waffenbruder** *sub*, *m*, *-s*, *-brüder (ugs.)* comrade in arms; **waffenfähig** *adj*, able-bodied; **Waffengewalt** *sub*, *f*, *-*, *nur Einz.* force of arms; **Waffenhandel** *sub*, *m*, *-s*, *nur Einz.* arms trade; **Waffenkunde** *sub*, *f*, *-*, *nur Einz.* science of arms; **Waffenlager** *sub*, *n*, *-s*, *-* armoury; **Waffenschein** *sub*, *m*, *-s*, *-e* gun licence; **Waffenstillstand** *sub*, *m*, *-s*, *-stände* armistice
wägbar, *adj*, ponderable
Wagehals, *sub*, *m*, *-es*, *-hälse (ugs.)* daredevil; **wagehalsig** *adj*, foolhardy; **wagemutig** *adj*, daring
Wagen, **(1)** *sub*, *m*, *-s*, *Wägen* car, carriage, coach, van, wagon; *(tt*; *astrol.)* Plough **(2) wagen** *vt*, dare, risk, venture
wägen, *vt*, ponder
Wagenburg, *sub*, *f*, *-*, *-en* barricade of wagons
Wagenführer, *sub*, *m*, *-s*, *-* driver; **Wagenheber** *sub*, *m*, *-s*, *-* jack; **Wagenkolonne** *sub*, *f*, *-*, *-n* convoy of wagons; **Wagenladung** *sub*, *f*, *-*, *-en* wagonload; **Wagenpapiere** *sub*, *f*, *-*, *nur Mehrz.* carpapers/documents; **Wagenrad** *sub*, *n*, *-es*, *-rä-*

der cartwheel; **Wagenrennen** *sub, n,* -s, - chariot race; **Wagentür** *sub, f,* -, -en car door; **Wagentyp** *sub, m,* -s, -en type of car; **Wagenwäsche** *sub, f,* -, -n carwash

Waggon, *sub, m,* -s, -s wagon
waghalsig, *adj, (ugs.)* daredevil
Wagnis, *sub, n,* -es, -e risk
Wahl, *sub, f,* -, -en choice, quality; *(tt; polit.)* election; *aus freier Wahl* of free choice; *erste Wahl* top quality; *es gab keine andere Wahl* there was no alternative; *(tt; polit.)* geheime/freie *Wahl* secret ballot/free election; *jmd etwas zur Wahl stellen* to give sb the choice of sth; *(tt; polit.) jmd zur Wahl aufstellen* to put sb up as a candidate (for election); *(i. ü. S.) wer die Wahl hat hat die Qual* you are spoilt for choice; **~anzeige** *sub, f,* -, -n dial; **~ausgang** *sub, m,* -es, -gänge election result; **Wählbarkeit** *sub, f,* -, -en eligibility; **wählen** *vt,* choose; *(polit.)* vote; *(Telefon)* dial; **Wähler** *sub, m,* -s, - elector; *(tt; tech.)* selector; **~ergebnis** *sub, n,* -es, -e election result; **wählerisch** *adj,* particular; *(ugs.)* choosy; **Wählerliste** *sub, f,* -, -n electorlist; **Wählerschaft** *sub, f,* -, nur Mehrz. electorate; **Wählerstimme** *sub, f,* -, -n vote; **Wählerwille** *sub, m,* -n, nur Einz. electorsintention; **~fach** *sub, n,* -es, -fächer optional subject

Wahlfreiheit, *sub, f,* -, nur Einz. electoral freedom; **Wahlgang** *sub, m,* -es, -gänge ballot; **Wahlgeschenk** *sub, n,* -s, -e pre-election promise; **Wahljahr** *sub, n,* -es, -e year of elections; **Wahlkampagne** *sub, f,* -, -n election campaign; **wahllos** (1) *adj,* indiscriminate (2) *adv,* at random; *wahllos* choose blindly; **Wahlmann** *sub, m,* -es, -männer delegate; **Wahlperiode** *sub, f,* -, -n lifetime of a parliament; **Wahlpflicht** *sub, f,* -, nur Einz. electoral duty; **Wahlprogramm** *sub, n,* -s, -e election program; **Wahlrecht** *sub, n,* -s, nur Einz. universal franchise; *(aktiv)* right to vote; *(tt; jur.)* electoral law; *(passiv)* eligibility; **Wahlrede** *sub, f,* -, -n election speech; **Wählscheibe** *sub, f,* -, -n dial

Wahn, *sub, m,* -es, nur Einz. delusion, illusion; *(tt; psych.)* mania; **~bild** *sub, n,* -es, -er delusion, illusion; **wähnen** (1) *vr,* imagine to be (2) *vt,* believe, imagine

Wahnidee, *sub, f,* -, -n crazy notion; **Wahnsinn** *sub, m,* -s, nur Einz. insanity; *(ugs.)* madness; **wahnsinnig** (1) *adj,* crazy, dreadful, insane, mad; *(ugs.)* brilliant (2) *adv,* incredibly; **Wahnsinnige** *sub, m, f,* -n, -n lunatic; **Wahnsinnstat** *sub, f,* -, -en crazy action; **Wahnwitz** *sub, m,* -es, nur Einz. sheer foolishness

wahr, *adj,* true, veritable; *das darf doch nicht wahr sein* it can't be true; *(ugs.) das ist nicht das Wahre* it's not great shakes; *du hast ein wahres Wort gesprochen* there was a lot of truth in it; *so wahr mir Gott helfe* so help me god; **~en** *vt,* preserve, protect; **währen** *vi,* last; **während** (1) *konj,* whereas, while (2) *präp,* during, throughout; **~haft** (1) *adj,* real, true, truthful (2) *adv,* really, truly; **Wahrhaftigkeit** *sub, f,* -, nur Einz. veracity; **Wahrheit** *sub, f,* -, -en truth; *das schlägt der Wahrheit ins Gesicht* that's patently untrue; *er nimmt es mit der Wahrheit nicht so genau* you have to take what he says with a pinch of salt; *um die Wahrheit zu sagen* to tell the truth; **~lich** *adv,* definitely, indeed, really

wahrnehmbar, *adj,* noticeable; **wahrnehmen** *vt,* detect, observe, preceive; **Wahrnehmung** *sub, f,* -, -en awareness, observing, perception

wahrsagen, *vt,* predict the future; **Wahrsager** *sub, m,* -s, - fortuneteller; **Wahrsagerei** *sub, f,* -, -en fortunetelling; **Wahrsagerin** *sub, f,* -, -en fortuneteller; **wahrschauen** *vi,* *(i. ü. S.)* prophesy; **Wahrschauer** *sub, m,* -s, - prophet

wahrscheinlich, (1) *adj,* probable (2) *adv,* probably; **Wahrscheinlichkeit** *sub, f,* -, nur Einz. plausibility, probability; **Wahrscheinlichkeitsrechnung** *sub, f,* -, -en *(tt; mat.)* probability calculus; **Wahrscheinlichkeitstheorie** *sub, f,* -, nur Einz. probability theorie

Währung, *sub, f,* -, -en currency; **~skurs** *sub, m,* -es, -e exchange rate; **~sreform** sub, f, -, -en currency reform

Walzeichen, sub, n, -s, - emblem, symbol

Waise, sub, m, -n, -n orphan; **~nhaus** sub, n, -es, -häuser orphanage; **~nkind** sub, n, -es, -er orphan; **~nknabe** sub, m, -n, -n orphan (boy); **~nrente** sub, f, -, -n orphan´s allowance

Wal, sub, m, -es, -e (tt; zool.) whale

Wald, sub, m, -s od. -es, Wälder forest, wood; (i. ü. S.) den Wald vor lauter Bäumen nicht sehen can´t see the wood for the trees; (i. ü. S.) ich glaub ich steh´ im Walde I must be hearing/seeing things; (i. ü. S.) wie es in den Wald hineinruft, so schallt es wieder heraus you get as much as you give; **~arbeiter** sub, m, -s, - forestry worker; **Wäldchen** sub, n, -s, - (ugs.) little wood; **~erdbeere** sub, f, -, -n wild strawberry; **~horn** sub, n, -s, -hörner (tt; mus.) French horn; **waldig** adj, wooded; **~lauf** sub, m, -s od. -es, -läufe cross-country running; **~lehrpfad** sub, m, -s od. -es, -e nature trail; **~lichtung** sub, f, -, -en wood glade; **~meister** sub, m, -s, nur Einz. (tt; bot.) woodruff

Waldorfsalat, sub, m, -s od. -es, -e Waldorf salad

Waldrand, sub, m, -s od. -es, -ränder woodside; **Waldsterben** sub, n, -s, nur Einz. dying of the forest

Walfang, sub, m, -s, -fänge whaling; **Walfänger** sub, m, -s, - whaler; **Walfisch** sub, m, -s, -e whale

walisisch, adj, Welsh

walken, vt, drum, mill, tumble

Walkman, sub, m, -s, -s walkman

Walküre sub, f, -, -n Valkyrie

Wall, sub, m, -s, Wälle embankment

Wallach, sub, m, -s, -e (tt; zool.) gelding

wallen, vi, boil, flow, surge

wallfahren, vi, (i. ü. S.) go on a pilgrimage; **Wallfahrer** sub, m, -s, - pilgrim; **Wallfahrerin** sub, f, -, -nen pilgrim; **Wallfahrt** sub, f, -, -en pilgrimage; **wallfahrten** vi, go on a pilgrim

walliserisch, adj, Valisian

Wallone, sub, m, -n, -n Walloon; **Wallonische** sub, n, -n, nur Einz. (i. ü. S.) Walloon

Wallstreet, sub, f, -, nur Einz. wall-street

Walnuss, sub, f, -, -nüsse walnut; **~baum** sub, m, -s, -bäume walnut tree

Walross, sub, n, -s, -e (tt; zool.) walrus; (ugs.) schnaufen wie ein Walross to puff like a gampus

Walstatt, sub, f, -, -stätten battlefield

walten, vi, prevail, reign; jmd walten lassen to let sb free rein; über jmd/etwas walten to rule over sb/sth; Vernunft walten lassen to let reason prevail

Walze, sub, f, -, -n roller; (tt; tech.) cylinder, platen; **wälzen** (1) vr, writhe (2) vt, pore over, roll, toss; **~nbruch** sub, m, -s, -brüche (tt; tech.) cylinder-break; **walzenförmig** adj,➤ cylindrical; **~nmühle** sub, f, -, -n (tt; tech.) rolling mill; **~nspinne** sub, f, -, -n rolling line; **~nstraße** sub, f, -, -n rolling train

Walzer, sub, m, -s, - (tt; mus.) waltz

Wälzer, sub, m, -s, - (ugs.) weighty tome; **Walzermusik** sub, f, -, nur Einz. waltz music; **Walzertänzer** sub, m, -s, - waltz dancer

Wamme, sub, f, -, -n dewlap, paunch

Wampe, sub, f, -, -n (ugs.) paunch

Wampum, sub, m, -s, -e (tt; indians) Vampum

Wams, sub, n, -es, Wämse oder Wämser jerkin, waistcoat

Wand, sub, f, -, Wände wall; (tt; arch.) partition (wall); (tt; biol.) septum

Wandale, sub, m, -n, -n Vandal; **Wandalismus** sub, m, -, nur Einz. Vandalism

Wandel, sub, m, -s, - change, mode (of life); **wandelbar** adj, changeable; **~halle** sub, f, -, -n foyer; **wandeln** (1) vi, stroll (2) vt, change; (i. ü. S.) die wandelnde Güte sein to be goodness/kindness itself

Wanderameise, sub, f, -, -n (tt; biol.) army ant; **Wanderer** sub, m, -s, - hiker, traveller; **Wanderfahrt** sub, f, -, -en hiking trip; **Wanderfalke** sub, m, -en, -en (tt; zool.) peregrine (falcon); **Wandergewerbe** sub, n, -s, - (i. ü. S.) travelling trade; **Wanderkarte** sub, f, -, -n map of trails; **wanderlustig** adj, (ugs.) filled with wanderlust; **wandern** vi, hike, migrate, move, travel, wander; *durchs Leben wandern* to journey through life; *hinter Schloß und Riegel wandern* to be put behind bars

Wanderpokal, *sub, m, -s, -e od pokäle* challenge cup; **Wanderratte** *sub, f, -, -n (tt; zool.)* brown rat; **Wanderschaft** *sub, f, -, -en* travels; *auf Wanderschaft gehen* to go off on one´s travels; *auf Wanderschaft sein* to be on one´s travels; **Wanderschuh** *sub, m, -s, -e* walking shoes; **Wandersmann** *sub, m, -s, -männer (ugs.)* rambler; **Wandervogel** *sub, m, -s, -vögel* hiker; *(i. ü. S.)* rolling stone; **Wanderzirkus** *sub, m, -es, -e* travelling circus

Wandgemälde, *sub, n, -s, -* wall-painting; **Wandkalender** *sub, m, -s, -* wall calendar; **Wandschirm** *sub, m, -s, -e* screen; **Wandschrank** *sub, m, -s, -schränke* wall cupboard; **Wandspiegel** *sub, m, -s, -* wall mirror; **Wandteppich** *sub, m, -s, -e* wall hanging; **Wandzeitung** *sub, f, -, -en (ugs.)* wall news-sheet

Wange, *sub, f, -, -n* cheek, stringboard; *Wange an Wange* cheek to cheek; **~nmuskel** *sub, m, -s, -n (i. ü. S.)* cheek muscle

Wankelmotor, *sub, m, -s, -en (tt; tech.)* Wankel engine; **Wankelmut** *sub, m, -es, nur Einz.* inconstancy; **wankelmütig** *adj,* inconstant

wanken, *vi,* stagger, sway

wann, *adv,* when

Wanne, *sub, f, -, -n* bath, tub; *(tt; tech.)* sump

Wanst, *sub, m, -es, Wänster (ugs.)* belly; *(tt; zool.)* rumen; *den Wanst vollschlagen* to stuff oneself

Wanze, *sub, f, -, -n (zool., comp.,)* bug

Wapiti, *sub, n, -s, -s (tt; zool.)* vapity

Wappen, *sub, n, -s, -* coat of arms; **~brief** *sub, m, -s, -e* heraldic letter; **~kunde** *sub, f, -, nur Einz.* heraldry; **~schild** *sub, n od m, -s od. -es, -er* shield; **~spruch** *sub, m, -s od. -es, -sprüche* heraldic saying

wappnen, *vr,* prepare

Waran, *sub, m, -s, -e (tt; zool.)* varan

Ware, *sub, f, -, -n* article, goods, product; **~nangebot** *sub, n, -s od. -es, -e* range of goods for sale; **~nannahme** *sub, f, -, -n (i. ü. S.)* acceptance of goods; **~nausfuhr** *sub, f, -, -en* export of goods; **~nausgabe** *sub, f, -,*

-n (i. ü. S.) issuing/distribution of goods; **~nbestand** *sub, m, -s od. -es, -bestände* stock of goods; **~neinfuhr** *sub, f, -, -en* import of goods; **~nexport** *sub, m, -s, -e* export of goods; **~nhandel** *sub, m, -s, nur Einz.* trade of goods; **~nhaus** *sub, n, -es, -häuser* department store; **~nimport** *sub, m, -s, -e* import of goods; **~nkredit** *sub, m, -s, -e* credit of goods; **~nlager** *sub, n, -s, -oder -läger* warehouse; **~nsendung** *sub, f, -, -en* trade sample; **~nstempel** *sub, m, -s, -* tradestamp; **~nzeichen** *sub, n, -s, -* trademark

warm, *adj,* warm; *das Essen warm stellen* to keep the food warm; *das macht warm* it warms you up; *jmd wärmstens empfehlen* to recommend sb warmly; *(ugs.) mit jmd warm werden* to get close to sb; *sich warm anziehen* to dress up warmly; *warme Miete* rent including heating; **Warmblut** *sub, n, -es, -blüter (tt; biol.)* crossbreed; **Warmblütler** *sub, m, -s, -* crossbreed; **Wärme** *sub, f, -, -n* heat, warmth; *das ist eine Wärme* isn´t it warm; *komm in die Wärme* get into the warmth; *mit Wärme* warmly; **wärmedämmend** *adj,* insulated; **Wärmedämmung** *sub, f, -, -en* insulation; **Wärmedehnung** *sub, f, -, -en* dilation; **Wärmeeinheit** *sub, f, -, -en* thermal unit; **Wärmeenergie** *sub, f, -, -n* thermal energy; **wärmehaltig** *adj,* warm; **Wärmeleiter** *sub, m, -s, -* heat conductor; **Wärmemesser** *sub, m, -s, -* thermometer; **wärmen (1)** *vi,* be warm **(2)** *vr,* warm oneself **(3)** *vt,* heat up, warm up

Wärmequelle, *sub, f, -, -n (i. ü. S.)* heat source; **warm laufen** *vi,* warm up; **Wärmeregler** *sub, m, -s, -* thermostat; **Wärmeschutz** *sub, m, -es, nur Einz.* heat shield; **Wärmeverlust** *sub, m, -es, -e* heat loss; **Wärmflasche** *sub, f, -, -n* hot water bottle; **Warmluft** *sub, f, -, nur Einz.* warm air; **Warmwasserheizung** *sub, f, -, -en* hot-water central heating

Warndreieck, *sub, n, -s, -e* warning triangle; **warnen** *vi,* warn; *vor Ta-*

schandiahau *wird gonuaut houmou of*
pickpockets; **Warner** *sub, m, -s,* - warning; **Warnleuchte** *sub, f, -, -n* warning light; **Warnschuss** *sub, m, -es, -schüsse* warning shot; **Warnung** *sub, f, -, -en* warning; **Warnzeichen** *sub, n, -s, - (auditiv)* warning signal; *(visuell)* warning sign

Warrant, *sub, m, -s, -s* warrant
warschauisch, *adj,* warsawish
Warte, *sub, f, -, -n* observation-point
warten, (1) *vi,* wait **(2)** *vt,* look after; *(tt; tech.)* service; *bitte warten* please hold the line; *(ugs.) da kannst du warten bis du schwarz wirst* you can wait till the cows come home; *(ugs.) darauf habe ich gerade noch gewartet* that was all I needed; *lange auf sich warten lassen* to be a long time (in) coming; *(ugs.) na warte* just you wait, *er wartet sein Auto* he services his car; **Wärter** *sub, m, -s,* - attendant, keeper; **Warterei** *sub, f, -, -en (ugs.)* waiting; **Wartezeit** *sub, f, -, -en* waiting period; **Wartezimmer** *sub, n, -s,* - waiting room; **Wartung** *sub, f, -, -en (tt; tech.)* servicing; **wartungsarm** *adj,* maintenanceless; **wartungsfrei** *adj,* maintenance-free

warum, *adv, why*
Warze, *sub, f, -, -n (tt; anat.)* nipple; *(tt; med.)* wart; **warzenförmig** *adj,* wart-shaped; **~nschwein** *sub, n, -s, -e (tt; zool.)* warthog

was, *pron,* anything, that, what, why
Wäscheknopf, *sub, m, -s, -knöpfe* linen-coverd button; **Wäscheleine** *sub, f, -, -n* clothes line; **Wäschemangel** *sub, f, -, -n* mangle; **waschen (1)** *vr,* wash **(2)** *vt,* wash; **Wäscherei** *sub, f, -, -en* laundry; **Wäschespinne** *sub, f, -, -n (ugs.)* rotary clothes dryer; **Wäschetinte** *sub, f, -, nur Einz.* marking ink; **Waschkessel** *sub, m, -s,* - washing-boiler; **Waschlappen** *sub, m, -s, -* flannel; *(ugs.)* sissy
waschledern, *adj,* chamois leathered; **Waschmaschine** *sub, f, -, -n* washing-machine; **Waschmittel** *sub, n, -s,* - detergent; **Waschpulver** *sub, n, -s, -* washing-powder; **Waschraum** *sub, m, -s, -räume* wash-room; **Waschschüssel** *sub, f, -, -n* wash-bowl; **Waschstraße** *sub, f, -, -en (ugs.)* car wash; **Waschtag** *sub, m, -s, -e* washing-day; **Waschung** *sub, f, -, -en (tt;*

und f. vulg) ablutiou; **Waschwasser** *sub, n, -s, nur Einz.* washing-water; **Waschzettel** *sub, m, -s,* - blurb

Wasser, *sub, n, -s,* - water; *(i. ü. S.) bei Wasser und Brot* behind bars; *(i. ü. S.) bis dahin fließt noch viel Wasser den Bach runter* a lot of water will have flown under the bridge by then; *(i. ü. S.) das ist Wasser auf die Mühle* this is all grist to the mill; *(i. ü. S.) das Wasser läuft mir im Munde zusammen* my mouth is watering; *(i. ü. S.) dort wird auch nur mit Wasser gekocht* they´re no different from anybody else; *(i. ü. S.) ins Wasser gehen* to drown oneself; *(i. ü. S.) mit allen Wassern gewaschen sein* to know all the tricks; *(i. ü. S.) nicht das Wasser reichen können* can´t hold the candle; *(i. ü. S.) sich über Wasser halten* to keep one´s head above water; **~ball** *sub, m, -s, nur Einz. (tt; spo.)* waterball; **~bombe** *sub, f, -, -n (i. ü. S.)* water-bomb; **~büffel** *sub, m, -s,* - water-buffalo; **~dampf** *sub, m, -s od. -es, -dämpfe* steam; **wasserdicht** *adj,* watertight; **~eimer** *sub, m, -s,* - waterbucket; **~fall** *sub, m, -s, -fälle* cascade, waterfall; **~farbe** *sub, f, -, -n* water-colour; **~fläche** *sub, f, -, -n* expanse of water; **~flugzeug** *sub, n, -s, -e* seaplane; **~glas** *sub, n, -es, -gläser* water-glass; **~glätte** *sub, f, -, nur Einz.* slippery roads due to surface water; **~graben** *sub, m, -s, -gräben* moat

Wasserhahn, *sub, m, -s, -hähne* water tap; **Wasserhärte** *sub, f, -, -n* hardness of water; **Wasserhose** *sub, f, -, -n* waterspout; **wässerig** *adj,* watery; *(tt; chem.)* aqueous; **Wasserkessel** *sub, m, -s,* - kettle; **Wasserkopf** *sub, m, -s od. -es, -köpfe* big head; *(tt; med.)* hydrocephalus; **Wasserkraft** *sub, f, -, nur Einz.* water-power; **Wasserkunst** *sub, f, -, -künste (tt; kun.)* water-art; **Wasserlache** *sub, f, -, -n* waterpool; **Wasserläufer** *sub, m, -s, -(tt; zool.)* sandpiper; **wasserlebend** *adv, (i. ü. S.)* water-living; **Wasserleiche** *sub, f, -, -n* drowned body; **Wasserleitung** *sub, f, -, -en* water-pipe;

Wassermangel sub, m, -s, -mängel water-shortage

Wassermann, sub, m, -s, -männer (tt; astrol.) Aquarius; (tt; myth.) water sprite; **Wassermelone** sub, f, -, -n water-melon; **Wassermühle** sub, f, -, -n water-mill; **Wasserpfeife** sub, f, -, -n (ugs.) hubble-bubble; **Wasserpumpe** sub, f, -, -n water-pump; **Wasserrad** sub, n, -s, -räder water-wheel; **Wasserratte** sub, f, -, -n water-rat; **wasserreich** adj, abounding in water; **Wassersäule** sub, f, -, -n water-column; **Wasserschau** sub, f, -, -en water-show; **Wasserscheide** sub, f, -, -n watershed; **wasserscheu** adj, scared of water; **Wasserschlange** sub, f, -, -n (tt; astron.) Hydra; (tt; myth.) water-serpent; (tt; zool.) water-snake; **Wasserschloss** sub, n, -es, -schlösser castle surrounded by water; **Wasserski,** sub, m, -s, -er waterski; **Wasserspeier** sub, m, -s, - gargoyle; **Wasserspiegel** sub, m, -s, - surface of the water; **Wasserspiel** sub, n, -s, -e water-game; **Wassersport** sub, m, -s, nur Einz. water-sports; **Wasserspülung** sub, f, -, -en water-closet; **Wasserstoff** sub, m, -s, nur Einz. (tt; chem.) hydrogen; **Wasserstoffbombe** sub, f, -, -n (tt; mil.) H-bomb; **Wasserstrahl** sub, m, -s, -en jet of water; **Wasserstraße** sub, f, -, -n waterway; **Wassersucht** sub, f, -, nur Einz. (tt; med.) dropsy; **Wassertiefe** sub, f, -, -n water depth; **Wasserträger** sub, m, -s, - water-carrier; **Wassertreten** sub, n, -s, nur Einz. (tt; spo.) treading water; **Wasserung** sub, f, -, -en water-landing; **Wasservogel** sub, m, -s, -vögel water-fowl; **Wasserwaage** sub, f, -, -n spirit-level; **Wasserwerfer** sub, m, -s, - water-cannon; **Wasserzeichen** sub, n, -s, - watermark; **wässrig** adj, watery; **Wässrigkeit** sub, f, -, nur Einz. watery

waten, vi, wade

Waterkant, sub, f, -, nur Einz. coast; **Waterproof** sub, m, -s, -s waterproof

Watsche, sub, f, -, -n (ugs.) slap; **watscheln** vi, waddle; **watschen** vt, slap

Watte, sub, f, -, -n cotton wool; **~bausch** sub, m, -es, -bäusche cotton pad; **~nmeer** sub, n, -s, -e mud-flats

WC, sub, n, -s, -s (ugs.) WC

weben, vti, weave; **Weber** sub, m, -s, - weaver; **Weberei** sub, f, -, -en weaving, weaving mill; **Weberknecht** sub, m, -s, -e (tt; zool.) daddy-long-legs; **Weberknoten** sub, m, -s, - reef knot; **Webstuhl** sub, m, -s, -stühle loom

Wechsel, sub, m, -s, - bill, change, rotation; (tt; spo.) change-over; (tt; wirt.) exchange; **~balg** sub, m, -s od. -es, -bälger (ugs.) little monster; **~bank** sub, f, -, -en bank; **~bürge** sub, m, -, -n guarantee; **~fälle** sub, nur Mehrz. vicissitudes; **~fieber** sub, n, -s, nur Einz. (tt; med.) malaria; **~geld** sub, n, -s od. -es, -er change; **wechselhaft** adj, changeable; **~jahre** sub, nur Mehrz. menopause; in die Wechseljahre kommen to start the menopause; **~kasse** sub, f, -, -n cashdesk; **~kurs** sub, m, -es, -e rate of exchange; **wechseln** vt, alternate, change, pass by; **~rede** sub, f, -, -n (i. ü. S.) dialogue; **~strom** sub, m, -s, -ströme alternating current; **~stube** sub, f, -, -n bureau de change; **~summe** sub, f, -, -n (i. ü. S.) exchange amount; **wechselvoll** adj, varied; **wechselweise** adv, alternately; **Wechsler** sub, m, -s, - change dispenser; (ugs.) money changer

Weckapparat, sub, m, -s, -e preserving and bottling equipment; **Wekke** sub, f, -, -n roll; **wecken** vt, bring back, create, waken; **Wecker** sub, m, -s, - alarm clock

Weckglas, sub, n, -es, -gläser preserving jar

Wedel, sub, m, -s, - fan, feather duster; **wedeln** (1) vi, wag (2) vt, waft

Wedgwoodware, sub, f, -, -n (i. ü. S.) wedgwoodware

Weekend, sub, n, -s, -s weekend

weg, (1) adv, be away, be gone (2) Weg sub, m, -s, -e distance, path, trail, way; in einem weg non-stop; (ugs.) nur weg von hier let´s scram; über den Kopf weg over the head; über etwas weg sein to have got over it; weit weg von hier far away from here, einer langweiligen Person aus dem Weg gehen duck a tiresome person; **~arbeiten** vi, (i. ü. S.) work things away; **~bekommen** vt, get rid of, remove; (ugs.)

catch; **Wegbereiter** *sub, m, -s,* - forerunner ~bleiben vt, be omitted, stay away; *(ugs.) immer weg damit* chuck it all out; *mir blieb die Luft weg* I couldn´t breath; *weg mit euch* away with you; *von zuhause wegbleiben* to stay away from home; **~bringen** *vt,* take away; **Wegegeld** *sub, n, -s, nur Einz.* toll; **Wegelagerer** *sub, m, -s,* - highwayman; **Wegelagerung** *sub, f, -, -en* highwayrobbery

wegen, *präp,* because of, due to

Wegerecht, *sub, n, -s, -e (i. ü. S.)* road law; **Wegerich** *sub, m, -s, -e (tt; bot.)* plantain; **wegessen** *vt,* eat; **wegfallen** *vi,* be discontinued; be lost, be omitted; **wegfegen** *vt,* sweep away, wipe with; **Weggabelung** *sub, f, -, -en* fork (in the road); **weggeben** *vt,* give away, have looked after; **Weggefährte** *sub, m, -n, -n* companion; **weggehen** *vi,* go away, leave, sell; **wegholen** *vt,* take away; **weghören** *vi,* not to listen

wegjagen, *vt,* chase away; **Wegkarte** *sub,* map; **wegkommen** *vi,* come from, come off, disappear, get out, go; **Wegkreuzung** *sub, f, -, -en* crossroad

weglassen, *vt,* leave out, not use; **weglaufen** *vi,* run away, run off; **weglegen** *vt,* put away; **wegmüssen** *vi,* have go, have leave, have to be removed

Wegnahme, *sub, f, -, -n* taking away; **wegnehmen** *vt,* absorb, remove, take away; **wegradieren** *vt,* erase; **wegräumen** *vt,* clear away; **wegreißen** *vt,* tear away; **wegsanieren** *vt,* put of; **wegschaffen** *vt,* cart away, get rid of

wegscheuchen, *vt,* shoo away; **wegschicken** *vt,* send away; **wegschließen** *vt,* lock away; **wegschmeißen** *vt, (ugs.)* chuck away; **wegschnappen** *vt,* pinch, snatch sth away; **wegschneiden** *vt,* cut off; **wegschütten** *vt, (ugs.)* tip away; **wegstehlen** (1) *vr,* steal away (2) *vt,* put away

wegstreichen, *vt,* cross out, spread away; **wegtun** *vt,* put aside, put away; **Wegweiser** *sub, m, -s,* - signpost; **wegwerfen** (1) *vr,* waste oneself (2) *vt,* throw away; **wegwerfend** *adj,* dismissive; **Wegzehrung** *sub, f, -, nur*

Einz. provisions for the journey; **Wegzug** *sub, m, -s, -züge* move (away from)

weh, (1) *adj,* aching, sore (2) *interj,* alas, woe (3) **Weh** *sub, n, -s, -e* ache, grief, woe

wehe, (1) *interj,* dare, woe (2) **Wehe** *sub, f, -, -n* drift, pains; *(tt; med.)* contractions; **~n** (1) *vi,* blow, flutter, waft, wave (2) *vt,* blow

Wehgeschrei, *sub, n, -s, nur Einz.* cries of woe; **Wehklage** *sub, f, -, -n* lamentation; **wehklagen** *vi,* lament, wail; **wehleidig** *adj, (ugs.)* snivelling, whining; **Wehmut** *sub, f, -, nur Einz.* melancholy; **wehmütig** *adj,* melancholy, nostalgic; **Wehmütigkeit** *sub, f, -, -en* nostalgia; **wehmutsvoll** *adj,* nostalgic

Wehr, *sub, f, -, -en* defence, fire brigade; *n, -, -en* weir; *f, -, -en (tt; mil.)* defences; **~bereich** *sub, m, -s, -e* military district; **~dienst** *sub, m, -s, -e* military service; **wehren** (1) *vi,* fight (2) *vr,* defend oneself; *dagegen weiß ich mich zu wehren* I know how to deal with it; *sich gegen einen Plan wehren* to fight against a plan; *(i. ü. S.) wehret den Anfängen* these things must be stopped before they get out of hand; **wehrhaft** *adj,* well-fortified; **wehrlos** *adj,* defenceless; **~macht** *sub, f, -, -mächte (tt; mil.)* armed forces; **~pflicht** *sub, f, -, nur Einz.* conscription; **~turm** *sub, m, -s, -türme* fortified tower

Weib, *sub, n, -es, -er* female, woman; *(tt; bibl.)* wife; **~chen** *sub, n, -s, (ugs.)* dumb female; *(tt; zool.)* female; **~erfeind** *sub, m, -s, -e* misogynist; **weibisch** *adj, (ugs.)* effeminate; **weiblich** *adj,* feminine; **~lichkeit** *sub, f, -, nur Einz.* femininity; **~sperson** *sub, f, -, -en (ugs.)* woman

weich, *adj,* soft, tender, weak; *die Knie wurden mir weich* my knees turned to jelly; *ein weiches Herz haben* to have a soft heart; *jmd weich kriegen/machen* to soften; *weich werden* to soften; **Weichbild** *sub, n, -s, -er (i. ü. S.)* precincts

Weide, *sub, f, -, -n* meadow; *(tt; agrar)* pasture; *(tt; bot.)* willow;

~land *sub, n, -s, -länder* pasturage; **weiden** (1) *vi,* graze; *(i. ü. S.)* feast (2) *vr,* revel in; **~nbusch** *sub, m, -s, -büsche* willow bush; **~ngerte** *sub, f, -, -n* willow rod

weidgerecht, *adj,* in accordance with hunting principles; **weidlich** (1) *adj,* huntsman´s (2) *adv,* pretty; **Weidmann** *sub, m, -s, -männer* hunter, huntsman; **weidmännisch** *adj,* huntsman´s; **weidwund** *adj,* wounded in the belly

weigern, *vr,* refuse; **Weigerung** *sub, f, -, -en* refusal

Weihe, *sub, f, -, -n* solemnity; *m, -s, -e oder -en* harrier; *f, -, -n (i. ü. S.)* greater glory; *(tt; arch.)* inauguration; *(tt; relig.)* consecration, ordination; **~kessel** *sub, m, -s, -* consecrationkettle; **weihen** (1) *vr,* devote (2) *vr,* consecrat, dedicate, ordain; *(tt; arch.)* inaugurate

Weiher, *sub, m, -s, -* pond

Weihestunde, *sub, f, -, -n (i. ü. S.)* consecration hour

Weihnacht, *sub, f, -, -en* Christmas; **~en** *sub, n, -s, -* Christmas; **~sbaum** *sub, m, -s, -bäume* Christmastree; **~smann** *sub, m, -s, -männer* Santa Claus; **~sstern** *sub, m, -s, -e (tt; bibl.)* star of Bethlehem; *(tt; bot.)* poinsettia

Weihrauch, *sub, m, -s, nur Einz.* incense; **weihräuchern** *vt,* insense; **Weihwasser** *sub, n, -s, -wässer* holy water

weil, *konj,* because

Weilchen, *sub, n, -s, nur Einz. (ugs.)* little while; **Weile** *sub, f, -, nur Einz.* while; *das hat noch gute Weile* there´s no hurry; *vor einer Weile* a while ago

weilen, *vi,* be, stay

Weiler, *sub, m, -s, -* hamlet

Wein, *sub, m, -es, -e* wine; **~bergschnecke** *sub, f, -, -n* escargot; *(ugs.)* snail; **~brand** *sub, m, -s, -bände* brandy

Weinberg, *sub, m, -s, -e* vineyard

weinen, *vti,* cry, weep; *es ist zum Weinen* to make you want to cry; *man könnte weinen* it makes you weep; *sich die Augen rot weinen* to cry one´s heart out; *sich müde weinen* to tire oneself out crying; **weinerlich** *adj,* whining

Weinflasche, *sub, f, -, -n* winebottle; **Weingärtner** *sub, m, -s, -* wine-grower; **Weinglas** *sub, n, -es, -gläser* wineglass; **Weinhändler** *sub, m, -s, -* wine-dealer; **Weinhandlung** *sub, f, -, -en* wine store; **Weinkeller** *sub, m, -s, -* wine-cellar; **Weinkellerei** *sub, f, -, -en* winery; **Weinkönigin** *sub, f, -, -nen (i. ü. S.)* wine queen

Weinlage, *sub, f, -, -n* wine-area; **Weinlese** *sub, f, -, -n* vintage; **Weinpanscher** *sub, m, -s, -* wine-adulterator; **Weinrebe** *sub, f, -, -n* vine; **Weinstock** *sub, m, -s, -stöcke* vine; **Weintraube** *sub, f, -, -n* grape

weise, (1) *adj,* wise (2) **Weise** *sub, f, -, -n* fashion, manner; *(ugs.)* way; *auf geheimnisvolle Weise* in a mysterious way; *in der Weise, daß* in such a way that; *in keiner Weise* no way; *jeder nach seiner Art und Weise* each one in his own way

Weisel, *sub, f, -, -n (tt; zool.)* queen bee

weisen, (1) *vi,* point (2) *vt,* expel sb, reject, show sb sth

Weisheit, *sub, f, -, (-en)* wisdom; *(i. ü. S.)* behalte deine Weisheiten für dich* keep your pearls of wisdom to yourself; *(i. ü. S.) das war der Weisheit letzter Schluß* that was all they came up with; *(i. ü. S.) die Weisheit mit Löffeln gefressen* to think to know all; **~szahn** *sub, m, -s, -zähne* wisdom tooth; **weismachen** *vt,* make sb believe sth

weiß, *adj,* white; *ein weißer Fleck* a blank area; *weiß werden* to turn white; *weiß wie Kreide* white as chalk; **weissagen** *vt, -, -en* foretell; **Weissagerin** *sub, f, -, -nen* foreteller; **Weissagung** *sub, f, -, -en* prophecy; **Weißbier** *sub, n, -s, -oder -e (ugs.)* weissbeer; **Weißblech** *sub, n, -s, -e* tinplate; **~blond** *adj,* ash blond; **Weißbrot** *sub, n, -s, -e* white bread; **Weißdorn** *sub, m, -s, -e (tt; bot.)* whitehorn; **Weiße** *sub, m,f, -n, -n* white man/woman; **Weißfisch** *sub, m, -s, -e* whitefish; **Weißgardist** *sub, m, -en, -en (tt; hist.)* member of the white guard; **Weißglut** *sub, f, -, nur Einz.* white heat; *jmd zur Weißglut reizen* to make sb see red; **Weißgold** *sub, n, -s, nur Einz.* white gold

Weißkäse, *sub, m, -s,* - white cheese; **Weißkohl** *sub, m, -(e)s, ...köhle* white cabbage; **Weißling** *sub, m, -s, -e (ugs.)* whity; **Weißmacher** *sub, m, -s,* - *(i. ü. S.)* liar; **Weißnäherin** *sub, f, -, -nen* seamstress; **weißrussisch** *adj,* White Russian; **Weißsucht** *sub, f, -, nur Einz.* albinism; **Weißtanne** *sub, f, -, -n (tt; bot.)* silver fir; **weißwaschen** *vtr, (ugs.)* whitewash; **Weißwein** *sub, m, -s, -e* white wine

Weisung, *sub, f, -, -en* instruction; *(tt; jur.)* ruling

weit, (1) *adj,* big, broad, open, wide; *(zeitl)* long **(2)** *adv, (ugs.)* up to; *(Größe)* widely; *(örtl.)* far; **~ab** *adj,* far (away) from; **~aus** *adv,* far; **Weite** *sub, f, -, -n* distance, expanse, length; **~en (1)** *vr,* broaden, swell **(2)** *vt,* stretch, widen

weiter, *adv,* far; **Weiterarbeit** *sub, f, -, nur Einz.* continue working; **~bilden (1)** *vr,* continue one´s education **(2)** *vt,* educate sb further; **~erzählen** *vt,* pass on; **~fahren (1)** *vi,* continue doing sth, travel on **(2)** *vt,* keep on driving; **Weiterfahrt** *sub, f, -, -en* continuation of the journey; **~führen (1)** *vi,* lead on **(2)** *vt,* continue; **~geben** *vt,* pass on, transmit; **~gehen** *vi,* go on

weiterhelfen, *vi,* help (along); **weiterkommen** *vi,* get further; **weiterkönnen** *vi,* be able to carry on; **weiterlaufen** *vi,* run/walk on; *(tt; indus)* go on; **weiterleben** *vi,* live on; **weiterleiten** *vt,* pass on; **weitermachen** *vi,* carry on; **Weiterreise** *sub, f, -, -n* continuation of the journey; **weiterreisen** *vi,* continue travelling; **weitersagen** *vt,* pass on, repeat; **weitersehen** *vi,* see how to go on

Weiterung, *sub, f, -, -en* complication, consequence; **weiterwissen** *vi,* know how to go on; **weiterwollen** *vi,* want to go on; **weiterzahlen** *vt,* continue paying; **weiterziehen** *vi,* continue travelling

weitgehend, (1) *adj,* extensive **(2)** *adv,* a great extent

weither, *adv,* largely, widely

weitläufig, *adj,* distant, long-winded; *(räuml.)* spacious; **weitmaschig** *adj,* coarse-meshed; **weitschweifig** *adj,* long-winded; **weitsichtig** *adj,* far-sighted; **Weitsichtigkeit** *sub, f, -, -en*

far-sightedness; **weitspringen** *vi,* do the long jump; **Weitsprung** *sub, m, -s, -sprünge (tt; spo.)* long-jumping

Weizen, *sub, m, -s, nur Mehrz.* wheat; **~ernte** *sub, f, -, -n (tt; agrar)* wheat harvest(ing); **~keimöl** *sub, n, -s, -e* wheatgerm oil; **~kleie** *sub, f, -, nur Einz.* wheatbran; **~preis** *sub, m, -es, -e* price of wheat

welcher, *pron,* who/which/that

welk, *adj,* wilted, withered; *(i. ü. S.)* fading, tired-looking; **~en** *vi,* fade, grow tired-looking

Wellblech, *sub, n, -s, -e* wilted state

Welle, *sub, f, -, -n* wave; *(mod.)* craze; *(tt; spo.)* circle; *(tt; tech.)* shaft; **wellen (1)** *vr,* become wavy **(2)** *vt,* corrugate, wave; **~n reiten** *sub, n, -s, nur Einz. (tt; spo.)* surfing; **wellenartig** *adj,* wavy; **wellenförmig** *adj,* wave-like; **~nlänge** *sub, f, -, -n* wavelength; **~nlinie** *sub, f, -, -n* wavy line; **~nreiter** *sub, m, -s, - (tt; spo.)* surfer; **~nschlag** *sub, m, -s, -schläge* breaking of the waves; **~nsittich** *sub, m, -s, -e (tt; zool.)* budgerigar; **wellig** *adj, (ugs.)* wavy; *(tt; tech.)* uneven; **Wellpappe** *sub, f, -, -n* corrugated cardboard

Welpe *sub, m, -n, -n* whelp; *(ugs.)* pup

Wels, *sub, m, -es, -e (tt; zool.)* catfish

Welt, *sub, f, -, -en* world; *(i. ü. S.) aus der Welt schaffen* to eliminate; *(i. ü. S.) das ist doch nicht die Welt* it isn´t all important as all that; *die Alte/Neue/Dritte Welt* the Old/New/Third World; *ein Mann von Welt* a man of the world; *(i. ü. S.) Gott und die Welt* everybody; *(i. ü. S.) in aller Welt* all over the world; *(i. ü. S.) um nichts in der Welt* not for all the tea in China; *(i. ü. S.) zur Welt kommen* to come to world/to be born; **~all** *sub, n, -s, nur Einz.* cosmos, universe; **~anschauung** *sub, f, -, -en* weltanschauung; **~ausstellung** *sub, f, -, -en* world exhibition; **~bank** *sub, f, -, nur Einz.* World Bank; **weltbekannt** *adj,* world-renowned; **weltberühmt** *adj,* world-famous; **~bestzeit** *sub, f, -, -en (tt; spo.)* world´s best time; **weltbewe-**

gend *adj*, world-shattering; **~bild** *sub*, *n*, *-s*, *-er (i. ü. S.)* conception of the world

Weltbummler, *sub*, *m*, *-s*, - globetrotter; **Weltchronik** *sub*, *f*, *-*, *-en* world chronicle; **Weltcuppunkt** *sub*, *m*, *-s*, *-e (tt; spo.)* World Cup-point; **Weltenbürger** *sub*, *m*, *-s*, - cosmopolitan; **weltentrückt** *adj*, world-entraptured; **Weltergewicht** *sub*, *n*, *-s*, *nur Einz.* welterweight; **Weltfrieden** *sub*, *m*, *-s*, *nur Einz.* world peace; **Weltgeltung** *sub*, *f*, *-*, *nur Einz.* international standing; **Weltgeschichte** *sub*, *f*, *-*, *nur Einz.* world history; *(i. ü. S.) in der Weltgeschichte herumfahren* to travel around all over the place; **Weltgesundheitsorganisation** *sub*, *f*, *-*, *nur Einz.* World Health Organisation (WHO); **weltgewandt** *adj*, sophisticated; **Welthandel** *sub*, *m*, *-s*, *nur Einz.* world trade; **Weltklugheit** *sub*, *f*, *-*, *nur Einz. (i. ü. S.)* world wise; **Weltkrieg** *sub*, *m*, *-s*, *-e* world war **weltlich,** *adj*, mondane, secular; **Weltlichkeit** *sub*, *f*, *-*, *nur Einz.* mondanity; **Weltliteratur** *sub*, *f*, *-*, *nur Einz.* world literature; **Weltmann** *sub*, *m*, *-s*, *-männer* man of the world; **weltmännisch** *adj*, sophisticated; **Weltmeer** *sub*, *n*, *-s*, *-e* ocean; **Weltmeister** *sub*, *m*, *-s*, - world champion; **Weltmeisterschaft** *sub*, *f*, *-*, *-en* world championship; **Weltordnung** *sub*, *f*, *-*, *nur Einz.* world order; **Weltpolitik** *sub*, *f*, *-*, *nur Einz.* world politics; **Weltpremiere** *sub*, *f*, *-*, *-n* world premiere; **Weltpriester** *sub*, *m*, *-s*, - world priest; **Weltrang** *sub*, *m*, *-s*, *nur Einz.* world status **Weltraum,** *sub*, *m*, *-s*, *nur Einz.* space; **~fahrer** *sub*, *m*, *-s*, - space traveller; **~fahrt** *sub*, *f*, *-*, *-en* space travel; **~flug** *sub*, *m*, *-s*, *-flüge* space flight; **Weltreich** *sub*, *n*, *-s*, *-e* empire; **Weltreisende** *sub*, *m,f*, *-n*, *-n* globetrotter; **Weltrekord** *sub*, *m*, *-s*, *-e* world record; **Weltreligion** *sub*, *f*, *-*, *-en* world religion; **Weltruhm** *sub*, *m*, *-s*, *nur Einz.* world fame; **Weltschmerz** *sub*, *m*, *-es*, *nur Einz.* world-weariness; *(i. ü. S.)* weltschmerz; **Weltspartag** *sub*, *m*, *-s*, *-e* world-saving-day; **Weltsprache** *sub*, *f*, *-*, *-n* world language **Weltstadt,** *sub*, *f*, *-*, *-städte* cosmopolitan city; *(i. ü. S.)* metropolis;

Weltstar *sub*, *m*, *-s*, *-s* world-star; **Weltumsegler** *sub*, *m*, *-s*, - circumnavigator; **weltweit** *adj*, global, world-wide; **Weltwirtschaft** *sub*, *f*, *-*, *nur Einz.* world economy; **Weltwirtschaftskrise** *sub*, *f*, *-*, *-n* world economy crisis; **Weltwunder** *sub*, *n*, *-s*, - wonder of the world; *die sieben Weltwunder* the Seven Wonders of the World; *jmd anstarren wie ein Weltwunder* to stare at so as if he/she was from another planet; **Weltzeituhr** *sub*, *f*, *-*, *-en* world clock

Wende, *sub*, *f*, *-*, *-n* change, turning point; **~hals** *sub*, *m*, *-es*, *-hälse* wryneck; *(ugs.)* turncoat; **~kreis** *sub*, *m*, *-es*, *-e* tropic

Wendelbohrer, *sub*, *m*, *-s*, - twist drill; **Wendeltreppe** *sub*, *f*, *-*, *-n* spiral staircase

Wendemanöver, *sub*, *n*, *-s*, - *(tt; spo.)* turning manoeuvre; **wenden** (1) *vi*, turn round (2) *vr*, turn (3) *vt*, consult, spend, turn; **wendig** *adj*, agile, manoeuverable; **Wendung** *sub*, *f*, *-*, *-en* expression, turn

wenig, (1) *adj*, a few, little, not much (2) *adv*, little; **~er** (1) *adj*, fewer (2) *adv*, less; **~ste** *adj*, fewest, least; **~stens** *adv*, at least

wenn, *konj*, if; *(zeitl)* when; **~gleich** *konj*, although; **~schon** *adv*, *(ugs.)* so what

Werbeagentur, *sub*, *f*, *-*, *-en* advertising agency; **Werbeanteil** *sub*, *m*, *-s*, *-e* advertising interest/share; **Werbebranche** *sub*, *f*, *-*, *nur Einz.* advertising business; **Werbefeldzug** *sub*, *m*, *-s*, *-züge* advertising campaign; **Werbekosten** *sub*, *f*, *-*, *nur Mehrz.* advertising costs; **bekräftig** *adj*, catchy; *ein werbekräftiger Slogan* an effective publicity slogan; **Werbeleiter** *sub*, *m*, *-s*, - publicity manager; **Werbemittel** *sub*, *n*, *-s*, - means of advertising

werben, (1) *vi*, advertise (2) *vt*, attract; **Werber** *sub*, *m*, *-s*, - canvasser; *(tt; mil.)* recruiter; **Werbeslogan** *sub*, *m*, *-s*, *-s* advertising slogan; **Werbespruch** *sub*, *m*, *-s*, *-sprüche* advertising slogan; **Werbetexter** *sub*, *m*, *-s*, - advertising copywriter; **Werbeträger** *sub*, m, -s, - advertising medium; **Wer**be**trommel** sub, f, -, -n big drum; *die Werbetrommel rühren* to beat the big drum; **werbewirksam** adj, effective

Werbung, sub, f, -, -en advertising, publicity; ~**skosten** sub, f, -, nur Mehrz. professional expenses

Werdegang, sub, m, -s, -gänge development

werden, vi, be going be, become, get; *überfahren werden* to be run over

werfen, (1) vt, (tt; biol.) have young (2) vti, throw; **Werfer** sub, m, -s, - thrower; (tt; spo.) bowler, pitcher; **Werft** sub, f, -, -en shipyard

Werg, sub, n, -s, nur Einz. tow

Werk, sub, n, -es, -e factory, work; (tt; tech.) mechanism; ~**bank** sub, f, -, -bänke workbench; ~**bücherei** sub, f, -, -en library; **werken** (1) vi, work (2) vt, make; ~**garantie** sub, f, -, -n guarantee; ~**leitung** sub, f, -, -en management; ~**meister** sub, m, -s, - foreman; ~**spionage** sub, f, -, -n industrial espionage; ~**statt** sub, f, -, -stätten garage, workshop; (kun.) studio

Werkstück, sub, n, -s, -e (tt; tech.) workpiece; **Werktag** sub, m, -s, -e workday; **werktäglich** (1) adj, workaday (2) adv, on workdays; **werktags** adv, on workdays; **Werktätige** sub, m,f, -n, -n working man/woman; **Werkzeug** sub, n, -s, -e tool

Wermut, sub, m, -s, -oder -s (bot.) wormwood; ~**stropfen** sub, m, -s, nur Einz. (i. ü. S.) drop of bitterness; ~**wein** sub, m, -s, -e vermouth

Werst, sub, f, -, -en verst

wert, (1) adj, useful, worth something (2) **Wert** sub, m, -es, -e denomination, value, worth; **Wertachtung** sub, f, -, nur Einz. respect; ~**en** vti, judge, rate; ~**frei** adj, unbiased; ~**los** adj, worthless; **Wertpapier** sub, n, -s, -e bond; ~**schätzen** vt, esteem; **Wertschrift** sub, f, -, -en bond

Wertsendung, sub, f, -, -en registered consignment; **Wertstellung** sub, f, -, -en value; **Wertunglauf** sub, m, -s, -läufe (spo.) score-run; **wertvoll** adj, valuable; **Wertvorstellung** sub, f, -, -en moral concept; **Wertzeichen** sub, n, -s, - postage stamp; **Wertzuwachs** sub, m, -es, nur Einz. (tt; wirt.) capital gain

Werwolf, sub, m, -s, -wölfe werewolf

Wesen, sub, n, -s, - creature, nature, work; **wesenlos** adj, unreal; ~**sart** sub, f, -, -en character; **wesenseigen** adj, intrinsic; **wesensfremd** adj, different in nature; **wesensgemäß** adj, in accordance with nature; **wesensgleich** adj, essentially alike; ~**szug** sub, m, -s, -züge characteristic; **wesentlich** (1) adj, essential, fundamental (2) adv, fundamentally

weshalb, adv, why

Wespe, sub, f, -, -n (zool.) wasp; ~**nnest** sub, n, -s, -er wasp´s nest; (ugs.) *in ein Wespennest stechen* to stir up a hornet´s nest; ~**nstich** sub, m, -s, -e wasp sting; ~**ntaille** sub, f, -, -n wasp waist

wessen, pron, what, whatever, which, whose; ~**twegen** adv, on whose/what account

Wessi sub, m, -s, -s (ugs.) Westner; **Westberliner** sub, m, -s, - West Berliner; **westdeutsch** adj, West German

Weste, sub, f, -, -n vest; (i. ü. S.) *eine saubere Weste haben* to have a clean slate

Westen, sub, m, -s, nur Einz. west; ~**tasche** sub, f, -, -n vest pocket; **Western** sub, m, -s, - western; **Westfalen** sub, n, -, - Westphalia; **westfälisch** adj, Westphalian; **Westindien** sub, West Indies; **westindisch** adj, West Indian; **westlerisch** adj, (ugs.) western; **westlich** (1) adj, westerly, western (2) adv, west (3) präp, west of; **westöstlich** adj, west -to -east; **weströmisch** adj, (tt; hist.) Western Roman; **westwärts** adj, westwards; **Westwind** sub, m, -s, -e west wind

weswegen, adv, why

wett, adj, quits; **Wettannahme** sub, f, -, -n betting office; **Wettbewerb** sub, m, -s, -e competition; **Wettbewerber** sub, m, -s, - competitor; **Wettbüro** sub, n, -s, -s betting office; **Wette** sub, f, -, -n bet; **Wetteifer** sub, m, -s, nur Einz. competitive zeal; **Wetteiferer** sub, m, -s, - competitive person; ~**en** vti, bet

Wetter, sub, m, -s, - storm, weather; ~**ansage** sub, f, -, -n weather broadcast; **~bericht** *sub, m, -s, -e* weather report; **~fahne** *sub, f, -, -n* weather vane; **wetterfest** *adj,* weatherproofed; **~fleck** *sub, m,* weatherproof cape; **~frosch** *sub, m, -s, -frösche (ugs.)* weatherman; **wetterfühlig** *adj,* sensitive to the weather; **~fühligkeit** *sub, f, -, nur Einz.* sensivity to the weather; **~glas** *sub, n, -es, -gläser* weatherglass; **~karte** *sub, f, -, -n* weather-map; **~kunde** *sub, f, -, nur Einz.* meteorology; **wetterkundig** *adj,* meteorological; **~leuchten** *sub, n, -s, nur Einz.* sheet lightning

wettern, *vi, (ugs.)* curse and swear; **Wetterregel** *sub, f, -, -n* weather-saying; **Wettersatellit** *sub, m, -en, -en* weather satellite; **Wetterseite** *sub, f, -, -n* windward side; **Wettersturz** *sub, m, -es, -stürze* sudden fall in temperature and atmosheric pressure; **Wettervorhersage** *sub, f, -, -n* weather forecast; **Wetterwarte** *sub, f, -, -n* weather station

Wettkampf, *sub, m, -s, -kämpfe* competition; **Wettkämpfer** *sub, m, -s, -* competitor; **Wettlauf** *sub, m, -s, -läufe* race; **Wettläufer** *sub, m, -s, -* runner; **wettmachen** *vt, (ugs.)* make up for; **Wettrennen** *sub, n, -s, -* race; **Wettstreit** *sub, m, -s, -e* competition; **wettstreiten** *vt,* compete; **Wetttauchen** *sub, n, -s, nur Einz.* diving competition

wetzen, *vt,* whet
Whirlpool, *sub, m, -s, -s* spa
Whisky, *sub, f, -, -s* whiskey
wichsen, (1) *vi, (vulg.)* jerk (2) *vt,* polish
Wicht, *sub, m, -s, -e* goblin, titch
Wichtelmännchen, *sub, n, -s, -* gnome
Wicke, *sub, f, -, -n (tt; bot.)* vetch
Wickel, *sub, m, -s, -* roller; *(tt; med.)* compress; **wickeln** *vt,* wind, wrap; *(tt; tech.)* coil; **~tisch** *sub, m, -s, -e* baby´s changing table
Wickenblüte, *sub, f, -, -n* sweet pea bloom
Wicklung, *sub, f, -, -en* wrapping
Widder, *sub, m, -s, - (tt; astrol.)* Aries; *(tt; zool.)* ram
wider, *präp,* against, contrary to; **~fahren** *vi,* befall, happen; **Widerhaken** *sub, m, -s, -* barb; **Widerhall** *sub, m, -s, -e* echo, reverberation;

~hallen *vi,* echo; **Widerklage** *sub, f, -, -n* counterclaim; **Widerkläger** *sub, m, -s, -* counterclaimant; **~klingen** *vi,* resound; **~legbar** *adj,* refutable; **~legen** *vt,* refute; **Widerlegung** *sub, f, -, -en* refutation
widerlich, *adj,* digusting
widernatürlich, *adj,* against nature; **widerrechtlich** *adj,* unlawful; **Widerruf** *sub, m, -s, -e* revocation, withdrawal; **widerrufen** (1) *vi,* withdraw (2) *vt,* revoke; **widerruflich** *adj,* revocable; **Widerrufung** *sub, f, -, -en* cancellation; **Widersacher** *sub, m, -s, -* adversary
Widerschein, *sub, m, -s, -e* reflection; **widersetzen** *vr,* oppose, resist; **Widersetzlichkeit** *sub, f, -, -en* insubordination; **widersinnig** *adj,* absurd; **widerspenstig** *adj,* unruly; **widerspiegeln** (1) *vr,* be reflected (2) *vt,* reflect; **Widerspiegelung** *sub, f, -, -en* reflection; **widersprechen** *vir,* contradict; **Widerspruch** *sub, m, -s, -sprüche* contradiction; **widersprüchlich** *adj,* contradictory; **widerspruchslos** *adj,* unopposed
Widerstand, *sub, m, -s, -stände* resistance; **~sbewegung** *sub, f, -, -en* resistance movement; **widerstandsfähig** *adj,* resistant; **~skraft** *sub, f, -, -kräfte* resistance; **widerstehen** *vi,* resist; **Widerstrahl** *sub, m, -s, -en* reflection; **Widerstreben** (1) *sub, n, -s, nur Einz.* reluctance (2) **widerstreben** *vi,* oppose; **Widerstreit** *sub, m, -s, -e* conflict; **widerwärtig** *adj,* offensive; **Widerwille** *sub, m, -ns, -n* disgust, revulsion; **Widerwillen** *sub, m, -s, -* distaste; **widerwillig** *adj,* reluctant
widmen, (1) *vr,* devote (2) *vt,* dedicate; **Widmung** *sub, f, -, -en* dedication
widrig, *adj,* adverse
wie, (1) *adv,* how (2) *konj,* as
Wiedehopf, *sub, m, -s, -e (tt; zool.)* hoopoe
wieder, *adv,* again; **~ aufnehmen** *vt,* resume, take back; *(tt; jur.)* reopen; **~ bekommen** *vt,* get back; **Wiederanstoß** *sub, m, -es, -stöße (tt; spo.)* kick-off; **Wieder-**

aufbau sub, m, -s, -ten reeognumun (ugs.), **Wi, h ι ι maahme** sub, f, -, -n readoption, resumption, taking back; **Wiederbeginn** sub, m, -s, nur Einz. (ugs.) restart; **~bringen** vt, bring back; **Wiederdruck** sub, m, -s, -e reprint

wiedererkennen, vt, recognize; **wiedererlangen** vi, regain; **Wiedergabe** sub, f, -, -n account, rendition, repetition, representation, translation; **wiedergeben** vt, give back, recite, represent, reproduce

wiederkäuen, vti, ruminate; **Wiederkäuer** sub, m, -s, - ruminant; **wiederkaufen** vt, buy again; **Wiederkäufer** sub, m, -s, - rebuyer; **Wiederkehr** sub, f, -, nur Einz. return; **wiederkehren** vi, return; **wiederkommen** vi, come back; **Wiederkunft** sub, f, -, nur Einz. return; **Wiedersehen** sub, n, -s, - meeting, reunion

Wiedertaufe, sub, f, -, -n rebaptism; **wiederum** adv, again, in turn, on the other hand; **Wiedervereinigung** sub, f, -s, -en reunification; **Wiederwahl** sub, f, -, -en re-election

Wiege, sub, f, -, -n cradle; (i. ü. S.) das ist ihm schon in die Wiege gelegt worden he inherited it; (i. ü. S.) seine Wiege stand in his birthplace was; von der Wiege bis zur Bahre from the cradle to the grave; **~messer** sub, n, -s, - chopper; **wiegen (1)** vr, sway **(2)** vt, chop up, rock **(3)** vti, weigh; **~ndruck** sub, m, -s, -e (tt; tech.) incunabulum

wiehern, vi, neigh

wienerisch, adj, Viennese

Wiese, sub, f, -, -n lawn, meadow

Wiesel, sub, n, -s, - (zool.) weasel; (i. ü. S.) flink wie ein Wiesel quick as a flash; **wieselflink (1)** adj, (ugs.) quicksilver **(2)** adv, quick as a flash; **wieseln** vi, scurry

Wiesenblume, sub, f, -, -n meadow flower; **Wiesengrund** sub, m, -s, -gründe meadow; **Wiesenwachs** sub, n, -es, -e (i. ü. S.) meadow wax

wieso, adv, how come, why; **wievielerlei** adj, (ugs.) how many sorts; **wiewohl** konj, as well as

Wigwam, sub, m, -s, -s wigwam

Wikinger, sub, m, -s, - Viking; **~sage** sub, f, -, -n Vikingepos

wild, **(1)** adj, furious, illegal, savage, wild **(2) Wild** sub, n, -s, nur Einz.

deer, game; **Wildbach** sub, m, -s, -bäche torrent; **Wildbahn** sub, f, -, -en hunting ground; **Wildbestand** sub, m, -s, -stände stock of game; **Wildbret** sub, n, -s, nur Einz. game/vension; **Wilddieb** sub, m, -s, -e poacher; **Wilddieberei** sub, f, -, -en poaching; **Wildente** sub, f, -, -n wild duck; **Wilderei** sub, f, -, -en poaching; **Wilderer** sub, m, -s, - poacher; **Wildfang** sub, m, -s, -fänge captured in the wild; (i. ü. S.) little devil; **Wildheit** sub, f, -, nur Einz. wild passion, wildness

Wildhund, sub, m, -s, -e wild dog; **wild lebend** adj, wild; **Wildkatze** sub, f, -, -n wildcat; **Wildleder** sub, n, -s, - suede; **Wildpark** sub, m, -s, -s game park; **Wildpflanze** sub, f, -, -n wild plant; **Wildreichtum** sub, m, -s, nur Einz. abundance of game; **Wildrind** sub, n, -s, -er wild cattle; **Wildschwein** sub, n, -s, -e wild boar; **Wildwechsel** sub, m, -s, - game path; **Wildwest** sub, wild west; **Wildwestfilm** sub, m, -s, -e western; **wildwüchsig** adj, ranked growth; **Wildzaun** sub, m, -s, -zäune wild fence

wilhelminisch, adj, Wilhelminian

Wille, sub, m, -ns, -n intention, wants, will; das geschah wider meinem Willen that was done against my will; der gute Wille good will; jmd zu Willen sein to comply with sb wishes; nach jmds Willen as sb wanted; **willens sein** adj, be willing; **~nserklärung** sub, f, -, -en professed intention; **~nskraft** sub, f, -, nur Einz. willpower; **willensstark** adj, strong-willed; **willentlich** adj, wilful

willfährig, adj, submissive

Willkommen, sub, n, -s, - welcome

Willkür, sub, f, -, nur Einz. capriciousness; **willkürlich** adj, arbitrary, voluntary

wimmeln, vi, overrun, swarm, teem

wimmern, **(1)** vi, whimper **(2)** vt, whine

Wimpel, sub, m, -s, - pennant

Wimper, sub, f, -, -n lash; (vulg.; biol.) cilium; **~ntusche** sub, f, -, -n mascara

Wind, sub, m, -s, -e wind; bei Wind und Wetter in all weathers; (ugs.)

daher weht der Wind so that´s the way the wind is blowing; *(i. ü. S.) das Fähnchen nach dem Wind drehen* to trim one sails to the wind; *(i. ü. S.) jmd den Wind aus den Segeln nehmen* to take the wind out of sb´s sails; *seither weht ein frischer Wind* things have changed since then; *(ugs.) viel Wind um etwas machen* to make a lot of fuss; **~abweiser** *sub, m, -s, -* windrejector; **~bäckerei** *sub, f, -, -en (i. ü. S.)* cream bakery; **~beutel** *sub, m, -s, -* cream puff; *(ugs.)* rake; **~beutelei** *sub, f, -, -en* cream puff egg

Winde, *sub, f, -, -n (tt; bot.)* bindweed; *(tt; tech.)* winch

Windei, *sub, n, -s, -er (ugs.)* non-starter

Windel, *sub, f, -, -n* nappy; **windelweich** *adj, (ugs.)* black and blue, softly-softly; *(ugs.) jmd windelweich hauen* to beat sb black and blue, to beat the daylights out of sb

winden, (1) *vr,* meander **(2)** *vtr,* wind; **Windenergie** *sub, f, -, nur Einz.* wind energy; **Windfang** *sub, m, -s, -fänge* draught-excluder; **Windhose** *sub, f, -, -n* vortex; **Windhund** *sub, m, -s, -e (ugs.)* rake; *(zool.)* greyhound

windig, *adj,* windy; *(ugs.)* dodgy

Windjammer, *sub, m, -s, - (tt; nautl)* wind-jammer; **Windkanal** *sub, m, -s, -kanäle* wind-tunnel; **Windkraftwerk** *sub, n, -s, -e* wind-power-station; **Windmaschine** *sub, f, -, -n* wind-machine; **Windmühle** *sub, f, -, -n* windmill; **Windpocken** *sub, nur Mehrz. (tt; med.)* chickenpox; **Windrichtung** *sub, f, -, -en* wind direction; **Windröschen** *sub, n, -s, - (tt; bot.)* anemone; **Windrose** *sub, f, -, -n (tt; met)* wind rose; **Windschatten** *sub, m, -s, -* lee; **windschief** *adj,* crooked

Windschutzscheibe, *sub, f, -, -n* windscreen; **Windspiel** *sub, n, -s, -e* greyhound; **Windstille** *sub, f, -, nur Einz.* calm; **Windstoß** *sub, m, -es, -stöße* gust of wind; **Windsurfing** *sub, n, -s, nur Einz.* sailboarding

Windung, *sub, f, -, -en* meander; *(tt; elekt)* coil; *(tt; tech.)* thread

Wink, *sub, m, -s, -e* nod, sign, wave; *(ugs.)* hint; *(ugs.) der Wink mit dem Zaunpfahl* to give a sign

winken, *vti,* signal, wave; **Winker** *sub,*

m, -s, - indicator; **Winkerflagge** *sub, f, -, -n (tt; naut.)* semaphor flag; **Winnipegsee** *sub, m, -s, nur Einz. (tt; geogr.)* Lake Winnipeg

Winselei, *sub, f, -, -en (ugs.)* groveling; **winseln** *vti,* whimper

Winter, *sub, m, -s, -* winter; *(i. ü. S.) der nächste Winter kommt bestimmt* you never know how long the good times are going to last; **~abend** *sub, m, -s, -e* winter evening; **~anfang** *sub, m, -s, -fänge* beginning of winter; **~apfel** *sub, m, -s, -äpfel* winter apple; **~frucht** *sub, f, -, -früchte* winter fruit; **~garten** *sub, m, -s, -gärten* winter garden; **~gerste** *sub, f, -, -n* winter barley; **~hafen** *sub, m, -s, -häfen* winter port; **~kleid** *sub, n, -s, -er* winter clothes; **~mantel** *sub, m, -s, -mäntel* winter coat

Winternacht, *sub, f, -, -nächte* winter night; **winteroffen** *adj, (ugs.)* winteropen; **Winterpause** *sub, f, -, -n* winter break; **Winterreifen** *sub, m, -s, -* winter tyre; **Winterreise** *sub, f, -, -n* winter journey; **Wintersachen** *sub, nur Einz.* winter clothes; **Wintersaison** *sub, f, -, -s* winter season; **Winterschlaf** *sub, m, -s, nur Einz. (tt; zool.)* hibernation; **Winterschlussverkauf** *sub, m, -s, -käufe* winter sale; **Winterschuh** *sub, m, -s, -e* winter shoe; **Winterspiele** *sub, nur Einz.* Winter Olympics; **Wintersport** *sub, m, -s, -e* winter sports; **Winterstarre** *sub, f, -, nur Einz.* winter stiffness; **Winterzeit** *sub, f, -, -en* wintertime

Winzer, *sub, m, -s, -* wine-grower

winzig, *adj,* tiny; *winzig klein* tiny little; **Winzling** *sub, m, -s, -e (ugs.)* mite

Wipfel, *sub, m, -s, -* treetop; *in den Wipfeln der Bäume* in the treetops

Wippe, *sub, f, -, -n* seesaw; **wippen** *vi,* bob up and down, seesaw

wir, *pron,* us, we

Wirbel, *sub, m, -s, -* crown, whirl; *(tt; mus.)* roll; *(tt; spo.)* pirouette; **~säule** *sub, f, -, -n (tt; med.)* spinal column; **~sturm** *sub, m, -s, -stürme* whirlwind; **~tier** *sub, n, -s, -e (tt; zool.)* vertebrate; **~wind** *sub, m, -s, -e* whirlwind

wirken, (1) *vi, bз* eff*ective*, *have* an effect, seem, work **(2)** *vt*, do, weave
Wirkleistung, *sub, f, -, -en* effect
wirklich, (1) *adj.* real **(2)** *adv,* really; **Wirklichkeit** *sub, f, -, -en* reality; *in Wirklichkeit* in reality; *Wirklichkeit werden* to come true
wirksam, *adj,* effective; *mit wirsam werden* to take effect on; **Wirksamkeit** *sub, f, -, nur Einz.* effectiveness; **Wirkstoff** *sub, m, -s, -e (tt; med.)* active substance
Wirkung, *sub, f, -, -en* effect; *an Wirkung verlieren* to lose its effect; *seine Wirkung verfehlen* not to have the desired effect; **~sfeld** *sub, n, -s, -er* field of activity/interest etc.; **~skreis** *sub, m, -es, -e* sphere of activity; **wirkungslos** *adj,* ineffective; **wirkungsvoll** *adj,* effective
wirr, *adj,* confused, weird; *alles lag wirr durcheinander* everything was in chaos; *er ist wirr im Kopf* he is confused; *sich wirr ausdrücken* to express oneself in a confused way; **Wirrheit** *sub, f, -, -en* confusion; **Wirrkopf** *sub, m, -s, -köpfe (ugs.)* muddle-head; **Wirrnis** *sub, f, -, -se* confusion; **Wirrsal** *sub, n,f, -s oder -, -e* confusion; **Wirrwarr** *sub, m, -s, nur Einz.* chaos, hubbub
Wirsing, *sub, m, -s, nur Einz. (bot.)* savoy cabbage; **~kohl** *sub, m, -s, nur Einz. (tt; bot.)* savoy cabbage
Wirt, *sub, m, -s, -e* landlord; *(tt; biol.)* host; **wirtlich** *adj,* hospitable; **~lichkeit** *sub, f, -, nur Einz.* hospitality
Wirtschaft, *sub, f, -, -en (ugs.)* household, pub; *(agrar)* farm; *(tt; wirt.)* economy; **wirtschaften** *vi,* economize, keep house; **~er** *sub, m, -s, -* householder, manager; *(tt; wirt.)* economist; **wirtschaftlich** *(sparsam)* economical; *(tt; wirt.)* economic; **~lichkeit** *sub, f, -, nur Einz.* economy; **~skriminalität** *sub, f, -, nur Einz.* white collar crime; **~spolitik** *sub, f, -, -en* economic policy; **~sstandort** *sub, m, -s, -e (tt; wirt.)* economic location; **~swissenschaft** *sub, f, -, -en* economics; **~swissenschaftler** *sub, m, -s, -* economist; **wirtschaftswissenschaftlich** *adj,* economic; **~swunder** *sub, n, -s, -* economic miracle
Wirtshaus, *sub, n, -es, -häuser* pub;

Wirtspflanze *sub, f, -, -n (tt; biol.)* host (plant)
Wisch, *sub, m, -es, -e (ugs.)* piece of bumph; **wischen** *(1) vi,* whisk **(2)** *vti,* wipe; *(ugs.) eine gewischt bekommen* to get a shock, *Einwände vom Tisch wischen* to sweep aside objections; *jmd über den Ärmel wischen* to wipe sb´s sleeve; **~erblatt** *sub, n, -s, -blätter* wiper blade; **~iwaschi** *sub, n, -s, -s (ugs.)* drivel; **~lappen** *sub, m, -s, -* cloth
Wisent, *sub, m, -s, -e (tt; zool.)* bison
Wismut, *sub, n, -s, nur Einz.* bismuth
wispern, *vti,* whisper
Wissen, (1) *sub, n, -s, nur Einz.* knowledge **(2)** *wissen vti,* know, remember; *nach bestem Wissen und Gewissen* to do the best one can; *(i. ü. S.) Wissen ist Macht* knowledge is power, *das hättest du ja wissen müssen* you ought to have realized that; *(ugs.) das weiß jedes Kind* everybody knows that; *das wissen die Götter* God only knows; *gewusst wie* sheer brilliance; *jmd etwas wissen lassen* to let sb know sth; *man kann ja nie wissen* you never know; *oder was weiß ich* or something; *von etwas wissen* to know of sth; **~schaft** *sub, f, -, -en* science; **~schaftler** *sub, m, -s, -* academic, scientist; **~sdrang** *sub, m, -s, -dränge* urge for knowledge; **~sdurst** *sub, m, -s, nur Einz.* thirst for knowledge; **~slücke** *sub, f, -, -n* lack of knowledge; **~sstand** *sub, m, -s, -stände* store of knowledge; **~sstoff** *sub, m, -s, nur Einz.* material; **wissenswert** *adj,* worth knowing; **wissentlich (1)** *adj,* deliberate **(2)** *adv,* knowingly
wittern, (1) *vi,* sniff the air **(2)** *vt,* scent, smell; **Witterung** *sub, n, -s, -* scent, weather
Witwe, *sub, f, -, -n* widow; **~nrente** *sub, f, -, -n* widow´s pension; **~nschaft** *sub, f, -, nur Einz.* widowhood; **~r** *sub, m, -s, -* widower; **~rschaft** *sub, f, -, nur Einz.* widowerhood
Witz, *sub, m, -es, -e* joke, wit; **~bold** *sub, m, -s, -e (ugs.)* great one; **~elei** *sub, f, -, -en* teasing; **witzeln** *vi,*

joke; **witzig** *adj*, funny

wo, *adv*, where

Woche, *sub*, *f*, -, -*n* week; **~nbett** *sub*, *n*, -*s*, -*en* weeks following childbirth; **~nblatt** *sub*, *n*, -*s*, -*blätter* weekly paper; **~nende** *sub*, *n*, -*s*, -*n* weekend; *schönes Wochenende* have a nice weekend; **~ndehe** *sub*, *f*, -, -*n* weekend marriage; **~nendler** *sub*, *m*, -*s*, - (*ugs.*) weekend tripper; **~nkarte** *sub*, *f*, -, -*n* weekly season ticket; **wochenlang** *adj*, for weeks; **~nmarkt** *sub*, *m*, -*s*, -*märkte* weekly market

Wochenschau, *sub*, *f*, -, -*en* newsreel; **Wochenstunde** *sub*, *f*, -, -*n* weekly hour, weekly lesson; **Wochentag** *sub*, *m*, -*s*, -*e* weekday; **wöchentlich** (1) *adj*, weekly (2) *adv*, weekly; **wochenweise** *adv*, week by week

Wöchnerin, *sub*, *f*, -, -*nen* (*tt*; *med.*) puerpera

wodurch, *adv*, how/which; **wofür** *adv*, for what/why, which...for

Woge, *sub*, *f*, -, -*n* wave; (*i. ü. S.*) surge; (*i. ü. S.*) *wenn sich die Wogen geglättet haben* when things have calmed down

wogegen, *adv*, against what/which

wogen, *vi*, rage, surge, wave

woher, *adv*, where ... from

wohin, *adv*, where; **~gegen** *konj*, whereas, while

wohl, (1) *adv*, perhaps, probably, well (2) **Wohl** *sub*, *n*, -*s*, *nur Einz.* welfare, well-being; *auf dein Wohl* your health; *der Menschheit zum Wohle* for the benefit of mankind; *zum Wohl* cheers; **~ bedacht** *adj*, well considered; **~ behütet** *adj*, well-sheltered; **~ ergehen** *adj*, welfare; **~auf** *adj*, well; **Wohlbefinden** *sub*, *n*, -*s*, *nur Einz.* well-being; **Wohlbehagen** *sub*, *n*, -*s*, *nur Einz.* feeling of well-being; **~behalten** *adj*, intact; **~bestallt** *adj*, well-established; **~erwogen** *adj*, well considered; **~erworben** *adj*, well-earned; **~erzogen** *adj*, well-mannered

Wohlfahrt, *sub*, *f*, -, *nur Einz.* welfare; **~sstaat** *sub*, *m*, -*s*, -*en* welfare state; **wohlfeil** *adj*, inexpensive; **wohlgeboren** *adj*, Sir; **Wohlgefallen** *sub*, *n*, -*s*, *nur Einz.* satisfaction; **wohlgefällig** *adj*, pleasing; **wohlgeformt** *adj*, well-shaped; **wohlgelitten** *adj*, well-

liked; **wohlgemerkt** *adv*, mind you; **wohlgemut** *adj*, cheerful; **wohlgenährt** *adj*, well-fed

wohlgeraten, *adj*, fine; **wohlgesetzt** *adj*, well-set; **wohlgesinnt** *adj*, well-disposed; **wohlgestalt** *adj*, well-shaped; **wohlhabend** *adj*, prosperous; **wohlig** *adj*, pleasant; **Wohlklang** *sub*, *m*, -*s*, -*klänge* melodious sound; **wohlklingend** *adj*, melodious; **wohllautend** *adj*, pleasant sounding; **Wohlleben** *sub*, *n*, -*s*, - life of luxury; **wohlmeinend** *adj*, well-meaning; **wohlriechend** *adj*, fragrant; **wohlschmeckend** *adj*, palatable

Wohlsein, *sub*, *n*, -*s*, *nur Einz.* health; *auf dein Wohlsein* your health; **Wohlstand** *sub*, *m*, -*s*, *nur Einz.* prosperity; **Wohltat** *sub*, *f*, -, -*en* favour, relief; **Wohltäter** *sub*, *m*, -*s*, - benefactor; **Wohltäterin** *sub*, *f*, -, -*nen* benefactress; **wohltätig** *adj*, agreeable, charitable; **Wohltätigkeit** *sub*, *f*, -, -*en* charity; **Wohltätigkeitsveranstaltung** *sub*, *f*, -, -*en* charity function; **wohltuend** *adj*, agreeable; **wohlverdient** *adj*, well-deserved, well-earned; **wohlverstanden** (1) *adj*, well-understood (2) *adv*, mark you; **wohlweislich** *adv*, very wisely; **Wohlwollen** *sub*, *n*, -*s*, *nur Einz.* goodwill; *selbst bei dem größten Wohlwollen* with the best will in the world; **wohlwollend** *adj*, benevolent

Wohnanhänger, *sub*, *m*, -*s*, - caravan; **Wohnbereich** *sub*, *m*, -*s*, -*e* living area; **Wohneinheit** *sub*, *f*, -, -*en* accomodation unit; **wohnen** *vi*, dwell, live; **Wohngebäude** *sub*, *n*, -*s*, - residential building; **Wohngemeinschaft** *sub*, *f*, -, -*en* people sharing a flat; **wohnhaft** *adj*, residential; **Wohnhaus** *sub*, *n*, -*es*, -*häuser* residential building; **Wohnheim** *sub*, *n*, -*s*, -*e* home, hostel

Wohnkomplex, *sub*, *m*, -*es*, -*e* housing estate; **Wohnlage** *sub*, *f*, -, -*n* residential area; **wohnlich** *adj*, homely; **Wohnlichkeit** *sub*, *f*, -, *nur Einz.* cosiness; **Wohnmobil** *sub*, *n*, -*s*, -*e* camper; **Wohnraum** *sub*, *m*,

-s, -räume living room, living space;
Wohnraum ~~~, ~~, ~~~, ~~ Domicile

Wohnung, sub, f, -, -en apartment, flat, lodging; **~samt** sub, n, -es, -ämter housing office; **~sbau** sub, m, -s, nur Einz. house building; **~seigentum** sub, n, -s, nur Einz. housing-property; **~sgeld** sub, n, -es, (-gelder) housing benefits; **wohnungslos** adj, homeless; **~snot** sub, f, -, nur Einz. lack of housing; **~stür** sub, f, -, -en door

Wohnviertel, sub, n, -s, - residential area; **Wohnwagen** sub, m, -s, - oder -wägen caravan; **Wohnzimmer** sub, n, -s, - living room

wölben, vtr, bend, curve; **Wölbung** sub, f, -en, -en curvature, curve

Wolf, sub, m, -s, nur Einz. (tt; med.) intertrigo; (tt; tech.) shredder; m, -s, Wölfe (zool.) wolf; **wölfisch** adj, wolfish; **~smilch** sub, f, -, nur Einz. (tt; biol.) spurge; **~srachen** sub, m, -s, - (tt; med.) cleft palate

Wolldecke, sub, f, -, -n blanket; **Wolle** sub, f, -, (-n) wool; (ugs.) sich in der Wolle haben to be at loggerheads with sb; (ugs.) sich in die Wolle kriegen to start squabbeling with sb

wollen, (1) adj, woollen (2) vt, prefer, wish (3) vti, want

Wollgarn, sub, n, -s, -e woollen yarn; **Wollkämmerei** sub, f, -, -en wool-carding shop; **Wollkleid** sub, n, -es, -er woollen dress; **Wollmaus** sub, f, -, -mäuse (i. ü. S.) woollen mouse; **Wollust** sub, f, -, (-lüste) lasciviousness, sensuality; (ugs.) lust; **wollüstig** adj, lascivious, sensual; **Wollüstling** sub, m, -s, -e sensualist

Wombat, sub, m, -s, -s wombat

womit, adv, with what/which

womöglich, adv, possibly

wonach, adv, after what, for which

Wonne, sub, f, -, -n bliss, joy; **~gefühl** sub, n, -s, -e blissful feeling; **~monat** sub, m, -s, Plural selten (-monate) merry month (of May); **wonnetrunken** adj, blissful

wonnig, adj, delightful

woran, adv, by which, what; **worauf** adv, by which, on what; **woraus** adv, out of what/which

Worcestersoße, sub, f, -, -n worcester-sauce

worein, adv, in what/which; **worin**

adv, in ~~~~~~~

workaholic, sub, m, f, -s, -s (ugs.) workaholic; **Workshop** sub, m, -s, -s workshop; **Worldcup** sub, m, -s, -s worldcup

Wort, sub, n, -es, Worte und Wörter quotation, saying, word; dabei habe ich auch noch ein Wort mitzureden I still have sth to say about that too; das Wort zum Sonntag late call; (i. ü. S.) dein Wort in Gottes Ohr let us hope so; ein Wort das er immer im Mund führt one of his favourite sayings; etwas in Worte fassen to put sth into words; genug der Worte enough talk; ich gebe die mein Wort darauf I give you my word on it; in Worten in words; jmd aufs Wort folgen to obey sb´s every word; jmd beim Wort nehmen to take sb at his word; jmd das Wort im Mund umdrehen to twist sb´s words; mit dir habe ich noch ein Wort zu reden I want a word with you; nichts als Worte nothing but words; seine Worte galten dir he meant you; Worten Taten folgen lassen to suit the action to the words; **~auswahl** sub, f, -, nur Einz. choice of words; **~bildung** sub, f, -, -en morphology; **~bruch** sub, m, -es, (-brüche) breaking a promise; **wortbrüchig** adj, false

Wörterbuch, sub, n, -s, -bücher dictionary; **Wörterverzeichnis** sub, n, -ses, -se vocabulary

Wortführer, sub, m, -s, - spokesman; **~in** sub, f, -, -nen spokeswoman; **Wortgefecht** sub, n, -s, -e battle of words; **Wortgeplänkel** sub, n, -s, - banter; **wortgewandt** adj, eloquent; **wortkarg** adj, taciturn; **Wortkargheit** sub, f, -, nur Einz. taciturnity; **Wortklauberei** sub, f, -, -en (ugs.) cavilling; **Wortlaut** sub, m, -s, -e wording

worüber, adv, about what/which; **worum** adv, about what; **worunter** adv, under what/which; **wovon** adj, from what/which; **wovor** adv, before what/which; **wozu** adv, what/which

Wrack, sub, n, -s, -s wreck

wringen, vti, wring

Wucher, sub, m, -s, nur Einz. profiteering; **~ei** *sub, f, -, -en* profiteering; **~er** *sub, m, -s,* - profiteer; **wuchern** *vi,* profiteer; *(tt; bot.)* grow rampant; **~preis** *sub, m, -es, -e (ugs.)* exorbitant price; **~ung** *sub, f, -, -en (bot.)* rank growth; **~zinsen** *sub, nur Mehrz.* exorbitant interest

Wuchs, *sub, m, -es, -, fachspr. Wüchse* stature; *(bot.)* growth

Wucht, *sub, f, -, nur Einz.* force, load, power; **~igkeit** *sub, f, -, nur Einz.* massiveness, power

wühlen, *vi,* dig, gnaw, rummage; **Wühlmaus** *sub, f, -, -mäuse (ugs.)* subversive; *(tt; zool.)* vole; **Wühltisch** *sub, f, -s, -e (ugs.)* bargain counter

Wulst, *sub, m, -es, Wülste, fachspr. -e* bulge; *(tt; arch.)* torus; *die dicken Wülste seiner Lippen* his thick lips; **wulstig** *adj,* bulging, thick

wund, *adj,* sore; **Wundarzt** *sub, f, -es, -ärzte (tt; med.)* surgeon; **Wunde** *sub, f, -, -n* wound; *alte Wunden wieder aufreißen* to open up old sores; *Balsam in eine Wunde gießen* to comfort sb; *jmd eine tiefe Wunde schlagen* to scar sb; *Salz in eine Wunde streuen* to turn the knife in the wound

Wunder, *sub, n, -s,* - miracle, wonder; *ein architektonisches Wunder* an architectural miracle; *er wird sein blaues Wunder erleben* he won´t know what hit him; *es geschehen noch Zeichen und Wunder* wonders will never cease; *kein Wunder* no wonder; *Wunder tun* to do wonders; **wunderbar** *adj,* marvellous, wonderful; **~doktor** *sub, m, -s, -en (ugs.)* quack; **~glaube** *sub, m, -ns, nur Einz.* belief in miracles; **~heiler** *sub, m, -s,* - *(ugs.)* faith-healer; **~heilung** *sub, f, -, -en* faith-healing; **wunderhübsch** *adj,* wonderfully pretty; **~kerze** *sub, f, -, -n* sparkler; **~kind** *sub, n, -es, -er* child prodigy; **~knabe** *sub, m, -n, -n* wonder boy/child; **~kraft** *sub, f, -, -kräfte* miracle power; **~lampe** *sub, f, -, -n* magic lamp; **wunderlich** *adj,* strange, wondrous; **~mittel** *sub, n, -s,* - miracle cure

wundern, (1) *vr,* be surprised (2) *vt,* surprised; **wundersam** *adj,* wondrous; **wunderschön** *adj,* beautiful, lovely; **Wundertat** *sub, f, -, -en* mi-

racle; **Wundertäter** *sub, m, -s,* - miracle worker; **wundertätig** *adj,* magic; **wundervoll** *adj,* wonderful

Wundfieber, *sub, n, -s, nur Einz. (tt; med.)* traumatic fever; **wund liegen** *vr,* get bedsores; **Wundmal** *sub, n, -s, -e* stigma; **Wundpflaster** *sub, n, -s,* - *(med.)* adhesive plaster; **Wundstarrkrampf** *sub, m, -es, (-krämpfe) (tt; med.)* tetanus; **Wundverband** *sub, m, -s, Plural selten (-verbände)* wound bandage

Wunsch, *sub, m, -es, Wünsche* desire, wish; **~denken** *sub, n, -s, nur Einz.* wishful thinking; **Wünschelrute** *sub, f, -, -n* dowsing rod; **wünschen** (1) *vt,* want (2) *vti,* wish; **~gegner** *sub, m, -s,* - ideal opponent; **wunschgemäß** (1) *adj,* requested (2) *adv,* as requested; **~traum** *sub, m, -s, -träume* illusion; **~zettel** *sub, m, -s,* - wish list

Würde, *sub, f, -, -n* dignity, honour

Würdenträger, *sub, m, -s,* - dignitary

würdig, *adj,* dignified, worthy; **~en** *vt,* appreciate, deem sb; **Würdigung** *sub, f, -, -en* appreciation

Würfel, *sub, m, -s,* - dice; *(tt; mat.)* cube; *die Würfel sind gefallen* the dice are cast; *etwas in Würfel schneiden* to cut sth into cubes; **~becher** *sub, m, -s,* - shaker; **würfelig** *adj,* cubic; **würfeln** (1) *vt,* dice (2) *vti,* throw; **~spiel** *sub, n, -s, -e* dice; **~zucker** *sub, m, -s,* - cube sugar

Wurfgeschoss, *sub, n, -es, -e* projectile; **Wurfsendung** *sub, f, -, -en* circular

Würgegriff, *sub, m, -s, -e* stranglehold; **Würgemal** *sub, n, -s, -e, selten -mäler* strangulation mark; **würgen** (1) *vi,* choke (2) *vt,* strangle; **Würger** *sub, m, -s,* - strangler

Wurm, *sub, n, -(e)s, Würmer (zool.)* maggot, worm; *(i. ü. S.) da steckt der Wurm drin* there´s sth wrong somewhere; *(ugs.) der kleine Wurm (Kind)* little mite; **wurmen** *vt,* rankle with; **~fortsatz** *sub, m, -s, nur Einz. (tt; med.)* vermiform appendix; **wurmig** *adj,* wormeaten; **~loch** *sub, n, -s, -löcher* wormhole; **wurmstichig** *adj,* maggoty

Wurst, *sub, f, -, Würste* salami, sausage; **wursteln,** *vi, (ugs.)* muddle along
Wurstsalat, *sub, m, -s, -e* sausage salad
Württemberg, *sub, n* Württemberg
würzburgisch, *adj,* Würzburgian
Würze, *sub, f, -, -n* spice; *(i. ü. S.) das gibt dem Leben die Würze* that adds spice to life; *(i. ü. S.) in der Kürze liegt die Würze* brevity is the soul of wit; **Wurzel** *sub, f, -, -n* root; *(tt; anat.)* wrist; **Wurzelbehandlung** *sub, f, -, -en (tt; med.)* root treatment; **Wurzelbürste** *sub, f, -, -n* scrubbing brush; **Wurzelfaser** *sub, f, -, -n* root fibre; **Wurzelknolle** *sub, f, -, -n (tt; bot.)* root nodule; **wurzeln** *vi,* be rooted; **Wurzelsilbe** *sub, f, -, -n* root syllable; **Wurzelstock** *sub, m, -s, -stöcke (tt; bot.)* rhizome
würzen, *vt,* add spice; **Würzfleisch** *sub, n, -es, nur Einz.* spiced meat; **würzig** *adj,* aromatic, tasty; **Würzmischung** *sub, f, -, -en* flavouring mixture

Wuschelkopf, *sub, m, -s, -köpfe (ugs.)* fuzzy-head
Wust, *sub, m, -es, nur Einz.* jumble; **Wüste** *sub, f, -, -n* desert; **Wüstenei** *sub, f, -, -en* wasteland; **Wüstenfuchs** *sub, m, -es, -füchse* desert fox; **Wüstenklima** *sub, n, -s, Plural selten (-te)* desert climat; **Wüstenschiff** *sub, n, -s, -e (i. ü. S.)* ship of the desert (camel); **Wüstling** *sub, m, -s, -e* lecher
wüst, *adj,* chaotic, desert, terrible, waste, wild
Wut, *sub, f, -, -* fury, rage; **~ausbruch** *sub, m, -s, -brüche* outburst of rage; **wüten** *vi,* rage; **wütend** *adj,* angry, furious; **wutentbrannt** *adj,* enraged; **Wüterich** *sub, m, -s, -e* brute; **wutschäumend** *adj, (ugs.)* foaming with rage; **wutschnaubend** *adj,* snorting with rage

X

X-Beine, *sub,* -, *nur Mehrz.* knock-knees; **x-beinig** *adj,* knock-kneed; **X-Chromosom** *sub,* *n,* -s, -en X-chromosome; **x-mal** *adv,* umpteen times; **X-Strahlen** *sub,* *nur Mehrz.* X-rays; **xerografisch** *adj,* Xerox; **xerokopieren** *vti,* Xerox

Xylose, *sub,* *f,* -s, *nur Einz.* xylose

Y

Yacht, *sub,* *f,* -, -en yacht
Yak, *sub,* *m,* -s, -s *(zool.)* yak
Yang, *sub,* *n,* (-s), *nur Einz. (tt; Sinologie)* yang
Yard, *sub,* *n,* -s, -s yard
Y-Chromosom, *sub,* *n,* -s, -en *(tt; biol.)* y-chromosome
Yeti, *sub,* *m,* -s, -s Yeti

Youngster, *sub,* *m,* (-s), -s *(ugs.)* youngster
Yttrium, *sub,* *n,* *nur Einz. (tt; chem.)* yttrium
Yucca, *sub,* *f,* -, -s *(vulg.; biol.)* yucca
Yuppie, *sub,* *m,* -s, -s *(ugs.)* yuppie

7

Zacke, sub, f, -n, -n point, prong; **~n (1)** sub, m, -s, - tooth **(2) zacken** vt, serrate; *(ugs.) du brichst dir keinen Zacken aus der Krone* it won´t hurt you; **~nlinie** sub, f, -, -n jagged line; **zackig** adj, jagged; *(ugs.)* brisk, smart; **zaghaft** adj, hesitant, timid; **Zaghaftigkeit** sub, f, -, - timidity

zäh, adj, tough; *(i. ü. S.)* tenacious; **Zähigkeit** sub, f, -, nur Einz. toughness

Zahl, sub, f, -, -en number; *in großer Zahl* in large numbers; *(i. ü. S.) Zahl oder Wappen* head or tails; **Zählapparat** sub, m, -s, -e counting-machine; **zahlbar** adj, payable; **zählbar** adj, countable; **Zählbarkeit** sub, f, -, -en countability; **zählen** vi, count

zahlen, vti, pay; *(i. ü. S.) einen hohen Preis zahlen* to pay a high price; **Zahlenangabe** sub, f, -, -n figure; **Zahlenfolge** sub, f, -, -n sequence; **Zahlenkombination** sub, f, -, -en combination of figures; **Zahlenlotterie** sub, f, -, -n lottery; **Zahlenlotto** sub, n, -, nur Einz. lottery; **~mäßig** adv, numerically; **Zahlenmystik** sub, f, -, nur Einz. mysticism of figures; **Zahlenschloss** sub, n, -es, -schlösser combination lock; **Zahlenskala** sub, f, -, -len scale of figures; **Zähler** sub, m, -s, - counter; **Zahlkellner** sub, m, -s, - waiter of payment; **Zahlmeister** sub, m, -s, - paymaster; *(tt; Seefahrt)* purser; **zahlreich** adj, numerous; **Zahlstelle** sub, f, -, -n payments office; **Zahltag** sub, m, -s, -e *(ugs.)* pay-day; **Zahlung** sub, f, -, Plural selten (-en) payment; **Zahlungsaufschub** sub, m, -s, nur Einz. extension (of credit); **Zahlungsfähigkeit** sub, f, -, nur Einz. solvency; **Zahlungsunfähigkeit** sub, f, -, nur Einz. insolvency; **Zahlungsverpflichtung** sub, f, -, -en *(i. ü. S.)* obligation to pay; **Zählwerk** sub, n, -s, -e counter; **Zahlwort** sub, n, -s, -wörter numeral

zahm, adj, tame; **zähmen** vt, restrain (one´s impatience), tame (an animal); **Zahmheit** sub, f, -, nur Einz. tameness; **Zähmung** sub, f, -, nur Einz. taming

Zahnheilkunde, sub, f, -, nur Einz. dentistry; **Zahnlücke** sub, f, -, -n *(ugs.)* toothgap; **Zahnmedizin** sub, f, -, nur Einz. dentistry; **Zahnpasta** sub, f, -, -ten toothpaste; **Zahnrad** sub, n, -s, -räder *(tt; tech.)* gearwheel; **Zahnradbahn** pron, rack-railway; **Zahnschmelz** sub, m, -es, nur Einz. *(tt; med.)* enamel; **Zahnschmerz** sub, m, -es, -en toothache; **Zahnseide** sub, f, -, (-n) dental floss; **Zahnspange** sub, f, -, -n *(tt; med.)* braces; **Zahnstein** sub, m, -s, nur Einz. tartar; **Zahnstocher** sub, m, -s, - toothpick; **Zahntechnik** sub, f, -, nur Einz. *(tt; med.)* dental technology; **Zahnwal** sub, m, -s, -e *(zool.)* toothed whale; **Zahnweh** sub, n, -, nur Einz. toothache

Zähre, sub, f, -, -n *(i. ü. S.)* tear

Zander, sub, m, -s, - zander

Zange, sub, f, -, -n tongs; *(tt; biol.)* pincers; *(tt; med.)* forceps; *(tt; tech.)* pliers; **zangenförmig** adj, pincer shaped; **~ngeburt** sub, f, -, -en *(tt; med.)* foreceps delivery

Zank, sub, m, -s, nur Einz. row; *(ugs.)* squabble; **~apfel** sub, m, -s, nur Einz. *(i. ü. S.)* bone of contention; **zanken** vr, have a row, squabble; **Zänkerei** sub, f, -, -en *(ugs.)* squabbling; **zänkisch** adj, quarrelsome; **zanksüchtig** adj, quarrelsome

Zäpfchen, sub, n, -s, - small plug; *(tt; med.)* uvula; *(tt; pharm)* suppository; **Zapfen (1)** sub, m, -s, - bung; *(tt; bot.)* cone; *(tt; Zimmerhandwerk)* tenon **(2) zapfen** vt, tap; **zapfenförmig** adj, cone-shaped; **Zapfenstreich** sub, m, -s, (-e) *(tt; mil.)* last post; **Zapfhahn** sub, m, -s, -hähne tap; **Zapfsäule** sub, f, -, -n petrol pump; **Zapfstelle** sub, f, -, -n tap; **Zaponlack** sub, m, -s, -e cellulose lacquer

zappelig, adj, fidgety; *(ugs.)* wriggly; **zappeln** vi, fidget; *(ugs.)* wriggle; *(ugs.) jmd zappeln lassen* to keep sb in suspense

zappen, vi, zap

Zar, sub, m, -en, -en tsar

Zarathustra, sub, - Zarathustra

Zarenfamilie, *sub, f, -, nur Einz. (ugs.)* tsar family

Zarentum, *sub, n, -s, nur Einz.* tsardom

Zarismus, *pron, (ugs.)* tsarism

zaristisch, *adj,* tsarist

zart, *adj,* delicate, gentle, soft, tender; *(kun.)* fragile; ~besaitet *adj,* sensitive, tendersome; ~besaitet *adj,* highly sensitive; Zartheit (1) *pron,* softness (2) *sub, f, -, nur Einz.* sensitivity, tenderness

zärtlich, *adj,* affectionate; Zärtlichkeit *sub, f, -, (-en)* affection, caresses, endearments, tenderness; *(vulg.)* petting

Zäsur, *sub, f, -, -en* caesura

Zauber, *sub, m, -s, -* magic, spell; *(i. ü. S.)* charm; *den Zauber lösen* to break the spell; *(ugs.) fauler Zauber* humbug; *warum der ganze Zauber?* why all that fuss?; ~buch *sub, n, -s, -bücher* magic book; ~ei *sub, f, -, -en* magic; ~er *sub, m, -s, -* magician; ~formel *sub, f, -, -n* magic formula; zauberhaft *adj,* delightful, enchanting; ~kasten *sub, m, -s, -kästen* magic box; ~kraft *sub, f, -, -kräfte (i. ü. S.)* magic power; ~kunst *sub, f, -, -künste* conjuring; ~künstler *sub, m, -s, -* magician; zaubern *vi,* conjuring tricks; *(ugs.)* do magic; ~spruch *pron,* magic spell; ~trank *sub, m, -s, -tränke* magic potion; ~trick *sub, -s, -s* conjuring trick

Zauderei, *sub, f, -, -en* hesitation; Zauderer *sub, m, -s, -* vacillator; zaudern *vi,* hesitate, vacillate

Zaum, *sub, m, -s, -Zäume* bridle; *(i. ü. S.) etwas im Zaum halten* to keep a tight rein on sth; *(i. ü. S.) sich im Zaum halten* to control oneself; zäumen *vt,* bridle; ~zeug *sub, n, -s, -e* bridle

Zaun, *sub, m, -s, -Zäune* fence; *einen Streit vom Zaun brechen* to start a fight; zaundürr *adj, (ugs.)* spare; ~eidechse *sub, f, -, -n (zool.)* sand lizard; zäunen *vi,* build a fence; ~gast *sub, m, -es, -gäste (ugs.)* onelooker; ~könig *pron, (tt; zool.)* wren; ~pfahl *sub, m, -s, -pfähle* fencepost

zausen, *vt, (ugs.)* tousle

Zaziki, *sub, m, -s, -s* tzaziki

Zebaoth, *sub, m, -s, -* Jehova

Zebra, *sub, n, -s, -s (tt; zool.)* zebra; ~streifen *sub, m, -s, -* zebra crossing

Zebu, *sub, m,n, -s, -s (tt; zool.)* zebu

Zechbruder, *sub, m, -s, -brüder (ugs.)* drinking companion; Zeche *sub, f, -, -n* bill; zechen *vi,* tipple; Zecher *sub, m, -s, -* tippler; Zecherei *sub, f, -, -en* drinking bout; Zechgelage *pron,* drinking bout

Zechpreller, *sub, m, -s, - (i. ü. S.)* someone who leaves without paying; ~ei *sub, f, -, -en* leaving without paying; Zechtour *pron, (ugs.)* drinking tour

Zeder, *sub, f, -, -n (bot.)* cedar; ~nholz *sub, n, -es, nur Einz.* cedarwood

Zeh, *sub, m, -s, -en* toe; *(i. ü. S.) jm auf die Zehen treten* to tread on sb´s toe; ~e *sub, f, -, -n* toe; ~enspitze *sub, f, -, -n* tip of the toe

zehn, *adj,* ten; ~einhalb *adj,* ten and a half; Zehner *sub, m, -s, - (ugs.)* ten mark note; Zehnerkarte *sub, f, -, -n* ticket of ten; Zehnerl *sub, m, -s, - (ugs.)* ten-pfennig piece; Zehnfingersystem *sub, n, -s, -* touch-typing; Zehnkampf *sub, m, -s od. -es, -kämpfe (tt; spo.)* decathlon; Zehnkämpfer *sub, m, -s, - (spo.)* decathlete; ~tausend *adj,* ten thousend; Zehntel *sub, n, -s, -* tenth (part) of; Zehntelgramm *sub, n, -s, -* tenth gram

zehren, *vi,* sap so strength; Zehrgeld *sub, n, -s od. -es, - (i. ü. S.)* sapmoney; Zehrpfennig *sub, m, -s, -e* sappenny

zeichnen, (1) *vi,* draw, sign (2) *vt,* draw, mark; *(tt; landw.)* brand; *(wirt.)* subscribe; Zeichner *sub, m, -s, -* draughtsman; Zeichnung *pron,* drawing

Zeigefinger, *sub, m, -s, -* forefinger; zeigen *vt,* display, express, indicate, show sth; *(ugs.) das zeigt sich jetzt it´s* beginning to show; *(ugs.) es wird sich zeigen wer recht hat!* time will tell; *(ugs.) dem werd´ ich es zeigen* I´ll show him; *(ugs.) zeig´ mal was du kannst* let see what you can do; Zeiger *sub, m, -s, -* pointer; Zeigestock *sub, m, -s, -stöcke* pointer

Zeile, *sub, f, -, -n* line; *zwischen den*

Zeilen lesen to read between the lines; **Zeilinge und**, *f, -, -n* linelength; **~nsprung** *sub, m, -s od. -es, -sprünge (i. ü. S.)* line change; **zeilenweise** *adj*, per line

Zeisig, *sub, m, -s, -e (zool.)* siskin; **~futter** *sub, n, -s, - (tt; zool.)* siskin food

Zeit, (1) *pron*, time **(2) zeit** *Vorsilbe*, time-; *die Zeiten haben sich geändert* times have changed; *es wird allmählich Zeit zu gehen* it´s about time we went home; *sich für jmd/etwas Zeit nehmen* to devote some time for sb/sth; *(i. ü. S.) vor der Zeit alt werden* to get old before one´s time; *zur Zeit* at the moment; **~abschnitt** *sub, m, -s, -e* period; **~abstand** *sub, m, -s od. -es, -abstände* period; **~alter** *sub, n, -s, -* age, era; **~aufnahme** *sub, f, -, -n* time exposure; **~aufwand** *sub, m, -s od. -es, -wände* expenditure of time; **~dokument** *sub, n, -s, -e* contemporary document

Zeiteinheit, *sub, f, -, -en* unit of time; **Zeitenfolge** *pron*, time sequence; **Zeitgeist** *sub, m, -s od. -es, nur Einz.* Zeitgeist; **zeitgemäß** *adj*, up-to-date; **Zeitgenosse** *sub, m, -n, -n* contemporary; **Zeitgenossin** *sub, f, -, -nen* contemporary; **zeitgerecht** *adj*, contemporary; **Zeitgeschichte** *sub, f, -, nur Einz.* contemporary history; **zeitig (1)** *adj*, in good time **(2)** *adv*, early; **Zeitkarte** *sub, f, -, -n* season ticket; **zeitkritisch** *adj*, critical; **zeitlich (1)** *adj*, temporal, time **(2)** *adv*, timewise; *(i. ü. S.) das Zeitlich segnen* to depart this life; *in großem zeitlichen Abstand* at long intervals (of time); *die Pläne zeitlich auf einander abstimmen* to synchronize one´s plans, *das passt zeitlich nicht* the time isn´t convenient; **Zeitlichkeit** *sub, f, -, nur Einz.* temporality; **zeitlos** *adj*, timeless; **Zeitlupe** *sub, f, -, nur Einz.* slow motion; **Zeitmessung** *sub, f, -, -en* chronology

Zeitpersonal, *sub, n, -s, nur Einz.* temporary staff; **Zeitplan** *sub, m, -s, -pläne* timetable; **Zeitpunkt** *sub, m, -s od. -es, -e* moment; **Zeitraffer** *sub, m, -s, - (tech.)* speed up; **zeitraubend** *adj*, time consuming; **Zeitraum** *sub, m, -s od. -es, -räume* period of time; **Zeitrechnung** *sub, f, -, -en* calendar;

Zeitschrift *sub, f, -, -en* magazin; **zeitsparend** *adj*, timesaving; **Zeittakt** *sub, m, -s od. -es, -e* timing, unit length

Zeitung, *sub, f, -, -en* newspaper; **~lesen** *vt*, read a paper; **~sente** *sub, f, -, -n* false newspaper report; **~sfrau** *sub, f, -, -en* newspaper woman; **~smann** *sub, m, -s od. -es, -männer (ugs.)* newspaper man; **~swissenschaft** *sub, f, -, -en* media studies

Zeitverlust, *sub, m, -es, -e* loss of time; **zeitversetzt** *adj*, time transferred; **Zeitvertrag** *sub, m, -s od. -es, -verträge (i. ü. S.)* contract for a certain period; **Zeitvertreib** *sub, m, -s, -e* passtime; **zeitweilig** *adj*, temporary; **zeitweise** *adv*, at times; **Zeitwert** *sub, m, -s od. -es, -e (i. ü. S.)* temporary value

Zeitwort, *sub, n, -e od. -es, -wörter (tt; gram)* verb; **~form** *sub, f, -, -en* verb form; **zeitwörtlich** *adj*, verbal

Zeitzone, *sub, f, -, -n* time zone; **Zeitzünder** *sub, m, -s, - (tt; mil.)* time fuse

Zelebration, *sub, f, -, -en* celebration; **zelebrieren** *vt*, celebrate; **Zelebrität** *sub, f, -, -en* celebrity

Zelle, *sub, f, -, -n* cell

zellenförmig, *adj*, cell-shaped; **Zellengewebe** *sub, n, -s, -* cell tissue; **Zellenlehre** *sub, f, -, nur Einz.* science of cells; **Zellglas** *sub, n, -es, nur Einz.* cell glass; **Zellkern** *sub, m, -s od. -es, -e (tt; biol.)* nucleus; **Zellmembran** *sub, f, -, -e* cell membrane

Zelloidinpapier, *sub, n, -s, -e* celluloid paper

Zellstoff, *sub, m, -s, nur Einz. (tt; biol.)* cellulose; **Zellteilung** *sub, f, -, -en (biol.)* celldivision

Zellwand, *pron*, cellwall; **Zellwolle** *sub, f, -, nur Einz.* viscose fibre

Zelot, *sub, m, -en, -en* zealot; **~ismus** *sub, m, -, nur Einz.* zealotism

Zelt, *sub, m, -s od. -es, nur Einz.* big top, marquee, tent; **~bahn** *sub, f, -, -en* canvas; **zelten** *vi*, camp; **~hering** *sub, m, -s od. -es, -e* tent peg; **~lager** *sub, n, -s, -* camp; **~leinwand** *sub, f, -, -wände* tent canvas

Zeltmission, *sub, f, -, nur Einz.* missionary camp

Zeltwand, *sub, f, -, -wände* tentside

Zement, *sub, n, -s, -e* cement; **~boden** *sub, m, -s, -böden* cement floor; **zementieren** *vt,* cement sth.; *(i. ü. S.)* make conditions permanent; **~ierung** *sub, f, -, -en* cementing; **~röhre** *sub, f, -, -n (tech.)* cement pipe

Zen, *pron,* Zen

Zenit, *sub, m, -s od. -es, nur Einz.* zenith

zensieren, *vt,* censor, mark; **Zensor** *sub, m, -s, -en* censor; **Zensur** *sub, f, -, -en* censorship; **zensurieren** *vt,* censor; **Zensus** *sub, m, -, -* census

Zentaur, *sub, m, -s, -en* zentaur

Zentiliter, *sub, m, -s, -* centilitre; **Zentimeter** *sub, m, -s, -* centimetre

Zentner, *sub, m, -s, - (ugs.)* hundredweight; **~last** *sub, f, -, -en* heavy burden; **zentnerweise** *adj,* by the hundredweight

zentral, *adj,* central; **Zentralbank** *sub, f, -, -en* central bank

Zentrale, *sub, f, -, -n* central, head office

Zentralfigur, *sub, f, -, -en* central figure; **Zentralgewalt** *sub, f, -, -en* central power; **Zentralheizung** *sub, f, -, -en* central heating

Zentralisation, *sub, f, -, -en* centralization; **zentralisieren** *vt,* centralize; **Zentralisierung** *sub, f, -, -en* centralisation; **Zentralismus** *sub, m, -, nur Einz.* centralism; **zentralistisch** *adj,* centralistic; **Zentralität** *sub, f, -, nur Einz.* centrality

zentrieren, *vt,* centre sth.; **Zentrierung** *sub, f, -, -en* centralization

Zentrifugalkraft, *pron, (tt; tech.)* centrifugal power; **Zentrifuge** *sub, f, -, -n* centrifuge; **zentrifugieren** *vt,* centrifuge sth.

zentripetal, *adj,* centripetal; **Zentripetalkraft** *sub, f, -, nur Einz.* centripetal power

zentrisch, *adj,* centric

Zentrum, *sub, n, -s, Zentren* centre

Zeppelin, *sub, m, -s od. -es, -e* zeppelin

Zepter, *sub, n, -s, -* sceptre

zerbersten, *vi,* explode

zerbrechen, *vti,* break, shatter; *(i. ü. S.)* break up; *(ugs.)* smash; *am Leben zerbrechen* to be broken (by life); *das Geschirr zerbrechen* to shatter china; *eine Freundschaft zerbrechen* to break up a friendship; **zerbrechlich** *adj,* fragile; **zerbröckeln** *vti,* crumble

zerdrücken, *vt,* crush, mash, squash

zerebral, *adj,* cerebral; **Zerebrallaut** *sub, m, -s od. -es, -e* cerebral noise

Zeremonie, *sub, f, -, -n* ceremony; **zeremoniell (1)** *adj,* ceremonial **(2) Zeremoniell** *sub, n, -s, -e* ceremonial; **~nmeister** *sub, m, -s, -* master of ceremonies

zerfahren, *adj,* detracted, rutted

Zerfall, *sub, m, -s od. -es, -fälle* decay; **zerfallen** *vi,* be divided, decay, tumble down; *(arch.)* fall down in ruins

zerfetzen, *vt,* tear sth. up/in pieces

zerflattern, *vi, (ugs.)* tatter

zerfleischen, *vt,* tear into pieces

zergehen, *vi,* dissolve; *(gastron.)* melt

zergliedern, *vt, (tt; anat.)* dissect

zerhauen, *vt, (ugs.)* smash

zerkauen, *vt,* masticate

zerkleinern, *vt,* cut/chop sth.

zerklüftet, *adj,* deeply fissured; **Zerklüftung** *sub, f, -, -en* deep fissures

zerknirscht, *adj,* remorseful

zerknittern, *vt,* crease; **zerknittert** *adj,* crumpled

zerkratzen, *vt,* cover with scratches., scratch sth.

zerlassen, *vt, (tt; gastron.)* melt

zerlegen, *vt,* dismantle; *(tt; gram)* parse

zerlumpt, *adj,* ragged; *zerlumpt* in rags; *zerlumpt und abgerissen* in rags and tatters

zermürben, *vt,* wear down; **zermürbt** *adj,* worn down

zernagen, *vt,* gnaw through

zerpflücken, *vt,* pull apart; **zerplatzen** *vt,* burst; *vor Wut zerplatzen* to explode with anger; **zerpulvern** *vt,* pulverize; **zerquetschen** *vt,* squash

zerreden, *vt,* flog to death

zerreiben, *vt,* crush

zerreißen, *vti,* tear up; *die Stille zerreißen* to shatter the silence; *es zerreißt mir das Herz* it breaks my heart; *(i. ü. S.)* ich kann mich nicht *zerreißen* I can´t be in two places at once; **zerreißfest** *adj,* tear-resistant; **Zerreißprobe** *sub, f, -, -n* pull test

 berren, (1) vi, pull/strain (2) vti, tug (at sth.); **Zerrerei** sub, f, -, -en (ugs.) pulling

zerrinnen, vi, blur, melt

Zerrspiegel, sub, m, -s, - distorting mirror; **Zerrung** sub, f, -, -en (tt; med.) pull

zersägen, vt, saw up

zerschellen, vt, be dashed pieces, be wrecked

zerschießen, vt, shoot to pieces; **zerschlagen (1)** adj, be exhausted (2) vt, break; **Zerschlagung** sub, f, -, -en breaking

zerschleißen, vi, wear out

zerschlitzen, vt, (ugs.) cut up

zerschmettern, vt, smash; **zerschmettert** adj, smashed

zerschneiden, vt, cut

zerschrammt, adj, covered with scratches

zerschunden, adj, ragged

zersetzen, vt, corrode, undermine

zersplittern, vti, splinter

zersprengen, vt, blast; **Zersprengung** sub, f, -, -en blasting; **zerspringen** vi, break, shatter; *das Herz wollt vor Freude zerspringen* the heart was bursting with joy; *in tausend Stücke zerspringen* to shatter into a thousand pieces; **Zerstäuber** sub, m, -s, - atomizer; **Zerstäubung** sub, f, -, -en (tt; biol.) atomizing

zerstampfen, vt, pound, trample

zerstäuben, vt, atomize, spray

zerstören, vt, destroy, ruin; **Zerstörer** sub, m, -s, - (tt; naut.) destroyer, fighter; **Zerstörung** sub, f, -, -en destruction

Zerstrahlung, sub, f, -, -en radiation

zerstreiten, vr, fall out

zerstreuen, (1) vr, disperse (2) vt, scatter; (i. ü. S.) dispel; (tt; phy.) diffuse; **zerstreut** adj, absent-minded; **Zerstreuung** sub, f, -, -en dispelling, dispersal; (tt; phy.) diffusion; (unterh.) entertainment

zerstückeln, vt, divide sth. up

zerteilen, (1) vr, part (2) vt, divide sth. up

Zertifikat, sub, n, -s, -e certificate; **zertifizieren** vt, certificate

zertrampeln, vt, trample

Zertrennung sub, f, -, -en division

zertreten, vt, tread on

zertrümmern, vti, smash

Zervelatwurst, sub, f, -es, -würste cervelat (sausage)

zerzausen, vt, ruffle; **zerzaust** adj, dishevelled

Zeta, sub, n, -s, -s zeta

Zetergeschrei, sub, n, -s, nur Einz. (ugs.) hullabaloo; **zetern** vi, scream

Zettel, sub, m, -s, - leaflet, note

Zeug, sub, n, -s, nur Einz. nonsense, things; (ugs.) stuff; (i. ü. S.) *das Zeug zu etwas haben* to have (got) what it takes; *dummes Zeug reden* to talk a lot of nonsense; (i. ü. S.) *jmd am Zeug flicken* to tell sb what to do; (ugs.) *sich ins Zeug legen* to go flat out

Zeuge, sub, m, -n, -n witness; **zeugen** vt, father, reproduce, testify; (tt; jur.) give evidence; ~**nschaft** sub, f, -, nur Einz. witness; ~**nstand** sub, m, -s od. -es, nur Einz. (tt; jur.) witness box

Zeughaus, sub, n, -es, -häuser (tt; mil.) arsenal

Zeugnis, sub, n, -es, -se evidence; (tt; jur.) testimony; (tt; schul.) report; (tt; wirt.) testimonial

Zeugung sub, f, -, -en reproduction; ~**sfähigkeit** sub, f, -, nur Einz. (tt; med.) fertility

Zibetkatze, sub, f, -, -n (tt; zool.) zibetcat

zickig, adj, (ugs.) prim, prudish

Zickzack, sub, m, -s, -e zigzag; ~**kurs** sub, m, -es, -e zigzag (course); ~**linie** sub, f, -, -n zigzag (line)

Zider, sub, m, -s, nur Einz. cider

Ziege, sub, f, -, -n (zool.) goat; (vulg.) *dumme Ziege* bitch

Ziegel, sub, m, -s, - brick, tile; ~**ei** sub, f, -, -en brickworks; ~**stein** sub, m, -s, -e brick

Ziegenbart, sub, m, -s, nur Einz. (ugs.) goatee beard; **Ziegenherde** sub, f, -, -n flock of goats; **Ziegenleder** sub, f, -s, - goat skin; **Ziegenmilch** sub, f, -, nur Einz. goat's milk; **Ziegenpeter** sub, m, -s, nur Einz. (tt; med.) mumps

ziehen, (1) vi, draw, tug (2) vr, stretch (3) vt, breed, pull; (med.) extract; *die Blicke auf sich ziehen* to attract attention; *heimwärts zie-*

ben to make one´s way home; *sich aus der Affäre ziehen* to get out of it, *etwas ins Lächerliche ziehen* to ridicule sth; *jmd nach unten ziehen* to pull sb down; *unangenehme Folgen nach sich ziehen* to have unpleasant consequences; *(math.) Wurzel ziehen* work out

Ziehharmonika, *sub, f, -, -s* accordion; **Ziehkind** *sub, n, -s od. -es, -er* foster child; **Ziehung** *sub, f, -, -en* draw

Ziel, *sub, n, -s, -e* aim, destination, target; *(spo.)* finish

Zielbahnhof, *sub, m, -s, -höfe* destination; **Zielband** *sub, n, -s od. -es, -bänder (spo.)* finishing tape; **zielbewusst** *adj,* purposeful; **zielen** *vi,* aim; **Zielfahndung** *sub, f, -, -en* final search; **Zielfernrohr** *sub, n, -s, -e (tt; mil.)* telescopic sight; **Zielgerade** *sub, f, -, -en (tt; spo.)* finishing straight; **ziellos** *adj,* aimless; **Zielscheibe** *sub, f, -, -n* target; **Zielsetzung** *sub, f, -, -en* aims; **Zielsprache** *sub, f, -, nur Einz.* target language; **Zielstellung** *sub, f, -, -en* objectives; **zielstrebig** *adj,* single-minded; **Zielvorgabe** *sub, f, -, -n* aim

Ziemer, *sub, m, -s, -* saddle, whip

ziemlich, *adj,* considerable

ziepen, (1) *vi,* chirp (2) *vt,* tweak

Zier, *sub, f, -, nur Einz.* ornament; *~de* *sub, f, -, -n* ornament; **zieren** (1) *vr,* make a fuss (2) *vt,* decorate; *~gras* *sub, n, -es, -gräser* ornamental grass

zierlich, *adj,* dainty; **Zierlichkeit** *sub, f, -, nur Einz.* daintiness

Zierpflanze, *sub, f, -, -n* ornamental plant; **Zierpuppe** *sub, f, -, -n* ornamental doll; **Zierstrauch** *sub, m, -s od. -es, -sträucher* ornamental bush

Ziffer, *sub, f, -, -n* digit; *~blatt* *sub, n, -s od. -es, -blätter* dial; **ziffernmäßig** *adj,* digital

Zigarette, *sub, f, -, -n* cigarette; **Zigarillo** *sub, n, -s, -s* cigarillo; **Zigarre** *sub, f, -, -n* cigar

Zigeuner, *sub, m, -s, -* gypsy; **zigeunerhaft** *adj,* gypsylike; **zigeunerisch** *adj, (ugs.)* gypsylike; *~leben* *sub, n, -s, nur Einz.* gypsy life; *~primas* *sub, m, -, -* leader of a gypsy band

Zikade, *sub, f, -, -n* cicada

Ziliarkörper, *sub, m, -s, - (tt.; anat.)* ciliar body; **Ziliarmuskel** *sub, m, -s, -n* ciliar muscle

Zimbel, *sub, f, -, -n* cymbal

Zimmerarbeit, *sub, f, -, -en* room work; **Zimmerbrand** *sub, m, -es, -brände* room blaze; **Zimmerdecke** *sub, f, -, -n* ceiling; **Zimmerei** *sub, f, -, -en* carpentry

Zimmerflucht, *sub, f, -, -en (tt; arch.)* suite of rooms; **Zimmermann** *sub, m, -es, -männer* carpenter; **Zimmermiete** *sub, f, -, -n* rent; **zimmern** *vt,* make sth. from wood

Zimmernummer, *sub, f, -, -n* room number; **Zimmerpflanze** *sub, f, -, -n* room plant; **Zimmersuche** *sub, f, -, nur Einz.* room hunting

zimperlich, *adj,* cowardly, prudish; *da kann man nicht so zimperlich sein* you can´t afford to be soft; *sei doch nicht so zimperlich* don´t be so silly; **Zimperliese** *sub, f, -, -n (ugs.)* cissy

Zimt, *sub, m, -s, nur Einz.* cinnamon; *(ugs.)* junk; *mit Zimt und Zucker* with cinnamon and sugar; *(ugs.) der ganze Zimt* the whole wretched business

Zincum, *sub, n, -s, nur Einz. (tt; chem.)* zincum

Zingulum, *sub, n, -s, -s, -gula* zingulum

Zink, *sub, m, -es, -en* zinc; *~sarg* *sub, m, -es, -särge* zinc coffin

Zinke, *sub, f, -, -n* prong; **zinken** (1) *adj,* made of zinc (2) **Zinken** *sub, m, -s, - (ugs.)* conk (3) *vt,* mark

Zinn, *sub, n, -es, nur Einz.* tin; *~guss* *sub, m, -es, -güsse* tinfounding

Zinne, *sub, f, -, -n* battlements

Zinnie, *sub, f, -, -n (bot.)* zinnia; **Zinnkraut** *sub, n, -es, nur Einz.* horsetail

Zinnkrug, *sub, m, -es, -krüge* pewter tankard

Zinnober, *sub, m, -s, nur Einz. (ugs.)* fuss, rubbish; *(tt; kun.)* vermilion

Zins, *sub, m, -es, -en (wirt.)* interest

Zinsendienst, *sub, m, -s, -e (tt; wirt.)* interest service; **Zinserhöhung** *sub, f, -, -en* interest increase; **Zinseszins** *sub, m, -es, -en* compound interest; **Zinsfuß** *sub, m, -es, -füße* interest rate; **Zinsgro-**

schen *sub, m, -s, - (ugs.)* interest penny; **zinsgünstig** *adj, (tt; wirt.)* favourable interest

Zionismus, *sub, m, -es, nur Einz.* Zionism; **Zionist** *sub, m, -en, -en* Zionist; **zionistisch** *adj,* Zionist

Zipfel, *sub, m, -s, -* corner, end, tassel, tip; *(geogr.)* long point, point

Zipfelmütze, *sub, f, -, -n* pointed cap; **Zippdrossel** *sub, f, -, -n (tt; zool.)* thrush

Zipperlein, *sub, n, -s, nur Einz. (ugs.)* little aches

Zirbel, *sub, f, -, -n* pineal; **~drüse** *sub, f, -, -n* pineal body

zirka, *adv,* about, approximate; **Zirkaauftrag** *sub, m, -es, -träge (i. ü. S.)* approximate contract

Zirkel, *sub, m, -s, - (tt; mat.)* pair of compasses; **~kasten** *sub, m, -s, -kästen* compasses case; **zirkeln** *vi, (i. ü. S.)* do fiddly work; *(ugs.)* measure exactly

Zirkon, *sub, n, -s, -e (tt; chem.)* zircon; **~ium** *sub, n, -s, nur Einz. (tt; bot.)* zirconium

Zirkularnote, *sub, f, -, -n (i. ü. S.)* circular note; **Zirkulation** *sub, f, -, -en* circulation; **zirkulieren** *vi,* circulate

Zirkumflex, *sub, m, -es, -e* circumflex

Zirkumskript, *sub, n, -es, -e* circumscription

Zirkus, *sub, m, -es, -e* circus; **~clown** *sub, m, -s, -s* circus clown; **~pferd** *sub, n, -es, -e* circus horse; **~reiter** *sub, m, -s, -* circus rider

zirpen, *vi,* chirp

Zirrhose, *sub, f, -, -n (tt; med.)* cirrhosis

Zirrostratus, *sub, f, -, -strati (tt; meteol.)* cirostratus

Zirruswolke, *sub, f, -, -n (tt; geol.)* cirrus

zisalpin, *adj,* cisalpin

zischeln, *vi,* whisper

zischen, *vi, (ugs.)* hiss, sizzle, whizz; *(ugs.) jmd eine zischen* to belt sb one

Ziseleur, *sub, m, -s, -e (tt; kun.)* engraver; **ziselieren** *vi,* engrave; **Ziselierung** *sub, f, -, -en* engraving

Zisterne, *sub, f, -, -n* well

Zisterzienser, *sub, m, -s, -* Cistercian

Zitadelle, *sub, f, -, -n* citadel

Zitat, *sub, n, -s, -e* quotation

Zither, *sub, f, -, -n (mus.)* zither; **~spiel** *sub, n, -s, -e* zither playing

zitieren, *vi, quote, (tt; jur.)* summon

Zitronat, *sub, n, -s, -e* candied lemon peel; **Zitrone** *sub, f, -, -n (bot.)* lemon; **Zitronenbaum** *sub, m, -es, -bäume (tt; bot.)* lemon tree; **Zitronenfalter** *sub, m, -s, - (tt; zool.)* lemon moth; **zitronengelb** *adj,* lemon yellow; **Zitronensaft** *sub, m, -es, -säfte* lemon juice; **Zitrusfrucht** *sub, f, -, -früchte (bot.)* citrus fruit

Zitteraal, *sub, m, -s, -e* electric eel; **Zittergras** *sub, n, -es, -gräser* quaking grass

zittern, *vi,* quaver, quiver, shake, shiver, tremble; *am ganzen Körper zittern* to tremble all over; *mir zittern die Knie* my knees are trembling; *vor jmd zittern* to be terrified of sb

Zitterpappel, *sub, f, -, -n (tt; bot.)* aspen; **Zitterpartie** *sub, f, -, -n (ugs.)* nail-biting event; **Zitterrochen** *sub, m, -s, -* electric ray

Zitze, *sub, f, -, -n* teat

Zivi, *sub, m, -s, -s (ugs.)* person doing community service

Zivilcourage, *sub, f, -, nur Einz.* courage of one's convictions; **Zivildienst** *sub, m, -s, nur Einz.* community service; **Zivilehe** *sub, f, -, -n (tt; jur.)* civilian marriage

Zivilisation, *sub, f, -, -en* civilization; **zivilisatorisch** *adj,* civilisatory; **zivilisieren** *vi,* civilize; **zivilisiert** *adj,* civilized

Zivilist, *sub, m, -en, -en* civilian; **zivilistisch** *adj,* civilian; **Zivilperson** *sub, f, -, -en* civilian

Zivilprozess, *sub, m, -es, -e (tt; jur.)* civil action; **~ordnung** *sub, f, -, -en* code of civil procedure; **Zivilrecht** *sub, n, -s, nur Einz.* civil law

Zivilschutz, *sub, m, -es, nur Einz.* civil defence; **Ziviltrauung** *sub, f, -, -en (tt; jur.)* civil marriage

Zobel, *sub, m, -s, -* sable

zocken, *vt, (ugs.)* gamble; **Zocker** *sub, m, -s, -* gambler

Zofe, *sub, f, -, -n* lady's maid

Zoff, *sub, m, -s, nur Einz. (ugs.)* trouble

zögern, *vi,* hesitate; *er tat es ohne zu zögern* he did it without hestitating

Zögling, *sub, m, -s, -e* pupil

Zölibat, *sub, m, n, -s, nur Einz.* celibacy

Zoll, *sub, m, -s, Zölle* customs, duty; *(Längenmaß)* inch

Zollamt, *sub, m, -es, -ämter* customs house; **zollamtlich** *adj,* customs; **Zollbeamte** *sub, m, -n, -n* customs officer; **Zollbehörde** *sub, f, -, -n* customs authority; **zollen** *vt,* show

Zollerklärung, *sub, f, -, -en* customs declaration; **Zollfahnder** *sub, m, -s, -* customs investigator; **Zollfahndung** *sub, f, -, -en* customs investigation department; **zollfrei** *adj,* duty-free; **Zollfreiheit** *sub, f, -, nur Einz.* duty freedom; **Zollgebühr** *sub, en* customs charge; **Zollkontrolle** *sub, f, -, -n* customs examination; **Zollordnung** *sub, f, -, -en* customs regulations; **Zollschranke** *sub, f, -, -n* customs barrier; **Zollstation** *sub, f, -, -en* customs post; **Zollstock** *sub, m, -s, -stöcke* folding rule; **Zollvertrag** *sub, m, -es, -träge* customs contract

Zombie, *sub, m, -s, -s (ugs.)* zombie

zoografisch, *adj,* zoografic; **Zoohandlung** *sub, f, -, -en* pet shop; **Zoologe** *sub, m, -n, -n* zoologist; **Zoologie** *sub, f, -, nur Einz.* zoology; **zoologisch** *adj,* zoological

Zoom, *sub, m, -s, -s* zoom; **zoomen** *vt,* zoom

Zootechniker, *sub, m, -s, -* zoo technician

Zopf, *sub, m, -s, -s, Zöpfe (ugs.)* pigtail

Zorn, *sub, m, -s, nur Einz.* anger; *der Zorn Gottes* the wrath of god; *einen Zorn auf jmd haben* to be furious with sb; *im Zorn* in rage; *in gerechtem Zorn* in righteous anger; *in Zorn geraten* to fly into rage; *jmd Zorn heraufbeschwören* to incur sb´s wrath; **~ausbruch** *sub, m, -s, -brüche* fit of anger; **zornig** *adj,* angry; **~röte** *sub, f, -, nur Einz. (i. ü. S.)* anger flush

zoroastrisch, *adj,* zoroastric

Zote, *sub, f, -, -n (ugs.)* smutty joke; **~nreißer** *sub, m, -s, - (i. ü. S.)* smutty joke teller; **zotig** *adj,* filthy, smutty

Zottel, *sub, f, -, -n (ugs.)* shagg; **zottelig** *adj,* shaggy; **zotteln** *vt,* shagg

zottig, *adj,* shaggy

zottlig *adj,* shaggy

zu, (1) *adv,* too; *(i. ü. S.)* closed **(2)** *konj,* to **(3)** *präp,* at, for, on, to, to/into/as; *(zeitl)* at; *(adv/allzu) ich*

wäre zu gerne mit ihm gekommen I should have only too pleased to come; *(adv/allzu) zu verliebt* too deeply in love; *(adv/allzu) zu viel* too much; *Tür zu* shut the door; *(adj) zu sein* to be shut, *(mit partiz) der zu prüfende Kandidat* the candidate to be examined; *(mit infin) er hat zu gehorchen* he has to obey; *(mit infin) etwas zu essen* sth to eat; *(mit infin) ich habe zu arbeiten* I have to work; *(mit partiz) nicht zu unterschätzende Probleme* problems (that are) not to be underestimated; *(mit pron) zu was* for what; *(mit pron) zu wem* who to, *(zahlenang.) fünf zu 30 Pfennig* five to 30 pence; *(zahlenang.) zu zwei Prozent* at two per cent; *(zahlenang.) zum ersten Mal* for the first time; *(Zusatz) die Melodie zu dem Lied* the melody of the song; *(Anlaß) etwas zu Weihnachten bekommen* to get sth for christmas; *(Vergleich) im Vergleich mit* in comparison with; *(Vergleich) im Verhältnis zu* in relation to; *(Beziehung) Liebe zu jmd* love for sb; *meine Beziehung zu ihm* my relation with him; *(bestim) Milch zum Kaffee* milk for coffee; *(zweck) nur zu ihrerer Beruhigung* to set her mind at rest; *(Zweck) Wasser zum Waschen* water for washing; *(Zusatz) Wein zum Essen trinken* to drink wine with one´s meal; *(zweck) zu nichts zu gebrauchen sein* to be no use at all; *(Folge/Umst) zu seinem Besten* for his own good; *(folge/umst) zu seinem Tode* to death; *(zweck) zu seiner Entschuldigung* in apology; *(Verb mit n) zum Beispiel* for example; *(Verb mit n) zur Beurteilung* for inspection; *zur Probe* on test; *(Verb mit n) zur Strafe* as a punishment; *(Lage) zu beiden Seiten* on both sides; *(art/Weise) zu Deutsch* in German; *(art/weise) zu Fuß* on foot; *(örtl) auf den Wald zu* towards the forest; *(örtl/bewg) bis zum Bahnhof sind es* it´s 5 kms to the station; *(örtl/bewg) etwas zu sich stecken* to take sth; *(örtl/bewg) zum Bahnhof* to the station; *(örtl/richt) zum Himmel weisen* to

point heavenwards/up at the heavens; *(als)* jmd zum Freund haben to
have sb as friend; *(als)* jmd zum König wählen to chose sb as king; *(veränder.)* jmd zum Manne machen to
make a man of sb; *(als)* sich jmd zum
Vorbild nehmen to take sb as one´s
example; *(veränder.)* zu Asche verbrennen to burn to ashes; *(veränder.)* zu etwas heranwachsen to
grow into sth; *(veränder.)* zu etwas
werden to turn into sth; *(örtl. Lage)*
jmd zur Seite sitzen to seat at sb side;
(zeitl.) zu früher Stunde at an early
hour; *(zeitl.)* zu Mittag at midday;
(zeitl.) zu Ostern at Easter

zuallererst, *adv,* first of all; **zuallerletzt** *adv,* last of all; **zuallermeist**
adv, most of all

Zubehör, *sub, n, -s, -e* equipment;
(ugs.) accessories; *Küche mit allem
Zubehör* fully equiped kitchen; **~teil**
sub, n, -s, -e equipmentpart

zubeißen, *vi, (ugs.)* bite (firmly)

Zuber, *sub, m, -s, -* tube

zubereiten, *vt,* prepare; **Zubereitung**
sub, f, -, -en preparation

Zubettgehen, *sub, n, -s, nur Einz.*
going to bed

zubilligen, *vt,* allow; **Zubilligung**
sub, f, -, -en allowance

zubinden, *vt,* tie up

zubringen, *vt,* get, spend; *(i. ü. S.)*
shut; **Zubringer** *sub, m, -s, -* *(tt;
arch.)* feeder road; **Zubringerbus**
sub, m, -es, -e (ugs.) shuttle (bus)

Zubrot, *sub, n, -es, nur Einz.* extra

Zucchini, *sub, f, -, nur Mehrz.* zucchini; *(tt; biol.)* courgette

Zucht, *sub, f, -, -en* breeding; *(ugs.)*
discipline; *(tt; biol)* culture; *(tt; bot.)*
cultivation; **züchten** *vr,* breed; *(tt;
bot.)* cultivate, grow; *Rennpferde
züchten* breed racing horses; **~er-
folg** *sub, m, -s, -e (i. ü. S.)* breeding
success; **züchterisch** *adj,* breedical

Zuchthaus, *sub, n, -es, -häuser* prison;
Zuchthäusler *sub, m, -s, -* prisoner;
~strafe *sub, f, -, -n* prison sentence

Zuchthengst, *sub, m, -es, -e* breeding
stallion

züchtig, *adj,* disciplined; **Züchtigkeit**
sub, f, -, nur Einz. discipline; **Züchtigung** *sub, f, -, -gen* corporal punishment

Zuchtmittel, *sub, n, -s, - (i. ü. S.)* bree-

ding stuff, punishment

Züchtung, *sub, f, -, -en* breeding

zucken, *vti,* flash, leap, twitch

zücken, *vt,* draw

Zucker, *sub, m, -s, nur Einz.* sugar;
(tt; med.) diabetes; **~bäcker** *sub,
m, -s, -* confectioner; **~erbse** *sub, f,
-, -n* sugar-pea; **~fabrik** *sub, f, -, -en*
sugar-factory; **~gehalt** *sub, m, -s,
nur Einz.* amount of sugar; **~guss**
sub, m, -es, -güsse icing; **zukkerhaltig** *adj,* sugary

Zuckerhut, *sub, m, -es, -hüte* sugar-
loaf; **Zuckerkandis** *sub, m, -, nur
Einz.* candy sugar; **zuckerkrank**
adj, (tt; med.) diabetic; **Zuk-
kerkrankheit** *sub, f, -, nur Einz.*
diabetes

zudecken, *vt,* cover up

zudem, *präp,* in addition to

zudiktieren, *vt,* dictate

zudrehen, *vt,* turn off; *jemanden
den Rücken zudrehen* to turn
one´s back

zudringlich, *adj, (ugs.)* pushy

Zuerkennung, *sub, f, -, -en* award

zuerst, *adv,* first

Zuerteilung, *sub, f, -, -en* awarding

Zufahrt, *sub, f, -, -en* access; *(ugs.)*
drive; **~sweg** *sub, m, -es, -e* access
road

Zufall, *sub, m, -es, -fälle* coincident;
durch Zufall by accident; *ein merkwürdiger Zufall* a strange coincident; *es war reiner Zufall, daß* it
was pure chance that; *etwas dem
Zufall überlassen* to leave sth to
chance; *per Zufall* by a fluke; **zufällig** *adj,* accidental; *zufällig einen
Freund treffen* he chanced on a friend; **Zufälligkeit** *sub, f, -, -en* by
accident; **~sgröße** *sub, f, -, -n (i. ü.
S.)* coincidence size

zufallen, *vt,* fall to

zufassen, *vi,* lend a hand, make a
grap

zufließen, *vi,* flow towards

Zuflucht, *sub, f, -, nur Einz.* refuge;
~sort *sub, m, -es, -e* refuge; **~sstät-
te** *sub, f, -, -n* refuge

Zufluss, *sub, m, -es, -flüsse* flow

zufolge, *präp,* according to

zufügen, *vt,* inflict; *jmd etwas zufügen* to cause sb sth; *jmd Schaden
zufügen* to harm sb; *(i. ü. S.)* was
du nicht willst, was man dir tut,

das füg auch keinem anderen zu do
as you would be done by
Zufuhr, *sub, f, -, nur Einz.* supply
zuführen, *vt*, lead to, supply
Zug, *sub, m, -es, Züge* lorry, pull, train;
(i. ü. S.) characteristic, features, gulp,
puff; *(tt; mus.)* slide; *(tt; spiel)* moves; *(tt; spo.)* stroke
Zugabe, *sub, f, -, -n* free gift; *(tt; mus.)*
encore
Zugang, *sub, m, -es, -gänge* access, entrance; **zugängig** *adj*, accessible; **zugänglich** *adj*, accessible,
approachable
Zugbegleiter, *sub, m, -s,* - train guard
Zugbrücke, *sub, f, -, -n* drawbridge
zugeben, *vt*, admit, give; **zugegen**
adj, *(i. ü. S.)* present; **zugehen** *vi*,
shut, walk up to; *auf jmd zugehen* to
go towards; *dem Ende zugehen* to
draw to a close; *der Koffer geht nicht
zu* the case won´t shut; *(Nachricht)
der Polizei sind einige Hinweise zugegangen* the police have already received several clues; *hier geht es nicht
mit rechten Dingen zu* there´s sth
odd going on here
zugehören, *vt*, belong to; **Zugehörigkeit** *sub, f, -, nur Einz.* membership
Zügel, *sub, m, -s,* - rein; *die Zügel an
sich reißen* to seize the reins; *(i. ü. S.)
die Zügel fest in der Hand halten* to
have things under control; **zügellos**
adj, unrestrained; **~losigkeit** *sub, f,
-, -en* licentiousness; **zügeln** *vt*, *(tt;
spo.)* rein in, restrain
zugelassen, *vt*, be allowed to
zugestanden, *adv*, granted; **Zugeständnis** *sub, n, -es, -e* concession;
zugestehen *vt*, grant
Zugewinn, *sub, m, -s, -en (i. ü. S.)* profit
Zugführer, *sub, m, -s,* - train guard
zugig, *adj*, draughty
Zugkontrolle, *sub, f, -, -n* train control; **Zugkraft** *sub, f, -, -kräfte* traction, tractive power
zugleich, *adv*, at the same time
Zugluft, *sub, f, -, nur Einz.* draught
Zugmaschine, *sub, f, -, -n* tractor;
Zugnummer *sub, f, -, -n* train number; **Zugpersonal** *sub, n, -s, nur
Mehrz.* train staff/crew; **Zugpferd**
sub, n, -s, -e carthorse
zugreifen, *vi*, grab hold; *(ugs.)* jump
at; **Zugriff** *sub, m, -s, -e* quick action;

(tt; comp.) access; **Zugriffszeit**
sub, f, -, -en access time
zu Grunde, *adv*, *(~liegen)* be the
basis of sth; *(~richten)* ruin
Zugsalbe, *sub, f, -, -n (tt; med.)*
poultice
Zugspitzbahn, *sub, f, -, nur Einz.*
Zugspitztrain; **Zugverkehr** *sub, m,
-s, nur Einz.* traintraffic
Zugtier, *sub, n, -es, -e* draught animal
zugucken, *vi*, look at
zugunsten, *präp*, in favour of
zugute, *adv*, prove
Zugvogel, *sub, m, -es, -vögel* migratory bird
Zugzwang, *sub, m, -es, -zwänge*
(ugs.) zugzwang
zuhalten, **(1)** *vi*, make for sth **(2)** *vt*,
keep sth shut; **Zuhälter** *sub, m, -s,
- (ugs.)* pimp; **Zuhälterei** *sub, f, -,
nur Einz.* pimping; **zuhälterisch**
adj, pimpical
zuhauf, *adv*, a lot of
zuheilen, *vi*, heal up/over
Zuhilfenahme, *sub, f, -, nur Einz.*
use; *unter der Zuhilfenahme von*
with the aid of
zuhören, *vi*, listen to; **Zuhörer** *sub,
m, -s,* - listener; **Zuhörerbank** *sub,
f, -, -bänke* audience seat; **Zuhörerschaft** *pron*, audience
zujubeln, *vi*, cheer; **zukaufen** *vt*,
buy; **zukleben** *vt*, seal; **zukommen** *vi*, be befitting for so, come
towards; **zukorken** *vt*, cork up
Zukunft, *sub, f, -, Zukünfte* future;
zukünftig *adj*, in future; **~splan**
sub, m, -s, -pläne plan for the future; **zukunftsreich** *adj*, promising;
zukunftsvoll *adj*, promising
Zulage, *sub, f, -, -n* allowance; *(ugs.)*
bonus
zu Lande, *adv*, in my/our country
zulangen, *vi*, help oneself
zulänglich, *adj*, adequate
zulassen, *vt*, admit, allow, leave sth
shut, permit, tolerate; **zulässig**
adj, permissible; **Zulässigkeit** *sub,
f, -, -en* admission; **Zulassung** *sub,
f, -, -en* authorization; *(techn.)* registration
Zulauf, *sub, m, -s, Zuläufe (ugs.)*
draw big crowds; **zulaufen** *vi*, run
towards to
zu Leide, *adv*, harm so

zuleiten, vt, deliver; (appl)

zuletzt, *adv*, finally, last

zuliebe, *sub*, *(i. ü. S.)* do it for s.o

Zulieferant, *sub*, *m*, *-en*, *-en* deliverer; **Zulieferung** *sub*, *f*, *-*, *-en* delivery

zumachen, (1) *vi*, shut (2) *vt*, close

zumal, (1) *adv*, especially (2) *konj*, especially as

zumauern, *vt*, wall up

zumeist, *adv*, mainly, mostly; **zumindest** *adv*, at least

zumutbar, *adj*, reasonable; **Zumutbarkeit** *sub*, *f*, *-*, *-en* reasonability; **zumuten** *vt*, attempt, expect; **Zumutung** *sub*, *f*, *-*, *-en* unreasonable demand

zunächst, *adv*, at first

zunageln, *vt*, nail up

Zunahme, *sub*, *f*, *-*, *-n* increase

Zuname, *sub*, *m*, *-ns*, *-n* surname

zünden, (1) *vi*, ignite (2) *vt*, light; **Zunder** *sub*, *m*, *-s*, - tinder; *(ugs.)* trashing; **Zünder** *sub*, *m*, *-s*, - detonator

Zündholz, *sub*, *n*, *-es*, *-bölzer* match; **Zündhölzchen** *sub*, *n*, *-s*, - *(ugs.)* match; **~schachtel** *sub*, *f*, *-*, *-n* match box

Zündkerze, *sub*, *f*, *-*, *-n* *(tt; tech.)* sparking plug; **Zündschloss** *sub*, *n*, *-es*, *-schlösser* ignition lock; **Zündschnur** *sub*, *f*, *-*, *-schnüre* fuse; **Zündung** *sub*, *f*, *-*, *-en* ignition

zunehmen, *vi*, increase; *(i. ü. S.)* put on weight

zuneigen, *vi*, be fond of, incline to; **Zuneigung** *sub*, *f*, *-*, *-en* affection, fondness

Zunft, *sub*, *f*, *-*, *Zünfte* guild; **~genosse** *sub*, *m*, *-n*, *-n* *(ugs.)* guildsman; **zünftig** *adj*, professional; *(i. ü. S.)* proper; **~meister** *sub*, *m*, *-s*, - guild master; **~ordnung** *sub*, *f*, *-*, *-en* guild order; **~wappen** *pron*, guild arms

Zunge, *sub*, *f*, *-*, *-n* tongue; *böse Zunge behaupten* malicious gossip has it; *eine spitze Zunge haben* to have a sharp tongue; *mir hängt die Zunge zum Hals heraus* my tongue is hanging out; *seine Zunge im Zaum halten* curb one's tongue; *sich die Zunge abrechen* to tie one's tongue in knots; **züngeln** *vi*, *(ugs.)* tongue; **zungenfertig** *adj*, glib; **~nspitze** *sub*, *f*, *-*, *-n* tip of the tongue; **~nwurst** *sub*, *f*, *-*, *-würste* tongue

zunicken, *vi*, nod to/towards s.o

zu Nutze, *adv*, take advantage of; *(ugs.)* make use of

zuoberst, *adv*, on top

zuordnen, *vt*, assign sth to; **Zuordnung** *sub*, *f*, *-*, *-en* classification

zupacken, *vi*, grab hold; *(ugs.)* knuckle down to

zupfen, *vt*, pluck, pull up; *jmd am Ärmel zupfen* to tug one's sleeve; *sich am Bart zupfen* to pull at one's beard; **Zupfgeige** *sub*, *f*, *-*, *-n* *(tt; mus.)* guitar, plucked violin

zürcherisch, *adj*, of Zurich

zurechenbar, (1) *adj*, included (2) *adv*, added; **zurechnen** *vt*, add, include; **zurechnungsfähig** *adj*, sound mind; **Zurechnungsfähigkeit** *sub*, *f*, *-*, *nur Einz.* soundness of mind

zurechtfinden, *vr*, *(i. ü. S.)* find one's way

zurechtlegen, *vt*, put/place sth.

zurechtmachen, (1) *vr*, get oneself ready (2) *vt*, prepare

zurechtweisen, *vt*, reprimand

Zureden, (1) *sub*, *n*, *-s*, - *(i. ü. S.)* try to persuade (2) **zureden** *vi*, try to persuade; *(ugs.)* keep on; *auf mein Zureden* with my encouragement; *freundliches Zureden* friendly persuasion

zureichen, *vt*, pass

zureiten, (1) *vi*, ride towards (2) *vt*, break in

züricherisch, *adj*, of Zurich; *(i. ü. S.)* from Zurich; **Zürichgebiet** *sub*, *n*, *-s*, *nur Einz.* area round Zurich

zürnen, *vi*, *(i. ü. S.)* be angry with so

zurren, *vt*, *(ugs.)* lash

zurück, *adv*, back, behind; *(tt; med.)* mental retarded

zurückbehalten, *vt*, keep back; **zurückbeugen** *vr*, bend back; **zurückbezahlen** *vt*, pay back; **zurückbilden** *vr*, form back; **zurückbleiben** *vi*, stay back; **zurückbringen** *vt*, take/bring back; **zurückdämmen** *vt*, dam back; **zurückdenken** *vi*, think back; **zurückdrehen** *vt*, turn back

zurückdürfen, *vi*, *(i. ü. S.)* allowed to go back

zurückeilen, *vi*, hurry back

zurückhalten, *vt*, get back

zurückfahren, *vi*, drive back; **zurückfallen** *vi*, fall back; **zurückfinden** *vi*, find back; **zurückfragen** *vti*, ask back; **zurückführen** *vt*, lead back
zurückgeben, *vt*, give back
zurückgehen *vi*, go/walk back; **zurückgezogen** *adj*, retired, secluded
zurückgreifen, *vt*, go back to, resort to
zurückhaben, *vt*, have sth back
zurückhalten, *vt*, hold back, restrain, withhold; *die Tränen zurückhalten* hold back one´s tears; *mit nichts zurückhalten* hold back nothing; *sich im richtigen Moment zurückhalten* hold back at the right moment; **~d** *adj*, restrained, sparing; **Zurückhaltung** *sub*, *f*, -, -*en* reserve, restaint
zurückholen, *vt*, *(i. ü. S.)* bring back
zurückkämmen, *vt*, comb back; **zurückkehren** *vi*, return; **zurückkommen** *vi*, come/get back; **zurückkönnen** *vi*, *(i. ü. S.)* be able to go back
zurücklassen, *vt*, leave sth behind
zurücklehnen, *vr*, lean back
zurückmüssen, *vi*, have to go back
Zurücknahme, *sub*, *f*, -, -*n* withdrawal; *(ugs.)* taking back; **zurücknehmen** *vt*, take back, withdraw; *(tt; spo.)* pull back
zurückrollen, *vt*, roll back
zurückrufen, *vi*, call back; *(i. ü. S.)* revive
zurückschicken, *vt*, send back
zurückschlagen, (1) *vi*, fold back (2) *vti*, hit back
zurückschrecken, *vi*, recoil
zurücksehnen, *vr*, long for
zurücksenden, *vt*, send back
zurücksetzen, (1) *vr*, discriminate, sit further back (2) *vt*, move back, put back; **Zurücksetzung** *sub*, *f*, -, -*en* affront
zurückstehen, *vi*, inferior; *(tt; arch.)* be set back; *das muß vorläufig zurückstehen* that will have to wait for the moment; *hinter etwas zurückstehen* to take second place to sth; *nicht zurückstehen wollen* to be unwilling to stand down
zurückstoßen, *vit*, push back
zurückstufen, *vt*, put back
zurücktreten, *vi*, resign, step back
zurückweichen, *sub*, recede; *(tt; mil.)* fall back; **zurückweisen** *vt*, refuse, turn away
zurückwerfen, *vt*, throw back; *(tt; mil.)* repuls; *(tt; phy.)* reflect
zurückwirken, *vt*, backdate
zurückwollen, *vi*, want back
zurückzahlen, *vt*, pay back, repay
zurückziehen, (1) *vr*, retire (2) *vt*, draw back; *(tt; jur.)* drop; **Zurückzieher** *sub*, *m*, -*s*, - withdrawal; **zurückzucken** *vi*, twitch back
Zuruf, *sub*, *m*, -*s*, -*e* shout; *durch Zuruf abstimmen* to vote by acclamation; **zurufen** *vt*, shout sth to s.o
Zusage, *sub*, *f*, -, -*n* acceptance; *(i. ü. S.)* promise; **zusagen** (1) *vi*, accept, appeal (2) *vt*, promise
zusammen, *adv*, alltogether, together
Zusammenarbeit, *sub*, *f*, -, -*en* cooperation
zusammenballen, *vt*, squeeze
Zusammenbau, *sub*, *m*, -*s*, -*e* assembly
zusammenbrechen, *vi*, collapse; *(tt; arch.)* break down; **Zusammenbruch** *sub*, *m*, -*s*, -*brüche* collapse; *(tt; med.)* breakdown
zusammenfahren, (1) *vi*, collide with, wince (2) *vt*, smash up
Zusammenfall, *sub*, *m*, -*s*, -*fälle* collapse
zusammenfassen, *vt*, combine, summarize; **Zusammenfassung** *sub*, *f*, -, -*en* combination, summary
zusammenfügen, *vt*, put together
zusammengesetzt, *adj*, compound
Zusammenhalt, *sub*, *m*, -*s*, *nur Einz.* cohesion; **zusammenhalten** (1) *vi*, stick together (2) *vt*, compare, hold together
Zusammenhang, *sub*, *m*, -, -*hänge* connection; *etwas aus dem Zusammenhang reißen* to take sth out of its context; *etwas mit etwas in Zusammenhang bringen* to connect sth with sth; *in Zusammenhang stehen mit* to be connected with sth; **zusammenhängend** *adj*, connected
Zusammenkunft, *sub*, *f*, -, -*künfte* meeting
zusammen laufen, *vi*, gather; *(i. ü. S.)* met; *(tt; geogr.)* converge
Zusammenleben, (1) *sub*, *m*, -*s*, - living together (2) **zusammenleben** *vi*, live together

zusammenlegen, (1) *vi,* club together (2) *vi,* fold up, put together

zusammennehmen, (1) *vr,* pull oneself together (2) *vt,* summon up

zusammenpassen, *vi, (ugs.)* match

zusammenrechnen, *vt,* add

zusammenrufen, *vt,* rally

Zusammenschluss, *sub, m, -es,
-schlüsse* amalgamation; *(tt; polit.)*
union

Zusammensein, *sub, n, -s, nur Einz.*
get-together

zusammensetzen, (1) *vr,* sit together
(2) *vt,* assemble; *(ugs.)* put together;
Zusammensetzung *sub, f, -, -en* assembly, composition

zusammenstellen, *vt,* combine; **Zusammenstellung** *sub, f, -, -en* combination

zusammenstimmen, *vt,* match

zusammentragen, *vt,* collect

Zusammentreffen, (1) *sub, n, -s, -*
meeting (2) **zusammentreffen** *vi,*
meet up with; **zusammentreten** *vi,*
assemble

zusammentun, (1) *vr,* club/band together (2) *vt,* put sth together

zusammenzählen, *vt,* add up

zusammenziehen, (1) *vi,* move in
with so (2) *vt,* concentrate, draw up

Zusatz, *sub, m, -es, -sätze* addition; *(tt;
jur.)* rider; **~gerät** *sub, n, -s, -e (tt;
tech.)* attachment; **zusätzlich (1)**
adj, additional (2) *adv,* in addition
to; **~steuer** *sub, f, -, -n* additive tax;
~tarif *sub, m, -s, -e* additional charge

zu Schanden, *adv,* ruin

zuschauen, *vi,* watch; **Zuschauer**
sub, m, -s, - audience; *(ugs.)* on looker; *(tt; spo.)* spectator; **Zuschauerin** *sub, f, -, -nen (ugs.)* on looker

zuschaufeln, *vt, (i. ü. S.)* shovel/cover

zuschicken, *vt,* send to

zuschieben, *vt,* push sth, slide

zuschießen, *vi,* shoot/rush towards;
(tt; spo.) shoot

Zuschlag, *sub, m, -s, -schläge* supplementary, surcharge; **zuschlagfrei**
adj, (tt; Bahn) not subject to a supplement; **~satz** *sub, m, -es, -sätze*
supplementary fare

zuschließen, *vt,* lock

zuschnappen, *vi,* snap

zuschneiden, *vt,* cut, size; **Zuschnei-
der** *sub, m, -s, -* cutter

zuschreiben, *vt,* attribute, blame; **Zu-**

schrift *sub, f, -, -en* reply

Zuschuss, *sub, m, -es, -schüsse* contribution

zuschustern, *vi, (ugs.)* wangle sth
s.o

zuschütten, *vt,* add, fill in

zusehen, *vi,* look on, take care,
watch; **~ds** *adv,* visibly

zu sehr, *präp,* to much

zusenden, *vt,* send

zusetzen, (1) *vi,* pester; *(tt; med.)*
affect (2) *vt,* add; *er hat nichts
mehr zuzusetzen* he has nothing in
reserve; *jmd zusetzen* to lean on sb

zusichern, *vt,* promise; **Zusicherung** *sub, f, -, -en* guarantee

zuspitzen, *vt,* sharpen

Zusprechung, *sub, f, -, -en* encouragement; **Zuspruch** *sub, m, -s, -
sprüche* advice, general acclaim,
words (of encouragement); *großen
Zuspruch finden* to be very popular

Zustand, *sub, m, -s, -stände* condition; **zuständig** *adj,* competent, responsible; **Zuständigkeit (1)**
pron, (tt; jur.) jurisdiction (2) *sub,
f, -, nur Einz.* competence, responsibility; **zuständlich** *adj,* relevant;
~sverb *sub, n, -s, -en* verb

zustatten, *adv,* be useful

zustehen, *vi,* be entitled to

zustellen, *vt,* block, deliver; **Zustel-
lung** *sub, f, -, -en* delivery

zustimmen, *vi,* agree; **Zustimmung** *sub, f, -, -en* agreement

zustreben, *vt,* strive to

Zustrom, *sub, m, -s, nur Einz.* stream

Zutat, *sub, f, -, -en* ingredients

zuteil, *adv,* revieve sth.; **~en** *vt,* al-
lot, share out; **Zuteilung** *sub, f, -,
-en* allocation, ration

zutiefst, *adv,* extremely

zutragen, *vt,* report; *(i. ü. S.)* occur;
Zuträger *sub, m, -s, -* talebearer;
zuträglich *adj,* beneficial

Zutrauen, (1) *sub, n, -s, nur Einz.*
confiedence (2) **zutrauen** *vt,* believe in; **zutraulich** *adj,* trusting

zutreffen, *vt,* apply to, be correct;
~d *adj,* correct; **Zutreffende** *sub,
n, -n, nur Einz. (i. ü. S.)* correct
thing

Zutritt, *sub, m, -s, -* admittance

Zutun, (1) *sub, n, -s, nur Einz. (ugs.)*
hand in it (2) **zutun** *vt,* add, assi-

stance; *(ugs.)* shut

zu Ungunsten, *adv,* disadvantage of

zuverdienen, *vt,* earn sth extra; **Zuverdienst** *sub, m, -s, -e (i. ü. S.)* extra salary

zuverlässig, *adj,* reliable; **Zuverlässigkeit** *pron,* reliability

Zuversicht, *sub, f, -, nur Einz.* optimism; **zuversichtlich** *adj,* optimistic

zuviel, *pron,* too much; *besser zuviel als zuwenig* better too much than too little; *da krieg ich zuviel* I blow my top; *was zuviel ist zuviel* that´s just too much; **zuvor** *adv,* before; *am Tag zuvor* the day before; *im Jahr zuvor* in the previous year; **zuvörderst** *adv,* first

zuvorkommen, *vi,* forestall; **~d** *adj,* helpful, obliging

Zuwachs, *sub, m, -es, Zuwächse* growth, increase (in); **zuwachsen** *vi,* heal, overgrow; **~rate** *sub, f, -, -n (tt, theol.)* increasingrate; **Zuwanderung** *sub, f, -, -en* immigration

zuweilen, *adv,* occasionally, sometimes

zuweisen, *vt,* assign

zuwenden, **(1)** *vr,* give attention, turn to **(2)** *vt,* pay so; **Zuwendung** *sub, f, -, -en* attention, payment

zuwenig, *pron,* too little

zuwerfen, *vt,* slam, throw

zuwider, **(1)** *adv,* be repugnant so **(2)** *präp,* contrary to; *das Glück war ihm zuwider* luck was against him, *das ist mir zuwider* I detest that; *dem Gesetz zuwider* contrary to the law; *unseren Plänen zuwider* unfavourable to our plans; **~handeln** *vi,* contravene

zuwinken, *vi,* wave to

zuzahlen, *vi,* pay extra

zuzählen, **(1)** *vi,* count extra **(2)** *vt,* add

zuzeiten, *adv,* at the times of

zuziehen, **(1)** *vi,* move into **(2)** *vr,* incur **(3)** *vt,* catch, consult, pull; **Zuzug** *sub, m, -s, -züge* influx, move; **zuzüglich** *präp,* plus

zwacken, *vi, (ugs.)* pinch

Zwang, *sub, m, -s, Zwänge* compulsion, economic pressures, moral/social constraints, physical force; *allen Zwang ablegen* to dispense with all formalities; *auf jmd Zwang ausüben* to exert pressure on sb; *tu´ dir keinen Zwang an* don´t force yourself;

unter Zwang stehen to be under duress; **zwängen (1)** *vr,* force oneself **(2)** *vt,* squeeze; **zwanglos (1)** *adj,* informal, irregular **(2)** *adv,* openly/freely; **~sarbeit** *sub, f, -, -en* forced labour; **~schiene** *sub, f, -, -n (i. ü. S.)* forced track; **~sernährung** *sub, f, -, -en* forced feeding; *(tt; med.)* coercive

Zwangsjacke, *sub, f, -, -n* straitjacket; **Zwangslage** *sub, f, -, -n* predicament; **zwangsläufig** *adj,* inevitable; **Zwangslizenz** *pron, (i. ü. S.)* forced licence; **zwangsmäßig** *adj,* inevitable; **Zwangsmittel** *sub, n, -s, -* means of enforcement; **Zwangsneurose** *sub, f, -, -n (tt; med.)* obsessional neurosis

Zwangssparen, *sub, n, -s, nur Einz. (i. ü. S.)* forced saving; **Zwangsurlaub** *sub, m, -s, -e* forced holidays; **Zwangsvollstreckung** *sub, f, -, -en (tt; jur.)* enforcement; **Zwangsvorstellung** *sub, f, -, -en (tt; med.)* obsession; **zwangsweise** *adv,* compulsively, inevitably

zwar, *adv,* admittedly, in fact; *(wohl) ich weiß zwar, daß es schädlich ist, aber* I do know it´s harmful but; *(erklärend) und zwar* in fact; *(erklärend) und zwar einschließlich* inclusive of

Zweck, *sub, m, -s, -e* aim, point, purpose; *das ist der Zweck der Übung* that´s the point of the exercise; *(Ziel) einem guten Zweck dienen* to be for a good cause; *(Absicht) einen bestimmten Zweck verfolgen* to have a specific aim; *es hat ja doch alles keinen Zweck mehr* there is no point (in); *seinen Zweck erfüllen* to serve its purpose; *(Absicht) zu diesem Zweck* to this end; **~aufwand** *sub, f, -, -wände (i. ü. S.)* apropriate expenditure; **~bindung** *sub, f, -, -en* appropriate connection; **zweckdienlich** *adj,* appropriate, helpful, relevant; **~e** *sub, f, -, -n* tack

zweckgebunden, *adj,* appropriate; **zweckgemäß** *adv,* appropriately; **zwecklos** *adj,* pointless; **zweckmäßig** *adv,* properly; **zwecks** *präp,* for the purpose of

Zwecksparen, *sub, n, -s, nur Einz. (i. ü. S.)* saving for a purpose;

Zwecksteuer *sub, f, -, -n* appropriate tax; **zweckwidrig** *adj*, inappropriate

zwei, *adj*, two; **~deutig** *adj*, ambiguous; **~einhalb** *adj*, two and a half; **Zweierkajak** *sub, m, -s, -s (tt; spo.)* double-kayak; **~erlei** *adj*, two sorts of

Zweierreihe, *sub, f, -, -n* row of two; **zweifach** *adj*, double; **Zweifamilienhaus** *sub, n, -es, -häuser* two-family house

Zweifel, *sub, m, -s, -* doubt; *an etwas Zweifel haben* to have one´s doubt about sth; *außer Zweifel* beyond doubt; *es besteht kein Zweifel, daß* there´s no doubt that; **zweifelhaft** *adj*, doubtful, questionable; **zweifellos** *adv*, undoubtedly; **zweifeln** *vi*, doubt sth; **~sfall** *sub, m, -s, -fälle* doubtful case; **zweifelsfrei** *adv*, undoubtedly; **zweifelsohne** *adv*, without any doubt; **~sucht** *pron*, *(i. ü. S.)* addiction to doubt; **Zweifler** *pron*, sceptic; **zweiflerisch** *adv*, sceptical

Zweig, *sub, m, -s, -e* twig; *(tt; wirt.)* branch

Zweigespann, *sub, m, -s, -e (ugs.)* carriage and pair; **Zweigespräch** *sub, n, -s, -e* dialogue

Zweiggeschäft, *sub, n, -s, -e* branch (shop)

zweigleisig, *adj*, double-tracked; **zweigliedrig** *adj*, *(i. ü. S.)* bipartite

Zweigpostamt, *sub, n, -s, -ämter* sub-post-office; **Zweigstelle** *sub, f, -, -n* branch office

zweihändig, *adj*, two-handed

zweihundert, *adj*, two hundred

Zweikampf, *sub, m, -s, -kämpfe* duel; **Zweikanalton** *sub, m, -s, -töne* two-channel-sound

zweimal, *adv*, twice, two times

Zweireiher, *sub, m, -s, -* double-breasted suit; **Zweisamkeit** *sub, f, -, nur Einz.* togetherness

zweischläfig, *adj*, two-templed; **zweischneidig** *adj*, double-edged; **zweischürig** *adj*, *(i. ü. S.)* double-poked

Zweisitzer, *sub, m, -s, -* two-seater; **zweispaltig** *adj*, *(i. ü. S.)* doublecolumned; **Zweispänner** *sub, m, -s, -* carriage and pair; **zweispännig** *adj*, drawn by two horses

zweisprachig, *adj*, bilingual; **zweistellig** *adj*, two-figure; **zweistimmig**

adj, for two voices; **zweistöckig** *adj*, two-storey; **zweistrahlig** *adj*, double-beamed; **zweistündig** *adj*, two-hours; **zweistündlich** *adv*, *(i. ü. S.)* two-hours

Zweitaktmotor, *sub, m, -s, -toren* two-stroke engine

zweitausend, *adj*, two thousand

Zweitausfertigung, *sub, f, -, -en* duplicate

zweite, *adj*, second

Zweiteilung, *sub, f, -, -en* division; **Zweitgerät** *sub, n, -s, -e* second machine

zweitgrößte, *adj*, second-largest; **zweithöchste** *adj*, second-highest; **zweitklassig** *adj*, second-rate; **zweitletzte** *adj*, second-last; **zweitrangig** *adj*, second-ranked

Zweitschlag, *sub, m, -s, -schläge* second-punch; **Zweitschrift** *sub, f, -, -en* second copy; **Zweitstimme** *sub, f, -, -n* second voice; **Zweitwagen** *sub, m, -s, -* second car; **Zweitwohnung** *sub, f, -, -en* second home

Zweizeiler, *sub, m, -s, -* two-liner

Zwerchfell, *sub, n, -s, -e (tt; anat.)* diaphragm; **zwerchfellerschütternd** *adj, (ugs.)* sidesplitting

Zwerg, *sub, m, -s, -e* dwarf; **zwergenhaft** *adj*, dwarfish; **~envolk** *sub, n, -s, -völker (i. ü. S.)* dwarf peoples; **zwergwüchsig** *adj*, diminutive

Zwetschenmus, *sub, n, -es, nur Einz.* plum purée

Zwickel, *sub, m, -s, -* gusset; *(tt; arch.)* spandrel

Zwickmühle, *sub, f, -, -n* double mill; *(i. ü. S.)* dilemma

Zwieback, *sub, m, -s, -e* rusk

Zwiebel, *sub, f, -, -n* onion; *(ugs.)* pocket watch; *(tt; bot.)* bulb; **~fisch** *sub, m, -s, -e* bulb-fish; **~muster** *sub, n, -s, -* onion-pattern; **~ring** *sub, m, -s, -e* onion ring; **~suppe** *sub, f, -, -n* onion soup; **~turm** *sub, m, -s, -türme* onion tower

Zwiegespräch, *sub, n, -s, -e* dialogue

Zwielicht, *sub, n, -s, nur Einz.* twilight; **zwielichtig** *adj*, shady

Zwiespalt, *sub, m, -s od. -es, -e od. -spälte* conflict; **zwiespältig** *adj*,

Zwietracht

748

conflicting; **Zwiesprache** *sub, f, -, -n* communication

Zwietracht, *sub, f, -,* - discord; *Zwietracht säen* to sow (seeds of) discord; **zwieträchtig** *adj,* discording

Zwillichhose, *sub, f, -, -n (ugs.)* thikning trousers

Zwilling, *sub, m, -s, -e* twin; *(tt; astrol.)* gemini; **~sforschung** *pron,* twin-research

Zwinge, *sub, f, -, -n (tt; tech.)* clamp, tip; **zwingen** *vt,* force; **zwingend** *adj,* compelling; *(tt; jur.)* conclusive; **~r** *sub, m, -s,* - kennel

zwinkern, *vi,* blink

zwirbeln, *vt,* twirl

Zwirn, *sub, m, -s, -e* yarn; **~sfaden** *sub, m, -s, -fäden* twine

zwischen, *präp,* among, between, in the middle; **Zwischenakt** *sub, m, -s od. -es, -e* interval; **Zwischendeck** *sub, n, -s, -s* between deck; **Zwischending** *pron,* cross between A and B; **~drin** *adv,* in between; **~durch** *adv,* at intervals, in the meantime; *(ugs.)* here and there, now and then

Zwischenfall, *sub, m, -s, -fälle* incident; **Zwischenhandel** *sub, m, -s, -* middlebusinnes; **Zwischenhirn** *sub, n, -s, -e* middle brain; **Zwischenhoch** *pron, (i. ü. S.)* middle-high; **zwischeninne** *adj,* in between

Zwischenlagerung, *sub, f, -, -en* between-storage; **Zwischenlauf** *sub, m, -s od. -es, -äufe* middle-barrel; **Zwischenmahlzeit** *sub, f, -, -en* between-meal (snack); **Zwischenraum** *sub, m, -s, -räume* gap; **Zwischenruf**

pron, interjection; **Zwischentür** *sub, f, -, -en* middle-door; **Zwischenwand** *sub, f, -, -wände* partition; **Zwischenwirt** *sub, m, -s, -e (tt; biol.)* between-host; **Zwischenzeit** *sub, f, -, -en* interim, meantime; *(tt; spo.)* split-time

zwitschern, *vi,* chirp, twitter; *bei dir zwitscherts wohl* you must be batty; *einen zwitschern* to go for a quick one

Zwitter, *sub, m, -s,* - hermaphrodite; **~blüte** *sub, f, -, -n (tt; bot.)* hermaphrodite-blossom; **~form** *sub, f, -, -en* hermaphrodit-form; **zwitterhaft** *adj,* hermaphroditic; **~wesen** *sub, n, -s,* - *(tt; biol.)* hermaphrodite creature; **Zwittrigkeit** *sub, f, -, -en* hermaphrodism

zwölf, *adj,* twelve; **~achsig** *adj,* twelve-axeled; **~einhalb** *adj,* twelve and a half; **Zwölfkämpfer** *sub, m, -s,* - twelve-fighter; **~tausend** *adj,* twelve thousand; **Zwölftel** *sub, n, -s,* - twelfth; **Zwölftonmusik** *sub, f, -, nur Einz.* twelve-tone-music

zyklisch, *adj,* cyclic; **Zyklus** *sub, m, -, Zyklen* cycle

Zyklon, *sub, m, -s, -e* cyclone; **~e** *sub, f, -, -n* cyclone

Zyklop, *sub, m, -en, -en* cyclope

Zylinder, *sub, m, -s,* - top hat; *(tt; tech.)* cylinder; **zylindrisch** *adj,* cylindrical

Zyniker, *sub, m, -s,* - cynic; **zynisch** *adj,* cynical

Zypresse, *sub, f, -, -n* cypress

A, *sub*, *-s (Schulnote)* Eins

a/an, *unbest.Art*, ein; *a hero/an honest man* ein Held/ein ehrlicher Mann; *a Mister Brown* ein gewisser Herr Braun; *a Picasso* ein Picasso; *an apple* ein Apfel; *in a single day* an einem Tag; *only a Mozart could do that* das konnte nur ein Mozart schaffen

abacus, *sub*, *-es* Rechenbrett; *(tt; arch.)* Abakus

abandon, *vt*, *(Haustier)* aussetzen; *(Hoffnung)* aufgeben; *abandon court proceedings* das Verfahren einstellen; *threaten to abandon a relationship* mit Abbruch einer Beziehung drohen; **~ment** *sub*, *-s* Überlassung; *nur Einz.* Verzicht; *-s (von Haustieren)* Aussetzung; **~ment of a match** *sub*, *abandonments* Spielabbruch

abate, *vi*, legen; *(i. ü. S.) the storm of indignation will not abate so quickly* der Sturm der Entrüstung wird sich nicht so schnell legen; *we had to wait till the wind abated* wir mussten warten bis der Wind sich legte

Abbé, *sub*, *-s (tt; theol.)* Abbé

abbey, *sub*, *-bies* Abtei; **abbot** *sub*, *-s* Abt; **abbot/abbess** *sub*, *-s/es (tt; relig)* Vorsteher

abbreviate, *vt*, *(Wort)* abkürzen; **abbreviation** *sub*, *-s* Kurzwort, Sigel; *(eines Wortes)* Abkürzung; **abbreviation list** *sub*, *--s* Abkürzungsverzeichnis

abdomen, *sub*, *-mina (tt; anat.)* Abdomen; **abdominal** *adj*, abdominal; **abdominal bandage** *sub*, *-s (anat.)* Bauchbinde; **abdominal cavity** *sub*, *-ies* Bauchhöhle; **abdominal wall** *sub*, *-s* Bauchdecke

abduct, *vt*, verschleppen; *(Kind)* entführen; **~ion** *sub*, *nur Einz.* Verschleppung

ability, *sub*, *-ies* Fähigkeit, Können, Pouvoir, Tüchtigkeit; *nur Einz.* Vermögen; *-ies (Können)* Befähigung; *intellectual abilities* geistige Fähigkeiten; *his abilities lie in a different direction* seine Fähigkeiten liegen auf einem anderen Gebiet; **~ to cope with pressure** *sub*, *-ies - (von Personen)* Belastbarkeit; **~ to think** *sub*,

-ies Denkvermögen; **~ to withstand fatigeing** *sub*, *-ies* Ermüdbarkeit

a bit (of), *pron*, bisschen; *a bit of juice* ein bisschen Saft; *a bit too much* ein bisschen zu viel; *lie down for a bit* sich ein bisschen hinlegen

Abitur certificate, *sub*, *-s* Reifezeugnis

able, *adj*, fähig; *have an able mind* ein fähiger Kopf sein; **~ seaman** *sub*, *-men (mil.; Marine)* Gefreite; **~ to be questioned** *adj*, vernehmbar; **~ to consent** *adj*, konsensfähig; **~ to criticize** *adj*, kritikfähig; **~ to exist** *adj*, existenzfähig; **~ to survive** *adj*, *(überlebensfähig)* existenzfähig; **~ to take legal action** *adj*, prozessfähig; **~ to work** *adj*, erwerbsfähig; **~ to write off** *adj*, abschreibungsfähig; **~-bodied** *adj*, waffenfähig; **~-bodied seaman** *sub*, *men* Vollmatrose

ablution, *sub*, *-s (tt; med.&relig)* Waschung

abnormal, *adj*, abartig, abnorm, abnormal, anomal, anormal, unnormal; *(nicht normal)* naturwidrig; **~ity** *sub*, *-ties* Abartigkeit; *-ies* Abnormität

A bomb, *sub*, *-s* A-Bombe

abortion, *sub*, *-s* Schwangerschaftsabbruch; *(med.)* Abtreibung; *(tt; med.)* Abortion

abounding in water, *adj*, wasserreich

about, (1) *adv*, umher; *(ugs.)* circa, etwa; *(in Bezug auf)* gegen; *(um)* herum; *(ungefähr)* um; *(ziellos)* herum (2) *präp*, von; *(betreffend)* über; *(Maß)* um; *(ungefähr)* gegen; *at about 10 am* circa 10 Uhr; *it´s about time we went home* es wird allmählich Zeit zu gehen; *be sceptical about something* einer Sache gegenüber skeptisch sein; *be worried about* sich ängstigen um; *when are you going on holidays?- about Easter* wann fährst du in den Urlaub?- so um Ostern; *I´m not concerned about money* es geht mir nicht um Geld; **~ each other** *adv*, umeinander; *(einander betreffend)* übereinander; **~ it/them**

adv, (i. ü. S.) daran; *(thematisch)* darüber; *I´m glad about it* ich freue mich darüber; ~ **this** *adv*, hierzu; ~ **what** *adv*, worum; ~ **what/which** *adj*, worüber; ~, **approximate** *adv*, zirka; ~-**turn** (1) *sub*, -s Frontwechsel, Kehrtwendung (2) *vi*, *(mil.)* kehrtmachen

above, (1) *adj*, obig (2) *adv*, *(vorher)* oben (3) *adv*, *präp*, oberhalb (4) *präp*, *(oberhalb)* über; *compare the above illustration* vgl obige Abbildung, *see above* siehe oben; *the above-mentioned harpist* der oben erwähnte Harfenist, *above Prien* oberhalb von Prien, *above all* vor allen Dingen; *be above it all* über den Dingen stehen; *it´s orders from above* der Befehl kommt von oben; *the above* das (weiter oben) Genannte; ~ **average** *adj*, überdurchschnittlich; ~ **ground** *attr*, oberirdisch; ~ **it/them** *adv*, *(räuml.oberhalb)* darüber; *the room above it* das Zimmer darüber; ~-**mentioned** *adj*, oben stehend; *(schriftlich)* genannt

abrade, *vt*, *(Haut)* aufreiben

abrasion, *sub*, *nur Einz.* *(tech.)* Abrieb; **abrasive** *adj*, *(Substanz)* aggressiv; **abrasive paper** *sub*, -s Schleifpapier

abridged version, *sub*, -s Kurzfassung; **abridgement** *sub*, -s Kürzung

abrupt, *adj*, abrupt

abscess, *sub*, -es *(med.)* Abszess

abscondence after the accident, *sub*, *abscondences* Unfallflucht

abseil, *vi*, *(Klettern)* abseilen

absence, *sub*, -s Absenz, Abwesenheit; *nur Einz.* Ermangelung; Fehlen; -s Versäumnis; *(Abwesenheit)* Entfernung; *be conspicuous by one´s absence* durch Abwesenheit glänzen; *in absence of* durch Abwesenheit von; *in the lack of anything better* in Ermangelung eines Besseren; **absent** *adj*, absent, abwesend; **absent-minded** (1) *adj*, geistesabwesend; *(geistig)* abwesend; *(zerstreut)* gedankenlos (2) *adv*, zerstreut

absinth, *sub*, -s Absinth

absolut, *adj*, vollkommen; ~**e** *adj*, absolut, unbedingt; ~**e superlative** *sub*, -s Elativ; ~**ely** *adv*, absolut, durchaus, glatterdings, platterdings, schlechterdings, unbedingt; *(ugs.)*

hundertprozentig; *(vollkommen)* echt; *absolutely not* durchaus nicht!; *be absolutely refused to go* er wollte durchaus nicht gehen; *that´s not absolutely necessary* das ist nicht unbedingt nötig; *(ugs.)* *he´s absolutely right* er hat hundertprozentig recht; *(ugs.) with absolute certainty* mit hundertprozentiger Sicherheit; *that´s absolutely true* das ist echt wahr; ~**ely honest** *adj*, grundehrlich; ~**ely right** *adj*, goldrichtig; ~**ely shattered** *adj*, gerädert; ~**ely wrong** *adj*, grundfalsch; ~**eness** *sub*, *nur Einz.* Absolutheit; ~**ion** *sub*, -s Absolution; *(relig.)* Lossprechung; ~**ism** *sub*, *nur Einz.* Absolutismus

absolve, *vt*, *(relig.)* lossprechen

abstemious, *adj*, enthaltsam

abstention, *sub*, -s Temperenz; *(polit.)* Enthaltung; **abstinence** *sub*, *nur Einz.* Abstinenz; -s Enthaltsamkeit; **abstinent** *adj*, abstinent

abstract, (1) *adj*, abstrakt, gegenstandslos (2) *vt*, *(die Essenz)* abstrahieren; *(kun.)* be abstract abstrahieren; ~**ness** *sub*, *nur Einz.* Abstraktheit

abstruse, *adj*, abstrus

absurd, *adj*, absurd, widersinnig; *(absurd)* sinnlos; ~**ity** *sub*, -ies Absurdität, Unding; - *(Absurdität)* Sinnlosigkeit

abundance, *sub*, *nur Einz.* Fülle, Überfluss; ~ **of game** *sub*, *nur Einz.* Wildreichtum; ~ **of sources** *sub*, -s quellenreich

abuse, (1) *sub*, *nur Einz.* Beschimpfung; -s Missbrauch (2) *vt*, missbrauchen (3) *vti*, schmähen; *in abuse of his office* unter Missbrauch seines Amtes; ~ **of the law** *sub*, -s Rechtsmissbrauch; **abusive word** *sub*, -s Schmähwort

abyss, *sub*, -es *(Felswand)* Abgrund; *a yawning abyss* ein schwindelnder Abgrund

Abyssinia, *sub*, Abessinien; ~**n** (1) *adj*, abessinisch (2) *sub*, -s Abessinier

acacia, *sub*, -s *(bot.)* Akazie

academic, (1) *adj*, akademisch (2) *sub*, -s Wissenschaftler; ~ **opinion** *sub*, -s Lehrmeinung; **academy**

sub .mies (Celebrtenverwilluduft) Akademie

accelerate, (1) *vt, (mot. -geben)* Gas **(2)** *vti,* beschleunigen; **~d** *adj,* beschleunigt; **acceleration** *sub, -s* Beschleunigung; **acceleration of gravity** *sub, -s* Erdbeschleunigung; **accelerator** *sub, -s* Gaspedal; *(-pedal)* Gas; *(tech.)* Beschleuniger

accent, *sub, -s (Aussprache)* Akzent; **~uate** *vt,* akzentuieren

accept, (1) *vi,* zusagen **(2)** *vt,* akzeptieren, daranhalten, hinnehmen; *(Angebot)* eingehen; *(Bedingung, etc.)* annehmen; *(Vorschlag)* genehmigen; *(i. ü. S.) he accepts the rules* er hält sich daran; *accept an offer* auf ein Angebot eingehen; *get sth generally accepted* zum Durchbruch verhelfen; *refuse to accept sth* die Annahme verweigern; **~ as collateral** *vt, (wirt.)* lombardieren; **~ responsibility** *vt,* verantworten; **~ability** *sub, nur Einz.* Akzeptabilität; **~able** *adj,* akzeptabel, annehmbar, annehmlich; **~ance** *sub, nur Einz.* Akzeptanz; *hier nur Einz.* Inkaufnehme; *-s* Zusage; *(Akzeptierung)* Annahme; **~ance of goods** *sub, - (i. ü. S.)* Warenannahme

access, *sub, -es* Zufahrt, Zugang; *- (it; comp.)* Zugriff; **~ road** *sub, -s* Zufahrtsweg; **~ time** *sub, -* Zugriffszeit; **~ible** *adj,* zugängig, zugänglich; **~ories** *sub, nur Mehrz.* Accessoire; *-s (ugs.)* Zubehör; **~ory** *sub, -ies* Mitwisser, Mitwisserin; **~ory metallic mineral** *sub, -s* Nebenmetall

accident, *sub, -s* Unfall, Unglücksfall; *have an accident* einen Unfall bauen; **~ insurance** *sub, -s* Unfallversicherung; **~ insurance cover** *sub, -s (Versicherung)* Unfallschutz; **~ rate** *sub, -s* Unfallquote; **~al** *adj,* zufällig

acclimation, *sub, -s* Akklimatisation

accommodate, *vt,* beherbergen; *(Gäste)* aufnehmen; **~ o.s.** *vr,* bequemen; *accommodate os to do sth* sich bequemen, etwas zu tun; **accommodation** *sub, nur Einz.* Beherbergung; *-s* Unterkunft; *hier nur Einz. (Unterkunft)* Behausung; **accomodate** *vt,* unterbringen; **accomodation** *sub, -s* Quartier; *to have good/bad accommodation* schlecht/gut untergebracht sein; **accomodation (am: cover address)** *sub, -s* Deckadresse;

a...mmn....uon **unit** *sub, -s* Wohneinheit

accompaniment, *sub, -s (mus.)* Begleitung; **accompany** *vt,* begleiten, geleiten; *be accompanied by protests* von Protesten begleitet sein; *the singer is accompanied by* der Sänger wird begleitet von; *to accompany sb* mit jmd mitgehen; **accomplice** *sub, -s* Handlangerin, Komplize, Mitschuldige, Mittäter, Spießgeselle; *(Komplize)* Handlanger

accomplished, *adj,* gekonnt; **accomplishment** *sub, -s* Erfülltheit; *-* Gekonntheit; *-s (Plan)* Durchsetzung

accord, *sub, -s* Grundakkord; *of one´s own accord* aus eigenem Antrieb; **~ing to (1)** *adv,* jc **(2)** *präp,* gemäß, zufolge; *(laut, entsprechend)* nach; *according to the law* nach dem Gesetz; *to be paid according to productivity* nach Leistung bezahlt werden; *under article 215c* nach Artikel 215c; **~ing to tariff** *adv,* tarifarisch; **~ing to tendency** *adv,* tendenziell; **~ing to that** *adv,* demnach; **~ing to the application** *adj, adv,* antragsgemäß; **~ing to the arrangement** *adv,* absprachegemäß; **~ing to the instructions** *adj,* befehlsgemäß; **~ing to the regulations** *adv,* reglementarisch; **~ing to written convention** *adj,* schriftgemäß; **~ingly** *adv, (Übereinstimmung)* demgemäß

accordion, *sub, -s* Akkordeon, Ziehharmonika

accost, *vt, (ugs.)* anquatschen

account, *sub, -s* Konto, Rechenschaft, Wiedergabe; *enter sth on his account* auf sein Konto buchen; *give a detailed account of* ausführlich berichten; *to account to sb for sth* jmd über etwas Rechenschaft ablegen; *to turn sth to good account* etwas Nutz bringend anwenden; **~ holder** *sub, -s* Kontoinhaber; **~ manager** *sub, -s (wirt. Werbung)* Kontakter; **~ number** *sub, -s* Kontonummer

accumulate, (1) *vi,* akkumulieren, anreichern, ansammeln; *(Gelder)* auflaufen; *(Schmutz)* ansetzen **(2)** *vr,* speichern **(3)** *vrt,* anlagern **(4)**

vt, akkumulieren, kumulieren; **accumulation** *sub*, *-s* Akkumulation, Anhäufung, Anlagerung; *nur Einz.* Kumulation; *-* Kumulierung; *-s (Ansammlung)* Anreicherung; *(von Staub, etc.)* Ansammlung; **accumulator** *sub*, *-s (tech.)* Akkumulator

accuracy, *sub*, *-ies* Genauigkeit; **accurate** *adj*, genau; **accurate in every detail** *adj*, detailgetreu

accusation, *sub*, *-s* Anschuldigung, Beschuldigung, Bezichtigung, Vorwurf; **accuse** *vt*, anschuldigen, beschuldigen, bezichtigen, vorwerfen; **accused** *sub*, *- people* Beschuldigte; **accuser** *sub*, *-s* Ankläger

acetate, *sub*, *-s (tt; chem.)* Azetat

ache, *sub*, *-s* Weh; **~s and pains of old age** *sub*, *nur Mehrz.* Altersbeschwerden; **aching** *adj*, weh; **aching muscles** *sub*, *nur Mehrz.* Muskelkater

achieve, *vt*, leisten, vollbringen; *(durchsetzen)* erreichen; *(Ergebnis)* erzielen; *(erreichen)* ausrichten; *he achieved an amazing amount in his short life* er hat in seinem kurzen Leben Erstaunliches geleistet; *he´s as efficient as I am* er leistet genau soviel wie ich; *his problem is always wanting to achieve more* sein Problem ist, daß er immer mehr leisten will; *we´ve done good work* wir haben gute Arbeit geleistet; *achieve sth* etwas (Erwünschtes) bewirken; *what are you trying to achieve by that?* was willst du damit bezwecken?; **~ment** *sub*, *-s* Errungenschaft, Leistung, Vollbringung; *- (ugs.)* Kunststück; *-s (erreichen)* Durchsetzung; *that´s no great achievement* damit kannst du keine Lorbeeren ernten; *managing to convince him was really an achievement* ihn davon zu überzeugen war wirklich ein Kunststück; *(ugs.) that´t nothing to write home about* das ist kein Kunststück

acid, *sub*, *-s* Säure; *a coat full of acid holes* ein von Säure durchgefressener Kittel; **~ content** *sub*, *-s* Säuregehalt; **~ drop** *sub*, *-s* Drops; *acid drops* saure Drops; **~ic** *adj*, säurehaltig; **~ity** *sub*, *nur Einz. (tt; chem.)* Azidität

acknowledge, *vt*, anerkennen; *acknowledge so with applause* jeman-

den mit Beifall bedenken; **~ment** *sub*, *nur Einz.* Anerkennung

acorn, *sub*, *-s (bot.)* Eichel

acoustic, *adj*, akustisch; **~ irradiation** *sub*, *nur Einz.* Beschallung; **~s** *sub*, *nur Mehrz.* Akustik

acquaintances, *sub*, *- (Bekanntenkreis)* Umgang; *nur Mehrz. (Freundeskreis)* Bekanntschaft

acquire, (1) *vi*, *(auch Wissen)* aneignen **(2)** *vt*, *(Wissen)* erwerben; *acquire a taste for sth* Geschmack für etwas entwickeln; **~d taste** *sub*, *-s* Liebhaber; *you´ll have to find someone with an acquired taste for these funny things* für diese komischen Sachen wird man einen Liebhaber finden müssen

acquisition, *sub*, *-s (Aneignung/Angeeignete)* Erwerbung; *(Erwerb)* Anschaffung; *(tt; wirt.)* Akquisition; *(Wissen)* Erwerb; *my latest acquisition* meine neueste Errungenschaft; **~ of land** *sub*, *-s* Grunderwerb

acquit, *vt*, *(jur.)* freisprechen; *acquit sb of a charge* jmdn von einer Anklage freisprechen; **~tal** *sub*, *-s* Freispruch

acre, *sub*, *-s (Maßeinheit)* Morgen; *three acres of land* drei Morgen Land; **~age** *sub*, *-s* Anbaufläche

acrid, *adj*, *(Geschmack)* gallig

acrobat, *sub*, *-s* Akrobat; **~ic** *adj*, akrobatisch, artistisch; **~ically** *adv*, artistisch; **~ics** *sub*, *nur Mehrz.* Akrobatik, Artistik

acronym, *sub*, *-s* Initialwort

across country, *adv*, querfeldein

acryl, *sub*, *-s* Acryl; **~ic glass** *sub*, *nur Einz. (eingetr. Markenzeichen)* Plexiglas

act, (1) *sub*, *-s* Akt, Tat; *(im Drama)* Aufzug **(2)** *vi*, agieren, handeln, spektakeln, verfahren, vorgehen **(3)** *vr*, gebärden, gebaren; *(sich-)* geben **(4)** *vt*, *(i. ü. S.)* herauskehren; *(Schauspiel)* spielen; *sexual act* Geschlechtsakt; *(ugs.) act as if* sich anstellen als wenn; *catch in the act* auf frischer Tat ertappen; *(i. ü. S.) put on an act* Theater spielen; *that was overacted!* das war zu pathetisch gespielt; *to act daft* den Dummen markieren; *to act the innocent* den Unschuldigen mimen;

to put on an act eine Nummer abziehen, *act out of conviction* aus Überzeugung handeln; **~ as a broker** *vi,* makeln; **~ as an informer** *vi,* spitzeln; **~ as an interpreter (at)** *vti,* dolmetschen; **~ of revenge** *sub, -s* Racheakt; **~ of sabotage** *sub, -s* Sabotageakt; **~ of stupidity** *sub,* acts Narrensposse; **~ through** *vt, (Theater)* durchspielen; **Acts of the Apostles** *sub, nur Mehrz.* Apostelgeschichte

acting, *adj, (vorübergehend)* stellvertretend; **~ in good faith** *adj, (jur.)* gutgläubig

action, *sub, -s* Gefecht, Handlung; *nur Einz.* Vorgehen, *-s (Eingreifen)* Handeln; *(Handeln)* Tat; *(Handlung)* Aktion; *a symbolic act* eine symbolische Handlung; *a man of action* ein Mann der Tat; *put into action* in die Tat umsetzen; *put out of action* außer Gefecht setzen; *to be forced to take action* sich zu Maßnahmen gezwungen sehen; *(ugs.) to be there and ready for action* auf der Matte stehen; *to have some action* was losmachen; *to shrink from taking action* vor Maßnahmen zurückschrecken; *where´s the action here?* wo ist etwas los?; *be in action* in Aktion sein; *take action* in Aktion treten; **~ at the front** *sub, -s* Fronteinsatz; **~ for eviction** *sub, -s* Räumungsklage; **~ability** *sub, nur Einz.* Klagbarkeit; **~s** *sub, nur Mehrz.* Verfahren

activate, *vt,* aktivieren

actor, *sub, -s* Darsteller, Komödiant, Schauspieler; *(im Film)* Akteur; **actress** *sub, -es* Darstellerin, Komödiantin, Schauspielerin

actual, *adj,* tatsächlich; *(wirklich)* eigentlich; **~ly (1)** *adv,* tatsächlich; *(eigentlich)* überhaupt **(2)** *konj,* eigentlich

acupuncture, *sub, -s* Akupunktur

acute, *adj, (med.)* akut; *acute angle* spitzer Winkel; **~-angled** *adj,* spitzwinklig

acyclic, (1) *adj,* azyklisch **(2)** *adv,* azyklisch

Adam´s apple, *sub, ´s -s* Adamsapfel

adapt, (1) *vr,* einfügen **(2)** *vt,* adaptieren, angleichen; *adapt oneself to sth* sich in etwas einfügen; *adapted from the Spanish* aus dem Spanischen

einstellen; **~able** *adj,* anpassungsfähig; **~ation** *sub, -s* Adaptation, Adaptierung; **~er** *sub, -s* Adapter; **~ion** *sub, -s* Angleichung, Gewöhnung

add, *vt,* anfügen, beigeben, beimengen, hinzufügen, unterlegen, zurechnen, zusammenrechnen, zuschütten, zusetzen, zutun, zuzählen; *(hinzufügen)* beilegen, nachtragen; *(tun, legen, stecken)* geben; *(zufügen)* anhängen; *(Zutaten)* beifügen; *by adding* unter Beifügung von; *I would like to add that* ich möchte noch einfügen, daß; *(ugs.) it all adds up!* das summiert sich!; *mix adding sth* unter Beigabe von etwas rühren; **~ (up)** *vt,* addieren; **~ a piece** *vi,* stükkeln; **~ some imagination** *vt,* hinzudichten; **~ spice** *vt,* würzen; **~ to (1)** *vi,* hinzutreten **(2)** *vt,* hinzurechnen; *(hinzufügen)* ergänzen; **~ up (1)** *vr,* summieren **(2)** *vt,* aufrechnen, totalisieren, zusammenzählen; **~ed** *adv,* zurechenbar

addend, *sub, -s (mat.)* Summand

adder, *sub, -s* Natter; *(zool.)* Kreuzotter

addict, *sub, -s* Süchtige, Suchtkranke; **~ed** *adj,* süchtig; **~ed to alcohol** *adj,* alkoholabhängig; **~ed to drink** *adj,* trunksüchtig; **~ed to drugs** *adj,* rauschgiftsüchtig; **~ion** *sub, -s* Sucht; *nur Einz.* Süchtigkeit; **~ion to** *sub, -s (Drogen)* Gewöhnung; **~ion to doubt** *sub, -s (i. ü. S.)* Zweifelsucht

adding machine, *sub, -s* Rechenmaschine

addition, *sub, -s* Addition, Hinzufügung, Zusatz; *(hinzufügen)* Ergänzung; *(von Zusätzen)* Beigabe; *(von Zutaten etc.)* Beifügung; *in addition* unter Hinzufügung von; **~al** *adj, (zusätzlich)* außerplanmäßig, nachträglich; **~al consignment** *sub, ´s* Nachsendung; **~al costs** *sub, nur Mehrz.* Nebenkosten; **~al expenditure** *sub, -s* Mehraufwand; **~al expense** *sub, -s* Mehrausgabe; **~al payment** *sub, -s (wirt.)* Mehrleistung, Nachschuss; *(zusätzlich)* Nachzahlung; **~al revenue** *sub, -s* Mehreinnah-

me; **~ally** adv, (außerdem) nebenbei; the additional expenses die nebenbei entstandenen Kosten
additional charge, sub, -s Zusatztarif
additive tax, sub, - Zusatzsteuer
add on, vti, dazurechnen
adenoids, sub, nur Mehrz. (med.) Polyp
adequacy, sub, -cies Adäquatheit; nur
Einz. Angemessenheit; **adequate**
adj, adäquat, zulänglich
adherent, adj, adhärent; **adhere to**
vi, (med.) festwachsen
adhesion, sub, - Haftung
adhesive, (1) adj, adhäsiv (2) sub, -s
Klebemittel; **~ (sticky) tape** sub,
nur Einz. Klebstreifen; **~ binding**
sub, -s Klebebindung; **~ label** sub, -s
(geh.) Aufkleber; **~ plaster** sub, -s (tt;
med.) Wundpflaster
adit, sub, -s (Minen-) Stollen
adjective, sub, -s Adjektiv, Eigen-
schaftswort
adjoin, vi, grenzen
adjourn, vti, vertagen
adjudicator, sub, -s Juror
adjust, vt, justieren, korrigieren, verstellen; (einstellen) ausrichten; (Rente) dynamisieren; (tech.) einstellen,
nachstellen; adjust a clock eine Uhr
einstellen; adjust quickly to a new
situation sich schnell auf eine Situation einstellen; **~ o.s.** (1) vi, vr, adaptieren (2) vr, anpassen; **~ability**
sub, nur Einz. Regelbarkeit; **~able**
adj, einstellbar, regelbar, verstellbar;
~ing scales sub, nur Mehrz. (tech.)
Justierwaage; **~ment** sub, -s Adjustierung; -s Ausrichtung, Verstellung;
(Person) Anpassung; (tech.) Einstellung, Nachstellung
administer, vt, (tt; med.) verabfolgen;
(Medikament) applizieren; to administer justice Recht sprechen; **~ a
medicine in drops** vt, (eingeben)
einträufeln; **administration** sub, -s
Administration; nur Einz. (Verabreichung) Eingabe; -s (verw.) Direktion;
administrative district sub, -s Landkreis; **administrative process** sub,
-es Verwaltungsprozess; **administrator** sub, -s Verwalterin
admiral, sub, -s Admiral; **Admiral of
the Fleet** sub, -s Großadmiral
admiration, sub, - Bewunderung; -s
(Bewunderung) Hochachtung; **ad-**

mire vt, bewundern, verehren; **admirer** sub, -s Bewunderer, Bewunderin, Verehrer
admission, sub, -s Eingeständnis;
nur Einz. Einlass; -s Zulässigkeit;
(ins Krankenhaus, in einen Kurs)
Aufnahme; (Zulassung) Eintritt;
free admission Eintritt frei; **~ fee**
sub, - -s Aufnahmegebühr; **~ ticket**
sub, -s Einlasskarte, Eintrittskarte;
~ to sub, -s Einlieferung
admit, vt, eingestehen, einlassen,
einliefern, gestehen, zugeben, zulassen; (i. ü. S.) einräumen; (Klinik) einweisen; (Schuld)
anerkennen; to admit oneself that
sich eingestehen, daß; we had to
have daddy admitted to hospital
wir mußten Vater ins Krankenhaus
einliefern lassen; be admitted to
bei etwas Aufnahme finden; have
so admitted to hospital jmd ins
Krankenhaus einweisen; **~tance**
sub, nur Einz. Einlass; - Zutritt;
grant sb admittance jmd Einlass
gewähren; no admittance to persons under 18 years ab 18 Jahren;
~tedly adv, freilich; **~tetly** adv,
zwar
admonish, vt, ermahnen; (auffordern) mahnen; (poet.) an admonishing voice eine mahnende
Stimme; **~er** sub, -s Mahner; **admonition** sub, -s Ermahnung
adolescence, sub, nur Einz. Adoleszenz; **adolescent** sub, -s Jugendliche
adopt, vt, adoptieren; adopt a different method einen anderen Weg
einschlagen; **~ion** sub, -s Adoption, Rezeption; (Meinung etc.)
Übernahme; **~ive child** sub, - -ren
Adoptivkind; **~ive parents** sub,
nur Mehrz. Adoptiveltern
adore, vt, (i. ü. S.) anbeten
adorned ox, sub, oxen Pfingstochse
adrenalin, sub, nur Einz. Adrenalin
adulate, vt, beweihräuchern; **adulation** sub, -s Beweihräucherung
adult, sub, -s Erwachsene; **~ education centre** sub, -s Volkshochschule
adulterate, vt, panschen; **adulte-
ress** sub, -es Ehebrecherin; **adultery** sub, -ies Ehebruch
advance, (1) sub, -s Bevorteilung;

nur Einz. Voraus; Vorleistung; ~ Vorschuss; (*lt; mil.*) Vormarsch (2) *vi,*
vordringen (3) *vt,* vorstrecken; ~
guard *sub,* -s (*lt; mil.*) Vortrupp; ~
payment *sub,* -s Vorauszahlung; ~
sb money *vt,* vorschießen; ~**d** *adj,*
fortgeschritten; *at an advanced stage* in einem fortgeschrittenen Stadium; *be fairly advanded in years* in
einem fortgeschrittenen Alter; ~**s**
sub, nur Mehrz. (*zw. Personen*) Annäherungsversuch

advantage, *sub,* ~ Vorteil; (*Vorteil*)
Nützlichkeit, Plus; (*i. ü. S.*) *get an
advantage to the detriment of others*
sein Süppchen am Feuer anderer kochen; *show sth to its best advantage*
etwas zur Geltung bringen; *show to
its best advantage* zur Geltung kommen; *to be of advantage to sb* jmd
Nutzen bringen; ~**ous** *adj,* vorteilhaft

Advent, *sub,* -s Advent

adventure, *sub,* Abenteuer; *have an
adventure* ein Abenteuer erleben; ~
film *sub,* -s Abenteuerfilm; ~ **holiday** *sub,* -s Abenteuerurlaub; ~ **playground** *sub,* -s Abenteuerspielplatz;
~**r** *sub,* -s Abenteurer, Abenteurerin

adventurous *adj,* abenteuerlich, unternehmungslustig

adverb, *sub,* -s Adverb, Umstands-
wort; ~**ial clause** *sub,* -s Umstands-
satz

adverse, *adj,* widrig; (*Kritik*) abfällig;
adversary *sub,* -**es** Widersacher; ~
effect *sub,* -s (*negative Auswirkung*)
Beeinträchtigung

advertise, (1) *vi,* werben (2) *vt,* annoncieren; (*Arbeitsstelle*) ausschreiben (3) *vti,* inserieren; ~**ment** *sub,*
-s Annonce, Ausschreibung, Inserat,
Suchanzeige; (*Annonce*) Anzeige;
~**ment paper** *sub,* - -s Anzeigenblatt;
~**ment pillar** *sub,* -s Plakatsäule;
~**ment section** *sub,* - -s Anzeigenteil;
~**r** *sub,* -s Inserent; **advertising** (1)
adj, reklamehaft (2) *sub,* -s Reklame,
Werbung; **advertising agency** *sub,*
-es Werbeagentur; **advertising business** *sub, nur Einz.* Werbebranche;
advertising campaign *sub,* -s Werbefeldzug; **advertising column** *sub,*
-s Litfaßsäule; **advertising copywriter** *sub,* -s Werbetexter; **advertising
costs** *sub, nur Mehrz.* Werbekosten;

advertising **Interessenschaft** *sub,* -s
Werbeanteil; **advertising medium**
sub, -s Werbeträger; **advertising
slogan** *sub,* -s Werbeslogan, Werbespruch

advocacy, *sub,* Verfechtung; **advocate** *sub,* -s Verfechterin, Verteidiger; **advocate of a doctrine** *sub,* -s
Doktrinär

aerial photo(graph), *sub,* -s Luft-
aufnahme; **aerial picture** *sub,* -s
Luftbild; **aerial warfare** *sub,* -s
Luftkrieg

aerodynamic, *adj,* aerodynamisch;
~**s** *sub, nur Mehrz.* Aerodynamik;
aeronaut *sub,* -s Luftschiffer; **aeronautical** *adj,* fliegerisch; **aeronautics** *sub, nur Mehrz.* Flugtechnik,
Luftfahrt; **aeroplane** *sub,* -s Flieger, Flugzeug

aesthete, *sub,* -s Ästhet, Schöngeist;
aesthetic *adj,* ästhetisch, schön-
geistig; **aesthetically** *adv,* ästhetisch; **aesthetics** *sub, nur Mehrz.*
(*Lehre*) Ästhetik

a few, *adj,* wenig; (*ein ~*) paar

affable, *adj,* leutselig

affair, *sub,* -s Affäre, Sache, Verhältnis; (*ugs.*) Techtelmechtel; (*Angelegenheit*) Geschichte; *little affair*
amouröses Abenteuer; *make a big
affair out of something* eine
Staatsaffäre aus etwas machen; ~
of state *sub, affairs* Staatsaffäre

affect, (1) *vi,* (*lt; med.*) zusetzen (2)
vt, (*i. ü. S.*) tangieren; (*anrühren*)
betreffen; (*betreffen*) erstrecken;
(*Gesundheit*) angreifen; (*in ~ ziehen*) Mitleidenschaft; (*negativ beeinflussen*) beeinträchtigen; *affect
sth* sich auf etwas auswirken; ~**ation** *sub, nur Einz.* Manieriertheit;
~**ed** *adj,* affektiert, geziert, manie-
riert; (*physisch/seelisch*) betroffen;
~**ed behaviour** *sub,* - Gehabe;
~**ion** *sub, nur Einz.* Anhänglichkeit; -s Gewogenheit, Geziertheit; -
Zärtlichkeit; -s Zuneigung; *nur
Einz.* (*Zuneigung*) Neigung; *to return sb´s affection* jmds Neigung
erwidern; ~**ionate** *adj,* anhänglich, anschmiegsam, herzlich, zärtlich; ~**ionate form** *sub,* -s
Koseform; ~**ive** *adj,* affektiv

affiliation, *sub,* -s (*an Partei, etc.*)
Angliederung

affinity, *sub*, *-es* Wahlverwandtschaft
affirm, *vt*, bejahen; ~**ation** *sub*, *-s* Bejahung; ~**ative** *adj*, affirmativ, bejahend; ~**atively** *adv*, bejahend
afflict, *vt*, gebrechen; ~**ed** *adj*, behaftet; *afflicted with problems mit Problemen behaftet sein*; ~**ion** *sub*, *-s* Gebresten, Heimsuchung, Trübsal
afford, *vt*, erschwingen; *(erlauben)* bieten; ~**able** *adj*, erschwingbar
affront, *sub*, *-s* Zurücksetzung; *(geh.)* Affront
affusion, *sub*, *-* Übergießung
Afghan fox, *sub*, *-es (zool.)* Steppenfuchs
afraid, *adj*, bange; *be afraid* Angst haben; *to stop sb being afraid* jmd die Angst nehmen; *you are afraid to breathe when he is around* ihn stört sogar die Fliege an der Wand
African violet, *sub*, *- (tt; bot.)* Usambaraveilchen
aft, *adv*, achtern
after, **(1)** *adv*, hinterher; *(zeitl.)* hinterdrein **(2)** *konj*, *(zeitlich)* nachdem **(3)** *präp*, *(zeitl.)* hinter; *(zeitlich in Reihenfolge, in Anlehnung an)* nach; *after im Anschluss an*; *day after day* Tag für Tag; *he did it after all* er tat es also doch; *immediately after each other* unmittelbar nacheinander; *one mistake after another* Fehler über Fehler, *a week after receipt* eine Woche nach Erhalt; *after a novel by Wilde* nach einem Roman von Wilde; *after all that has happened* nach allem, was geschehen ist; *after you!* nach Ihnen!; *he was called after his uncle* er wurde nach seinem Onkel genannt; *I'm after you* ich komme nach Ihnen!; *one after another* einer nach dem anderen; ~ **that** *adv*, *(danach)* darauf; *(zeitl.)* darauf; *soon after* bald darauf; ~ **what** *adv*, wonach; ~**(wards) it/them** *adv*, *(Abfolge)* danach; *for days afterwards* noch Tage danach; *I feel better afterwards* danach geht es mir besser; *the children followed after* die Kinder kamen danach; ~**care hostel** *sub*, *-s* Nachtklinik; ~**fire** *vi*, nachdieseln; ~**pains** *sub*, *nur Mehrz.* Nachwehen; ~**noon (1)** *adj*, nachmittäglich **(2)** *attr*, nachmittägig **(3)** *sub*, *-s* Nachmittag; *(nachmittags) good afternoon!* guten Tag!; *on Tuesday*

afternoons Dienstag nachmittags, *in the afternoon* am Nachmittag; *in the course of the afternoon* im Laufe des Nachmittags; *on the afternoon of November 7th* am Nachmittag des 7 November; ~**shave** *sub*, *-s* Rasierwasser; ~**taste** *sub*, *nur Einz.* Nachgeschmack; ~**thought** *sub*, *-s* Treppenwitz; ~**wards** *adv*, *(ugs.)* hernach; *(danach)* nachher; *(zeitl.)* hinterher
again, *adv*, nochmals, wieder, wiederum; *be at sth again* schon wieder mit etwas anfangen; *never again* nie mehr
against, **(1)** *adv*, dawider **(2)** *präp*, entgegen, kontra, wider; *(gegensätzl.)* gegen **(3)** *vti*, *(gegen)* gehen; *against the wind* dem Wind entgegen; *be against* Gegner einer Sache sein; *luck was against him* das Glück war ihm zuwider; *there is nothing to be said against us* läßt sich nichts dagegen einwenden; *turn friends against each other* Freunde entzweien; ~ **each other** *adv*, gegeneinander; ~ **it/them** *adv*, dagegen; *protest strongly against* dagegen protestieren; *the majority was against it* die Mehrheit war dagegen; ~ **nature** *adj*, widernatürlich; ~ **regulations** *sub*, *nur Mehrz.* dienstwidrig; *act against regulations* sich dienstwidrig verhalten; ~ **the rules** *adj*, regelwidrig; ~ **what/which** *adv*, wogegen
agate, *sub*, *-s* Achat
age, **(1)** *sub*, Alter; *-s* Lebensalter; *-* Zeitalter **(2)** *vi*, vergreisen; *(Person)* altern **(3)** *vt*, *(tech.)* altern; *at a ripe old age* im hohen Alter; *at the age of 18* im Alter von 18 Jahren; *middle-aged* mittleren Alters; *at the age of 16* mit 16 Jahren; *it's taking ages* es dauert ewig; *to come of age* Majorennität erreichen; ~ **limit** *sub*, *- -s* Altersgrenze; ~ **group** *sub*, *- -s* Altersgruppe; *-s* Jahrgang; ~**d** *adj*, bejahrt, betagt, greisenhaft; ~**ing** *sub*, *nur Einz.* Alterung, Vergreisung; ~**ing process** *sub*, *-es* Alterungsprozess
agency, *sub*, *-cies* Agentur; *-s* Vermittlung, Vertretung; ~ **abroad** *sub*, *-ies - (wirt.)* Auslandsvertre-

tung

agenda, *sub*, -s Geschäftsordnung, Tagesordnung; *proceed to the agenda* zur Tagesordnung übergehen; *put something down on the agenda* etwas auf die Tagesordnung setzen; *what is next on the agenda?* was steht als nächstes an?

agent, *sub*, -s Agent, Impresario, Sachwalterin, Vermittlerin, Vertreter; ~ **provocateur** *sub*, -s -s Lockspitzel

ageratum, *sub*, -a (bot.) Leberbalsam

ages, *sub*, - (ugs.; sehr lange) Ewigkeit; *I´ve waited for ages* ich habe eine Ewigkeit gewartet; *it´s ages since* es ist eine Ewigkeit her, seit

agglomeration, *sub*, -s Agglomeration, Ballung

aggravating, *adj*, erschwerend; *aggravating circumstances* erschwerende Umstände

aggression, *sub*, -s Aggression; **aggressive** *adj*, angriffslustig, beißwütig, kampfbetont; *(Verhalten)* aggressiv; **aggressiveness** *sub*, nur *Einz.* Aggressivität, Angriffslust; **aggressor** *sub*, -s Aggressor; **aggressors** *sub*, -s *(polit.)* Angreifer

agitated, *adj*, fahrig; **agitate for** *vt*, *(einsetzen)* eifern; **agitation** *sub*, -s Aufhetzung; *nur Einz.* Unruhe; *(i. ü. S.)* Hetzerei; *- (aufhetzen)* Hetze; **agitator** *sub*, -s Scharfmacher

agnail, *sub*, -s Niednagel

agonizing, *adj*, qualvoll; **agony** *sub*, nur *Einz.* Pein; -ies Qual

a good many, *adj/sub*, manch; *a good many people* mancher; *a good many things* gar manches

agoraphobia, *sub*, nur *Einz.* Platzangst

agrarian, *adj*, agrarisch

agrarian country, *sub*, -tries Agrarstaat

a great extent, *adj*, weitgehend

agree, (1) *vi*, einstimmen, übereinkommen, zustimmen; *(Personen)* übereinstimmen (2) *vt*, vereinbaren; *agree to* sich bereit erklären; *I quite agree* das will ich meinen; *the food agrees with her* das Essen bekommt ihr gut; *the food doesn´t agree with her* das Essen bekommt ihr nicht gut; ~ *(to)* *vi*, einwilligen; *agree to sth in* etwas einwilligen; ~ **to** *vt*, genehmigen; ~ **with** *vi*, beipflichten, beistim-

men; ~**able** *adj*, wohltätig, wohltuend; ~**d** *adj*, beschlossen, einverstanden; *agree to sth* mit etwas einverstanden sein; ~**ment** *sub*, -s Abkommen, Abrede, Arrangement, Einigkeit, Einigung, Einvernehmen, Einverständnis, Einwilligung, Konsens, Pakt, Übereinkunft, Vereinbarung, Vertrag, Zustimmung; *(Meinung)* Übereinstimmung; *conclude an agreement* ein Abkommen schließen; *be in agreement with sb* im Einklang mit jmd sein; *in agreement with* im Benehmen mit; *to enter into an agreement* einem Pakt beitreten

agricultural, *adj*, landwirtschaftlich; ~ **machine** *sub*, -s Landmaschine; ~ **product** *sub*, -s Agrarprodukt; ~ **show** *sub*, -s Landwirtschaftsausstellung; ~ **worker** *sub*, -s Landarbeiter; **agriculture** *sub*, nur *Einz.* Ackerbau, Landwirtschaft, Pflanzenbau

ahead, *adv*, voraus; *there´s danger ahead* es ist Gefahr im Verzug

aid, *sub*, -s Entwicklungshilfe, Hilfe, Hilfsmittel; *nur Einz.* Mithilfe; - Unterstützung; *with the aid of* unter der Zuhilfenahme von; *with the aid of colleagues* unter Mithilfe der Kollegen; ~ **(as a loan)** *sub*, - Kredithilfe; ~ **vessel** *sub*, -s Hilfsschiff; ~-**e**-**de**-**camp** *sub*, -s Adjutant

ailing, *adj*, siech; **ailment** *sub*, -s Leiden

aim, (1) *sub*, -s Ziel, Zielvorgabe, Zweck (2) *vi*, zielen (3) *vt*, draufhalten; *that was aimed at you* das war auf dich gemünzt; *(Absicht) to have a specific aim* einen bestimmten Zweck verfolgen; ~ **(at)** *vi*, *(Gewehr)* anlegen; ~ **at** *vi*, abzielen, bezwecken; *(auf)* hinzielen; ~**less** *adj*, ziellos; ~**s** *sub*, nur *Einz.* Zielsetzung

air, (1) *sub*, nur *Einz.* Luft (2) *vti*, lüften; *it can´t have vanished into thin air* das kann sich doch nicht in Luft aufgelöst haben; *there´s a storm brewing in the air* es liegt ein Gewitter in der Luft; *to get some fresh air* frische Luft schnappen, *in the open air* unter freiem Himmel; *influx of cold air* Kaltlufteinbruch; *(i. ü. S.) to take on a hallowed air* *of tradition* Patina ansetzen; *to transport by air* etwas auf dem Luftweg befördern; ~ **base** *sub, -s* Fliegerhorst; ~ **battle** *sub, -s* Luftschlacht; *the Battle of Britain* die Luftschlacht um England; ~ **corridor** *sub, -s* Luftkorridor; ~**-condition** *vt,* klimatisieren; ~**-conditioning** *sub, nur Einz.* Klimaanlage; ~**-cooled** *adj,* luftgekühlt; ~**bed** *sub, -s* Luftmatratze

aircraft, *sub, -s* Luftfahrzeug; *(Luftf.)* Fahrzeug; ~ **carrier** *sub, -s* Flugzeugträger; ~ **construction** *sub, -s* Flugzeugbau; ~ **noise** *sub, -s* Fluglärm; ~**man first class** *sub, -men (mil., Luftw.)* Gefreite

air plane, *sub, -s (US)* Flugzeug; **air pollution** *sub, -s* Luftverschmutzung; **air pressure** *sub, -s* Luftdruck; **air pump** *sub, -s* Luftpumpe; **air quality** *sub, -ies* Luftqualität; **air reversal** *sub, -s (tech.)* Luftwechsel; **air route** *sub, -s* Luftweg; **air scout** *sub, -s* Aufklärer, Aufklärungsflugzeug; **air sovereignity** *sub, -ies* Lufthoheit; **air-raid** *sub, -s* Luftangriff; *(mil.)* Fliegerangriff; **air-raid shelter** *sub, -s* Luftschutzraum; **air-raid warning** *sub, -s* Fliegeralarm; **air-rifle** *sub, -s* Luftgewehr; **air-sick** *adj,* luftkrank

air (...) thoroughly, *vti,* durchlüften; **air (traffic) control** *sub, -s* Luftaufsicht; **air traffic** *sub, -s* Flugverkehr; *nur Einz.* Luftverkehr; **air vice marshal** *sub, -s (mil., Luftw.)* Generalmajor; **air well** *sub, -s (arch.)* Lichthof

airy, *adj, (Zimmer)* luftig; ~**-fairy** *adj,* larifari

aisle, *sub, -s (Wald)* Schneise

akward, *adj,* heikel; ~**ly** *adv,* fatalerweise

alabaster, *sub, -* Alabaster

à la jardinière, *sub, - (Kochk.)* Gärtnerinart

alarm, (1) *sub, -s* Alarm **(2)** *vt,* alarmieren; *air-raid warning* Fliegeralarm; *false alarm* blinder Alarm; *sound the alarm* Alarm geben, *ring the alarm* Sturm läuten; ~ **clock** *sub, -s* Wecker; ~ **device** *sub, - s* Alarmgerät; ~ **signal** *sub, - s* Alarmsignal; ~ **system** *sub, -s* Alarmanlage; ~**ing** *adj, (alarmierend)* bedenklich; *take on an alarming proportion* ein bedrohliches Ausmaß annehmen

alas, *interj,* weh
alb, *sub, -s* Messhemd
albatross, *sub, -es* Albatros
albeit, *konj, (geh.)* obschon
albinism, *sub, nur Einz. (tt; med.)* Weißsucht; **albino** *sub, -es* Albino
album, *sub, -s* Album
alchemy, *sub, nur Einz.* Alchemie
alcohol, *sub, - s* Alkohol; *drown one´s sorrows in alcohol* seine Sorgen im Alkohol ertränken); ~ **abuse** *sub, nur Einz.* Alkoholmissbrauch; ~ **consumption** *sub, nur Einz.* Alkoholgenuss; ~ **level** *sub, -s* Promille; ~ **poisoning** *sub, - s* Alkoholvergiftung; ~**ic (1)** *adj,* alkoholisch **(2)** *sub, -s* Alkoholiker; *be an alcoholic* alkoholabhängig sein; ~**ic drinks** *sub, nur Mehrz.* Alkoholika; ~**ism** *sub, nur Einz.* Alkoholismus, Trunksucht
alder, *sub, -s* Erle
alehouse politician, *sub, -s* Politikaster
alertness, *sub, nur Einz.* Wachheit
alert phase, *sub, - -s* Alarmstufe
alga, *sub, algae (biol.)* Alge
algebra, *sub, nur Einz.* Algebra; ~**ic** *adj,* algebraisch
algorithm, *sub, -s* Algorithmus
alias, *adv,* alias
alibi, *sub, -s (jur.)* Alibi
alien, *adj,* artfremd; ~**ate** *vt,* entfremden; ~**ation** *sub, -s (geb.)* Entfremdung
alike, *adv,* gleich; *treat everyone alike* alle Menschen gleich behandeln
alimony, *sub, -ies (für Frau)* Alimente; *-s (tt; jur.)* Unterhalt
a little apple, *sub, -s* Äpfelchen
alive, *adj,* lebendig
alkaline, *adj, (chem.)* laugenartig; *(tt; chem.)* alkalisch
alkaloids of the soil, *sub, nur Mehrz.* Erdalkalien
allay, *vt, (Hunger)* stillen; ~**ment** *sub, -s* Stillung
all-clear, *sub, -* Entwarnung; **all day (24 hours a day)** *adv,* durchgehend; **all-day** *adj,* ganztags; **all-day school** *sub, -s* Ganztagsschule
alleged, *adj,* angeblich
allegiance, *sub, -s* Treuepflicht; *nur Mehrz. (geb.)* Gefolgschaft
allegorical, *adj,* allegorisch; **allego-**

~¡ ~ nb¡ fm Allegorie

all-embracing, *adj,* allumfassend

allergic, *adj,* allergisch; *be allergic to* allergisch sein gegen; *be allergic to sth* eine Allergie haben gegen etwas; *have an allergic reaction to* auf etwas allergisch reagieren; **allergy** *sub, -ies* Allergie; **allergy sufferer** *sub, - -s* Allergiker; **allergy to pollen** *sub, -ies* Pollenallergie

alleviate, *vt, (Krise)* entschärfen

alley oneself, *vr,* verbünden; **alley tree** *sub, -s* Chausseebaum; **alleyway** *sub, -s* Gässchen

alliance, *sub, -s* Allianz, Bündnis; **allied** *adj,* alliiert, verwandt

alligator, *sub, -s (zool.)* Alligator

alliteration, *sub, -s* Stabreim; **alliterative** *adj,* stabreimend

all kinds of, *adj,* vielerlei

all night, *adv, (arbeiten, feiern)* durchmachen

allocation, *sub, nur Einz.* Zuteilung

all of a sudden, *adv,* plötzlich; **all of them/us** *adv,* allesamt; **all one** *attr, (ugs.)* piepegal; **all one´s things** *sub, nur Mehrz.* Siebensachen

allotment, *sub, -s* Schrebergarten; **~ gardener** *sub, -s* Laubenpieper

all over, *adv,* über, überall; *that´s Erwin all over* das ist echt Erwin; *that´s you all over* das sieht dir ähnlich; **~ the place** *adv, (ugs.)* querbeet

allow, *vt,* erlauben, gestatten, gewähren, zubilligen, zulassen; *(zustimmen)* bewilligen; *allow so to do sth* jmdm etwas gestatten

alloy, (1) *sub, -s* Legierung (2) *vt,* legieren

all-purpose glue, *sub, - -s* Alleskleber; **all right** *adj,* klar; **all round** *adv,* rundherum, rundum; **all sorts of** *adj,* allerlei; **all the** *konj, (mit Komparativ)* desto; **all the same** (1) *adj, (gleichwertig)* einerlei (2) *adv,* einheitlich, gleichviel; *it´s all the same to me* das ist mir einerlei, *they had all had the same training* alle waren einheitlich ausgebildet; *they were dressed all the same* alle waren einheitlich gekleidet; **all the time** (1) *adj,* allzeit (2) *adv,* immerzu; **all the way around** *adv,* ringsherum; **all-round** *adj,* allseitig; **all-round athlete** *sub, -s (spo.)* Mehrkämpfer; **all-round defence position** *sub, -s*

(ii; mil.) Igelstellung

allusively, *adv,* andeutungsweise

alluvial land, *sub, nur Einz.* Schwemmboden, Schwemmland; **alluvial sand** *sub, nur Einz.* Schwemmsand

all-weather gear, *sub, nur Mehrz.* Allwetterkleidung

all-wheel drive, *sub, - -s* Allradantrieb

ally, *sub, -ies* Alliierte; **~** *sub; (i. ü. S.)* Verschworene

almanac, *sub, -s* Almanach; **~(k)** *sub, -s* Jahrbuch

almond, *sub, -s* Mandel; **~ (in its shell)** *sub, -s* Knackmandel; **~ biscuit** *sub, -s* Spekulatius; **~ blossom** *sub, -s* Mandelblüte; **~ cookies** *sub, nur Mehrz.* Mandelgebäck; **~ oil** *sub, -s* Mandelöl; **~-eyed** *adj,* mandeläugig; **~-shaped** *adj,* mandelförmig

almost, *adv,* fast, geradezu, nahezu; *we are almost there* wir haben es fast geschafft

alms, *sub, -s* Almosen; *sub, nur Mehrz. (Almosen)* Spende; *alms* eine milde Gabe; **~-house** *sub, -es* Armenhaus

alone, *pron,* selbst; *leave me alone* laß mich in Frieden!; *live alone* allein stehend sein; **~, on one´s own** *adj, adv,* allein

along, (1) *adj,* entlang (2) *adv,* entlang; *(an)* hin (3) *präp,* längs; *along the street* die Straße entlang; *I´ll go along with that* an mir soll es nicht liegen

a lot, (1) *adj,* allerhand (2) *adv,* sehr; *(ugs.) that´s too much* das ist ja allerhand; **~ of** (1) *adj, viel* (2) *adv,* zuhauf; **~ of red tape** *sub, nur Einz.* Papierkrieg; *to go through a lot of read tape with sb* einen Papierkrieg mit jmd führen; **~ to catch up** *sub, nur Einz.* Nachholbedarf; *to have a lot to catch up in the way of sth* einen Nachholbedarf an etwas haben

alphabet, *sub, -s* Alphabet; **~ical** *adj,* alphabetisch; **~ically** *adv,* alphabetisch

alpine, *adj,* alpin; **Alpine dairy** *sub, -ies* Sennerei; **Alpine dairy hut** *sub, -s* Sennhütte; **~ pasture** *sub, -s* Alm, Senne; **Alpine snow chik-**

ken *sub, -s* Schneehuhn

already, *adv,* bereits, schon; *already today* bereits heute; *it was already known ten years ago* das war bereits vor zehn Jahren bekannt; *be 80 already* schon 80 Jahre auf dem Buckel haben; *it´s late enough already* es ist ohnedies schon spät

also, *adv,* gleichfalls; *(i. ü. S.) he is an also-ran* er rangiert unter ferner liefen; *(i. ü. S.) there is also the fact that* es kommt noch dazu, dass; **~, as well, too** *adv, konj, (genauso) also; as well as* sowohl als auch; *me too* ich auch

altar, *sub, -s* Altar

alter, *vt,* abändern, ändern, umändern, umarbeiten; *(ändern)* umgestalten; **~ation** *sub, -s* Abänderung, Umgestaltung; **~ation of a name by translating it in a foreign language** *sub, a.s of names by t.* them Metonomasie

alternate, (1) *vi,* abwechseln **(2)** *vt,* wechseln; *men and women alternate* bunte Reihe; **~ly** *adv,* abwechselnd, umschichtig, wechselweise; **alternating** *adj,* abwechselnd; **alternating current** *sub, -s* Wechselstrom

alternative, (1) *adj,* alternativ **(2)** *sub, -s* Alternative; *there was no alternative* es gab keine andere Wahl; **~ energy** *sub, -ies* Alternativenergie; **~ programme** *sub, -s* Alternativprogramm; **~ly** *adv,* alternativ

alter one´s booking, *vt, (Reise)* umbuchen

although, *konj,* obgleich, obwohl, wenngleich; *(geh.)* obschon

altimeter, *sub, -s (tt; tech.)* Höhenmesser

altitude, *sub, -s* Flughöhe, Höhe; *the plane reached an altitude of* das Flugzeug erreichte eine Höhe von; *to measure altitude* Höhe messen; **~ reading** *sub, -s (tt; tech.)* Höhenangabe; **~ sickness** *sub, -es* Höhenkrankheit

altogether, *adv,* insgesamt, vollends; *earnings totalling 1000 marks* ein Verdienst von insgesamt 1000 Mark; *that comes to 10 marks altogether* das macht insgesamt 10 Mark; *(ugs.) three of them altogether* drei Mann hoch

aluminium, *sub, nur Einz.* Alumini-

um; **~ wrap** *sub, nur Einz.* Aluminiumfolie

always, *adv,* allemal, immer, jederzeit, stets; *always at your service!* stets zu Diensten!; *you´re always welcome* du bist stets willkommen

A major, *sub, nur Einz.* A-Dur

amalgam, *sub, -s (tt; chem.)* Amalgam; **~ate** *vt,* verquicken; **~ation** *sub, -s* Zusammenschluss; *(tt; chem.)* Verquickung

amanita, *sub, -s (bot.)* Knollenblätterpilz

amass, *vt, (Reichtümer)* anhäufen

amateur, *sub, -s* Amateur; **~ photographer** *sub, -s* Fotoamateur; **~ pilot** *sub, -s* Sportflieger; **~ish** *adj,* laienhaft

amaze, *vt,* erstaunen, verblüffen; *you amaze me!* da staune ich aber!; **~d** *adj,* verblüfft; **~ment** *sub, nur Einz.* Staunen; **~'s** *sub* Verblüffung; *nur Einz.* Verwunderung; **~'s** *(erfreulich)* Erstaunen; **amazing** *adj,* erstaunlich, staunenswert, verblüffend, verwunderlich

amazon, *sub, -s* Amazone

ambassador, *sub, -s* Botschafter

amber, *sub, -s* Bernstein

ambidextrous, *adj,* beidhändig; **~ person** *sub, - people* Beidhänder

ambience, *sub, nur Einz.* Ambiente

ambiguity, *sub, -ies* Polysemie; *(geh.)* Ambiguität; **ambiguous** *adj,* doppelbödig, doppeldeutig, doppelsinnig, mehrdeutig, zweideutig

ambition, *sub, -s* Ambition, Ehrgeiz; *have the ambition to become* den Ehrgeiz haben etwas zu werden; *make it one´s ambition to* seinen Ehrgeiz dareinsetzen; **~ of the group** *sub, -s* Gruppenziel; **ambitious** *adj,* ambitioniert, ehrgeizig, hochfliegend

ambivalence, *sub, -s* Ambivalenz; **ambivalent** *adj,* ambivalent

amble, *sub, -s* Passgang

ambrosia, *sub, -s (myth.)* Götterspeise

ambulance, *sub,* fire engine,
police-car, *sub, -s* Einsatzwagen

ambush, *sub, -es* Hinterhalt; *lie in ambush* im Hinterhalt liegen

amen, *sub, nur Einz.* Amen

amend, *vt, (jur., pol.)* berichtigen; *make amends* Genugtuung leisten;

~ment slip *sub*, -s Tektur

amendment, *sub*, -s Novellierung; *(jur.)* Ergänzung; *(jur., pol.)* Berichtigung; *(pol.)* Novelle

amenities, *sub*, *nur Mehrz.* Annehmlichkeit

American, (1) *adj*, amerikanisch (2) *sub*, -s Amerikaner, Amerikanerin

American Indian studies, *sub*, *nur Mehrz.* Indianistik

amethyst, *sub*, -s *(geol.)* Amethyst

amiable, *adj*, freundlich; **amicable** *adj*, freundschaftlich, gütlich; **amicably** *adv*, freundschaftlich, gütlich; *settle sth amicably* sich gütlich einigen über

amino acid, *sub*, - -s *(tt; chem.)* Aminosäure

A minor, *sub*, *nur Einz. (tt; mus.)* a-Moll

amirable, *adj*, bewundernswert

ammonia, *sub*, *nur Einz. (tt; chem.)* Ammoniak

ammunition, *sub*, *nur Einz.* Munition; *(mil.) to be supplied with ammunition* Munition fassen; *(i. ü. S.) to have run out of ammunition* keine Munition mehr haben; ~ **belt** *sub*, -s Patronengurt; ~ **train** *sub*, -s Munitionszug

amnesia, *sub*, -s *(tt; med.)* Amnesie

amniotic fluid, *sub*, *nur Einz. (med.)* Fruchtwasser

amoeba, *sub*, -s *(tt; zool.)* Amöbe

among, *präp*, unter, zwischen; *(zwischen) among other things* unter anderem; *among(st) us* in unserer Mitte; *he is among the best in the group* er ist mit der Beste der Gruppe; *he is standing among them* er steht mitten dazwischen

amoral, *adj*, amoralisch

amorous, *adj*, amorös, verliebt; ~ **adventure** *sub*, -s *(Seitensprung)* Eskapade

amortization, *sub*, -s Amortisation; **amortize** (1) *vi*, amortisieren (2) *vt*, amortisieren

amount, *sub*, -s *(Geld)* Summe; *(Quantum)* Menge; *amount to* sich summieren auf; *any amount of books* Bücher in Mengen; ~ **carried forward** *sub*, *amounts* Übertrag; ~ **of budget** *sub*, -s Budgetbetrag; ~ **of sugar** *sub*, *nur Einz.* Zuckergehalt; ~ **to** *vi*, belaufen, betragen

ampcrmeter, *sub*, -s Strommesser

amphibian, *sub*, -s Lurch; *(tt; zool.)* Amphibie; ~ **vehicle** *sub*, -s *(tech.)* Amphibienfahrzeug; **amphibious** *adj*, *(zool.)* amphibisch

amphora, *sub*, -s Amphore

ample, *adj*, reichlich

amplifier, *sub*, -s Verstärker; **amplify** *vt*, *(phy.)* aufschaukeln

ampulla, *sub*, Ampulle

amputate, *vt*, *(med.)* amputieren; *(geh.; med.)* abnehmen; **amputation** *sub*, -s *(med.)* Abnahme, Amputation

amulet, *sub*, -s Amulett

amuse, *vt*, belustigen, unterhalten, vergnügen; *be amused at* sich amüsieren über; *(iro.) most amusing* das ist ja lustig; ~ **o.s.** *vr*, belustigen; ~ **oneself** *vr*, verlustieren; ~**ment** *sub*, -s Belustigung, Erheiterung; *nur Einz.* Pläsanterie; -s Unterhaltung; *much to the amusement of* sehr zur Belustigung von; *to everybody's amusement* zur allgemeinen Belustigung; **amusing** *adj*, kurzweilig

anachronism, *sub*, -s Anachronismus; **anachronistic** *adj*, anachronistisch

anaconda, *sub*, -s Anakonda; *(zool.)* Abgottschlange

anaemia, *sub*, *nur Einz.* Blutarmut

an(a)esthesia, *sub*, *nur Einz.* Narkose; **an(a)esthesist** *sub*, -s Narkosearzt; **an(a)esthetic mask** *sub*, -s Narkosemaske; **anaesthesize** *vt*, *(med.)* betäuben; **anaesthetic** *sub*, -s Betäubungsmittel; **anaesthetist** *sub*, -s Anästhesist; **anaesthetization** *sub*, -s *(med.)* Betäubung

anagram, *sub*, -s Anagramm

anal, *adj*, *(anat.)* anal; ~ **intercourse** *sub*, *nur Einz.* Analverkehr

analogous, *adj*, analog; **analogy** *sub*, -ies Analogie

analyse, *vt*, auswerten; **analysis** *sub*, - Analyse; -*lyses* Auswertung; *(Beschäftigung)* Auseinandersetzung; - *(tt; chem.)* Untersuchung; **analytical** *adj*, analytisch; **analytically** *adv*, analytisch; **analyze** *vt*, analysieren

anarchic, *adj*, anarchisch, gesetzlos; **anarchist** *sub*, -s *(polit.)* Chaot; **anarchy** *sub*, -ies Anarchie

anatomical, *adj*, anatomisch; **anatomy** *sub*, *-ies* Anatomie

ancestor, *sub*, *-s* Ahn, Vorfahre; **ancestral halls** *sub*, *nur Mehrz*. Ahnengalerie; **ancestral worship** *sub*, *-s* Ahnenkult

anchor, (1) *sub*, *-s* Anker (2) *vi*, ankern (3) *vt*, *(tt; tech.)* verankern; *drop anchor* vor Anker gehen; *weigh anchor* den Anker lichten; **~-cable** *sub*, *-s* Ankerkette, Ankertau; **~ing** *sub*, *-s (tech.)* Abspannung; *(tt; tech.)* Verankerung; **~ing ground** *sub*, *-s* Ankerplatz

anchovy, *sub*, *-ies* Anschovis, Sardelle

ancient, *adj*, altertümlich, uralt; *(altertümlich)* antik; *(hist.)* alt; *the ancient Romans* die alten Römer; *Ancient Rome* das antike Rom

and, *konj*, und; *and so on* und so weiter; *(danach) and then?* und dann?

and anyway, *adv*, *(Rechtfertigung)* außerdem

android, *sub*, *-s* Androide

anecdote, *sub*, *-s* Anekdote

anemia, *sub*, *-s (med.)* Anämie; **anemic** *adj*, anämisch

anemone, *sub*, *-s (bot.)* Anemone; *(tt; bot.)* Windröschen

anesthesia, *sub*, *-s (med.)* Anästhesie; **anesthetize** *vt*, anästhesieren

Anethum, *sub*, *-a (Pflanze)* Dillenkraut

angel, *sub*, *-s* Engel; *he´s not exactly an angle* er ist auch nicht gerade ein Engel; **~'s voice** *sub*, *-s* Engelsstimme; **~ic** *adj*, engelgleich, engelsgleich

anger, (1) *sub*, *nur Einz*. Zorn; *(ugs.)* Rochus (2) *vt*, erzürnen; *in righteous anger* in gerechtem Zorn; *be beside os with anger* vor Wut außer sich sein; *to give vent to one´s anger* seinem Ärger Luft machen; **~ flush** *sub*, *nur Einz*. *(i. ü. S.)* Zornröte

angle, *sub*, *-s (Blickpunkt)* Perspektive; *the house looks much bigger from this angle* aus dieser Perspektive wirkt das Haus viel größer; **~ of vision** *sub*, Blickwinkel

angler, *sub*, *-s* Angler, Sportangler

anglicize, *vt*, englisieren

Anglo-Saxon, *sub*, *-s* Angelsachse, -sächsin

angora wool, *sub*, *nur Einz*. Angorawolle

angry, *adj*, aufgebracht, wütend, zornig

angular, *adj*, eckig, kantig

animal, (1) *adj*, animalisch, tierisch (2) *sub*, *-s* Tier; *keeping animals in an appropriate environment* artgerechte Tierhaltung; *to behave like an animal* sich aufführen wie der letzte Mensch; **~ breeder** *sub*, *-s* Tierzüchter; **~ creature** *sub*, *-s* Tiergestalt; **~ experiment** *sub*, *-s* Tierversuch; **~ home** *sub*, *-s* Tierasyl, Tierheim; **~ keeping** *sub*, *nur Einz*. Tierhaltung; **~ kingdom** *sub*, *-s* Tierreich; **~ owner** *sub*, *-s* Tierhalterin; **~s prized for its fur** *sub*, *animals ... their fur* Pelztier; **~ show** *sub*, *-s* Tierschau; **~ tamer** *sub*, *-s* Tierbändiger; **~ used for riding** *sub*, *-s* Reittier; **~ world** *sub*, *nur Einz*. Tierwelt; **~-loving** *adj*, tierliebend; **~s** *sub*, *nur Mehrz*. Getier; **~s for slaughter** *sub*, *nur Mehrz*. Schlachttier, Schlachtvieh

animosity, *sub*, *-ies* Animosität

animously, *adv*, gegenstimmig

anise, *sub*, *- (bot.)* Anis

ankle, *sub*, *-s* Fußknöchel, Knöchel; *(anat. Mensch)* Fessel; *(Fuß-)* Gelenk; **~ boot** *sub*, *-s* Halbstiefel, Stiefelchen; **~ joint** *sub*, *-s* Sprunggelenk; **~ sock** *sub*, *-s* Söckchen; **~-deep** *adj*, knöcheltief; **~-length** *adj*, knöchellang

annals, *sub*, *-s* Annalen

annex, *vt*, annektieren; *(mil.)* einverleiben; *(Territorium)* angliedern; **~ation** *sub*, *-s (tt; polit.)* Annexion; *(Territorium)* Angliederung

anniversary, *sub*, *-ies* Jubiläum; **~ of so´s death** *sub*, *anniversaries (Jahrestag)* Todestag

annomination, *sub*, *-s* Paronomasie

annotate, *vt*, *(Text)* erläutern; **annotation** *sub*, *-s* Erläuterung

announce, (1) *vt*, ankündigen, ansagen, bekannt geben, durchgeben, künden, verkünden; *(bekanntgeben)* anzeigen; *(Besucher)* anmelden; *(verkündigen)* erklären (2) *vti*, verlautbaren; *announce on the radio* im Radio durchgeben; *be announced on the radio* im Radio durchkommen;

who(m) shall I announce, well that
ich melden?; ~ **one´s presence** vi,
(sich ankündigen) melden; ~ **that
one is coming** vi, ankündigen;
~**ment** sub, -s Ankündigung, Ansage,
Bekanntgabe, Bekanntmachung,
Durchsage, Mitteilung, Verkündung,
Verlautbarung; *(Bekanntmachung)*
Anzeige; *(Mitteilung)* Meldung; ~**r**
sub, -s Ansager; *(Ansager)* Sprecher
annoy, vt, verärgern; *(irritieren)* stören; *(jemanden nerven)* belästigen;
(Person) ärgern; *be very annoyed
with someone* auf jemanden schlecht
zu sprechen sein; *this laziness of hers
has been annoying me for a long time*
ihre Faulheit passt mir schon lange
nicht; ~ **so** vt, *(ärgern)* aufregen;
~**ance** sub, -s Verärgerung; *(Störung)* Belästigung; ~**ed** adj, *(Person)*
ärgerlich; ~**ing** adj, lästig; *(Angelegenheit)* ärgerlich
annual, adj, alljährlich, jährlich; ~ **balance sheet** sub, -s Jahresabschluss;
~ **holiday** sub, -s Jahresurlaub; ~**ly**
adv, alljährlich
annuity, sub, -ies Rente; ~ **basis** sub,
-es Rentenbasis
annul, vt, *(Vertrag)* annullieren; *to
annul a marriage* eine Ehe für ungültig erklären; ~**ment** sub, -s *(geb.; eines Flugs)* Annullierung
anoint, vt, salben; ~**ing** sub, -s Salbung
anomaly, sub, -ies Anomalie
anorak, sub, -s Anorak
another engagement, sub, *other* -s
Abhaltung
answer, (1) sub, Antwort; -s Beantwortung, Bescheid, Rückantwort **(2)**
vt, beantworten **(3)** vti, antworten;
enough said keine Antwort ist auch
eine Antwort; *have an answer for
everything* auf alles eine Antwort wissen; *in answer to* in Antwort auf;
have a lot to answer for Dreck am
Stecken haben; *no one is answering*
niemand geht an den Apparat; *that
was the doorbell, would you answer
it?* es hat geklingelt, könntest du mal
öffnen?; *to answer an advertisement*
sich auf eine Anzeige melden, *answer
sth* auf etwas antworten; ~ **in the
negative** vti, verneinen; ~ **reproaches** vt, *(i. ü. S.)* entgegentreten; ~
the phone vi, *(Hörer)* abheben;

-**ing machine** sub, -s Anrufbeant-
worter
ant, sub, -s Ameise
antagonism, sub, -s Antagonismus
antagonist sub, -s Antagonist, Gegenspieler; **antagonistic** adj, anta-
gonistisch; *(stärker)* gegnerisch;
antagonistically adv, antagoni-
stisch
anti-aircraft defence, sub, - Flugzeugabwehr; *nur Einz.* Luftschutz;
-s *(mil.)* Flugabwehr
antarctic, adj, antarktisch
anteater, sub, -s Ameisenbär
antefix tile, sub, -s Stirnziegel
antelope, sub, -s *(zool.)* Antilope
antenna, sub, -e *(tech., zool.)* Antenne
antepenultimate, adj, drittletzte
anther, sub, -s *(bot.)* Staubbeutel
anthill, sub, -s Ameisenhaufen
anthology, sub, -ies Anthologie
anthracite, sub, -s Anthrazit
anthropological, adj, anthropologisch; **anthropologist** sub, -s Anthropologe; **anthropology** sub,
nur Einz. Anthropologie
anti-aircraft defense, sub, - *(US)*
Flugzeugabwehr; **anti-aircraft
gun** sub, -s *(mil.,AA gun)* Flak;
anti-authoritarian adj, antiautoritär; **anti-authoritarian play-
group** sub, -s Kinderladen
antibiotic, (1) adj, antibiotisch **(2)**
sub, -s *(tt; med.)* Antibiotikum; **antibody** sub, -ies *(tt; biol.)* Antikörper
antichristian, sub, -s Antichrist
anticipate, vt, antizipieren, vorwegnehmen; *(Konsequenzen)* abschätzen; *anticipate so´s wish*
jemandem einen Wunsch von den
Augen ablesen; ~**d** adj, vorgreiflich; **anticipation** sub, -s Antizipation, Vorfreude, Vorgefühl,
Vorgriff, Vorwegnahme; **anticipatory** adj, proleptisch
anticlinal, adj, epigenetisch; ~
growth of a mountain range sub,
-s Epigenese
anti-dazzle light, sub, -s Abblendlicht
antidote, sub, -s Gegengift; *(Gift)*
Gegenmittel
antigene, sub, -s *(tt; biol.)* Antigen
antihero, sub, -s Antiheld

antimatter, *sub, nur Einz. (tt; phy.)* Antimaterie

antimissile weapon, *sub, -s* Raketenwaffe

anti-nuclear protester, *sub, -s* Atomgegner

antiparticle, *sub, -s (tt; phy.)* Antiteilchen

antipathy, *sub, -ies* Antipathie

anti-personnel mine, *sub,   -s (mil. veralt.)* Flattermine; **antipersonnel mine** *sub, -s* Tretmine

antiquarian, *adj,* antiquarisch; ~ **bookshop** *sub, - -s (für wertvollere Bücher)* Antiquariat; **antiquated** *adj,* antiquiert; *(i. ü. S.)* vorsintflutlich; **antiquatedness** *sub, nur Einz.* Altertümlichkeit, Antiquiertheit

antique, **(1)** *adj,* museumsreif; *(Möbel)* antik **(2)** *sub, -s* Antiquität; ~ **chair** *sub, -s* Prunksessel; ~ **collection** - -*s,* Antikensammlung; ~ **collector** *sub, - -s* Antiquitätensammler; ~ **dealer** *sub, - -s* Antiquitätenhändler; ~ **trade** *sub, nur Einz.* Antiquitätenhandel; **antiquity** *sub, -ies* Altertum; *nur Einz.* Antike

anti-Semite, *sub, -s* Antisemit, Judengegner; **anti-Semitic** *adj,* antisemitisch; **anti-Semitism** *sub, nur Einz.* Antisemitismus

antisepsis, *sub, nur Einz. (tt; med.)* Antiseptik; **antiseptic** *adj,* antiseptisch; **antiseptic drug** *sub, -s (tt; med.)* Antiseptikum; **antiseptically** *adv,* antiseptisch

anti-serum, *sub, -s (tt; med.)* Antiserum

anti-skid protection, *sub,   -* Gleitschutz

antisocial, **(1)** *adj,* asozial, unsozial **(2)** *sub, -s* Asoziale

anti-spasmodic, *adj,* spasmolytisch

antistatic, *adj,* antistatisch; ~**ally** *adv,* antistatisch

anti-tank defence, *sub,   nur Einz.* Panzerabwehr; **anti-tank ditch** *sub, -es* Panzergraben; **anti-tank gunner** *sub, tank destroyer troops* Panzerjäger

anti- terrorist squad, *sub, - -s* Antiterroreinheit

antithesis, *sub, -es* Antithese

antlers, *sub, nur Mehrz.* Gehörn; ~s Geweih

anus, *sub, -s (tt; anat.)* After; *ani* Anus

anvil, *sub, -s* Dengelamboss; *-en (tech.)* Amboss

anxiety, *sub, nur Einz.* Bangigkeit, Beklommenheit, Unruhe; **anxious** *adj,* angsterfüllt, beklommen; *(besorgt)* ängstlich; *be anxious about* um etwas bangen; *hours of anxious waiting* ein paar bange Stunden

aorta, *sub, nur Einz.* Hauptschlagader; *-s (tt; anat.)* Aorta

apart, *adv,* auseinander; *take sth apart* etwas in seine Bestandteile zerlegen; *these places are far apart from each other* diese Orte liegen weit auseinander; ~ **from** *präp,* *(abgesehen von)* außer; *(außer)* neben

apartment, *sub, -s* Mietwohnung, Wohnung

apathetic, *adj,* apathisch, phlegmatisch; ~ **person** *sub, -s* Phlegmatiker; ~**ally** *adv,* apathisch; **apathy** *sub,* Apathie; *nur Einz.* Phlegma

apatosaurus, *sub, -ri (paläont)* Brontosaurus

ape, **(1)** *sub, -s* Menschenaffe **(2)** *vt,* *(Ideen)* nachäffen; ~**-like** *adj,* affenartig, äffisch

aperient, *sub, -s* Purgativ

aperitif, *sub, -s* Aperitif

aperture, *sub, -s* Blende; *open/set down the aperture* Blende öffnen/schliessen; *set the aperture to f-8* mit Blende 8 fotografieren

aphid, *sub, -s* Blattlaus

aphorism, *sub,   -s* Aphorismus; *(Lehr-)* Spruch; **aphoristic** *adj,* aphoristisch; **aphoristically** *adv,* aphoristisch

aphrodisiac, *sub,   -s   (tt; med.)* Aphrodisiakum

apiarist, *sub, -s* Imker

apiculture, *sub, nur Einz.* Imkerei

aping, *sub, -s (Ideen)* Nachäfferei

apocalypse, *sub, -s* Apokalypse; **apocalyptic** *adj,* apokalyptisch, endzeitlich

apolitical, *adj,* apolitisch

apologetic, *adj,   apologetisch;* ~**ally** *adv,* apologetisch; ~**s** *sub, nur Mehrz. (Disziplin)* Apologetik; **apologize** *vi,* entschuldigen; **apologize** Abbitte tun, entschuldige dich; *apologize to so for sth* sich bei jmd für etwas entschuldigen; *to* apologize to sb jmnd um Verzeihung bitten; **apology** sub, -ies Abbitte; *(mdl. Äusserung)* Entschuldigung; *(Verteidigung)* Apologetik

apropriate expenditure, sub, -s *(i. ü. S.)* Zweckaufwand

apostle, sub, -s Apostel

apostrophe, sub, -s Apostroph, Auslassungszeichen

apotheosis, sub, -es Apotheose

apparatus, sub, -es *(biol., tech.)* Apparat; *(ugs.; Mechanismus)* Patent; ~ **gymnast** sub, -s Geräteturner; ~ **gymnastics** sub, nur Mehrz. Geräteturnen

apparent, adj, anscheinend, augenscheinlich, ersichtlich, scheinbar; ~ **death** sub, -s Scheintod; ~ **horizon** sub, -s Kimm; ~ **omission** sub, -s Prätcrition; ~**ly** adv, anscheinend, augenscheinlich; *(vermutlich)* offenbar

apparition, sub, -s Spukgestalt; *(Gespenst)* Spuk; *(rel.)* Erscheinung

appeal, (1) sub, -s *(i. ü. S.)* Appell; *(eines Gericht)* Anruf; *(jur.)* Appellation, Berufung **(2)** vi, appellieren, zusagen; *(Gericht)* anrufen; *appeal (again)* in die Berufung gehen *(gegen)*, *appeal for* aufrufen zu; *to appeal to sb´s sense of honour* jmdn bei der Ehre packen; ~ **against** vt, *(jur.)* anfechten; ~ **proceedings** sub, nur Mehrz. Berufungsverfahren; ~ **to** vi, *(Zielgruppe)* ansprechen

appear, (1) vi, vorsehen, *(erscheinen)* auftreten, herauskommen **(2)** vt, erscheinen; *appear as a witness* als Zeuge auftreten; *appear in public* in der Öffentlichkeit auftreten, *appear in court* vor Gericht erscheinen; ~ **strange** vi, befremden; ~**ance** sub, -s Anschein; nur Einz. Äußerlichkeit; *(Anschein)* Augenschein; *(äusserliche -)* Erscheinung; nur Einz. *(Erscheinen auch im Drama)* Auftritt; *to all appearances* dem Anschein nach; *appearances are deceptive* der Augenschein trügt; *to all appearances* dem Augenschein nach; *appearance and reality* Sein und Schein; *judging by appearances* dem Aussehen nach zu urteilen; *one shouldn´t judge people by their appearance* man soll Leute nicht nach dem Aussehen beurteilen; *to all appearances* dem Anse-

lich nach, ~nces sub, nur Mehrz. Schein

appease, vt, begütigen, besänftigen, beschwichtigen; *(beruhigen)* abwiegeln; *(beschwichtigen)* beruhigen; ~**ment** sub, -s Abwiegelung; nur Einz. Besänftigung, Beschwichtigung; ~s Versöhnung; nur Einz. *(Beschwichtigung)* Beruhigung; -s *(Durst)* Stillung

appendage, sub, -s Anhängsel

appendix, sub, -dices Blinddarm; *(anat.)* Appendix; -es *(Anhang)* Fortsatz; -dices *(Buch)* Anhang

appetite, sub, nur Einz. Appetit; - *(zool.)* Fresslust; *give so an appetite* jemanden Appetit machen; *lose one´s appetite* den Appetit verlieren; *spoil so´s appetite* jemanden den Appetit verderben; ~ **suppressant** sub, - -s Appetitzügler; **appetizing** adj, Appetit anregend, appetitlich

applaud, (1) vi, applaudieren **(2)** vt, beklatschen; *applaud so* jemandem Beifall spenden; **applause** sub, nur Einz. Applaus, Beifall, Beifallsklatschen; *draw a lot of applause* viel Beifall ernten; *applause during the play* Beifall auf offener Bühne; *thunderous applause broke out* ein Orkan des Beifalls brach los

applicability, sub, nur Einz. Anwendbarkeit; **applicable** adj, anwendbar; **applicant** sub, -s Antragsteller, Kandidat; *(für eine Stelle)* Bewerber; **application** sub, -s Antrag, Anwendung, Beantragung, Bewerbung; nur Einz. *(von Lack)* Auftrag; *logde an application for* einen Antrag auf etwas stellen; **application for a job** sub, -s Stellengesuch; **application for membership** sub, - -s Beitrittserklärung; **application form** sub, - -s Antragsformular; **applied** adj, angewandt; **apply (1)** vi, *(Verband)* anlegen **(2)** vt, anwenden; *(Lack)* auftragen; *(Lack, etc.)* applizieren **(3)** vti, *(Regel)* gelten; *apply sth to* etwas anwenden auf; *apply os to sth* sich einer Sache befleißigen; *apply to* man wende sich an; *the same applies to you* das gilt auch für dich; **apply a tourniquet** vt,

(Arm, etc.) abschnüren; **apply for** *vi,* beantragen; *(um eine Stelle)* bewerben; **apply for sth.** *vt,* einkommen; *apply for sth* einkommen um etwas; **apply mud to** *vt,* einschlämmen; **apply to** *vi,* zutreffen

appoint, *vt,* berufen, bestallen, ernennen; *appoint so chairman* jemanden zum Vorstand berufen; *be called to the embassy* in die Botschaft berufen werden; *appoint so one´s heir* jmd als Erben einsetzen; **~ mandatary** *vt,* mandatieren; **~ment** *sub, -s* Ernennung, Immission, Verabredung, Voranmeldung; *(Verabredung)* Termin; *(zu einer Professur etc.)* Berufung; *his appointment to the post of* seine Ernennung zum; *what time was your appointment?* zu welchem Termin waren Sie notiert?; **~ment book** *sub, -s* Terminkalender

apportioned fee, *sub, -s* Umlage

appraiser, *sub, -s (jur.)* Taxator

appreciate, *vt,* honorieren, würdigen; *appreciate the significance of sth* die Bedeutung von etwas ermessen; *highly appreciate so´s help* jemanden seine Hilfsbereitschaft hoch anrechnen; **appreciation** *sub, -s* Würdigung; *nur Einz. (tt; kun.)* Verständnis; **appreciative** *adj,* genießerisch, genüsslich; **appreciative (of art)** *adj,* kunstsinnig

apprehensive, *adj,* ahnungsvoll

apprentice, *sub, -s* Lehrling; **~ boy** *sub, -s (ugs.)* Lehrling) Stift; **~ship** *sub, -s* Lehre; **~ship year** *sub, -s* Lehrjahr

approach, **(1)** *sub, -es* Anflug, Anmarsch, Annäherung; *(Anrücken)* Anzug; *(Einfahrt)* Anfahrt; *-s (Skisprung)* Anlauf **(2)** *vi,* herankommen, heranrücken, herantreten; *(auch mil.)* anrücken **(3)** *vt,* annähern; *(Gespräch beginnen)* anreden **(4)** *vti,* nähern; *(poet.)* nahen; *while approaching* beim Anflug auf; *it has approached* es hat sich angenähert; *to approach* näherrücken, *approach so on sth* jemanden auf etwas hin anreden; **~ a crisis** *vi,* kriseln; **~ so with sth** *vt, (i. ü. S.; Bitte, Wunsch)* herantragen; **~able** *adj,* zugänglich; **~ing** *sub, -s (Annäherung)* Einfahrt; *stand clear, the train is approaching* Vorsicht bei der Einfahrt des Zuges

appropriate, **(1)** *adj,* angebracht, dazugehörig, dementsprechend, zweckdienlich, zweckgebunden; *(angemessen)* entsprechend; *(Antwort etc.)* treffend; *(Entsprechung)* demgemäß; *(Größe einer Hose, etc.)* angemessen **(2)** *vi, (unrechtmäßig)* aneignen; *think that sth is appropriate* etwas für angebracht halten; *a style appropriate to* er hat einen dementsprechenden Stil; *he was dressed appropriately* er war dementsprechend angezogen; *appropriate action* geeignete Schritte; **~ connection** *sub, -s (i. ü. S.)* Zweckbindung; **~ in style** *adj,* stilgerecht; *a cosy appartment, although the decor is not altogether appropriate in style* eine gemütliche, wenn auch nicht ganz stilgerechte Wohnung; **~ tax** *sub, -es (i. ü. S.)* Zwecksteuer; **~ly** *adv,* zweckgemäß; **~ness of the means** *sub, nur Einz.* Proportionalität

approval, *sub, -s* Billigung, Genehmigung, Plazet; *nur Einz. (Zustimmung)* Anklang; *-s* Bewilligung, Einverständnis; *strike a chord with so* bei jemandem Anklang finden; **approve** *vt,* genehmigen; *(billigen)* anerkennen; **approve of** *vt, (billigen)* billigen, gutheißen; *give sth one´s tacit approval* etwas stillschweigend billigen; *I approve of what he has done* ich bin billige voll und ganz was er getan hat; **approving (1)** *adj,* beifällig **(2)** *adv,* beifällig

approximate, (1) *adj,* annähernd, approximativ **(2)** *vt,* annähern; **~ contract** *sub, (i. ü. S.)* Zirkaauftrag; **~ly** *adv,* annäherungsweise, ungefähr; *(geb.)* circa, etwa; *if I only knew approximately what he means* wenn ich nur ungefähr wüsste, was er meint; *approximately when* wann etwasa; **approximation** *sub, -s (math.)* Näherung

apricot, *sub, -s* Aprikose; *(österr.)* Marille; **~ jam** *sub, - -s* Aprikosenkonfitüre, Aprikosenmarmelade

April, *sub, -s* April; **~ showers** *sub, nur Mehrz.* Aprilwetter; **~-fool joke** *sub, - -s* Aprilscherz

apron-string, *sub, -s* Schürzenband

apt, *adj,* treffend; **~itude** *sub, -s (Eigenschaft)* Eignung; **~itude test**

sub, -s Eignungsprüfung

aquamarine, *sub, -s* Aquamarin; **aquanaut** *sub, -s* Aquanaut; **aquaplaning** *sub, -s (tt; tech.)* Aquaplaning; **aquarium** *sub, -s* Aquarienglas, Aquarium; **Aquarius** *sub, - (tt; astrol.)* Wassermann; **aquatic** *adj,* aquatisch; **aquatic plant** *sub, -s* Teichpflanze

aqueous, *adv, (tt; chem.)* wässerig

Arab, *adj, (Staaten)* arabisch; **~ian** *adj, (Speisen)* arabisch; **~ic** *adj, (Zahlen, etc.)* arabisch

arable land, *sub, -s* Ackerfläche

arbitrary, *adj,* arbiträr, willkürlich; **~ law** *sub, -s* Selbstjustiz; **arbitrator** *sub, -s* Schiedsfrau, Schiedsmann, Schiedsrichter

arbor, *sub, -s (US)* Gartenlaube

arbour, *sub, -s* Gartenlaube, Laube, Liebeslaube, Pergola

arc, *sub, -s (mat.)* Bogen; **~ lamp** *sub, -s* Bogenlampe

arcade, *sub, -s* Arkade

arch, *sub, -es* Torbogen, Überwölbung; *-s (arch.)* Bogen; *triumphal arch* Triumphbogen

archaeological, *adj,* archäologisch; **archaeologist** *sub, -s* Archäologe; **archaeology** *sub, nur Einz.* Altertumsforschung, Altertumskunde, Archäologie

archaic, *adj,* archaisch; **archaism** *sub, -s* Archaismus

archangel, *sub, -a* Erzengel; **arch enemy** *sub, -ies* Erzfeind; **archbishop** *sub, -s* Erzbischof; **archduchess** *sub, -es* Erzherzogin; **archduchy** *sub, -ies* Erzherzogtum; **arched** *adj,* gewölbt; **arched buttress** *sub, -es* Strebebogen

archer, *sub, -s* Bogenschütze, Schütze; **~y** *sub, nur Einz.* Bogenschießen

archetypal, *adj,* archetypisch; **archetype** *sub, -s* Archetyp, Urbild

arch fiend, *sub, -s (Teufel)* Erbfeind

archipelago, *sub, -s* Inselgruppe; *-es (tt)* Archipel

architrave, *sub, -s (arch.)* Türstock

archives, *sub, nur Mehrz.* Archiv; **archivist** *sub, -s* Archivar

arch of the vault, *sub, -es* Gewölbebogen

arch-support, *sub, -s (Schuh)* Einlage

arctic, (1) *adj,* arktisch **(2) Arctic** *sub, nur Einz.* Arktis

ardent, adj, Inbrunstig, sehnlich; *(Anhänger)* glühend

ardour, *sub, nur Einz.* Inbrunst; **arduous** *adj,* mühselig

are, *pron,* seid

area, *sub, -s* Areal, Fläche, Landstrich, Raum; *(mat.)* Flächeninhalt; *(Umgebung)* Gegend; *(Zone)* Bereich; *in the Hamburg area* in der Gegend von Hamburg; **~ of a circle** *sub, -s* Kreisfläche; **~ of a municipality** *sub, -s* Gemarkung; **~ of conflict** *sub, -s* Konfliktfeld; **~ round Zurich** *sub, nur Einz. (i. ü. S.)* Zürichgebiet; **~ station** *sub, -s* Spartensender

areal studies, *sub, -* Landeskunde

arena, *sub, -s* Arena, Manege, Reitbahn; *to bring sb into the arena* jmdn auf den Plan rufen

argentiferous, *adj,* silberhaltig

argilloid, *adj, (tt)* tonartig

argue, *vi,* argumentieren; *(verbal)* streiten; *argue that* einwenden, dass; **argument** *sub, -s* Argument; *(Streit)* Auseinandersetzung; *an argument in favour/against* ein Argument dafür/dagegen; *this is open to argument* darüber lässt sich streiten; **argument (about)** *sub,* Debatte; **argumentation** *sub, -s* Argumentation; **argumentative** *adj,* argumentativ

aria, *sub, -s* Opernarie; *(mus.)* Arie; **~n (1)** *adj,* arisch **(2) Arian** *sub, -s* Arier

arid, *adj, (dürr)* trocken; *(geb.; geogr.)* dürr; **~ity** *sub, nur Einz. (geogr.)* Dürre

arise, (1) *vi, (i. ü. S.)* keimen; *(Freundschaft)* entstehen; *(Kosten)* anfallen; *(Probleme)* erwachsen; *(Verdacht)* aufkommen **(2)** *vr, (Gelegenheit)* geben; *the suspicion arose* der Verdacht keimte; *difficulties arise from* Schwierigkeiten entstehen durch/aus; **arising** *adj,* naszierend

aristocracy, *sub, nur Einz.* Adel; *-ies* Aristokratie; **aristocrat** *sub, -s* Adlige, Aristokrat; **aristocratic** *adj,* aristokratisch

aristolochia, *sub, -s (bot.)* Pfeifenkraut

arithmetic, *sub, nur Einz.* Arithmetik, Rechnen; **~ slate** *sub, -s* Re-

chentafel; **~al** *adj*, arithmetisch,
rechnerisch; **~ian** *sub*, *-s* Rechner

ark, *sub*, *-s* Arche; *Noah´s ark* die Arche Noah

arm, **(1)** *sub*, *-s (anat.)* Arm; *(tt; mil.)*
Waffe **(2)** *vi*, *(mil.)* rüsten **(3)** *vt*, *(mit
Waffen)* bewehren **(4)** *vti*, aufrüsten;
the arm of law der Arm des Gesetzes,
she would give her right arm for it sie
würde sich die Finger danach lecken;
to beat sb with his own weapons jmd
mit seinen eigenen Waffen schlagen;
to call to arms zu den Waffen rufen;
to lay down one´s arms die Waffen
strecken; **~ (o.s.)** *vr*, *vt*, bewaffnen;
~ bend *sub*, *- -s (spo.)* Armbeuge;
~ muscle *sub*, *- -s* Armmuskel; **~ of a
river** *sub*, *- -s* Flussarm; **~´s length**
sub, *nur Einz.* Armeslänge; *s´ -s* Armlänge; *at arm´s length* auf Armlänge

armament, *sub*, *nur Einz.* Aufrüstung;
-s Rüstung

armband, *sub*, *-s* Armbinde

armchair, *sub*, *-s* Fauteuil; *(Lehnstuhl)* Sessel

armed forces, *sub*, *nur Mehrz.* Militär,
Streitkräfte, Streitmacht; *(mil.)* Truppen; *(tt; mil.)* Wehrmacht; **arming**
sub, *- (das Aufrüsten)* Bewaffnung;
(mit Waffen) Bewehrung; **armistice**
sub, *-s* Waffenstillstand; **armored**
adj, *(gepanzert, US)* gepanzert; **armour** *sub*, *-s* Kettenpanzer; *(Panzerung)* Panzer; **armoured** *adj*,
(gepanzert) gepanzert; **armoured
(war) ship** *sub*, *-s* Panzerschiff; **armoured car** *sub*, *-s* Panzerwagen; **armoured personnel carrier** *sub*, *-s*
Schützenpanzer; **armoured vehicle**
sub, *-s* Panzerkampfwagen; **armoury**
sub, *-es* Waffenlager

armpit, *sub*, *-s* Achselhöhle

armrest, *sub*, *-s* Armlehne

arms, *sub*, *nur Mehrz.* Rüstung; *(Waffen)* Bewaffnung; *(i. ü. S.) be up in
arms against* Sturm laufen gegen; **~
trade** *sub*, *nur Einz.* Waffenhandel

army, *sub*, *-s* Armee; *-ies* Heer; *nur
Einz. (ugs.)* Barras; Kommiss; *in the
army* beim Barras; *enter the army* zu
den Soldaten gehen; *the place is run
like an army camp* da geht es zu wie
beim Militär; *to be fed up with army
life* vom Kommiss genug haben;
*(ugs.) we´re not in the army, you
know* wir sind doch hier nicht beim

Militär; **~ ant** *sub*, *-s (tt; biol.)* Wanderameise; **~ bread** *sub*, *nur Einz.*
Kommissbrot; **~ days** *sub*, *nur
Mehrz.* Militärzeit; **~ doctor** *sub*, *-s*
Militärarzt; **~ unit** *sub*, *- -s* Armeeeinheit

arnica, *sub*, *- (bot.)* Arnika

aromatic, *adj*, aromatisch, würzig

arouse, *vt*, *(Eindruck)* erwecken;
(s.v.) entflammen; *arouse the impression that* den Eindruck erwekken, daß; **~ pity** *vt*, *(jmdn.)*
erbarmen; **~ sexual desire** *vt*, erotisieren; **~ so to revolt** *vt*, insurgieren; **~... in** *vt*, *(Angst)* einflößen;
arouse fear in sb jmd Angst einflößen

arrange, **(1)** *vr*, absprechen **(2)** *vt*,
arrangieren, festlegen, gestalten,
instrumentieren, verabreden, vermitteln; *(Dinge)* anordnen; *(ordnen)* sortieren; *(sortieren)* ordnen;
(Vereinb.) festmachen; *(vereinbaren)* abmachen, ausmachen; *that
can be arranged* das läßt sich einrichten; *arrange a time* einen Termin ausmachen; *arrange a venue*
einen Treffpunkt ausmachen; **~
for sth** *vt*, veranlassen; **~ in chapters** *vt*, abkapiteln; **~ in groups** *vt*,
gruppieren; **~ with** *vt*, *(auf)* einrichten; **~ with so** *vi*, absprechen;
~ment *sub*, *-s* Abmachung, Absprache, Gestaltung, Übereinkunft, Verabredung, Vermittlung;
(Anordnung) Aufstellung; *(Art und
Vorgang)* Anlage; *(Blumen)* Gebinde; *(mus.)* Arrangement; *(Plan,
Vertrag)* Modalität; *(Planung)* Disposition; *(von Dingen)* Anordnung; *come to an arrangement*
eine Abmachung treffen; *make
one´s arrangements* seine Dispositionen treffen; **~ment of steps**
sub, *arrangements* Stufenfolge; **~r**
sub, *-s* Arrangeur

arrange to meet sb, *vr*, verabreden

array, *sub*, *-s (Menge)* Aufgebot

arrears, *sub*, *nur Mehrz.* Rückstand

arrest, **(1)** *sub*, *-s* Arretierung, Festnahme, Gefangennahme, Verhaftung **(2)** *vt*, dingfest, festnehmen,
gefangen nehmen, verhaften;
(tech.) arretieren; *(vorläufig)* festnehmen; *arrest so* jmd dingfest machen; **~ warrant** *sub*, *-s* Haftbefehl

issue a warrant einen Haftbefehl gegen jmdn erlassen

arrival, *sub,* -s Ankunft

arrive, *vi,* einfinden, kommen; *(ankommen)* eintreffen; *(Ziel erreichen)* ankommen; *arrive at home in time* sich pünktlich zuhause einfinden; *arrive at Madeira* auf Madeira eintreffen; *arrive in Berlin* in Berlin eintreffen; *the train has just arrived at platform 5* der Zug ist soeben auf Gleis 5 eingefahren; *arrive savely* sicher ankommen

arrogance, *sub,* -s Anmaßung; *nur Einz.* Arroganz, Dünkel; - Hochmut; -s Überheblichkeit; *nur Einz.* (Hochmut) Stolz

arrogant, *adj,* anmaßend, arrogant, hochmütig, überheblich; *(anmaßend)* stolz

arrow, *sub,* -s Pfeil; *bow and arrow* Pfeil und Bogen; *Cupid´s arrow* Amors Pfeil

arse, *sub,* -s *(vulg.)* Arsch; *give so a kick in the arse* jemandem einen Arschtritt verpassen; **~-licker** *sub,* -s Arschkriecher; **~hole** *sub,* -s *(vulg.)* Arschloch

arsenal, *sub,* -s *(Lager)* Arsenal; *(tt; mil.)* Zeughaus

arsenic, **(1)** *adj,* arsenig **(2)** *sub, nur Einz.* Arsen; **~ poisoning** *sub,* -s Arsenvergiftung

arsonist, *sub,* -s Brandstifter

art, *sub, nur Einz.* Kunst, Malerei; *have no appreciation for the arts* amusisch sein; *(Diebstahl etc) to get it down to a fine art* es zu wahrer Meisterschaft bringen; **~ collector** *sub,* -s Kunstsammler; **~ criticism** *sub, nur Einz.* Kunstkritik; **~ dealer** *sub,* -s Kunsthändler; **~ gallery** *sub,* -ies Gemäldegalerie, Kunstgalerie; **~ history** *sub,* - Kunstgeschichte; **~ lesson** *sub,* -s Zeichenstunde; **~ of dialogue** *sub, nur Einz.* Dialogkunst; **~ of fencing** *sub,* Fechtkunst; **~ of poetry** *sub, nur Einz.* Dichtkunst; **~ of singing** *sub,* -s Gesangskunst; **~ of warfare** *sub,* - Kriegskunst; **~ review** *sub,* -s Kunstkritik; **~ room** *sub,* -s Zeichensaal; **~ school** *sub,* -s Kunstschule; **~ student** *sub,* -s Kunststudent; **~ trade** *sub, nur Einz.* Kunsthandel; **~ treasures** *sub, nur Mehrz.* Kunstschätze; **~(-promo-**

-ting) promotion *sub,* -s Kunstverein

arterial, *adj,* arteriell; **~ road** *sub,* -s Verkehrsader; **arteriosclerosis** *sub, nur Einz. (tt; med.)* Arteriosklerose; **artery** *sub,* -ies Pulsader, Schlagader; *(anat.)* Arterie

arthritic, *adj, (tt; med.)* arthritisch; **arthritis** *sub, nur Einz.* Arthritis

arthrosis *sub, nur Einz.* Arthrose

artichoke, *sub,* -s Artischocke

article, *sub,* -s Ware; *(Linguistik, jur.)* Artikel; *(Sprachw.)* Geschlechtswort; **~ for the feature pages** *adj, (Zeitungsart.)* feuilletonistisch; **~ of equipment** *sub,* -s Ausrüstungsgegenstand, Ausrüstungsstück

articular capsule, *sub,* -s *(med.)* Gelenkkapsel

articulate, **(1)** *adj,* sprachfertig **(2)** *sub,* -s Gliedertier **(3)** *vt,* artikulieren; **~d lorry** *sub,* -ies Sattelschlepper; **articulation** *sub, nur Einz.* Artikulation; -s Lautbildung

artifice, *sub,* -s Machination

artificial, *adj,* artifiziell, künstlich; *(künstlich)* unecht; **~ coffee** *sub,* -s Kaffeeersatz; **~ fertilizer** *sub,* -s Kunstdünger; **~ ice-rink** *sub,* -s Kunsteisbahn; **~ language** *sub,* -s Kunstsprache; **~ leg** *sub,* -s Beinprothese; **~ limb or joint** *sub,* -s Prothese; **~ respiration** *sub,* -s Beatmung; **~ silk** *sub,* -s Kunstseide; **~ stone** *sub,* -s *(kun.)* Similistein

artillery, *sub, nur Einz.* Artillerie; **~ shell** *sub,* - -s Artilleriegeschoss; **~man** *sub,* -men Artillerist; *(mil.)* Kanonier

artist, *sub,* -s Artist, Künstler; *(Kunst~ auch)* Maler; **~ic** **(1)** *adj,* bildnerisch, künstlerisch **(2)** *attr,* *(Veranlagung)* musisch; **~ry** *sub, nur Einz.* Künstlertum

arts, *attr, (Fächer)* musisch; **~ and crafts** *sub, nur Mehrz.* Kunstgewerbe; **~ and humanities** *sub,* - Geisteswissenschaften

as, **(1)** *konj,* wie; *(weil)* da **(2)** *konj.,* solang **(3)** *präp, (so wie)* als; *(wie)* als; *as it´s raining* da es regnet, *asas* sowie; *it´s late enough as it is* es ist ohnehin schon spät; *there are too many of us as it is* wir sind ohnedies zu viele Leute; *we´re too* *many as it is* wir sind ohnehin schon zu viele Leute; *(i. ü. S.) you get as much as you give* wie es in den Wald hineinruft, so schallt es wieder heraus, *as a present* als Geschenk; ~ **a makeshift** *adv*, behelfsweise; *(improvisiert)* behelfsmäßig; ~ **a precaution** *adv*, vorsichtshalber, vorsorglich; ~ **a result** *adv*, folglich, infolgedessen; *(causal)* dadurch, darauf; ~ **a result of** *adv*, daraufhin; *(auf etwas) hin; as a result of it he became* daraufhin bekam er; ~ **a whole** *adv*, insgesamt; ~ **agreed upon** *adv*, beschlossenermaßen; ~ **an alternative** *adv*, ersatzweise

as an example, *adv*, exemplarisch; **as dead as a doornail** *adj, (ugs.)* mausetot; **as everyone knows** *adv*, bekanntermaßen, bekanntlich; **as far as (1)** *adv*, *(bis) hin (2) konj*, soweit; *as far as I´m concerned* soweit es mich betrifft; *as far as possible* soweit als möglich; **as far as I am concerned** *adv*, meinerseits; *(von mir aus)* meinetwegen; *if you like* meinetwegen!; *if you want to do that, fair enough, but* wenn ihr das tun wollt, meinetwegen aber; **as far as the text is concerned** *adv*, textlich; **as far as you are concerned** *adv, (geh.)* deinetwegen; **as follows** *adv*, folgendermaßen; **as from now** *adv, (geh.) von jetzt an)* nunmehr; **as hard as rock** *adj*, beinhart; **as hoarse as a crow** *adj*, stockheiser

asbestos, *sub, nur Einz.* Asbest; ~ **cement** *sub, -s (Warenzeichen)* Eternit (R)

ascendant, *sub, -s* Aszendent

ascent, *sub, -s* Erklimmung, Ersteigerung; *(Aufstieg)* Anstieg; *(a. i.ü.S.; Weg, auch sozial)* Aufstieg

ascertain, *vt*, erfragen, ermitteln; *hard to ascertain* schwer feststellbar; *inverstigate sb concerning sth* gegen jmd in einer Sache ermitteln; ~**able** *adj, (Tatsachen)* erschließbar

ascetic, (1) *adj*, asketisch **(2)** *sub, -s* Asket; ~**ally** *adv*, asketisch; ~**ism** *sub, nur Einz.* Askese

ascorbic acid, *sub, nur Einz. (tt; chem.)* Ascorbinsäure

asepsis, *sub, nur Einz. (Keimfreiheit)* Sterilität; **aseptic** *adj, (keimfrei)* steril

asexual, *adj, (tt; biol.)* asexual, asexuell

ash, *sub, -es* Asche; *ashtrees* Esche; *reduce to ashes* in Schutt und Asche legen; ~ **blond** *adj*, aschblond, weißblond; ~ **gray** *adj*, aschgrau; ~ **pale** *adj*, aschbleich

ashamed, *adj*, beschämt

ashen, *adj*, aschfahl

ashtray, *sub, -s* Aschenbecher

Asian, *adj*, asiatisch

aside, *adv*, beiseite; *put sth aside* etwas beiseite schieben; *step aside* beiseite gehen

as if, *präp, (als dass) adj; as if she were blind* als ob sie blind wäre; ~ **by an invisible hand** *sub, -s (wie von -)* Geisterhand; **as instructed** *adv*, vorschriftsmäßig; **as is fitting** *vr, (sich)* gebühren; **as it were** *adv*, sozusagen; **as light as a feather** *adj*, federleicht; **as lightly as a feather** *adv*, federleicht; **as long as (1)** *adv*, solange **(2)** *konj.*, solang; **as long as an arm** *adj*, armlang; **As major** *sub, nur Einz. (tt; mus.)* As-Dur; **as minor** *sub, nur Einz.* as-Moll; **as much** *adj, (viel)* genauso; **as much as** *konj*, soviel; *as much as you like* soviel du willst; *half as much* halb soviel; **as old as the hills** *adj*, steinalt; **as per order** *adv*, auftragsgemäß; **as planned** *adj, (wie geplant)* planmäßig; **as quick as lighting** *attr*, pfeilschnell; **as quickly as possible** *adv*, schnellstens; **as requested** *adv*, wunschgemäß

ask, (1) *vt*, verlangen; *(fragen)* befragen **(2)** *vti*, fragen; *ask for it* danach fragen; *ask so about sth* be jemandem nach etwas anfragen; *ask so to do sth* jemandem beauftragen, etwas zu tun; *ask so to speak* jmd das Wort erteilen; *be asked at school* in der Schule drankommen; *don´t wait to be asked* lassen Sie sich nicht erst nötigen!; *I asked him for it* ich bat ihn darum; *(ugs.) there´s no law against asking* man wird doch wohl noch fragen dürfen, *ask a question* eine Frage stellen, etwas fragen; *ask so his/her name, the way* jmdn nach seinem Namen, dem Weg etc fragen; *ask so´s advice* jmdn um Rat fragen; *I* *wanted to ask if* ich wollte fragen, ob; ~ *about sb,* (*Web.*) fragen; *I ask myself how* ich frage mich, wie; ~ **back** *vti,* zurückfragen; ~ **for** (1) *vi,* bitten (2) *vt,* heischen (3) *vti, (nachfragen)* fragen; *may I ask for your attention* um Aufmerksamkeit bitten; *may I ask you for a glass of water, please* darf ich Sie um ein Glas Wasser bitten; ~ **in** *vi,* hineinbitten; ~ **or invide sb to** *vt,* bitten; *ask to come and sit down at the table* zu Tisch bitten; *to ask sb to tea* jmd zum Tee bitten; *to ask to dance* zum Tanz bitten; ~ **so out** *vt, (einladen)* ausbitten; ~ **so´s pardon** *vt,* abbitten; ~ **too much of so** *vt, (geistig)* überfordern

asleep, *adj,* schlafend

asparagus, *sub,* - Spargel; ~ **patch** *sub, -es* Spargelbeet; ~ **soup** *sub, -s* Spargelsuppe; ~ **spears** *sub,* nur *Mebrz.* Stangenspargel

aspen, *sub, -s* Espe; *(tt; bot.)* Zitterpappel

asphalt, (1) *sub, -s* Asphalt (2) *vt,* asphaltieren

aspic, *sub, -s* Aspik

aspirate, *vt, (med.)* punktieren; **aspiration** *sub, -s* Punktion

aspire, *vi,* aufstreben

aspirin, *sub, -s (tt; med.)* Aspirin

aspiring, *adj, (Person)* aufstrebend

assassin, *sub, -s* Attentäter; ~**ate** *vt, (veraltet)* meucheln, *(polit.)* ermorden; *assassinate so* auf jemanden erfolgreich ein Attentat verüben; ~**ation** *sub, -s* Attentat, Mordanschlag; ~**ation attempt** *sub, -s (erfolglos)* Mordanschlag

assault, (1) *sub, -s* Ansturm, Sturmangriff, Überfall (2) *vt,* überfallen, *(jur.)* angreifen, *(sexuell)* missbrauchen; *the assault on the city* der Ansturm auf die Stadt, *assault someone* gegen jemanden tätlich werden; ~ **sb** *vr,* vergehen

as scheduled, *adj, (pünktlich)* planmäßig; *we arrived as scheduled at 12* wir sind planmäßig um 12 Uhr angekommen; **as simple as that** *adv,* schlichtweg; **as slippery as ice** *adj, (i. ü. S.)* eisglatt; **as smooth as glass** *adj,* spiegelglatt; **as soft as down** *adj,* daunenweich; **as soon as** *konj,* sobald; *(zeitlich)* sowie; **as stipulated in the contract** *adv,* vertragsge-

mäß; **as straight as a die** *adv,* pfeilgerade; **as strong as a horse** *adj, (er hat eine ~)* Pferdenatur; **as swift as an arrow** *attr,* pfeilschnell; **as the crow flies** *Redewendg.,* Luftlinie; **as well** (1) *adj, (gut)* genauso (2) *adv,* ebenfalls (3) *konj,* sowohl; *the wives were invited as well* die Ehefrauen waren ebenfalls eingeladen, *as well as* sowohlals auch; **as well as** *konj,* wiewohl; *(und auch)* sowie; **as wide as your thumb** *adj,* daumenbreit; **as...before** *adj,* vorangehend, vorausgehend

assemble, (1) *vi,* zusammentreten; *(polit.)* konstituieren; *(zusammenbauen)* aufbauen (2) *vr,* gruppieren (3) *vt,* zusammensetzen; *(zusammenbauen)* montieren (2) *vtr,* versammeln; **assembly** *sub, -es* Versammlung; *nur Einz.* Zusammenbau; Zusammensetzung; *-ies (Zusammenbau)* Aufbau, Montage; **assembly hall** *sub,* - Aula; **assembly line** *sub, -s* Fertigungsstraße, Montageband; **assembly point** *sub, -s* Sammelplatz; **assembly shop** *sub, -s* Montagehalle; **assembly time** *sub, -s* Montagezeit; **assembly-line work** *sub, -s* Fließarbeit, Fließbandarbeit

assent, *sub, -s* Konsens

assert, *vi, (geb.)* behaupten; *assert* (Ansprüche) geltend machen; *assert one´s rights* sein Recht behaupten; *assert so against so* gegen jemanden aufkommen; ~ **o.s.** *vr, (gegenüber Mitstreitern)* behaupten; ~ **oneself against ...** *vr, (Schüler)* durchsetzen; *assert one´s authority over the pupils* sich den Schülern gegenüber durchsetzen; ~**ion** *sub, -s (geb.)* Behauptung; *make an assertion* eine Behauptung aufstellen; *withdraw an assertion* eine Behauptung zurücknehmen

assess, *vt,* bewerten, eintaxieren, veranlagen; *(i. ü. S.)* gewichten; *assess a performance by* eine Leistung nach etwas bewerten; *assess a tax* Steuer eintaxieren; *assess damages* Schaden eintaxieren; *be assessed according to one standard* mit einerlei Maß gemessen werden; **~ment** *sub*, *-s* Bewertung; *(Steuer)* Einschätzung; **~or** *sub*, *-s* *(Sachverständiger)* Beisitzer

assets, *sub*, *nur Mehrz. (tt; wirt.)* Aktiva; *assets and liabilities* Aktiva und Passiva

assiduous, *adj*, *(fleissig)* eifrig

assimilate, *vt*, angleichen, assimilieren, verarbeiten; **assimilation** *sub*, *-s* Assimilation, Assimilierung, Verarbeitung

assist, *vi*, assistieren; **~ance (1)** *sub*, *-s* Assistenz; *nur Einz.* Mithilfe; *-s* Unterstützung **(2)** *vt*, zutun; *with the assistance of colleagues* unter Mithilfe der Kollegen, *can I be of any assistance to you* kann ich ihnen mit etwas dienlich sein; **~ance in an emergency** *sub*, *nur Einz.* Nothilfe; **~ance with the harvest** *sub*, *nur Einz.* Ernteeinsatz; **~ant** *sub*, *-s* Assistent, Beigeordnete, Gehilfe, Hilfslehrer; *(Gehilfe)* Helfer; **~ant head of government department** *sub*, *heads* Ministerialdirigent; **~ant judge** *sub*, *- -s (jur.)* Assessor; **~ant of sales manager** *sub*, *assistants* Substitut, Substitutin

associate, **(1)** *sub*, *-s* Teilhaber, Teilhaberin **(2)** *vt*, *(geb.)* assoziieren; **~ o.s.** *vr*, *(geb.; polit.)* assoziieren; **~s** *sub*, *hier nur Mehrz.* Konsorten; **association** *sub*, *-s* Assoziation, Assoziierung, Bund, Gemeinschaft; *(tt; polit.)* Verband; *(tt; wirt.)* Verbindung; *association of residents* Anwohnervereinigung; *the associations conjured up by this word* was bei diesem Wort mitschwingt; **associative** *adj*, assoziativ

assortment, *sub*, *-s* Kollektion; *(Auswahl)* Sortiment

assume, *vt*, unterstellen; *(Amt)* übernehmen; *do sth assuming that* etwas in der Annahme tun, dass; *have reason to assume that* Grund zur Annahme haben, dass; **~d** *adj*, *(angenommen)* gedacht; **assumption** *sub*, *-s* Präsumtion, Vermutung; *(Amts-)* Übernahme; *nur Einz. (Mariä)* Himmelfahrt; *-s (Vermutung)* Annahme; *warrants the assumption that* berechtigt zu der Annahme, dass

assurance, *sub*, *-s* Gewissheit, Versicherung; **assure** *vt*, versichern

aster, *sub*, *-s (bot.)* Aster

asterisk, *sub*, *-s (Druckwesen)* Sternzeichen

asteroid, *sub*, *-s* Planetoid; *(tt; phy.)* Asteroid

asthma, *sub*, *nur Einz. (med.)* Asthma; **~ attack** *sub*, *- -s* Asthmaanfall; **~tic (1)** *adj*, asthmatisch **(2)** *sub*, *-s* Asthmatiker

astigmatic, *adj*, astigmatisch, stabsichtig; **astigmatism** *sub*, *nur Einz.* Astigmatismus

astonish, *vt*, erstaunen, frappieren, verwundern; **~ing** *adj*, erstaunlich, staunenswert; **~ment** *sub*, *nur Einz.* Befremden; *-s* Erstaunen, Erstauntheit; *nur Einz.* Staunen; *realize with astonishment* mit Befremden feststellen

astral, *adj*, astral; **~ body** *sub*, *-ies* Astralleib

astride, *adj*, rittlings

astrologer, *sub*, *-s* Astrologe, Sterndeuter; **astrological** *adj*, astrologisch; **astrology** *sub*, *nur Einz.* Astrologie, Sterndeutung

astronaut, *sub*, *-s* Astronaut; **~ical** *adj*, astronautisch; **~ics** *sub*, *-s* Astronautik

astute, *adj*, scharfsinnig

asylum, *sub*, *-s* Irrenanstalt; *nur Einz. (polit.)* Asyl; **~ application** *sub*, *- -s* Asylantrag; **~ laws** *sub*, *nur Mehrz. (Gesetze)* Asylrecht; **~-seeker** *sub*, *-s* Asylant, Asylbewerber

asymmetric bar, *sub*, *-s* Stufenbarren; **asymmetrical** *adj*, asymmetrisch; **asymmetry** *sub*, *-ies* Asymmetrie

asynchronous, *adj*, asynchron

as you like, *adv*, beliebig

at, *präp*, zu; *(räumlich)* am; *(Zeit)* um; *(zeitl)* zu; *(zeitlich)* mit; *(zahlenang.) at two per cent* zu zwei Prozent; *at the oven* am Ofen; *at any rate* um jeden Preis; *at six o´clock* um 6 Uhr; *at the window* beim Fenster; *knock at the door* gegen die Türe klopfen; *sit at the table* am Tisch sitzen; *(ugs.i.ü.S.) this is where it´s at!* hier spielt die Musik!; *(zweck) to be no use at all* zu nichts zu gebrauchen sein; *(örtl/richt) to point heavenwards/up at the heavens* zum Himmel weisen; *(zweck) to set her mind at rest* nur zu ihrer Beruhigung; *(zeitl.) at an early hour* zu früher Stunde; *(zeitl.) at Easter* zu Ostern; *(zeitl.) at midday* zu Mittag; *(örtl. Lage) to seat at sb side* jmd zur Seite sitzen; ~ **(the) most** *adv*, höchstens, höchstfalls; *after 5 minutes at the most* nach höchstens 5 Minuten; *we'll win second place at the most* wir gewinnen höchstens einen 2 Platz; ~ *a snail's pace adv*, Schneckentempo; ~ **all** *adv*, irgend, lange; *if at all possible* wenn irgend möglich; *(i. ü. S.) not at all!* keine Spur!; ~ **any given time** *adv*, jeweils; ~ **any time** *adv*, jederzeit, jederzeitig; ~ **best** *adv*, bestenfalls; ~ **exactly that time** *adv*, ebendann; ~ **exactly the place** *adv*, ebendort; ~ **first** *adv*, zunächst; ~ **full speed** *adv*, *(ugs.)* Karacho; *(ugs.) he drove smack into the wall* er fuhr mit Karacho gegen die Mauer; ~ **intervals** *adv*, zwischendurch

at, by, near, *präp*, *(räumlich)* bei, beim; *at the door* bei der Tür; *by the river* beim Fluss; *live at one's parents' place* bei seinen Eltern wohnen; *near London* bei London; **at, by, on** *präp*, *(bezüglich)* bei; *(zeitlich)* bei; *at night* bei Nacht; *by day* bei Tag; *on arrival of the train* bei Ankunft des Zuges; **at, in, on, to** *präp*, auf; *everywhere in the world* überall auf der Welt; *in German* auf Deutsch; *it's getting on for noon* auf Mittag zu gehen; *on the chair* auf dem Stuhl; **at, on** *präp*, *(räumlich)* an; *at the door* an der Tür; *on the wall* an der Wand; **at, on, with** *on*, *(in Anbetracht)* bei; *at wages of* bei einem Lohn von; *considering your problems* bei deinen Problemen; *with such a performance* bei einer solchen Leistung

atelier, *sub*, -s *(Künstler-)* Studio

atheism, *sub*, nur Einz. Atheismus; **atheist,** *sub*, -s Atheist; **atheistic** *adj*, atheistisch

athlete, *sub*, -s Athlet, Leichtathlet, Sportler; ~*'s foot* *sub*, -s Fußpilz; ~*'s heart* *sub*, -s Sportlerherz; **athletic** *adj*, athletisch, sportlich; **athletics** *sub* nur Mehrz. Athletik; - Leichtathletik

athmosphere, *sub*, - Flair

at home, *adv*, daheim

Atlantic, *adj*, nur Einz. Atlantik

atlas, *sub*, -es Atlas

at last, *adv*, letztendlich; *(nach langer Zeit)* endlich; *are you ready at last* bist du endlich fertig; **at least** *adv*, jedenfalls, wenigstens, zumindest; *he didn't come, but at least he apologized* er ist nicht gekommen, aber er hat sich jedenfalls entschuldigt; *he has travelled a lot, at least he says he has* er ist sehr weit gereist, jedenfalls sagt er das; **at lunchtime** *adv*, mittags; **at most** *adv*, allenfalls, maximal; **at night** *adv*, nachts; *(on) Tuesday nights* dienstags nachts; **at once** *adv*, flugs, schleunigst, sofort, sogleich; *come home at once!* komm sofort nach hause!; **at random** *adv*, wahllos; *at s.o.'s. bchest* *sub*, -s *(auf j-s - hin)* Geheiß; **at short notice** *adv*, kurzfristig; *to cancel a visit at short notice* einen Besuch kurzfristig absagen; *we suddenly changed our plans* wir haben kurzfristig unsere Pläne geändert; **at that time (then)** *adv*, damals

atmosphere, *sub*, -s Atmosphäre, Stimmung; *(i. ü. S.)* Klima; nur Einz. Kolorit; -s *(Lokalkolorit)* Milieu; *the atmosphere was totally ruined* die Stimmung war im Eimer; **atmospheric** *adj*, atmosphärisch; **atmospheric humidity** *sub*, -s Luftfeuchtigkeit

atom, *sub*, -s Atom; ~**ic nucleus** *pron*, Atomkern; ~**ic pile** *sub*, -s *(Atom-)* Meiler; ~**ic weight** *sub*, -s Atomgewicht; ~**ize** *vt*, zerstäuben; ~**izer** *sub*, -s Zerstäuber; ~**izing** *sub*, -s *(tt; biol.)* Zerstäubung

atonal, *adj*, *(mus.)* atonal; ~**ity** *sub*, -ies Atonalität; **atone (1)** *vi*, büßen **(2)** *vti*, sühnen; *atone for* für etwas büßen; *you will pay for it* das sollst du mir büßen, *atone for a crime* ein Verbrechen sühnen; *atone for one's wrongs* seine Schuld sühnen; **atonement** *sub*, -s Sühne; *this demands atonement* das verlangt Sühne; *to atone for* als Sühne für

atrium, *sub*, -s Atrium

atrocity, *sub*, -ies Quälerei; - Untat; -ies *(Greueltat)* Grausamkeit

atrophy, *sub*, nur Einz. *(tt; med.)*

Verkümmerung; ~ **of the brain** sub,
-ies (med.) Gehirnschwund

attach, vt, anmontieren, beiheften,
festmachen, knüpfen; (anbringen)
anmachen, befestigen; (tech.) anfügen; be very attached to each other
aneinander hängen; ~ **o.s.** vr, (einer
Person) anhängen; ~é sub, -s Attaché; ~**ing** sub, nur Einz. (Anbringung) Befestigung; ~**ment** sub, - (tt;
tech.) Zusatzgerät; ~**ment figure**
sub, -s Bezugsperson; ~**ment point**
sub, -s (tech.) Ansatzpunkt

attack, (1) sub, -s Angriff, Attacke, Befall; (Attentat) Anschlag; (med.) Anfall **(2)** vt, befallen, losfahren;
(angreifen) anfallen; (mil.) angreifen; carry out an attack on someone
einen Überfall auf jemanden machen;
~ **of fever** sub, -s Fieberanfall; ~**er**
sub, -s Angreifer

attar of roses, sub, -s Rosenöl

attempt, (1) sub, -s Versuch; (i. ü. S.)
Anlauf; (i. ü. S.; Versuch) Ansatz **(2)**
vt, versuchen, zumuten; make an attempt on so's life einen Anschlag auf
jemanden verüben; ~**ed escape** sub,
-s Ausbruchsversuch; ~**ed rapprochement** sub, -s (polit.) Annäherungsversuch

attend, vt, (eine Schule) besuchen; attend a meeting ein Sitzung anwesend sein; ~ **to** vt, vornehmen;
~**ance** sub, -s Aufwartung; (Anzahl
der Teilnehmer) Beteiligung; nur
Einz. (bei Kursen) Anwesenheit; -s
(einer Schule) Besuch; ~**ance allowance** sub, -s Pflegegeld; (polit.) Sit-
zungsgeld; ~**ance register** sub, -s
Präsenzliste; ~**ant** sub, -s Wächter,
Wärter; (allgemein) Aufseher; -s (im
Beruf) Begleiter; ~**ants** sub, nur
Mehrz. (Bedienstete) Gefolge

attention, sub, nur Einz. Augenmerk,
Beachtung, Obacht; -s Zuwendung;
nur Einz. (Konzentration) Aufmerksamkeit; turn one's attention to sth
sein Augenmerk auf etwas richten;
pay attention to Beachtung schenken; draw attention to os sich bemerkbar machen; draw so's
attention to sth jemanden auf etwas
aufmerksam machen; pay attention
aufmerksam sein; (mil.) stand at attention stramm stehen; to avoid attracting attention um Aufsehen zu

vermeiden; to pay attention to Notitz nehmen; attract attention Aufmerksamkeit erregen; focus one's
attention on sth seine Aufmerksamkeit auf etwas richten; pay attention to sth etwas seine
Aufmerksamkeit schenken; **Attention!** sub, nur Einz. Aufgepasst!;
attentive adj, (konzentriert; höflich) aufmerksam; **attentively** adv,
aufmerksam; listen attentively aufmerksam lauschen; **attentiveness**
sub, nur Einz. (Höflichkeit) Aufmerksamkeit

at the back, adv, hinten; ~ **of** adv,
hinten; **at the beginning** adv, eingangs; **at the bottom** adv, unten;
at the earliest adv, ehestens; **at
the front** adv, vorweg; **at the latest** adv, längstens, spätestens; **at
the midnight hour** adv, mitternachts; **at the moment** adv, derzeit; (augenblicklich) momentan;
(momentan) augenblicklich

at the most, adv, längstens; (höchstens) äußerstenfalls; **at the same
day** adv, gleichentags; **at the same
time** adv, gleichzeitig, zugleich;
(gleichz.) dazu; (gleichzeitig) nebenbei; (während) dabei; **at the
side** adv, seitlich; **at the side of**
präp, seitlich; **at the surface** adv,
(an der Oberfläche) oben; **at the
time** adj, damalig, jeweilig; at that
time in der damaligen Zeit; **at the
times of** adv, zuzeiten

at the top, adv, obenan; (am oberen Ende) oben; his name is at the
top sein Name steht obenan; ~ **of
one's voice** adv, lauthals; **at the
very earliest** adv, allerfrühestens;
at the very least adv, allerspätestens; **at the worst** adv, schlimm-
stenfalls; **at this point** adv, (geb.)
nunmehr; **at times** adv, zeitweise

attic, sub, -s Bodenkammer, Dach-
geschoß; (Dachboden) Speicher;
live under the attic unterm Dach
wohnen; ~ **apartment** sub, -s (US)
Dachwohnung; ~ **flat** sub, -s Dachwohnung

attitude, sub, -s (Ansicht) Einstellung; (Grundeinstellung) Haltung;
to have the right attitude die richtige Einstellung mitbringen

attribute, (1) sub, -s Attribut **(2)** vt,

zuschreiben; *(i. ü. S.) unterlegen; at·* **tributive** *adj,* attributiv

atypical, *adj,* atypisch

aubergine, *sub, -s* Aubergine

auction, (1) *sub, -s* Auktion, Versteigerung **(2)** *vt,* versteigern; *be auctioned* zur Auktion kommen; *put up for auction* in die Auktion geben; **~eer** *sub, -s* Auktionator, Versteigerer

audible, *adj,* hörbar, vernehmbar

audience, *sub, -s* Audienz, Hörer, Publikum; *nur Einz.* Zuhörerschaft; *nur Mehrz.* Zuschauer; *-s (Zuhörer)* Auditorium; *you can see that the audience is really with him* man merkt wie die Zuhörer mitgehen; **~ seat** *sub, -s* Zuhörerbank

audio frequency, *sub, -ies* Tonfrequenz; **audio-visual** *adj,* audiovisuell

audit (Am.), *vi,* hospitieren; **audit office** *sub, -s* Rechnungsamt

audition, *vt, (tt; kun.)* vorsprechen; **auditor** *sub, -s* Revisor; *(Univ.)* Gasthörer; **auditor (Am.)** *sub, -s* Hospitant; **auditorium** *sub, -s* Theaterraum, Theatersaal; *(Hörsaal)* Auditorium

August, *sub, -s* August

aunt, *sub, -s* Tante

au pair girl, *sub, -s* Aupairmädchen

aura, *sub, -s* Aura; - Flair; *-s (i. ü. S.)* Fluidum, Nimbus; *to surround oneself with an aura of respectability* sich mit dem Nimbus der Anständigkeit umgeben

aural training, *sub, -s* Gehörbildung

auricle, *sub, -s* Ohrmuschel; **auricular confession** *sub, -s* Ohrenbeichte

aurochs, *sub, -es* Auerochse; - *(tt; zool.)* Ur

austerity program(me), *sub, -s (polit.)* Sparprogramm

Austrian, (1) *adj,* österreichisch **(2)** *sub, -s* Österreicher

authentic, *adj,* authentisch; *(nicht gefälscht)* echt; **~ally** *adv,* authentisch; **~ate** *vt,* authentisieren; **~ity** *sub, nur Einz.* Authentizität; *-ies* Echtheit

author, *sub, -s* Autor, Schriftsteller, Verfasser, Verfasserin; *best-selling author* Erfolgsautor; **~ ´s** *reading* *sub, -s´ -s* Autorenlesung

authoritarian, *adj,* autoritär, obrigkeitlich

authorities, *sub, nur Mehrz. (die Be-*

boroden) Obrigkeit; *the secular authorities* die weltliche Obrigkeit; *the spiritual authorities* die geistliche Obrigkeit; **~ responsible for fire precautions and fire-fighting** *sub,* Feuerpolizei; **authority** *sub, -ies* Autorität, Befugnis, Gewährsmann, Instanz, Kapazität; *hier nur Einz.* Kompetenz; *nur Einz.* Obrigkeit, Vollmacht; - *(durch Amt)* Gewalt; *nur Einz. (Verfügung)* Berechtigung; *he is one of the leading authorities in his field* er ist eine der führenden Kapazitäten seines Fachs; *that doesn´t lie within my authority* das liegt außerhalb meiner Kompetenz; **authority of the state** *sub, -ies* Staatsgewalt

authorization, *sub, -s* Autorisation, Bevollmächtigung, Ermächtigung; *nur Einz.* Legitimation; *-s* Zulassung; **authorize** *vt,* autorisieren, befugen, bevollmächtigen, ermächtigen; **authorized** *adj,* autorisiert, befugt; **authorized to receive** *adj,* empfangsberechtigt

autism, *sub,* Autismus; **autistic** *adj,* autistisch

autobahn, *sub, -s (in Deutschland)* Autobahn

autobiografical, *adj,* autobiografisch; **autobiography** *sub, -ies* Autobiografie

autocracy, *sub, -ies* Alleinherrschaft; **autodidactic** *adj,* autodidaktisch; **autodidactically** *adv,* autodidaktisch

autofocus, *sub, nur Einz.* Autofokus

autograph, *sub, -s* Autogramm; **~ book** *sub, -s* Poesiealbum

automat, *sub, -s* Automatenrestaurant; **~e** *vt,* automatisieren; **~ic** *adj,* automatisch, selbsttätig; **~ic dishwasher** *sub, -s* Spülautomat; **~ic system** *sub, -s (automatisches Sytem)* Automatik; **~ic teller machine (ATM)** *sub, -s* Bankautomat; **~ic transmission** *sub, -s* Automatikgetriebe; *(in Fahrzeugen)* Automatik; **~ic washing machine** *sub, -s* Waschautomat; **~ically** *adv,* automatisch

automation, *sub, -s* Automation, Automatisierung; **automatism** *sub, -s* Automatismus; **automobile**

association *sub*, *-s* Automobilklub

autonomous, *adj*, autonom; **autonomy** *sub*, *-ies* Autonomie; **autonomy in negotiating wage rates** *sub*, autonomies (Lohnverhandlungen) Tarifautonomie

autopsy, *sub*, *-ies* Autopsie, Obduktion; *autopsy* Öffnung der Leiche; *(med.) perform an autopsy* jemanden sezieren; ~ **results** *sub*, *nur Mehrz.* Obduktionsbefund

autosuggestion, *sub*, *nur Einz.* Autosuggestion

autumn, *sub*, *nur Einz.* Herbst; ~ **break** *sub*, *nur Einz.* Herbstferien; ~ **colouring** *sub*, *nur Einz.* Laubfärbung; ~ **fog** *sub*, - Herbstnebel; ~ **storm** *sub*, *-s* Herbststurm; ~ **sun** *sub*, - Herbstsonne; ~ **trade** *sub*, - Herbstmesse; ~**al** *adj*, herbstlich; ~**flower** *sub*, *-s* Herbstblume

auxiliary saint, *sub*, *-s* Nothelferin

availability, *sub*, *-ies* Disponibilität; ~ **for purchase** *sub*, *nur Einz.* Käuflichkeit; **available** *adj*, disponibel, lieferbar, verfügbar, vorhanden; *(Handel)* greifbar; **available only on prescription** *adj*, rezeptpflichtig

avalanche, *sub*, *-s* Lawine; ~ **of stones** *sub*, *avalanches* Steinlawine; ~ **search dog** *sub*, *-s* Lawinenhund

avant-garde, (1) *adj*, avantgardistisch (2) *sub*, *-s* Avantgarde

avenge, *vt*, rächen; ~**r** *sub*, *-s* Rächer; **avenging goddess** *sub*, *-es* Rachegöttin

avenue, *sub*, *-s* Allee, Korso; ~ **of poplars** *sub*, *avenues* Pappelallee

average, (1) *adj*, (durchschnittlich) gewöhnlich; *(stat.)* Durchschnitt (2) *sub*, *-s* Durchschnitt; *(math.)* Mittel; *be (a good) average* guter Durchschnitt sein; *on average* im Durchschnitt; *on average* im Mittel; ~ **speed** *sub*, *-s* Durchschnittsgeschwindigkeit

averse, *adj*, abhold, ~ **to light** *adj*, lichtscheu; **aversion** *sub*, *-s* Aversion; *(Widerwille)* Überdruss

avert, *vt*, *(beseitigen)* bannen; *(Verdacht)* ablenken

aviation, *sub*, *nur Einz. (Flugzeuge)* Luftfahrt

avocado, *sub*, *-s* Avocado

avoid, *vt*, meiden, vermeiden; *(einer Frage etc.)* ausweichen; *avoid a sub-*

ject einem Thema ausweichen; *avoid to make a decision* einem Entschluss ausweichen; ~**able** *adj*, abwendbar, vermeidlich

avolutionary, *adj*, evolutionär

awake, (1) *adj*, wach; *(wach)* munter (2) *vi*, erwachen; *wide awake* frisch und munter; ~**ning** *sub*, *-s* Erwachen

award, (1) *sub*, *-s* Förderpreis, Prämiierung, Zuerkennung (2) *vt*, vergeben; *award a prize to so* jemanden mit einem Preis auszeichnen; *be awarded a prize* einen Preis erhalten; ~ **sb a diploma** *vt*, diplomieren; ~**(ing)** *sub*, *-s* Verleihung; ~**-winning** *adj*, preisgekrönt; ~**ing** *sub*, *-s* Zuerteilung

aware, *adj*, *(im Klaren)* bewusst; *be aware of sth* sich einer Sache bewußt sein; *be self-aware* seiner selbst bewusst sein; *one has to be aware that* es ist zu beachten, dass; *to make sb aware of sth* jmd die Augen für etwas öffnen; ~**ness** *sub*, - Wahrnehmung; *nur Einz. (gesellschaftliches etc.)* Bewusstsein

away, (1) *adj*, *(abw.)* fort (2) *adv*, hinweg; *(weg)* los; *away with you* weg mit euch; *far away from here* weit weg von hier; *up and away* auf und davon; ~ **from home** (1) *adv*, *(von zu Hause weg)* auswärts (2) *sub*, Fremde; ~ **game** *sub*, *-s (spo.)* Gastspiel; ~ **match** *sub*, *-s* Auswärtsspiel

awful, *adj*, furchtbar, schlimm; *(ugs.)* horrend; *(ugs.) goddamn awful* unter aller Sau; *I feel awful about it* das ist mir ja so peinlich; *(ugs.) she's still in awful pain* sie hat noch horrende Schmerzen; ~ **weather** *sub*, - Sauwetter; ~**ly** *adv*, lausig

awkward, *adj*, linkisch, misslich, prekär, renitent, täppisch, tapsig, tollpatschig, trottelhaft, unbeholfen, ungelenk, verfänglich; *(Bewegung)* plump; *(schwerfällig)* umständlich; *that's a bit awkward* das ist ja eine missliche Sache; *to express oneself awkwardly* sich ungeschickt ausdrücken; ~ **so-and-so** *adj*, *(ugs.)* Querkopf; ~**ness** *sub*, *nur Einz.* Bockigkeit, Misslichkeit, Renitenz

awl, *sub*, *-s* Pfriem
awning, *sub*, *-s* Markise; *(Schutzdach)*
  Plane
axe, *sub*, *-s* Axt
axiom, *adj*, Axiom; **~atic** *adj*, axiomatisch; **~atically** *adv*, axiomatisch
axis, *sub*, - Himmelsachse; *-en* Himmelsbahn; *axes (arch., mat.)* Achse;

of ordinates *sub*, *axes* Ordinatenachse
axle, *sub*, *axles (Auto)* Achse; **~load** *sub*, *- -s* Achsdruck
azalea, *sub*, *-s (bot.)* Azalee
azure, *adj*, azurblau

B

babbling, *sub,* - *(Baby)* Geplapper; *(Wasser)* Geplätscher; **~ stage** *sub,* - Lallperiode

baboon, *sub,* -*s* Pavian

baby, *sub,* babies Baby; -*ies* Säugling; *have a baby* ein Baby bekommen; *to have a baby* Mutter werden; **~ at crawling stage** *sub,* -*ies* Krabbelkind; **~ face** *sub,* -*s* Milchgesicht; **~ food** *sub,* nur Einz. Babynahrung; **~ grand piano** *sub,* -*s* Stutzflügel; **~ of the family** *sub,* babies Nesthäkchen; **~ seal** *sub,* -*s (junger Seeh.)* Heuler; **~´s changing table** *sub,* -*s* Wickeltisch; **~´s sleeping bag** *sub,* -*s* Strampelsack; **~sit** *vi,* babysitten; **~sitter** *sub,* -*s* Babysitter

bachelor, *sub,* -*s* Junggeselle

back, **(1)** *adj,* hinter **(2)** *adv,* zurück; *(ugs.)* retour **(3)** *sub,* -*s* Rücken, Rückseite; *(ugs.)* Buckel **(4)** *vt,* stützen; *behind my back* hinter meinem Rücken, *(i. ü. S.) to stab sb in the back* jmd in den Rücken fallen; *(ugs.) you´ve got a lovely back* ein schöner Rücken kann auch entzücken; *(i. ü. S.; Glücksspiel) back the wrong horse* auf das falsche Pferd setzen; *he lost a fortune on the stock market, but he´s back (on his feet) again now* er hat ein Vermögen an der Börse verloren, aber inzwischen hat er sich wieder hochgerappelt; *I´ve got the boss on my back* der Chef sitzt mir auf der Pelle; *the garden is in the back* der Garten ist dahinter; *to do things back to front* das Pferd am Schwanz aufzäumen; *(i. ü. S.) to put one´s back into it/sth* sich in die Ruder legen; **~ department** *sub,* -*s (geh.)* rückwärtig) Fond; **~ lighting** *sub,* -*s* Gegenlicht; **~ muscle** *sub,* -*s* Rückenmuskel; **~ of nowhere** *sub,* - *(ugs.)* Krähwinkel; **~ of the head** *sub,* -*s* Hinterhaupt; **~ out** *vi,* *(aus einem Projekt etc.)* aussteigen; **~ pocket** *sub,* -*s* Gesäßtasche; **~ seat** *sub,* -*s* Rücksitz; **~ seats** *sub,* nur Mehrz. Sperrsitze; **~ side** *sub,* -*s* Hinterfront; **~ stairs** *sub,* nur Mehrz. Hintertreppe; **~ straight** *sub,* -*s (spo.)* Gegengerade

background, *sub,* -*s* Hintergrund; *(Person)* Herkunft; *form the back-*

ground to sth den Hintergrund einer Sache bilden; *he keeps very much in the background* er tritt kaum in Erscheinung; *push so into the background* jmdn in den Hintergrund drängen; **~ music** *sub,* - *(tt; mus.)* Untermalung; **~ noise** *sub,* -*s (Radio)* Störgeräusch; **backhand** *sub,* nur Einz. *(spo.)* Rückhand; **backheeler** *sub,* -*s (Fußball)* Hackentrick; **backing track** *sub,* -*s (Band bei Platte)* Play-back; **backlog of orders** *sub,* nur Einz. Auftragsbestand; **backpacker** *sub,* -*s* Rucksacktourist; **backpedal** *sub,* -*s* Rücktrittbremse; **backrest** *sub,* -*s* Sessellehne; **backside** *sub,* -*s* Hintern; **Engelmacher; **backstreet abortionist** *sub,* -*s* Engelmacher; **backstretch** *sub,* -*es (spo., US)* Gegengerade; **backward** *adj,* rückständig; **backwards** **(1)** *adj,* rückwärts **(2)** *adv,* hinterwärts; **backwater** *sub,* nur Einz. Oberwasser; **backwoodsman** *sub,* -*men* Hinterwäldler

back tire, *sub,* -*s (US)* Hinterreifen; **back transfer** *sub,* -*s* Rückbuchung; **back tyre** *sub,* -*s* Hinterreifen; **back view** *sub,* -*s* Rückansicht; **back wall** *sub,* -*s* Rückwand; **backcross** *sub,* -*es* Rückkreuzung; **back-formation** *sub,* -*s* Rückbildung; **back-payment** *sub,* -*s (später)* Nachzahlung; **back-rest** *sub,* -*s* Rückenlehne; **backache** *sub,* -*s* Kreuzschmerz; **backbite** *vi,* lästern; **backbone** *sub,* -*s* Rückgrat; **backdate** *vt,* rückdatieren, zurückwirken; **backdated** *adj,* rückwirkend; **backdrop** *sub,* -*s* Kulisse; **backed up by research** *adj, (wissensch.)* fundiert; **backfire** *sub,* -*s* Fehlzündung

bacon, *sub,* -*s* Speck; **~ and potato omelett** *sub,* -*s* Bauernfrühstück

bacterial, *adj,* bakteriell; **bactericidal** *adj,* antibakteriell; **bactericide** *sub,* -*s* Bakterizid; **bacteriological** *adj,* bakteriologisch; **bacteriologist** *sub,* -*s* Bakteriologe; **bacteriology** *sub,* nur Einz. Bakteriologie; **bacterium** *sub,* -*ria* Bakterie; **bacterium causing suppuration** *sub,* -*a (med.)* Eitererreger

Bactrian camel, *sub*, *-s* Trampeltier

bad, *adj*, ~g: mhelhecht, schimmm, übel, ungut; *(Gesundheit)* angegriffen; *(übel)* böse; *(ugs.) a bad lot* ein übler Bursche; *he´s got it bad(ly)* den hat es aber ganz schön gepackt; *how are you? Not too bad!* wie geht es Dir? Einigermaßen!; *it´s just too bad* das ist ewig schade; *it´s not bad* die Sache ist nicht übel; *(i. ü. S.) not a bad sort, this* gar kein so unebener Bursche, dieser; *not bad!* nicht übel!; *(i. ü. S.) the air is very bad* die Luft ist zum Schneiden; *to have an uneasy/bad feeling* ein ungutes Gefühl haben; *he´ll come to a bad end* es wird noch böse mit ihm enden; ~ **breath** *sub*, *nur Einz.* Mundgeruch; *to do sth about one´s bad breath* etwas gegen Mundgeruch tun; ~ **habit** *sub*, *-s* Unsitte, Untugend; ~ **investment** *sub*, *-s* Fehlinvestition; ~ **lot** *sub*, *-s (ugs.)* Rabenaas

badge, *sub*, *-s* Abzeichen, Button, Festplakette, Plakette; *(Abzeichen)* Anstecknadel; ~ **of rank** *sub*, *-s (mil.)* Rangabzeichen

badger, *sub*, *-s* Dachs; *to badger sb* jmd in den Ohren liegen; ~ **haired** *adj*, drahthaarig; ~´s **earth** *sub*, *nur Einz.* Dachsbau

bad luck, *sub*, *nur Einz.* Künstlerpech; *- (ugs.)* Unglück; *nur Einz. (Unglück)* Pech; *(ugs.) that´s bad luck* das bringt Unglück; *bad luck follows him around* er ist vom Pech verfolgt; **bad mother** *sub*, *-s (ugs.)* Rabenmutter; **bad news** *sub*, *nur Mehrz.* Hiobsbotschaft; **bad parents** *sub*, *nur Mehrz. (ugs.)* Rabeneltern; **bad pass** *sub*, *-es (spo.)* Fehlpass; **bad planning** *sub*, *-s* Fehlplanung; **bad state of affairs** *sub*, *nur Einz.* Missstand; **bad taste** *sub*, *-s (schlechter Geschmack)* Abgeschmacktheit; **bad vision** *sub*, *nur Einz. (med.)* Fehlsichtigkeit; **bad weather** *sub*, *-* Schlechtwetter; **bad-tempered** *adj*, missgelaunt, misslaunig, unleidlich

badly, *adv*, arg, schlecht, übel; ~ **brought up** *adj*, verzogen; ~ **soundproofed** *adj*, *(Wand)* hellhörig

badminton, *sub*, *(Spiel)* Federball

badness, *sub*, *nur Einz.* Schlechtheit

bafflement, *sub*, *-s (ugs.)* Verdutztheit

baggage, *sub*, *- (US)* Gepäck; ~ **car**

sub, *-s* Gepäckwagen; ~ **check** *sub*, *-s* Gepäckschein; ~ **counter** *sub*, *-s* Gepäckabgabe; ~ **rack** *sub*, *-s* Gepäckablage, Gepäcknetz; ~ **servant** *sub*, *-s (mil.)* Trossknecht; ~ **train** *sub*, *-s* Tross

bagging, *sub*, *- (in Tüten)* Abfüllung

baggy breeches, *sub*, *nur Mehrz.* Pumphose

bagpipes, *sub*, *nur Mehrz.* Dudelsack

bail, *sub*, *-s* Kaution; ~ **for rope** *sub*, *-s* Seiltrommel

bailiff, *sub*, *-s* Exekutor, Gerichtsvollzieher; *the bailiffs took away his furniture* man hat ihm die Möbel gepfändet; *to get the bailiffs onto sb* jmdn pfänden lassen

bait, *sub*, *-s* Köder; *(i. ü. S.) good bait catches fine fish* mit Speck fängt man Mäuse

bake, **(1)** *sub*, *-s (Gericht)* Auflauf **(2)** *vti*, backen; ~ **through** *vt*, durchbacken; ~**d pastry case** *sub*, *-s* Tortenboden; ~**r** *sub*, *-s* Bäcker; ~**r´s shop** *sub*, *-s´ -s* Bäckerladen; ~**ry** *sub*, *-ies (Geschäft)* Bäckerei

baking *sub*, *nur Einz. (das Bakken)* Bäckerei; **baking paper** *sub*, *nur Einz.* Backpapier; **baking powder** *sub*, *nur Einz.* Backpulver; **baking tray** *sub*, *-s* Backblech, Kuchenblech; **baking-tin** *sub*, *-s (Back-)* Form

balance, **(1)** *sub*, Abgewogenheit; *nur Einz.* Ausgewogenheit; *-s* Balance; Gleichgewicht; *-s* Guthaben, Saldo, Waage; *nur Einz. (einer Person)* Ausgeglichenheit; *-s (Endabrechnung)* Bilanz; *(Gleichgewicht)* Ausgleich **(2)** *vt*, austarieren, bilanzieren, saldieren; *(Unterschiede)* ausgleichen **(3)** *vti*, balancieren; *adverse trade balance* passive Handelsbilanz; *(i. ü. S.) to be in the balance* in der Schwebe sein; *to strike the right balance* das rechte Maß halten; *draw up a balance sheet* eine Bilanz aufstellen; *strike the balance* die Bilanz ziehen; *(i. ü. S.) that´s a sad outcome* das ist eine traurige Bilanz; ~ **beam** *sub*, *-s* Waagebalken; ~ **brought forward** *sub*, *-s* Saldovortrag; ~ **list** *sub*, *-s* Saldenliste; ~ **of trade** *sub*, *-s* Handelsbilanz; ~ **out**

vt, (a. i.ü.S.) ausbalancieren; **~ sheet total** *sub, -s* Bilanzsumme; **~ wheel** *sub, -s (tt; tech.)* Unruh; **~d** *adj,* abgewogen, ausgewogen; *(wirt.)* ausgeglichen; **~master** *sub, -s (i. ü. S.)* Waagemeister; **balancing** *sub, nur Einz.* Bilanzierung; **balancing act** *sub, -s* Balanceakt; **balancing pole** *sub, -s* Balancierstange

balcony, *sub, -ies* Balkon; *(Balkon auch)* Loggia; **~ furniture** *sub, nur Einz.* Balkonmöbel

bald, *adj,* kahl; **~ forehead** *sub, -s* Stirnglatze; **~ head** *sub, -s* Glatze, Glatzkopf, Kahlkopf; *(Glatze)* Platte; **~-headed** *adj,* glatzköpfig, kahlköpfig

balderdash, *sub, -es* Schmonzes; *nur Einz. (ugs.)* Mumpitz

baldness, *sub, nur Einz.* Kahlheit

bale, *sub, -s (wirt.)* Ballen; **~ of cloth** *sib,* Stoffballen; **~ of straw** *sub, bales* Strohballen

baleen whale, *sub, - -s* Bartenwal

balk-line game, *sub, -s (Billard)* Kaderpartie

ballad, *sub, -s* Ballade; **~-like** *adj,* balladenhaft; **~er** *sub, -s* Bänkelsänger

ballast, *sub, -s* Schotterung; *nur Einz. (überflüssiges Gewicht)* Ballast; *shed some ballast* Ballast abwerfen

ballerina, *sub, -s* Ballerina, Balletteuse

ballet, *sub, -s* Ballett; *be with the ballet* beim Ballett sein; *join a ballet company* zum Ballett gehen; **~ company** *sub, - -ies* Balletttruppe; **~ dancer** *sub, -s* Balletttänzer, Balletttänzerin; **~ music** *sub, nur Einz.* Ballettmusik

ballistic, *adj,* ballistisch; **~ally** *adv,* ballistisch; **~s** *sub, nur Mehrz.* Ballistik

balloon, **(1)** *sub, -s (Fluggerät)* Ballon **(2)** *vi,* aufblähen; **~ glass** *sub, -es* Schwenkglas; **~ tyre** *sub, - -s* Ballonreifen; **~ing** *sub, -s* Aufblähung; **~ist** *sub, -s* Ballonfahrer

ballot, *sub, -s* Wahlgang; **~ box** *sub, -es* Wahlurne; **~ paper** *sub, -s* Stimmzettel

ballpoint, *sub, -s (ugs.)* Kuli

ballroom, *sub, -s* Festsaal; *(Hotel)* Tanzsaal; **~ dance** *sub, -s* Gesellschaftstanz

balls, *sub, (vulg.)* Hoden; *nur Mehrz.*

(vulg.; Hoden) Ei

balm, *sub, -s* Balsam; *nur Einz.* Labsal; *-s* Melisse; *pour balm on so´s wound* jemandem Balsam auf seine Wunde geben; *(geh.) the coolness of the forest was a soothing balm* die Kühle des Waldes haben wir als Labsal empfunden

Baltic (Sea), *sub, nur Einz.* Ostsee

Baluchi, *adj,* belutschisch

balustrade, *sub, -s* Balustrade, Brüstung

bamboo, *sub, nur Einz.* Bambus; **~ (cane)** *sub, -s* Bambusrohr; **~ hut** *sub, - -s* Bambushütte

ban, (1) *sub, -s* Verbot; *(spo.)* Spielverbot; *(Verbot)* Sperre **(2)** *vt, (Produkt, etc.)* ächten; *(spo.) be banned* Spielverbot haben; **~ on exports** *sub, -s* Ausfuhrverbot

banana, *sub, -s* Banane; **~ republic** *sub, - -s (ugs.)* Bananenrepublik

bancruptcy, *sub, nur Einz.* Pleite

band, *sub, -s* Musikkapelle; *(mus.)* Kapelle; *(Musikgruppe)* Band; *bang a nail into the wall* einen Nagel in die Wand hauen; *bang a thing onto sth* einen Gegenstand auf etwas aufstoßen; *bang on the door* an die Tür bumsen; *I heard a bang* ich habe es plumpsen hören; *there was a terrible bang* es bumste ganz fürchterlich; **~ ceramics** *sub, nur Mehrz.* Bandkeramik; **~ saw** *sub, - -s* Bandsäge

bandage, (1) *sub, -s* Bandage; *(tt; med.)* Binde, Verband **(2)** *vt,* bandagieren; *put a bandage on so* jemandem eine Bandage anlegen

bandit, *sub, -s* Bandit

bandsman, *sub, -men (mil.)* Spielmann

bang, (1) *sub, -s* Knall **(2)** *vi,* krachen **(3)** *vt,* knallen **(4)** *vti, (ugs.; Fußball)* ballern; *(tech.)* bumsen; **~ about** *vi,* poltern; **~er** *sub, nur Mehrz.* Böller

banging *sub, nur Einz. (ugs.; Fußball)* Ballerei; **~ away** *vi, (ugs.)* Rammelei

bangle, *sub, -s* Armreif, Reifen

banish *vt,* verbannen; *banish* mit einem Bann belegen; **~ment** *sub, -s* Verbannung; *(Ausschluss)* Bann

bánister, *sub, -s (Treppen)* Geländer

bank, *sub,* Böschung; *-s* Wechselbank; *(Fluss-)* Ufer; *(wirt.)* Bank··· ··· *of the river* Flußböschung; *go to the bank* auf die Bank gehen; *have an account at the bank* ein Konto bei der Bank haben; *work for a bank* bei einer Bank sein; **~ account** *sub*, **- -s** Bankkonto, Bankverbindung; **~ balance** *sub*, **- -s** Bankguthaben; **~ clerk** *sub*, **- -s** Bankbeamte; **~ code** *sub*, **- -s** Bankleitzahl; **~ employee** *sub*, **-s** Bankkaufmann; **~ holiday** *sub*, **-s** *(gesetzl.)* Feiertag; **~ raid** *sub*, **- -s** Banküberfall; **~ robber** *sub*, **- -s** Bankräuber; **~ robbery** *sub*, **- -ies** Bankraub; **~ statement** *sub*, **-s** Kontoauszug; **~ swallow** *sub*, **-s** Uferschwalbe

banker, *sub*, **-s** Bankhalter, Bankier; **banking** *sub*, *nur Einz.* Bankwesen; **banking secrecy** *sub*, *nur Einz.* Bankgeheimnis; **banknote** *sub*, **-s** Geldschein; **bankrupt** *adj*, insolvent; *(a. i.ü.S.; wirt.; moralisch)* bankrott; *to go bankrupt* Pleite machen; *declare as bankrupt* sich für bankrott erklären; *go bankrupt* bankrott gehen; **bankrupt (company)** *sub*, **-s/- -ies** Bankrotteur; **bankrupt's assets** *sub*, *nur Mehrz.* Konkursmasse; **bankruptcy** *sub*, **-ies** Bankrott, Insolvenz, Konkurs; *face bankruptcy* vor dem Bankrott stehen; *file for bankruptcy* seinen Bankrott erkären; *go bankrupt* Bankrott machen; *with this programme the party has revealed its political bankruptcy* mit diesem Programm hat die Partei ihren Offenbarungseid geleistet

banner, *sub*, **-s** Banner, Spruchband; *(Spruchband)* Transparent

banns, *sub*, *nur Mehrz.* *(Eheaufgebot)* Aufgebot

banquet, *sub*, **-s** Festbankett, Festessen, Festmahl, Gastmahl; *(Fest-)* Essen; *(Festmahl)* Bankett; *(Gast~)* Mahl; **~ing hall** *sub*, **-s** Festsaal

banter, *sub*, **-s** *(ugs.)* Wortgeplänkel; *(Worte)* Geplänkel; **~ing** *adj*, *(Unterhaltung)* neckisch

baobab tree, *sub*, **- -s** Affenbrotbaum

baptism, *sub*, **-s** *(Einrichtung)* Taufe; **~ of fire** *sub*, **-s** Feuertaufe; **~al font** *sub*, **-s** Taufbecken, Taufbrunnen, Taufstein; **~al vow** *sub*, **-s** Taufgelübde; **baptist** *sub* *(bibl.)* Täufer; *(bibl.) John*

··· *Baptist* Johannes der Täufer; **baptistry** *sub*, **-ies** Taufkapelle; **baptize** *vt*, taufen

bar, (1) *sub*, **-s** Riegel, Schänke, Schanktisch; *(Goldbarren)* Barren; *(Kneipe, Ausschank)* Bar; *(Lokal)* Theke; *(paralelle Stäbe)* Gitter; *(phy.)* Bar; *(Schänke)* Ausschank; *(Schokoladen-)* Tafel; *(Schub)* Spange; *(spo.)* Holm; *(Theke)* Tresen **(2)** *vt*, *(Tür)* abriegeln; *(i. ü. S.) behind bars* bei Wasser und Brot, *(ugs.)* hinter schwedischen Gardinen; *to bar the view of* den Blick verwehren auf; **Bar Council** *sub*, **-s** *(jur.)* Anwaltskammer; **~ of silver** *sub*, *bars* Silberbarren; **~ stool** *sub*, **- -s** Barhocker

barb, *sub*, **-s** Widerhaken

barbarian, *sub*, **-s** Barbar; **barbaric** *adj*, barbarisch; **barbarism** *sub*, *nur Einz.* Barbarei

Barbary States, *sub*, *nur Mehrz.* Berberei

barbecue, (1) *sub*, **-s** *(US)* Grill **(2)** *vt*, grillen

barbed fence, *sub*, **-s** Stachelzaun; **barbed wire** *sub*, **-s** Stacheldraht

barbel, *sub*, **-s** *(zool.)* Barbe

barber, *sub*, **-s** Barbier; *(für Herren)* Frisör; **~-surgeon** *sub*, **-s** *(veraltet; Friseur)* Bader; **~'s** *sub*, **- -** *(Friseur)* Herrensalon; **~-shop** *sub*, **-s** *(für Herren)* Frisiersalon

barbiturate, *sub*, **-s** Barbiturat

bard, *sub*, **-s** Barde

bare, *adj*, blank, bloß, kahl, unbekleidet; *(Körperteile, Erde)* nackt; *barefooted* mit blanken Füssen; *bare-headed* mit blossem Kopf; *without stockings* mit blossen Beinen; *to escape with one's bare life* das nackte Leben retten; **~ one's teeth** *vt*, blecken, fletschen; *bare one's teeth* Zähne blecken; **~foot** *adv*, barfuß; **~-footed** *adj*, barfuß; **~-headed** *adj*, *adv*, barhäuptig

barely, *adv*, kaum; *he speaks so indistinctly that you can barely understand him* er spricht so undeutlich, daß man ihn kaum versteht

bareness, *sub*, *nur Einz.* Kahlheit; *(vgl. nackt)* Nacktheit

barge, (1) *sub*, **-s** Kahn, Lastkahn, Schelch **(2)** *vti*, rempeln; **barging**

sub, *-s (ugs.)* Rempelei

baritone, *sub*, Bariton

bark, (1) *sub*, *-s* Borke, Rinde **(2)** *vi*, bellen, blaffen; *(Hund)* anschlagen; *be barking up the wrong tree* auf dem falschen Dampfer sein, *his bark is worse than his bite* Hunde die bellen, beissen nicht; ~ **at** *vt*, anbellen, anherrschen, ankläffen; ~ **beetle** *sub*, *-s* Borkenkäfer; ~ **crêpe** *sub*, *nur Einz.* Borkenkrepp

barking, *sub*, - Gebell

barley, *sub*, *-s* Gerste, Graupe; ~ **soup** *sub*, *-s* Gerstensuppe; ~**corn** *sub*, *-s* Gerstenkorn

barmaid, *sub*, *-s* Bardame; **barman** *sub*, *-men* Barmann; *-s* Barmixer

barn, *sub*, *-s* Scheune, Stadel; ~ **door** *sub*, *-s* Scheunentor; ~ **owl** *sub*, *-s* Schleiereule

barometer, *sub*, *-s* Barometer; *the barometer is low* das Barometer steht tief

baron, *sub*, *-s* Baron, Freiherr; ~**ess** *sub*, *-es* Baronesse, Baronin, Freifrau, Freifräulein

baroque, *adj*, barock; **Baroque (era)** *sub*, *nur Einz.* Barockzeit; *(Barockzeit)* Barock; ~ **(style)** *sub*, *nur Einz.* *(Barockstil)* Barock; ~ **art** *sub*, *-s* Barockkunst; ~ **buliding** *sub*, *-s* Barockbau; ~ **church** *sub*, *-es* Barockkirche; ~ **style** *sub*, *nur Einz.* Barockstil

barouche, *sub*, *-s (hist.)* Kalesche

barque, *sub*, *-s* Bark; *(poet.)* Nachen

barrack room duty, *sub*, *-ies* Stubendienst; **barrack square** *sub*, *-s* Kasernenhof; **barracks** *sub*, *nur Mehrz.* Kaserne; - Truppenunterkunft

barracuda, *sub*, *-s (zool.)* Barrakuda

barrage balloon, *sub*, *-s (mil.)* Sperrballon

barrel, *sub*, *-s* Fass; *(Behälter)* Tonne; *(tech.)* Trommel; *(zool.)* Mittelhand; ~ **(of a gun)** *sub*, ~ Lauf; ~ **burst** *sub*, *-s (mil.)* Rohrkrepierer; ~ **of a revolver** *sub*, *-s* Revolverlauf; ~ **of gunpowder** *sub*, *-s* Pulverfass; ~ **organ** *sub*, *-s* Drehorgel, Leierkasten

barricade, (1) *sub*, *-s* Barrikade; *nur Einz.* Verrammelung **(2)** *vtr*, verbarrikadieren; *mount the barricades* auf die Barrikaden gehen; ~ **of wagons** *sub*, *-s* Wagenburg; **barricading** *sub*, *(ugs.)*

Einz. (ugs.) Verrammelung

barrier, *sub*, *-s* Bahnschranke, Hindernis, Schlagbaum, Schranke; *(a. i.ü.S.)* Barriere; - *(ugs.)* Verhau; *-s (Bahn-)* Sperre; *to tear down the barriers* die Mauern einreißen

barring, *sub*, *-s (Tür)* Abriegelung

barter, (1) *sub*, *-s* Handel, Tausch, Tauschhandel **(2)** *vt*, *(Güter)* tauschen; ~ **object** *sub*, *-s* Tauschobjekt

basalt, *sub*, *-s* Basalt; ~**ic** *adj*, basaltisch

base, (1) *adj*, nichtswürdig, schurkisch **(2)** *sub*, *-s* Basis, Sockel, Unterlage; *(chem.)* Base; *(eines Glieds)* Ansatz; *(mat.)* Grundzahl; *(Säule)* Fuß; *base wretch!* du Nichtswürdiger!; *base a plan on sth* bei einer Planung von etwas ausgehen; *base a suspicion on something* einen Verdacht durch etwas stützen, *on a broad basis* auf breiter Basis; ~ **of the skull** *sub*, *-s* Schädelbasis; ~ **wallah** *sub*, *-s* Etappenhase; ~**d on sth** *adv*, fußen; ~**ment** *sub*, *-s* Keller, Kellergeschoss, Souterrain, Tiefgeschoss

bashful, *adj*, schamhaft

basic, *adj*, basisch, grundlegend; ~ **attitude** *sub*, *-s* Grundhaltung; ~ **charge** *sub*, *-s* Grundgebühr; ~ **condition** *sub*, *-s* Grundzustand; ~ **course** *sub*, *-s* Basiskurs, Grundstudium; ~ **form** *sub*, *-s* Grundform; ~ **idea** *sub*, *-s* Grundgedanke; ~ **law** *sub*, *-s* Grundgesetz; ~ **needs** *sub*, - Grundbedarf

basic principle, *sub*, *-s* Grundprinzip, Leitsatz; **basic research** *sub*, *-es* Grundlagenforschung; **basic salary** *sub*, - Fixum; **basic training** *sub*, *-s* Grundausbildung; **basically** *adv*, an sich; **basics** *sub*, *nur Mehrz.* Grundbegriff

basil, *sub*, *nur Einz.* *(bot.)* Basilikum

basilica, *sub*, *-s* Basilika

basilisk, *sub*, *-s* Basilisk

basin, *sub*, *-s* Kessel; *(geol., tech.)* Becken

basis, *sub*, - Grundlage; *form the basis of* die Grundlage bilden für; *have no legal basis* jeder gesetzlichen Grundlage entbehren

bask, *vt*, *(in der Sonne)* baden; *bask*

in the sun sich in der Sonne aalen, sich in der Sonne baden

basket, *sub,* -s Korb; *(Ballon)* Gondel; **~-ball** *sub,* nur *Einz.* Korbball; **~-maker** *sub,* -s Korbflechter

bassinet (on wheels), *sub,* -s Stubenwagen

basso continuo, *sub,* -s Generalbass

bassoon, *sub,* -s *(mus.)* Fagott; **~ist** *sub,* -s Fagottbläser, Fagottist

bastard, *sub,* -s *(ugs.)* Scheißkerl, Schweinehund; *(vulg.)* Arschgeige, Hurensohn; *(Mann)* Mistvieh; *(vulg.; Schimpfwort/Mann)* Miststück

baste, *sub,* -s *(Braten-)* Überguss

bastion, *sub,* -s Bastei, Bastion, Bollwerk

bat, *sub,* -s Fledermaus; *(ugs.)* to go *like a bat out of hell* einen Zahn draufhaben

bath, *sub,* - Wanne; -s *(baden)* Bad; *have a bath* ein Bad nehmen (sich baden)

bath mat, *sub,* - -s Badematte; **bath salts,** *sub,* nur *Mehrz.* Badesalz; **bath towel** *sub,* -s Badetuch; **bathing cap** *sub,* -s Badekappe, Bademütze; **bathrobe** *sub,* -s Bademantel; **bathroom** *sub,* -s Badezimmer; *(haupts. US)* Lokus; *(Badezimmer)* Bad; **bathtub** *sub,* -s Badewanne

bathometer, *sub,* -s Tiefenlinie

bathysphere, *sub,* -s Taucherkugel

batik, *sub,* -s Batik; **~ print** *sub,* - -s Batikdruck

batiste, *sub,* -s Batist

baton, *sub,* -s Taktstock; *wield the baton* den Taktstock schwingen; **~ change** *sub,* -s Stabwechsel

battery, *sub,* *-ies (mil.)* Batterie, Phalanx; *(tech.)* Batterie; **~-operated** *adj,* batteriebetrieben

battle, (1) *sub,* -s Gefecht, Kampf, Schlacht **(2)** *vi,* kämpfen; *(ugs.) that´s half the battle* das ist die halbe Miete; *to do verbal battle with sb* jmd ein Wortgefecht liefern; **~ cry** *sub,* *-ies* Schlachtruf; **~ headquaters** *sub,* nur *Mehrz.* *(mil.)* Gefechtsstand; **~ of words** *sub,* - Wortgefecht; **~ plan** *sub,* -s Schlachtplan; **~ with** *vr,* *(sich)* herumärgern; **~-axe** *sub,* -s Streitaxt; **~-field** *sub,* -s Schlachtfeld; **~axe** *sub,* -s *(i. ü. S.)* Hausdrachen; **~field** *sub,* -s Walstatt; **~ments** *sub,* nur *Mehrz.* Zinne; **~ship** *sub,* -s Schlacht-schiff

Bavarian folk dance, *sub,* - Schuhplattler

bawler, *sub,* -s *(ugs.)* Schreihals; *(Baby)* Schreier

bay, *sub,* -s Bai, Bucht, Erker, Meeresbucht; *(geogr.)* Börde; *(Meer)* Einbuchtung; **~ window** *sub,* -s Erkerfenster

baying, *sub,* - *(Jagdhunde)* Gebell

bayleaf, *sub,* *-leaves* Lorbeerblatt

bayonet, *sub,* -s Bajonett, Seitengewehr

bazaar, *sub,* -s Bazar

bazooka, *sub,* - *(Jagdhunde)* Panzerfaust

be, (1) *vi,* beschaffen, sein, vorliegen, weilen; *(ausgebreitet sein)* liegen; *(gesundheitlich, zustandsmäßig)* befinden; *(sich befinden)* liegen; *(vorhanden sein)* herrschen **(2)** *vt,* *(ergeben, kosten)* machen; *be in a good state* gut beschaffen sein; *it´s like this* die Sache ist folgendermaßen beschaffen; *made in such a way that* so beschaffen, dass; *be homesick* Heimweh haben; *(ugs.) be on the dole* stempeln gehen; *how are things?* wie geht´s wie steht´s; *how are you?* wie geht es ihnen?; *how´s business?* wie gehen die Geschäfte?; *I´m hungry/thirsty* ich habe Hunger/Durst; *it was the same with me* mir ist es genauso gegangen; *it´ll be all right* es wird schon gehen; *it´s up to you* es ist in deinem Belieben; *that was what happened, wasn´t it?* so war´s doch, oder?; *there has been an accident* es ist ein Unfall passiert; *there we are* da haben wir die Bescherung; *there you are da* hast du´s; *there´s the money* da hast du das Geld; *these skirts aren´t worn anymore* diese Röcke trägt man nicht mehr; *(i. ü. S.) what´s behind it?* was steckt dahinter?; *how are you?* wie geht´s?; *how much is that?* was kostet das?; *I am cold* mich friert; *I am to look after her* ich soll auf sie aufpassen; *that book is mine* das Buch gehört mir; *to be run over* überfahren werden; *be in a bad condition* sich in schlechtem Zustand befinden; *how are you?* wie befinden Sie sich?; *I´m fine* Ich be-

finde mich gut; *it´s 30 below outside* draußen herrschen -30 Grad Kälte; *there is now agreement* es herrscht jetzt Einigkeit; *there was great joy/sorrow everywhere* überall herrschte große Freude/Trauer, *be brief* mach´s kurz!; *how much is that?* wieviel ist das?; *(beruflich) to be in sth* in etwas machen; ~ **(oneself)** *vi*, leiben; *that´s him all over* das ist er ja, wie er leibt und lebt; ~ **able to (1)** *v aux*, können **(2)** *vt*, vermögen; *everyone pays as much as he can* jeder zahlt, soviel er kann; *it´s terrible not to be able to sleep* es ist furchtbar, nicht schlafen zu können; ~ **able to carry on** *vi*, weiterkönnen; ~ **able to get close to** *vt*, herankönnen; ~ **able to get in** *vi*, hineinkönnen; ~ **able to get out** *vi*, herauskönnen; ~ **able to get past** *vi*, vorbeikönnen; ~ **able to get up there** *vti*, hinaufkönnen; ~ **able to take** *vi*, abkönnen
be absent, *vi*, fernbleiben; *(abwesend sein)* fehlen; *he was absent for a week* er hat eine Woche gefehlt; **be accepted** *vi*, verfangen; *(angenommen werden)* durchgehen; **be accompanied by** *vt*, *(i. ü. S.; mit etwas)* einhergehen; **be added to sth** *vi*, hinzukommen; **be afloat** *adj*, *(sein, Seef.)* flott; **be afraid** *vi*, ängstigen; **be afraid of** *vt*, fürchten; **be afraid of sth.** *vr*, scheuen; **be agreed about** *vt*, einig gehen; **be alike** *vi*, ähneln; **be all the same to sb** *vt*, schnuppe
beach, *sub*, ~*es* Lido; *(Bade-)* Strand; ~ **dress** *sub*, *-es* Strandkleid; ~ **suit** *sub*, *-s* Strandanzug
beacon, *sub*, *-s* Leuchtfeuer
bead, *sub*, *-s (Glas~)* Perle; ~ **of sweat** *sub*, *-s* Schweißperle
beak, *sub*, *-s* Schnabel; *(ugs.)* Schnäbelein
be allowed (to), *vti*, *(ugs.)* dürfen; *be allowed to do sth* etwas tun dürfen; *if only I were allowed to* wenn ich nur dürfte; **be allowed in** *vi*, hereindürfen, hineindürfen; **be allowed past** *vi*, vorbeidürfen; **be allowed to (1)** *v aux*, können **(2)** *vt*, zugelassen; *can I go now?* kann ich jetzt gehen?; *one must not say everything that is true* man kann nicht alles sagen, was wahr ist; *you can do as you please* du kannst tun und lassen, was du willst;

be allowed to do sth *vi*, herandürfen; **be allowed to get out of** *vt*, herausdürfen; **be allowed to go out** *vti*, hinausdürfen; **be allowed to go upwards** *vi*, hinaufdürfen; **be amazed** *vi*, staunen; **be among** *vi*, *(zu)* gehören; **be angry with so** *vi*, *(i. ü. S.)* zürnen; **be announced** *vi*, aushängen
beam, *sub*, *-s (arch., spo.)* Balken; *(Licht-)* Strahl; *(Metall-)* Träger; *(spo.)* Schwebebalken; *his face was beaming with joy* er strahlte über´s ganze Gesicht; *(finanziell) to be on one´s beam ends* auf dem letzten Loch pfeifen; ~ **construction** *sub*, *-´s* Balkenkonstruktion; ~ **of light** *sub*, *-s* Lichtstrahl; ~ **scales** *sub*, *nur Mehrz.* Balkenwaage; ~**s** *sub*, *-* Gebälk
be approaching, *vi*, bevorstehen; **be ashamed** *vr*, schämen; **be asleep** *vi*, schlafen; **be astonished** *vi*, staunen; **be at a standstill** *vi*, *(tech.)* stillliegen; **be at war with (1)** *vi*, befeinden, bekriegen **(2)** *vt*, befehden; **be available** *vi*, vorliegen; *(Zeitschriften, etc.)* aufliegen; **be awake** *vi*, wachen; **be away** *adv*, weg; **be awkward** *vi*, trotzen; **be baptized** *adj*, getauft
bear, (1) *sub*, *-s* Bär **(2)** *vt*, ertragen; *(Kosten etc.)* tragen **(3)** *vti*, gebären; *(astron.) the Great/Little Bear* der Große/Kleine Bär, *bear a misfortune with resignation* ein Unglück mit Resignation ertragen; *there´s one born every minute* die Narren werden nicht alle; ~ **in mind** *vt*, *(berücksichtigen)* bedenken; ~ **interest** *vr*, verzinsen; ~ **sb a grudge for sth** *vt*, *(i. ü. S.)* nachtragen; ~ **so a grudge** *vi*, *(jmdm.)* grollen; ~ **witness** *vi*, künden
bearable, *adj*, erträglich
beard, *sub*, *-s* Vollbart; *(eines Mannes)* Bart; *have a beard* ein Bartträger sein; *grow a beard* sich einen Bart wachsen lassen; *have a beard* einen Bart tragen; ~**ed** *adj*, bärtig; ~**ed vulture** *sub*, *-s (zool.)* Lämmergeier
bearer, *sub*, *-s (wirt.)* Überbringer; ~ **of bad news** *sub*, *-s* Unglücksbote
bearskin, *sub*, *-s* Bärenfell

beast, *sub,* -s Bestie, Biest; *(wildes Tier)* Tier; ~ **of burden** *sub,* -s Lasttier

beastly weather, *sub, nur Einz.* Hundewetter

beat, (1) *sub,* -s *(Herz)* Schlag **(2)** *vi,* klopfen **(3)** *vt,* hauen, knüppeln, prügeln, quirlen, verhauen; *(tt: spo.)* unterbieten; *(Teppich)* ausklopfen **(4)** *vti,* schlagen; *to beat time* den Takt klopfen; *with a pounding heart* mit klopfendem Herzen, *beat a record* einen Rekord überbieten; *(i. ü. S.) that beats all!* das übersteigt alles!; *(ugs.) that beats everything I've heard!* das ist das Tollste was ich je gehört habe!; *that beats everything!* das ist nicht mehr zu überbieten!, das übertrifft alles!; ~ **a retreat** *vi,* retirieren; ~ **back** *vt, (Gegner)* abwehren; ~ **down** *vi, (Regen)* trommeln; ~ **it** *vi, (ugs.)* verduften; ~ **out** *vt, (Blech)* ausbeulen; ~ **so.with a club (pol:truncheon)** *vt,* einknüppeln; ~ **up** *vt, (ugs.)* verdreschen, vermöbeln, verprügeln; ~**er** *sub,* -s Klopfer; *(Jagd-)* Treiber; ~**ing** *sub,* -s Prügel

beautiful, *adj,* bildschön, schön, wunderschön; **beauty** *sub,* -*ies* Schönheit; *nur Einz. (Schönheit)* Ästhetik; *of striking beauty* von auffallender Schönheit; **beauty care** *sub,* -s Schönheitspflege; **beauty contest** *sub,* -s Misswahl; **beauty creme** *sub,* -s Schönheitskrem

beaver, *sub,* -s Biber; ~ **fur** *sub,* - -s Biberpelz

be based, *vi,* basieren; *(begründet sein)* beruhen; **be befitting for so** *vi,* zukommen; **be beyond** *adj, (über etwas stehen)* erhaben; *be beyond all criticism* über jeden Zweifel erhaben sein; **be billeted on** *vt,* einquartieren; **be binding** *vi,* verpflichten; **be bossed around** *adj,* Gängelei; **be branded** *adj,* gebrandmarkt; **be brief** *vt, (sich kurz f.)* fassen; **be brilliant** *vi,* brillieren; **be broke (1)** *adj, (ugs.)* blank **(2)** *vi,* Dalles; *I'm broke* Ich bin blank; **be broken down** *vi, (chem.)* aufspalten; **be brother and sister** *adj,* verschwistert; **be bulky** *vi, (Stoff)* auftragen; **be buried** *vt,* verschütten

be calculated, *vi,* bemessen; *be calculated by* sich bemessen nach; **be cal-**

led *vi,* heißen; *it's called* das heißt; *that's what I call good news* das heiße ich eine gute Nachricht; *what's that called* wie heißt das; **be cancelled** *vi,* flachfallen; *(absagen)* ausfallen; **be careful (1)** *vi,* Acht geben **(2)** *vr,* vorsehen; **be carried away** *vt,* verwehen; **be certain** *vi, (sicher sein)* feststehen; *one thing is for certain* eins steht fest; **be chagrined (by)** *vti,* chagrinieren; **be charged** *vi,* knistern; *(elektrisch)* aufladen; *(i. ü. S.) there is trouble brewing* es knistert im Gebälk; *(i. ü. S.) there was a charged atmosphere in the room* es knisterte vor Spannung im Raum; **be chucked out** *vi, (ugs.)* rausfliegen; **be clairvoyant** *vi,* hellsehen; **be clear to sb** *vt,* einleuchten; **be closed** *vr,* verschließen; **be closed down** *vi,* stilliegen

because, *konj,* dieweil, weil; *(ugs.) because* alldieweil; ~ **of (1)** *adv,* derenthalben; *(causal)* darum **(2)** *präp,* wegen; *why are you crying? because!* warum weinst du? darum!; ~ **of her** *adv,* ihretwegen; ~ **of him** *adv,* seinethalben, seinetwegen; ~ **of me** *adv, (wegen mir, mir zuliebe)* meinetwegen; ~ **of them** *adv,* ihretwegen; ~ **of this** *adv, (aufgrund)* hierdurch; ~ **of you** *adv,* euertwillen; *(ugs.)* deinetwegen; *as far as you are concerned we* deinetwasegen können wir; *I have been worried on your account* ich habe mir deinetwasegen große Sorgen gemacht

becloud, *vt,* umnebeln

be cold, *vi,* frieren; *I've got cold feet* mich friert an den Füßen; **be completely cured** *vi,* ausheilen; **be confirmed** *vi,* bestätigen; **be congruent** *vi,* kongruieren; *(übereinstimmen/mat.)* decken; **be conspicuous** *vi,* auffallen; **be content wait** *vr,* vertrösten; **be contented** *vi,* bescheiden; **be converted** *vi,* konvertieren; **be correct** *vi,* zutreffen; **be courting** *adj,* Freiersfüße; *be courting* auf Freiersfüßen gehen; **be created** *vi, (Kunst)* entstehen; **be damaged by frost** *vi, (Pflanzen/Ernte)* erfrieren; **be dashed pieces** *vt,* zerschellen; **be**

deceptive *vi*, trügen; *appearances are deceptive* der Schein trügt
become due, *vt*, *(- werden)* fällig; **become dull** *vi*, *(Glas)* erblinden; **become embittered** *vi*, verbittern; **become entangled** *vi*, verstricken; **become erect** *vi*, erigieren; **become established** *vi*, etablieren; *(Gewohnheit)* einschleifen; *(wirt.)* einführen; **become exhausted** *vi*, ermatten; **become extinct** *vi*, aussterben; **become felted** *vi*, verfilzen; **become fixed on sth** *vt*, verbiestern; **become friends** *vt*, anfreunden, befreunden; **become furious about** *vt*, erbosen; **become hardened** *vi*, abhärten, verkalken; **become hot** *vt*, erhitzen
become ill, *vi*, erkranken; **become immersed** *vr*, versenken; **become impoverished** *vi*, verarmen; **become indignent** *vi*, empören; **become inflamed** *vi*, *(med.)* entzünden; **become inhabited** *vi*, bevölkern; **become insensible** *vi*, *(Person)* abstumpfen; **become intertwined** *vr*, verschlingen; **become isolated** *vi*, vereinsamen; **become known** *adj*, *(geb.)* ruchbar; **become limp** *vi*, erschlaffen; **become loose** *vr*, loslösen; **become middle-class** *vi*, *(i. ü. S.)* verspießern; **become obese** *vi*, *(tt; med.)* verfetten; **become obsolete** *vi*, veralten; **become perverted** *vi*, pervertieren; **become reconciled** *vr*, versöhnen
become regular, *vr*, regulieren; **become sedimented** *vi*, sedimentieren; **become set on sth** *vr*, *(ugs.)* versteifen; **become soggy** *vi*, durchweichen; **become stultified** *vi*, *(ugs.)* verdummen; **become superficial** *vi*, veräußerlichen; **become tangled** *vr*, verwirren; **become tired** *vi*, erlahmen; **become transfigured** *vr*, verklären; **become unfamiliar with** *vi*, entfremden; **become wavy** *vr*, wellen; **become yellow** *vi*, vergilben
becoming, *adj*, kleidsam; ~ **cartilagnous** *sub*, - Verknorplung; ~ **habituated to** *sub*, -s *(med.)* Gewöhnung; ~ **one** *sub*, nur Einz. Einswerdung
bed, (1) *sub*, -s Bett, Lager, Ruhebett; *(für Blumen)* Beet; *(tt; tech.)* Unterlage **(2)** *vt*, betten, lagern; *be con-*

fined to bed das Bett hüten; *go to bed* ins Bett gehen; *go to bed with* so mit jemandem ins Bett steigen; *off to bed* ab ins Bett; *be ready to fall into bed* die nötige Bettschwere haben; *bed and breakfast* Übernachtung mit Frühstück; ~ **of roses** *sub*, -s *(ugs.)* Honiglecken; *(ugs.) life is not a bed of roses* das Leben ist kein Honiglecken; ~ **of the nail** *sub*, *beds of the nails* Nagelbett; ~ **out** *vt*, überpflanzen; ~ **post** *sub*, - - Bettpfosten; ~ **rest** *sub*, - -s Bettruhe; ~ **shortage** *sub*, -s Bettenmangel; ~ **-clothes** *sub*, nur Mehrz. Bettzeug; ~ **-linen** *sub*, - Bettwäsche; ~ **-ridden** *adj*, bettlägerig; ~ **-tick** *sub*, -s Inlett; ~ **-wetter** *sub*, -s Bettnässer; ~ **chamber** *sub*, -s Schlafgemach; ~ **-ded** *adj*, eingebettet; ~ **-ding straw** *sub*, nur Einz. Schüttstroh; ~ **-dy-byes** *sub*, *(ugs.)* Körbchen

be defeated, *vi*, unterliegen; **be definitive** *adj*, Definitivum; **be delighted by** *vi*, ergötzen; **be demanded** *adv*, Gesuchtheit; **be derailed** *vi*, entgleisen; **be devided into** *vr*, *(sich)* gliedern; **be directed at** *vi*, *(Bemerkung)* hinzielen; **be disappointing** *vt*, enttäuschen; **be discontinued** *vi*, wegfallen; **be disorganized** *vi*, *(soz)* Chaot; **be dissonant** *vi*, dissonieren; **be divided** *vi*, *(tt; lit.)* zerfallen; **be done** *vi*, *(getan werden)* geschehen; *something must be done* es muss etwas geschehen; **be drastically reduced** *vi*, dezimiert; **be drawn to** *vt*, *(i. ü. S.;* sich hingezogen fühlen) hinziehen
Bedouin, *sub*, -s Beduine
bedpan, *sub*, -s *(med.)* Steckbecken; **bedroom** *sub*, -s Schlafzimmer; **bedside rug** *sub*, - -s Bettvorleger; **bedside table** *sub*, -s Nachttisch; **bedstead** *sub*, -s Bettgestell, Bettstelle; **bedtime reading** *sub*, nur Einz. Bettlektüre; **bedtime treat** *sub*, - -s Betthupferl
be drowned, *vi*, ertrinken; **be dying of sth** *vi*, vergehen; **be easy/difficult sew** *vi*, *(gut, schlecht)* nähen; **be edified by** *vi*, *(sich)* erbauen; **be effective** *vi*, wirken; **be emerging** *vi*, *(Problem,*

etc.) abziehnun; be encamped vi, lagern; **be enough** (1) *vi,* ausreichen, genügen (2) *vt, (ugs.)* langen; *he doesn't know enough* sein Wissen reicht nicht aus; *that will do it* das reicht aus, *is there enough milk?* langt die Milch?; *it's enough money for him* das Geld langt ihm; **be enraptured by** *vt,* entzücken; *be enraptured by* sich an etwas entzücken; **be entitled to** *vi,* zustehen; **be equal to something** *adj,* gewachsen; **be evident** *vt,* ersehen; **be exhausted** *adj,* zerschlagen; **be fast** *vi,* vorgehen

bee, *sub,* -s Biene; *(Dial.)* Imme; *be as busy as a bee* fleißig wie eine Biene sein; *as if stung by a bee* wie von der Tarantel gestochen; *she made a bee-line for us* sie kam pfeilgerade auf uns zu

beech, *sub,* -es Rotbuche; *(Holz)* Buche; ~ **marten** *sub,* -s Steinmarder

beef, *sub,* - Rind, Rindfleisch; *what are you beefing about now?* was hast du jetzt zu motzen?; ~ **olive** *sub,* -s Roulade; ~**y** *adj,* bullig

beehive, *sub,* -s Bienenstock; **beekeeping** *sub, nur Einz.* Bienenzucht, Imkerei

beer, *sub,* -s Bier; - Gerstensaft; *bock (beer)* Bockbier; *draught beer* Bier vom Fass; ~ **barrel** *sub,* - -s Bierfass; ~ **bottle** *sub,* - -s Bierflasche; ~ **can** *sub,* - -s Bierdose; ~ **garden** *sub,* -s Gartenlokal; ~ **glass** *sub,* - -s Bierglas; ~ **ham** *sub, nur Einz.* Bierschinken; ~ **tent** *sub,* - -s Bierzelt

beesting, *sub,* -s Bienenstich; **beeswax** *sub, nur Einz.* Bienenwachs

beet, *sub,* -s *(bot.)* Bete; **beetroot** rote Beete; ~ **sugar** *sub,* - Rübenzucker

bcfall, *vi,* widerfahren

be feverish, *vi, (i. ü. S.; vor Aufr.)* fiebern; **be filling** *vi,* sättigen; **be fitting** *vr,* schicken; **be fixed** *vi, (bestimmt sein)* feststehen; **be flooded** *vi, (ugs.; Motor)* absaufen; **be fond of** (1) *vt,* zuneigen (2) *vt, (begeistert)* eingenommen; **be forced to do sth** *adv,* gezwungenermaßen; **be forfeited** *vi,* verfallen; **be friends** *adj,* befreundet; *a teacher friend of mine* ein befreundeter Lehrer; *be close friends* eng befreundet sein; *be friends with* befreundet sein mit; **be frightened** *vi,* erschrecken; **be frigh-**

tened of *vr, (sich-)* fürchten; **be frostbitten** *vi,* abfrieren

befit, (1) *adv,* geziemen (2) *vi,* geziemen; ~**ting one's rank** *adj,* standesgemäß

before, (1) *adv,* schon, vorher, zuvor; *(zeitl.) davor* (2) *konj,* bevor, ehe (3) *präp,* vor; *it was a long time before he stopped thinking of her* er dachte noch lange an sie; *not before next week* erst nächste Woche; *thou shalt have no other gods before me!* du sollst keine anderen Götter neben mir haben!; *the day before* am Tag zuvor, *not before* nicht bevor; ~ **(hand)** *adv,* vorweg; ~ **hours market** *adj, (i. ü. S.)* vorbörslich; ~ **the closing date** *adj, (bei Anmeldungen)* fristgerecht; ~ **what/which** *adv,* wovor

befuddled, *adj,* benebelt; **befuddle** *vt,* benebeln

beg, *vi,* betteln; *beg for sth* um etwas betteln; *go begging* zum Betteln gehen; ~ **for sth.** *vi,* bitten; *I beg you!* ich bitte Dich um alles in der Welt; *to beg for alms* um Almosen bitten; ~ **one's way through life** *vr,* durchbetteln; ~ **sth. from so.** *vt,* erflehen; ~**gar** *sub,* -s Bettler; *beggars can't be choosers* in der Not frisst der Teufel Schmetterlinge; ~**gar's pride** *sub, nur Einz.* Bettlerstolz; ~**gary** *sub, nur Einz.* Bettel; ~**ging** *sub, nur Einz.* Bettelei

begin, (1) *vi,* anheben (2) *vt, (anfangen)* eröffnen (3) *vti,* anfangen, beginnen; *begin* einen Anfang machen; *begin proceedings* das Verfahren eröffnen, *begin with sth* mit etwas anfangen, *start working* mit der Arbeit beginnen; *the development began (in)* die Entwicklung begann; ~ **climbing again** *vi, (Flugzeug)* durchstarten; ~ **to blossom** *vi, (Hoffnung)* aufkeimen; ~ **to dry** *vi,* antrocknen; ~ **with** *adv,* vorab

beginner, *sub,* -s Anfänger; *(Anfänger)* Einsteiger; ~**s' course** *sub,* -s Anfängerkurs; **beginning** (1) *adj, (Beruf)* angehend (2) *sub,* -s Beginn, Ursprung; *(Anfang)* Ausgang; *(i. ü. S.; erste Anzeichen)* Ansatz; *(Start)* Anfang; *at the beginning of* mit Beginn; *from the beginning on* von Beginn an; *in the beginning* am Anfang; *the beginning of the end* der Anfang vom Ende

beginning of autumn, *sub, -s* Herbstanfang; **beginning of fall** *sub, -s (US)* Herbstanfang; **beginning of summer** *sub,* - Sommeranfang; **beginning of term** *sub, nur Einz.* Schulanfang; *-s* Schulbeginn; **beginning of the holidays** *sub, nur Einz.* Ferienbeginn; **beginning of the month** *sub, b.s* Monatsanfang; **beginning of the vacation** *sub, nur Einz. (US)* Ferienbeginn; **beginning of the year** *sub, -s* Jahresbeginn; **beginning of winter** *sub, -s* Winteranfang; **beginnings of a paunch** *sub, -of paunches* Bauchansatz

be given sth. (take with one), *vt,* mitbekommen; **be going** *be vi,* werden; **be gone** *adv,* weg; **be good** *vi,* taugen; **be good at** *adj, (sein)* firm; **be good to** *vt,* verwöhnen; **be greasy** *vi, (Fett absondern)* fetten; **be grimming** *vi,* grimmen; **be happening** *vi unpers., (geschehen)* los sein; *what´s happening?* was ist los?; **be happy** *vr,* freuen; **be here** *vi,* hier sein; **be horrified** *vi,* entsetzen; **be hostile to** *vt,* anfeinden; **be hypocritical** *vi,* heucheln; **be important** *vt, (wert sein)* bedeuten; **be impressive** *vi,* bestechen

begonia, *sub, -s (bot.)* Begonie

behave, **(1)** *vi,* benehmen, betragen **(2)** *vr,* gebärden, gebaren, verhalten; *(sich-)* geben; *behave badly* sich schlecht benehmen; *behave oneself* sich anständig benehmen, *know how to behave* sich anständig zu benehmen wissen; *that´s no way to behave* was sind das für Manieren; *to behave properly* sich ordentlich benehmen; *to learn to behave* Manieren lernen; *~ as vr, (geb.)* gerieren; **behavior** *sub, -s (Verhalten, US)* Handlungsweise; **behaviour** *sub, nur Einz.* Benehmen; - Betragen, Gebaren; *-s (Verhalten)* Handlungsweise; **behavioural research** *sub, -es (tt; biol.)* Verhaltensforschung; **behavouir** *sub, nur Einz.* Verhalten

behead, *vt,* enthaupten, köpfen

behind, *adv,* hinterdrein, hinterher, zurück; *from behind* von hinten; *from behind the hill* hinter dem Hü-

gel hervor; *to fall behind with sth* mit etwas in Verzug geraten; *~ it/them adv,* dahinter; *there is nothing behind it* es ist nichts dahinter; *~ so´s back adv, (i. ü. S.)* hinterrücks; *~ wind sub, nur Einz. (Schiffr.)* Fahrwind

beige, **(1)** *adj,* beigefarben **(2)** *sub, nur Einz.* Beige

be incumbent on, *vt, (geb.)* obliegen; **be in excess** *vi, (Summe)* überschießen; **be indignant at/about** *vt,* entrüsten; *be indignant at/about* sich entrüsten über; **be infectious** *vi, (med.)* anstecken; **be inflamed with** *vt,* entbrennen

being, *sub, nur Einz.* Sein; *to be or not to be* Sein oder Nichtsein; *~ bloated sub, -* Gedunsenheit; *~ in love sub,* - Verliebtheit; *~ spotted sub,* Fleckigkeit; *~ strict in formality sub, -ies* Formstrenge

be inherent in, *vi,* innewohnen; **be in labour** *vi, (archaic)* kreißen; **be in love** *adj,* verliebt; **be in poor health** *vt,* kränkeln; **be in progress** *vi,* laufen; *negotiations have started* die Verhandlungen laufen schon; *the film had already started when we got there* der Film lief schon, als wir ankamen; **be in so´s way** *adj, (sein)* hinderlich

be in sth., *vt,* drinstecken

be interested in, *vt,* interessieren; *he was interested in biology even as a child* er hat sich schon als Kind sich für Biologie interessiert; *he´s not in the slightest bit interested in politics* er interessiert sich überhaupt nicht für Politik; **be in the air** *vt, (Änderung)* andeuten; **be in the habit** *vi, (gewöhnlich tun)* pflegen; **be in the offing** *vi,* anbahnen; **be inundated** *vi, (i. ü. S.; Arbeit)* ertrinken; **be involved** *vi, (beteiligt)* mitwirken; **be itchy** *vi,* jukken; *(ugs.) I don´t care* das juckt mich nicht; *I´m itchy all over* es juckt am ganzen Körper

be keen on, *vi,* erpicht; **be killed** *vi,* umkommen; **be lacking** *vi, (mangeln)* fehlen; **be lame** *vi,* lahmen

belami, *sub, -s* Belami

be late, *vr,* verspäten

belconte, *sub., nur Ein*. Belkonto;

belch, (1) *sub., - (ugs.)* Rülpser **(2)** *vi,* rülpsen

be left empty-handed, *vi, (das ~ haben, nichts bekommen)* Nachsehen; **be left over** *vi,* überbleiben; **be left standing** *vi, (das ~ haben)* Nachsehen

belfry, *sub, -ies* Glockenstuhl

Belgian, *adj,* belgisch

Belgrade, *sub, nur Einz.* Belgrad

be liable, *vi, (jur.)* haften

belief, *sub, -s* Glaube, Glauben; *firm belief* fester Glaube; **~ in miracles** *sub, nur Einz.* Wunderglaube; **believable** *adj,* glaubhaft; **believe (1)** *vt,* wähnen **(2)** *vti,* glauben; *I couldn´t believe my ears* ich traute meinen Ohren nicht; *I don´t believe it* ist denn das die Möglichkeit?; *there´s every reason to believe that* es spricht vieles dafür, daß; *they couldn´t believe their eyes* sie sind aus dem staunen nicht mehr herausgekommen, *believe it or not* ob du es glaubst oder nicht; *I believed he was a doctor* ich glaubte, er sei Arzt; *I can well believe that* das glaube ich gerne; *it´s hard to believe* es ist kaum zu glauben; **believe in** *vt,* zutrauen; **believer** *sub, -s* Gläubige, Gläubiger

be like, *vi,* gleichen; **~ a mother** *vi, (~ vertreten)* Mutterstelle; **lightning** *adj,* blitzschnell; **be lost (1)** *vi,* wegfallen **(2)** *vr, (ugs.)* verläppern; **be made** *vi, (Entscheidung)* fallen; **be mean** *vi,* geizen; **be melted** *vi,* erschmelzen; **be misled** *vt, (Irrtum)* erliegen; **be missing** *vi, (vermisst werden)* fehlen; *he has two teeth missing* ihm fehlen zwei Zähne; *there is a button missing* da fehlt ein Knopf; *we really missed you* du hast uns sehr gefehlt; **be mistaken (1)** *vi, (i. ü. S.)* Holzweg **(2)** *vt,* täuschen **(3)** *vti,* irren; *(i. ü. S.)* *he´s not going to get anywhere with his ideas* er ist mit seinen Vorstellungen völlig auf dem Holzweg; *to be on the wrong track* auf dem Holzweg sein; *she has been completely mistaken about him* sie hat sich gründlich in ihm getäuscht; **be moved** *vi,* Ergriffenheit; **be noisy** *vi,* lärmen

belladonna, *sub, -s (bot.)* Belladonna; *(tt; bot.)* Tollkirsche

bellboy, *sub, -s (Hotel~)* Page

bellicosity, *sub, nur Einz.* Kampfeslust

bellow, *vti,* grölen; **~s** *sub, pair of bellows* Blasebalg; *nur Mehrz. (Blasebalg)* Balg

bellwether, *sub, -s* Leithammel

belly, *sub, -ies (ugs.)* Bauch, Ranzen; *-s* Wanst; **~ dance** *sub, -s* Bauchtanz; **~ landing** *sub, - -s* Bauchlandung; *do a belly landing* eine Bauchlandung machen; **~-ache** *vi, (ugs.)* mosern; *he always has sth to belly-ache about* er hat immer was zu mosern; **~-acher** *sub, -s* Meckerfritze; **~-aching** *sub, nur Einz.* Miesmacherei

belong to, *vi,* angehören, gehören, zugehören; **~ it/them** *vt,* dazugehören; **~gether** *vi,* zusammengehören; **belonging (to)** *adj,* angehörig; **belongings** *sub, nur Mehrz.* Habseligkeit; *(ugs.)* Siebensachen

beloved, *sub, -s* Angebetete

below, (1) *adv,* unten **(2)** *präp,* unter, unterhalb; *10 degrees below minus 10 Grad; below par* unter Niveau; **~ ground** *adv,* unterirdisch

belt, (1) *sub, -s* Gurt, Gürtel, Riemen **(2)** *vt, (ugs.)* versohlen; *tighten one´s belt* den Gürtel enger schnallen; *below the belt* unter der Gürtellinie; *(ugs.) to belt sb one* jmd eine zischen; **~ bag** *sub, -s* Gürteltasche

beluga, *sub, -s (zool. Weißwal)* Beluga

bench, *sub, -es* Richterstuhl, Ruhebank, Sitzbank; *(Sitzbank)* Bank; *(spo.)* Auswechselbank

bend, (1) *sub, -s* Abbiegung, Beuge, Biegung, Einbuchtung, Krümmung, Kurve **(2)** *vi, (sich lehnen)* beugen **(3)** *vt,* abbiegen, anwinkeln, biegen, einbiegen, krümmen, umbiegen; *(lehnen)* beugen **(4)** *vti,* neigen **(5)** *vtr,* verbiegen, wölben; *be bent on* darauf erpicht sein zu; *he´s an unbending character* er hat einen unbeugsamen Nacken; *the road bends* die Straße macht einen Knick; *(ugs.) you must be round the bend!* bei dir spukt´s wohl!, du hast ja einen Stich!; du hast wohl einen Spleen!, *bend a bow* einen Bogen spannen, einen Bogen spannen; *bend a sail* ein Segel befestigen; *bend one´s elbow* einen trinken, zechen, *to bend forwards* sich nach vorn neigen; ~ **back** *vr*, zurückbeugen; ~ **down** *vi*, bücken, niederbeugen; *bend down to pick up sth* sich nach etwas bücken; ~ **forward** *vt*, vorbeugen; ~ **sth. as far as possible** *vt*, durchbiegen; ~**ing** *sub*, -s Einknickung

beneath, *adv*, *(räuml.unterhalb)* darunter; *beneath me* unter meinem Niveau; *wear nothing beneath* nichts darunter anhaben; ~ **the other** *adv*, untereinander

Benedictine monk, *sub*, -s Benediktiner; **benediction** *sub*, -s Benediktion **benefactor**, *sub*, -s Wohltäter; **benefactress** *sub*, -es Wohltäterin; **benefice** *sub*, -s *(Kirchenamt)* Pfründe; **beneficial** *adj*, segensreich, zuträglich; *have a beneficial influence on sth* etwas günstig beeinflussen; **beneficiary** *sub*, -ies Nutznießerin; **benefit (1)** *sub*, -s Benefiz; *(Ertrag)* Nutzung; *(Vorteil)* Nutzen **(2)** *vt*, bonifizieren; *to enjoy the benefit of sth* die Nutzungen aus etwas ziehen; *for the benefit of the public* zum Nutzen der Öffentlichkeit; *to reap the benefits of sth* aus etwas Nutzen ziehen, *beneficial for the health* nützlich für die Gesundheit; *for the benefit of mankind* der Menschheit zum Wohle; *to benefit by sth* von etwas profitieren; *to expect to benefit greatly* sich großen Nutzen versprechen; **benefit match** *sub*, - -es Benefizspiel; **benevolent** *adj*, wohlwollend

benign, *adj*, *(med.)* gutartig; ~**ancy** *sub*, -ies Gutartigkeit

be not able to avoid sth, *vi*, umhinkommen, umhinkönnen; **be noticable** *sub*, Fühlbarkeit; **be nuts** *vi*, *(i. ü. S.)* spinnen; *are you nuts?!* spinnst du?!; **be obliged** *adj*, *(geh.)* gehalten; **be of use** *vi*, helfen, nutzen; *(i. ü. S.)* fruchten; **be off** *vi*, freihaben; **be off form** *sub*, - Formtief; **be off school because of the heat** *adj*, Hitzeferien; **be omitted** *vi*, wegbleiben, wegfallen; **be on call** *vi*, *(~ haben; Arzt)* Notdienst; **be on fire** *vti*, brennen; *the school is on fire* die Schule

brennt; **be on guard** *sub*, *nur Einz.* Wachestehen; **be on it** *vt*, draufstehen

bent, *adj*, krumm, verbogen

benthos, *sub*, *nur Einz.* *(tt; biol.)* Benthal

benzine, *sub*, -s Leichtbenzin; *nur Einz.* Waschbenzin

benzoin, *sub*, *nur Einz.* Benzoe **benzole**, *sub*, -s Benzol

be on level with, *vi*, gleichstehen; **be on one´s guard** *vi*, hüten; *be on your guard with him! he tells lies* hüte dich vor ihm! er lügt; *I´ll take good care not to do that* ich werde mich hüten (das zu tun); **be on strike** *vi*, streiken; **be on the lurk** *vi*, Lauer; **be on the safe side** *adv*, sicherheitshalber; **be on the turntable** *vi*, *(CD)* aufliegen; **be open 24 hours** *vi*, *(~ haben; Apotheke)* Notdienst; **be opposite** *vi*, gegenüberliegen; **be orphaned** *adj*, verwaist; **be out of place (1)** *adv*, fehl **(2)** *sub*, *(i. ü. S; ein...sein)* Fremdkörper; **be out-of-the-way** *vi*, Entlegenheit; **be outstanding** *vi*, *(Bezahlung)* ausstehen

be over, *adv*, vorbei, vorüber; ~**modest** *vi*, tiefstapeln; **be paralysed** *vi*, erstarren; *be paralysed with fear* vor Schreck erstarren; **be part of** *vi*, *(Teil bilden von)* gehören; **be passed around** *vi*, *(herumgereicht werden)* herumgehen; **be past** *adv*, vorüber; **be patient** *vr*, gedulden; **be pending** *vi*, *(Urteil etc.)* ausstehen; **be permitted (to)** *vti*, *(geh.)* dürfen; *he was not permitted* er durfte nicht; *this is not permitted* das darf man nicht tun; **be pessimistic about** *vt*, schwarz sehen; **be pitiful** *adj*, *(zum - sein)* Gotterbarmen; **be playing directly** *vt*, Direktspiel; **be pleased** *vr*, *(sich -)* freuen; **be pleased about** *vr*, *(sich - über)* freuen; *she was pleased that you visited her* sie hat sich über den Besuch gefreut; **be pompously concerned about so. reputation** *vt*, ehrpusselig; **be possible** *vti*, *(möglich sein)* gehen; *it´s possible to meet next Friday* es geht, dass wir uns nächsten Freitag treffen; **be postponed** *vr*, verschieben

be present, vi, beiwohnen u ruandom,
be present at a meeting einer Versammlung beiwohnen; **be pretty clever** vi, (ugs.) loshaben; **be promoted** vi, avancieren; *(i. ü. S.; beruflich)* aufsteigen; *(in der Stellung)* aufrücken; **be published (1)** vi, (Buch) herauskommen **(2)** vt, erscheinen; **be puzzled** vi, stutzen; **be quits with sb** adj, quitt; **be quoted** vi, (Börse) notieren; **be radioactive** vi, (Radioaktivität) strahlen; **be ready** vi, bereitliegen, bereitstehen; **be realized** vr, verwirklichen; **be received** vi, eingehen; *we have not yet received the letter* der Brief ist bei uns noch nicht eingegangen

bequeath, vt, vererben; **~ sth** vt, vermachen; **~ing** sub, -s Vererbung

bequest, sub, -s Vermächtnis; *(i. ü. S.)* Hinterlassenschaft

Berber horse, sub, - -s Berberpferd

bereaved, vi, nur Mehrz. (Traueranzeige) Hinterbliebene

be red-hot, vi, (Metall) glühen; **be reduced** vr, verkleinern; **be reflected** vr, spiegeln, widerspiegeln; **be repugnant** so adv, zuwider; **be resplendent** adj, prangen, prunken; **be right** vi, (richtig sein) stimmen; **be right next to** vi, (Garten) grenzen; **be rooted** vi, wurzeln; **be running** sub, -s (Bewegung) Gang; (Maschinen) *in full swing* in vollem Gang; (Maschinen) *run quietly* einen leisen Gang haben; **be sacked** vi, (entlassen w.) fliegen; **be safe from thieves** adj, diebessicher; **be satisfactory** vi, (Zustand etc.) befriedigen; **be satisfied** vi, begnügen; **be satisfied with** sich mit etwas begnügen; **be so's heir** vt, beerben

bereft of content, adj, sinnentleert

bergamot, sub, -s Bergamotte; **~ oil** sub, nur Einz. Bergamottöl

Bering Strait, sub, nur Einz. Beringstraße

berkelium, sub, nur Einz. (chem.) Berkelium

Bermuda shorts, sub, nur Mehrz. Bermudashorts; **Bermuda triangle** sub, nur Einz. Bermudadreieck

Bernina railway, sub, nur Einz. Berninabahn

berry, sub, -ies Beere; **~-like** adj, beerenförmig

berserk, sub, -s (unverwundbarer Krieger) Berserker; *go berserk* toben wie ein Berserker

berth, sub, -s Koje

beryl, sub, -s Beryll; **~lium** sub, nur Einz. Beryllium

be sb's second, vi, sekundieren; **be sb turn** vi, drankommen; *now it's my turn* jetzt komme ich dran; **be searching** adj, forscherisch; **be set back** vi, (tt; arch.) zurückstehen; *to be unwilling to stand down* nicht zurückstehen wollen; **be shiny** vi, (Hosen etc.) glänzen; **be shortened** vr, verkürzen; **be shut down** vi, (Betrieb) stilliegen; **be silent** vi, schweigen; **be single** vi, allein stehen; **be sloppy** vi, schlampen; **be slow** vi, (Uhr) nachgehen; **be solved** vi, (Verbrechen) aufklären; **be sore** vi, schmerzen; **be sorry** vi, bedauern; *I'm sorry* ich bedaure; **be sparing (with sth)** vi, kargen; **be springy** adv, federn; **be startled** vi, erschrecken; *be startled to death* zu Tode erschrocken sein

beseech, vt, anflehen; **~ing** adj, (Blick) hilfeflehend

beside, präp, nächst; (örtlich) neben; *completely beside* os in einem Zustand völliger Auflösung; *he walked beside me* er ging neben ihr; **~s (1)** adv, (ausserdem) daneben; (zusätzlich) außerdem **(2)** präp, (außer) neben; (zusätzlich zu) außer

besiege, vt, belagern, einstürmen; (mil.) umlagern; *besieged by admirers* von Verehrern umschwärmt

besom, sub, -s Reisigbesen

bespoke tailor, sub, -s Maßschneider

bessemer converter, sub, - -s (tt; tech.) Bessemerbirne

bestial, adj, bestialisch, sodomitisch; (i. ü. S.; roh) tierisch; **~ity** sub, -ies Bestialität; - Sodomie

be sticky, vi, pappen; *the shirt is sticking to me* das Hemd pappt an mir; **be stingy** vi, knausern; **be stirred up** vi, (Hass) aufleben; **be stopped** vi, unterbleiben; (i. ü. S.) *these things must be stopped before they get out of hand* wehret den Anfängen; **be stranded** vi, stranden; **be stubborn** *adj*, Dickschädel; **be stuck** *vi*, aufgeschmissen, feststecken; *(fest-)* stecken; **be subjected to** *vi*, unterliegen; **be successful with** *vr*, reüssieren; **be suitable** *vi*, konvenieren; *(geeignet sein)* taugen; **be suitable as** *vt*, eignen; *be suitable as* sich eignen für etwas; **be supposed to** *vt*, *(verpflichtet)* sollen; *am I supposed to eat that?* soll ich das etwasa essen?; *what´s that supposed to mean?* was soll das bedeuten?; *who is that supposed to be?* wer soll das sein?

bestow a peerage on, *vt*, nobilitieren

bestseller, *sub*, *-s* Bestseller, Schlager; *bestseller* Erfolgsbuch

be surprised, *vr*, wundern; **be suspended from** *vi*, hängen; **be terribly grumpy in the morning** *vi*, *(ein ~ sein)* Morgenmuffel; **be the basis of** sth *adv*, zu Grunde; **be thick with** *vi*, *(strotzen)* starren; **be thick-skinned** *vi*, Elefantenhaut; **be thirsty** *vt*, dürsten; *be thirsty for* dürsten nach

bet, (1) *sub*, *-s* Wette (2) *vi*, wetten; *make a bet* eine Wette abschließen; *you bet!* und ob!

beta disintegration, *sub*, *-s (tt; phy.)* Betazerfall; **beta emitter** *sub*, *-s* Betastrahler; **beta rays** *sub*, *nur Mehrz.* Betastrahlen; **betatron** *sub*, *-s* Betatron

be to, *vi*, *(bestimmt)* sollen; *what am I to do?* was soll ich tun?; *you are to see the boss tomorrow* du sollst morgen zum Chef kommen; **~ blame** *adj*, schuld; *to blame* sb/sth jmd/einer Sache schuld geben; **be trained** *vi*, volontieren; **be transmitted** *vr*, vererben; **be troubled** *vi*, *(leiden)* plagen; **be under** *vi*, ressortieren; **be under a curse** *adj*, fluchbeladen; **be under so** *vi*, unterstehen; **be unfaithful** *adv*, fremdgehen; **be unnecessary** *vi*, erübrigen; **be unsuccessful** *vi*, missglücken, misslingen; *the attempt was unsuccessful* der Versuch ist misslungen; **be up to** sth *vt*, *(etwas anstellen)* ausfressen; *what has she been up to?* was hat sie denn ausgefressen?; **be useful** *adv*, zustatten

be told where to go, *vi*, *(ugs.)* abblitzen

betray, *vt*, verraten; **~al** *sub*, *nur*

Einz. Verrat

better, *adj, adv*, besser; *better than nothing* besser als gar nichts; *get better* besser werden; *have nothing better to do than* nichts eiligeres zu tun haben, als; *he knows better* er weiß es besser; *so much the better* umso besser

betting office, *sub*, *-s* Wettannahme, Wettbüro

between, *präp*, zwischen; *(zwischen) between you and me* unter uns gesagt; *nothing can come between us* uns kann nichts trennen; **~ deck** *sub*, *-s* Zwischendeck; **~-host** *sub*, *-s (tt; biol.)* Zwischenwirt; **~-meal (snack)** *sub*, *-s* Zwischenmahlzeit; **~-storage** *sub*, *-s* Zwischenlagerung

be valid, *vti*, gelten; *the passport is not valid any more* der Pass gilt nicht mehr; **be very keen on sth** *adj*, versessen; **be victorious** *vi*, siegen; **be waiting** *vi*, *(zur Bearbeitung, etc.)* anstehen; **be warm** *vi*, wärmen; **be washed ashore** *vt*, *(ans Ufer)* antreiben; **be welcome** *adj*, *(sein)* gern geschehen; **be well matched** *vi*, Ebenbürtigkeit; **be willing** *adj*, willens sein; **be worth striving for** *adj*, anstrebenswert; **be worthwhile** *vi*, lohnen; **be worthwile** *vir*, rentieren; **be wrecked** (1) *adv*, zunichte (2) *vt*, zerschellen; **be wrong** *vi unpers.*, *(nicht in Ordnung sein)* los sein; *there´s something wrong with sb* mit jmd ist etwas los

beverage, *sub*, *-s* Trank

bewilderment, *sub*, *nur Mehrz.* Fassungslosigkeit; *-s* Verwirrung

beyond, (1) *adv*, jenseits (2) *präp*, *(darüber hinaus)* über; *(i. ü. S.)* *that is beyond me* das übersteigt mein Fassungsvermögen; *that is beyond my control* das entzieht sich meiner Kontrolle; *that´s beyond me* da komm´ ich nicht mit; **~ saving** *adv*, rettungslos; **~ the reception area** *sub*, *-s* Funkschatten

bezoic acid, *sub*, *nur Einz. (tt; chem.)* Benzoesäure

b flat minor, *sub*, *nur Einz.* b-Moll

bias, (1) *adj*, parteiisch (2) *sub*, *-* Voreingenommenheit; *nur Einz.*

(*Voreingenommenheit*) befangenheit; **~(s)ed** *adj, (voreingenommen)* tendenziös; **~ed** *adj,* voreingenommen; *(voreingenommen)* befangen

biathlete, *sub,* -s Biathlet; **biathlon** *sub, nur Einz.* Biathlon

bib, *sub,* -s Latz

Bible, *sub,* -s Bibel; **~ class** *sub,* - -es Bibelstunde; **biblical** *adj,* biblisch; **biblical passage** *sub,* -s Bibelstelle; **biblical saying** *sub,* -s Bibelspruch

bibliographer, *sub,* -s Bibliograf; **bibliography** *sub, -ies* Bibliografie; **bibliomania** *sub, nur Einz.* Bibliomanie; **bibliophile (1)** *adj,* bibliophil **(2)** *adj,* -s Bibliophile; **bibliophily** *sub, nur Einz.* Bibliophilie

biceps, *sub,* - Bizeps

bicker, *vi,* keifen; **~ing** *sub, nur Einz. (ugs.)* Keiferei

biconcave, *adj,* bikonkav; **biconvex** *adj,* bikonvex

bicycle, *sub,* -s Fahrrad, Rad; *ride a bicycle* mit dem Fahrrad fahren; **~ polo** *sub,* -s Radballspiel; **~ pump** *sub,* -s *(Fahrrad)* Luftpumpe

bid, (1) *sub,* -s *(bei Versteigerung)* Gebot **(2)** *vi, (Auktion)* bieten; *make a bid* ein Gebot abgeben; **~der** *sub,* -s Bieter; *(Auktion)* Anbieter

bidet, *sub,* -s Bidet

Biedermeier, *sub, nur Einz.* Biedermeier

biennial, *adj,* biennal; **~ly** *adv,* biennal

bifocal glas, *sub, -es* Bifokalglas

big, *adj,* groß, kräftig, weit; *a big building* ein großes Gebäude; *a big difference* ein großer Unterschied; *big and broad* groß und breit; *big toe* große Zehe; *talk big* angeben; *(i. ü. S.) have a big say in this matter* ein gewichtiges Wort mitzureden haben; *much too big* überdimensioniert; *she´s got a big build* sie ist kräftig gebaut; *(i. ü. S.) to be big with sth* mit etwas schwanger gehen; *(ugs.) to take a big swig* einen kräftigen Schluck nehmen; **~ bang** *sub, nur Einz.* Urknall; **~ business** *sub, nur Einz.* Bigbusiness; **~ cat** *sub,* -s Großkatze; **~ city** *sub, -ies* Großstadt; **~ community** *sub, -ies* Großgemeinde; **~ concern** *sub,* -s Großkonzern; **~ drum** *sub,* -s Werbetrommel; *to beat the big drum* die Werbetrommel

rühren; **~ event** *sub,* -s Großereignis; **~ figured** *adj,* großfigurig; **~ game** *sub,* -s Großwild; **~ head** *sub,* -s Wasserkopf; **~ industrialist** *sub,* -s *(ugs.)* Schlotbaron

bigamist, *sub,* -s Bigamist; **bigamous** *adj,* bigamistisch; **bigamy** *sub, nur Einz.* Bigamie

biggest, *adj,* größte

big number, *sub,* -s Großkopfete; **big question** *sub,* -s Gretchenfrage; **big screen** *sub,* -s Breitwand; **big top** *sub,* -s Zelt; **big town** *sub,* -s Großstadt; **big trader** *sub,* -s Großkaufmann; **big traffic** *sub, nur Einz.* Großverkehr; **big-boned** *adj,* derbknochig, grobknochig

bigot, *sub,* -s Mucker; **~ry** *sub, nur Einz.* Muckertum

bigwig, *sub,* -s Bonze

bike, *sub,* -s Fahrrad, Stahlross; *(ugs.; Motorrad)* Maschine; *ride a bike* mit dem Fahrrad fahren

bikini, *sub,* -s Bikini

bilateral, *adj,* bilateral; *(polit.)* beiderseitig, beidseitig

bilberry, *sub, -ies* Heidelbeere; *(ugs.)* Bickbeere

bile, *sub, (Sekret Mensch)* Galle

bilge, *sub,* -s Bilge, Bilgewasser; Bockmist; *(Kielraum)* come out with a load of bilge* Bockmist verzapfen

bilingual, *adj,* bilingual, zweisprachig

bilious, *adj, (Laune)* gallig

bilious colic, *sub,* -s Gallenkolik

billeting, *sub,* -s Einquartierung

billiard cue, *sub,* -s Billardqueue; **billiards** *sub, nur Mehrz.* Billard

billion (US), *sub,* -s Milliarde; *billions of people* Milliarden von Menschen; **billionth (US)** *adj,* milliardste; **billionth part (US)** *sub,* -s Milliardstel

billow, *vi,* bauschen

billy goat, *sub,* -s Geißbock

bimetallic strip, *sub,* -s *(phy.)* Bimetall

bin (am: can), *sub,* -s *(Abfall)* Eimer

binary, *adj, (tt; mat.)* binär; **~ system** *sub,* -s Dualsystem

bind, *vt,* binden; *(Buch)* einbinden; *bind (up) a wound* Wunde verbinden; *bind a contract* Vertrag abschliessen; *bind sb hand and foot* jmd an Händen und Füssen binden; *rebind a book in cloth/leather* ein Buch neu in Leinen/Leder einbinden; *so is bound by conventions* jmd ist in Konventionen eingebunden; *to bind sb in chains* jmdn in Ketten schmieden; ~ **books** *vt*, buchbindern; ~ **books (in cardboard)** *vt*, kartonieren; ~**er** *sub, nur Einz. (tt; arch.)* Binder; ~**ery** *sub, -ies* Binderei, Buchbinderei; *(book) bindery* Buchbinderei

bindweed, *sub, -s (tt; bot.)* Winde

binocular, *adj, (tt; phy.)* binokular; ~**s** *sub, nur Mehrz.* Feldstecher, Fernglas

biochemical, *adj,* biochemisch; ~ **pathway** *sub, -s (tt; biol.)* Abbauprozess; **biochemist** *sub, -s* Biochemiker; **biochemistry** *sub, nur Einz.* Biochemie; **biodiversity** *sub, nur Einz.* Artenreichtum; **biogas** *sub, -es* Biogas; **biogenesis** *sub, -* Biogenese; **biogenetic** *adj,* biogenetisch

biographical, *adj,* biografisch; **biography** *sub, -ies* Biografie

biological, *adj,* biologisch; ~ **organic** *adj,* biologisch-dynamisch; ~ **waste** *sub, nur Einz.* Biomüll; ~ **waste bin** *sub, -s* Biotonne; ~**ly** *adv,* biologisch; **biologist** *sub, -s* Biologe; **biology** *sub, nur Einz.* Biologie

bionics, *sub, nur Einz.* Bionik; **biophysics** *sub, nur Einz.* Biophysik; **biopsy** *sub, -ies (tt; med.)* Biopsie; **biosphere** *sub, nur Einz. (tt; biol.)* Biosphäre; **biotechnology** *sub, nur Einz.* Biotechnik; **biotic** *adj,* biotisch; **biotope** *sub, -s (tt; biol.)* Biotop

biplane, *sub, -s (Flugzeug)* Doppeldecker; **bipolar** *adj, (tt; phy.)* bipolar; **bipolarity** *sub, -ies* Bipolarität

bird, *sub, -s* Vogel; *(vulg.; Mädchen)* Mieze; *(i. ü. S.) a bird in the hand is worth two in the bush* besser ein Spatz in der Hand als eine Taube auf dem Dach; *(i. ü. S.) a queer bird* ein seltsamer Vogel; *kill two birds with one stone* zwei Fliegen mit einer Klappe schlagen; *to find the birds have flown* das Nest leer finden; ~ **food** *sub, nur Einz.* Vogelfutter; ~ **migration** *sub, -s* Vogelzug; ~ **of paradise**

sub, birds Paradiesvogel; ~ **that nests in caves** *sub, -s (zool.)* Höhlenbrüter; ~ **that stays a long time in its nest** *sub, birds (i. ü. S.)* Nesthocker; ~ **who leaves the nest early** *sub, birds* Nestflüchter; ~**catcher** *sub, -s* Vogelfänger; ~**s swarm** *sub, -s* Vogelschwarm; ~**spider** *sub, -s (tt; zool.)* Vogelspinne; ~**svoice** *sub, -s* Vogelstimme

birth, *sub, -es* Geburt; *from birth* von Geburt an; ~ **certificate** *sub, -s* Geburtsschein; ~ **certificate** *sub, -s* Geburtsurkunde; ~**day** *sub, -s* Geburtstag; *when is your birthday?* wann hast du Geburtstag?; ~**mark** *sub, -s* Muttermal; ~**name** *sub, -s* Geburtsname; ~**place** *sub, -s* Geburtsort; *(i. ü. S.) his birthplace was* seine Wiege stand in

biscuit, *sub, -s* Keks, Knusperchen; *(Gebäck)* Plätzchen; *(i. ü. S.) that takes the biscuit* das schlägt dem Fass den Boden aus; ~ **tin** *sub, -s* Keksdose

bisect, *vt, (mat.)* halbieren

bisexual, *adj,* bisexuell; ~**ity** *sub, nur Einz.* Bisexualität; ~**ly** *adv,* bisexuell

bishop, *sub, -s* Bischof, Episkopus; *(kirchl.)* Ordinarius; ~ **crook** *sub, -s* Bischofsstab; ~**'s hat** *sub, -s* Bischofshut; ~**ric** *sub, -s* Bistum; *bishopric* Bischöfliches Ordinariat

Bismarck herring, *sub, -s* Bismarckhering; **Bismarckian** *adj,* bismarckisch, bismarcksch

bismuth, *sub, nur Einz.* Wismut; *(tt; chem.)* Bismutum

bison, *sub, -s* Bison; *(tt; zool.)* Wisent

bistro, *sub, -s* Bistro

bit, **(1)** *adj,* bisschen **(2)** *sub, -s* Deut; *(Wurst -)* Ende; *not a bit* kein bisschen; *that little bit won't fill me up* von dem bisschen werde ich nicht satt, *be not a bit better than* keinen Deut besser sein als; *the last little bit* der letzte Rest vom Schützenfest; *to be every bit as beautiful as sb* jmd an Schönheit nicht nachstehen; ~ **by bit** *adv,* bissenweise, brockenweise; *bit by bit* nach und nach; *get the information bit by bit* die Informationen nur brockenweise bekommen; ~ of advice *sub*, -s Ratschlag; ~ of hanky-panky *sub*, - *(ugs.)* Schäferstündchen; ~ on the side *sub*, - Seitensprung

bitch, *sub*, -es Hündin; *(vulg.; Schimpfwort/Frau)* Miststück, Mistvieh

bite, (1) *adj*, bissig (2) *sub*, -s Bisswunde; *(ugs.)* Biss; -s *(Insekten-)* Stich (3) *vi*, anbeißen; *(anbeißen, brennen, stechen)* beißen (4) *vt*, *(stechen, zubeißen)* beißen (5) *vti*, *(Mükke)* stechen; *a dog that bites* bissiger Hund, *no reason to bite my head of* kein Grund, bissig zu werden; *bite the dust* verwundet/tot umfallen; *this drill has no bite* das Training hat keinen Biss, *bite in on sth* in etwas beißen; *bite on sth* auf etwas beißen; ~ **(firmly)** *vi*, *(ugs.)* zubeißen; ~ **back sth** *vt*, verbeißen; ~ **insth** *vr*, verbeißen; ~ **into** *vt*, anbeißen; ~ **o.s.** *vr*, beißen; ~ **off** *vt*, abbeißen; ~ **through** *vt*, durchbeißen; ~ **to eat** *sub*, -s Happen; ~-**sized** *adj*, mundgerecht; *to cut sth into bite-sized pieces* etwas mundgerecht schneiden; **biting insect** *sub*, -s Schnabelkerf

bitter, *adj*, bitter, gallenbitter; *to the bitter end* bis ans bittere Ende; ~**ly** *adv*, bitter; *bitterly cold* bitterkalt; ~**ness** *sub*, Bitterkeit; -es Erbitterung, Verbitterung; ~**root** *sub*, -s *(geogr.)* Bitterwurzel; *bitterroot beer* Bier aus der Bitterwurzel; ~**s** *sub*, *nur Mehrz.* Magenbitter

bittern, *sub*, -s Rohrdommel

bitumen road, *sub*, - -s Asphaltstraße

bizarre, *adj*, abwegig, bizarr, skurril; *bizarre appearance* bizarre Erscheinung; ~**ly** *adv*, bizarr; ~**ness** *sub*, - Skurrilität

blab out, *vt*, *(ugs.)* ausquatschen; **blabbermouth** *sub*, -s Quasselstrippe

black, (1) *adj*, schwarz (2) *sub*, - Schwarz; ~ **(date)grape** *sub*, -s Datteltraube; ~ **and blue** *adj*, *(ugs.)* windelweich; *(ugs.) to beat sb black and blue* jmd windelweich hauen; ~ **beech** *sub*, -es Schwarzbuche; ~ **buffalo** *sub*, -es *(zool.)* Kaffernbüffel; ~ **clouds** *sub*, *nur Mehrz.* regenschwer; ~ **eye** *sub*, -s *(ugs.)* Veilchen; **Black Forest** *sub*, *nur Einz.* Schwarzwald;

Black ~~~~; ~ Rappe; ~ **magic** *sub*, - Teufelskunst; ~ **market** *sub*, -s Schwarzhandel, Schwarzmarkt; ~ **marketeer** *sub*, -s Schieber; ~ **peter** *sub*, *nur Einz.* Schwarzpulver; ~ **pudding** *sub*, -s Griebenwurst; ~ **ribbon** *sub*, -s Trauerflor

black-and-white, *adj*, schwarzweiß; ~ **shot** *sub*, -s Schwarzweißaufnahme; **black-box** *sub*, -es Flugschreiber; **black-headed gull** *sub*, -s *(zool.)* Lachmöwe; **blackout** *sub*, -s Black-out; **blackberry** *sub*, -ies Brombeere; **blackbird** *sub*, -s Amsel; **blackboard** *sub*, -s *(Schule)* Tafel; **blackcock** *sub*, -s Birkhahn

blacken, *vt*, anschwärzen, einschwärzen, schwärzen; **blackhead** *sub*, -s Mitesser; **blackish** *adj*, schwärzlich; **blackmail** (1) *sub*, -s Erpressung (2) *vt*, erpressen; **blackmailer** *sub*, -s Erpresser; **blackness** *sub*, *nur Einz.* Schwärze; **blacksmith** *sub*, -s Scharschmied, Schmied; **blacksmith´s oven** *sub*, -s Schmiedeofen

bladder, *sub*, -s Harnblase; ~ **stone** *sub*, -s *(ugs.)* Blasenstein; ~ **stones** *sub*, *nur Mehrz. (Blasen-)* Steinleiden

blade, *sub*, -s Klinge; *(Gras-)* Halm; ~ **of grass** *sub*, -s Grashalm

blah, *sub*, *nur Einz.* Blabla

blame, (1) *sub*, -es Verschuldung (2) *vt*, zuschreiben; *blame so for sth* jemandem eine Sache anlasten; *he is partly to blame for that* daran ist er nicht ganz unschuldig; *I don´t blame you for it* ich nehme es dir nicht übel; *take the blame* den Buckel hinhalten; *(ugs.) to put the blame for sth on sb* jmd etwas in die Schuhe schieben; ~**ful** *adj*, blamabel; ~**lessness** *sub*, *nur Einz.* Unbescholtenheit; ~**worthy** *adj*, tadelnswert

blanch, (1) *vi*, erblassen (2) *vt*, blanchieren, brühen

blandishments, *sub*, *nur Mehrz.* Schöntuerei

blank, (1) *adj*, ungereimt; *(Formular)* unausgefüllt; *(tt; wirt.)* blanko (2) *adv*, Blankett (3) *sub*, -s Vakat; *(Los)* Niete; *a blank area* ein weißer Fleck; *(kun.) blank verse* ungereimte Verse; *I´ll write you a blank cheque* einen Scheck blanko ausstellen, *signed blank* mit Blankounterschrift, *to draw a blank* eine Niete ziehen; **~ (cartridge)** *sub, -s* Platzpatrone; **~ cheque** *sub, -s* Blankoscheck; **~ verse** *sub, -s* Blankvers

blanket, *sub, -s* Wolldecke; *(aus Wolle)* Bettdecke; *(Reise)* Decke; **~ of snow** *sub, -s* Schneedecke

blare (out), *vi, (ugs.; Radio)* plärren; **blaring** *sub, (abw.)* Geschmetter; **blaring horns** *sub, -* Gehupe

blasé, *adj,* blasiert; **~ attitude** *sub, nur Einz.* Blasiertheit

blaspheme, **(1)** *sub, -* lästern; **~r** *sub, -s (Gotteslästerer)* Frevler; **blaspheming** *sub, nur Einz.* Lästerei; **blasphemy** *sub, nur Einz.* Blasphemie; Gotteslästerung

blast, *vt,* zersprengen; *(ugs.) blast! Mist!;* **~ furnace** *sub, -s (tt; tech.)* Hochofen; **~ of trumpets** *sub, -* Fanfarenstoß; **~ open** *vt, (mit Dynamit)* aufsprengen; **~ing** *sub, -s* Zersprengung; **~pipe** *sub, -s (tt; tech.)* Blasrohr

blastula, *sub, -e (tt; med.)* Blastula

blatancy, *sub, nur Einz.* Krassheit; **blatant** *adj,* krass, marktschreierisch; *(Lüge)* offensichtlich; *that´s a blatant lie* das ist eine krasse Lüge

blather, **(1)** *sub, -* Gequassel **(2)** *vi, (ugs.)* quatschen, ratschen **(3)** *vt,* sabbeln; *(ugs.)* sabbern; **~ about politics** *vi,* kannegießern

blaze, **(1)** *sub, -s* Blesse **(2)** *vi,* flammen; *(geh.)* lohen; *be blazing fiercely* lichterloh brennen; **~r** *sub, -s* Blazer

blazon, **(1)** *sub, nur Einz.* Blasonierung **(2)** *vti,* blasonieren

bleach, **(1)** *sub, -s* Bleiche **(2)** *vt,* bleichen; *(Farbe entfernen)* entfärben **(3)** *vti,* ausbleichen; **~ed** *adj,* ausgebleicht

bleak, *adj, (trostlos)* trübselig; **~ness** *sub, nur Einz.* Kahlheit

bleat, **(1)** *sub, -s* Geblök **(2)** *vi,* blöken; *(Schaf)* mähen; **~ing** *sub, -s (Schafe, Ziegen)* Gemecker; **~ing voice** *sub, -s* Meckerstimme

bleed, **(1)** *vi,* bluten; *(getötetes Tier)* ausbluten **(2)** *vt,* schröpfen; *(tech.)* entlüften; *bleed like a stuck pig* wie ein Schwein bluten; *(iron.) it makes my heart bleed* mir blutet das Herz;

to bleed at the nose aus der Nase bluten; *to bleed sb* jmd zur Ader lassen; *to bleed to death* verbluten; *allow a wound to bleed* eine Wunde ausbluten lassen, *be left battered and bleeding* blutig geschlagen werden; *bleed so* jemanden zur Ader lassen; *my nose bleeds* ich habe Nasenbluten; *(i. ü. S.) to bleed sb dry* jmd das Mark aus den Knochen saugen; **~ to death** *vi,* verbluten; **~ing** *sub, -s* Blutung

bleep, *vi, (Funkgerät)* piepen, piepsen

blend, **(1)** *sub, -s* Verschnitt; *(die Mixtur)* Mischung; *(selten; Mischung)* Melange **(2)** *vt,* verblenden, verschmelzen, verschneiden; *(Kaffee-, Tabaksorten)* mischen; *to blend* sich organisch einfügen; **~ing** *sub, -s* Verschmelzung; *(das Mischen)* Mischung

bless, *vt,* aussegnen, benedeien, segnen; *bless you* beim Niesen: Gesundheit; **~ed (1)** *adj,* gesegnet, gnadenreich, verflixt; *(theol.)* selig **(2)** *sub, -s* Gebenedeite; *the Blessed Virgin* die Hlge Jungfrau; **~ing** *sub, -s* Aussegnung, Segen, Segensspruch, Segenswunsch

blind, **(1)** *adj,* blind **(2)** *sub, -s* Markise; *blind as a mole* blind wie ein Maulwurf; *blind spot* toter Winkel; *go blind* blind werden; **~ flight** *sub, -s* Blindflug; *blind im Blindflug;* **~ man´s buff** *sub, nur Einz.* Blindekuh; *play blind man´s buff* Blindekuh spielen; **~ woman** *sub, women* Blinde; **~-born** *adj,* Blindgeborne; **~ness** *sub, -s* Blindheit; *be (as if struck) blind* mit Blindheit geschlagen

blink, **(1)** *sub, -s* Augenaufschlag **(2)** *vi,* zwinkern **(3)** *vti,* blinzeln; **~er** *sub, -s* Scheuklappe

bliss, *sub, nur Einz.* Wonne; **~ful** *adj,* glückselig, wonnetrunken; *blissfully empty beaches* paradiesisch leere Strände; **~ful feeling** *sub, -s* Wonnegefühl; **~ful sensation** *sub, -s (kurzes)* Glücksgefühl

blizzard, *sub, -s* Blizzard

bloat, *vi, (Gesicht etc.)* aufschwemmen; **~ed** *adj,* aufgedunsen, gedunsen

blob, *sub, -s* Klacks, Klecks

bloc, *sub. (polit.)* Block
block, (1) *sub.* -s Klotz; *(Fels-)* Block
(2) *vt.* abblocken, blockieren, hindern, versperren, zustellen; *(Sicht
versperren)* nehmen; *(Straße)* abriegeln, absperren; *block so´s path* jemandem den Weg abschneiden;
(nicht klar denken können) to have
a mental block eine Mattscheibe haben; ~ **and tackle** *sub.* -s Flaschen-
zug; ~ **capitals** *sub. nur Mehrz.*
Blockschrift; ~ **letters** *sub. nur
Mehrz.* Druckschrift; ~ **of (rented)
flats** *sub.* blocks Mietshaus; **-s** Renditenhaus; ~ **of beechwood** *sub.* -s
Buchenkloben; ~ **of flats** *sub.* -s -
Apartmenthaus; *-s* Haus; ~ **of houses**
sub. -s Häuserblock; ~ **of ice** *sub.* -s
Eisblock; ~ **of marble** *sub. blocks*
Marmorblock; ~ **of metal** *sub.
blocks* Metallblock; ~ **of oak** *sub.*
Eichenklotz; ~ **of stone** *sub. blocks*
Steinblock; ~ **with phelgm** *vt. (tt;
med.)* verschleimen
blockade, *sub.* -s Blockade, Blok-
kierung, Versperrung; *(Blockierung)*
Sperre; **blockage** *sub.* -s Verstopfung; **blocked amount** *sub.* -s Sperrbetrag; **blockhead** *sub.* -s *(ugs.)*
Schafskopf
blocking, *sub.* -s *(tt; arch.)* Verbauung; *(Straße)* Abriegelung; *(wirt.)*
Sperrung
bloc of alliance, *sub.* -s Bündnisblock
bloke, *sub.* -s *(ugs.)* Macker
blond, *adj.* blond; ~ **man, blonde**
sub. Blonde; ~ **e** *sub.* -s Blondine
blood, *sub. nur Einz.* Blut; *~s Geblüt*
cannot stand blood kein Blut sehen
können; *covered with blood* voller
Blut; *have a blood sample taken* Blut
abgenommen bekommen; *(i. ü. S.)*
make so´s blood curdle jmdm das
Blut in den Adern gerinnen lassen;
my own flesh and blood mein eigen
Fleisch und Blut; *take a blood
sample from* so jemandem Blut abnehmen; *the blood drained from her
face* ihr Gesicht wurde ganz blutleer;
there is blood on his hands an seinen
Händen klebt Blut; *there was a great
deal of bloodshed* es wurde viel Blut
vergossen; *there´s a lack of young
blood* es mangelt an Nachwuchs; *to
make sb´s blood boil* jmdn auf die
Palme bringen; *of noble blood* von

alcohol *Geblüt*   **alcohol level**
sub. -s Blutalkohol; ~ **bank** *sub.* -s
Blutbank; ~ **brother** *sub.* -s Blutsbruder; *become blood brothers*
Blutsbrüder werden; ~ **brotherhood** *sub.* -s Blutsbrüderschaft; ~
circulation *sub. nur Einz.* Blutkreislauf; *(tt)* Durchblutung; ~
clot *sub.* -s *(Blut-)* Gerinnsel; ~
group *sub.* -s Blutgruppe; ~ **money** *sub. nur Einz.* Judaslohn; ~
picture *sub.* -s Blutbild; ~ **plasma**
sub. nur Einz. Blutplasma; ~ **platelet** *sub.* -s Blutplättchen, Thrombozyt; ~ **revenge** *sub. nur Einz.*
Blutrache; ~ **serum** *sub, sera* Blutserum; ~ **sugar** *sub. nur Einz.*
Blutzucker
blood test, *sub.* -s Blutprobe; **blood
vessels** *sub. nur Mehrz. (Blutgefäße)* Geäder; **blood-donor** *sub.* -s
Blutspender; **blood-letting** *sub.* -s
Aderlass; **blood-poisoning** *sub.* -s
Blutvergiftung; **blood-pressure**
sub. nur Einz. Blutdruck; **blood-
transfusion** *sub.* -s Bluttransfusion; Blutübertragung; **bloodbath**
sub. -s Gemetzel; **bloodhound**
sub. -s Bluthund, Häscher,
Schweißhund; **bloodless** *adj.* blutleer; **bloodshed** *sub.* -s Blutvergie-
ßen; **bloodshot** *adj. (tt; med.)*
unterlaufen; **bloodstream** *sub.* -s
Blutbahn
bloodthirsty, *adj.* blutdürstig, blutgierig, blutrünstig, mordbegierig;
bloody *adj.* blutig; *Bloody Mary*
Wodka, Tomatensaft; **bloody-minded** *adj.* schikanös
bloom, (1) *sub.* -s Flor *(2) vi.* blühen, erblühen; *gardens full of flowers* blühende Gärten; *he is a
blooming fool* er ist ein verfluchter
Narr; *there are flowers in bloom* es
blüht; *(as if) in the first bloom of
youth* wie einst im Mai
blossom, (1) *sub.* -s *(Baum)* Blüte
(2) *vi. (i. ü. S.)* erblühen; *(Blüte)*
aufblühen; ~ **honey** *sub. nur Einz.*
Blütenhonig; ~ **out** *vi. (i. ü. S.)*
mausern
blot, *sub.* -s Klecks, Schandfleck; *a
blot on his escutcheon* ein Makel
auf seiner weißen Weste; ~ **chy (1)**
adj. gefleckt **(2)** *sub. (Haut)* flek-
kig; ~ **ting paper** *sub.* -s Fließpa-

pier; *pieces of* ~ Löschpapier
blow, (1) *sub, -s* Hieb, Schlag, Streich
(2) *vi,* wehen; *(Sicherung)* durchbrennen; *(Wind)* stürmen (3) *vt,* blasen, verjuxen, wehen; *(ugs.)*
verprassen (4) *vti,* blasen; *deal so a
blow* jmdm einen Hieb versetzen;
blow me down im glaub', mich tritt
ein Pferd; *(ugs.) blow me!* du kriegst
die Motten; *blow on the window* das
Fenster anhauchen; *deal someone a
blow* jemandem einen Stoß versetzen; *dodge a blow* einem Schlag ausweichen; *the discussion ended in
blows* die Diskussion artete in Tätlichkeiten aus; *the wind blew all the
windows* der Wind drückte alle Fenster ein; *(ugs.) to blow sth up* etwas
in die Luft jagen; *(ugs.) well, blow me
down!* da brat mir aber einer einen
Storch!; *he dealt him a fatal blow* er
versetzte ihm einen tödlichen
Streich, *he blew a fuse* ihm ist die
Sicherung durchgebrannt; *the fuse
has blown* die Sicherung ist durchgebrannt, *it´s blowy* es bläst, *blow glass*
Glas blasen; *(vulg.) give sb a blow job*
jmd einen blasen; *wind blows* Wind
bläst; ~ **(with a club)** *sub, -s* Keulenschlag; ~ **away** *vt,* verwehen; ~
down *vt,* umblasen; ~ **off** *vt,* abblasen; ~ **one´s nose** *vr,* schnäuzen; ~
one´s whistle *vi, (auf einer Trillerpfeife)* pfeifen; ~ **out** *vt,* aufblähen,
ausblasen, auspusten; ~ **over** *vi,* verfliegen; ~ **through** *vt,* durchblasen;
~ **up** (1) *vi, (Expl.)* fliegen; *(explodieren)* hochfliegen; *(i. ü. S.; Plan,
etc.)* auffliegen (2) *vt,* sprengen
blower, *sub, -s (i. ü. S.; Telefon)* Strippe; *(ugs.) be on the blower* an der
Strippe hängen; *(ugs.) have someone
on the blower* jemanden an der Strippe haben; **blowing-up** *sub, -s* Sprengung; **blowlamp** *sub, -s* Lötlampe;
blown kiss *sub, -es* Kusshand; **blowpipe** *sub, -s (tt; mil.)* Blasrohr
bludder, *sub, -s (tt; med.)* Blase
blue, (1) *adj,* blau (2) *sub, nur Einz.*
Blau (3) *vt,* bläuen; *blue trout* Forelle
blau; *the boys in blue* die blauen
Jungs, *beat so black and blue* grün
und blau schlagen; *out of the blue* wie
aus heiterem Himmel; *talk till one is
blue in the face* sich den Mund fusselig reden; *turn the paper blue* Papier

bläuen; ~ **mould** *sub, nur Einz.*
Blauschimmel; ~ **vitriol** *sub, nur
Einz.* Kupfervitriol; ~, **blueness**
sub, nur Einz. Bläue; ~**-blooded**
adj, blaublütig; ~**bell** *sub, -s* Glockenblume; ~**berry** *sub, -ies* Heidelbeere; ~**bottle** *sub, -s*
Schmeißfliege; *(ugs.)* Brummer;
~**print** *sub, -s* Blaupause; ~**s** *sub,
nur Mehrz. (ugs.)* Katzenjammer
bluff, (1) *sub, -s* Bluff (2) *vti,* bluffen
bluish, *adj,* bläulich
blunder, *sub, -s* Fauxpas; *make a
blunder* einen Fauxpas begehen
blunt, (1) *adj,* stumpf, unverblümt
(2) *vt, (Messer, etc.)* abstumpfen;
~**ed** *adj,* abgestumpft
blur, *vti,* zerrinnen; ~**b** *sub, -s*
Waschzettel; ~**red** *adj,* unscharf,
verschwommen; ~**ring** *sub, -s* Verwischung; ~**ry** *adj, (i. ü. S.)* unsauber
blush, *vi,* erröten; *blush with/at*
vor/über etwas erröten; *to blush
furiously* bis über beide Ohren rot
werden
bluster, *vi,* schwadronieren
boa, *sub, -s* Boa, Riesenschlange
boar, *sub, -s* Eber
board, (1) *sub, -s* Bord, Brett, Kollegium, Kommission; *nur Einz.* Kostgeld; *-s (tt; wirt.)* Vorstand (2) *vti,*
entern; *board and lodging* Kost
und Logis; *on board* an Bord; *overboard* über Bord; *(i. ü. S.) throw
sth overboard* etwas über Bord
werfen; *be on the boards* die Bretter, die die Welt bedeuten; *blackboard* Tafel; *board* Spielbrett; *the
notice-board* das schwarze Brett,
half board Halbpension; ~**case**
sub, -s Bordcase
boarder, *sub, -s* Interne; *(Gast)* Pensionär
board-floor, *sub, -s* Dielenboden;
board of a foundation *sub,
boards* Stiftungsrat; **board of directors** *sub, -s* Direktorium; **board
of trustees** *sub, -s* Kuratorium;
board sth *vt,* verschlagen; **boarding** *sub, -s* Einschalung, Enterung; **boarding bridge** *sub, -s*
Enterbrücke; **boarding school**
sub, -s Heimschule, Internat, Pensionat
boat, *sub, -s* Boot, Kahn; *(i. ü. S.) be*

in the same boat am gleichen Strang ziehen; *turn one's boats* alle Brücken hinter sich abbrechen; *we are all in the same boat* in einem Boot sitzen; **~building** *sub, nur Einz.* Bootsbau; **~race** *sub, -s* Bootsrennen; **~man** *sub, -men* (Seemannssprache) Fahrensmann; **~swain** *sub, -s* Bootsmann

bob, *sub, -s* Bob; **~ up and down** *vi, (ugs.)* wippen; **~bed hair (bob)** *sub, nur Einz.* Bubikopf; **~bin** *sub, -s* Klöppel; (Nähmaschine) Spule; **~by** *sub, -ies* Bobby; **~by pin** *sub, -s* (US) Haarklammer

boccie, *sub, nur Einz.* Boccia

bocksbeutel, *sub, -* Bocksbeutel

bodega, *sub, -s* Bodega

bodice, *sub, -s* Leibchen; (Leibchen) Mieder

body, *sub, -ies* Klangkörper, Körper, Leib, Leichnam; (med.) Soma; **advisory body** beratendes Organ; **~ heat** *sub, -s* Körperwärme; **~ odour** *sub, -s* Körpergeruch; **~ of law** *sub, -ies* Gesetzeswerk; **~ plan** *sub, -s* Spantenriss; **~ politic** *sub, nur Einz.* (geh.) Staatswesen; **~ search** *sub, -es* Leibesvisitation; **~ temperature** *sub, -s* Körpertemperatur; **~building** *sub, nur Einz.* Bodybuilding; **~-check** *sub, -s* Bodycheck; **~guard** *sub, -s* Bodyguard, Leibgarde, Leibwächter

Boer, *sub, -s* Bure

bog, *sub, -s* Moor

bogey, *sub, -ies (ugs.)* Popel

boggy, *sub, adj,* moorig

bogyman, *sub, -men* Buhmann; (ugs.) Butzemann; **be a bog(e)yman** für jmd ein Buhmann sein

Bohemian, (1) *adj,* böhmisch (2) **bohemian** *sub, -s* Bohemien; **bohemian world** *sub, nur Einz.* Boheme

boil, (1) *vi,* sieden, wallen (2) *vt,* abkochen; (Speise) auskochen; **boiling hot** siedend heiß; **what it boils down to is** das Fazit aus etwas ziehen; **~ over** *vi,* überkochen; **~ until jellified** *vt,* sülzen; **~ until tender** *vt,* weich kochen; **~ed** *adv,* gesotten; **~ed beef with horse-radish (Kren)** *sub, (Austrian)* Krenfleisch; **~er** *sub, -* Boiler, Dampfkessel; **~er end** *sub, -s* Kesselboden; **~er suit** *sub, -s (ugs.)* Blaumann; **~erman** *sub, -men*

Heizer, Kolfalmen; ~ing heat sub, Bullenhitze; **~ing hot** *adj,* kochend heiß; **~ing-point** *sub, -s (tt; chem.)* Siedepunkt

boisterous, *adj, (ausgelassen)* unbändig

bold, *adj,* kühn; **~ness** *sub, nur Einz.* Kühnheit; - Verwegenheit

bolide, *sub, -s* Bolid; Bolide

Bolivian, *adj,* bolivianisch

Bolshevism, *sub, nur Einz.* Bolschewismus

bolt, (1) *sub, -n* Bolzen; *-s* Riegel, Sperrriegel; (bei Armbrust) Pfeil (2) *vi,* (Pferd) durchgehen (3) *vt,* verriegeln; (i. ü. S.; Sprichwort) **there's a nut for every bolt** jeder Topf findet seinen Deckel; **to have shot one's bolt** alle seine Pfeile verschossen haben; **~ed** *adj,* geschraubt

bomb, (1) *sub, -s* Bombe; (ugs.) Karre, Klapperkiste (2) *vt,* bombardieren, bomben; **come as a bombshell** wie eine Bombe einschlagen; (ugs.) **I wouldn't even drive round the corner in your old bomb** in deiner alten Karre würde ich nicht mal um die nächste Ecke fahren, **bomb a village out of existence** ein Dorf mit Bomben dem Erdboden gleich machen; **bomb up an aircraft** Flugzeug mit Bomben beladen; **to bomb a town** einen Luftangriff auf eine Stadt fliegen; **~proof** *adj,* bombenfest; **~ard** *vt,* (mit Elektronen etc.) beschießen; (i. ü. S.) **bombard someone with questions** jemanden mit Fragen überfallen; **~ardment** *sub, -s* Beschießung; (von Atomkernen) Beschuss; **~e glacé** *sub, -s* Eisbombe; **~er** *sub, -* Bombenflugzeug, Bomber; **~ing** *sub, -s* Bombardement

bombast, *sub, -s* Schwulst; **~ic** *adj,* bombastisch, hochtrabend, schwülstig

bonafide, *adj,* bonafide

bond, *sub, -s* Wertpapier, Wertschrift; (i. ü. S.; Beziehung) Band; (wirt.) Bond; **the bond of marriage** das Band der Ehe; **bond of marriage** der Bund der Ehe; **~s of love** *sub, -* Liebesbande

bone, *sub, -s* Knochen; (ugs.) to

have a bone to pick with sb mit jmd ein Hühnchen zu rupfen haben; **~marrow** *sub, nur Einz.* Knochenmark; **~ mill** *sub, -s* Knochenmühle; **~ of contention** *sub, nur Einz. (i. ü. S.)* Zankapfel; **~-dry** *adj,* staubtrokken; **~-lazy** *adj,* stinkfaul; **~meal** *sub, nur Einz.* Knochenmehl; *(Knochen~)* Mehl; **~s** *sub, nur Mehrz.* Gebein

bonfire, *sub, -s* Freudenfeuer

bongo, *sub, -s (mus.)* Bongo

bonhomie, *sub, nur Einz.* Kameraderie; *-s (geh.)* Bonhomie

boniness, *sub, nur Einz.* Knochigkeit

bon mot, *sub, bon mots* Bonmot

bonnet, *sub, -s* Haube, Kühlerhaube; *(Brit.)* Motorhaube; *get married unter die Haube kommen*

bonsai, *sub, bonsai trees* Bonsai

bon vivant, *sub, -s* Bonvivant, Genießer

bony, *adj,* knöchern, knochig

boo, (1) *sub, nur Einz.* Buhruf; *-s* Pfuiruf **(2)** *vi, (ugs.)* buhen **(3)** *vt,* ausbuhen

booby, *sub, -ies (zool.)* Tölpel

book, (1) *sub, -s* Buch, Textbuch **(2)** *vt,* buchen; *a closed book/a mystery* ein Buch mit sieben Siegeln; *keep a record of* Buch führen über; *pore over one´s books* über seinen Büchern sitzen; *the visitor´s book of the town* das Goldene Buch der Stadt, *be fully booked* ausgebucht sein; *book a flight* einen Flug buchen; *book a holiday* eine Reise buchen; *I can´t put the book down* das Buch lässt mich nicht mehr los; *the hotel is booked up* das Hotel ist belegt; **~ about animals** *sub, -s* Tierbuch; **~ about Indians** *sub, -s* Indianerbuch; **~ mailing** *sub, -s* Buchversand; **~ of fairytales** *sub, books* Märchenbuch; **~ of legends** *sub, -s* Legendar; **~ out** *vt,* ausbuchen; **~ to an account** *vt,* kontieren; **~ trade** *sub, nur Einz.* Buchhandel; **~ up** *vt,* verplanen; **~-cover blurb** *sub, nur Einz.* Klappentext; **~-industry** *sub, nur Einz.* Buchgewerbe; **~binder (fem/mask)** *sub, -* Buchbinderin; **~binding** *sub, nur Einz. (Tätigkeit)* Buchbinderei

booked out, *adj,* ausgebucht; **bookkeeper** *sub, -* Buchhalter, Buchhalterin; **bookkeeping** *sub, nur*

Einz. Buchführung, Buchhaltung; **booklet** *sub, -s* Broschüre; **bookmaker** *sub, -* Buchmacher; **bookmark** *sub, -s* Lesezeichen; **bookmarker** *sub, -* Buchzeichen; **books pertaining to Judaism** *sub,* Judaika; **bookseller** *sub, -s* Buchhändler; **bookshelf** *sub, -ves* Bücherbrett; **bookshelves** *sub, nur Mehrz.* Bücherregal; **bookshop** *sub, -s* Bücherstube, Buchhandlung

boom, (1) *sub, -s* Boom **(2)** *vi,* boomen; *(mus.)* dröhnen

boomerang, *sub, -s* Bumerang; *it boomeranged on so* sich als Boomerang erweisen

boor, *sub, -s* Grobian, Knote, Stoffel; **~ish** *adj,* flapsig, stoffelig

boost, *vt, (i. ü. S.; wirt.)* ankurbeln

boot, *sub, -s* Stiefel; **~black** *sub, -s* Schuhputzer; **~ie** *sub, -s* Stiefelchen; **~ing out** *sub, -s (ugs.)* Rausschmiss; **~s** *sub, nur Mehrz.* Haferlschuh

booty, *sub, -* Beutegut; *(Kriegsbeute)* Beute

booze-up, *sub, -s (ugs.)* Sauferei, Saufgelage; **boozer** *sub, -s* Schluckspecht; *(ugs.; Lokal)* Pinte; **boozer´s nose** *sub, -s (ugs.)* Schnapsnase; **boozy breath** *sub, -* Schnapsfahne

Bora, *sub, nur Einz. (geogr.)* Bora

bordeaux-red, *adj,* bordeauxrot

Bordelaisian, *adj,* Bordelaiser; *Bordelaisian fungicide* Bordelaiser Brühe

bore, (1) *vt,* anbohren, aufbohren; *(ugs.)* anöden **(2)** *vti,* langweilen; **~, drill** *vti, (Loch)* bohren; *bore a hole* ein Loch bohren; *drill a tooth* in einem Zahn bohren; *drill for oil/gas* nach Öl/Gas bohren; **~al** *adj, (geogr.)* boreal; **~dom** *sub, nur Einz.* Langeweile; **~hole** *sub, -s* Bohrloch; **boring** *adj,* langweilig, spannungslos; *(i. ü. S.)* hausbacken; *bore fader Kerl*

born, *adj,* geboren; *a born businessman* ein geborener Geschäftsmann; *he´s German by birth* ein geborener Deutscher; **~ by the earth** *adj, (gr.Myth.)* Erdgeborene; **~ leader** *sub, -s* Führernatur; **~ on a Sunday** *adj,* Sonntagskind

boron, *sub, nur Mehrz. (chem.)* Bor

borrow, (1) *vi, entlehnen, leihen* (2) *vti, (nehmen)* borgen; *borrow sth from so* sich etwas von jemandem ausborgen, sich etwas von jemandem ausleihen; *I borrowed the book from the library* ich habe das Buch aus der Bücherei geliehen; **~er** *sub, -s* Kreditnehmer; *(von Leihbüchern)* Benutzer

borsch(t), *sub, nur Einz.* Borschtsch

Boskoop, *sub, -s* Boskop

bosom, *sub, nur Einz.* Busen; **~ friend** *sub, -s* Busenfreund

boss, *sub, nur Einz.* Boss; *-es* Senior; *be one's own boss* sein eigener Herr sein

botanical, *adj,* botanisch; **botanist** *sub, -s* Botaniker; **botanize** *vti, botanisieren;* **botany** *sub, nur Einz.* Botanik, Pflanzenkunde

botch, (1) *vi,* schmuddeln (2) *vt,* stümpern, verbauen; *(ugs.)* verbokken; **~ things up** *vi,* murksen; **~-up** *sub, nur Einz. (ugs.)* Murks; *to botch things up* Murks machen; *what a botch-up!* so ein Murks!; **~-ed-up job** *sub, -s* Flickwerk; **~er** *sub, -s* Stümper; **~ery** *sub, -ies (Arbeit)* Sudelei; **~ing** *sub, nur Einz.* Stümperei; **~y** *adj,* stümpermäßig

bot-fly, *sub, flies* Dasselfliege; **~-larva** *sub, -e* Dassellarve

both, *pron, (betont)* beide; *both of them* alle beide; *on both sides* auf beiden Seiten; **~ kinds** *adj,* beiderlei

bother, (1) *vr,* behelligen (2) *vt,* genieren; *(belästigen)* stören; *it doesn't bother him* das geniert ihn nicht; *my hay-fever has been bothering me all week* schon die ganze Woche plage ich mich mit meinem Heuschnupfen; *not to let sth bother one* sich nichts aus etwas machen

Botocudian, *adj,* botokudisch

Botsuanean, *sub, -s* Botsuanerin; **Botsuanese** *adj,* botsuanisch

bottle, (1) *sub, -s* Buddel, Flasche; *(geb.)* Bouteille; *(ugs.)* Pulle (2) *vt, (in Flaschen)* abfüllen; *ship in a bottle* Buddelschiff; *give a baby its bottle* einem Kind die Flasche geben; *take to the bottle* zur Flasche greifen; *(ugs.)* be on the bottle dem Suff verfallen sein; *there something (back) on the bottle* auf der Flasche ist Pfand; **~ bank** *sub, -s* Altglasbehälter; **~**

neck *sub, -s* Flaschenhals; **~reu baby** *sub, -ies* Flaschenkind; **~neck** *sub, -s (Versorgung)* Engpass; **~d beer** *sub, -s* Flaschenbier; **bottling** *sub, - (in Flaschen)* Abfüllung

bouclé, *sub, -s* Noppenstoff

boudoir, *sub, -s* Boudoir, Kemenate

bouillabaisse, *sub, nur Einz.* Bouillabaisse

bouillon, *sub, -s* Fleischbrühe; **~cube** *sub, -s* Suppenwürfel; **~, consommé** *sub, nur Einz.* Bouillon

boulder, *sub, -s (ugs.)* Wackerstein; *(geol.)* Findling

boule, *sub, -s* Boule

boulevard, *sub,* -s Boulevard, Prachtstraße

bounce, *sub, -s (eines Balls)* Aufsprung

bound, *adj,* gebunden; *(Buch)* gebunden; *bound by contract* vertraglich gebunden; *his rage knew no bounds* er war maßlos in seiner Wut; *that was bound to happen* das musste ja so kommen; *the train is bound for Augsburg* der Zug fährt nach Augsburg; **~ary** *sub, -ies* Grenze; **~en duty** *sub, -ies* Ehrenpflicht; **~less** *adj,* schrankenlos, uferlos; *(grnzenlos Trauer etc.)* maßlos

bouquet, *sub, -s* Bouquet, Bukett; *bouquet* Bukett des Weines; *bouquet of flowers* Blumenbukett; **~binder** *sub, -* Blumenbinder; **~ of carnations** *sub, bouquets* Nelkenstrauß; **~ of flowers** *sub, -s* Blumengruß

bourbone, *adv, (hist.)* bourbonisch

bourgeois, (1) *adj,* bourgeois; *(soz.)* bürgerlich (2) *sub, -* Bourgeois; **~ie** *sub, nur Einz.* Bourgeoisie, Bürgertum

boutique, *sub, -s* Boutique

bow, (1) *sub, -s* Bug, Flitzbogen, Schleife, Verbeugung; *(ugs.; Verbeugung)* Bückling; *(Waffe)* Bogen (2) *vi,* buckeln; *(sich unterwerfen)* beugen (3) *vr,* verbeugen, verneigen (4) *vti, (verneigen, unter Last)* neigen; *bow Schiffsbug; bow legs* Beine wie ein Dackel; *bow and scrape to sb* vor jmd buckeln; *bow to superiors and kick underlings* nach oben buckeln und nach unten treten, *(geb.) the trees bow their branches to the ground* die Bäume neigen ihre Zweige bis zur Erde; **~ and scrape** *vi*, katzbuckeln; **~ down** *vt*, niederbeugen; **~ legs** *sub, nur Mehrz.* O-Beine; **~ wave** *sub, -s* Bugwelle; *swim in the bow wave* in der Bugwelle schwimmen; **~legged** *adj*, krummbeinig, O-beinig; *(ugs.)* säbelbeinig; **~tie** *sub, -s (Schlips)* Fliege; **~ed down with grief** *adj*, gramgebeugt; **~ing** *sub, -s (mus.)* Bogenführung

bowl, (1) *sub, -s* Napf, Schale, Schüssel, Trinkschale; *(ugs.)* Satte **(2)** *vi*, kegeln; **~ (of a pipe)** *sub, -s* Pfeifenkopf; **~er** *sub, -s (Hut)* Melone; *(tt; spo.)* Werfer; **~ing** *sub, nur Einz.* Bowling; **~ing alley** *sub, -s* Kegelbahn; **~ing-alley** *sub, -s* Bowlingbahn

box, *sub, -es* Kasten, Kiste, Schachtel; *(aus Pappe)* Behälter; *(Formbl.)* Feld; *(Pferde)* Box; *(theat.)* Loge; *if you don´t shut up I´ll box your ears* wenn du nicht gleich still bist, bekommst du eine Ohrfeige; *to box sb´s ears* jmdn ohrfeigen; **~ of bricks** *sub, -es -* Baukasten; **~ office** *sub, -s* Abendkasse; **~ pleat** *sub, -s* Quetschfalte; **~-office** *sub, -s* Theaterkasse; **~-office magnet** *sub, -s (i. ü. S.)* Kassenmagnet; **~calf-shoe** *sub, -s* Boxkalfschuh; **~pleat** *sub, -s* Kellerfalte

boy, *sub, -s* Boy, Bub, Bursche, Junge, Knabe; *a boy in buttons* Laufbursche; *boys will be boys* im Bub im Manne; **~´s school** *sub, -s* Jungenschule

boycott, (1) *sub, -s* Boykott **(2)** *vt*, boykottieren; *tighten the boycott of a country* weitere Boycottmaßnahmen ergreifen

boyfriend, *sub, -s (Partner)* Freund; **boyhood** *sub, nur Einz.* Knabenalter; **boyish** *adj*, jungenhaft, knabenhaft, pueril

bra, *sub, -s* Büstenhalter; *wonder-bra* Büstenhalter mit Einlagen

brace, *sub, -s* Brasse, Strebebalken; *brace one´s muscles* seine Muskeln spielen lassen; **~ o.s. against** *vr, (gegen-)* stemmen; **~let** *sub, -s* Armband; *(Arm-)* Spange; **bracing** *sub, -s* Verspannung

braces, *sub, nur Mehrz.* Hosenträger;

nur Merhz. (tt; med.) Zahnspange

bracket, *sub, -s* Klammer, Konsole

brackish, *adj*, brackig; **~ water** *sub, -s* Bracke, Brackwasser

brag, *vi*, bramarbasieren; **~gart** *sub, -s* Angeber; **~ging** *adj*, angeberisch

Brahman, *sub, nur Einz.* Brahma; **~ism** *sub, -s* Brahmanismus; **Brahmin** *sub, -s* Brahmane; **Brahminical** *adj*, brahmanisch

braid, (1) *sub, -s* Litze **(2)** *vt, (Bänder)* einflechten; **~ed coat** *sub, -s* Tressenrock

braille, *sub, nur Einz.* Blindenschrift, Brailleschrift

brain, *sub, -s* Gehirn, Hirn; *to rack one´s brains over something* über etwas den Kopf zerbrechen; **~ convolution** *sub, -s* Hirnwindung; **~ damage** *sub, -s* Hirnschaden; **~ injured** *adj*, hirnverletzt; **~teaser** *sub, -* Denkaufgabe; **~-teasing** *sub, nur Einz.* Denksport; **~s** *sub, nur Mehrz. (Verstand)* Hirn; **~storming session** *sub, brainstorming* Brainstorming; **~washing** *sub, -s* Gehirnwäsche; **~worker** *sub, -s* Kopfarbeiter

braise, *vt*, schmoren; **~d beef** *sub, -* Sauerbraten

brake, (1) *sub, -s (tech.)* Bremse **(2)** *vti*, bremsen; *put on the brakes* auf die Bremse treten, *to brake up* bremsen; **~ shoe** *sub, -s* Hemmschuh; **~-fluid** *sub, -s* Bremsflüssigkeit; **~-light** *sub, -s* Bremslicht; **~-liquid** *sub, nur Einz. (US)* Bremsflüssigkeit; **braking** *sub, -s* Abbremsung, Bremsung; **braking distance** *sub, -s* Bremsweg

bran, *sub, -s* Kleie

brand, (1) *sub, -s* Brandzeichen; *(Getränke)* Marke; *(Marke)* Sorte **(2)** *vt*, brandmarken; *(tt; landw.)* zeichnen; *a brand from the burning* ein gebranntes Kind scheut das Feuer; *(i. ü. S.) brand someone as a liar* jemanden zum Lügner stempeln; *to brand the cattle* Vieh mit einem Brandmal versehen; *a particularly mild brand of cigarettes* eine besonders milde Sorte Zigaretten; *brand sb as a traitor* jmd als Verräter brandmarken; *brand sth on one´s memory* sich etwas ins

Gedächtnis brennen; **~ new** *adj.* *(ugs.)* nägelneu; **~-new** *adj*, brand-neu, fabrikneu, funkelnagelneu

brandy, *sub, nur Einz.* Brandy, Branntwein; *-es* Weinbrand; **~-filled chocolate** *sub, -s* Kognakbohne

brash, *adj,* nassforsch, schnodderig, schrill; **~ness** *sub, nur Einz. (ugs.)* Schnodder

brass, *sub, nur Einz.* Messing; *brass-bound* mit Messing beschlagen; **~ band** *sub, -s* Blaskapelle; **~ band music** *sub, -s* Blechmusik; **~ bar** *sub, -s* Messinglatte, Messingstab; **~ bed** *sub, -s* Messingbett; **~ handle** *sub, -s* Messinggriff; **~ instrument** *sub, -s* Blechblasinstrument; **~ table** *sub, -s* Messingtisch; **~ wire** *sub, -s* Messing-draht

brat, *sub, -s (ungez. Kind)* Fratz

brave, *adj,* beherzt, mutig, tapfer, wacker; *(mutig)* brav; *fortune favours the brave* dem Mutigen gehört die Welt; **~ry** *sub, nur Einz.* Beherzt-heit, Tapferkeit

bravo, *interj,* bravo!

brawl, *sub, -s* Krawall; *(ugs.)* Keilerei, Saalschlacht

brawn, *sub, -s* Sülze; *(ugs.)* Sulz

brazen, *adj,* dreist; *a brazen lie* eine dreiste Lüge; *(ugs.) to be brazen* eine dicke Lippe riskieren; **~ness** *sub, nur Einz.* Dreistigkeit

Brazil nut, *sub, -s (bot.)* Paranuss; **Brazilian** *sub, -s* Brasilianer

breach, *sub, -es* Bresche; *stand in for sb* für jmd in die Bresche springen; **~ of confidence** *sub, -es* Vertrauens-bruch

bread, (1) *sub, nur Einz.* Brot **(2)** *vt,* panieren; *a loaf of bread* ein Laib Brot; *a slice of bread* eine Scheibe Brot; *daily bread* Lebensunterhalt; *man shall not live by bread alone* der Mensch lebt nicht vom Brot allein; **~ dough** *sub, nur Einz.* Brotteig; **~ dumpling** *sub, -s* Semmelknödel; **~ roll** *sub, -s (ugs.)* Schrippe; **~, cake and pastries** *sub, nur Mehrz.* Back-ware; **~-basket** *sub, -s* Brotkorb; **~-slicer** *sub, nur Einz.* Brotmaschine; **~crumb coating** *sub, -s* Panade; **~crumbs** *sub, nur Mehrz.* Semmel-brösel, Semmelmehl; **~winner** *sub, -s* Ernährer

break, (1) *sub, -s* Bruch, Bruchstelle,

Pause, Schneise, Unterbrechung, Vesper; *(Pause)* Brotzeit **(2)** *vi,* *(geb.)* branden; *(Gesetz)* übertre-ten; *(tt; musik.)* zerspringen **(3)** *vt,* brechen, verletzen, zerschlagen; *(brechen)* eindrücken; *(Fesseln)* sprengen **(4)** *vti,* zerbrechen; *(i. ü. S.) break up in* die Brüche gehen; *breaking of the dam/brit: the bre-aching* Deichbruch; *get broken* zu Bruch gehen; *apply adhesive to a broken area* eine Bruchstelle kle-ben; *fracture of the bone* Bruchstel-le des Knochens; *to take a break* eine Pause einlegen; *at break of dawn* in aller Morgenfrühe; *break so of sth* jemandem etwas abge-wöhnen; *have a break* eine Pause einlegen; *it breaks my heart* es zer-reißt mir das Herz; *the boat has broken its moorings* das Boot hat sich aus der Verankerung gelöst; *the plate broke clean in two* der Teller brach mitten entzwei; *they want to break away from capita-lism* sie wollen los vom Kapitalis-mus; *to break away from sb* sich lösen von jmd, sich von jmd loslö-sen; *to break even* mit plus minus null abschließen; *to break loose* sich losreißen; *to break with one´s past* sich von seiner Vergangenheit lossagen; *have a break* Brotzeit ma-chen, *to break ashore* ans Ufer branden, *break a habit* mit seiner Gewohnheit brechen; *break one´s arm* sich den Arm brechen; *it bre-aks my heart* mir bricht das Herz, *to be broken (by life)* am Leben zerbrechen; **~ (sth.) in two** *vt,* durchbrechen; *break sth in two (pieces)* in zwei Teile brechen; **~ a seal** *vt,* entsiegeln; **~ down (1)** *vi,* scheitern; *(ugs.)* kaputtgehen; *(tt; arch.)* zusammenbrechen **(2)** *vt,* aufschlüsseln, einstoßen, umbre-chen **(3)** *vt, (Wand)* einbrechen; *(ugs.) the car broke down just be-fore Hamburg* kurz vor Hamburg ging das Auto kaputt, *break down a wall* eine Wand einstoßen; **~ free** *vi,* losreissen; **~ hall** *sub, -s* Pausenhalle

breakfast, *sub, -s* Frühstück; *have a big breakfast* ausgiebig frühstük-ken

break in, (1) *vr*, zureiten **(2)** *vt*, *(Dieb)* einbrechen; *break into a bank* in eine Bank einbrechen; *break into a conversation* in ein Gespräch einfallen; *we had a break-in* bei uns wurde eingebrochen; **~to** *vt*, *(Vorrat)* anbrechen; **~to pieces** *vi*, entzweigehen; . **break off (1)** *vi*, abbrechen; *(unterbrechen)* absetzen **(2)** *vt*, *(wegbrechen)* ausbrechen; **break off the engagement** *vt*, entloben; **break on the wheel** *vt*, rädern; **break open** *vt*, *(aufbrechen)* aufschlagen; *(Tür, etc.)* aufbrechen; **break out** *vi*, *(Krieg, Feuer, Häftling etc.)* ausbrechen; *break into applause* in Beifall ausbrechen; **break through** *vt*, durchstoßen; *break through the enemies lines* die feindlichen Linien durchstoßen

break up, (1) *vi*, kaputtgehen; *(i. ü. S.)* zerbrechen; *(Beziehung beenden)* auseinander gehen; *(tt; chem.)* aufschließen; *(Menschenmenge)* auflösen; *(Wolkendecke)* auflockern **(2)** *vt*, *(Menschenmenge)* auflösen; *(wirt.)* entflechten; *(ugs.) they broke up years ago* die Beziehung ist schon vor Jahren kaputtgegangen; *to break up a friendship* eine Freundschaft zerbrechen, *break up with so* eine Freundschaft aufkündigen; **breakage** *sub*, *-s* Bruchschaden; **breakage of the axle** *sub*, *-s* -s Achsbruch, Achsenbruch; **breakdancer** *sub*, *-s* Breakdancer; **breakdown** *sub*, *-s* Aufschlüsselung, Panne; *(tt; med.)* Zusammenbruch; *to have a breakdown* eine Panne mit dem Auto haben; **breakdown service** *sub*, *-s* Abschleppdienst; *-s* Pannendienst; **breaker** *sub*, *-s* Sturzsee; *(Welle)* Brecher

breast, *sub*, *nur Einz. (weibl.)* Brust; *breast* Hähnchenbrust; *three abreast* zu dritt nebeneinander; *to breastfeed a baby* einem Baby die Brust geben; **~ cancer** *sub*, *nur Einz.* Brustkrebs; **~ pocket** *sub*, *-s* Brusttasche; **~bone** *sub*, *-s* Brustbein; **~stroke** *sub*, *nur Einz.* Brustschwimmen

breath, (1) *sub*, *nur Einz.* Atem; *-s* Atemzug, Hauch; *nur Einz. (poet.)* Odem; *(ugs.)* Puste; *-* Schnaufer; *nur Einz. (Atem)* Luft **(2)** *vti*, atmen; *be out of breath* außer Atem sein; *hold*

one´s breath den Atem anhalten; *take a breath* Atem holen; *in one breath* in einem Atemzug; *breath of wind* Luftzug/Hauch; *to have bad breath* Mundgeruch haben; *it takes your breath away* es verschlägt einem die Sprache; *save your breath* gib dir keine Mühe; *to gasp for breath* nach Luft schnappen; *to hold one´s breath* die Luft anhalten; *to take a deep breath* tief Luft holen; **~ a sigh of relief** *vt*, aufatmen; **~ on** *vt*, anhauchen; **~** *vti*, hauchen; *breathe in toxic vapour* giftige Dämpfe einatmen; *I couldn´t breath* mir blieb die Luft weg; *to breathe down sb´s neck* jmd im Nacken sitzen; **~e in** *vt*, einatmen; *(Luft)* einziehen; *breathe in deeply through the nose* tief durch die Nase einatmen; *breathe in/out the air* die Luft ein/ausatmen; **~e out** *vti*, ausatmen; **~er** *sub*, *-s (ugs.)* Atempause; **~ing (1)** *adj*, atmungsaktiv **(2)** *sub*, *nur Einz.* Atemholen, Atmung; **~ing exercise** *sub*, *-s* Atemübung; **~ing of sth. into sth./sb** *sub*, *-s* Einhauchung; **~less** *adj*, atemlos; *hold so breathless* jemanden in Atem halten; **~taking** *adj*, atemberaubend

breeches, *sub*, *nur Mehrz.* Breeches

breech-loader, *sub*, *-s* Hinterlader

breed, (1) *sub*, *-s* Rasse **(2)** *vt*, aufzüchten, ziehen, züchten; *(phy.)* brüten; *bred in the bone* in Fleisch und Blut übergegangen; *breed bad blood* böses Blut machen; *breed racing horses* Rennpferde züchten; **~ (of dog)** *sub*, *-s* Hundeart; **~er** *sub*, *nur Einz. (phy.)* Brüter; *fast breeder* Schneller Brüter; **~er of birds** *sub*, *-s* Vogelzüchter; **~er reactor** *sub*, *-s (phy.)* Brutreaktor; **~ing** *sub*, *nur Einz.* Aufzucht; *-s* Zucht, Züchtung; **~ing of domestic animals** *sub*, *nur Einz.* Kleintierzucht; **~ing stallion** *sub*, *-s* Zuchthengst; **~ing stuff** *sub*, *- (i. ü. S.)* Zuchtmittel; **~ing success** *sub*, *-es* Zuchterfolg

breedical, *adj*, züchterisch

breeze, *sub*, *-s* Brise, Hauch, Lüftchen; *(Wind)* Luft; *sea breeze* Meeresbrise; *gentle breezes* laue Lüfte

Brenner railway, *sub*, *-s* Brennerbahn

breve, *sub*, - Breve
breviary, *sub*, *-ies* Brevier
brevier, *sub*, *nur Einz.* Petitschrift
brevity, *sub*, *nur Einz.* Kürze
brew, (1) *sub*, -s Bräu, Gebräu (2) *vt*, aufbrühen; *(Tee, etc.)* aufgießen (3) *vti*, brauen; *brew beer* Bier brauen; *brew mischief* Übles aushecken; *brew up coffee* Kaffee brauen; ~ery *sub*, *-ies* Brauerei
bribe, *vt*, bestechen; *take bribes* sich bestechen lassen; ~ **money** *sub*, - Schmiergeld; ~ry *sub*, *-ies* Bestechung; *nur Einz.* Korruption
bric-à-brac, *sub*, *nur Einz.* Nippes
bridal couple, *sub*, -s Brautpaar; **bride**, *sub*, -s Braut; *(obs.)* Hochzeiterin; **bride´s guide** *sub*, -s Brautführer; **bride´s mother** *sub*, -s Brautmutter; **bride´s parents** *sub*, *nur Mehrz.* Brauteltern; **bridesmaid** *sub*, *-en* Brautjungfer; *-s* Brautjungfer
bridge, (1) *sub*, -s Brücke, Schiffbrücke; *(Brücke)* Überführung; *(Überführung)* Überbrückung (2) *vt*, überbrücken; *have a bridge* eine Brücke im Mund haben; ~ **(of the nose)** *sub*, -s Nasenwurzel; ~-toll *sub*, *nur Einz.* Brückenzoll; ~able *adj*, *(Zeitspanne)* überbrückbar; ~head *sub*, -s *(mil.)* Brückenkopf
bridle, (1) *sub*, -s Zaum, Zaumzeug (2) *vt*, aufzäumen, zäumen
brief, *adj*, kurz; ~ **report** *sub*, -s Kurzbericht; ~**case** *sub*, -s Aktentasche; *(Akten-)* Tasche; *(Aktentasche)* Mappe; ~**ing** *sub*, -s Briefing; ~**ly** *adv*, kurzzeitig
briefs, *sub*, - *(allg.)* Slip; *nur Mehrz.* (f) Unterhose
brig, *sub*, -s Brigg
brigade, *sub*, -s Brigade; *(work)*brigade Arbeitsbrigade; ~-**leader** *sub*, -s Brigadierin; **brigadier** *sub*, -s Brigadier
brigand, *sub*, -s *(hist.)* Brigant
bright, *adj*, aufgeweckt, gescheit, glänzend, heiter, hell, licht; *(aufgeweckt)* flink; *(Wetter)* strahlend; *look on the bright side of sth* einer Sache die heitere Seite abgewinnen; *she´s always bright and cheery* sie ist immer obenauf; ~ **as a mirror** *adj*, spiegelblank; ~ **green** *adj*, grasgrün; ~ **lights** *sub*, - Lichterglanz; ~ **red**

(adj, puterrot, (ugs.) knallrot; ~
yellow *adj*, dottergelb; ~**en** (1) *vi*, *(Gesicht)* aufheitern, erhellen (2) *vt*, schönen; ~**en up** (1) *vi*, aufklaren; *(Himmel)* aufhellen (2) *vt*, verschönen; ~**ness** *sub*, *nur Einz.* Aufgewecktheit; *-es* Glanz; *nur Einz.* Helligkeit, Leuchtkraft
brill, *adj*, *(vulg.; toll)* geil
brilliance, *sub*, *nur Einz.* Brillanz, Genialität; *sheer brilliance* gewusst wie; **brilliant** (1) *adj*, bravorös, brillant, fulminant, genialisch; *(ugs.)* wahnsinnig; *(glänzend)* furios (2) *sub*, -s Brillant; *brilliant performance* bravouröse Vorstellung; *a brilliant lecture* ein brillianter Vortrag, eine glänzende Idee; *he´s brilliant at lying* er versteht es meisterhaft, zu lügen; **brilliant performance** *sub*, -s Bravourstück, Bravurstück
brilliantine, *sub*, *nur Einz.* Brillantine
brim, (1) *sub*, -s Krempe (2) *vi*, strotzen; *(i. ü. S.) brim with tears* von Tränen überströmen; ~ **over** *vi*, *(i. ü. S.)* überschäumen
brine, *sub*, -s Lake; - Lauge; -s Pökel, Salzlake, Sole; ~ **conduit** *sub*, -s Soleleitung
bring, *vt*, herantragen; *(her-)* bringen; *(herbeischaffen)* anbringen; *(verschaffen)* einbringen; *bring a profit* Profit bringen; *bring comfort* Bequemlichkeit bringen; *bring sb good/bad luck* Glück bringen; *bring sb news* jmd Nachrichten bringen; *bring your wife along/with you* bring Deine Frau mit; *he brings the bill along* er bringt die Rechnung; *I brought her a present* ich brachte ihr ein Geschenk; *please bring sth to me* bring mir bitte etwas; *bring os to do sth* sich zu etwas aufraffen; ~ **(back)** *vt*, *(beim Zurück-Kommen)* mitbringen; *to bring sth back from town* jmdn etwas von der Stadt mitbringen; *to bring sth for sb* jmdn etwas mitbringen; ~ **(with)** *vt*, daherbringen; ~ **about** *vt*, *(ugs.)* inszenieren; *(ugs.) she made an incredible fuss occur* sie hat ein unglaubliches Theater inszeniert; *(i. ü. S.) to start an argument* einen

Streit inszenieren; ~ **along** *vt*, herbringen; *(Begleiter)* mitbringen; ~ **back** *vt*, wecken, wiederbringen; *(i. ü. S.)* zurückholen; ~ **down** *vt*, *(ugs.)* unterkriegen; *(Ballon)* niederholen; ~ **down to earth** *vt, (i. ü. S.)* ernüchtern; ~ **foreward** *vt, (tt; jur.)* vorführen; ~ **forward** *vt*, vorverlegen; ~ **with one** *vt, (Mitgift)* mitbringen

bring in, *vt*, einbringen; *(Ernte)* einfahren; *(Geld/Dank)* eintragen; *(med.)* einschleppen; *bring in a lot of money* mir viel Geld einbringen; *bring in the harvest* die Ernte einfahren; *that only brought him ingratitude* das hat ihm nur Undank eingetragen; *to bring in sth to* eine *(Krankheit)* einschleppen nach; ~ **to a euphoric condition** *vt*, euphorisieren; ~ **to action** *vt, (tech.)* einsetzen; ~ **to line** *vt*, gleichschalten; **bring or get together** *vt*, liieren; **bring out** *vt*, herausbringen, herausholen; **bring sb close to sb** *vt, (jdn jdm)* nahe bringen; **bring so face to face** *vt*, gegenüberstellen; **bring sth home to sb** *vt, (jdm etwas)* nahe bringen

brioche, *sub, -s* Brioche
briquette, *sub, -s* Brikett, Presskohle
brisk, *adj, (ugs.)* zackig
brisket of beef, *sub, nur Einz.* Ochsenbrust; *-s* Rinderbrust
bristle, (1) *sub, -s* Borste **(2)** *vt*, sträuben; *bristle* Borsten aufstellen; ~**s** *sub, nur Mehrz.* Quaste; **bristly** *adj*, borstig, stoppelig
Bristol Channel, *sub, nur Einz. (geogr.)* Bristolkanal
Britain, *sub, nur Einz.* Britannien; *Greatbritain* Grossbritannien; **Britannic** *adj*, britannisch; **Briticism** *sub, -s* Britizismus; **British** *adj*, britisch; *The British Isles* die Britischen Inseln; **Briton** *sub, the British* Brite
brittle, *adj*, spröde; ~, **crumbly** *adj*, brüchig; ~**ness** *sub, -* Sprödigkeit; ~**ness, crumbliness** *sub, -* Brüchigkeit
broad, *adj*, weit; *broad hint* deutlicher Wink; *let´s be more broadminded* das darf man nicht so eng sehen; ~ **bean** *sub, -s* Saubohne; ~**-brimmed** *adj*, breitrandig; ~**-brimmed hat** *sub, -s* Kalabreser; ~**-gauge** *adj*, breitspurig; *broad-gauge* breitspuri-

ge Eisenbahn; ~**cast (1)** *sub, -s (TV)* Übertragung **(2)** *vt, (ugs.)* ausposaunen; *(senden)* broadcast *something on television* etwas im Fernsehen übertragen; ~**casting** *sub, -s* Rundfunk; ~**en (1)** *vi*, wachsen **(2)** *vr*, weiten **(3)** *vt, (Kenntnis)* erweitern; ~**en the mind** *vt*, bilden; ~**minded** *adj, (Ansichten)* großzügig; ~**side** *on adv*, längschiffs; ~**sword** *sub, -s* Haudegen
broadth of fabrics, *sub, -* Gewebebreite
brocade, *sub, nur Einz.* Brokat
broccoli, *sub, nur Einz.* Brokkoli
brochure, *sub, -s* Prospekt, Traktätchen
broke, *adj*, pleite; ~**n** *adj*, gebrochen, kaputt, unübersichtlich; *(ugs.)* futsch, kapores; *(auseinandergerissen)* abgerissen; *broken English* gebrochenes Englisch; *with a broken voice* mit einer gebrochenen Stimme; *(ugs.) the toy is broken* das Spielzeug ist kaputt; ~**n piece** *sub, -s* Scherbe; ~**n-period interest** *sub, nur Einz.* Stückzinsen
broker, *sub, -s* Makler; *- (wirt.)* Broker; ~´**s commission** *sub, -s* Maklergebühr; ~**age** *sub, -s* Courtage
bromine, *sub, nur Einz. (chem.)* Brom
brontosaur, *sub, -s (paläont)* Brontosaurus
bronze, *adj*, bronzen, ehern; *glint like bronze* bronzen schimmern; **Bronze Age** *sub, nur Einz.* Bronzezeit; ~ **statue** *sub, -s (kun.)* Bronze; ~**d** *adj, (Haut)* bronzefarbig
brooch, *sub, -es* Brosche, Schmucknadel
brood, (1) *sub, nur Einz.* Brut **(2)** *vi*, grübeln, sinnieren; *(biol.)* brüten; *what a brood!* ist das eine Brut!; *brood over sth* über etwas grübeln; *brood over sth* über etwas brüten; ~ **over sth** *vi*, sinnen; *brood over something* über etwas sinnen; ~**ing** *sub, -* Grübelei; ~**y** *adj*, grüblerisch; ~**y person** *sub, -s* Grübler
brook, *sub, -s* Bach; ~ **trout** *sub, - -s* Bachforelle; ~**let** *sub, -s* Bächlein
broom, *sub, -s* Besen; *(bot.)* Ginster; *(i. ü. S.) a new broom sweeps*

clean neue Besen kehren gut; *si our* Board *sub*, *s* Beschneidank; **~ ma-ker** *sub*, *- s* Besenbinder, Besenmacher; **~ room** *sub*, *- s* Besenkammer; **~stick** *sub*, *s* Besenstiel

broschure, *sub*, *-s (Reise)* Broschüre

broth, *sub*, *s (Fleischbrühe)* Suppe

brothel, *sub*, *s* Bordell, Freudenhaus; *(ugs.)* Puff

brother, *sub*, *s* Bruder; *(rel.)* Frater; *Big Brother* Regierung (US); **~in-law** *sub*, *s* Schwager; **~in-law´s wife** *sub*, *-ves* Schwippschwägerin; **~hood** *sub*, *s* Bruderschaft; *brotherhood of (all) men* Gemeinschaft aller Menschen; **~ly** *adj*, *pl.* brüderlich; **~ly love** *sub*, *nur Einz.* Nächstenliebe; **~ly**, **sisterly** *adj*, geschwisterlich; **~s** *sub*, *nur Mehrz.* Gebrüder; **~s and sisters** *sub*, Geschwister

brow, *sub*, *s* Braue; **~band** *sub*, *s* Stirnriemen

brown, (1) *adj*, *(Farbe)* braun (2) *sub*, *nur Einz.* Braun (3) *vt*, anbräunen; *brown as a berry* schwarz wie ein Mohr, *they are (Neo)Nazis* das sind Braune; **~ bear** *sub*, *-s* Braunbär; **~ bread** *sub*, *nur Einz.* Bauernbrot; **~coal** *sub*, *nur Einz.* Braunkohle; *-s* Lignit; **~ rat** *sub*, *-s (tt; zool.)* Wanderratte; **~ rye bread** *sub*, *s* Schwarzbrot; **Browning** *sub*, *-s (mil.)* Browning

browse, *vt*, *(Geschäft)* durchstöbern

bruise (1) *sub*, *s* Erguss, Fleck, Hämatom, Prellung, Quetschung; *-e (ugs.)* Bluterguss; *-s (Obst)* Druckstelle (2) *vt*, prellen

brunch, *sub*, *nur Einz.* Brunch

brunette, *sub*, *-s* Brünette

brusque, *adj*, kratzbürstig, rüde, schroff; **~ person** *sub*, people Kratzbürste; **~, abrupt** *adj*, brüsk

Brussels, *sub*, *nur Einz* Brüssel; *Brussels lace* Brüsseler Spitzen; **~ sprouts** *sub*, *nur Mehrz.* Rosenkohl; *-s (Austrian)* Kohlsprosse

brutal person, *sub*, *-s* Gewaltmensch; **brutal, violent** *adj*, brutal; *with brute force* mit brutaler Gewalt; **brutality** *sub*, *nur Einz.* Brutalität; **brutalize** *vt*, brutalisieren, verrohen; **brutalized** *adj*, verroht

brute, *sub*, *-s* Unmensch, Wüterich; *(i. ü. S.) bring out the brute in someone*

---

das Tier in jemandem wecken; -- **force** *sub*, *-s* Brachialgewalt; **brutish** *adj*, viehisch; **brutish face** *sub*, *-s (ugs.)* Backpfeifengesicht

bubble, (1) *sub*, *-s* Bläschen, Blase, Schaumblase (2) *vi*, blubbern, brodeln, sprudeln; *bubble* Seifenblase; *bubble-gum* Kaugummi; *the wall paper has bubbles* Die Tapete wirft Blasen; *(i. ü. S.) bubble over with joy* vor Freude überschäumen; **~ over** *vi*, übersprudeln; **~ up** *vi*, hervorsprudeln; *(Wasser)* aufwallen; **bubbly** *adj*, blasig; *bubbly bath* Schaumbad

bubonic plague, *sub*, *-s* Beulenpest

buccaneer, *sub*, *-s* Freibeuter; **~ing** *sub*, *s* Freibeuterei

buck, *sub*, *-s* Bock, Rammler; *(not) fancy doing sth* Bock haben auf; *pass the buck to* so die Verantwortung auf jemanden abwälzen; **~o.s. up** *vr*, *(i. ü. S.)* aufputschen

buckel, *sub*, *-s (ugs.)* Schnällchen

bucket, *sub*, *-s* Eimer, Kübel, Schöpfeimer; *(i. ü. S.) hand over the bucket* den Löffel abgeben; *it´s coming down in buckets* es gießt wie aus Eimern; *(ugs.) to kick the bucket* den Löffel abgeben; **~ seat** *sub*, *-s* Schalensitz

buckle, (1) *sub*, *-s* Schnalle (2) *vt*, beulen, schnallen; **~ on** *vt*, umschnallen; **~d tyre** *sub*, *- s (Fahrrad)* Achter

buckram, *sub*, *nur Einz. (Textil)* Buckram; **buckskin** *adj*, hirschledern

bucolic, *adj*, ländlich

bud, *sub*, *-s* Keim, Knospe; *(i. ü. S.) to nip the rebellion in the bud* den Aufruhr im Keim ersticken

Buddhism, *sub*, *nur Einz.* Buddhismus; **Buddhist** (1) *adj*, buddhistisch (2) *sub*, *-s* Buddhist

budding, *adj*, knospig; *(Musiker, etc.)* angehend

budget, (1) *sub*, *-s* Budget, Etat (2) *vt*, etatisieren; **~ period** *sub*, *-s* Etatperiode

buffalo, *sub*, *-es* Büffel

buffer stocks, *sub*, *- (i. ü. S.; Geldreserv.)* Fettpolster; **buffers** *sub*, *nur Mehrz.* Prellbock

buffet, *sub*, *-s* Büfett; *cold buffet* kaltes Büfett

buffo, *sub, -es (mus.)* Buffo
bug, *sub, -s (zool., comp.,)* Wanze; **~-ridden** *adj, (ugs.)* verwanzt; **~bear** *sub, -s* Popanz; **~ger** *sub, -s (ugs.)* Scheißer; **~gery** *sub, -* Sodomie; **~ging device** *sub, -s* Abhörgerät, Abhörwanze; **~ging operation** *sub, -s* Lauschaktion; **~gy** *sub, -ies* Buggy
bugle, *sub, -s* Horn, Jagdhorn
build, (1) *sub, -s* Körperbau, Statur (2) *vi*, bauen (3) *vt*, errichten; *(a. i.ü.S.)* bauen; *(Bauwerk)* aufbauen; *(Gebäude)* erbauen, erstellen (4) *vti*, mauern; *built-up area* geschlossene Ortschaft; **~ a cellar under** *vt*, unterkellern; **~ a fence** *vi*, zäunen; **~ an extension** *vt*, *(Haus, etc.)* anbauen; **~ in** *vt*, einbauen; **~ on** *vi*, *(Grundstück)* bebauen, **~ up** (1) *vi*, anstauen, aufbauen; *(i. ü. S.; Auswirkungen etc.)* aufschaukeln; *(i. ü. S.; Probleme)* ballen (2) *vt*, *(Hoffnungen)* nähren; *build so up again* jemanden wieder aufbauen; **~-up** *sub, -s (Wasser-)* Stau; **~er-owner** *sub, -s* Bauherr; **~up** *sub, -s (mil.)* Aufmarsch
building, *sub, -s* Bau, Bauwerk; *nur Einz.* Bauwesen; *-s* Gebäude, Haus; **~ brick** *sub, -s* Bauklotz; **~ contractor** *sub, -s* Bauunternehmer; **~ costs** *sub, nur Mehrz.* Baukosten; **~ freeze** *sub, -s* Baustopp; **~ license** *sub, - -s* Baugenehmigung; **~ material** *sub, -s* Baumaterial, Baustoff; **~ on stilts** *sub, nur Einz. (Bauweise)* Pfahlbau; **~ project** *sub, -s* Bauvorhaben; **~ site** *sub, -s* Bauplatz, Grundstück; *(eines Bauwerks)* Baustelle; **~ timber** *sub, -s* Bauholz; **~ trade** *sub, nur Einz.* Baugewerbe; **~ worker** *sub, -s* Bauarbeiter
built on, *vt*, vorbauen; **built-in furniture** *sub, nur Einz.* Einbaumöbel
bulb, *sub, -s* Glühbirne, Knolle, Steckzwiebel; *- (tt; bot.)* Zwiebel; *-s (chem.)* Küvette; **~-fish** *sub, -* Zwiebelfisch; **~ous** *adj*, bauchig, bulbös; **~ous nose** *sub, -s* Knollennase
Bulgarian, *adj,* bulgarische
bulge, (1) *sub, -s* Wulst (2) *vi, (i. ü. S.)* hervortreten; **bulging** *sub,* prall, wulstig
bulimia, *sub, -s (med.)* Fresssucht
bulk buyer, *sub, -s* Großabnehmer; **bulk buying** *sub, -s (wirt.)* Großeinkauf; **bulk carrier** *sub, -* Bulkcarrier

bulk discount *sub, -s* Mengenrabatt; **bulk freight** *sub, - (US)* Sperrgut; **bulk price** *sub, -s* Mengenpreis; **bulk selling** *sub, -s* Massenabsatz; **bulkhead** *sub, -s* Schott; **bulky** *adj,* klobig; *(Gegenstand)* ungefüge; **bulky goods** *sub, nur Mehrz.* Sperrgut
bull, *sub, - (bibl.)* Bulle; *-s (Börse)* Mineur; *(Tier)* Bulle; *(zool.)* Stier; *like a bull in a china shop* wie ein Elefant im Porzellanladen; *take the bull by the horns* die Flucht nach vorn antreten; *he´s big bull* er ist ein Bulle; *(i. ü. S.)* take the bull by the horns den Stier bei den Hörnern anpacken; **~ market** *sub, -s (Börse)* Hausse; **~ neck** *sub, -s* Stiernacken; **~ operator** *sub, -s (wirt.)* Haussier; **~-necked** *adj,* stiernackig; **~-terrier** *sub, -s* Bullterrier; **~´s eye** *sub, -s (ugs.)* Volltreffer; *(i. ü. S.) a bull´s-eye* ein Schuss ins Schwarze; **~´s eye pane** *sub, -s* Butzenscheibe; **~´s pizzle** *sub, -s* Ochsenfiesel; **~dog** *sub, -s* Bulldogge; *he´s one of the bulldog breed* er fürchtet nichts; **~dozer** *sub, -* Bulldozer; *-s* Planierraupe, Räumfahrzeug; *- (ugs.)* Bulldog; *play with the bulldozer* mit dem Bulldog spielen
bulletin, *sub, -s* Bulletin
bullfight, *sub, -s* Stierkampf; **~er** *sub, -s* Stierkämpfer
bullfinch, *sub, -es (Vogel)* Gimpel; **bullfrog** *sub, -s* Ochsenfrosch; **bullwhip** *sub, -s* Ochsenziemer
bully, (1) *sub, -ies (spo.)* Bully (2) *vt*, kujonieren; *(ugs.)* schurigeln; *take a bully* einen Bully ausführend, *bully sth out of so* jemandem etwas abtrotzen; **~ing** *sub, -* Schurigelei

bum, *sub, -s (ugs.; US)* Strolch; *(vulg.)* bum kaputter Typ
bumble-bee, *sub, -s* Hummel
bumfreezer, *sub, -s (ugs.)* Stutzer
bump, *sub, -s (am Kopf etc.)* Beule; *bring so down on earth with a bump* wie eine kalte Dusche wirken; *bump into so* jemandem in die Arme laufen; **~ against** *vi, (zusammenstoßen)* anstoßen; **~ into** *vi,* zusammenstoßen; **~ o.s.** *vr*, stoßen; **~ off** *vt, (vulg.)* killen; *(ugs.)*

töten) umlegen; ~ **on the nose** *sub,*
bumps Nasenstüber; **~er** *sub, -s* Stoßstange; *rear (front) bumper* hintere
(vordere) Stoßstange; **~kin** *sub, -s*
Klotz; *(ugs.; Person)* Trampeltier; **~y**
adj, (ugs.; uneben) buckelig

bun, *sub, -s* Dutt, Knoten

bunch, *sub, -es* Gebinde; *-s* Trupp; *-es*
(Blumen-) Strauß; *-s (i. ü. S.; Haufen)*
Traube; *(ugs.) to take the pick of the*
bunch die größten Rosinen aus dem
Kuchen herauspicken; ~ **of flowers**
sub, -es Blumenstrauß; ~ **of roses**
sub, -es Rosenstrauß

bundle, *sub, -s* Bündel; ~ **of energy**
sub, -s Energiebündel; ~ **of papers**
sub, -s Konvolut; ~ **of twigs** *sub, -s*
Reisigbündel

bung, (1) *sub, -s* Spund; - Zapfen (2)
vt, (verschließen) pfropfen; *(i. ü. S.)*
(young) whippersnapper junger
Spund; **~hole** *sub, -s* Spundloch;
~hole borer *sub, -s* Spundbohrer

bungalow, *sub, -s* Bungalow

bungle, (1) *vi,* pfuschen (2) *vt,* verpfuschen; *(i. ü. S.)* stümpern (3) *vti,* stümpern; *take it easy!* nur nicht hudeln!;
~d *adj,* stümperhaft; **~r** *sub, -s*
Stümper; *(ugs.)* Pfuscher; **bungling**
sub, - Gestümper; nur Einz. Stümperei

bunker, (1) *sub, - Bunker (2) vt, (Koh-*
le) bunkern; *bunker* Raketenbunker,
Golfspiel; *bunker coal* Kohlen bunkern

bunting, *sub, -s (zool.)* Ammer

burden, (1) *sub, nur Einz.* Bürde; *-s*
Last; *(i. ü. S.; Last)* Ballast; *(wirt.)*
Belastung (2) *vt, (mit Problemen)* beladen; *be a burden* eine Belastung
darstellen; *become a burden to sb*
jmd zur Bürde werden; *burden os*
with sich mit etwas belasten; *I´ve got*
the whole burden of work on my
shoulders at the moment die ganze
Arbeit lastet auf meinen Schultern zur
Zeit; *place a burden on so´s shoulder*
jemandem eine Last aufbürden; ~
o.s. *vr,* belasten; ~ **oneself** *vr, (i. ü.*
S.) laden; *I took on too much (more*
than I could chew) ich habe zu viel
auf mich geladen; *to load oneself*
with responsibility Verantwortung
auf sich laden; **~some** *adj, (Verant-*
wortung) drückend

bureau de change, *sub, -* Wechselstu-

br¡, bureaucracy *sub, nur Einz.*
Bürokratie; **bureaucrat** *sub, -s* Bü-
rokrat; **bureaucratic** *adj,* bürokra-
tisch; **bureaucratize** *vt,*
bürokratisieren

burglar, *sub, -s* Einbrecher; *(Dieb)*
Einsteiger; **~y** *sub, -ies* Einbruch

Burgundy, *adj,* burgundisch

burial, *sub, -s* Beerdigung, Beisetzung, Bestattung; ~ **offering** *sub,*
-s (Grabbeigabe) Beigabe; ~ **vault**
sub, -s Grabgewölbe

burlap, *sub, -s* Packleinwand

burlesque, (1) *adj, (kun.)* burlesk
(2) *sub, -s* Burleske

burly, *adj,* vierschrötig

burn, (1) *sub, -s (tt; med.)* Verbrennung (2) *vi, (Essen)* anbrennen;
(Gesicht) glühen (3) *vti,* verschwelen; *(verbrennen)* brennen (4) *vtir,*
verbrennen; *(i. ü. S.) be burnt out*
abgebrannt sein; *burn one´s fin-*
gers sich die Finger verbrennen;
the house is burning das Haus
brennt; *to burn to ashes* niederbrennen; *to have money to burn*
Geld wie Heu haben; ~ **down** (1)
vi, abbrennen (2) *vt,* einäschern; ~
mark *sub, -s* Brandmal; ~ **off** *vt,*
abfackeln; ~ **out** (1) *vi, (Draht)*
durchglühen; *(Lampe)* durchbrennen (2) *vti,* ausbrennen; **~er** *sub,*
nur Einz. Brenner; **~ing** *sub, -s*
Verbrennung; **~ing down** *sub, nur*
Einz. Einäscherung; **~ing for acti-**
on *adj,* tatendurstig; **~ing of**
books *sub, -s* Bücherverbrennung;
~ing-glas *sub, -glasses* Brennglas

burnt, *adj,* brenzlig, gebrannt;
(geb.) brandig; *smell burnt* brenzlig riechen; ~ **down** *adj,* abgebrannt, eingeäschert; ~ **punch**
sub, -s Feuerzangenbowle; ~ **su-**
gar *sub, nur Einz.* Karamellzucker;
~ **to death** *sub, -* Feuertod

burp, *vi, (rülpsen)* aufstoßen

burr, *sub, -s* Klette

burrow, *sub, -s (eines Tieres)* Bau

bursa, *sub, -s* Schleimbeutel; **~r**
sub, -s Quästor

burst, (1) *adj,* zerplatzen (2) *vi,* bersten; *(aufreißen)* platzen; *(Flasche,*
etc.) aufplatzen; *(Tüte)* aufreißen;
be bursting with health vor Gesundheit strotzen; *the heart was*
bursting with joy das Herz wollt

vor Freude zerspringen, *be full to bursting* zum Bersten voll sein; *burst with pressure* vor Druck bersten; *a tyre burst* mir ist ein Reifen geplatzt; *he burst a blood-vessel* ihm ist eine Ader geplatzt; *to burst with rage* vor Wut platzen; ~ **of fire** *sub*, -s *(Geschoss-)* Garbe; ~ **out** *vi*, hervorbrechen

bury, *vt*, beerdigen, beisetzen, bestatten, einscharren, vergraben; *(ugs.)* verscharren; *(beerdigen)* begraben; ~ **oneself in a book** *vr*, schmökern; ~**ing beetle** *sub*, -s *(zool.)* Totengräber

bush, *sub*, -es Busch, Strauch; *beat about the bush* um den heißen Brei herumreden, um den heissen Brei reden; *(ugs.) without beating about the bush* unumwunden

bushel, *sub*, -s Scheffel; *(ugs.) to hide one´s light under a bushel* sein Licht unter den Scheffel stellen

bushes, *sub*, *nur Mehrz.* Gebüsch; *take to the bush* sich ins Gebüsch schlagen

bushlike, *adj*, strauchartig

business, (1) *adj*, geschäftlich, kaufmännisch (2) *sub*, *nur Einz.* Business; - Chose; -*es* Geschäft, Gewerbe; *(Unternehmen)* Betrieb; *business matter* eine geschäftliche Angelegenheit, *business is business* Geschäft ist Geschäft; *mean business* es ernst meinen; *that´s my business* das ist meine Sache; *be away on business* beruflich unterwegs sein; *(ugs.) business is good* der Laden läuft; *business premises* gewerbliche Räume; *it´s not your business* das ist nicht deine Chose; *mind your own business* kümmere dich um deine Angelegenheiten; *(i. ü. S.) nose into other people´s business* seine Nase in alle Töpfe stecken; *that´s my business* das geht niemanden etwas an; *that´s none of your business* das geht dich einen Dreck an; *(ugs.) the whole wretched business* der ganze Zimt; *there is something fishy about the business* das ist nicht ganz astrein; *you shouldn´t mix business and pleasure* Dienst ist Dienst; ~ **administration** *sub*, - -s Betriebswirtschaftslehre; ~ **corporation** *sub*, -s *(US)* Handelsgesellschaft; ~ **partner** *sub*,

-s Kompagnon; ~ **suit** *sub*, -s *(US)* Straßenanzug; ~ **trip** *sub*, -s Dienstreise; ~ **year** *sub*, -s Geschäftsjahr; ~**man** *sub*, -*men* Geschäftsmann, Kaufmann

bust, (1) *adj*, *(ugs.)* kaputt; *(Firma auch)* pleite (2) *sub*, -s *(kun.)* Büste; *(ugs.) the firm has gone bust* die Firma ist kaputt; *to go bust* pleite gehen, *she has a 38-inch bust* sie hat Oberweite 94; ~ **measurement** *sub*, -s Brustumfang, Oberweite

bustle, *sub*, -s Gewimmel; *nur Einz. (eines Platzes etc.)* Belebtheit; *a hustle and bustle* ein emsiges Treiben; *to bustle around* schalten und walten; ~ **around** *vi*, fuhrwerken; *(herum-)* hantieren

busy, *adj*, beschäftigt, betriebsam, emsig, fleißig, geschäftig, rege, verkehrsreich; *(Platz etc.)* belebt; *be busy doing something* damit beschäftigt sein etwas zu tun; *be busy with something else* mit etwas anderem beschäftigt sein; *as busy as a bee* emsig wie eine Biene; *he is a busyboy* Hans Dampf in allen Gassen; *be busy* zu tun haben; *be busy doing sth* eifrig dabei sein, etwas zu tun; *keep so very busy* jemanden stark beanspruchen; ~**body** *sub*, -*ies (ugs.)* Klatschbase

but, (1) *konj*, aber, doch, sondern (2) *sub*, -s Aber; *but of course* aber sicher; *but still* aber dennoch; *anything but that* alles, nur das nicht; *but why* wieso denn; *everyone but me* alle, nur ich nicht, alle, nur ich nicht; *not only, but also* nicht nur, sondern auch, *no ifs, no buts* ohne Wenn und Aber

butane, *sub*, *nur Einz. (chem.)* Butan; ~ **gas** *sub*, *nur Einz.* Butangas

butcher, *sub*, -s Fleischer, Metzger, Schlächter; ~´s **(shop)** *sub*, *(shops)* Metzgerei; ~´s **shop** *sub*, -s Fleischerei, Schlachterei; ~´s **table** *sub*, -s Schlachtbank; ~**y** *sub*, -*ies* Metzelei

butler, *sub*, - Butler

butt, *sub*, -s Kolben, Kugelfang; *if I may butt in for a moment* wenn ich mich kurz einmischen darf

butter, *sub*, *nur Einz.* Butter; *as soft*

as butter weich wie Wachs; *(ugs.)* everything's final alles in Butter!; biscuits *sub, nur Mehrz.* Butterge-bäck; ~ **cake** *sub, -s* Butterkuchen; ~**-cream** *sub, nur Einz.* Butter-creme; ~**fly** *sub, -ies* Schmetterling, Tagfalter; *nur Einz. (spo.)* Delfin; *-ies (Tag-)* Falter; ~**fly (stroke)** *sub, nur Einz.* Butterflystil; ~**fly orchid** *sub, -s (bot.)* Kuckucksblume; ~**milk** *sub, nur Einz.* Buttermilch

buttock, *sub, -s* Hinterbacke; *(vulg.)* Arschbacke; ~**s** *sub, -* Gesäß; *nur Mehrz.* Steiß

butt of ridicule, *sub, -s (ugs.)* Spott-geburt

buttress, *sub,   -es* Stützpfeiler; *(Stütz-)* Pfeiler

buy, *vt,* einkaufen, kaufen, zukaufen; *(kaufen)* anschaffen, besorgen; *buy sth from so* jemandem etwas abkau-fen; ~ **again** *vt,* wiederkaufen; ~ **cheap junk** *vi,* ramschen; ~ **in addi-tion to** *vt,* hinzukaufen; ~ **sth from so** *vt,* abkaufen; ~ **up** *vt,* aufkaufen; ~**-up** *sub, -s* Aufkauf; ~**er** *sub, -s* Käu-fer; ~**ing** *sub, -s* Einkauf; ~**ing of votes** *sub, -* Stimmenkauf

buzz, *vi,* sausen, surren; *(Biene)* sum-men; *(Insekt)* brummen; *my head is buzzing* mir schwirrt der Kopf; *my head is buzzing* mir brummt der Schädel; ~ **off** *vi, (ugs.)* abschwirren; ~ **round** *vt,* umschwirren; ~**ard** *sub, -s (zool.)* Bussard; ~**er** *sub, -s* Sum-mer; ~**ling in one's ears** *sub, nur Einz.* Ohrensausen

by, (1) *adv,* an Hand, vorbei **(2)** *präp,* per, von; *(Maß)* um; *(mittels)* durch; *(nahe bei)* an; *(neben)* am; *by defini-tion* per definitionem; *by a hair* um ein Haar; *taller by a head* um einen Kopf größer; *15 devided by 5* 15 ge-teilt durch 5; *by birth* durch Geburt; *by chance* durch Zufall; *by deputy* durch Vollmacht; *by fits and starts* durch wackeln, ruckelnd; *by Jove* Blitz und Donner; *by the by(e)* ne-benbei bemerkt; *by train* mit der Bahn; *he is very gentle by nature* seiner Natur nach ist er sehr sanft; *it has to be ready by Tuesday* das muss noch vor Dienstag fertig sein; *judging by her language* ihrer Sprache nach zu urteilen; *(innerhalb) to be by themselves* unter sich sein; *to put a*

clock right *by the radio* die Uhr nach dem Radio stellen; *be located by the river* am Fluss liegen; ~ **(doing sth)** *adv,* indem; *by writing to her* indem er ihr schrieb; ~ **a hair's breadth** *sub, nur Einz.* Haa-resbreite; ~ **a master hand** *adv,* Meisterhand; ~ **a specialist** *adj,* fachärztlich; ~ **accident** *sub, -* Zu-fälligkeit; ~ **analogy** *adv,* analog; ~ **any chance** *adv,* vielleicht; ~ **birth** *adj,* gebürtig; ~ **cheque** *adv,* unbar; ~ **common consent** *adv,* anerkanntermaßen; ~ **contract** *adv,* vertraglich; ~ **credit card** *adv,* unbar; ~ **demagogic means** *adv,* demagogisch; ~ **district hea-ting system** *adj,* fernbeheizt; ~ **graduation** *adv,* staffelweise; ~ **heart** *adv,* auswendig; *learn by heart* auswendig lernen

by it/them, *adv, (causal)* davon; *I was awakened by it* ich wachte da-von auf; **by leaps and bounds** *adv,* sprunghaft; **by legal action** *sub, -s* Gerichtsweg; **by letter** *adv,* brieflich; **by marriage** *adj,* ange-heiratet; **by means of** *präp,* mit-tels; **by   mistake   adv,** fälschlicherweise, versehentlich; **by name** *adj,* namentlich; **by night** *adv,* nächtens; **by no means** *adv,* keineswegs; *(veraltet)* mit-nichten; **by pots** *adv,* kannenwei-se; **by return mail** *adv,* postwendend; **by reverting to sb/sth** *sub, -s* Rückgriff; **by rotati-on** *adv,* turnusmäßig; **by show of hands** *sub, -s* Handaufheben

byte, *sub, -s* Byte

by telephone, *adv,* fernmündlich, telefonisch; **by the box (crate)** *adv,* kistenweise; **by the dozen** *adv,* reihenweise; **by the hour** *adv,* stundenweise; **by the piece** *adj,* stückweise; **by the spoonful** *adv,* löffelweise; **by the three sco-re** *adv,* schockweise; **by the ton** *adv,* tonnenweise; **by the way** *adv,* übrigens; *by the way* im Übri-gen; **by virtue of** *präp,* kraft; **by way of example** *adv, (als Beispiel)* beispielshalber; **by way of ex-change** *adv,* tauschweise

by the hundredweight, *adj,* zent-nerweise

by which, *adv*, woran, worauf; **by
will** *adv*, testamentarisch; **by wire**
adv, telegrafisch; **by-election** *sub*, *-s
(pol.)* Nachwahl; **by-product** *sub*, *-s*
Nebenprodukt; **bye** *interj*, ciao!; **by-**

gone *adj*, verflossen, vergangen;
bypass (1) *sub*, *-es* Bypass **(2)** *vi*,
vorbeigehen
Byzantine studies, *sub*, *nur Mehrz.*
Byzantinistik

C

cab, *sub,* -s Taxi; *(österr.)* Fiaker
caballero, *sub,* -s Caballero
cabaret, *sub,* -s Cabaret, Kabarett, Kleinkunst; **~ artist** *sub,* -s Kabarettist; **~-like** *adj,* kabarettistisch
cabbage, *sub,* -s Kohl, Kohlkopf, Kraut; *(ugs.) it´s a muddle (a mess)* es ist Kraut und Rüben; *(ugs S.Ger.) pork sausages with sauerkraut* Schweinswürstl mit Kraut; **~ butterfly** *sub,* -ies Kohlweißling; **~ caterpillar** *sub,* -s Kohlraupe
cabbala, *sub,* nur Einz. Kabbala
cabdriver, *sub,* -s Taxifahrerin
cabinet, *sub,* -s Kombischrank; *(polit.)* Kabinett
cable, (1) *sub,* -s Drahtseil, Kabel, Kabelleitung, Leitung (2) *vt,* verschränken (3) *vti,* kabeln; **~ drum** *sub,* -s Kabeltrommel; **~ railway** *sub,* -s Seilbahn; · -s *(Seilbahn)* Bergbahn; **~ television** *sub,* nur Einz. Kabelfernsehen
cache (find), *sub,* -s Depotfund
cackling, *sub, (Gänse)* Geschnatter
cacophonous, *adj,* kakofonisch; **cacophony** *sub,* -ies Kakofonie
cactus, *sub,* -i Kaktus; **~ fig** *sub,* -s Kaktusfeige
cadaveric poison, *sub,* -s Leichengift
cadence, (1) *sub,* -s *(mus.)* Kadenz (2) *vt,* kadenzieren
cadet, *sub,* -s *(mil.)* Fähnrich, Kadett
cadmium, *sub,* nur Einz. *(chem.)* Cadmium
cadre, *sub,* -s *(mil.)* Kader; **~ officer** *sub,* -s Kaderleiter
Caesarean, *sub,* -s *(med.)* Kaiserschnitt
caesium, *sub,* nur Einz. *(chem.)* Cäsium
caesura, *sub,* -s Zäsur
café, *sub,* -s Café; **~ with dancing** *sub,* cafés Tanzcafé; **cafeteria** *sub,* -s Cafeteria, Kantine; **caffeine** *sub,* nur Einz. Coffein; *(chem.)* Koffein
caftan, *sub,* -s Kaftan
caisson, *sub,* -s *(tech.)* Caisson
cake, *sub,* -s Gugelhupf, Kuchen; *(wirt.) sell like hot cakes* reissenden Absatz finden; **~ plate** *sub,* -s Kuchenteller; **~ shop** *sub,* -s Konditorei; **~ slice** *sub,* -s Tortenheber
calabash, *sub,* -es Kalebasse

calamity, *sub,* -ies Kalamität
calander, (1) *sub,* -s *(tech.)* Kalander (2) *vt,* kalandern
calcification, *sub,* -s Verkalkung; **calcify** *vi,* verkalken; **calcination** *sub,* -s *(chem.)* Kalzinierung; **calcine** *vti,* kalzinieren
calcium, *sub,* -s Kalzium; *nur Einz. (med.)* Kalk
calculability, *sub,* nur Einz. Berechenbarkeit; **calculable** *adj,* berechenbar, kalkulierbar; **calculate** *vt,* bemaßen, berechnen, durchrechnen, errechnen, kalkulieren, rechnen, überrechnen; *(berechnen)* bemessen; *(mat.)* ermitteln; *be calculating* berechnet sein; *calculate down to the last penny* genau durchrechnen; *according to his calculations* wie er errechnete; **calculated assets** *sub,* nur Mehrz. Sollbestand; **calculating** *adj,* berechnend; **calculation** *sub,* -s Bemaßung, Kalkül, Kalkulation, Rechnung; *(a. i.ü.S.)* Berechnung; *(Berechnung)* Bemessung; *it´s all a matter of calculation* es ist alles Berechnung
Calcuttan, *adj,* kalkuttisch
Caledonian, *adj,* kaledonisch
calendar, (1) *pron,* Zeitrechnung (2) *sub,* -s Kalendarium, Kalender; **~ day** *sub,* -s Kalendertag; **~ year** *sub,* -s Kalenderjahr; **~ial** *adj,* kalendarisch; **Calends** *sub,* nur Mehrz. Kalenden
calf, *sub,* -ves Kalb; *ves* Wade; **~-length** *adj, (Schuh)* halbhoch; **~´s stomach** *sub,* -s Kälbermagen; **~-skin** *sub,* -s Kalbfell
calibrate, *vt,* eichen, kalibrieren; **calibration** *sub,* -s Eichung; **calibre** *sub,* -s Kaliber; *(ugs.) two fellows of the same calibre* zwei Burschen vom selben Kaliber
calico, *sub,* -es Kaliko; **~ dress** *sub,* -es Kattunkleid
Californian, (1) *adj,* kalifornisch (2) *sub,* -s Kalifornier
caliph, *sub,* -s Kalif; **~ate** *sub,* -s Kalifat
calligraphic, *adj,* kalligraphisch; **calligraphy** *sub,* nur Einz. Kalligrafie

calling card, *sub, -s* Telefonkarte, Visitenkarte

calliper break, *sub, -s (Fahrr.)* Felgenbremse; **calliper rule** *sub, -s* Schieblehre

call on a customer, *sub, -s* Kundenbesuch; **call on so** *vt*, auffordern; **call oneself** *vr*, nennen; *and he calls himself funny* und sowas nennt sich Humor; *that´s just what he calls himself* er nennt sich nur so; **call order** *sub, calls* Ordnungsruf; **call out** *vt, (Namen)* ausrufen; **call over** *vt*, herbeirufen; **call sign** *sub, -s* Sendezeichen; **call so names** *vt*, beschimpfen; **call to strike** *sub, calls* Streikaufruf; **call up** *vt*, aufrufen; *call upon so to* jemanden zu etwas aufrufen; **call-up** *sub, nur Einz. (mil.)* Einziehung; **called-up** *adj*, eingezogen; **caller** *sub, -s* Anrufer; **callgirl** *sub, -s* Callgirl

callus, *sub, -es* Schwiele

calm, (1) *adj*, gefasst, gelassen, gleichmütig, ruhig (2) *sub, nur Einz.* Windstille; *-s (wind)* Flaute; *keep calm* gelassen bleiben, gelassen bleiben; *take sth calmly* etwas gelassen hinnehmen; *have a calming effect* Ruhe austrahlen; *(i. ü. S.) when things have calmed down* wenn sich die Wogen geglättet haben; *when things have calmed down again* wenn sich die Gemüter wieder beruhigt haben; ~ **(down)** *vt, (Person, die Nerven)* beruhigen; ~ **down** *vi*, beruhigen, besänftigen; *(Person; Meer)* beruhigen; **~ing** *sub, nur Einz. (einer Person, der Nerven)* Beruhigung; **~ly** *adv*, seelenruhig; **~ness** *sub, -* Gelassenheit

calorie, *sub, -s* Kalorie; **calorimeter** *sub, -s (phy.)* Kalorimeter; **calorize** *vt*, kalorisieren

calpac(k), *sub, -s* Kalpak

calumet, *sub, -s* Kalumet

calumniator, *sub, -s* Pasquillant

calvados, *sub, nur Einz.* Calvados

calve, *vi*, kalben

Calvinism, *sub, nur Einz.* Kalvinismus; **Calvinist** *sub, -s* Kalvinist

calypso, *sub, nur Einz.* Calypso; *-s* Kalypso

calyx, *sub, -es* Blütenkelch

cambium, *sub, -s (bot.)* Kambium

camellia, *sub, -s (bot.)* Kamelie

camembert, *sub, -s (Käse)* Camembert

cameo, *sub, -s* Gemme, Kamee

camera, *sub, -s* Fotoapparat, Kamera; **~-recorder** *sub, -s* Kamerarecorder

Cameroon, *adj*, kamerunisch

camomile, *sub, -s (bot.)* Kamille; **~ tea** *sub, -s* Kamillentee

camouflage, (1) *sub, nur Einz. (mil.)* Camouflage; *(i. ü. S.)* Tarnung (2) *vt*, tarnen; *(mil.)* camouflieren; **~ coating** *sub, -s* Tarnanstrich

camp, (1) *sub, -s* Camp, Lager, Zeltlager (2) *vi*, campen, kampieren, zelten; ~ **bed** *sub, -s* Feldbett; **~ hysteria** *sub, - (ugs.)* Lagerkoller; ~ **inmate** *sub, -s* Lagerinsasse; **~bed** *sub, -s (Camping)* Liege

campaign, (1) *sub, -s* Feldzug, Kampagne (2) *vi*, agitieren; *campaign against* agitieren gegen

Campanile, *sub, -s* Kampanile

camper, *sub, -s* Wohnmobil; *- (Person)* Camper; **campground** *sub, -s (US)* Campingplatz

camphor, *sub, nur Einz.* Kampfer

camping, *sub, nur Einz.* Camping; **campsite** *sub, -s* Campingplatz; **campstool** *sub, -s* Klappstuhl

campus, *sub, nur Mehrz.* Campus

camshaft, *sub, -s* Nockenwelle

can, (1) *Hilfsverb*, können (2) *sub, -s* Kanister; *(US; Blech-)* Büchse; *(Konserve/am.)* Dose; *to do the best one can* nach bestem Wissen und Gewissen, *be canned* blau sein; *carry the can* den Buckel hinhalten; *if you can (manage to)* wenn du es einrichten kannst; *no you can´t/mustn´t* nein sie dürfen es nicht; *you can´t possibly do that* das darf man auf keinen Fall; ~ **be estimated** *adj, (Entfernung)* einschätzbar; ~ **be opened up** *vi, (wirt.)* erschließbar; ~ **be recalled** *vi*, erinnerlich; ~ **be written on** *vi*, beschreibbar; ~ **get in** *vi*, hereinkönnen; ~ **get out** *vt*, hinauskönnen; ~ **get over sth** *vi, (i. ü. S.)* hinwegkönnen; ~ **only walk with great difficulty** *adv*, gehbehindert

Canada, *sub, -* Kanada; **Canadian** *sub, -s* Kanadier

canal, *sub, -s* Kanal; ~ **construction** *sub, nur Einz.* Kanalbau; ~ **fee**

cub, o Konolgohühe

canapé, *sub,* -s Appetithappen, Kanapee

canard, *sub,* -s *(Zeitung)* Ente

canary, *sub,* -ies Kanarienvogel

canasta, *sub, nur Einz.* Canasta

cancan, *sub,* -s Cancan

cancel, (1) *vi,* absgen (2) *vt,* abbestellen, entwerten, kündigen; *(Auftrag)* stornieren; *(entwerten)* überstempeln; *(Flug)* annullieren; *(Institution)* abmelden; *(Vertrag)* aufkündigen, auflösen; *(wirt.)* streichen; *something has to be cancelled* es ist Essig mit; *the bank is threatening to cancel his credit* die Bank hat gedroht ihm die Kredite zu kündigen; ~ *an appointment* vt, absagen; **~lation** *sub,* -s Abbestellung, Abmeldung, Absage, Aufkündigung, Entwertung, Kündigung, Widerrufung; *(Annullierung)* Lösung; *(Auftrag)* Stornierung, Storno; *(einer Vorlesung)* Ausfall; *(geb.; eines Vertrags)* Annullierung; *(wirt.)* Streichung; **~led** *adj, (Termin)* abgesagt; **~led shift** *sub, (Arbeitsw.)* Feierschicht; *have one´s shift cancelled* eine Schicht einlegen müssen

cancer, *sub,* -s Karzinose; - Krebsschaden; -s *(med.)* Karzinom, Krebs; **~ous** *adj,* karzinomatös; **~ous ulcer** *sub,* -s Krebsgeschwür

candelabra, *sub,* -s Armleuchter

candelabrum, *sub,* -a Kandelaber

candid, *adj,* freimütig; **~acy** *sub,* -ies Kandidatur; **~ate** *sub,* -s Anwärter, Aspirant, Kandidat; *(polit.)* Bewerber; **~ate for confirmation** *sub,* -s Konfirmand; **~ate for the school-leaving exam** *sub,* -s - Abiturient, Abiturientin; **~ness** *sub,* - Freimut

candied (orange) peel, *sub,* -s Orangeat; **candied lemon peel** *sub,* -s Zitronat

candle, *sub,* -s Kerze; *(i. ü. S.) can´t hold the candle* nicht das Wasser reichen können; **~light** *sub,* Kerzenlicht; **Candlemas** *sub,* - Lichtmess; **~stick** *sub,* -s Kerzenhalter, Leuchter

candy, (1) *sub,* -s *(US)* Bonbon; -ies Süßigkeit; *nur Einz. (Zucker-)* Überguss (2) *vti,* kandieren; ~ *sugar sub, nur Einz.* Zuckerkandis; **~-coloured** *adj,* bonbonfarben; **~floss** *sub, nur Einz.* Zuckerwatte

cuca, cub, o Dohr; (Opuulor) Otock,

~ *sugar sub, nur Einz.* Rohrzucker

canned, *adj, (ugs.; US)* sternhagelvoll; ~ *fish sub,* - *(Fisch)* Marinade

cannelloni, *sub, nur Mehrz.* Cannelloni

cannibal, *sub,* -s Kannibale; **~(istic)** *adj,* kannibalisch; **~ism** *sub, nur Einz.* Kannibalismus; **~ize** *vt, (ugs.; alte Geräte)* ausschlachten

cannon, *sub,* -s Kanone; ~ *fodder sub, nur Einz.* Kanonenfutter; **~ade** *sub,* -s *(mil.)* Kanonade

cannula, *sub,* -s *(med.)* Kanüle

canoe, *sub,* -s Kanu; **~ist** *sub,* -s *(spo.)* Kanute

canon, *sub,* -s Domkapitular; *nur Einz. (bibl.)* Kanon

canonic, *adj,* kanonisch; **canonize** *vt,* kanonisieren

canopied beach chair, *sub,* -s Strandkorb; **canopy** *sub,* -ies Baldachin; **canopy-like** *adj,* baldachinartig

Cantabrian, *adj,* kantabrisch

cantankerous, *adj,* unverträglich; **~ness** *sub,* - Unverträglichkeit

cantata, *sub,* -s *(mus.)* Kantate

canteen, *sub,* -s Kantine; *(mil.)* Feldflasche; *(univ.)* Mensa; ~ *manager sub,* -s Kantinenwirt

canter left, *sub, nur Einz.* Linksgalopp

cant hook, *sub,* -s Kanthaken

cantilever, (1) *adj, (tech.)* freitragend (2) *sub,* -s *(arch.)* Ausleger

canvas, *sub,* -es Leinwand; -ses Segeltuch; -es Stramindecke, Zeltbahn; **~ser** *sub,* -s Werber

canyon, *sub,* -s Canon

cap, *sub,* -s Kappe, Mütze; *(med.)* Krone; *(ugs.) I´ll take the responsibility for it* das nehme ich auf meine Kappe; *(i. ü. S.) the mountain peak is covered with snow* der Berggipfel trägt eine weiße Kappe; *to cap it all* um das Maß vollzumachen

capability, *sub,* -ies Fähigkeit; **capable** *adj,* fähig, imstande, leistungsfähig; *(fähig)* tüchtig; *(Verbrecher etc.) he is desperate* er ist zu allem fähig; *be is capable of anything* er ist zu allem fähig; *he is capable of anything* er ist zu allem imstande; *she can't even look after the cat and now she wants to have a baby* sie ist nicht mal imstande die Katze zu versorgen und jetzt will sie noch ein Kind; **capable (of living)** *adj*, lebensfähig; **capable of holding ministerial office** *attr*, ministrabel

capacity, *sub*, - Fassungsvermögen; *nur Einz.* Kapazität; *in his capacity as* in seiner Eigenschaft als; ~ **for work** *sub*, *-ies* - Arbeitskraft

cape, *sub*, *-s* Cape, Pelerine, Umhang; *(geogr.)* Kap; **Cape Verdan** *adj*, kapverdisch

caper, *sub*, *-s* Eulenspiegelei, Kaper; *(ugs.)* Kapriole; *to cut capers* Kapriolen machen

capercaillie, *sub*, *-s* Auerhahn

capillary, *adj*, *(phy.)* kapillar

capital, (1) *adj*, *(jur.)* kapital (2) *sub*, *-s (arch.)* Kapitell; *nur Einz. (wirt.)* Kapital; *-s (Zentrum)* Metropole; *adultery is still a capital crime in some countries* Ehebruch ist in manchen Ländern immer noch ein Kapitalverbrechen; *capital letter* großer Buchstabe; *he has made a good capital investment* er hat sein Kapital gut angelegt; *(i. ü. S.) her pretty face is her capital* ihr hübsches Gesicht ist ihr Kapital; ~ **(city)** *sub*, *-s* Kapitale; ~ **(letter)** *sub*, *-s* Majuskel; ~ **assets** *sub*, *nur Mehrz. (wirt.)* Substanz; ~ **city** *sub*, *-ies* Hauptstadt; ~ **gain** *sub*, *nur Einz. (tt; wirt.)* Wertzuwachs; ~ **letter** *sub*, *-s* Versal; ~ **offence** *sub*, *-s* Kapitalverbrechen; ~ **punishment** *sub*, *-s* Todesstrafe; ~**ism** *sub*, *nur Einz.* Kapitalismus; ~**ist** *sub*, *-s* Kapitalist; ~**ist(ic)** *adj*, kapitalistisch; ~**ize** *vt*, kapitalisieren

Capitol, *sub*, *nur Einz.* Kapitol

capitular, *sub*, *-s* Kapitular

capo, *sub*, *-s (mus.)* Kapodaster

capon, *sub*, *-s* Kapaun

capot(e), *sub*, *-s* Kapotte

Cappadocian, (1) *adj*, kappadozisch (2) *sub*, *-s* Kappadozier

caprice, *sub*, *-s* Kaprice; **capricious** *adj*, kapriziös; **capriciousness** *sub*, *nur Einz.* Willkür

Capricorn, *sub*, *-s (astrol.)* Steinbock

capsize, *vi*, kentern

capsular, *adj*, kapselförmig; **capsule** *sub*, *-s* Kapsel

captain, *sub*, *-s* Flugkapitän, Kapitän,

Spielführer; *(mil.)* Hauptmann; *(spo.)* Führer; ~ **in the medical corps** *sub*, *-s* Stabsarzt; ~ **of the team** *sub*, captains *(spo.)* Teamchef

caption, (1) *sub*, *-s (einer Zeichnung)* Beschriftung (2) *vt*, untertiteln

captivate, *vt*, *(faszinieren)* fesseln; *(i. ü. S.; fesseln)* bannen; *captivate so jemanden in Bann schlagen; (i. ü. S.) captivate the audience* das Publikum bestechen; ~**d** *adj*, *(i. ü. S.) gefangen; **captivating** *adj*, fesselnd; **captive** *adj*, *(mil.)* gefangen; **captive balloon** *sub*, *-s* Fesselballon; **captivity** *sub*, *-ies* Gefangenschaft

capture, (1) *sub*, *-s* Einbringung; *(mil.)* Einnahme, Gefangennahme (2) *vt*, kapern; *(gefangennehmen)* fangen; *(mil.)* erbeuten, gefangen nehmen; *a mid-range car* ein Wagen der Mittelklasse; *his car totally lacks oomph* sein Wagen ist eine lahme Ente; *to buy a car* sich motorisieren; ~**d in the wild** *sub*, - Wildfang

Capuchin (monk), *sub*, *-s* Kapuziner

car, *sub*, *-s* Auto, Automobil, Wagen; *drive a car* Auto fahren; *go by car* mit dem Auto fahren; *have come by car* mit dem Auto da sein; ~ **accident** *sub*, *-s* Autounfall; ~ **bomb** *sub*, *-s* Autobombe; ~ **burglar** *sub*, *- -s* Autoknacker; *(ugs.)* Automarder; ~ **door** *sub*, *-s* Wagentür; ~ **driver** *sub*, *- -s* Autofahrer; ~ **driving** *sub*, *nur Einz.* Autofahren; ~ **ferry** *sub*, *- -ies* Autofähre; ~ **hire** *sub*, *- -s* Autoverleih; ~ **industry** *sub*, *- -ies* Autoindustrie; ~ **involved in the accident** *sub*, cars *(unfallbeteiligter Wagen)* Unfallwagen; ~ **key** *sub*, *- -s* Autoschlüssel; ~ **mechanic** *sub*, *- -s* Automechaniker

caracul, *sub*, *-s* Breitschwanz; *caracul* Breitschwanzpersianer

carafe, *sub*, *-s* Karaffe

caramel, *sub*, *nur Einz.* Karamell; ~**(ize)** *vt*, karamelisieren

carat, *sub*, *-s* Feingewicht, Karat

caravan, *sub*, *-s* Karawane, Wohnanhänger, Wohnwagen; *(Camping)*

Caravan (Kfz) Campon

caravanserai, *sub*, *-s* Karawanserei
caraway seed, *sub*, *-s* Kümmel
carbine, *sub*, *-s* (*mil.*) Karabiner
carbolic acid, *sub*, *nur Einz.* (*chem.*) Karbolsäure
carbolineum, *sub*, *nur Einz.* Karbolineum
carbon, *sub*, *-s* Kohlenstoff; (*chem.*) Karbon; ~ **(copy)** *sub*, *-s* Durchschlag, Durchschrift; ~ **paper** *sub*, *nur Einz.* Karbonpapier, Kohlepapier
carbonic acid, *sub*, *nur Einz.* Karbonsäuren; *-s* (*chem.*) Kohlensäure
carboniferous, *adj*, kohlehaltig
carbonize, *vt*, verkoken
carboy, *sub*, *-s* (*Flasche*) Ballon
carbuncle, *sub*, *-s* Karbunkel
carburation, *sub*, *-s* (*ti*; *tech.*) Vergasung; **carburet** *vt*, vergasen; **carburettor** *sub*, *-s* Vergaser
carcass, *sub*, *-es* Kadaver
carcinogen, *sub*, *-s* (*med.*) Karzinogen; ~**ic** *adj*, karzinogen
card, **(1)** *sub*, *-s* Karte; (*tech.*) Kardätsche **(2)** *vt*, krempeln; (*tech.*) kardätschen; **to get one's cards** seine Papiere bekommen; ~ **file** *sub*, *-s* Kartei, Kartothek; ~**-pad** *sub*, *-s* Kartenblock
cardamom, *sub*, *-s* Kardamom
cardan shaft, *sub*, *-s* (*tech.*) Kardanwelle
cardiac, *adj*, (*med.*) kardial; ~ **catheter** *sub*, *-s* Herzkatheter; ~ **infarction** *sub*, *-s* (*med.*) Herzinfarkt; ~ **massage** *sub*, *-s* Herzmassage; **cardialgia** *sub*, *-s* (*med.*) Kardialgie
cardigan, *sub*, *-s* Jacke, Strickjacke
cardinal, **(1)** *adj*, kardinal **(2)** *adj*, (*Eccl*) Kardinal; ~ **number** *sub*, *-s* Grundzahl, Kardinalzahl; ~**'s hat** *sub*, *-s* Kardinalshut
cardiograph, *sub*, *-s* (*med.*) Kardiograph; **care-worn** *adj*, (*geb.*) abgehärmt
cardiology, *sub*, *nur Einz.* Kardiologie; **cardiotonic** *adj*, herzstärkend
cards, *sub*, *-s* Kartenspiel
care, **(1)** *sub*, *nur Einz.* Bedächtigkeit, Bedachsamkeit; *-s* Fürsorge; - Hege; *-s* Kümmernis; *nur Einz.* Pflege; - Sorgfalt; *-s* Versorgung; *nur Einz.* Vorsicht; (*geb.*) Obhut **(2)** *vt*, kümmern; *care of* (*c/o*) per Adresse; *don't care a damn about it* sich ein ei-

couldn't care less das ist mir piepegal, ich pfeife drauf; (*i. ü. S.*) *I couldn't care less about him!* er kann mir gestohlen bleiben!; *I don't care for it* ich mache mir nichts daraus; (*i. ü. S.*) *I don't care one way or the other* mir ist nichts daran gelegen; *take care of so* sich jemands annehmen; *take care of sth* sich einer Sache annehmen; *to take care of sb/sth* jmd/etwas unschädlich machen; *to treat sth with care* etwas pfleglich behandeln; *would you care for a cup of tea?* möchten sie eine Tasse Tee?; *the sick man needs a lot of care and attention* der Kranke braucht viel Pflege; *to take good care of sb* jmd gute Pflege angedeihen lassen; *put a lot of care into something* viel Sorgfalt aufwenden auf etwas; *to place sth in sb's care* etwas jmds Obhut anvertrauen, *I couldn't care about that* das kümmert mich wenig; ~ **for** *vt*, umsorgen; ~**ful** **(1)** *adj*, bedacht, behutsam, pfleglich, reiflich, sachte, sorgfältig, sorgsam, vorsichtig; (*wohlüberlegt*) bedächtig, bedachtsam **(2)** *vi*, achtsam; *carefully considered* genau überlegt; ~**fully** **(1)** *adj*, (*wohlüberlegt*) bedächtig **(2)** *adv*, behutsam; (*wohlüberlegt*) bedachtsam; *do sth carefully* etwas mit Bedacht machen; ~**fulness** *sub*, - Achtsamkeit, Sorgsamkeit
careen, *vti*, kielholen
career, *sub*, *-s* Karriere, Laufbahn, Lebenslauf; ~ **civil servant** *sub*, *-s* Berufsbeamte; ~ **woman** *sub*, *-men* Karrierefrau; ~**ism** *sub*, *nur Einz.* Karrierismus; ~**ist** *sub*, *-s* Karrierist; ~**s adviser** *sub*, - *-s* Berufsberater; ~**s guidance** *sub*, - *-s* Berufsberatung
carefree, *adj*, unbeschwert; (*unbekümmert*) sorglos; ~ **existence** *sub*, *nur Einz.* Phäakenleben
careless, *adj*, achtlos, fahrlässig, lieblos, nachlässig; (*unachtsam*) sorglos (*unvorsichtig*) unachtsam; *do sth carelessly* etwas ohne Bedacht machen; *if you do it any old how, nothing can come of it* wenn du es so lieblos machst, kann es

nichts werden; *it was a carelessly prepared meal* das Essen war sehr lieblos zubereitet; *carelessly dressed* nachlässig gekleidet; **~ mistake** *sub*, *-s* Leichtsinnsfehler; **~ness** *sub*, *nur Einz.* Achtlosigkeit; *- Fahrlässigkeit; nur Einz.* Nachlässigkeit; *-es* Unvorsichtigkeit

caress, (1) *sub*, *-es* Liebkosung (2) *vt*, liebkosen; **~es** *sub*, *nur Mehrz.* Zärtlichkeit

caretaker, *sub*, *-s* Hausbesorger, Hausmeister, Kastellan

careworn, *adj*, verhärmt

cargo, *sub*, *-s* Frachtgut; *-es* Kargo, Ladung; **~ on deck** *sub*, *-es* Deckslandung; **~ ship** *sub*, *-s* (Schiff) Transporter

caribou, *sub*, *-s (zool.)* Karibu

caries, *sub*, *nur Einz.* Karies

carillon, *sub*, *-s (mus.)* Glockenspiel

caring profession, *sub*, *-s* Sozialberuf; **caring type** *sub*, *-s (ugs.)* Softie

Carinthian, *adj*, kärntnerisch

carious, *adj*, kariös

Carlovingian, *adj*, *(hist.)* karlingisch

Carmelite, *sub*, *-s* Karmeliter, Karmeliterin; **~ water** *sub*, *nur Einz. (med.)* Karmelitergeist

carminic acid, *sub*, *nur Einz.* Karminsäure

carnal, *adj*, *(sinnl.)* fleischlich; **carnation** *sub*, *-s (Blume)* Nelke

carnival, *sub*, *-s* Fasching, *- Fastnacht; -s* Karneval; **~ parade** *sub*, *-s* Karnevalszug; **~ participant** *sub*, *-s* Karnevalist; **~ party (with fancy-dress hats)** *sub*, Kappenabend; **~ procession** *sub*, *-s* Faschingszug; **~ session** *sub*, *-s* Prunksitzung

carniverous, *adj*, *(biol.)* karnivor; **carnivore** *sub*, *-s* Karnivore

carol, *sub*, *-s (Weihnachten)* Lied

Carolingian, (1) *adj*, karolingisch (2) *sub*, *-s (hist.)* Karolinger

carotid artery, *sub*, *-ies* Halsschlagader

carotin, *sub*, *nur Einz.* Karotin

carp, (1) *sub*, *-s* Karpfen (2) *vi*, *(ugs.)* mäkeln; *(kritteln)* nörgeln; **~ farming** *sub*, *nur Einz.* Karpfenzucht; **~ pond** *sub*, *-s* Karpfenteich

car park, *sub*, *-s* Parkplatz; **car race** *sub*, *- -s* Autorennen; **car radio** *sub*, *- -s* Autoradio; **car repair** *sub*, *- -s* Autoreparatur; **car wash** *sub*, *-es (ugs.)*

Waschstraße; **car-body** *sub*, *-ies* Karosserie; **car-free** *adj*, autofrei; **car-park attendant** *sub*, *-s* Parkwächter; **car-wash** *sub*, *-es* Waschanlage

carpenter, *sub*, *-s* Schreiner, Zimmermann; **~´s bench** *sub*, *-es* Hobelbank; **carpentry** *sub*, *-es* Zimmerei

carper, *sub*, *-s (Krittler)* Nörgler

carpet, *sub*, *-s* Teppich; *beat the carpet* den Teppich klopfen; *give so the red carpet treatment* jemanden mit großem Bahnhof empfangen; *(i. ü. S.)* sweep something under the carpet* etwas unter den Teppich kehren; **~ pattern** *sub*, *-s* Teppichmuster; **~ed floor** *sub*, *-s* Teppichboden

carphone, *sub*, *-s* Autotelefon

carping, *adj*, *(krittelnd)* nörglerisch

carriage, *sub*, *-s* Wagen; *(mil.)* Lafette; *carriage paid* frei Haus; **~ and pair** *sub*, *- (i. ü. S.)* Zweispänner; *(ugs.)* Zweigespann; **~ paid** *adj*, frachtfrei; **~way** *sub*, *-s* Fahrbahn

carrier, *sub*, *-s* Träger; *(Fahrrad)* Gepäckträger; *(med.)* Überträgerin; **~ pigeon** *sub*, *-s* Brieftaube; **~ rocket** *sub*, *-s* Trägerrakete; **~ wave** *sub*, *-s* Trägerwelle

carrion, *sub*, *- Aas; -s* Kadaver; **~ flower** *sub*, *-s (bot.)* Ordensstern

carrot, *sub*, *-s* Karotte, Möhre, Mohrrübe, Rübe; *with a stick and a carrot* mit Zuckerbrot und Peitsche; **~ bed** *sub*, *-s* Karottenbeet; **~-top** *sub*, *-s (ugs.)* Rotfuchs

carry, *vt*, tragen, verschleppen; *be carried away by the music* hingerissen der Musik lauschen; *carry something* etwas bei sich tragen; *carry something too far* etwas an die Spitze treiben; *carry things too far* es arg treiben; *carry weight* etwas gelten (Person); **~ around** *vi*, umhertragen; **~ away** *vt*, abtreiben, davontragen; *carry the day* den Sieg davontragen; **~ forward** *vt*, vortragen; **~ in** *vi*, hineintragen; **~ off** *vt*, dahinraffen, erbeuten; *(Wärme)* abführen; *the plague carried them off* die Pest hat sie dahingerafft; **~ on** (1) *vi*, *(etw. fortsetzen)* fortfahren; *(zeitl.)*

erstrecken (**a**) *vrf, wehermachen,*
carry on for sich erstrecken über; ~
out *vt,* heraustragen, hinaustragen,
realisieren, vornehmen; *(Beruf, Tä-*
tigkeit) ausüben; *(durchführen)* ausführen; *(Pflicht)* erfüllen; ~ **out an**
investigation *vi,* (polizeilich) nachforschen
carry through, *vt,* *(Plan, Reform)*
durchsetzen; *carry this reform*
through diese Reform durchsetzen;
carry to term *vi,* (med.: ein Kind)
austragen; **carrying** *sub, nur Einz.*
Verschleppung; **carrying off** *sub, -*
(Wärme) Abführung; **carrying out**
sub, nur Einz. Ausführung; *(ugs.)*
Durchführung; *(eines Berufes)* Ausübung
cart, (1) *sub, -s* Fuhrwerk, Karre (2) *vt,*
karren; ~ **away** *vt,* abtransportieren,
wegschaffen; ~ **off** *vt,* abfahren; ~-
load *sub, -s* Fuder
carte blanche, *sub, cartes blanches*
(tt; zool.) Blankovollmacht
cartel, *sub, -s (wirt.)* Kartell; ~(**l**)**ize**
vt, kartellieren
carter, *sub, -s* Fuhrmann
carthorse, *sub, -s* Zugpferd
Carthusian monastery, *sub, -ies* Kartause; **Carthusian monk** *sub, -s* Kartäuser
cartilage, *sub, -s (anat.)* Knorpel
cartogram, *sub, -s* Kartogramm
cartographer, *sub, -s* Kartograf; **car-**
tographic(al) *adj,* kartografisch;
cartography *sub, nur Einz.* Kartografie
cartomancy, *sub, nur Einz.* Kartomantie
cartoon, *sub, -s* Cartoon, Comic; *(Zei-*
chen-) Trickfilm; ~ (**film**) *sub, -s* Zei-
chenfilm (im Deutschen unbekannt,
nur Zeichentrickfilm); *(ugs.)* Zeichentrickfilm; ~ **heroine** *sub, -s* Co-
micheldin; ~**ist** *sub, -s* Cartoonistin,
Karikaturist; ~**s** *sub, -s (Filmpro-*
dukt) Animation
cartridge, *sub, -s* Kartusche, Patrone
cartwheel, *sub, -s* Wagenrad
cartwright, *sub, -s* Stellmacher
carve, *vt,* schnitzen, transchieren;
(Tal) einschneiden; *a deeply carved*
valley ein tief eingeschnittenes Tal;
~**d goods** *sub, nur Mehrz.* Schnittware; **carving** *sub, -s* Schnitzbild,
Schnitzelei; **carving table** *sub, -es*

carwash, *sub, -s* Wagenwäsche
caryatid, *sub, -s (arch.)* Kore
cascade, *sub, -s* Wasserfall
case, *sub, -s* Etui, Futteral, Gehäuse,
Hülse, Kasten, Kasus, Kiste; *(Ereig-*
nis) Fall; *(jur., med., grammat.)*
Fall; *I'll take an umbrella just in*
case für den Notfall nehm' ich einen Schirm mit; *put so in charge of*
a case jemandem mit einem Fall
beauftragen; *that's a case for* das
ist ein Argument für; ~ **files** *sub,*
nur Mehrz. Prozessakte; ~ **of ar-**
son *sub, arson* Brandlegung,
Brandstiftung; ~ **of need** *sub, -s -*
Bedarfsfall; ~ **of war** *sub, -* Kriegsfall; ~ **shot** *sub, nur Einz. (mil.)*
Kartätsche; ~ **study** *sub, -ies* Fall-
studie; ~**mate** *sub, -s (mil.)* Kasematte
cash, (1) *adv, (wirt.)* cash (2) *sub,*
nur Einz. Bargeld; · *(Bar-)* Geld;
nur Einz. (direkt) bar; *(wirt.)* Cash
(3) *vt,* einlösen; *pay cash* nicht auf
Rechnung (auch mit Kreditkarte),
turn into cash zu Geld machen; *for*
cash gegen bar; *pay cash* etwas in
bar bezahlen; *be out of cash* kein
Geld mehr haben; *cash on delivery*
per Nachnahme, *be short of cash*
Ebbe im Geldbeutel; *cash a cheque*
einen Scheck einlösen; ~ **cheque**
sub, - -s Barscheck; ~ **deal** *sub, - -s*
Bargeschäft; ~ **desk** *sub, -s* Kasse;
~ **discount** *sub, -s (wirt.)* Skonto;
~ **dispenser** *sub, -s* Geldautomat;
~ **flow** *sub, nur Einz.* Cashflow; ~
in *vt, (i. ü. S.)* ummünzen; ~ **in**
advance *sub, -* Vorkasse; *(ugs.)*
Vorauskasse; ~ **on delivery**
(**COD**) *sub, nur Einz.* Nachnahme;
to send sth COD etwas per Nachnahme schicken
cashier, *sub, -s* Kassierer; **cashing**
amount *sub, -s* Einlösesumme;
cashless *adj,* bargeldlos
cashmere, *sub, -s* Kaschmir; ~
(**wool**) *sub, -s* Kaschmirwolle
cash payment, *sub, - -s* Barzahlung,
-s Kassazahlung; **cash purchase**
sub, - -s Barkauf; **cash register** *sub,*
-s Kasse, Registrierkasse; **cash va-**
lue *sub, -s* Geldwert; **cashbox** *sub,*
-es Kasse; **cashdesk** *sub, -s* Wech-
selkasse

cashpoint card, *sub*, *-s (Bank)* Magnetkarte

casing, *sub*, *-s* Gehäuse

casino, *sub*, *-s* Kasino, Spielbank, Spielkasino

cask wine, *sub*, *-s* Landwein; **casket** *sub*, *-s* Schatulle

cassata, *sub*, *nur Einz.* Cassata

cassava, *sub*, *-s* Maniok; **~ root** *sub*, *-s* Maniokwurzel

casserole, *sub*, *-s* Kasserolle

cassette, *sub*, *-s* Kassette

cassia tree, *sub*, *-s (bot.)* Kassienbaum

cassock, *sub*, *-s* Soutane

cassowary, *sub*, *-ies (wirt.)* Kasuar

cast, (1) *sub*, *-s* Abguss; *(eines Theaterstücks)* Besetzung (2) *vt*, *(Gußstücke)* gießen; *(Rollen)* besetzen; *cast away one's fortune* sein Glück mit Füßen treten; *cast gloom* auf die Stimmung drücken; *the cast* die Mitwirkenden; **~ concrete** *sub*, *nur Einz.* Schüttbeton; **~ iron** *sub*, *-s* Gusseisen; **~ steel** *sub*, *-s* Gussstahl; **~ stone** *sub*, *-s* Gussstein

castanet, *sub*, *-s (mus.)* Kastagnette

castellan, *sub*, *-s* Kastellan

caster, *sub*, *-s* Streuer; **~ oil** *sub*, *nur Einz.* Rizinusöl; **~ sugar** *sub*, *nur Einz.* Streuzucker; **~-oil plant** *sub*, *-s (bot.)* Rizinus

caste system, *sub*, *-s* Kastenwesen

castigate o.s., *vr*, *(sich)* geißeln; **castigation** *sub*, *-s* Geißelung

casting, *sub*, *-s (Prozess)* Abguss

castiron, *adj*, gusseisern

castle, (1) *sub*, *-s* Burg, Chateau, Schloss; *(Schach)* Turm (2) *vi*, rochieren; *my home is my castle* mein Heim ist meine Burg; *Chateau Latour* Chateau Latour; **~ in the air** *sub*, *castles (i. ü. S.)* Luftschloss; *(i. ü. S.) to build castles in the air* Luftschlösser bauen; **~ nut** *sub*, *-s (tech.)* Kronenmutter; **~ surrounded by water** *sub*, *-s* Wasserschloss

castling, *sub*, *-s (Schach)* Rochade

castrate, *vt*, entmannen, kastrieren; **castration** *sub*, *-s* Kastration

casual, (1) *adj*, beiläufig, lässig, salopp; *(US)* burschikos (2) *sub*, - Slipper; **~ laborer** *sub*, *-s (US)* Gelegenheitsarbeiter; **~ labourer** *sub*, *-s* Gelegenheitsarbeiter; **~ worker** *sub*, *-s* Leiharbeiter; **~ly** *adv*, beiläufig

casualty, *sub*, *-es* Verunfallte, Verunglückte; **~ clearing station** *sub*, *-s* Feldlazarett; **~ unit** *sub*, *-s* Notaufnahme

casuistic, *adj*, kasuistisch; **casuistry** *sub*, *nur Einz.* Kasuistik

cat, *sub*, *-s* Katze; **~ burglar** *sub*, *-s* Klettermaxe; **~ food** *sub*, *nur Einz.* Katzenfutter; **~-and-mouse game** *sub*, *-s (ugs.)* Katz-und-Maus-Spiel; **~-walk** *sub*, *-s* Laufsteg; **~'s excrement** *sub*, *nur Einz.* Katzendreck; **~'s eye** *sub*, *-s* Katzenauge; **~'s lick** *sub*, *nur Einz. (ugs.)* Katzenwäsche

catachesis, *sub*, *-es (theol.)* Katechese; **catachresis** *sub*, *-es* Katachresis

catacomb, *sub*, *-s* Katakombe

catafalque, *sub*, *-s* Katafalk

catalectic, *adj*, katalektisch; **catalepsy** *sub*, *-ies (med.)* Katalepsie; **cataleptic** *adj*, kataleptisch

catalogue, (1) *sub*, *-s* Katalog (2) *vt*, katalogisieren; *a long catalogue of complaints* eine Litanei von Klagen

catalysis, *sub*, *-es (chem.)* Katalyse; **catalyst** *sub*, *-s* Abgaskatalysator, Katalysator; *(chem.)* Kontaktstoff; **catalytic converter** *sub*, *-s* Katalysator; **catalyze** *vt*, katalysieren

catamaran, *sub*, *-s* Katamaran

catapult, (1) *sub*, *-s* Katapult (2) *vt*, katapultieren; **~ flight** *sub*, *-s* Katapultflug

cataract, *sub*, *-s* Katarakt; *(med.) cataract* grauer Star

catarrh, *sub*, *-s (med.)* Katarrh; **~-like** *adj*, katarrhartig; **~al** *adj*, katarrhalisch

catastrophe, *sub*, *-s* Katastrophe; **catastrophic** *adj*, katastrophal

catatonia, *sub*, *nur Einz. (psych.)* Katatonie

catch, (1) *sub*, *nur Einz.* Fang; *(i. ü. S.)* Fang; *-s (ugs.)* Partie (2) *vi*, *(auffangen)* fangen (3) *vt*, aufschnappen, erwischen, fangen, haschen, holen, zuziehen; *(ugs.)* wegbekommen; *(Ball, etc.)* auffangen; *(Jagd)* erjagen; *(mitreissen)* erfassen; *(Verbrecher)* fassen; *make a good catch* eine guten Fang machen; *(i. ü. S.) he was a good catch* mit ihm haben wir einen guten Fang gemacht; *(i. ü. S.) make a good catch*

good catch eine gute Partie sein; *catch a few snatches* ein paar Brokken aufschnappen; *catch oneself doing sth* sich bei etwas ertappen; *catch so stealing* jmd beim stehlen ertappen; *not quite catch what so is saying* jemanden akustisch nicht verstehen; *they were caught in a storm* sie wurden von einem Gewitter überrascht; *to catch on to sb* jmd auf die Schliche kommen; *(ugs.) to catch on to sth* etwas schnallen; *catch fire* Feuer fangen; *play catch* haschen spielen; *to catch a cold* sich eine Erkältung holen; *to catch one's death* sich den Tod holen; **~ a cold (1)** *vr*, verkühlen **(2)** *vt*, erkälten; **~ fire** *vi*, *(Papier, etc.)* anbrennen; **~ mice** *vi*, mausen; **~ sight of** *vt*, erblicken; **~ so. in the act** *vt*, ertappen; *catch so in the act* jmd auf frischer Tat ertappen; **~ up (1)** *vi*, gleichziehen; *(Rückstand)* aufholen **(2)** *vt*, *(erreichen)* einholen; *catch up with another car* ein anderes Auto einholen; *completely caught up in this sight* völlig in diesem Augenblick versunken; **~ up with** *vt*, *(Rückstand)* aufholen

catcher, *sub*, -s Fänger; **catchment area** *sub*, -s Einzugsgebiet; **catchword** *sub*, -s Schlagwort; **catchy** *adj*, einprägsam, sentenzhaft, werbekräftig; *that's a really catchy record* der Schlager ist ein richtiger Ohrwurm

catechetic(al), *adj*, katechetisch; **catechism** *sub*, -s Katechismus; **catechist** *sub*, -s *(theol.)* Katechet

categorical, *adj*, kategorisch; **categorization** *sub*, -s Rubrizierung; **categorize** *vt*, rubrizieren; **category** *sub*, -ies Kategorie, Klasse, Rubrik; *(Kategorie)* Gruppe

cater for, *vi*, bewirten; **catering** *sub*, - Bewirtung; *nur Einz.* Verpflegung; *(Beköstigen)* Beköstigung

caterpillar, *sub*, -s Caterpillar, Raupe, Raupenbagger; **~ track** *sub*, -s Raupenkette; **~ tractor** *sub*, -s Raupenschlepper

caterwauling, *sub*, *nur Einz.* *(ugs.)* Katzenmusik

catharsis, *sub*, -es Katharsis

cathartic, *adj*, kathartisch

cathedral, *sub*, -s Kathedrale; **chapter** *sub*, -s Domkapitel; **~ school** *sub*, -s Stiftsschule

catheter, *sub*, -s *(med.)* Katheter; **~ize** *vt*, katheterisieren

cathetus, *sub*, -i ? *(mat.)* Kathete

cathode, *sub*, -s Kathode

catholic, **(1)** *adj*, katholisch **(2)** **Catholic** *sub*, -s Katholik; **Catholic hostel** *sub*, -s Kolpinghaus; **Catholicism** *sub*, *nur Einz.* Katholizismus

cation, *sub*, -s *(chem.)* Kation

cattle, *sub*, *nur Mehrz.* Rind, Rindvieh; **~ and horses** *sub*, *nur Mehrz.* Großvieh

Caucasian, *sub*, -s Kaukasier

caudate, *sub*, -s *(zool.)* Schwanzlurch

caught, *adj*, gefangen; **~ together** *adj*, *(~, mitgehangen)* mitgefangen

cauliflower, *sub*, - Blumenkohl; -s *(Dial.)* Karfiol

ca(u)lk, *vt*, kalfatern; **~ing** *sub*, *nur Einz.* Kalfaterung; **~ing-mallet** *sub*, -s Kalfathammer

causa, *sub*, -e causa; *honorary* honoris causa (hc)

causal, *adj*, kausal, ursächlich; **~ chain** *sub*, -s Kausalkette; **~ clause** *sub*, -s Kausalsatz; **~ity** *sub*, -ies Kausalität

caustic, *adj*, kaustisch; *(med.)* ätzend; **~ by focussed light** *adj*, diakaustisch

cauterization, *sub*, -s *(med.)* Ätzung; **cauterize** *vt*, ätzen

caution, *sub*, *nur Einz.* Behutsamkeit, Vorsicht; **cautious** *adj*, vorsorglich

cavalcade, *sub*, -s Kavalkade

cavalry, *sub*, -ies Reiterei; *(mil.)* Kavallerie; **~ captain** *sub*, -s Rittmeister; **~man** *sub*, -men Kavallerist

cavatina, *sub*, -s *(mus.)* Kavatine

cave, *sub*, -s Höhle; **~ in** *vi*, *(Geröll)* nachstürzen; **~ in the ground** *sub*, -s Erdhöhle; **~bear** *sub*, -s Höhlenbär; **~dweller** *sub*, -s Höhlenmensch; **~painting** *sub*, -s Höhlenmalerei; **~man** *sub*, -men Urmensch; **~rn** *sub*, -s Kaverne; **~rnous** *adj*, kavernös

caviar, *sub*, -s Kaviar

cavilling, *sub*, -s *(ugs.)* Wortklauberei

cavity, *sub, -ies*; Hohlraum; *-ies (Höhle)* Aushöhlung; **~ plug** *sub, -s* Spreizdübel

caw, *vi*, krächzen

cayman, *sub, -s (zool.)* Kaiman

cd-player, *sub, -* CD-Spieler; **CD-R(ead)O(nly)M(emory)** *sub, -s (comp.)* CD-ROM

cease, *vi*, ruhen; *cease hostilities* die Feindseligkeiten einstellen; **~ function** *vt, (nicht mehr arbeiten)* entzweigehen

cedar, *sub, -s (tt; bot.)* Zeder; **~wood** *sub, nur Einz. (i. ü. S.)* Zedernholz

cedilla, *sub, -s (ling.)* Cedille

celebrate, **(1)** *vi*, feiern **(2)** *vt*, besingen, feiern, zelebrieren; **~ all night** *vi*, durchfeiern; **~ starting** *vt, (Beruf)* Einstand; **celebration** *sub, -s* Feier, Fest, Freudenfest, Zelebration; *have a celebration* eine Feier abhalten; *that calls for a celebration* das muss gefeiert werden; **celebrity** *sub, - Zelebrität; -ies (Persönlichkeit)* Berühmtheit

celeriac, *sub, -s* Sellerie

celestial, *adj, (himmlisch)* sphärisch; **~ body** *sub, -ies* Himmelskörper

celibacy, *sub, nur Einz.* Ehelosigkeit, Zölibat; **celibate** *adj,* ehelos

cell, *sub,* Zelle; **~ glass** *sub, nur Einz.* Zellglas; **~ membrane** *sub, -* Zellmembran; **~ tissue** *sub, -* Zellengewebe; **~-shaped** *adj,* zellenförmig; **~division** *sub, -s (biol.)* Zellteilung; **~ular** *adj, (tt; biol.)* zellular; **~ulitis** *sub, -* Zellulitis; **~uloid** *sub, nur Einz.* Zelluloid; **~uloid paper** *sub, -s (i. ü. S.)* Zelloidinpapier; **~ulose** *sub, nur Einz.* Zellulose; *(tt; biol.)* Zellstoff; **~ulose lacquer** *sub, -s* Zaponlack; **~wall** *sub, -s* Zellwand

cellar, *sub, -s* Keller

cellist, *sub, -s (mus.)* Cellist; **cello** *sub, -i* Cello

Celt, **(1)** *adj,* keltisch **(2)** *sub, -s* Kelte; **~iberian** *adj,* keltiberisch

cement, *sub, - Kitt; - (tt; med. & baukonst.)* Zement; **~ floor** *sub, - (tt; baukonst.)* Zementboden; **~ pipe** *sub, -s (tech.)* Zementröhre; **~ sth.** *vt,* zementieren; **~-mixer** *sub, -s* Mischtrommel; **~ing** *sub, -s (tt; baukonst.)* Zementierung

cemetery, *sub, -ies* Friedhof

cenotaph, *sub, -s* Kenotaph

censor, **(1)** *sub, -s* Zensor **(2)** *vt,* zensieren, zensurieren; **~ious** *adj,* tadelsüchtig; **~ship** *sub, -* Zensur; **~ship of the press** *sub, nur Einz.* Pressezensur

censure, *sub, -s (Kritik)* Tadel

census, *sub, -es* Volkszählung; *- Zensus*

cent, *sub, -s* Cent

centaury, *sub, nur Einz. (bot.)* Tausendgüldenkraut

centenary celebration, *sub, -s* Hundertjahrfeier

center, *sub, -s (US)* Center; *(Ausgangspunkt US)* Herd; *(US Praline)* Füllung

centilitre, *sub, -s* Zentiliter; **centimetre** *sub, -s* Zentimeter

centime, *sub, -s* Centime

central, **(1)** *adj,* zentral **(2)** *sub, -* Zentrale; **~ bank** *sub, -* Zentralbank; **~ committee** *sub, -s* Zentralkomitee; **Central Europe** *sub, nur Einz.* Mitteleuropa; **~ figure** *sub, -s* Hauptperson, Zentralfigur; **~ heating** *sub, -s* Heizung, Zentralheizung; **~ idea** *sub, -s* Leitgedanke; **~ nerve system** *sub, nur Einz. (tt; med.)* Zentralnervensystem; **~ organ** *sub, -s* Zentralorgan

centralisation *sub, -s* Zentralisierung; **central power** *sub, -* Zentralgewalt; **centralism** *sub, nur Einz.* Zentralismus; **centralistic** *adj,* zentralistisch; **centrality** *sub, nur Einz.* Zentralität; **centralization** *sub, -s* Zentralisation, Zentrierung; **centralize** *vt,* zentralisieren

centre, *sub, -s* Center, Innenstadt, Knotenpunkt, Mittelpunkt, Zentrum; *(Kreis, Stadt, Politik)* Mitte; *(Praline)* Füllung; *centre* Einkaufscenter; *he always has to be the centre of attention* er muss immer im Mittelpunkt stehen; **~ circle** *sub, -s (spo.)* Mittelkreis; **~ line** *sub, -s* Mittellinie; **~ of** *sub, -s (Ausgangspunkt)* Herd; **~ of an epidemic** *sub, centres* Seuchenherd; **~ of gravity** *sub, -s* Schwerpunkt; **~ part(ing)** *sub, -s* Mittelscheitel; **~ sth.** *vt,* zentrieren; **~ strip** *sub, -s* Grünstreifen; **~-board** *sub, -s* Kielschwert; **~-forward** *sub, -s (spo.)* Mittelstürmer; **~-half** *sub, -s* Mittelläufer; **~piece** *sub, -s* Tafelauf-

centric, *adj,* zentrisch; **centrifugal force** *sub, -s* Schwungkraft; *(phy.)* Fliehkraft; **centrifugal power** *sub, nur Einz. (tt; tech.)* Zentrifugalkraft; **centrifuge** *sub, -s* Zentrifuge; **centrifuge sth.** *vt,* zentrifugieren; **centripetal** *adj,* zentripetal; **centripetal power** *sub, nur Einz.* Zentripetalkraft

century, *sub, -ies* Jahrhundert; *(geh.)* Säkulum

ceramic, *adj,* keramisch

cerebellum, *sub, -s (anat.)* Kleinhirn

cerebral, *adj,* zerebral; **~ haemorrhage** *sub, -s* Hirnblutung; **~ hemorrhage** *sub, -s (US)* Hirnblutung; **~ noise** *sub, -* Zerebrallaut; **cerebrum** *sub, -s (med.)* Großhirn

ceremonial, (1) *adj,* gewiss; *(Gewissheit)* si-ceremoniell **(2)** *sub, -s* Zeremoniell; **ceremonious** *adj, (förmlich)* feierlich; *be given a ceremonious farewell* feierlich verabschiedet werden; **ceremoniously** *adv,* feierlich; **ceremony** *sub, -ies* Feierstunde; **~** Zeremonie

ceroplastics, *sub, nur Mehrz.* Keroplastik

certain, *adj,* gewiss; *(Gewissheit)* sicher; *(Menge etc.)* bestimmt; *a certain Mr X* ein gewisser Mr X; *a certain sth* ein gewisses etwas, ein gewisses etwas; *in a certain way* in gewisser Hinsicht; *one can say for certain that* man kann mit Sicherheit behaupten, dass; **~ly (1)** *adj,* sicherlich **(2)** *adv,* beileibe, gewisslich, ohneweiters; *(gewiss)* allerdings; *certainly not* beileibe nicht; **~ty** *sub, -ies* Gewissheit; *- (Gewissheit)* Sicherheit; *become certainty* zur Gewissheit werden; *for certainty* mit Gewissheit; *with absolute certainty* mit absoluter Sicherheit; **~ty of victory** *sub, -* Siegesgewissheit

certificate, (1) *sub, -s* Bescheinigung, Doktordiplom, Ehrenurkunde, Testat, Urkunde, Zertifikat; *(schriftliche)* Bestätigung; *(Zeugnis)* Nachweis **(2)** *vt,* zertifizieren; **~ of good conduct** *sub, -s* Führungszeugnis; **certification** *sub, -s* Beglaubigung; **certify** *vt,* attestieren, beglaubigen, bescheinigen, testieren; *(schriftlich)* bestätigen; *this is to certify* hiermit wird bescheinigt

cervical vertebra, *sub, -f* Nak-

kenwirbel, cervix *sub, -ices (anat.)* Muttermund

cession, *sub, -s* Abtretung; *s (Abtretung)* Abtritt

cesspit, *sub, -s* Jauchengrube, Senkgrube; **cesspool of vice** *sub, cesspools* Sündenpfuhl

cetraria penastri, *sub, nur Einz.* Moosflechte

cha-cha-cha, *sub, nur Einz.* Cha-Cha-Cha

chafer, *sub, -s* Junikäfer

chaff, *sub, nur Einz.* Spreu; *(i. ü. S.) separate the chaff from the wheat* die Spreu vom Weizen trennen; **~ cutter** *sub, -s* Häcksler

chaffinch, *sub, -s* Buchfink

chain, (1) *sub, -s* Kette; *(Kette)* Fessel **(2)** *vt,* anketten, ketten; *(Fahrrad, etc.)* anschließen; *put so in chains* jmdm Fesseln anlegen; *shake off one´s chains* sich aus seinen Fesseln befreien, *(i. ü. S.)* die Fesseln abschütteln; **~ bridge** *sub, -s* Kettenbrücke; **~ guard** *sub, -s* Kettenschutz; **~ letter** *sub, -s* Kettenbrief; **~ of lights** *sub, -s* Lichterkette; **~ of shops** *sub, -s* Ladenkette; **~ reaction** *sub, -s* Kettenreaktion; **~ stitch** *sub, -es* Kettenstich; **~link** *sub, -s* Kettenglied; **~ing** *sub, -s* Verkettung

chair, *sub, -s* Lehrstuhl, Ordinariat, Professur, Stuhl; *to vacate a chair* einen Stuhl freimachen; *is this chair taken?* ist der Stuhl noch frei?; **~ cushion** *sub, -s* Stuhlkissen; **~lift** *sub, -s* Sessellift; **~man** *sub, -men* Chairman, Generaldirektor; *men* Vorsitzende; *(tt; wirt.)* Vorstand; **~man of the supervisory board** *sub, -s* Aufsichtsratsvorsitzende; **~manship** *sub, -s* Vorsitz; **~s** *sub, -s* Gestühl

chaise longue, *sub, -s* Chaiselongue

chalet, *sub, -s* Chalet

chalice, *sub, -s (relig.)* Messkelch

chalk, *sub, nur Einz.* Kreide; *(spo.)* Magnesia; *it goes together like chalk and cheese* das passt wie die Faust aufs Auge; **~ cliff** *sub, -s* Kreidefelsen; **~ mark** *sub, -s* Kreidestrich; **~stone** *sub, -s* Gichtknoten; **~y** *adj,* kalkweiß, kreidehaltig

challenge, (1) *sub,* -s Herausforderung; *(i. ü. S.)* Kraftprobe **(2)** *vt,* herausfordern; *challenge so gegen jemanden (zum Kampf)* antreten; *challenge so to a fight* jemanden zum Kampf auffordern; *(i. ü. S.) to challenge sb´s position* jmd den Rang streitig machen; **~ cup** *sub,* -s Wanderpokal; **~ sb** *vt, (zum Duell)* fordern; *challenge to a duel* jmd zum Duell fordern

chamber, *sub,* -s Kammer; **~ music** *sub, nur Einz.* Kammermusik; **~ of commerce** *sub,* -s Handelskammer, Industrie- und Handelskammer; **~lain** *sub,* -s Kammerjunker; **~maid** *sub,* -s *(Hotel)* Stubenmädchen; **~s** *sub, nur Mehrz.* Kanzlei

chamois, *sub,* -es Gämse, Gemse; **~ (-leather)** *sub, nur Einz.* Chamoisleder; **~ leather** *sub,* -Sämischleder; **leathered** *adj,* waschledern

champagne, *sub, nur Einz. (Getränk)* Champagner; **~ bottle** *sub,* -s Sektflasche; **~ glass** *sub,* -es Sektglas

champers, *sub, nur Einz. (ugs.)* Schampus

champion, *sub,* -s *(i. ü. S.)* Anwalt; *(spo.)* Meister; *(tt; spo.)* Verfechterin; **~ rifleman at a Schützenfest** *sub,* -men Schützenkönig; **~ing** *sub,* -s Verfechtung; **~ship (1)** *sub,* -s *(spo.)* Meisterschaft **(2)** *vi,* Championat; **~ship title** -s, *(spo.)* Meistertitel

champ(ion), *vi,* Champion

chance, *sub,* Chance; -s Gelegenheit; *(Aussicht)* Möglichkeit; *give away a chance* eine Chance vergeben; *have chances of finding sth* Aussichten haben etwas zu finden; *have no chance of* keine Chance haben; *have one last chance* eine letzte Chance haben; *he chanced on a friend* zufällig einen Freund treffen; *not to have a chance* nicht die geringsten Aussichten haben; *pure chance* ein blosser Zufall; *the chance of a lifetime* eine einmalige Chance; *the chances are against him* er hat wenig Chancen; *to have the chance of doing sth* die Möglichkeit haben, etwas zu tun; *to leave sth to chance* etwas dem Zufall überlassen; *to take a chance* etwas riskieren; *he had no other choice* er hatte keine andere Möglichkeit

chancellor, *sub,* -s Kanzler; **Chancel-**

lor of the Exchequer *sub, nur Einz. (Brit.)* Finanzminister

chances of winning, *sub,* - Gewinnchance

chandelier, *sub,* -s Kronleuchter, Leuchter, Lüster

chandler, *sub,* -s Wachszieher

change, (1) *sub,* -s Abwechslung, Änderung, Geldwechsel; *nur Einz.* Kleingeld; -s Umschwung, Veränderung; *nur Einz.* Wandel; -es Wechsel, Wechselgeld; -s Wende; *nur Einz.* Change **(2)** *vi,* ändern, umsteigen; *(Wetter)* umschlagen **(3)** *vt,* einwechseln, umwandeln, verschieden, verwandeln, wandeln, wechseln; *(Geld)* umwechseln; *(Kind)* trockenlegen; *(Person)* ummodeln **(4)** *vtr,* verändern; *for a change* zur Abwechslung; *need a change* Abwechslung benötigen; *subject to change* Änderungen vorbehalten; *undergo change* eine Änderungen erfahren; *pocket change* Kleingeld, *change a bed* ein Bett frisch überziehen; *change course politically* auf einen anderen Kurs einschwenken; *change DM into Dollar* DM in Dollar einwechseln; *change one´s mind* sich anders entschließen; *he has changed for the worse* er hat sich zu seinem Nachteil verändert; *he hasn´t changed* er ist noch immer der Alte; *it won´t change* es wird sich nicht bessern; *nothing has changed* alles blieb beim alten; *things have changed* das Blatt hat sich gewendet; *things have changed since then* seither weht ein frischer Wind; **~ by hand** *sub,* -s Handänderung; **~ clothes** *vr, (sich umziehen)* umkleiden; **~ colour** *vr,* verfärben; **~ course** *vi, (Luftfahrt, Schifffahrt)* abdrehen; **~ dispenser** *sub,* -s Wechsler

changeable, *adj,* abänderlich, veränderbar, wandelbar, wechselhaft; *(Wetter)* durchwachsen, unbeständig; **changed climate** *sub,* -s *(i. ü. S.)* Klimawechsel; **changeless** *adj,* unwandelbar; **changeover** *sub,* -s Umschaltung; **changeover of power** *sub,* -overs Machtwechsel; **changing lanes** *sub,* - Spurwechsel; **changing of the guard** *sub,* -s

Wechselkleidung; **changing-room** *sub*, -s Umkleideraum; **changing-room** *sub*, -s Ankleideraum

change into, *vi*, *(verändern)* übergehen; **change machine** *sub*, -s Münzwechsler; **change of course** *sub*, -s Kursänderung; -es Kurswechsel; **change of environment** *sub*, *changes* Ortswechsel; **change of mind** *sub*, - Sinneswandel; **change of partners** *sub*, *changes* Partnertausch; **change of place** *sub*, *changes* Platzwechsel; **change of position** *sub*, -s Rochade; *changes (spo.)* Platzwechsel; **change of scenery** *sub*, *changes (i. ü. S.)* Tapetenwechsel; **change of sight** *sub*, -s Vistawechsel; **change one´s arrangements**, *vi*, umdisponieren; **change one´s clothes** *vr*, umziehen; **change one´s lifestyle** *vr*, umstellen; **change one´s mind** *vt*, umschwenken; **change one´s view (1)** *vi*, umdenken **(2)** *vt*, *(i. ü. S.; Ansichten ändern)* umlernen; **change over** *vt*, überwechseln; **change places** *vr*, versetzen; **change positions** *vi*, rochieren; **change so´s mind** *vt*, umstimmen; *change someone´s mind* jemanden umstimmen; **change-over** *sub*, -s *(tt; spo.)* Wechsel

channel, *sub*, -s Kanal, Rinne; *direct sth into the right channels* etwas auf die richtige Bahn lenken; **~ tunnel** *sub*, -s Kanaltunnel

chanson, *sub*, -s Chanson; **~nier** *sub*, -s Chansonnier

chanteuse, *sub*, -s Chansonette

chaos, *sub*, *nur Einz.* Chaos; - Tohuwabohu; *nur Einz. (i. ü. S.)* Hexenkessel; *(ugs.)* Wirrwarr; *everything was in chaos* alles lag wirr durcheinander; **~ caused by war** *sub*, *nur Einz.* Kriegswirren; **chaotic** *adj*, chaotisch, wüst; *(ugs.)* ungeregelt; *things are completely chaotic* es geht alles drunter und drüber

chap, *sub*, -s Hautriss; *(ugs.)* Kerl

chapel, *sub*, -s Kapelle

chaperon, *sub*, -s Anstandswauwau

chaplain, *sub*, -s Kaplan; *(Gefängnis~, Militär~)* Pfarrer

chapped, *adj*, rissig

chaps, *sub*, - Lefze

chapter, *sub*, -s Kapitel; **~ house** *sub*, -s Kapitelsaal

---

char, **(1)** *sub*, -s Saibling **(2)** *vt*, verkohlen

character, *sub*, -s Charakter, Gestalt, Wesensart; *(i. ü. S.)* Gepräge; *(Druck-)* Buchstabe; *(Mensch)* Original; *(Mensch; komische ~)* Nudel; *(Person)* Existenz; *(ugs.; Person)* Type; *(Rolle)* Person; *to lack character* keinen Charakter haben; *(i. ü. S.) a lively character* ein lustiger Vogel; *(ugs.) a queer character* eine komische Marke; *reveal one´s true character* sich in wahrer Gestalt zeigen; *to cast aspersions on sb´s character* üble Nachrede über jmdn verbreiten; **~ assassination** *sub*, -s Rufmord; **~ reference** *sub*, -s Leumundszeugnis; **~istic (1)** *adj*, arteigen, charakteristisch, typisch; *(für jemanden)* bezeichnend; *(kennzeichnend)* eigen **(2)** *sub*, -s Charakterzug, Eigenschaft, Grundzug, Wesenszug; *(i. ü. S.)* Zug; *with a gesture characteristic of her* mit einer ihr eigenen Gebärde; *with all her characteristic charm* mit allem ihr eigenen Charme; **~istics** *sub*, *nur Mehrz.* Charakteristikum

characterization, *sub*, -s Charakteristik; **characterize** *vt*, charakterisieren, kennzeichnen; **characterless** *adj*, charakterlos; **characterology** *vi*, Charakterkunde

charade, *sub*, -s Charade, Scharade

charcoal, *sub*, *nur Einz.* Holzkohle; **~ burner** *sub*, -s Köhler; **~ pile** *sub*, -s Meiler; **~ stick** *sub*, -s Kohlenstift

charge, **(1)** *sub*, -s Anklage, Gebühr, Klageschrift; *(mil.)* Ladung **(2)** *vi*, anstürmen **(3)** *vt*, *(Akku)* aufladen; *(berechnen)* nehmen; *(Gebühr)* erheben; *bring a charge against so* gegen jemanden Anklage erheben; *be in charge of* für jemands Betreuung zuständig sein; *be in charge of sth* die Aufsicht über etwas haben; *bring a charge against someone* Strafanzeige gegen jemanden erstatten; *charge so for sth* jemandem etwas aufrechnen, jemandem etwas berechnen; *charge sth to so´s account* jemandem etwas anschreiben, jemandem etwas a anrechnen;

charge taxes Steuern erheben; *free of charge* zum Nulltarif; *overcharge so* jemandem zuviel berechnen; *to be in charge* der erste Mann sein; *to take charge of sth* etwas an sich nehmen; ~ **(with)** *vt*, anklagen; ~ **about** *vir*, *(ugs.)* rammeln; ~ **for delivery** *sub*, *-s -ies* Bestellgeld; ~**able** *adj*, kostenpflichtig; ~**d** *adj*, *(Strom)* geladen

chariot, *sub*, *-s* Streitwagen; ~ **race** *sub*, *-s* Wagenrennen

charitable, *adj*, gemeinnützig, karitativ, wohltätig; **Charité** *sub*, *nur Einz.* *(geogr.)* Charité; **charity** *sub*, *nur Einz.* Karitas; *-es* Wohltätigkeit; *nur Einz.* *(geh.)* Mildtätigkeit; **charity function** *sub*, *-s* Wohltätigkeitsveranstaltung; **charity performance** *sub*, *- -s* Benefizvorstellung

charlatan, *sub*, *-s* Scharlatan; ~**ism** *sub*, *-s* Scharlatanerie

charm, **(1)** *sub*, *-s* Liebreiz; *nur Einz.* Scharm; *-s* Talisman; - *(i. ü. S.)* Zauber **(2)** *vt*, bestricken; *(Schlangen)* beschwören **(3)** *vti*, bezaubern; ~**er** *sub*, *-s* Charmeur; ~**euse** *sub*, *nur Einz.* *(Textil)* Charmeuse; ~**ing** **(1)** *adj*, anziehend, bestrickend, bezaubernd, charmant, lieblich, liebreizend, reizend, reizvoll, scharmant **(2)** *sub*, *nur Einz.* Bestrickung; *a charming smile* entwaffnendes Lächeln

charnelhouse, *sub*, *-s* Ossarium

chart, **(1)** *sub*, *-s* *(Grafik)* Tabelle **(2)** *vt*, kartieren; ~ **showing the exercises performed of a keep-fit program(me)** *sub*, *charts* Trimmspirale; ~**er** **(1)** *sub*, *-s* Freibrief **(2)** *vt*, *(tech.)* chartern; *charter a boat* ein Boot chartern; **charter agreement** *sub*, *-s* Charter; ~**er flight** *sub*, *-s* Charterflug; ~**ered aircraft** *sub*, *-s* Chartermaschine; ~**erhouse** *sub*, *-s* Kartause

Chartreuse, *sub*, *nur Einz.* Kartäuser

charts, *sub*, *nur Mehrz.* Charts; *climb into the charts* in die Charts aufsteigen

chase, **(1)** *sub*, *-s* Aufholjagd, Hatz; *(Verfolgung)* Hetzjagd **(2)** *vt*, nachlaufen; *(i. ü. S.)* hetzen, jagen; *(ugs. i.ü.S)* nachsteigen; *(Tiere mit Hunden)* hetzen; *to chase girls* den Mädchen nachlaufen; *(i. ü. S.) to chase sb/sth* jmd/einer Sache nachlaufen; *wild goose chase* vergebliche Suche; ~ **away** *vt*, verjagen, wegjagen; ~**d**

adj, getrieben

chasm, *sub*, *-s* Kluft

chassis, *sub*, *-en* Chassis; - *(mot.)* Fahrgestell

chaste, *adj*, keusch; **chastise oneself** *vr*, kasteien; **chastity** *sub*, *nur Einz.* Keuschheit; **chastity belt** *sub*, *-s* Keuschheitsgürtel

chasuble, *sub*, *-s* Meßgewand

chat, **(1)** *sub*, *-s* Plauderei; *(ugs.)* Plausch, Schwatz, Schwätzchen **(2)** *vi*, plaudern, plauschen; *chat so up* jemanden anmachen; ~ **away** *vt*, *(ugs.)* verplappern

Chateaubriand, *sub*, *-s* Chateaubriand

chatter, **(1)** *sub*, *-s* *(ugs.)* Schwätzerei **(2)** *vi*, labern, schnattern; *(ugs.)* schwatzen; ~**box** *sub*, *-es* Schnatterer, Schnatterin; *(ugs.)* Plaudertasche, Quasselstrippe; ~**er** *sub*, *-s* Schwätzer, Schwätzerin; ~**ing** *sub*, *(i. ü. S.)* Geschnatter; ~**ing of teeth** *adj*, *(ugs.)* Zähne klappernd; ~**y** *adj*, schnatterig; **chatting** *sub*, Geplauder; **chatty** *adj*, *(ugs.)* aufgeknöpft

chauvinism, *sub*, *-s* Chauvinismus; **chauvinist** *sub*, *-s* *(geh.)* Chauvinist; *(ugs.)* Chauvi; **chauvinistic** *adj*, chauvinistisch

cheat, **(1)** *sub*, *-s* Betrüger, Hochstapler, Mogler **(2)** *vi*, bemogeln, mogeln, schummeln **(3)** *vt*, *(ugs.)* prellen **(4)** *vti*, betrügen, hochstapeln; *to cheat at cards* beim Kartenspiel mogeln, *cheat so out of sth* jemanden um etwas betrügen; ~ **one´s way through** *vt*, durchmogeln; ~**er** *sub*, *-s* Schummlerin

Chechenian, *sub*, *-s* Tschetschene

check, **(1)** *sub*, *-s* Karo, Nachprüfung, Nachrechnung, Nachzählung, Überprüfung; *(auf Liste, US)* Haken **(2)** *vi*, prüfen **(3)** *vt*, abchecken, kontrollieren, überprüfen, untersuchen; *(prüfen)* nachschauen, nachsehen **(4)** *vti*, nachprüfen, nachrechnen, nachzählen; *(prüfend)* nachmessen; *check* noch einmal durchrechnen; *when the reports were checked* bei der Nachprüfung der Meldungen, *you´d better check your arithmetic* rechne noch einmal nach!; ~ **(up)** *vt*, checken; *check oneself* sich unter

Kontrolle haben, check the oil level den Ölstand checken; *have a check-up* sich checken lassen; *to check the king* den König ins Schach setzen; ~ **in** (1) *vi*, einchecken; *(Passagiere)* abfertigen (2) *vt*, *(Gepäck)* aufgeben; ~ **of measurement** *sub*, *checks* Nachmessung; ~ **on oneself** *sub*, -s Selbstkontrolle; ~ **over thoroughly** *vt*, *(Auto)* durchchecken; ~ **thoroughly** *vt*, durchchecken; ~ **through** *vt*, *(Text)* durchsehen; ~**-in desk** *sub*, -s *(Luftfahrt)* Abfertigungsschalter; ~**ed** *adj*, gewürfelt; ~**er (-quer)** *vt*, karieren; ~**ered** *adj*, kariert; ~**ing in** *sub*, *nur Einz. (von Gepäck)* Aufgabe; ~**ing through** *sub*, -s Durchsicht; *after/on checking through the documents* nach/bei Durchsicht der Akten; ~**point** *sub*, -s Checkpoint; *(Grenz-)* Übergang; *Checkpoint Charlie* Checkpoint Charlie; ~**room** *sub*, -s *(US)* Gepäckaufbewahrung; ~**room attendant** *sub*, -s Garderobier, Garderobiere

cheek, *sub*, -s Backe, Frechheit, Wange; *have the cheek to* die Frechheit zu haben; *cheek to cheek* Wange an Wange; *he had the cheek to maintain* er hatte die Stirn zu behaupten; ~ **muscle** *sub*, -s *(i. ü. S.)* Wangenmuskel; ~**y** *adj*, frech, fürwitzig, naseweis, vorlaut; *(ugs.)* ungezogen; *then she started getting cheeky* zuletzt wurde sie noch frech; *(ugs.) a cheeky young thing* eine kesse Motte; ~**y brat** *sub*, -s Rotzlöffel; *(vorlaut)* Naseweis; ~**y little madam** *sub*, -s *(freches Mädchen)* Göre; ~**y little monkey** *sub*, -s *(ugs.: scherzh.)* Frechdachs

cheep, *vi*, *(Vogel)* fiepen, piepen, piepsen; *are you off your head?* bei dir piept's wohl!

cheer, (1) *sub*, -s Bravo, Bravoruf, Hochruf, Hurraruf, Jubelruf (2) *vi*, zujubeln; *(lassen)* hochleben; *cheerleader* Anfeuerungsteam; *cheers* Prost!; *be cheerful* guter Dinge sein; *cheers* zum Wohl; *the loud cheers of the audience* die lauten Bravorufe der Zuschauer; *three cheers for* lebe hoch!; *with good cheer* mit frohem Mut; *the crowd welcomed the astronauts with cheers* die Menge hat die Astronauten mit Hochrufen empfangen, *give so three cheers* hochleben

lassen; ~ **on so** *vt*, *(i. ü. S.)* anfeuern; ~ **sb up** *vt*, erheitern; ~ **so enthusiastically** *vt*, umjubeln; ~ **so up** *vt*, aufheitern; ~ **up** (1) *vr*, trösten (2) *vt*, *(jemanden aufheitern)* aufmuntern; ~**ful** *adj*, aufgeräumt, freudenreich, fröhlich, heiter, wohlgemut; *(fröhlich)* munter; *(happy)* fröhlich; *bright and cheery* munter und vergnügt; ~**fulness** *sub*, *nur Einz.* Fröhlichkeit, Heiterkeit, Munterkeit; ~**ing up** *sub*, *nur Einz. (einer Person)* Aufheiterung; *(Erheiterung)* Aufmunterung; ~**less** *adj*, freude(n)los, freudlos; ~**s** (1) *interj*, prost! (2) *sub*, *nur Mehrz. (-ruf)* Hoch; *(ugs.) cheers!* hoch die Tassen!

cheese, *sub*, -s Käse, Käselaib; ~ **burger** *sub*, - Cheeseburger; ~ **dairy** *sub*, -ies Käserei; ~ **spread** *sub*, -s Schmelzkäse, Schmierkäse, Streichkäse; ~**cake** *sub*, -s Quarkkuchen

cheetah, *sub*, -s Gepard

chemical, (1) *adj*, chemisch (2) *sub*, -s Chemikalie; *(Chemikalie)* Chemie; *Chemical Maze* (P) chemische Keule; ~ **worker** *sub*, -s Chemiewerker; ~**ize** *vt*, chemisieren; ~**ism** *sub*, -s Chemismus; **chemist** *sub*, -s Apotheker, Chemiker; **chemist (am: druggist)** *sub*, -s Drogist; **chemist's** *sub*, *chemists* Apotheke; **chemist's (am: drugstore)** *sub*, (-s) Drogerie; **chemist's scale** *sub*, -s Apothekerwaage; **chemistry** *sub*, *nur Einz. (wiss)* Chemie

chemotherapy, *sub*, -ies *(med.)* Chemotherapie

chenille, *sub*, *nur Einz.* Chenille

cheque, *sub*, -s Scheck; ~ **card** *sub*, -s Scheckkarte; ~ **fraud** *sub*, -s Scheckbetrug; ~**book** *sub*, -s Scheckbuch

cherish, *vt*, *(Andenken, Gefühl)* hochhalten; *(Gefühle)* hegen

Cherokee, *sub*, -s Tscherokese

cherry, *sub*, -ies Kirsche; ~ **blossom** *sub*, -s Kirschblüte; ~ **brandy** *sub*, -ies Kirschlikör; ~ **cake** *sub*, -s Kirschkuchen; ~ **tree** *sub*, -s Kirschbaum

cherub, *sub*, -s Putte; ~**ic** *adj*, cherubinisch

chess, *sub*, - Schach; **~ piece** *sub*, *-s* Schachfigur; **~board** *sub*, *-s* Schachbrett

chest, *sub*, *-s* Truhe; *nur Einz. (ugs.)* Brustkasten; *(allg)* Brust; *get it off your chest* sprich dich nur aus; *to get everything off one´s chest* sich Luft machen; *to get sth off one´s chest* sich etwas von der Seele reden; **~ compress** *sub*, *-es (med.)* Brustwickel; **~ freezer** *sub*, *-s* Gefriertruhe; **~ lid** *sub*, *-s* Truhendeckel; **~ of a hero** *sub, nur Einz.* Heldenbrust; **~ of drawers** *sub*, *-s* Kommode; **~ tone** *sub*, *-s* Bruston; **~-expander** *sub*, *-s* Expander; **~-measurement** *sub*, *-s* Brustbreite; **~-voice** *sub*, *-s* Bruststimme

chestnut, *sub*, *-s* Kastanie, Marone; **~ boletus** *sub*, *-ses* Maronenpilz; **~ man** *sub*, *men* Maronibrater; **~ tree** *sub*, *-s* Kastanienbaum

chew, **(1)** *vt*, vorkauen **(2)** *vti*, kauen; **~ tobacco** *vt*, priemen; **~ing gum** *sub*, *-s* Kaugummi; **~ing tobacco** *sub*, *-s* Kautabak

Chianti-wine, *sub, nur Einz.* Chianti

chiaroscuro, *sub*, *nur Einz. (kun.)* Clair-obscur

chiasmus, *sub*, - Chiasmus

chibouk, *sub*, *-s* Tschibuk, Türkenpfeife

chic, *adj*, mondän

chicane, *sub*, *-s (spo.)* Schikane

chick, *sub*, *-s Küken; (vulg.; Mädchen)* Mieze; *(ugs.) a chick* eine flotte Biene; **~en** *sub*, *-s* Huhn; *Don´t count your chickens before they´re hatched* Man soll den Tag nicht vor dem Abend loben; *to get up at the crack of dawn* mit den Hühnern aufstehen; **~en breast** *sub*, *-s* Hühnerbrust; **~en brick** *sub*, *-s* Römertopf; **~en broth** *sub, nur Einz.* Hühnerbrühe; **~en droppings** *sub, nur Mehrz.* Hühnerdreck; **~en farming** *sub, nur Einz.* Hühnerzucht; **~en fattening** *sub*, - Broilermast; **~en out** *vi*, kneifen; **~enpox** *sub, nur Mehrz. (tt; med.)* Windpocken; **~weed** *sub*, *-s* Miere

chicory, *sub*, *-ies* Schikoree

chief accountant, *sub*, *-s* Rendant; **chief caoch** *sub*, *-es* Cheftrainer; **chief conductor** *sub*, *-s* Chefdirigent; **chief editor** *sub*, *-s* Chefredak-

teur; **chief fire officer** *sub*, *-s* Brandmeister; **Chief of Staff** *sub*, *-s (mil.)* Generalinspekteur; **chief public prosecutor** *sub*, *-s* Generalstaatsanwalt; **chief-** *sub*, *-s* Chef; **chiefly** *adv*, hauptsächlich

chiffon, *sub, nur Einz.* Chiffon

chihuahua, *sub*, *-s* Chihuahua

chilblain, *sub*, *-s* Frostbeule

childhood, *sub*, *-s* Kindesalter, Kindheit; **~ friend** *sub*, *-s* Jugendfreund; **childish** *adj*, infantil, kindisch; *(ugs.)* schülerhaft; **childish behaviour** *sub, nur Einz.* Kinderei; **childish prank** *sub*, *-s* Bubenstreich; **childishness** *sub*, *nur Einz.* Infantilität; **childlike** *adj*, kindlich; **childlike innocence** *sub, nur Einz.* Kindlichkeit; **childproof** *adj*, kindersicher; **children´s game** *sub*, *-s* Kinderspiel; **children´s home** *sub*, *-s* Kinderdorf; **children´s page** *sub*, *-s* Kinderseite; **children´s portion** *sub*, *-s* Kinderteller; **children´s room** *sub*, *-s* Kinderzimmer; **children´s shoe** *sub*, *-s* Kinderschuh

chiliasm, *sub*, *-s* Chiliasmus

chill, *vt*, *(tech.)* abschrecken

chillies, *sub, nur Mehrz.* Peperoni; *(Schoten)* Chili; **chillipepper** *sub*, *nur Einz. (Gewürz)* Chili

chilly and damp, *adj*, nasskalt

chime, *sub*, *-s* Glockenspiel

chimera, *sub*, *-e* Chimäre; **~s** Schimäre; **chimerical** *adj*, schimärisch

chimney, *sub*, *-s* Esse, Kamin, Schlot, Schornstein; **~-sweep** *sub*, *-s* Kaminfeger, Schlotfeger, Schornsteinfeger

chimpanzee, *sub*, *-s* Schimpanse

chin, *sub*, *-s* Kinn; **~ strap** *sub*, *-s* Sturmriemen

china, *sub*, - *(Porzellan)* Geschirr; **China clay** *sub*, *-s* Kaolin

chinchilla, *sub*, *-s* Chinchilla

Chinese, **(1)** *adj*, chinesisch **(2)** *sub*, - Chinesische; *Great Wall of China* Chinesische Mauer; *have a Chinese meal* chinesisch essen; **~ cabbage** *sub*, *-s* Chinakohl; **~ lantern** *sub*, *-s* Lampion; **~ flower** *sub*, *-s (bot.)* Lampionblume

chip, *sub*, *-s* Jeton; *(comp.)* Chip; *chip* Computerchip; *he is a chip of*

the bad block ein April mit nicht weit
vom Stamm; *he´s had his chips* er ist
weg vom Fenster; ~ **carving** *sub*, *-s*
Kerbschnitt; ~ **off** *vi*, absplittern;
~**munk** *sub*, *-s* Erdhörnchen; ~**ped**
adj, *(Gegenstand)* angeschlagen

chiromancy, *sub*, *nur Einz*. Chiromantie

chiropractic, *sub*, *-s (med.)* Chiropraktik; **chiropractor** *sub*, *-s* Chiro-
praktiker

chisel, **(1)** *sub*, *-s* Meißel **(2)** *vti*, meißeln

chitin, *sub*, *nur Einz*. Chitin

chivalrus, *adj*, chevaleresk

chives, *sub*, *nur Mehrz*. Schnittlauch

chlorate, *sub*, *-s* Chlorit

chloride, *sub*, *-s (chem.)* Chlorid

chlorinate, *vt*, chloren; *(chem.)* chlorieren; **chlorine** *sub*, *nur Einz*. Chlor

chloroform, **(1)** *sub*, *nur Einz*. Chloroform **(2)** *vt*, chloroformieren

chlorophyll, *sub*, *nur Einz*. Chlorophyll, Pflanzengrün

chocolate, **(1)** *adj*, schokoladen **(2)**
sub, *-s* Schokolade; ~ **bar** *sub*, *-s*
Schokoriegel; ~ **candy** *sub*, *-ies* Praline, Pralinee; ~ **coating** *sub*, *-s* Ku-
vertüre; ~ **marshmellow** *sub*, *-s*
Negerkuss

choice, **(1)** *adj*, auserlesen, ausgesucht; *(allg)* erlesen **(2)** *sub*, *nur
Einz*. Auswahlmöglichkeit; ~ *sub*;
*nur Einz. (Auswählen; Ausgewähl-
tes)* Auswahl; *I´ve no choice but to
agree* ich muss mich notgedrungen
dazu bereit erklären; *(i. ü. S.) make a
good choice* einen guten Griff tun, *of
free choice* aus freier Wahl; *to give sb
the choice of sth* jmd etwas zur Wahl
stellen; *(i. ü. S.) you are spoilt for
choice* wer die Wahl hat hat die Qual;
~ **of partner** *sub*, *c.s of p.s* Partnerwahl; ~ **of words** *sub*, *nur Einz*.
Wortauswahl, Wortwahl; ~ **wine** *sub*,
-s Beerenauslese

choir, *sub*, *-s* Chor, Gesangverein, Singegruppe; ~**-stalls** *sub*, *nur Mehrz*.
(arch.) Chorgestühl; ~**master** *sub*, *-s*
(mus.) Kantor

choisest wine, *sub*, *(Wein)* Auslese

choke, *vi*, würgen; *(verschlucken)*
ersticken; *this collar is choking me*
der Kragen schnürt mir die Luft ab

cholera, *sub*, *nur Einz*. Cholera; **cho-
leric temperament** *sub*, *-s* Choleri-

cholesterol, *sub*, *nur Einz*. Cholesterin; ~ **level** *sub*, *-s* Cholesterin-
spiegel

chop, **(1)** *sub*, *-s* Kotelett **(2)** *vt*,
(allg.) spalten; *(Gemüse)* schnei-
den; *(hacken)* hauen **(3)** *vti*, hak-
ken; ~ **down** *vt*, *(Baum)*
niederhauen; ~ **off** *vt*, abhacken;
(abschlagen) abhauen; *(Gliedmaße)* abschlagen; ~ **sth in half** *vt*,
durchhauen; ~ **up** *vt*, klein hak-
ken, wiegen; ~**per** *sub*, *-s* Hackbeil,
Wiegemesser; *(eines Metzgers)*
Beil; ~**ping** *sub*, - Hacken; ~**ping
board** *sub*, *-s* Hackbrett; ~**py** *adj*,
abgehackt, unruhig; ~**stick** *sub*, *-s*
Stäbchen

chorale, *sub*, *-s (mus.)* Choral; **choral society** *sub*, *-ies* Singakademie

chord, *sub*, *-s* Akkord

choreographer, *sub*, - Choreograf,
Choreografin; **choreography** *sub*,
-ies Choreografie

chorister, *sub*, *-s* Sangesbruder

chorus, *sub*, *-es* Refrain; *in chorus*
im Chor; ~ **girl** *sub*, *-s* Tanzgirl

chosen, *adj*, auserkoren, auserwählt; ~ **few** *sub*, *nur Mehrz*. Auserwählte

Christ, *sub*, *nur Einz*. Christus; *100
AD/BC* 100 nach/vor Christus; *Jesus
Christ* Jesus Christus; ~ **crucified**
sub, - *(theol.)* Gekreuzigte; ~ **on
the cross** *sub*, *-s* Kruzifixus; **christen**
vt, *(i. ü. S.; das erste Mal benutzen)*
einweihen; *(i. ü. S.; Namen geben)*
taufen; ~**endom** *sub*, *nur Einz*.
Christenheit; *the whole christian
community* die ganze Christen-
heit; **christening** *sub*, *-s (Vorgang)*
Taufe; **christian (1)** *adj*, christlich
(2) Christian *sub*, *-s* Christ; ~**ian
name** *sub*, *-s* Taufname; ~**ianity**
sub, *nur Einz*. Christentum; ~**iani-
ze** *vt*, christianisieren

Christmas, *sub*, - Lichterfest, Weihnacht, Weihnachten; *Merry
Christmas!* frohes Fest!; ~ **cracker**
sub, *-s* Knallbonbon; ~ **Eve** *sub*,
nur Einz. Heiligabend; ~ **mass**
sub, *-es* Christmette; ~ **tree** *sub*, *-s*
Lichterbaum; ~**-tree** *sub*, *-s* Christbaum; ~**tree** *sub*, *-s* Weihnachts-
baum

chromatography, *sub*, *-ies (phys)*

Chromatografie

chrome, *sub, nur Einz. (Kfz)* Chrom; **chromium** *sub, nur Einz. (chem.)* Chrom; **chromium-plating** *sub, -s (tt; tech.)* Verchromung

chromosome, *sub, -s (biol.)* Chromosom

chronic, *adj,* chronisch; *cough chronically* chronischer Husten; *suffer from a chronic shortage of money* unter chronischem Geldmangel leiden; **~ally** *adv,* chronikalisch; **~le** *sub, -s* Chronik; **~ler** *pron,* Chronist; **chronograph** *sub, -s* Chronograf; **chronological** *adj,* chronologisch; **chronology** *sub, -ies* Chronologie; *-es* Zeitmessung; **chronometer** *sub, -s* Chronometer

chrysantheme, *sub, -s* Chrysantheme

chubby, *adj, (ugs.)* pummelig; **~ cheeks** *sub, nur Mehrz.* Pausbacken; **~-cheeked** *adj,* pausbackig

chuck, *vt, (ugs.)* schmeißen; *(ugs.) chuck it all out* immer weg damit; *(ugs.) to chuck sth in* etwas an den Nagel hängen; **~ away** *vt,* wegschmeißen; **~ out** *vt,* schassen

chumminess, *sub, nur Einz.* Kumpanei

chunk, *sub, -s* Brocken; *big chunk of meat* ein dicker Brocken Fleisch

church, **(1)** *adj,* kirchlich **(2)** *sub, -es* Kirche; **~ advocate** *sub, -s* Vogt; **~ choir** *sub, -s* Kirchenchor; *(mus.)* Kantorei; **~ council** *sub, -s* Synode; **~ mouse** *sub, mice (ugs.)* Kirchenmaus; *(ugs.) poor as a church mouse* arm wie eine Kirchenmaus; **~ spire** *sub, -s* Kirchturm; **Church year** *sub, -s* Kirchenjahr; **~-goer** *sub, -s* Kirchgänger; **~y type** *sub, -s (ugs.)* Betschwester

churn, *vt,* kirnen; **~ up** *vt, (Meer)* aufwühlen

chute, *sub, -s (mechanisch)* Rutschbahn

chutney, *sub, nur Einz.* Chutney

chutzpah, *sub, nur Einz. (jüd.)* Chuzpe

chyderm, *sub, -s* Dickhäuter

cicada, *sub, -s* Zikade

cicerone, *sub, -s* Cicerone; **ciceronic** *adj,* ciceronisch

cider, *sub, -s* Apfelwein; *nur Einz.* Cidre; *(ugs.)* Zider; **cidre** *sub, nur Einz. (Apfel~)* Most

cigar, *sub, -s* Zigarre; **~ette** *sub, -s* Zigarette; **~ette stub** *sub, -s* Kippe; *the ashtray is full of cigarette stubs* der Aschenbecher ist voller Kippen; **~illo** *sub, -s* Zigarillo

ciliar body, *sub, -es* Ziliarkörper; **ciliar muscle** *sub, -s* Ziliarmuskel

ciliate, *adj, (biol.)* bewimpert

cilium, *sub, -s (vulg.; biol.)* Wimper

Cinderella, *sub, -s* Aschenputtel; *lead a Cinderella-like existence* ein Aschenputteldasein führen

cine-filmer, *sub, -s* Schmalfilmer; **cinema** *sub, -s* Kino, Lichtspielhaus; **cinema advertisement** *sub, -s* Kinoreklame; **cinema owner** *sub, -s* Kinobesitzer; **cinema with a continuous programme** *sub, cinemas* Nonstopkino; **cinema-goer** *sub, -s* Kinobesucher; **cinemascope** *adj,* Cinemascope; **cinematic** *adj,* cineastisch, filmisch, kinematisch; **cinematically** *adv,* filmisch; **cinematography** *sub, nur Einz.* Kinematografie

cinnamon, *sub, nur Einz.* Kaneel, Zimt; *with cinnamon and sugar* mit Zimt und Zucker

Circassian, *sub, -s* Tscherkesse, Tscherkessin

circensic, *adj,* zirzensisch

circle, (1) *sub, -s* Kreis, Ring; *(tt; spo.)* Welle; *(Turnen)* Felge **(2)** *vt,* umkreisen; *wide circles of the population* weite Kreise der Bevölkerung; **~ line** *sub, -s* Ringbahn; **~ of friends** *sub, -s* Bekanntenkreis; **~ of poets** *sub, -s* Dichterkreis; **~ round** *vi,* kreisen; **~t** *sub, -s* Reif

circuit, *sub, -s* Rundkurs, Stromkreis; *(tech.)* Kreis; **~ board** *sub, -s (comp.)* Leiterplatte; *(Computer)* Platine; **~ diagram** *sub, -s* Schaltplan; **~ line** *sub, -s* Stromleitung

circular, (1) *adj,* kreisförmig **(2)** *sub, -s* Rundschreiben, Rundschrift, Wurfsendung; **~ bench** *sub, -es* Rundbank; **~ note** *sub, -s (i. ü. S.)* Zirkularnote; **~ porthole** *sub, -s* Bullauge; **~ saw** *sub, -s* Kreissäge

circulate, (1) *vi,* kreisen, kursieren, umlaufen, zirkulieren; *(Gerücht etc.)* umgehen **(2)** *vt,* kolportieren; *the rumour circulates that* es geht das Gerücht um, daß; **circulating**

pump *sub, -s* Umwälzpumpe; circu‐
lation *sub, -s* Zirkulation; *(einer Zeit‐
schrift)* Auflage; *(Geld-)* Umlauf; -
(med.) Kreislauf; *the circulation in
his legs is poor* seine Beine sind
schlecht durchblutet; **circulation
equipment** *sub, -s* Umwälzanlage;
circulatory collapse *sub, -s* Kreis‐
laufkollaps

circumcircle, *sub, -s (mat.)* Umkreis
circumcise, *vt, (med.)* beschneiden;
   circumcision *sub, -s* Beschneidung;
circumference, *sub, -s* Kreisumfang;
   circumflex *sub, -es* Zirkumflex; **cir‐
cumnavigation of the earth** *sub, -s
(Schiff)* Erdumrundung; **circumna‐
vigator** *sub, -s* Weltumsegler; **cir‐
cumscribed** *adj,* umschrieben; **cir‐
cumspect** *adj,* umsichtig; **cir‐
cumspection** *sub, nur Einz.* Umsicht
circumscription, *sub, -s (tt; mat.)* Zir‐
kumskript
circumstance, *sub, -s* Umstand; *cir‐
cumstances permitting* unter Um‐
ständen; *under no circumstances*
unter keinen Umständen, unter kei‐
ner Bedingung; **~s** *sub, nur Mehrz.*
Gegebenheit; **circumstantial evi‐
dence** *sub, nur Einz.* Indiz; **circum‐
vent** *vi, (Verordnung etc.)* umgehen;
circumvention *sub, -s* Umgehung
circus, *sub, -es* Zirkus; **~ clown** *sub,
-s* Zirkusclown; **~ horse** *sub, -s* Zir‐
kuspferd; **~ rider** *sub, -s* Zirkusreiter
cirostratus, *sub, - (tt; meteol.)* Zir‐
rostratus
cirrhosis, *sub, -es (tt; med.)* Zirrhose
cisalpin, *adj,* zisalpin
cissy, *sub, -ies (ugs.)* Memme; *-s* Zim‐
perliese
Cistercian, *sub, -s (tt; bibl.)* Zisterzi‐
enser
citadel, *sub, -s* Kastell, Zitadelle
cithara, *sub, -s* Kithara
citizen, *sub, -s* Bürger, Bürgerin,
Staatsbürger; *my fellow citizens from
Munich* meine Münchner Mitbürge‐
rinnen; *senior citizens* die älteren
Mitbürger; **~ of Schwetzingen** *sub,
-s* Schwetzinger; **~'s action** *sub, -s*
Bürgerinitiative; **~s** *sub, nur Mehrz.*
Bürgerschaft; **~s' advice bureau**
sub, -s Rechtsberatung
citrus fruit, *sub, -s (tt; biol.)* Zitrus‐
frucht
city, *sub, -ies (Groß-)* Stadt; *in the city

in den Mauern der Stadt; (Rom)* the
Eternal City die Ewige Stadt; **~
apartment** *sub, -s (US)* Stadtwoh‐
nung; **~ boundary** *sub, -ies* Stadt‐
graben; **~ centre** *sub, -s* City,
Stadtinnere, Stadtkern, Stadtzen‐
trum; **~ dweller** *sub, -s* Städter; **~
flat** *sub, -s* Stadtwohnung; **~ guide**
sub, -s Stadtführer; **~ state** *sub, -s*
Stadtstaat; **~ traffic** *sub, nur Einz.*
Stadtverkehr; **~ zone** *sub, -s
(Großstadt)* Stadtgebiet; **~-dwel‐
ler** *sub, -s* Großstädter
civet-cat, *sub, -s (zool.)* Civet
civics, *sub, nur Einz.* Staatsbürger‐
kunde
civil, (1) *adj,* höflich, zivil; *(jur.)*
bürgerlich **(2)** *sub, nur Einz.* Zivil;
civil rights bürgerliches Recht; **~
action** *sub, -s (tt; jur.)* Zivilprozess;
~ defence *sub, nur Einz.* Zivil‐
schutz; **~ engineering** *sub, nur
Einz.* Ingenieurbau, Tiefbau; **~ law**
sub, -s Privatrecht; *nur Einz. (tt;
jur.)* Zivilrecht; **~ marriage** *pron,*
Ziviltrauung; **~ right** *sub, -s* Bür‐
gerrecht; **~ servant** *sub, -s* Staats‐
beamte, Staatsdiener; **~ service**
sub, -s Staatsdienst; **~ service sta‐
tus** *sub, -es* Beamtenverhältnis; **~
war** *sub, -es* Bürgerkrieg
civilian, (1) *adj,* zivilistisch **(2)** *sub,
-s* Zivilist, Zivilperson; **~ marriage**
sub, -s (tt; jur.) Zivilehe; **civilisato‐
ry** *adj,* zivilisatorisch; **civilization**
sub, -s Kultur, Zivilisation; *civiliza‐
tion is the opposite of barbarism*
Kultur ist das Gegenteil von Barba‐
rei; *Western civilization* die Kultur
des Abendlandes; **civilize** *vt,* zivili‐
sieren; **civilized** *adj,* gesittet, zivi‐
lisiert
claim, (1) *sub, -s* Behauptung; *(jur.)*
Anspruch; *(kaufm.)* Forderung; *-s
(von Besitz etc.)* Beanspruchung
(2) *vi,* behaupten **(3)** *vt, (behaup‐
ten)* angeben; *(Besitz etc.)* bean‐
spruchen; *(Rechte)* anmaßen; *lay
claim to* auf etwas Anspruch erhe‐
ben; *have a claim against* eine For‐
derung haben an, *it is said that*
man behauptet, dass; **~ for com‐
pensation** *sub, -s* Regressan‐
spruch; **~ power** *sub, claims*
Machtanspruch; **~ to an/the inhe‐
ritance** *sub, -s* Erbanspruch

clairvoyance, *sub, nur Einz.* Hellseherei; **clairvoyant (1)** *adj,* hellseherisch **(2)** *sub, -s* Hellseherin

clammy, *adj,* klamm; *(klamm)* feucht

clamp, (1) *sub, -s (tech.)* Schelle; *(tt; tech.)* Zwinge **(2)** *vt,* abklemmen; *(tech.)* einspannen; *clamp the work in the vice* das Werkstück in den Schraubstock einspannen

clandestine, *adj,* klandestin; **~ly** *adv,* insgeheim; **clannishness** *sub, nur Einz.* Kastengeist

clap, (1) *sub, -s (ugs.)* Tripper **(2)** *vi,* klatschen; *clap one´s helmet on one´s head* sich den Helm über den Kopf stülpen; **~ on** *vt,* überstülpen; **~per** *sub, -s* Klöppel, Schwengel; **~perboard** *sub, -s* Klappe; **~ping** *sub, nur Einz.* Klatscherei

clarification, *sub, -s* Abklärung; *nur Einz.* Klarstellung; **clarify** *vt,* abklären, klären

clarinet, *sub, -s* Klarinette; **~tist** *sub, -s* Klarinettist

clarity, *sub, nur Einz.* Anschaulichkeit; *-ies* Deutlichkeit; *nur Einz.* Klarheit; *(Wasser)* Durchsichtigkeit

clash, *sub, -es* Kollision; *(Handgreiflichkeiten)* Auseinandersetzung

clasp, (1) *sub, -s (mil.)* Ordensspange; *(Verschluss)* Spange **(2)** *vt,* umfangen, umfassen, umgreifen, umklammern

class, *sub, -es* Klasse, Schulklasse; *a hotel with class* ein Hotel mit Niveau; *through evening classes* auf dem zweiten Bildungsweg; **~ by class** *adv,* klassenweise; **~ consciousness** *sub, nur Einz.* Klassenbewusstsein, Standesbewusstsein; **~ essay** *sub, -s* Schulaufsatz; **~ hatred** *sub, nur Einz.* Klassenhass; **~ privilege** *sub, -s* Standesrecht; **~ register** *sub, -s* Klassenbuch; **~ struggle** *sub, -s* Klassenkampf; **~ test** *sub, -s* Klassenarbeit; **~-conscious** *adj,* standesbewusst; **~-dominated state** *sub, -s* Klassenstaat; **~-mate** *sub, -s* Mitschüler, Mitschülerin

classic, *adj,* klassisch; **~al** *adj,* klassisch, klassizistisch; **~al authors** *sub, nur Mehrz.* Klassiker; **~al music/literature** *sub, nur Einz. (ugs.)* Klassik; **~al period** *sub, nur Einz. (hist.)* Klassik; **~ism** *sub, nur Einz.* Klassizismus; **~s** *sub, nur Mehrz.* Altphilo-

logie

classification, *sub, -s* Einstufung, Gliederung, Klassifikation, Zuordnung; *(bot.)* Einteilung; *nur Einz. (Klassifizierung)* Aufgliederung; **classified ad(vertisement)** *sub, -s* Kleinanzeige; **classify** *vt,* einstufen, gliedern, klassifizieren; *(bot.)* einteilen, systematisieren; *(klassifizieren)* aufgliedern, einordnen

classroom, *sub, -s* Schulzimmer

classy, *adj, (luxuriös)* feudal

clatter, (1) *sub, -* Gepolter, Geratter **(2)** *vi,* prasseln; *(ugs.)* scheppern **(3)** *vti,* klappern

clause, *sub, -s* Klausel, Satz; **~ in sentence final position** *sub, clauses (gramm.)* Nachsatz; **~ of manner** *sub, clauses* Modalsatz; **~ of statement** *sub, -s* - Aussagesatz

claustrophobia, *sub, nur Einz. (ugs.)* Platzangst; *(psych.)* Klaustrophobie

clavichord, *sub, -s* Klavichord

clay, *sub, -s* Lehm; *- (Erdart)* Ton; *(Erdart) burned clay* gebrannter Ton; *(Erdart) fire-resistant clay* feuerfester Ton; **~ pigeon** *sub, -s* Tontaube; **~like** *adj,* tonartig

clean, (1) *adj,* rein, sauber; *(Wäsche)* frisch, neu **(2)** *vt,* putzen, reinigen, säubern; *(Tafel)* ablöschen; *cleaning stuff* Mittel zum Putzen; *sparkling clean* vor Sauberkeit blinken; **~ oneself** *vr,* reinigen; **~ out** *vt, (ugs.; Kasse)* ausplündern; *(Stall)* ausmisten; **~-shaven** *adj,* bartlos, glatt rasiert; **~er** *sub, -s* Putzer, Reiniger; **~ing** *sub, nur Einz.* Putzerei; *-s* Reinigung, Säuberung

cleaning agent, *sub, -s (Putz~)* Mittel; **cleaning duty** *sub, -ies* Kehrordnung; **cleaning lady** *sub, -s* Aufwartefrau; *-ies* Putzfrau; **cleaning things** *sub, nur Mehrz.* Putzzeug; **cleaning woman** *sub, -men* Scheuerfrau; **cleanliness** *sub, -es* Reinlichkeit; *nur Einz.* Sauberkeit; **cleanliness freak** *sub, -s (ugs.)* Saubermann; **cleanly** *adj,* reinlich; **cleanness** *sub, -es* Reinheit; **cleanse** *vt,* abputzen, entschlacken

clear, (1) *adj,* deutlich, eindeutig, offenkundig, offensichtlich, reinlich, vernehmlich; *(durchsichtig)*

farblos; *(Klang)* hell; *(klar)* übersichtlich; *(Wasser)* durchsichtig **(2)** *vi, (Himmel)* aufheitern **(3)** *vt*, klären, lichten, räumen, roden, verrechnen; *(Tisch)* abdecken; *(Waldgebiet)* abholzen; *(Zoll)* abfertigen; *clear announcement* deutliche Durchsage; *do I have to spell it out (for you)* muss ich noch deutlicher werden; *make sth plain/clear to sb* etwas jmd deutlich zu verstehen geben; *that was clear enough* das war deutlich genug; *this makes it clear* das macht deutlich, dass; *it is clear that* es ist offenkundig, dass; *he has clearly made a mistake there* er hat sich da offensichtlich vertan, *clear off* sich auf und davon machen, sich auf und davon machen; *clear off home!* pack dich nach Hause!; *come off clear* straflos ausgehen; *it could have not been clearer* an Deutlichkeit nicht zu wünschen lassen; *it's perfectly clear* das ist ein klarer Fall; *say to clear sb's name* zu seiner Ehrenrettung sagen; *to make oneself clear* sich verständlich machen; *to make sth clear to sb* jmd etwas plausibel machen; **~ (through customs)** *vt*, klarieren; **~ as a bell** *adj*, glockenhell; **~ away** *vt*, wegräumen; **~ of ice** *vt*, abeisen; **~ off (1)** *vi, (ugs.)* abdampfen; *(ugs.: weggeben)* abhauen **(2)** *vr, (ugs.)* fortscheren; **~ one's lungs** *vt*, abhusten; **~ one's throat** *vr*, räuspern; **~ out** *vt*, entrümpeln; *(Haus etc.)* ausräumen; **~ rubble** *vt*, enttrümmern
clearance, *sub*, *nur Einz. (Zoll)* Abfertigung; **~ gang** *sub*, *-s* Räumkommando; **~ sale** *sub*, *-s* Räumungsverkauf; **~ work** *sub*, *nur Einz.* Aufräumungsarbeiten; **clearing** *sub*, *-s* Aufhellung, Lichtung, Rodung; *nur Einz.* Verrechnung; *clearing of the forest* Abholzung eines Waldes; **clearing away** *sub*, *-(von Boden)* Abtragung; **clearing up** *sub*, *nur Einz. (des Himmels)* Aufheiterung; *(des Himmels, Wetters, eines Verbrechens)* Aufklärung
clear sth in o's mind, *vt*, klar werden; **clear soup** *sub*, *-s (Suppe)* Brühe; **clear the table (1)** *vi*, abräumen **(2)** *vt*, abservieren; **clear up (1)** *vi*, lichten; *(Himmel, Wetter)* aufklären **(2)** *vt*, abräumen; *(i. ü. S.; Bedenken)*

ausräumen; *(Verbrechen)* aufklären **(3)** *vti*, klaren; **clear-cut** *adj*, *(ausgeprägt)* markant; **clear-out** *sub*, *-s* Entrümpelung; **clear-sighted** *adj*, klarsichtig; **clear-thinking** *adj*, klar denkend
cleavability, *sub*, *nur Einz. (Holz)* Spaltbarkeit; **cleavable** *adj*, spaltbar; **cleave** *vt*, spalten
clef, *sub*, *-s* Notenschlüssel
cleft, *sub*, *-s* Kluft; **~ palate** *sub*, *-(tt; med.)* Wolfsrachen
clematis, *sub*, *- (bot.)* Klematis
clemency, *sub*, *nur Einz.* Nachsicht
clementine, *sub*, *-s* Clementine, Klementine
clench, *vt*, *(Hand)* ballen
clergy, *sub*, *nur Einz.* Klerus; **~man** *sub*, *-men* Geistliche; **~man's wife** *sub*, *clergymen's wives* Pfarrersfrau; **cleric** *sub*, *-s* Kleriker; *(ugs.: Schimpfwort)* Pfaffe; **clerical** *adj*, klerikal, priesterlich; **clericalism** *sub*, *nur Einz.* Klerikalismus
clerk, *sub*, *-s* Kontorist; *(Büro)* Gehilfe; *(tt; kaufm.)* Fakturistin
clever, *adj*, clever, findig, geistreich, gescheit, gewandt, klug, patent, schlau; *be clever at Latin* in Latein gut sein; *don't be so clever!* komm mir nicht damit!; *he thought he was the only clever person around* er tat so, als hätte er die Weisheit für sich gepachtet; *(ugs.)* no clever stuff* mach keinen Unsinn; **~-dick** *sub*, *-s (ugs.)* Schlauberger; **~-ly** *adv*, klugerweise; **~ness** *sub*, Cleverness; ~gescheitheit; *sub*, *nur Einz.* Raffiniertheit; *-es* Schlaugigkeit
click, **(1)** *sub*, *-s* Schnalzlaut **(2)** *vi*, *(Tür)* einschnappen **(3)** *vt*, *(comp.)* anklicken; *(i. ü. S.) something clikked between them* zwischen ihnen sprang der Funke über, *click the lock* das Schloss einschnappen lassen; **~ one's tongue** *vt*, schnalzen
client, *sub*, *-s* Klient, Mandant; *(Prostitution)* Freier; *my client* meine Partei; **~s** *sub*, *nur Mehrz.* Klientel
cliff, *sub*, *-s* Kliff, Klippe, Steilküste; *(Klippe)* Felsen; **~ edge** *sub*, *-s* Klippenrand
climate, *sub*, *-s* Klima; **climatic** *adj*, klimatisch; **climatic chamber** *sub*, *-s (med.)* Klimakammer; **climatic**

change *sub*, *-s* Klimawechsel; **climatic factor** *sub*, *-s* Klimafaktor; **climatology** *sub*, *nur Einz*. Klimatologie

climax, *sub*, *-es* Klimax

climb, (1) *sub*, *-s* Erkletterung; *(Aufsteigen)* Aufstieg (2) *vi*, erklettern, klettern, klimmen; *(bergsteigen)* aufsteigen (3) *vt*, erklimmen, ersteigen; *(Berg)* besteigen; *(ugs.; erklettern)* entern (4) *vti*, steigen; *climb the band wagon* sich engagieren; ~ **about** *vi*, *(herum-)* turnen; ~ **an obstacle** *vt*, *(mil.)* eskaladieren; ~ **over** *vt*, überklettern, übersteigen; ~ **up** (1) *vi*, hochklettern (2) *vti*, emporsteigen, hinaufsteigen, hochsteigen; *climb up a tree/wall* auf einen Baum/eine Mauer emporsteigen; ~ **up (rocks)** *vi*, kraxeln; ~ **up after sb** *vi*, nachsteigen

climber, *sub*, *-s* Kletterer; **climbing boot** *sub*, *-s* Nagelstiefel; **climbing expedition** *sub*, *- -s* Bergtour; **climbing fern** *sub*, *-s* Kletterfarn; **climbing plant** *sub*, *-s* Kletterpflanze; **climbing rose** *sub*, *-s* Kletterrose; **climbing shoe** *sub*, *-s* Kletterschuh; **climbing trip** *sub*, *-s* Klettertour

clinch, (1) *sub*, *-es* Clinch; *-s (Boxen)* Umklammerung (2) *vt*, umklammern; *go into a clinch with sb* in den Clinch mit jmd gehen

cling, (1) *vi*, ankleben, haften (2) *vt*, anklammern; ~ **to** *vi*, festhalten; ~ **to s.b./sth** *vr*, *(sich)* festklammern; ~ **to sth** *vt*, krallen; ~ **to sth or so** *vi*, *(i. ü. S.)* klammern; ~**ing child** *sub*, *children* Klammeraffe

clinic, *sub*, *-s* Klinik, Poliklinik; ~**al** *adj*, klinisch; ~**al thermometer** *sub*, *-s* Fieberthermometer

clink, (1) *sub*, *nur Einz.* *(ugs.)* Kittchen, Knast (2) *vt*, klingen (3) *vti*, klirren; ~ **glasses** *vt*, *(beim Trinken)* anstoßen; ~**er** *sub*, *nur Einz.* Schlacke; ~**er boat** *sub*, *-s* Klinkerboot

clip, (1) *sub*, *-s* Klammer, Klemme (2) *vt*, knipsen, scheren; *(Hecke etc.)* stutzen; ~ **on** *vr*, *(sich)* festklammern; ~ **round the ears** *sub*, *clips* Ohrfeige; ~**on earring** *sub*, *-s* Klips, Ohrklipp; ~**pings** *sub*, *nur Mehrz.* Verschnitt

clique, *sub*, *-s* Clique, Klüngel; *hier nur Einz.* Konsorten, *-s (ugs.)* Sippschaft; *(polit.)* Kamarilla; *(ugs.)* he

and his clique er und seine Konsorten; ~ **system** *sub*, *-s* Cliquenwesen

clitoris, *sub*, *-es (anat.)* Kitzler, Klitoris

clivia, *sub*, *-e (bot.)* Clivia; *-s* Klivie

cloak, *sub*, *-s* Hülle; *(i. ü. S.)* Mantel; ~**room** *sub*, *-s (US checkroom)* Garderobe; *leave sth in the cloakroom* etwas an der Garderobe abgeben; ~**room attendant** *sub*, *-s* Garderobier

clod, *sub*, *-s* Kloß; ~**hopper** *sub*, *-s (ugs.)* Treter

cloister, *sub*, *-s* Kloster

clone, (1) *sub*, *-s* Klon (2) *vti*, klonen

close, (1) *adj*, intim; *(nah)* eng; *(örtlich, Beziehung)* nahe (2) *adv*, heran (3) *adv*, *nur Einz.* *(eines Vortrags etc.)* Beendung (4) *vt*, schließen, verschließen, zumachen; *(eine Versammlung)* beschließen; *(Konto)* auflösen; *(Straße)* sperren; *(Vortrag)* beenden; *be close friends* eng befreundet sein; *close cooperation* enge Zusammenarbeit, *at close quarters* aus der Nähe, von Nahem; *at close range* aus unmittelbarer Nähe; *be close to it* dicht daran sein; *close something for someone* etwas für jemanden sperren; *close to* nahe bei; *close together* nahe beieinander; *closely packed* eng gedrängt; *follow closely* dicht aufeinanderfolgen; *move closer* auf Tuchfühlung gehen; *to become close* einander nahe kommen; *to become close friends with sth* mit jmd sehr vertraut werden; *(ugs.) to close up shop* die Schotten dichtmachen; *(ugs.) to get close to sb* mit jmd warm werden; *to get too close to sb* jmd zu nahe kommen; *to question sb very closely* jmdn einem peinlichen Verhör unterziehen; ~ **combat** *sub*, *-s (mil.)* Nahkampf; ~ **down** *vi*, *(wirt.)* eingehen; *the shops had to close down* die Geschäfte sind eingegangen; ~ **friend** *sub*, *-s* Duzbruder; ~ **friendship** *sub*, *-s* Brüderschaft; *drink to close friendship* Brüderschaft trinken; ~ **season** *sub*, *-s* Schonzeit; ~ **to nature** *adj*, erdgebunden; ~ **to the border** *adj*, grenznah; ~ **to the earth** *adj.* erdnah; ~ **touch** *sub, -s* Tuchfühlung; *be in close touch with someone* Tuchfühlung haben mit jemandem; ~**-up** *sub, -s* Nahaufnahme; ~**-up shot** *sub, -s* Großaufnahme

closed, (1) *adj.* erledigt, geschlossen, verschlossen (2) *adv, (i. ü. S.)* zu; *the matter's closed as far as I'm concerned* das ist für mich erledigt; ~ **for business** *adj.* Betriebsruhe; ~**own** *sub, -s* Sendeschluss; **closely** *adv, (eng)* nahe; **closeness** *sub, nur Einz.* Vertrautheit; *(örtlich, zeitlich)* Nähe; **closer** *adj, adv,* näher; *(örtlich, zeitlich, Beziehung)* näher; **closing** *sub, nur Einz.* Schluss; *(allg.)* Sperrung; *(eines Kontos)* Auflösung; **closing date** *sub, -s* Meldeschluß; **closing party** *sub, -ies* Schlussfeier; **closing sentence** *sub, -s* Schlusssatz; **closing time** *sub, -s* Geschäftsschluss, Polizeistunde; *nur Einz.* Sperrstunde, Toresschluss, Torschluss; **closing words** *sub, nur Mehrz.* Schlusswort; **closing-time** *sub, -s* Büroschluss, Schließzeit; **closure** *sub, -s* Stilllegung

clot, (1) *sub,* Gerinnsel (2) *vi,* gerinnen

cloth, *sub, -s* Lappen; - Leinen; *-s* Putztuch, Tuch, Wischlappen; *(Kleidung)* Stoff; *-es (Lappen)* Lumpen; ~**e** *vt,* einkleiden, kleiden; *clothe oneself* sich einkleiden; ~**es** *sub, nur Mehrz.* Kleidung; *(ugs.)* Klamotten; *(Kleidung)* Garderobe; ~**es line** *sub, -s* Wäscheleine; ~**es moth** *sub, -s* Kleidermotte; ~**ing** *sub, nur Einz.* Bekleidung; ~**ing industry** *sub, nur Einz.* Bekleidungsindustrie; ~**worker** *sub, -s* Tuchmacher

clotting, *sub, -s (Blut)* Gerinnung

cloud, *sub, -s* Schwaden, Wolke; *be on cloud nine* im siebten Himmel sein; ~ **cover** *sub, -s* Wolkendecke; ~ **over** *vr,* umwölken; ~**-cuckoo-land** *sub, nur Einz. (i. ü. S.)* Wolkenkuckucksheim; ~**burst** *sub, -s* Platzregen; *(ugs.)* Wolkenbruch; ~**iness** *sub, nur Einz.* Trübheit; *-es* Trübung; *increasing cloudiness* zunehmende Bewölkung; ~**less** *adj,* wolkenlos; ~**s** *sub, nur Mehrz.* Bewölkung; Gewölk; *heavy cloud cover* starke Bewölkung; *variable cloud* wechselnde

Bewölkung; ~**y** *adj,* unklar, wolkig; *(Himmel)* trüb; *(leicht)* bewölkt

clout, *vt, (ugs.)* knallen; *(ugs.) to clout sb one* jmd eine schmieren; *to give sb a clout* jmd eine gepfefferte Ohrfeige geben; ~ **round the ears** *sub, -s* - Backpfeife

clove, *sub, -s (Gewürz)* Nelke; ~**n-hoofed animals** *sub, nur Mehrz.* Paarhufer; ~**r** *sub, nur Einz.* Klee; *(i. ü. S.) live in clover* wie die Made im Speck leben; *to live in clover* wie die Made im Speck leben; ~**rleaf** *sub, -ves* Kleeblatt

clown, *sub, -s* Clown, Faxenmacher, Hanswurst, Possenreißer; *make a clown of sb* jmd zum Clown machen; *(i. ü. S.) be the clown* den dummen August spielen; *(theat.) clown* lustige Person; ~**ing** *sub, nur Einz.* Clownerie

club, *sub, -s* Faustkeil, Keule, Prügel; *(tt; spo.)* Verein; ~ **colour** *sub, -s* Vereinsfarbe; ~ **house** *sub, -s* Vereinshaus; ~ **member** *sub, -s* Klubmitglied; ~ **moss** *sub, - -es (bot.)* Bärlapp; ~ **pub/bar** *sub, -s (ugs.)* Vereinslokal; ~ **room** *sub, -s* Klubraum; ~ **together** *vi,* klüngeln, zusammenlegen; ~**-foot** *sub, -feet* Klumpfuß; ~**-shaped** *adj,* keulenförmig; ~**band together** *vr,* zusammentun; ~**house** *sub, -s* Klubhaus, Schützenhaus; ~**mate** *sub, -s* Klubkamerad; ~**s, societies, organizations** *sub, nur Mehrz.* Vereinswesen

cluck, *vi,* gackern, glucken

clue, *sub, -s* Anhalt, Anhaltspunkt, Hinweis

clump, *sub, -s* Batzen

Cluniac, *sub, -s* Kluniazenser

clutch, *sub, -s (auto.)* Kupplung; *-s* Umklammerung; *to fall into sb's clutches* ins jmds Netz geraten; ~**ing** *sub, -s (das Greifen)* Griff

clutter, *vt, (i. ü. S.)* überladen

coach, (1) *sub, -es* Autobus, Coach, Karosse, Kutsche, Reisebus, Repetitor; *-s* Trainer, Wagen (2) *vt,* coachen; ~**man** *sub, -men* Kutscher

coagulation, *sub, -s* Gerinnung

coal, *sub, -s* Kohle; ~ **Förderkohle**; *haul sb over the coals* jmd einen auf den Deckel geben

coal and steel company, sub, -ies Montangesellschaft; **coal and steel industry** sub, -ies Montanindustrie; **coal dust** sub, nur Einz. Kohlenstaub; **coal face** sub, -s (min.) Ort; **coal fire** sub, -s Kohlenfeuer; **coal pile** sub, -s Kohlenmeiler; **coal scuttle** sub, -s Kohleneimer; **coal stocks** sub, nur Mehrz. Kohlenhalde; **coalblack** adj, rabenschwarz; **coalbunker** sub, -s Kohlenbunker

coalition, sub, -s Koalition; ~ **partner** sub, -s Koalitionär

coalmine, sub, -s Kohlenbergwerk

coarse, adj, grob; coarse-ground grob gemahlen; ~ **cut** sub, -s (Tabak) Grobschnitt; ~ **wholemeal bread** sub, -s Vollkornbrot; ~**-fibered** adj, (US) grobfaserig; ~**-fibred** adj, grobfaserig; ~**-meshed** adj, weitmaschig; ~**ness** sub, -es Grobheit

coarsening, sub, -s Vergröberung

coast, sub, -s Küste; nur Einz. Waterkant; ~**al area** sub, -s Küstenstrich; ~**al shipping** sub, nur Einz. Küstenschifffahrt; ~**ing vessel** sub, -s Küstenfahrer; ~**line** sub, -s Küste

coat, (1) sub, -s Mantel; (Pferde,Hunde,Katzen) Fell **(2)** vt, beschichten; (Glas) entspiegeln; ~ **collar** sub, -s Mantelkragen; ~ **hook** sub, -s Kleiderhaken; ~ **lining** sub, -s Mantelfutter; ~ **of arms** sub, -s Landeswappen; - Wappen; ~ **pocket** sub, -s Manteltasche; ~ **with sugar** vt, dragieren; ~**hanger** sub, -s Kleiderbügel; ~**ing** sub, -s Beschichtung; (Glas) Entspiegelung; (Metall-) Überzug; (Überzug) Anstrich; (Überzug, auch der Zunge) Belag

co-author, sub, -s Koautor, Mitautor, Mitverfasser

co-axial, adj, (tech.) koaxial

cobalt bomb, sub, -s (mil.) Kobaltbombe

cobra, sub, -s Kobra

cobweb, sub, -s Spinnennetz, Spinngewebe

cocaine, sub, nur Einz. Kokain; ~ **addict** sub, -s Kokser; **cocainism** sub, nur Einz. Kokainismus

coca (plant), sub, -s (bot.) Kokastrauch

coccyx, sub, nur Einz. Steißbein

cochineal, sub, -s Koschenille

cock, sub, -s Gockel, Hahn; make a real cock-up Bockmist machen; (i. ü. S.) to cock a snook at sb jmd eine lange Nase drehen; ~ **(the trigger) and rotate the cylinder** vti, durchladen; cock and rotate the cylinder eine Pistole/Gewehr durchladen; ~ **chafer** sub, -s Maikäfer; ~**-a-doodle-doo** sub, -s Kikeriki; ~**-and-bull story** sub, -ies Münchhausiade; (ugs.) Räuberpistole; ~**-crow** sub, -s Hahnenschrei; at cock-row beim ersten Hahnenschrei

cockade, sub, -s Kokarde

cockatoo, sub, -s (zool.) Kakadu

cocker spaniel, sub, -s Cokkerspaniel

cockfeather, sub, -s Hahnenfeder

cockfight, sub, -s Hahnenkampf

cockleshell, sub, -s (i. ü. S.; Boot) Nussschale

cockpit, sub, -s Cockpit

cockroach, sub, -es Küchenschabe, Schabe; (zool.) Kakerlak

cocktail, sub, -s Cocktail; have a cocktail at the bar einen Cocktail an der Bar nehmen; ~ **dress** sub, -es Cocktailkleid; ~ **onion** sub, -s Perlzwiebel; ~ **party** sub, -ies Cocktailparty; ~ **shaker** sub, -s (Bar) Mischbecher; ~ **waiter** sub, -s (Bar~) Mixer

coconut, sub, -s Kokosnuss; ~ **matting** sub, nur Einz. Kokosteppich; ~ **oil** sub, -s Kokosnussöl

cocoon, sub, -s Kokon

cocotte, sub, -s Kokotte

cod, sub, -s Kabeljau; ~**-liver oil** sub, - Lebertran

code, (1) sub, -s Chiffre, Chiffreschrift, Code, Kennzahl, Kodierung **(2)** vt, codieren **(3)** vti, chiffrieren; box number Chiffre (Anzeigen); ~ **name** sub, -s Tarnname; (mil.) Deckname; ~ **of civil procedure** sub, -s (tt; jur.) Zivilprozessordnung; ~ **of conduct** sub, -s Komment; ~ **of law** sub, -s Gesetzbuch

codeine, sub, nur Einz. (chem.) Kodein

co-determination, sub, nur Einz. Mitbestimmung

codex, sub, codices Codex; -ices Kodex

coding, sub, -s Schlüsselung

co-director, sub, -s Koregisseur

codling, *sub, -s* Dorsch

co-driver, *sub, -s (Lastwagen)* Beifahrer

co-education, *sub, nur Einz.* Koedukation

co-efficient, *sub, -s* Koeffizient

coerce, *vt, (jur.)* nötigen; **coercion** *sub, -s* Nötigung; *coercion to commit theft* Nötigung zum Diebstahl; **coercive** *sub, -s (tt; med.)* Zwangsernährung

co-exist, *vi,* koexistieren

coffee, *sub, -s* Kaffee; *because the coffee goes a long way* wegen der Ergiebigkeit des Kaffees; *brew coffee* Kaffee brühen; *the coffee is filtered* der Kaffee ist durchgelaufen; **~ additive** *sub, -s* Kaffeezusatz; **~ bean** *sub, -s* Kaffeebohne; **~ break** *sub, -s* Kaffeepause; **~ cup** *sub, -s* Kaffeetasse; **~ export** *sub, -s* Kaffeeexport; **~ filter** *sub, -s* Kaffeefilter; **~ grinder** *sub, -s* Kaffeemühle; **~ harvest** *sub, -s* Kaffeeernte; **~ spoon** *sub, -s* Kaffeelöffel; **~ substitute made from barley malt** *sub, nur Einz.* Malzkaffee; **~-coloured** *adj,* kaffeebraun; **~pot** *sub, -s* Kaffeekanne

coffin, *sub, -s* Sarg

co-founder, *sub, -s* Mitbegründer

cog, *sub, -s* Kogge; *to be a cog (in the machine)* nur eine Nummer unter vielen sein

Cognac, *sub, nur Einz.* Cognac; *-s* Kognak; **cognac-coloured** *adj,* cognacfarben

cognition, *sub, nur Einz.* Kognition; *-s (Erkennen)* Erkenntnis; **cognitive** *adj,* kognitiv

cognomen, *sub, -s* Kognomen

cohere, *vi,* kohärieren; **~ncy** *sub, nur Einz.* Kohärenz; **~nt** *adj,* kohärent; **cohesion** *sub, nur Einz.* Kohäsion, Zusammenhalt

cohort, *sub, -s (mil.)* Kohorte

coil, (1) *sub, -s (Draht-)* Spirale; *(tt; elekt)* Windung; *(tech.)* Spule (2) *vt, (tt; tech.)* wickeln; **~ spring** *sub, -s* Spiralfeder

coin, (1) *sub, -s* Geldstück, Münze (2) *vt,* ausprägen; *(i. ü. S.) to pay sb back in his own coin for sth* jmd mit gleicher Münze heimzahlen; **~ weight** *sub, -s* Münzgewicht

coincide, *vi,* koinzidieren; **~nce** *sub, -s* Koinzidenz; **~nce size** *sub, -es (i.*

ü. S.) Zufallsgröße; int (1) *adj, (phy.)* koinzident (2) *sub, -s* Zufall; *a strange coincident* ein merkwürdiger Zufall; *by accident* durch Zufall; *it was pure chance that* es war reiner Zufall, daß

coke, *sub, nur Mehrz.* Koks; **coking practice** *sub, -s* Kokerei

cola (kola) tree, *sub, -s* Kola

cold, (1) *adj,* kalt (2) *sub, -s* Erkältung; *nur Einz.* Schnupfen; *catch a cold* sich eine Erkältung zuziehen; *cold meat* kalter Braten; **~ air** *sub, nur Einz.* Kaltluft; **~ buffet** *sub, -s* Gabelfrühstück; **~ chain** *sub, -s* Gefrierkette; **~ cuts** *sub, nur Mehrz.* Aufschnitt; **~ front** *sub, -s* Kaltfront; **~ perm** *sub, -s* Kaltwelle; **~ spell** *sub, -s* Kälteperiode; **~ storage plant** *sub, -s* Kühlanlage

cold(ness), *sub, nur Einz.* Kälte; **cold-blooded** *adj,* kaltblütig; **cold-blooded animal** *sub, -s (zool.)* Kaltblütler; **cold-pressed** *adj,* kaltgepresst; **cold-storage depot** *sub, -s* Kühlhaus; **cold-storage room** *sub, -s* Kühlraum; **coldness** *sub, nur Einz.* Unnahbarkeit

collaborate, *vi,* kollaborieren, mitarbeiten; **collaboration** *sub, -s* Kollaboration; **collaborator** *sub, -s* Kollaborateur

collage, *sub, -s (kun.)* Collage

collagen, *sub, -s* Kollagen

collapse, (1) *sub, -s* Einsturz, Kollaps, Zusammenbruch; *-* Zusammenfall; *-s (wirt.)* Einbruch (2) *vi,* einstürzen, kollabieren, zusammenbrechen; *her whole world collapsed* une Welt stürzte für sie ein; **collapsible boat** *sub, -s* Faltboot

collar, *sub, -s* Kragen; *(Hund)* Halsband; *(ugs.) I´ll wring your neck* ich dreh´ dir den Kragen um; *(ugs.) that´s the last straw* jetzt platzt mir aber der Kragen; *to wear open necks* den Kragen offen tragen; **~ size** *sub, -s* Kragennummer; **~ stud** *sub, -s* Kragenknopf; **~bone** *sub, -s* Schlüsselbein

collateral, *adj,* kollateral; **~ line** *sub, -s (Familie)* Nebenlinie

colleague, *sub, -s* Kollege; *(Kollege)* Mitarbeiter

collect, (1) *vi,* aufstauen (2) *vt,* ansammeln, einkassieren, einsam-

meln, eintreiben, sammeln, zusammentragen; *(sammeln)* einheimsen;
(Steuern) beitreiben; *collect a bill*
eine Rechnung einkassieren; *collect
taxes* Steuern einkassieren; *collect
medals* Medaillen einheimsen; ~
(money) *vt*, kassieren; *(ugs.) would
you mind paying now?* darf ich bei
Ihnen schon kassieren?; **~able(collectible)** *adj*, eintreibbar; **~ing** *sub*,
-s Einsammlung, Sammelei; **~ing
mania** *sub*, *nur Einz.* Sammeltrieb;
~ing point *sub*, *-s* Sammelstelle;
~ing tank *sub*, *-s* Sammelbecken;
~ing tin *sub*, *-s* Sammelbüchse;
~ion *sub*, *-s* Kollekte, Kollektion,
Sammlung; *(Handel)* Sortiment;
(Sammlung) Ansammlung; *(wirt.)*
Einziehung; **~ion bag** *sub*, *-s* Klingel-
beutel; **~ion of current** *sub*, *collec-
tions (Anzapfung)* Stromabnahme;
~ion of stone monuments *sub*, *-s*
Lapidarium; **~ion proceedings** *sub*,
nur Mehrz. Mahnverfahren
collective, (1) *adj*, kollektiv (2) *sub*, *-s*
Kollektiv; ~ **(noun)** *sub*, *-s* Kollektivum; ~ **account** *sub*, *-s* Sammelkonto; ~ **camp** *sub*, *-s* Sammellager; ~
name *sub*, *-s* Sammelname; ~ **securities deposit** *sub*, *-s* Sammeldepot;
~ **wage agreement** *sub*, *-s* Tarifver-
trag; **~-agreement area** *sub*, *-s* Tarif-
bezirk; **collectivism** *sub*, *nur Einz.*
Kollektivismus; **collectivist** *sub*, *-s*
Kollektivist; **collectivist(ic)** *adj*, kol-
lektivistisch; **collectivize** *vt*, kollektivieren
collector, *sub*, *-s* Abholer, Kollektor,
Sammler; ~´s **album** *sub*, *-s* Sammelalbum; ~´s **enthusiasm** *sub*, *nur
Einz.* Sammlerfleiß
college, *sub*, *-s* College, Fachhochschule; *(Hochschule)* Akademie; ~ **of
physical education** *sub*, *colleges*
Sporthochschule; ~ **of technology**
sub, *colleges* Technikum; **collegiate
church** *sub*, *-es* Stiftskirche
collide, *vi*, kollidieren, zusammenstoßen; ~ **with** *vi*, zusammenfahren; ~
with sth. *vt*, prallen
collie, *sub*, *-s* Collie
collision, *sub*, *-s* Kollision; - Zusammenstoß; *-s (Zusammenstoß)* Anstoß
colloquial language, *sub*, *-s* Alltags-
sprache; **colloquial speech** *sub*, *-es*
Umgangssprache; **colloquium** *sub*, *-*

a Kolloquium
collude in, *vt*, *(tt; jur.)* verabreden
colon, *sub*, *-s* Doppelpunkt
colonel, *sub*, *-s* Oberst; *(mil.)* Colonel
colonial, *adj*, kolonial; **~ism** *sub*,
nur Einz. Kolonialismus; **~ist** *sub*,
-s Kolonialist; **colonist** *sub*, *-s* Kolonist; **colonization** *sub*, *-s* Kolonisation; *(Kolonisierung)*
Besiedelung, Besiedlung; **colonize** *vt*, kolonisieren; *(kolonisieren)*
besiedeln; **colonizer** *sub*, *-s* Kolonisator
colonnade, *sub*, *-s (arch.)* Kolonnade; **~d temple** *sub*, *-s* Säulentem-
pel
colony, *sub*, *-ies* Kolonie
color, *sub*, *-s (US)* Farbe; ~ **contrast**
sub, *-s* Farbkontrast; ~ **film** *sub*, *-s*
Farbfilm; ~ **monitor** *sub*, *-s* Farbmonitor; ~ **of the skin** *sub*, *-s*
Hautfarbe; ~ **photo** *sub*, *-s* Farbaufnahme, Farbbild, Farbfoto; ~
print *sub*, *-s* Farbaufnahme, Farbbild, Farbfoto; ~ **television** *sub*, *-s*
Farbfernsehen; **~-blind** *adj*, farbenblind; **~-blindness** *sub*, *nur
Einz.* Farbenblindheit; **~-fast** *adj*,
farbecht
coloratura, *sub*, *-s (mus.)* Koloratur
colored, *adj*, *(US)* farbig; ~
man/woman *sub*, *men/women*
Farbige; **colorful** *adj*, farbenfreudig, farbig; **colorful splendor** *sub*,
nur Einz. Farbenpracht; **colorime-
try** *sub*, *nur Einz.* Kolorimetrie; **coloring** *sub*, *- (US)* Färbung;
colorless *adj*, farblos; **colorwise**
adj, ´farblich
colossal, *adj*, kolossal; **colossus**
sub, *-i* Koloss
colostrum, *sub*, *nur Einz. (med.)*
Kolostrum
colour, (1) *sub*, *-s* Farbe; *(Farbe)*
Ton (2) *vt*, kolorieren; *(Zeichnung)* ausmalen; *(i. ü. S.) declare
os* Farbe bekennen; *(Kartenspiel)
follow suit* Farbe bekennen; *get
some colour* Farbe bekommen;
what colour is it? was für eine Farbe hat es?, *change colour* das Laub
färbt sich; *match sth in colour* farblich aufeinander abstimmen; ~
contrast *sub*, *-s* Farbkontrast; ~
film *sub*, *-s* Farbfilm; ~ **monitor**

sub, ... Farbmonitor; ~ of the eyes sub, -s Augenfarbe; ~ of the skin sub, -s Hautfarbe; ~ organ sub, -s Lichtorgel; ~ photo sub, -s Farbaufnahme, Farbbild, Farbfoto; ~ print sub, -s Farbaufnahme, Farbbild, Farbfoto; ~ printing sub, nur Einz. Buntdruck; ~ supplement sub, - -s Bildbeilage

coloureds, sub, nur Mehrz. Buntwäsche; - (Südafr.) Farbige

colourful, adj, bildkräftig, farbenfreudig, farbig; ~ (coloured) adj, bunt; multicoloured bunt gefärbt; ~ splendour sub, nur Einz. Farbenpracht; colouring sub, - Färbung; nur Einz. Kolorit; colourist sub, -s Kolorist; colouristic adj, koloristisch; colourless adj, blässlich, farblos; (i. ü. S.) blass; colourless person eine blasse Erscheinung; colourlessly adv, blässlich; colourwise adj, farblich

colour television, sub, - Farbfernsehen; colour-blind adj, farbenblind; colour-blindness sub, nur Einz. Farbenblindheit; colour-fast adj, farbecht; colour-wash vti, tuschen; coloured adj, farbig, gefärbt; coloured crayon sub, -s Buntstift; coloured lacquer sub, -s Schleiflack; coloured like bronze adj, bronzefarben; coloured man/woman sub, men/women Farbige

colposcopy, sub, - (med.) Kolposkopie

colt, sub, -s (männl.) Fohlen; (mil.) Colt; ~sfoot sub, nur Einz. Huflattich

Columbine, sub, -s Kolombine

column, sub, -s Kolumne, Rubrik, Säule; (Druck) Druckspalte; (mil.) Kolonne; (Zeitung) Spalte; ~ed hall sub, -s Portikus, Säulenhalle

columnist, sub, -s Kolumnist

coma, sub, -s Koma

Comanche, sub, -s Komantsche

comatose, adj, (med.) komatös

comb, (1) sub, -s Einsteckkamm, Kamm (2) vti, abkämmen, abklappern, durchkämmen, kämmen, kardätschen, krempeln, riffeln (3) vti, raffeln; comb one´s hair die Haare durchkämmen; comb out all suspects die Verdächtigen aussortieren; comb the town for the murderer die Stadt nach dem Mörder durchkämmen; ~ back vt, zurückkämmen

combat, vt, (Krankheit, Problem bekämpfen) begegnen; ~ duty sub, -ies Frontdienst; ~ group sub, -s Kampfgruppe; ~ pack sub, -s (mil.) Sturmgepäck; ~ patrol sub, -s Stoßtrupp; ~ tank sub, -s Kampfpanzer; ~ant sub, -s Kämpfer, Kombattant

combination, sub, -s Kombination, Kombinierung, Paarung, Verbindung, Verknüpfung, Verquickung, Zusammenfassung, Zusammenstellung; ~ lock sub, -s Kombinationsschloss, Zahlenschloss; ~ of figures sub, -s Zahlenkombination; combinative adj, kombinierbar; combinatory adj, kombinatorisch

combine, (1) sub, -s Kombinat; (wirt.) Konzern (2) vi, konzernieren (3) vt, kombinieren, unieren, verbinden, verknüpfen, verquikken, zusammenfassen, zusammenstellen; combine housework and a career die Hausarbeit mit der Karriere in Einklang bringen; ~ (harvester) sub, -s Mähdrescher

combing machine, sub, -s (tech.) Kämmmaschine

come, vi, kommen, stammen; are you coming to the cinema? kommst du mit ins Kino?; come from in (einem Land) beheimatet sein; come in, please! bitte melden!; come into the possession of sth in den Besitz von etwas gelangen; he will come, won´t he er kommt doch; how did that come about wie ist es dazu gekommen; I can´t come ich kann nicht mitkommen; incoming mail eingehende Post; the things Sabine comes up with was der Sabine nicht alles einfällt; the worst is yet to come das dicke Ende kommt noch; to be a long time (in) coming lange auf sich warten lassen; to come as far as the station bis zum Bahnhof mitkommen; to come first in erster Linie kommen; to come first/last an erster/letzter Stelle rangieren; to come the strong man den starken Mann markieren; to come to grips with one´s life sein Leben meistern; *we´ll come in just a couple of minutes* wir kommen gleich nach; *where do you come from?* woher stammen Sie?; **~ across** *vi, (einer Sache)* begegnen; **~ along** *vi,* daherkommen; *(auch kommen)* mitkommen; **~ an end** *vr,* vollenden; **~ around** *vi,* herumkommen; **~ back** *vi,* wiederkommen; **~ close to** *vi, (i. ü. S.)* grenzen; **~ down** *vi, (Preis)* abschlagen; *come down with* erkranken an; **~ down to earth again** *vi,* austräumen; *she has come down to earth again* sie hat ausgeträumt; **~ from** *vi,* herkommen, herrühren, herstammen, hervorgehen, wegkommen; **~ here** *vi,* herkommen, hierher kommen; **~ hereby** *adv,* herzu

Comecon, *sub, nur Einz.* Comecon

comedian, *sub, -s* Humorist, Komiker, Spaßvogel; **comedy** *sub, -ies* Komödie; *-s* Lustspiel

come in, (1) *präp,* herein **(2)** *vi,* hereinfallen, hereinkommen, hineinkommen; *(Zug)* einlaufen **(3)** *vt, (Licht)* einfallen **(4)** *vti,* einfahren; *the violins came in too late* der Einsatz der Violinen kam zu spät, *come into the station* in den Bahnhof einfahren; **~to leaf** *vi,* belauben; *(Baum)* ausschlagen; **come light** *sub, -* Vorschein; **come off** *vi,* abblättern, abreißen, wegkommen; *(Lack)* ablösen, abspringen; *(ugs.) what´s in it for me?* was springt für mich ab?; **come on** *vi,* kommen; *come on now! you´re exaggerating* komm, komm! du übertreibst; *come on! we have to hurry* komm! wir müssen uns beeilen; **come on!** *Ausruf, (Aufforderung)* los; **come on/along** *vt, (sich entwickeln)* machen; **come out (1)** *vi,* herausfahren, herauskommen, hervortreten, hinauskommen; *(Erzeugnis;, bekannt werden)* herauskommen; *(Fleck)* herausgehen **(2)** *vr, (sich)* herausstellen; *(i. ü. S.) come out with* von Stapel lassen; **come out of one´s shell** *vr, (aus sich)* herausgehen

come over, (1) *vi, (ugs.)* rüberkommen **(2)** *vt,* überkommen; **come right** *vr, (wieder gut werden)* geben; **come though** *vt, (überleben)* durchstehen; **come through (1)** *vi, (ugs.)* dringen; *(Sonne)* durchdringen **(2)**

vti, (räuml.) durchkommen; *come through* zu deinem Telefon durchdringen, *the train has to come through* der Zug muss hier durchkommen; **come to a decision** *vt,* durchringen; **come to a standstill** *vi,* stecken bleiben, stehen bleiben; **come to an agreement (1)** *adj,* handelseinig, handelseins **(2)** *vt,* arrangieren **(3)** *vt, (ugs.)* einigen; **come to an arrangement** *vt,* abstimmen; **come to an end** *vi, (fertig werden)* abschließen; *come to terms with* so mit jemandem abschließen

come to live, *vi, (Diskussion, Person, Pflanzen)¸* aufleben; *(Stadt etc.)* beleben; **come to meet sb** *vt, (räuml.)* entgegenkommen; **come to so´s aid** *vi,* beispringen; **come to terms with** *vt, (Geschichte)* bewältigen; **come to the boil** *vi,* aufkochen; **come towards** *vi,* zukommen; **come true** *vi,* erfüllen; *(in Erfüllung gehen)* bewahrheiten; *(wahr werden)* eintreffen; *it comes true* es erfüllt sich; **come under the statute of limitations** *vi,* verjähren; **come up** *vi,* emporkommen, herankommen, heraufziehen; *(aus dem Wasser)* auftauchen; *(Chance)* bieten; *(Unwetter)* aufziehen; *come up with an idea* mit einem Vorschlag aufwarten; *I´ll come up with sth* ich werde mir was einfallen lassen; *the tomatos are coming up nicely* die Tomaten haben gut angesetzt; **come up to** *vi,* gleichkommen; *(i. ü. S.; leistungsm.)* heranreichen; **come-back** *sub, nur Einz.* Comeback; **come/get back** *vi,* zurückkommen

comfort, (1) *sub, -s* Komfort, Trost, Tröstung; *(Angenehmheit)* Behaglichkeit; *nur Einz. (Annehmlichkeit)* Behagen; *(eines Stuhles etc.)* Bequemlichkeit **(2)** *vt,* trösten; *to comfort sb* Balsam in eine Wunde gießen; *(ironisch) some comfort that is* das ist ein schwacher Trost; **~able** *adj,* gemütlich, komfortabel, kommod; *(angenehm)* behaglich, bequem; **~ably** *adv,* behaglich; **~er** *sub, -s (US)* Steppdecke; **~ing** *adj,* tröstlich

~ing words *sub.* Trostspruch

comic element, *sub, -s* Komik; **comic program at students´ smoking concert** *sub, - -s - -s* Bierzeitung; **comic-strip** *sub, -s* Comicstrip; **comical** *adj,* possierlich

Cominform, *sub, (polit.)* Kominform

coming, *sub, nur Einz.* Kommen; *(ugs.) I don´t know whether I´m coming or going* ich weiss nicht mehr, wo rechts und links ist; ~ **from nowhere** *adj,* hergelaufen; ~ **to terms with** *sub, - (Geschichte)* Bewältigung

Comintern, *sub, (polit.)* Komintern

comma, *sub, -s* Beistrich, Komma

command, (1) *sub, -s* Befehlsgewalt, Kommando; *nur Einz. (Befehlsrecht)* Befehl; *(eines Handwerkes etc.)* Beherrschung; *-s (mil.)* Führung **(2)** *vt,* befehligen, kommandieren; *be in full command of the situation* die Lage übersehen; ~ **er** *sub, -s* Befehlshaber, Feldherr, Kommandeur; ~ **er-in-chief** *sub, -s (mil.)* Oberbefehlshaber; ~ **ing officer** *sub, -s* Kommandant; ~ **ing tone** *sub, nur Einz.* Befehlston

commemorate, *vi, (feiern)* gedenken; **commemoration** *sub, -s* Gedächtnisfeier,   Gedenkfeier; **commemorative coin** *sub, -s* Gedenkmünze;   **commemorative plaque** *sub, -s* Gedenktafel; **commemorative stamp** *sub, -s* Gedenkmarke; **commemorative volume** *sub, -s* Festschrift

commence, *vti, (geh.)* anfangen, beginnen; ~ **ment** *sub, nur Einz.* Inangriffnahme; *-s (geh.)* Beginn; ~ **ment of operations** *sub, nur Einz.* Inbetriebnahme; ~ **ment of war** *sub, -* Kriegsbeginn

commend, *vt, (empfehlen)* anpreisen; *to commend sb* jmdn lobend erwähnen; ~ **able** *adj,* anerkennenswert, dankenswert; ~ **ation** *sub, -s (Empfehlung)* Anpreisung; **commensurable** *adj,* kommensurabel

comment, *sub, -s* Kommentar, Randbemerkung; *(Bemerkung)* Äußerung; *(kritische)* Anmerkung; *have to make some comments* etwas zu bemerken haben; ~ **(on)** *vt,* kommentieren; ~ **ary** *sub, -ies* Kommentar; ~ **ate on** *vt,* glossieren; ~ **ator** *sub, -s* Kom-

mentator

Commenwealth, *sub, nur Einz.* Commonwealth

commercial, (1) *adj,* gewerblich, kaufmännisch, kommerziell **(2)** *adv,* gewerblich **(3)** *sub, -s (Werbe-)* Spot; *for commercial purposes* gewerblich genutzt; ~ **aircraft** *sub, -* Verkehrsflugzeug; ~ **bank** *sub, -s* Handelsbank; ~ **firm** *sub, -s* Handelsfirma; ~ **vehicle** *sub, -s* Nutzfahrzeug; ~ **ize** *vt,* kommerzialisieren, vermarkten

commission, *sub, -s* Kommission, Provision; *commission so to do sth* etwas bei jemandem in Auftrag geben; ~ **aire** *sub, -s (Theater etc.)* Türschließer; ~ **ed work** *sub, nur Einz.* Auftragsarbeit; ~ **er** *sub, -s* Kommissar; ~ **er´s department** *sub, -s* Kommissariat

commit, (1) *vr,* engagieren **(2)** *vt,* verpflichten, verüben; *(Tat begehen)* ausführen; *(Verbrechen)* begehen; ~ **oneself** *vr,* verpflichten; *(sich)* festlegen; ~ **ment** *sub, -s* Überstellung; *(persönlicher -)* Einsatz; *(Verpflichtung)* Gebundenheit; *be brought in(to action)* zum Einsatz kommen; *show commitment* Einsatz zeigen; ~ **ments** *sub, nur Mehrz.* Verbindlichkeit; ~ **ted** *adj,* engagiert; ~ **tee** *sub, -s* Gremium, Komitee, Kommission; *(polit.)* Ausschuss; ~ **tee for the celebrations** *sub, -s* Festkomitee; ~ **tee meeting** *sub, - -s* Ausschusssitzung; ~ **tee member** *sub, - -s* Ausschussmitglied; ~ **ting magistrate** *sub, -s* Haftrichter

commodore, *sub, -s (mil.)* Kommodore

common, *adj,* gebräuchlich, geläufig, gemeinsam, weit verbreitet; *(gewöhnlich)* gemein; *(üblich)* gängig; *(unfein)* gewöhnlich; *(Volk)* nieder; *common goal* gemeinsames Ziel; *common to all* allen gemeinsam; *have a lot in common* vieles gemeinsam haben; *be common practice* allgemein üblich; *what a common little hussy!* was für ein ordinäres Luder; *the common people* das gemeine Volk; *look common* ein gewöhnliches Aussehen haben; ~ **buzzard** *sub,*

-s Mäusebussard; ~ **crab** *sub*, *-s* Taschenkrebs; ~ **daisy** *sub*, *-ies* Maßliebchen; ~ **knowledge** *sub*, *nur Einz. (i. ü. S.; Wissen)* Allgemeingut; ~ **mussel** *sub*, *-s* Pfahlmuschel; ~ **property** *sub*, *nur Einz. (Besitz)* Allgemeingut; ~ **sense** *sub*, *-s* Verstand; ~ **stock capital** *sub*, *- (US)* Stammkapital; ~ **swan** *sub*, *-s (zool.)* Höckerschwan; **~ly** *adv*, gemeiniglich; **~place** *sub*, *-s* Allgemeinplatz, Gemeinplatz

commotion, *sub*, *-s* Tumult

communal, *adj*, gemeindlich, kommunal; **~ize** *vt*, kommunalisieren; **Communard** *sub*, *-s (hist.)* Kommunarde; **commune** *sub*, *-s* Kommune; **commune-dweller** *sub*, *-s* Kommunarde

communicate, **(1)** *vi*, kommunizieren, mitteilen **(2)** *vt*, *(Krankheit)* übertragen; *(wegen einer Erkrankung) he/she is unable to communicate* er/sie ist nicht ansprechbar; *he finds it easy to communicate* er kann sich gut mitteilen; **communication** *sub*, *-s* Kommunikation; *-* Zwiesprache; *- (Krankheit)* Übertragung; **communicative** *adj*, gesprächig, kommunikativ; *she doesn´t say much* sie ist nicht sehr gesprächig

Communion, *sub*, *-s* Abendmahl; *nur Einz.* Kommunion; ~ **Communion** *sub*, ~; **chalice** *sub*, *-s* Abendmahlskelch; ~ **wine** *sub*, *-s* Messwein

communiqué, *sub*, *-s* Kommuniqué

communism, *sub*, *nur Einz.* Kommunismus; **communist (1)** *adj*, kommunistisch **(2)** *sub*, *-s* Kommunist(in)

communitive service, *sub*, *-s* Ersatzdienst

community, *sub*, *-ies* Gemeinschaft, Gemeinwesen; *(Gemeinschaft)* Gemeinde; ~ **of interests** *sub*, *-ies* Interessengemeinschaft; ~ **of property** *sub*, *-ies (jur.)* Gütergemeinschaft; ~ **service** *sub*, *-s* Zivildienst

commutable, *adj*, kommutabel; **commutation** *sub*, *-s* Kommutierung; **commute** *vi*, *(Mensch)* pendeln; *commute a prison sentence into a fine* eine Freiheitsstrafe in eine Geldstrafe umwandeln; **commuter traffic** *sub*, *nur Einz. (Berufsverkehr)* Pendelverkehr

compact, *adj*, kompakt, kompress; **~ness** *sub*, *nur Einz.* Kompaktheit **C(ompact) D(isc)**, *sub*, Compactdisc; **c(ompact)d(isc)-drive** *sub*, *-s (comp.)* CD-Laufwerk

companion, *sub*, *-s* Gefährte, Weggefährte; *(Freund etc.)* Begleiter; *(Freundin)* Begleiterin; *(Kamerad)* Genosse; **company (1)** *adj*, betrieblich **(2)** *sub*, *-ies* Firma, Gesellschaft; *nur Einz.* Runde; *-ies (mil.)* Kompanie; *(Theater)* Ensemble; *nur Einz. (Zusammensein)* Begleitung; *be in good company* sich in guter Gesellschaft befinden; *keep so company* jmdm Gesellschaft leisten; *good/bad company* gute/schlechte Gesellschaft; *look for company* Anschluss suchen; **company commander** *sub*, *-s (mil.)* Kompaniechef; **company do** *sub*, *- -s* Betriebsfest; **company doctor** *sub*, *- -s* Betriebsarzt; **company health insurance fund** *sub*, *-s* Betriebskrankenkasse; **company holiday** *sub*, *nur Einz.* Betriebsferien; **company secretary** *sub*, *-ies* Prokurist, Prokuristin; **company sign** *sub*, *-s* Firmenschild

comparable, *adj*, komparabel, vergleichbar; **comparative** *sub*, *-s* Komparativ; **comparatively** *adj*, vergleichsweise; **compare (1)** *vi*, *(Grammatik)* steigern **(2)** *vt*, vergleichen, zusammenrechnen; *(vergleichen)* gegenüberstellen; *as a singer he´s without compare* er singt ohnegleichen; **compare with** *vt*, gleichsetzen; **compared** *adj*, verglichen; **compared to** *präp*, *(verglichen mit)* neben; **compared with** *adv*, *(Im Vergleich)* gegenüber; *compared with A plays B better* im Vergleich zu A spielt B besser; **comparison** *sub*, *-s* Vergleich, Vergleichung; *(Grammatik)* Steigerung; *in comparison to/with* im Vergleich zu/mit; *there is no comparison* das ist doch gar kein Vergleich; *draw comparisons* Vergleiche anstellen; **comparison (of adjectives)** *sub*, *-s* Komparation

compartment, *sub*, *-s* Abteil, Fach; *(Unterteilung)* Einsatz

compassion, *sub*, *nur Einz.* Barm-

herzigkeit, Mitleid; **~ate** *adj*, harm-
herzig, mitfühlend

compatibility, *sub*, *-ies* Kompatibilität; **compatible** *adj*, kompatibel

compatriot, *sub*, *-s* Landsmann

compelling, *adj*, zwingend

compendium, *sub*, *-s* *-a* Kompendium

compensate, *vt*, entschädigen, kompensieren; *(Schaden)* ersetzen; **~
(for)** *vt*, ausgleichen; **~ for** *vt*, aufwiegen; **compensation** *sub*, *-s* Abfindungssumme, Entschädigung,
Kompensation, Schadenersatz, Wie-
dergutmachung; *(Entschädigung)*
Abfindung; Ausgleich; *-s (Schaden)*
Ersatz; **compensatory** *adj*, kompensatorisch

compère, *sub*, *-s* Showmaster

compete, **(1)** *vi*, konkurrieren **(2)** *vt*,
wettstreiten; *compete against the
noise* gegen den Lärm anreden; **~
(against)** *vt*, messen; **~ with sb** *vi*,
rivalisieren

competence, *sub*, *nur Einz.* Kompetenz, Zuständigkeit; *his lack of competence in this issue* seine mangelnde
Kompetenz in dieser Frage; **competent** *adj*, fachkundig, kompetent, urteilsfähig, zuständig;
(sachverständig) berufen; *(zuständig)* maßgebend

competition, *sub*, *nur Einz.* Konkurrenz; *-s* Preisausschreiben, Wettbewerb, Wettkampf, Wettstreit; *(Tanz-)*
Turnier; **~ horse** *sub*, *-s* Tur-
nierpferd; **~ rifle** *sub*, *-s* Sportge-
wehr; **competitive** *adj*,
konkurrenzfähig; **competitive person** *sub*, *-s* Wetteiferer; **competitive
racing** *sub*, *-s* Preisfahren; **competitive sport** *sub*, *-s* Leistungssport;
competitive zeal *sub*, *nur Einz.*
Wetteifer; **competitor** *sub*, *-s* Konkurrent, Konkurrenz, Mitbewerber,
Wettbewerber, Wettkämpfer; *(spo.)*
Teilnehmer, Teilnehmerin

compilation, *sub*, *-s* Kompilation;
compile *vt*, kompilieren

complain, *vi*, beklagen, beschweren,
klagen; *he can´t complain* er kann
sich nicht beschweren; **~ (about)** *vi*,
monieren; *she complained that* sie
monierte, dass; **~ about (1)** *vi*, *(Produkt)* beanstanden **(2)** *vt*, reklamieren; **~t** *sub*, *-s* Beschwernis,

Reklamation; *(Beschwerde)* Beanstandung, Eingabe; *(Klage)* Beschwerde; *(Krankh.)* Gebrechen; *I
have a complaint* ich möchte mich
beschweren; **~t about infringement of the constitution** *sub*, *-s*
(tt; jur.) Verfassungsbeschwerde

complement, **(1)** *sub*, *-s (mat.)*
Komplement **(2)** *vt*, ergänzen,
komplementieren; **~ary** *adj*, komplementär

complete, **(1)** *adj*, gesamt, komplett, lückenlos, restlos, rückhaltlos, sämtlich, total, völlig,
vollständig, vollzählig **(2)** *vt*, kom-
plettieren, vervollständigen, vollenden; *(beenden)* durchführen;
(fertigmachen) durchmachen;
(vervollständigen) ergänzen; *completely* voll und ganz; **~ assignment of numbers** *sub*,
Durchnummerierung; **~ edition**
sub, *-s (Buch)* Gesamtausgabe; **~
idiot** *sub*, *-s (ugs.)* Vollidiot; **~ shadow** *sub*, *-s* Kernschatten; **~d** *adj*,
vollendet; *(vollständig)* abge-
schlossen; **~ly** *adv*, vollauf, vollkommen; *(i. ü. S.)* rundum; *(völlig)*
ganz; *I´d completely forgotten* das
hatte ich ganz vergessen; *that´s a
completely different matter* das ist
etwas ganz anderes; **~ly harmless**
adj, unbedenklich; **~r** *sub*, *-s* Vollenderin; **completion** *sub*, *-s (Fertigstellung)* Beendung;
(vervollständigen) Ergänzung; *the
work is nearing completion* die Arbeit geht ihrem Ende zu

complex, **(1)** *adj*, komplex **(2)** *sub*,
-es Komplex; **~ (character) part**
sub, *-s* Charakterrolle

complexion, *sub*, *-s* Gesichtsfarbe,
Hautfarbe, Teint; *to have a peaches-and-cream complexion* aussehen wie Milch und Blut

compliance, *sub*, *-s* Gefügigkeit; *in
compliance with* unter Beachtung
des/der; **compliant** *adj*, gefügig

complicate, *vt*, komplizieren, verkomplizieren; **~d** *adj*, kompliziert;
complicating *adj*, erschwerend;
complication *sub*, *-s* Komplikati-
on, Weiterung

compliment, *sub*, *-s* Kompliment;
my compliments to the chef ein
Lob der Köchin

component, *sub,* -s Bauteil, Bestandteil, Komponente

compose, *vti,* komponieren; **~d** *adj,* gefasst; *(gefasst)* gelassen; **~r** *sub,* -s Komponist, Tondichter; - *(Druck)* Composer; **composing room** *sub,* - *(Verlag)* Setzerei; **composite** *sub,* -*itae (bot.)* Korbblütler; **composition** *sub,* -s Komposition; Zusammensetzung; **compositor** *sub,* -s Schriftsatz

compost, (1) *sub,* -s Kompost (2) *vt,* kompostieren

composure, *sub,* - Gefasstheit, Gelassenheit; -*s* Sammlung; *nur Einz. (geb.)* Contenance; -*s (inneres Gleichg.)* Haltung; *keep/lose one´s composure* die Contenance wahren/verlieren; *try to keep one´s composure* um Haltung ringen

compound, (1) *pron,* zusammengesetzt (2) *sub,* -s Kompositum; **~ interest** *sub,* -s *(tt; wirt.)* Zinseszins

comprehend, *vti,* verstehen; **comprehensibility** *sub,* -*es* Verständlichkeit; *nur Einz. (verständlich)* Fassbarkeit; **comprehensible** (1) *adj,* fassbar (2) *adv,* allgemein verständlich; *readily comprehensible* allgemein verständlich; **comprehensive** *adj,* ganzheitlich, umfassend; *(umfangreich)* ausführlich; **comprehensive school** *sub,* -s Gesamtschule; **comprehensiveness** *sub, nur Einz.* Eingängigkeit

compress, (1) *sub,* -es *(med.)* Kompresse; *(tt; med.)* Wickel (2) *vt,* komprimieren, stauchen, verdichten; **~ around the leg** *sub,* *(tt; med.)* Wadenwickel; **~ed** *adj,* komprimiert, verdichtet; *(dicht)* gedrängt; **~ed air** *sub,* - Pressluft; **~ible** *adj, (phy.)* kompressibel; **~ion** *sub,* -s Gedrängtheit, Kompression, Verdichtung; **~or** *sub,* -s *(tech.)* Kompressor

compromise, (1) *sub,* -s Kompromiss, Kompromisslösung (2) *vt & vr,* kompromittieren; **~r** *sub,* -s Kompromissler

compulsion, *sub,* -s Nötigung; - Zwang; **compulsive** *adj,* triebhaft; **compulsorily** *adv,* zwangsweise; *(spo.) in the compulsory section* bei der Pflicht; **compulsory** *adj, (Fächer)* obligatorisch; **compulsory exercise** *sub,* -s Pflichtübung; **compulsory figures** *sub, nur Mehrz.*

Pflichtlauf; **compulsory insurance** *sub,* -s Pflichtversicherung, Versicherungspflicht; **compulsory reading** *sub, nur Einz.* Pflichtlektüre; **compulsory registration** *sub,* -s Anmeldepflicht, Meldepflicht; **compulsory school attendance** *sub, nur Einz.* Schulpflicht; **compulsory section** *sub,* -s *(spo.)* Pflicht; **compulsory subject** *sub,* -s Obligatorium, Pflichtfach; **compulsory vaccination** *sub, nur Einz.* Impfpflicht; **compulsory wearing of seatbelts** *sub, nur Einz.* Anschnallpflicht

combustible, *adj,* verbrennbar

computer, *sub,* -s Computer, Rechenanlage; **~ centre** *sub,* -s Rechenzentrum; **~ program** *sub,* -s EDV-Programm; **~ scientist** *sub,* -s Informatiker; **~ize** *vt,* computerisieren

comrade in arms, *sub,* *comrades (geb.)* Mitstreiter; -*s (ugs.)* Waffenbruder; *comrades (Krieg)* Mitkämpferin; **comrade** *sub,* -s Kamerad; *(polit.)* Genosse; **comradeship** *sub, nur Einz.* Kameradschaft

con, *vt, (ugs.)* linken; *to con one´s way through life* sich durchs Leben schwindeln; **~ game** *sub,* - -*s* Bauernfängerei; **~ man** *sub,* - -*s (ugs.)* Bauernfänger

conceal, *vt,* kaschieren, verdecken, verhehlen, verschweigen, verstecken; **~ oneself** *vr,* verbergen; **~ed** *adj,* verhohlen; **~ment** *sub,* -s Kaschierung

conceit, *vi, (arrogant)* einbilden; *be terribly conceited about sth* sich ziemlich viel einbilden auf etwas; **~ed** *adj,* eingebildet; **~ed about** *vt, (eingebildet)* eingenommen; **~edness** *sub, nur Einz.* Eigendünkel; *(geb.)* Dünkel; *(Arroganz)* Einbildung

conceivable, *adj,* denkbar, vorstellbar; **conceive** (1) *vi,* empfangen (2) *vt,* konzipieren; *conceive* empfangen(schwanger werden); *conceive a dislike for sb* jmd nicht mögen

concentrate, (1) *sub,* -s *(chem.)* Konzentrat (2) *vt,* zusammenziehen (3) *vti,* konzentrieren; *I can´t* concentrate *today* Ich kann mich heute nicht konzentrieren; **~d** *adj,* angestrengt, konzentriert; **~d feed** *sub, nur Einz.* Kraftfutter; **~d (stuff)** *sub, nur Einz.* Mischfutter; **concentration** *sub, nur Einz.* Konzentration; *-s (chem.)* Konzentration; *he lacks concentration* es mangelt ihm an Konzentration; *it´s only a matter of concentration* das ist nur eine Sache der Konzentration; **concentration camp** *sub, -s* Konzentrationslager

concentric, *adj,* konzentrisch; **~ cable** *sub, -s* Koaxialkabel

concept, (1) *sub, -s* Konzept; **~ion** *sub, -s* Empfängnis, Konzeption; **~ion of honour** *sub, -s* Ehrbegriff; **~ion of order** *sub, nur Einz.* Ordnungssinn; **~ion of the world** *sub, -s (i. ü. S.)* Weltbild; **~ual** *adj,* begrifflich, konzeptionell

concern, (1) *sub, -s* Anliegen, Besorgnis, Besorgtheit **(2)** *vt, (angehen)* betreffen; *(betreffen)* angehen, anlangen; *cause concern* Besorgnis erregen; *there is no cause for concern* es gibt keinen Grund zur Besorgnis, *a matter of international concern* ein internationales Anliegen; *as far as I am concerned* was mich anbetrifft; *thank you for your concern (förmlich)* danke der Nachfrage; *that doesn´t concern me at all* das berührt mich gar nicht; *that´s no concern of yours* das kann dir doch egal sein; *this is none of your concern!* Sie haben hier nichts mitzureden!, Sie haben hier nichts mitzusprechen; *as far as is concerned* was sie angeht; *as far as school is concerned* was die Schule anlangt; **~ed** *adj, (bemüht)* besorgt; **~ing (1)** *adv, (hinsichtlich)* hin **(2)** *präp,* hinsichtlich; **~ing domestic affairs** *adj,* innenpolitisch; **~ing entelechy** *adj,* entelechisch; **~ing existence** *adj,* daseinsmäßig; **~ing sb´s nerves** *adj,* nervlich; **~ing sources** *adj,* quellenmäßig; **~ing the chromosomes** *adj,* chromosomal; **~ing the fence** *adj,* fechterisch

concert, *sub, -s* Konzert; **~ evening** *sub, -s* Konzertabend; **~ hall** *sub, -s* Konzertsaal; **~ piece** *sub, -s* Konzertstück; **~ pitch** *sub, nur Einz.* Kam-

merton; **~ tour** *sub, -s* Konzertreise; **~ed** *adj,* konzertiert; **~ina** *sub, -s* Konzertina

concession, *sub, -s* Konzession, Zugeständnis; *(Zugeständnis)* Entgegenkommen; **concessive** *adj,* konzessiv

concierge, *sub, s* Concierge; *-s (Hotel)* Türsteher

conciliation, *sub, -s* Sühnegericht; **~ hearing** *sub, -s* Sühnetermin; **~ judge** *sub, -s* Sühnerichter; **conciliatoriness** *sub, nur Einz.* Konzilianz; **conciliatory** *adj,* konziliant, versöhnlich

concise, *adj,* bündig, knapp, konzis, lapidar; *concisely* kurz und bündig; *a concise description* eine knappe Beschreibung; *he said it concisely* er sagte es knapp; **~ness** *sub, nur Einz.* Knappheit

conclave, *sub, -s* Konklave

conclude, (1) *vi,* kombinieren, konkludieren, schlussfolgern **(2)** *vt,* folgern, schließen; **~ from** *vt, (-aus)* folgern; **concluding** *adv,* folgernd; **conclusion** *sub, -s* Konklusion, Rückschluss, Schluss, Schlussfolge, Tätigung; *(geb.)* Ergebnis; *(Beendigung)* Abschluss; *come to a different conclusion* zu einer anderen Ansicht gelangen; *draw one´s own conclusions* sich seinen Teil denken; *in conclusion* zum Abschluss; **conclusive** *adj,* beweiskräftig, konkludent, konklusiv, schlüssig; *(abschliessend)* endgültig; *(tt; jur.)* zwingend; *(schlüssig)* stringent; **conclusiveness** *sub, -* Beweiskraft

concordance, *sub, -s* Konkordanz

concordat, *sub, -s* Konkordat

concubinage, *sub, -s* Konkubinat; **concubine** *sub, -s* Kebse, Konkubine

concupiscence, *sub, nur Einz.* Konkupiszenz

concur, *vi,* kongruieren; **~rence** *sub, -s (mat.)* Kongruenz; **~ring** *adj,* kongruent

concussion, *sub, -s (med.)* Gehirnerschütterung

condemn, *vt,* verurteilen; *(ugs.)* verdonnern; **~ation** *sub, -s* Verteuflung, Verurteilung; **~ed building** *sub, -s* Abbruchhaus

condensate, *sub*, -s Kondensat; **condensation** *sub*, -s Kondensation; *nur Einz. (mit Dampf)* Beschlag; **condense** (1) *vi, (Flüssigkeit)* niederschlagen (2) *vti*, kondensieren; **condenser** *sub*, -s Kondensator

condescend, *vr, (sich)* herablassen; *to be condescending to sb* jmdn von oben herab behandeln; **~ingly** *adj*, herablassend; **condescension** *sub*, -s Herablassung

condition, (1) *sub*, -s Bedingung; *nur Einz.* Kondition; -s Zustand; *(Bedingung)* Auflage (2) *vt, (psych.)* konditionieren; *make sth a condition* etwas zur Bedingung machen; *on one condition* unter einer Bedingung; *make sth a condition for so* jemandem etwas zur Auflage machen, *be in good condition* gut erhalten sein; *in a perfect condition* in bestem Zustand; **~al** (1) *adj*, konditional; *(erlernt)* bedingt (2) *sub*, -s Konditional; *(tt; gram)* Vorgegenwart; *be conditional on* bedingt sein durch

conditioner, *sub*, -s Weichspüler

condolence, *sub*, -s Kondolenz; *(Beileid)* Teilnahme; **~ card** *sub*, - -s Beileidskarte; -s Trauerkarte; **~ letter** *sub*, -s Trauerbrief; **~s** *sub, nur Mehrz.* Beileid, Beileidsbezeigung; *offer so one´s condolences* jemandem sein Beileid aussprechen

condom, *sub*, -s Kondom

condominium, *sub*, -s Kondominium

condor, *sub*, -s Kondor

condottiere *sub*, -i *(hist.)* Kondottiere

conduct, (1) *sub*, -s Tun (2) *vt*, leiten (3) *vti*, dirigieren; **~ivity** *sub, nur Einz. (phy.)* Leitvermögen; **~or** *sub*, -s Dirigent, Schaffner, Schaffnerin; *(mus.)* Kapellmeister; **~or of sound** *sub*, -s Schallleiter; **~or rail** *sub*, -s Stromschiene

cone, *sub*, - *(tt; bot.)* Zapfen; -s *(mat.)* Kegel, Konus; **~ of scree** *sub*, -s Schuttkegel; **~-shaped** *adj*, zapfenförmig

confederacy, *sub*, -ies *(polit.)* Konföderation; **confederate** (1) *sub*, -s Eidgenosse, Konföderierte (2) *vti*, konföderieren; **confederation** *sub*, -s Staatenbund

confer, *vi*, beraten, beratschlagen, konferieren; **~ emeritus status** *vt*,

emeritieren; **~ence** *sub*, -s Konferenz, Tagung; *special party conference* außerordentlicher Parteitag; **~ence circuit** *sub*, -s Konferenzschaltung; **~ence hall** *sub*, -s *(Konferenz)* Sitzungssaal; **~ence of bishops** *sub*, -s Bischofskonferenz

confess, (1) *vt, (bekennen)* eingestehen; *(jur.)* gestehen (2) *vti*, beichten; *confess a crime* ein Verbrechen eingestehen; *I confess that I´m wrong* ich gestehe ein, daß ich Unrecht habe, *have sth to confess to so* jemandem etwas beichten; **~(to)** *vi, (zu einem Verbrechen)* bekennen; **~ed** *adj*, (-er Mann) gestanden; **~ion** *sub*, -s Beichte, Geständnis; *(Bekenntnis)* Eingeständnis; *(zu einem Glauben, Verbrechen)* Bekenntnis; *go to confession* zur Beichte gehen; *hear so´s confession* jemandem die Beichte abnehmen; *make one´s confession* eine Beichte ablegen; *make a confession* ein Geständnis ablegen; **~ional box** *sub*, -es Beichtstuhl; **~ional father** *sub*, -s Beichtvater

confetti, *sub, nur Mehrz.* Konfetti; *(Austrian)* Koriandoli

confidence, *sub, nur Einz.* Vertrauen; *be in so´s confidence* jmds Vertrauen genießen; *treat sth in confidence* etwas diskret behandeln; **confident of victory** *adj*, siegesbewusst

confidential, *adj*, vertraulich; *be of a confidential nature* vertraulichen Charakter haben; **~ity** *sub*, -es Vertraulichkeit; **~ly** *adv*, vertraulich; **confiedence** *sub*, - Zutrauen

configuration, *sub*, -s Konfiguration

confine, *vt*, beengen; **~ o.s.** *vr*, beschränken; **~ment** *sub*, -s *(Beschränkung)* Enge; *(jur.)* Arrest; **~ment cell** *sub*, - -s Arrestzelle; **~ment to barracks** *sub*, *confinements (mil.)* Stubenarrest

confirm, *vt*, bestätigen, konfirmieren, konstatieren; *(bestätigen)* bekräftigen; *(theol.)* firmen; *confirm so in office* jemanden in seinem Amt bestätigen; *(ugs.) he´s a confirmed cheat* er ist ein alter Betrüger; ~ation *sub, s Auftragsberstätigung*, Bestätigung, Konfirmation; *(theol.)* Firmung; *(Zustimmung)* Bekräftigung; ~ation of a student´s removal from the register *sub, -s* Exmatrikel; ~ed *adj, (Junggeselle)* eingefleischt; *confirmed bachelor* eingefleischter Junggeselle

confiscate, *vt,* konfiszieren; confiscation *sub, -s* Konfiskation

conflagration, *sub, -s* Feuersbrunst

conflict, (1) *sub, -s* Konflikt, Widerstreit, Zwiespalt (2) *vi,* kollidieren; ~ing, zwiespältig

confluence, *sub, -s* Konfluenz

conforming, *adj,* konform; conformism *sub, nur Einz.* Konformismus; conformist (1) *adj,* konformistisch; *(polit.)* angepasst (2) *sub, -s* Konformist; conformity *sub, nur Einz.* Angepasstheit, Konformität

confront, *vt,* konfrontieren; ~ so with so *vt,* gegenüberstellen; ~ation *sub, -s* Konfrontation

Confucianism, *sub, nur Einz.* Konfuzianismus

congenial, *adj,* kongenial; ~ity *sub, nur Einz.* Kongenialität

conger eel, *sub, -s (zool.)* Seeaal

congested with phlegm, *adj, (tt; med.)* verschleimt; congestion *sub, -s* Blutandrang

conglomeration, *sub, -s* Konglomerat, Sammelsurium

Congo Basin, *sub, nur Einz.* Kongobecken; Congolese *adj,* kongolesisch

congratulate, (1) *vi,* gratulieren (2) *vt,* beglückwünschen; congratulations *sub, nur Mehrz.* Gratulation

congregation, *sub, -s* Kongregation

congress, *sub, -es* Kongress

congruence, *sub, -s (mat.)* Kongruenz; congruent *adj,* kongruent

conic section, *sub, -s (mat.)* Kegelschnitt; conical *adj,* kegelförmig, konisch

conifers, *sub, nur Mehrz.* Nadelgehölze

conjectural, *adj,* konjektural; conjecture (1) *sub, -s* Mutmaßung, Vermutung (2) *vti,* mutmaßen; *that is mere conjecture* das ist nichts als eine Behauptung; *there was a lot of conjecture* es wurde viel gemutmaßt; *we can only conjecture* wir müssen uns an Mutmaßungen halten

conjugable, *adj,* konjugierbar

conjugate, *vt,* konjugieren; conjugation *sub, -s* Konjugation

conjunction, *sub, -s* Bindewort, Konjunktion; ~s *sub, nur Mehrz.* Bindewörter

conjunctiva, *sub, - (tt; anat.)* Bindehaut; conjunctivitis *sub, - (tt; med.)* Bindehautentzündung

conk, *sub, -s (ugs.)* Knollennase; Zinken

connect, (1) *vi, (Raumschiff)* ankoppeln (2) *vt,* verbinden; *(tech.)* anschließen; *(zusammenfügen)* anhängen; *to connect sth with sth* etwas mit etwas in Zusammenhang bringen; ~ed *adj,* zusammenhängend; *to be connected with sth* in Zusammenhang stehen mit; ~ing lead *sub, -s* Anschlusskabel; ~ing link *sub, -s* Mittelglied; ~ing piece *sub, -s (tech.)* Stutzen; ~ing rod *sub, -s* Kurbelstange, Pleuelstange; ~ing train *sub, -s* Anschlusszug; ~ing tube *sub, -s* Anschlussrohr; ~ion *sub, -s* Verbindung; *nur Einz.* Verkoppelung; *-s* Zusammenhang *(Telefon, Zug)* Anschluss; *have good connections* gute Beziehungen haben; *(Zug) have a connection* Anschluss haben; ~ions *sub, hier nur Mehrz.* Konnexion; ~ive tissue *sub, -s (tt; anat.)* Bindegewebe; ~or *sub, -s (elektrisch)* Lüsterklemme

conned, *adj, (ugs.)* gelackmeiert; *feel one has been conned* sich gelackmeiert fühlen

connive, *vi,* konnivieren

connoisseur, *sub, -s* Kenner

connotation, *sub, -s* Konnotation; connote *vt,* konnotieren

conoid, *sub, -s (mat.)* Konoid

conquer, *vt,* erobern; *(Berggipfel)* bewältigen; *(einen Berg)* bezwingen; ~or *sub, -s* Bezwinger, Eroberer; conquest *sub, -s* Eroberung; *make a conquest* eine Eroberung machen; conquistador *sub, -s (hist.)* Konquistador

conscience, *sub, -* Gewissen; *a clear conscience* ein reines Gewissen; *have so/sthon one´s conscience* jmdn/etwas auf dem Gewissen haben; *he´s got a bad conscience* ihn plagt sein schlechtes Gewissen;

you can say that with a safe con-science das kannst du mit gutem Gewissen behaupten; **conscientious** *adj,* gewissenhaft, pflichtbewusst; **conscientious objection** *sub, nur Einz.* Kriegsdienstverweigerung; **conscientious objector** *sub, -s* Kriegsdienstverweigerer; *(tt; mil.)* Verweigerer

conscious, *adj,* bewusst; *the patient is semi-conscious* der Patient ist im Dämmerzustand; **~ly** *adv, (mit Bewusstsein)* bewusst; *consciously register sth* etwas bewusst wahrnehmen; **~ness** *sub, nur Einz.* Bewusstheit; *(Bewußtsein)* Besinnung; *(gesellschaftliches etc.)* Bewusstsein; *lose consciousness* die Besinnung verlieren; *regain consciousness* zur Besinnung kommen; *regain consciousness* aus der Bewusstlosigkeit erwachen

conscript, **(1)** *sub, -s* Einberufene **(2)** *vt, (mil.)* konskribieren; **~ion** *sub, -s (Armee)* Einberufung; *nur Einz. (tt; mil.)* Wehrpflicht

consecrat, *vt,* weihen

consecrate, *vt,* einsegnen, konsekrieren; **~d** *adj,* geweiht; **consecration** *sub, -s* Einsegnung, Konsekration; *(tt; relig.)* Weihe; **consecration hour** *sub, -s (i. ü. S.)* Weihestunde; **consecration of the flag** *sub, -s* Fahnenweihe; **consecrationkettle** *sub, -s* Weihekessel

consecutive, *adj,* konsekutiv

consent, *sub, -s (Billigung)* Einverständnis; *(Zustimmung)* Einwilligung; *consent to* Einverständnis zu etwas; *give one´s consent* sein Einverständnis erklären; *consent to* sich einverstanden erklären; *give one´s consent to sth* seine Einwilligung zu etwas geben; *unqualified consent* bedingungslose Zustimmung; **~ (to marriage)** *sub, -s* Jawort

consequence, *sub, -s* Folge, Konsequenz, Weiterung; *(i. ü. S.)* Nachwirkung; *(i. ü. S.; Bedeutung)* Tragweite; *(Folge)* Auswirkung; *bear the consequences* die Folgen tragen; *have no consequences* es blieb ohne Folgen; *nothing of any consequence* nichts Nennenswertes; *that will have unpleasant consequences* das wird ein unangenehmes Nachspiel haben; **~ of the accident** *sub, consequences*

Unfallfolgen; **consequential damage** *sub, -s* Folgeschaden; **consequently** *adv,* infolgedessen, somit; *(geb.)* demzufolge; *(Folgerung)* demgemäß

conservatism, *sub, nur Einz.* Konservativismus; **conservative (1)** *adj,* konservativ **(2) Conservative** *sub, -s* Konservative; *(polit.)* Tory

conservatoire, *sub, -s* Konservatorium

consider, *vt,* berücksichtigen, erachten, erwägen, prüfen, überdenken; *(beurteilen)* befinden; *(in Betracht ziehen)* bedenken; *consider sth necessary* etwas für notwendig erachten; *consider sth one´s duty* etwas als seine Pflicht erachten; *consider buying a car* den Kauf eines Autos erwägen; *considering* in Anbetracht, unter Berücksichtigung von; *to consider oneself too good for sth* für etwas zu schade sein; *to consider sth finished* einen Schlussstrich unter etwas ziehen; *when you also consider* wenn man noch dazurechnet; *consider sth to be good* etwas für gut befinden; **~ sth abstractly** *vt,* abstrahieren; **~able** *adj,* beträchtlich, erheblich, erklecklich, nennenswert, ziemlich; *(beträchtlich)* ansehnlich, beachtlich, bedeutend, namhaft; *quite a considerable amount* eine nicht unbeträchtliche Summe; **~ably** *adv,* beträchtlich; *(beträchtlich)* bedeutend; **~ate** *adj,* fürsorglich, rücksichtsvoll; **~ation** *sub, nur Einz.* Bedacht; *-s* Berücksichtigung, Erwägung, Rücksicht, Überlegung; *nur Einz. (Berücksichtigung)* Beachtung; *show some consideration* ein Einsehen haben; **~ed** *adj,* überlegt, vorbedacht

consign, *vt,* konsignieren; **~ee** *sub, -s* Konsignatar; **~ment** *sub, -s* Konsignation; **~ment note** *sub, -s* Frachtbrief

consistence, *sub, nur Einz.* Konsistenz; **consistent** *adj,* konsequent, konsistent

consolation, *sub, -s* Trost, Tröstung; **console (1)** *sub, -s* Konsole **(2)** *vt,* trösten; **console table** *sub, -s* Konsoltisch

consolidate, (1) *vt,* kommassieren (2) *vti,* konsolidieren; **consolidation** *sub, -s* Konsolidation; **consolidation (of land)** *sub, -s* Kommassation

consoling, *adj,* tröstlich

consommé, *sub, -s (geh.)* Consommé

consonance, *sub, -s* Konsonanz; **consonant** *sub, -s* Konsonant, Mitlaut

consortium, *sub, -s (wirt.)* Konsortium

conspicous, *adj,* unübersehbar; **conspicuousness** *sub, nur Einz.* Auffälligkeit

conspicuous, *adj,* auffällig

conspiracy, *sub, -ies* Komplott, Konspiration; *-es* Verschwörung; **conspirator** *sub, -s* Verschworene, Verschwörer; **conspiratorial** *adj,* konspirativ; **conspire** (1) *vi,* konspirieren (2) *vr,* verschwören; **conspire in** *vt,* verabreden

constabler, *sub, -s* Wachtmeister

constancy, *sub, nur Einz.* Konstanz, Stetigkeit; **constant** (1) *adj,* fortwährend, konstant, unausgesetzt; *(Benutzung)* durchgängig; *(laufend)* ständig (2) *sub, -s* Konstante; **constant searching** *sub, -s* Sucherei; **constantly** *adv,* dauernd, stetig; *constantly* alle Augenblicke

constipation, *sub, -s* Konstipation; *(med.)* Darmträgheit; *(tt; med.)* Verstopfung

constituent assembly, *sub, -ies* Constituante; **constituent** *sub, -s* Konstituente; **constitute** *vt, (polit.)* konstituieren; **constitution** *sub, -s* Grundgesetz, Konstitution; *(tt; polit.)* Verfassung; *the physical constitution* die körperliche Beschaffenheit; *to have a cast-iron constitution* eine eiserne Natur haben; **constitution of a horse** *sub, - of horses* Bärennatur; **constitutional** *adj,* konstitutionell; **constitutional court** *sub, -s (tt; jur.)* Verfassungsgericht; **constitutional law** *sub, nur Einz.* Staatsrecht; **constitutive** *adj,* konstitutiv

constriction, *sub, -s* Beengtheit, Beengung; *(Korsett)* Einzwängung; **constrictor** *sub, -s (med.)* Konstriktor

construct, (1) *sub, -s* Konstrukt (2) *vt,* konstruieren; **~ion** *sub, -s* Errichtung, Konstruktion; *(Errichtung)*

Bau; **~ion company** *sub, - -es* Baufirma; **~ion equipment** *sub, nur Einz.* Baumaschine; **~ion kit** *sub, - -s* Bausatz; **~ion method** *sub, -s (Baumethode)* Bauweise; **~ion of fieldwork** *sub, -s* Schanzenbau; **~ion stage** *sub, - -s* Bauabschnitt; **~ion supervision** *sub, - -s* Bauaufsicht; **~ion work** *sub, nur Einz. (tech.)* Aufbauarbeit; **~ion year** *sub, - -s* Baujahr; **~ive** *adj,* konstruktiv; **~ivism** *sub, nur Einz. (kun.)* Konstruktivismus; **~ivist** *sub, -s* Konstruktivist; **~or** *sub, -s* Konstrukteur

consul, *sub, -s* Konsul; **~ar** *adj,* konsularisch; **~ate** *sub, -s* Konsulat

consult, (1) *vi,* ratschlagen (2) *vt,* konsultieren, wenden, zuziehen; *(Fachmann)* heranziehen; *consult so* sich von jemandem beraten lassen; **~ with** *vi,* beraten, beratschlagen, besprechen; **~ant** *sub, -s* Referent; *(Berater)* Gutachter; *(Beraterin)* Gutachterin; **~ation** *sub, -s* Beratungsgespräch, Konsultation, Rücksprache; *(Beratungsgespräch)* Beratung; *(Unterredung)* Besprechung; **~atory** *adj,* konsultativ; **~ing hours** *sub, nur Mehrz. (Arzt)* Sprechstunde; **~ing room** *sub, -s* Sprechzimmer

consumation, *sub, -s* Verspeisung; **consume** *vt,* konsumieren, verspeisen, verzehren; *(Vorrat, Geld etc.)* aufzehren; **consumer** *sub, -s* Endverbraucher, Konsument, Verbraucher; **consumer cooperative** *sub, -s* Konsumverein, Verbrauchergenossenschaft; **consumer durables** *sub, nur Mehrz.* Gebrauchsgut; **consumer electronics** *sub, -s (tt; tech.)* Unterhaltungselektronik; **consumer goods** *sub, nur Mehrz.* Bedarfsgüter; **consumption** *sub, -s* Konsum, Konsumation; *-s* Konsumierung, Schwindsucht, Verbrauch, Verschleiß; *nur Einz.* Verzehr; *- (med.)* Konsumption; *-s (Nahrung)* Genuss; **consumptive** *adj,* konsumtiv

contact, *sub, -s* Ansprechpartner, Kontakt, Kontaktmann, Kontaktnahme, Verkehr; *(tt; mil.)* Verbindung; **~ lens** *sub, -es*

Kontaktlinse; ~ **poison** *sub, -s (med.)* Kontaktgift

contagious, *adj,* infektiös

contain, *vt,* enthalten; *(enthalten)* beinhalten, bergen, fassen; *be contained within sth* in etwas beschlossen sein; ~**er** *sub, -s* Container, Gefäß; *(aus anderen Materialien)* Behälter; *(Behälter)* Tank; ~**er of stored blood** *sub, stored blood* Blutkonserve; ~**er ship** *sub, -s* Containerschiff

containing ash, *adj,* aschenhaltig; **containing chlorine** *adj,* chlorhaltig; **containing iron** *adj, (Lebensmittel)* eisenhaltig; **containing ochre** *attr,* ockerhaltig; **containing opium** *attr,* opiumhaltig; **containing radium** *adj,* radiumhaltig

contaminate, *vt,* kontaminieren, verseuchen; **contamination** *sub, -s* Kontamination, Verseuchung; **contemplation** *sub, nur Einz.* Beschaulichkeit; - Kontemplation; *(Nachdenken)* Anschauung; *nur Einz.* Besinnung; *inner/mystic contemplation* innere/mystische Versenkung; **contemplative** *adj,* beschaulich, besinnlich, kontemplativ; *lead a contemplative live* ein beschauliches Dasein führen

contemporary, (1) *adj,* zeitgerecht **(2)** *sub, -es* Zeitgenosse, Zeitgenossin; ~ **history** *sub, nur Einz.* Zeitgeschichte

contemporary document, *sub, -s* Zeitdokument

contempt, *sub, -s* Geringschätzung; *nur Einz.* Verachtung; *contempt of cort* Nichtachtung des Gerichts; ~**uous** *adj,* geringschätzig, verächtlich

content, (1) *adv,* zufrieden **(2)** *sub, -s* Inhalt; *(Inhalt)* Gehalt; *the contents of a bottle* der Inhalt einer Flasche; ~ **of protein** *sub, -s* Eiweißgehalt

contentment, *sub, nur Einz.* Zufriedenheit

contest, *vt, (bestreiten)* anfechten; *contest someone's right to do something* jemandem ein Recht streitig machen; ~**able** *adj,* anfechtbar

context, *sub, -s* Kontext; *to take sth out of its context* etwas aus dem Zusammenhang reißen; ~**ual** *adj,* kontextuell

contiguity, *sub, nur Einz.* Kontiguität

continence, *sub, nur Einz.* Kontinenz

continent, *sub, -s* Erdteil; Kontinent; ~**al** *adj,* festländisch, kontinental; ~**al quilt** *sub, -s* Federbett; ~**al shift** *sub, -s* Kontinentalverschiebung

contingent, *sub, -s (mil.)* Aufgebot, Kontingent

continious, *adj,* fortlaufend; ~**ly** *adv,* fortlaufend; **continous** *adj,* durchgehend; **continous tone** *sub, -s* Dauerton; **continual** *adj,* fortwährend, kontinuierlich; *(fortwährend)* beständig, ständig; *(zeitl.)* durchgängig; **continually** *adv,* fortgesetzt, immerfort; *(fortwährend)* beständig; **continuance** *sub, nur Einz. (eines Brauches)* Beibehaltung; **continuous** *adj,* andauernd, anhaltend, fortdauernd, pausenlos, unentwegt, ununterbrochen; *continuous snowfall* anhaltender Schneefall

continuation, *sub, nur Einz.* Fortbestand; - Fortdauer; *-s* Fortführung, Fortsetzung, Kontinuation; *(Fortsetzung)* Fortgang; ~ **of the journey** *sub, -s* Weiterfahrt, Weiterreise; **continue (1)** *adj,* andauern **(2)** *vi,* fortdauern; *(etw. fortsetzen)* fortfahren; *(weitergeben)* fortlaufen **(3)** *vt,* fortbestehen, fortsetzen, weiterführen; *it will continue to snow* der Schneefall wird andauern; **continue doing sth** *vi,* weiterfahren; **continue one's education** *vr,* weiterbilden; **continue paying** *vt,* weiterzahlen; **continue travelling** *vi,* weiterreisen, weiterziehen; **continue working** *sub, nur Einz.* Weiterarbeit

continued, *adj,* fortgesetzt; ~ **existence** *sub, nur Einz. (Fortbestand)* Bestand; *(Staat)* Fortbestand; **continuity** *sub, nur Einz.* Kontinuität, Stetigkeit; **continuously** *adv,* fortdauernd; *do sth continuously* etwas ohne aufzuhören tun; **continuum** *sub, -ua* Kontinuum

contort, *vr,* verziehen; ~**ion** *sub, -s* Verrenkung

contour, *sub, -s* Kontur; *(i. ü. S.) a*

wishy-washy sort of character eine Persönlichkeit ohne Konturen; *to see the mountains sharply outlined* die Berge mit scharfen Konturen sehen; **~ drawing** *sub*, -s Umrisszeichnung; **~ line** *sub*, -s Niveaulinie

contra, *präp*, contra; *pro and con* pro und contra

contraception, *sub*, -s Empfängnisverhütung; *nur Einz.* Kontrazeption; -s Schwangerschaftsverhütung; **contraceptive (1)** *adj*, kontrazeptiv **(2)** *sub*, -s Kontrazeptiv, Präservativ

contract, (1) *sub*, -s Kontrakt, Vertrag **(2)** *vt*, *(med.)* kontrahieren; **~ for a certain period** *sub*, -s *(i. ü. S.)* Zeitvertrag; **~ion** *sub*, -s Kürzel; *(med.)* Kontraktion; **~ions** *sub*, - *(tt; med.)* Wehe; **~or** *sub*, -s Auftragnehmer; **~ual** *adj*, kontraktlich, tarifarisch, vertraglich

contradict, (1) *vir*, widersprechen **(2)** *vt*, kontern; **~ion** *sub*, -s Kontradiktion, Widerspruch; **~ory** *adj*, widersprüchlich

contrapposto, *sub*, - *(kun.)* Kontrapost

contrary, (1) *sub*, -s Gegensatz, gegensätzlich, gegenteilig, konträr; *(gegenteilig)* umgekehrt **(2)** *adj*, -ies Gegenteil; *contrary to all expectations* entgegen allen Erwartungen; *to do sth out of sheer contrariness* etwas aus reiner Opposition tun; **~ to** *präp*, wider, zuwider; *contrary to the law* dem Gesetz zuwider; **~ to the rules of grammar** *adj*, sprachwidrig; **~ to the terms of the contract** *adj*, vertragswidrig

contrast, (1) *sub*, -s Gegensatz, Kontrast **(2)** *vi*, *(kontrastieren)* absetzen **(3)** *vt*, kontrastieren; *in contrast to* im Gegensatz zu; *stand in sharp contrast to* im scharfen Gegensatz stehen zu, in contrast to *sb/sth* im Unterschied zu jmd/etwas; **~ medium** *sub*, -s *(med.)* Kontrastmittel

contravene, *vt*, zuwiderhandeln

contribute, (1) *vt*, *(ugs.)* beischießen; *(beitragen)* einbringen; *(Fakten, Faktoren)* mitwirken **(2)** *vti*, beisteuern, beitragen; *contribute sth to a discussion* etwas in eine Diskussion einbringen, *contribute one's share* seinen Teil beitragen; *contribute to sth* zu etwas beitragen; **contribution**

sub, s Kontribution, Obolus, Verdienst, Zuschuss; *(aktiv, finanziell etc.)* Beitrag; *(Versicherungswesen)* Umlage; *make a contribution* einen Beitrag leisten; **contribution in kind** *sub*, -s Sacheinlage; **contribution payment** *sub*, - -s Beitragszahlung; **contribution rate** *sub*, - -s Beitragssatz

control, (1) *sub*, - Gewalt; *nur Einz.* Herrschaft; *hier nur Einz.* Kontrolle; *nur Einz. (einer Situation)* Beherrschung; -s *(tech.)* Steuerung **(2)** *vi*, *(über)* gebieten **(3)** *vt*, kontrollieren, lenken, regeln; *(Kind, Fluss)* bändigen; *(Situation)* beherrschen; *(tech.)* steuern; *bring sb/a country under so's control* jmdn/Land in seine Gewalt bekommen; *lose control* Kontrolle verlieren; *lose control* die Herrschaft verlieren; *he had the situation completely under control* er hatte die Situation vollkommen unter Kontrolle, *lose control over os* außer sich geraten; *seize control* Führung an sich reißen; *(i. ü. S.) to be in control of the situation* das Ruder fest in der Hand haben; *to be in overall control* die Oberaufsicht haben; *(i. ü. S.) to control oneself* sich im Zaum halten; *to maintain control* seine Macht behaupten; **~ board** *sub*, -s Aufsichtsbehörde; **~ engineer** *sub*, -s Regeltechnik; **~ stick** *sub*, -s Steuerknüppel; **~ tower** *sub*, -s Kontrollturm; **~ unit** *sub*, -s *(tech.)* Steuergerät; **~ valve** *sub*, -s Steuerventil; **~lable** *adj*, beherrschbar; **~led** *adv*, *(i. ü. S.)* ferngelenkt; **~ler** *sub*, -s Steuergerät; **~ling** *sub*, *(wirt.)* Controlling; **~s** *sub*, *hier nur Mehrz.* Kontrollen; *to increase controls* die Kontrollen verschärfen

controversal, *adj*, strittig, umstritten; **controversial** *adj*, kontrovers; *(These)* Aufsehen erregend; **controversialist** *sub*, -s Polemiker, Polemikerin; **controversy** *sub*, -ies Kontroverse, Streitsache

contusion, *sub*, -s Quetschung; **~ wound** *sub*, -s Quetschwunde

conurbation, *sub*, -s Ballungsgebiet, Ballungsraum

convalescence, *sub*, -s *(allmähli-*

che) Genesung; **convalescene** *sub,*
nur Einz. Rekonvaleszenz; **convale-**
scent *sub, -s* Konvaleszent

convection, *sub, -s (phy.)* Konvektion;
~ oven *sub, -s* Heißluftherd

convenience, *sub, nur Mehrz.* Komfort; - Konvenienz; *-s (des Bahnrei-*
sens etc.) Bequemlichkeit;
convenient *adj,* genehm; *(passend)*
gelegen; *(praktisch)* bequem;
(zweckmäßig) sinnvoll; *he came at*
any time, no matter how inconveni-
ent er kam zu jeder passenden und
unpassenden Zeiten; *it is convenient*
that es trifft sich gut, daß

convent, *sub, -s* Kloster, Konvent

conventicle, *sub, -s* Konventikel

convention, *sub, -s* Kongress, Konvent, Konvention; **~ hall** *sub, -s* Kon-
gresshalle; **~al** *adj,* konventional,
konventionell; *(herkömmlich)*
gewöhnlich; **conventual** *sub, -s* Konventuale

converge, *vi,* konvergieren; *(tt;*
geogr.) zusammen laufen; *have a de-*
cent conversation sich gepflegt unterhalten; *light conversation* eine
plätschernde Unterhaltung; **~nce**
sub, -s Konvergenz; **~nt** *adj,* konvergent

converse, *vi,* konversieren; *argue the*
converse das Gegenteil behaupten

conversion, *sub, -s* Bekehrung, Konversion, Konvertierung, Umwand-
lung; **~ (of a debt)** *sub, conversions*
of debts Umschuldung; **~ into elec-**
tricity *sub, -s* Verstromung; **convert**
(1) *sub, -s* Bekehrte, Konvertit **(2)** *vt,*
bekehren, konvertieren, umrechnen,
umwandeln, verwandeln; *(Dachbo-*
den) ausbauen; *(tech.)* umformen;
converter *sub, -s* Konverter, Umformer; **convertible (1)** *adj,* konvertibel, verwandelbar **(2)** *sub, -s*
Kabriolett; **convertible top** *sub, -s*
Klappverdeck

convex, *adj,* konvex; *(tech.)* gewölbt;
~ lens *sub, -es* Konvexlinse

convey, *vt,* transportieren, übereignen, übermitteln; **~ance** *sub, -s*
Übermittlung

conveyor belt, *sub, - -s* Band; *-s* Fließband, Förderband

convict, (1) *sub, -s* Sträfling **(2)** *vt,*
(jur.) überführen; *(tt; jur.)* verurteilen; **~ settlement** *sub, -s* Strafkolo-

nie; **~ion** *sub,* - Glaube; *-s* Überzeugung, Verurteilung; *(jur.)* Überführung; *with utter conviction* im
Brustton der Überzeugung; **~ions**
sub, nur Mehrz. Gesinnung

convince, *vt,* überzeugen; *a con-*
vincing victory ein überlegener
Sieg; **convincing** *adj,* überzeugend; *(überzeugend)* evident, triftig; **convincingness** *sub, -es*
Evidenz; *nur Einz.* Triftigkeit

convoy, *sub, -s* Geleitzug, Konvoi;
(mil.) Geleit, Kolonne; **~ of**
wagons *sub, -es* Wagenkolonne

convulsion, *sub, -s* Konvulsion;
convulsive *adj,* krampfartig; **con-**
vulsive cough *sub, -* Krampfhusten

coo, *vi,* gurren, rucksen; *(girren)*
turteln

cook, (1) *sub, -s* Koch **(2)** *vti,* kochen; *home cooking* bürgerliche
Küche; **~ for** *vi,* bekochen, beköstigen; **~ for o.s.** *vi,* beköstigen; **~**
outside *vi,* abkochen; **~ slowly**
vti, garen; **~ up** *vt, (ugs.)* aushek-
ken; **~book** *sub, -s* Kochbuch;
~ed *adj, (Kochk.)* gar; **~ed oat-**
meal *sub, -s (US)* Haferbrei; **~er**
sub, -s Herd, Kocher; **~ery course**
sub, -s Kochkurs; **~ing chocolate**
sub, nur Einz. Blockschokolade;
~ing oil *sub, -s* Speiseöl; **~ing pot**
sub, -s Kochtopf; **~ing spoon** *sub,*
-s Kochlöffel; **~ing time** *sub, -s*
Kochzeit; **~ing utensils** *sub, nur*
Mehrz. Kochgeschirr

cool, (1) *adj,* kühl; *(ugs.)* cool, lässig **(2)** *vi,* erkalten **(3)** *vt,* kühlen;
cool cheek Frechheit; *he is as cool*
as a cucumber die Ruhe selbst sein,
sehr cool sein; *he´s a cool charac-*
ter ein unverschämter Kerl sein;
keep your cool cool bleiben; *(ugs.)*
a cool guy ein lässiger Typ; *(ugs.)*
man! what a cool haircut! Mensch!
die Frisur ist echt lässig!, *in spite of*
everything he didn´t lose his cool
er hat trotz allem die Nerven behalten; **~ down (1)** *vi,* auskühlen **(2)**
vti, abkühlen; **~ off** *vi,* abkühlen;
~ing *sub, -s* Abkühlung; - Kühlung;
~ing aggregate *sub, -s* Kühlaggregat; **~ing tower** *sub, -s (tech.)*
Kühlturm

coolie, *sub, -s* Kuli

cooper, *sub, -s* Fassbinder

cooperate, vi kooperieren mitarbeiten; **cooperation** sub, -s Entgegenkommen; - Kooperation: nur Einz. Miteinander; cancel the cooperation with so die Zusammenarbeit mit jemandem aufkündigen; **cooperative** (1) adj, kollegial, kooperativ (2) sub, -s Genossenschaft, Kooperative; **cooperative bank** sub, -s Genossenschaftsbank; **cooperativeness** sub, nur Einz. Kollegialität

co-operation, sub, -s Zusammenarbeit

coordinate, (1) sub, -s (mat.) Koordinate (2) vt, koordinieren; (gramm.) nebenordnen; well-coordinated gut aufeinander abgestimmt; **coordinating point** sub, -s Schaltstelle; **coordination** sub, -s Beiordnung, Koordination, Parataxe; (gramm.) Nebenordnung; **coordinator** sub, -s Koordinator

co-owner, sub, -s Mitbesitzer, Mitinhaberin; **~ship** sub, -s Miteigentum

cop, sub, -s Kops; (ugs.) Bulle

copal, sub, -s Kopal

cope with, (1) vi, (Arbeit) bewältigen; (einer Sache) beikommen (2) vt, verkraften

copier, sub, -s Kopierer

co-pilot, sub, -s Kopilot; (zweiter) Flugzeugführer

coping with, sub, - (Arbeit) Bewältigung

copper, sub, nur Einz. Kupfer; **~ coin** sub, -s Kupfermünze; **~ jug** sub, -s Kupferkanne; **~ kettle** sub, -s Kupferkessel; **~ wire** sub, -s Kupferdraht; **~-coloured** adj, kupferfarben; **~-plating** sub, nur Einz. Verkupferung; **~plate engraving** sub, -s Kupferstich; **~plate print** sub, -s Kupferdruck; **~s** sub, - Kupfergeld

co-producer, sub, -s Koproduzent; **co-production** sub, -s Koproduktion

coprophagous, adj, koprophag; **coprophagy** sub, - Koprophagie

cops, sub, nur Mehrz. (ugs.) Polente

copse, sub, -s Gehölz

Copt, sub, -s Kopte

copulate, vi, koitieren, kopulieren, paaren; **copulation** sub, nur Einz. Kopulation; -s (Kopulation) Paarung; **copulative word** sub, -s Kopulativum

copy, (1) sub, -ies Abschrift, Kopie,

Nachbildung: -s (Buchdruck) Abdruck (2) vt, abmalen, kopieren, nachmachen; (ugs.) abkupfern; (abmalen) abzeichnen; (abschreiben) übertragen; (Aufsatz) eintragen; (nachbilden) nacharbeiten (3) vti, abschreiben; she copies everything I do! sie macht mir alles nach!; copy an essay into one's exercise-book einen Aufsatz ins Heft eintragen; (abschreiben) she copied the text from the book into her notebook sie übertrug den Text aus dem Buch in ihr Heft; **~ protection** sub, - Kopierschutz; **~(ing)** sub, -ies (-s) Nachprägung; **~holder** sub, -s Tenakel; **~right** sub, -s Copyright; (tt; jur.) Urheberrecht; nur Einz. Urheberschutz; **~write** vi, (Werbung) texten; **~writer** sub, -s Texter

coral, sub, -s Koralle; **~ reef** sub, -s Korallenbank; **~-red** adj, korallenrot

cord, sub, -s Kordel; (anat.) Strang; **~ velvet** sub, -s Kordsamt

cordial, adj, kordial; **~ity** sub, nur Einz. Kordialität

cordon, sub, -s Kordon, Postenkette, Sperrgürtel

corduroy, sub, nur Einz. Cord; -s Kord; **~ suit** sub, -s Cordanzug; **~ trousers** sub, nur Mehrz. Kordhose

core, (1) sub, -s Kerngehäuse; (Kern) Gehäuse; (Mittelpunkt) Herz (2) vt, entkernen; (i. ü. S.) to the core bis ins Mark

coriander, sub, nur Einz. Koriander; **~ oil** sub, -s Korianderöl

Corinthian, adj, korinthisch

cork, (1) sub, nur Einz. Kork; -s Korken; (Korken) Stöpsel; (Sekt~) Pfropf, Pfropfen (2) vt, korken, verkorken; **~ up** vt, zukorken; **~screw** sub, -s Korkenzieher; **~y** adj, korkig

cormorant, sub, -s Kormoran

corn, sub, -s Hühnerauge; nur Einz. Mais; (bes. US) Mais; **~ flour** sub, nur Einz. Maismehl; **~ salad** sub, - Feldsalat; -s (bot.) Rapunzel; **~-cockle** sub, -s Kornrade

corncockle, sub, -s Rade

cornea, sub, -s (anat.) Hornhaut

corned beef, sub, nur Einz.

Cornedbeef
cornelian, *sub, -s* Karneol
corner, *sub, -s* Eck, Ecke, Winkel; *(ugs.)* Zipfel; *(wirt.)* Korner; *the pub at the corner* die Kneipe am Eck; *blind corner* unübersichtliche Kurve; *from the four corners of the earth* aus aller Herren Länder; *get sb in a corner* jmd in die Ecke drängen; *just round the corner* gleich um die Ecke; *round the corner* um die Ecke; *take a corner* eine Ecke treten; *(Auto) to hold the corner* in der Kurve liegen; *turn the corner* um die Ecke biegen; ~ *of the eye* sub, -s Augenwinkel; *watch so out of the corner of one´s eye* jemanden aus dem Augenwinkel beobachten; ~ **of the goalpost** sub, -s Lattenkreuz; ~ **seat** sub, -s Eckbank; ~ **seating unit** sub, -s Sitzecke; ~ **site** sub, -s Eckstück; ~ **table** sub, -s Ecktisch; ~-**kick** sub, -s Eckball
cornfield, *sub, -s* Getreidefeld, Kornfeld; **cornflakes** *sub, nur Mehrz.* Cornflakes; **cornflower** *sub, -s* Kornblume
corny joke, *sub, -s* Kalauer
corollary, *sub, -ies (mat. phil.)* Korollarium
coronary, *adj, (med.)* koronar; ~ **insufficiency** sub, - Koronarinsuffizienz
coronation, *sub, -s* Krönung
corpless, *adj, (i. ü. S.)* unkörperlich
corporal, *sub, -s* Korporal; ~ **punishment** sub, nur Einz. Leibesstrafe; Prügelstrafe, Züchtigung
corporate, *adj,* korporativ; **corporation** sub, -s Körperschaft; **corporation lawyer** sub, -s *(US)* Syndikus; **corporative chamber** sub, -s Ständekammer; **corporative state** sub, nur Einz. Ständewesen
corporeality, *sub, nur Einz.* Leiblichkeit
corps, *sub, -* Korps, -es *(mil.)* Corps; *student duelling society* studentisches Corps
corpse, *sub, -s* Leiche
corpulence, *sub, nur Einz.* Körperfülle, Korpulenz, Leibesfülle; *(Körper)* Fülle; **corpulent** *adj,* füllig, korpulent
corpus, *sub, -pora* Korpus; **Corpus Christi** *sub, nur Einz. (theol.)* Fronleichnam

corpuscle, *sub, -s (phy.)* Korpuskel
corral, *sub, -s* Korral
correct, (1) *adj,* korrekt, vorschriftsmäßig, zutreffend (2) *vt,* korrigieren; *(Aussage, Fehler etc.)* berichtigen; *(Fehler)* ausbessern; *(Zahlen)* bereinigen; ~ **o.s.** vr, berichtigen; ~ **thing** sub, - *(i. ü. S.)* Zutreffende; ~**ion** sub, -s Gegendarstellung, Korrektur, Richtigstellung; *(einer Aussage, von Fehlern)* Berichtigung; *(von Fehlern)* Ausbesserung; *(von Zahlen)* Bereinigung; ~**ional institution** sub, -s *(US)* Strafanstalt; ~**ive** (1) *adj,* korrektiv (2) *sub, -s* Korrektiv; ~**ly** *adv,* richtig; ~**ness** sub, nur Einz. Korrektheit, Richtigkeit
correspond, (1) *vi,* korrespondieren; *(Daten etc.)* übereinstimmen (2) *vt, (übereinstimmen)* entsprechen; ~**ence** sub, nur Einz. Briefwechsel; -s Entsprechung; *nur Einz.* Korrespondenz; -s Schriftwechsel; *(Einklang)* Übereinstimmung; *be in correspondence with sb* Briefwechsel mit jmd führen; ~**ence course** sub, -s Fernkurs, Fernstudium; ~**ent** sub, -s Korrespondent; *(im Ausland)* Berichterstatter; ~**ing** adj, entsprechend
corrida, *sub, -s* Corrida
corridor, *sub, -s* Flur, Gang, Korridor
corroberate, *vt,* unterstreichen
corrode, (1) *vt,* zersetzen; *(chem.)* beizen; *(tech.)* ätzen (2) *vti,* korrodieren, verätzen; **corrosion** sub, nur Einz. Korrosion; -s *(tech.)* Ätzung; *nur Einz. (Vorgang)* Beize; **corrosive** (1) *adj, (tech.)* ätzend (2) *sub, -s* Ätzflüssigkeit; *(Substanz)* Beize
corrugate, *vt,* wellen; ~**d cardboard** sub, -s Wellpappe
corrupt, (1) *adj,* korrupt, verdorben (2) *vt,* korrumpieren; *(Moral)* demoralisieren; ~**(ed)** adj, korrumpiert; ~**ibility** sub, nur Einz. Bestechlichkeit, Käuflichkeit; ~**ible** adj, bestechlich; ~**ion** sub, nur Einz. Korruption; *corruption passive* Bestechung; ~**ness** sub, -es Verderbtheit
corsac, *sub, -s* Steppenfuchs
corsage, *sub, -s* Korsage

corsair, *sub*, -s Korsar

corselet, *sub*, -s Korselett

corset(s), *sub*, -s Korsett; corsetry *sub*, *nur Einz.* Miederwaren

Corsican, *adj*, korsisch

cortege, *sub*, -s Trauergeleit

cortisone, *sub*, -s Kortison

corundum, *sub*, -s *(geol.)* Korund

cosiness, *sub*, *nur Einz.* Wohnlichkeit; *(Gemütlichkeit)* Traulichkeit

cosmetic, (1) *adj*, kosmetisch (2) *sub*, -s Kosmetikum; ~ian *sub*, -s Kosmetikerin; ~s *sub*, *nur Mehrz.* Kosmetik

cosmic, *adj*, kosmisch

cosmodrome, *sub*, -s Kosmodrom; cosmogonic(al) *adj*, kosmogonisch; cosmogony *sub*, -ies Kosmogonie; cosmography *sub*, -ies Kosmografie; cosmologic(al) *adj*, kosmologisch; cosmology *sub*, -ies Kosmologie

cosmonaut, *sub*, -s Kosmonaut; ~ics *sub*, - Kosmonautik

cosmopolitan, *sub*, -s Weltenbürger; ~ city *sub*, -s Weltstadt; cosmopolite *sub*, -s Kosmopolit

cosmos, *sub*, *nur Einz.* Kosmos, Weltall

Cossack, *sub*, -s Kosak; ~ cap *sub*, -s Kosakenmütze; ~ horse *sub*, -s Kosakenpferd

cost, (1) *sub*, *nur Einz.* Anschaffungskosten, -s *(finanziell)* Aufwand (2) *vti*, kosten; *at a cost of* mit einem Aufwand von; ~ factor *sub*, -s Kostenfaktor; ~ reasons *sub*, - Kostengründe; ~(s) *sub*, - Kosten; *money's no object* die Kosten spielen keine Rolle; *(ugs.) the beer is on me* das Bier geht auf meine Kosten; *the cost of living* Lebenshaltungskosten

costal arch, *sub*, -es *(anat.)* Rippenbogen

co-stars, *sub*, -s *(Film)* Partner

costly, *adj*, kostspielig

costume, *sub*, -s Kostüm, Kostümierung, Maskerade; ~ jewellery *sub*, *nur Einz.* Modeschmuck

cosy, *adj*, behaglich, gemütlich, heimelig, lauschig, traulich, traut; *(ugs.)* mollig, schnuckelig; ~ness *sub*, *nur Einz. (Gemütlichkeit)* Behaglichkeit

cottage, *sub*, -s *(Dial)* Kate; ~ cheese *sub*, *nur Einz.* Hüttenkäse; ~r *sub*, -s *(Dial)* Kätner

cotton, (1) *adj*, baumwollen (2) *sub*, *nur Einz.* Baumwolle, Cotton, -s Nes-

sel; ~ cloth *sub*, -s Kattun; industry *sub*, *nur Einz.* Baumwollindustrie; ~ pad *sub*, -s Wattebausch; ~ shirt *sub*, - -s Baumwollhemd; ~ twill *sub*, *nur Einz.* Drell; ~ wool *sub*, *nur Einz.* Watte; ~/linen lawn *sub*, -s Linon

cough, (1) *sub*, -s Husten (2) *vi*, husten; ~ medicine *sub*, -s Hustenmittel; ~ slightly *vi*, hüsteln; ~ up (1) *vt*, abhusten (2) *vti*, *(ugs.)* blechen; ~-drop *sub*, -s Hustenbonbon

could (might, may), *v aux*, können; *he could come any minute* er kann jeden Augenblick kommen; *she might see it differently* sie könnte anderer Meinung sein

coulomb, *sub*, -s *(phy.)* Coulomb

coumarone-resin, *sub*, -s *(chem.)* Kumaronharz

council, *sub*, -s Konzil; *(med.)* Konsilium; ~ chamber *sub*, -s Rathaussaal; ~ father *sub*, -s Konzilsvater; ~ meeting *sub*, -s Ratssitzung; ~ of elders *sub*, - Ältestenrat; ~ of ministers *sub*, *nur Einz.* Seniorat; Council of Europe *sub*, *nur Einz.* Europarat; ~ of ministers *sub*, *councils* Ministerrat; ~lor *sub*, -s Ratsherr; *(Person)* Gemeinderat

count, (1) *pron*, Zählung (2) *sub*, -s Graf; - Grafentitel (3) *vi*, zählen (4) *vt*, rechnen; *(Wählerstimmen)* auszählen (5) *vti*, *(zählen)* gelten; *(i. ü. S.)* Gewicht ins Gewicht fallen; *it counted against him* es wurde ihm angekreidet; ~ (out) *vt*, abzählen; ~ (up) *vt*, durchzählen; ~ extra *vi*, zuzählen; ~ on *vt*, *(erwarten)* errechnen; ~ out *vt*, *(auch Kinderspiel)* auszählen; ~'s *adj*, gräflich; ~'s coronet *sub*, -s Grafenkrone; ~ability *sub*, -s *(i. ü. S.)* Zählbarkeit; ~able *adj*, zählbar; ~down *sub*, -s Count-down

counter, (1) *sub*, -s Zähler, Zählwerk; *(Amt)* Schalter; *(Ausgabestelle)* Ausgabe; *(Laden)* Theke; *(Ladentisch)* Tresen (2) *vti*, kontern; ~ evidence *sub*, -s *(jur.)* Gegenbeweis; ~attack *sub*, -s *(mil.)* Konterschlag; ~act *vt*, hintertreiben, konterkarieren; ~attack *sub*, -s Gegenangriff; ~balance *sub*, -s *(med.)* Regulativ; ~blow *sub*, -s

Gegenschlag; **~claim** *sub*, *-s* Widerklage; **~claimant** *sub*, *-s* Widerkläger; **~clockwise turn** *sub*, *-s* Linksdrehung; **~culture** *sub*, *-s* Gegenkultur; **~currently** *adv*, gegenstromig

counterfeit, (1) *sub*, *-s* Fälschung **(2)** *vt*, *(Geld)* fälschen; **~ money** *sub*, - Falschgeld; **~er** *sub*, *-s* Fälscher, Falschmünzer

countermeasure, *sub*, *-s* Gegenmaßnahme; **counter plot** *sub*, - Gegengewalt; **counter rotating** *adj*, *(tech.)* gegenläufig; **counter-revolution** *sub*, *-s* Konterrevolution; **countermotion** *sub*, *-s* Gegenantrag; **countermove** *sub*, *-s* Gegenaktion, Gegenzug; **counteroffer** *sub*, *-s* Gegenangebot; **counterpart** *sub*, *-s* Counterpart, Pendant; *(i. ü. S.)* Gegenpol; **counterpoint** *sub*, - *(mus.)* Kontrapunkt; **countersink** *vt*, versenken; **counterweight** *sub*, *-s* Gegengewicht

countess, *sub*, *-es* Gräfin, Gräfinwitwe, Komtess; - *(Titel)* Gräfin

counting, *sub*, *-s* Durchzählung; **~ (out)** *sub*, *nur Einz.* Auszählung; **~machine** *sub*, *-s (i. ü. S.)* Zählapparat; **~out rhyme** *sub*, *-s* Abzählreim

country, *sub*, *-ies* Land, Staat; *drive on country roads* über die Dörfer fahren; *the whole country* die gesamte Bevölkerung; **~ air** *sub*, *nur Einz.* Landluft; **~ doctor** *sub*, *-s* Landarzt; **~ dweller** *sub*, *-s* Landbewohner; **~ estate** *sub*, *-s* Landgut; **~ fair** *sub*, *-s* Kirchweih; **~ feast to eat up meat from freshly slaughtered pigs** *sub*, *-s* Schlachtfest; **~ house** *sub*, *-s* Landhaus; **~ music** *sub*, *nur Einz.* Countrymusic; **~ of origin** *sub*, *-ies* Erzeugerland, Herkunftsland; **~ outing** *sub*, *-s (obs.)* Landpartie; **~ parson** *sub*, *-s* Landpfarrer; **~ seat** *sub*, *-s* Landsitz; **~ squire** *sub*, *-s* Junker; **~loving** *adj*, landliebend; **~side** *sub*, *nur Einz.* Landschaft; *(freies Land)* Natur; *in the open countryside* in der freien Natur; *the open countryside* Gottes freie Natur

county, *sub*, *-ies* County; **~ rock** *sub*, *-s (min.)* Nebengestein

coup, (1) *sub*, *-s (Staatsstreich)* Handstreich **(2)** *vi*, Coup; *pull off a coup* einen Coup landen; **~ d´état** *sub*, *-s*

Staatsstreich; *coups* Umsturz; **~ de grace** *sub*, *(Jagdw.)* Fangschuss

coupé, *sub*, *-s* Coupé

couple, *sub*, *-s* Ehepaar, Pärchen; *(Mann und Frau)* Paar; *a couple of times* ein paar Male; *an odd couple* ein ungleiches Paar; **~ of** *adj*, *(ein ~)* paar; **coupling** *sub*, *-s* Kopplung, Verkopplung

courage, *sub*, - Courage; *nur Einz.* Mut; *(Mut)* Tapferkeit; *lack courage* keine Courage haben; *Mother Courage* Mutter Courage; *the courage to admit when one doesn´t know sth* Mut zur Lücke; *to pluck up courage* Mut fassen; *with the courage born of despair* mit dem Mut der Verzweiflung; **~ of one's convictions** *sub*, *nur Einz.* Zivilcourage; **~ which defies death** *sub*, *nur Einz.* Todesmut; **~ous** *adj*, couragiert, mutig; *(mutig)* tapfer

courgette, *sub*, *-s (tt; biol.)* Zucchini

courier, *sub*, *-s* Kurier, Reiseführer, Reiseleiter

course, *sub*, *-s* Kurs, Kursus, Lauf, Lehrgang, Verlauf; *(Verlauf)* Gang; *to change course* den Kurs ändern; *to hold one´s course* den Kurs beibehalten; *(i. ü. S.)* in the course of the years* im Laufe der Jahre; *(i. ü. S.)* the way of the world* der Lauf der Welt; *(i. ü. S.)* we must let things take their course* wir müssen den Dingen ihren Lauf lassen; *three-course meal* Essen mit drei Gängen; *take its course* seinen Gang gehen; **~ of events** *sub*, *courses* Tatgeschehen; **~ of lectures** *sub*, *-s* Kolleg; **~ of studies** *sub*, *courses* Studiengang; **~ of the river** *sub*, *-s* Flusslauf; **~ of withdrawal treatment** *sub*, *-s* Entziehungskur

court, (1) *sub*, *nur Einz.* Cour; *-s* Hof; *(Gerichtsgebäude)* Gericht; *(jur.)* Court, Gericht **(2)** *vi*, *(werben)* balzen **(3)** *vt*, hofieren, umwerben; *to court sb* jmd die Cour machen; *at the court of Louis XIV* am Hofe Ludwig XIV; *court of law* ordentliches Gericht; *to take sb to court* jmdn rechtlich belangen; *hold court* Gericht halten; *take so to court* vor Gericht bringen; *testify* *before a court* vor Gericht aussagen; **~ a girl** *vi*, *(werben)* freien; **~ case** *sub*, *-s* Rechtsfall; **~ jester** *sub*, *-s* Schalksnarr; **~ of appeal** *sub*, *-s* Appellationsgericht; **~ of justice** *sub*, *-s* Gerichtshof, Instanz; *courts* Tribunal; *he went through all the courts* er ging von einer Instanz zur anderen; *we won at the first hearing, but lost at the second* wir haben in der ersten Instanz gewonnen, aber in der zweiten verloren; **~ official** *sub*, *-s* Gerichtsherr; **~ procedure** *sub*, *-s* Gerichtsverfahren; **~ room** *sub*, *-s* *(jur)* Sitzungssaal; **~ sb´s favour** *vt*, buhlen; **~ with a jury** *sub*, *-s* Schwurgericht; **~jester** *sub*, *-s* Hofnarr; **~martial** *sub*, *-s* Kriegsgericht; **~´s decision** *sub*, *-s* Gerichtsbeschluss; **~room** *sub*, *-s* Gerichtssaal; **~ship** *sub*, *-s* *(Partnerwerbung)* Balz; **~yard** *sub*, *-s* Innenhof, Schlosshof

courtesan, *sub*, *-s* Kurtisane, Lebedame

courtesy, *sub*, *-ies* Höflichkeit

courtier, *sub*, *-s* Hofschranze; **~like** *adj*, hofmännisch

courtly, *adj*, höfisch; **~ love** *sub*, *nur Einz.* Minne

cousin, *sub*, *-s* Cousin, Cousine, Kusine, Vetter; *(Cousine)* Base

couture, *sub*, *nur Einz.* Couture; **couturier** *sub*, *-s* Couturier

cover, **(1)** *sub*, *-s* Abdeckung, Cover, Deckmantel, Einband, Gedeck, Kuvert, Schoner; *(bedecken)* Decke; *(Bett etc.)* Überzug; *(Hülle)* Umschlag; *(Käse-)* Glocke; *(Stoffbezug)* Bezug; *(tech.)* Haube **(2)** *vt*, bedecken, beschälen, umhüllen, umkleiden, verhängen, verhüllen, zurücklegen; *(bedecken)* abdecken, belegen, decken, überziehen; *(Boden)* auslegen; *(einbeziehen)* erfassen; *(mit Leder, Stoff)* bespannen; *(Polster)* beziehen; *under cover in* Deckung; *using sth as a cover* unter dem Deckmantel; *clouds are covering the sky* Wolken überziehen den Himmel; *pull the covers over one´s head* die Decke über den Kopf ziehen; *slip under the covers* unter die Decke kriechen, *cover/roof the house* Dach decken; **~ (over)** *vt*, überdecken; **~ (up)** *vt*, *(i. ü. S.; Fehler)* überspielen; **~ board** *sub*, *-s*

Abdeckplatte, Einbanddecke; **~ o.s.** *vr*, bedecken; *(Versicherung)* absichern; **~ over** *vt*, verwischen; **~ up** *vt*, zudecken; *(i. ü. S.)* übertünchen; **~ with** *vt*, überschütten; **~ with scratches** *vt*, zerkratzen; **~ with soot** *vt*, berußen; **~(ing)** *sub*, *-s* Bedeckung, Hülle, Überdeckung; **~-up** *sub*, *-* *(ugs.)* Vertuschung

covered, *adj*, verhüllt; **~ in fluff (1)** *adj*, fusselig **(2)** *adv*, fusslig; **~ path** *sub*, *-s* Laubengang; **~ with glory** *adj*, ruhmbedeckt; **~ with scratches** *adj*, *(ugs.)* zerschrammt; **~ with wax** *adj*, gewachst; **covering** *sub*, *-s* Bezugsstoff, Deckung; *(eines Bodens)* Belag; *take cover in* Deckung gehen; **covering fire** *sub*, *-* *(mil.)* Feuerschutz; **covering letter** *sub*, *-s* Begleitbrief

cow, *sub*, *-s* Kuh; *milk fresh from the cow* frisch gemolkene Milch; *(ugs.) you can wait till the cows come home* da kannst du warten, bis du schwarz wirst; **~ elephant** *sub*, *-s* Elefantenkuh; **~ race** *sub*, *-s* Rinderrasse; **~shed** *sub*, *-s* Kuhstall; **~´s liver** *sub*, *-s* Rinderleber; **~´s milk** *sub*, *nur Einz.* Kuhmilch; **~´s udder** *sub*, *-s* Kuheuter

coward, *sub*, *-s* Feigling; *(i. ü. S.)* Hasenfuß; *he is too much of a coward to* er ist viel zu feige, um zu; **~ice** *sub*, *nur Einz.* Feigheit; **~ly** *adj*, feig, feige, zimperlich

cowboy, *sub*, *-s* Cowboy; **~ hat** *sub*, *-s* Cowboyhut

cowpat, *sub*, *-s* *(Kuh-)* Fladen; **cowshed** *sub*, *-s* Stall; **cowslip** *sub*, *-s* Schlüsselblume

coxswain, *sub*, *-s* *(spo.)* Steuermann

coy, *adj*, verschämt; **~ness** *sub*, *nur Einz.* Verschämtun

coyote, *sub*, *-s* Kojote, Steppenwolf

cozy, *adj*, heimelig, *(US)* gemütlich

crab, *sub*, *-s* Krabbe, Krebs; **~ louse** *sub*, *crab lice* Filzlaus; **~by** *adj*, *(i. ü. S.)* ätzend

crack, **(1)** *sub*, *-s* Knacks, Riss, Ritz, Ritze; *(Haut)* Schrunde; *(Holz)* Spalte; *(Riss)* Spalt; *-* *(spo.)* Crack **(2)** *vi*, *(Eisfläche)* aufbrechen; *(Lippen)* aufspringen **(3)** *vr*, *(Stimme)* überschlagen **(4)** *vt*, knacken; *(chem.)* spalten; *(Ei)* aufschlagen;

(ugs.) he´s a bit cracked er hat einen Knacks weg; *(ugs.) their marriage has been cracking up for a long time* die Ehe der beiden hat schon lange einen Knacks; *he´s cracked up* er ist durchgedreht; *leave the door open a crack* lass die Tür einen Spalt offen; *the glass is cracked* das Glas ist gesprungen; *to crack one´s whip* mit der Peitsche schnalzen; ~ **force** *sub*, -s Elitetruppe; ~ **of the door** *sub*, *cracks* Türspalt; ~ **up** *vi*, *(ugs.)* durchdrehen; ~**ed** *adj*, borkig, rissig, schrundig; *cracked bark* borkige Rinde; ~**ed up** *vpp*, *(ugs.; psych.)* durchgedreht

cracker, *sub*, -s Cracker, Kanonenschlag, Knallkörper

crackle, *vi*, knistern; **crackling** *sub*, - Kruste

cracknel, *sub*, -s Krokant

cradle, *sub*, -s Wiege; *from the cradle to the grave* von der Wiege bis zur Bahre; *to learn sth from the cradle* etwas mit der Muttermilch einsaugen

craft, *sub*, -s Handwerk; ~ **industry** *sub*, *nur Einz.* Kunsthandwerk; ~**iness** *sub*, *-es* Durchtriebenheit; ~**sman** *sub*, *-men (künstl)* Handwerkerin; *(künstl)* Handwerker; ~**y** (1) *adj*, abgefeimt, durchtrieben; *(schlau)* gerissen (2) *sub*, fintenreich; ~**y thing** *sub*, -s Pfiffikus; ~**yness** *sub*, *-es* Abgefeimtheit

crake, *sub*, *-s (zool.)* Sumpfhuhn

cram, (1) *vt*, pferchen (2) *vti*, büffeln; ~ **full** *vt*, vollstopfen; *(ugs.)* voll stopfen; ~**-full** *adj*, *(ugs.; Menschen)* übervoll; ~**ming** *sub*, -s Einpferchung

cramp, *sub*, -s Krampf; ~ **in the calf** *sub*, -s Wadenkrampf

cranberry, *sub*, *-ies* Preiselbeere

cranial, *adj*, *(med.)* kranial

crank, *sub*, -s Kurbel; ~ **up** *vt*, *(Auto)* ankurbeln

crap, (1) *sub*, *nur Einz. (vulg.)* Kacke, Scheiß, Scheißdreck, Scheiße (2) *vi*, scheißen

crash, (1) *sub*, *-es* Karambolage; ~ *(Kfz)* Crash (2) *vi*, karambolieren, krachen, verunglücken; *(Börse)* einbrechen; *(comp.)* abstürzen; *crash into* auffahren auf; ~ **about** *vi*, poltern; ~ **barrier** *sub*, -s *(Leit~)* Planke; ~ **car** *sub*, -s *(verunfallter*

Wagen) Unfallwagen; ~ **course** *sub*, -s Schnellkurs; ~ **into** *vi*, *(zusammenstoßen)* auffahren; ~ **into sth.** *vt*, prallen; ~ **through** *vt*, *(Auto)* durchbrechen; ~**-barrier** *sub*, -s Leitplanke; ~**-land** *vi*, bruchlanden; *crash-land* bruchgelandet sein; ~**landing** *sub*, -s Bruchlandung; ~**landing in the sea** *sub*, *c.-landings* Notwasserung

crate, *sub*, -s Kasten, Kiste; *(Obstkiste)* Stiege

crater, *sub*, -s Krater; *(Granat-)* Trichter

crave for, (1) *vi*, *(nach)* gieren (2) *vt*, gelüsten, lechzen; **craving** *sub*, -s Gelüst; *nur Einz.* Heißhunger; ~ *(nach Essen)* Gier; **craving for pleasure** *sub*, - *(ugs.; abw.)* Genusssucht; **craving for sweet things** *adj*, naschsüchtig

crawfish, *sub*, - *(zool., US)* Flusskrebs

crawl, *vi*, krabbeln, kraulen, kriechen; *(ugs.)* schleimen; *(mil.)* robben; ~ **(stroke)** *sub*, - *(spo.)* Kraul; ~ **relay** *sub*, -s Kraulstaffel; ~ **sprint** *sub*, -s *(spo.)* Kraulsprint; ~**er** *sub*, -s *(ugs.)* Schleimer; ~**er lane** *sub*, -s Kriechspur; ~**ing stage** *sub*, - Krabbelalter

crayfish, *sub*, - Krebs, Languste; *(zool.)* Flusskrebs

crayon, *sub*, -s Krayon

craze, *sub*, - Fimmel; -s *(mod.)* Welle; **craziness** *sub*, *nur Einz.* Tollheit; - Verdrehtheit; **crazy** *adj*, verdreht, verrückt, wahnsinnig; *(ugs.)* bekloppt, beknackt, fetzig, rappelig, spleenig; *(verrückt)* toll; *(ugs.) be crazy about so* eine Affen an jemandem gefressen haben; *(ugs.) that fellow is just crazy!* der Kerl hat doch einen Tick!; **crazy action** *sub*, -s Wahnsinnstat; **crazy habit** *sub*, -s Spleen; **crazy idea** *sub*, -s Hirngespinst; *(ugs.)* Schnapsidee; **crazy mood** *sub*, -s Rappel; *(ugs.) to get one of one´s crazy moods* seinen Rappel kriegen; **crazy notion** *sub*, -s Wahnidee

creak, *vi*, knacken, knacksen, knarren, krachen

cream, (1) *sub*, - Rahm; *nur Einz.* Sahne (2) *vt*, *(Creme)* einschmieren; ~ (-coloured) *adj*, cremefarbig; ~ **bakery** *sub*, *-es (i. u. S.)* Windbäckerei; ~ **cheese** *sub*, - Rahmkäse; ~ **off** *vi*, *(ugs.)* abzocken; ~ **off the profits** *vt*, absahnen; ~ **puff** *sub*, *-s* Windbeutel; ~ **puff egg** *sub*, *-s* Windbeutelei; ~ **sauce** *sub*, *-s* Rahmsoße; ~y *adj*, cremig, sahnig

crease, (1) *sub*, *-s* Falte, Knick, Knitterfalte (2) *vt*, knicken, versitzen, zerknittern (3) *vti*, knittern; ~**d** *adj*, *(zerknittert)* faltig; ~**proof** *adj*, knitterfest

create, *vt*, erschaffen, gestalten, hervorbringen, schaffen, verursachen, wecken; *(Eindruck)* hervorrufen; *(schaffen)* gründen; ~ **a collage** *vt*, collagieren; ~ **a distinctive personal image for oneself** *vr*, profilieren; ~ **a montage from** *vt*, *(künstl.)* montieren; **creation** *sub*, *-s* Erschaffung, Gestaltung, Kreation; *nur Einz.* Kreatur; *-s* Schöpfung; *all creation cried out for rain* alle Kreatur sehnte sich nach Regen; **creation of blocs** *sub*, *nur Einz.* Blockbildung; **creative** *adj*, kreativ, schöpferisch; *become very creative* schöpferische Aktivität entfalten; **creative urge** *sub*, *nur Einz.* Schaffensdrang; **creativity** *sub*, *nur Einz.* Kreativität; *-ies* Schöpfertum; **creator** *sub*, *-s* Schöpfer, Urheber; *(erschaffen)* Erfinder; *- (Gott)* Schöpfer; **creator of the universe** *sub*, *nur Einz.* *(phil./Platon)* Demiurg

credible, *adj*, glaubhaft

credit, (1) *sub*, *-s* Fremdmittel; *nur Einz.* Kredit; *-s* Kreditierung, Verdienst; *(wirt.)* Haben (2) *vt*, gutschreiben; *(gutschreiben)* anrechnen; *balance in your credit* Saldo zu Ihren Gunsten; *deserve credit* Anerkennung verdienen; *does him credit* (diese Haltung) ehrt ihn; *from all directions* aus allen möglichen Richtungen; *give so credit for sth* jemanden etwas als Verdienst anrechnen; *he took the credit himself* er hat allein die Lorbeeren eingeheimst; *take sth on credit* etwas anschreiben lassen; *would you credit it?* ist denn sowas möglich?, *credit a sum to so* jmdn einen Betrag gutschreiben; ~ **a person with sth** *vt*, kreditieren; ~ **card** *sub*, *-s* Kreditkarte; ~ **entry** *sub*,

-ies Gutschrift; ~ **market** *sub*, -s Kreditmarkt; ~ **of goods** *sub*, *-s* Warenkredit; ~ **system** *sub*, -s Kreditwesen; ~**-worthy** *adj*, kreditfähig; ~**or** *sub*, *-s* Kreditgeber, Kreditor; *(wirt.)* Gläubiger, Gläubigerin; ~**worthiness** *sub*, - Bonität

credulous, *adj*, treudoof

creed, *sub*, *-s* Glaubensbekenntnis, Kredo

creek, *sub*, *-s (geogr.)* Creek

creep, *vi*, kriechen, schleichen; *(ugs.)* *it/he gives me the creep* das/er ist mir unheimlich; ~ **around** *vt*, umschleichen; ~ **away** *vr*, verkriechen; ~ **up on** (1) *vi*, beschleichen (2) *vt*, anschleichen; ~**er** *sub*, *-s* Schlingpflanze; ~**y** *adj*, gruselig

cremate, *vt*, *(Leichen)* einäschern; ~**d** *adj*, *(Leiche)* eingeäschert; **cremation** *sub*, *-s* Einäscherung, Feuerbestattung, Kremation, Leichenverbrennung; **crematorium** *sub*, *-s* Krematorium

crème de menthe, *sub*, *nur Einz.* Pfefferminzlikör

Creole, *sub*, *-s* Kreole

crepe, *sub*, *-s* Kräuselkrepp, Krepp; ~ **paper** *sub*, *-s* Krepppapier

crescent, *sub*, *-s (Figur)* Halbmond; *- (Mond)* Sichel; ~ **moon** *sub*, *-s (poet.)* Mondsichel; ~**-shaped** *adj*, semilunar

cresol, *sub*, *- (chem.)* Kresol

cress, *sub*, *nur Einz.* Kresse

crest, *sub*, *-s* Höhenrücken

Cretan, *adj*, kretisch

cretin, *sub*, *-s (med.)* Kretin; ~**ism** *sub*, *nur Einz.* Kretinismus

crew, *sub*, *-s* Crew; *(eines Flugzeugs, Schiffes)* Besatzung

crib, (1) *sub*, *-s* Krippe, Schummel, Spickzettel (2) *vi*, *(ugs.; abschreiben)* spicken (3) *vt*, *(ugs.)* klauen

cricket, *sub*, *nur Einz.* Kricket; *-s (zool.)* Grille; ~ **ball** *sub*, *-s* Krikketball

cries of woe, *sub*, *nur Mehrz.* Wehgeschrei

crime, *sub*, *-s* Frevel, Verbrechen; ~ **film** *sub*, *-s* Kriminalfilm; ~**s committed by computer** *sub*, *nur Mehrz.* Computerkriminalität; **criminal** (1) *adj*, kriminal, kriminell, verbrecherisch (2) *sub*, *-s* Kriminelle, Verbrecher, Verbrecherin; **criminal case** *sub, -s* Strafprozess; **criminal code** *sub, -s* Strafgesetzbuch; **criminal court** *sub, -s* Strafgericht, Strafkammer; **criminal investigation department** *sub, -s* Kriminalpolizei

criminal law, *sub, -s* Pönalgesetz, Strafrecht; **criminal offence** *sub, -s* Straftat; **criminal trial** *sub, -s* Kriminalprozess; **criminality** *sub, nur Einz.* Kriminalität; **criminalize** *vt,* kriminalisieren; **criminally liable** *adj,* strafmündig; **criminalogical** *adj,* kriminalistisch; **~s** *sub, -s* Kriminalist; **criminology** *sub, nur Einz.* Kriminalistik

crimp, *vt,* kräuseln, ondulieren; **~ing** *sub, -s* Ondulierung

crimson, (1) *adj,* karmesinrot, purpurfarben, purpurfarbig **(2)** *sub, nur Einz.* Karmin, Purpur; *(ugs.) she went crimson* sie wurde rot wie eine Tomate; **~ robe** *sub, -s* Purpurmantel

crinkle-finished patent leather, *sub, -s* Knautschlack

crinoline, *sub, -s* Krinoline

cripple, (1) *sub, -s* Krüppel **(2)** *vt,* verkrüppeln; **~d** *adj,* krüppelhaft, verkrüppelt

crisis, *sub, -es* Krise; *crises* Notlage, Notstand; *to end a crisis* einen Notstand beheben; **~ area** *sub, -s* Krisengebiet

crisp, (1) *adj,* kross **(2)** *sub, -s (Kartoffel-)* Chip; **~bread** *sub, -s* Knäckebrot

criterion, *sub, -ia* Kriterium

critic, *sub, -s* Kritiker; **~al** *adj,* kritisch, tadelsüchtig, zeitkritisch; *be critical about sth* sich kritisch über etwas äußern; **~al path** *sub, -s* Netzplan; **~al philosophy** *sub, nur Einz.* Kritizismus; **~ism** *sub, nur Einz.* Bekrittelung, Bemängelung; *hier nur Einz.* Kritik; **~** Rüge; *nur Einz. (Kritik)* Beanstandung; **~ize** *vt,* bemäkeln, bemängeln, kritisieren; *(kritisieren)* beanstanden, tadeln; *criticize someone* Kritik an jemandem üben; **critique of civilization** *sub, -* Kulturkritik; **critizise** *vt,* bekritteln

croak, (1) *vi,* krächzen **(2)** *vti,* quaken; **~ing** *sub, nur Einz.* Krächzer

crockery, *sub, -ies* Geschirr

crocodile, *sub, -s* Krokodil; **~ tears** *sub, nur Mehrz.* Krokodilsträne; **crocodilian** *sub, -dilia* Panzerechse

crocus, *sub, -es* Krokus

Croesus, *sub, -* Krösus

croissant, *sub, -s* Croissant; **~ (Fr.)** *sub, -s* Hörnchen

cromlech, *sub, -s* Kromlech

cronyism, *sub, -s* Filzokratie

crook, *sub, -s* Ganove, Gauner; *gang of crooks* Gaunerbande; **~ of an arm** *sub, -s -s (Armkehle)* Armbeuge; **~ed** *adj,* krumm; *(ugs.)* windschief; **~edness** *sub, -es* Verkrümmung

crop, *sub, -s* Ernte; *to grow different crops side by side* Mischkulturen anbauen; **~ failure** *sub, -s* Missernte; **~ rotation** *sub, -s* Fruchtfolge

croquet, *sub, nur Einz.* Krocket; **~te** *sub, -s* Krokette

cross, (1) *adj, (ugs.)* unleidlich **(2)** *sub, -es* Flankenball, Kreuz, Querpass **(3)** *vi,* kreuzen **(4)** *vt,* durchqueren, kreuzen, überkreuzen, überqueren, überschreiten; *(Beine)* überschlagen; *(durchfahren)* durchkreuzen; *(Grenze)* übertreten; *(Raum)* durchmessen **(5)** *vti,* queren; *cross one´s legs* seine Beine überschlagen; *the land is crisscrossed by canals* das Land ist von Kanälen durchschnitten; *the train crossed the bridge* der Zug passierte die Brücke; *to cross sb´s path* jmd in die Quere kommen; *we all have our cross to bear* jeder hat sein Päckchen zu tragen, *our paths have never crossed again* unsere Wege haben sich nie wieder gekreuzt, *cross the drink* den Ozean durchqueren; *to cross one´s legs* die Beine kreuzen; *to cross one´s mind* ein Gedanke durchkreuzt jmd; *to cross one´s plan* einen Plan durchkreuzen; *to cross sb path* jmd Weg durchkreuzen; *cross the room with long strides* den Raum mit grossen Schritten durchmessen; **~ action** *sub, -s (jur.)* Gegenklage; **~ between A and B** *sub, -* Zwischending; **~ check** *sub, -s* Gegenprobe; **~ o.s.** *vr,* bekreuzen, bekreuzigen; **~ on the summit of the mountain** *sub, -es* Gipfelkreuz; **~ out** *vt,* wegstreichen; **~ over (1)** *vi,* überfahren (2) vt, verschränken; ~ **sni-der** sub, -s (zool.) Kreuzspinne; ~ **talk** vt, übersprechen; ~ **through** vt, (ankreuzen) durchkreuzen; a crossed cheque Verrechnungsscheck; ~ **through (out)** vt, durchstreichen; ~**-beam** sub, -s (arch.) Holm; (Querbalken) Traverse; ~**-border commuter** sub, -s Grenzgänger; ~**-bred** sub, -s Kreuzung; ~**-breeding** sub, -s Einkreuzung; nur Einz. Kreuzung

cross-country (run), sub, -s Querfeldeinlauf; **cross-country** adj, geländegängig; hike cross-country über Berg und Tal wandern; **cross-country activity** sub, -ies Geländespiel; **cross-country drive** sub, -s Geländefahrt; **cross-country ride** sub, -s Geländeritt; **cross-country run** sub, -s Geländelauf; **cross-country running** sub, -s Waldlauf; **cross-country ski** sub, -s Langlaufski; **cross-country ski run** sub, -s Loipe; **cross-country skiing** sub, nur Einz. Langlauf; **cross-country vehicle** sub, -s Geländewagen; **cross-examination** sub, -s Kreuzverhör

cross-eyed, adj, schieläugig; **cross-reference** sub, -s Querverweis; **cross-section** sub, -s Querschnitt; **cross-shaped** adj, kreuzförmig; **crossbeam** sub, -s Querholz; **crossbench** adj, überparteilich; **crossbill** sub, -s (zool.) Kreuzschnabel; **crossbow** sub, -s Armbrust; **crossbreed** sub, -s (tt; biol.) Warmblut, Warmblütler; (tt; zool.) Bastard; **crosscut end** sub, -s (Holz) Stirnfläche; **crossed bandage** sub, -s Kreuzverband; **crosshairs** sub, nur Mehrz. Fadenkreuz

crossing, sub, -s Durchquerung, Überfahrt, Übergang, Überquerung, Überweg; ~**-the-line ceremony** sub, -ies Äquatortaufe; -ies Linientaufe; **crossroad** sub, -s Wegkreuzung; **crossroad(s)** sub, - Kreuzung; **crossways** adv, quer; **crosswise** adv, quer; **crossword** sub, -s Rätsel; **crossword fan** sub, -s Rätselfreund; **crossword puzzle** sub, -s Kreuzworträtsel; **crossword solution** sub, -s Rätsellösung

crotch measurement, sub, -s Schrittweite

crouch, vi, hocken, kauern, kuschen;

~ **down** vt, niederkauern

croupier, sub, -s Croupier

croupy, adj, (med.) kruppös

crow, (1) sub, -s Krähe (2) vi, krähen; ~**bar** sub, -s Brechstange, Stemmeisen

crowd, sub, - Gedränge; -s Gewühl, Masse, Menge, Menschenmenge, Menschenmenge, Schar; (ugs.) Korona; (Ansammlung) Auflauf; (ugs.) strange crowd ein komisches Volk; to crowd sb auf die Pelle rücken; ~ **in on sb** vt, (Probleme) einstürzen; the problems crowded in on him die Probleme stürzten auf ihn ein; ~**ed** adj, (dicht) gedrängt; live crowded together auf engem Raum zusammenleben

crown, (1) sub, -s Krone, Kronentaler, Landeskrone, Wirbel; nur Mehrz. (in GB) Fiskus (2) vt, krönen; ~ **cap** sub, -s Kronenkorken; ~ **colony** sub, -ies Kronkolonie; ~ **of thornes** sub, -s Dornenkrone; ~ **prince** sub, -s Kronprinz

crucial, adj, (Problem) entscheidend

crucible, sub, -s (Schmelz-) Tiegel

crucified, sub, -s Gekreuzigte; **crucifix** sub, -es Kruzifix; **crucifixion** sub, -s Kreuzigung; **crucify** vt, kreuzigen

crude, adj, (neg.) deftig; (Schmeichelei, Lüge) plump; (Umgangsform) derb; crude joke deftiger Witz; ~ **oil** sub, nur Einz. Rohöl; ~**ly explicit** adj, (Text) drastisch; ~**ness** sub, -es Grobheit; nur Einz. Krassheit; ~ Primitivität; **crudity** sub, -ies Derbheit

cruel, adj, grausam; ~**ty** sub, -ies Grausamkeit; ~**ty (children)** sub, nur Einz. (Kindes~) Misshandlung; ~**ty to animals** sub, cruelties Tierquälerei

cruise, sub, -s Kreuzfahrt; ~ **missile** sub, -s (mil.) Cruisemissile; ~**r** sub, -s Kreuzer

cruller, sub, -s (US) Spritzkuchen

crumb, sub, -s Brosame, Brösel, Krume, Krümel; ~**le (1)** sub, -s Streusel (2) vi, bröckeln (3) vr, verkrümeln (4) vt, brocken, verdrükken (5) vti, krümeln, zerbröckeln; crumble away zerbröckeln, verfallen; *crumble one´s bread* sein Brot bröckeln; **~le away** *vi*, abbröckeln; **~liness** *sub, nur Einz.* Mürbheit; **~ling away** *sub, nur Einz.* Abbrökkelung; **~ly** *adj*, bröckelig, krümelig, mürbe; *a crumbly pastry* ein brökkeliger Kuchen

crumple, *vti*, knittern, knüllen; **~zone** *sub, -s* Knautschzone; **~d** *adj*, kraus; *(ugs.)* zerknittert

crunch, (1) *vi* knirschen **(2)** *vti*, knuspern; *now comes the crunch* jetzt geht´s ans Eingemachte; **~y** *adj*, knusprig

crusade, *sub, -s* Kreuzzug; **~r** *sub, -s* Kreuzfahrer, Kreuzritter

crust, (1) *sub, -s* Kruste, Rinde, Schorf; *(Dial)* Knust; *(ugs.)* Ranft **(2)** *vi*, verharschen; **~ (over)** *vt*, überkrusten

crustacean, *sub, -s (zool.)* Krustazee

crusted, *adj, (Schnee)* harsch; **~ snow** *sub, nur Einz.* Harsch; **crusty** *adj*, rösch; **crusty manner** *sub*, Borstigkeit

crutch, *sub, -es* Krücke

cry, (1) *vt, (rufen)* ausrufen **(2)** *vti*, weinen; *cry on so´s shoulder* seine Sorgen bei jemandem abladen; *laugh till one cries* Tränen lachen; *to cry on sb´s shoulder* jmd seine Not klagen; *to cry one´s heart out* sich die Augen rot weinen; *to make you want to cry* es ist zum Weinen; *to tire oneself out crying* sich müde weinen; **~ for help** *sub*, cries Hilferuf; **~ of joy** *sub, -ies* Jauchzer; **~ of outrage** *sub, -ies* Empörungsschrei; **~ out** *vi*, aufbrüllen; **~baby** *sub, -ies* Heulsuse; **~ing** **cramp** *sub, -s* Weinkrampf

cryolite, *sub, -s* Kryolith

crypt, *sub, -s* Gruft, Krypta; **~ic** *adj*, kryptisch; **~ogenic** *adj, (med.)* kryptogen; **~ogramme** *sub, -s* Kryptogramm; **~ography** *sub, -* Kryptografie

crystal, *sub, -* Kristall; **~ glass** *sub, -s* Kristallglas; **~ vase** *sub, -s* Kristallvase; **~-clear** *adj*, glasklar, kristallklar; **~line** *adj*, kristallin; **~lization** *sub, -s* Kristallisation; *nur Einz.* Verzukkerung; **~llize** *vti*, kristallisieren

C-size battery, *sub, -ies (tech.)* Babyzelle

cube, *sub, -s* Hexaeder, Kubus; *(tt; mat.)* Würfel; *to cut sth into cubes* etwas in Würfel schneiden; **~ root**

sub, -s Kubikwurzel; **~ sugar** *sub, -s* Würfelzucker; **cubic** *adj*, hexaedrisch, kubisch, würfelig; **cubic capacity** *sub, -ies (tt)* Hubraum; **cubic foot** *sub, feet* Kubikfuß; **cubic metre** *sub, -s* Kubikmeter, Raummeter

cubicle, *sub, -s (Sporthalle, etc.)* Ankleidekabine

cubism, *sub, nur Einz. (kun.)* Kubismus; **cubist** *sub, -s* Kubist

cuboid, *sub, -s* Quader

cuckold, (1) *adj, (i. ü. S.; Ehemann)* gehörnt **(2)** *sub, -s* Hahnrei

cuckoo, *sub, -s* Kuckuck; **~ clock** *sub, -s* Kuckucksuhr; **~´s egg** *sub, -s* Kuckucksei; *(i. ü. S.) to land someone (oneself) with a difficult child* jemandem ein Kuckucksei ins Nest legen

cucumber, *sub, -s* Gurke; **~ salad** *sub, -s* Gurkensalat; **~ spice** *sub, -s* Gurkengewürz; **~slicer** *sub, -s* Gurkenhobel

cudgel, *sub, -s* Knüppel, Totschläger

cue, *sub, -s* Queue; *(Theater)* Stichwort; *give the cue* den Einsatz geben

cuff, *sub, -s* Manschette, Stulpe; *(eines Ärmels)* Aufschlag

cuirassier, *sub, -s* Kürassier

cul-de-sac, *sub, -s* Sackgasse

culinary, *adj*, kulinarisch

culling, *sub, nur Einz.* Klaubarbeit

culminate, *vi*, gipfeln, kulminieren; **culmination** *sub, -s (i. ü. S.)* Gipfelpunkt

culpable, *adj, (jur.)* schuldhaft

culprit, *sub, -s* Missetäterin; *(veraltet)* Missetäter

cult, *sub, -s* Kult; **~ film** *sub, -s* Kultfilm; **~ivate (1)** *adj*, urbar **(2)** *vt*, bewirtschaften, kultivieren; *(bepflanzen)* bebauen; *(bewirtschaften)* bestellen; *(tt; bot.)* züchten; *(Getreide, etc.)* anbauen; **~ivated** *adj*, kultiviert; *(Sprache, Stil)* gepflegt; **~ivation** *sub, -s* Bewirtschaftung; *nur Einz.* Kultivierung; *-s* Urbarmachung; *nur Einz. (Anpflanzung)* Anbau; *-s (Bewirtschaftung)* Bestellung; *(tt; bot.)* Zucht; *nur Einz. (Kultivierung)* Bebauung; **~ivation of pure cultures** *sub, -s* Reinzucht; *(biol.)* Reinkul tur; **~ivation of tobacco** sub, nur Einz. Tabakbau

cultural, adj, kulturell; **~ heritage** sub, nur Einz. Kulturerbe; **~ life** sub, - Kulturleben; **~ revolution** sub, -s Kulturrevolution; **culture** sub, -s Kultur; (tt; biol) Zucht; he is uncultured er hat keine Kultur; vanished cultures verschollene Kulturen; **cultured** adj, gebildet, kultiviert

cumbersome, adj, ungeschlacht

cumulative, adj, kumulativ

cumulus cloud, sub, -s Haufenwolke, Kumulus

cuneiform script, sub, -s Keilschrift

cunning, (1) adj, hinterlistig, listenreich, listig, raffiniert **(2)** sub, nur Einz. Bauernschläue; ~ Hinterlist; -Raffinesse; -s Schläue; nur Einz. (Täuschung) List; to use a bit of cunning zu einer List greifen; **~ devil** sub, -s (i. ü. S.; schlauer Mensch) Fuchs

cunt, sub, -s (vulg.) Möse

cup, sub, -s Pokal, Tasse; (Wegwerfbecher) Becher; the cup final das Endspiel um den Pokal; a cup of coffee eine Tasse Kaffee; have a nice cup sich ein Tässchen genehmigen; (i. ü. S.) not be sb´s cup of tea nicht jmds Fall sein; not my cup of tea das ist nichts für mich; to drain the bitter cup den bittern Kelch bis zur Neige leeren; to drain the cup to the dregs das Glas bis zur Neige leeren; **~ (of a bra)** sub, -s Körbchen; **~ of hemlock** sub, -s Schierlingsbecher; **~-shaped** adj, becherförmig, kelchförmig; **~-winner** sub, nur Mehrz. Pokalsieger; **~bearer** sub, -s (hist.) Mundschenk

cupboard, sub, -s Geschirrschrank, Hochschrank, Schrank

cupel, vt, kupellieren

Cupid, sub, -s Eroten

cupping glass, sub, -es (med.) Schröpfkopf

cur, sub, -s Köter; (ugs.) Töle

curability, sub, nur Einz. Heilbarkeit; **curable** adj, kurabel

curace, vt, vikariieren; **curacy** sub, -es Vikariat; **curate** sub, -s Pfarrhelfer, Prädikant, Vikar; **curative** adj, heilkräftig, kurativ; **curator** sub, -s Konservator, Kurator; **curatorship** sub, -Kuratorium

curb, (1) sub, -s Kandare **(2)** vt, bezäh-

men; (Quelle) einfassen; (i. ü. S.) to take someone in hand jemanden an die Kandare nehmen, curb one´s tongue seine Zunge im Zaum halten

churchyard, sub, -s Kirchhof; (Dial.) Leichenacker; (bei Kirche) Friedhof

curd, sub, -s Topfen; **~le** vi, (Milch) gerinnen

cure, (1) sub, -s Entwöhnung, Heilung, Kur **(2)** vt, kurieren; (jmd.) heilen; (ugs.) cure so of sth jemandem etwas austreiben; there is no cure for the common cold es gibt kein Mittel gegen Schnupfen; have little hope of being cured wenig Hoffnung auf Heilung haben; seek a cure Heilung suchen; **~ completely** vt, auskurieren; **~ sb of** vt, (kurieren) entwöhnen; **~ with cold water** sub, -s Prießnitzkur; **~d pork cutlet** sub, -s Kassler

curettage, sub, -s (med.) Kürettage; **curette** vti, kürettieren

curfew, sub, -s Ausgangssperre, Ausgehverbot; nur Einz. (mil.) Sperrstunde; impose a curfew eine Ausgangssperre verhängen

curing, sub, nur Einz. Ausheilung

curiosity, sub, -ies Kuriosität; nur Einz. Neugier; **curious** adj, neugierig, schaulustig; he has undergone a curious change er hat sich merkwürdig verändert; **curious onlookers** sub, nur Mehrz. Schaulustige

curium, sub, nur Einz. (chem.) Curium

curl, (1) sub, -s Locke **(2)** vi, (Haare) locken **(3)** vr, ringeln; **~ up (1)** vi, kringeln **(2)** vr, rollen; **~ed mint** sub, -s Krauseminze; **~er** sub, -s Lockenwickel, Lockenwickler

curlicues, sub, nur Mehrz. Geschnörkel

curling, sub, nur Einz. (spo.) Curling; **~ iron** sub, -s Brennschere

curly, adj, lockig; to have curly hair Locken haben; **~headed** adj, lokkenköpfig

currant, sub, -s Korinthe

currency, sub, -ies Geläufigkeit, Gültigkeit; nur Einz. Umlaufmittel; -es Währung; **~ exchange** sub, -s Geldumtausch; **~ reform** sub, -s

Währungsreform

current, (1) *adj*, gegenwärtig, gültig, laufend; *(Preis)* marktüblich; *(Preise)* geltend **(2)** *sub*, -s Strömung; *(Strömung)* Strom; **~ account** *sub*, -s Girokonto, Kontokorrent; **~ drain** *sub*, -s *(Entnahme)* Stromabnahme; **~ intensity** *sub*, -ies Stromstärke

curry, (1) *sub*, -ies *(Gericht)* Curry **(2)** *vt*, striegeln; **~-powder** *sub*, *(Gewürz)* Curry; **~comb** *sub*, -s Kardätsche, Striegel

curse, (1) *sub*, -s Fluch; *nur Einz.* Unwesen **(2)** *vi*, fluchen, schelten **(3)** *vt*, verfluchen, verwünschen; *be under a curse* unter einem Fluch stehen; *become the curse of mankind* zum Fluch für die Menschheit werden; *put a curse on* mit einem Fluch belegen, *to curse like blazes* mörderisch fluchen; **~ and swear** *vi, (ugs.)* wettern; **cursing** *sub*, -s Verfluchung

cursor, *sub*, - Cursor

cursoriness, *sub*, -es *(oberfl.)* Flüchtigkeit

cursory, *adj*, kursorisch

curt, *adj*, knapp, schroff; *a curt answer* eine knappe Antwort; **~ remark** *sub*, -s Schroffheit

curtain, *sub*, -s Übergardine, Verdunkelung, Vorhang; **~ning** *sub*, nur *Einz.* Vorhangstoff

curtness, *sub*, nur *Einz.* Knappheit; -es Schroffheit

curts(e)y, (1) *sub*, -ies Knicks **(2)** *vi*, knicksen

curvature, *sub*, -s Krümmung, Wölbung; **curve (1)** *sub*, -s Kurve, Wölbung **(2)** *vt*, schweifen **(3)** *vtr*, wölben; *(ugs.) he´ll never make the grade* er wird nie die Kurve kriegen, *move in a curve* einen Bogen schlagen; **curve template** *sub*, -s Kurvenlineal; **curved** *adj*, geschwungen, kurvenförmig

curvet, *sub*, -s Lançade

curvy, *adj*, kurvenreich

cushion, (1) *sub*, -s Kissen, Polster; *(Kegelspiel)* Bande **(2)** *vt*, *(i. ü. S.; Auswirkungen)* auffangen; *(Stoß, etc.)* auffangen; **~ cover** *sub*, -s Kissenbezug; **~ of moss** *sub*, cushions Moospolster; **~ing** *sub*, -s Dämpfung

custard, *sub*, -s Vanillesoße

custodian, *sub*, -s Beschließer, Beschließerin; **custody** *sub*, -ies Haft,

Sorgerecht; *nur Einz. (tt; jur.)* Untersuchungshaft; *in custody* in Haft; *release from custody* aus der Haft entlassen

custom, *sub*, -s Brauch, Brauchtum, Gepflogenheit, Landesbrauch, Landessitte; *nur Einz.* Sitte; *(ugs.)* Usus; *-s (Brauch)* Gebrauch; *(Sitte)* Mode; *it is a custom with him* es ist seine Gewohnheit; *that is the custom* das ist so Brauch; *get through customs quickly* am Grenzübergang schnell abgefertigt werden; *the Bavarian customs* das bayerische Brauchtum; *that´s the custom here* das ist hier so Sitte; **~´s port** *sub*, -s Seezollhafen; **~ary** *adj*, *(herkömmlich, landesüblich; (herkömmlich)* üblich; *it is customary here* das ist hier ortsüblich; **~er** *sub*, -s Abnehmer, Besteller, Käufer, Kunde; *steal so´s customers* jemandem seine Kunden abjagen; **~er service department** *sub*, -s Kundendienst; **~ers** *sub*, Kundenkreis; *nur Mehrz.* Kundschaft

customs, (1) *sub*, -s zollamtlich **(2)** *sub*, nur *Mehrz.* Douane; - Zoll; *nur Mehrz. (Zoll)* Zoll-; **~ authority** *sub*, -es Zollbehörde; **~ barrier** *sub*, -es Zollschranke; **~ charge** *sub*, s Zollgebühr; **~ contract** *sub*, -s Zollvertrag; **~ declaration** *sub*, -s Zollerklärung; **~ examination** *sub*, -s Zollkontrolle; **~ house** *sub*, -s Zollamt; **~ investigation department** *sub*, -s Zollfahndung; **~ investigator** *sub*, -s Zollfahnder; **~ officer** *sub*, - Zollbeamte; **~ post** *sub*, -s Zollstation; **~ regulations** *sub*, nur *Mehrz.* Zollordnung

cut, (1) *sub*, -s Kürzung, Schnitt, Schnittwunde, Streichung, Überblendung; *(Kürzung)* Abstrich **(2)** *vi*, schneiden, überblenden **(3)** *vt*, herabsetzen, verschneiden, zerschneiden, zuschneiden; *(Brot)* anschneiden; *(Gras)* mähen; *(Torf)* abstechen; *(Träger)* einschneiden; *cut so short* jemandem das Wort abschneiden, jemanden nicht ausreden lassen; *cut sth in half* in der Mitte durchschneiden; *take a short cut* den Weg abschneiden; *to cut sb off short* jmd in die Parade fahren; *(i. ü. S.)* to cut sb to the quick jmdn bis ins Mark treffen; *(ugs.) you couldn't cut butter with this knife* auf diesem Messer kann man reiten, *the dress cuts into my shoulders* das Kleid schneidet an den Schultern ein; ~ **(back)** *vt*, kappen; ~ **(off)** *vt*, *(Papier, Haare, etc.)* abschneiden; ~ **a notch** *vt*, kerben; ~ **back** *vt*, kürzen, verknappen; ~ **back on** *vt*, einschränken; *have to cut back on one´s spending of money* sich finanziell einschränken müssen; ~ **by cut** *adv*, schnittweise; ~ **cheese** *sub*, -s Schnittkäse; ~ **down** *vt*, umhacken, umhauen; *(Bäume)* abholzen; *(Verbrauch verringern)* einspanen; *(Verbrauch verringern)* einsparen; *cut down on costs* Kosten einsparen; *cut down on staff* Arbeitsplätze einsparen; ~ **down (trees)** *vt*, holzen; ~ **flowers** *sub*, *nur Mehrz.* Schnittblume; ~ **in tiers** *vt*, *(Haare)* stufen; ~ **in(to)** *vt*, einschleifen; ~ **o.s. off** *vr*, abkapseln; *(zurückziehen)* abschotten; ~ **of the spade** *sub*, *cuts* Spatenstich

cute, *adj*, goldig, herzig, niedlich, puppig, putzig; *(hübsch)* nett; ~**ness** *sub*, *nur Einz.* Niedlichkeit

cutlery, *sub*, *-ies* Essbesteck; - *(zum Essen)* Besteck

cutlet, *sub*, *-s* Kotelett; *(Austrian)* Karbonade; ~ **in aspic** *sub*, *cutlets* Sülzkotelett

cut off, *vt*, wegschneiden, *(Ader, etc.)* abschnüren; *(tech.)* sperren; *(tech.) cut off somebody´s telephone* jemandem das Telefon sperren; **cut open** *vt*, *(Verpackung etc.)* aufschneiden; **cut out** *vt*, ausschneiden, dekupieren; *(i. ü. S.; Konkurrenten)* ausstechen; *(Plätzchen, Torf)* ausstechen; *(Tier)* ausschlachten; **cut teeth** *vi*, zahnen; **cut the cord** *vt*, abnabeln; **cut through** *vt*, durchschneiden; *(ugs.)* durchtrennen; *the road cuts*

through the forest die Straße durchschneidet den Wald; **cut up** *vt*, *(i. ü. S.)* kleinkriegen; *(ugs.)* zerschlitzen; *I´ll get the wood here chopped as well* das Holz hier kriege ich auch noch klein; **cut wood** *sub*, *nur Einz.* Schnittholz; **cut wrongly** *vt*, verschneiden; **cutthroat razor** *sub*, *-s* Rasiermesser; **cut/chop sth.** *vt*, zerkleinern

cuttle-fish shell, *sub*, *-s* Sepiaschale; **cuttlefish** *sub*, *-s* Tintenfisch

cybernetic, *adj*, kybernetisch; ~**s** *sub*, - Kybernetik; **cyberspace** *sub*, - Cyberspace

cycle, (1) *sub*, *-s* Fahrrad, Zyklus; *(elektr.)* Periode (2) *vi*, Radfahren; *(ugs.)* radeln; ~ **(of nature)** *sub*, *-s* Kreislauf; **Cycle racing track** *sub*, *-s* Velodrom; ~ **track way** *sub*, *-s* Radrennbahn; ~**way** *sub*, *-s* Radweg; **cyclic** *adj*, zyklisch; **cycling** *sub*, *nur Einz.* Radsport; **cycling tour** *sub*, *-s* Radwanderung; **cyclist** *sub*, *-s* Radfahrer, Radfahrerin, Radsportler; *(ugs.)* Radler

cyclone, *sub*, *-s* Zyklon, Zyklone

cyclope, *sub*, *-s* Zyklop

cylinder, *sub*, *-s (tt; tech.)* Walze, Zylinder; ~ **capacity** *sub*, *-ies* Hubraum; ~**break** *sub*, *-s* Walzenbruch; **cylindrical** *adj*, rollenförmig, walzenförmig, zylindrisch

cymbal, *sub*, *-s* Zimbel

cynic, *sub*, - Zyniker; ~**al** *adj*, zynisch

cypress, *sub*, - *(fach.; bio.)* Zypresse

cyst, *sub*, *-s (tt; med.)* Zyste

cystitis, *sub*, *-es* Blasenentzündung

Czech, (1) *adj*, tschechisch (2) *sub*, *-s* Tscheche

D

dab, *vt,* tupfen; *(beseitigen)* abtupfen; ~ble *vi,* dilettieren

dacha, *sub,* -s Datscha

dachshund, *sub,* -s Dachshund, Dakkel, Teckel

dactyl, *sub,* -s Daktylus

dad(dy), *sub,* -s *(ugs.)* Vati

daddy, *sub,* -s Papa; ~-long-legs *sub,* - *(tt; zool.)* Weberknecht

daemonic, *adj,* dämonisch; ~ power *sub,* -s Dämonie

daft, *adj,* *(ugs.)* schusselig

dagger, *sub,* -s Dolch; *dagger thrust* Dolchstoss; *look daggers at so* jmd mit Blicken durchbohren

dago, *sub,* -s *(vulg.)* Kanake

Daguerreotype, *sub,* -s Daguerreotypie

dahlia, *sub,* -e Dahlie

daily, *adj,* täglich; *(Vorgang, etc.)* alltäglich; *report on the daily events* über die täglichen Vorfälle berichten; *the daily food requirements* der tägliche Bedarf an Nahrungsmitteln; ~ (news)paper *sub,* -s Tageszeitung; ~ allowance *sub,* -s Tagegeld; ~ press *sub, nur Einz.* Tagespresse; ~ ration *sub,* -s Tagesration; ~ requirement *sub,* -s Tagesbedarf; ~ routine *sub, nur Einz.* Alltag; ~ wages *sub,* - Tagelohn

daintiness, *sub, nur Einz.* Zierlichkeit; dainty *adj,* zierlich

dairy, *sub,* -ies Molkerei; ~man *sub,* -men Senn

daisy, *sub,* -ies Gänseblümchen, Margerite; *(bot.)* Tausendschönchen; *fresh as a daisy* frisch wie der junge Morgen; *to look as fresh as a daisy* morgendlich frisch aussehen

dally, *vi, (flirten)* tändeln

dalmatian, *sub,* -s *(dog)* Dalmatiner; *(Pers.)* Dalmatiner

Dalmation, *adj,* dalmatinisch

dam, (1) *sub,* -s Staudamm, Stauwehr, Stauwerk; *(US; Wasser)* Damm (2) *vt,* *(vor Wasser, etc.)* abschotten; ~ back *vt,* zurückdämmen; ~ up *vt,* anstauen, aufstauen; *(Wasser)* stauen

damand, *sub,* -s Forderung; *make demands* Forderungen stellen

damascene decoration, *sub,* -s Damaszierung

Damascus, *adj,* damaszenisch

damask, *sub, nur Einz.* Damast

damask cover, *sub,* -s Damastbezug

damming, *sub,* -s *(gegen Wasser)* Abschottung

damn, *vt,* verdammen; *(ugs.) damn it all* Verdammt nochmal; *for damn all* für nichts und wieder nichts; *he doesn´t give a damn about his children* er schert sich keinen Pfifferling um seine Kinder; ~ation *sub,* -s Verdammnis; ~ed (1) *adj,* verdammt (2) *adv,* verteufelt; *to be damned lucky* verteufeltes Glück haben

damp, (1) *adj,* humid (2) *sub,* -s Feuchtigkeit; ~en *vt,* nässen; *(Wäsche)* besprenkeln; ~er *sub,* -Dämpfer; *be damped* einen Dämpfer bekommen; *put a damper on* einen Dämpfer aufsetzen; *to dampen sb* jmd einen Dämpfer aufsetzen

dance, (1) *sub,* -s Tanz, Tänzchen (2) *vi, (ugs.)* schwofen (3) *vt,* tanzen; *go to a dance* zum Tanz gehen; *(geb.) may I have the next dance?* darf ich Sie um den nächsten Tanz bitten?; *shall we venture a dance?* wollen wir ein Tänzchen wagen?, *ask so for a dance* jemanden zum Tanzen auffordern; *everything is dancing in front of my eyes* es flimmert mir vor den Augen; *I don´t dance* ich bin Nichttänzer; *the boat dances on the waves* das Boot tanzt auf den Wellen, *dance the waltz* Walzer tanzen; *would you like to dance?* möchtest Du tanzen?; ~ all night *vi,* durchtanzen; *dance all night* die ganze Nacht durchtanzen; ~ attendence *vi, (ugs.)* scharwenzeln; ~ band *sub,* -s Tanzkapelle; ~ for joy *sub,* -s Freudentanz; ~ of the dervishes *sub,* -s Derwischtanz; ~ round *vt,* umtanzen; ~ step *sub,* -s Tanzschritt; ~r *sub,* -s Tänzer, Tänzerin; dancing *sub,* -s Tanzerei; dancing contest *sub,* -s Tanzturnier; dancing hall *sub,* -s Tanzsaal; dancing instructor *sub,* -s Tanzlehrerin; dancing lesson *sub,* -s Tanzstunde; dancing lessons *sub,* - Tanzkurs; dancing partner *sub,* -s Tanzpartner; dancing pupil *sub,*

-s Tanzschüler; **dancing song** _sub_, -s Tanzlied

dandelion, _sub_, -s Kettenblume, Löwenzahn; _(bot.)_ Butterblume

dandruff, _sub_, _nur Einz._ Kopfschuppe, Schuppe

dandy, _sub_, -ies Dandy, Lackaffe; ~-**horse** _sub_, -s _(spo.)_ Draisine

Dane, _sub_, -s Däne

danger, _sub_, -s Gefahr; _be in danger of_ in Gefahr sein; _(i. ü. S.) be on the danger list_ über mir schwebt ein Damoklesschwert; _be out of danger_ außer Gefahr sein; ~ **of accident** _sub_, _dangers_ Unfallgefahr; ~ **of an escape attempt** _sub_, -s Fluchtgefahr; ~ **of committing suicide** _sub_, _dangers_ Suizidrisiko; ~ **of fire** _sub_, -s Feuergefahr, Feuersgefahr; ~ **of frost** _sub_, -s Frostgefahr; ~ **of habit formation** _sub_, _dangers_ Suchtgefahr; ~ **of infection** _sub_, -s - Ansteckungsgefahr; ~ **of skidding** _sub_, -s Rutschgefahr; ~ **zone** _sub_, -s Gefahrenzone; ~**ous** _adj_, gefährlich, unsicher; ~**ous game** _sub_, _nur Einz._ (i. ü. S.) Vabanquespiel; ~**ously ill** _adj_, sterbenskrank, todkrank

dangle, _vti_, baumeln

Danish, _adj_, dänisch; ~ **flag** _sub_, -s Danebrog

daphne, _sub_, -s _(bot.)_ Daphne, Seidelbast

dapple grey, _sub_, - -s Apfelschimmel; **dappled** _adj_, _(Pferd)_ scheckig; **dappled horse** _sub_, -s Schecke

dare, (1) _interj_, wehe (2) _vr_, _(wagen)_ trauen (3) _vt_, wagen; _don´t you dare_ laß dir das ja nicht einfallen; _how dare you_ was fällt die ein; _you dare untersteh´_ dich; ~ **to come** _vr_, _(sich)_ hervorwagen; ~ **to come out** _vr_, hervortrauen; ~ **to do sth** (1) _vr_, getrauen (2) _vt_, erkühnen; _dare to do sth_ sich erkühnen etwas zu tun; ~ **to get in** _vt_, hereinwagen; ~**devil** (1) _adj_, _(ugs.)_ waghalsig (2) _sub_, -s Draufgänger; _(ugs.)_ Wagehals; _a daredevil_ ein tollkühner Kerl; **daring** (1) _adj_, gewagt, tollkühn, verwegen, wagemutig (2) _sub_, -s Tollkühnheit; **daring coup** _sub_, -s Husarenstückchen

dark, _adj_, finster; _(dunkel)_ düster; _(Licht/Farbe)_ dunkel; _grope in the dark_ im finstern tappen; _it´s getting dark_ es wird dunkel, es wird finster;

in darkest Africa im tiefsten Afrika; _it´s getting dark_ es wird Nacht; _(ugs.) to be completely in the dark about sth_ über etwas völlig im Unklaren sein; _(ugs.) to leave sb in the dark about sth_ jmd über etwas im Unklaren lassen; _grope in the dark_ im Dunkeln tappen; _it is getting dark_ es wird dunkel; _leave so in the dark_ jmd im Dunkeln lassen; ~-**brown** _adj_, schwarzbraun; ~ **lantern** _sub_, -s Blendlaterne; ~-**eyed** _adj_, dunkeläugig, schwarzäugig; ~-**haired** _adj_, brünett, dunkelhaarig; ~-**room** _sub_, -s Dunkelkammer; ~-**skinned** _adj_, dunkelhäutig; ~**en** (1) _vi_, _(Bild)_ nachdunkeln (2) _vt_, verfinstern; _(verdüstern)_ umwölken; ~**ening** _sub_, -s Verdunkelung; ~**ness** _sub_, _nur Einz._ Dunkel, Dunkelheit; - Finsterkeit, Finsternis; -es _(s.düster)_ Düsterkeit; _in the darkness of the night_ im Dunkel der Nacht; _during the hours of darkness_ bei Dunkelheit; _darkness is the friend of thieves/lovers_ im Dunkeln ist gut munkeln; _the darkness of insanity_ die Nacht des Wahnsinns

darling, _sub_, -s Liebling, Mignon

darn, _vt_, _(Strumpf)_ stopfen; _(US) darn it_ ach du dickes Ei; _(ugs.) he couldn´t give a darn about it_ das ist ihm schnurzpiepe; ~**ed** _adv_, verflixt

dart, (1) _sub_, -s Abnäher; _(Wurf~)_ Pfeil (2) _vi_, flitzen; ~**ing flame** _sub_, -s Stichflamme

Darwinism, _sub_, _nur Einz._ Darwinismus; **Darwinist** _sub_, -s Darwinist

dash, (1) _sub_, -es Gedankenstrich, Schmiss, -s _(kurzer Strich)_ Strich; -es _(Wein)_ Schuss (2) _vi_, düsen (3) _vt_, preschen; _dash it_ ach du dickes Ei; _make a dash for it_ zum Spurt ansetzen; _to dash after sb_ jmd nachstürzen; ~**board** _sub_, -s Armaturenbrett; ~**ing** _adj_, schmissig, schneidig

data, _sub_, _nur Mehrz._ Daten; _personal data_ Angaben zur Person; ~ **bank** _sub_, -s Datenbank; ~ **base** _sub_, -s Datenbestand; ~ **carrier** _sub_, - Datenträger; ~ **collection** _sub_, -s Datenerfassung; ~ **file** _sub_,

-s Datei; **~ processing** *sub, nur Einz.* Datenverarbeitung; **~ protection** *sub, -s* Datenschutz

date, (1) *adv, (wirt.)* dato **(2)** *sub, -s* Date, Dattel, Dattelpflaume, Datum, Termin; *(ugs.)* Verabredung **(3)** *vi,* stammen **(4)** *vt,* datieren; *to date* bis dato, *be up to date* up to date sein; *have a date* ein Date haben; *bring something up to date* etwas auf den neusten Stand bringen; *of recent date* neueren Datums; *out of date* aus der Mode; *short date* kurzfristig; *undated* ohne Datum; *what´s the date today* welches Datum haben wir heute; *keep a date* einen Termin einhalten; *set a date for* einen Termin anberaumen für, *date to the 11th century* auf das 11 Jhdt datieren; *the document (was) dated May 1st* das Dokument datierte vom 1Mai; **~ of birth** *sub, -s* Geburtsdatum; *(amtl.)* Geburtstag; **~ of death** *sub,* dates Sterbedatum; **~-palm** *sub, -s* Dattelpalme

dative, *sub, nur Einz.* Dativ

daub, *vti,* klecksen

daughter, *sub, -s* Tochter; **~ cell** *sub, -s* Tochterzelle; **~ly** *adj,* töchterlich

dauntlessness, *sub, nur Einz.* Unerschrockenheit

Dauphin, *sub, -s (hist.)* Dauphin

Davy lamp, *sub, -s* Karbidlampe

dawdle, *vi,* trödeln; *(ugs.; trödeln)* plempern; **~r** *sub, -s (ugs.)* Trödler; **dawdling (1)** *adj, (trödelig)* tranig **(2)** *sub, -s* Trödelei

dawn, (1) *sub, nur Einz.* Morgendämmerung, Morgengrauen; *-s* Tagesanbruch; *(Morgen)* Dämmerung; *nur Einz. (Zukunft)* Morgen **(2)** *vi, (Tag)* anbrechen, grauen; *(Tag werden)* tagen; *dawn is breaking* die Morgendämmerung bricht an; *the dawning of a new age* der Anbruch eines neuen Zeitalters; *dawn is breaking* der Morgen graut; *the dawn of a new age* der Morgen einer neuen Zeit

day, *sub, -s* Tag; *all day* den ganzen Tag; *day after day* Tag für Tag; *day´s breaking* es wird Morgen; *during the day* am Tage; *have a nice day!* schönen Tag noch!; *he´ll get used to it one day* er wird sich schon noch daran gewöhnen; *(i. ü. S.) it´s early days yet* es ist noch nicht aller Tage Abend;

one fine day eines schönen Tages; *the day will come when* einst wird kommen der Tag; *twice a day* zweimal am Tag; *what day is today?* welcher Tag ist heute?; *work by the day* im Tagelohn arbeiten; **~ after tomorrow** *adv,* übermorgen; **~ before** *sub,* - Vortag; **~ before yesterday** *adv,* vorgestern; **~ boy/girl** *sub, -s (Internat)* Externe; **~ duty** *sub, -ies* Tagesdienst; **~ in** *adv,* tagein; *day in, day out* tagaus, tagein; **~ in december** *sub, -s* Dezembertag; **~ nursery** *sub, -ies* Hort; **~ of action** *sub, -s* - Aktionstag; **Day of Judgement** *sub, (Jüngstes -)* Gericht; **~ of so´s death** *sub, days* Todestag; **~ of the play** *sub, days* Spieltag

day out, *adv,* tagaus; *day in, day out* tagaus, tagein; **day release prisoner** *sub, -s (Häftling)* Freigänger; **day trip** *sub, -s* Kaffeefahrt, Tagesausflug; **day-nursery** *sub, -ies* Krippe; **day-nursery vacancy** *sub, -ies* Krippenplatz; **day´s march** *sub, -es* Tagesmarsch; **day´s work** *sub, -s* Tagesarbeit, Tagewerk; **daybreak** *sub, -s* Tagesanbruch; *at daybreak* bei Tagesanbruch, bei Tagesanbruch; *before daybreak* vor Tagesanbruch; **daydream** *sub, -s* Tagtraum, Wachtraum; **daydreamer** *sub, -s* Tagträumerin

daze, (1) *vi,* duseln **(2)** *vt,* umnebeln; *be in a daze* vor sich hin duseln; **~d** *adj,* benommen; **~d feeling** *sub, nur Einz.* Benommenheit; **dazzle** *vt,* blenden; **dazzle light** Fernlicht; *to dazzle a motorist* einen Motorradfahrer blenden; *to dazzle with her beauty* mit ihrer Schönheit blenden; **dazzling** *adj, (blendend)* grell

DC, *sub, - (Abk.)* Gleichstrom

deacon, *sub, -s* Diakon; **~ess** *sub, -es* Diakonisse

deactivate, *vt, (Bombe)* entschärfen; **deactivation** *sub, -s* Entschärfung

dead, *adj,* abgestorben, tot; *(US) be dead from the neck up* Stroh im Kopf haben; *commemorate the dead* der Toten gedenken; *(wirt.) dead capital* totes Kapital; *(i. ü. S.)*

dead seriously mit tierischem Ernst;
drop dead tot umfallen; *leave the
dead in peace* die Toten ruhen lassen; *(i. ü. S.) that noise would awaken the dead* dieser Lärm würde Tote
aufwecken; *(ugs.) the exam was
dead easy* die Prüfung war ein Klacks;
to wish sb would drop dead jmd die
Pest an den Hals wünschen; ~ **centre**
sub, *-s* Totpunkt; ~ **certain** *adj*, bombensicher, todsicher; *a dead cert* ein
bombensicherer Tip; *a dead certain
thing* ein bombensicheres Geschäft;
~ **drunk** *adj*, sternhagelvoll; ~ **easy**
adj, *(ugs.)* kinderleicht; ~ **loss** *sub*,
-es (Mensch) Niete; *(i. ü. S.; Versager)*
Blindgänger; *-es* Null; *he´s a dead
loss* mit ihm haben wir eine Niete
gezogen; *(ugs.) he´s a dead loss
(now)* mit dem ist nichts mehr los; ~
nettle *sub*, *-s (bot.)* Taubnessel; ~ **on
one´s feet** *adj*, *(ugs.)* pflastermüde;
~ **person** *adj*, *-s* Tote; ~ **smart** *adj*,
todschick; ~ **tired** *adj*, sterbensmatt,
todmüde; *(ugs.)* hundemüde; ~**line**
sub, *-s* Abgabetermin, Stichtag; *(Zeitpunkt)* Frist; *fix a deadline* eine Frist
setzen; *meet a deadline* eine Frist
einhalten; *the deadline has expired*
die Frist ist abgelaufen

deadly, *adj*, todbringend, tödlich; *(i.
ü. S.) deadly boring* zum Sterben
langweilig; ~ **enemy** *sub*, *-ies* Todfeind; ~ **nightshade** *sub*, *-s* Tollkirsche; ~ **pale** *adj*, todblass; ~
pallor *sub*, nur Einz. Totenblässe; ~
peril *sub*, *-s* Todesgefahr; ~ **serious**
adj, bitterernst, todernst; *I mean it
deadly serious* ich meine es bitterernst

deaf, *adj*, gehörlos; *(Gehör)* taub; *is
he deaf or sth?* sitzt der auf seinen
Ohren?; ~ **and dumb** *adj*, taub-
stumm; ~**en** *vt*, *(mittels Lärm)* betäuben; ~**ening** *adj*, betäubend;
~**ness** *sub*, *-es* Gehörlosigkeit; nue
Einz. *(Gehörlosigkeit)* Taubheit

deal, (1) *sub*, *-s* Deal (2) *vi*, *(Kartenspiel).* geben; *(Spielkarten)* austeilen
(3) *vt*, ausgeben; *(Spielkarten, Schläge)* austeilen; *a great deal* eine ganze
Masse; *be able to deal with a lot of
work* mit Arbeit belastbar sein; *I
know how to deal with it* dagegen
weiß ich mich zu wehren; *in dealing
with* im Umgang mit; *it´s a deal* ab-

gemacht; *plan a big business si*
nen grossen Deal vorhaben, *you
are dealing* du teilst aus; ~ **with**
(1) *vi*, *(mit einer Sache)* beschäftigen; *(sich beschäftigen mit)* befassen **(2)** *vt*, abhandeln,
durchnehmen; *(auf etwas -)* eingehen; *(Thema)* behandeln; *deal
with a problem* sich mit einem
Problem beschäftigen, *deal with
the subject* den Unterrichtsstoff
durchnehmen; *deal with a problem* auf ein Problem eingehen; ~
with a task *vt*, erledigen; ~**er** *sub*,
-s (Kartenspiel) Geber; ~**ing with
certain points** *adj*, punktuell

dean, *sub*, *-s* Dekan; ~´**s office** *sub*,
-s (Univ.) Dekanat; ~**ery** *sub*, *-ies
(kirchl)* Dekanei

dear, *adj*, kostspielig, lieb; *(i. ü. S.;
lieb)* teuer; *an absolute dear* eine
Seele von Mensch; *Dear Monika,
Dear Manfred* Liebe Monika, Lieber Manfred; *dearly beloved* liebe
Brüder und Schwestern; *good gracious!* ach, du liebe Zeit!; *he lost
everything that was dear to him* er
verlor alles, was ihm lieb war; *she
is a dear friend* sie ist eine liebe
Freundin; *(i. ü. S.) that will cost
him dear!* das wird ihn teuer zu
stehen kommen!; *the old dear over
there* die alte Oma da drüben; ~
soul *sub*, *- (ugs.)* Seelchen; ~**ly**
loved *adj*, heiß geliebt

death, *sub*, ableben; ~ *-s* Exitus, Tod,
Todesfall; *-(i. ü. S.)* Knochenmann;
(i. ü. S.) as sure as death mit tödlicher Sicherheit; *be bored to death*
sich tödlich langweilen, vor Langeweile umkommen; *(ugs.) like
death warmed up* wie eine wandelnde Mumie; *(i. ü. S.) that´ll be
the death of me!* das überlebe ich
nicht!; *the fear of death* die Angst
vom Sterben; *(i. ü. S.) this endless
waiting will be the death of me!*
dieses endlose Warten bringt mich
noch um!; *(ugs.) to be snatched
from the jaws of death* dem Tod
von der Schippe springen; *to find
death by one´s own hand* sich
selbst richten; *be afraid of death*
sich vor dem Tod fürchten; *be
frightened to death* zu Tode
erschrocken sein; *(i. ü. S.) bore to*

death zu Tode langweilen; *(ugs.)*
catch one´s death (of cold) sich den
Tod holen (vor Kälte); *sentence to
death* zum Tode verurteilen; *closed
because of death!* wegen Todesfall
geschlossen!; ~ **certificate** *sub, -s*
Totenschein; ~ **chamber** *sub, -s* Sterbezimmer; ~ **halloo** *sub, -s (Jagd)*
Halali; ~ **mask** *sub, -s* Totenmaske;
~ **penalty** *sub, -ies* Todesstrafe; ~
sentence *sub, -s* Todesurteil; ~**-shot**
sub, -s Todesschuss; ~´**s head** *sub, -s*
Totenkopf, Totenschädel; ~´**s head
moth** *sub, -s* Totenkopfschwärmer;
~**bed** *sub, -s* Totenbett; ~**like** *adj,*
totenähnlich; ~**ly cold** *adj,* - Grabes-
kälte; ~**ly pale** *adj,* leichenblass, to-
tenblass, totenbleich; ~**ly silence**
sub, Grabesstille; *nur Einz.* Totenstil-
le
debauchee, *sub, -s* Lüstling; *(vulg.)*
Hurenbock
debit, (1) *sub, -s* Abbuchung; *(wirt.)*
Debet, Soll **(2)** *vt,* abbuchen; *pay by
direct debit* vom Konto einziehen lassen; *(wirt.) debit and credit* Soll und
Haben; *(wirt.) enter on the debit side*
im Soll verbuchen, *(wirt.) debit a
sum to an account* einen Betrag von
einem Konto abbuchen; ~ **entry** *sub,
-ies (Handel)* Passivposten
debolting, *sub, -s* Entriegelung
debris, *sub, nur Einz.* Schutt; *- (geol.)*
Geröll; *nur Einz.* Grus
debt, (1) *sub, -s* Bringschuld, Passivmasse, Schuld **(2)** *vt,* debitieren; *dept
to be paid at the creditor´s domicile*
Bringschuld; *(ugs.) to be up to one´s
ears in debt* mehr Schulden als Haare
auf dem Kopf haben; ~ **of honour**
sub, -s Ehrenschuld; ~ **thanks to so.**
vt, Dankesschuld; ~**or** *sub, -s* Debitor, Schuldner, Schuldnerin; ~**s** *sub,*
nur Mehrz. Schuldenlast
debut, *sub, -s* Debüt, Einstand; ~**ante**
sub, -s Debütantin
decade, *sub, -s* Dekade, Dezennium,
Jahrzehnt; *it takes decades* es dauert
Jahrzehnte
decadence, *sub, nur Einz.* Dekadenz;
decadent *adj,* dekadent
decaffeinated, *adj,* koffeinfrei
decahedron, *sub, - (mat.)* Dekaeder
decalogue, *sub, nur Einz. (bibl.)* Dekalog
decant, *vt,* umfüllen

decapitation, *sub, -s* Enthauptung
decartelize, *vt,* dekartellisieren
decathlon, *sub, (tt; spo.)* Zehnkampf; **decathlete** *sub, -s (spo.)*
Zehnkämpfer
decatise, *vt, (Text.)* dekatieren
decease, (1) *sub, -s* Verstorbene;
(Tod) Abgang **(2)** *vi,* sterben; ~**d
(1)** *adj,* abgelebt, heimgegangen,
verstorben **(2)** *sub, - (Verstorbene)*
Tote
deceit, *sub, -s (Falschheit)* Heuchelei; *(Täuschung)* Trug; ~**ful** *adj,*
arglistig, betrügerisch, hinterlistig;
(betrügerisch) trügerisch; ~**fulness** *sub, nur Einz.* Arglist; **deceive**
vt, hintergehen, irreführen, täuschen, trügen; *deceive someone´s
confidence* jemandes Vertrauen
täuschen; *if my eyes do not deceive
me* wenn mich meine Augen nicht
täuschen; **deceive o.s.** *vr,* betrügen; **deceiver** *sub, -s* Täuscher
decelerate, *sub, (mot. -wegneh-
men)* Gas
December, *sub, -s* Dezember; *December 1st* 1 Dezember; *in December* im Dezember
decency, *sub, nur Einz.* Anständigkeit; - Sittsamkeit; *preserve a sense
of decency* seinen Anstand wahren;
decent *adj,* anständig, dezent, honorig, sittsam; *be dressed decently*
dezente Kleidung
decentral, *adj,* dezentral; *the station is situated non-central* der
Bahnhof liegt dezentral; ~**ization**
sub, -s Dezentralisation; ~**ize** *vt,*
dezentralisieren
decently, *adv,* anständig
deception, *sub, -s* Blendwerk, Hintergehung, Irreführung, Täuschung; *trap set by the devil* des
Teufels Blendwerk; **deceptive** *adj,*
(irreführend) trügerisch; *appearances are deceptive* der Schein
täuscht
decible, *sub, -s (phy.)* Dezibel
decide, (1) *vi, (entscheiden)* befinden, beschließen **(2)** *vt,* entscheiden, entschließen; *decide
on/against sth* sich entscheiden
für/gegen etwas; *decide on sth/to
do sth* sich entschließen/für et-
was/etwas zu tun; *I haven´t decided yet* ich bin noch

unentschlossen: *sth is just about to be decided* etwas steht vor der Entscheidung; **~ in advance** *vt*, vorbestimmen; **deciding** *sub*, *-s (Gewinner)* Ermittlung

deciduous forest, *sub*, *-s* Laubwald

deciduous tree, *sub*, *-s* Laubbaum, Laubholz

decimal, *adj*, dekadisch, dezimal; *decimal system* das dekadische System; **~ (Dewey) classification** *sub*, *-s* Dezimalklassifikation; **~ (fraction)** *sub*, *-s* Dezimalbruch; **~ (number)** *sub*, *-s* Dezimalzahl; **~ system** *sub*, *nur Einz.* Dezimalsystem

decimate, *vt*, dezimieren; *decimate butterflies* Schmetterlinge dezimieren; **decimation** *sub*, *-s* Dezimierung

decimetre, *sub*, *-s* Dezimeter

decipher, *vt*, enträtseln, entschlüsseln, entziffern; **~able** *adj*, entzifferbar; **~ing** *sub*, *-s* Enträtselung, Entzifferung; **~ing person** *sub*, *-s* Entzifferer

deck, *sub*, *-s* Deck; *go on/below deck* an/unter Deck gehen; **~ chair** *sub*, *-s* Liegestuhl; **~ with flags** *vt*, beflaggen; **~-officer** *sub*, *-s (mil.)* Deckoffizier; **declamatory** *adj*, deklamatorisch

declaration, *sub*, *-s* Deklaration, Deklarierung, Revers; *(s.o.)* Erklärung; *customs declaration* Zoll-Deklaration; **~ of bankruptcy** *sub*, *-s* Bankrotterklärung; **~ of solidarity** *sub*, *-s* Solidaritätserklärung; **~ of war** *sub*, *-s* Kampfansage, Kriegserklärung; **declare** *vt*, deklarieren; *(Amnestie)* erlassen; *(erklären)* angeben; *(Erklärung abgeben)* erklären; *be declared a nuclear free zone* zur atomwaffenfreien Zone deklariert werden; *(tt; Amtsspr.) I hereby declare that* hiermit erkläre ich, dass; *he was declared dead* er wurde für tot erklärt; **declare (to be)** *vt*, *(etwas ausgeben als)* ausgeben; **declare so dead** *vt*, totsagen; **declared** *adj*, *(zu Verzollendes)* angegeben

declinable, *adj*, deklinabel, deklinierbar; **declination** *sub*, *-s* Deklination; **decline (1)** *sub*, *nur Einz.* Verfall; *-s* Verschlechterung; *(i. ü. S.)* Abstieg; *nur Einz.* Niedergang; *-s (Anzahl)* Abnahme **(2)** *vi*, *(sich verringern)* abnehmen **(3)** *vt*, deklinieren; *decline*

a verb as weak/strong ein Verb schwach/stark deklinieren; *decline in value* im Wert sinken; **decline in prices of securities** *sub*, *-s (wirt.)* Deport; **decline with a nod** *vi*, abwinken; **declining** *adj*, rückgängig, rückläufig, überständig

declutch, *vi*, *(Motor)* auskuppeln

decode, *vt*, dechiffrieren, dekodieren; **~r** *sub*, *-s* Decoder; **decoding** *sub*, *-s* Dekodierung

decomposition, *sub*, *-s* Biolyse; *nur Einz. (t; biol.)* Abbau; *(tt; chem.)* Aufschluss

decontaminate, *vt*, dekontaminieren, entgiften, entseuchen; **decontamination** *sub*, *nur Einz.* Dekontamination; *-s* Entseuchung

decorate, (1) *vt*, ausschmücken, dekorieren, garnieren, gestalten, schmücken, verzieren, zieren **(2)** *vti*, tapezieren; *dress a shop-window* ein Fenster dekorieren; *decorate so* jemanden mit einem Orden auszeichnen; **~ (with)** *vt*, *(schmücken)* behängen; **~ with a pattern** *vt*, Dessinierung; **~d** *vi*, *(geschmückt)* behängen; **decorating** *sub*, *nur Einz.* Dekorierung; **decoration** *sub*, *-s* Ausschmückung, Behang, Dekor, Dekoration, Ehrenzeichen, Orden, Ornament, Schmuck, Staffierung; *(Auszeichnung)* Abzeichen; *to decorate sb* jmnd einen Orden verleihen; *to receive a decoration* einen Orden bekommen; **decorative** *adj*, dekorativ; *draped decoratively over the sofa* malerisch auf das Sofa drapiert; **decorator** *sub*, *-s* Tapezierer

decorum, *sub*, *nur Einz.* Dekorum

decoy, *sub*, *-s* Lockvogel

decrease, (1) *sub*, *-s* Schwund, Verringerung **(2)** *vi*, *(abnehmen)* nachlassen **(3)** *vr*, vermindern, verringern **(4)** *vt*, dekortieren; **decreasing of a bill** *sub*, *-s* Dekort

decree, (1) *sub*, *-s* Dekret, Verordnung; *(polit.)* Erlass **(2)** *vt*, dekretieren, verordnen; **~ by the pope** *sub*, *-s* Dekretale

decrescendo, *sub*, *-i* Dekrescendo

dedicate, *vt*, weihen, widmen; *(Monument)* einweihen; **dedication** *sub*, *-s* Widmung

deduce, vt, deduzieren; *(schließen aus)* ableiten; **deducible** adj, deduzierbar

deducted, adj, abgezogen; **deduction** sub, -s *(Abzug)* Abrechnung; *(Folgerung)* Ableitung; *(phil.)* Deduktion; *(Steuer)* Abzug; **deductive** adj, deduktiv

deem sb, vt, würdigen

deep, adj, tief, tief gehend, tiefgründig; *(Stimme)* dunkel; *he drew a deep breath* er atmete tief; *be deeply indepted to someone* tief in jemandes Schuld stehen; *his knowledge doesn´t go very deep* seine Kenntnisse sind nur oberflächlich; ~ **anxiety** sub, -ies Herzensangst; ~ **fissures** sub, -ies Zerklüftung; ~ **sea** sub, -s Tiefsee; ~ **sigh** sub, -s Stoßseufzer; ~-**black** adj, tiefschwarz; ~-**blue** adj, tiefblau; ~-**freeze** vt, eingefrieren; ~-**freeze compartment** sub, -s Tiefkühlfach; ~-**freezing** sub, -s Einfrostung; ~-**fry** vt, frittieren; ~-**fryer** sub, -s Frittüre

deepen, vtr, vertiefen; ~**ing** sub, -s Vertiefung; **deeply distressed** adj, tief betrübt; **deeply distressing** adj, erschütternd; **deeply fissured** adj, zerklüftet; **deeply moved** adj, tief bewegt; **deeply moving** adj, herzergreifend; **deeply religious** adj, glaubensvoll; **deepness** sub, - (i. ü. S.) Tiefe

deer, sub, -s Hirsch; *nur Einz.* Wild

de-escalate, vt, deeskalieren; **de-escalation** sub, -s Deeskalation

defamation, sub, -s Diffamie, Diffamierung; ~ **of character** sub, *nur Einz.* (Verunglimpfung, jur. üble ~) Nachrede; **defamatory** adj, diffamatorisch, ehrenrührig; **defamatory piece of writing** sub, -s Schmähschrift; **defame** vt, diffamieren

default, sub, -s (tt; jur.) Unterlassung; *on default of payment* bei Verzug der Zahlung; ~**er** sub, -s Restant

defeat, (1) sub, -s Niederlage (2) vt, besiegen; (i. ü. S.) niederwerfen; *(Feinde)* bezwingen; ~**ed** adj, geschlagen, unterlegen; ~**ed person** sub, - people Besiegte; ~**ism** sub, *nur Einz.* Defätismus; ~**ist** (1) adj, defätistisch (2) sub, -s Defätist

defect, sub, -s Fehler; *(med./tech.)* Defekt; *a defect in the material* eine

fehlerhafte Stelle; *have a defect* defekt sein; ~**ion** sub, -s Abtrünnigkeit; ~**ion rate** sub, -s Abfallquote

defective, adj, defekt, fehlerhaft, schadhaft

defence, sub, -s Verteidigung; *nur Einz.* Wehr; *(spo.)* Abwehr, Deckung; ~ **lawyer** sub, -s (tt; jur.) Verteidiger; ~ **of sb honour** sub, *nur Einz.* Ehrenrettung; *it must be said in his defence that* zu seiner Ehrenrettung muß gesagt werden, daß; ~**less** adj, schutzlos, wehrlos; ~**s** sub, -s Befestigungsanlage; *nur Mehrz.* (tt; mil.) Wehr; **defend** (1) vt, verfechten (2) vti, verteidigen; **defend oneself** vr, wehren; **defendant** sub, -s Angeklagte, Beklagte; **defender** sub, -s Verteidiger; **defensive** (1) adj, defensiv (2) sub, *nur Einz.* Defensive; *force sb on the defensive* jmd in die Defensive drängen; *from defensive positions* aus der Defensive heraus; *to go on the defensive* in die Defensive gehen; **defensive reaction** sub, - -s Abwehrreaktion

deferred item, sub, -s Transitorium

defiance, sub, *nur Einz.* Trotz; *in defiance of something* etwas zum Trotz; **defiant** adj, trotzig, trotzköpfig

deficiency, sub, -ies Fehlbestand; *vitamin C deficiency* Mangel an Vitamin C; ~ **symptom** sub, - -s Ausfallserscheinung

deficit, sub, -s Defizit, Fehlbetrag, Minusbetrag; *(Fehlbetrag)* Minus; *lack of sth* Defizit an etwas haben

defile o.s., vr, (i. ü. S.; moralisch) besudeln; **defilement** sub, -s Besudelung

deflation, sub, -s (wirt./geogr) Deflation; ~**ary** adj, deflatorisch; *(wirt.)* deflationär

deflea, vt, flöhen

deflect, (1) vi, (Zeiger) ausschlagen (2) vt, abfälschen; *(Ball, phy.)* ablenken; *(Blitz)* ableiten; *(phy.)* beugen; ~**ion** sub, -s (Ball, Strahlen) Ablenkung; *(eines Zeigers)* Ausschlag

defloration, sub, -s Deflorierung; *(med.)* Defloration; **deflower** vt, deflorieren, entjungfern

deforestation, sub, Abholzung; -s

Kahlschlag

deformation, *sub*, -s Difformität; *(tt; med.)* Verwachsung; *(med./phys.)* Deformation; **deformed** *adj*, difform, missgebildet, verwachsen; *(med.)* unförmig; **deformed person/animal** *sub*, -s Missgeburt, **deformity** *sub*, -*ies* Missbildung

defraud, *vt*, defraudieren; **~er** *sub*, -s Nepper

defrost, (1) *vt*, enteisen; *(Gefrierschrank)* abtauen **(2)** *vti*, *(Speisen)* auftauen; **~er** *sub*, - Defroster; **~ing** *sub*, -s Enteisung, Entfrostung

defuse, *vt*, *(Situation/Bombe)* entschärfen; **defusing** *sub*, -s Entschärfung

defy, (1) *vi*, trotzen **(2)** *vt*, hohnsprechen; *(~ bieten)* Paroli; *defy* die Stirn bieten; *(geh.) that flies in the face of all reason* das spricht der Vernunft Hohn; *that simply defies description* das spottet jeder Beschreibung

degas, *vt*, entgasen

degeneracy, *sub*, *nur Einz. (i. ü. S.)* Morbidität; **degenerate (1)** *adj*, rückgebildet; *(i. ü. S.)* morbid **(2)** *vi*, entarten, verfallen; **degenerate (into)** *vti*, degenerieren; **degenerated** *adj*, entartet, verfault; *so called degenerated art* sogenannte entartete Kunst; **degeneration** *sub*, -s Ausartung, Degeneration, Entartung; **degenerative** *adj*, degenerativ

degradation, *sub*, -s Degradation, Entwürdigung; **degrade** *vt*, degradieren, entwürdigen, herabwürdigen; *he degraded me in front of* er hat mich degradiert vor

degree, *sub*, -s Grad; -*e (wissensch)* Diplom; *forty degrees north (latitude)* 40 Grad nördl Breite; *have a temperature of 39 degrees* 39 Grad Fieber haben; *it´s degrees* es sind Grad; *it´s minus degrees* es sind minus Grad; *second-degree burn* Verbrennung zweiten Grades; *up to a high degree* in hohem Grade; *at 3 degrees (above zero)* bei 3 Grad plus

degree of familiarity, *sub*, *nur Einz.* Bekanntheitsgrad; **degree of latitude** *sub*, -s Breitengrad; **degree of longitude** *sub*, -s Längengrad; **degree-dissertation** *sub*, -s Diplomarbeit

degressive, *adj*, degressiv; *degressive*

depreciation degressive Abschreibung

dehumidification, *sub*, -s Entfeuchtung; **dehumidifier** *sub*, -s Entfeuchter; **dehumidify** *vt*, entfeuchten

dehydrate, *vt*, dehydrieren; *(med.)* entwässern; **dehydration** *sub*, -s Dehydration, Dehydrierung

dehydrogenate, *vt*, dehydratisieren; **dehydrogenation** *sub*, -s *(chem.)* Dehydratation

deify, *vt*, deifizieren; **~ so.** *vt*, Deifikation

deign, *vr*, *(sich)* herablassen; *deign to help* so sich bequemen jemandem zu helfen; **~ to** *vr*, geruhen

deism, *sub*, *nur Einz.* Deismus

deity, *sub*, -*ies* Gottheit

dejected *adj*, niedergeschlagen

delay, (1) *sub*, -s Aufschiebung, Verspätung; *nur Einz.* Verzögerung, Verzug **(2)** *vt*, verzögern; *(hinauszögern)* aufhalten; *without delay* ohne Verzug; **~ of payment** *sub*, delays Stundung; **~ed** *adj*, verspätet; **~ing** *sub*, *nur Einz.* Verzögerung

delegate, (1) *sub*, -s Delegat, Delegierte, Wahlmann; *(Delegierter)* Abgeordnete **(2)** *vt*, abordnen; **~d** *adj*, abgeordnet; **delegation** *sub*, -s Abordnung, *(Konferenz)* Deputation; *(pol.)*- Mission; **delegation to/at** *sub*, -s Delegation; *to send a delegation to sb/a delegation at the Vatican* Delegation zu jmd schicken/beim Vatikan

delete, *vt*, *(Daten)* löschen; *(löschen)* streichen; **deletion** *sub*, -s Streichung; *(Daten)* Löschung

deliberate, (1) *adj*, intentional, wissentlich; *(absichtlich)* bewusst **(2)** *vi*, ratschlagen; *deliberate* hin und her überlegen; **~ly** *adv*, absichtlich, absichtsvoll; *(absichtlich)* bewusst; **deliberation** *sub*, -s *(polit.)* Beratung; *do sth with deliberation* etwas mit Berechnung machen

delicacy, *sub*, -*ies* Delikatesse, Gaumenkitzel, Köstlichkeit, Leckerbissen, Schleckerei; **delicate** *adj*, delikat, grazil, zart; *(gesundheitlich)* anfällig; *(zart)* subtil; *a delicate matter* eine delikate Angelegenheit; *have a delicate bouquet* delikat riechen; **delicatessen** *sub,* nur *Einz.* Delikatessengeschäft; Feinkost

delicious, *adj,* deliziös, köstlich, lekker; *everything on the menu here is delicious* alles auf der Karte hier ist köstlich; **~ness** *sub,* nur *Einz.* Köstlichkeit

delight, **(1)** *sub,* -s Entzücken, Ergötzen **(2)** *vt,* entzücken; *(Zuschauer)* begeistern; *the concert was a real delight to hear* das Konzert war ein richtiger Ohrenschmaus, *be delighted by/at sth* von etwas entzückt sein; *delight the audience by making fun* die Zuschauer durch Späße begeistern; **~ed** *adj,* hocherfreut; *be delighted by sth* sich ergötzen an etwas; **~ful** *adj,* entzückend, wonnig, zauberhaft; **~s of the table** *sub,* nur *Mehrz.* Tafelfreuden

delirium, *sub,* nur *Einz.* Delirium; *be in a delirium* im Delirium liegen; *delirium tremens* Delirium tremens; *speak in one´s delirium* im Delirium reden

delouse, *vt,* entlausen, lausen

Delphic, *adj,* delphisch

delta, *sub,* -s *(geogr./math)* Delta; *delta shaped mouth of a river* Flussdelta; **~shaped** *adj,* deltaförmig

delude o.s., *vr,* belügen

deluge, *sub,* - Sintflut; *nur Einz. (i. ü. S.; bibl.)* Sintflut

delusion, *sub,* -s Betörung, Gaukelspiel, Täuschung, Trugbild, Truggebilde; nur *Einz.* Wahn; -s Wahnbild; *(Einbildung)* Hirngespinst; *(Fantasiegebilde)* Trug; **~s of grandeur** *sub,* nur *Mehrz.* Größenwahn

de luxe edition, *sub,* -s Luxusausgabe; **de luxe equipment** *sub,* -s DeLuxe-Ausstattung

demagogic, *adj,* demagogisch; **demagogue** *sub,* -s Demagoge; **demagogy** *sub,* nur *Einz.* Demagogie

demand, **(1)** *sub,* -s Einforderung; *nur Einz. (Bestellung)* Anforderung; *(wirt.)* Bedarf; -s Nachfrage **(2)** *vt,* abfordern, fordern, verlangen; *be very demanding* Ansprüche stellen; *demand sth from/of so* jemandem etwas abverlangen; *persistent demand* anhaltende Nachfrage; *meet the demand* den Bedarf decken; *there is a great demand* es besteht eine rege

Nachfrage, *demand sth from so* jemandem etwas abfordern; *to be too demanding* zu viel fordern; **~ deposit** *sub,* -s Sichteinlage; **~meeting** *adj,* *adv,* bedarfsgerecht; **~ing** *adj, (fordernd)* anspruchsvoll; **~s** *sub,* nur *Mehrz.* Inanspruchnahme; *the demands made on him through his second job* seine Inanspruchnahme durch diese Nebenbeschäftigung

demarcate, *vt,* demarkieren; *(Staatsgebiet)* abgrenzen; **demarcating** *sub,* -s Demarkierung; **demarcation** *sub,* -s Demarkation; *(Staatsgebiet)* Abgrenzung; **demarcation line** *sub,* -s Demarkationslinie; *(polit.)* Grenzlinie

démarche, *sub,* -s Demarche

dementia, *sub, nur Einz.* Irresein; *-e (med.)* Dementia

Demerara sugar, *sub,* nur *Einz.* Krümelzucker

demesne, *sub,* -s *(Staatsgut)* Domäne

demigod, *sub,* -s *(myth.)* Halbgott

demijohn, *sub,* -s Korbflasche

demimondaine, *sub,* -s Halbweltdame; **demimonde** *sub,* -s Halbwelt

demobilising, *sub,* -s Demobilisierung; **demobilization** *sub,* -s Demobilisation; **demobilize** *vt,* demobilisieren

democracy, *sub,* -ies Demokratie; **democrat** *sub,* -s Demokrat; *(Partei)* Demokrat; *Democrat* Mitglied der Demokratischen Partei; **democratic** *adj,* demokratisch; *(Partei)* demokratisch

demographic, *adj,* demografisch; *demographic poll* eine demographische Umfrage; **demography** *sub,* -ies Demografie

demolish, *vt,* demolieren, vertilgen; **demolition** *sub,* -s Demolierung; *(Bauwerk)* Abriss; *(Gebäude)* Abbruch; **demolition chamber** *sub,* -s Sprengkammer; **demolition firm** *sub,* -s Abbruchfirma; **demolition squad** *sub,* -s Sprengtrupp; **demolition work** *sub,* nur *Einz.* Abbrucharbeiten

demon, *sub,* -s Dämon; *be a regular demon* ein Ausbund an Bosheit sein; **~iac** *adj,* dämonenhaft; **~ize** *vt,* dämonisieren

demonstrate (1) *vt* dokumentieren; manifestieren (2) *vti*, demonstrieren; *be demonstrated by* es dokumentiert sich in; *demonstrate one´s interest* sein Interesse dokumentieren; **demonstration** *sub*, *-s* Kundgebung; *(Beweis)* Manifestation; **demonstration (in support of/against)** *sub*, *-s* Demonstration; **demonstration car** *sub*, *-s* Vorführwagen; **demonstration lesson** *sub*, *-s* Lehrprobe; **demonstrative** *adj*, demonstrativ; **demonstrative pronoun** *sub*, *-s* Demonstrativpronomen; **demonstrator** *sub*, *-s* Demonstrant, Demonstrator, Manifestant

demoralise, *vt*, *(Mut)* demoralisieren; *you demoralise the whole team* du demoralisierst die ganze Mannschaft; **demoralization** (1) *sub*, *nur Einz*. Demoralisation (2) *vt*, Demoralisierung

demote, *vt*, kalt stellen; **demotion** *sub*, *-s* Kaltstellung; *(mil.)* Degradierung; *his demotion from sergeant to* seine Degradierung vom Feldwebel zum

den, *sub*, *-s* Höhle; *a den of thieves* ein Nest von Dieben; *(i. ü. S.) a den of vice* im Sumpf des Lasters; *(ugs.) to venture into the lion´s den* sich in die Höhle des Löwen begeben; *~ of vice* *sub*, *-s* Lasterhöhle

denationalize, *vt*, reprivatisieren

denaturalization, *sub*, *-s* Denaturalisation; **denaturalize** *vt*, ausbürgern, denaturalisieren; **denature** *vt*, denaturieren, vergällen

denazification, *sub*, *-s* Entnazifizierung

denial, *sub*, Aberkennung; *-s* Dementi, Leugnung, Verleugnung, Verneinung, Verweigerung; *official denial* ein offizielles Dementi; **denier** *sub*, *nur Einz.* Denier

denigrate, *vt*, schlecht machen

denominate, *vt*, *(Wertpapiere)* stükkeln; **denomination** *sub*, *-s* Stükkelung, Wert; **denominational** *adj*, konfessionell; **denominationalism** *sub*, *nur Einz.* Konfessionalismus

denounce, *vt*, denunzieren; *~ment* *sub*, *-s* Anprangerung; **denouncing** *sub*, *-s* Verketzerung

dense, *adj*, *(Wald,Hecke,Leute...)* dicht; *in dense undergrowth* im Dik-

kicht des Waldes; *~ undergrowth* *sub*, Dickung; *(Wald)* Dickicht; *~ly* **wooded** *adj*, baumreich; *~ness* *sub*, *nur Einz.* Dichtigkeit; **densimeter** *sub*, *-s (phy.)* Pyknometer; **density** *sub*, *-ies* Dichte; **density meter** *sub*, *-s (phy.)* Densimeter; **density-metre(am: er)** *sub*, *-s* Dichtemesser

dent, *sub*, *-s* Delle; *(im Auto etc.)* Beule; *dent one´s car* eine Delle ins Auto fahren; *with chips and dents* weiß nicht

dental, *adj*, dental, zahnärztlich; *~ floss* *sub*, *- Zahnseide; ~ technology* *sub*, *-s (tt; med.)* Zahntechnik; **dentate** *adj*, *(bot.)* gezahnt; **dented** *adj*, *(i. ü. S.; Selbstbewußtsein)* angeknackst; **dentist** *sub*, *-s* Dentist; *- Zahnarzt*; **dentistry** *sub*, *nur Einz.* Zahnmedizin; *(tt; med.)* Zahnheilkunde; **denture** *sub*, *-s* *(Zahnersatz)* Gebiss; **dentures** *sub*, *nur Mehrz.* Zahnersatz

denunciation, *sub*, *-s* Denunziation

deny, (1) *vt*, ableugnen, absprechen, abstreiten, leugnen, verleugnen; *(leugnen)* bestreiten, negieren (2) *vti*, dementieren, verneinen; *deny sth* es wird dementiert, dass, etwas in Abrede stellen; *nobody denies that* es ist unbestritten, dass; *she was denied doing sth* es war ihr verweigert etwas zu tun; *~ so s.th* *vt*, aberkennen

deodorant, *sub*, *-s* Deodorant; *~ spray* *sub*, *-s* Deospray; **deodorize** *vt*, deodorieren

deoxidate, *vt*, desoxidieren

deoxyribonucleic acid, *sub*, *-s* *(chem.)* Desoxyribonukleinsäure

depart, (1) *vi*, abreisen; *(Schiff)* auslaufen (2) *vt*, dahinfahren; *depart from the subject* sich vom Thema entfernen; *to depart this life* (aus dem Leben) dahinfahren

department, *sub*, *-s* Dezernat, Dienststelle, Fachbereich, Ministerium, Ressort, Sektion; *(eines Instituts)* Abteilung; *Department of Defense* Verteidigungsministerium; *~ store* *sub*, *-s* Kaufhaus, Warenhaus; *~al* *adj*, ressortmäßig

departure, *sub*, *-s* Abfahrt, Abreise, Aufbruch, Ausreise, Departure; *(Flugplan)* Abflug; *(a. i. ü. S; Per-*

son) Abgang; *(weggehen)* Fortgang;
~ **day** *sub*, *-s* Abflugtag; ~ **time** *sub*,
-s Abflugzeit

dependence, *sub*, Abhängigkeit; *nur
Einz.* Bedingtheit; *-s (Abhängigkeit)*
Gebundenheit; *(polit.)* Anlehnung;
interdependence gegenseitige Abhängigkeit; **dependent (1)** *adj*, abhängig **(2)** *sub*, *-s* Hinterbliebene; *be
dependent on* angewiesen sein auf;
dependent on the situation *adj*, situativ; **dependent relationship** *sub*,
-s Abhängigkeitsverhältnis; **dependents** *sub*, *nur Mehrz. (Angehörige)*
Anhang

depictable, *adj*, darstellbar

depilate, *vt*, depilieren, epilieren
depiliate, *vt*, enthaaren; **depilation**
sub, *-s* Enthaarung

deploy, *vi*, *(mil.)* auffahren; **~ment**
sub, *-s (Maschine)* Einsatz; **~ment of
new arms** *sub*, *nur Einz. (mil.)* Nachrüstung

deponent, *sub*, *-s* Deponens
depopulate, *vt*, entvölkern; *depopulate complete regoins* ganze Landstriche entvölkern; **depopulation** *sub*,
nur Einz. Entvölkerung

deport, *vt*, verschicken; *(ausweisen)*
abschieben; ~ **to** *vt*, deportieren;
~ation *sub*, *-s* Deportation, Deportierung; **~ation custody** *sub*, *- -ies*
Abschiebehaft; **~ee** *sub*, *-s* Deportierte

deposit, **(1)** *sub*, *-s* Anzahlung, Deponat, Einzahlung, Kaution; *(Flaschen~)* Pfand; *(wirt.)* Einlage **(2)** *vi*,
(Sediment) aufschwemmen **(3)** *vt*,
deponieren, einzahlen, hinterlegen;
(biol., Feststoff) abscheiden; *(geol.,
med., Müll)* ablagern; *deposit the luggage at the station* as Gepäck am
Bahnhof deponieren; *deposit the money in the safe* das Geld im Safe deponieren; *deposit the money with
him* das Geld bei ihm deponieren;
~ing *sub*, *-s* Deponierung, Hinterlegung; **~ion** *sub*, *-s* Deposition; *-
(geol., med.)* Ablagerung; **~or** *sub*, *-s*
Deponent; **~ory** *sub*, *-ies* Aufbewahrungsort, Depositorium; **~ries (Stelle)**
Ablage; **~s** *sub*, *nur Mehrz. (wirt.)*
Depositen

depot, *sub*, *-s* Depot, Stapelplatz;
(wirt.) Depot; ~ **check** *sub*, *-s* Depotschein; ~ **preparation** *sub*, *-s* Depot-

präparat

deprave, *vt*, depravieren; **~d** *adj*,
verworfen; **~d life** *sub*, *lives* Lasterleben; **depravity** *sub*, *-s* Verdorbenheit

depress, *vt*, bedrücken, deprimieren, niederdrücken; *depressing*
niederdrückend; **~ed** *adj*, bedrückt, gedrückt; **~ed feeling** *sub*,
-s Gedrücktheit; **~ion** *sub*, *-s* Bedrücktheit, Tief, Vertiefung;
(geogr./wirt.) Depression; *(psych.)*
Depressivität; *(Senke)* Niederung;
~ive (1) *adj*, gemütskrank **(2)** *vi*,
depressiv

deprivation, *sub*, *-s (Entziehung)*
Beraubung; ~ **of power** *sub*, *-s*
Entmachtung; ~ **of rights** *sub*, *-s*
Entrechtung; **deprive** *vt*, deprivieren; *(i. ü. S.; entziehen)* berauben;
to deprive sb of his faith jmd den
Glauben nehmen; *to suffer deprivation* Not leiden; **deprive of power**
vt, entmachten; **deprive of
the right of decision** *vt*, *(i. ü. S.)*
entmündigen; **deprive sb of
his/her rights** *vt*, entrechten

depth, *sub*, *-s* Tiefe; *nur Einz. (i. ü.
S.)* Tiefgang; *I will not sink to such
depths* in solche Niederungen begebe ich mich nicht; *in the depths
of despair* zu Tode betrübt; *in the
depths of winter* im tiefsten Winter;
sink into the depths in der Tiefe
versinken; ~ **(of the sea or ocean)**
sub, *depths* Meerestiefe; ~ **of sinking** *sub*, *-s* Einsinktiefe

deputation, *sub*, *-s* Deputation; **depute** *vt*, deputieren; **deputy (1)**
adj, *(amtlich)* stellvertretend **(2)**
sub, *-ies* Stellvertreter, Stellvertretung; *deputy managing director*
stellvertretender Geschäftsführer;
deputy headmaster *sub*, *-s* Konrektor; **deputy rector** *sub*, *-s* Prorektor

derailment, *sub*, *-s* Entgleisung
derange, *vt*, derangieren; *derange
sb mind* jmd derangieren; *to derange sb ideas* jmd Ideen derangieren; **~d** *adj*, derangiert; **~ment**
sub, *-s* Derangement

derby, *sub*, *-ies* Derby
derelict, *adj*, abbruchreif
deride, *vt*, höhnen, hohnsprechen;
derision *sub*, *nur Einz.* Hohn; *to*

... ... objet of derision zum Spott und Hohn werden

derivative, *sub*, *-s (chem.)* Abkömmling, Derivat; **derive** *vi*, ableiten; **derive from** *vt*, entstammen; *derive themselves from noble ancestors* von edlen Vorfahren entstammen

dermatologist, *sub*, *-s* Dermatologe, Dermatologin, Hautarzt; **dermatology** *sub*, *nur Einz.* Dermatologie

dermis, *sub*, - Lederhaut

derogatory, *adj*, derogativ

derrick, *sub*, *-s* Bohrturm, Ladebaum; *(Schiff)* Derrickkran

dervish, *sub*, *-es* Derwisch

desaster, *sub*, *s* Desaster

descend, *vi*, deszendieren, niedergehen; *(ab-)* fallen; *(im Gebirge)* absteigen; *be descended from* abstammen von; *descend from an old family* aus einer alten Familie stammen; *descend from father to son* sich vom Vater zum Sohn vererben; *descend on so* bei jmd einfallen; *to descend on sb* jmd ins Haus platzen; ~ **upon** *vt*, *(i. ü. S.; unerwartet)* überfallen; ~**ant** *sub*, *-s* Abkomme, Abkömmling, Nachfahr, Nachfahre, Nachkomme, Nachkömmling; *(astrol.)* Deszendent; *be situated in the descendant* im Deszendenten stehen; ~**ants** *sub*, - Abkommenschaft; ~**ing of a star** *sub*, *-s* Deszendenz; **descent** *sub*, *-s* Abkunft, Talfahrt; *(Bergsteigen)* Abstieg; - *(das Fallen)* Fall; **Descent from the Cross** *sub*, Kreuzabnahme; **descent into hell** *sub*, *nur Einz. (theol.)* Höllenfahrt

describe, *vt*, schildern, *(Ausdruck)* bezeichnen; *(schildern)* beschreiben; *describe exactly what happened* den Hergang schildern; *describe sth in detail* etwas genau beschreiben; *you can't describe it* es ist einfach nicht zu beschreiben; **description** *sub*, *-s* Beschreibung, Deskription, Schilderung; *give a vivid description of sth* etwas bildhaft beschreiben; **descriptive** *adj*, deskriptiv

desecrate, *vt*, entheiligen, entweihen, schänden; **desecration** *sub*, *-s* Entheiligung, Schändung

desert, *(1) adj*, wüst *(2) sub*, *-s* Wüste *(3) vi*, desertieren; ~ **climat** *sub*, - Wüstenklima; ~ **fox** *sub*, - Wüstenfuchs; ~**ation** *sub*, *-s* Fahnenflucht;

cd *adj*, menschenleer, öde, *(Stadt)* ausgestorben; ~**er** *sub*, *-s* Deserteur; *(mil.)* Überläufer; ~**ion** *sub*, *-s* Desertion

deserve, *(1) vi*, *(jmdm)* gebühren *(2) vt*, *(i. ü. S.)* verdienen; **deserving of death** *adj*, todeswürdig

desiccate, *vt*, *(tech.)* entfeuchten; ~**d coconut** *sub*, *nur Einz.* Kokosflocken, Kokosraspeln; **desiccation** *sub*, *-s (tech.)* Entfeuchtung; **desiccator** *sub*, *-s* Entfeuchter

desideratum, *sub*, *-a* Desiderat

design, *(1) sub*, *-s* Ausprägung, Design, Entwurf; *(eines Produkts)* Ausführung; *(tech.)* Bau, Bauart *(2) vt*, entwerfen, gestalten; *(entwerfen)* auslegen; *(gestalten)* aufmachen; *the car is designed to do 150 km/h* das Auto ist für 150 km/h ausgelegt; *the restaurant is designed to seat 40 people* das Restaurant ist für 40 Personen ausgelegt; ~ **(car-bodies)** *vt*, karossieren

designate as, *vt*, designieren; **designation** *sub*, *-s* Designation

desirable, *adj*, erstrebenswert; **desire** *(1) sub*, *-s* Begehren, Begierde, Gelüst; *nur Einz.* Verlangen; *-s* Wunsch; *(sinnlich)* Lust; *(Verlangen)* Trieb *(2) vt*, begehren; *(ugs.)* to feel desire Lust haben; *to indulge one's desires* seinen Lüsten frönen; *the desired result* das erwünschte Resultat; **desire for food** *sub*, *-s* Esslust; **desire to kill** *sub*, *nur Einz.* Mordlust; *(geb.)* Mordgier; **desire to please** *sub*, *-s* Gefallsucht

desk, *sub*, *-s* Pult, Schreibtisch; ~ **computer** *sub*, *-s* Tischrechner; ~ **telephone** *sub*, *-s* Tischtelefon

desolate, *adj*, öde, trostlos; *dreary and desolate* öd und leer; ~**ness** *sub*, *nur Einz.* Trostlosigkeit

despair, *(1) sub*, *nur Einz.* Verzweiflung *(2) vi*, verzweifeln; *don't despair* nur nicht verzweifeln; *it makes you despair* es ist zum Verzweifeln; *to despair of life* am Leben verzweifeln; ~**ing** *adj*, verzweifelt

desperado, *sub*, *-s* Desperado

desperate, *adj*, desperat, krampfhaft, verzweifelt; **desperation** *sub*, *nur Einz.* Verzweiflung

despicable, *adj,* niederträchtig, schnöde, verrucht; *(zu verachten)* elend; *to betray sb in a despicable way* jmdn niederträchtig verraten; *the despicable way he went about die* Niedertracht, mit der er vorgegangen ist; ~ **nature** *sub, nur Einz.* Verruchtheit; ~**ness** *sub, nur Einz.* Niedertracht; - Schnödigkeit; **despicably** *adv,* charakterlos

despise, *vt,* verachten; *(geringschätzen)* missachten; *not to despise* nicht zu verachten; ~**r** *sub, -s (i. ü. S.)* Verächterin

despite, *präp,* trotz, ungeachtet; *despite all differences* über alle Unterschiede hinweg; *despite all warnings* ungeachtet aller Warnungen

despot, *sub, -s* Despot; ~**ic** *adj,* despotisch; ~**ism** *sub, -s* Despotie; *nur Einz.* Despotismus; *-s* Gewaltherrschaft

desrespectful, *adj,* despektierlich

dessert, *sub, -s* Dessert, Nachspeise, Nachtisch; *for dessert* als Nachspeise; ~**-fork (pastry-fork)** *sub, -s* Dessertgabel

destination, *sub, -s* Bestimmungsort, Destination, Ziel, Zielbahnhof; **destined** *adj,* *(vorherbestimmt)* bestimmt; *be destined for higher* zu Höherem bestimmt sein; *be destined for sth* zu etwas bestimmt sein

destiny, *sub, -ies* Schicksal; *(Schicksal)* Bestimmung

destort, *vt,* deformieren

destroy, *vt,* destruieren, vernichten, zerstören; *(Gegner)* aufreiben; ~**er** *sub, -s* Vernichterin; *(tt; naut.)* Zerstörer; **destruction** *sub, -s* Destruktion, Vernichtung, Zerstörung; **destructive** *adj,* destruktiv; *have a destructive effect on sth* destruktiv auf etwas wirken

detach oneself from, *vr,* loslösen; **detach oneself** *vr,* *(sich losmachen)* lösen; **detachable** *adj,* abtrennbar

detail, (1) *sub, nur Einz.* Ausführlichkeit; *-s* Detail, Einzelheit, Kleinigkeit **(2)** *vt, (mil.)* abkommandieren; *to the last detail* in aller Ausführlichkeit; *down to the smallest detail* bis ins kleinste Detail; *go into detail* ins Detail gehen; *as detailed below* wie im Nachfolgenden ausgeführt; *down*

to the last detail bis in alle Einzelheiten; *further details at* nähere Auskunft bei; *give details* genaue Angaben machen; *go into detail* in Einzelheiten gehen; ~**ed** *adj,* detailliert, eingehend; *(detailliert)* ausführlich; *(Frage, Schilderung)* minuziös; *(ins einzelne gehend)* genau

detain, *vt, (Person)* einbehalten

detect, *vt,* wahrnehmen; *(i. ü. S.)* heraushören; *(tech.)* nachweisen; *(wahrnehmen)* feststellen; *traces of ammonia can be detected* Spuren von Ammoniak sind nachweisbar; ~**able** *adj, (tech.)* nachweisbar; ~**ive** *sub, -s* Detektiv; ~**ive agency** *sub, -ies* Detektei, Detektivbüro; ~**ive story** *sub, -ies* Krimi; ~**or** *sub, -s (tech.)* Detektor

détente, *sub, nur Einz.* Détente

detention, *sub, nur Einz.* Karzer; Strafarrest; *(polit.)* Haft; ~ **cell** *sub, -s* Karzer

detergent, *sub,* *-s* Detergens, Waschmittel

deteriorate, *vi, (Gehör)* nachlassen

determination, *sub, nur Einz.* Bestimmtheit; *-s* Determination, Entschlossenheit, Ermittlung; *(Ermittlung, Festlegung)* Bestimmung; ~ *of value* *sub, -s (tt; wirt.)* Valvation; **determinative** *adj,* determinativ; **determine** *vt,* determinieren; *(ermitteln; festlegen; sich auswirken)* bestimmen; *(Tatsachen)* ermitteln; *determine a result* Ergebnis ermitteln; **determined** *adj,* dezidiert, entschlossen, resolut, verbissen; *(bestimmend)* energisch; *(entschlossen)* entschieden; **determinist** *sub, -s* Determinist; **deterministic** *adj,* deterministisch

deterrence, *sub, -s* Abschreckung

detest, *vt,* verabscheuen; *(verabscheuen)* hassen; *I detest that* das ist mir zuwider

detonate, *vi,* detonieren; **detonation** *sub, -s* Detonation; **detonator** *sub, -s* Detonator, Zünder

detour, *sub, -s* Abstecher, Umleitung, Umweg; *(Straße)* Umgehung; *(absichtlich) make a detour* einen Umweg machen

detoxicate, *vt, (Person)* entgiften

detracted, *adj,* zerfahren

detrimental, adj, abträglich

devaluate, vt, devalvieren; *(Kennzeichen)* entstempeln; **devaluation** *sub*, -s *(wirt.)* Abwertung, Devalvation; **devalue** *vt*, abwerten, entwerten

devastate, vt, verheeren, verwüsten; **devastating** *adj*, verheerend; **devastation** *sub, nur Einz.* Verwüstung; -s *(geogr.)* Devastation; **devaste** *vt*, verwüsten

develop, (1) *vi*, ausprägen (2) *vr*, herausbilden (3) *vt*, ausgestalten; *(Land)* erschließen (4) *vti*, entwickeln; *develop one's own personality to the full* sich frei entfalten; *(t. ü. S.) see how things develop* sehen wie der Hase läuft, *develop from sth into sth* sich aus etwas zu etwas entwickeln; **~e from** *vi*, hervorgehen; **~er** *sub, nur Einz.* Entwickler; **~ment** *sub*, -s Ausgestaltung, Entfaltung, Entwicklung; - Heranbildung, Werdegang; -s *(mit Gebäuden)* Bebauung; *(s.o.)* Erschließung; *the site is suitable for development* das Gelände ist noch ausbaufähig; **~ment planning** *sub*, -s Raumplanung; **~ping** *sub*, -s *(Vorgang)* Entwicklung

deversify, vt, diversifizieren

deviant, *adj*, deviant; **deviate** (1) *vi*, abweichen, deviieren (2) *vt*, *(mil.)* derivieren; **deviation** *sub*, -s Abweichung, Digression; *(mat./geogr.)* Deviation

device, *sub*, -s Vorrichtung; *(Verkehrskontrolle)* Mittel

devide, *vt*, dividieren; **~ up** *vt*, *(teilen)* einteilen; **~d in four** *adj*, gevierteilt

devil, *sub*, -s Diabolus, Teufel; *be caught between the devil and the deep blue sea* zwischen zwei Feuer geraten sein; *he's in a devilish mood* ihm sitzt der Schalk im Nacken; *(ugs.) who the devil did it?* wer zum Teufel hat das getan?; **~ of a fellow** *sub, devils* Teufelskerl; *(ugs.; Teufelskerl)* Tausendsassa; **~ish** *adj*, teuflisch, verteufelt; **~ish things** *sub, nur Mehrz.* Teufelszeug; **~ry** *sub, -ies* Teufelei

devise, *vt*, ersinnen

devolvement, *sub*, -s Degagement

Devon, *sub, nur Einz. (geogr.)* Devon; **~ian** *sub, nur Einz. (geol.)* Devon

devote, *vr*, weihen, widmen; **~o.s. to** *vr*, *(sich)* hingeben; **~ to** *vt*, darein-

devotes all efforts to alles daransetzen, um; **~d** *adj*, ergeben, hingabefähig, treusorgend; *(Diener)* treu; **~dly** *adv*, hingebungsvoll;

devotion *sub*, -s Andacht, Devotion, Hingabe; *(Treue)* Ergebenheit;

devotion duty *sub, nur Einz.* Pflichttreue; **devotional objects** *sub, nur Mehrz.* Devotionalien

devour, *vt*, auffressen, verschlingen

devout, *adj*, andächtig; *(theol.)* fromm

dew, *sub, nur Einz.* Tau; *beads of dew glisten on the leaves* im Tau der Tau perlt auf den Blättern; *dew was sparkling on the grass* an den Gräsern funkelte der Tau; **~drop** *sub*, -s Tautropfen; **~lap** *sub*, -s Wamme

dexterity, *sub, nur Einz.* Fingerfertigkeit; **dexterous** *adj*, *(fingerfertig)* geschickt

dextrous, *adj*, fingerfertig

diabetes, *sub, nur Einz.* Diabetes; *(lt; med.)* Zucker, Zuckerkrankheit; **diabetic** (1) *adj*, zuckerkrank (2) *sub*, -s Diabetiker, Diabetikerin

diabolic, *adj*, diabolisch, luziferisch; *diabolic malevolence* diabolisch; *diabolic sneer* diabolisches Grinsen; **~ art** *sub*, - Teufelskunst; **~al** *adj*, teuflisch

diacritic, *sub*, -s Diakrise; **~al** *adj*, diakritisch

diadem, *sub*, -s Diadem

diaeresis, *sub*, - Trennpunkt

diagnose, *vt*, diagnostizieren; **diagnosis** *sub*, - Diagnose; **diagnostic** *adj*, diagnostisch; **diagnostic clinic** *sub*, -s Diagnosezentrum; **diagnostician** *sub*, -s Diagnostiker; **diagnostics** *sub, nur Mehrz.* Diagnostik

diagonal, (1) *adj*, diagonal (2) *sub*, -s Diagonale; *skim through a book* ein Buch diagonal lesen; **~ly** *adv*, quer

diagram, *sub*, -s Diagramm; *(graf. Darst.)* Grafik

dial, (1) *sub*, -s Wahlanzeige, Wählscheibe, Zifferblatt (2) *vt*, anwählen, wählen; **~ direct** *vi*, *(Ausland)* durchwählen; **~ gauge** *sub*, -s Messuhr; **~ straight through** *vi*, *(Nebenstelle)* durchwählen

dialect, *sub*, *-s* Dialekt, Mundart; *speak dialect* Dialekt sprechen; *the word is used in dialect* das Wort wird munartlich gebraucht; *to speak dialect* Mundart sprechen; ~ **dictionary** *sub*, *-ies* Idiotikon; ~**al** *adj*, dialektal, mundartlich

dialectical, *adj*, dialektisch; **dialectician** *sub*, *-s (phil.)* Dialektiker; **dialectics** *sub*, *nur Mehrz.* Dialektik

dialing tone, *sub*, *-* Freizeichen; *-s* Wählton; *- (US)* Freizeichen

dialogic, *adj*, dialogisch

dialogue, *sub*, *-s* Dialog, Zwiegespräch, Zwiegespräch; *(i. ü. S.)* Wechselrede; *carry on a dialogue* einen Dialog führen

dialysis, *sub*, *-ses* Dialyse

diamond, (1) *adj*, diamanten (2) *sub*, *-s* Diamant; ~ **dust** *sub*, *-s* Diamantstaub; ~ **pin** *sub*, *(Ansteck-)* Diamantnadel; ~ **ring** *sub*, *-s* Brillantring, Diamantring; ~ **stylus** *sub*, *-es (tech.)* Diamantnadel; ~**field** *sub*, *-s* Diamantfeld; ~**-shaped** *adj*, rautenförmig; ~**s (cards)** *sub*, *nur Mehrz.* Karo; ~**s ace** *sub*, *-s* Schellenass

diaphanus, *adj*, diaphan

diaphragm, *sub*, *-s* Diaphragma; *(tt; anat.)* Zwerchfell; *(phys.)* Membran, Membrane; *(zur Empfängnisverhütung)* Pessar

diapositive, *sub*, *-s* Diapositiv

diarhoea, *sub*, *(med.)* Durchfall

diarrhea, *sub*, *-e (med.)* Brechdurchfall

diarrh(o)ea, *sub*, *-e* Diarrhö

diary, *sub*, *-ies* Diarium, Tagebuch

Diaspora, *sub*, *nur Einz.* Diaspora

diastolic, *adj*, diastolisch

diatonic, *adj*, diatonisch; ~**ism** *sub*, *-s (mus.)* Diatonik

dice, (1) *sub*, *-s* Würfel, Würfelspiel (2) *vt*, würfeln; *the dice are cast* die Würfel sind gefallen; ~ **cup** *sub*, *-s* Knobelbecher

dichotomic, *adj*, dichotomisch; **dichotomy** *sub*, *-ies* Dichotomie

dickybird, *sub*, *-s (ugs.)* Piepmatz, Piepvogel

Dictaphone (R), *sub*, *-s* Diktafon; **dictate** *vt*, diktieren, zudiktieren; *follow the dictates of reason* dem Gebot der Vernunft folgen; *to dictate someone* jemandem diktieren; **dictating machine** *sub*, *-s* Diktiergerät; **dictation** *sub*, *-s* Diktat; *take the dictation* das Diktat aufnehmen; *write a dictation* ein Diktat schreiben

dictator, *sub*, *-s* Diktator; *(pej.)* Machthaber; ~**ial** *adj*, diktatorisch; ~**ship** *sub*, *-s* Diktatur

dictum, *sub*, *dicta* Diktum

didactic, *adj*, didaktisch, lehrhaft; ~ **poem** *sub*, *-s* Lehrgedicht; ~**s** *sub*, *nur Mehrz.* Didaktik

diddle so, *vt*, *(ugs.)* beschummeln

die, (1) *sub*, *-s (Präge-)* Stanze, Stempel (2) *vi*, sterben, umkommen; *(ugs.)* verrecken; *(Tiere/Pflanzen)* eingehen; *die a natural death* eines natürlichen Todes sterben; *I´m dying to go!* ich muss mal nötig; *prepare to die* mit dem Leben abschließen; *the cow has died on him* die Kuh ist ihm eingegangen; *the flowers die with sth* die Blumen gehen an etwas ein; ~ **away** *vi*, *(mus.)* ausklingen; ~ **down** *vi*, *(Geschäft)* abflauen; *(Sturm)* abflauen; ~ **from** *vt*, *(sterben)* erliegen; ~ **of thirst** *vi*, verdursten; ~ **off** *vi*, absterben; ~ **out** *vi*, *(Rasse)* erlöschen; ~ **wretchedly** *vi*, *(ugs.)* krepieren

dielectric, *adj*, dielektrisch; ~ **space** *sub*, *-s* Dielektrikum

diesel engine, *sub*, *-s* Dieselmotor; **diesel oil** *sub*, *nur Einz.* Dieselöl

diet, *sub*, *-s* Abmagerungskur, Diät, Kost, Schlankheitskur; *(gesund/ungesund)* Ernährung; *keep to a diet* Diät halten; *put so on a diet* jmd auf Diät setzen; *a meatless diet* fleischlose Kost; *(i. ü. S.)* his books are heavy going* seine Bücher sind schwere Kost; *a healthy/an unhealthy diet* gesunde/ungesunde Ernährung; ~ **plan** *sub*, *-s* Diätplan; ~ **to remove one´s excess fat** *sub*, *-s* Entfettungskur; ~**ary food** *sub*, *nur Einz.* Diätkost; ~**etics** *sub*, *nur Mehrz.* Diätetik

diethyleneglycol, *sub*, *nur Einz.* Diäthylenglykol

differ, *vr*, unterscheiden; *differ voneinander abweichen; ~ **by** *vi*, differieren; ~**ence** *sub*, *-s* Differenz, Ungleichheit, Unstimmigkeit, Unterschied, Verschiedenheit; *make no difference* nicht ins Gewicht fallau, *that's the difference therein liegt* der Unterschied; *a slight difference* ein feiner Unterschied; *that's a vast difference* das ist ein gewaltiger Unterschied; *there's a difference* einen Unterschied machen; **~ences** (*sub*, *nur Mehrz.* Andersartigkeit; *(Meinungen)* Gegensatz; **~ent** *adj*, andersartig, different, unterschiedlich, verschieden, verschiedenartig; *(verschieden)* andere; *of course he's different* er hat das natürlich nicht nötig; *she's a different person* sie ist wie umgewandelt; *that's a completely different thing* das ist etwas ganz anderes; *that's different* das ist etwas anderes; *that's sth quite different* das hat eine ganz andere Bewandtnis; *(i. ü. S.) they're no different from anybody else* dort wird auch nur mit Wasser gekocht; *it's a different colour* es ist eine andere Farbe; **~ent in nature** *adj*, wesensfremd; **~ential calculus** *sub*, *-i* Differentialrechnung; **~ential gear** *sub*, *-s* Differentialgetriebe; **~entiate** (1) *vt*, *(differenzieren)* abgrenzen (2) *vti*, differenzieren; *differentiate a funktion* eine Funktion differenzieren; **~ently** *adv*, verschieden

difficult, *adj*, diffizil, schwer, schwierig; *difficult facts* ein difficiler Sachverhalt; *difficult to carry out* das ist nur schwer durchführbar; **~y** *sub*, *-ies* Erschwernis, Schwierigkeit; *the parents had difficulty in feeding their children* die Eltern hatten Not, ihre Kinder zu ernähren; *to find oneself in serious difficulties* sich in einer Notlage befinden; *to get into serious difficulties* in Not geraten; **~y in breathing** *sub*, *nur Einz.* Atembeschwerden

diffident, *adj*, unsicher

diffuse, (1) *adj*, *(phy.)* diffus (2) *vt*, *(tt; phy.)* zerstreuen; *diffuse light* diffuses Licht; **diffusion** *sub*, *-s* Diffusion; *nur Einz.* (tt; phy.) Zerstreuung

dig, (1) *vi*, ausgraben, wühlen (2) *vt*, *(mil.)* schanzen (3) *vti*, buddeln, graben, schaufeln; *dig a hole* ein Loch buddeln; *dig about in the sand* im Sand buddeln; **~ a pit** *vt*, schachten; **~ away** *vt*, abgraben; **~ in** *vt*, untergraben; **~ one's nails into** *vt*, krallen; **~ over** *vt*, umgraben; **~**

through the earth *vt*, *(umgraben)* durchwühlen; **~ up** *vt*, aufgraben, ausbuddeln; *(aus der ~ holen)* Mottenkiste; *(Strauch etc.)* ausgraben

digest, (1) *sub*, *-s* Digest (2) *vt*, verdauen; *(Erlebtes)* aufarbeiten; **~ion** *sub*, *-s* Verdauung; *(von Erlebnissen)* Aufarbeitung

digging, *sub*, *nur Einz.* Buddelei; **~ stick** *sub*, *-s* Pflanzstock

digit, *sub*, *-s* Ziffer; **~al** *adj*, digital, ziffernmäßig; **~al clock** *sub*, *-s* Digitaluhr

dignitary, *sub*, *-es* Würdenträger; **dignity** *sub*, *-ies* Dignität; *- Gemessenheit*; *-es* Würde

digress, *vt*, abschweifen; *(beim Erzählen)* ausschweifen; **~ion** *sub*, *-s* Abschweifung, Exkurs; *(beim Erzählen)* Ausschweifung; *(thematisch)* Abweichung

digusting, *adj*, widerlich

dike, *sub*, *-s* Deich; *(Wasser)* Damm; *there's a breach in the dike* der Damm bricht; **~building** *sub*, *-s* Deichbau

dilapidated, *adj*, baufällig, verfallen; *(Bauwerk)* altersschwach

dilat(at)ion, *sub*, *-s* Dilation; **dilatable** *adj*, dilatabel; **dilation** *sub*, *-s* Wärmedehnung

dilatory, *adj*, dilatorisch, säumig

dilemma, *sub*, *-s* Dilemma; *(i. ü. S.)* Zwickmühle; *be on the horns of a dilemma* in einem Dilemma stecken

dilettante, (1) *adj*, dilettantisch (2) *sub*, *-i* Dilettant; **dilettantism** *sub*, *-s* Dilettantismus; **diligent** *adj*, fleißig

diligence, *sub*, *- Fleiß*

dill, *sub*, *nur Einz.* *(Gewürz)* Dill

dim, (1) *adj*, schummerig; *(glanzlos)* trüb (2) *vt*, abblenden, trüben; **~ person** *sub*, *people (ugs.)* Kirchenlicht; *(ugs.) to not be very bright* kein Kirchenlicht sein

dime novel, *sub*, *-s (US)* Groschenroman

dimension, (1) *sub*, *-s* Dimension; *(Maß)* Abmessung (2) *vt*, dimensionieren; *the third dimension* die dritte Dimension; **~al** *adj*, dimensional; *three-dimensional* dreidimensional; **~s** *sub*, *nur Mehrz.*

Größenverhältnis

diminish, (1) *vi, (abnehmen)* nachlassen **(2)** *vt,* diminuieren, schmälern; **~ing** *sub,* -s Schmälerung; *(Herabsetzung, Verringerung)* Minderung

diminutive, (1) *adj,* zwergwüchsig **(2)** *sub,* -s Diminutivum

dimorphic, *adj,* dimorph; **dimorphism** *sub,* -s Dimorphismus

dimple, *sub,* -s Grübchen

dimwit, (1) *sub,* -s Dümmling; *(ugs.)* Schwachkopf

din, *sub,* -s Rabatz; *making a terrible din* dass es nur so krachte; **~ of battle** *sub, nur Einz.* Kampfeslärm

dine, *vi,* dinieren, soupieren, tafeln; *dine out/in* auswärts essen; *to dine with Duke Humphrey* nichts zu essen haben; **~r** *sub,* - *(US)* Speisewagen

dinghy, *sub,* -ies Jolle

dingo, *sub,* -es Dingo

dining car, *sub,* -s Speisewagen; **dining-room** *sub,* -s Esszimmer, Speisezimmer; **dining-table** *sub,* -s Esstisch

dinner, *sub,* -s Abendessen, Diner, Dinner, Festessen; *a dinner fit for a king* ein königliches Dinner; *candlelight dinner* Dinner bei Kerzenschein; *dinner (lunch) is served* bitte zu Tisch!; *dinner is served* das Abendessen ist serviert; *dinner without grace* aussereheliches Verhältnis; *gala dinner* Gala Diner; *have dinner* zu Abend essen; **~ table** *sub,* -s *(Tisch)* Tafel; **~-jacket** *sub,* -s Dinnerjacket, Smoking; **~-table** *sub,* -s Mittagstisch

dinosaur, *sub,* -s Dinosaurier, Saurier

diocesan, *adj,* diözesan; **diocese** *sub,* -s Diözese; *(Bischofs-)* Sprengel

diode, *sub,* -s Diode

Dionysiac, *adj,* dionysisch

Diophantic, *adj, (mat.)* diophantisch

dioptre, *sub,* -s Dioptrie

dioxene, *sub,* -s Dioxin; *polluted with dioxene* mit Dioxin verseucht

dip, (1) *sub,* -s Dip, Stipp **(2)** *vt,* abblenden, dippen, eintauchen, stippen, tunken, untertauchen; *(kurz)* tauchen; *dip of avocado* Avocado Dip, *at the dip* auf Halbmast; *dip candles* Kerzen ziehen; *dip deeply into one´s purse* tief in die Tasche greifen; *go for a dip* baden gehen; *dip the rusk in the tea* den Zwieback in den Tee eintauchen; *dip one´s hands*

into the water die Hände ins Wasser tauchen; **~ into** *vi, (Buch)* anlesen

diphtheria, *sub,* -s Diphtherie; **~l** *adj,* diphtherisch

diplease, *vt,* missfallen

diploid, *adj,* diploid

diploma, *sub,* -s Abschlussdiplom; -e *(Handwerk)* Diplom; **~cy** *sub,* -ies Diplomatie; *solve a problem diplomatically* eine Sache mit Diplomatie angehen; **~t** *sub,* -s Diplomat; **~tic** *adj,* diplomatisch; **~tic luggage** *sub, nur Einz.* Kuriergepäck; **~tic mission** *sub,* -s *(polit.)* Auslandsvertretung

dipole, *sub,* -s Dipol; **~ antenna** *sub,* -s Dipolantenne

dipterous temple, *sub,* -s dipterous

direct, (1) *adj,* direkt, unmittelbar, wörtlich; *(Verbindung)* durchgehend **(2)** *vt,* inszenieren, richten; *it affects me directly* das berührt mich unmittelbar; **~ attention to sth** *vt,* lenken; **~ current** *sub,* - Gleichstrom; **~ dialing** *sub,* -s Durchwahl; **~ mandate** *sub,* -s Direktmandat; *get into the parliament by a direct mandate* über ein Direktmandat ins Parlament kommen; **~ion** *sub,* -s Regie, Regieanweisung, Richtung; *nur Einz. (Theater)* Spielleitung; *give sb directions* jemanden bei der Arbeit anweisen; *new directions in medicine* neue Pfade in der Medizin; *(i. ü. S.) to give sth a clear sense of direction* eine klare Linie für etwas finden; **~ion of impact** *sub, directions* Stoßrichtung; **~ion sign** *sub,* -s Richtungsanzeiger; **~ional antenna** *sub,* -s Richtstrahler; **~ions** *sub, nur Mehrz. (Weisung)* Auftrag; **~ive** *sub,* -s Direktive

director, *sub,* -s Anstaltsleiter, Direktor, Generalintendant, Intendant, Leiter, Regisseur, Regisseurin; *(Theater)* Spielleiter; **~´s secretary** *sub,* -ies Chefsekretärin; **~ial** *adj,* direktorial; **~ship** *sub,* -s Intendanz; **~y** *sub,* -ries Adressbuch; **directress** *sub,* -es Intendantin

dirigiste, *adj,* dirigistisch; *in a dirigiste manner* dirigistisch

dirndl, *sub,* -s Dirndlkleid

dirt, *sub, nur Einz.* Dreck, Schmutz; *be covered in dirt vor Dreck starren;* **~ cheap** *adj,* spottbillig; **~iness** *sub, nur Einz.* Unsauberkeit; **~y** *adj,* dreckig, schmuddelig, schmutzig, schwarz, unsauber, verschmutzt; *(ugs.)* versifft; *(obszön)* unanständig; *(Sachverhalt)* link; *(schmutzig)* beschmutzt; *to do the dirty on sb* jmdn in die Pfanne hauen; **~y finger** *sub, -s* Stinkefinger; **~y look** *sub, -s* scheeläugig; **~y mark** *sub, -s* Schmutzfleck; **~y o.s.** *vr,* anschmieren; **~y remark** *sub, -s (ugs.; Bemerkung)* Ferkelei; **~y slob** *sub, -s (ugs.)* Schmutzfink; **~y swine** *sub, -s* Drecksau; *(ugs.)* Sau; *(vulg.)* Mistkerl; **~y work** *sub, nur Einz.* Dreckarbeit

disability, *sub, -ies* Gebrechen; *-es* Versehrtheit; **disabled** *adj,* invalide; **disabled person** *sub, - people* Behinderte; *-s* Versehrte; **disablement** *sub, -s* Invalidität

disadvantage, *sub, -s* Nachteil; *(Nachteil)* Minus; *this brought its disadvantages for me* daraus erwuchsen mir Nachteile; *to be at a disadvantage with sb* sich jmd gegenüber im Nachteil befinden; *to sb's disadvantage* zu jmds Ungunsten; **~ of** *adv,* zu Ungunsten

disagio from the amount of a loan, *sub, -s (wirt.)* Damnum

disagree, *vi,* disharmonieren; *disagree with someone* mit jemandem uneinig sein; **~able** *adj,* unsympathisch; **~able colour** *sub, -s* Missfarbe; **~ment** *sub, -s* Misshelligkeit, Uneinigkeit, Zerwürfnis

disappear, **(1)** *vi,* entschwinden, verschwinden, wegkommen; *(i. ü. S.)* untertauchen; *(Wolken)* auflösen **(2)** *vr,* verziehen; *(ugs.)* verkrümeln; *disappear from so's view* sich jmd Blikken entziehen; *disappear into thin air* sich in nichts auflösen; **~ing** *sub, nur Einz.* Verläpperung; **disappereance** *sub, -s* Verschwinden

disappoint, *vt, (jmd)* enttäuschen; *disappoint sb expectations* jmd Erwartungen enttäuschen; **~ment** *sub, -s* Enttäuschung; *a great disappointment* eine arge Enttäuschung; *she's in for a big disappoinment* ihr steht eine große Enttäuschung bevor

disapproval, *sub, -s* Missbilligung; *~ (of) sub, nur Einz.* Missfallensbekundung; *expression of disapproval* Missfallensbekundung; **disapprove of** *vt,* missbilligen

disarm, (1) *vt,* desarmieren, entwaffnen **(2)** *vti,* abrüsten; **~ament** *sub, -s* Abrüstung; **~ament conference** *sub, - -s* Abrüstungskonferenz; **~ing** *sub,* Entwaffnung

disarrange, *vt,* verrücken

disaster, (1) *adj,* Unheil **(2)** *sub, -s* Verhängnis; *(ugs.)* Reinfall; *disaster* ziviler Notstand; *that was a disaster* das haben wir eine Pleite erlebt; *that was a real disaster* das war eine einzige Misere; *(i. ü. S.) to rush headalong into disaster* in sein Unglück rennen/sich ins Unglück stürzen; *(i. ü. S.) what a disaster* welch ein Unglück; **~ous** *adj,* verhängnisvoll; **disastrous** *adj,* unheilvoll; *(ugs.)* jäh; *(i. ü. S.) a rude awakening* ein jähes Erwachen; *(ugs.) I fear it's going to come to a bad end* ich befürchte es wird noch ein jähes Ende haben

disbranch, *vt,* entästen

disburse, *vt,* verauslagen

disc, *sub, -s* Scheibe; *(anat.)* Bandscheibe

discharge, (1) *sub, -s* Verabschiedung; *(tt; med.)* Abgang; *(Wasser)* Einleitung **(2)** *vt, (elec.)* entladen; *discharge poisonous effluents into sth* giftige Abwässer in etwas einleiten; **~ of the bowels** *sub, nur Einz.* Stuhlgang; **~ment of weapon** *sub, -s* Schussabgabe

disciple, *sub, -s* Adept, Jünger; **~s** *sub, nur Mehrz.* Jüngerschaft

disciplinary, *adj,* disziplinär, disziplinarisch; **~ penalty** *sub, -ies* Disziplinarstrafe; **~ proceedings** *sub, nur Mehrz.* Disziplinarverfahren; **~ transfer** *sub, -s* Strafversetzung; **~ tribunal (court)** *sub, - -s* Ehrengericht; **discipline** **(1)** *sub, -s* Disziplin; *nur Einz.* Züchtigkeit; *-s (ugs.)* Zucht **(2)** *vt,* disziplinieren; *(bestrafen)* maßregeln; *keep discipline* Disziplin halten; **disciplined** *adj,* diszipliniert, züchtig; *behave disciplined* sich diszipliniert verhalten

d(isc) j(ockey), *sub, -s* Diskjockey

disclosure, *sub*, *-s* Enthüllung; *(Geheimnis)* Offenlegung

disco, *sub*, *-s* Disko

discolour, *vt*, verfärben

disconcert, *vt*, beirren

disconnect, *vt*, inaktivieren, unterbrechen; *(tech.)* trennen; **~ion** *sub*, *-s* Unterbrechung

discontent(ment), *sub*, *nur Einz.* *(Missfallen)* Missbehagen; *to cause sb discontent* jmd Missbehagen bereiten; **discontented** *adj*, *(unzufrieden)* missmutig

discontinued model, *sub*, *-s* Auslaufmodell; **discontinuous** *adj*, diskontinuierlich

discord, *sub*, *-s* Missklang, Missstimmung; - Zwietracht; *a note of discord* ein Missklang; *to sow (seeds of) discord* Zwietracht säen; **~ant** *adj*, misstönend; **~ant note** *sub*, *d. sound* Misston; **~ing** *adj*, zwieträchtig

discothèque, *sub*, *-s* Diskothek

discount, (1) *sub*, *-s* Diskont, Rabatt, Rabattierung; *(Preis~)* Nachlass, Nachlassung (2) *vt*, diskontieren; *to give a 10 % discount* 10 % vom Preis nachlassen; *allow a discount* einen Diskont gewähren; *at a discount* mit Verlust; **~ allowed to long-standing customers** *sub*, discounts Treuerabatt; **~ rate** *sub*, *-s* Diskontsatz; **~ trade** *sub*, *-s* Diskontgeschäft

discourage, *vt*, entmutigen; **~d** *adj*, decouragiert, mutlos; **~ment** *sub*, *nur Einz.* Mutlosigkeit

discourse, *sub*, *-s* Diskurs; *(i. ü. S.; Wissensgebiet)* Streifzug; *a discourse about* ein Diskurs zum Thema

discover, *vt*, entdecken, erforschen; *(krim.)* ermitteln; *discover a new land* Neuland entdecken; **~able** *adj*, erforschbar; **~er** *sub*, - Entdecker

discovery, *sub*, *-ies* Entdeckung, Ermittlung; *(Entdeckung)* Erkenntnis

discredit, (1) *sub*, *nur Einz.* Misskredit (2) *vt*, diskreditieren; *to be discredited* in Misskredit geraten; *to bring sb into discredit* jmdn in Misskredit bringen, *to discredit a statement* eine Aussage diskreditieren

discreet, *adj*, diskret, verschwiegen; *discreetly* ohne großes Aufsehen; *retire discreetly* sich diskret zurückziehen; *she is very discreet* sie ist sehr diskret; **~ness** *sub*, *nur Einz.* Diskretion

discrepancy, *sub*, *-ies* Diskrepanz, Missverhältnis; *there is a discrepancy between the work he does and his salary* seine Leistung steht im Missverhältnis zu seiner Bezahlung; **discrepant** *adj*, diskrepant

discrete, *adj*, *(mat.)* diskret; **discretion** *sub*, *nur Einz.* Belieben; *at one´s own discretion* nach eigenem Gutdünken

discriminate, (1) *vr*, zurücksetzen (2) *vt*, diskriminieren (3) *vti*, *(neg.)* differenzieren; *discriminate against sb* jmd diskriminieren; **~ against** *vi*, benachteiligen; **discrimination** *sub*, *nur Einz.* Benachteiligung; *-s* Diskriminierung; *discrimination at work* Diskriminierung am Arbeitsplatz; *the discrimination against ethnical groups* die Diskriminierung ethnischer Gruppen

discuss, *vt*, besprechen, erörtern; *discuss sth with so* über etwas bereden; *to discuss real issues* über Inhalte diskutieren; **~ (am: argue)** *vti*, *(ugs.)* debattieren; **~ aesthetics** *vt*, ästhetisieren; **~ s.th** *vt*, *(etwas besprechen)* bereden; **~ sth.** *vt*, diskutieren; *our discussion went on for hours* wir haben stundenlang diskutiert; *there´s much too much discussion about that* darüber wird viel zu viel diskutiert; **~ thoroughly** *vt*, durchdiskutieren; **~ion** *sub*, *-s* Diskussion, Erörterung; Streitgespräch, Unterredung; *(Meinungsaustausch)* Aussprache; *(polit.)* Beratung; *(von Problemen etc.)* Besprechung; *(not) be under discussion* (nicht) zur Diskussion stehen; *put sth up for discussion* etwas zur Diskussion stellen; *(i. ü. S.) something comes up to discussion* etwas kommt aufs Tapet

disdain, *sub*, *-s* Geringschätzung; **~ful** *adj*, geringschätzig

disease, *sub*, *-s* Krankheit; *-s (chron.)* Erkrankung; **~d** *adj*, krankhaft

disengage, (1) *vi*, *(tech.)* ausrasten (2) *vt*, ausrücken

disentangle, *vt*, entflechten

disfigure, *vt*, verunstalten; **~ment**

sub, -s (das Entstelltsein) Entstellung

disgrace, (1) *sub, nur Einz.* Missstand, Schande, Schmach (2) *vi,* Blamage (3) *vt,* blamieren; *in disgrace* mit Schimpf und Schande; *it´s a disgrace the way he acts* es ist ein Skandal, wie er sich benimmt; *he disgraces his family* er ist eine Schande für seine Familie; **~ oneself** *vr,* blamieren; **~ful** *adj,* infam, schändlich; *it´s simply disgraceful!* da kann ich nur sagen: pfui!; **~ful decision** *sub, -s* Schandurteil

disgruntled, *adj, (geh.)* missvergnügt; **disgruntlement** *sub, -s* Verstimmung

disguise, (1) *sub, nur Einz.* Bemäntelung; *-s* Vermummung; *(i. ü. S.)* Tarnung (2) *vt,* bemänteln, kaschieren, verkleiden, verschleiern; *(i. ü. S.)* tarnen; **disguising** *sub, -s* Verkleidung

disgust, (1) *sub, -s* Degout, Ekel, Widerwille (2) *vti,* degoutieren; *disgust at sth* Ekel vor etwas empfinden; *how disgusting!* pfui Teufel!; **~ing** *adj,* abstoßend, degoutant, ekel, ekelhaft, eklig

dish, *sub, -es (Gericht)* Speise; *(Mahlzeit)* Gericht; *cold dish* kalte Platte; **~ towel** *sub, -s (US)* Geschirrtuch

disharmony, *sub, -ies* Disharmonie; *such disharmony* solche Disharmonien

disheartened, *adj,* verzagt

dishes, *sub, nur Mebrz.* Abwasch

dishevelled, *adj,* strubbelig, zerzaust; **~ hair** *sub, -s (Haar)* Strubbelkopf

dishonest, *adj,* krumm, unehrlich, unlauter, unredlich; *(tt; wirt.)* unreell; *(ugs.) do something dishonest* ein krummes Ding drehen; *(ugs.) he´s (criminally) dishonest* er ist ein ganz krummer Typ

dishwasher, *sub, -s* Geschirrspülmaschine, Spüler, Spülmaschine

disillusion, (1) *sub, -s* Desillusion (2) *vt,* desillusionieren; **~ment** *sub, -s* Ernüchterung

disinclination, *sub, nur Einz.* Unlust

disinfect, *vt,* desinfizieren; **~ant** *sub, -s* Desinfektionsmittel, Desinfiziens; **~ion** *sub, -s* Desinfektion

disinformation, *sub, nur Einz.* Desinformation

disinherit, *vt,* enterben; **~ance** *sub, -s* Enterbung

disinhibition, *sub, -s* Enthemmtheit

disintegrate, *vi,* desorganisieren; *disintegrate in* seine Bestandteile zerfallen; **disintegration** *sub, nur Einz.* Desintegration

disinvite, *vt, (Person nicht einladen)* ausladen

dislexia, *sub, -* Legasthenie; **dislexic** *sub, -s* Legastheniker

dislike, *sub, nur Einz.* Abneigung; *dislike sth/so* einer Sache/jemandem abgeneigt sein; *I dislike the way he* es missfällt mir, wie er

dislocate, *vt,* auskugeln, ausrenken, dislozieren, verrenken; *dislocate one´s arm* sich seinen Arm ausrenken; **dislocation** *sub, -s* Ausrenkung, Dislozierung; *(med.)* Dislokation

disloyal, *adj,* illoyal, treubrüchig, treulos; **~ty** *sub, -ies* Illoyalität

dismal, *adj,* trist

dismantle, *vt,* abmontieren, demontieren, zerlegen; *dismantle the carburetor* den Vergaser demontieren; *take down so* jmd demontieren; **dismantling** *sub, nur Einz.* Abbau; *-s* Demontage, Demontierung

dismay, (1) *sub, -* Bestürztheit; *nur Einz.* Bestürzung (2) *vt,* konsternieren; *so´s dismay at* jemands Bestürzung über; **~ed** (1) *adj,* bestürzt (2) *adv,* konsterniert

disobedience, *sub, -s* Ungehorsam; **disobedient** *adj,* ungehorsam

disobliging, *adj,* ungefällig; **~ness** *sub, nur Einz.* Ungefälligkeit

disorderly, *adj, (Verhalten)* unbotmäßig

disorganization, *sub, nur Einz.* Desorganisation

disorientate, *adj,* desorientiert

disown, *vt,* verstoßen

disparage, *vt,* verunglimpfen; **~ment** *sub, - (Beleidigung)* Herabsetzung; **disparaging** *adj,* abfällig, abschätzig, missfällig; **disparagingly** *adv,* abfällig

dispatch, (1) *sub, nur Einz.* Versand; *(Sendung)* Abfertigung (2) *vt,* expedieren; **~ counter** *sub, -s* Abfertigungsschalter; **~ form** *sub, -s* Paketkarte; **~ service** *sub, -s* Abfertigungsdienst

dispatch rider, *sub, -s* Meldereiter;

(mil.) Meldefahrer, Melder

dispel, *vt, (i. ü. S.)* zerstreuen; **~ling** *sub, nur Einz.* Zerstreuung

dispensable, *adj,* abkömmlich, entbehrlich; **dispense in requiered doses** *vt,* dosieren; **dispense with** *vt,* entraten; **dispensing** *sub, -s* Rezeptur

dispersal, *sub, nur Einz.* Zerstreuung; **disperse (1)** *vr,* zerstreuen **(2)** *vt,* dispergieren, versprengen; **dispersion** *sub, -s* Versprengung; **disperson** *sub, -s (Geschütz)* Streuung

displacement, *sub, -s* Verschiebung

display, (1) *sub, -s* Anzeigetafel, Bekundung, Display **(2)** *vt,* zeigen; *(comp.)* anzeigen, ausgeben; *(im Schaufenster)* ausstellen; *(zum Ansehen)* auslegen; **~ of suffering** *sub, -* Leidensmiene; **~ pattern** *sub, -s (zool.)* Imponiergehabe

displeasure, *sub, nur Einz.* Missfallen; *- (i. ü. S.)* Unmut; *nur Einz. (Unzufriedenheit)* Missmut; *to encur sb´s displeasure* jmds Missfallen erregen

disposal, *sub, -s* Entledigung, Veräußerung; *(Verfügung)* Disposition; *nur Einz. (von Müll)* Beseitigung; *be at sb disposal* zur Disposition stehen; *place sth at sb disposal* jmd etwas zur Disposition stellen; **dispose** *vt,* entledigen; *well-disposed towards* freundsch gesinnt gegen; **dispose of** *vt,* veräußern; *(Müll)* beseitigen; **disposed** *adj,* geartet; **disposition** *sub, -s* Gemüt, Habitus, Veranlagung; *(med.)* Anlage

disputation, *sub, -s* Disputation; **dispute (1)** *sub, -s* Disput, Streitgespräch; *(Wort-)* Streit **(2)** *vi,* disputieren; *have a dispute about* einen Disput über etwas haben, *be locked in dispute with sb* mit jmd im Clinch liegen

disqualification, *sub, -s* Disqualifikation; *(spo.)* Ausschluss; **~ from a job** *sub, -s from jobs* Berufsverbot; **~ from driving** *sub, -s* Fahrverbot; *disqualify sb from driving* ein Fahrverbot erteilen; **disqualify** *vt,* disqualifizieren; *(spo.)* sperren; *he was disqualified for* er wurde disqualifiziert wegen

disregard, (1) *sub, nur Einz.* Nichtachtung; *(Ignorieren)* Missachtung

(2) *vt,* missachten; **~ to consequences** *sub, nur Einz.* Inkaufnahme

disreputable, *adj,* anrüchig, verrufen; **disrepute** *sub, nur Einz.* Anrüchigkeit, Verruf

disrespect, *sub, nur Einz. (Geringschätzung)* Missachtung; **~ful** *adj,* respektlos, unehrerbietig

disrupt, *vt,* unterbrechen; **~ion** *sub, -s (Unterbrechung)* Störung; **~ive action** *sub, -s* Störmanöver

dissatisfaction, *sub, nur Einz.* Unzufriedenheit; **dissatisfied** *adj,* unzufrieden

dissect, *vt,* sezieren; *(tt; anat.)* zergliedern

dissent, (1) *sub, -s* Dissens **(2)** *vi,* dissentieren; **~er** *sub, -s* Dissentantin; **~ing** *adj, (polit.)* anders denkend

dissertation, *sub, -s* Dissertation

dissident, *sub, -s* Dissident, Dissidentin

dissimilar, *adj,* unähnlich; **~ity** *sub, -s* Ungleichheit

dissimilate, *vt,* dissimilieren

dissimulate, *vt,* dissimulieren

dissipated, *adj,* verlebt

dissociate, *vt,* dissoziieren; **~ oneself from** *vr,* distanzieren; *dissociate oneself from* sich von jmd distanzieren

dissolve, (1) *vi,* überblenden, zergehen; *(chem.)* auflösen **(2)** *vt, (Substanz, Parlament)* auflösen **(3)** *vt/vr,* lösen; **dissolving** *sub, nur Einz. (chem.)* Auflösung

dissonance, *sub, -s* Dissonanz; **dissonant** *adj,* dissonant; **distant** *adj,* entfernt, weitläufig; *(räuml. u. zeitl.)* fern; *distantly related* entfernt verwandt; *in the distant future* in ferner Zukunft; *in the not too distant future* in nicht allzu ferner Zukunft; **distant destination** *sub, -s (räuml.)* Fernziel; **distant echo** *sub, -es* Nachklang; *a distant echo of perfume* ein ferner Nachklang von Parfum

distance, *sub,* Abstand; *-s* Anfahrtsweg, Distanz, Ferne, Strecke; *nur Einz.* Unnahbarkeit; *~s* Weg, Weite; *(Abstand)* Entfernung; *in some distance* in einiger Distanz; *keep one´s distance from* Distanz halten von; *to distance from* auf Distanz gehen; *see sth in the far distance* etwas in weiter Ferne erblicken; *he covered quite a distance* er hat eine tüchtige Strecke zurückgelegt; *distance os from so* sich von jemandem abgrenzen; *keep one´s distance* sich abseits halten

distaste, *sub*, *-s* Widerwillen

distemper, *sub*, *-s* Staupe

distended, *adj*, *(med.)* aufgebläht

distich, *sub*, *-es* Distichon

distil, *vt*, destilieren; *condense the content of a novel into an essay* den Inhalt eines Buches zu einem Aufsatz destillieren; *distilled water* destilliertes Wasser; **~late** *sub*, *-s* Destillat; **~lation** *sub*, *nur Einz.* Destillation; **~ler** *sub*, *s* Destillateur; **~lery** *sub*, *-ies* Brennerei, Destille; *(ugs.)* Schnapsbude

distinct, *adj*, *(Merkmal)* ausgeprägt; *have a distinct character* einen ausgeprägten Charakter haben; *have strong tendencies towards sth* ausgeprägte Neigungen für etwas haben; **~ion** *sub*, *-s* Distinktion; *(Pokal, Wimpel etc.)* Auszeichnung; *make precise distinctions* genau differenzieren; **~ive** *adj*, distinktiv; **~ness** *sub*, *nur Einz.* *(von Merkmalen)* Ausgeprägtheit

distinguish, **(1)** *vi*, unterscheiden **(2)** *vt*, unterscheiden; *(unterscheiden)* auseinander halten; *(i. ü. S.; unterscheiden)* trennen; **~ o.s.** *vr*, auszeichnen; **~ed** *adj*, distinguiert, vornehm; **~ing characteristic** *sub*, *-s* Kennzeichen

distorsion, *sub*, *-s* Deformierung; *(das Entstellte)* Entstellung; **distort** **(1)** *vt*, verfälschen, verstümmeln **(2)** *vti*, verzerren; **distorted** *adl*, entstellt; **distorted picture** *sub*, *-s (i. ü. S.)* Zerrbild; **distorting mirror** *sub*, *-s* Zerrspiegel; **distortion** *sub*, *-s* Verfälschung, Verkrümmung; *nur Einz.* Verstümmelung

distract, *vt*, distrahieren; *(von der Arbeit)* ablenken; *he was distracted with doubt* er war von Zweifeln gequält; **~ion** *sub*, *-s* Distraktion, Verstörtheit; *(von der Arbeit)* Ablenkung

distrainability, *sub*, *nur Einz.* Pfändbarkeit; **distrainable** *adj*, pfändbar; **distraint** *sub*, *-s* Pfändung

distress, *sub*, *-es* Bedrängnis; *nur Einz.* Seenot; *(Bedrängnis)* Not; **~ signal** **(1)** *adj*, *(Signal)* hilfeflehend **(2)** *sub*, *-s* Notsignal

distribute, *vt*, distribuieren, verteilen; *(verteilen)* aufteilen, austeilen; *distribute a film* einen Film distribuieren; *distribute gifts* Geschenke verteilen; **distribution** *sub*, *-s* Austeilung, Distribution, Verteilung; *(Verteilung)* Aufteilung; *nur Einz.* *(wirt.)* Ausschüttung; **distributive** *adj*, *(mat.)* distributiv; **distributor** *sub*, *-s* Distribuent, Verleiher

district, *sub*, *-s* Bezirk, Distrikt, Gau, Quartier, Revier, Stadtviertel; *to know the district* sich mit den Lokalitäten auskennen; **~ attorney** *sub*, *-s (US)* Staatsanwalt; **~ attorney´s office** *sub*, *-s* Staatsanwaltschaft; **~ by district** *adv*, bezirksweise; **~ league** *sub*, *-s* Bezirksliga; **~ map** *sub*, *-s* Bezirkskarte; **~-heating system** *sub*, *-s* Fernheizung; **~-heating system plant** *sub*, *-s (-swerk)* Fernheizung

ditch, *sub*, *-es* Graben

dither, *vi*, *(ugs.)* fackeln; *(ugs.) don´t dither about* nicht lange fackeln

Dithmarschian, **(1)** *adj*, dithmarsisch **(2)** *sub*, *-s* Dithmarscher

diuretic, **(1)** *adj*, diuretisch, harntreibend **(2)** *sub*, *-s (med.)* Diuretikum

diurnal, *sub*, *-s (zool.)* Tagfalter

divan, *sub*, *-s* Diwan

dive, **(1)** *sub*, *-s* Tauchmanöver; *(ugs.)* Kaschemme, Spelunke; *(Wasser)* Sprung **(2)** *vi*, tauchen, untertauchen; **~ deep** *vi*, tieftauchen; **~ down** *vi*, hinabtauchen; **~ in** *vi*, eintauchen; *dive into one´s pocket* Hände in die Tasche stecken; *dive into politics* sich in die Politik stürzen; **~board** *sub*, *-s (Wasser)* Sprungbrett; **~r** *sub*, *-s* Taucher

diverge, *vi*, divergieren; *(Linien)* auseinander gehen; **~nce** *sub*, *-s* Divergenz; *divergence of opinion* Divergenz der Meinungen; **~nt** *adj*, divergent; *diverge* divergent verlaufen

divers, *adj*, vielfältig; **~e** *adj*, mannigfaltig; *the most diverse* die diversesten; **~ion** *sub*, *-s* Ablenkungsmanöver, Kurzweil, Umleitung; **~ity** *sub*, *-ies* Mannigfaltigkeit; **divert** *vt*, umleiten; **diverting** *adj*, kurzweilig; **divertissement** *sub*, *-s* Divertissement

divide, **(1)** *vr*, scheiden **(2)** *vt*, abteilen, teilen; *opinions are divided on this question* die Meinungen über diese Frage sind gespalten; **~ (up)** *vt*, *(teilen)* aufteilen; **~ exactly into** *vi*, *(mat.)* aufgehen; **~ in four** *vt*, vierteln; **~ sth. up** *vt*, zerstückeln, zerteilen; **~ up inperiods** *vt*, periodisieren; **~d** *adj*, gespalten, uneinig, uneins; **~nd** *sub*, *-s* Dividend, Dividende; **dividing up** *sub*, Einteilung

divination, *sub*, *-s* Divination; **divine** **(1)** *adj*, göttlich, numinos **(2)** *vi*, *(min.)* muten; *divine order* die göttliche Ordnung; **divinely-ordained** *adj*, gottgewollt

diviner, *sub*, *-s* Rutengänger

diving competition, *sub*, *nur Einz.* Wetttauchen; **diving helmet** *sub*, *-s* Taucherhelm; **diving pool** *sub*, *-s* Sprungbecken; **diving station** *sub*, *-s* Tauchstation; *at diving station* auf Tauchstation; **diving suit** *sub*, *-s* Taucheranzug

divinity, *sub*, *-ies* Divinität; *-* Göttlichkeit

divisibility, *sub*, *nur Einz.* Teilbarkeit; **divisible** *adj*, teilbar; **division** *sub*, *-s* Teilung, Zertrennung, Zweiteilung; *(Einteilung)* Abteilung; *(mil./math)* Division; *(Silben-)* Trennung; *(Teilung)* Aufteilung; **division of labour** *sub*, *-s* - Arbeitsteilung; **divisional railway office** *sub*, *-s* Verkehrsamt

divisor, *sub*, *-s* Divisor, Teiler

Dixieland, *sub*, *nur Einz.* Dixieland

dizziness, *sub*, *nur Einz.* Schwindel; *(Schwindelgefühl)* Taumel; **dizzy** *adj*, schwindelig, schwummerig, schwummrig; *I feel dizzy* es schwimmt mir vor Augen; **dizzy turn** *sub*, *-s* Schwindelanfall; **dizzy with light** *adj*, lichttrunken

do, **(1)** *vt*, machen, unternehmen, wirken; *(ugs.; unternehmen)* anstellen **(2)** *vti*, tun; *(there's nothing to be done* (da ist) nichts zu machen; *he does what he wants* er macht, was er

will; *I can't do anything about it either* ich kann da auch nichts machen; *I'm doing an English course* ich mache einen Englischkurs; *that sort of thing just is not done* so etwas macht man nicht; *the livingroom needs doing again* das Wohnzimmer muss mal wieder gemacht werden; *what does your brother do for a living?* was macht dein Bruder beruflich?; *what have I done wrong?* was habe ich nur falsch gemacht?; *what are you doing (there)?* was machst du da?; *what's this car doing here in Frankfurt?* was macht das Auto hier in Frankfurt?, *20 marks would do* mit 20 DM wäre mir schon gedient; *do one's best* sein möglichstes tun; *do sth to so* jemandem etwas antun; *doesn't he speak fast!* wie schnell er nur redet; *everything I do* mein ganzes Tun; *(i. ü. S.) he did very well out of it* er ist sehr gut dabei gefahren; *he was doing 100* er hatte 100 Sachen drauf; *(ugs.) I can do it just like that* das mache ich ganz locker; *I could do with an umbrella* ich könnte einen Schirm gebrauchen; *I do the lottery* ich tippe im Lotto; *I had nothing to do with that!* das stammt nicht von mir!; *I'd like to see anyone else do that* das macht mir so schnell keiner nach; *it's always been done like that* das wurde immer so gehandhabt; *it's the cold that does that* das macht die Kälte; *no sooner said than done* gesagt, getan; *(ugs.) now she's done it* da hat sie ja was angerichtet; *stop doing sth* von etwas ablassen; *that is not done* das tut man nicht; *that's done it* der Bart ist ab; *there's nothing to be done* da nützt alles nichts; *(ugs.) to do it with sb* es mit jmd machen; *(ugs.) to do sth any old how* etwas frei nach Schnauze machen; *what are you going to do now?* was wirst du jetzt anfangen?; *what can I do for you* womit kann ich dienen; *would you do that for me* würden sie das für mich erledigen; **~ a big shop** *sub*, *-s* Großeinkauf; **~ a bunk** *vi*, *(ugs.; flüchten)* abhauen; **~ a clearing-out** *vt*, *(i.*

ü. S.) ausmisten; ~ **a doctor´s degree** *vi*, promovieren; ~ **a jigsaw** *vi*, puzzeln; ~ **a roaring trade** *vt*, Bombengeschäft; ~ **an autopsy on** *vt*, obduzieren; ~ **breaststroke** *vi*, brustschwimmen; ~ **calculations** *vi*, rechnen; ~ **fiddly work** *vi*, *(i. ü. S.)* zirkeln; ~ **fractions** *vt*, bruchrechnen; *teach how to do fractions* jmd bruchrechnen beibringen; ~ **gardening** *vi*, gärtnern; ~ **gymnastics** *vi*, turnen; ~ **handicrafts** *vt*, basteln

Dobermann, *sub*, *-s* Dobermann

docile, *adj*, gefügig; *(Tier)* gelehrig; **docility** *sub*, *-ies* Gefügigkeit; *(Tier)* Gelehrigkeit

dock, (1) *sub*, *-s* Anklagebank, Dock, Hafenanlagen (2) *vi*, *(Raumschiff)* ankoppeln (3) *vt*, ankoppeln; *(Schiff)* docken (4) *vti*, andocken; *be in dock* im Dock liegen, *dock sh´s wages* Lohn kürzen; *to dock a ship* ein Schiff eindocken; ~**-worker** *sub*, *-s* Docker; ~**er** *sub*, *-s* Schauermann; ~**land** *sub*, *-s* Hafenviertel; ~**land pub** *sub*, *-s* Hafenkneipe, Hafenschänke

docket, *sub*, *-s* Laufzettel

doctor, *sub*, *-s* Arzt, Mediziner, Medizinerin; *(Arzt)* Doktor; ~ (´s **degree**) *sub*, *-s (Titel)* Doktor; *take one´s doctor´s degree* seinen Doktor machen; ~´s **assistant** *sub*, *-s´ -s* Arzthelferin; ~´s **bill** *sub*, *-s´ -s* Arztrechnung; ~´s **degree** *sub*, *-s* Doktorwürde; ~**al thesis (on)** *sub*, *-* Doktorarbeit; ~**al viva** *sub*, *-s* Rigorosum

doctrinaire, *adj*, doktrinär; **doctrine** *sub*, *-s* Doktrin

document, (1) *sub*, *-s* Dokument, Schrift, Unterlage, Urkunde; *(jur.)* Schriftstück (2) *vt*, verbriefen; ~**alist** *sub*, *-s* Dokumentalist, Dokumentar; ~**ary** (1) *adj*, dokumentarisch (2) *sub*, *-ies* Tatsachenbericht; ~**ary book about breeding animals** *sub*, *-s* Herdbuch; ~**ary film** *sub*, *- -s* Bildbericht; ~ **Dokumentarfilm; ~ation** *sub*, *-s* Dokumentation; *documentary account* Dokumentationsmaterial; *documentary report* Dokumentationsbericht

dodder, *vi*, tapern; *(ugs.) he´s a dodderer!* er ist ein alter Tatterich!; ~**er** *sub*, *-s* Tapergreis, Tattergreis; ~**y** *adj*, taperig

dodgy, *adj*, *(ugs.)* windig

doe, *sub*, *-s* Ricke

dog, *sub*, *-s* Hund, Rüde; *beware of the dog* Vorsicht! bissiger Hund!; *(ugs.) that has no appeal* damit lockt man keinen Hund hinter dem Ofen vor; *(ugs.) to go to pot* auf den Hund kommen; *beware of the dog* Vorsicht, bissiger Hund; *dog so´s footsteps* auf Schritt und Tritt folgen; *sleep like a dog* wie ein Bär schlafen; *take the dog for a walk* den Hund ausführen; *to put the dogs on(to) sb* die Hunde auf jmdn loslassen; ~ **biscuit** *sub*, *-s* Hundekuchen; ~ **days** *sub*, *nur Mehrz.* Hundstage; ~ **Latin** *sub*, *-s* Küchenlatein; ~ **licence** *sub*, *-s* Hundesteuer; ~ **manure** *sub*, *nur Einz.* Hundekot; ~ **owner** *sub*, *-s* Hundehalter; ~ **race** *sub*, *-s* Hunderennen; ~ **shit** *sub*, *nur Einz.* *(vulg.)* Hundekot; ~ **tag** *sub*, *-s (Hunde-)* Steuermarke; ~**-ear** *sub*, *-s (Buch)* Eselsohr; ~**-Latin** *sub*, *nur Einz.* Mönchslatein; ~**-restriction** *sub*, *nur Einz.* Hundesperre

dogma, *sub*, *-s* Dogma, Glaubenssatz; ~**tic** *adj*, dogmatisch; ~**tics** *sub*, *nur Mehrz.* Dogmatik; ~**tism** *sub*, *-s* Dogmatismus; ~**tist** *sub*, *-s* Dogmatiker, Dogmatikerin; ~**tize** *vt*, dogmatisieren

dogs, *sub*, *nur Mehrz. (zool.)* Kaniden

do it first, *vi*, *(ugs.)* zuvortun; **do it for s.o** *adv*, *(i. ü. S.)* zuliebe; **do magic** *vi*, *(ugs.)* zaubern; **do mental arithmetic** *vt*, kopfrechnen; **do needlework** *vi*, handarbeiten; **do one´s hair** *vr*, *(sich)* frisieren; **do one´s internship** *vi*, *(US)* famulieren; **do one´s medical training** *vi*, *(med.)* famulieren; **do one´s slaughtering** *vi*, schlachten; **do sb for** *vt*, verknacken; **do shorthand** *vi*, stenografieren; **do sloppy work** *vi*, schludern; **do so** *vi* in *vt*, *(ugs.)* abmurksen; **do so´s hair** *vt*, *(jemanden)* frisieren; **do sports** *vt*, *(spo.)* betreiben; **do sth just as so else** *adv*, geradeso; **do the accounts** *vi*, *(Kosten)* abrechnen; **do the cleaning** *vi*, rein machen

doll, *sub*, *-s* Puppe; *to be standing like a row of Russian dolls* dastehen wie die Orgelpfeifen; ~´s **hos-**

pital sub, -s Puppenklinik; ~´s **house** sub, -s Puppenstube; ~´s **kitchen** sub, -s Puppenküche; ~´s **mother** sub, -s Puppenmutter; ~´s **pram** sub, -s Puppenwagen

Dollar, sub, -s Dollar; 20 bucks 20 Dollar; two dollars zwei Dollar

dolled up, adj, (ugs.) aufgedonnert, aufgetakelt; **dolled-up old bag** sub, -s Schreckschraube

dollop, sub, -s Klacks

dolls´ doctor, sub, -s Puppendoktor

dolly, sub, -ies (ugs.) Püppchen

dolmen, sub, -s Dolmen

dolomite, sub, -s Dolomit

dolphin, sub, -s (zool.) Delfin; ~**arium** sub, dolphinaria Delfinarium

dolt, sub, -s (ugs.) Schussel

domain, sub, -s (Fachgebiet) Domäne; my domain is das ist meine Domäne

dome, sub, -s Dom, Kuppel

domestic, (1) adj, hausfraulich, häuslich, inländisch (2) adv, häuslich (3) sub, -s Domestik, Domestike; domestic bliss das häusliche Glück; ~ **animal** sub, -s Haustier; ~ **cat** sub, -s Hauskatze; ~ **market** sub, -s Binnenmarkt, Inlandsmarkt; ~ **pig** sub, -s Hausschwein; ~ **politics** sub, nur Mehrz. Innenpolitik; ~ **requirements** sub, nur Mehrz. (staatl.) Eigenbedarf; ~ **stuff** sub, nur Einz. Dienerschaft; ~ **trade** sub, nur Einz. Binnenhandel; ~ **travel** sub, nur Einz. Inlandsreise; ~**ate** sub, -s, domestizieren; ~**ation** sub, -s Domestikation; ~**ity** sub, - Häuslichkeit

domicile, (1) sub, -s Domizil, Gerichtsort, Wohnsitz (2) vt, domizilieren

dominance, sub, -s Dominanz; **dominant** adj, dominant, leitend, tonangebend; **dominant male** sub, -s Platzhirsch; **dominate** (1) vt, (dominieren) beherrschen (2) vti, dominieren; dominate a valley ein Tal dominieren; dominate one´s passions seine Leidenschaften beherrschen

domineering, adj, herrisch, (herrisch) gebieterisch

domineering person, sub, -s Herrenmensch

Dominican, sub, -s Dominikaner

dominion, sub, -s Dominium

domino, sub, -es Domino; (Spiel) Dominostein; ~**es** sub, nur Mehrz. Dominospiel

Don, sub, -s Don

donate, vt, spenden; (spenden) stiften; **donation** sub, -s (Sammlung) Gabe; (Schenkung) Stiftung; (Stiftung) Spende; **donations account** sub, -s Spendenkonto; **donator** sub, -s Spender; (Spender) Stifter

done, adj, abgemacht; (ugs.) ausgepumpt; (Kochk.) gar; he´s done for der ist erledigt

donkey, sub, -s Esel; do the donkey work for den Hanswurst machen für; ~´s **ear** sub, -s (Ohren wie..) Eselsohr; ~**back** sub, -s Eselsrücken

donna, sub, -s Donna

donor, sub, -s Organspender; (med.) Spender

doomed person, sub, -s Todgeweihte

door, sub, -s Tür, Wohnungstür; at death´s door am Rande des Todes; at the door vor der Tür; behind closed doors unter Ausschluß der Öffentlichkeit; from door to door von Haus zu Haus; (i. ü. S.) kick at an open door offene Türen einrennen; live next door to someone Tür an Tür mit jemandem leben; next door ein Haus weiter; slam the door in someone´s face jemandem die Tür vor der Nase zuschlagen; (ugs.) to show sb the door jmdn an die Luft setzen; ~ **(to or leading from corridor)** sub, -s Korridortür; ~ **check** sub, -s (tech.) Türschließer; ~ **handle** sub, -s Türgriff; ~ **hinge** sub, -s Türangel; ~**-to-door collection** sub, -s Haussammlung; ~**frame** sub, -s Türstock; ~**keeper** sub, -s Türhüter; (Person) Türschließer; ~**man** sub, -men (Wohnhaus) Pförtner; ~**man´s office** sub, -s Pförtnerloge; ~**mat** sub, -s Abstreifer, Abtreter

dope, sub, nur Einz. Dope; -s (ugs.) Dussel, Schlafmütze; nur Einz. (ugs.; Haschisch) Shit; -s (ugs.; Mensch) Pflaume

Doppelkopf, sub, nur Einz. Doppelkopf; double-faced statue Doppelkopfstatue(Januskopf)

dormitory, sub, -ies Dormitorium;

(Studenten- US) Heim; **dormouse** *sub, -mice* Haselmaus; *(zool.)* Siebenschläfer

DOS, *sub*, - Dos

dosage, *sub, -s* Dosierung; **dose** *sub, -s* Dosis; *(ugs.) get a dose* sich den Tripper holen; *under/overdose* eine zu geringe/hohe Dosis; **dosimeter** *sub, -s* Dosimeter

dosshouse, *sub, -s (ugs.)* Absteige

dossier, *sub, -s* Dossier

dot, (1) *sub, -s* Tupfen (2) *vt,* punktieren, tüpfeln; *at six on the dot* mit dem Glockenschlage sechs; *on the dot* auf die Minute pünktlich

do the dirty on, *vt, (vulg.)* bescheißen; **do the long jump** *vi,* weitspringen; **do the splits** (1) *vi,* abgrätschen (2) *vti, (im Spagat)* grätschen; **do the washing up** *vt, (Geschirr)* abspülen; **do the washing-up** *vt,* abwaschen; **do up** (1) *vi, (ugs.; herrichten)* aufmotzen (2) *vt, (ugs.; abnützen)* aufarbeiten; *(ugs.; Fahrzeug, etc.)* aufmöbeln; *(renovieren)* herrichten; **do what one can** *vi,* einsetzen; **do without** (1) *vi,* verzichten (2) *vt, (geh.)* missen; *I wouldn´t do without it* das möchte ich nicht missen; **do-it-yourself** *sub, nur Einz. (ugs.)* Selbermachen; **do/turn cartwheels** *vi,* Rad schlagen

double, (1) *adj,* zweifach; *(zweifach)* doppelt (2) *sub, -s* Doppelgänger (3) *vt,* duplieren, verdoppeln; **double-entry bookkeeping** doppelte Buchführung, *doubleganger/look-alike* Doppelgänger, *double sth up* etwas doppelt nehmen; *off to bed with you at the double* Marsch ins Bett!; ~ **(room)** *sub, -s* Doppelzimmer; ~ **agent** *sub, -s* Doppelagent; ~ **bass** *sub, -es* Bassinstrument; *(Instrument)* Bass; ~ **bed** *sub, -s (Doppelbett)* Ehebett; ~ **birdcage** *sub, -s* Doppelbauer; ~ **click** *sub, -s* Doppelklick; ~ **door** *sub, -s* Flügeltür; ~ **fault** *sub, -s* Doppelfehler; ~ **feature** *sub, -s* Doppelnummer; ~ **kayak** *sub, -s* Kajakzweier; ~ **knot** *sub, -s* Doppelknoten; ~ **life** *sub, lives* Doppelleben; *live a double life* ein Doppelleben führen; ~ **mill** *sub, -s* Zwickmühle; ~ **nelson** *sub, -s* Doppelnelson; ~ **period** *sub, -s* Blockstunde; ~ **standards** *sub, nur Mehrz.* Doppelmoral

double time, *sub, nur Einz.* Sturmschritt; **double up with laughter** *vi,* krummlachen; **double-bass** *sub, -es* Kontrabass; **double-bassoon** *sub, -s* Kontrafagott; **double-beamed** *adj,* zweistrahlig; **double-breasted suit** *sub, -s* Zweireiher; **double-crossing** *adj, (Person)* link; **double-decker** *sub, -s (Bus)* Doppeldecker; *double-decker* Burger/Sandwich Doppeldecker; **double-edged** *adj,* zweischneidig; **double-kayak** *sub, -s (tt; spo.)* Zweierkajak; **double-poked** *adj, (i. ü. S.)* zweischürig; **double-time** *adv,* Laufschritt; **double-tracked** *adj,* zweigleisig; **double-tracking** *sub, nur Einz. (Verfahren bei Platte)* Play-back; **doubles** *sub, nur Mehrz. (Sport)* Doppel; **doublet** *sub, -s (Edelsteine)* Dublette; **doublets** *sub, nur Mehrz.* Pasch; **doubling** *sub, nur -s (ugs.)* Verdopplung

doubt, (1) *sub, -s* Zweifel; *(Zweifel)* Bedenken (2) *vt,* anzweifeln, bezweifeln; *beyond doubt* außer Zweifel; *give no rise to doubt* keine Zweifel aufkommen lassen; *some doubt* gelinde Zweifel; *there´s no doubt that* es besteht kein Zweifel, daß; *to have one´s doubt about sth* an etwas Zweifel haben; ~ **sth** *vi,* zweifeln; ~**ful** *adj,* dubitativ, fraglich, zweifelhaft; ~**ful case** *sub, -s* Zweifelsfall; ~**fulness** *sub,* Fraglichkeit; ~**ing** (1) *adj,* kleingläubig (2) *sub, -s* Anzweifelung; *nur Einz.* Bezweifelung, Bezweiflung

dough, *sub, -s* Teig; *nur Einz. (ugs.)* Kies, Kohle, Moneten, Piepen, Pinke, Zaster; *(ugs.; Geld)* Moos; - Schotter; *(ugs.) did you bring enough dough?* hast du genügend Kohle dabei?; *to make some dough* Moneten machen; *(ugs.) dough* ein paar Mücken, Mäuse; *(ugs.) pass some dough over!* her mit den Kröten!; ~**nut** *sub, -s* Krapfen; ~**y** *adj,* teigig

dove, *sub, -s* Taube; *gentle as a dove* sanft wie eine Taube; ~**cot** *sub, -s* Taubenschlag

dowager queen, *sub, -s* Königinwitwe

dowdy, adj, (Person) heruntergekommen

dowl, sub, -s Schneideisen

down, (1) adv, hernieder, herunter, hinab, hinunter, nieder **(2)** sub, -s Daune, Flaum; down here hier herunter; down there da herunter; down the bill den Hügel hinunter; down the stairs die Treppe hinunter; down there da hinunter; down with the petit-bourgeois conformism! nieder mit dem Spießbürgertum!; lay down your arms die Waffen nieder; the ups and downs das Auf und Nieder, downstream stromabwärts; it gets me down es geht mir an die Nieren; let someone down jemanden im Stich lassen; to be down in the dumps seinen Moralischen habe; to get sb down jmdn niederdrücken; we really got down to it wir haben gearbeitet; ~ (-filled) pillow sub, -s Daunenkissen; ~ below adv, unten, untenan; ~ in one adv, (vulg.) ex; ~ there adv, drunten; ~ time sub, -s Ausfallzeit; ~ to präp, bis; down to the smallest detail bis ins kleinste Detail; everyone down to alle bis auf; ~ to something adv, herab; ~ to the valley adv, talwärts; ~-(wards) adv, niederwärts; ~-at-heel adj, abgetakelt; ~-feather sub, -s Daunenfeder; ~-filled quilt sub, -s Daunendecke; ~-to-earth adj, (sachlich, vernünftig) nüchtern; ~-cast adj, geknickt; ~-fall sub, -s Untergang; (i. ü. S.) bring about sb's downfall jmdn zu Fall bringen

downgrade, vt, deklassieren; **downhill (1)** adj, abwärts, hangabwärts **(2)** adv, bergab, bergabwärts; he/she is going downhill es geht mit ihm/ihr abwärts; **downhill race** sub, -s Abfahrtslauf, Abfahrtsrennen; **downhill run** sub, -s (spo.) Abfahrt, Talfahrt; **downhill way** sub, -s Abfahrtsstrekke; **downriver** adv, flussabwärts; **downstairs** adv, unten; **downstream** adv, flussabwärts, stromabwärts; **downtown (Am.)** sub, nur Einz. Innenstadt; **downwards** adv, unten

dowsing rod, sub, -s Wünschelrute

doze, (1) sub, -s Dämmerzustand **(2)** vi, dösen; doze vor sich hin dösen; ~ off vi, eindösen

dozen, sub, -s Dutzend; 3 marks a dozen 3 DM das Dutzend; a dozen eggs ein Dutzend Eier; come in dozens zu Dutzenden kommen; Devil's dozen das Dutzend des Teufels (dreizehn); talk nineteen to the dozen wie ein Buch reden; two dozen zwei Dutzend

dozy, adj, (ugs.) schlafmützig

Draconian, adj, drakonisch; use Draconian measures drakonische Massnahmen ergreifen

draff, sub, -s Treber

draft, (1) sub, -s Tratte; (Entwurf) Skizze; (Gesetz, Entwurf) Formulierung; (Roman/Konzept) Entwurf **(2)** vt, (Schriftstück) aufsetzen; (tex.) patronieren; the first draft of a novel die erste Niederschrift eines Romans; ~ beer sub, - (US) Fassbier

drag, (1) sub, -s (Hut) Schleppe **(2)** vi, (ugs.) schleppen **(3)** vt, schleifen; (ugs.) to drag sb somewhere jmdn irgendwohin lotsen; ~ along vt, hinschleppen, mitschleppen; (ugs.) mitschleifen; (ugs.; Person) anschleifen, anschleppen; ~ behind one vt, (hinterherziehen) nachziehen; to drag one's right leg das rechte Bein nachziehen; ~ down vi, hinabreißen; ~ o.s. along vr, (sich) hinschleppen; ~ on vr, hinausziehen; (sich -, zeitl.) hinziehen; (Zeit: sich) hinschleppen; ~ out vt, (i. ü. S.) hinausziehen; (i. ü. S.; verzögern) hinziehen; ~ so into sth vt, (i. ü. S.) hineinziehen

dragnet operation, sub, -s Großfahndung

dragon, sub, -s Drache, Drachenboot, Lindwurm; fight the dragon gegen den Drachen kämpfen; ~-fly sub, -ies Libelle, Schillebold

dragoon, sub, -s Dragoner

drain, (1) sub, - Ablass, -s Gully; -es (Abzugs-) Graben; nur Einz. (eines Landes, Volkes) Auszehrung **(2)** vt, auszehren, entwässern, trokkenlegen; (Gemüse) abgießen; (Gewässer) austrocknen; drain so of all her/his strength jemanden stark auszehren; (i. ü. S.) be an endless drain on sb's resources ein Fass ohne Boden sein; let the dishes drain das Geschirr abtropfen lassen; *the blood drained from her face* ihrem Gesicht entwich alles Blut; **~ channel** *sub, -s* Abflusskanal, Ablaufrinne; **~ cock** *sub, -s* Abflusshahn; **~ off** *vt, (Wasser)* ablassen, ableiten; *(Wasserlauf)* abgraben; **~ pipe** *sub,* Abflussrohr; **~age** *sub, -s* Entwässerung; *(Flüssigkeit)* Ableitung; *nur Einz. (Trockenlegung)* Austrocknung; **~age trench** *sub, -es* Rigole; **~ed** *adj, (i. ü. S.; Person)* ausgelaugt; *(psych.)* durchhängen; **~ing** *sub, -s* Entsumpfung; **~pipe trousers** *sub, nur Mehrz. (ugs.)* Röhrenhose

drake, *sub, -s* Enterich, Erpel

Dralon(R), *sub, nur Einz. (Rechtl.gesch.)* Dralon

drama, *sub, nur Einz.* Drama, Dramatik; *-s (Theater)* Schauspiel; *dramatize sth* aus etwas ein Drama machen; *the dramatis personae* die Personen der Handlung; **~tic** *adj,* bühnenmäßig, dramatisch; *(wirkungsvoll)* effektvoll; *dramatic gesture* effectvolle Geste; **~tist** *sub, -s* Dramatiker; **~tize** *vt,* dramatisieren; **~turgical** *adj,* dramaturgisch; **~turgy** *sub, -ies* Dramaturgie

drape, (1) *sub, -s (US)* Übergardine **(2)** *vt,* drapieren; **Drapé** *sub, nur Einz.* Drapé; **~ry** *sub, -ies* Draperie

draught, *sub, nur Einz.* Tiefgang, Zugluft; *-s (in Gebäude)* Luftzug; *(Wind)* Durchzug; *create a draught* Durchzug machen; **~ animal** *sub, -s* Zugtier; **~ beer** *sub, -* Fassbier; **~-excluder** *sub, -s* Windfang; **~sman** *sub, -men (tt; kun. & ind.)* Zeichner; **~y** *adj,* zugig

draw, (1) *sub, -s* Auslosung, Remise, Unentschieden, Ziehung; *(Gewinnspiel)* Ausspielung **(2)** *vi,* zeichnen, ziehen **(3)** *vt,* aufmalen, zeichnen, zücken; *(Atem)* schöpfen; *(Blut)* abzapfen; *(Fische)* ausnehmen; *(Geld)* abheben; *(zeichnen)* aufzeichnen **(4)** *vti,* malen; *draw an elastic through* ein Gummiband durchziehen; *the evening was drawing to a close* der Abend näherte sich seinem Ende; *to draw to a close* dem Ende zugehen; **~ back** *vt,* zurückziehen; **~ big crowds** *sub, - (ugs.)* Zulauf; **~ closer** *vt,* nähern; **~ even** *vi, (spo.)* gleichziehen; **~ in Indian ink** *vt,* tuschen;

~ lines on *vt,* linieren; **~ lots** *vi,* lösen; *we ll draw lots to decide who* wir losen, wer; **~ lots for** *vt,* auslosen; **~ near** *vi,* heranrücken, heranziehen; **~ sth. in** *vt,* einzeichnen

drawn, *adj,* gezeichnet, remis; *(Spiel)* unentschieden; *(Spiel) end in a draw* unentschieden enden; **~ by two horses** *adj,* zweispännig

draw up *vt,* aufziehen, zusammenziehen; *(Arm)* anziehen; *(Liste)* erstellen; *(Plan)* ausarbeiten; **draw wrong** *vt,* verzeichnen; **drawback** *sub, -s (i. ü. S.)* Kehrseite; **drawbridge** *sub, -s* Zugbrücke; **drawer** *sub, -s* Lade, Schubkasten, Schublade; *(ugs.; Fach)* Schub; **drawing** *sub, -s* Zeichnung; *(Wasser)* Entnahme; **drawing board** *sub, -s* Zeichenbrett; **drawing book** *sub, -s* Zeichenheft; **drawing in pastel** *sub, nur Einz.* Pastellmalerei; *(Plan)* ausarbeiten; **drawing out** *sub, -* Vorzeichnung; **drawing pad** *sub, -s* Zeichenblock; **drawing pen** *sub, -s (ugs.)* Zeichenstift; **drawing pin** *sub, -s* Heftzwecke, Reißzwecke; **drawing up** *sub, nur Einz.* Ausarbeitung; **drawing- board** *sub, -s* Reißbrett

dread, (1) *sub, -s* Graus **(2)** *vi,* grausen; *(es graut mir)* grauen; **~ful (1)** *adj,* furchtbar, fürchterlich, grauenhaft, heillos, höllisch, horribel, schaudervoll, schauervoll, scheußlich, wahnsinnig; *(Benehmen)* miserabel; *(schrecklich)* mörderisch; *(Verdacht)* ungeheuerlich **(2)** *adv, (ugs.)* bestialisch; *to be in a dreadful state* in einer Misere stecken; **~fully** *adv, (schrecklich)* mörderisch

dream, (1) *adj, (ugs.)* ideal **(2)** *sub, -s* Traum **(3)** *vti,* träumen; *he wants his dream woman or none at all* er will die ideale Frau, sonst gar keine; *(ugs.) I wouldn´t dream of doing that* es fällt mir nicht im Schlaf ein, das zu tun; *(ugs.) that´s my dream car* das ist mein ideales Auto; *to live in an ideal world* in einer idealen Welt leben; *wouldn´t dream of it* ich denke nicht daran, *I wouldn´t dream of it* ich denke nicht im Traum daran; *(i. ü. S.) it* *worked like a dream* das ging wie im Traum; *my dream came true* mein Traum ging in Erfüllung, *have a bad dream* schlecht träumen; *have a pleasant dream* etwas schönes träumen; ~ **factory** *sub, -ies* Traumfabrik; ~**er** *sub, -s* Fantast, Traumtänzer; ~**y** *adj,* verträumt; *(verträumt)* träumerisch

dreariness, *sub,* - Tristesse; *-s (Trostlosigkeit)* Grau; **dreary** *adj,* trist; *(langweilig)* öde; *dreary and desolate* öd und leer

dredge, *vt,* schlämmen

drenched, *adj,* klitschnass

dress, (1) *sub, -es* Frauenkleid, Kleid **(2)** *vr,* verkleiden; *(sich)* gewanden **(3)** *vt,* zurichten; *(tt; med.)* verbinden; *(sich anziehen)* bekleiden **(4)** *vti,* ankleiden; *(Körperpflege) appear in full dress* in großer Toilette erscheinen; *dressed up to the nines* herausgeputzt wie in Pfingstochse, in vollem Ornat; ~ **material** *sub, -s* Kleiderstoff; ~ **oneself up** *vr,* schön machen; ~ **rehearsal** *sub, -s* Generalprobe; ~ **uniform** *sub, - -s* Ausgehuniform; ~ **up (1)** *vr,* fein machen **(2)** *vtr,* maskieren; *you look very smart* du hast dich aber fein gemacht; ~ **with shoulder straps** *sub, dresses* Trägerkleid; ~ **with train** *sub, -es* Schleppkleid

dressing, *sub, -s* Dressing, Verband; *dressing* Salat Dressing; ~ **down** *sub, -s* Gardinenpredigt; ~ **material** *sub, -s* Verbandszeug; ~ **table** *sub, -s* Schminktisch; ~ **up** *sub, -* Verkleidung; ~**-down** *sub, -s* Abkanzelung; *give so a dressing-down* jemanden abkanzeln; ~**-gown** *sub, -s* Morgenmantel, Morgenrock; **dressmaker** *sub, -* Damenschneider; *-s* Schneiderin

dribble, (1) *vi,* geifern **(2)** *vt,* dribbeln, träufeln; **dribbling** *sub, -* Gesabber

dried cod, *sub, -s* Stockfisch; **dried fruit** *sub, -s* Backobst; *-* Dörrobst; **dried legumes** *sub, nur Mehrz.* Erbsenstroh; **dried up** *adj,* ausgedörrt; **dried, salted cod** *sub, -s* Klippfisch

drift, (1) *sub, -s* Abdrift, Drift, Gestöber; *-* Wehe **(2)** *vi,* abdriften, driften, treiben, wabern; ~**-ice** *sub, -* Treibeis

drill, (1) *sub, -s* Bohrer, Bohrmaschi-

ne, Drillbohrer **(2)** *vt,* drillen **(3)** *vti,* exerzieren; ~ **through** *vt,* durchbohren; ~**ing** *sub, -s* Bohrung, Drill; ~**ing rig** *sub, -s* Bohrinsel

drink, (1) *sub, -s* Drink, Getränk, Trank, Trunk **(2)** *vti,* saufen, trinken; *a drink on the house* ein Drink auf Kosten des Hauses, *drink to sth* auf etwas anstoßen; *have a drink* einen heben; *have quick (drink) one* einen zur Brust nehmen; *I could just drink a beer* ich hätte Durst auf ein Bier; *take to drink* dich dem Trunk ergeben; *the wine is nice to drink* der Wein ist süffig; *give someone a drink* jemandem etwas zu trinken geben; *I´ll drink to that!* darauf trinke ich!; *would you like something to drink?* möchtest du etwas zu trinken?; ~ **up** *vti,* austrinken; ~**able** *adj,* genießbar, trinkbar; ~**ableness** *sub, nur Einz.* Trinkbarkeit; ~**er** *sub, -s* Trinker; ~**ing** *sub, nur Einz. (Handlung)* Suff; ~**ing bout** *sub, -s (ugs.)* Zecherei, Zechgelage; ~**ing ceremony (in a student fraternity)** *sub,* Kommers; ~**ing companion** *sub, -s (ugs.)* Zechbruder; ~**ing cup** *sub, -s* Trinkbecher; ~**ing session** *sub, -s* Trinkgelage; ~**ing tour** *sub, (ugs.)* Zechtour; ~**ing water** *sub, nur Einz.* Trinkwasser

dripstone, *sub, -s* Tropfstein

drive, (1) *sub, -s* Autofahrt, Drive, Laufwerk, Tatkraft, Treiben, Trieb; *-es (ugs.)* Zufahrt; *-s (Ausflug)* Ausfahrt; *(Auto)* Spazierfahrt; *(tech.)* Antrieb **(2)** *vt,* fahren, jagen, treiben; *(Auto)* steuern; *(steuern)* führen; *(Tiere, Maschine)* antreiben; *(Tunnel)* bohren **(3)** *vti,* chauffieren; *(jur.) for drunken driving* wegen Trunkenheit am Steuer; *(ugs.) it´s enough to drive you mad* dabei kann man ja einen Rappel kriegen; *let someone drive* jemanden ans Steuer lassen; *(ugs.) the noise is enough to drive you round the twist* bei dem Lärm kann man rappelig werden; *to drive with low revs* niedertourig fahren; *(ugs.) you´re driving me mad* du treibst mich noch zum Wahnsinn!, *this is a good road to drive on* auf dieser

Straße fährt es sich gut; *drive to despair* zur Verzweiflung treiben; *drive
a tunnel* Tunnel bohren; ~ **(so)
around** *vti*, kutschieren; ~
(straight) through *vi*, durchfahren;
~ **ahead** *vi*, vorausfahren; ~ **around**
vi, einherfahren, umherfahren; ~ **at**
vi, (i. ü. S.; *auf*) hinauswollen; *what
are you driving at?* worauf willst du
hinaus?; ~ **away** *vt*, vertreiben; *I
didn´t mean to drive you away* ich
wollte sie nicht vertreiben; ~ **back**
vi, zurückfahren; ~ **down** *vi*, hinabfahren; ~ **in** *vt*, hereinfahren; *(Nagel)* eintreiben; ~ **on** *vi*, *(Brücke etc.)*
befahren; ~ **out** (1) *vt*, herausfahren,
verdrängen (2) *vti*, hinausfahren; ~
past *vi*, vorbeifahren; ~ **round** *vt*,
umfahren; ~ **sb past** *vt*, vorbeifahren; ~ **shaft** *sub*, - *-s* Antriebswelle;
~ **sth./so. through** *vt*, durchtreiben;
drive a herd through the country eine
Herde durch das Land treiben; ~ **up**
vi, heranfahren; ~**in cinema** *sub*, *-s*
Autokino

drivel, (1) *sub*, *-s* Faselei, Gefasel, Geschwafel; *nur Einz.* *(ugs.)* Schwafelei;
-s Wischiwaschi (2) *vi*, faseln, schwafeln; ~**er** *sub*, *-s (US)* Faselhans; ~**ler**
sub, *-s* Faselhans

driver, *sub*, - Chauffeur; *-s* Fahrer,
Kraftfahrer, Lenker, Wagenführer; ~
at fault in the accident *sub*, *drivers*
Unfallfahrer; ~**´s cab** *sub*, *-s* Führer-
stand; ~**´s licence** *sub*, *-s (US)* Fahrerlaubnis, Führerschein; **driveway**
sub, *-s (Grundstück)* Auffahrt; **driving around** *sub*, Fahrerei; **driving
ban** *sub*, *-s* Fahrverbot; *be banned
from driving* ein Fahrverbot erhalten; **driving belt** *sub*, *-s* Treibriemen;
driving force *sub*, *-s* Antriebskraft; (i.
ü. S.) Motor, Triebkraft; **driving instructor** *sub*, *-s* Fahrlehrerin; **driving
lesson** *sub*, *-s* Fahrstunde; **driving
licence** *sub*, *-s* Fahrerlaubnis, Führerschein; *disqualify from driving* Fahrerlaubnis entziehen; **driving mirror**
sub, *-s* Rückspiegel; **driving on the
left** *sub*, *nur Einz.* Linksverkehr; **driving school** *sub*, *-s* Fahrschule; **driving test** *sub*, *-s* Fahrprüfung; *(mot.)*
Fahrtest

drizzle, (1) *sub*, *nur Einz.* Nieselregen; *-s* Sprühregen (2) *vi*, nieseln;
light drizzle feiner Regen

droll, *adj*, schnurrig, spaßhaft;
~**ery** *sub*, *-ies* Drolligkeit

dromedary, *sub*, *-ies* Dromedar

drone, (1) *sub*, *-s* Drohne (2) *vi*,
(tech.) brummen; *drone* männliche Biene; ~ **(on)** *vi*, leiern; ~ **on**
vi, *(Radio)* dudeln; **droning** *sub*, *-s*
Gedröhne

drop, (1) *sub*, *-s* Rückgang, Tropfen;
nur Einz. (geol.) Abfall; - *(Wasser)*
Gefälle (2) *vi*, fallen, tropfen; (fig.)
sinken; *(Kurse)* nachgeben; *(Pegel)*
absinken (3) *vt*, *(Bomben)* abwerfen; *(tt; jur.)* zurückziehen; *briefly
drop in* einen flüchtigen Besuch
machen; *can I give you a drop
more wine?* darf ich dir noch etwas
Wein nachschenken?; *drop a clanger* einen Bock schießen; (i. ü. S.)
drop something etwas unter den
Tisch fallen lassen; *drop the action*
Klage einstellen; *drop with exhaustion* vor Müdigkeit umsinken; *he
hasn´t had a single drop* er hat
keinen Tropfen Alkohol getrunken; *stand till one drops* sich die
Beine in den Bauch stehen; *the
penny has dropped* er hat´s begriffen; *(ugs.) to drop in on sb* jmd ins
Haus schneien; (i. ü. S.) *a drop in
the ocean* ein Tropfen auf den heißen Stein, *drop sth* etwas fallen lassen; *drop into a chair* auf einen
Stuhl sinken; *drop to one´s knees*
auf die Knie sinken; ~ **by** *drop
adv*, tropfenweise; ~ **in** *vi*, eintröpfeln, vorbeikommen; ~ **in
pressure** *sub*, *-s* Druckabfall; ~ **of
bitterness** *sub*, *-s* (i. ü. S.) Wermut-
stropfen; ~ **of blood** *sub*, *-s* Blutstropfen; ~ **off** (1) *vi*, (i. ü. S.; *wirt.*)
abbröckeln (2) *vt*, *(Mitfahrer)* absetzen; ~ **out** *vi*, *(aus der Gesellschaft)* aussteigen; *(spo.)*
ausscheiden; ~**kick** *sub*, *-s* Drop-
kick; ~**out** *sub*, *-s* Aussteiger,
Gammler

dropping, *sub*, *-s* Abwurf; ~ **bottle**
sub, *-s* Tropfflasche; ~ **out** *sub*, *nur
Einz.* (Wegbleiben) Ausfall; ~**s** *sub*,
nur Mehrz. (Tierkot) Mist; *(Wildtie-
re)* Losung

dropsy, *sub*, *nur Einz.* (tt; *med.*)
Wassersucht

drought, *sub*, *-s (Dürre)* Trok-
kenheit; *(Trockenheit)* Dürre; *the*

drought of the last years die Dürre der letzten Jahre

drover, *sub, -s (Vieh-)* Treiber

drown, (1) *vi,* ersaufen; *(ugs.; Mensch)* absaufen (2) *vt,* ersäufen, ertränken; *drown one's sorrow in* seinen Kummer ersäufen; *drown oneself* sich ertränken; *(i. ü. S.) to drown oneself* ins Wasser gehen; **~ed body** *sub, -es* Wasserleiche; **~ing** *sub, -s* Ertrinken; **~ing person** *sub, -s* Ertrinkende

drowsy, *adj,* dösig

drudge, *vi, (i. ü. S.)* strampeln; **~ry** *sub, -s (Mühsal)* Fron

druid, *sub, -s* Druide

drum, (1) *sub, -s* Lostrommel; *(mus.)* Trommel (2) *vi,* pauken (3) *vt,* walken (4) *vti,* trommeln; *(i. ü. S.) drum up support for something* die Trommel für etwas rühren; *(mus.) play the drum* die Trommel schlagen; **~ beat** *sub, -s* Paukenschläge; **~ major** *sub, -s* Tambourmajor; **~ roll** *sub, -s* Paukenwirbel; **~ sound** *sub, -s* Paukenschall; **~ sth into sb('s head)** *vt, (i. ü. S.)* einhämmern; **~ sth. into sb** *vt,* eintrichtern; **~ sth. into so.** *vt,* einbleuen; **~fire** *sub, -s* Trommelfeuer; **~head** *sub, -s (mus.)* Trommelfell; **~head court martial** *sub, -s* Standgericht; **~mer** (1) *sb,* Drummer (2) *sub, -s* Pauker, Schlagzeuger, Trommler; **~s** *sub, nur Mehrz.* Drums, Schlagzeug; **~stick** *sub, -s* Klöppel, Trommelstock

drunk, *adj,* berauscht, betrunken, trunken; *to be drunk* einen Rausch haben; **~ with victory** *adj,* Siegesfreude; **~ard** *sub, -s* Trunkenbold; *(ugs.)* Saufbold, Säufer; *(Säufer)* Trinker; **~en** *adj,* alkoholisiert; **~enness** *sub, nur Einz.* Trunkenheit; *drunkenness at the wheel* Trunkenheit am Steuer

dry, (1) *adj,* dry, regenarm, trocken; *(Wein)* herb (2) *vt,* dörren; *(Gegenstand)* austrocknen; *(Haut)* entfetten (3) *vti,* trocknen; *be left high and dry* auf dem trockenen sitzen; *dry cleaning* chemische Reinigung; *dry off* trocken werden; **~ (up)** *vti,* abtrocknen; *dry one's face* sich sein Gesicht abtrocknen; *dry the dishes* das Geschirr abtrocknen; **~ (up/out)** *vi,* eintrocknen; **~ avalanche** *sub, -s*

(Schnee) Staublawine; **~ colour** *sub, -s* Trockenfarbe; **~ dock** *sub, -s* Trockendock; **~ ice** *sub, -* Trockeneis; **~ out** *vi,* vertrocknen; **~ shave** *sub, -s* Trockenrasur; **~ up** (1) *vi,* abdorren, versiegen; *(Gewässer)* austrocknen (2) *vti,* ausdörren; **~ yeast** *sub, -s* Trockenhefe; **~-weight** *sub, -s* Darrgewicht; **~/liquid/cubic measure** *sub, -s (tt)* Hohlmaß

dryer, *sub, -s* Trockner; **drying** *sub, nur Einz. (durch Verdunstung)* Austrocknung; **drying loft** *sub, -s* Trockenboden; **drying oven** *sub, -s* Trockenofen; **drying room** *sub, -s* Trockenraum; **drying-out** *sub, nur Einz.* Ausnüchterung; **drying-out cell** *sub, -s* Ausnüchterungszelle; **dryness** *sub, nur Einz.* Trockenheit

Dsungarian, *adj,* dsungarisch

dual, (1) *adj,* dual (2) *sub, -s* Dual; **~ card** *sub, -s* Verbundkarte; **~ role** *sub, -s* Doppelrolle; **~ism** *sub, -s* Dualismus; **~istic** *adj,* dualistisch; **~ity** *sub, -ies* Dualität

dub, *vt, (Film)* synchronisieren; **~bing** *sub, -s (hist.)* Ritterschlag

dubious, *adj,* dubios; *(fragwürdig)* suspekt; *(zwielichtig)* fragwürdig; *I think this affair is dubious* ich finde diese Sache dubious; **~ness** *sub, nur Einz. (Fragwürdigkeit)* Bedenklichkeit

Dublone, *sub, -s* Dublone

ducat, *sub, -s* Dukaten

duchess, *sub, -es* Herzogin

duchy, *sub, -ies* Herzogtum

duck, (1) *sub, -s* Ente (2) *vi,* abducken (3) *vr,* ducken (4) *vt,* untertauchen; *(cold) punch* kalte Ente; *duck* den Kopf einziehen; *lame duck* lahme Ente, *duck a tiresome person* einer langweiligen Person aus dem Weg gehen; *duck one's head* den Kopf ducken; *duck to avoid sb's fists* sich ducken vor jmd Fäusten; *get a good ducking* ordentlich nass werden; **~ down** *vr, (ugs.)* unterducken; **~ pond** *sub, -s* Ententeich; **~billed platypus** *sub, -es* Schnabeltier; **~weed** *sub, -s* Entengrütze

ductile, *adj,* duktil

due, *adj,* fällig; *I'm due in for a cold*

bei mir kündigt sich eine Erkältung an; *it is due for etwas ist mal wieder fällig; the train is due in at 9 o´clock* planmäßig kommt der Zug um 9 Uhr an; **~ time** *adv,* termingemäß; **~ to** *präp,* auf Grund, wegen

duet, *sub, -s* Duett, Duo

duffel bag, *sub, -s* Matchbeutel

duffer, *sub, -s (ugs.)* Knilch

dufflecoat, *sub, -s* Dufflecoat

dug-out, *sub, -s* Einbaum

Duke, *sub, -s* Duke, Herzog

dulcimer, *sub, -s (mus.)* Hackbrett

Dulcinea, *sub, -s* Dulzinea

dull, *adj,* dumpf, fade, geistlos, glanzlos, lahm, reizlos, stumpf, stupide; *(nicht glänzend)* matt; *(Person)* stumpfsinnig; *(Witz, Mensch)* platt; **~ing** *sub, -s* Trübung; **~ness** *sub, nur Einz.* Abstumpfung, Stumpfsinn, Stupidität; *(kein Glanz)* Mattheit

dumb, *adj,* stumm; *strike someone dumb* jemanden sprachlos machen; **~ female** *sub, -s (ugs.)* Weibchen; **~ person** *sub, -s* Stumme; **~bell** *sub, -s* Hantel; **~ness** *sub, nur Einz.* Stummheit

dumdum (bullet), *sub, -s* Dumdumgeschoss

dummy, *sub, -ies* Dummy; *(ugs.)* Schnuller; *(Puppe)* Attrappe; *(Schnuller)* Nuckel

dump, *vt, (ugs.)* verschleudern; **~founded** *adj,* entgeistert; **~ing** *sub, -s* Dumping; **~ing price** *sub, -s* Dumpingpreis; **~ling** *sub, -s* Kloß, Knödel; **~ling soup** *sub, -s* Nockerlsuppe

dune, *sub, -s* Düne

dung, *sub, nur Einz.* Dung; *(Pferde~, Kuh~)* Mist; **~ beetle** *sub, -s* Mistkäfer

dungarees, *sub, -* Latzhose

duodecimal, *adj,* dodekadisch; **~ system** *sub, nur Einz.* Duodezimalsystem

dupe, *vt,* düpieren, übertölpeln; **~ry** *sub, -ies* Überlistung, Übertölpelung

duplicate, (1) *sub, -s* Dublette, Duplikat, Duplum, Zweitausfertigung; *(Kopie)* Doppel **(2)** *vt,* duplizieren, vervielfältigen; *duplicate sth* ein Duplikat erstellen; *duplicate of the contract* Vertragsdoppel; **duplication** *sub, -s* Duplikation, Duplizität

durability, *sub, -ies* Haltbarkeit; - Langlebigkeit

durable, *adj,* durabel, langlebig, haltbar, unverwüstlich; *(Motorial)* haltbar; **~ plastic** *sub, -s* Duroplast

duration, *sub, - (geb.)* Dauer; *for a period of two years* für die Dauer von von zwei Jahren; *for the duration of* für die Dauer von; **durative** *adj,* durativ

during, *präp,* während; **~ the day** *adv,* tagsüber

dusk, *sub, nur Einz.* Abenddämmerung; *-s (Abend)* Dämmerung

dust, (1) *sub, -s* Staub **(2)** *vi,* abstauben **(3)** *vt, (Kuchen etc.)* bestäuben; *(i. ü. S.)* bite the dust ins Gras beißen; *(i. ü. S.) kick up a lot of dust* eine Menge Staub aufwirbeln; *(i. ü. S.) let the dust settle* über etwas Gras wachsen lassen; **~ bag** *sub, -s (Staubsauger)* Staubbeutel; **~ collector** *sub, -s* Staubfänger; **~ particle** *sub, -s* Staubkorn; **~-bin** *sub, -s* Kehrichteimer; **~-cart** *sub, -s* Müllauto; **~-covered** *adj,* staubbedeckt; **~er** *sub, -s* Putztuch, Staublappen; **~ing** *sub, nur Einz. (eines Kuchens etc.)* Bestäubung; **~ing brush** *sub, -s* Staubpinsel; **~man** *sub, -men* Müllmann; **~y** *adj,* staubbedeckt

Dutch, (1) *adj,* holländisch, niederländisch **(2)** *sub, nur Einz.* Holländische; *it was all double Dutch to me* ich verstand nur noch Bahnhof; **~man** *sub, -men* Niederländer; **~woman** *sub, -women* Holländerin

dutiable, *adj, (Zoll)* abgabenpflichtig; **dutiful** *adj,* pflichtgemäß; **duty** *sub, -ies* Offizium, Pflicht, Schuldigkeit; - Zoll; *-ies (geb.)* Obliegenheit; *(Aufgabe)* Amt; *(Beruf)* Dienst; *duty calls!* die Pflicht ruft!; *I´m only doing my duty* ich tue nur meine Pflicht; *it is my sad duty* ich habe die traurige Pflicht; *marital duties* eheliche Pflichten; *one´s civic duties* die bürgerlichen Pflichten; *to do one´s duty* seine Pflicht erfüllen; *to obey the call of duty* der Pflicht gehorchen; *to remind sb of his duty* jmdn in die Pflicht nehmen; *be on duty* Dienst haben, im Einsatz sein; *carry out one´s duties* seines Amtes walten; *do your duty* walte deines Amtes; *off duty* außerhalb des Dienstes; *see sth as one´s duty* etwas als seine Pflicht betrachten; **duty freedom** *sub, nur Einz. (i. ü. S.)* Zollfreiheit; **duty of allegiance** *sub, duties* Treupflicht; **duty of care** *sub, duties* Sorgepflicht; **duty officer** *sub, -s* Wachhabende; **duty on goods in transit** *sub, duties* Transitzoll; **duty to obedience** *sub, -ies* Gehorsamspflicht; **duty-free** *adj,* zollfrei; **duty (Waren)** steuerfrei; *(Zoll)* abgabenfrei; **duty-free shop** *sub, -s* Dutyfreeshop

duvet, *sub, -s* Duvet, Federbett

dwarf, *sub, dwarves* Liliputaner; *-s* Zwerg; ~ **peoples** *sub, - (i. ü. S.)* Zwergenvolk; ~ **pine** *sub, -s* Krummholzkiefer; *(bot.)* Latschenkiefer; ~ **timber** *sub, nur Einz.* Krüppelholz; ~**ish** *adj,* zwergenhaft

dwell, *vi,* verweilen; *(i. ü. S.)* wohnen; *(wohnen)* sitzen; ~**ing** *sub, -s (Wohnung)* Behausung

dye, (1) *sub, -s* Färbefarben; *(Haare)* Farbe **(2)** *vt,* bläuen, färben; *dye the trousers* die Hose bläuen; *dye one´s hair* sich die Haare färben; ~ **sth a different colour** *vt,* umfärben; ~**-works** *sub, nur Mehrz.* Färberei; ~**d** *adj, (Haare)* gefärbt; ~**d blond** *vti,* blondieren; ~**ing** *sub,* Färbung; ~**r** *sub, -s* Färber; ~**s** *sub, -s* Färbemittel

dying, *sub, nur Einz.* Sterben; *be dying* im Sterben liegen; ~ **of the forest** *sub, nur Einz.* Waldsterben

dynamite, *sub, -s* Dynamit; *the revelations are dynamite* die Enthüllungen sind Dynamit

dynamo, *sub, nur Einz.* Dynamo; ~**meter** *sub, -s (phy.)* Dynamometer

dynastic, *adj,* dynastisch; **dynasty** *sub, -ies* Dynastie, Fürstenhaus; *(Fürsten-)* Geschlecht

dysentery, *sub, nur Einz.* Ruhr

E

each, (1) *adj,* jede (2) *adv,* je; 5 DM *each* 5 DM das Stück; *each (one) of us* jeder von uns; *she greeted each guest* sie begrüßte jeden Gast; *(prov.) to each his own!* jedem das Seine!; ~ **other** (1) *adv,* aneinander (2) *pers.pron,* uns (3) *pron,* einander; *they greeted each other* sie grüßten einander

eager, *adj,* diensteifrig, sehnlich; *(als Eigenschaft)* begierig; *(bemüht)* eifrig; *set about doing sth eagerly* sich eifrig um etwas bemühen; ~ **for plunder** *adj,* beutegierig, beutelüstern, beutelustig; ~ **to learn** *adj,* lernbegierig, wissbegierig; ~ **to shoot** *adj,* schießwütig; **~ness** *sub,* nur Einz. (Eifrigkeit) Eifer

eagle, *sub,* -s Adler; *eagle-eyed* mit Adleraugen; *to be eagle-eyed* Augen wie ein Luchs haben; **~-eyed** *adj,* argusäugig; **~-eyes** *sub,* nur Mehrz. Argusaugen; **~-owl** *sub,* -s Uhu

ear, *sub,* -s Ohr; *(bot.)* Ähre; *(Jagd)* Löffel; *clean out your ears!* sperr die Ohren auf!; *his words are still ringing in my ears* ich habe seine Worte noch deutlich im Ohr; *I´m all ear* ich bin ganz Ohr; *it has come to my ears* es ist mir zu Ohren gekommen; *my ears are burning* mit klingen die Ohren; *to be still wet behind the ears* noch nicht trocken hinter den Ohren sein; *to give sb a clip round the ear* jmd eins hinter die Ohren geben; *to lend sb a willig ear* jmd ein geneigtes Ohr schenken; *to prick up one´s ears* die Ohren spitzen; *by ear* nach Gehör; *get a clip round the ear* eine (Ohrfeige) fangen; *he´s still wet behind the ears* junger Dachs; *let it go in one ear and out the other* auf Durchzug schalten; *modern music is often far from easy on the ears* moderne Musik ist oft kein Ohrenschmaus; *sensitive ear* feines Gehör; *to keep one´s ear to the ground* die Ohren offenhalten; *(ugs.) to give sb a clout round the ears* jmd eins hinter die Löffel geben; ~ **jewellery** *sub,* nur Einz. Ohrschmuck; **~-button** *sub,* -s Bouton; **~-ache** *sub,* -s Ohrenschmerz; **~-drops** *sub,* nur Mehrz. *(Ohr-)* Gehänge; **~-drum** *sub,* -s

(med.) Trommelfell; **~-flap** *sub,* -s Ohrenklappe

Earl, *sub,* - *(GB)* Grafentitel; *(Titel in GB)* Graf; **earl´s coronet** *sub,* -s *(Brit.)* Grafenkrone

earlier, (1) *adj,* früher (2) *adv, (früher)* eher; *I was there earlier* da ich war eher da als; **earliest possible** *adj,* baldmöglichst; *as soon as possible* zum baldmöglichsten Zeitpunkt; **early** (1) *adj,* früh, frühzeitig, verfrüht, vorzeitig (2) *adv,* beizeiten, früh; *an early van Gogh* ein früher van Gogh; *early in the morning* im frühen Morgen, *at an early age* im frühen Alter; *get up early in the morning* früh aufstehen; *early in the week* Anfang der Woche; *into the early hours* bis in die frühen Morgenstunden; *the early bird catches the worm* Morgenstund hat Gold im Mund; **early childhood** (1) *adj,* frühkindlich (2) *sub,* nur Einz. Kindesbeine; **early Christian** *adj,* urchristlich; **early Christianity** *sub,* nur Einz. Urchristentum; **early diagnosis** *sub, diagnoseses (med.)* Frühdiagnose

early gothic, *adj,* frühgotisch; **early history** *sub,* nur Einz. Frühgeschichte; **early in the morning** *adj,* frühmorgens; **early leaver** *sub,* -s Frührentner; **early morning** *sub,* nur Einz. Morgenfrühe; **early morning light** *sub,* nur Einz. Morgenlicht; **early morning mist** *sub,* nur Einz. Morgennebel; **early retirement** *sub,* -s Vorruhestand; **early riser** *sub,* -s Frühaufsteher; **early shift** *sub,* -s Frühschicht; **early spring** *sub,* nur Einz. Vorfrühling; **early stage** *sub,* -s Frühstadium; **early symptom** *sub,* -s *(med.)* Prognostikon; *(lt; med.)* Vorzeichen

earn, (1) *vt,* kassieren; *(verdienen)* einnehmen, erwerben (2) *vti,* verdienen; *(ugs.) he makes a packet on every sale* bei jedem Verkauf kassiert er eine Menge; *earn sb´s trust* jmd Vertrauen erwerben; *to have genuinely earned sth* sich etwas redlich verdient haben; ~ **as**

well vi, mitverdienen; ~ **sth extra** vt, (ugs.) zuverdienen; ~ **sth. extra** vt, dazuverdienen

earnest, adj, inständig; ~ **money** sub, - Handgeld

earning, sub, -s Erwerb

earring, sub, -s Ohrring; **earshot** sub, nur Einz. Hörweite; be out of earshot außer Hörweite sein

earth, (1) sub, Erde **(2)** vt, erden; earth Erde (el); on earth auf Erden, earth the cable die Stromleitung erden; what on earth is the matter with him? was hat er nur?; ~ **bank** sub, --s Aufschüttung; ~ **satellite** sub, -s Erdsatellit; ~**-dweller** sub, -s Erdenbürger; ~**-moving** sub, -s Erdarbeiten; ~´s **axis** sub, - Erdachse; ~´s **crust** sub, -s Erdkruste, Erdrinde; ~´s **gravitation** sub, nur Einz. Erdanziehung; ~**bound** adj, (Satellit) erdgebunden; ~**en** adj, irden; ~**enware** sub, - Tongeschirr; ~**enware vessel** sub, -s Tongefäß; ~**ing** sub, -s Erdung; ~**ly** adj, irdisch; ~**quake** sub, -s Erdbeben; ~**y** adj, erdig; (theat.) derb; ~**y comic** adj, derbkomisch

ease, (1) sub, nur Einz. Leichtigkeit **(2)** vi, (Schmerz) abklingen **(3)** vt, lindern; (geh.; Schmerz) mildern; (Situation) entkrampfen; mitigating circumstances mildernde Umstände; he did it with the greatest of ease er tat es mit spielerischer Leichtigkeit; ~ **of digestion** sub, nur Einz. Bekömmlichkeit; ~ **of influencing so** sub, nur Einz. Beeinflussbarkeit; ~ **off** vi, (Sturm) nachlassen

easel, sub, -s Staffelei

easier, adj, (Arbeit) erleichtert; **easily (1)** adj, getrost, unschwer; (leicht) bequem **(2)** adv, ohneweiters; **easily confused harmonies** sub, (mus.) unharmonisch; **easily crumbling** adj, Bröcklichkeit; **easily digestible** adj, bekömmlich; **easily remembered** adj, sentenzartig; (Gedächtnis) einprägsam; **easily roused** adj, (begeisterungsfähig) entflammbar; **easily satisfied** adj, genügsam; **easily startled** adj, schreckhaft

easing of tension, sub, -s (polit.) Entspannung

East, sub, nur Einz. Morgenland, Osten; (poet.; auch Wind) Ost; (von Land) Osten; from the east von Osten her; in the east of Bavaria im Osten Bayerns; to the east gen Osten; 10 East German marks 10 Mark Ost; from East and West aus Ost und West; the wind is coming from the East der Wind kommt aus Ost; 30 degrees east dreißig Grad östlicher Länge; from east to west vom Orient zum Okzident; the Far East der Ferne Osten; the Middle East der Mittlere Osten, der Nahe Osten; the Near East der Nahe Osten, der Vordere Orient; the Three Wise Men from the East die Weisen aus dem Morgenland; ~ **Baltic** adj, ostbaltisch; ~ **Berliner** sub, -s Ostberliner; ~ **coast** sub, -s Ostküste; ~ **Frisian** adj, ostfriesisch; ~ **German** sub, -s (ugs.) Ossi; east of adv, präp, östlich; east of Burghausen östlich von Burghausen; ~ **Prussian** adj, ostpreußisch; ~**(ern) Europe** sub, nur Einz. Osteuropa; ~**-West** adj, ost-westlich

Easter, sub, -s Ostern; happy Easter! frohe Ostern!; we´re going away over Easter über Ostern fahren wir weg; ~ **Monday** sub, -s Ostermontag; ~ **Sunday** sub, -s Ostersonntag; ~ **tradition** sub, -s Osterbrauch; ~ **traffic** sub, nur Einz. Osterverkehr

eastern, adj, (Gebiet) östlich; Eastern thought das Denken des Orients; **Eastern Asian** adj, ostasiatisch; **Eastern bloc** sub, nur Einz. Ostblock; **Eastern bloc country** sub, -ies Ostblockland; **Eastern Franconia** sub, nur Einz. Mainfranken; **Eastern Franconian** adj, ostfränkisch; ~ **side** sub, -n Ostseite; **Easterner** sub, -s (ugs.) Ossi

easy, adj, leicht, mühelos; (einfach) bequem; (leicht) einfach; she has always had an easy life sie hat es im Leben immer leicht gehabt; that´s easier said than done das ist leichter gesagt als getan; that´s easy to learn das ist leicht zu lernen; you don´t go to enough trouble du machst es dir zu leicht; easy does it! nur keine Überstürzung!; not to be easily discernible

nur unklar zu erkennen sein; *take it
away nur kleine Trickkiste*, *(ugs.)* *leg
dich ab*; *take the easy way out* Dünnbrett bohren; **~ handle** *adj, (i. ü. S.)*
pflegeleicht; **~ to spread** *adj*,
streichfähig; **~ to survey** *adj, (leicht
überschaubar)* übersichtlich; **~-care**
adj, pflegeleicht; **~-chair** *sub*, -s Sessel; **~-going** *adj*, bequemlich, leichtlebig, verträglich; **~-going attitude**
sub, - Leichtlebigkeit

eat, (1) *vi, (Tier)* fressen (2) *vt*, essen,
futtern, wegessen; *(essen)* speisen;
(Tier) fressen; *eat everything as it
comes* alles durcheinander essen; *eat
humble pie* nach Canossa gehen; *eat
out* auswärts essen gehen; *eat very
little* im bescheidener Esser sein; *I
want sth to eat* ich brauche was zu
mampfen; *like (to eat) sth* gerne essen; *we´ve eaten our last crust* wir
haben nichts zu nagen noch zu beißen; *eat so out of house and home*
jmdn arm fressen; *(i. ü. S.) it´s a case
of dog eat dog* da heißt es fressen
oder gefressen werden; **~ as well** *vt*,
(Schale) mitessen; **~ clean** *vt, (Futternapf)* ausfressen; **~ holes in** *vt*,
(Motten) durchfressen; **~ noisily** *vi*,
schmatzen; **~ sweet things** *vi*, naschen; **~ sweets** *vi*, schlecken; **~
through** *vt*, *(chem./Holzwurm)*
durchfressen; **~ up** *vt*, aufessen, vernaschen; *(Benzin)* fressen; *(Nahrung)* aufzehren; **~able** *adj*,
genießbar; **~ing sweet things** *sub*,
nur Einz. Schleckerei

eaves, *sub*, - Traufe; **~drop** *vi*, horchen, lauschen; *speak more softly!
someone is eavesdropping* sprich leiser! am Nebentisch horcht jemand;
~dropper *sub*, -s Lauscher

ebb away, *vi*, abebben; **ebb tide** *sub*,
-s *(Bewegung)* Ebbe; *ebb and flow*
Ebbe und Flut; *the tide is out* es ist
Ebbe

ecal, *adj*, fäkal

eccentric, (1) *adj*, exzentrisch, kauzig, überspannt, verschroben (2) *sub*,
-s Exzentriker; - Grilligkeit; **~** Sonderling; **~ity** *sub*, -ies Exzentrik, Exzentrizität

ecclesiastic foundation, *sub*,   -s
(geistliches) Stift

eces, *sub*, -s Fäkalien

ECG (am:EKG), *sub*, -s EKG

éclair, *sub*, -s Eclair

eclectic, (1) *adj*, eklektisch, eklektizistisch (2) *sub*, -s Eklektiker; **~ism**
sub, -s Eklektizismus

eclipse, *sub*, -e Eklipse; **ecliptic** (1)
adj, ekliptisch (2) *sub*, -s Ekliptik

ecological, *adj*, ökologisch; **ecolo-
gist** *sub*, -s Ökologe; **ecology** *sub*,
nur Einz. Ökologie

economic, *adj*, konjunkturell, ökonomisch, wirtschaftswissenschaftlich; *(tt; wirt.)* wirtschaftlich; **~
location** *sub*, -s Wirtschaftsstan-
dort; **~ miracle** *sub*, -s Wirtschafts-
wunder; **~ policy** *sub*, -es
Wirtschaftspolitik; **~ pressures**
sub, *nur Mehrz.* Zwang. **~al** *adj*,
wirtschaftlich; *(Haushalt)* sparsam; *sth is barely/not economical*
etwas rechnet sich schlecht/nicht;
*we have to be economical with our
provisions* wir müssen Proviant
sparen; **~s** *sub*, - Nationalökonomie; *nur Mehrz.* Ökonomik; Wirt-
schaftswissenschaft; *nur Mehrz.
(Wissenschaft)* Ökonomie; **economist** *sub*, -s Ökonom, Wirtschafts-
wissenschaftler; *(tt; wirt.)*
Wirtschafter. **economize** *vi*, wirtschaften; *(sparsam sein)* sparen

economizing, *sub*, *nur Einz.* (Haushalt) Sparsamkeit; **economy** *sub*,
-ies Konjunktur; *nur Einz.* Ökonomie, Wirtschaftlichkeit; -es *(tt;
wirt.)* Wirtschaft; *to study political
economy* politische Ökonomie studieren; *by clever economies* durch
kluge Ökonomie; **economy class**
sub, -es Economyklasse; **economy
cycle** *sub*, -s *(Waschmaschine)*
Sparprogramm; **economy measure** *sub*, -s Sparmaßnahme; **economy pack** *sub*, -s Großpackung

ecosystem, *sub*, -s Ökosystem

ecstasy, *sub*, -ies Ecstasy, Ekstase,
Rausch; *nur Einz.* Verzücktheit

ecstatic, (1) *adj*, ekstatisch, verzückt (2) *sub*, -s Ekstatiker

Ecu, *sub*, -s Ecu

Ecuadorian, *sub*, -s Ecuadorianer;
ecumenical movement *sub*, *nur
Einz.* Ökumene

ecumenical, *adj*, ökumenisch

ecumenism, *sub*, *nur Einz.* Ökumenismus

eczema, *sub*, -s Ekzem; *(med.)*

Flechte
edelweiss, *sub,* - Edelweiß
Eden, *sub, nur Einz.* Eden; *in the Garden of Eden* im Garten Eden
edibility, *sub, -ies* Essbarkeit
edict, *sub, -s* Edikt; **edification** *sub, -s* Erbauung; **edifying** *adj,* erbaulich
Edinburgh, *sub,* - Edinburg
edit, *vt,* edieren, lektorieren, redigieren; *(Text)* bearbeiten; **~ing** *sub, -s* Redaktion; *(Herausgeben)* Edition; **~ion** *sub, -s (Ausgabe)* Edition; *(eines Buches)* Auflage; *(eines Buchs)* Ausgabe; **~or** *sub, -n* Cutterin; *-s* Editor, Redakteur, Redakteurin; *(eines Textes)* Bearbeiter; *(Verfasser)* Herausgeber; **~orial** *adj,* redaktionell; **~orial office** *sub, -s* Lektorat
educability, *sub, nur Einz.* Bildsamkeit; **educate** *vt, (bilden)* ausbilden; *(jemanden fortbilden)* bilden; *(Schule)* erziehen; **educate o.s.** *vr, (sich fortbilden)* bilden; **educate sb further** *vt,* weiterbilden; **educated** *adj,* gebildet; *an educated person* eine Mensch mit Bildung; *be completly uneducated* keine Bildung haben; **education** *sub, nur Einz.* Bildungsgang, Bildungsweg, Edukation, Erziehung; *-s (an Schulen)* Ausbildung; *nur Einz. (Ausbildung)* Bildung; **education act** *sub, -s* Schulgesetz; **education authority** *sub, -ies* Schulamt, Schulbehörde; **education campaign** *sub, - -s* Aufklärungskampagne; **education policy** *sub, -ies* Schulpolitik
educational, *adj,* erzieherisch, pädagogisch; **~ establishment** *sub, -s* Lehranstalt; **~ film** *sub, -s* Lehrfilm; **~ leave** *sub, -s* Bildungsurlaub; **~ level** *sub, -s* Bildungsgrad, Bildungsstufe; **~ policy** *sub, nur Einz.* Bildungspolitik; **~ programme** *sub, -s* Lehrangebot; **~ theory** *sub, nur Einz.* Pädagogik; **~ist** *sub, -s* Didaktiker, Didaktikerin, Pädagoge; **~ly handicapped person** *sub, -s* Lernbehinderte; **educator** *sub, -s* Erzieher
eel, *sub, -s (zool.)* Aal
eerie, *adj,* spukhaft; *(nicht -)* geheuer; **eery** *adj,* unheimlich
effect, *sub, -s* Effekt, Einwirkung, Wirkleistung, Wirkung; *(Wirkung)* Auswirkung; *straining for effects* Effekthascherei; *have an effect on the*

prices auf die Preise durchschlagen; *have no effect on someone* spurlos an jemandem vorübergehen; *he´s out for effect* er macht auf Schau; *to use sth to good effect* etwas Nutz bringend anwenden; *not to have the desired effect* seine Wirkung verfehlen; *to lose its effect* an Wirkung verlieren; **~ by the photo** *sub, -s* Fotoeffekt; **~ of horror** *sub, -s* Gruseleffekt; **~ive** *adj,* werbewirksam, wirksam, wirkungsvoll; *(wirksam)* effektvoll; *(wirksam/tatsächlich)* effektiv; *(wirkungsvoll)* bewährt; *to take effect on* mit wirsam werden; *an effective publicity slogan* ein werbekräftiger Slogan; **~ive capacity** *sub, -ies* Nutzleistung; **~iveness** *sub, nur Einz.* Effektivität, Wirksamkeit
effectuate, *vt,* effektuieren
effeminate, *(1) adj, (ugs.)* weibisch **(2)** *vi,* feminieren
effendi, *sub, -s* Efendi, Effendi
effervesce, *vi,* moussieren
efficacy, *sub, nur Einz. (geh.; med.)* Effizienz
efficiency, *sub,* - Gewandtheit; *nur Einz.* Nutzeffekt; *-ies* Tüchtigkeit; *(geh.)* Effizienz; **efficient** *adj,* effizient, geschäftstüchtig, leistungsfähig, rationell; *(leistungsfähig)* tüchtig; *(tüchtig)* gewandt
effloresce, *vi,* effloreszieren
effusion *sub, -s (geol./lit)* Erguss
E flat, *sub, - (mus.)* Es
egalitarian, (1) *adj,* egalitär **(2)** *sub, -s* Gleichmacher; **Egalité** *sub,* - Egalité
egg, *sub, -s* Ei; *as full as an egg* gerammelt voll; *as sure as eggs are eggs* so sicher wie das Amen in der Kirche; *don´t teach one´s grandmother to suck eggs* das Ei will schlauer als die Henne sein; *in the egg* in den Anfängen; *lay an egg* ein Ei legen; *poached eggs* verlorene Eier; **~ for breakfast** *sub, -s* Frühstücksei; **~ yolk** *sub, -s* Eidotter; *yolk of more than two eggs* Eigelb; **~-liqueur** *sub, -s* Eierlikör; **~-shaped** *adj,* eiförmig; **~-white** *sub, -s* Eiweiß; **~head** *sub, -s* Egghead
ego, *sub, -s* Ego; **~ trip** *sub, -s* Egotrip; **~centric (1)** *adj,* egozen-

trisch, ichbezogen (?) *sub*, -s Egozen-
triker; **~centric attitude** *sub*, -s Ego-
zentrik; **~ism** *sub*, -s Egoismus; *nur
Einz.* Selbstsucht; **~ist** *sub*, -s Egoist;
~istical *adj*, egoistisch; **~tism** *sub*,
nur Einz. Ichsucht

Egyptian cotton, *sub*, -s Mako
eiderdown, *sub*, -s Plumeau
eidetic, *adj*, eidetisch; **~ ability** *sub*,
-ies Eidetik; **~ian** *sub*, -s Eidetiker
eigenvalued, *adj*, *(phy.)* eigenwertig
eight, (1) *adj*, acht (2) *adv*, acht (3)
sub, (die Zahl) Acht; *eight of them/us*
zu acht; **~ and a half** *adj*, achteinhalb; **~ hundred** *adj*, achthundert;
~ thousand *adj*, achttausend; **~ times** *adj*, achtmal; **~-cylinder** *adj*,
achtzylindrig; **~-cylinder (car)** *sub*,
- -s *(Auto)* Achtzylinder; **~-cylinder
engine** *sub*, - -s *(Motor)* Achtzylinder;
~-hour day *sub*, - -s Achtstundentag;
~-sided *adj*, achtseitig; **~-storey**
adj, achtstöckig; **~-year** *adj*, *(Dauer)*
achtjährig; **~-year-old** (1) *adj*, *(Alter)* achtjährig (2) *sub*, Achtjährige;
~een *adj*, achtzehn; **~fold** (1) *adj*,
achtfach (2) *sub*, -s Achtfache; **~h**
sub, -s Achtel; **~ies** *sub*, *nur Mehrz.*
Achtzigerjahre; **~ieth part** *sub*, *nur
Einz.* Achtzigstel; **~ly** *adv*, achtens;
~y *adj*, achtzig; *be in one´s eighties*
in den achtzigern sein; *the eighties*
die achtziger Jahre; **~y times** *adv*,
achtzigmal; **~y-year-long** *adj*, *(Zeitspanne)* achtjährig; **~y-year-old**
adj, *(Alter)* achtzigjährig; **~yfold**
adj, achtzigfach
einsteinium, *sub*, *nur Einz. (chem.)*
Einsteinium
either, *konj*, entweder; *either or* entweder oder; *I can´t do it either* ich
kann das auch nicht
ejaculate, *vi*, ejakulieren; **ejaculation**
sub, -s Ejakulation, Samenerguss;
(Samen) Erguss
ejection, *sub*, -s Ejektion; *(tech.)* Auswurf; **~ seat** *sub*, -s Katapultsitz,
Schleudersitz
eke out, *vt*, *(i. ü. S.; verlängern)* strek-
ken
elaboration, *sub*, -s Austüftelung
elate, *vt*, beschwingen
elbow, *sub*, -s Ellbogen; *cut one´s elbow* sich seinen Ellbogen aufstoßen;
use one´s elbows seine Ellbogen gebrauchen

elderberry *sub*, -ies Holunder;
(Holunderb.) Fliederbeere
elect, *vt*, küren; **~ed affinity** *adj*,
wahlverwandt; **~ion** *sub*, -s *(tt; polit.)* Wahl; *elections are coming up*
es stehen Neuwahlen ins Haus; *(tt;
polit.)* secret ballot/free election
geheime/freie Wahl; *(tt; polit.)* to
put sb up as a candidate (for election) jmd zur Wahl aufstellen;
~ion campaign *sub*, -s Wahlkampagne; **~ion of a delegate** *sub*, -s
Delegierung; **~ion program** *sub*,
-s Wahlprogramm; **~ion result**
sub, -s Wahlausgang, Wahlergeb-
nis; **~ion slogan** *sub*, -s Wahlspruch; **~ion speech** *sub*, -es
Wahlrede; **~ion victory** *sub*, -es
Wahlsieg; **~ions to the Landtag**
sub, Landtagswahl; **~ive attraction** *sub*, -es *(tt; chem.)* Wahlverwandtschaft; **Elector** *sub*, -s
Kurfürst, Wähler
electoral, *adj*, kurfürstlich; **~ district** *sub*, -s Stimmbezirk; **~ duty**
sub, *nur Einz.* Wahlpflicht; **~ freedom** *sub*, *nur Einz.* Wahlfreiheit; **~
law** *sub*, *nur Einz. (tt; jur.)* Wahlrecht; **electorate** *sub*, -s Kurfür-
stentum; *nur Einz.* Wählerschaft;
electorlist *sub*, -s Wählerliste;
electorsintention *sub*, *nur Einz.*
Wählerwille
electric, *adj*, *(Funktion)* elektrisch;
~ car *sub*, -s Elektroauto; **~ coloured** *adj*, schockfarben; **~ cooker**
sub, -s Elektroherd; **~ current meter** *sub*, -s Stromzähler; **~ eel** *sub*,
-s Zitteraal; **~ furnace** *sub*, -s Elektroofen; **~ light bulb** *sub*, -s Glühlampe; **~ motor** *sub*, -s
Elektromotor; **~ ray** *sub*, -s Zitterrochen; **~ shock** *sub*, -s Elektroschock, Stromschlag
electrical, *adj*, *(System)* elektrisch;
~ appliance *sub*, -s Elektrogerät;
~ appliances *sub*, *nur Mehrz.*
(elektr.) Gerät; **~ goods industry**
sub, -ies Elektroindustrie; **electrician** *sub*, -s Elektriker; **electricity**
sub, *nur Einz.* Elektrizität; *read the
electricity meter* den Stromverbrauch ablesen; **electricity pylon**
sub, -s Leitungsmast; **electrics** *sub*,
nur Mehrz. Elektrik; **electrification**
sub, -s Elektrifizierung; **elec-**

trify *vt*, elektrifizieren, elektrisieren; **electrolyte** *sub*, *nur Einz.* Elektrolyt **electrocardiogram**, *sub*, *-s* Elektrokardiogramm; **electrocardiography** *sub*, *-ies* Elektrokardiografie; **electrode**, *-s* Elektrode; **electrodynamics** *sub*, *nur Einz.* Elektrodynamik; **electrolysis** *sub*, *-* Elektrolyse; **electrolytic** *adj*, elektrolytisch; **electromagnet** *sub*, *-s* Elektromagnet; **electromagnetic** *adj*, elektromagnetisch; **electrometer** *sub*, *-s* Elektrometer

electron, *sub*, *-s* Elektron; ~ **microscope** *sub*, *-s* Elektronenmikroskop, Übermikroskop; ~ **volt** *sub*, *-s* Elektronenvolt; ~**ic** *adj*, elektronisch; ~**ic brain** *sub*, *-s* Elektronengehirn; ~**ics** *sub*, *nur Einz.* Elektronik; ~**ics engineer** *sub*, *-s* Elektroniker; **electroplate** *vt*, *(tech.)* galvanisieren; **electroplater** *sub*, *-s* Galvaniseur; **electrostatics** *sub*, *nur Einz.* Elektrostatik

elegance, *sub*, *nur Einz.* Eleganz; **elegant** *adj*, elegant, schick
elegy, *sub*, *-ies* Elegie
element, *sub*, *-s* Element; *(i. ü. S.; Komponente)* Baustein; *(phy.)* Grundstoff; *antisocial elements* asoziale Elemente; *be in one´s element* in seinem Element sein; *(mil.) combat element* kämpfende Truppe; *the four elements* die vier Elemente; ~ *of style sub*, *elements* Stilelement; ~**al** *adj*, *(naturhaft)* elementar; *elemental forces* die elementaren Kräfte; ~**al force** *sub*, *-s* Urgewalt; ~**ary** *adj*, *(grundlegend)* elementar; *he lacks the most elementary knowledge* ihm fehlen die elementarsten Kenntnisse; ~**ary particle** *sub*, *-s* Elementarteilchen; ~**ary school** *sub*, *-s* Volksschule; *(US)* Grundschule; ~**ary school student** *sub*, *-s* Grundschüler
elephant, *sub*, *-s* Elefant; *to see pink elephants* weiße Mäuse sehen; ~**iasis** *sub*, *-* Elefantiasis
elevated railroad, *sub*, *-s (US)* Hochbahn; **elevated railway** *sub*, *-s* Hochbahn; **elevation** *sub*, *-s (arch.)* Aufriss; *(geogr.)* Erhebung; **elevator** *sub*, *-s* Elevator, Lift; *(US)* Fahrstuhl; **elevator (control)** *sub*, *-s (tt; tech.)* Höhensteuer; **elevator boy** *sub*, *-s* Liftboy

eleven, **(1)** *sub*, *nur Einz.* Elf **(2)** *Zahl*, elf; *(i. ü. S.) at the eleventh hour* fünf vor zwölf; *(i. ü. S.) have one´s wits about one* alle fünf Sinne beisammen haben; ~**th part** *sub*, *nur Einz.* Elftel
eligibility, *sub*, *-es* Wählbarkeit; *nur Einz. (passiv)* Wahlrecht
elite, *sub*, *-s (Elite)* Auslese; **élite** *sub*, *-s* Elite; **élite force** *sub*, *-s (mil.)* Elitetruppe; **élitist** *adj*, elitär
elixir, *sub*, *-s* Elixier
elk, *sub*, *-s* Elch
ellipse, *sub*, *-s* Ellipse; **elliptical** *adj*, elliptisch
elm, *sub*, *-s* Rüster, Ulme
elongation, *sub*, *-s* Elongation
eloquence, *sub*, *nur Einz.* Beredsamkeit, Eloquenz; *-* Sprachgewalt; **eloquent** *adj*, beredsam, beredt, eloquent, redegewandt, wortgewandt
else, *adv*, *(außerdem)* noch, sonst; *there´s something else I want to say* ich will noch etwas sagen; *who elso was there?* wer war noch da?; *anybody else* sonst jemanden; *anything else* sonst etwas; *no one else but him* er und kein anderer; *nothing else* sonst nichts; *nowhere else* sonst nirgends; ~**where** *adv*, woandershin
Elysian, *adj*, elysisch
emaciated, *adj*, abgemagert, abgezehrt, ausgemergelt, ausgezehrt; *(Gesicht)* abgemergelt; **emaciation** *sub*, *-s* Abmagerung, Abzehrung; *nur Einz. (einer Person)* Auszehrung
E-mail, *sub*, *-s* E-Mail
emancipated, *adj*, emanzipiert; **emancipate (oneself)** *vi/vr*, emanzipieren; **emancipating** *adj*, emanzipatorisch; **emancipation** *sub*, *nur Einz.* Emanzipation
emasculate, *vt*, *(i. ü. S.)* entmannen
embalm, *vt*, balsamieren, einbalsamieren; ~**ing** *sub*, *nur Einz.* Balsamierung; *-s* Einbalsamierung
embankment, *sub*, *-s* Eindeichung, Uferböschung, Wall
embarassing *adj*, *(unangenehm)* peinlich; **embarassment** *sub*, *-s (Unangenehmheit)* Peinlichkeit
embark, *vi*, *(Person)* einschiffen
embarkation, *sub*, *-s* Einschiffung

embarrasment *sub, nur Einz.* Verlegenheit

embarrassed, *adj,* betreten; *(befangen)* unfrei; *be embarrassed by something* unangenehm berührt sein von etwas; *be too embarrassed to say anything* betreten schweigen; *(ugs.) no need to feel embarrassed* nur keine falsche Scham; **embarrassing** *adj,* verfänglich; **embarrassing situation** *sub, -s* Verlegenheit; **embarrassment** *sub, nur Einz.* Betretenheit

embassy, *sub, -ies (polit.)* Botschaft

embedded particles, *sub, nur Mehrz.* Einsprengsel

embers, *sub, nur Mehrz.* Glut

embezzle, *vt,* unterschlagen, veruntreuen; **~ment** *sub,* - Unterschlagung; *-s* Veruntreuung; **~r** *sub, -s* Veruntreuer

embitter, *vt,* verbittern

emblem, *sub, -s* Emblem, Wahrzeichen; **~atic** *adj,* emblematisch

embodiment, *sub, -s* Ausbund, Verkörperung; **embody** *vt,* verkörpern

embolism, *sub, -s* Embolie

embossed, *adj,* getrieben; *(Metall)* getrieben

embrace, (1) *sub, -s* Umarmung, Umschlingung **(2)** *vt,* umarmen; *(Person)* umschlingen; *(umarmen)* umfassen; *embrace so* jemanden in die Arme nehmen

embroider, *vti,* sticken; **~ on a tambour** *vt,* tamburieren; **~er** *sub, -s* Sticker; **~ing of pictures** *sub, nur Einz.* Nadelmalerei; **~y** *sub, -ies* Stickerei; **~y works** *sub, - (Fabrik)* Stickerei

embroilment, *sub, -s* Verwicklung

emcee, *sub, -s (TV)* Spielleiter; *(US)* Showmaster

emerald, *sub, -s* Smaragd; **~-green** *adj,* smaragdgrün

emergence, *sub, nur Einz. (von Bewuchs)* Aufkommen

emergency, *sub, -ies* Notfall, Notsituation; *in case of emergency* bei einem Notfall; *in an emergency* in Notlagen, wenn Not am Mann ist; **~ aid** *sub, -s* Soforthilfe; **~ brake** *sub, -s* Notbremse; *(US)* Handbremse; *to pull the emergency brake* die Notbremse ziehen; **~ doctor** *sub, -s* Rettungsarzt; **~ doctor´s car** *sub, -s* Notarztwagen; **~ exit** *sub, -s* Notausgang; **~ landing**

sub, -s Notlandung; **~ levy** *sub, -ies* Notopfer; **~ measure** *sub, -s* Notmaßnahme; **~ number** *sub, -s* Notrufnummer; **~ operation** *sub, -s* Notoperation; **~ programme** *sub, -s* Notprogramm; **~ stop** *sub, -s* Notbremsung, Vollbremsung; **~ telephone** *sub, -s* Notrufanlage, Notrufsäule, Rufsäule; **~ toolkit** *sub, -s* Pannenkoffer

emeritus, *adj,* emeritiert, emeritus; **~ professor** *sub, -s* Emerit

emery, *sub, -ies* Schmirgel

emetic, (1) *adj,* emetisch **(2)** *sub, -s* Brechmittel

emigrant, *sub, -s* Aussiedler, Auswanderer, Emigrant, Übersiedler; **emigrate** *vi, (auswandern)* übersiedeln; *(Einzelperson)* auswandern; **emigration** *sub, -s* Emigration; *(Auswanderung)* Übersiedlung; *(von Personen)* Auswanderung

eminence, *sub, -s* Eminenz

eminent, *adj,* eminent

emir, *sub, -s* Emir; **~ate** *sub, -s* Emirat

emissary, *sub, -ies* Sendbote

emission, *sub, -s (tt; chem.)* Abgabe; *(phy.)* Emission; *(von Schadstoffen)* Ausstoß; **~-free** *adj,* abgasfrei; **emit** *vt, (phy.)* ausstrahlen, emittieren; *(Wärme)* abgeben; *emit gas* Gas emittieren; **emit radioactivity** *vt,* emanieren

emotion, *sub, -s* Affekt, Emotion, Rührung; **~al** *adj,* emotional, gefühlsmäßig, gemütvoll, leidenschaftig, pathetisch; **~al disorder** *sub, -s* Gemütsleiden; **~al disordered person** *sub, -s* Gemütskranke; **~alism** *sub, -s* Emotionalität; **~alize** *vt,* emotionalisieren; **~ally disturbed** *adj,* gemütskrank; **~less** *adj,* emotionsfrei; **emotive** *adj,* emotionell; *(Rede,Stil)* pathetisch; **emotive word** *sub, -s* Reizwort; **emotiveness** *sub, nur Einz.* Pathos

empathy, *sub, -ies* Einfühlung, Empathie

emperor, *sub, -s* Kaiser

empire, *sub, -s* Imperium, Kaiserreich, Reich, Weltreich; *nur Einz. (hist.)* Empire; *-s (Staat)* Empire

empirical, *adj,* empirisch, empiristisch; **empiricism** *sub, -s* Empirie,

Empirismus; **empiricist** *sub*, *-s* Empiriker, Empirist

employ, *vt*, *(beruflich)* anstellen; *(in einer Firma)* beschäftigen; *(Person)* einstellen; *(veraltet) to be in sb's employ* bei jmd in Lohn und Brot stehen; ~ **so fully** *vt*, auslasten; *she is completely occupied by her job* sie ist mit ihrer Arbeit völlig ausgelastet; ~**ed person** *sub*, *- people* Berufstätige; ~**ee** *sub*, *-s* Angestellte, Arbeitnehmer, Arbeitskraft, Bedienstete, Beschäftigte, Dienstnehmer; *(Betriebsangehöriger)* Mitarbeiter; ~**ees** *sub*, *nur Mehrz.* Belegschaft; ~**er** *sub*, *-s* Arbeitgeber, Auftraggeber, Dienstgeber; *(tt; wirt.)* Unternehmer; ~**er-employee relationship** *sub*, *- -s* Arbeitsverhältnis; ~**ers and employees** *sub*, *nur Mehrz.* Sozialpartner

employment, *sub*, *-s* Anstellung; *nur Einz. (Anstellung)* Beschäftigung; *-s (Arbeits-)* Stellung; *(Beruf)* Einstellung; *safeguard employment* Arbeitsplätze sichern; ~ **agency** *sub*, *- -ies* Arbeitsvermittlung; ~ **contract** *sub*, *- -s* Anstellungsvertrag; ~ **office** *sub*, *- -s* Arbeitsamt

empress, *sub*, *-es* Kaiserin

emptiness, *sub*, *nur Einz.* Leere, Nichts; **empty (1)** *adj*, leer, phrasenhaft **(2)** *vt*, auskippen, ausleeren, leeren; *(ugs.)* entleeren; **empty by fishing** *vt*, abfischen; **empty out** *vt*, *(Teile)* ausschütten; **empty-headed** *adj*, strohdumm; **empty-headed person** *sub*, *people* Hohlkopf

emu, *sub*, *-s* Emu

emulate, **(1)** *vi*, nacheifern **(2)** *vt*, *(nacheifern)* nachahmen; **emulation** *sub*, *-s* Nacheiferung, Nachfolge; *(eines Vorbilds)* Nachahmung; *in emulation of his master* in der Nachfolge seines Meisters; **emulator** *sub*, *-s* Nachahmer

emulsifier, *sub*, *-s* Emulgator; **emulsify** *vt*, emulgieren; **emulsion** *sub*, *-s* Emulsion

enable, *vt*, befähigen, ermöglichen; *enable so to do sth* jmd ermöglichen, etwas zu tun; *enable sth to be done* etwas ermöglichen; **enabling** *sub*, *nur Einz.* Ermöglichung

enact, *vt*, *(Gesetz)* erlassen

Enak's children, *sub*, *nur Mehrz.* Enakskinder

enamel, **(1)** *sub*, *-s* Email, Schmelzglas; *(tt; med.)* Zahnschmelz **(2)** *vt*, emaillieren; ~ **painting** *sub*, *-s* Emailmalerei

encapsulate, *vt*, einkapseln; **encapsulation** *sub*, *-s* Einkapslung, Verkapslung, Verkapselung

encasement, *sub*, *-s* Ummantelung

encashment, *sub*, *nur Einz.* Inkasso; ~ **agency** *sub*, *-ies* Inkassobüro

encephalogram, *sub*, *-s* Enzephalogramm

enchant, *vt*, berücken, verwünschen, verzaubern; ~**ing** *adj*, berückend, zauberhaft; ~**ment** *sub*, *-s* Berückung; *nur Einz.* Bezauberung, Verzauberung

encircle, *vt*, einkreisen, umzingeln; ~**ment** *sub*, *-s* Einkesselung, Einkreisung, Umzingelung

enclave, *sub*, *-s* Enklave

enclose, *vt*, einfrieden, einfriedigen, umfrieden, umschließen; *(beifügen)* hinzufügen; *(einem Brief)* beifügen, beilegen; *enclose in einen Brief einlegen*; *the enclosing of the papers* die Beifügung der Unterlagen; ~ **with** *vt*, beipacken; *enclose sth with a parcel* einer Sendung etwas beipacken; ~**d (1)** *adj*, *adv*, beiliegend **(2)** *adv*, anbei; ~**d pasture** *sub*, *-s* Koppelweide; **enclosure** *sub*, *-s* Einfriedung, Eingrenzung, Umfriedigung, Umschließung; *(Anlage)* Einlage; *(Quelle)* Einfassung; *(Tiere)* Gehege; *different means of inclosure* verschiedene Einfriedungen

encode, *vt*, enkodieren, kodieren, verschlüsseln

encompass, *vt*, *(i. ü. S.; räumlich)* umspannen

encore, *sub*, *nur Einz.* Dakapo; *-s (tt; mus.)* Zugabe

encounter, *sub*, *-s (mit einem Feind)* Begegnung

encourage, *vt*, animieren, aufmuntern, bestärken, ermutigen, unterstützen; *(ermutigend)* auffordern; *(munter machen)* ermuntern; *encourage so to do sth* jmd ermutigen etwas zu tun; *to encourage sb* jmd Mut zusprechen; **encouraging** *adj*, aufrüttelnd

encouragement, *sub*, *-s* Aufrüttelung Bestärkung Vorschub Zusprechung; *(Ermutigung)* Aufmunterung; *with my encouragement* auf mein Zureden

encroach, vi, *(unberechtigt)* übergreifen

encrust, vt, inkrustieren; **~ation** sub, -s *(lt; med.)* Verschorfung

encyclical, sub, -s Enzyklika

encyclopaedia, sub, -s Enzyklopädie, Konversationslexikon, Lexikon; **~ of music** sub, e.s Musiklexikon; **encyclopedic** adj, enzyklopädisch

end, (1) sub, -s Ende, Endpunkt; *nur Einz.* Schluss; -s *(ugs.)* Zipfel; *(mus.)* Ausklang; *(Straße)* Mündung **(2)** vi, enden; *(i. ü. S.)* ausklingen; *(enden)* auslaufen; *all's well that ends well* Ende gut, alles gut; *at the end of May* Ende Mai; *come to a bad end* ein böses Ende nehmen; *end of the message* Ende der Durchsage; *in the end* am Ende; *put an end to sth* einer Sache ein Ende machen; *to the bitter end* bis zum bitteren Ende; *far end* hinteres Ende; *no end of* unendlich viele; *put an end to* mit etwas aufräumen; *put an end to one's life* sein Leben töten; *that's not the end of the world* das ist nicht so tragisch; *(ugs.) that's the end* jetzt sind wir geliefert; *the play has a tragic ending* das Stück endet tragisch; *there is no end in sight* ein Ende ist nicht abzusehen; *there is no end to it* damit wird man nie fertig; *to draw to an end* zur Neige gehen; *to the end of time* bis in alle Ewigkeit; *(Absicht) to this end* zu diesem Zweck; *turn out well in the end* einen guten Ausgang nehmen; *to end off the day* zum Ausklang des Tages, *end in a brawl* mit einer Prügelei enden; *end with* enden auf; *unending* nicht enden wollen; **~ face** sub, -s Stirnfläche; **~ in itself** sub, *nur Einz.* Selbstzweck; **~ of month** sub, ends of months Ultimo; **~ of school** sub, - Schulschluss; **~ of semester** sub, -s Semesterende; **~ of the village/town** sub, ends Ortsausgang; **~ of work** sub, -s Dienstschluß; **~ picture** sub, -s Schlussbild; **~ plate** sub, -s *(tech.)* Lagerschild; **~ up** vi, *(landen)* enden; *end up in the gutter/in prison* in der Gosse/Gefängnis enden; **~ up in** vi, *(i. ü. S.; auf)*

hinauslaufen; **~-of-course party** sub, -ies Abschlussfeier

endearments, sub, *nur Mehrz.* Zärtlichkeit

endeavour, (1) sub, *nur Einz.* Bestreben **(2)** vi, bestreben; **~ to** vi, bestrebt

ending, sub, -s Endung; *(eines Filmes)* Ausgang; **~ consonant** sub, -s Endkonsonant

endive, sub, -s Endivie

endless, adj, *(zeitlich)* unendlich; **~ times** adv, unendlichmal; **~ness** sub, *nur Einz. (zeitlich)* Unendlichkeit

endogenous, adj, endogen, körpereigen

endorse, vt, indossieren; **~ment** sub, -s Indossierung, Sichtvermerk

endoscope, sub, -s Endoskop; **endoscopy** sub, -ies Endoskopie; **endothermic** adj, endotherm

endowment, sub, -s Dotation

endpaper, sub, -s Vorsatzblatt

endpiece (of bread), sub, -s *(Dial.)* Kanten

endure, vt, durchleiden, erdulden, leiden; *(aushalten)* ertragen; *endure sth* etwas über sich ergehen lassen; **enduring** adj, *(geduldig)* ausdauernd

enema, sub, -s *(med.)* Darmspülung; *-ae* Einlauf; *-s* Klistier

enemy, sub, -ies Feind; -s *(mil.)* Gegner; *make an enemy of sb* jmdn zum Feind machen; *make enemies* Feinde machen; *my worst enemy* mein ärgster Feind; *the worst enemy* der ärgste Feind; **~ hands** sub, *nur Mehrz.* Feindeshand; *fall into enemy hands* in Feindeshand geraten

energetic, adj, energisch, tatkräftig, vital; **~al** adj, energetisch; **energized** adj, krafterfüllt; **energy** sub, -ies Energie; *nur Einz.* Impetus, Kraft; -ies *(Energie)* Tatkraft; **energy crisis** sub, -s Energiekrise; **energy sector** sub, - Energiewirtschaft; **energy source** sub, -s Energieträger; **energy supply** sub, -ies Energieversorgung; **energy-rich** adj, energiereich

enervate, vt, enervieren

engage, vt, *(kun.)* engagieren; *engage first gear* den ersten Gang einlegen; **~d** *adj*, unabkömmlich; *(Telefon)* belegt; *(Telefonleitung)* besetzt; **~ment** *sub*, *-s* Verlöbnis, Verlobung; *(kun.)* Engagement; *have a prior engagement* schon einen anderen Termin haben; *the engagement is off* die Verlobung ist geplatzt; **engaging** *sub*, *-s* Verpflichtung

engine, *sub*, *-s* Flugzeugmotor; *(Flugzeug)* Triebwerk; *(von Fahrzeug)* Motor; **~ trouble** *sub*, *nur Einz.* Motorschaden

engineer, *sub*, *-s* Ingenieur, Maschinist; *(Heizungs~)* Monteur; *(Ingenieur)* Techniker; *(Ingenieurin)* Technikerin; *he engineered himself a little luck* er hat dem Glück ein wenig nachgeholfen

English, *adj*, englisch; *speak English* englisch sprechen; **~ tulle** *sub*, *-s* Bobinet; **~man** *sub*, *-men* Engländer; **~woman** *sub*, *-men* Engländerin

enigmatic, *adj*, enigmatisch

enjoy, *vt*, genießen; *enjoy yourself!* viel Spaß!; *I enjoyed it to* ich genoß es zu; *I´ve always enjoyed cooking* ich habe immer mit Lust und Liebe gekocht; *you have to enjoy yourself while you can* man muss die Feste feiern wie sie fallen; **~ life** *vt*, ausleben; **~ o.s.** *vr*, amüsieren; **~ to the full** *vt*, auskosten; **~able** *adj*, genussreich, vergnüglich; **~ment** *sub*, *-s (genießen)* Genuss; **~ment of life** *sub*, *nur Einz.* Lebensgenuss

enlarge, *vt*, vergrößern; **~ment** *sub*, *-s* Vergrößerung; *(s.o.)* Erweiterung

enlightening, *adj*, aufklärerisch; *enlighten other people* aufklärerisch tätig sein; **enlightenment** *sub*, *nur Einz.* Aufgeklärtheit; *(Belehrung)* Aufklärung; *(des Himmels, Wetters, eines Verbrechens)* Aufklärung

enliven, *vt*, *(Anlage)* beleben

enmity, *sub*, *-ies* Feindschaft; *personal enmity* persönliche Feindschaft

enormous, *adj*, gewaltig, kolossal; *(i. ü. S.)* haushoch; *(riesig)* ungeheuer; *(ungeheuer)* unerhört; *(wirt.)* enorm; *take on enormous dimensions* ungeheuere Ausmaße annehmen; **~ costs** *sub*, Enormität; **~ depth** *sub*, *-s* Untiefe; **~ guy** *sub*, *-s (ugs.; starker Mann)* Mordskerl; **~ number** *sub*, *nur Einz.* Unzahl; **~ sum** *sub*, *-s* Unsumme

enough, (1) *adj*, ausreichend, genügend, hinreichend (2) *adj u. adv*, genug; *enough of it* genug davon; *enough´s enough* das Maß ist voll; *(i. ü. S.) have had enough* bedient sein; *I´ve had enough* ich mag nicht mehr; *I´ve had quite enough of that* das mach´ ich nicht mehr mit; *that should be enough* das dürfte genügen; *(i. ü. S.) that´s enough now!* jetzt ist aber Feierabend!, *good enough* gut genug; *he just can´t get enough* er kann nie genug kriegen; *that´s enough for me* das ist genug für mich

enquire about, *vt*, erkundigen; **enquiry** *sub*, *-ies* Anfrage, Erkundigung, Nachforschung, *(Erkundigung)* Nachfrage; *make inquiries about* Erkundigungen einziehen über; *to make enquiries* Nachforschungen anstellen

enrage, *vt*, erbittern; **~ so** *vt*, *(Person verärgern)* aufbringen; **~d** *adj*, enragiert, wutentbrannt

enraptured, *adj*, entflammt, verzückt

enrich, *vt*, anreichern, bereichern; **~ment** *sub*, *nur Einz. (das Hinzufügen)* Bereicherung; *-s (Konzentrierung)* Anreicherung

ensemble, *sub*, *-s (Gesamtheit)* Ensemble

enslaved, *adj*, hörig; **enslavement** *sub*, *-s* Versklavung

ensnare, *vt*, umgarnen

entanglement, *sub*, *-s* Verstrickung

entente, *sub*, *-s* Entente

enter, (1) *vi*, eintreten, einziehen; *(Liste)* eintragen (2) *vt*, einreisen; *enter negotiations* in Verhandlungen eintreten; *enter the war* in den Krieg eintreten; *enter the Earth orbit* in die Erdumlaufbahn eintreten, *enter Germany* nach Deutschland einreisen; **~ (up)** *vt*, verbuchen; **~ into** *vt*, *(Vertrag)* eingehen; *enter into a contract* einen Vertrag eingehen; **~ one´s name** *vt*, *(Liste)* einschreiben; **~ed** *adj*, *(Grundbuch)* eingetragen; **~ing** *sub*, *-s (das Eintragen)* Eintrag

enteritis, *sub*, *-es (med.)* Darmkatarrh

enterprise, *sub*, *-s (tt; wirt.)* Unternehmen; **enterprising** *adj*, unternehmend

entertain, *vt*, amüsieren, unterhalten; *entertain the idea of doing something* sich mit dem Gedanken tragen, etwas zu tun; ~ **sb with sth** *vt*, delektieren; ~**er** *sub*, *-s* Animateur, Entertainer, Unterhalter; ~**ing** *adj*, amüsant, unterhaltsam; ~**ing information** *sub*, *nur Einz*. Infotainment; ~**ment** *sub*, *-s* Unterhaltung, Vergnügen; *nur Einz*. (*tt; unterh.*) Zerstreuung; (*i. ü. S.*) *light entertainment* die leichte Muse

enthrall, *vt*, ergötzen; (*i. ü. S.*) *be enthralled* von etwas gefesselt

enthrone, *vt*, inthronisieren

enthuse, (1) *vi*, schwärmen (2) *vt*, enthusiasmieren; **enthusiasm** *sub*, *nur Einz*. Begeisterung; *-s* Eifer, Enthusiasmus, Schwärmerei; *with/without much enthusiasm* mit/ohne Begeisterung; *enthusiasm about collecting sub*, *nur Einz*. Sammeleifer; **enthusiast** *sub*, *-s* Enthusiastin, Liebhaber, Schwärmer, Schwärmerin; **enthusiastic** *adj*, begeistert, enthusiastisch, passioniert; (*begeistert*) eifrig; *be enthusiastic about sth* von etwas begeistert sein; *get all enthusiastic about sth* über etwas in Begeisterung geraten; *get enthusiastic about sth* sich für etwas begeistern; *he´s not exactly enthusiastic about it* er ist nicht besonders erbaut davon; **enthusiastically** *adv*, begeistert

entice, *vti*, verlocken; ~**ment** *sub*, *-s* Verlockung; **enticing** *adj*, verlockend

entire, *adj*, vollständig; (*gesamt*) ganz; ~**ly** *adj*, gänzlich

entitle, *vti*, berechtigen; *be entitled to* auf etwas Anspruch haben; *entitle so to do sth* jemanden zu etwas berechtigen; ~**d person** *sub*, *- people* Berechtigte

entourage, *sub*, *-s* Gefolge; (*i. ü. S.; Begleitung*) Eskorte

entrance, *sub*, *-s* Eingang, Eintritt; *-es* Zugang; *-s* (*Tor*) Einfahrt; ~ **door** *sub*, *-s* (*i.Ggs. zu Aus-*) Eingangstür; ~ **examination** *sub*, *- -s* Aufnahmeprüfung; ~ **hall** *sub*, *-s* Entree, Ern, Foyer, Vorhalle; ~ **of the village/town** *sub*, *entrances* Ortseingang; ~ **the stomach** *sub*, *entrances* (*anat.*) Ma-

geneingang

entrecôte, *sub*, *-s* Entrecote

entrée, *sub*, *-s* (*Essen*) Entree

entrench, *vr*, (*tt; mil.*) verschanzen

entrepreneur, *sub*, *-s* (*tt; wirt.*) Unternehmer

entropy, *sub*, *-ies* Entropie

entrust, *vt*, betrauen, überantworten; *entrust so with a job* jemanden mit einer Aufgabe betrauen; *entrust so with sth* jemandem etwas anvertrauen

entry, *sub*, *-ies* Einmarsch, Einreise, Einstieg, Eintritt, Einzug; (*das Eingetragene*) Eintrag; (*Eingang*) Einlass; (*Hereinfahren*) Einfahrt; *no entry* Eintritt verboten; *on entry into the Earth´s atmosphere* beim Eintritt in die Erdatmosphäre

entwine, *vt*, ringeln, verschlingen; ~ **itself around sth**. *vr*, ranken

entwist, *vt*, umwinden

enumeration, *sub*, *-s* Enumeration; (*Aufzählen*) Aufzählung; **enumerative** *adj*, enumerativ

envelope, (1) *sub*, *-s* Briefumschlag, Kuvert; (*Brief-*) Umschlag (2) *vt*, (*i. ü. S.*) umfangen; ~ **of a cone** *sub*, *-s* (*mat.*) Kegelmantel

enviable, *adj*, beneidenswert; **envious** *adj*, neidisch; **envious person** *sub*, *-s* (*ugs.*) Neidhammel; **envious/jealous person** *sub*, *-s* Neider

environment, *sub*, *-s* Environment, Lebensraum; *nur Einz*. Umwelt; *-s* (*Umwelt*) Milieu, Umgebung; *behave environmentally responsible* sich umweltbewusst verhalten; ~ **protection** *sub*, *-s* Umweltschutz; ~**al factor** *sub*, *-s* Umweltfaktor; ~**al influence** *sub*, *-s* Umwelteinfluss; ~**alism** *sub*, *nur Einz*. (*soziol.*) Milieutheorie

environs, *sub*, *nur Einz*. Umland

envoy, *sub*, *-s* Abgesandte, Gesandte

enzian liquer, *sub*, *-s* (*Schnaps*) Enzian

enzymatic, *adj*, enzymatisch

enzyme, *sub*, *-s* Enzym, Ferment

eolithic period, *sub*, *nur Einz*. Eolith

eon, *sub*, *eons* Äon

epedemic typhus, *sub*, *-s* (*med.*) Fleckfieber

épée, *sub*, *nur Einz*. Degenfechten

ephemeral, *adj*, ephemer

epic, (1) *adj*, episch (2) *sub*, *-s* Epik; *in epic terms* in epischer Breite; ~ **poem** *sub*, *-s* Epos; ~ **poet** *sub*, *-s* Epiker

epicenter, *sub*, *-s* Epizentrum

epicure, *sub*, *-s* Genussmensch

epicurean, (1) *adj*, epikureisch, lukullisch (2) *sub*, *-s* Epikureer

epidemic, (1) *adj*, epidemisch, seuchenhaft (2) *sub*, *-s* Epidemie; ~ **(disease)** *sub*, *-s* Seuche; *(i. ü. S.) it´s like an epidemic* es ist wie eine Seuche

epidermis, *sub*, *nur Einz.* Epidermis

epigram, *sub*, *-s* Epigramm, Sinnspruch; ~**matic** *adj*, epigrammatisch

epigraph, *sub*, *-s* Epigraf; ~**ist** *sub*, *-s* Epigrafiker; ~**y** *sub*, *-ies* Epigrafik

epilogue, *sub*, *-s* Epilog, Nachwort; *(Epilog)* Nachrede; *(theat.)* Nachspiel

epiphany, *sub*, *-ies* Epiphanie, Epiphanienfest

Epiphysis, *sub*, *-s* Epiphyse

episcopal, *adj*, bischöflich, episkopal, episkopisch; **Episcopalian** *sub*, *-s* Episkopalist

episcope, *sub*, *-s* Episkop

episode, *sub*, *-s* Episode; ~ **movie** *sub*, *-s* Episodenfilm

episodical, *adj*, episodenhaft; ~**ly** *adv*, episodisch

epistle, *sub*, *-s* Apostelbrief, Epistel

epitaph, *sub*, *-s* Epitaph

epithelial cell, *sub*, *-s* Epithelzelle

epithelium, *sub*, *-s/-lia* Epithel

epithet, *sub*, *-s* Beiwort, Epitheton

epoch, *sub*, *-s* Epoche; ~**al** *adj*, epochal

epsilon, *sub*, *-s* Epsilon

equability, *sub*, *nur Einz. (des Klimas)* Ausgeglichenheit; **equable** *adj*, *(Klima)* ausgeglichen

equal, (1) *adj*, ebenbürtig, gleichberechtigt, paritätisch, vollwertig; *(ugs.)* gleichwertig; *(identisch)* gleich (2) *vt*, *(spo.)* egalisieren; *be so´s equal* jmd ebenbürtig sein; *equal angles* gleiche Winkel; *equal pay for equal work* gleicher Lohn für gleiche Arbeit; *equal rights for all* gleiches Recht für alle; *three times two equals six* dreimal zwei gleich sechs, *equal the record* einen Rekord egalisieren; *to be sb´s equal in every*

way jmd in nichts nachstehen; ~ **rights for women** *sub*, *nur Mehrz. (der Frau)* Gleichberechtigung; ~**ity** *sub*, *-ies* Egalität; - Gleichberechtigung; *nur Einz.* Gleichheit; ~**ity of opportunity** *sub*, *nur Einz.* Chancengleichheit; *there are no equal opportunities* es herrscht keine Chancengleichheit

equally, *adv*, gleich, gleichermaßen

equate, *vt*, *(mat.)* gleichsetzen; **equation** *sub*, *-s* Gleichung

equator, *sub*, *-s* Äquator; ~**ial** *adj*, äquatorial

equerry, *sub*, *-ies* Stallmeister

equestrian sport, *sub*, *nur Einz.* Pferdesport; **equestrian statue** *sub*, *-s* Reiterstandbild

equilateral, *adj*, *(mat.)* gleichseitig

equilibrist, *sub*, *-s* Equilibrist

equip, *vt*, ausrüsten, bestücken; ~**age** *sub*, *-s* Equipage; ~**ment** *sub*, *nur Einz.* Apparatur; - Equipierung, Gerät, Requisit, Zubehör; *(Ausrüstung)* Ausstattung; *(mil., tech.)* Ausrüstung; *fully equiped kitchen* Küche mit allem Zubehör; ~**mentpart** *sub*, *-s* Zubehörteil

equity capital, *sub*, *nur Einz.* Eigenkapital

equivalence, *sub*, *-s* Äquivalenz

equivalent, (1) *adj*, äquivalent, gleichwertig (2) *sub*, *-s* Äquivalent; *there is no German equivalent for this word* für dieses Wort gibt es keine deutsche Entsprechung

era, *sub*, *-s* Ära, Zeitalter

eradicate, *vt*, vertilgen

erase, (1) *vt*, wegradieren; *(Schrift)* ausradieren, radieren; ~**sing knife** *sub*, *-ves* Radiermesser

erasure, *sub*, *-s* Tilgung

Erato (Muse of lyrics), *sub*, - Erato

erect, (1) *adj*, *(Haltung)* gerade (2) *vt*, *(Denkmal)* aufstellen; *(errichten)* aufrichten; *(etw. aufstellen)* errichten; ~**ile tissue** *sub*, *-s (anat.)* Schwellkörper; ~**ion** *sub*, *-s* Erektion; *(eines Bauwerks)* Aufbau; *(von Gerüst)* Montage

ergo, *konj*, ergo; ~**meter** *sub*, *-s* Ergometer; ~**nomic** *adj*, ergonomisch; ~**nomics** *sub*, *nur Einz.* Ergonomie; ~**sterol** *sub*, *nur Einz.* Ergosterin

ergot, *sub*, *nur Einz.* Mutterkorn

erica, *sub,* -s Erika

ermine, *sub,* -s *(Pelz)* Hermelin; *(zool.)* Hermelin

erode, *vt, (geol.)* aushöhlen, ausspülen, auswaschen

erogenous, *adj,* erogen

erosion, *sub, nur Einz.* Auswaschung; -s Erosion; *nur Einz.* (geol.) Aushöhlung, Ausspülung; **erosive** *adj,* erosiv

erotic, *adj,* erotisch; **~a** *sub, nur Mehrz.* Erotikon; **~ism** *sub,* -s Erotik, Erotizismus; **erotomania** *sub,* -e Erotomanie

errand-boy, *sub,* -s Laufbursche

erratum, *sub, errata* Erratum

erroneous, *adj,* irrtümlich

error, *sub,* -s Irrtum, Verschreibung; *(tech.)* Fehlanzeige

erudite, *adj,* hochgebildet; **erudition** *sub,* -s Gelehrsamkeit

erupt, *vi, (Vulkan)* ausbrechen; *(Wut)* entladen; **~ion** *sub,* -s Eruption; *(eines Vulkans)* Ausbruch; **~ive** *adj,* eruptiv

escalate, *vi, (i. ü. S.; Streit)* ausufern; *(Unruhen)* gipfeln; **escalating** *sub,* -s Eskalierung; **escalation** *sub,* -s Eskalation; **escalator** *sub,* -s Fahrtreppe, Rolltreppe; **escalator clause** *sub,* -s Gleitklausel

escapade, *sub,* -s Eskapade; *(i. ü. S.)* Husarenritt

escape, (1) *sub,* -s Entkommen, Entweichung; *(eines Häftlings)* Ausbruch; *nur Einz. (von Gas)* Austritt **(2)** *vi,* entweichen, flüchten; *(Dampf)* abziehen; *(entkommen)* auskommen; *(Gas)* ausströmen, austreten; *(Haft)* entspringen **(3)** *vr,* retten **(4)** *vt,* entfliehen, entgehen, entkommen, entrinnen, entschlüpfen; *(Gedächtnis)* entfallen; *escape with one´s life* mit dem Leben davonkommen; *escape from the daily routine* dem Alltag entfliehen; *escape so(´s notice)* jmd entgehen; *escape death by hair´s breadth* dem Tod um Haaresbreite entkommen; *there was no escape* es gab kein Entrinnen; *the name escapes me* der Name ist mir entfallen; **~ (from)** *vi,* fliehen; **~ agent** *sub,* -s Fluchthelfer; **~ hatch** *sub,* - -es Ausstiegsluke; **~ route** *sub,* -s Fluchtweg; **~e** *sub,* -s Ausbrecher; **~scapist** *adj,* eskapistisch; **escaping** *sub,* -s Entrinnen; **escapism** *sub,* -s

Eskapismus; **escaploring** *sub,* -s *(art.)* Entfesslung

escargot, *pron,* Weinbergschnecke

escort, (1) *sub,* -s Eskorte, Geleit, Geleitschutz, Geleitzug; *(Begleitperson)* Begleiterin **(2)** *vt,* eskortieren; *(mil. und schützend)* geleiten; **~ so out** *vt,* komplimentieren; *we were escorted politely but firmly to the exit* wir wurden höflich aber bestimmt zum Ausgang komplimentiert; **~ing** *sub,* -s Eskortierung

Escudo, *sub,* -s Escudo

Eskimo, *sub,* -s Eskimo

es mangelt: there is lack of, *vi, (es fehlt)* mangeln

esoteric, *adj,* esoterisch; **~ activity** *sub,* -ies Esoterik; **~ally engaged woman** *adj,* Esoterikerin

espalier, *sub,* -s Spalierbaum

esparto, *sub,* -grass Espartogras

especially, *adv,* vollends, zumal; *(außergewönlich)* besonders; *(besonders)* extra, namentlich; *especially* in besonderem Maße; **~ as** *konj,* zumal

Esperanto, *sub, nur Einz.* Esperanto

espionage, *sub, nur Einz.* Spionage; **~ affair** *sub,* -s Spionagefall

esplanade, *sub,* -s Esplanade

espresso, *sub,* -s Espresso; **~ (bar)** *sub, (bars)* Espressobar

esprit, *sub,* -s Esprit

essence, *sub,* -s Essenz; *(phil.)* Substanz; **essential** *adj,* essenziell, notgedrungen, wesentlich; *(Wissen etc.)* unentbehrlich; *essential* unbedingt erforderlich; *the essentials* das Nötigste; *to stick to essentials* sich auf das Notwendigst beschränken; **essentially alike** *adj,* wesensgleich

establish, (1) *vi, (Person/Pflanze)* einbürgern **(2)** *vt,* etablieren, gründen, instituieren; *(ermitteln)* feststellen; *(erzeugen)* herstellen; *(Firma, Geschäft)* begründen; *(it; jur.)* verankern; *establish a contact* eine Beziehung anknüpfen; *it has been established that* man hat festgestellt, dass; *set oneself up as* sich geschäftlich etablieren; **~ contacts (to clients)** *vt, (.; wirt.)* kontakten; **~ oneself** *vr, (Praxis)* niederlassen; **~ed** *adj*, eingesessen; *(Brauch)* feststehend; **~ing** *sub*, *-s* Etablierung; **~ment** *sub*, *-s* Establishment, Etablissement; *(eines Arztes)* Niederlassung; *(eines Geschäftes etc.)* Begründung; *(Ermittlung)* Feststellung; *(tt; jur.)* Verankerung; *-(v. Beziehungen)* Herstellung

Estancia, *sub*, *-s* Estanzia

estate, *sub*, *-s* Anwesen, Hinterlassenschaft, Schlosspark; *(Erbe)* Nachlass, Nachlassung; **~ duties (am: tax)** *sub*, *nur Mehrz.* Erbschaftssteuer; **~ of terraced houses** *sub*, *-s* Reihensiedlung; **~ owner** *sub*, *-s* Gutsherr; **~ which the eldest son is entitled** *sub*, *estates* Majoratsgut

esteem, *vt*, wertschätzen; *be held in great esteem* großes Ansehen genießen

estended family, *sub*, *-ies* Großfamilie

ester, *sub*, *-s* Ester

estimate, (1) *sub*, *-s* Kostenanschlag, Kostenvoranschlag, Voranschlag **(2)** *vt*, abschätzen, ermessen, schätzen, veranschlagen; *(Entfernung)* einschätzen; *(schätzen)* beziffern; *at a rough estimate* über den Daumen gepeilt; *I´d estimate the overall building costs to be 300,000 Marks* ich schätze die Baukosten pauschal auf 300000 Mark; *overestimate* zu hoch einschätzen; **~ at a flat rate** *vt*, pauschalieren; **~ roughly** *vt*, *(berechnen)* überschlagen; **~d** *adj*, *(geschätzt)* pauschal; **~d amount** *sub*, *-s (geschätzter Betrag)* Pauschale; **~d expenditure** *sub*, *nur Einz.* Kostenrahmen; *we can´t do it; it goes far beyond our estimated expenditure* das können wir nicht machen; es übersteigt bei weitem unseren Kostenrahmen; **~d value** *sub*, *-s* Schätzwert; **estimation** *sub*, *-s* Einschätzung

Estonian, *adj*, estländisch, estnisch

estrade, *sub*, *-s* Estrade

estrangement, *sub*, *-s* Entfremdung

étagère, *sub*, *-s* Etagere

etc., *adv*, etc.

etch, *vti*, *(kun.)* radieren

etching, *sub*, *nur Einz.* Radierkunst; *-s* Radierung; **~ needle** *sub*, *-s* Radiernadel

eternal, *adj*, ewig; *the Eternal City* die

Ewige Stadt; **eternity** *sub*, *-ies* Ewigkeit

ether, *sub*, *nur Einz.* *(tt; chem., phys.)* Äther; **~al** *adj*, ätherisch

ethical, *adj*, ethisch; **ethics** *sub*, *nur Mehrz.* Ethos; *nur Einz.* Sittenlehre; *nur Mehrz. (sittl.Normen)* Ethik; *nur Einz. (Wissenschaft)* Ethik

ethnic, *adj*, ethnisch, urig

ethnogeny, *sub*, *-ies (tt)* Rassenkunde; **ethnographer** *sub*, *-s* Ethnograf; **ethnography** *sub*, *-ies* Ethnografie; **ethnological** *adj*, ethnologisch; **ethnologist** *sub*, *-s* Ethnologe; **ethnology** *sub*, *nur Einz.* Ethnologie, Stammeskunde, Völkerkunde

ethology, *sub*, *nur Einz.* Ethologie

etiquette, *sub*, *-s* Etikette; *breach of etiquette* Verstoß gegen die Etikette

étude, *sub*, *-s* Etüde

etymologist, *sub*, *-s* Etymologe; **etymology** *sub*, *-ies* Etymologie; **etymon** *sub*, *etyma* Etymon

eucalyptus, *sub*, *-ses* Eukalyptus

Eucharist, *sub*, *-s* Eucharistie; **~ic** *adj*, eucharistisch

Euclid, *sub*, *-* Euklid

eugenic, *adj*, eugenisch

Eulenspiegel, *sub*, *- (Till)* Eulenspiegel

eulogy, *sub*, *-ies* Eloge, Laudatio

eunuch, *sub*, *-s* Eunuch, Kastrat

euphemism, *sub*, *-s* Euphemismus; **euphemistic** *adj*, euphemistisch

Eurasia, *sub*, *-* Eurasien

Eurofighter, *sub*, *-s* Eurofighter; **European (1)** *adj*, europäisch **(2)** *sub*, *-s* Europäer; **European Community** *sub*, *nur Einz.* Europaunion; **European long-distance road** *sub*, *nur Einz.* Europastraße; **European record** *sub*, *-s* Europarekord; **Europeanize** *vt*, europäisieren; **europium** *sub*, *nur Einz.* Europium; **Eurovision** *sub*, *nur Einz.* Eurovision

eurythmics, *sub*, *nur Einz.* Eurythmie

Eustachian tube, *sub*, *-s* Ohrtrompete

Euterpe (Muse of music), *sub*, *-* Euterpe

euthanasia, *sub*, *nur Einz.* Euthanasic; - Sterbehilfe

eutrophic, *adj*, eutroph; **~ation** *sub*, -s Eutrophierung

evacuate, *vt*, evakuieren, räumen; *(geh.)* entleeren; *(in Notfällen, zur Rettung)* auslagern; *(med.)* ausleeren; *evacuate a town/evacuate people* Leute aus der Stadt evakuieren; **evacuation** *sub*, -s Auslagerung; -s,-s Evakuierung; -s *(med.)* Ausleerung; **evacuation hospital** *sub*, -s *(US)* Feldlazarett

evade, *vt*, hinterziehen

evaluate, *vt*, evaluieren; *(einschätzen)* bemessen; **~ afterwards** *vt*, nachbereiten; **evaluation** *sub*, -s Evaluation; *(Einschätzung)* Bemessung

evangelical, **(1)** *adj*, evangelikal, evangelisch **(2)** *sub*, -s Evangelikale; **evangelist** *sub*, -s Evangelist; **evangelize** *vt*, evangelisieren

evaporate, **(1)** *vi*, verdunsten; *(Flüssigkeit)* ausdünsten; *(tt; phy.)* abdampfen **(2)** *vt*, evaporieren; **~d milk** *sub*, nur Einz. Kondensmilch; **evaporation** *sub*, nur Einz. Eindampfung; -s Evaporation, Verdunstung; nur Einz. *(von Flüssigkeiten)* Ausdünstung; **evaporator** *sub*, -s Evaporator

evasion, *sub*, -s Evasion; **evasive** *adj*, ausweichend; **evasive action** *sub*, -s *(a. i.ü.S.)* Ausweichmanöver

even, **(1)** *adj*, gleichmäßig; *(Zahl)* gerade **(2)** *adv*, gar, selbst, sogar; *(bei Vergleichen)* noch **(3)** *adv*, *konj*, *(selbst)* auch **(4)** *Partikel*, *(-recht)* erst; *even one cup is enough* bereits eine Tasse genügt; *(ugs.) get even with so* mit jemandem abrechnen; *not even* nicht einmal; *even bigger* noch größer, *even if* wenn auch, *that makes me even more determined to do it* jetzt tue ich es erst recht; **~ proportions** *sub*, nur Mehrz. Ebenmäßigkeit

evening, **(1)** *adj*, abendlich **(2)** *sub*, -s Abend, Feierabend; *good evening* guten Abend; *in the evening* am Abend; *have a nice evening* schönen Feierabend; **~ before** *sub*, -s Vorabend; **~ classes** *sub*, nur Mehrz. Abendkurs, Abendschule; **~ dress** *sub*, -es Abendkleid; **~ gown** *sub*, -s Robe; **~ of songs** *sub*, *evenings* Liederabend; **~ paper** *sub*, -s Abendzeitung; **~ star**

sub, *nur Einz.* Abendstern

event, *sub*, -s Begebenheit, Begebnis, Ereignis, Geschehen, Veranstaltung, Vorgang; **~ of survival** *sub*, -s Erlebensfall

Eve of St. Nicholas, *sub*, Eves Nikoloabend

ever, *adv*, je, jemals; *(mit Frageprоnomen)* nur; *if it should ever happen* wenn es je passieren soll; *for ever and ever* auf ewig; *hardly ever* fast nie; **~green (1)** *adj*, immergrün **(2)** *sub*, -s Immergrün; **~lasting** *adj*, *(Leben/Frieden)* ewig

evert, *vt*, *(med.)* ausstülpen

every, *adj*, all, jede; *every day* alle Tage; *every place* an jedem Ort; *(prov.) every man for himself and God for all of us* jeder für sich und Gott für uns alle; **~ day** *adv*, täglich; *(Vorgang, etc.)* alltäglich; *it´s getting more difficult every day* es wird täglich schwieriger; *things like this happen every day* so etwas kommt täglich vor; **~ evening** *adv*, allabendlich; **~ half-hour** *adv*, halbstündlich; **~ hour** *adv*, Stundentakt, stündlich; **~ month** *adv*, allmonatlich; **~ morning** *adv*, allmorgendlich; **~ night** *adv*, allnächtlich; **~ quarter of an hour** *adv*, viertelstündlich; **~ time** *konj*, sooft; **~ week** *adv*, allwöchentlich; **~day occupation** *sub*, - -s Alltagsbeschäftigung; **~day language** *sub*, -s Volkssprache

everybody, *pron*, jeder; *(i. ü. S.) everybody* Gott und die Welt; *everybody pays* jede Person bezahlt; *good morning everybody* guten Morgen allerseits

everyone, *pron*, jede, jedermann; *everyone has his faults* jeder hat seine Fehler; *everyone knows that* das weiß doch jeder; *(Theat.) Everyman* Jedermann; *everyone* alle Menschen; *everyone knows him* er ist im ganzen Ort bekannt; *it´s not everyone´s cup of tea* das ist nicht jedermanns Sache; *Mr and Mrs Average* Herr und Frau Jedermann; **everything** *pron*, alles; *everything you can think of* alles mögliche; *he has got everything he wants* es fehlt ihm an nichts; *(i. ü. S.) if everything* *else fails* wenn alle Stricke reissen; **everywhere** *adv*, überall; *here, there and everywhere* überall und nirgends

evidence, *sub, nur Einz.* Beweismaterial, Beweismittel; *-s* Zeugnis; *nur Einz. (Beweis)* Beleg; *give evidence* vor Gericht eine Aussage machen; *on his evidence* aufgrung seiner Aussage; *refuse to give evidence* eine Aussage verweigern; ~ **of one´s guilt** *sub, -s* Schuldbeweis

evident, *adj, (offenkundig)* evident

evil, *sub, nur Einz.* Böse; *-s* Übel, Übelstand; *fall on evil days* in eine üble Lage geraten; *with evil intend* mit böser Absicht; *the lesser (greater) evil* das kleinere (größere) Übel; ~ **tongue** *sub, -s* Schandmaul; ~**-doer** *sub, -s* Frevler

evolution, *sub, -s* Evolution; **evolve** *vt*, evolvieren

ewe, *sub, -s* Mutterschaf

ex-, *adj, (Zusatz)* ehemalig; *her ex* ihr Ehemaliger; *my ex-wife* meine ehemalige Frau; ~**directory** *sub, -ies (Telefon)* Geheimnummer; ~**libris** *sub, libri* Exlibris; ~**minister** *sub, -s* Exminister

exact, *adj*, abgemessen, exakt, genau, penibel; *(Geld)* passend; *the exact time* die genaue Zeit; ~**itude** *sub, -s* Exaktheit; ~**ly (1)** *adj*, genauso **(2)** *adv*, genau, gerade, just; *exactly the same* genau dasselbe; *exactly; absolutely right* stimmt genau; *I´m not sure yet* ich weiß es noch nicht genau; *that´s exactly what I was going to say* genau das wollte ich auch sagen; *that´s exactly what I needed* das hat mir gerade noch gefehlt; *the exact opposite* das gerade Gegenteil

exaggerate, *vt*, aufbauschen, überspitzen, übersteigern, übertreiben; ~**d** *adj*, exaltiert, übertrieben; **exaggeration** *sub, -s* Exaltation, Übersteigerung, Übertreibung

examination, *sub, -s* Begutachtung, Einvernahme, Examen, Klausur, Prüfung, Überprüfung; *(eines Themas)* Beleuchtung; *(tt; jur.)* Vernehmung; *(tt; med.)* Untersuchung; *on closer examination* bei genauerer Betrachtung, genauer betrachtet; ~ **for a doctorate** *sub, -s* Doktorexamen; ~ **for master craftman´s certificate**

sub, examinations Meisterprüfung; ~ **nerves** *sub, nur Mehrz.* Examensangst; ~ **subject** *sub, -s* Prüfungsfach; **examiner** *sub, -s* Examinator; **examine** *vt*, einvernehmen, examinieren; *(tt; jur.)* vernehmen; *(Situation etc.)* überprüfen; *examine a student* einen Studenten examinieren; *examine one´s conscience* sein Gewissen befragen; *to examine sth closely* etwas unter die Lupe nehmen; **examinee** *sub, -s* Examinand, Prüfling; **examiner** *sub, -s* Prüfer

example, *sub, -s* Beispiel, Beispielsatz, Exempel; *for example* zum Beispiel; *give a concrete example* ein praktisches Beispiel geben; *take so as an example* jemanden als Beispiel nehmen; *a warning example* ein abschreckendes Beispiel; *make an example of so* jmd exemplarisch bestrafen; *set a positive example* beispielhaft vorangehen; *set a warning example* ein Exempel statuieren; *to recommend sth as an example* etwas zur Nachahmung empfehlen; ~ **letter** *sub, -s* Schemabrief

exceed, *vt, (i. ü. S.)* übersteigen; *(i. ü. S.; Maß)* überschreiten; *exceed all expectations* alle Erwartungen übertreffen; *(i. ü. S.)* exceed someone´s expectations jemandes Erwartungen übersteigen; *exceed the speed limit* die zulässige Höchstgeschwindigkeit überschreiten; ~**ingly** *adv*, überaus, ungemein; *(unglaublich) exceedingly gifted* unerhört begabt

excel, *vt*, übertreffen; ~**lent** *adj*, ausgezeichnet, exzellent, hervorragend, vortrefflich, vorzüglich; *(Bedingungen)* erstklassig

except (for), *präp*, ausgenommen, außer

exception *sub, -s* Ausnahme, Ausnahmeerscheinung; *make no exceptions* keine Ausnahmen machen; *the exception proves the rule* die Ausnahme bestätigt die Regel; *with the exception of* mit Ausnahme von; *everyone without exception* alle ohne Unterschied; *without exception* durch die Bank; **exception clause** *sub, - -s* Ausnahmebestimmung; **exceptional** *adj*, ausnehmend, außergewöhnlich, ungewöhnlich; *be exceptionally beautiful* von ausnehmender Schönheit sein; **exceptional athlete** *sub*, -s Ausnahmeathlet; **exceptionally** *adv*, ausnahmsweise, ausnehmend

excerpt, (1) *sub*, -s *(aus einer Zeitung)* Auszug; *(Filmausschnitt)* Ausschnitt **(2)** *vt*, *(geh.; Sprachw.)* exzerpieren

excess, *sub*, - *(geh.)* Exzess; -es *(Lebens-Stil)* Ausschweifung; *carry sth to excess* etwas bis zum Exzess treiben; *he drinks to excess* er trinkt maßlos; ~ **(postage)** *sub*, *nur Einz.* Nachgebühr; ~ **of births over deaths** *sub*, -s Geburtenüberschuss; ~ **of imports over exports** *sub*, *nur Einz. (pol.wirt.)* Passivhandel; **~ive** *adj*, übermäßig, unmäßig; *(geh.)* exzessiv; *(Forderung)* maßlos; *(unmäßig)* übertrieben; **~ively fond of dressing up** *adj*, putzsüchtig; **~iveness** *sub*, *nur Einz.* Maßlosigkeit

exchangeable, *adj*, vertauschbar; **exchange (1)** *sub*, Austausch; -s Ballwechsel; *nur Einz.* Eintausch; -s Tausch, Umtausch, Umwechslung, Vertauschung; *(Austausch)* Auswechselung; -es *(lt; wirt.)* Wechsel **(2)** *vt*, tauschen, umtauschen, vertauschen; *(gegen etwas)* auswechseln; *(Geld, Worte)* austauschen; *(Währung)* umwechseln; **exchange (for)** *vt*, eintauschen

exchange amount, *sub*, -s *(i. ü. S.)* Wechselsumme; **exchange of blows** *sub*, *nur Einz. (Boxen)* Schlagabtausch; **exchange of roles** *sub*, -s Rollentausch; **exchange rate** *sub*, -s Kurs, Währungskurs; **exchange student** *sub*, - -s Austauschschüler

excitable, *adj*, erregbar; ~ **temper** *sub*, -s Erregbarkeit; **excite** *vt*, erregen; *(erregen)* aufregen; *excite admiration* Bewunderung erregen; **excited** *adj*, aufgeregt, erhaufiert, unruhig; *get all excited about sth* sich an etwas begeistern; **excitement** *sub*, *nur Einz.* Aufgeregtheit; -s Erregung; *nur Einz. (Erregung)* Aufregung; -s *(i. ü. S.; Erregung)* Spannung; **exciting** *adj, (i. ü. S.)* spannend; *(erregend)* aufregend; *(Leben, Zeit)* bewegt

exclaim (1) *vi*, ausrufen **(2)** *vt*, au klamieren; **exclamation** *sub*, -s Ausruf, Exklamation; **exclamation mark** *sub*, - -s Ausrufezeichen

exclave, *sub*, -s Exklave

exclude, *vt*, ausgrenzen; ~ **o.s.** *vr*, ausschließen; **excluding (1)** *präp*, ausschließlich **(2)** *vt*, exklusive; **exclusion** *sub*, -s Ausgrenzung, Ausschluss, Exklusion; **exclusive** *adj*, ausschließlich, exklusiv; **exclusive residential area** *sub*, -s Villengegend; **exclusively** *adv*, ausschließlich, durchwegs; **exclusiveness** *sub*, *nur Einz.* Ausschließlichkeit, Exklusivität; **exclution clause** *sub*, -s Sperrklausel

excommunicate, *vt*, exkommunizieren; **excommunication** *sub*, -s Bannfluch, Exkommunikation

excrement, *sub*, -s Exkrement, Kot; *(Kot)* Ausscheidung

excreta, *sub*, *nur Einz.* Exkret

excrete, *vt*, *(biol.)* ausscheiden; **excretion** *sub*, -s Exkretion; *(Absondern)* Ausscheidung

exculpate, *vt*, exkulpieren

excursus, *sub*, *excursi (lt.)* Exkurs

excusable, *adj*, entschuldbar; **excuse (1)** *sub*, -s Ausflucht, Ausrede, Entschuldigung; *(i. ü. S.; Entschuldigung)* Freibrief **(2)** *vt*, entschuldigen; *I don´t want any excuses* keine Ausflüchte bitte; *make excuses* Ausflüchte machen; *excuse me from having to describe it* erlassen sie es mir, das zu schildern; *force os to an excuse* sich eine Ausrede abquälen, *excuse me* entschuldigen Sie?; *that is inexcusable* das ist nicht zu entschuldigen; **excuse from** *vt*, dispensieren; **excuse o.s.** *vr*, ausreden

execute, *vt*, exekutieren, hinrichten, vollstrecken, vollziehen; *execute a murderer* einen Mörder exekutieren; *execute one´s orders* jmd Befehle ausführen; **execution** *sub*, -s Exekution, Hinrichtung, Vollstreckung, Vollziehung; **execution by firing squad** *sub*, -s *(Hinrichtung)* Erschießung; **execution of sentence** *sub*, *executions* Strafvollzug; **executioner** *sub*, -s Henker, Scharfrichter; **executioner´s axe** *sub*, -s Henkersbeil

executive, (1) *adj*, exekutiv **(2)** *sub*, *executive personnel (wirt.)* Führungskraft **(3)** *suv*, Executive; **~ power** *sub*, *nur Einz*. Exekutivgewalt

executivitis, *sub*, *nur Einz. (ugs.)* Managerkrankheit

executor, *sub*, -s Vollstrecker; *the executors* die ausführenden Organe

exegesis, *sub*, - Exegese

exegete, *sub*, -s Exeget

Exellency, *sub*, -*ies* Exzellenz; *His/Your Excellency* Seine/Eure Exzellenz

exemplary, *adj*, beispielhaft, exemplarisch, mustergültig, vorbildhaft, vorbildlich; **exemplification** *sub*, -s Exemplifikation; **exemplify** *vt*, exemplifizieren

exempt, (1) *adj*, *(ausgenommen)* befreit **(2)** *vt*, *(ausnehmen von)* befreien; *(mil.)* ausmustern; **~ion** *sub*, -s Ausnahmegenehmigung; *(Ausnahme)* Befreiung; *(mil.)* Ausmusterung

exercise, (1) *sub*, -s Leibesübung, Übungsarbeit, Übungsstück; *(körperlich)* Bewegung; *(spo.)* Übung **(2)** *vt*, *(Einfluß, Macht etc.)* ausüben **(3)** *vti*, üben; *(üben)* trainieren; **~ book** *sub*, -s Heft, Schreibheft; **~s** *sub*, *nur Mehrz*. Gymnastik; *do exercises* Gymnastik machen

exert o.s., *vr*, anstrengen; **exert-electrocardiogram** *sub*, -s Belastungs-EKG; **exertion** *sub* -s Kraftakt, Kraftaufwand, Strapaze; *nur Einz*. *(von Einfluß, Macht etc.)* Ausübung; **exertion of influence on** *sub*, -s Einflussnahme

exhalation, *sub*, *nur Einz*. Ausatmung; **exhale (1)** *vi*, exhalieren **(2)** *vt*, ausdünsten

exhaust, (1) *sub*, -s Auspuff **(2)** *vt*, erschöpfen, verbrauchen; *(Boden)* ausmergeln; *(erschöpfen)* mitnehmen; *exhaust the fuel/one´s patience* das Benzin/jmd Geduld erschöpfen; *the provisions are fast becoming exhausted* die Vorräte gehen zur Neige; **~ air** *sub*, *nur Einz.* Abluft; **~ emission test** *sub*, -s Abgassonderuntersuchung; **~ gas** *sub*, -es Abgas; **~ gas cleaner** *sub*, -s Abgasreiniger; **~ gas cleaning** *sub*, -s Abgasentgiftung; **~ steam** *sub*, *nur Einz.* Abdampf; **~ system** *sub*, -s Auspuffanlage; **~ed** *adj*, abgearbeitet, abgehetzt, ermat-

tet, erschöpft, kaputt, mitgenommen; *(Boden)* ausgelaugt; *(ugs.)* *are you bushed already? we´ve just got started* bist du schon kaputt! wir haben eben erst angefangen; *(ugs.) I´m dead beat* ich bin total kaputt; **~ible** *adj*, erschöpfbar; **~ing** *adj*, aufreibend; *(erschöpfend)* strapaziös; **~ion** *sub*, *nur Einz*. Abarbeitung, Abgeschlagenheit, Ausmergelung; -s Erschöpfung, Schlappheit; *(Erschöpfung)* Entkräftung; *to drop from exhaustion* vor Müdigkeit umfallen

exhibit, (1) *sub*, -s Ausstellungsstück, Exponat **(2)** *vt*, exhibieren; *(Gemälde etc.)* ausstellen; *exhibit a painting* ein Gemälde ausstellen; **~ion** *sub*, -s Exhibition; *(Messe etc.)* Ausstellung; **~ion catalogue** *sub*, - -s Ausstellungskatalog; **~ion centre** *sub*, -s Messegelände; **~ion hall** *sub*, - -s Ausstellungshalle; **~ion object** *sub*, -s Schauobjekt; **~ion site** *sub*, - -s Ausstellungsgelände; **~ion space** *sub*, *nur Einz*. Ausstellungsfläche; **~ionism** *sub*, -s Exhibitionismus; **~ionist** *sub*, -s Exhibitionist; **~or** *sub*, -s *(auf einer Messe)* Aussteller

exhumation, *sub*, -s Exhumierung; **exhume** *vt*, exhumieren

exile, *sub*, -s Exil, Vertriebene; *go into exile* ins Exil gehen

exist, (1) *vi*, *(existieren)* bestehen **(2)** *vti*, existieren; *to exist in plenty* reichlich vorhanden sein; *to treat sb as though he didn´t exist* jmdn wie Luft behandeln; **~ence** *sub*, *nur Einz*. Dasein; -s Existenz; *nur Einz.* Vorhandensein; *(Existenz)* Bestehen

existent, *adj*, existent; **~ial** *adj*, existenziell; **~ial fear** *sub*, *nur Einz.* Daseinsangst; -s Existenzangst; **~ial philosophy** *sub*, -*ies* Existenzphilosophie; **~ialism** *sub*, *nur Einz.* Existenzialismus

exit, *sub*, -s Autobahnausfahrt; *(ausgang)* Ausstieg; *(eines Anwesens)* Ausfahrt; *(Tür)* Ausgang; **~ permit** *sub*, - -s Ausreisegenehmigung; **~ road** *sub*, - -s Ausfallstraße; **~ sign** *sub*, - -s Ausfahrtsschild

exodus, *sub*, - Exodus; **~ from the**

cities *sub,* - Stadtflucht

~~imogenuus, uuj, cxogen~~

exonerate, *vt, (jur.)* entlasten

exophthalmos, *sub,* - *(med.)* Glotzauge

exorbitant, *adj,* exorbitant, unerschwinglich; *(ugs.)* horrend; *(ugs.)* **rents have become exorbitant** die Mieten sind horrend geworden; ~ **interest** *sub, -s* Wucherzinsen; ~ **price** *sub, -s* Preiswucher; *(ugs.)* Wucherpreis; **~ly expensive** *adj, (zu teuer)* unbezahlbar

exorcise, *vt,* exorzieren; *(den Teufel)* austreiben; **exorcism** *sub, -s* Austreibung, Exorzismus; **exorcist** *sub, -s* Exorzist

exosphere, *sub, nur Einz.* Exosphäre

exothermal, *adj,* exotherm

exotic, *sub, -s (Pflanze/Tier)* Exot; ~ **delicacy** *sub, -ies (Delikatesse)* Spezerei; **Exotica** *sub, nur Mehrz.* Exotik

Expand, (1) *vi, (Siedlung)* ausdehnen; *(a. i.ü.S.; Tal; Krieg)* ausweiten **(2)** *vt,* expandieren; *(tech.)* ausdehnen; *(wirt.)* erweitern; **business which is eager to expand** ein expandierendes Unternehmen; **~ed metal** *sub, -s* Streckmetall

expanse, *sub, -s* Weite; ~ **of rubble** *sub,* expanses Trümmerfeld; ~ **of water** *sub, -s* Wasserfläche; **expansion** *sub, -s* Expansion; *(s.o.)* Erweiterung; **expansive** *adj,* expansiv

expect, *vt,* erhoffen, erwarten, zumuten; *(erwarten)* befürchten; **as can be expected under the circumstances** den Umständen entsprechend; **expect sb** jmd erwarten; **to have to expect that** damit rechnen müssen, dass; **you weren't expecting that, were you?** da bist du baff, was?; ~ **sb to do sth** *vt,* erwarten; **expect sb to do sth** von jmd etwas erwarten; **~ant** *adj,* erwartungsvoll; *(med.)* exspektativ; **~ation** *sub, -s* Erwartung, Gespanntheit; **his expectations were not met** seine Erwartungen wurden nicht befriedigt; **~ed** *adj,* voraussichtlich; **~ing** *sub, -s* Erwarten

expedition, *sub, -s* Expedition

expel, *vt,* relegieren, verweisen; *(aus der Partei)* ausschließen; *(aus einem Land)* ausweisen; *(wegschicken)* ausstoßen; **expel so from school** jmd von der Schule entfernen; ~ **sb** *vt,* weisen

expenditure, *sub, nur Einz.* Aufwendung; **-s** Verbrauch, Verwendung; ~ **of time** *sub, -s (ugs.)* Zeitaufwand

expense(s), *sub,* - Kosten, Kostenpunkt; **as to expenses** was den Kostenpunkt anbetrifft; **expense-account type** *sub, -s (ugs.)* Spesenritter; **expenses** *sub, nur Mehrz.* Spesen, Unkosten; **all expenses deducted** abzüglich aller Spesen; **eat on expenses** auf Spesen essen; **to get to a lot of expenses** sich in Unkosten stürzen; **to incure expenses** mit etwas Unkosten haben; **expensive** *adj,* expensiv, hochpreisig, kostspielig, teuer

experience, (1) *sub, -s* Erfahrung, Erlebnis, Praxisbezug, Versiertheit **(2)** *vt,* erleben; *(geb.)* durchleben, erfahren; *(ausprobieren)* erproben; *(erfahren)* begegnen; **from experience** aus eigener Erfahrung; **past experience has shown that** die Erfahrung hat gezeigt, dass, **I know from experience what it means to be** ich habe es selbst erlebt, was es heißt; **have sth experienced before** etwas schon mal begegnet sein; ~ **at seafaring** *sub, -s* Seeerfahrung; **~d** *adj,* erfahren, geübt, routiniert, versiert; **~d at navigation** *adj,* seeerfahren

experiment, (1) *sub, -s* Experiment, Modellversuch **(2)** *vti,* experimentieren; **~ee** *sub, -s* Proband

expert, (1) *adj,* fachkundig, fachmännisch, sachverständig **(2)** *sub, -s* Begutachter, Experte, Fachmann, Fachreferent, Gutachter, Gutachterin, Kenner, Könner, Koryphäe, Sachverständige; **expert opinion** fachmännisches Urteil; **expert's eye** fachmännisches Auge; **give sb expert advice** jmd fachmännisch beraten; **jmdn** fachkundig beraten; ~**'s certificate** *sub, -s* Gutachten; ~**'s eye** *sub, -s* Kennerblick; ~**'s report** *sub, -s* Expertise; **obtain an expert's report** eine Expertise einholen; **~ise** *sub,* - Fachkenntnis; **hier** *nur Einz.* Kennerschaft; *nur Einz.* Sachverstand; **I haven't got the expertise** mir fehlen die Sachkenntnisse; **~s** *sub, nur Mehrz.* Fachwelt, Könnerschaft; *among the experts* in der Fachwelt

expiate, *vti*, sühnen; **expiation** *sub*, *-s* Sühne

expire, (1) *adj*, *(verfallen)* fällig (2) *vi*, exspirieren, verfallen, verscheiden; *(Vertrag)* auslaufen; *to expire* ungültig werden; ~**d** *adj*, ungültig; **expiry** *sub*, *-ies (einer Frist)* Ablauf; **expiry day** *sub*, *-s* Verfallstag; **expiry time** *sub*, *-s* Verfallszeit

explain, *vt*, darlegen, dartun, erläutern; *(Ansicht, Vermutung)* begründen; *(erklären)* ausführen; *(verständlich machen)* erklären; *explain sth to sb* jmd etwas darlegen; *to explain sth to sb* jmd etwas plausibel machen; *explain sth to so* jmd etwas erklären; ~ **in detail** *vt*, detaillieren; ~ **the facts of life** *vt*, *(sexuell)* aufklären; **explanation** *sub*, *-s* Darlegung, Erläuterung; *(s.o.)* Erklärung; *(Erklärung)* Begründung; *some explanation is called for* es bedarf einer Darlegung

explicate, *vt*, explizieren; **explication** *sub*, *-s* Explikation; **explicit** *adj*, ausdrücklich, explizit; **explicitly** *adv*, ausdrücklich

explode, (1) *vi*, zerbersten (2) *vt*, explodieren; *be ready to explode* eine Wut im Bauch haben; *explode a bomb/mine* eine Bombe/Mine zum explodieren bringen; *explode a myth/superstition/theory* einen Mythos/Aberglauben/eine Theorie umstoßen; *explode with anger* vor Ärger explodieren; *to explode with anger* vor Wut zerplatzen

exploit, *vt*, ausbeuten, exploitieren, verwerten; *(ausbeuten)* ausnutzen; *(Quelle)* erschöpfen; *to exploit sb´s situation* jmds Notlage ausnutzen; ~**ation** *sub*, *-s* Ausbeuterei, Ausbeutung; *nur Einz.* Ausnutzung, Nutzung; *-s* Verwertung; ~**ative** *adj*, ausbeuterisch; ~**ed** *adj*, *(Quelle/Mine)* erschöpft; ~**ed person** *sub*, *-s* Ausgebeutete; ~**er** *sub*, *-s* Ausbeuter

exploration, *sub*, *-s (med.)* Exploration; **explore** *vt*, *(eine Gegend)* auskundschaften; *(med.)* explorieren; **explorer** *sub*, *- (Reisende)* Entdecker

explosion, *sub*, *-s* Explosion; **explosive** (1) *adj*, brisant, explodierbar, explosibel, explosiv (2) *sub*, *-s* Sprengstoff; *this is an explosive story* das ist eine brisante Geschichte; *plosives* explosive Laute; **explosive ammunition** *sub*, *-* Sprengmittel; **explosive charge** *sub*, *-s* Sprengladung; **explosive device** *sub*, *-s* Sprengkörper; **explosive force** *sub*, *-es* Sprengkraft; **explosive powder** *sub*, *nur Einz.* Sprengpulver; **explosiveness** *sub*, *nur Einz.* Brisanz, Explosivität; *a highly explosive political subject* ein Thema von hoher politischer Brisanz

export, (1) *sub*, *nur Einz.* Ausfuhr, *-s* Export (2) *vt*, exportieren; *(wirt.)* ausführen; ~ **of goods** *sub*, *-s* Warenausfuhr, Warenexport; ~ **ratio** *sub*, *-s* Exportquote; ~**import business** *sub*, *nur Einz.* Auslandsgeschäft; ~**able** *adj*, *(wirt.)* ausführbar; ~**ed part** *sub*, *-s* Exportanteil; ~**er** *sub*, *-s* Exporteur; ~**ing country** *sub*, *-ies* Ausfuhrland; ~**s** *sub*, *nur Mehrz.* Ausfuhrware

expose, *vt*, belichten, dekuvrieren, desavouieren, entlarven, exponieren, offen legen, preisgeben; *(Skandal)* enthüllen; *(unterwerfen)* aussetzen; *expose a conspiracy* eine Verschwörung entlarven; *draw attention to oneself* sich exponieren

exposé, *sub*, *-s* Dekuvrierung, Exposee; **expose o.s.** *vr*, *(der Sonne etc.)* aussetzen; **exposed** *adj*, exponiert; **exposition** *sub*, *-s* Exposition; *(Erklärung)* Ausführung; **exposure** *sub*, *-s* Belichtung, Offenlegung

expound, *vt*, *(Idee)* entfalten

express, (1) *adj*, express (2) *vt*, zeigen; *(äußern)* aussprechen; *(Bedenken etc.)* äußern; *(formulieren)* ausdrücken; *express sth* etwas ausdrücken; *express sth* etwas zum Ausdruck verleihen, etwas zum Ausdruck bringen; *to express a lot with one´s face* ein lebhaftes Mienenspiel haben; ~ **(train)** *sub*, *-es (-s)* Express, Expresszug; ~ **consignment** *sub*, *-s* Eilsendung; ~ **deliverer** *sub*, *-s* Expressbote; ~ **delivery** *sub*, *-ies* Eilzustellung; ~ **freight train** *sub*, *-s* Eilgüterzug; ~

goods sub, nur Mehrz. Ellgut; ~ let- ter sub, -s Eilbrief, Expressbrief; ~ o.s. vr, artikulieren; ~ **one´s opini- on** vt, aussprechen; (seine Meinung sagen) äußern; ~ **parcel** sub, -s Eil- päckchen, Schnellpaket

expression, sub, -s Expression, Miene, Terminus, Wendung; (auch Rede- wendung) Ausdruck; -(charakt.) Ge- stus; expressions which could be misleading missverständliche Ausdrücke; to find expression in sth sich in etwas niederschlagen; to put on a deadpan expression ein Poker- gesicht machen; ~ **of disapproval** sub, expressions Missfallensäuße- rung; ~**ism** sub, nur Einz. Expressio- nismus; ~**ist** sub, -s Expressionist; ~**less** adj, ausdruckslos; **expressive** adj, ausdrucksvoll, expressiv; (aus- drucksvoll) gefühlvoll; **expressive- ness** sub, nur Einz. Aussagekraft, Expressivität

expressway, sub, -s Schnellstraße

expropriate, vt, enteignen, expropri- ieren; **expropriation** sub, -s Enteig- nung, Expropriation

expulsion, sub, -s Ausweisung, Rele- gation, Vertreibung, Verweisung; (bibl.) expulsion from paradise Ver- treibung aus dem Paradies

exquisite, adj, exquisit; ~**ness** sub, nur Einz. Erlesenheit

extemporization, sub, -s Extempore; **extemporize** vt, extemporieren

extend, (1) vi, (ausdehnen) erstrek- ken; (sich erstrecken) ausdehnen (2) vt, extendieren, vergrößern, verlän- gern; (arch.) ausbauen; (verbreitern) ausweiten; (verlängern) erneuern; (Zeitraum) ausdehnen; extend one´s business relations Geschäftsbezie- hungen extendieren; ~**er** sub, -s Ver- größerer; ~**ible** adj, ausfahrbar, ausziehbar; **extension** sub, -s Aus- weitung, Erneuerung, Erstreckung, Extension, Streckung, Vergrößerung, Verlängerung; (arch.) Ausbau; (Auf- schub) Frist; (Gebäude) Anbau; (te- lek.) Nebenstelle; (Vorgang) Ausdehnung; three days´ grace drei Tage Frist; **extension (of credit)** sub, -s Zahlungsaufschub

extensive, adj, ausgedehnt, ausgie- big, extensiv, großflächig, reichhaltig, weitgehend; (Studien etc.) umfang-

reich; (unitweichend) umfassend; give an extensive interpretation of a law einen Gesetz extensiv auslegen; ~ **blaze** sub, -s Flächenbrand; ~**ly** adv, umfangmäßig; ~**ness** sub, nur Einz. Extensität

extensor muscle, sub, -s Streck- muskel

extent, sub, -s (i. ü. S.) Ausmaß; (Ausmaß) Grad, Größe; nur Einz. Maß; -s (i. ü. S.; Ausmaß) Umfang; (Umfang) Ausdehnung; of a deva- stating extent von verheerendem Ausmaß; to a great extent in großem Maße; (i. ü. S.) to a great extent in großem Ausmaß

exterior, sub, -s Exterieur

external, (1) adj, extern; (Verletzung) äußere; ~ **ear** sub, -s (Ohr~) Mu- schel; ~**ly** adv, äußerlich

Extern rocks, sub, nur Mehrz. (geogr.) Externsteine

extinct, (1) adj, erloschen; (biol.) ausgestorben (2) vi, erlöschen; an extinct vulcano ein erloschener Vulkan; ~**ion** sub, nur Einz. Erlö- schen; ~**ion in the criminal re- cord** sub, extinctions Straftilgung

extinguish, vt, (Feuer) ablöschen, auslöschen, löschen

extirpate, vt, exstirpieren

extorsion, sub, -s (Geständnis) Er- pressung

extra, (1) adv, (besonders) extra (2) sub, -s Extra, Extrablatt, Komparse; nur Einz. (ugs.) Zubrot; -s (Film) Statist; I´ll give you two extra ich gebe Ihnen noch zwei dazu; the sauce still needs that extra some- thing der Soße fehlt noch der letzte Pfiff; ~ **charge** sub, -s Aufpreis; ~ **expense** sub, -s Sonderkosten; ~ **large** adj, (sehr groß) übergroß; ~ **long** adj, überlang; ~ **payment** sub, -s Aufzahlung; ~ **ration** sub, -s Sonderration; ~ **salary** sub, -es (i. ü. S.) Zuverdienst; ~ **wide** adj, überweit; ~ **work** sub, nur Einz. (Zusatzarbeit) Nebenarbeit; ~**-.....** sub, - Draufgabe; ~**-class** adj, Ex- traklasse

extract, (1) sub, -s Absud, Extrakt; (med.) Sud; (geb.; Sprachw.) Ex- zerpt (2) vt, (Computer) substituie- ren; (med.) extrahieren; (tt; med.) ziehen; extract a bullet/tooth eine

Kugel/Zahn extrahieren; *extract salt from water* Salz aus Wasser extrahieren; ~ **from** *vt, (Zahn u.a.)* herausziehen; ~ **the juice from** *vt,* entsaften; **~ion** *sub, -s* Extraktion, Gewinnung, Ursprung; *(Auszug)* Entzug; *(Blut)* Entnahme

extraordinary, *adj,* außerordentlich, extraordinär

extras, *sub, nur Mehrz.* Komparserie; *(Film)* Statisterie

extraterrestrial, *adj,* außerirdisch, extraterrestrisch

extraterritorial, *adj,* exterritorial, Exterritorialität

extravagance, *sub, -s* Extravaganz; **extravagant** *adj,* extravagant, verschwenderisch; *(Ansicht etc.)* überspannt; *to be extravagant with sth* mit etwas Luxus treiben

extreme, **(1)** *adj,* extrem, hochgradig, höchst, krass, maßlos; *(extremst)* äußerst **(2)** *sub, -s* Extrem; *extremely* in höchstem Maße; *with extreme concentration* mit höchster Konzentration; *the worst is yet to come* es kommt noch krasser, *go from one extreme to another* von einem Extrem ins andere fallen; ~ **left-wing** *adj, (polit.)* linksextrem; ~ **poverty** *sub, nur Einz.* Hungertuch; **~ly** *adv,* überaus, zutiefst; *(sehr)* äußerst; **~ly happy** *adj,* hochbeglückt; **~ly hard** *adj,* überhart; **~ness** *sub, nur Einz.* Maßlosigkeit; **extremism** *sub, -s* Extremismus; **extremist** **(1)** *adj,* extremistisch **(2)** *sub, -s* Extremist, Extremistin, Ultra; **extremity** *sub, -ies* Extremität

extricate, *vt, (von Schwierigkeiten)* befreien

extroverted, *adj,* extrovertiert

exuberance *sub, nur Einz.* Ausgelassenheit; *-s* Überschwang; **exuberant** *adj, (Stimmung)* ausgelassen

exult, *vi, (frohlocken)* triumphieren; *(i. ü. S.) exult with joy* vor Freude überströmen

eye, (1) *sub,* Auge; *-s* Öhr; *(an Kleidung)* Öse **(2)** *vi,* äugeln **(3)** *vt,* beäugen; *an eye for an eye, a tooth for a tooth* Auge um Auge, Zahn für Zahn; *keep an eye on sth/so* etwas/jemanden im Auge behalten; *cry one's eyes out* sich seine Augen ausweinen; *have a black eye* ein blaues Auge haben; *keep an eye on that man!* merken Sie sich den Mann!; *keep one's eyes wandering* mit den Blicken abschweifen; *look so in the eye* jmdm gerade ins Gesicht sehen; *rub one's eyes* sich seine Augen auswischen; *that was one in the eye!* das war eine moralische Ohrfeige!; *to eye sb coolly* jmdn kühl mustern; *to keep a close eye on sth* etwas unter die Lupe nehmen; *to keep an eye on* Obacht geben auf; ~ **clinic** *sub, - -s* Augenklinik; ~ **disease** *sub, - -s* Augenkrankheit; ~ **makeup** *sub, - -s* Augen-Make-up; ~ **of a needle** *sub, eyes of needles* Nadelöhr; ~ **specialist** *sub, - -s* Augenarzt; ~ **test** *sub, -s* Sehprobe, Sehtest; ~ **contact** *sub, -s* Blickkontakt; **~ball** *sub, -s* Augapfel; **~brow** *sub, -s* Augenbraue; **~brow pencil** *sub, - -s* Augenbrauenstift; **~glass** *sub, -es* Augenglas; **~lid** *sub, -s* Augendeckel, Augenlid, Lid; **~piece** *sub, -s* Okular; **~shadow** *sub, -s* Lidschatten

eyesight, *sub, -s* Augenlicht; *nur Einz.* Sehkraft; *have good eyesight* gute Augen haben; **eyesore** *sub, -s* Schandfleck; **eyewash** *sub, -s* Augenwischerei; **eyewitness** *sub, -es* Augenzeuge; **eyewitness account** *sub, - -s* Augenzeugenbericht

eyrie, *sub, -s* Horst

fable, *sub, -s (geh.; Literaturw.)* Fabel

fabric, *sub, -s* Gewebe, Stoff; **~ covering** *sub, -s* Stoffbehang

fabulous, **(1)** *adj*, märchenhaft; *(geh.)* fabulös **(2)** *adv, (ugs.)* fabelhaft; **~ly** *adv, (geh.)* fabulös

façade, *sub, -s (i. ü. S.)* Fassade

face, *sub, -s* Angesicht, Antlitz, Gesicht, Miene, Visage; *face to face* von Angesicht zu Angesicht; *in the face of* im Angesicht des; *face the facts* den Tatsachen ins Gesicht sehen; *lose face* das Gesicht verlieren; *his face darkened* seine Miene verfinsterte sich; *deary me!* oh du meine Nase!; *face up to a danger* der Gefahr ins Gesicht sehen; *(i. ü. S.) has had a face-lift* erscheint im neuen Gewand; *he´s going around with guilt written all over his face* er läuft herum wie das personifizierte schlechte Gewissen; *I can tell by your face* ich seh es dir an der Nasenspitze an; *(i. ü. S.) I could see it written all over his face* Ich sah´s ihm an der Nase an; *I don´t like his face* seine Nase gefällt mir nicht; *pull a face* eine Flunsche ziehen; *pull faces* Fratzen schneiden; *shut your face* halt´s Maul!, *(ugs.)* halt den Rand; *smash sh´s face in* jmdm die Fresse polieren; *(i. ü. S.) to fall flat on one´s face* auf die Nase fallen; *to have a face-lift* das Gesicht liften lassen; *(ugs.) to slam the door in sh´s face* jmdm die Tür vor der Nase zuschlagen; *to yell till one is blue in the face* sich die Lunge aus dem Leib schreien; **~ to face** *adv*, gegenüber; *they sat face to face* sie saßen einander gegenüber; **facial expression** *sub, -s* Gesichtsausdruck, Mimik; **facial expressions** *sub, nur Mehrz.* Mienenspiel

facile, *adj, (Stil)* feuilletonistisch

facilities, *sub, nur Mehrz. (Raum)* Lokalität; *(sanitäre)* Einrichtung

facsimile, **(1)** *sub, -s* Faksimile **(2)** *vt*, faksimilieren

fact, *sub*, Fact; *-s* Fakt, Faktum, Gegebenheit, Tatsache; *(Tatsache)* Umstand; *considering the facts that* in Anbetracht der Tatsache, daß; *face the facts* den Tatsachen ins Auge blicken; *lay something down as fact* etwas als Tatsache hinstellen; *put up with the facts* sich mit den Tatsachen abfinden; *be a well-known fact* allgemein bekannt sein

factor, *sub, -s* Faktor; *(Faktor)* Moment; *(mat.)* Faktor; **~ing out** *sub, nur Einz.* Ausklammerung

factor out, *vt*, ausklammern

factory, *sub, -ies* Fabrik, Fabrikanlage, Manufaktur; *-es* Werk; **~ owner** *sub, -s* Fabrikant; **~ plant** *sub, -s* Fabrikanlage; **~ siren** *sub, -s* Fabriksirene; **~ work** *sub, -* Fabrikarbeit

factotum, *sub, -s* Faktotum

facts, *sub, nur Mehrz.* Sachverhalt; *-* Tatbestand; **~ of the case** *sub, - (jur.)* Tatbestand; **factual** *adj*, sachlich; **factual knowledge** *sub, nur Mehrz.* Faktenwissen

faculty, *sub, -ies* Fachbereich; *(geh.)* Fachrichtung; *(Hochschulw.)* Fakultät

fade, **(1)** *vi*, abblassen, schwinden, verblassen, welken; *(i. ü. S.)* verlöschen **(2)** *vt*, verwischen; *(ausbleichen)* entfärben; *(i. ü. S.) to fade away* wie eine Primel eingehen; **~ away** *vi*, verklingen, verrauschen; **~ effect** *sub, -s* Überblendung; **~d** *adj*, abgeblasst, verwaschen; **fading (1)** *adj, (i. ü. S.)* welk **(2)** *sub, nur Einz.* Vergehen

fagged-out, *adj, (ugs.)* kaputt

Fahrenheit, *sub, nur Einz.* Fahrenheit

faience, *sub, -s* Fayence

fail, **(1)** *vi*, fehlschlagen, missglücken, misslingen, scheitern, versagen; *(i. ü. S.; scheitern)* stranden; *(tech.)* ausfallen **(2)** *vt, (Prüfung)* durchfliegen, durchsegeln **(3)** *vti*, durchfallen; *he failed* das ist ihm misslungen; *fail* den Dienst versagen; *he failed* es ist ihm missglückt; *to fail miserably* mit Pauken und Trompeten durchfallen; *he failed the exam* er ist durch die Prüfung geflogen, *to fail an exam* bei einer Prüfung durchfallen; **~ (am: flunk)** *vt*, durchsausen; **~ the exam** *vi, (durch d. Prüf.)* fliegen; **~ing** *sub, -s* Versäumnis; **~ure** *sub, -s* Fehlschlag, Misserfolg, Unterlassung; *-* Versager; *-s (Misserfolg)* Niederlage; *(Prüfung)* Durchfall; *(tech.)* Ausfall; *my cake was a failure* der Kuchen ist mir missraten; *the attempt was a failure* der Versuch ist missglückt

faint, **(1)** *adj*, leise **(2)** *sub, nur Einz.* Ohnmacht; **~-hearted** *adj*, kleingläubig

fair, **(1)** *adj*, fair, gerecht **(2)** *sub, -s* Jahrmarkt; *(Gewerbe)* Messe; *(Jahr~)* Markt; *fair enough* What you say is true nun, du hast ja recht; *fair´s fair* alles, was recht ist; *to play fairly with sb* es ehrlich mit jmd meinen; *to go to the fair* auf den Markt gehen; **~ catalogue** *sub, -s* Messekatalog; **~ copy** *sub, -ies* Reinschrift; **~ curly** *adj*, blondlockig; **~ featuring shooting matches** *sub*, *-s* Schützenfest; **~ground** *sub*, *-s (ugs.)* Rummelplatz

fairly, *adv*, einigermaßen, gerecht; *(i. ü. S.)* *be fairly satisfied* einigermaßen zufrieden sein; *share sth out fairly* gerecht teilen; **~ long** *adj*, geraum; **fairness** *sub*, *nur Einz.* Fairness; - Gerechtigkeit; **fairplay** *sub*, *nur Einz.* Fairplay

fairy, *sub*, *-ies* Elfe, Fee; *(ugs.; Homosexueller)* Tunte; *fairy godmother* die gute Fee; *wicked fairy* die böse Fee; **~ dance** *sub*, *-s* Elfenreigen; **~like** *adj*, feenhaft; **~tale** *sub*, *-s* Ammenmärchen, Feenmärchen, Hausmärchen, Märchen; *(veraltet; Märchen)* Mär

faith, *sub*, - Glaube; *nur Einz.* Treue; *faith in the future* Glaube an die Zukunft; *in good faith* in gutem Glauben; *keep faith with someone* jemandem die Treue halten; *lose one´s faith* den Glauben verlieren; **~healer** *sub*, *-s* Gesundbeter; **~healer** *sub*, *-s (ugs.)* Wunderheiler; **~healing** *sub*, *-s* Wunderheilung; **~ful** *adj*, getreu, sinngemäß; *(Ehegatte)* treu; *(vertrauend)* gläubig; *to interpret a contract faithfully* einen Vertrag loyal auslegen; **~less** *adj*, treubrüchig, treulos

fake, **(1)** *(vorgetäuscht)* unecht **(2)** *sub*, *-s* Fälschung, Vortäuschung; *(geb.)* Falsifikat **(3)** *vt*, fingieren, vortäuschen; *(Urkunden, Unterschr.)* fälschen; **~ a shot** *vt*, *(spo.)* antäuschen; **~d bankruptcy** *sub*, - *(Austrian; jur.)* Krida

fakir, *sub*, *-s* Fakir

falconer, *sub*, *-s* Falkner; **falconry** *sub*, *-ies* Falknerei

fall, **(1)** *sub*, *-s* Absturz, Sturz, Sündenfall; *nur Einz.* Verfall; *-s* Wurf; *nur Einz.* *(i. ü. S.)* Niedergang; *-s (spo.)* Schultersieg; *(Sturz)* Fall; *nur Einz.* *(US)* Herbst **(2)** *vi*, abstürzen, fallen, stürzen, umstürzen; *(ugs.)* plumpsen; *(fig.)* sinken; *(mil.)* fallen; *(Nacht)* anbrechen; *(Vorhang, Regen)* niedergehen; *fall in!* In Linien antreten; *fall onto the grass/into bed/into the hay etc* sich ins Gras/Bett/Heu etc fallen lassen; *fall to so auf jmd entfallen; silence fell* es trat Stille ein; *(ugs.) to fall into bad ways* unter die Räder kommen; *fall into a category* unter eine Kategorie fallen; *fall into the hands of sb* jmdn in die Hände fallen; *fall from a scaffold* von einem Gerüst stürzen; *fall at someone´s feet* jemandem zu Füßen sinken; *fall into a deep sleep* in tiefen Schlaf sinken; **~ apart** *vi*, auseinander fallen,

dahinfallen, kaputtgehen; *the reason has fallen apart* der Grund ist dahingefallen; *(ugs.) the cake fell apart when it was cut* der Kuchen ist beim Durchschneiden kaputtgegangen; **~ asleep** *vi*, einschlafen; *fall asleep over the paper* über der Zeitung einschlafen; *fall asleep while watching TV* beim Fernsehen einschlafen; **~ back (1)** *vi*, *(tt; mil.)* zurückweichen **(2)** *vt*, zurückfallen; **~ behind** *vi*, *(Person, etc.)* abfallen; **~ down** *vi*, herabfallen, hinabfallen, hinabstürzen, hinfallen, niederfallen, umfallen; *(hin-)* fallen; *fall to one´s knees/in the dirt* auf die Knie/in den Schmutz *vi*, *(tt; arch.)* zerfallen; **~ for** *vi*, *(i. ü. S.)* hereinfallen; **~ for sb** *vr*, *(ugs.)* verknallen

fallacy, *sub*, *-ies* Fehlschluss, Paralogismus, Trugschluss

fallen, *adj*, gefallen

fallibility, *sub*, *nur Einz.* Fehlbarkeit; **fallible** *adj*, fehlbar

Fallopian tube, *sub*, *-s* Eileiter

fallow deer, *sub*, *nur Mehrz.* Damhirsch

false, *adj*, unecht, unwahrhaftig, wortbrüchig; *(tt; mus.)* unrein; *(unangebracht)* falsch; *(unecht)* falsch; *(unehrlich)* falsch; *(i. ü. S.) play false with sb* ein falsches Spiel mit jmdm treiben; **~ newspaper report** *sub*, - Zeitungsente; **~ nose** *sub*, *-s* Pappnase; **~ start** *sub*, *-s (spo.)* Fehlstart; **~ statement** *sub*, *-s* Falschaussage; **~ step** *sub*, *-s* Fehltritt; **~ teeth** *sub*, *nur Mehrz. (Zahnersatz)* Gebiss; **~ testimony** *sub*, *-s (jur.)* Falschaussage; **~ness** *sub*, Falschheit; *nur Einz.* Unwahrheit

falsetto, *sub*, *-s* Kopfstimme; - *(geb.; mus.)* Falsett

falsification, *sub*, *-s* Verfälschung; *(geb.)* Falsifikation; **falsify** *vt*, verfälschen; *(geb.)* falsifizieren

fame, *sub*, - Ruhm; *nur Einz. (Ruhm)* Berühmtheit; *rise to fame* Berühmtheit erlangen

familiar, *adj*, gewohnt, vertraut; *(vertraut)* familiär, traut; *to be familiar with sth* mit etwas vertraut sein; **~ form (of name)** *sub*, *-s* Koseform; **~ity** *sub*, *nur Einz.* Bekanntheit, Vertrautheit; *nur Mehrz. (mit einem Vorgang etc.)* Bekanntschaft

family, *sub*, *-ies* Familie, Geschlecht; *(biol.)* Familie, Sippe; *(zool. Familie)* Gattung; *it happens in the best families* das kommt in den besten Familien

Familie; *start a family* eine Familie gründen; *the Meyer family* Familie Meyer; *come from a good family* aus gutem Hause sein; *in the immediate family* im engen Kreis der Familie; *my family* meine Angehörigen; ~ **celebration** *sub,* -s Familienfest; ~ **day** *sub,* -s Familientag; ~ **doctor** *sub,* -s Hausarzt; ~ **grave** *sub,* -s Familiengrab; ~ **name** *sub,* -s Nachname; ~ **of curves** *sub,* -ies *(mat.)* Kurvenschar; ~ **pack** *sub,* -s Familienpackung; ~ **planning** *sub,* Familienplanung; ~ **portrait** *sub,* -s Familienbild; ~ **register** *sub,* -s Stammbuch; ~ **tree** *sub,* -s Stammbaum

famous, *adj,* berühmt, namhaft

fan, (1) *sub,* -s Fächer, Fan, Gebläse, Lüfter, Wedel; *(spo.)* Anhänger **(2)** *vt,* fächeln; *(Feuer)* anfachen; *he is a great soccer fan* er ist ein begeisterter Fußballfan; ~ **club** *sub,* -s Fanklub; ~ **-belt** *sub,* -s *(tech.)* Keilriemen

fanatic, (1) *sub,* -s Fanatiker, Fanatikerin; ~**al** *adj,* fanatisch; ~**ally** *adv,* fanatisch; ~**icize** *vti,* fanatisieren; ~**ism** *sub,* - Fanatismus

fancy, *vt,* favorisieren; *fancy seeing you again!* nein, dass du dich mal wieder sehen lässt!; ~**dress costume** *sub,* -s Maskenkostüm; ~**dress** *sub,* -es Kostümierung

fanfare, *sub,* -s Fanfare, Fanfarenstoß; ~ **platoon** *sub,* -s Fanfarenzug

fang, *sub,* -s Reißzahn; *(zool.)* Fangzahn

fango, *sub, nur Einz. (med.)* Fango; ~ **pack** *sub,* -s Fangopackung

fanlight, *sub,* -s Oberlicht; **fanlike** *adj,* fächerförmig

far, (1) *adj,* fern **(2)** *adv,* weitaus, weiter; *(örtl.)* weit; *be far from home* fern von der Heimat sein; *the day is not far off* der Tag ist nicht mehr fern, *go too far* Bogen überspannen; *the far north* der hohe Norden; *to go too far* es zu bunt treiben; ~ **(away) from** *adj,* weitab; ~ **away** *adj,* entfernt; *far (away) from* weit entfernt davon; ~ **behind** *adj,* abgeschlagen; **Far Eastern** *adj,* fernöstlich; ~ **too** *adv,* allzu; *not too* nicht allzu; ~**reaching** *adj,* raumgreifend, weit reichend; *(i. ü. S.)* weit tragend; ~**sighted** *adj,* weitsichtig; ~**sightedness** *sub,* -es Weitsichtigkeit

Faraday cage, *sub,* -s *(phy.)* Faradaykäfig

farce, *sub,* -s Farce, Posse; *(i. ü. S.)* Groteske

fare, *sub,* -s Fahrgeld; *(öffentl. Verkehrsm.)* Fahrtkosten; *how did you*

fare wie ist es dir ergangen; ~ **dodger** *sub,* -s *(ugs.)* Schwarzfahrer

farewell, (1) *sub,* -s Abschied, Ade, Lebewohl **(2)** *vr,* gehaben; ~ **letter** *sub,* - -s Abschiedsbrief; ~ **party** *sub,* - -ies Abschiedsfeier; ~ **scene** *sub,* - -s Abschiedsszene

fairyland, *sub, nur Einz.* Märchenland

farm, *sub,* -s Bauernhof, Farm, Hof; *-es (lt; agrar)* Wirtschaft; *farm life* das Leben auf dem Bauernhof; *(ugs.) lose everything one owns* Haus und Hof verlieren; ~ **hand** *sub,* -s Stallknecht; ~**-labourer** *sub,* -s Knecht; ~**er** *sub,* -s Ackerbauer; -s Farmer, Landwirt; *(obs.)* Landmann; *(Landwirt)* Bauer; ~**er's lady** *sub,* -s Farmersfrau; ~**ers** *sub, nur Mehrz.* Bauernstand; ~**house** *sub,* -s Bauernhaus; ~**house room** *sub,* -s Bauernstube; ~**land** *sub,* - Agrarland; ~**stead** *sub,* -s Gehöft

farsighted, *adj,* übersichtig

fart, (1) *sub,* -s *(vulg.)* Furz **(2)** *vi,* furzen

farthingale, *sub,* -s Reifrock

fasces, *sub, nur Mehrz. (hist.)* Rutenbündel

fascicle, *sub,* -s Nervenbündel

fascinate, *vt,* faszinieren, fesseln; ~**d** *adj,* hingerissen; **fascinating (1)** *adj,* fesselnd **(2)** *adv,* hinreißend; **fascination** *sub,* -s Faszination; *hold a great fascination for* eine Faszination ausüben

fascism, *sub,* -s Faschismus; **fascist (1)** *adj,* faschistisch **(2)** *sub,* -s Faschist

fashion, (1) *sub, nur Einz.* Fashion; -s Mode; - Weise **(2)** *vt,* kreieren; *that's the latest fashion* das ist jetzt Mode; *to go out of fashion* aus der Mode kommen, *be out of fashion* nicht mehr aktuell sein; *come back into fashion* erneut aktuell werden; *to be fashionable* modern sein; *to come into fashion* modern werden; ~ **accessory** *sub,* -ies Modeartikel; ~ **article** *sub,* -s *(in Zeitung)* Modeartikel; ~ **designer** *sub,* -s Modedesigner, Modeschöpfer; ~ **fad** *sub,* -s Modetorheit; ~ **illustrator** *sub,* -s Modezeichner; ~ **magazine** *sub,* -s Modeheft, Modejournal; ~ **shop** *sub,* -s Modegeschäft; ~**conscious** *adj,* modebewusst; ~**able** *adj,* fashionable, modisch

fast, (1) *adj,* flott, geschwind, rasant, schnell, waschecht **(2)** *vi,* fasten; *he is very fast* es geht ihm flott von der Hand; ~ **train** *sub,* -s D-Zug, Schnellzug; *take the fast train* mit dem D-Zug fahren; **~-moving** *adj,* schnelllebig

fastfood, *sub,* - Fastfood; **fasting day** *sub, -s (med.)* Fasttag; **fasting period** *sub,* - Fastenzeit

fat, (1) *adj,* feist, fett; *(Person)* dick (2) *sub, -s* Fett; - Schmalz; *put weight on* Fett ansetzen; *be fattening* dick machen; *grow fat* dick werden, *(ugs.) get fat* Speck ansetzen; *(i. ü. S.) she's a fatty* sie ist eine Tonne; *that makes you fat* davon wird man dick; **~ cheeks** *sub,* - *(i. ü. S.)* Hamsterbacke; **~ man/woman** *sub, men/women* Dicke; **~ neck** *sub, -s* Specknacken; **~(tened) cattle** *sub, nur Einz.* (gemästet) Mastvieh; **~(tened) goose** *sub, -s* Mastgans

fatal, *adj,* fatal, todbringend; **~ism** *sub, -s* Fatalismus; **~ist** *sub, -s* Fatalist; **~istic** *adj,* fatalistisch; **~ity** *sub, -ies* Fatalität

fate, *sub, -s* Geschick; *nur Einz.* Schicksal; **~ granted** *vt,* vergönnen; **~ful day** *sub, -s* Unglückstag

father, (1) *sub, -s* Erzeuger, Pater (2) *vt,* zeugen; **~ confessor** *sub, -s* Pönitentiar; **~ fixation** *sub, -s (tt; psych.)* Vaterbindung; **Father's Day** *sub, -s* Vatertag; **~hood** *sub, -s* Vaterschaft; **~less** *adj,* vaterlos

fathom, *sub, -s* Klafter; **~ wood** *sub, nur Einz.* Klafterholz; **~-deep** *adj,* klaftertief; **~-long** *adj,* klafterlang

fatigue, (1) *sub,* - Ermüdung; *nur Einz.* Müdigkeit; *-s (Ermüdung)* Ermattung (2) *vt,* ermüden; **~d** *adj,* ermüdet

fatness, *sub, nur Einz.* Feistigkeit; **fatstock** *sub, nur Einz. (zu mästend)* Mastvieh; **fatten** *vt,* mästen; **fattening** *sub, -s (das Mästen)* Mast; **fattening diet** *sub, -s* Mastkur; **fattening goose** *sub, -s (zu mästend)* Mastgans; **fatty** *adj, (Speisen)* fett; **fatty tissue** *sub, -s* Fettpolster; **fatty tumor** *sub, -s* Lipom

faucet, *sub, -s (tech., US)* Hahn

fault, *sub, -s* Fehler, Mangel, Schaden, Verschulden; *(allg.)* Defekt; *(Charakt./Material) (geol.)* Dislokation; *fault so with sth* jemandem etwas ankreiden; *have no fault to find with it* nichts daran auszusetzen haben; *through no fault of his (own)* ohne sein Verschulden; *through one's own fault* durch eigenes Verschulden; **~y** *adj,* fehlerhaft, schadhaft; **~y start** *sub, -s (Luftf.)* Fehlstart

faun, *sub, -s (myth.)* Faun

fauna, *sub, -s (zool.)* Fauna

faustball, *sub, -s* Faustball

faux pas, *sub,* - Ausrutscher, Fauxpas,

Lapsus; *(i. ü. S.)* Entgleisung; *commit a faux pas* einen Fauxpas begehen; *(i. ü. S.)* make a faux-pas* entgleisen

favor, *sub, -s (US)* Gunst; **~ in return** *sub, -s* Gegendienst; **~able** *adv,* günstig; **~ite** *sub, -s* Favorit; *clear favorite* klarer Favorit; **favour (1)** *sub, -s* Gefallen, Gunst, Liebesdienst, Wohltat; *(geb.)* Huld; *(Hilfeleistung)* Gefälligkeit (2) *vt,* bevorschussen, favorisieren; *(Person)* begünstigen; *ask a favo(u)r of so* jmdn um einen Gefallen bitten; *(US)* do so a favor* jmdm einen Gefallen tun; *do so a favour* jmdm einen Gefallen tun; *court so's favour* um jmds Gunst werben; *fall out of favour* die Gunst verlieren; *ask so a favour* ein Anliegen an jemanden haben; *do so a favour* jmdm eine Freundlichkeit erweisen; *politicians who have fallen out of favour* missliebige Politiker; *that's a point in your favour* das ist ein Plus für dich; *(geb.) she was in his good graces* sie stand in seiner Huld; **favour in return** *sub, -s* Gegendienst; **favourable (1)** *adj,* hold (2) *adv,* günstig; *(geb.) luck was on his side* das Glück war ihm hold, *if the weather is favourable* bei günstigem Wetter; **favourable interest** *adj, (tt; wirt.)* zinsgünstig; **favourite** *sub, -s* Favorit, Liebling; *clear favourite* klarer Favorit; **favourite animal** *sub, -s* Lieblingstier; **favourite meal** *sub, -s* Leibgericht; **favourite restaurant** *sub, -s* Stammkneipe

fawn, *sub, -s* Kitz; *as timid as a fawn* scheu wie ein Reh; **~ upon so** *vi,* liebedienern; **~ing** *sub, -s* Scharwenzel, Scherwenzel

fear, (1) *sub, -s* Angst, Befürchtung; *nur Einz.* Furcht, Scheu (2) *vt, (fürchten)* befürchten; *for fear* aus Angst; *(ugs.) get the wind up* es mit der Angst zu tun bekommen; *fear that* die Befürchtung haben, dass; *for fear of* aus Furcht vor; *know no fear* ohne Furcht vor, *it is feared that* es ist zu befürchten, dass; *there is no fear of that* das ist nicht zu befürchten; **~ for** *vi, (für oder um)* fürchten; *I fear for his life* ich fürchte um sein Leben; **~ of** *sub, nur Einz. (vor)* Furcht; **~ of being left on the shelf** *sub, fears (ugs.)* Torschlusspanik; **~ of death** *sub, nur Einz.* Todesfurcht; **~ of entering a place** *sub, nur Einz. (psych.)* Schwellenangst; **~ of God** *sub, nur Einz.* Gottesfurcht; **~ of life** *sub, -s* Lebensangst; **~ of other people/things** *sub,*

-s - Berührungsangst; **~ful** *adj.* furchtsam; **~less** *adj.* furchtlos, unerschrok-
ken; **~lessness** *sub.*, *nur Einz.*
Unerschrockenheit

feasibility, *sub.*, *nur Einz.* Ausführbarkeit, Machbarkeit; *(Ausführbarkeit)*
Möglichkeit; **feasible** *adj.*, *(ausführbar)* möglich; *(durchführbar)* ausführbar

feast, (1) *sub.*, -s Gelage, Labsal,
Schmaus (2) *vi.* prassen,
schlemmen, schmausen; *(i. ü. S.)* weiden; *(schmausen)* tafeln (3) *vt.*, laben;
(geh.) a feast for the eyes ein Labsal für
die Augen, *(geh.) we feasted our eyes on
the view* wir labten uns an dem Ausblick; **~ for the ears** *sub.*, -s
Ohrenschmaus; **~ for the eyes** *sub.*, -s
- Augenweide; **~** *on vt.* verschmausen;
~day *sub.*, -s Kirchenfest; **~ing** *sub.*, -s
Schlemmerei

feather, *sub.*, -s Feder; *lose a few feathers*
Federn lassen müssen; *(ugs.) you could
have knocked me down with a feather*
ich bin ja auf den Rücken gefallen!; **~
shawl** *sub.*, -s Federboa; **~ed** *adj.* gefiedert; **~grass** *sub.*, -es Pfriemengras; **~s**
sub., - Gefieder; **~weight** *sub.*, -s *(spo.)*
Federgewicht; **~y** *adj.*, fiederteilig

feature, *sub.*, -s Feuilleton, Grundzug,
Merkmal; **~ film** *sub.*, -s Spielfilm; **~s**
sub., *nur Mehrz.* Gesichtszug; -s *(i. ü. S.)*
Zug

February, *sub.*, Februar; *in February* im
Februar

federal, (1) *adj.* föderal (2) *sub.*, föderativ; *Federal Government* der Bund; **Federal Armed Forces** *sub.*, *nur Mehrz.*
Bundeswehr; *German Armed Forces*
Deutsche Bundeswehr; **Federal chancelor** *sub.*, -s Bundeskanzler; **~ division** *sub.*, -s Bundesliga; **Federal
Government** *sub.*, -s Bundesregierung;
~ highway *sub.*, -s Bundesstraße; **~
level** *sub.*, - Bundesebene; *at national
(federal) level* auf Bundesebene; **Federal Navy** *sub.*, *nur Einz.* Bundesmarine;
~ owned *adj.* bundeseigen; **Federal
Prosecutor** *sub.*, -s *(jur.)* Bundesan-
walt; **~ state** *sub.*, -s Bundesstaat; **~
territory** *sub.*, -ies Bundesgebiet; **~ism**
sub., - Föderalismus; **~ist** (1) *adj.* föde-
ralistisch (2) *sub.*, -s Föderalist; **federation** *sub.*, -s Föderation

fed-up, *adj.*; *do you think I like it?
I'm fed-up with it too* meinst du es
gefällt mir? ich bin auch leid; *I'm
thoroughly fed-up with having to listen
to all that* ich bin es wirklich leid, mir
das immer anhören zu müssen

fee *sub.*, -s Entgelt, Gage, Gebühr, Honorar; *pay a fee* eine Gebühr entrichten; **~ copy** *sub.*, -ies Freiexemplar; **~
issue** *sub.*, -s *(Zeitung)* Freiexemplar

feeble, *adj.* kraftlos; **~ bunch** *sub.*, -es
(ugs.) Gurkentruppe; **~ness** *sub.*, *nur
Einz.* *(unzulänglich)* Dürftigkeit

feed, (1) *sub.*, -s *(Tiernahrung)* Futter;
nur Einz. *(Vieh)* Fressen (2) *vt.*, abspeisen, füttern, nähren, verköstigen; *(beköstigen)* speisen; *(essen)* ernähren;
(tech.) speisen; *(Tiere)* abfüttern,
durchfüttern (3) *vtr.*, verpflegen; *be
well-fed* gut im Futter stehen, *he looks
well-fed* er sieht gut genährt aus; *feed
an animal on sth* einem Tier etwas
zum Fressen geben; *I'm fed up with
sth* es steht mir bis dahin; *I'm starting
to get fed up with it* allmählich habe
ich genug davon; *to be fed up* die Nase
voll haben; **~ back** *vti.*, rückkoppeln;
~ in *vt.*, *(Daten)* eingeben; *feed sth
into the computer* etwas in den Computer eingeben; **~ on** *vt.*, *(sich ernähren von)* fressen; **~ oneself** *vr.*,
nähren; **~ up** *vt.*, aufpäppeln; **~back**
sub., -s Rückkopplung; **~er road** *sub.*,
-s *(it; arch.)* Zubringer; **~ing** *sub.*, -s
Ernährung - Verköstigung; *nur Einz.*
Verpflegung; -s *(Beköstigung)* Speisung; *(Tiere)* Abfütterung; *contribute
to feeding the family* zur Ernährung
der Familie beitragen; **~ing bottle**
sub., -s Saugflasche; **~ing cup** *sub.*, -s
Schnabeltasse; **~ing ground** *sub.*, -s
Futterplatz; **~ing trough** *sub.*, -s Futter-
raufe; **~ing-bowl** *sub.*, -s Fressnapf

feel, (1) *vi.*, *(sich anfühlen)* anfassen
(2) *vt.*, abfühlen, abgreifen, abtasten,
befühlen, betasten, empfinden, fühlen, spüren; *(sich)* fühlen (3) *vti.*, tasten; *feel disgust for sth* Abscheu vor
etwas empfinden; *feel like doing sth*
zu etwas aufgelegt sein; *feel like sth*
Appetit haben auf etwas; *feel up to
anything* sich fühlen als könnte man
Bäume ausreißen; *he/she is feeling
like a bit* er/sie hat Lust; *how are you
feeling?* wie ist ihr Befinden?; *I can't
feel anything* ich merke nichts; *I
don't feel like doing that* ich habe
keine Lust, das zu tun; *I feel fine* ich
fühle mich wohl; *I feel like it* mir ist
danach; *I felt queasy* mir war mulmig;
I hope you feel better soon Gute Besserung; *not to have any feel for sth*
kein Organ für etwas haben; *you have
got to have the right feel for it* dazu
braucht man Fingerspitzengefühl; *feel
the effects of the fact that* es zu spüren

bekommen, dass, *she felt for his hand* sie tastete nach seiner Hand; ~ **alward** *vr, (sich)* genieren; *he makes me feel akward* ich geniere mich vor ihm; ~ **chilly** *vi,* frösteln; ~ **cold** *vi,* frieren; ~ **completely contented** *vi, (ugs.)* pudelwohl; ~ **disgusted** *vi,* ekeln; ~ **disposed to do sth** *adj, (- sein)* gesonnen; ~ **embarrassed** *vr, (sich)* genieren; ~ **giddy** *vi,* Drehwurm; *feel giddy* den Drehwurm kriegen; ~ **inclined to** *adj, (sein)* geneigt; ~ **like** *adj,* geneigt; *it's the last thing I feel like doing* ich bin dazu überhaupt nicht geneigt; ~ **like eating** *vt,* esslustig; ~ **one's way towards** *vr, (i. ü. S.; sich)* herantasten; ~ **too** *vt,* mitfühlen

feeler, *sub, -s* Fühler; **feeling** *sub, -s* Abtastung; *nur Einz.* Empfinden; *-s* Feeling, Gefühl, Gespür, Sentiment; *(Gefühl)* Empfindung; *have a feeling for sth* etwas im Gefühl haben; *I have a feeling that* ich habe das Gefühl, dass; *wear one's heart on one's sleeve* seine Gefühle zur Schau tragen; *with mixed feelings* mit gemischten Gefühlen; *an uneasy feeling* ein banges Gefühl; *show one's feelings* sich etwas anmerken lassen; *feeling for language* *sub, -* Sprachgefühl; **feeling for life** *sub, nur Einz.* Lebensgefühl; *I have a completely different feeling (for life) when I'm in the country* auf dem Land habe ich ein ganz anderes Lebensgefühl; *yoga has given me a new feeling for life* durch Yoga habe ich ein neues Lebensgefühl bekommen; **feeling for nature** *sub, nur Einz.* Naturgefühl; **feeling for the ball** *sub, nur Einz.* Ballgefühl; **feeling guilty** *adj,* schuldbewusst; **feeling of bitter resentment** *sub, -s* Rachegelüste; **feeling of fullness** *sub, nur Einz.* Völlegefühl; **feeling of happiness** *sub, -s* Glücksgefühl; **feeling of inferiority** *sub,* feelings Minderwertigkeitsgefühl; **feeling of repletion** *sub, nur Einz.* Sattheit; **feeling of well-being** *sub, nur Einz.* Wohlbehagen; **feelings of guilt** *sub, nur Mehrz.* Schuldbewusstsein

feign, (1) *vt,* heucheln, vorspiegeln, vortäuschen (2) *vti,* simulieren

feint, *sub, -s (spo.)* Finte

feline, *adj,* katzengleich

fellatio, *sub, -s* Fellatio

fellow, *sub, -s* Fellow, Mannsperson; *(ugs.)* Kerl; ~ **applicant** *sub, -s* Mitbewerber; ~ **citizen** *sub, -s* Mitbürgerin; ~ **citizen** *sub, -s* Mitbürger; ~ **creature** *sub, -s* Nebenmensch; ~ **man** *sub, men* Mitmensch; ~ **member,** *sub, -s* Bundes-

bruder; ~ **member of a (duelling) fraternity** *sub,* Korpsbruder; ~ **occupant** *sub, -s* Mitbewohner; ~ **party member** *sub, -s* Parteifreund; ~ **passenger** *sub, -s* Mitfahrerin; ~ **patient** *sub, -s* Mitpatientin; ~ **prisoner** *sub, -s* Mitgefangener; ~ **student** *sub, -s* Kommilitone; ~ **traveller** *sub, -s* Mitläufer, Mitläuferin, Mitreisende

felt, (1) *sub, -s* Filz (2) *vi,* filzen; ~**-tip pen** *sub, -s* Filzstift; ~**ed** *adj,* filzig

female, *sub, -s* Weib; *(abwert.)* Frauenzimmer; *(stat.)* Frau; *(tt; zool.)* Weibchen; ~ **apprentice** *sub, -s* Lehrmädchen; ~ **auditor** (*Am.*) *sub, -s* Hospitantin; ~ **dancing-partner** *sub, -s* Eintänzerin; ~ **homoeopath(-ist)** *sub, -s* Homöopathin; ~ **immigrant** *sub, -s* Einwanderin; ~ **inhabitant** *sub, -s* Einwohnerin; ~ **profession** *sub, -s* Frauenberuf; ~ **vagrant** *sub, -s* Landfahrerin; ~ **viewer** *sub, -s* Betrachterin; **feminine** *adj,* feminin, fraulich, weiblich; **feminine gender** *sub, -s (Gramm.)* Femininum; **femininity** *sub, -s* Fraulichkeit; *nur Einz.* Weiblichkeit; **feminism** *sub, -s* Feminismus; **feminist** (1) *adj,* feministisch (2) *sub, -s* Feministin

fen, *sub, nur Einz.* Marschland; ~ **community** *sub, -ies* Moorkolonie, Moorsiedlung

fence, (1) *sub, -s* Gatter, Umzäunung, Zaun; *(Zaun)* Umfriedigung (2) *vt,* einzäunen (3) *vti,* fechten; *to fence in the ground* ein Grundstück einzäunen; ~ **round** *vt,* umzäunen; ~**post** *sub, -s* Zaunpfahl; ~**r** *sub, -s* Fechtbruder; **fencing** *sub, nur Einz.* Plankenzaun; *-s* Vergatterung

fend sth. off, *vt,* erwehren

fenland village, *sub, -s* Marschendorf

fennel, *sub, -s* Fenchel

ferment, (1) *sub, -s* Ferment (2) *vi,* gären (3) *vti,* fermentieren; ~**ation** *sub, -s* Fermentation, Gärung; ~**ative** *adj,* fermentativ

fermium, *sub, - (chem.)* Fermium

fern, *sub, -s (bot.)* Farn, Farnkraut

ferret, *sub, -s* Frettchen

ferro-manganese, *sub, nur Einz.* Manganeisen

ferrum, *sub, - (chem.)* Ferrum

ferry, *sub, -ies* Fähre; ~ **across** *vi,* übersetzen; ~**man** *sub, -men* Fährmann; ~**service** *sub, -s* Fährbetrieb

fervent, *adj,* inbrünstig; ~ **prayer** *sub, -s* Stoßgebet; *send up a fervent prayer to heaven* ein Stoßgebet zum Himmel schicken; **fervour** *sub, nur Einz.* Inbrunst

fester, *vi,* schwären

festival, *sub, -s* Festival; Festspiel; **~ in commemoration of the dead** *sub, festivals* Totenfest; **~ of traditional costumes** *sub, festivals* Trachtenfest; **festive (1)** *adj,* festtäglich (2) *festive,* festlich; **festive mood** *sub, nur Einz.* Feststimmung; **festively** *adv,* festlich; **festiveness** *sub, - (Athmosph.)* Festlichkeit; **festivity** *sub, -ies* Feierlichkeit, Festivität; *ies* Festlichkeit; *-ies (veraltet)* Lustbarkeit

festoon, (1) *sub, -s* Girlande; *(Blumen)* Gehänge (2) *vt,* festonieren; **~ stitch** *sub, -s* Festonstich

fetal, *adj, (US)* fetal

fetch, *vt,* hereinholen, herholen, holen; *(ugs.)* **the devil take you!** der Teufel soll dich holen!; **to fetch so to the phone** jemanden ans Telefon holen; **~ in** *vt,* hereinholen; **~ over** *vt,* herüberholen; *(kommen lassen)* nachholen; **~!** *vi,* apport!

fetish, *sub, -es* Fetisch; **~ism** *sub, nur Einz.* Fetischismus; **~ist** *sub, -s* Fetischist; *(weibl.)* Fetischistin

fetlock, *sub, -s* Kötengelenk; *(zool.)* Fesselgelenk

fetter, *sub, -s* Fessel

fetus, *sub, -es (US)* Fötus

feud, *sub, -s* Fehde; *(i. ü. S.)* Zwist; **be at feud with sb** mit jmdm in Fehde liegen; **throw down the gauntlet** den Fehdehandschuh hinwerfen; **~ between brothers** *sub, -s* Bruderzwist

feudal, *adj, (hist.)* feudal; **~ state** *sub, -s* Feudalstaat; **~ system** *sub, -s* Feudalsystem; **~ism** *sub, nur Einz.* Feudalismus, Lehenswesen; **~istic** *adj,* feudalistisch

fever, *sub, - Fieber; **~ish** *adj,* fieberkrank; **~ish dream** *sub, -s* Fiebertraum

fewer, *adj,* weniger; **fewest** *adj,* wenigste

fez, *sub, -es* Fes; Fez

feather duster, *sub, -s* Flederwisch, Wedel

fiasco, *sub, -es* Debakel; *-s* Fiasko

fib, (1) *sub, -s* Schwindelei (2) *vi,* lügen; *(ugs.)* schwindeln; **~bing** *sub, -s* Geflunker; **~er** *sub, -s (US)* Faser; **~erplant** *sub, -s* Faserpflanze; **~erboard** *sub, -s* Faserplatte

fibre, *sub, nur Einz.* Ballaststoffe; *-s* Faser, Fiber; **~-plant** *sub, -s* Faserpflanze; **~board** *sub, -s* Faserplatte; **fibrous** *adj,* faserig

fibula, *sub, -s (tt; med.)* Wadenbein

fickle, *adj,* flatterhaft

fiction, *sub, nur Einz.* Belletristik, o Fiktion; **~ writer** *sub, - -s* Belletrist; **fictitious** *adj,* fiktiv; **fictitious win** *sub, -s* Scheingewinn; **fictitous firm** *sub, -s* Scheinfirma

fiddle, (1) *sub, -s* Fidel, Fiedel, Gefiedel; *(ugs.)* Mauschelei (2) *vi,* tricksen, tüfteln; *(ugs.)* fummeln, mauscheln; *(i. ü. S.)* **fit as a fiddle** munter wie ein Fisch im Wasser; **~ about** *vi,* pusseln; **~ around** *vi,* murksen; **~r** *sub, -s (ugs.)* Tüftler; **~sticks** *interj,* Pustekuchen; **fiddling around** *sub, -* Gefummel; **fiddly job** *sub, -s* Tüftelarbeit, Tüftelei

fidget, *vi,* quecksilbern, zappeln; **~ing** *sub, -* Gehampel, Gezappel; **~y (1)** *adj, (i. ü. S.)* quecksilbrig (2) *adv,* zappelig

fiduciary, *sub, -ies* Treuhänder

fief, *sub, -s (hist.)* Lehen

field, *sub, -s* Acker, Fach, Feld; *(Bereich)* Gebiet; *(spo.)* Feld; *(Sport~)* Platz; *(Wissensch.)* Feld; **till the field** das Feld bestellen; **work in the field** auf dem Feld arbeiten, auf dem Feld arbeiten; **beat a retreat** das Feld räumen; **lead the field** das Feld anführen, das Feld behaupten; **leave the field to** so jmdm das Feld überlassen; *(i. ü. S.)* **a vast area** ein weites Feld; *(i. ü. S.)* **there's a considerable scope for** es steht ein weites Feld offen für; **~ glasses** *sub, nur Mehrz.* Feldstecher; **~ of activity** *sub, -s* Arbeitsfeld; **~ of activity/interest etc.** *sub, -s* Wirkungsfeld; **~ rod** *sub, -s (tech.)* Jalon; **~ service** *sub, -s* Außendienst; **~ theory** *sub, (phy.)* Feldtheorie; **~ training** *sub, -s (mil.)* Geländeübung; **~ vole** *sub, -s* Feldmaus; **~fare** *sub, -s* Krammetsvogel; **~s** *sub, - (geb.)* Gefilde; *(Landsch.)* Flur; **be up in the clouds in higher Gefilden schweben; *through fields and meadows* durch Wald und Flur; **~work** *sub, -s (mil.)* Schanze

fiend, *sub, -s* Unhold

fiery, *adj,* feurig

fiesta, *sub, -s* Fiesta

fifth, *sub, -s (mus.)* Quinte

fifty, *sub, -* Fünfziger

fight, (1) *sub, -s* Bekämpfung, Boxkampf, Fight, Handgemenge, Kampf, Prügelei, Schlägerei; *(Kampf)* Streit (2) *vi,* fighten, prügeln, wehren; *(handgreiflich)* streiten (3) *vir,* raufen (4) *vr,* schlagen (5) *vti,* boxen; *(kämpfen)* fechten; **fight against** angehen gegen; **fight one's way through**

sich durchschlagen; *have a fight* sich hauen; *she fought tooth and nail* sie hat mit allen Mitteln gekämpft; *split a hair* Haarspalterei betreiben; *start a fight with so* sich mit jemandem anlegen; *to fight to keep back one´s tears* mit den Tränen ringen, *to fight against a plan* sich gegen einen Plan wehren; ~ **(against) (1)** *vt*, bekämpfen **(2)** *vti*, bekriegen; ~ **a duel (over)** *vt*, duellieren; ~ **down** *vt*, niederringen; ~ **for** *vt*, erkämpfen; ~ **for liberation** *sub*, -s Befreiungskampf; ~ **scene** *sub*, -s Prügelszene; ~ **successfully for** *vt*, durchfechten; ~ **to the end** *vi*, durchkämpfen; ~er *sub*, - Fighter, Kämpfer, Streiter; *(tt; naut.)* Zerstörer; ~er **(plane)** *sub*, -s *(mil.)* Jagdflugzeug; ~er **pilot** *sub*, -s Kampfflieger; *(mil.)* Jagdflieger; ~er **squadron** *sub*, -s Jagdstaffel; ~er **wing** *sub*, -s Jagdgeschwader; ~er-**bomber** *sub*, -s *(mil.)* Jagdbomber; ~ing **power** *sub*, - Spielstärke

figuration, *sub*, -s Figurierung; **figurative** *adj*, figurativ; **figuratively** *adv*, bildlich, figurativ; **figure** *sub*, -s Figur, Gestalt, Zahlenangabe; *cut a fine figure* eine gute Figur machen; *cut a poor figure* eine schlechte Figur machen; *dark figure* dunkle Gestalt; *public figures* Persönlichkeiten des öffentlichen Lebens; *to watch one´s figure* auf die Linie achten; **figure eight** *sub*, -s *(spo.)* Achter; **figure of a novel** *sub*, -s Romangestalt; **figure on the fountain** *sub*, -s Brunnenfigur; **figure out** *vt*, *(ugs.)* ausklamüsern; **figure skating** *sub*, nur *Einz.* Eiskunstlauf; **figured** *adj*, figural; **figurehead** *sub*, -s Galionsfigur

Fijian, *sub*, -s Fidschianer

filament, *sub*, -s Glühstrumpf; *(bot.)* Staubfaden

file, **(1)** *sub*, -s Akte, Feile, Mappe, Sammelmappe, Vorgang; *(Akten-)* Ordner **(2)** *vi*, feilen **(3)** *vt*, abheften, kartieren; *(Akten)* ablegen; *(comp.)* abspeichern **(4)** *vti*, *(jur.)* einreichen; *file away* zu den Akten legen; *open a file on* eine Akte anlegen über; *file an action* eine Klage einbringen, Klage einreichen; ~ **maker** *sub*, -s Feilenhauer; ~ **number** *sub*, - -s Aktenzeichen; ~ **off** *vt*, abfeilen; ~ **past** *vi*, vorbeiziehen; ~ **through** *vt*, *(Metall)* durchfeilen

filet from the herring, *sub*, -s Heringsfilet

filial love, *sub*, nur *Einz.* Kindesliebe, Sohnesliebe

filigree, *sub*, -s Filigran; ~ **glass** *sub*, -es Filigranglas

filing, *sub*, -s *(Metall)* Span; - *(Vorgang)* Ablage; ~ **cabinet** *sub*, -s Aktenschrank; ~ **of a suit** *sub*, Klage(e)rhebung; ~ **slip** *sub*, -s Karteizettel; ~-**card** *sub*, -s Karteikarte; ~-**card box** *sub*, -es Karteikasten

Filipino, *sub*, -s Philippiner

fill, *vt*, füllen, spachteln; *(allgemein)* abfüllen; *(füllen)* stopfen; *(tech.)* ausgießen; *(Zahn)* plombieren; ~ **in** *vt*, *(Hohlraum)* ausfüllen; ~ **(up)** *vt*, voll machen; ~ **in** *vt*, verschmieren, verspachteln, zuschütten; *(Formular)* ausfüllen; ~ **up (1)** *vt*, auffüllen, voll tanken **(2)** *vti*, auftanken, tanken; *I have to fill up* ich muß noch tanken; ~ **with smoke** *vt*, verräuchern; ~-**up** *sub*, -s Nachfüllung

filled, *adj*, *(Arbeitsplatz)* besetzt; ~ **with envy** *adj*, neiderfüllt, neidvoll; ~ **with hatred** *adj*, hassverzerrt; ~ **with light** *vt*, durchscheinen; *filled with sunlight* von Sonnenlicht durchschienen; ~ **with wanderlust** *adj*, *(ugs.)* wanderlustig; **filler** *sub*, -s *(Kitt-)* Spachtel

fillet, **(1)** *sub*, -s *(US)* Filet **(2)** *vt*, entgräten, filetieren

filling, *sub*, -s Füllung; *(allgemein)* Abfüllung; *(tt; med.)* Zahnfüllung; nur *Einz.* *(von Arbeitsplätzen)* Besetzung; -s *(Zahn)* Plombierung; *(Zahn~)* Plombe; *he did two fillings* er hat mir zwei Zähne plombiert; *he did two fillings* er hat mir zwei Plomben gemacht; ~ **station** *sub*, -s Tankstelle

filly, *sub*, -ies *(weibl.)* Fohlen

film, **(1)** *sub*, -s Film; *(auf Flüggigkeiten)* Haut; *(dünne Schicht)* Film; *(Plastik)* Folie **(2)** *vi*, filmen **(3)** *vt*, filmen; *make a film* einen Film drehen; *to capture an event on film* ein Ereignis auf die Platte bannen; ~ **amateur** *sub*, -s Filmamateur; ~ **archives** *sub*, nur *Mehrz.* Filmarchiv; ~ **director** *sub*, -s Filmregisseur; ~ **distribution** *sub*, - Filmverleih; ~ **distributors** *sub*, nur *Mehrz.* *(Firma)* Filmverleih; ~ **documentary** *sub*, -ies Bildreportage; ~ **epic** *sub*, -s Kolossalfilm; ~ **expert** *sub*, -s Cineast; ~ **festival** *sub*, -s Filmfestival, Filmfestspiele; ~ **guide** *sub*, -s Kinoprogramm; ~ **library** *sub*, -ies Kinemathek; ~ **maker** *sub*, -s Filmemacher; ~ **of a fairytale** *sub*, films Märchenfilm; ~ **of oil** *sub*, films Ölfilm; ~ **recording** *sub*, - -s Bildkonserve; ~ **star** *sub*, -s Filmstar; ~ **studio**

sub, -s Filmatelier; **~s** *sub, nur Mehrz.* Filmbranche

filth, *sub, nur Einz.* Schmutz; **~y** *adj,* zotig; *(sehr)* dreckig; **~y beggar** *sub, -s (ugs.; Schimpfwort)* Mistfink

filtrate, *sub,* -s Filtrat

fin, *sub,* -s Schwimmflosse

final, (1) *adj,* endgültig, final **(2)** *sub,* -s Endkampf, Endrunde, Endspiel, Finale; *that´s final* das steht endgültig fest; **~ act** *sub,* -s Schlussakt; **~ ballot** *sub,* -s Stichwahl; **~ chord** *sub,* -s Schlussakkord; **~ clause** *sub,* -s *(Gramm.)* Finalsatz; **~ examination** *sub,* -s Abschlussexamen, Abschlussprüfung; **~ letter** *sub,* -s Schlussbrief; **~ observation** *sub,* -s Schlussbesprechung; **~ qualifying** *sub,* -s Endausscheidung; **~ rehearsal** *sub,* -s Generalprobe; **~ reply** *sub,* -ies Endbescheid; **~ result** *sub,* -s Endergebnis, Endresultat; **~ scene** *sub,* -s Schlussszene; **~ search** *sub,* - Zielfahndung; **~ shape** *sub,* -s Durchformung; **~ spurt** *sub,* -s Endspurt, Schlussspurt; **~ stages** *sub, nur Mehrz.* Endphase, Schlussphase; **~ stroke** *sub,* -s Schlussstrich; **~ syllable** *sub,* -s Endsilbe

final version, *sub,* -s Endfassung; **final whistle** *sub,* -s Abpfiff, Schlusspfiff; **final winner** *sub,* -s Gesamtsieger; **finalist** *sub,* -s Finalist; **finalist(ic)** *adj,* teleologisch; **finality** *sub,* -ies Endgültigkeit, Finalprodukt; *finally adv,* letztlich, schließlich, zuletzt; *finally* zu guter Letzt

finance, (1) *sub, nur Einz.* Finanz **(2)** *vt,* finanzieren; **~ minister** *sub,* -s Finanzminister; **~s** *sub, nur Mehrz.* Finanzen; **financial** *adj,* finanziell, geldlich, pekuniär; *(wirtschaftlich)* materiell; **financial backer** *sub,* -s Geldgeber, Geldgeberin; **financial crisis** *sub,* Finanzkrise; **financial institution** *sub,* -s Geldinstitut; **financial management** *sub,* -s Finanzwirtschaft; **financial market** *sub,* -s Kapitalmarkt; **financial resources** *sub,* - Geldmittel, *nur Mehrz.* Hilfsquelle; **financial strength** *sub,* -s Kapitalkraft; **financial wizard** *sub,* -s Finanzgenie; **financial year** *sub,* -s *(polit.)* Geschäftsjahr; **financially** *adv,* finanziell; **financially strong** *adj,* finanzstark; **financier** *sub,* -s Financier, Finanzier; **financing** *sub,* -s Finanzierung

finch, *sub,* -es Fink; **~-singing** *sub,* -s Finkenschlag

find, (1) *sub,* -s Fund **(2)** *vt,* auffinden, finden; *(entdecken)* auftun; *(wiederfin-*

den) entdecken; *make a find* einen Fund machen; *find one´s way home* nach Hause finden; *I think (that)* ich finde, dass; *we found him at work* wir fanden ihn bei der Arbeit; *enclosed please find* hiermit übersenden wir Ihnen; *find out what´s* was sich den nötigen Durchblick verschaffen; *find so* jemanden ausfindig machen; *find so guilty* jmd für schuldig erkennen; *find someone guilty* jemanden schuldig sprechen; *find sth a nuisance* etwas als lästig empfinden; *she couldn´t find him in the crowd* sie konnte ihn im Gewühl nicht entdecken; *where on earth am I going to find any?* woher nehmen und nicht stehlen; **~ accommodation** *vi,* unterkommen; **~ back** *vi,* zurückfinden; **~ fault** *vi,* kritteln; **~ one´s way** *vr, (i. ü. S.)* zurechtfinden; **~ one´s way by asking** *vt,* durchfragen; **~ one´s way home** *vt, (beim-)* finden; **~ one´s way in** *vi,* hineinfinden; **~ one´s way out (1)** *vi,* hinausfinden **(2)** *vr,* herausfinden; **~ one´s way through** *vt,* durchfinden; **~ oneself** *vr, (sich)* finden; *is only to be found* findet sich nur; **~ out (1)** *vt,* baldowern, eruieren, herausbekommen; *(ugs.)* erfahren, rauskriegen **(2)** *vti,* herausfinden

find sth. disgusting, *vt,* ekeln; **find the log(arithm) of** *vt,* logarithmieren; **finder** *sub,* -s Finder; **finder´s reward** *sub,* -s Finderlohn; **findings** *sub, nur Mehrz.* Befund

fine, (1) *adj,* fein, wohlgeraten; *(Aussehen/Geschmack)* edel **(2)** *sub,* -s Bußgeld, Geldbuße, Geldstrafe, Ordnungsstrafe; *(österr.)* Organmandat; *(Geld-)* Strafe; *fine distinction* feiner Unterschied; *haute cuisine* feine Küche; *have very fine features* ein feines Gesicht haben; *fine* geht in Ordnung; *to fine sb* jmdn mit einer Ordnungsstrafe belegen; *you´re a fine one to talk* du hast es gerade nötig, so zu reden; *(ugs.)* you´re a fine one! da bist du vielleicht eine Marke!, *100 $ fine* 100 Dollar Bußgeld; *be fined* zu einer Geldbuße verurteilt werden; **~ (for breach of contract)** *sub,* -s Konventionalstrafe; **~ art publisher** *sub,* -s Kunstverlag; **~ arts** *sub,* - Kunst; **~ as a hair** *adj,* haarfein; **~ ceramics** *sub,* Feinkeramik; **~ cut** *sub,* -s *(Tabak)* Feinschnitt; **~ gherkin** *sub,* -s Cornichon; **~ gold** *sub, nur Einz.* Feingold; **~ specimen** *sub,*

-s Musterstück; **~ wood shavings** sub, nur Mehrz. Holzwolle; **~-tooth comb** sub, -s Staubkamm; **~ly** adv, fein; **~ly meshed** adj, feinmaschig; **~ness** sub, -es Feinheit; the final touches des letzten Feinheiten; the finer points die Feinheiten; the finer points die Feinheiten; **~ry** sub, -ies Putz

finesse, sub, -s Finesse

finger, (1) sub, -s Finger (2) vi, tatschen (3) vt, (ugs.) befingern; burn one´s fingers sich die Finger verbrennen; cut one´s finger sich in den Finger schneiden; he´s got a finger in every pie er hat überall seine Finger im Spiel; not to lift a finger keinen Finger rühren; point one´s finger at so mit dem Finger auf jmdn zeigen; slip through so´s finger jmdm durch die Finger schlüpfen; twist so round one´s little finger jmdn um den kleinen Finger wickeln, be light-fingered wie eine Elster stehlen; (ugs.) butter fingers Ungeschick läßt grüßen; (i. ü. S.) finger-placing Griff in der Musik; he doesn´t lift a finger er tut keinen Handgriff; keep one´s fingers crossed for so die Daumen drücken; (i. ü. S.) not to lift a finger any more keinen Finger mehr regen; to burn one´s fingers sich die Pfoten verbrennen; to have a finger in every pie seine Pfoten überall drin haben; **~ exercise** sub, -s Fingerübung; **~ joint** sub, -s Fingerglied; **~ paint** sub, -s Fingerfarbe; **~ tip** sub, -s Kuppe; **~nail** sub, -s Fingernagel; **~print** sub, -s Daktylogramm, Fingerabdruck; **~tip** sub, -s Fingerkuppe, Fingerspitze

finicky, adj, (ugs.) mäkelsüchtig, pingelig

finish, (1) sub, nur Einz. Appretur; -s Finish; - Garaus; -s (beendet) Feinschliff; (spo.) Einlauf; (tt; spo.) Ziel (2) vt, (Arbeit, Brief) beenden (beenden) abschließen, erledigen; (Buch) auslesen; (Studium) absolvieren; finish so off jmdn den Garaus machen, finish so jmd erledigen; (i. ü. S.) it would take more than that to finish (me/him etc) off Unkraut vergeht nicht; to fight to the finish sich bekämpfen bis aufs Messer; when you have finished the book wenn du das Buch durchgelesen hast; **~ (speaking)** vi, aussprechen; **~ speaking** vi, ausreden; let me finish lass mich ausreden; let so finish speaking jemanden ausreden lassen; **~ed** adj, abgerundet, abgetan, alle; (beendet) fertig; finish sth etwas alle machen; **~ed product** sub, -s Fertigware; **~ed with one´s training** adj, ausgelernt; **~ing** sub, -s (Vorgang) Feinschliff; **~ing straight** pron, (tt;

spo.) Zielgerade; **~ing tape** sub, -s Zielband; **~ing touch** sub, -es (ugs.) i-Tüpfelchen; **~ing work** sub, - Feierabend; finish work Feierabend machen

finite, adj, (-Sprachw.) finit; **~ness** sub, nur Einz. Endlichkeit

Finland, sub, nur Einz. Suomi; **Finn** sub, -s Finne; **Finnish** adj, finnisch, finnländisch; **Finnish-Ugrish** adj, finnougrisch

fir, sub, -s Tanne; **~ branch** sub, -es (Ast) Tannenzweig; **~ brushwood** sub, nur Einz. Tannenreisig; **~ cone** sub, -s Tannenzapfen; **~ forest** sub, -s Tannenwald; **~ honey** sub, nur Einz. Tannenhonig; **~ needle** sub, -s Tannennadel; **~ tree** sub, -s Tannenbaum; **~ twig** sub, -s Tannenzweig; **~ wood** sub, -s Tann, Tannenwald

fire, (1) sub, - Feuer; -s Feuerstelle; (brennen) Brand (2) vi, abfeuern; (mil.) feuern (3) vt, anfeuern, heizen, schießen; (entlassen) feuern; (Feuer) anheizen; (Gewehr, etc.) abschießen; (Schuss) abfeuern; cook over a fire auf offenem Feuer kochen; go through fire and water for für etwas durchs Feuer gehen; play with fire mit dem Feuer spielen; catch fire in Brand geraten; fire is a good servant, but a bad master Feuer ist ein guter Diener, aber ein schlechter Herr; set fire to in Brand setzen, (i. ü. S.; Sprichwort) fall out of the frying pan into the fire vom Regen in die Traufe kommen; fire away! schieß los!; out of the frying pan into the fire den Teufel mit dem Beelzebub austreiben; (i. ü. S.) playing with fire Tanz auf dem Vulkan; **~ alarm** sub, Feuermelder; **~ at** vi, (mit Gewehren) beschießen; **~ brigade** sub, - s Berufsfeuerwehr; -s Feuerwehr, Wehr; **~ department** sub, -s (US) Feuerwehr; **~ escape** sub, -s (Gebäude) Feuerleiter; **~ extinguisher** sub, -s Feuerlöscher, Löschapparat; **~ hose** sub, -s Feuerspritze; **~ insurance** sub, -s Feuerversicherung; **~ ladder** sub, -s (Feuerwehr) Feuerleiter; **~ prevention** sub, Feuerschutz; **~ proof** adj, feuerfest; **~ signal** sub, -s Feuerzeichen; **~ station** sub, -s Spritzenhaus; **~-bomb** sub, -s Brandbombe; **~-eater** sub, -s Feuerfresser; **~-fighting operations** sub, nur Mehrz. Löscharbeit

fire-place, sub, -s Kamin; **firearm** sub, -s Schusswaffe; **firebrand** sub, -s Brandfackel; **fired** adj, (Keramik) ge-

brannt; **firedamp** *sub*, *-s* Schlagwetter; **fireman** *sub*, *-men* (*techn.*, *US*) Heizer;
fireplace *sub*, *-s* Feuerstätte; **fireproof** *adj*, feuersicher; **fireside** *sub*, *-s* Ofenbank; **firewater** *sub*, - Feuerwasser; **firework** *sub* *-s* Feuerwerkskörper; **fireworks** *sub*, - Feuerwerk; **firing** *sub*, nur Einz. Anfeuerung; - (*Befeuerung*) Feuerung; *-s* (*Waffe*) Abschuss

firm, (1) *adj*, felsenfest, fest, hart, hartleibig, schnittfest, standsicher; (*Händedruck*) herzhaft; (*Warnung auch*) nachdrücklich (2) *sub*, *-s* Firma; *be firm with so* jmdn fest ansprechen; *to give sb a firm warning* jmdn nachdrücklich warnen; *to insist firmly on sth* nachdrücklich auf etwas bestehen; **~ament** *sub*, *-s* Firmament, Himmelszelt, Sternenzelt; **~ly** *adv*, fest; **~ly convinced of** *adv*, felsenfest; *rely on so totally* sich felsenfest auf jmd verlassen; **~ness** *sub*, - Festigkeit

first, (1) *adv*, zuerst, zuvörderst; (*Reihenfolge*) erst (2) *ord.Zahl*, erste; *I´ve got to make a telephone call first* ich muß erst noch telefonieren, erst als erstes, erst einmal; *Friedrich the First (Friedrich I)* Friedrich der Erste (Friedrich I); *he was the first* er war der erste; *he was the first to* er war der erste, am; *on the first go* im ersten Anlauf; *the first (day) of the month* der Erste des Monats; **~ (day) of month** *sub*, *days* Monatserste; **~ aid** *sub*, nur Einz. Unfallhilfe; **~ assistant** *sub*, *-s* Ersthelferin; **~ beginning** *adj*, (*i. ü. S.*) uranfänglich; **~ born child** *sub*, *children* Erstgeborene; **~ confession** *sub*, *-s* Erstbeichte; **~ contact** *sub*, *-s* Fühlungnahme; **~ edition** *sub*, *-s* Erstausgabe; **~ floor** *sub*, *-s* (*US*) Parterre; **~ league** *sub*, *-s* Oberliga; **~ leg** *sub*, *-s* (*spo.*) Hinspiel; **~ menstruation** *sub*, *-s* (*med.*) Menarche; **~ mentioned** *adj*, ersterwähnt; **~ name** *sub*, *-s* Vorname

first of all, *adv*, zuallererst; (*i. ü. S. erst*) erstes; *first of all* als erstes; **first people** *sub*, *-s* Urvolk; **first prize** *sub*, *-s* Hauptgewinn, Haupttreffer; **first runner** *sub*, *-s* Startläufer; **first visit** *sub*, *-s* Antrittsbesuch; **first work** *sub*, *-s* Erstling; **first, second half** *sub*, *halves* (*spo.*) Halbzeit; **first-aid attendant** *sub*, *-s* Sanitäter; **first-aid station** *sub*, *-s* Unfallstation; **first-born** *adj*, erstgeboren; **first-born child** *sub*, *children* Erstgeburt; **first-class** *adj*, erstklassig; **First-Class-Hotel** *sub*, *-s* First-Class-Hotel; **first-floor apartment** *sub*, *-s* (*US*) Parterrewohnung

first-rank, *adj*, erststellig; **first-rate** *adj*, hochwertig, klasse; **first-time employee** *sub*, *-s* Berufsanfänger; **first-violinist** *sub*, *-s* Konzertmeister; **first-year (university) student** *sub*, *-s* Erstsemester; **first-year pupil** *sub*, *-s* Erstklässler; **first/second rate** *sub*, *-s* (*ugs.*) *erste/zweite* Garnitur; **firstly** *adv*, erstens

firth, *sub*, *-es* (*geol.*) Förde

fiscal, *adj*, fiskalisch, steuerlich; **~ investigation** *sub*, *-s* Steuerfahndung; **~ law** *sub*, *-s* Steuergesetz; nur Einz. Steuerrecht; **~ policy** *sub*, - Steuerpolitik

fish, (1) *sub*, nur Einz. Fisch (2) *vti*, fischen; (*i. ü. S.*) big fish dicker Fisch, dicker Fisch, (*i. ü. S.*) *fish in troubled waters* im trüben fischen; **~ (for)** *vti*, angeln; **~ box** *sub*, *-es* Fischkäster; **~ dish** *sub*, *-es* Fischgericht; **~ for** *vti*, (*nach*) fischen; **~ knife** *sub*, *-ves* Fischmesser; **~ knives and forks** *sub*, nur Mehrz. Fischbesteck; **~ poisoning** *sub*, *-s* Fischvergiftung; **~ stocks** *sub*, nur Mehrz. Fischbestand; **~ store** *sub*, *-s* (*US*) Fischgeschäft; **~ trap** *sub*, *-s* Reuse; **~bone** *sub*, *-s* Gräte; **~erman** *sub*, *-men* Fischer; **~hook** *sub*, *-s* Angelhaken

fishing, *sub*, nur Einz. Fischen; Fischerei, nur Einz. Fischfang, Sportangeln; nur Einz. Sportfischen; **~ boat** *sub*, *-s* Fischerboot; **~ grounds** *sub*, nur Mehrz. Fischgründe; **~ industry** *sub*, *-ies* (*Gewerbe*) Fischerei; **~ license** *sub*, *-s* Angelschein; **~ line** *sub*, *-s* Angelschnur; **~ net** *sub*, *-s* Fangnetz, Fischernetz, Kescher; **~ rod** *sub*, *- -s* Angel, Angelrute; **~ trawler** *sub*, *-s* Fischkutter; **~ village** *sub*, *-s* Fischerdorf; **fishmonger´s** *sub*, - Fischgeschäft

fission, *sub*, *-s* (*phy.*) Fission, Spaltung; **~ability** *sub*, nur Einz. Spaltbarkeit; **~able** *adj*, spaltbar; (*phy.*) *fissionable material* spaltbarer Stoff

fissure, *sub*, *-s* (*Fels-*) Spalt

fist, *sub*, *-s* Faust; *clench one´s fist* eine Faust machen, die Hand zur Faust ballen; *raise one´s fist at so* jmdm mit der Faust drohen

fistula, *sub*, *-s* (*med.*) Fistel

fit, (1) *adj*, fit (2) *sub*, nur Einz. Anschmiegsamkeit; *-s* Anwandlung; (*i. ü. S.*) Anfall; (*Kleider*) Sitz (3) *vi*, (*Kleidung*) sitzen (4) *vt*, installieren; (*befestigen*) montieren; (*Kleidung*) anpassen (5) *vti*, (*Größe*) passen; *a fit of generosity* eine Anwandlung von

Großzügigkeit; *have a fit* einen Anfall bekommen, *a key to fit* ein passender Schlüssel; *be fit for something* zu etwas taugen; *be passed as fit* für tauglich erklärt werden; *he hardly ever wears a suit that fits* er trägt kaum mal einen passenden Anzug; *the keys that fit in* die dazugehörigen Schlüssel, *he doesn't fit in this team* er passt nicht in dieses Team; *the lid won't fit* der Deckel passt nicht; *the shoes fit me well* die Schuhe passen mir gut; *to fit like a glove* wie angegossen passen; ~ **for work** *adj*, arbeitsfähig; ~ **in** (1) *vi*, hineinpassen (2) *vt*, einmontieren; *(Schrank/Fenster)* einsetzen; ~ **in(to)** *vi*, einordnen; ~ **into** (1) *vr*, *(sich ein-)* fügen (2) *vt*, eingliedern; *fit into sth* sich in etwas eingliedern; ~ **of anger** *sub*, -s Zornausbruch; ~ **of coughing** *sub*, -s Hustenanfall; ~ **out** *vt*, ausstaffieren; *(Gerät etc.)* ausstatten; *fit oneself out with a new set of clothes* sich neu einkleiden; ~ **snuggly** *vi*, *(Hose, etc.)* anschmiegen; ~ **sth. in(to) sth.** *vt*, einfügen; *fit in well everywhere* sich überall gut einfügen; *fit sth in(to) sth* etwas in etwas einfügen; ~ **tightly** *vi*, *(Kleider)* spannen; ~ **to compete** *adj*, einsatzfähig; ~ **to drive** *adj*, *(Person)* fahrtauglich, fahrtüchtig; ~ **with metal** *vt*, *(Schrank etc.)* beschlagen; ~**-in** *adj*, einbaufertig

fitted kitchen, *sub*, -s Einbauküche; **fitter** *sub*, -s *(tech.)* Monteur; **fitting** (1) *adj*, gebührend; *(Größe)* passend (2) *sub*, -s Anprobe; *nur Einz.* Einbau; ~s *(in Küche, Bad)* Armatur; *(von Kleidung)* Anpassung; **fitting-out** *sub*, *nur Einz.* Ausstaffierung; **fitting-room** *sub*, -s *(Geschäft)* Ankleidekabine

five, *adj*, fünf; ~ **and a half** *adj*, fünfeinhalb; ~ **digit** *adj*, fünfstellig; ~ **hundred** *adj*, fünfhundert; ~ **o'clock tea** *sub*, -s Fünfuhrtee; ~ **thousand** *adj*, fünftausend; ~**-gun salute** *sub*, -s Salutschuss

fix, (1) *sub*, *-es* Dröhnung (2) *vi*, hängen; *(Drogen)* fixen (3) *vt*, anberaumen, deichseln, festlegen, festmachen, festsetzen, heften; *(befestigen)* anbringen; *(Foto)* fixieren; *(Gewehr)* aufpflanzen; *(hinkriegen)* managen; *(Termin)* ansetzen; *to fix sth* etwas in Ordnung bringen, *I'm going to manage it* ich werde das schon deichseln; *I'll fix it somehow!* ich manage das schon!; ~ **in a frame** *vt*, *(Stoff)* einspannen; *fix cloth into an embroidery frame* Stoff in einen Stickrahmen einspannen; ~ **on** *vr*,

(sich) heften; ~ **sth. using a plug** *vt*, dübeln; ~ **to** *vt*, *(an)* festmachen; ~ **up** *vt*, verarzten; ~**ative** *sub*, -s Fixativ, Fixiermittel; ~**ed** *adj*, feststehend, unverwandt; *(chem.)* gebunden; *(festgelegt)* fix; *(konstant)* fest; *of no fixed abode* ohne festen Wohnsitz

fixed assets, *sub*, *nur Mehrz.* Anlagevermögen; **fixed contribution** *sub*, -s Festbeitrag; **fixed day** *sub*, -s Stichtag; **fixed dressing** *sub*, -s Stützverband; **fixed in one's views** *adj*, unbelehrbar; **fixed price** *sub*, -s Festpreis; **fixed regulation** *sub*, -s Mussbestimmung; **fixed star** *sub*, -s Fixstern; **fixed value** *sub*, -s *(wirt.)* Taxe; **fixed-interest security** *sub*, -ies Rentenpapier; **fixer** *sub*, - *(Drogen)* Fixer; **fixing** *sub*, -s Festsetzung

fizz, *vi*, *(Getränk)* sprudeln; ~**y drink** *sub*, -s Brause

flab, *sub*, - Pölsterchen; ~**bergasted** (1) *adj*, *(ugs.; verblüfft)* platt (2) *adj* & *adv*, *(ugs.)* verdattert; *to be flabbergasted* aus allen Wolken fallen; ~**biness** *sub*, *nur Einz.* Schlaffheit; ~**by** *adj*, schwabbelig; *(ugs.)* wabbelig; ~**by cheeks** *sub*, - Hängebacken

flag, (1) *sub*, -s Fahne, Flagge (2) *vi*, *(Interesse)* abflauen; *hoist the flag* die Flagge hissen; *lower the flag* die Flagge einholen; *under a foreign flag* unter fremder Flagge; ~ **salute** *sub*, -s Flaggengruß; ~**ellant** *sub*, -s *(psych.; theol.)* Flagellant; ~**ellate** (1) *sub*, -s Geißeltierchen (2) *vt*, *(theol.)* geißeln; ~**ellation** *sub*, -s Geißelung; ~**pole** *sub*, -s Fahnenstange, Flaggenmast; ~**rant** *adj*, flagrant; ~s *sub*, *nur Mehrz.* Beflaggung; ~**ship** *sub*, -s Flaggschiff; *(i. ü. S.)* Flaggschiff

flail, *sub*, -s Dreschflegel; *(Dresch-)* Flegel; *(Waffe)* Morgenstern

flair, *sub*, -s Instinkt; *(Reiz)* Pfiff; *(ugs.)* **a fantastic flair for colours** ein phantastischer Farbinstinkt

flak battery, *sub*, -ies *(mil.)* Flakbatterie

flake, (1) *sub*, -s Flocke (2) *vr*, schuppen; ~ **out** *vi*, *(ugs.; beim Arbeiten)* abschlaffen; **flaking** *adj*, schuppig

flambe, *vt*, flambieren

flame, *sub*, -s Flamme; *burst into flames* in Flammen ausbrechen; *go up in flames* in Flammen aufgehen; ~ **of life** *sub*, *nur Einz.* Lebenslicht; ~ **thrower** *sub*, -s Flammenwerfer

flamenco, *sub*, -s Flamenco

flamingo, *sub*, -s Flamingo

flaming red, *adj*, feuerrot; *turn bright*

red feuerrot werden im Gesicht

flan, *sub, -s* Torte

flaneur, *sub, -s* Flaneur

flank, (1) *sub, -s* Flanke; *(mil.)* Flügel **(2)** *vt,* flankieren; *(Person)* einrahmen

flannel, *sub, -s* Flanell, Waschlappen; **~ shirt** *sub, -s* Flanellhemd; **~ suit** *sub, -s* Flanellanzug; **~ trousers** *sub, nur Mehrz.* Flanellhose

flap, (1) *sub, -s* Klappe, Lasche, Latz **(2)** *vi, (mit den Flügeln)* flattern; *(Wind)* flattern; *(ugs.)* to get into a flap anfangen zu rotieren; **~ping of wings** *sub, -s* Flügelschlag

flare, *sub, -s* Leuchtbombe, Leuchtkugel; **~ signal** *sub, -s* Leuchtsignal; **~ up (1)** *vi, (a. i .ü.S.)* aufflammen; *(a. i.ü.S.)* auflodern **(2)** *vt, (s.v.)* entflammen; *he flared up* er fuhr zornig auf; **~d skirt** *sub, -s* Glockenrock

flas comb, *sub, -s* Hechel

flash, (1) *sub, -es* Funken; *(stärker)* Funke **(2)** *vi,* aufblinken, aufblitzen; *(ugs.)* blinken; *(Augen)* funkeln *(Blitz)* aufleuchten; *(glänzen)* blitzen **(3)** *vti,* zukken; *flash an SOS signal* SOS blinken; *flash lamps* mit Lampen blinken; *his great love was only a flash in the pan* seine große Liebe war nur ein Strohfeuer; *(i. ü. S.) quick as a flash* flink wie ein Wiesel; **~ across** *vt,* durchzucken; **~ back** *vi,* rückblenden; **~ of inspiration** *sub, -es* Geistesblitz; **~ of lightning** *sub, -es* Blitzstrahl; **~ one´s light at** *vt,* anblinken; **~ photograph** *sub, -s* Blitzlichtaufnahme; **~ through** *vti,* durchblitzen; *the slip flashs through* der Unterrock blitzt durch; **~(light)** *sub, -s* Blitzlicht; **~back** *sub, -s* Rückblende; *(Rück-)* Einblendung; **~ed glass** *sub, -es* Überfangglas; **~iness** *sub, nur Einz. (von Farben)* Aufdringlichkeit; **~ing light** *sub, -s* Blinklicht; **~light** *sub, -s (US)* Taschenlampe; **~light signal** *sub, -s* Blinkzeichen; **~y** *adj, (Farben)* aufdringlich

flat, (1) *adj,* eben, flach, platt, schal; *(Bier)* abgestanden; *(Stimme)* tonlos **(2)** *sub, -s* Wohnung; *lie flat* flach liegen; *with the flat of one´s hand* mit der flachen Hand; *the flat country* das platte Land; *(ugs.) to go flat out* sich ins Zeug legen; *to have a flat tyre* einen Platten haben; *to press sth flat* etwas platt drücken; *we have to find sb to take over the flat* wir müssen einen Nachmieter finden; **~ -chested** *adj, (weibl.)* flachbrüstig; **~ cake** *sub, -s* Fladen; **~ cash supplement** *sub, -s* Sokkelbetrag; *a basic rate of 10 DM* ein

Sockelbetrag von 10 DM; **~ foot** *sub, feet* Plattfuß; **next door** *sub, flat* Nebenwohnung; **~ rate** *sub, -s* Pauschsumme; *(Einheitspreis)* Pauschale; **~ roof** *sub, -s* Flachdach; **~ nosed** *adj,* stumpfnasig; **~-rate** *adj, (einheitlich)* pauschal; *income tax can be set at a flat-rate* die Einkommenssteuer kann pauschal festgesetzt werden; **~cap** *sub, -s* Tellermütze; **~let** *sub, -s* Kleinwohnung; **~ness** *sub, -es* Ebenheit; **~s** *sub, nur Mehrz. (Mündungsgebiet)* Niederung

flatten, *vt,* niederwalzen; *(Nase)* eindrücken; **~ out (1)** *vi, (Gelände)* abflachen **(2)** *vt,* abplatten; *(Gegenstand)* abflachen; **~ed** *adj,* abgeplattet; **~ing** *sub, -s* Ebnung, Verflachung; **~ing out** *sub, nur Einz. (Gelände)* Abflachung; **flatter (1)** *vi,* schmeicheln **(2)** *vt,* hofieren; **flatterer** *sub, -s* Schmeichler, Schönredner; **flattering** *adj,* schmeichelhaft; **flattery** *sub, -ies* Geschmeichel, Schmeichelei

flatulence, *sub, nur Einz.* Blähung, Darmwind; *(med. f. Blähungen)* Flatulenz

flatware, *sub, nur Einz.* Tafelbesteck; **flatworm** *sub, -s* Turbellarie

flavour, (1) *sub, -s (Geschmack)* Aroma **(2)** *vt,* aromatisieren; **~ing mixture** *sub, -s* Würzmischung

flaw, *sub, -s (Fehler)* Makel; *flawed* mit Fehlern behaftet sein; **~ in one´s reasoning** *sub, -s* Denkfehler; **~less** *adj, (fehlerfrei)* einwandfrei; *(Figur, Haut)* makellos

flax, *sub, -es* Flachs; - Lein; **~en** *adj,* flachsblond; **~en-haired** *adj,* semmelblond

flea, *sub, -s* Floh; **~ circus** *sub, -es* Flohzirkus; **~ market** *sub, -s* Flohmarkt, Plundermarkt, Trödelmarkt

flee, (1) *vi,* flüchten **(2)** *vr, (sich)* flüchten; **~ (from)** *vi, (vor)* fliehen

fleece, (1) *sub, -s* Flausch, Vlies; *(Schaf)* Fell **(2)** *vt, (ugs.) ausrauben)* ausnehmen; *(ugs.) to fleece sb* jmdn schröpfen

fleeing, *adj,* fliehend

fleet, *sub, -s* Flotte; **~ of cars** *sub, - (mot.)* Fahrzeugpark; **~-footed** *adj,* schnellfüßig

Flemish, *adj,* flämisch

flesh, *sub, -es* Fleisch; *(Obst)* Fleisch; *in the flesh* in Fleisch und Blut; *one´s own flesh and blood* das eigene Fleisch und Blut; *it´s more than flesh and blood* das hält ja kein Pferd aus; **~ wound** *sub, -s* Fleischwunde; **~-co-**

loured *adj,* inkarnatrot
flex, (1) *sub, -es (elektrisch)* Litze **(2)** *vt, (Muskel)* anspannen
flexibility, *sub, -ies* Biegsamkeit, Elastizität; *nur Einz.* Flexibilität; **flexible** *adj,* biegsam, elastisch, flexibel
flexor muscle, *sub, - -s* Beugemuskel
flick knife, *sub, -ves* Springmesser; **flikker (1)** *sub, -s* Geflacker; *(i. ü. S.)* Fünkchen **(2)** *vi,* aufflackern, flackern; *(TV)* flimmern; *without a flicker of emotion* ohne jede Regung; **flickering** *adj, -* Geflimmer; **flickering fire** *sub, -s* Flakkerfeuer
flies, *sub, nur Mehrz. (Theater)* Schnürboden; **~´ droppings** *sub, nur Mehrz.* Fliegendreck
flight, *sub, -s* Flucht, Flug; *attack ist the best means of defence(US -se)* wir müssen die Flucht nach vorne antreten; *put to flight* in die Flucht schlagen; **~ (across)** *sub, -s* Überflug; **~ controller** *sub, -s* Lotse; **~ path** *sub, -es (Luftf.)* Flugbahn; **~ recorder** *sub, -s* Flugschreiber; **~ to the moon** *sub, flights* Mondflug; **~y** *adj,* flatterhaft; **~y character** *sub, -s* Flattergeist
flimsy, *adj,* fadenscheinig; *(ugs.)* unsolide
flin, *sub, -s (zool.)* Flosse
fling, *vt,* klatschen; *(heftig werfen)* pfeffern; **~ oneself at sb** *vr, (ugs.)* ranschmeißen; **~ open** *vt, (Fenster etc.)* aufreißen; **~ing** *sub, -* Schleuderei
flint, *sub, -s* Feuerstein
flirt, (1) *sub, -s* Flirt **(2)** *vi,* flirten, kokettieren, poussieren, schäkern; **~ation** *sub, -s* Liebelei; **~atious** *adj,* kokett; **~atiousness** *sub, nur Einz.* Koketterie
flit about like a will-o´-the wisp, *vi,* irrlichtern; **flit around** *vi,* geistern
float, *vi,* rieseln, schweben; *(wirt.)* floaten; *to float an der Oberfläche schwimmen;* **~ing** *sub, -s (Wechselkurs)* Freigabe; *(wirt.)* Floating; **~ing crane** *sub, -s* Schwimmkran; **~ing dock** *sub, -s* Schwimmdock
flock, *sub, -s (Schaf-)* Herde; **~ of goats** *sub, -s* Ziegenherde
floe, *sub, -s (Eis)* Scholle
flog, *vt, (ugs.)* verscherbeln, versetzen; **~ to death** *vt,* zerreden
flood, (1) *sub, -s* Hochwasser, Schwall, Sündflut, Überflutung, Überschwemmung; *nur Einz. (i. ü. S., bibl.)* Sintflut; *-s (Wassermasse)* Flut **(2)** *vi, (i. ü. S.)* ersaufen **(3)** *vt,* überschwemmen; *(absichtlich)* überfluten **(4)** *vti,* fluten; *be flooded with work* in Arbeit ersaufen; **~ of words** *sub, -s* Redeschwall; **~**

through *vt, (Person)* durchfluten; **~warning** *sub, -s* Flutwarnung; **~ed gravel pit** *sub, -s* Baggersee; **~gate** *sub, -s* Schleuse, Siel; **~light** *sub, -s* Flutlicht, Scheinwerfer
floor, (1) *sub, -s* Etage, Fußboden, Geschoss, Stockwerk; *(Haus)* Boden; *(Tanzfläche)* Parkett **(2)** *vt, (Gegner)* niederhauen; *on the first floor* im ersten Stock; *on the second floor* in der zweiten Etage; *on the second floor (brit)* im zweiten Obergeschoss; *on the third floor* im dritten Obergeschoss; *(ugs.) to floor sb* jmdn auf die Matte legen; *floor* Fußboden; *her floors are so clean that you could eat off them* vom Fußboden essen können; **~ covering** *sub, -s (-belag)* Fußboden; **~ coverings** *sub, nur Mehrz.* Ausleageware; **~ exercises** *sub, nur Mehrz.* Bodenturnen; **~board** *sub, -s* Dielenbrett; *(Boden)* Diele; **~cloth** *sub, -s* Aufwischlappen; **~polish** *sub, nur Einz.* Bohnerwachs; **~polisher** *sub, -* Bohnerbesen; **~cloth** *sub, -s* Scheuertuch
floozy, *sub, -ies* Schickse
flop, *sub, -s* Flop; *(ugs. i.ü.S)* Pleite; *(Buch, Film)* Misserfolg; *I flopped onto the bed* ich ließ mich aufs Bett plumpsen; **~py** *adj,* labberig, schlaff; **~py disc** *sub, -s* Diskette; **~py disk** *sub, -s* Floppydisk; **~py hat** *sub, -s* Schlapphut
flora, *sub, -s* Flora; **~l** *adj, (Muster)* geblümt; **florist** *sub, -s* Florist; **florist´s** *sub, -* Blumengeschäft
flotilla, *sub, -s (Seem.Spr.)* Flottille
flotsam, *sub, nur Einz.* Treibgut; *-s (treibendes)* Strandgut
flounder, *sub, -s* Flunder; **~ing** *adj, (Mensch)* haltlos
flour, *sub, nur Einz.* Mehl; **~ paste** *sub, -s* Mehlkleister
flourish, (1) *sub, -es* Schnörkel; *-s* Tusch **(2)** *vi,* florieren; *(blühen)* gedeihen; *(wirt.)* aufblühen
flow, (1) *sub, -s* Zufluss; *(i. ü. S., das Fließen)* Fluss; *nur Einz. (Menge)* Durchfluss **(2)** *vi,* fließen, wallen; *(Fluss)* münden; *the daily flow* der tägliche Durchfluss; *the point where the Isar flows into the Danube* die Mündung der Isar in die Donau, *blood will flow* es wird Blut fließen; **~ in(to)** *vi,* einmünden; **~ of tears** *sub, nur Einz.* Tränenfluss; **~ off** *vi, (i. ü. S.; Geldmittel)* abfließen; **~ out** *vi, (Kapital)* abwandern; **~ through** *vt,* durchfließen, durchfluten; *(Flüssig-*

keit) durchströmen; **~ towards** *vi*, zu-
~~fließen~~; ~~wleut enj.~~, e Flussdiagramm

flower, *sub,* -s Blume; **~ pot** *sub,* -s
Übertopf; **~,bloom** *sub,* -s *(Blumen)*
Blüte; **~-board** *sub,* -s Blumenbrett; **~-
box** *sub,* -es Blumenkasten; **~-woman**
sub, -*men* Blumenfrau; **~-bed** *sub,* -s
Blumenbeet; **~ing branch** *sub,* -es Blü-
tenzweig; **~pot** *sub,* -s Blumentopf; **~y**
adj, blumig; *(Sprache)* geblümt

flowing off, *sub,* nur Einz. *(Wasser)* Abfluss

flu, *sub,* - Grippe; *nur Einz. (ugs.)* Influenza

fluctuate, *vi,* fluktuieren; **fluctuation**
sub, -s Fluktuation

fluency, *sub,* - *(Stil)* Flüssigkeit; **fluent**
adj, (fließend) geläufig; *(Stil)* flüssig

fluff up, *vtr,* plustern

fluffwise, *adj,* flockenweise

flugelhorn, *sub,* -s *(Musik)* Flügelhorn

fluid, *sub,* -s Fluid; Fluidum

flummery, *sub,* -*ies* Flammeri, Mehlspeise

flunkey, *sub,* -s Hofschranze

fluoresce, *vi,* fluoreszieren; **~nce** *sub,*
nur Einz. Fluoreszenz; **~nt colour** *sub,*
-s Leuchtfarbe; **~nt tube** *sub,* -s Leucht-
tröhre

fluoridate, *vt,* fluoridieren; **fluoride**
sub, -s Fluorid

fluorine, *sub,* - *(chem.)* Fluor

flush, (1) *sub,* -s *(Wasser-)* Spülung **(2)**
vi,(WC) spülen **(3)** *vr,* röten; **~ left** *adj,*
linksbündig

flutter, *vi,* flattern, gaukeln, wehen; **~
one´s eyelashes** *vi, (ugs.)* klimpern;
~ing *sub,* -s Geflatter; **~ing (a)round**
sub, flutterings Umgaukelung; **~y** *adj,*
gaukelhaft, gaukelisch

fly, (1) *adj, (ugs.)* ausgebufft **(2)** *sub,*
flies Fliege; **-ies** Hosenschlitz; *flies
(Hose)* Eingriff; **-ies** Schlitz **(3)** *vt,
(Flugz.)* fliegen; *go down like flies* wie
die Fliegen sterben; *he wouldn´t hurt
a fly* er tut keiner Fliege was zuleide;
the week just flew by die Woche verging
wie im Flug, *how long is the flight to
New York* wie lange fliegt man nach
New York; **~ around** *vi,* umherfliegen;
~ away *vi,* dahinfliegen, fortfliegen;
~ away (off) *vi,* davonfliegen; **~ into a
rage** *vi,(i. ü. S.; Person)* aufbrausen; **~
non stop** *vi,* durchfliegen; **~ off** *vi,*
fortfliegen, losfliegen; **~ open** *vi, (Tür)*
aufspringen; **~ over** *vt,* überfliegen; **~
through** *vi,* durchfliegen; *fly all
through the night* die ganze Nacht
durchfliegen; **~ up** *vi, (Vögel, etc.)* auffliegen; **~ weight** *sub,* -s Fliegenge-

wicht; **~ing along** *vi,* daherfliegen;
~~ing boat~~ *sub,* -s Flugboot; **~ing buttress** *sub,* -es *(arch.)* Schwibbogen;
~ing squad *sub,* -s Überfallkommando; **~ing visit** *sub,* -s Stippbesuch,
Stippvisite; *go on a flying visit to Paris*
eine Stippvisite nach Paris machen

foal, (1) *sub,* -s Fohlen; *(zool.)* Füllen
(2) *vi,* fohlen

foam, (1) *sub,* -s Gischt, Schaum **(2)** *vi,*
schäumen; **~ material** *sub,* -s
Schaumstoff; **~ over** *vi,* überschäumen; **~ rubber** *sub,* nur Einz.
Schaumgummi; **~ing with rage** *adj,
(ugs.)* wutschäumend; **~y** *adj,* schaumig

focal length, *sub,* -s Brennweite; **focal
point** *sub,* -s *(visuell)* Mittelpunkt

focus, (1) *sub,* focusses Brennpunkt;
-*es* Fokus **(2)** *vr,* richten **(3)** *vti,* fokussieren; *be the focus of attention* im
Brennpunkt stehen; **~ attention on**
sub, -s Hauptaugenmerk; **~sing
screen** *sub,* -s *(phot.)* Mattscheibe

fod, *sub,* -s *(ugs.)* Trottel

foetal, *adj,* fetal; **foetus** *sub,* -es Fötus

fog, *sub,* -s Nebelbildung; *(poet.)* Nebel; *have not the foggiest idea about*
er hat keinen blassen Dunst von; **~gy**
adj, nebelig, neblig; **foggy patches**
stellenweise Nebelbildung

föhn, *sub,* -s Föhnwind; *(Wind)* Föhn

foil, (1) *sub,* -s Florett, Folie **(2)** *vt,*
vereiteln; **~ fencing** *sub,* nur Einz.
(-fechten) Florett

foist sth, *vt, (ugs.)* unterschieben

fold, (1) *sub,* -s Falz, Pferch; *(im Stoff)*
Falte **(2)** *vt,* falzen, knicken, kniffen
(3) *vti,* falten; *(auch: geol.)* falten; *fall
in folds* Falten werfen, *fold one´s
hands* die Hände falten; **~ back** *vi,*
zurückschlagen; **~ mountains** *sub,*
nur Mehrz. Faltengebirge; **~ of skin**
sub, -s Lappen; **~ out** *vi,* ausklappen;
~ sth up/down *vt,* klappen; **~ up** *vt,*
hochklappen, zusammenlegen; **~-
away bed** *sub,* -s Schrankbett; **~-out
picture album** *sub,* -s Leporelloalbum; **~able measurement instrument** *sub,* -s Schmiege

folder, *sub,* -s Mappe, Schreibmappe;
folding *adj,* aufklappbar, ausklappbar; **folding bicycle** *sub,* -s Klapprad;
folding boat *sub,* -s Klepperboot;
folding chair *sub,* -s Klappsessel; **folding ladder** *sub,* -s Klappleiter; **folding rule** *sub,* -s Zollstock

foliage, *sub,* nur Einz. Belaubung; -s
Blätterwerk; *nur Einz.* Kraut, Laub,
Laubwerk; **~ plant** *sub,* -s Blattpflan-

ze
folio, *sub,* -s Foliant, Folio, Folioformat
follow, (1) *vi,* hergehen; *(folgen)* anschließen; *(hinter)* herziehen **(2)** *vt,*
nachfolgen, nachziehen, verfolgen; *(i.*
ü. S.; an Meinung) anlehnen; *(hinter-*
hergehen) nachgehen; *(jemandem)*
nachstellen; *(Partei)* anhängen; *(Regel)*
beachten; *(Vorschrift etc.)* befolgen **(3)**
vti, folgen; *to follow sb* jmd nachfolgen;
follow me! mir nach!; *follow sth closely*
etwas aufmerksam verfolgen; *following*
in Anlehnung an; *it follows that* daraus
geht hervor, dass; *sth follows after sth*
etwas reiht sich an etwas; *to follow eve-*
ry fashion jede Mode mitmachen, *as*
follows wie folgt; *do you follow me?*
können Sie mir folgen?; *further details*
to come weitere Einzelheiten folgen; ~
later *vi,* *(später kommen)* nachkommen; **~-up costs** *sub,* - Folgekosten,
Folgelasten; **~-up cure** *sub,* -s Nachkur;
~-er *sub,* -s *(einer Bewegung)* Anhänger; *(polit.)* Gefolgsmann; *(i. ü. S.)*
have a crowd of followers einen großen
Tross mit sich führen; **~ers** *sub, nur*
Mehrz. Gefolgschaft; **~ing (1)** *adj,* folgend, nachfolgend, nachstehend **(2)**
sub, -s Nachfolgende; *in the following*
im folgenden; *reads as follows* lautet
folgend; *the matter is as follows* es handelt sich um folgendes; *can you gather*
anything from the following examples?
können sie aus den nachfolgenden Beispielen etwas entnehmen?; *the follo-*
wing das Nachfolgende; **~ing the**
philosophy of Hegel *adj,* hegelianisch
folly, *sub, nur Einz.* Unverstand
fond of animals, *adj,* tierlieb; **fond of**
sweet things *adj,* naschhaft; **fondle**
vti, kosen; **fondness** *sub,* -s Zuneigung
fondue, *sub,* -s *(Kochk.)* Fondue; **~ fork**
sub, -s Fonduegabel
fontanel, *sub,* -s *(med.US)* Fontanelle
fontanelle, *sub,* -s *(med.)* Fontanelle
food, *sub, nur Einz.* Esswaren, Kost; -
Lebensmittel; *nur Einz.* Nahrung, Verpflegung; *(das Essen)* Beköstigung;
(Haust.) Fressen; *(Lebensmittel/Speise)*
Essen; *(Nahrung)* Speise; *-s (Tiere)*
Fraß; *the food is quite good there* man
ißt dort sehr gut; *the food stuck in his*
throat ihm blieb der Bissen im Halse
stecken; *throw sth to an animal* etwas
einem Tier zum Fraß vorwerfen; **~**
(stuff) *sub, nur Einz.* Nahrungsmittel;
~ chain *sub,* -s *(biol.)* Nahrungskette;
~ poisoning *sub, nur Einz.* Lebensmit-
telvergiftung
fool, *sub,* -s Narr, Schafsnase, Schildbür-

ger, Tölpel, Tor; *(ugs.)* Depp, Dummkopf; *this love-lorn fool* dieser verliebte Narr; *to act the fool* den Narren
spielen; *to make a fool of sb* jmdn zum
Narren halten; *act the fool* sich dumm
stellen; *like a fool I forgot it* dummerweise habe ich es vergessen; *make a*
fool of oneself sich zum Clown machen; *old fool* alter Esel; *once a fool*
always a fool doof bleibt doof; *stop*
fooling about laß den Unsinn; *there´s*
no fool like an old fool Alter schützt
vor Torheit nicht; *to make a fool of*
so/oneself jmd/sich unmöglich machen; *to make a proper fool out of*
oneself sich schwer blamieren; *to*
make an utter fool of oneself sich unsterblich blamieren; *what a fool I look*
now! wie stehe ich jetzt da?; *you*
won´t fool me so easy! so leicht
kannst du mich nicht täuschen!; *and*
like a fool I fell for it ich Depp bin
darauf reingefallen; **~ about** *vi,* blö-
deln; *(ugs.)* kalben; **~ around (1)** *vi,*
herumalbern; *(ugs.)* albern **(2)** *vt,*
(ugs.; machen) Fez; **~ sb** *vt,* vormachen; **~´s cap** *sub,* -s Narrenkappe;
~´s sceptre *sub,* -s Narrenzepter; *to*
carry the fool´s sceptre das Narrenzepter führen; **~´s wand** *sub,* -s Pritsche; **~-hardy** *adj,* verwegen; *(ugs.)*
waghalsig; *a foolhardy undertaking*
ein tollkühnes Unternehmen; **~ing**
about *sub,* Blödelei; **~ing around**
sub, - Geblödel
foolish, *adj,* närrisch, tölpisch, töricht,
unsinnig; *(Dummheit)* do something
foolish eine Torheit begehen; **~ act**
sub, -s Schildbürgerstreich; **~ly** *adv,*
dümmlich; **~ness** *sub, nur Einz.* Töl-
pelei, Torheit; - *(ugs.)* Unsinnigkeit;
foolproof *adj,* narrensicher
foot, *sub,* *feet* Foot, Fuß; *(Berg,*
Schrank, Liste, Seite) Fuß; *bee back on*
one´s feet again wieder auf den Füßen sein; *get back on one´s feet again*
sich nach einer Erkrankung aufrappeln; *get cold feet* kalte Füße bekommen; *have both feet firmly on the*
ground mit beiden Füßen fest auf der
Erde stehen; *not to set foot in sb´s*
house keinen Fuß über die Schwelle
setzen; *put one´s foot down* mit der
Faust auf den Tisch hauen; *(i. ü. S.)* auf
die Tube drücken; *stand on one*
own´s two feet auf eigenen Füßen stehen; *(i. ü. S.) start someone off on the*
right foot jemanden auf den Trichter
bringen; *walk one´s feet sore* sich seine Füße auflaufen; *wipe one´s feet*

sich die Schuhe abtreten; ~ **on the floor** *sub*, nur *Einz.* Bleifuß; *drive with one´s foot on the floor* mit Bleifuß fahren; ~ **soldier** *sub*, -s Infanterist; ~**and -mouth disease** *sub*, nur *Einz.* Klauenseuche; ~**ball** *sub*, -s Fußball; ~**ball boot** *sub*, -s Fußballschuh; ~**ball club** *sub*, -s Fußballklub; ~**ball ground** *sub*, -s Fußballplatz; ~**ball match** *sub*, -es Fußballspiel; ~**ball pitch** *sub*, -es Fußballfeld; ~**ball player** *sub*, -s Kikker; ~**ball pool** *sub*, -s (Fußball) Toto; ~**ball pools** *sub*, - Fußballtoto; ~**ball sock** *sub*, -s (spo.) Stutzen

football team, *sub*, -s Fußballmannschaft; **footbath** *sub*, -s Fußbad; **footbridge** *sub*, -s Steg; **foothills** *sub*, nur *Mehrz.* Vorgebirge; *(von Bergen)* Ausläufer; **foothold** *sub*, -s (fester Halt) Stand; **footlights** *sub*, nur *Mehrz.* Rampenlicht; **footnote** *sub*, -s Fußnote; **footpad** *sub*, -s Strauchritter; **footpath** *sub*, -es Fußweg, Gehweg; **footprint** *sub*, -s Fußspur, Stapfe; *(Fußspur)* Tritt; **footprints** *sub*, nur *Mehrz.* Stapfen; **footsore** *adj*, *(v. maschieren)* fußkrank; **footwork** *sub* Beinarbeit

fop, *sub*, -s (ugs.; abw.) Geck; ~**pish** *adj*, geckenhaft; *(ugs.)* affig

for, *präp*, seit, zu; *(ugs.)* zum; *(- eine Krankheit)* gegen; *(als Ersatz -)* für; *(anstatt)* für; *(im Namen von)* für; *(Maß)* um; *(mit Verben oft)* nach; *(wegen)* aus; *(zugunsten von)* für; *a cheque for 100 DM* ein Scheck über 100 DM; *(zahlenang.) for the first time* zum ersten Mal; *(mit pron) for what* zu was; *if it weren´t for him we´d still be there* ohne ihn wären wir immer noch dort; *please forgive me for being late* entschuldige, dass ich zu spät komme!; *stand in for something* stellvertretend für etwas stehen; *that is for my diarrhoea* das ist ein Mittel gegen meinen Durchfall; *that´s what it is for* dazu ist es ja da; *you have to say that much for him* das muss ihm der Neid lassen; *(Verb mit n) for example* zum Beispiel; *(Folge/Umst) for his own good* zu seinem Besten; *(Verb mit n) for inspection* zur Beurteilung; *(Vergleich) in comparison with* im Vergleich mit; *(Beziehung) love for sb* Liebe zu jmd; *(bestim) milk for coffee* Milch zum Kaffee; *(Zusatz) to drink wine with one´s meal* Wein zum Essen trinken; *(Anlaß) to get sth for christmas* etwas zu Weihnachten bekommen; *(Zweck) water for washing* Wasser zum Waschen; *for anything in the world* um alles in der Welt;

for heaven´s sake um Himmels willen; *to long for sth* sich nach jmd sehnen; *to look for sb* nach jmd suchen; *for fear of* aus Furcht vor; *for love* aus Liebe; *for that reason* aus diesem Grunde; *for my sake* für mich; *for the moment* fürs erste; *he likes to be on his own* er ist gern für sich; ~ **a few seconds** *adv*, sekundenlang; ~ **a long time** *adv*, lange, lässt; *the meeting went on for a long time today* die Sitzung hat heute lange gedauert; ~ **a moment** *adv*, (kurz) eben; *can I speak to you for a moment* kann ich sie mal eben sprechen; *I go out for a moment* ich gehe mal eben raus; ~ **a test** *adv*, jahrhundertelang; ~ **centuries** *adv*, jahrhundertelang; *the enmity continued for centuries* die Feindschaft dauerte jahrhundertelang; ~**days on end** *adv*, tagelang; ~ **decency´s sake** *adv*, anstandshalber; ~ **each other** *adv*, füreinander; ~ **evenings on end** *adv*, abendelang; ~ **ever** *adv*, ewig; *(für immer)* ewiglich; *for ever and ever* auf immer und ewig; ~ **everyday use** *sub*, nur *Einz.* Handgebrauch

forbid, *vt*, untersagen, verbieten; ~**den** *adj*, unerlaubt, verboten

force, (1) *sub*, -s Wucht **(2)** *vt*, erzwingen, zwingen; *(geh.)* oktroyieren; *(zwingen)* nötigen; *brute force* brachiale Gewalt; *don´t force yourself* tu´ dir keinen Zwang an; *force a smile* sich ein Lächeln abringen; *force one´s way to the front* sich nach vorne drängen; *force os on so* sich jemandem aufdrängen; *force sth on so* jemandem etwas aufdrängen, jemandem etwas aufzwingen, jemanden etwas aufnötigen; *force sth open* etwas mit Gewalt öffnen; *force sth out of sb* etwas von jmd erzwingen; *force sth out of so* jemandem etwas abpressen; *force the facts out of him* die Wahrheit erzwingen; *the force of habit* die Macht der Gewohnheit; *to be in the forces* beim Militär sein; *to be the force behind sth* bei etwas Pate gestanden haben; *use force* Gewalt anwenden; *to force sb to go into a room* jmdn ins Zimmer nötigen; ~ **field** *sub*, -s (phy.) Kraftfeld; ~ **of arms** *sub*, nur *Einz.* Waffengewalt; ~ **of attraction** *sub*, -s - (phy.) Anziehungskraft; ~ **oneself** *vr*, zwängen; ~ **open** *vt*, (mit Kraft) aufsprengen; ~ **reduction** *sub*, -s Truppenabbau; ~ **so up** *vt*, (Person aufjagen) auftreiben; ~ **through** *vti*, durchzwängen; **~-feed** vt, (Gans) nudeln; **~d** adj, krampfhaft; (Lachen) gekünstelt; **~d feeding** sub, -s Zwangsernährung; **~d holidays** sub, - (i. ü. S.) Zwangsurlaub; **~d labour** sub, -s Zwangsarbeit; **~d licence** sub, -s (i. ü. S.) Zwangslizenz; **~d march** sub, -es Gewaltmarsch; **~d ride** sub, -s Parforceritt; **~d saving** sub, nur Einz. (i. ü. S.) Zwangssparen; **~d smile** sub, - (ugs.) Keepsmiling; **~d track** sub, -s (i. ü. S.) Zwangsschiene

forceful, adj, eindrücklich, forsch; **~ly** adv, energisch; **forceps** sub, nur Mehrz. (tt; med.) Zange; **forces** sub, nur Mehrz. (Heer) Macht; **forces mail** sub, - Feldpost

forearm, sub, -s Unterarm

forebear, sub, -s Urahne; **~s** sub, nur Mehrz. Ureltern

forebode, vt, schwanen; he had forebodings ihm schwante etwas

forecast, sub, -s Vorhersage

foreceps delivery, sub, -es (tt; med.) Zangengeburt

forecourt, sub, -s Vorhof, Vorplatz; **forefather** sub, -s Urahn; **forefinger** sub, -s Zeigefinger; **foreground** sub, -s Vordergrund; **forehand** sub, nur Einz. (tt; spo.) Vorhand; **forehead** sub, -s Stirn; brush one´s hair back from the forehead das Haar aus der Stirn streichen; wipe the perspiration off one´s forehead sich den Schweiß von der Stirn wischen

foreign, adj, ausländisch, fremd; (polit.) auswärtig; foreign countries fremde Länder; **~ affairs** sub, nur Mehrz. (allgemein) Außenpolitik; **~ body** sub, -ies (med.;biol.) Fremdkörper; **~ correspondent** sub, -s Auslandskorrespondent; **~ country** sub, -ies Ausland; come from a foreign country aus dem Ausland kommen; **~ currency** sub, -ies (wirt.) Sorte; -s (tt; wirt.) Valuta; **~ exchange** sub, -s Devisen; the foreign exchange of some countries is die Devisen aus manchen Ländern sind; **~ exchange market** sub, -s Devisenmarkt; **~ exchange rate** sub, -s Devisenkurs; **~ language** sub, -s Fremdsprache; **~ language correspondent** sub, -s Fremdsprachenkorrespondentin; **Foreign Legion** sub, nur Einz. Fremdenlegion; **~ ministry** sub, -ies Außenministerium; **~ parts** sub, nur Mehrz. Fremde

foreign policy, sub, nur Einz. (bestimmte Richtung) Außenpolitik; **foreign relations** sub, nur Mehrz.

Auslandsbeziehungen; **foreign secretary** sub, -ies Außenminister; **foreign trade** sub, nur Einz. Außenhandel, Außenwirtschaft; **foreign trade policy** sub, nur Einz. Außenhandelspolitik; **foreign word** sub, -s Fremdwort; **foreign worker** sub, -s Gastarbeiter; **foreign-policy** ... adj, außenpolitisch; **foreigner** sub, -s Ausländer, Fremde; **foreignize** vt, überfremden

foreman, sub, -men Rottenführer; men Vorarbeiter; **~** en Werkmeister; **~ bricklayer** sub, -s Maurerpolier; **~ of a gang of labourers** sub, -men Partieführer

forename, sub, -s Rufname, Taufname

forensic, adj, forensisch; **~ medicine** sub, - Gerichtsmedizin; **~ pathologist** sub, -s Gerichtsarzt

foreplay, sub, -s (ugs.) Vorspiel

forerunner, sub, -s Vorläuferin; - Wegbereiter

foresail, sub, -s (Seef.) Fock

foresee, vt, voraussehen, vorhersehen; (vorhersehen) absehen; **~able** adj, absehbar, voraussehbar, vorhersehbar; in the foreseeable future in absehbarer Zeit; it´s unforeseeable das ist nicht absehbar

foresheetman, sub, men (tt; naut) Vorschotmann

foreskin, sub, -s Vorhaut

forest, sub, -s Forst, Wald; **~ damages** sub, nur Mehrz. Forstschaden; **~ demon** sub, -s Schrat; **~ district** sub, -s Forstrevier; **~ nursery** sub, -ies Pflanzgarten; **~ warden** sub, -s Forstmeister; **~ed** adj, bewaldet; **~er** sub, -s Förster; **~ry college** sub, -s Forstschule; **~ry worker** sub, -s Waldarbeiter; **~s** sub, nur Mehrz. Bewaldung

forestall, vi, zuvorkommen

foretaste, sub, nur Einz. Vorgeschmack

foretell, vt, vorerzählen, weissagen; **~er** sub, -s Weissagerin; (ugs.) Vorsager

foreword, sub, -s Vorwort

for example, adv, beispielsweise; (zum Beispiel) beispielshalber; **for her part** adv, ihrerseits; **for his sake** adv, seinetwillen; **for hours (1)** adj, stundenlang **(2)** adv, stundenlang; **for instance** adv, (beispielsweise) etwa; **for it** adv, dafür; I´m all for it ich bin ganz dafür; **for lack of** präp., mangels; **for less** adv, (weniger) darunter; **for my part** adv, meinesteils; **for my sake** adv, meinetwillen; **for no reason** adv, grundlos; **for**

nothing *adv, (ohne Bezahlung)* umsonst; **for once in a while** *adv, (nur dieses Mal)* ausnahmsweise; **for one voice** *adj, (mus.)* einstimmig

forfeit, *vt,* verwirken; *(Pfänderspiel) to pay sth as a forfeit* etwas zum Pfand geben; **~ sth** *vr, (ugs.)* verscherzen; **~s** *sub, nur Mehrz.* Pfänderspiel

for fun, *adv,* spaßeshalber

forge, (1) *sub, -s* Schmiede **(2)** *vt,* schmieden; *(fälschen)* nachmachen; *(Urkunden, Unterschr.)* fälschen; **~r** *sub, -s* Fälscher, Falschmünzer

forget, (1) *vt,* verschwitzen **(2)** *vti,* vergessen; *all right, forget it* dann eben nicht; *(ugs.) forget about so* jemanden abschreiben können; *(ugs.) forget it* Schwamm drüber!; *(i. ü. S.) be can forget about that* das kann er sich abschminken; *I won´t forget that* das werde ich mir merken; *to forgive and forget sth* etwas mit dem Mantel des Vergessens zudecken; **~-me-not** *sub, nur Einz.* Vergissmeinnicht; **~ful** *adj,* vergesslich; **~fulness** *sub, nur Einz.* Vergesslichkeit

forgivable, *adj,* verzeihlich; **forgive** *vt,* vergeben, verzeihen; *(verzeihen)* nachsehen; *to forgive and forget sth* etwas mit dem Mantel der Nächstenliebe zudecken; **forgiveness** *sub, -es* Vergebung; *nur Einz.* Verzeihung

forgotten, *adj, (tt; kun.)* verschollen

Forint, *sub, -s (Währung in Ungarn)* Forint

fork, (1) *sub, -s* Astgabel, Forke, Gabel, Gabelung; *(Fahrrad)* Gabel **(2)** *vr, (sich - Straße etc.)* gabeln; *(Straße etc.)* teilen; *(ugs.) fork something out* etwas springen lassen; **~ (in the road)** *sub, -* Weggabelung; **~ lunch** *sub, -es* Gabelbissen; **~ out** *vti, (ugs.)* berappen; **~ sth up** *vt,* gabeln; **~ed** *adj, (gabelförmig)* gegabelt; **~lift truck** *sub, -s* Gabelstapler

forlornness, *sub, nur Einz.* Verlorenheit

formal, *adj,* formell, förmlich; *(Einladung)* offiziell; *(Redeweise)* abgemessen; *the reception was terribly formal* auf dem Empfang ging es schrecklich offiziel zu; *make a formal apology* sich in aller Form entschuldigen; **~ reception** *sub, -s* Galaempfang; **~ suit** *sub, -s* Gesellschaftsanzug; **~ism** *sub, -s* Formalismus; **~ist (1)** *adj,* formalistisch **(2)** *sub, -s* Formalist; *(weibl.)* Formalistin; **~istic** *adv,* formalistisch; **~ity** *sub, -ies* Formalie, Formalität, Förmlichkeit; *to dispense with all formalities* allen Zwang ablegen; **~ize** *vt,* formalisieren

formaldehyde, *sub, nur Einz. (chem.)* Formaldehyd

formalin, *sub, nur Einz.* Formalin

format, *sub, -s* Format; **~ion** *sub, -s* Formation, Truppenteil; *(Entstehung)* Bildung; *(mil.)* Aufstellung; **~ive** *adj,* formativ

former, *adj,* ehemalig, einstig, einstmalig, früher, vormalig; *(s. erst)* erster; *a former officer* ein ehemaliger Offizier; *in former times* einstmalig; *as in former times* wie ehedem; **~ly** *adv,* ehedem, ehemals, vormals; *(ehemals)* sonst

formic acid, *sub, nur Einz.* Ameisensäure

formidable, *adj,* formidabel

forming (of a trust), *sub, -s (tt; wirt.)* Vertrustung

formula, *sub, -s* Formel; *(Redensart)* Formel; *bring down to a simple formula* auf eine Formel bringen; **~te** *vt,* ausformulieren, formulieren; **~tion** *sub, -s* Formulierung

formwork, *sub, -s* Schalung

for our part, *adv,* unsererseits, unseresteils, unsrerseits, unsresteils; **for our sake** *adv,* unsertwegen; **for practice** *adv,* übungshalber; **for removal** *adv,* umzugshalber; **for safety reasons** *adv,* sicherheitshalber; **for sale** *adj,* feil, verkäuflich; **for several minutes** *attr,* minutenlang; **for several voices** *attr,* mehrstimmig; **for that reason** *adv, (geh.)* deshalb; *she isn´t any happier for it* sie ist deshalb nicht glücklicher; *so that´s the reason* deshalb also; **for the first time** *adv,* erstmals; **for the moment** *adv, (vorübergehend)* momentan; **for the most part** *adv,* meistenteils; *(zum größten Teil)* meist, meistens; **for the present** *adv,* vorerst

forswear, *vt, (Zigaretten)* abschwören

fort, *sub, -s* Fort; *(i. ü. S.) hold the fort* die Stellung halten; **~ification** *sub, -s (mil.)* Befestigung; *nur Einz. (tt; mil.)* Verschanzung; **~ified tower** *sub, -s* Wehrturm; **~ify** *vt, (mil.)* befestigen; *(tt; mil.)* verschanzen; **~ress** *sub, -s* Festung

for the purpose of, *präp,* behufs, zwecks; **for the sake of which** *adv, (Sachen)* derentwillen; **for the same lenght of time** *adv,* ebenso lang; **for the time being** *adv, (vorübergehend)* behelfsmäßig; **for their part** *adv,* ihrerseits; **for this** *adv,* hierfür, hierzu; **for three voices** *adj,* dreistimmig; **for**

two voices adj, zweistimmig; **for weeks** adj, wochenlang; **for what/why** adv, wofür; **for which** adv, wonach; **for whose sake** adv, (Pers.) derentwillen

fortunate, adj, glücklich; **~ly** adv, glücklicherweise

Fortune, sub, nur Einz. Fortune, Vermögen; fortune smiled on her Fortuna war ihr hold; make a fortune sich ein Vermögen erarbeiten; **fortuneteller** sub, -s Wahrsager, Wahrsagerin; **fortunetelling** sub, nur Einz. Wahrsagerei

forward, **(1)** adj, vorwärts **(2)** sub, -s (spo.) Stürmer **(3)** vt, nachschicken, nachsenden; please forward! bitte nachschicken!; bitte nachsenden!; **~ gear** sub, nur Einz. Vorwärtsgang; **~ line** sub, -s (spo.) Sturm; **~ing** sub, -s Absendung; **~ing agent** sub, -s (Fuhrunternehmer) Spediteur; **~s** adv, vorn, vornüber

for years, adv, jahrelang; (i. ü. S.; Zeit) hinweg; **for your part** adv, deinesteils; **for your sake (1)** adv, euretwillen **(2)** sub, nur Einz. deinetwillen; we made this for your sake um deinetwasillen haben wir das gemacht; **for/because** konj, denn; **forasmuch as** konj, alldieweil; **forbearance** sub, nur Einz. Langmütigkeit; **forbearing** adj, langmütig

fossil, **(1)** adj, fossil **(2)** sub, -s Fossil; **~ization** sub, -s Versteinerung; **~ize** vi, versteinern; **~ized** adj, fossil

foster, vt, (Beziehungen) pflegen; (Talent) fördern; to foster a child ein Kind in Pflege nehmen; to have a child fostered ein Kind in Pflege geben; **~ child** sub, -ren Pflegekind; - children Ziehkind; **~ father** sub, -s Pflegevater; **~ home** sub, -s Pflegestätte; **~ mother** sub, -s Pflegemutter; **~ parents** sub, nur Mehrz. Pflegeeltern; **~ing** sub, nur Einz. (Beziehungen) Pflege; -s (Talent) Förderung

foul, **(1)** adj, foul; (spo.) unfair; (Wasser, Luft) faul **(2)** sub, -s Foul **(3)** vti, foulen; (spo.) to commit a blatant foul die Notbremse ziehen; **~ from behind** vt, (Fußball) nachschlagen

found, vt, gründen; (gründen) stiften; be founded on beruhen auf der Basis; since the organization was founded seit Bestehen der Organisation; **~ation** sub, -s Fundament, Gründung; (Gründung) Stiftung; lay the foundations for das Fundament legen für; **~ation stone** sub, -s Grundstein; lay the foundation stone of den Grundstein legen zu; **~ations** sub, nur Mehrz. Grundfesten;

- (tt; arch.) Unterbau; rock the foundations of the state an den Grundfesten des Staates rütteln; shake sth to its foundations in den Grundfesten erschüttern; **~er** sub, -s (Gründer) Stifter; **~ing** sub, nur Einz. Neugründung; -s (tech.) Guss; **~ing father** sub, -s Gründervater; **~ling** sub, -s Findelkind, Findling

foundry, sub, -ies Gießerei

fountain, sub, -s Brunnen, Fontäne, Springbrunnen; **~ of youth** sub, - Gesundbrunnen; nur Einz. Jungbrunnen; **~ pen** sub, -s Federhalter, Füllfederhalter, Tintenstift

four, -n vier; **~ and a half** number, viereinhalb; **~ hundred** numb., vierhundert; **~ stroke engine** sub., (tt; tech.) Viertaktmotor; **~ thousand** numb, viertausend; **~ times** adv, vierfach; **~-engined** adj, viermotorig; **~-eyes** sub, -s (scherzhaft) Brillenschlange; **~-figured** adj, vierstellig; **~-handed** adj, vierhändig; **~-horse** adj, vierspännig; **~-horsed chariot** sub, -s Quadriga; **~-in-hand** adj, vierspännig; **~-leaf** adj, vierblättrig; **~-mast-tent** sub, -s Viermastzelt; **~-part** adj, vierstimmig; **~-rower** sub, -s Vierruderer

four-sided figure, sub, -s (tt; mat.) Viereck; **four-storeyed** adj, vierstöckig; **four-wheel drive** sub, -s Geländefahrzeug; **four-wheeled** adj, vierräderig; **fourfold** adj, vierfach; **fourteen** num, vierzehn; **fourth** sub, -s (mus.) Quart, Quarte; **fourth stomach** sub, -s (zool.) Labmagen; **fourth year** sub, -s Untertertia; **fourthly** adv, viertens

fox, sub, -es Fuchs; **~den** sub, -s Fuchsbau; **~glove** sub, -s (bot.) Fingerhut, Kermesbeere; **~hunt** sub, -s Fuchsjagd; **~tail** sub, -s Fuchsschwanz; **~tail millet** sub, - (bot.) Kolbenhirse; **~terrier** sub, -s Foxterrier; **~trot** sub, -s Foxtrott

foyer, sub, -s Foyer, Wandelhalle; (Hotel-) Halle; (US lobby) Foyer

fraction, sub, -s (chem.) Fraktion; (mat.) Bruch; in a fraction of a second im Bruchteil einer Sekunde; **~ line** sub, -s Bruchstrich; **~alize** vt, (polit.) fraktionieren; **~ize** vt, (Wissensch.) fraktionieren; **~s** sub, nur Mehrz. Bruchrechnen; when doing fractions beim Bruchrechnen

fracture, sub, -s Knochenbruch; (med.) Bruch, Fraktur; **~d** adj, gebrochen; **~d jaw** sub, -s Kieferbruch; **~d leg**

sub., s Dainbruch; ~d polvis sub., nur (med.) Beckenbruch; **~d rib** *sub*, Rippenbruch; **~d skull** *sub*, *-s* Schädelbruch

fragile, *adj*, zerbrechlich; *(tt; kun.)* zart; **fragility** *sub*, *-ies* Fragilität

fragment, *sub*, *-s* Fragment, Scherbe; *(Bruch-)* Stück; *(Bruchstück)* Splitter; **~ary** *adj*, fragmentarisch, trümmerhaft; **~ation** *sub*, *-s (Zerfall)* Auflösung

fragrance of violets, *sub*, *-s* Veilchenduft

frail, *adj*, gebrechlich; *(gebrechl.)* hinfällig; **~ty** *sub*, *-ies* Gebrechlichkeit, Schwachheit; *(Gebrechlichk.)* Hinfälligkeit

frame, (1) *sub*, *-s* Einfassung, Rahmen, Umrahmung; *(ugs.)* Stellage; *(Brille)* Fassung; *(Luftfahrt)* Spant; *(Tasche)* Bügel **(2)** *vt*, rahmen, umrahmen; *(Bild)* einfassen, einrahmen; *frame a picture* ein Bild einfassen; **~ aerial** *sub*, *-s* Rahmenantenne; **~ finder** *sub*, *-s* Diopter; **~ work** *sub*, *-s* Gerippe; **~** Verschalung; *nur Einz. (i. ü. S.)* Gerüst

franc, *sub*, *-s* Franc; *(Währungseinh.)* Franc

France, *sub*, *nur Einz.* Frankreich

franchise, *sub*, *-s* Franchise; **franchising** *sub*, *-* Franchising

Franciscan, *sub*, *-s* Minderbruder

francium, *sub*, *- (chem.)* Francium

Francophile, *adj*, frankophil; **francophony** *sub*, *nur Einz.* Frankophonie

frank, (1) *adj*, freimütig, offenherzig **(2)** *vt*, frankieren; *to have a frank talk with* ein offenes Wort mit jmd reden; **~ing machine** *sub*, *-s* Frankiermaschine; **~ly** *adv*, frank; *quite frankly* frank und frei

frantic, *adj*, *(betriebsam)* hektisch

fraternal, *adj*, *(geh.; polit.)* brüderlich; *in a fraternal way* auf brüderliche Art und Weise; **fraternity** *sub*, *-ies* Fraternité, Korporation; **fraternize** *vi*, fraternisieren

fratricidal war, *sub*, *-s* Bruderkrieg

fraud, *sub*, *- Betrug; -s* Fickfackerei; *nur Einz.* Hochstapelei

fraught with consequences, *adj*, folgenreich

fray, *vi*, ausfransen, fasern; **~ed** *adj*, ausgefranst

freckle, *sub*, *-s* Sommersprosse

free (1) *adj*, frei, kostenlos; *(i. ü. S.)* ungebunden **(2)** *vt*, losmachen; *(in die Freiheit entlassen)* befreien; *a free seat/chair* ein freier Platz/Stuhl; *carriage free* Lieferung frei Haus; *is this table free* ist der Tisch frei?; *(ungehemmt)*

please feel free to help yourself! greifen Sie bitte ungeniert zu!; *to free oneself of duties* sich von Verpflichtungen lösen; **~ admission** *sub*, *nur Einz. (Eintritt)* Nulltarif; **~ and easy** *adj*, *(ungehemmt)* ungeniert; **~ beer** *sub*, *nur Einz.* Freibier; **~ city** *(of the Holy Roman Empire)* *sub*, *-ies (hist.)* Reichsstadt; **Free Democrate** *sub*, *-s* Freidemokrat; **~ from** *vt*, entziehen; **~ from fear** *adj*, angstfrei; **~ from knots** *adj*, astfrei; **~ from taboo** *vt*, enttabuieren; **~ from wood** *adj*, holzfrei; **~ gift** *sub*, *-s* Zugabe; **~ kick** *sub*, *-s (Fußb.)* Freistoß; **~ o.s.** *vr*, *(loskommen)* befreien; **~ of charge** *adj*, gebührenfrei, gratis, unentgeltlich

freedom of assembly, *sub*, *nur Einz.* Versammlungsfreiheit; **freedom of movement** *sub*, *- (Ortungebundenh.)* Freizügigkeit; **freedom of speech** *sub*, *nur Einz.* Meinungsfreiheit, Redefreiheit; **freedom of the press** *sub*, *nur Einz.* Pressefreiheit; **freedom of trade** *sub*, *-* Gewerbefreiheit; **freehand** *adv*, *(zeichnen)* freihändig; **freelance** *adj*, freiberuflich; *work freelance* freiberuflich tätig sein; **freemason** *sub*, *-s* Freimaurer

free of debts, (1) *adj*, schuldenfrei **(2)** *vt*, entschulden; **free port** *sub*, *-s* Freihafen; **free rendering** *sub*, *-s* Nachdichtung; **free sample** *sub*, *-s* Gratisprobe; **free section** *sub*, *-s (spo.)* Kür; **free skating** *sub*, *nur Einz.* Kürlauf; **free thinking** *adj*, freigeistig; **free throw** *sub*, *-s (spo.)* Freiwurf; **free travel** *sub*, *nur Einz. (Verkehrsmittel)* Nulltarif; **free-standing sculpture** *sub*, *-s* Freiplastik; **freeborn citizen** *sub*, *-s* Freie; **freeclimbing** *sub*, *- Freiklettern; freedom* *sub*, *nur Einz.* Freiheit

freesia, *sub*, *-s* Freesie

freestyle, *sub*, *-s (spo.)* Freistil

freethinker, *sub*, *-s* Freidenkerin

freewheel, *sub*, *-s* Freilauf

freeze, (1) *vi*, frieren; *(- sein)* gefrieren **(2)** *vt*, einfrieren; *(Lebensm.)* gefrieren **(3)** *vti*, vereisen; *(US) freeze (on) to sth* an etwas krampfhaft festhalten; *freeze sb out* jmd ausschließen; *freeze sb´s blood* einem das Blut in den Adern gefrieren lassen; *freeze sb´s enthusiasm* jmd Begeisterung ersticken; *(ugs.) freeze to death* sich einen abfrieren; *frozen joghurt* Joghurteis; *her smile had frozen* ihr Lächeln war eingefroren; *temperatures will be below* *freezing tonight* heute nacht wird es frieren; *the atmosphere froze* die Stimmung sank auf den Nullpunkt; *the pipes are frozen up* die Rohre sind eingefroren; **~ frame** *sub, -s (TV)* Standbild; **~ out** *vt,* hinausekeln; **~ over** *vi,* überfrieren; **~ to death** *vi,* erfrieren; **~r** *sub, -s* Kühltruhe, Tiefkühltruhe; **freezing** *sub, -s* Einfrierung, Vereisung; **freezing compartment** *sub, -s* Froster, Gefrierfach; **freezing point** *sub, -s* Gefrierpunkt

freight, *sub, -s* Frachtgut; **~ bill** *sub, -s (US)* Frachtbrief; **~ prepaid** *adj,* frachtfrei; **~ station** *sub, -s* Güterbahnhof; **~ traffic** *sub, nur Einz.* Güterverkehr; **~ train** *sub, -s* Güterzug; **~er** *sub, -s* Frachter, Frachtschiff; *(cargoship)* Frachtschiff

French, (1) *adj,* französisch **(2)** *sub, -* *(die Franzosen)* Franzosen; **~ Canadian** *sub, -s* Frankokanadier; **~ horn** *sub, -s (tt; mus.)* Waldhorn; **~ letter** *sub, -s (Kondom)* Pariser; *(ugs.; Kondom)* Überzieher; **~ seam** *sub, -s* Kappnaht; **~ stick** *sub, -s* Baguette; **~man** *sub, -men* Franzose; *(ugs.; Schraubenschlüssel)* Franzose

frenetic, *adj,* frenetisch

frequency, *sub, -ies* Frequenz, Häufigkeit; **~ range** *sub, - -s (Rundfunk)* Bandbreite; **frequent (1)** *adj,* frequent, häufig **(2)** *vi,* verkehren **(3)** *vt,* frequentieren; **frequently** *adv,* oft; *how frequently does the bus go?* wie oft fährt der Bus?; *quite frequently* des öfteren

fresco, *sub, -s* Freske, Fresko

fresh, *adj,* frisch, neu; *fresh in my mind* in frischer Erinnerung; *get fresh with so* jmd dumm kommen; *(US) then she started getting fresh* zuletzt wurde sie noch frech; **~ and crisp** *adj, (ugs.)* knackfrisch; **~ convert** *sub, -s* Neubekehrte; **~ from the oven** *adj,* frischbacken; **~ milk** *sub, -* Frischmilch; **~ vegetables** *sub, -* Frischgemüse; **~ water** *sub, nur Einz.* Frischwasser; **~ water eel** *sub, -s* Flussaal; **~en up** *vi, (Wind)* auffrischen; **~laid** *adj, (Eier)* frisch; **~water** *sub, -* Süßwasser; **~water fish** *sub, -* Süßwasserfisch

fret-saw, *sub, -s* Stichsäge; **fretsaw** *sub, -s* Laubsäge, Schweifsäge

fricassee, (1) *sub, -s (Kochk.)* Frikassee **(2)** *vt,* frikassieren

fricative, (1) *adj,* spirantisch **(2)** *sub, -s (Sprachw.)* Frikativlaut

friction, *sub, -s* Friktion, Missstimmung; *(ugs.)* Reiberei; *(phy.)* Reibung; **~less** *adj,* reibungslos

Friday, *sub, -s* Freitag; **~s** *sub,* freitags

fried chicken, *sub, -* Broiler; **fried egg** *sub, -s* Spiegelei; **fried fish** *sub, -es* Backfisch

friend, *sub, -s* Bekannte, Freund; *a friend in need* ein Helfer in der Not, Freunde in der Not; *a friend of mine* ein Bekannter; *amongst friends* unter Brüdern; *(ugs.) faithless friend!* treulose Tomate!; *friend and foe* Freund und Feind; *(Zug) make friends* Anschluss finden; *be a good friend to so* jmdm ein guter Freund sein; *make a friend of so* jmdm ein guter Freund sein; *make a friend of so* sich jmdn zum Freund machen; **~ of songs** *sub, -s* Sangesfreund; **~liness** *sub, -es* Freundlichkeit; **~ly (1)** *adj,* freundlich, freundschaftlich, vertraulich; *(Atmosphäre)* persönlich **(2)** *adv,* freundlich, freundschaftlich; *a friendly nation* ein befreundetes Land, *be on friendly terms with so* auf freundschaftlichem Fuße stehen mit jmd; *part on friendly terms* freundschaftl auseinandergehen; **~ly match** *sub, -es* Freundschaftsspiel; **~ship** *sub, -s* Freundschaft; *make friends with* Freundschaft schließen mit

frieze, *sub, -s* Fries

frigate, *sub, -s* Fregatte

fright, *sub, -s* Schreck, Schrecken; **~en** *vt,* ängstigen, erschrecken, schrecken, verängstigen; *don´t be frightened* erschrick dich nicht; *frighten so je-mandem Bange machen;* **~en off** *vt,* verschrecken; *(ugs.)* verscheuchen; **~ening (1)** *adj,* beängstigend **(2)** *sub, -s* Angstigung; **~ful** *adj,* schrecklich, verheerend; *(i. ü. S.)* *frightfully expensive* sündhaft teuer; **~fully** *adv,* verheerend

frigid, *adj,* frigid; **~ity** *sub, nur Einz.* Frigidität

fringe, *sub, -s* Franse; *(eines Sturmes etc.)* Ausläufer; *(Frisur)* Pony; *(Pony Haare)* Franse; *falling apart in* Fransen gehen; **~ group** *sub, -s* Randgruppe; **~d** *adj,* befranst

frippery, *sub, -ies* Firlefanz; *nur Mehrz.* Flitter

Frisbee, *sub, -s* Frisbee

Frisée-lettuce, *sub, -s* Friséesalat

Frisian, *sub, -s* Friesländer

frisk, *vi, (durchsuchen)* filzen

fritter away, *vt,* verbummeln, verpulvern, vertrödeln; *(ugs.)* verplempern; *he frittered away his time playing* er hat seine Zeit nutzlos mit Spielen verplempert; *to fritter sth away* etwas sinnlos verprassen; **frittering away**

ᴍᴀʀᴋ ... . Vermödlung

frivolous, *adj,* frivol

frizz, *vt,* kräuseln; **~iness** *sub, nur Einz.* Krause; **~y** *adj,* kraus; **~y-haired** *adj,* kraushaarig; **~y-headed** *adj,* krausköpfig

frock, *sub, -s* Kleid; **~ coat** *sub, -s* Gehrock; **~-coat** *sub, -s* Bratenrock

frog, *sub, -s* Frosch; *(i. ü. S.)* *have a frog in one´s throat* einen Frosch im Hals haben; **Frog Prince** *sub, -s* Froschkönig; **~man** *sub, -men* Froschmann; **~spawn** *sub, -s* Froschlaich

from, (1) *adv, (zeitlich)* ab **(2)** *präp,* von, vor; *(räumlich)* ab; *(von)* her; *(zeitlich)* ab; *from time to time* ab und zu, *from what I´ve heard* nach allem, was ich gehört habe; *(darunter) to suffer from sth* unter etwas leiden; *from tomorrow on* ab morgen; **~ above** *adv, (von oben)* herab; **~ before** *präp, (von früher)* her; *know sb from before* jmdn von früher her kennen; **~ behind** *adv,* dahinterher, hinterrücks; *(hinter -)* hervor; *make a big effort* dahinterher sein; **~ Bosnia** *adj,* bosnisch; **~ column to column** *adv,* spaltenweise; **~ each other** *adv,* voreinander; **~ Eleusia** *adj,* eleusinisch; **~ every angle** *adv,* allseitig; **~ Greenland** *adj,* grönländisch; **~ hearsay** *adj,* gerüchtweise; *I know it from hearsay* ich habe es nur gerüchteweise gehört; **~ Herrnhut** *adj, (Stadt in D.)* herrnhutisch; **~/(out) of** *präp, (räumlich)* aus; *(Ursprung)* aus; *come from America* aus Amerika kommen; *take sth out of the cupboard* etwas aus dem Schrank nehmen; *be from England* aus England kommen

from it, *adv, (Menge)* daraus; *learn from it* daraus lernen; *pour out from it* daraus ausschütten; **~/them** *adv, (räuml.)* davon; *be not far away from it* nicht weit davon entfernt liegen; **from no side** *adv,* keinerseits; **from north south** *adj, adv,* nordsüdlich; **from now on** *adv,* fortan, hinfort; **from nowhere** *adv,* nirgendwoher, nirgendwoher; **from outside** *präp, (von draussen)* herein; **from somewhere else** *adv,* sonst woher; **from there** *adv,* dorther; *(räuml.)* daher; *gingerbread comes from there* von dorther kommen die Lebkuchen; *there is no danger from there* daher droht keine Gefahr; **from this** *adv,* hieraus, hiervon; **from time to time** *adv,* mitunter; *(ugs.)* bisweilen

from under, *adv, (unter)* hervor; **from what/which** *adj,* wovon; **from Zurich** *adj, (i. ü. S.)* züricherisch; **from, of** *adj,* *(von) frei;* **from/of each other** *adv,* voneinander

front, *adv,* vor; **~ axle** *sub, -s (tt; tech.)* Vorderachse; **~ door** *sub, -s* Hauseingang, Haustür; *(Wohnung)* Eingangstür; **~ head** *sub, -s* Vorderseite; **~ loader** *sub, -s* Frontlader; **~ man** *sub, -men (i. ü. S.; jur.)* Strohmann; **~ part of gun carriage** *sub, -s* Protze; **~ passenger seat** *sub, -s* Beifahrersitz; **~ paw** *sub, -s* Vorderpfote; **~ room** *sub, -s* Vorderzimmer; **~ ship** *sub, -s* Vorderschiff; **~ tipper** *sub, -s* Vorderkipper; **~ wheel** *sub, -s* Vorderrad

frontage, *sub, -s* Vorderfront; *(Gebäude)* Front

frontal, *adj,* frontal; **~ sinus** *sub, -* Stirnhöhle

frontier protection, *sub, -* Grenzschutz

front-line, *sub, (mil.)* Front; *at the front* an der Front; *behind the lines* hinter der Front; *enemy lines* die feindl Front; *(i. ü. S.)* *fight on two fronts* an zwei Fronten kämpfen; **~ report** *sub, -s* Frontbericht; **~ soldier** *sub, -s* Frontkämpfer, Frontsoldat; **front-page story** *sub, - -ies (ugs.)* Aufmacher; **front-tyre** *sub, -s* Vorderreifen; **front-wheel drive** *sub, -s (mot.)* Frontantrieb

frost, (1) *sub, -s* Frost **(2)** *vt, (US)* überzuckern; *get a touch of frost* Frost abbekommen; *when there´s frost* bei Frost; **~ damage** *sub, -s* Frostschaden; **~ flower** *sub, -s* Eisblume; **~ line** *sub, -s* Frostgrenze; **~-covered** *adj,* bereift; **~bite** *sub, -s* Erfrierung; **~iness** *sub,* Frostigkeit; *(i. ü. S.) (Backwerk, US)* Glasur; **~y** *adj, (i. ü. S.)* eisig; *(auch i.ü.S.)* frostig; *give sb a frosty reception* jmd eisig empfangen; **~y weather** *sub, nur Einz.* Frostwetter

froth, (1) *sub, -s* Schaum **(2)** *vi,* schäumen; **~ up** *vi,* aufschäumen; **~y** *adj,* schaumig; **~y biscuits** *sub, nur Mehrz.* Schaumgebäck; **~y dish** *sub, -es* Schaumspeise

frowned upon, *adj,* verpönt; **frowning** *sub, nur Einz.* Stirnrunzeln

fructose, *sub, nur Einz.* Fructose

frugal, *adj,* frugal, karg; **~ity** *sub, nur Einz.* Frugalität, Kargheit; **frugil** *sub, -s (ugs.)* Schmalhans

fruit, *sub, nur Einz.* Obst; *- (auch i.ü.S.)* Frucht; *be laden with fruit* voller Früchte hängen; *bear fruit* Früchte tragen, Früchte tragen; *the fruits of one´s labour* die Früchte seiner Arbeit; ~ **bread** sub, nur Einz. Kletzenbrot; ~ **drop** sub, -s Fruchtbonbon; ~ **from the garden** sub, -s Gartenfrucht; ~ **juice** sub, -s Fruchtsaft, Obstsaft; ~ **loaf** sub, -s Früchtebrot; (Kuchen) Stollen; ~ **plantation** sub, -s Obstplantage; **~-growing (1)** attr, obstbaulich (2) sub, -s Obstbau; **~-tree** sub, -s Obstbaum; **~-cake** sub, -s Königskuchen; **~ful** adj, (i. ü. S.) fruchtbar; **~-less** adj, ergebnislos, fruchtlos; (i. ü. S.; Verhandlung etc.) unfruchtbar; it was fruitless es hat nichts gefruchtet; **~y** adj, fruchtig

frustrate, vt, frustrieren; **frustration (1)** sub, -s Frust, Frustrierung, Verdruss (2) vi, Frustration

fry, (1) vt, (Pfanne) braten (2) vti, brutzeln; fried chicken Brathähnchen; fry sth until it´s brown braun braten, fry in the pan in der Pfanne brutzeln; fry oneself in der Sonne brutzeln; (i. ü. S.) small fry kleine Fische (Leute)

fuchsia, sub, -s (bot.) Fuchsie

fuck, (1) sub, -s Fick (2) vti, (vulg.) fikken; (vulg.) I don´t give a fuck ich pfeife drauf

fuddle, sub, -s (ugs.; Rausch) Dusel; be in a fuddle einen Dusel haben

fuel, (1) sub, -s nur Einz. Brennstoff; -s Kraftstoff, Treibstoff; nur Einz. (für Kocher) Benzin (2) vt, (i. ü. S.; Diskussion) anheizen; that just added fuel to the fire das gab der Sache neue Nahrung; to add fuel to the fire Öl ins Feuer gießen; ~ **consumption** sub, nur Einz. Benzinverbrauch; ~ **gas** sub, -s Treibgas; **~-rod** sub, -s (Kerntechnik) Brennelement; **~-tank** sub, -s Brennstoffbehälter

fug, sub, nur Einz. Qualm

fugue, sub, -s (mus.) Fuge

fulfil, (1) vi, (Pflicht, Forderung) nachkommen (2) vt, (jur.) erfüllen; to fulfil oneself sich selbst verwirklichen; **~ment** sub, -s Erfüllung; find fulfilment in sth die Erfüllung finden in

full, adj, gesättigt, prall, satt, voll; a full life ein erfülltes Leben; full report genauer Bericht; full to bursting brechend voll; fully in vollem Umfang; full of praise voll des Lobes; ~ **beam** sub, Fernlicht; drive on full beam Fernlicht anhaben; ~ **board** sub, -s Vollpension; ~ **dress** sub, -es Galauniform; ~ **employment** sub, -s (tt; wirt.) Vollbeschäftigung; ~ **member** sub, -s Vollmitglied; ~ **moon** sub, -s Vollmond; ~ **of corners** adj, verwinkelt; ~ **of flowers** adj, blumenreich; ~ **of gaps** adj, lük-

kenhaft; ~ **of hatred (1)** adj, hasserfüllt (2) adv, hasserfüllt; give so a look of hatred jmdn hasserfüllt anblicken; ~ **of holes** adj, löcherig

full of ideas, adj, (ugs.) einfallsreich; **full of nuances** attr, nuancenreich; **full of o.s.** adj, Großkotz; **full of relish** adj, lustvoll; **full stop** sub, -s Punkt; **full to the rim** adj, randvoll; **full-blooded** sub, - (i. ü. S.) Vollblut; **full-bodied** adj, (Wein) gehaltreich, gehaltvoll; **full-coverage insurance** sub, -s Kaskoversicherung; **full-face helmet** sub, -s Integralhelm; **full-length** adj, abendfüllend; **full-length slip** sub, -s Unterkleid; **full-time** adj, hauptamtlich; **full-time housewife** sub, -wives Nurhausfrau; **fullfillment** sub, -s Vollziehung; **fulltimejob** sub, -s Fulltimejob

fully, adv, voll; **~ fledged** adj, flügge; ~ **grown** adj, ausgewachsen; ~ **important** adj, (ugs.) vollwichtig

fumble around with sth, vt, (an etwas herum~) nesteln

fun, sub, -s Gaudium; - (ugs.) Vergnügen; (Vergnügen) Spaß; I was just having a bit of fun ich habe doch nur Spaß gemacht; it´s fun es macht Spaß; let him have his bit of fun nun lass ihm doch sein Pläsier; liven up and have a bit of fun! sei doch lustig!; (i. ü. S.) spoil someone´s fun jemandem in die Suppe spucken; spoil the fun den Spaß verderben; that´s going to be fun! das kann ja lustig werden!; the fun has started now jetzt wird´s erst richtig gemütlich; (ugs.) this was but the beginning of the dance dann ging der Tanz erst richtig los!; to make fun of sb sich über jmdn lustig machen; to take all the fun out of sth for sb jmd die Lust an etwas nehmen

function, (1) sub, -s Funktion (2) vi, funktionieren; (Organ) arbeiten; ~ **as** vi, fungieren; **~al** adj, funktional, funktionell; **~alism** sub, nur Einz. Funktionalismus; **~ality** sub, nur Einz. Sachlichkeit

fund, sub, -s Fonds; no funds keine Deckung (Scheck)

fundamental, adj, fundamental, grundlegend, grundsätzlich, grundständig, wesentlich; (grundlegend) elementar; ~ **mistake** sub, -s Grundfehler; ~ **order** sub, -s Grundordnung; **~ism** sub, -s Fundamentalismus; **~ist** sub, -s Fundamentalist; **~ly** adv, wesentlich; **~s** sub, nur Mehrz. (Wissensch.) Grund-

lage
funds, *sub,* - Geldmittel
funeral, *sub,* -s Begräbnis, Leichenbegängnis; *(Begräbnis)* Beerdigung; **~ address** *sub,* -es Grabrede; **~ march** *sub,* -s Trauermarsch; **~ oration** *sub,* -s Leichenrede; **~ procession** *sub,* -s Kondukt
funeral ceremony, *sub,* -*ies* Trauerfeier
fungal disease, *sub,* -s Pilzkrankheit
fungicide *sub,* -s Fungizid; **fungus** *sub, fungi* Fungus
funk, *sub,* -s *(ugs.)* Angsthase
funnel, *sub,* -s Trichter
funniness, *sub, nur Einz. (Komik)* Lustigkeit; **funny** *adj,* komisch, putzig, spaßhaft, spaßig, ulkig, witzig; *(amüsant)* lustig; *I´ve got a funny feeling about it* mir ist die Sache nicht geheuer; *it´s far from being funny* das ist beileibe nicht komisch; **funny (am: cute)** *adj,* drollig; *don´t get funny* jetzt werd nicht drollig; *she´s a funny girl* sie ist ein drolliges Mädchen; **funny story** *sub,* -*ies* Schnurre
fur, *sub,* -s Feh, Fell, Pelz *(2) vi, (Zunge)* belegen; **~ coat** *sub,* -s *(ugs.)* Mottenfiffi; **~ farm** *sub,* -s Pelztierfarm; **~ seal** *sub,* -s *(zool.)* Seebär; **~-trimmed** *adj,* pelzbesetzt
furious, *adj,* ingrimmig, rasend, wild, wütend; *(rasend)* furios; *to be furious with sb* einen Zorn auf jmd haben; *(ugs.) to make sb furious* jmdn rasend machen
furnish, *vt,* einrichten, möblieren, *(Wohnung)* ausstatten; *furnish sth comfortably* sich gemütlich einrichten; *refurnish* sich neu einrichten; **~ed** *adj,* möbliert; *a furnished room* ein möbliertes Zimmer; **~ing** *sub,* -s *(Gebäude)* Einrichtung; **~ings** *sub, nur Mehrz.* Mobiliar; *(Möblierung)* Ausstattung
furniture, *sub, nur Einz.* Möbel; *to shift the furniture* Möbelrücken; **~ dealer** *sub,* -s Möbelhändler; **~ packer** *sub,* -s Möbelpacker; **~ polish** *sub,* -es Möbelpolitur; **~ remover** *sub,* -s *(Möbel-)* Spediteur
furred, *adj, (Zunge)* belegt
furrier´s workshop, *sub,* -s Kürschnerei
furrow, *sub,* -s Furche; **~ed** *adj,* gefurcht
furry, *adj,* pelzig
furs, *sub, nur Mehrz.* Pelzwaren

further, *(1) adj* ferner *(2) adv,* abermalig; **~ education** *sub,* -s Fortbildung; **~ selection** *sub,* -s *(Kunst)* Nachlese; **~ training** *sub,* -s *(berufl.)* Fortbildung; **~more** *adv,* ferner
furtive, *adj,* verstohlen
furuncle, *sub,* -s *(med.)* Furunkel
fury, *sub,* -*ies* Furie; - Grimm; *nur Einz.* Rage; -*ies* Raserei; - Wut; -*ies (myth.)* Erinnye
fuse, (1) *sub,* -s Lunte, Luntenschnur, Zündschnur; *(tech.)* Sicherung *(2) vt,* verschmelzen; *(tech.) replace a fuse* eine neue Sicherung einsetzen; *(tech.) the fuse has blown* die Sicherung ist durchgebrannt
fusilier, *sub,* -s Füsilier; *(US)* Füsilier
fusion, *sub,* -s Fusionierung, Verschmelzung; *(Naturw.)* Fusion
fuss, (1) *sub,* - Getue; *nur Einz. (ugs.)* Rummel, Tamtam, Zinnober; *(Aufhebens)* Geschrei; - *(Aufregung)* Hallo; *(Getue)* Gehabe; *(Lärm)* Skandal *(2) vi,* pusseln; *(ugs.) don´t make a fuss!* mach kein Theater!; *make a great fuss about* ein großes Spektakel machen über; *stop making such a fuss!* mach keine Fisimatenten!; *(ugs.) to make a great fuss about sb/sth* großen Rummel um jmdn/etwas machen; *(ugs.) to make a lot of fuss* viel Wind um etwas machen; *why all that fuss?* warum der ganze Zauber?; *(ugs.) make a lot of fuss* viel Tamtam machen; **~iness** *sub, nur Einz.* Pingeligkeit; **~y** *adj,* etepetete, pusslig; *(wählerisch)* heikel
futile, *adj,* nutzlos, vergeblich; *(unnütz)* müßig; *It´s absolutely futile doing that* es ist völlig nutzlos, das zu tun
future, (1) *adj,* künftig *(2) sub,* - Zukunft; -s *(Sprachw.)* Futur; *the near future* die nahe Zukunft; **~ generations** *sub, nur Mehrz. (die ~n)* Nachgeborene; **futurism** *sub,* - Futurismus; **futurist** *sub,* -s Futurist; **futuristic** *adj,* futuristisch
fuzzy-head, *sub,* -s *(ugs.)* Wuschelkopf; **fuzzy** *adj,* unscharf, verschwommen

G

gabble, (1) *vi*, labern; *(i. ü. S.)* gackern; *(Gans)* schnattern **(2)** *vti*, quasseln, quatschen

gable, *sub*, *-s* Giebel

gabled *adj*, giebelig

gadolinium, *sub*, *nur Einz. (chem.)* Gadolinium

Gaelic, *adj*, *(Sprachw.)* gälisch

gag, *sub*, *-s* Gag, Knebel

gain, (1) *sub*, *-s (Gewinn)* Ausbeute **(2)** *vi, (zu) gelangen* **(3)** *vt*, erringen; *(i. ü. S.; Einblick, Eindruck)* gewinnen; *(gewinnen)* erlangen; *(Vorteil, Vorsprung)* gewinnen; **~fully employed** *adj*, erwerbstätig; **~s** *sub*, *nur Mehrz. (Wahl)* Gewinn

gait, *sub*, *-s* Gangart; **~er** *sub*, *-s* Gamasche, Überstrumpf

gala, *sub*, *-s* Gala; **~ concert** *sub*, *-s* Galakonzert

galaxy, *sub*, *-ies (astron.)* Galaxie; - Galaxis

galenic, *adj*, galenisch

gall, *sub*, *-s (med.)* Galle; *(Sekret Tier)* Galle; **~ bladder** *sub*, *-s* Gallenblase; **~-bladder complaint** *sub*, *-s* Gallenleiden

gallant, *adj*, galant; **~ry** *sub*, *-ies* Galanterie

galleon, *sub*, *-s* Galeone, Galione *(Frachtschiff)* Galeote

gallerist, *sub*, *-s* Galerist

gallery, *sub*, *-ies* Empore, Galerie; *(mil.)* Stollen; **~ (room)** *sub*, *-s (kun.)* Kabinett

galley, *sub*, *-s* Galeere; *(Buchdr.)* Fahnenabzug

gallium, *sub*, *- (chem.)* Gallium

gallon, *sub*, *-s (Brit./Imperial 4,54 l)* Gallone; *(US 3,78 l)* Gallone

gallop, (1) *sub*, *-s* Galopp **(2)** *vi*, galoppieren; *come galopping along* im Galopp ankommen; *galop through sth* im Galopp erledigen

gallows *sub*, *nur Mehrz.* Galgen; *send to the gallows* an den Galgen bringen; **~ humour** *sub*, *-s* Galgenhumor

gallstone, *sub*, *-s* Gallenstein; **~s** *sub*, *nur Mehrz. (Gallen-)* Steinleiden

galoshes, *sub*, *nur Mehrz.* Galosche

galvanic, *adj*, galvanisch; **galvanism** *sub*, *- (chem.)* Galvanismus; **galvanization** *sub*, *-s* Galvanisation; **galvanize** *vt*, galvanisieren; **galvanoscope** *sub*, *-s* Galvanoskop; **galvanotechnic** *sub*, *-* Galvanotechnik

gambit, *sub*, *-s (Schach)* Gambit

gamble, (1) *sub*, *nur Einz.* Hasard **(2)** *vi,*

---

hasardieren **(3)** *vt*, *(ugs.)* zocken; **~ away** *vt*, verspielen; **~r** *sub*, *-s* Hasardeur; -*(ugs.)* Zocker; *-s (Glücks-)* Spieler; **gambling** *sub*, *-s (ugs.)* Glücksspiel; - *(Glücks-)* Spiel; **gambling bug** *sub*, *-s (ugs.)* Spielteufel; **gambling debt** *sub*, *-s* Spielschuld; **gambling den** *sub*, *-s* Spielhölle

game, *sub*, *nur Einz.* Wild; *-s (spo.)* Spiel; *(Sport)* Partie; *fair game* leichte Beute; *(ugs.) go on the game* auf den Strich gehen; *(spo.) to put on an exciting game* ein spannendes Spiel liefern; *to give up the game as lost* die Partie verloren geben; *to play a game of chess* eine Partie Schach spielen; **~ decided on points** *sub*, *-s* Punktespiel; **~ licence** *sub*, *-s* Jagdschein; **~ of chance** *sub*, *-s* Glücksspiel, Hasardspiel; **~ of chess** *sub*, *-s* Schachpartie, Schachspiel; **~ of tennis** *sub*, *games* Tennisspiel; **~ park** *sub*, *-s* Wildpark; **~ path** *sub*, *nur Einz.* Wildwechsel; **with fingers** *sub*, - Fingerspiel; **~keeper** *sub*, *-s* Jagdaufseher; **~show** *sub*, *-s* Gameshow

gamete, *sub*, *-s (biol.)* Gamet

gamma, *sub*, *-s* Gamma; **~ rays** *sub*, *nur Mehrz. (phy.)* Gammastrahlen

gang, *sub*, *-s* Rotte; *(Jugend-)* Clique; *(von Verbrechern)* Bande; **~ boss** *sub*, *-es* Gangsterboss; **~ of crooks** *sub*, *-s* Gaunerbande; **~ of thieves** *sub*, *-s* Diebesbande

gangling, *adj*, schlaksig

ganglion, *sub*, *-s* Überbein; *ganglia (med.)* Ganglion

gangrenous, *adj*, *(tt; med.)* brandig

gangway, *sub*, *-s* Gangway, Landgang, Landungssteg; *gangway!* Platz da!

gaoler, *sub*, *-s* Kerkermeister

gap, *sub*, *-s* Fuge, Lücke, Ritze, Zwischenraum; *(i. ü. S.)* Durchschlupf; *(Luft~)* Loch; *(Öffnung)* Durchlass; *to have gaps in one´s knowledge* Lücken im Wissen haben; *there are great gaps in his knowledge* sein Wissen ist sehr lückenhaft; *find a gap* einen Durchschlupf finden

gape, *vi*, klaffen; *(mit offenem Mund)* glotzen

gape at, *vi*, *(ugs.)* begaffen

garage, *sub*, *-s* Autowerkstatt, Garage, Reparaturwerkstatt, Werkstatt

garb, *sub*, *-s (Amts-)* Tracht

garbage, *sub*, *nur Einz.* Müll; **~ can** *sub*, *-s* Mülleimer; **~ truck** *sub*, *-s* Müllauto

garden, *sub*, -s Garten; *public gardens* öffentliche Anlagen; ~ **chess** *sub*, *-es* Gartenschach; ~ **city** *sub*, *-ies* Gartenstadt; ~ **enthusiast** *sub*, -s Gartenfreund; ~ **gnome** *sub*, -s Gartenzwerg; ~ **house** *sub*, -s Gartenhaus; ~ **peat** *sub*, -s (*Torf~*) Mull; ~ **plot** *sub*, -s Kleingarten; ~ **plot holder** *sub*, -s Kleingärtner; ~ **tool** *sub*, -s Gartengerät; ~**er** *adj*, -s Gärtner; ~**esque** *adj*, gärtnerisch; ~**flower** *sub*, -s Gartenblume; ~**ing** *sub*, -s Gartenarbeit

gargle, (1) *sub*, -s Gurgelmittel, Gurgelwasser (2) *vti*, gurgeln

gargoyle, *sub*, - Wasserspeier

garish, *adj*, knallbunt

garland, (1) *sub*, -s Kranz (2) *vt*, kränzen; ~ **of oak (leaves** *sub*, -s Eichenkranz

garlic, *sub*, *nur Einz.* Knoblauch

garment, *sub*, -s Gewand

garnet, *sub*, -s (*Schmuckst.*) Granat

garotte, *vt*, garrottieren

garret, *sub*, -s Mansarde; ~ **roof** *sub*, -s Mansarddach

garrison, *sub*, -s Garnison; ~ **duty** *sub*, *nur Einz.* (*mil.*) Innendienst

garrote, *sub*, -s Garrotte

garter, *sub*, -s Strumpfband; (*US*) Sockenhalter, Straps

gas, (1) *sub*, *-ses* Gas (2) *vt*, (*tt; zool.*) vergasen; ~ **bill** *sub*, -s Gasrechnung; ~ **explosion** *sub*, -s Gasexplosion; ~ **heater** *sub*, -s Gasbadeofen; ~ **heating** *sub*, -s Gasheizung; ~ **lighter** *sub*, -s Gasfeuerzeug; ~ **mask** *sub*, -s Gasmaske; ~ **pedal** *sub*, -s (*US*) Gaspedal; ~ **station** *sub*, -s Tankstelle; ~ **station attendant** *sub*, -s Tankwart; ~ **tube** *sub*, -s Gasschlauch; ~**lighter** *sub*, -s Gasanzünder

gasme/vension, *sub*, *nur Einz.* Wildbret

gasometer, *sub*, -s Gasometer

gasp, *vti*, japsen; *to the last gasp* bis zum letzten Atemzug; ~ **(for breath)** *vi*, keuchen

gassing, *sub*, -s Vergasung

gastric, *adj*, (*med.*) gastral, gastrisch; ~ **fistula** *sub*, -s Magenfistel; **gastritis** *sub*, - (*med.*) Gastritis

gastronomic, *adj*, gastronomisch; **gastronomy** *sub*, *-ies* (*Kochkunst*) Gastronomie

gasworks, *sub*, *nur Mehrz.* Gaswerk

gate, *sub*, -s Pforte, Schranke, Tor; *the gates of heaven* die Pforten des Himmels; (*ugs.*) *between you and me and the gatepost* unter uns gesagt; *open (shut) the gate* das Tor öffnen (schließen)

gâteau, *sub*, -s (*Sahne-*) Torte

gatehouse, *sub*, -s (*Fabrik*) Pförtnerloge; gatekeeper *sub*, -s Pförtner, Torwache; gateman *sub*, *-men* (*Fabrik*) Pförtner; gateway *sub*, -s Toreinfahrt, Torweg; *Stirling, the gateway* Stirling, die Pforte zu den Highlands

gaucho, *sub*, -s Gaucho

gaudy, *adj*, kunterbunt

gauge, (1) *sub*, -s Messgerät, Messinstrument (2) *vt*, (*tech.*) messen

gaunt, *adj*, hager; (*anat.*) eingefallen

gauze, *sub*, -s Gaze; (*dünnes Gewebe*) Flor; ~ **bandage** *sub*, -s Mullbinde

gavotte, *sub*, -s Gavotte

gawkiness, *sub*, *nur Einz.* Gafferei

gawp, *vi*, gaffen

gay, (1) *adj*, (*ugs.*) schwul (2) *sub*, -s Homo, Schwule

Gazastripe, *sub*, - Gazastreifen

gaze after, *vt*, nachblicken; (*hinterherschauen*) nachsehen

gazelle, *sub*, -s Gazelle

gazette, *sub*, -s Gazette; (*Anzeigenblatt*) Anzeiger

gear, *sub*, -s Montur; (*mot.*) Gang; *nur Einz.* (*spo.*) Ausrüstung; *change gears* den Gang wechseln; *first gear, second gear* erster Gang, zweiter Gang; (*US*) *shift gears* den Gang wechseln; (*i. ü. S.*) *get into top gear* auf Touren kommen; ~ **box** *sub*, *-es* (*Räderkasten*) Getriebe; ~ **unit** *sub*, -s (*tech.*) Getriebe; ~**shift** *sub*, -s Gangschaltung; ~**wheel** *sub*, -s (*tt; tech.*) Zahnrad

gecko, *sub*, -s Gecko

Geiger counter, *sub*, -s Geigerzähler

gel, *sub*, -s Gel

gelatine, *sub*, - Gelatine; **gelatinise** *vti*, gelatinieren; **gelatinize** *vti*, gelatinieren; **gelatinous mass** *sub*, *-es* Gallerte; **gelatinous substance** *sub*, -s Gallertmasse

gelding, *sub*, -s (*tt; zool.*) Wallach

gelling agent, *sub*, -s Geliermittel

gem, *sub*, -s Kleinod, Schmuckstein; (*geschliffen*) Edelstein

gemini, *sub*, -s (*tt; astrol.*) Zwilling

gender, *sub*, *-es* (*Sprachw.*) Geschlecht

gene, *sub*, -s Gen; ~ **mutation** *sub*, -s Genmutation; ~ **transfer** *sub*, -s Gentransfer; ~**alogical** *adj*, genealogisch; ~**alogist** *sub*, -s Genealoge; ~**alogy** *sub*, *nur Mehrz.* Genealogie; - Sippenkunde

general, (1) *adj*, allgemein, durchgängig, generell, global (2) *sub*, -s General; *the general practitioners (GPs)* die niedergelassenen Ärzte; ~ **absolution** *sub*, -s Generalabsolution; ~ **acclaim** *sub*, -s Zuspruch; ~ **agent**

sub, -s Generalagent; **~ agreement on conditions of employment** *sub, agreements* Manteltarifvertrag; **~ anasesthetic** *sub, -s* Vollnarkose; **~ condition** *sub, -s* Allgemeinzustand; **~ education** *sub, nur Einz.* Allgemeinbildung; **~ equipment** *sub, -s (Theat.)* Fundus; **~ knowledge** *sub, nur Einz.* Allgemeinwissen; **~ manager** *sub, -s* Generaldirektor; **~ medicine** *sub, nur Einz.* Allgemeinmedizin; **~ meeting** *sub, -s* Hauptversammlung; **~ outline of a law providing guidelines for specific elaboration** *sub, -s* Rahmengesetz
general post office, ** *sub, -s (US)* Hauptpostamt; **general practitioner *sub, - -s* Allgemeinarzt; **general public** *sub, nur Einz.* Allgemeinheit; **general staff** *sub, -s (mil.)* Generalstab; **general state of health** *sub, nur Einz.* Allgemeinbefinden; **general strike** *sub, -s* Generalstreik; **general tendency** *sub, -ies* Grundtendenz; **general view** *sub, -s* Totalansicht, Überblick; **general weather situation** *sub, -s* Großwetterlage; **generalization** *sub, -s* Generalisation, Verallgemeinerung; **generalize** *vti,* generalisieren, verallgemeinern; **generally** *adv,* allgemein; *generally speaking* allgemein gesagt; **generally comprehensible** *adj,* gemeinverständlich
generate, *vt,* generieren; **generation** *sub, -s* Generation; *for generations* seit Generationen; *our parents´ generation* die Generation unserer Eltern; *the young generation who are now taking their place in society* die neue Generation, die jetzt nachwächst; **generation gap** *sub, -s* Generationskonflikt; **generation of computers** *sub, -s* Computergeneration; **generator** *sub, -s* Generator
generic, *adj,* generisch; **~ name** *sub, -s* Gattungsname; **~ term** *sub, -s* Oberbegriff
generosity, *sub, nur Einz.* Freigebigkeit; *-ies* Generosität, Splendidität; *(Großzügigk.)* Freizügigkeit; **generous** *adj,* freigebig, generös, großzügig, kulant, splendid; *(großzügig)* nobel; *to be generous* sich nobel zeigen; **generousness** *sub, nur Einz.* Kulanz
genesis, *sub, -es* Genese; *nur Mehrz.* Genesis
genetic, *adj,* genetisch; **~ engineering** *sub, -s* Genmanipulation, Gentechnologie; **~ research** *sub, -s* Genforschung; **~ally engineered** *adj,* gentechnisch; **~ally engineered fruit** *sub, -s*

Genobst; **~s** *sub, nur Mehrz.* Genetik
genital, *adj,* genital; **~s** *sub, nur Mehrz.* Genitale
genius, *sub, nur Einz.* Genialität; *-es* Genie; - Genius; *nur Einz.* Ingenium
genocide, *sub, -s* Genozid, Völkermord; **genotype** *sub, -s* Erbgut, Erbmasse, Genotyp
genre, *sub, -s* Genre; **~ painting** *sub, -s* Genremalerei
Gent, *sub, - (geogr.)* Gent
genteel, *adj,* vornehm
gentian, *sub, -s* Enzian
gentle, *adj,* sacht, sachte, sanftmütig, zart; *(Luft, Seife)* mild, milde; *(Tier)* friedfertig; **~ persuasion** *sub, -s* Seelenmassage; **~man** *sub, -men* Gentleman, Kavalier; *(Abk.)* Gent; *(sehr höfl.)* Herr; *ladies and gentleman* sehr geehrte Damen und Herren!; **~manlike** *adj,* gentlemanlike; **~men´s group** *sub, -s* Herrenpartie; **~ness** *sub, nur Einz.* Sanftmut; *(s. adj)* Milde
genuflection, *sub, -s* Kniefall
genuine *adj,* genuin; *(i. ü. S.)* waschecht; *(-haft)* ernst; *(kein Imitat)* echt; *(ursprünglich)* ehrlich; *genuine Meißen porcelaine* original Meißener Porzellan; *a genuine Picasso* ein echter Picasso; **~ gold** *adj,* echtgolden; **~ness** *sub, -es* Echtheit; *nur Einz.* (*Echtheit*) Originalität; *(s.ehrlich)* Ehrlichkeit
genus, *sub, genera (biol.)* Genus; *(zool.)* Gattung
geobotanic, *adj,* geobotanisch; **geocentric** *adj,* geozentrisch; **geochemical** *adj,* geochemisch; **geodesy** *sub, -* Geodäsie; **geodetic** *adj,* geodätisch; **geographer** *sub, -s* Geograf; **geographic(al)** *adj,* geografisch; **geographical** *adj,* erdkundlich; **geography** *sub, -ies* Erdkunde; *nur Einz.* Länderkunde; **geologic(al)** *adj,* geologisch; **geologist** *sub, -s* Geologe; **geology** *sub, -* Geologie; **geometer** *sub, -s (zool.)* Spanner; **geometric(al)** *adj,* geometrisch; **geometry** *sub, -* Geometrie; *nur Einz.* Raumlehre; **geopolitical** *adj,* geopolitisch
Georgian, *adj,* georgisch
geothermal, *adj,* geothermisch; **geotropic** *adj,* geotropisch
geranium, *sub, -s (bot.)* Geranie
geriatric, *adj,* geriatrisch; **~ care** *sub, nur Einz.* Altenhilfe; **~ nurse** *sub, -s* Altenpfleger; **~ian** *sub, -s* Geriater; **~s** *sub, -* Geriatrie

germ, *sub,* -s *(ugs.)* Bazillus; *(bot.)* Keimling; ~ **cell** *sub,* -s Keimzelle; **~free** *adj,* keimfrei

germinate, *vi,* auskeimen, keimen; *(Samen)* aufkeimen; *(i. ü. S.) he let the idea germinate in his mind* er ließ die Idee in sich keimen; **germination** *sub,* nur *Einz.* Auskeimung

gerontologist, *sub,* -s Gerontologe; **gerontology** *sub,* - Gerontologie

gerund, *sub,* - *(Sprachw.)* Gerundium

Gestapo, *sub,* - Gestapo

gesticulate, *vi,* gestikulieren; **gesticulation** *sub,* -s Gestikulation; **gesticulative** *adj,* gestisch

gesture, *sub,* -s Gebärde, Geste; - Gestik; *conciliatory gesture* Geste der Versöhnung; *to communicate with gestures* sich pantomimisch verständlich machen; ~ **with the hands with the expression of despair** *sub,* -s Händeringen; **~s** *sub,* nur *Mehrz.* Gebärdenspiel

get, (1) *vi,* werden; *(gelangen)* geraten **(2)** *vt,* bekommen, beschaffen, herholen, zubringen; *(ugs.)* kriegen; *(Dankbarkeit)* ernten; *(es zu etwas -)* bringen; *(Versandware)* beziehen; *(verstehen)* mitbekommen; *get run over by a car* unter ein Auto geraten; *get a present* etwas geschenkt bekommen; *get hungry* Hunger bekommen; *get the wind up* Angst bekommen; *he´s never satisfied* er kann nie genug kriegen; *I´ll have a steak* ich kriege ein Steak; *he´ll never get a husband* sie kriegt nie einen Mann; *to get scared* es mit der Angst zu tun kriegen; *(you just) get out of here!* mach, dass du hier verschwindest; *did you get anywhere with him* haben sie bei ihm etwas erreicht; *did you get through the exam* hast du die Prüfung gepackt?; *get at so* zu jemandem etwas anhaben; *get lost* abhanden kommen; *get one´s share* einen Teil abbekommen, seinen Teil abkriegen; *get os sth* sich etwas anschaffen; *get so on the phone* telefonisch jmd erreichen; *get so to do sth* jemanden zu etwas bewegen; *get somewhere* etwas erreichen; *get sth going* in Fluss bringen; *get sth over with* hinter sich bringen; *get the car to go* das Auto zum Laufen bringen; *haven´t got it yet* etwas noch nicht checken; *(ugs.) he just doesn´t get it* da haben wir ihn aus; *he´ll never get* er packt es nie; *he´s got it* er hat´s erfaßt; *he´s got it (bad)* es hat ihn (schlimm) erwischt; *I don´t get it* ich blicke nicht durch; *I´ll get you for that!* Rache ist süß!; *it gets me* es

bringt mir ein: *she gets all the bad breaks* er bleibt ihr nichts erspart, *she´s getting on well at school* sie kommt in der Schule gut mit; *(vulg.) she´s got lots of get-up-and-go* sie hat Pfeffer im Arsch; *that won´t get me anywhere* damit werde ich gar nichts ausrichten; *(i. ü. S.) to get going* in Schwung kommen; *to get sb a drink* jmd einen Drink machen; *to get so a job with a firm* jmd bei einer Firma unterbringen; *you won´t get anywhere with me like that* damit kommst du bei mir nicht durch; *get somewhere/nowhere* es zu etwas/nichts bringen; *I can´t get the key into the lock* ich bringe den Schlüssel nicht ins Schloss; ~ **(be) snowed in** *vi,* einschneien; ~ **a cold** *vi,* verschnupfen; ~ **a fix on** *vt, (Sender, Standort)* peilen; ~ **a fright** *vt,* erschrecken; *get a fright at sth* sich über etwas erschrecken; ~ **a good hiding** *vt, (ugs.)* Senge; ~ **a good night´s sleep** *vi,* ausschlafen; ~ **a good shot** *vi,* schussgerecht; ~ **a job** *vi, (ugs.)* unterkommen; ~ **a license** *vi, (Radio, etc.)* anmelden; ~ **a move on** *vi, (ugs.; sich beeilen)* machen; ~ **a player in the clear** *vt, (spo.)* freispielen; ~ **a shot of** *vt, (ugs.)* fotografieren; ~ **a smack** *sub,* -s *(ugs.; Schläge)* Haue

get accepted, *vt, (Idee, Lösung)* durchsetzen; *his idea became generally accepted* seine Idee hat sich durchgesetzt; **get accustomed to** *vt, (geh.)* eingewöhnen; **get across** *vt, (ugs.)* rüberbringen; **get along** *vr,* verstehen; *(i. ü. S.) get along with sth* fertig werden mit etwas; *she is impossible to get along with* mit ihr ist kein Auskommen; **get along by dint of smart manoeuvring** *vi,* durchlavieren; **get along with** *vi,* vertragen; **get an idea generally accepted** *vt, (Idee)* Durchbruch; **get annoyed** *vi,* ärgern; *don´t get annoyed* ärgere dich nicht; **get approved** *vt, (Reform)* durchsetzbar; **get around** *vr, (sich)* herumsprechen; **get around sth** *vi, (i. ü. S.; um etwas)* herumkommen; **get at so** *vi, (einer Person)* beikommen; *there´s no getting at her* ihr ist nicht beizukommen

get away, (1) *sub,* - *(Wegkommen)* Fortkommen **(2)** *vi,* davonkommen, fortkommen; *get away with an excuse* mit einer Ausrede durchkommen; *get off with a fright* mit dem Schreck davonkommen; *he can get away with it* er kann sich das erlauben; ~ **from** (1) *vi*, losmachen (2) *vtr*, *(ugs.)* loseisen; ~/out *vi*, entwischen; **get back** *vt*, wiederbekommen, zurückhalten; *get a company/sick person back on its/her feet* eine Firma/Kranken wieder hochbringen; **get back normal** *vi*, normalisieren; **get bedsores** *vr*, wund liegen; **get better** *vr*, verbessern; **get bored** *vi*, langweilen; **get by on very little to eat** *vt*, durchhungern; **get by swindling** *vt*, erschwindeln; **get caught** *vr*, verfangen; **get caught up** *vi*, *(i. ü. S.)* hineintappen; **get cheaper** *vr*, verbilligen; **get chilled to the bone** *vi*, durchfrieren

get closer to, *vt*, nahe treten, näher kommen; **get completely caught up** *vr*, *(sich)* hineinsteigern; **get covered with** *vt*, *(Schmutz)* einschmieren; **get dirty** *vi*, verschmutzen; **get dolled up** *vi*, *(ugs.)* aufdonnern; *(ugs.; sich aufdonnern)* aufmotzen; **get down to it** *vt*, daranmachen; *get down to doing sth* sich daranmachen etwas zu tun; **get dressed** *vi*, anziehen; **get drunk** *vi*, berauschen, betrinken; **get engaged** *vr*, verloben; **get excited** (1) *vi*, ereifern (2) *vti*, echauffieren; *get excited about* sich eifern über etwas; **get exercise** *vt*, *(körperlich)* bewegen; **get fed up with** *vt*, überkriegen; **get frostbite in** *vt*, *(Finger u.a.)* erfrieren; **get glue on** *vt*, verkleistern

get full, *vr*, *(ugs.)* voll laufen; **get further** *vi*, weiterkommen; **get further than** *vi*, *(i. ü. S.)* hinauskommen; **get going** *vt*, flottmachen; *be keen to get going* zum Aufbruch drängen; **get going on** *vr*, *(sich)* heranmachen; **get going/started** *vi*, *(ugs.)* loslegen; **get hold of** *vt*, *(ugs.; Geld, Person)* auftreiben; **get in** (1) *vi*, hereinkommen, hineinkommen (2) *vt*, *(Aufträge)* hereinholen; *(Vorrat)* anlegen; *get in* sich Einlass verschaffen; *I can´t get them all in* ich kann sie nicht alle unterbringen; **get in a muddle** *vr*, *(ugs.)* verhaspeln; **get in order** *vi*, ordnen; **get in the mood for** *vt*, Einstimmung; **get in through** *vi*, *(Gebäude)* einsteigen; *get in through the window* durch das Fenster einsteigen; **get in touch with** *vt*, kontaktieren; *(von sich hören lassen)* melden; **get in/on/into** *vt*, *(Fahrzeug/Bus/Auto)* einsteigen

get into, (1) *vi*, hineingeraten (2) *vr*, *(sich)* hineinfinden (3) *vt*, *(ugs.; Gebäude)* eindringen; *get into so´s hands* in jmds Hände gelangen; ~ **a mess** *vt*, *(etwas)* durcheinanderbringen; ~ **debt** *sub*, verschulden; ~ **lane** *vi*, *(Verkehr)* einordnen; *get into the left lane* sich links einordnen; ~ **space** *vr*, *(spo., sich)* freispielen; **get involved in** (1) *vi*, *(verwickelt werden)* hineingeraten (2) *vt*, *(auf)* einlassen; **get involved in sth** *vr*, *(sich)* hergeben; **get jammed** *vr*, *(Verkehr)* stauen; **get later** *vt*, nachbekommen; **get lazy** *vi*, verbummeln; **get lifted up** *vt*, hochbekommen; **get lost** *vr*, verirren, verlaufen; **get lumpy** *vi*, *(ugs.)* verklumpen; **get mad** *vr*, *(sich)* giften; **get married** (1) *vi*, *(ugs.)* beweiben (2) *vt*, heiraten; **get messed** *vr*, voll machen; **get muddled** (1) *vt*, verfahren (2) *vt*, verwechseln

get near, *vt*, nahe kommen; **get o.s. dirty** *vr*, beschmieren, beschmutzen; **get off** (1) *vi*, abkommen; *(aus Verkehrsmittel)* aussteigen; *(vom Rad, etc.)* absteigen (2) *vt*, abbekommen, abbringen, losbekommen; *(ugs.)* abkriegen; *(vom Rad, Pferd)* absitzen; *get off the road* von der Straße abkommen, *(i. ü. S.)* get so off the subject jemanden vom Thema abbringen; *get sth off* so jemandem etwas abjagen; *(ugs.) to get off (scot-free)* ungeschoren davonkommen; **get on** *vi*, *(Erfolg haben)* fortkommen; **get on well with** so mit jemandem gut auskommen; *things are getting on nicely* es geht flott voran; **get on sb´s nerves** *vt*, nerven; **get on well** *vi*, *(Personen)* harmonieren; **get on with** *vt*, *(mit einer Person)* auskommen; **get one´s revenge** *vr*, rächen, revanchieren; **get oneself ready** *vr*, zurechtmachen; **get open** *vt*, *(öffnen)* aufbringen; **get or be caught** *vr*, *(gefangennehmen)* fangen

get out, (1) *vi*, herauskommen, hinauskommen, wegkommen (2) *vt*, herausbekommen, herausbringen, herausholen, herausziehen; *(ugs.)* rauskriegen; *get money back* Geld herausbekommen; *get out of it* nicely sich aus der Affäre ziehen; *get sth out of sth* etwas von etwas haben; *to get out of it* sich aus der Affäre ziehen; ~ **of** *vt*, *(i. ü. S.; befreien)* herausreißen; ~ **of a parking space** *vi*, ausparken; **get over** (1) *vi*, hinwegkommen (2) *vt*, überwinden, verschmerzen, verwinden; *to have got over it* über etwas weg sein; **get plastered** *vi*, *(ugs.)* besaufen; **get ready** (1) *vi*, anschicken (2) *vr*, *(sich)* herrichten (3) *vt*, bereitlegen, bereitmachen, herrichten;

(berrichten) hinrichten; *(Senkung)* ub. fertigen; *get ready for* sich zu etwas anschicken; *get ready to* sich anschicken zu; **get rich** *vi*, bereichern; *get rich at the expense of others* sich auf Kosten anderer bereichern; *get rich on* sich an etwas bereichern; **get rid of** *vt*, loswerden, verhökern, wegbekommen, wegschaffen; *(verkaufen)* losschlagen; **get rid of one´s aggressions** *vt*, abreagieren; **get round the conference table** *vi, (geb.)* conferieren

get so drunk *vt*, alkoholisieren; **get sb at** *sth*, drankriegen; *get sb at sth* jmd mit etwas drankriegen; **get sb elected** *vt*, (Wahlen) durchkriegen; **get sick of** *vt*, überkriegen; **get smacked** *vt*, draufkriegen; **get smaller** *vt*, *(ugs.)* verschrumpfen; **get so out** *vt*, (i. ü. S.) herausbauen; **get so round** *vt*, herumkriegen; **get sth dirty** *vt*, beschmutzen; *(beschmutzen)* beschmieren; **get sth going** (1) *sub*, - *(zum - bringen)* Gehen (2) *vt*, *(ugs.)* anleiern; **get sth straight** *vt*, klarstellen; **get sth. by devious means** *vt*, erschleichen; **get sth. in addition** *vt*, dazubekommen; **get sth. in one´s foot** *vt*, *(Splitter)* eintreten; *get a splinter in one´s foot* sich einen Splitter in den Fuß eintreten; **get sth. through** *vt*, durchbringen; *get by* sich durchbringen; *get so through* jmd durchbringen; *support one´s family* seine Familie durchbringen

get stuck, *vi*, stecken bleiben; *(klemmen)* haken; ~ *in* *vi*, *(ugs.)* rangehen; **get tangled up** *vt*, verheddern; **get tarted up** *vi*, *(ugs.)* aufkatteln; **get the range** *vt*, einschießen; *get the range* sich auf ein Ziel einschießen; **get things moving** *vt*, *(ugs.)* powern; **get things right** *vt*, hinschaukeln; **get thinner** *vi*, lichten; *his hair is getting thinner* sein Haar lichtet sich schon; *the rows were gradually thinning out* allmählich lichteten sich die Reihen; **get through** (1) *vi*, *(durchstehen)* überstehen (2) *vt*, *(angestaute Arbeit)* aufarbeiten; *(durchstehen)* überstehen (3) *vti, (i. ü. S.)* durchkommen; **get to** *vi*, gelangen, kommen; *how do I get to the station?* wie komme ich zum Bahnhof?; *to get to one´s goal (or destination)* ans Ziel kommen; *will I ever get to China?* ob ich jemals nach China kommen werde?; **get totally drunk** *vr*, *(ugs.)* voll laufen

geyser, *sub*, -s Geysir

ghastly, *adj*, sterbenselend; *I feel ghastly!* ich fühle mich sterbenselend!

gherkin, *sub*, -s Gewürzgurke; *(Essig-)*

Gurke

ghetto, *sub*, -s Getto

ghost, *sub*, -s Gespenst; *(überirdisch)* Geist; *look like a ghost* wie ein Gespenst aussehen; ~ **town** *sub*, -s Geisterstadt; ~ **train** *sub*, -s Geisterbahn; **~ing** *vi*, gespenstern; **~like** *adj*, schemurenhaft; **~ly** *adj*, geisterhaft, gespenstisch; **~writer** *sub*, -s Ghostwriter

giant, (1) *adj*, baumlang (2) *sub*, -s Gigant, Goliath, Hüne, Riese; *political giants* Giganten der Politik; ~ **slalom** *sub*, -s Riesenslalom; **~-scale building** *sub*, -s Kolossalbau

gibberish, *sub*, *nur Einz.* Kauderwelsch

gibbon, *sub*, -s *(zool.)* Gibbon

gibe, *vi*, spötteln; *(ugs.)* sticheln

giddiness, *sub*, *nur Einz.* Taumel

gift, *sub*, -s Gabe, Geschenk; *(Begabung)* Gabe, Talent; *(jur.)* Schenkung; *have a gift for* die Gabe haben zu; ~ **box** *sub*, -es Kassette; **~ed** *adj*, gottbegnadet, talentiert

gig, *sub*, -s Gig

gigantic, *adj*, gewaltig, gigantisch, hünenhaft, riesig, titanisch; ~ **show** *sub*, -s Mammutschau, Monsterschau; **gigantism** *sub*, - Gigantismus

giggle, *vi*, kichern; **giggling** *sub*, - Gekicher

gigolo, *sub*, -s Eintänzer, Gigolo

gild, *vt*, vergolden; **~er** *sub*, -s Vergolderin

gilt-edged, *adj*, mündelsicher

gimlet, *sub*, -s Nagelbohrer; *gimlet* Handbohrer; ~ **bit** *sub*, -s Spitzbohrer

gimmick, *sub*, -s *(Besonderh.)* Gag

gin, *sub*, -s Gin; - Wacholderschnaps

ginger, *sub*, -s Ginger; *nur Einz.* Ingwer; ~ **snap** *sub*, -s Printe; **~bread** *sub*, *nur Einz.* Honigkuchen, Lebkuchen; -s Pfefferkuchen

ginseng, *sub*, -s Ginseng

giraffe, *sub*, -s Giraffe

girder, *sub*, -s *(Eisen-)* Träger

girdle, *sub*, -s *(Korsage)* Mieder; **~r** *sub*, -s *(Tragebalken)* Balken

girl, *sub*, -s Mädchen; *to dress like a girl* sich mädchenhaft kleiden; *to look like a (young) girl* mädchenhaft aussehen; ~ **guide** *sub*, -s Pfadfinderin; ~´s **name** *sub*, -s *(Vorname)* Mädchenname; **~friend** *sub*, -s Freundin; *take his girlfriend away* seine Freundin ausspannen; **~friend of a footballer** *sub*, -s Fußballbraut; **~ish** *adj*, mädchenhaft; **~s´ grammar school** *sub*, -s Lyzeum

giro, *sub, -s* Giro
girondist, *sub, -s* Girondist
girth, *sub, -s* Leibesumfang
give, (1) *vi,* geben (2) *vt,* geben, verabreichen, versehen, zugeben; *(med.)* eingeben; *(Personalien)* angeben; *(Rat/Unterricht ua.)* erteilen; *(Sache)* mitgeben; *give medicine to sb* jmd Medizin eingeben; *Christ gave up his life* Christus starb den Opfertod; *give for charity* für einen guten Zweck spenden; *give so sth* jemandem etwas bescheren; *give the lie to someone* jemanden Lügen strafen; *(i. ü. S.) he gave as good as he got* er blieb ihr nichts schuldig; *my legs are giving up* meine Beine machen nicht mehr mit; *(i. ü. S.) that´s what gives it that extra something* das ist das Salz in der Suppe; *to give sb a going-over* jmdn in den Mangel haben; *to give sb hope* jmd Hoffnung machen; *(ugs.) to give sb what she/he wants* jmd den Rachen stopfen; *to give sb to take with them* jmd etwas mitgeben; ~ **a bonus** *vt,* prämieren; ~ **a final polish** *vt,* nachpolieren; ~ **a free rendering of** *vt,* nachdichten; ~ **a mat finish** *vt,* mattieren; ~ **a pedicure to** *vt,* pediküren; ~ **a person sth on credit** *vt,* kreditieren; ~ **a present** *vt,* beschenken; *give so a present* jemanden beschenken; *shower so with presents* jemanden reich beschenken; ~ **a present to** *vt,* bedenken; ~ **a receipt for** *vt,* quittieren; ~ **a refill** *vt,* nachschenken; ~ **a report** *vi,* referieren; ~ **a start** *vi,* aufschrecken; ~ **a title to** *vt,* betiteln; ~ **acupuncture treatment** *vt,* akupunktieren

give an advance, *vt,* bevorteilen; **give an award** *vt,* prämieren; **give an electric shock** *vt, (el. Schlag)* elektrisieren; *give oneself an electric shock* sich elektrisieren; *give an opinion on* *vt,* begutachten; **give artificial respiration** *vt,* beatmen; **give attention** *vr,* zuwenden; **give away** *vt,* hergeben, verschenken, weggeben; **give back** *vt,* herausgeben, hergeben, wiedergeben, zurückgeben; **give birth** *vti,* gebären; **give evidence** *vt, (tt; jur.)* zeugen; **give hair a thinning cut** *vt,* effilieren

give in, *vr, (sich - geben)* geschlagen; *give in* sich erweichen lassen; **give it to me** *präp, (damit)* hier; **give notice** *vt,* kündigen; *she suddenly gave notice after having worked for the firm for 25 years* nach 25 Jahren bei der Firma hat sie plötzlich gekündigt; *why don´t you give notice?* warum kündigst du nicht?;

give notification of sickness *vt,* krankmelden; **give o.s. airs** *vr, (ugs.)* aufspielen; *give sb. (sich aufspielen)* aufplustern; **give off** *vt, (chem. von sich)* geben; *(Gase)* ausstoßen; *(Geruch)* ausströmen; **give one´s blessing** *vt,* absegnen; **give orders** *vt,* kommandieren; **give preferential treatment** *vt, (bei der Behandlung)* bevorzugen

give presents, *vi,* schenken; **give ray treatment** *vt, (med.)* bestrahlen; **give reasons (for)** *vt, (begründen)* motivieren; **give rise** *vi,* veranlassen; **give sb a good hiding** *vt, (ugs.)* durchhauen; **give sb a real beating** *vt,* durchprügeln; **give sb a shower** *vt,* duschen; **give sb sth** *vt,* verpassen; **give sb their medical** *vt, (für Wehrdienst)* mustern; **give so a dowry** *vt,* aussteuern; **give so a hand** *vt, (mithelfen)* anfassen; **give so a share** *vt,* beteiligen; **give so an enema** *vt, (med.)* klistieren; **give so change** *vi,* herausgeben; **give so notice** *vt, (einem Mieter, Arbeiter)* aufkündigen; **give so sth,sth.to so** *vt, (jmd. etwas)* geben; *give so sth to drink* jmdm zu trinken geben; **give so the push** *vt, (ugs.)* abservieren

give sb drugs, *vt,* dopen; **give sb sth.** *vt,* schenken; **give the all-clear** *vt,* entwarnen; **give the first performance** *vt,* uraufführen; **give the orders** *vt, (befehlen)* bestimmen; **give the sack** *vt, (i. ü. S.; jmd. entlassen)* hinauswerfen; **give up (1)** *vi,* aufgeben, resignieren (2) *vt,* abgewöhnen; *(Amt, Führung)* niederlegen; *(Angewohnheit)* ablegen; *(aufgeben)* opfern; *(i. ü. S.; aufgeben)* hinwerfen; *(aufhören)* aufgeben; *(i. ü. S.; Vorhaben)* begraben; *give sth up* sich etwas abgewöhnen; **give up/in** *vi, (aufgeben)* nachgeben; **give way** *vi,* nachgeben, weichen; **giveaway price** *sub, -s* Schleuderpreis, Spottpreis

glace over, *vt, (i. ü. S.)* überfliegen
glacial period, *sub, -s* Glazialzeit; **glacier** *sub, -s* Gletscher
glad, *adj,* froh
gladiator, *sub, -s* Gladiator
gladiola, *sub, -s (bot.)* Gladiole
gladly, *adv,* gern; *I´ll be glad to help* ich helfe gerne
glamour, *sub, -* Glamour - Glamour; **~girl** *sub, -s* Glamourgirl
glance around, *vi,* umherblicken; **glance through** *vt, (flüchtig lesen)* überlesen
gland, *sub, -s* Drüse

glans, *sub, -es (anat.)* Eichel

glare, *vi, (wütend schauen)* stieren

glasnost, *sub, nur Einz.* Glasnost

glass, *sub, -es* Glas; *(Glas)* Becher; *frosted glass* mattierte Gläser; **~ blower** *sub, -s* Glasbläser, Glasbläserin; **~ bowl** *sub, -s* Glasschüssel; **~ brick** *sub, -s* Glasbaustein; **~ cabinet** *sub, -s* Glasschrank, Vitrine; **~ cleaner** *sub, -s* Glasreiniger; **~ eye** *sub, -s* Glasauge; **~ of wine** *sub, -es (ugs.)* Schoppenwein; **~ works** *sub, -* Glasbläserei; **~door** *sub, -s* Ganzglastür; **~es** *sub, nur Mehrz.* Brille, Sehhilfe; *see sth through rose-coloured glasses* etwas durch die rosa Brille sehen; *wear glasses* eine Brille tragen; **~es-case** *sub, -s* Brillenetui; **~works** *sub, nur Mehrz.* Glashütte; **~y** *adj, glasig, (Wasser)* spiegelglatt

glaze, (1) *sub, -s* Lasur, Schmelz; *(Keramik)* Glasur (2) *vt,* glasieren, lasieren, verglasen; **~d paper** *sub, -s* Glanzpapier; **glazier** *sub, -s* Glaser; **glazier´s workshop** *sub, -s* Glaserei

glean, (1) *vi,* stoppeln (2) *vt, (Ähren)* nachlesen

glee club, *sub, -s (US)* Gesangverein

glencheck, *sub, -s* Glencheck

glib, *adj, (ugs.)* zungenfertig

glide, (1) *sub, -s* Gleitflug (2) *vi,* gleiten; **~ on its way** *vi,* dahingleiten; **~r** *sub, -s* Segelflugzeug; **~r pilot** *sub, -s* Segelflieger; **gliding** *sub, -s* Segelflug

glimmer, (1) *sub, -s* Schimmer (2) *vi,* schimmern

glitter, (1) *sub, -* Flitterglanz; *-s* Gefunkel (2) *vi,* glitzern; **~ing** *adj,* glanzvoll; *glittering parties* rauschende Feste

gloaming, *sub, -s* Dämmerschein; *in the gloaming light of the candle* im Dämmerschein der Kerze

gloating, *adj,* schadenfroh

global, *adj,* global, weltweit

globe, *sub, -s* Erdball, Globus; **~trotter** *sub, -s* Globetrotter, Weltbummler, Weltreisende

gloom, *sub, nur Einz.* Trübsinn; **~iness** *sub, -es* Düsterkeit; **~y** *adj,* trübsinnig; *(betrübt)* trübselig; *(Stimmung)* trüb; *(unheilvoll)* düster; *be in gloomy mood* in trüber Stimmung sein; *foresee gloomy days* trüben Zeiten entgegensehen; *gloomy atmosphere* eine düstere Atmosphäre; *to see only the gloomy side of things* alles in Moll sehen; **~y prediction** *sub, -s (ugs.)* Kassandraruf

glorification, *sub, -s* Glorifikation, Glorifizierung; **glorify** *vt,* glorifizieren, verherrlichen; **glorious** *adj,* glorios, glorreich, ruhmreich, ruhmvoll; **glo-**

glory chapter *sub, nur Einz. (i. ü. S.)* Ruhmesblatt; **glory** *sub, -ies* Glorie; **-** Ruhm

gloss, *sub, -es* Glosse; **~ over** *vt,* beschönigen, schönfärben; **~ary** *sub, -ies* Glossar; **~ing over** *sub, nur Einz.* Beschönigung; **~y** *adj,* lackglänzend

glottis, *sub, -es* Glottis

glove, *sub, -s* Handschuh; *fit like a glove* wie angegossen passen; **~ compartment** *sub, -s* Handschuhfach; **~ puppet** *sub, -s* Kasperle

glucose, *sub, nur Einz.* Glukose; **-** Stärkezucker; *nur Einz.* Traubenzucker

glue, (1) *sub, -s* Klebemittel, Leim; *(ugs.)* Kleber (2) *vt,* kleben, leimen, pappen; **~ pot** *sub, -s* Leimtopf

glut, *sub, -s* Schwemme

gluteal muscle, *sub, -s* Gesäßmuskel

gluten, *sub, -s* Kleber

glutted, *adj,* übersatt; **glutton** *sub, -s* Fresssack, Nimmersatt; *(i. ü. S.)* Vielfraß; **glutton for scandal** *sub, -s* Skandalnudel; **gluttony** *sub, -es* Völlerei

glycerine, *sub, -s* Glyzerin

glycol, *sub, -s* Glykol

gnarl, *sub, -s* Knorren; **~ed** *adj,* knorrig, knotig; **~ed stick** *sub, -s* Knotenstock

gnat, *sub, -s* Schnake

gnaw, (1) *vi,* wühlen (2) *vti,* nagen; *to gnaw a bone* an einem Knochen nagen; **~ off** *vt,* abnagen; **~ through** *vt,* zernagen

gneiss, *sub, -es* Gneis

gnome, *sub, -s* Gnom, Wichtelmännchen

Gnostic, *sub, -s* Gnostiker

gnu, *sub, -s* Gnu

go, (1) *vi,* laufen, wegkommen; *(verlaufen)* abgehen, ablaufen (2) *vti,* fahren, gehen; *(funktionieren)* gehen; *always be on the go* ständig auf den Beinen sein; *business is going well* das Geschäft läuft; *french fries to go!* einmal Pommes frites zum Mitnehmen!; *go all out* sich voll einsetzen; *go on!* weiter im Text!; *go to* sich begeben nach; *go too far* es zu weit treiben; *he´s going fast* es geht mit ihm zu Ende; *how are things going?* wie sieht es bei dir aus?; *in one go* mit einem Ruck; *intercede with so for so* sich bei jmd für jmd einsetzen; *(i. ü. S.) keep someone on the go* jemanden in Trab halten; *let´s get going* nichts wie los; *let´s get going then* also los; *let´s not go into it* daran wollen wir nicht rühren; *she goes to the doctor every cou-*

ple of days sie läuft alle paar Tage zum Arzt; *they have already gone* sie sind schon fort; *to go into sth* sich mit etwas näher beschäftigen; *to go too far* aus dem Rahmen fallen; *to go towards* auf jmd zugehen; *to go with lots of different men* sich mit vielen Männern einlassen; *what´s going on?* was ist los?; *whenever he´s been drinking beer, he has to go to the toilet all the time* wenn er Bier trinkt, läuft er ständig auf die Toilette; *(i. ü. S.) wherever one goes* auf Schritt und Tritt; *would you just go to the baker´s for me?* läufst du schnell in die Bäckerei?; *go first class* erster Klasse fahren, erster Klasse fahren; *go and look for sb* jmdn suchen gehen; *go swimming* schwimmen gehen; *that´s been going on for years* das geht nun schon seit Jahren so; *the ship goes to Hamburg* das Schiff geht nach Hamburg; *the song goes like this* das Lied geht so; **~ (with sb)** mitfahren; **~ along** *vi,* mitgehen; *go along with a joke* auf einen Scherz eingehen; *I´ll go to the corner with you* ich gehe bis zur Ecke mit; **~ along (with)** *vt, (einverstanden sein)* mitmachen; *I can´t go along with that* da kann ich nicht mitmachen; **~ and see so** *vti, (zu j-m.)* gehen; **~ as far as** *vti, (bis an)* gehen; *get down to work* an die Arbeit gehen; *that´s going too far* das geht zu weit; **~ astray** *vi, (i. ü. S.)* straucheln; **~ away** *vi,* entfernen, fortfahren, verreisen, weggehen; **~ back to** *vt,* zurückgreifen; **~ bad/off** *vi,* verderben; **~ baggy** *vi, (Hemd etc.)* ausbeulen; **~ bankrupt** *vi,* bankrottieren; **~ before** *vti, (vor)* gehen; **~ blind** *vi,* erblinden

goal, *sub,* *-s* Fußballtor; *(spo.)* Tor, Treffer; *(spo.)* *be in goal* im Tor stehen; *(Fußball) score a goal* einen Treffer erzielen; *(spo.)* ein Tor erzielen; **~ area line** *sub,* *-s* Torraumlinie; **~ for the other side** *sub,* *-s* Gegentor, Gegentreffer; **~ kick** *sub,* *- -s (spo.)* Abstoß; **~getter** *sub,* *-s* Torjäger; **~keeper** *sub,* *-s* Torwart; *(spo.)* Torhüter; **~s difference** *sub,* *-s* Tordifferenz

goat, *sub,* *-s* Geiß; *(tt)* *(zool.)* Ziege; *(vulg.) bitch* dumme Ziege; **~ rhyme** *sub,* *-s* Schüttelreim; **~ skin** *sub,* *-s* Ziegenleder; **~'s milk** *sub,* *nur Einz.* Ziegenmilch; **~ee beard** *sub,* *nur Einz. (ugs.)* Ziegenbart

gob, *sub,* *-s* Schnauze; *(vulg.)* Fresse; *keep your gob shut* halt deine Fresse!; **~ble** *vi,* schlingen

Gobelin, *sub,* *-s* Gobelin

goblet, *sub,* *-s* Kelch; *(Trink~)* Pokal

goblin, *sub,* *-s* Kobold, Wicht

go by, (1) *vi,* vorbeigehen **(2)** *vti,* fahren; *(nach)* gehen; *go by bus* mit dem Bus fahren; **~ steamer** *vi,* Dampferfahrt; **~ the board** *vi,* flöten gehen; **go crabbing** *vi,* krebsen; **go down** *vi,* hinabfahren, hinabsinken, hinabsteigen, hinuntergehen, sinken; *(Boxer)* niedergehen; *(Fieber, Preise etc.)* fallen; *(med.)* abschwellen; *(Puls)* absinken; *(spo.)* untergehen; *(ugs.) he has gone down a lot* er ist tief gesunken; **go down the drain** *vti, (Geld)* flöten; **go down well** *vi, (gut akzeptiert werden)* ankommen; *go down with a bomb* groß ankommen

God, (1) *interj, (Ausruf)* Mann **(2)** *god sub,* *-s* Gott; *nur Einz. (Christent., Judent., Islam)* Gott; *an act of God* höhere Gewalt; *god bless you* behüte dich Gott; *god is nigh* gott ist uns nahe; *god willing!* dein Wort in Gottes Ohr!; *(ugs.) hey, you can´t do that!* Mann, das kannst du doch nicht machen!; *(ugs.) oh boy!* Mann, oh Mann!; *(ugs.) oh my God!* mein lieber Mann!; *so help me god* so wahr mir Gott helfe, *for God´s sake do it* mach es in Gottes Namen; *god the Almighty* gott der Allmächtige; *the Lord God* gott der Herr; **~ Almighty** *sub,* *nur Einz.* Allmächtige; **goddaughter** *sub,* *-s* Patentochter; **goddess of fortune** *sub,* *-es* Glücksgöttin; **goddess of love** *sub,* *-es* Liebesgöttin; **goddess of victory** *sub,* *-es* Siegesgöttin; **godfather** *sub,* *-s (Tauf~)* Pate; *(veraltet)* Gevatter; *he didn´t take his responsibilities as godfather seriously* er nahm seine Patenschaft nicht ernst; *he´s going to be the child´s godfather* er übernimmt die Patenschaft für das Kind; *to be the child´s godparent bei einem Kind* Pate stehen; **godforsaken** *adj,* gottverlassen; **godless** *adj,* gottlos; **godlike** *adj,* göttähnlich, göttergleich; **godmother** *sub,* *-s (Tauf~)* Patin; *(veraltet)* Gevatter; **godparent** *sub,* *-s (Taufe)* Pate; **godparenthood** *sub,* *-s (Taufe)* Patenschaft

go dry, *vi, (Haut)* austrocknen; **go far** *vr, (i. ü. S.)* vergaloppieren; **go first** *vi,* vorgehen, vorhergehen; **go flat** *vi, (Bier)* abstehen; **go for** *vi, (angreifen)* losgehen, *to go for sb with a knife* mit dem Messer auf jmdn losgehen; **go for a drive** *vi, (wegfahren)* ausfahren; **go for a walk** *vi,* Spazierengehen; **go**

gliding *vi*, segelfliegen; **go halves** *adj*, halbe-halbe; **go in** *vi*, hineingehen, hineinpassen; **go in front** *vi*, vorangehen; *(ugs.)* voraufgehen; **go into raptures** *vti*, vorschwärmen

goggle box, *sub*, *-es (ugs.)* Flimmerkiste; **goggle eye** *sub*, *-s* Glotzauge, Glupschauge; **goggle-box** *sub*, *-es* Glotze

going through the material, *vt*, Durchnahme; *while going through the material* bei der Durchnahme des Stoffes; **going to bed** *sub*, *nur Einz.* Zubettgehen; **going with a request** *vi*, Bittgang; *going to sb with a request* einen Bittgang machen

go into, **(1)** *vt*, *(polit./wirt.)* einsteigen; *(Verbrechen)* nachspüren **(2)** *vti*, *(in)* gehen; *get in on a project* in ein Projekt einsteigen, *go into industry* in die Industrie gehen; *how many times does five go into fifty?* wie oft geht fünf in neunzig; **~ a huff** *vi*, *(i. ü. S.)* einschnappen; **go lumpy** *vi*, klumpen; **go mouldy** *vi*, schimmeln, verschimmeln; **go off** *vi*, verlaufen; *(Lebensm.)* faulen; **go on (1)** *interj*, dawai! **(2)** *vi*, weitergehen; *(Gerät)* angehen; *(tt; indus)* weiterlaufen; *go on to the next point* zum nächsten Punkt übergehen; *there's something going on!* da ist etwas im Busche!; *there's sth odd going on here* hier geht es nicht mit rechten Dingen zu; *(ugs.) what's going on here?* was wird hier gespielt?; **go on a pilgrim** *vi*, wallfahrten; **go on a pilgrimage** *vi*, *(i. ü. S.)* wallfahren; **go on ahead** *vi*, vorangehen; **go on from** *vi*, anknüpfen; **go on sounding** *vi*, *(Ton)* nachklingen

goitre, *sub*, *-s (med.)* Kropf

gold, *sub*, *nur Einz.* Gold; *have a voice of gold* Gold in der Kehle haben; *he's got a heart of gold* er hat ein Herz aus Gold; *it's worth it's weight in gold* es ist nicht mit Gold aufzuwiegen; *she's worth her weight in gold* sie ist nicht mit Gold zu bezahlen; *win gold* Gold gewinnen; **~ foil** *sub*, *nur Einz.* Rauschgold; **~ ingot** *sub*, *-s* Goldbarren; **~ leaf** *sub*, *nur Einz.* Blattgold; **~ medal** *sub*, *-s* Goldmedaille; **~ mine** *sub*, *-s* Goldmine; **~ nugget** *sub*, *-s* Goldklumpen; **~ reserve** *sub*, *-s* Goldreserve; **~ ring** *sub*, *-s* Goldring; **~ tooth** *sub*, *teeth* Goldzahn; **~-plate** *vt*, vergolden; **~-top milk** *sub*, *nur Einz. (ugs.)* Vorzugsmilch

golden, *adj*, golden, goldweg; *golden mean* goldener Mittelweg; *golden rule* goldene Regel; *golden wedding* goldene Hochzeit; *visitor's book* das golde-

ne Buch, **eagle** *sub*, *s* Steinadler; **~ goal** *sub*, *-s* Siegtreffer; **~ hamster** *sub*, *-s* Goldhamster; **goldfish** *sub*, *-* Goldfisch, Schleierschwanz; **goldmine** *sub*, *-s (i. ü. S.)* Fundgrube; **goldsmith** *sub*, *-es* Goldschmied

golem, *sub*, *-s (jüdisch)* Golem

gonad, *sub*, *-s (biol.)* Keimdrüse

gondola, *sub*, *-s* Gondel

gondolier, *sub*, *-s* Gondoliere

gone, *adj*, *(ugs.; verloren)* futsch; *(verschw.)* fort

gong, *sub*, *-s* Gong

gonorrhoea, *sub*, *-s (tt)* Tripper; *(med.)* Gonorrhö; **~l** *adj*, gonorrhoisch

good, **(1)** *adj*, artig, brav, gut, herzhaft, schön; *(fleissig)* tüchtig **(2)** *adv*, günstig **(3)** *sub*, *-s (Güter)* Gut; *be a good boy* sei ein braver Junge; *be a good boy/girl and eat up your soup* iß schön brav deine Suppe; *as good as won* so gut wie gewonnen; *be good for* gut sein für; *come from a good family* aus guter Familie; *he is a good runner* er ist ein guter Läufer; *he speaks good English* er spricht ein gutes Englisch; *it's good that* es ist ganz gut, dass; *my good suit* mein guter Anzug; *at the best* im besten Fall; *barter with goods* Handel mit Naturalien; *be well up in sth* in einer Sache zu Hause sein; *buy only the best* nur das Feinste vom Feinen kaufen; *buy/sell sth at a good price* etwas günstig kaufen/verkaufen; *for the good of all* für das gemeine Wohl; *Friday is no good for us* Freitag passt uns nicht; *give someone a good hiding* jemanden tüchtig verprügeln; *good news* freudige Nachricht; *good of you to come* nett, dass Sie gekommen sind; *he is no good* er taugt nichts; *he is very good at that* darin ist er sehr gut; *I wonder whether it is any good* ob das wohl was taugt?; *I'm well-prepared* ich habe mich gründlich vorbereitet; *it is in a good cause* das dient einer guten Sache; *it smells/tastes good* das riecht/schmeckt gut; *it won't be any good* das geht sowieso daneben; *it's good the way* es ist schon gut gemacht, wie; *look good* gut aussehen; *the theatre has closed its doors for good* das Theater hat seine Pforten für immer geschlossen; *the warnings didn't do any good* die Ermahnungen haben nichts genützt; *things couldn't be better* es ist alles in bester Ordnung; *(ugs.) to get up to a bit of no good* ein ganz linkes Ding drehen; *(i. ü. S.) you never know how long the good times are going to last* der nächste Winter kommt bestimmt; **~ behaviour** *sub*, *nur Einz.* Artigkeit; **~ for nothing** *sub*, *-s* Hergelaufene; **Good Friday** *sub*, *nur Einz.* Karfreitag; **~ friend** *sub*, *-s* Duzfreund; **~ in value** *adj*, preiswert; **~ natured person** *sub*, *-s* Gemütsmensch; **~ nose** *sub*, *-s* Spürnase; **~ sense** *sub*, *nur Einz.* Klugheit, Vernunft; **~-for-nothing (1)** *adj*, nichtsnutzig **(2)** *sub*, *-s* Nichtsnutz, Taugenichts, Tunichtgut; *(i. ü. S.)* Galgenstrick; *(i. ü. S.; abw.)* Früchtchen; **~-natured** *adj*, gutartig, gutmütig; **~-naturedness** *sub*, *-es* Gutartigkeit, Gutmütigkeit; **~-will** *sub*, *-s* Gewogenheit

goodbye, *sub*, *nur Einz. (Auf ~)* Wiederhören; *it was hard to say goodbye* es war ein schwerer Abschied; *say goodbye (to)* Abschied nehmen (von)

goodness, *sub*, *nur Einz.* Güte, Liebenswürdigkeit; *goodness me!* du meine Güte!; *through the kindness of* durch die Güte von; *thank goodness* Gott sei Dank; **goods** *sub*, *nur Mehrz.* Ware; **goods inward book** *sub*, *-s* Eingangsbuch; **goods lift** *sub*, *-s* Lastenaufzug; **goods station** *sub*, *-s* Güterbahnhof; **goods traffic** *sub*, *nur Einz.* Güterverkehr; **goods train** *sub*, *-s* Güterzug; **goodwill** *sub*, *-s* Goodwill; Gunst; *nur Einz.* Wohlwollen; **goodwill tour** *sub*, *-s* Goodwillreise

goose, *sub*, *-se* Gans; **~ dripping** *sub*, *-s* Gänseschmalz; **~ giblets** *sub*, *nur Mehrz.* Gänseklein; **~ pimples** *sub*, *nur Mehrz.* Gänsehaut; **~-step** *sub*, *-s* Stechschritt; **~berry** *sub*, *-ies* Stachelbeere; **~foot** *sub*, *-feet* Melde

go out, *vi*, erlöschen, herausgehen, hinausgehen, verlöschen; *(weggehen, erlöschen)* ausgehen; *go beyond* darüber hinausgehen; *looks out onto the park* das Zimmer geht auf den Park hinaus; **~ of one´s way** *vi*, inkommodieren; **go over (1)** *vi*, hinübergehen, übergehen, übertreten **(2)** *vt*, nachzeichnen, überarbeiten; *(Linie)* nachziehen **(3)** *vti*, *(über)* gehen; **go pieces** *vi*, *(ugs.)* verkommen; **go round (1)** *vt*, *(herumgehen)* umgehen **(2)** *vti*, *(Spiel)* drehen; *everything is going round and round* mir dreht sich alles; *let´s go round again* laßt uns durchstarten; **go round and round in one´s head** *vi*, *(im Kopf)* herumgehen; **go seed** *vi*, verwahrlosen; **go shopping** *vi*, *(einkaufen)* ein-

holen; **go silent** *vi*, verstummen; **go there** *vi*, hingehen; *what sort of places can you go to around here?* wo kann man hier hingehen? (ausgehen); *where are you going?* wo gehtst Du hin; **go thin** *vt*, abmagern

gore, *vt*, *(mit Hörnern)* aufspießen

gorge, *sub*, *-s* Klamm, Schlucht

gorilla, *sub*, *-s* Gorilla

gormless, *adj*, *(ugs.)* dusslig

gorse, *sub*, *-s (Stech-)* Ginster

gossamer-fine, *adj*, duftig

gossip, **(1)** *sub*, *nur Einz.* Klatsch; *-s* Klatschbase; *nur Einz.* Klatscherei, Tratsch; *-s* *(ugs.)* Schwatzbase; *(Gücht)* Gemunkel **(2)** *vi*, klatschen, tratschen; *malicious gossip* has it böse Zunge behaupten; *mere gossip* bloßes Gerede; **~ about** *vt*, durchhecheln; **~y** *adj*, geschwätzig, klatschhaft

Goth, *sub*, *-es* Gote; **~ic (1)** *adj*, gotisch **(2)** *sub*, *nur Einz.* Gotisch; **~ic type** *sub*, *-s (Schriftart)* Fraktur

go through, **(1)** *vi*, *(gehen, durchdringen, andauern, verlaufen)* durchgehen; *(Socken, Schuhe)* durchlaufen **(2)** *vt*, *(erleiden)* durchmachen; *(Situation)* durchspielen **(3)** *vti*, *(durch)* gehen; *he has gone through a lot* er hat viel durchgemacht; *go through a rite* einen Ritus durchziehen; *go through the motions* eine Komödie spielen; **go to** *vt*, ergehen; *the invitations went to all members* die Einladung erging an alle Mitglieder; **go to Canossa** *vi*, Canossagang; **go to court** *vi*, prozessieren; **go to ruin** *vi*, abwirtschaften; **go to see so** *vi*, *(besuchen)* hingehen; **go to sleep** *vi*, *(Bein)* einschlafen; **go to the dogs** *vi*, *(ugs.)* kaputtgehen; *(ugs.) he´d go to the dogs without his wife* ohne seine Frau würde er kaputtgehen; **go to the extremes** *vi*, Extremsport; **go too far (1)** *vi*, ausarten **(2)** *vt*, übersteigern; **go tout** *vr*, *(Haut)* spannen; **go under** *vi*, untergehen; **go up (1)** *vi*, *(hinaufführen)* hinaufgehen; *(Vorhang)* aufgehen **(2)** *vti*, hinaufsteigen; **go up there** *vi*, hinaufführen

Gouda, *sub*, *-* Gouda

goulash, *sub*, *-es* Gulasch; **~ soup** *sub*, *-s* Gulaschsuppe

go up to, **(1)** *vt*, *(räuml.)* entgegentreten **(2)** *vti*, *(auf)* gehen; **go upstairs** *vi*, *(Treppe)* hinaufgehen; **go very well** *vi*, *(Arbeit)* flutschen; **go waste** *vi*, *(ugs.)* verkommen; **go with** *vt*, *(harmonieren)* passen; *to go with sth*

zu etwas passen; **go wrong** *vi*, missraten, Quergang, schief gehen; *the cake
which went wrong* der missratene Kuchen; **go yellow** *vt*, gilben; **go-go-girl**
pron, Go-go-Girl; **go-in** *sub*, -s Go-in;
go-slow *sub*, *nur Einz.* Bummelstreik;
go/walk back *vi*, zurückgehen

gourmand, *sub*, -s Gourmand; **~ise** *sub*,
-s Gourmandise
gourmet, *sub*, -s Feinschmecker, Gourmet, Schlemmer, Schlemmerin; *(i. ü. S.)*
Lukullus; *(Essen)* Genießer
gout, *sub*, - *(med.)* Gicht
govern, *vt*, *(regieren)* beherrschen; **~ed
person** *sub*, - *people* Beherrschte; **~ess**
sub, -es Gouvernante; **~ment** *sub*, -s
Gouvernement, Regierung; *government* die öffentliche Hand; **~ment in
exile** *sub*, -s Exilregierung; **~ment
loan** *sub*, -s Staatspapier; **~ment of a
land** *sub*, -s Landesregierung; **~or** *sub*,
-s Gouverneur, Statthalter
gown, *sub*, -s Talar
grab, (1) *vt*, ergreifen, kapern; *(i. ü. S.)*
einsacken; *(ugs.)* begrapschen; *(Gegenstand)* anpacken; *(räumlich)* erwischen (2) *vti*, grapschen; *(fest)* greifen;
grab the newspaper nach der Zeitung
stürzen; *take grab so by the collar* jmd
am Kragen fassen; *to grab sb by the hair*
jmdn beim Schopf packen; *to grab sth
etwas an sich raffen;* **~ (hold of)** *vt*,
(fassen) packen; *to grab sb by the collar*
jmdn am Kragen packen; **~ dredger**
sub, -s Greifbagger; **~ hold** *vi*, zugreifen, zupacken
grace *sub*, *nur Einz.* Anmut; **~ Grazie;**
(theol.) Gnade; *say grace* zu Tische beten; **~ of God** *sub*, *nur Einz.* Gottesgna-
de; **~ful** *adj*, anmutig, graziös;
~fulness *sub*, - Feinheit
gracious, *adj*, gnädig, huldvoll
gradation, *sub*, -s Abstufung, Gradation
gradient, *sub*, -s Steigung; *(phy.)* Gradient; - *(Straße)* Gefälle
gradual, *adj*, allmählich, graduell, sukzessiv; **~ly** *adv*, allmählich, schrittwei-
se, sukzessive
graduate, (1) *vt*, staffeln (2) *vti*, graduieren; **~d measure** *sub*, -s Messgefäß,
Messglas; **~d price** *sub*, -s Staffelpreis
graduation, *sub*, -s Graduierung, Staffelung; *(i. ü. S.)* Stufenfolge
graft, (1) *sub*, *nur Einz.* *(ugs.)* Maloche
(2) *vi*, malochen (3) *vt*, *(Pflanzen)*
pfropfen; *to be grafting* auf Maloche
sein; **~(ing)** *sub*, -s *(Gewebe)* Transplantat; **~ing knife** *sub*, *knives* Pfropf-
messer
Grail, *sub*, *nur Einz.* Gral

grain, *sub*, *nur Einz.* Brotgetreide,
Getreide; *hier nur Mehrz.* Korn; -s Maserung; *(Holz)* Ader; *(im Holz)* Geäder; *(i. ü. S.)* it goes against the
grain!* es geht mir gegen den Strich!;
wood with a fine grain Holz mit feinen Masern; *(i. ü. S.)* to start keeping
tabs on someone* jemanden aufs Korn
nehmen; **~ feed** *sub*, *nur Einz.* Körnerfutter; **~ of corn** *sub*, -s Maiskorn;
~ of maize *sub*, -s Maiskorn; **~ of rice**
sub, -s Reiskorn; **~ of salt** *sub*, -s Salz-
korn; **~ of sand** *sub*, -s Sandkorn;
~ed *adj*, *(Holz)* geädert, gemasert;
~field *sub*, -s *(US)* Getreidefeld; **~y**
adj, körnig; **~y (bread)** *adj*, kernig
gram, *sub*, -s *(US)* Gramm
grammalogue, *sub*, -s Abkürzungszeichen
grammar, *sub*, -s Grammatik; *nur Einz.*
Sprachlehre; **~ school** *sub*, -s Gymnasium, Lateinschule, Oberschule; **~
school pupil** *sub*, -s Gymnasiast,
Oberschüler; **~ian** *sub*, -s Grammati-
ker; **grammatical** *adj*, grammatikalisch, grammatisch
gramme, *sub*, -s Gramm
gramophone, *sub*, -s Grammofon
granary, *sub*, *-ies* Kornspeicher
grand, (1) *adj*, *(Haus)* feudal (2) *sub*, -
(ugs.) Mille; *(Skat)* Grand; *5 grand*
5 Mille; **~ duchess** *sub*, -es Großfürstin; **~ master** *sub*, -s Großmeister; **~
piano** *sub*, -s *(Klavier)* Flügel; **~-pa-
rents** *sub*, *nur Mehrz.* Großeltern;
~ad *sub*, -s Opa; **~child** *sub*, *-child-
ren* Enkelkind; **~daughter** *sub*, -s En-
keltochter
grandee, *sub*, - Grande
grandeur, *sub*, - Erhabenheit, Grandeur; - Grandezza
granite, *sub*, -s *(min.)* Granit; **~ ashlar**
sub, -s Granitquader; **~ block** *sub*, -s
Granitblock; **granitic** *adj*, granitartig
granny, *sub*, -s Oma
grant, (1) *sub*, -s Stipendium (2) *vt*,
bescheiden, gewähren, konzedieren,
zugestehen; *(Geldmittel etc.)* bewilligen; *(gewähren)* geben; *(schriftl.)* erteilen; *(Wunsch)* erfüllen; *enjoy what
you are granted* genieße was dir be-
schieden ist; *grant sb a period of grace* jmdm einen Aufschub gewähren;
grant sth so jmd ein Recht einräumen; *I'll grant you that* ich will das
gelten lassen; **~ a loan on** *vt*, beleihen; **~ an amnesty to** *vt*, amnestieren; **~ delay for payment** *vt*,
stunden; **~ leave** *vt*, beurlauben; **~
privileges** *vt*, bevorrechten; **~ so a**

concession vt, konzessionieren; **~ed** adv, zugestanden; **~ing** sub, - (von Geldmitteln) Bewilligung

granular, adj, granulös; **granulate** vti, granulieren; **granules** sub, nur Mehrz. Granulat

grape, sub, -s Traube, Weintraube; sour grapes der Neid der Besitzlosen; **~ har-vest** sub, -s Traubenlese; **~ juice** sub, -s Traubensaft; **~ must** sub, nur Einz. Traubenmost; **~comb** sub, -s Trauben-kamm; **~fruit** sub, -s Grapefruit, Pam-pelmuse

graph, sub, -s (graf. Darstellung) Grafik; **~ paper** sub, pieces of **~** Millimeterpa-pier

grapheme, sub, -s (Sprachw.) Graphem

graphic, adj, anschaulich; **~ arts** sub, nur Mehrz. Grafik; **~ designer** sub, -s Grafiker; **~al** adj, grafisch; **~ally** adv, anschaulich; **~ness** sub, nur Einz. (An-schaulichkeit) Plastizität

grapnel, sub, -s Enterhaken

grappling hook, sub, -s Stake

grasp, (1) vi, (ugs.; mitbekommen) spannen (2) vt, fassen; (verstehen) er-fassen (3) vti, (fest) greifen; (i. ü. S.) grasp thin air in Leere greifen; be can´t grasp the fact that es will mir nicht eingehen, daß; to grasp an oppor-tunity with both hands eine Gelegen-heit beim Schopf packen; **~** vt, (nach) haschen; **~ing** sub, -s (das Grei-fen) Griff; make a good choice einen guten Griff tun

grass, sub, - Gras, Rasen; **~ on** vt, (ugs.) verpfeifen; **~ snake** sub, -s Ringelnat-ter; **~ widow** sub, -s Strohwitwe; **~ widower** sub, -s Strohwitwer; **~hop-per** sub, -s Heuschrecke; **~y** adj, rasen-bedeckt

grate, (1) vi, schurren (2) vt, raspeln (3) vti, raffeln, reiben; **~ful** adj, dankbar

grater, sub, -s Raspel, Reibe

gratinate, vt, (gastr.) gratinieren

gratitude, sub, nur Einz. Dankbarkeit; owe so a debt of gratitude jmd Dank schulden; show one´s gratitude sich jmderkenntlich zeigen

gravel, sub, nur Einz. Kies; -s Schotter; **~ path** sub, -s Kiesweg

gravestone, sub, -s Grabstein; **gra-veyard** sub, -s Gottesacker; (bei Kirche) Friedhof

gravitate, (1) sub, - Gravität (2) vi, gravi-tieren; **gravitation** sub, - Gravitation; **gravitational acceleration** sub, nur Einz. (geb.; phy.) Fallbeschleunigung; **gravity** sub, -ies Schwerkraft; (nach aus-sen) Ernst

gravy, sub, nur Einz. Bratensoße; -ies Sauce; (Braten-) Soße, Tunke; **~ spoon** sub, -s Soßenlöffel

gray, adj, (US) grau; **~ area** sub, -s Grauzone; **~ haze** sub, -s (Augen, US) Grauschleier; **~ horse** sub, -s (Pferd, US) Grauschimmel; **~ mould** sub, -s (Pilz, US) Grauschimmel; **~ing** adj, (Haar, US) grau meliert; **~lag goose** sub, geese (US) Graugans; **~ness** sub, (Wäsche, US) Grauschleier

graze, (1) sub, -s Abschürfung, Schürfwunde; graze shots Streif-schuss (2) vi, äsen, grasen, weiden (3) vt, abfressen, abgrasen, abweiden; **~ o.s. (1)** vr, ausschürfen (2) vt, ab-schürfen; **~ one´s skin** vt, aufschür-fen; **~ oneself** vt, schürfen; **grazing** sub, -s Äsung

grease, (1) sub, -s (ugs.) Schmiere; (Schmier-) Fett (2) vt, (einfetten) fet-ten; (Fett) einschmieren; (Kuchen-form etc.) ausschmieren; like greased lightning wie ein geölter Blitz; (ugs.) to grease sb´s palms jmdn einschmieren, grease one´s shoes Schuhe einschmie-ren mit Politur; **~ drop** sub, -s Fett-tropfen; **~ mark** sub, -s Fettfleck; **~ spot** sub, -s Fettfleck; **~ with butter** vt, buttern; **~proof paper** sub, -s Per-gamentpapier; (~papier) Pergament; **greasing** sub, nur Einz. (Einfettung) Bepinselung; **greasy** adj, fettglän-zend, fettig; (schmierig) speckig

great, adj, dufte, großartig, toll; (iron.) nett; (ugs.) spitze; (Hitze, Ausmaß) groß; (Wert) groß; a great bloke ein patenter Kerl; that´s great! das finde ich super!; (ugs.) that´s just great (prost) Mahlzeit!; a great day ein gro-ßer Tag; Frederick the great Friedrich der Große; great majority große Mehrheit; Great Dane sub, -s (Deut-sche) Dogge; **~ fire** sub, -s Feuers-brunst; **~ guy** sub, -s (ugs.) Prachtjunge; **~ hall** sub, -s Palas; **~ love** sub, -s Prachtliebe; **~ love of splendour** sub, -s Prunksucht; **~ one** sub, (ugs.) Witzbold; **~ power** sub, -s Großmacht; **~ suspense** sub, nur Einz. (i. ü. S.) Hochspannung; the out-come of the elections was waited for with great suspense man hat auf die Wahlergebnisse mit Hochspannung gewartet; **~ tit** sub, -s (zool.) Kohlmei-se; **~-grandchild** sub, -children Uren-kel; **~-granddaughter** sub, -s Großenkelin; **~-grandfather** sub, -s Urgroßvater; **~-grandmother** sub, -s Urgroßmutter; **~-grandparents** sub, nur Mehrz. Urgroßeltern; ~er glory sub, -s (i. ü. S.) Weihe; ~est possible adj, größtmöglich

greave, sub, -s Griebe

greed, sub, - Gier; nur Einz. Habgier; ~ Habsucht; nur Einz. Raffgier; **~ for money** sub, -s Geldgier; **~ily** adv, gierig; **~iness** sub, - Gefräßigkeit; (Gier) Fresslust; **~y** adj, gefräßig, gierig, raffgierig; (Blick, Verhalten) begierig; **~y pig** sub, -s Fresssack

Greek, (1) adj, griechisch (2) sub, -s Grieche; ~ **gift** sub, -s Danaergeschenk; ~ **studies** sub, nur Mehrz. Hellenistik

green, adj, grün; (polit.) grün; the lights are green die Ampel ist grün; green with envy gelb vor Neid; greenback Dollar; (i. ü. S.) have been given the green light frei Fahrt haben; **~ beans** sub, nur Mehrz. Schnittbohne; ~ **woodpecker** sub, -s Grünspecht; **~grocer** sub, -s Obsthändler; **~grocer´s** sub, greengrocers´ Gemüseladen; **~horn** sub, -s Greenhorn, Grünschnabel; (pej.) Neuling; **~house** sub, Gewächshaus; ~ Glashaus; people in glass houses shouldn´t throw stones wer selbst im Glashaus sitzt soll nicht mit Steinen werfen; **~ish** adj, grünlich; **Greenland whale** sub, -s Grönlandwal; **~sickness** sub, nur Einz. Bleichsucht

Greenwich Meridian, sub, nur Einz. Nullmeridian

greet, (1) vt, (grüßen) begrüßen (2) vti, grüßen; greet so jmdn grüßen; **~ing** sub, -s Gruß; (das Grüßen) Begrüßung

Gregorian, adj, gregorianisch; Gregorian chant gregorianischer Gesang

grenade, sub, -s (Hand-) Granate; **grenadier** sub, -s Grenadier

grenadine, sub, -s Grenadine

grey, (1) adj, grau; (Haar) grau meliert (2) sub, -s Grau; turn grey grau werden, grau werden; ~ **area** sub, -s Grauzone; ~ **haze** sub, -s (Augen) Grauschleier; ~ **horse** sub, -s (Pferd) Grauschimmel; ~ **mould** sub, -s (Pilz) Grauschimmel; **~hound** sub, -s Greyhound, Windspiel; (tt; biol.) Windhund; **~lag goose** sub, geese Graugans; **~ness** sub, (Wäsche) Grauschleier

grid, sub, -s Leitungsnetz; (arch.) Raster; ~ **square** sub, -s Planquadrat

grief, sub, - Gram; nur Einz. Harm; -s Kummer, Weh; (Gram) Trauer; die of grief vor Gram sterben

griffin, sub, -s (myth.) Greif

grill, (1) sub, -s Grill, Rost (2) vt, grillen; **~e** sub, -s (Drahtgeflecht) Gitter; **~ed meal** sub, -s Grillgericht

Reaper sub, -s Hein; **~ace** sub, -s Grimasse; - Grimbart; -s (Grimasse) Fratze

grimming, sub, - Grimmen

grin, vi, grinsen; to grin and bear it gute Miene zum bösen Spiel machen

grind, (1) sub, -s Plagerei; nur Einz. (ugs.) Plackerei; -s Rackerei; (vulg.) Frust; (US) Streber (2) vt, leiern, vermahlen; (tech.) einschleifen (3) vti, mahlen; daily grind grauer Alltag; (vulg.) I´ am cheesed off ich hab´ einen Frust, grind the cylinders die Zylinder einschleifen; **~ coarsely** vt, schroten, verschroten; **~one´s teeth** vi, (ugs.) knirschen

grinding, sub, - Schleiferei; ~ **machine** sub, -s Schleifbank; ~ **shop** sub, -s Schleiferei; ~ **stone** sub, -s Schleifstein

gringo, sub, -s Gringo

grinning, sub, -s Gegrinse

grip, (1) sub, -s Griffigkeit, Handgriff (2) vt, (mitreißen) packen (3) vti, (Räder) greifen; get to grips with sth einer Sache beikommen; hatred gripped her heart Hass nistete sich in ihr Herz ein; I was really gripped by the play das Theaterstück hat mich gepackt; in the grip of blind anger von blindem Zorn ergriffen; in the grip of passion von der Leidenschaft gepackt; ~ **arm** sub, -s (tech.) Greifarm

gripe, vi, (ugs.) mosern; he always has sth to gripe about er hat immer was zu mosern

gripping device, sub, -s Greifer

gristle, sub, nur Einz. Knorpel; **gristly** adj, knorpelig

grit, sub, nur Einz. Streugut

grits, sub, (US) Grütze

grizzle, vi, (Kind) greinen

grizzly bear, sub, -s Grislibär

groan, (1) sub, -s Seufzer (2) vi, ächzen, stöhnen; groan with pain vor Schmerz ächzen, vor Schmerzen stöhnen; moan and groan ächzen und stöhnen; ~ **loudly** vi, aufstöhnen; **~ing** sub, -s Geächze

groats, sub, Grütze; nur Mehrz. Hafergrütze

grocer´s, sub, - Lebensmittelladen; **groceries** sub, nur Mehrz. Lebensmittel

groin, sub, -s (med.) Leiste

groom, sub, -s Bräutigam

groove, sub, -s Nute, Riefe, Rille, Rinne; (tech., Rille) Furche; **~-like** adj, rillenförmig

grope, *vi,* tappen; *(i. ü. S.)* tasten; *grope in the dark* im Dunkeln tappen; *grope for the light switch* nach dem Lichtschalter tasten; *(i. ü. S.)* grope *one´s way towards the solution of a problem* sich zur Lösung eines Problems tasten; **~ one´s way towards** *vr, (sich)* herantasten; **groping** *sub,* - *(Betastung)* Gefummel

groschen, *sub,* - *(österr. Münze)* Groschen

gross, (1) *adv, (wirt.)* brutto **(2)** *sub, -es* Gros; **~ assets** *sub, nur Einz.* Bruttomasse; **~ income** *sub, -s* Bruttoeinkommen; **~ national product** *sub, -s* Sozialprodukt; *(wirt.)* Bruttosozialprodukt; **~ register ton** *sub, -s* Bruttoregistertonne; **~ return** *sub, -s (wirt.)* Bruttoertrag; **~ salary** *sub, -ies* Bruttogehalt; **~ weight** *sub, -s* Bruttogewicht

grotesque, (1) *adj,* fratzenhaft, grotesk **(2)** *sub, -s* Groteske, Groteskanz

grotto, *sub, -s* Grotte

ground, (1) *adj,* abgewetzt **(2)** *sub, -s* Erdboden; *(Boden)* Grund **(3)** *vt, (Malerei)* grundieren; *above ground* über dem Erdboden; *be razed to the ground* bis auf die Fundamente zerstört werden; *(i. ü. S.)* get *onto shaky ground* sich auf unsicheres Terrain begeben; *(i. ü. S.)* keep *your feet on the ground!* bleib auf dem Teppich!; *level a town to the ground* eine Stadt dem Erdboden gleich machen; *on the grounds that* mit der Begründung, dass; *stand one´s ground* das Feld behaupten, seine Stellung behaupten; *to gain ground* Platz greifen; *(Schiff.)* run *aground* auf Grund geraten; **~ defense** *sub, nur Einz.* Bodenabwehr; **~ floor** *sub, -s (brit.)* Parterre; **~ floor (am: first floor)** *sub, -s* Erdgeschoss; **~ loop** *sub, -s (Boden)* Steilkurve; **~ meat** *sub, - (US)* Hackfleisch; **~ plan** *sub, -s* Lageplan; *(arch.)* Grundriss; **~ rice** *sub, -s* Reismehl; **~ station** *sub, -s (Raumf.)* Bodenstation; **~ water** *sub, -s* Grundwasser; *nur Einz. (Grundwasser)* Sickerwasser; **~ soil** *sub, nur Einz. (Erde)* Boden; *be on shaky ground* sich auf unsicherem Boden bewegen; *cut the ground from under sb´s feet* jmd den Boden unter den Füßen wegziehen; *fall to the ground* sich zu Boden fallen lassen; *on English soil* auf englischem Boden; *to ground a plane* einem Flugzeug Startverbot erteilen; *wish the ground would open and swallow sb* am liebsten in den Boden versinken; **~ floor flat** *sub, -s (brit.)* Parterrewoh-

nung; **~ing** *sub, - (Flugzeug)* Startverbot; *ground an aircraft* einem Flugzeug Startverbot erteilen; **~less** *adj,* unbegründet; **~s** *sub, nur Mehrz. (jur.)* Handhabe; *(Schloss~)* Park; *legal grounds* gesetzliche Handhabe

group, *sub, -s* Gruppe; *(mil.)* Pulk; *(wirt.)* Konsortium; **~ dynamics** *sub, nur Mehrz. (psych.)* Gruppendynamik; **~ meeting** *sub, -s* Gruppenabend; **~ of islands** *sub, -* Inselgruppe; **~ of people** *sub, groups* Personenkreis; **~ of powers** *sub, groups* Mächtegruppe; **~ of women** *sub, -s* Frauengruppe; **~ portrait** *sub, -s* Gruppenbild; **~ sex** *sub, nur Einz.* Gruppensex; **~ supporting traditional procedures** *sub, groups* Spontigruppe; **~ therapy** *sub, -ies* Gruppentherapie; **~ tour** *sub, -s* Gruppenreise; **~ travel** *sub, nur Einz.* Gruppenreise; **~ winner** *sub, -s* Gruppensieg; **~ie** *sub, -s* Groupie; **~ing** *sub, -s* Gruppierung

grouse, (1) *sub, -s* Moorhuhn **(2)** *vi,* stänkern; *(ugs.)* motzen, querulieren, raunzen; **~r** *sub, -s* Raunzer, Stänker; *(ugs.)* Muffel, Querulant, Querulantin; **grousing** *sub, -s* Stänkerei

grout, *vt,* verfugen

grove, *sub, -s* Hain

grovel, *vi,* kriechen; *the last thing I´m going to do is grovel* kriechen will ich auf gar keinen Fall; *(Mensch) to grovel* Männchen machen; *(ugs.) to lick somebody´s boots* jemandem in den Hintern kriechen; **~ing** *sub, -s (ugs.)* Winselei; **~ler** *sub, -s* Kriecher

grow, (1) *vi,* gedeihen, wachsen; *(aus etwas)* erwachsen **(2)** *vt, (tt; bot.)* züchten; *when you grow up* wenn du einmal groß bist; **~ again** *vi,* nachwachsen; **~ closer** *vi,* verwachsen; **~ cloudy** *vr,* trüben; **~ cold** *vi,* erkalten; **~ darker** *vi,* nachdunkeln; **~ fond of** *vt,* lieb gewinnen; **~ hairs** *vr,* behaaren; **~ louder** *vi, (i. ü. S.; Lautstärke)* anschwellen; **~ onto** *vi,* festwachsen; **~ rampant** *vi, (tt; bot.)* wuchern; **~ slack** *vi, (Haut)* erschlaffen; **~ stiff** *vi,* erstarren; **~ stronger (1)** *vi, (i. ü. S.)* erstarken **(2)** *vr, (sich)* festigen; **~ through sth.** *vt, (bot.)* durchwachsen; **~ tired-looking** *vi,* welken; **~ together** *vi,* verwachsen

growl, *vi,* knurren; *(Bär)* brummen

grown-up, *adj,* erwachsen; *(erwachsen)* groß; *the children are grown-up* die Kinder sind groß

growth, *sub, nur Einz.* Wachstum; **~s**

Eurwuchs, *(n, kot.)* Wuchr; *(med.)* Geschwulst; ~ **of beard(s)** *sub*, nur Einz. Bartwuchs

grow up, *vi*, heranwachsen; *(Kinder)* heranreifen; **grow weary of sth** *vi*, überbekommen; **grow weed** *vt*, *(ugs.)* verunkrauten

groyne, *sub*, -s Buhne

grub, *sub*, -s Engerling; *nur Einz. (vulg.; Essen)* Fressen; -s *(ugs.; scherzh.)* Fressalien

grudge, *vt*, missgönnen; *bear a grudge against* einen Groll hegen gegen; *he begrudges her sth* er missgönnt ihr das; *to have a grudge against sb* einen Pik auf jmdn haben

gruel, *sub*, -s Haferschleim

gruesome, *adj*, schaurig; ~**ness** *sub*, nur Einz. Schaurigkeit

grumble, *vi*, murren, nörgeln, querulieren, räsonieren; *to put up with sth without grumbling* etwas ohne Murren ertragen; ~**r** *sub*, -s Knasterbart, Mekkerer, Nörgler, Querulant, Querulantin; *(i. ü. S.)* Isegrim; **grumbling** *sub*, nur Einz. Nörgelei; - *(Schimpfen)* Gepolter; **grumbly** *adj*, nörgelig, nörglerisch

grumpiness, *sub*, nur Einz. Brummigkeit; -es Grantigkeit; nur Einz. Knurrigkeit; **grumpy** *adj*, motzig, murrköpfisch; *(ugs.)* muffelig; *(schlecht gelaunt)* mürrisch

grunt, *vti*, grunzen

grunting, *sub*, -s Gegrunze

guanaco, *sub*, -s *(zool.)* Guanako

guano, *sub*, -s Guano; **Guano islands** *sub*, - Guanoinseln

guarantee, (1) *sub*, -s Bürgschaft, Garantie, Gewähr, Wechselbürge, Werkgarantie, Zusicherung; *(fin.)* Obligo **(2)** *vt*, sicherstellen **(3)** *vti*, garantieren **(4)** *vtr*, verbürgen; *bail* Bürschaft leisten; *guaranteed from Austria* original aus Österreich; *I can´t make any guarantees* dafür kann ich keine Garantie übernehmen; *it´s got a year´s guarantee* es hat ein Jahr Garantie; *no responsibility is accepted for the correctness of this information* diese Angaben erfolgen ohne Gewähr; ~ **for/of** *vt*, bürgen; *act as a guarantor for sb* für jemanden bürgen; *what guarantee do I have for* wer bürgt mir dafür; ~ **that** *vt*, dafürstehen; *guarantee that* dafürstehen, daß

guarantor, *sub*, -s Bürge, Garant

guard, (1) *sub*, -s Bewacher, Wache, Wachebeamte, Wacht; *(Gefängnis)* Aufseher; *(im Gefängnis)* Aufsichtsbeamte;

(mil.) Garde **(2)** *vt*, bewachen, hüten; *he´s still one of the old school of the* noch von der alten Garde, *guard sth with one´s life* etwas wie seinen Augapfel behüten; ~ **duty** *sub*, -ies Postendienst; ~ **of honour** *sub*, -s Ehrenspalier; ~**-station** *sub*, - Wachstation; ~**´s compartment** *sub*, -s Dienstabteil; ~**book** *sub*, -s *(i. ü. S.)* Wachbuch; ~**ed** *adj*, vorsichtig; ~**ian** *sub*, -s Beschützer, Erziehungsberechtigte, Guardian, Hüter, Vormund, Wächter; ~**ian angel** *sub*, -s Schutzengel; ~**ianship** *sub*, - Kuratel; -s Pflegschaft, Tutel; ~**iansong** *sub*, -s *(i. ü. S.)* Wächterlied; ~**ing** *sub*, nur Einz. Behütung - Bewachung; ~**s-parade** *sub*, -s *(i. ü. S.)* Wachtparade; ~**sman** *sub*, -men Gardist

Guatemalan, *sub*, -s Guatemalteke

guereza, *sub*, -s *(zool.)* Stummelaffe

guerilla, *sub*, -s Freischärler; ~ **fighter** *sub*, -s *(US)* Guerillero

guess, (1) *vi*, schätzen; *(raten)* tippen **(2)** *vti*, raten; *to guess roughly* über den Daumen peilen; *you can guess* das kannst du dir ausrechnen; ~**er** *sub*, -s *(ugs.)* Rater; ~**ing game** *sub*, -s Rätselraten

guest, *sub*, -s Gast; *have guests* Gäste haben, Gäste haben; ~ **bed** *sub*, -s Fremdenbett; ~ **house** *sub*, -s Fremdenheim; *(mit Unterkunft)* Gasthaus; ~ **lecture** *sub*, -s Gastvortrag; ~ **lecturer** *sub*, -s Gastdozentin; ~ **of honour** *sub*, -s Ehrengast; ~ **part** *sub*, -s Gastrolle; ~ **performance** *sub*, -s Gastspiel; ~ **room** *sub*, -s Gästezimmer; ~**-house** *sub*, -s *(Gästehaus)* Pension; ~**speaker** *sub*, -s Gastrednerin

guidance, *sub*, -s *(Einweisung)* Anleitung; **guide (1)** *sub*, -s Leitfaden, Schiene; *(i. ü. S.)* Lotse; *(Fremden-)* Führer **(2)** *vt*, anleiten, leiten, lotsen; *(geleiten)* führen; **guide dog** *sub*, -s Blindenhund; **guide line** *sub*, -s Leitlinie, Richtschnur; **guide through** *vt*, *(Person)* durchlotsen; **guidebook** *sub*, -s Reiseführer

guild, *sub*, -s Gilde, Gildenschaft, Innung, Zunft; ~ **arms** *sub*, - *(i. ü. S.)* Zunftwappen; ~ **master** *sub*, -s Zunftmeister; ~ **order** *sub*, -s Zunftordnung; ~**er** *sub*, -s Gulden; ~**hall** *sub*, -s Gildenhalle; ~**sman** *sub*, -s *(ugs.)* Zunftgenosse

guillotine, (1) *sub*, -s Fallbeil, Guillotine **(2)** *vt*, guillotinieren

guilt, *sub*, nur Einz. Schuld; *(Schuld)*

Täterschaft; *be guilt-ridden* mit Schuldgefühlen behaftet sein; **~y** *adj*, schuldig; *find so guilty* jemanden für schuldig befinden; **~y person** *sub*, *people* Schuldiger

guinea fowl, *sub*, *-s* Perlhuhn; **guineapig** *sub*, *-s* Meerschweinchen

guitar, *sub*, *-s* Gitarre; *(tt; mus.)* Zupfgeige; *(ugs.; mus.)* Klampfe; **~ist** *sub*, *-s* Gitarrist, Gitarristin

gulf, *sub*, *-s* Meerbusen; *(geogr.)* Golf; *(Kluft)* Abgrund; **Gulf Stream** *sub*, *-s* Golfstrom

gull, *sub*, *-s* Möwe

gullet, *sub*, *-s (anat.)* Speiseröhre

gullibility, *sub*, *nur Einz.* Leichtgläubigkeit; **gullible** *adj*, gutgläubig

gulp, **(1)** *sub*, *-s* Schluck; *(i. ü. S.)* Zug **(2)** *vi*, schlucken

gums, *sub*, *nur Mehrz.* Zahnfleisch; **gum made from the juice of an Arabic plant** *sub*, *-* Gummiarabikum

gun, *sub*, *-s* Gewehr, Schießgewehr; *(ugs.)* Knarre, Waffe; *at gunpoint* mit vorgehaltener Pistole; *to be going great guns* Oberwasser haben; **~ barrel** *sub*, *-s* Kanonenrohr; **~ battle** *sub*, *-s (mil.)* Feuergefecht; **~ licence** *sub*, *-s* Waffenschein; **~ pipe** *sub*, *-s* Geschützrohr; **~boat** *sub*, *-s* Kanonenboot; **~powder** *sub*, *nur Einz.* Schießpulver; **~slinger** *sub*, *-s* Revolverheld; **~smoke** *sub*, *nur Einz.* Pulverdampf

gunge, *sub*, *-s (vulg.; schmieriges Zeug)* Soße

gunned concrete, *sub*, *nur Einz.* Spritzbeton

gunny, *sub*, *-ies* Rupfen

guppy, *sub*, *-ies (zool.)* Guppy

gurgle, *vi*, gluckern, glucksen

guru, *sub*, *-s* Guru

gushing, *sub*, *nur Einz.* Lobhudelei

gush out, *vi*, *(Flüssigkeit)* ausströmen

gusset, *sub*, *-s* Zwickel

gust, *sub*, *-s* Bö, Böe; **~ of wind** *sub*, *-s* Windstoß; **~y** *adj*, böig; *freshening in gusts* böig auffrischend

gut, *vt*, ausweiden

guts, *sub*, *nur Mehrz. (ugs.)* Mumm; *(i. ü. S.) to have no guts* kein Mark in den Knochen haben

gutter, *sub*, *-s* Gosse, Rinnstein; *end up in the gutter* in der Gosse enden; *take sb out of the gutter* jmd aus dem Dreck ziehen; **~ press** *sub*, *nur Einz.* Skandalpresse

guttural, *adj*, guttural; **~ sound** *sub*, *-s* Gutturallaut

guy, *sub*, *-s (ugs.)* Macker; *don´t come the tough guy here* spiel hier nicht den Macker

gym, *sub*, *-s* Fitnesstraining; *(ugs.)* Turnhalle; *(Turn-)* Halle; *go for workouts in the gym* Fitnesstraining machen; **~ lesson** *sub*, *-s* Turnstunde; **~ outfit** *sub*, *-s* Turnkleidung, Turnzeug; **~ shirt** *sub*, *-s* Turnhemd; **~ shoe** *sub*, *-s* Turnschuh; **~ shorts** *sub*, *- Turnhose; **~ teacher** *sub*, *-s* Turnlehrer; **~ things** *sub*, *nur Mehrz. (ugs.)* Turnzeug; **~nasium** *sub*, *-s* Turnhalle; **~nast** *sub*, *-s* Gymnastin, Turner; **~nastic** *adj*, gymnastisch; **~nastic club** *sub*, *-s* Turnerschaft; **~nastic display** *sub*, *-s* Schauturnen; **~nastic festival** *sub*, *-s* Turnfest; **~nastic intruction** *sub*, *-s* Turnunterricht; **~nastics** *sub*, *nur Mehrz.* Gymnastik, *- Kunstturnen; *nur Einz.* Turnen, Turnerei; *do gymnastics* Gymnastik machen

gynaecological, *adj*, gynäkologisch; **~ disorder** *sub*, *-s* Frauenleiden; **gynaecologist** *sub*, *-s* Frauenarzt, Frau-enärztin; **gynaecology** *sub*, *nur Einz.* Gynäkologie; **gynecological** *adj*, *(US)* gynäkologisch; **gynecologist** *sub*, *-s* Gynäkologe; **gynecology** *sub*, *nur Einz.* Gynäkologie

gypsy, *sub*, *- Zigeuner; **~ life** *sub*, *nur Einz.* Zigeunerleben; **~like** *adj*, zigeunerhaft; *(ugs.)* zigeunerisch

gyroscopic compass, *sub*, *-es* Kreiselkompass

habanera, *sub, -s* Habanera
habeas corpus, *sub, nur Einz. (jur.)* Habeaskorpusakte
habilitate, (1) *vi*, habilitieren (2) *vr,* (*sich*) habilitieren; **habilitation** *sub, -s* Habilitation
habit, *sub, -s* Angewohnheit, Gepflogenheit, Gewohnheit, Habit, Kutte, Ordenstracht; *become a habit* jmdm zur Gewohnheit werden; *I can´t break the habit* ich komme aus der Gewohnheit nicht heraus; *make sth a habit* sich etwas zur Gewohnheit machen; *out of habit* aus Gewohnheit; *get into the habit of* sich etwas angewöhnen; *(ugs.) to kick the habit* von der Nadel kommen; **~ual** *adj,* gewohnheitsmäßig, habituell; **~ual drinker** *sub, -s* Gewohnheitstrinker
Habsburg, *adj,* habsburgisch
hacienda, *sub, -s* Hazienda
hack, *vti,* hacken; *hack one´s way through sth* sich einen Weg durch etwas durchhauen; **~ at** *vi,* behacken; **~er** *sub, -s (computer)* Hacker; **~le** *sub, -s* Hechel
hackney carriage, *sub, -s* Droschke; **hackney-cab** *sub, -s* Pferdedroschke; **hackneyed** *adj,* abgedroschen, klischeehaft; *(i. ü. S.)* abgegriffen; **hackneyed word** *sub, -s* Klischeewort; **hackneyedness** *sub, -es* Abgedroschenheit
haddock, *sub, -s* Schellfisch
hadji, *sub, -s* Hadschi
haematinic, *adj,* Blut bildend; **haematoma** *sub, -e (it; med.)* Bluterguss
haemoglobin, *sub, nur Einz.* Hämoglobin; **haemophiliac** *sub, -s* Bluter
hafnium, *sub, - (chem.)* Hafnium
haft, *sub, -s (Messer)* Heft
hag, *sub, -s* Hag
haggle, *vi,* feilschen, handeln; **~ over** *vi, (um)* feilschen; **~ over sth.** *vi,* schachern; **haggling** *sub, -* Schacher; *-s (Feilschen)* Handeln
hagiolatry, *sub, nur Einz.* Hagiolatrie
hail, (1) *sub, -s* Hagel (2) *vti,* hageln; **~ of bullets** *sub, -s* Geschosshagel; **~ of whistles** *sub, hails* Pfeifkonzert; **~stone** *sub, -s* Hagelkorn, Hagelschloße; **~storm** *sub, -s* Hagelschauer, Hagelwetter
hairdresser, *sub, -s* Frisör; **~´s shop** *sub, -s* Frisiersalon; **hairdryer** *sub, -s* Trockenhaube; **hairpiece** *sub, -s* Haarteil; **hairpin** *sub, -s* Haarnadel; **hairpin curve** *sub, -s*

nur Mehrz. Behaarung; **hairsplitter** *sub, -s (ugs.)* Haarspalter; **hairsplitting** *sub, -s (ugs.)* Spitzfindigkeit; **hairstyle** *sub, -s* Frisur; **hairy** *adj,* behaart, haarig
Haitian, *adj,* haitianisch
hakim, *sub, -s* Hakim
halberd, *sub, -s* Hellebarde
half, (1) *adj,* halb (2) *adv,* halb (3) *sub, halves* half by the price zum halben Preis; *half an hour* halbe Stunde; *(mus., US) half note* halbe Note; *half past two* halb drei; *halfway (up)* auf halber Höhe; *meet so halfway* jmd auf halbem Wege entgegenkommen; *(mus.) minim* halbe Note, *go halves with* eine halbe Sache machen mit; *I was only half aware of* es war mir nur halb bewusst, dass, *give me half of it* gib mir die Hälfte; *half the people* die Hälfte der Leute; *pay half the costs* die Kosten zur Hälfte zahlen; **~ of the field** *sub, halves* Spielhälfte; **~ of the month** *sub, halves* Monatshälfte; **~ the day** *adv,* halbtags; **~ tone** *sub, -s (mus., US)* Halbton; **~-baked** *adj, (ugs.)* unausgegoren; **~-board** *sub, -s* Halbpension; **~-breed** *sub, -s* Mischling; *(Pferd)* Halbblut, Halbblütige; **~caste** *sub, -s* Halbblütige; *(Person)* Halbblut; **~-done** *adj,* halb fertig; **~-educated** *adj,* halbgebildet; **~-finished building** *sub, -s* Bauruine; **~-hour** *adj,* halbstündig; **~-hourly** *adj,* halbstündlich; **~-life period** *sub, -s (phy.)* Halbwertszeit, Halbzeit; **~-litre** *sub, -s* Schoppen
half-measure, *sub, -s (ugs.)* Halbheit; *he doesn´t like doing things in half measures* er mag keine Halbheiten; **half-moon** *sub, -s* Halbmond; **half-shade** *sub, -s* Halbschatten; **half-starved** *adj,* ausgehungert; **half-time** *sub, halves (spo., Pause)* Halbzeit; *the half-time score is* zur Halbzeit steht es; **half-time score** *sub, -s* Pausenstand; **half-title** *sub, -s* Schmutzblatt, Schmutztitel; **half-truth** *sub, -s* Halbwahrheit; **half-year** *sub, -s* Halbjahr; **half-yearly** *adj,* halbjährlich; **half-timbered house** *sub, -s* Fachwerkhaus; **halftone (engraving)** *sub, -s* Rasterätzung; **halftone dot** *sub, -s* Rasterpunkt; **halfway** *adv,* halbwegs
halibutt, *sub, -s* Heilbutt
hall, *sub, -s* Flur, Halle, Saal, Schalterraum; **~ of fame** *sub, -s* Ruhmeshalle; **~ of mirrors** *sub, halls* Spiegelsaal; **~**

of residence sub, -s (Studenten-) Heim; ~**(way)** sub, -s (Raum) Diele; go to the hallway geh in die Diele; ~**-light** sub, -s Dielenlampe;

hallelujah, Interj, halleluja!

Hallig people, sub, - Halligleute

hallmark, sub, -s Repunze; (-sstempel) Feingehalt

halloo(ing), sub, nur Einz. Horrido

hallow, vt, heiligen

hallucinant, adj, halluzinativ; **hallucinate** vi, halluzinieren; **hallucination** sub, -s Halluzination; **hallucinogen** sub, -s Halluzinogen

hallway, sub, -s Hausflur

halma, sub, nur Einz. Halma

halogen lamp, sub, -s Halogenlampe; **halogenid** sub, -s (chem.) Halogenid

halt, sub, -s Stopp; ~**er** sub, -s (Zaum) Halfter

halve, vt, halbieren

ham, sub, - Schinken; ~ **actor** sub, -s (ugs.) Schmierenkomödiant; ~ **roll** sub, -s Schinkenbrot; ~**-fisted** adj, (ugs.) ungeschickt

Hamitic, sub, - Hamit

hamlet, sub, - Weiler

hammer, (1) sub, -s Hammer, Treibfäustel; (Gewehr-) Hahn (2) vti, hämmern; hammer und sickle Hammer und Sichel; (ugs.) go at it hammer and tongs mit harten Bandagen kämpfen; ~ **drill** sub, -s Schlagbohrer; ~ **on sth** vt, einhämmern; ~ **thrower** sub, -s Hammerwerfer; ~ **throwing** sub, nur Einz. Hammerwerfen

hammock, sub, -s Hängematte

Hammond organ, sub, -s Hammondorgel

hamper, sub, -s Fresskorb, Präsentkorb, Schließkorb; (Dial) Kober

hamster, sub, -s Hamster

hand, (1) sub, -s Hand, Handschrift (2) vt, geben, hinreichen, reichen; at hand bei der Hand; be open-handed eine offene Hand haben; by a show of hands durch Heben der Hände; c/o (=care of) zu Händen (Brief); fall into so hands jmdm in die Hände fallen; fight tooth and nail sich mit Händen und Füßen wehren; first-hand aus erster Hand; handmade mit der Hand gemacht; have so in one's grip jmdn in der Hand haben; lend a hand Hand anlegen; long beforehand von langer Hand; put aside aus der Hand legen; be at hand zur Stelle sein; be hand in glove with sb unter einer Decke stecken; fashioned by the hand of man von Menschenhand geschaffen; have one's hands full with

something alle Hände voll zu tun haben; he's an old hand at that sort of thing er ist in diesen Dingen ein erfahren; he's like putty in your hands butterweich werden; on the one hand, on the other hand auf der einen Seite, auf der anderen Seite; set one's hand to sth etwas in Angriff nehmen; take so by the hand jmd an der Hand fassen; to give sb a free hand jmdn frei schalten und walten lassen; to give sb a hand jmd nachhelfen; to go down with all hands mit Mann und Maus untergehen; to operate by hand manuell bedienen; to play the third hand den dritten Mann spielen; to say sth in an offhand way etwas nur so obenhin sagen; ~ **baggage** sub, - (US) Handgepäck; ~ **brake** sub, -s Handbremse; ~ **down** vt, tradieren, überliefern; ~ **grenade** sub, -s Handgranate; ~ **gun** sub, -s Faustfeuerwaffe; ~ **in** vt, (Gegenstand) abgeben; ~ **in it** sub, - (ugs.) Zutun; ~ **in later** vt, nachreichen; (Unterlagen) nachliefern; ~ **in one's notice** vt, (dem Arbeitgeber) aufkündigen; ~ **luggage** sub, -s Handgepäck

handball, sub, nur Einz. Handball; **handbook** sub, -s Handbuch; **handcart** sub, -s Bollerwagen; **handcraft** adj, handwerklich; **handcuff** sub, -s Handschelle; **handharmonica** sub, -s Handharmonika

handicap, sub, -s Handicap, Handikap, Vorbelastung, Vorgabe; (med.) Behinderung; permanent handicap das ist ein bleibender Defekt; have a mental handicap eine geistige Behinderung haben; have a physical handicap eine körperliche Behinderung haben; ~ **time** sub, -s Vorgabezeit; ~**ped** adj, gehandikapt, vorbelastet

handicraft, sub, -s Bastelarbeit; ~**s** sub, nur Mehrz. Handarbeit

handiness, sub, nur Einz. Handlichkeit

handkerchief, sub, -ves Schweißtuch; -s Taschentuch

handle, (1) sub, -s Handgriff, Henkel, Klinke; (am Automat etc.) Hebel; (Griff) Stiel; (mech.) Nase; (Pflug-) Sterz; (Tür- etc.) Griff (2) vi, (behandeln) umgehen (3) vt, handhaben; (behandeln) nehmen; (Gerät) führen; (Geschäft) abwickeln; (ugs.) door-to-door selling Klinken putzen; he flies off the handle easily es gehen leicht die Pferde mit ihm durch; (i. ü. S.) I can handle him mit ihm werd'

dann nimm die Klinke in die Hand; *(ugs.) to handle sth* etwas auf die Reihe kriegen, *I know how to handle him* ich weiß, wie man ihn nehmen muss; **~ of the window** *sub, -s* Fenstergriff; **handling** *sub, nur Einz. (Ablauf)* Abwicklung

handmade, *adj,* handgearbeitet; **~ bookbinding** *adj,* handgebunden; **~ paper** *sub, nur Einz.* Büttenpapier; **handpicked** *adj,* handverlesen; **handpinching** *sub, nur Einz.* Klaubarbeit; **hands wash** *sub, -es* Händewaschen; **handsaw** *sub, -s (Säge)* Fuchsschwanz; **handshake** *sub, -s* Händedruck; *shake hands with so* jmdm die Hand geben; **handsome** *adj, (gutaussehend)* ansehnlich; **handstand** *sub, -s* Handstand; **handwoven** *adj,* handgeknüpft; **handwriting** *sub,* - Handschrift; **handy** *adj,* greifbar, griffbereit, handlich

hand mirror, *sub, -s* Handspiegel; **Hand of the Creator** *sub, -* *(theol.)* Schöpferhand; **hand out** *vt, (ausgeben)* austeilen; *(verteilen)* ausgeben; **hand out/over** *vt,* aushändigen; **hand over** *vt,* herausgeben, überantworten, übergeben, überreichen; *(übergeben auch Gefangene)* ausliefern; *(Vorsitz)* abgeben; *hand over a book* ein Buch herausgeben *(zurück)*; **hand sth over to so** jemandem etwas abtreten; **hand painting** *sub, -s* Handmalerei; **hand sth. over to sb** *vt,* einhändigen; **hand-cart** *sub, -s* Leiterwagen; **hand-out** *sub, -s* Hand-out; **handbag** *sub, -s* Handtasche

hang, *(1) vi,* hängen, schweben *(2) vt,* erhängen, hängen, henken; *(Person)* aufhängen; *(ugs.; Person)* aufknüpfen; *(ugs.) to let it all hang out* die Sau rauslassen, *hang so/oneself* jmd/sich erhängen; **~ (with)** *vt, (beladen)* behängen; **~ about** *vi, (ugs.)* lungern; **~ around** *vi,* herumlungern; **~ down** *vi,* herabhängen; **~ o.s.** *vr,* aufhängen; **~ out** *vti,* heraushängen; **~ round** *vr, (sich an einem Ort)* herumdrücken; **~ up** *(1) vi, (Telefonhörer)* aufhängen *(2) vt, (auch Telefonhörer)* aufhängen; *(aufhängen)* anhängen *(3) vti, (Telefonhörer)* auflegen; **~-glider** *sub, -s* Drachenflieger; **~-gliding** *sub, -s* Drachenfliegen; **~ar** *sub, -s* Flugzeughalle, Halle, Hangar; **~dog expression** *sub, -s* Sündermiene; **~ed** *sub, -s* Gehängte, Gehenkte; **~er** *sub,* - Bügel; *put on a hanger* auf den Bügel hängen; **~ings** *sub, nur Einz. (Wandbehang)* Behang;

~over *sub, -s* Kater; **~over breakfast** *sub, -s (ugs.)* Katerfrühstück

hanky, *sub, -ies* Schnupftuch, Taschentuch

Hanover, *adj,* hannoverisch; **~ian** *sub, -s* Hannoveraner

Hanseatic League, *sub, nur Einz.* Hanse; **Hanseatic** *adj,* hanseatisch

hapless person, *sub, -s (ugs.)* Unglückswurm

happen, *(1) vi,* geschehen, kommen, vorgehen, vorkommen, widerfahren, zustoßen; *(geschehen)* begeben, passieren, treffen *(2) vt,* ereignen *(3) vti, (vor sich gehen)* gehen; *he didn´t know what´s happening to him* er wußte nicht, wie ihm geschah; *let sth happen* geschehen lassen; *nothing will happen to you* es wird dir nichts geschehen; *what happens if* was geschieht, wenn; *it happened without warning* es kam ohne Warnung; *(Prov.) what you least expect happens* unverhofft kommt oft; *something terrible has happened to him* ihm ist etwas Schreckliches passiert, *it happened that* es begab sich, dass; *it just happened that way* es hat sich so ergeben; *there´s nothing happening* es ist nichts los; *what else has got to happen before* was muß eigentlich noch alles passieren, bevor; *what happened to you?* wie schaust du denn aus?; *why did it have to happen to me* dass mir das passieren muss, *what´s happening here?* was geht hier vor sich?; **~ in a rush** *vr, (Ereignisse)* überstürzen; **~ing** *(1) adj, (Geschehen)* los *(2) sub, -s* Happening

happiness, *sub, -es* Freudigkeit; **-s** Seligkeit; *-(Glücksgefühl)* Glück; **happy** *adj,* freudig, froh, glücklich; *(ugs.)* seelenvergnügt; *be happy to see so* jmdn freudig begrüßen; *happy event* freudiges Ereignis; *happily married* glücklich verheiratet; *happy coincidence* ein glücklicher Zufall; *do what you want if it makes you happy* des Menschen Wille ist sein Himmelreich; **happy home life** *sub, -s (i. ü. S.)* Nestwärme; **happy-go-lucky attitude** *sub, -s* in-den-Tag-hinein-Leben; **happy-go-lucky sort of fellow** *sub, nur Einz. (ugs.)* Luftikus

harakiri, *sub, -s* Harakiri

harass, *vt,* schikanieren; *(belästigen)* bedrängen; *(in der Öffentlichkeit)* belästigen; **~er** *sub, -s* Schikaneur; **~ing** *adj,* schikanös; **~ment** *sub, -s* Schikane; *(in der Öffentlichkeit)* Belästigung

harbinger, *sub, -s* Verkündiger
harbor, *sub, -s (US)* Hafen; **~ dues** *sub, nur Mehrz.* Hafengebühr; **~ police** *sub, nur Mehrz.* Hafenpolizei; **harbour** *sub, -s* Hafen; **harbour dues** *sub, nur Mehrz.* Hafengebühr; **harbour police** *sub, nur Mehrz.* Hafenpolizei
hard, (1) *adj,* anstrengend, hart; *(Arbeit)* beschwerlich **(2)** *adv,* hart; *hit so hard* jmdn hart treffen; *it´s hard on him* es kommt ihn hart an; *punish hard* hart bestrafen; *work hard* hart arbeiten; *hard nut to crack* ein harter Brokken; *it´s hard to know what to do* da ist guter Rat teuer; *work hard* tüchtig arbeiten, *be hard on so* hart mit jmdm sein; *hard currency* harte Währung; *hard drug* harte Droge; *hard money* hartes Geld; *hard Winter* harter Winter; *have learnt it the hard way* durch eine harte Schule gegangen sein; **~ cheese** *sub, -s* Hartkäse; **~ disk** *sub, -s* Festplatte; **~ of hearing** *adj,* schwerhörig; **~ shoulder** *sub, -s* Standspur; **~ to dispose of rubbish** *sub,* - Problemmüll; **~ work** *sub, -s* Fleißarbeit; **~-boiled** *adj,* abgebrüht, hart gekocht, hartgesotten; *(Ei)* hart; **~-hearted** *adj,* hartherzig; **~-heartedness** *sub,* - Hartherzigkeit; **~-on** *sub, -s (ugs.; Erektion)* Ständer
hardness, *sub, nur Einz.* Abgebrühtheit, *-es* Härte; **~ of hearing** *sub, nur Einz.* Schwerhörigkeit; **~ of water** *sub,* - Wasserhärte; **hardship** *sub, -s* Drangsal; *nur Einz.* Ungemach; *(poet.) to suffer hardship* Mangel leiden; **hardship clause** *sub, -s (jur.)* Härteklausel; **hardware** *sub, -s* Hardware; **hardwood** *sub, -s* Hartholz
hard-packed snow, *sub, nur Einz.* Schneeglätte; **hard-shelled** *adj,* hartschalig; **hard-wearing** *adj,* strapazierfähig; **hardcovered book** *sub, -s* Hardcover; **harden (1)** *vt,* abhärten **(2)** *vti,* härten **(3)** *vtr,* verfestigen, verhärten; *to harden oneself* sich mit einem Panzer umgeben; **hardened** *adj, (psychisch)* abgehärtet; *(i. ü. S.; unempfindlich)* abgebrüht; *(i. ü. S.; Verbrecher)* hartgesotten; **hardening** *sub, nur Einz.* Abhärtung, *-s* Verkalkung; **hardening of the arteries** *sub, -s - (med.)* Arterienverkalkung
hare, *sub, -s* Hase; *(ugs.)* Mümmelmann; **~ lip** *sub, -s (med.)* Hasenscharte
harem, *sub, -s* Harem
harlequin, (1) *adj,* harlekinisch **(2)** *sub, -s* Harlekin
harm, (1) *sub,* - Leid; *nur Einz.* Schaden **(2)** *vi,* schaden **(3)** *vt,* schädigen; *to*

harm so jmd Schaden zufügen; **~ so** *adv,* zu Leide; **~ful** *adj,* schädlich; **~ful insect** *sub, -s* Schadinsekt; **~ful substance** *sub, -s* Schadstoff; **~less** *adj,* gefahrlos, harmlos, unschädlich, unverfänglich; *(harmlos)* ungefährlich; *he is harmless* er ist ein harmloser Typ; *it´s a harmless sort of film* der Film ist harmlos
harmonic, *adj, (mus.)* harmonisch; *(i. ü. S.) live together in harmony* harmonisch zusammenleben; **~a** *sub, -s* Harmonika; **harmonious** *adj,* einträchtig; *(i. ü. S.)* harmonisch; *(harmonisch)* traulich; **harmonium** *sub, -s* Harmonium; **harmonize (1)** *vi, (mus.)* harmonieren **(2)** *vt,* harmonisieren; **harmony** *sub, -ies* Einklang; *nur Einz.* Eintracht, Gleichklang; *-ies* Harmonie; *nur Einz.* Harmonik; *(Harmonie)* Traulichkeit; *live in peace and harmony* im Einklang leben; *live together in harmony* einträchtig zusammenleben; *to sing in harmony* mehrstimmig singen
harness, (1) *sub, -es (Pferde)* Geschirr **(2)** *vt,* anschirren; *(Pferd)* einspannen; *(Zugtier)* anspannen; **~ a horse** *vt,* schirren
harp, *sub, -s* Harfe; *keep harping on about sth* immer wieder mit etwas beginnen; **~ sound** *sub, -s* Harfenklang; **~ist** *sub, -s* Harfenistin, Harfner
harpoon, (1) *sub, -s* Harpune **(2)** *vt,* harpunieren; **~er** *sub, -s* Harpunierer
harpsichord, *sub, -s (mus.)* Cembalo, Clavicembalo
harpy, *sub, -ies (myth.)* Harpyie
harrier, *sub, -s* Weihe
harrow, (1) *sub, -s* Egge **(2)** *vt,* eggen
harsh, *adj, (i. ü. S.)* herb; *(Benehmen)* harsch
harum-scarum, *adj, -s* Springinsfeld
hash, (1) *sub, -es* Haschee **(2)** *vt,* haschieren; **~ish** *sub,* - Haschisch
has made, *vi,* unterlaufen
hasp, *sub, -s* Haspe
hasty, *adj,* fluchtartig; *(zu eilig)* übereilt
hat, *sub, -s* Hut; *hats off* alle Achtung; *I´ll eat my hat if* dann fresse ich einen Besen; *pull sth out of a hat* etwas aus dem Ärmel schütteln; *that´s old hat* das ist Schnee von gestern; *(i. ü. S.) to take one´s hat off* die Mütze ziehen; **~ department** *sub, -s* Hutabteilung; **~box** *sub, -s* Hutschachtel
hatch, *vt,* schraffieren; *(ugs.; Plan)* ausbrüten; *(schraffieren)* stricheln; **~**

aut (1) *vi*, ausschlüpfen (?) *vt*, *(behrüten)* ausbrüten

hatchet, *sub*, *-s (Handbeil)* Beil

hatching, *sub*, *-s* Schraffierung, Schraffur; ~ **time** *sub*, *-s* Schlupfzeit

hate, (1) *sub*, *nur Einz.* Hass (2) *vt*, hassen; *really hate* einen Hass haben auf, *(ugs.) to hate sb´s guts* jmdn nicht riechen können; ~ **campaign** *sub*, *-s* Pogromhetze; ~**d** *adj*, verhasst; ~**ful** *adj*, hassenswert

hatpin, *sub*, *-s* Hutnadel

hatred, *sub*, *nur Einz.* Hass; *out of hatred* aus Hass; ~ **of the Germans** *sub*, *nur Einz.* Deutschenhass

haul, *sub*, *nur Einz.* Fang; *-s* Fischzug; *nur Einz. (i. ü. S.)* Fang; *-s* Fischzug; *(Fischfang) make a rich haul* eine guten Fang machen; *(ugs.) be hauled over the coals* Anpfiff bekommen; *make a big haul* reiche Beute machen; ~ **down** *vt*, *(Segel, Flagge)* niederholen; ~ **in** *vt*, *(zurückziehen)* einziehen; ~**age company** *sub*, *-ies* Fuhrunternehmen

haunch of venison, *sub*, *-es* Rehkeule

haunt, *vi*, spuken; *the thought haunts me* der Gedanke läßt mich nicht mehr los; *this place is haunted* hier geht ein Geist um, hier geht ein Gespenst um; *this place is haunted!* hier spukt´s!

haute couture, *sub*, - Haute Couture

have, *vt*, *(Essen)* geben; *(Hilfsverb)* haben; *(Talent)* besitzen; *(Voraussetzungen)* mitbringen; *have you seen him hast du ihn gesehen?*; *you should have told me* das hättest du mir sagen sollen

have a shave, *vr*, rasieren; **have a shower** *sub*, abbrausen; **have a view of** *vt*, *(i. ü. S.)* überblicken; **have an abortion** *vi*, *(Boot)* abtreiben; **have an accident** *vt*, verunfallen; **have an effect (1)** *vi*, wirken; *(i. ü. S.)* fruchten (2) *vi*, auswirken; *have an adverse effect on* sich ungünstig auswirken auf; **have an effect on** *vt*, *(Wirkung haben)* einwirken; **have an influence (on)** *vti*, mitbestimmen; **have blind faith in authority** *vt*, autoritätsgläubig; **have breakfast** *vi*, frühstücken; **have complete command of** *vt*, *(Handwerk etc.)* beherrschen; **have confessed** *adj*, *(sein)* geständig; **have confidence in** *vi*, vertrauen; **have detention** *vi*, *(Schule)* nachsitzen; **have draped oneself over** *adj*, *(ugs.; wie)* hingegossen; **have equal rights** *adj*, *(sein)* gleichberechtigt; **have found sth out** *vt*, heraushaben

have go, *vi*, müssen, wegmüssen; *when do you have to go to the station?* wann

müsst ihr zum Bahnhof?; ~ **past** *vi*, vorbeimüssen; ~**t** *vt*, haben; *have a cold* eine Erkältung haben; *have got sth to do* etwas zu tun haben; *have heard from sb* Nachricht haben von jmdm; *have sth against sb* etwas gegen jmdn haben; *he has it good* er hat es gut; *he has no right to order me about* er hat mir nichts zu befehlen; *he´s got nothing* er hat nichts; *I haven´t got the time* ich habe keine Zeit; *I´ve got you now* jetzt hab´ ich dich; *I´ve just seen him* ich habe ihn eben gesehen; *this town has 10,000 inhabitants* diese Stadt hat 10 000 Einwohner; *we have got history in the morning* wir haben Geschichte in der Frühe; *you could have done it earlier* das hättest du früher machen können; ~**t sth out** *vt*, heraushaben; **have had it** *adj*, *(- sein)* geliefert; **have in tow** *vt*, Schlepp; *(i. ü. S.) to take sb/sth in tow* jmdn/etwas in Schlepp nehmen; **have its source** *vt*, entspringen; **have leave** *vt*, wegmüssen; **have looked after** *vt*, weggeben; **have marriageable attitudes** *vt*, Ehefähigkeit; **have mercy** *vt*, erbarmen; **have no intention of** *vi*, fern liegen; *nothing was further from my mind* nichts lag mir ferner; **have no relationship with so** *vi*, fern stehen; **have one/two leg(s) amputated** *vt*, beinamputiert; **have one´s fling** *vt*, *(Person)* austoben; **have pins and needles** *vti*, *(ugs.)* kribbeln; **have s. th. off** *vt*, abhaben; **have so under one´s thumb** *sub*, Fuchtel

have sth in common with, *adj*, *(etwas - haben mit)* gemein; *they have nothing in common* sie haben nichts miteinander gemein; **have sb on** *vi*, verkohlen; **have second sight** *vi*, hellsehen; **have sth** *vi*, verfügen; **have sth back** *vt*, zurückhaben; **have sth in mind** *vi*, vorschweben; **have sth. for ..** *vt*, essen; *have sth for dinner/supper/lunch/breakfast* abends/mittags/morgens etwas essen; **have stomach trouble** *vi*, magenleidend sein; **have strong/weak nerves** *vi*, *(ein starkes/schwaches ~ haben)* Nervenkostüm; **have temperature** *vi*, fiebern; **have the advantage** *vt*, voraushaben; **have the audacity** *vi*, erfrechen; **have the audacity do sth** *vr*, unterstehen; **have the audacity to** *vt*, erdreisten; **have the day off** *vi*, freihaben; **have the effrontery** *vt*, entblöden; **have the sulks** *vt*,

Schmollecke, Schmollwinkel; *(ugs.) to have the sulks* in der Schmollecke sitzen

have to, (1) *modv,* müssen **(2)** *vi,* heranmüssen; *have to do sth* einen Befehl haben etwas zu tun; *I don´t have to* ich muss nicht; *I have little to do with him* ich habe so gut wie keinen Umgang mit ihm; *it will have to be some time* das muss mal gemacht werden; *why does I have to be today* warum gerade heute?; *you´d have to ask a cook about that* dafür müssten sie einen Koch fragen; **~ come out** *vi, (z.B. Zahn)* herausmüssen; **~ get in** *vt,* hereinmüssen; **~ get out** *vi, (aus Wohnung)* herausmüssen; **~ get up** *vi, (aus Bett)* herausmüssen; **~ go back** *vi,* zurückmüssen; **~ go out** *vi,* hinausmüssen; **~ go up** *vi,* hinaufmüssen; **~ take the rap** *vi, (müssen)* herhalten; **have-not** *sub, -s* Habenichts; **having no appetite** *adj,* appetitlos; **having several links** *attr,* mehrgliedrig

have young, *vt, (tt; biol.)* werfen; *have a hard time with sth* sich mit etwas abquälen; *have on one* bei sich führen; *have one too many* einen über den Durst trinken; *have three right* 3 Richtige tippen; *he had it!* er kann einpacken!; *he hasn´t got a good word to say about her* er gönnt ihr kein gutes Wort; *she´s always got an answer pat* sie hat immer eine Antwort zur Hand; *sth has had it* etwas ist im Eimer; *to have had it* keinen Piep mehr machen; *to have had it away* eine Nummer schieben; *(aus-statten) to have sth* mit etwas versehen sein; *to have unpleasant consequences* unangenehme Folgen nach sich ziehen; *you´ve had that* nichts zu machen

Hawaii Islands, *sub, nur Mehrz.* Hawaii-inseln

hawfinch, *sub, -es (zool.)* Kernbeißer

hawk, (1) *sub, -s* Falke, Habicht **(2)** *vi, (jagen)* beizen **(3)** *vt,* hökern; *have eyes like a hawk* Adleraugen haben; *to have eyes like a hawk* Augen wie ein Luchs haben; *(ugs.) to watch like a hawk* wie ein Schießhund aufpassen; *watch sth like a hawk* etwas mit Argusaugen verfolgen; **~er** *sub, -s* Hausierer, Höker; **~ing** *sub, -s (Beizjagd)* Beize

hawkmoth, *sub, -s (zool.)* Schwärmer

hawse (hole), *sub, -s* Klüse

hawthorn, *sub, -s (bot.)* Hagedorn

hay, *sub, nur Einz.* Heu; *make hay* Heu machen; *to hit the hay* sich auf´s Ohr hauen; **~ fever** *sub, -* Heufieber; *-s* Heuschnupfen; **~ rack** *sub, -s* Raufe; **~loft**

sub, -s Heuboden; **~stack** *sub, -s* Heuschober

hazardous waste depot, *sub, -s* Sonderdeponie

haze, *sub, nur Einz.* Dunst

hazel, (1) *adj,* nussbraun, rehbraun **(2)** *adj, -s* Haselstaude; **~nut** *sub, -s* Haselnuss; **~nut tree** *sub, -s* Haselnussstrauch

hazy, *adj,* diesig, dunstig; *(ungefähr)* düster; *have a hazy recollection that* ich erinnere mich dunkel; *hazy fantasy* schaurig schön

he, *pron,* er; *it´s a he* es ist ein er; **~ couldn´t care less** *aux,* schnurzpiepe; **~ himself** *pron,* selber, selbst

head, (1) *sub, -s* Haupt, Kopf, Kopfende, Oberhaupt; *(ugs.)* Kasten **(2)** *vt, (betiteln)* überschreiben; *with head bowed* gesenkten Hauptes; *with one´s head high* erhobenen Hauptes; *(i. ü. S.) heads will roll* es werden Köpfe rollen; *(ugs.) it´s absolutely incredible* das hältst du ja im Kopf nicht aus; *(ugs.) to be bent on getting one´s own way* mit dem Kopf durch die Wand wollen; *be not quite right in the head* einen Dachschaden haben; *be pigheaded* einen Dickkopf haben; *get a bash on the head* eins aufs Dach kriegen; *(ugs.) get that into your head!* schreib dir das hinter die Löffel!; *he bawled his head off* er brüllt wie am Spieß; *he´s not right in the head* der ist oben nicht ganz richtig; *(i. ü. S.) head or tails* Zahl oder Wappen; *(i. ü. S.) head straight for desaster* direkt ins Unglück steuern; *heads will roll* es wird eine Nacht der langen Messer geben, es wird eine Nacht der langen Messer geben; *knock one´s head against an edge* mit dem Kopf an einer Kante anschlagen; *(ugs.) I can´t make head nor tail of it* ich kann mir keinen Reim darauf machen; *I had gone head over heels several times* ich hatte mich mehrmals überschlagen; *lose one´s head* die Besinnung verlieren; *(ugs.) my head is going round and round* mir brummt der Schädel; *per head* pro Nase; *the head must be higher than the rest of the body* der Kopf muss hoch liegen; *(ugs.) to be head over heels* unsterblich verliebt sein; *to be head over heels in love* bis über beide Ohren verliebt sein; *(ugs.) to be soft in the head* eine Mattscheibe haben; *to hit sb over the head with sth* jmd etwas um die Ohren hauen; *to say exactly what comes into one´s head* reden, wie einem der Schnabel gewachsen ist; *(i. ü. S.) two heads are better than one* vier Augen sehen mehr als zwei; *you´re off your head* du hast ja einen Piep; *(ugs.) he´s a brainy fellow* er hat viel auf dem Kasten; *(ugs.) he´s not quite right in the head* er hat nicht alle im Kasten; **~ for (1)** *vi*, ansteuern **(2)** *vt, (ansteuern)* anpeilen; **~ foreman (in a mine)** *sub, -men* Obersteiger; **~ forester** *sub, -s* Oberförster; **~ money** *sub, nur Einz.* Kopfgeld; **~ movement** *sub, -s* Kopfbewegung; **~ of a government department** *sub, heads* Ministerialdirektor; **~ of Christ** *sub, -s* Christuskopf; **~ of department** *sub, -s* Dezernent, Sektionschef; **~ of state** *sub, heads* Staatsoberhaupt

header, *sub, -s (spo.)* Kopfball, **headfirst** *adv,* kopfüber; **headguard** *sub, -s* Kopfschützer; **heading** *sub, -s* Überschrift; **headless** *adj,* kopflos; **headline** *sub, -s* Headline, Schlagzeile; *(Schlagzeile)* Überschrift; **headlock** *sub, -s* Schwitzkasten; **headman** *sub, -men* Häuptling; **headmaster** *sub, -s* Schuldirektor, Schulleiter; *(Schule)* Direktor; **headmaster´s office** *sub, -s (Raum)* Direktorat; **headmistress** *sub, nur Einz.* Heimleiterin

head of the department, *sub, -s -s* Abteilungsleiter; **head of the household** *sub, -en* Hausherr; **head office** *sub, - (tt; mil.)* Zentrale; **head receptionist** *sub, -s* Empfangschef; **head shape** *sub, -s* Kopfform; **head voice** *sub, -s* Kopfstimme; **head waiter** *sub, -s* Oberkellner; **head-dress** *sub, -es* Kopfschmuck; **head-hunter** *sub, -s* Kopfjäger; **headshrinker** *sub, -s (ugs.)* Seelenarzt; **headache** *sub, -s* Kopfschmerz, Kopfweh; *(ugs.) don´t lose any sleep over that!* mach dir darüber keine Kopfschmerzen!; *to have a splitting headache* rasende Kopfschmerzen haben; *this business gave me quite a headache* diese Sache hat mir viel Kopfzerbrechen gemacht; **headband** *sub, -s* Kapitalband, Stirnband; **headdress** *sub, -es (Indianer)* Federschmuck; **headed goal** *sub, -s* Kopfballtor

headphones, *sub, nur Mehrz.* Kopfhörer; **headpiece** *sub, -s* Kopfteil; **headquarters** *sub, nur Mehrz.* Kommandantur, Präsidium; *(Stab)* Oberkommando; **headrest** *sub, -s* Nackenstütze; **headship** *sub, -s* Rektorat; *(Person)* Direktorat; **headstand** *sub, -s* Kopfstehen; **headteacher** *sub, -s* Rektor; **headwaters** *sub, nur Mehrz.*

heal, (1) *vi,* abheilen, zuwachsen; *(jmd.)* heilen **(2)** *vt, (Wunde)* heilen; **~ over** *vi,* verwachsen; **~ up** *vi,* verheilen, vernarben; **~ up/over** *vi,* zuheilen; **~ed** *adj,* heil; **~ing** *sub, nur Einz.* Abheilung; *-s* Heilung; **~ing earth** *sub, -* Heilerde; **~ing process** *sub, -es* Heilungsprozess; **~ing sleep** *sub, nur Einz.* Heilschlaf

health, *sub, -* Gesundheit; *nur Einz.* Wohlsein; *in the best of health* bei bester Gesundheit; *your health* auf dein Wohl, auf dein Wohlsein; **~ care** *sub, -* Gesundheitspflege; **~ center** *sub, -s (US)* Gesundheitsamt; **~ centre** *sub, -s* Gesundheitsamt; **~ certificate** *sub, -s* Gesundheitszeugnis; **~ fiend** *sub, -s (ugs.)* Naturapostel; **~ food shop** *sub, -s* Reformhaus; **~ insurance** *sub, -s* Krankenversicherung; **~ insurance scheme** *sub, -s* Krankenkasse; **~ resort** *sub, -s* Kurort; **~ sort tax** *sub, -es* Kurtaxe; **~ service** *sub, -* Gesundheitswesen; **~-food** *sub, nur Einz. (ugs.)* Biokost; **~-food shop** *sub, -s* Bioladen; **~y** *adj,* gesund; *healthy food* gesunde Nahrung

heap, *sub, -s (größer)* Haufen; *heap reproaches upon someone´s head* jemanden mit Vorwürfen überhäufen; *heaps and heaps of money* Geld noch und nöcher; *heaps of money* ein Haufen Geld; **~ of** *sub, -s (veraltet)* Haufe; **~ of rubble** *sub, -s* Schutthaufen; **~ of stones** *sub, -s* Steinhaufen; **~ of straw** *sub, heaps* Strohhaufen; **~ up** *vt,* häufen; **~s of** *attr, (ugs.; große Menge)* Masse

hear, *vt,* erhören, heraushören, hören, vernehmen; *he hasn´t been heard of since* seitdem hat er sich nicht mehr gemeldet; *(jur.) hearing* mündliche Verhandlung; *his hearing isn´t too good anymore* seine Ohren sind nicht mehr so gut; *(i. ü. S.) I won´t hear of it* auf dem Ohr bin ich taub; *I´ve heard of the play but that´s all* ich kenne das Stück nur dem Namen nach; *(jur.) to hear a case* einen Fall mündlich verhandeln; *to hear that* eine Mitteilung bekommen, dass; *what´s this I hear?* was muss ich da hören?; *you haven´t heard the last of this!* wir sprechen uns noch!; **~ing** *sub, -s* Hearing; *(jur., pol.)* Anhörung; *(Strafprozess)* Hauptverhandlung; **~ing aid** *sub, -s* Hörgerät; **~ing defect** *sub, -s* Gehörfehler; **~ing loss** *sub, -es* Hörsturz; **~ing of evidence** *sub, -s -* Beweisaufnahme

hearsay, *sub, nur Einz.* Hörensagen
hearse, *sub, -s* Leichenwagen
heart, *sub, -s* Herz; *(i. ü. S.)* Kern; *(Einzelkarte)* Herz; *(Mittelpunkt)* Herz; *a place in one´s heart for children/animals* ein Herz für Kinder/Tiere; *everything your heart desires* alles was dein Herz begehrt; *from the bottom of one´s heart* aus tiefstem Herzen; *he has heart trouble* er hat es am Herzen; *heart and soul* mit ganzem Herzen dabei sein; *it makes your heart swell* es läßt die Herzen höher schlagen; *my heart bled* mein Herz blutete; *my heart was in my mouth* mir schlug das Herz bis zum Hals; *take sth to heart* sich etwas zu Herzen nehmen; *my heart skipped to beat* das war ein Schreck auf nüchternen Magen; *open one´s heart* to so sich jemandem aufschließen; *pour one´s heart out* sein Herz ausschütten; *take sth to hear* sich etwas zu Gemüte führen; *(i. ü. S.) that would move the hardest heart to pity!* das könnte einen Stein erweichen!; *there´s some good in her somewhere* in ihr steckt ein guter Kern; *to get to the heart of a matter* bis zum Kern einer Sache vordringen; *to look downhearted* die Ohren hängen lassen; *to lose heart* den Mut verlieren; *with new heart* mit frischem Mut; ~ **anomaly** *sub, -ies* Herzanomalie; ~ **attack** *sub, -s* Herzanfall, Herzattacke, Herzinfarkt; ~ **defect** *sub, -s* Herzfehler; ~ **donor** *sub, -s* Herzspender; ~ **drops** *sub, nur Mehrz.* Herztropfen; ~ **failure** *sub, -s* Herzversagen; ~ **flutter** *sub, -s* Herzflimmern; ~ **frequence** *sub, -s* Herzfrequenz; ~ **of a girl** *sub, hearts of girls* Mädchenherz; ~ **surgery** *sub, -ies* Herzchirurgie; ~ **thumping** *sub, - (i. ü. S.)* Herzklopfen; ~ **transplant** *sub, -s* Herztransplantation; ~**-rending** *adj,* herzbewegend; ~**beat** *sub, -s* Herzschlag; ~**burn** *sub, -s* Sodbrennen; ~**felt** *adj,* innig
hearth, *sub, -s* Ofenbank
heartless, *adj,* herzlos, mitleidslos; *(Gliedmaßen)* gefühllos; **hearts** *sub, nur Mehrz. (Karten)* Coeur; *(Kartenfarbe)* Herz; **heartshaped cherry** *sub, -ies* Herzkirsche; **hearty** *adj, (Wein)* herzhaft
heat, (1) *sub, -s* Hitze; - Läufigkeit, Wärme; *nur Einz. (fem.)* Brunft (2) *vt,* beheizen, heizen; *(etwas)* erhitzen, erwärmen; *use coal for heating* mit Kohle heizen; *cook on a low heat* auf kleiner Flamme kochen; *rent including heating* warme Miete; *stifling heat* brü-

tende Hitze; ~ **conductor** *sub, -s* Wärmeleiter; ~ **loss** *sub, -es* Wärmeverlust; ~ **of fusion** *sub, nur Einz.* Schmelzwärme; ~ **shield** *sub, -s* Hitzeschild; *nur Einz.* Wärmeschutz; ~ **source** *sub, -s (i. ü. S.)* Wärmequelle; ~ **spot** *sub, -s* Quaddel; ~ **up** (1) *vt,* wärmen (2) *vti,* aufheizen; ~ **wave** *sub, -s* Hitzewelle; ~**ed** *adj, (Debatte)* hitzig; ~**er** *sub, -s* Erhitzer; *(Heiz-~)* Ofen
heath, *sub, -s (Landsch.)* Heide; ~**en** (1) *adj,* heidnisch (2) *sub, -s* Heide; ~**enism** *sub, nur Einz.* Heidentum
heating, *sub, nur Einz.* Beheizung; *(Heizung)* Feuerung; ~ **oil** *sub, nur Einz.* Heizöl; ~ **period** *sub, -s* Heizperiode; ~ **pipe** *sub, -s* Heizungsrohr; ~ **up** *sub, nur Einz. (a. i ü.S.)* Aufheizung
heatstroke, *sub, -s* Hitzschlag
heave, *vt,* hieven; ~ **to** *vi,* beidrehen
heaven, *sub, -s, - (i. ü. S.)* Himmel; *(ugs.) for heaven´s sake!* in Gottes Namen!; *heaven on earth* das Paradies auf Erden, der Himmel auf Erden; *move heaven and earth* alle Hebel in Bewegung setzen; *our Father in Heaven* der Himmlische Vater; *raise one´s eyes heavenwards* zum Himmel emporblicken; ~**ly** *adj,* himmlisch; *(i. ü. S.)* paradiesisch; *(himmlisch)* überirdisch; ~**wards** *adv,* himmelwärts
heavily indebted, *adj,* überschuldet; **heavily loss-making** *adj,* verlustreich; **heaviness** *sub, -s* Heftigkeit
heavy, *adj,* gewichtig, heftig, schwer; *(Drohung)* massiv; *(Strafe)* hoch; *heavy traffic* dicker Verkehr; ~ **as lead** *adj,* bleischwer; ~ **burden** *sub, -s* Zentnerlast; ~ **cotton twill overalls** *sub, nur Mehrz.* Drillichzeug; ~ **current** *sub, -* Starkstrom; ~ **fire** *sub, nur Einz.* schussstark; ~ **guns** *sub, nur Mehrz.* Geschütz; ~ **hailstorm** *sub, -s* Hagelschlag; ~ **horse** *sub, -s* Kaltblut; ~ **industry** *sub, -ies* Schwerindustrie; ~ **luggage** *sub, -s (Gepäck)* Traglast; ~ **metal** *sub, -s* Schwermetall; ~**boned** *adj,* starkknochig; ~**weight** *sub, nur Einz.* Schwergewicht; ~**weight championship** *sub, -s* Schwergewichtsmeisterschaft
Hebraic, *sub, -s* Hebraicum; **Hebraist** *sub, -s* Hebraist; **Hebrew** (1) *adj,* hebräisch, israelitisch (2) *sub, -s* Hebräer
hectare, *sub, -s* Hektar
hectic, (1) *adj,* hektisch (2) *sub, nur Einz.* Hektik; *lead a hectic life* hektisch leben

hectoliter, *sub, -s (US)* Hektoliter, **hectolitre** *sub, -s* Hektoliter
hedge, *sub, -s* Hecke; **~ clippers** *sub, nur Mehrz.* Heckenschere; **~ in** *vt,* verklausulieren; **~ of thorn-bushes** *sub, -s* Dornenhecke; **~hog** *sub, -s* Igel; **~hopper** *sub, -s (ugs.)* Tiefflieger
hedonism, *sub, nur Einz.* Hedonismus; *- (geh.)* Genusssucht; **hedonist** *sub, -s* Hedoniker; **hedonistic** *adj, (geh.)* genusssüchtig
heeding, *sub, nur Einz.* Beherzigung
heel, *sub, -s* Ferse; *(ugs.)* Schuft; *(Ferse)* Hacke; *stick on sb´s heels* sich jmdm an die Fersen heften; *bring so to heel* jmdn gefügig machen; *close on so heels* dicht hinter jmd; *heel!* zum Hund: bei Fuß; *stiletto-heel* Bleistiftabsatz; *be hard on sb´s heels* jmdm dicht auf den Fersen sein; *be hard on so´s heels* jmdm dicht auf den Hacken sein
hefty, *adj, (i. ü. S.; Rechnung)* gesalzen
hegemonic, *adj,* hegemonial, hegemonisch; **hegemony** *sub, -* Hegemonie
heinous, *adj, (Verbrechen)* abscheulich
heir to the crown, *sub, -s* Kronerbe; **heir to the throne** *sub, heirs* Thronanwärter; **heir-at-law** *sub, -s* Intestaterbe; **heirloom** *sub, -s* Erbstück
Helgolander, *sub, -s* Helgoländer
helicopter, *sub, -s* Helikopter, Hubschrauber
heliocentric *adj,* heliozentrisch
helium, *sub, nur Einz. (chem.)* Helium
hell, *sub, -s* Hölle; *(ugs.) all hell has broken loose* die Hölle ist los; *give someone hell* sich jmd zur Brust nehmen; *it hurts like hell* die Engel im Himmel singen hören; *(ugs.) that hurts like hell* das tut verdammt weh; *the Prince of Darkness* der Fürst der Hölle; *there will be hell to pay* das dicke Ende kommt noch; *there´ll be hell to pay* dann gibt es Mord und Totschlag; *(i. ü. S.) to give so hell* jemandem die Hölle heiß machen; *wish someone in hell* jemanden zum Teufel wünschen; **~ of a guy** *sub, nur Einz. (ugs.; verwegener Mensch)* Mordskerl; **~´s kitchen** *sub, nur Einz. (ugs.; US)* Sündenbabel
hellebore, *sub, nur Einz. (bot.)* Nieswurz
Hellenism, *sub, nur Einz.* Hellenentum, Hellenismus; **Hellenistic** *adj,* hellenisch, hellenistisch; **Hellenize** *sub,* hellenisieren
heller, *sub, -s* Heller
hellish, *adj,* höllisch
hello, *sub, -* Hallo
helmet, *sub, -s* Helm, Kopfschützer;

(Sturm.) Haube
helmsman, *sub, -men* Steuermann
help, (1) *sub, -* Handreichung; **~s** Hilfe **(2)** *vi,* helfen **(3)** *vt,* nachhelfen; *(helfen)* dienen; *(Sache)* begünstigen; *ask for help* um Hilfe bitten; *call for help* um Hilfe rufen; *give first help/aid* Erste Hilfe leisten; *help so* jmdm Hilfe leisten; *without any help* ohne Hilfe, *can I be of any help?* kann ich irgendwie helfen?; *help so across the road* jmdn über die Straße helfen; *help so out of a difficulty* jmdm aus einer Verlegenheit helfen; *help with the housework* im Haushalt helfen; *I can´t help it* ich kann mir nicht helfen; *there´s nothing you can do* da ist nicht zu helfen; *well, I did help it a bit* na gut, ich hab auch ein bisschen nachgeholfen; *can I help you* womit kann ich dienen; *he helped build the house* er hat beim Bau des Hauses mitgearbeitet; *help is at hand* Rettung ist nah´; *help so* jmdm gefällig sein; *help so up* jemandem aufhelfen; *help so with sth* jemandem bei etwas behilflich sein; *I can´t help it either* ich kann es auch nicht abwenden; *I couldn´t help laughing* ich musste lachen; *it´s not much help to me* damit ist mir wenig gedient; *may I help you?* kann ich Ihnen behilflich sein?; *nobody can help you there* damit mußt du allein fertig werden; *that can´t be helped* das lässt sich nicht ändern; *these measures help towards safety at work* diese Maßnahme dient der Sicherheit; *to help oneself to sth more* sich noch etwas nehmen; *you can´t help feeling that* man kann sich des Eindrucks nicht erwehren, dass; **~ (along)** *vi,* weiterhelfen; **~ o.s.** *vr, (sich nehmen)* bedienen; *help yourselves* bedient euch; **~ oneself** *vi,* zulangen; **~ out** *vi,* aushelfen; **~ sb through** *vt,* durchhelfen; **~ sb to** *vi,* verhelfen; **~ so** *vt,* beistehen; **~ so to get out of trouble** *vt, (i. ü. S.)* herauspauken; **~ so to get over sth** *vi,* hinweghelfen; **~ so up** *vt, (Person)* aufrichten; **~er** *sub, -s* Helfer, Mithelferin
helpful, *adj,* behilflich, dienlich, hilfreich, hilfsbereit, zuvorkommend, zweckdienlich; *(sein, hilfsbereit)* gefällig; *be helpful to so* jmd dienlich sein; **~ness** *sub, -es (Hilfsbereitschaft)* Gefälligkeit; **helpless** *adj,* hilflos, ratlos, unbeschützt; *(machtlos)* ohnmächtig; *a helpless little thing* ein hilfloses etwas; *be helpless against*

sich nicht erwehren können; *to look on helplessly* ohnmächtig zusehen; *to stand helpless in the face of sth* einer Sache ohnmächtig gegenüber stehen; **helplessness** *sub*, *-es* Ratlosigkeit

Helvetic, *adj*, helvetisch

hem, (1) *sub*, *-s* Saum (2) *vt*, säumen; *(i. ü. S.) fell hemmed* sich eingeengt fühlen; ~ **of a skirt** *sub*, *-s* Rocksaum

hemisphere, *sub*, *-s* Halbkugel; *nur Einz.* Hemisphäre

hemlock, *sub*, *-s* Schierling

hemoglobin, *sub*, *nur Einz. (US)* Hämoglobin

hemp, *sub*, *nur Einz.* Hanf; ~ **rope** *sub*, *-s* Hanfseil

hen, *sub*, *-s* Henne, Huhn; *a silly goose* ein dummes Huhn; *(ugs.) don´t make me laugh* da lachen ja die Hühner; *to be henpecked* unterm Pantoffel stehen; ~ **battery** *sub*, *-s* Legebatterie; ~´s **egg** *sub*, *-s* Hühnerei

henceforth, *adv*, *(veraltet)* hinfort; *(geh.; von jetzt an)* nunmehr

henhouse, *sub*, *-s* Hühnerstall; ~ **ladder** *sub*, *-s* Hühnerleiter

henna, *sub*, *nur Einz.* Henna; *-s* Hennastrauch

henpecked husband, *sub*, *-s (ugs.)* Pantoffelheld

Henry, *sub*, *-* Henry

hepatitis, *sub*, *- (med.)* Hepatitis

heptagon, *sub*, *-s* Heptagon; ~**al** *adj*, siebeneckig

her, *pron*, sein; *if I were her* wenn ich sie wäre; ~ **(chair, book)** *poss adj*, ihr; ~ **(dat.)** *pron*, ihr; ~ **(gen.)** *pron*, ihrer; ~ **(idea, ideas)** *poss adj*, ihre

herald, *sub*, *-s* Herold, Vorbote; ~´s **baton** *sub*, *-s* Heroldsstab; ~´s **trumpet** *sub*, *-s (mus.)* Fanfare; ~**ic letter** *sub*, *-s* Wappenbrief; ~**ic saying** *sub*, *-s* Wappenspruch; ~**ry** *sub*, *-* Heraldik; *nur Einz.* Wappenkunde

Herculean, *adj*, herculanisch

herd, *sub*, *-s* Herde, Rudel; *follow the herd* mit der Herde laufen; ~ **instinct** *sub*, *nur Einz.* Herdentrieb; *(i. ü. S.)* Herdentrieb; ~ **of buffaloes** *sub*, *-s* Büffelherde; ~ **of cattle** *sub*, *-s* Rinderherde; ~**sman** *sub*, *-men* Hirt, Hirte

here, (1) *adv*, hier, hierbei, hierher; *(hier)* da (2) *präp*, herbei; *along here* hier entlang; *out/in here* hier draußen/drinnen; *up/down here* hier oben/unten; *come here* komm hierher; *up to here* bis hierher; *be here, there and everywhere* überall dabeisein; *from here* bis dahin sind es noch; *here and there* hier und da; *here he comes da*

kommt er; *here I am* hier bin ich; *here it is* da ist es; *here´s the book* da hast du das Buch; ~ **and there** *adv*, stellenweise, strichweise; *(ugs.)* zwischendurch; ~**after** *sub*, *nur Einz.* Jenseits

hereditary, *adj*, angestammt, erblich, hereditär; *(biol.)* angeboren; ~ **disease** *sub*, *-s* Erbkrankheit; ~ **disposition** *sub*, *-s* Erbanlage; ~ **nobility** *sub*, *-ies* Geburtsadel; **heredity** *sub*, *-s* Vererbung

heresy, *sub*, *-ies* Häresie, Irrlehre, Ketzerei; **heretic** *sub*, *-s* Häretiker, Häretikerin, Ketzer; **heretical** *adj*, häretisch; **heretical baptism** *sub*, *-s* Ketzertaufe

hereupon, *adv*, hieraufhin

heritage, *sub*, *-s (vor dem Tod)* Erbe

hermaphrodism, *sub*, *- (tt; biol.)* Zwittrigkeit; **hermaphrodit-form** *sub*, *-s (tt; bot.)* Zwitterform; **hermaphrodite** *sub*, *-s* Hermaphrodit; *-* Zwitter; **hermaphrodite creature** *sub*, *-s (tt; biol.)* Zwitterwesen; **hermaphrodite-blossom** *sub*, *-s (tt; bot.)* Zwitterblüte; **hermaphroditic** *adj*, hermaphroditisch, zwitterhaft

hermetic, *adj*, hermetisch; *hermetically sealed* hermetisch abriegeln; **hermit** *sub*, *-s* Einsiedler, Eremit, Klausner; **hermitage** *sub*, *-s* Einsiedelei, Eremitage, Klause

hernia, *sub*, *-s (med.)* Leistenbruch

hero, *sub*, *-es* Held; ~ **of a novel** *sub*, *-s* Romanheldin; ~**ic** (1) *adj*, heldenhaft, heldenmütig, heroisch (2) *sub*, *-* Heroismus; ~**ic deed** *sub*, *-s* Heldentat; ~**ic epic** *sub*, *-s* Heldenepos; ~**ic tenor** *sub*, *-s* Heldentenor; ~**ically** *adv*, heldenhaft, heldenmütig; ~**in** *sub*, *-* Heroin

heron, *sub*, *-s* Reiher

herpes, *sub*, *- (med.)* Herpes

herring, *sub*, *-s (zool.)* Hering; *fresh herrings* grüne Heringe; ~ **fishery** *sub*, *-ies* Heringsfang; ~ **milt** *sub*, *nur Einz.* Heringsmilch; ~ **roe** *sub*, *-s* Heringsrogen; ~ **ton** *sub*, *-s* Heringsfass

hertability, *sub*, *-ies* Erblichkeit

hesitant, *adj*, zaghaft; **hesitate** *vi*, schwanken, stutzen, zaudern, zögern; *I would not hesitate to say that* ich würde ohne Weiteres sagen, dass; *he did it without hesitating* er tat es ohne zu zögern; **hesitation** *sub*, *-s* Zauderei; *do sth without hesitation* etwas ohne Bedenken machen

heterodoxy, *sub*, *-* Heterodoxie; **heterogeneity** *sub*, *nur Einz.* Heterogeni-

ilit, heterogeneous *adj*, heterogen, un-
teromorphic *adj*, heteromorph; **he-**
terophily *sub*, - Heterophyllie;
heterosexual *adj*, heterosexuell; **hete-**
rosexuality *sub*, - Heterosexualität; **he-**
terosphere *sub*, -s Heterosphäre
heuristic, (1) *adj*, heuristisch (2) *sub*, -
Heuristik
hew, *vt*, behauen
hexagon, *sub*, -s Hexagon, Sechseck; **he-**
xagram *sub*, -s Hexagramm; **hexame-**
ter *sub*, -s Hexameter; **hexametric** *adj*,
hexametrisch
hibernate, *vi*, (*Tiere*) überwintern; **hi-**
bernation *sub*, - Hibernation; *nur Einz.*
(*tt; zool.*) Winterschlaf
hibiscus, *sub*, -es Hibiskus
hiccups, *sub*, *nur Mehrz.* Schluckauf,
Schlucken
hidalgo, *sub*, -s Hidalgo
hidden, *adj*, heimlich, verborgen, verkappt; **~ path** *sub*, -s Schleichpfad; **hid-**
ding place *sub*, -s Versteck
hide, *vt*, verbergen, verdecken, verschweigen, verstecken; (*i. ü. S.*) *give*
someone a good hiding jemandem die
Hosen stramm ziehen, (*ugs.*) jemandem eine Tracht Prügel geben; **~ sth**
vr, (*ugs.*) verkneifen; **~-out** *sub*, -s
Schlupfloch; - Unterschlupf; **~** *sub*, Versteck; *nur Einz.* (*ugs.*) Verstecken; **hi-**
ding place *sub*, -s Schlupfwinkel
hierarchical, *adj*, hierarchisch; **hierar-**
chy *sub*, -ies Hierarchie, Rangordnung
hieroglyph, *sub*, -s Hieroglyphe
hi-fi, *sub*, - Hi-Fi; **~ system** *sub*, -s Hi-Fi-
Anlage
high, (1) *adj*, gehoben, hoch; (*ugs.*)
high; (*Ansehen*) hoch; (*Erwartungen*)
hochgespannt (2) *sub*, (*meteor.*)
Hoch; *be three metres high* drei Meter
hoch sein; *high court* hohes Gericht;
high up hoch oben; *high-ranking offi-*
cer hoher Offizier; *play high* hoch spielen; *the High Middle Ages* das hohe
Mittelalter; *think very highly of* eine
hohe Meinung haben von; (*ugs.*) *be a*
little high einen sitzen haben; *highly*
suspect dringend verdächtig; (*i. ü. S.*)
look for someone high and low jemanden wie eine Stecknadel suchen; *that's*
decided higher up das wird oben entschieden; **~ blood pressure** *sub*, -s
(*Blut-*) Hochdruck; **~ diving** *sub*, *nur*
Einz. Turmspringen; **~ esteem** *sub*,
nur Einz. Hochschätzung; *his collea-*
gues hold him in high esteem er genießt
die Hochschätzung seiner Mitarbeiter;
High German *sub*, *nur Einz.* Hochdeutsch; **~ jump** *sub*, -s (*tt; spo.*) Hoch-

nrmung, -s **mountain region** *sub*, -s
Hochgebirge; **~ polished** *adj*, hochglänzend; **~ pressure** *sub*, s Hochdruck; **~ priest** *sub*, -s Hohepriester,
Oberpriester; (*i. ü. S.*) Papst
higher, *adj* (*comp*), höher; *higher than*
höher als; (*i. ü. S.*) *their hearts beat*
faster ihre Herzen schlugen höher; *to*
rate something higher (more highly)
etwas höher bewerten; **~ nobility**
sub, -ies Hochadel; **~-ranking** *adj*,
höherrangig; **highest** *adj*, höchst; *it´s*
high time es ist höchste Zeit; *on the*
highest mountain auf dem höchsten
Berg; *to the highest degree* im höchsten Maße; **highest bidding** *adj*,
meistbietend; **highest level** *sub*, -s
Höchststand, Höchststufe; **highest**
point *sub*, -s Gipfelpunkt; **highest-**
ranking officer *sub*, -s Ranghöchste
high-explosive bomb, *sub*, -s Sprengbombe; **high-frequency** *adj*, hochfrequent; **high-heeled shoe** *sub*, -s
Stöckelschuh; **high-performance**
sub, -s Hochleistung; **high-pitched**
adj, (*Stimme*) eunuchenhaft; **high-**
pressure *adj*, (*tech*) hochgespannt;
high-pressure area *sub*, -s Hoch-
druckgebiet; **high-priced** *adj*, hochpreisig; **high-protein** *adj*,
eiweißreich; **high-ranking** *adj*, hochgestellt; **high-school boy/girl** *sub*, -s
(*veraltet*) Pennäler; **high-sounding**
adj, hochtrabend; **high-spirited** *adj*,
übermütig; **high-tech** *sub*, - Hightech;
high-tech medicine *sub*, *nur Einz.*
Apparatemedizin; **high-voltage** *adj*,
(*Strom*) hochgespannt; **high-whee-**
led *adj*, hochräderig; **high-wire** *sub*,
-s Hochseil
highly deserving, *adj*, hochverdient;
highly effective *adj*, hochwirksam;
highly explosive *adj*, hochexplosiv;
highly gifted *adj*, begnadet; **highly**
qualified worker *sub*, -s Spitzenkraft;
highly sensitive *adj*, zartbesaitet;
highly topical *adj*, hochaktuell
Highness, *sub*, - Durchlaucht;
Her/His/Your Highness Ihre/Sei-
ne/Eure Durchlaucht
high quality, *adj*, hochwertig; **~ wine**
sub, -s Kabinettwein; **high school**
sub, -s (*US*) Gymnasium; **high school**
student *sub*, -s Gymnasiast; **high spi-**
rits *sub*, Hochstimmung; - Übermut;
business was doing well; he was in
high spirits das Geschäft lief; er war in
Hochstimmung; **high treason** *sub*,
nur Einz. Hochverrat; **high voltage**
sub, -s Hochspannung; *Danger! High*

voltage! Vorsicht! Hochspannung!;
high-altitude health resort; *sub, -s*
Höhenkurort; **high-bituminous**
brown coal *sub, -s* Schwelkohle; **high-**
caliber *adj, (i. ü. S.; US)* hochkarätig;
high-calibre *adj, (i. ü. S.)* hochkarätig;
high-capacity *sub, -ies (tech.)* Hochleistung; **high-carat** *adj,* hochkarätig;
high-circulation *adj,* auflagenstark
highway, *sub, -s* Highway, Verkehrsweg;
Highway Code *sub, -s* Straßenverkehrsordnung; ~**robbery** *sub, -ies*
Straßenraub; ~**man** *sub, -men* Wegelagerer; *(hist.)* Schnapphahn; ~**robbery**
sub, -es Wegelagerung
hijacker, *sub, -s* Hijacker; *(Luft~)* Pirat;
hijacking *sub, -s* Flugzeugentführung;
(Flugzeug) Entführung
hike, *vi,* wandern; ~**r** *sub, -s* Wanderer,
Wandervogel; **hiking trip** *sub, -s* Wanderfahrt
hill, *sub, -s* Hügel; *be over the hills and*
far away über alle Berge sein; *drive*
over hill and dale über Berg und Tal
fahren; *up hill and down dale* über
Stock und Stein; ~**side location** *sub, -s*
Hanglage; ~**y** *adj,* hügelig
him, *pron,* dem; *(betont)* er; *dont give it*
to him, give it to that man gib es nicht
dem, sondern dem Mann da; *it´s him!*
das ist er!; ~ *(acc.) pron,* ihn; ~ *(dat.)*
pron, ihm
Himalayan black bear, *sub, -s (zool.)*
Kragenbär
hinder, *vt,* hindern; *(behindern)* erschweren
Hindi, *sub, nur Mehrz.* Hindi
hindquarters, *sub, nur Mehrz. (Pferd)*
Hinterhand
Hindu, (1) *adj,* hinduistisch **(2)** *sub, nur*
Einz. Hindu; ~**ism** *sub, -* Hinduismus
hinge, *sub, -s* Scharnier; *(Türangel)* Angel; ~**d lid** *sub, -s* Klappe
hint, *sub, -s* Andeutung, Anspielung, Fin-
gerzeig; *(ugs.)* Wink; *(Hinweis)* Tipp;
drop a hint eine Andeutung machen;
give so a hint jmd eine Eselsbrücke
bauen; *hint at* anspielen auf; ~ **at** *vt,*
andeuten
hip, *sub, -s* Hüfte; ~ **bone** *sub, -s* Hüftknochen; ~ **joint** *sub, -s* Hüftgelenk
hippy, *sub, -ies* Hippie
hire, *vt, (Boot, Auto)* mieten; *(Gerät,*
etc.) anmieten; *(Person)* chartern; ~
purchase *sub, -s* Mietkauf, Teilzahlung;
~**(d) car** *sub, -s* Mietauto; ~**d** *adj,* gedungen; ~**d applauder** *sub, -*
Claqueur; ~**d car** *sub, -s* Leihwagen; ~**r**
sub, -s Verleiherin
his, *pron,* sein, seine, seines, seinige

Hispanist, *sub, -s* Hispanistin
hiss, *vi, (ugs.)* zischen; *(Katze, Maschi-*
ne) fauchen
histamine, *sub, -s* Histamin
histological, *adj,* histologisch
histology, *sub, - (med.)* Histologie
historian *sub, -s* Historiker, Historikerin; **historic (1)** *adj,* geschichtlich **(2)**
adv, historisch; **historic moment**
sub, -s (i. ü. S.) Sternstunde; **historic**
monument *sub, -s* Baudenkmal; **hi-**
storical *adj,* geschichtlich; **histori-**
cism *sub, nur Einz.* Historismus;
historicist *adj,* historistisch; **histo-**
riographer *sub, -s* Historiograf
history, *sub, -* Geschichtswissenschaft;
-ies Historie - Historik, Vergangenheit; *-ies (Wissenschaft)* Geschichte;
that´s all ancient history die Sache ist
längst passé; *go down in history* in die
Geschichte eingehen; ~ **lessons** *sub,*
nur Mehrz. Geschichtsunterricht; ~
of civilization *sub, -* Kulturgeschich-
te; ~ **of music** *sub, nur Einz.* Musikgeschichte; ~ **of the earth** *sub, nur*
Einz. Erdgeschichte; ~ **of the ori-**
gin(s) *sub, nur Einz.* Entstehungsgeschichte
histrionic, *adj, (Gebabe)* pathetisch
hit, (1) *sub, -s* Hit, Treffer; *(mus.)* Spitzenreiter **(2)** *vi,* auftreffen, hinhauen,
hinschlagen **(3)** *vi,* aufprallen; *(Arm,*
Taste) anschlagen; *(auf den Boden)*
aufschlagen; *(aufschlagen)* aufstoßen
(4) *vti,* schlagen; *(schlagen)* treffen;
give sb a good hiding jmd durchhau-
en; *he was hit by the car* er wurde vom
Auto erfasst; *he won´t know what hit*
him er wird sein blaues Wunder erleben; *hit so over the head* jmdn auf den
Kopf hauen; *hit sth* auf etwas auffallen; *(ugs.; spo.) hit the ball right to*
someone jemandem den Ball servieren; *score a hit* einen Treffer erzielen;
start to hit back zum Gegenschlag
ausholen; *(i. ü. S.) the remark hit*
home die Bemerkung hat gesessen; ~
back *vti,* zurückschlagen; ~ **below**
the belt *sub, hits (spo.)* Tiefschlag; ~
out *vi,* losschlagen; *to go for one*
another aufeinander losschlagen; ~
sth *vt,* stoßen; ~ **up (in the air)** *vt,*
hochschlagen; *he hit the ball up so*
high that er schlug den Ball so hoch,
dass; ~**-and-run driving** *sub, -s* Unfallflucht; ~**-and-run-offence** *sub, -s*
Fahrerflucht; *(jur.) commit a hit-and-*
run-offence Fahrerflucht begehen;
(jur., US) commit a hit-and-run-offen-
se Fahrerflucht begehen; ~**-and-run-**

offense sub, -s (US) Fahnenflucht

hitch up, vi, (Anhänger) ankoppeln; **hitch-hiking** sub, nur Einz. Autostopp; hitch-hike per Autostopp fahren; **hitchhike** vti, trampen; **hitchhiker** sub, -s Anhalter, Tramper

hive, vt, beuten; ~ **honey** sub, nur Einz. Beutenhonig; ~**s** sub, nur Mehrz. Quaddel

HIV-negative, adj, HIV-negativ; **HIV-positive** adj, HIV-positiv

hoard, (1) vt, horten (2) vti, hamstern; ~**er** sub, -s Hamsterer; ~**ing** sub, -s Bauzaun

hoarse, adj, heiser; ~**ness** sub, nur Einz. Heiserkeit

hoax, sub, -es Köpenickiade

hobby, sub, -ies Hobby, Liebhaberei, Steckenpferd; ~ **horse** sub, -s Stangenpferd; (Spielzeug) Steckenpferd

hobnail, sub, -s Hufnagel

hobo, sub, -s (ugs.; US) Pennbruder

hock, sub, -s (zool.) Fesselgelenk

hockey, sub, nur Einz. Hockey

hocus-pocus, sub, nur Einz. Hokuspokus

hoe, sub, -s (Hacke) Haue

hoist, vt, hissen; to behoist with one´s own petard sich im eigenen Netz verstricken

hold, (1) sub, -s Schiffsraum; (Griff) Halt (2) vi, halten; (Gebäude) standhalten (3) vi, halten (4) vt, halten, verhalten; (aufnehmen können) fassen; (ein Amt innehaben) bekleiden; (tt; polit.) veranstalten; (Titel) führen; (verhaften) festhalten; (Versammlung) abhalten; (Wettkampf) austragen; get hold of sth etwas zwischen die Finger bekommen; he just can´t hold back er kann sich nicht beherrschen; hold forth on sth sich über ein Thema ergehen; to hold so back jemanden in den Arm fallen; please hold the line bitte warten; to hold one´s own seinen Mann stehen; to hold sth Platz für etwas bieten, hold one end of sth etwas an einem Ende halten; hold one´s head den Kopf halten, hold one´s head up den Kopf hoch halten; hold so´s hand jmdn an der Hand halten, jmdn an der Hand halten; ~ **(a post)** vt, innehaben; ~ **(on)** vt, dranbleiben; hold on/the line am Telefon dranbleiben; ~ **a meeting** vi, tagen; ~ **a monologue** vi, monologisieren; ~ **back** (1) vi, hintanhalten (2) vt, dämmen, zurückhalten; (i. ü. S.) lähmen; hold back at the right moment sich im richtigen Moment zurückhalten; hold back nothing mit nichts zurückhalten; hold

back one´s tears die Tränen zurückhalten; his father´s disapproval held him back his whole life die Mißbilligung seines Vaters hat ihn ein lebenlang gelähmt; (ugs.) to feel debilitated ein lähmendes Gefühl haben; ~ **down** vt, (auch mil.) niederhalten; ~ **good** vi, (Grundsatz) bewähren; ~ **office** vt, amtieren; ~ **on to** vt, festhalten; ~ **on to s.b./sth** vt, (sich) festhalten; ~ **open** vt, (Tür) aufhalten; hold the door open for so jemandem die Tür aufhalten

holder, sub, -s Halter; (Glühbirne) Fassung; ~ **of a degree in economics** sub, -s Diplomökonom; ~ **of a title** sub, holders Titelträger; **holding** sub, -s (Veranstaltung) Durchführung; **holding company** sub, -ies Dachgesellschaft; (tt; wirt.) Holdinggesellschaft; **holdings** sub, nur Mehrz. (an Büchern, Exponaten) Bestand; **holdover** sub, -s Überständer; **holdup** sub, -s (Bank-) Überfall; freeze, this is a holdup! keine Bewegung, das ist ein Überfall!

hold out, (1) vi, ausharren; (in einem Beruf) aushalten; (spo.) durchhalten (2) vt, herhalten, hinhalten; hold out for a long time in a job es in einem Job lange aushalten; hold out to the end bis zum Ende durchhalten; **hold sth against sb** vt, verargen, verdenken; **hold together** vt, zusammenhalten; **hold-up** (1) sub, -s Stockung (2) vt, hochhalten; (Bank) überfallen

hole, sub, -s Kuhle; (Loch) Durchschlupf; (Öffnung, Lücke) Loch; (Unvollständigkeit) Lücke; to make a big hole in sb´s pocket ein großes Loch in jmds Geldbeutel reißen; ~ **in the ozone layer** sub, nur Einz. Ozonloch

holiday, sub, -s Feiertag, Ferientag, Urlaub; on Sundays and public holidays an Sonn- und Feiertagen; public holiday gesetzlicher Feiertag; religious holiday kirchlicher Feiertag; ~ **camp** sub, -s Ferienlager; ~ **list** sub, -s Urlaubsliste; ~ **pay** sub, - Urlaubsgeld; ~ **period** sub, -s Urlaubszeit; ~ **till** sub, -s (i. ü. S.) Urlaubskasse; ~ **traffic** sub, -s Reiseverkehr; ~ **train** sub, -s (i. ü. S.) Urlaubszug; ~ **trip** sub, -s Ferieneinreise, Urlaubsreise; ~**-job** sub, -s Ferienarbeit; ~**s** sub, - Ferien; be on holiday Ferien haben

holier-than-thou, adj, (i. ü. S.) pharisäisch

hollow, (1) adj, hohl, phrasenhaft (2) sub, -s Mulde, Talmulde, Talsenke; a *hollow voice* eine hohle Stimme; *an empty nut* eine hohle Nuß; *in the hollow of one´s hand* in der hohlen Hand; *it´s all hollow words* das ist alles Schall und Rauch; **~ out** *vt,* aushöhlen, höhlen, unterhöhlen; **~ space** *sub, -s* Hohlraum; **~-chested** *adj, (männl.)* flachbrüstig; **~-shaped** *adj,* muldenförmig; **~ness** *sub, nur Einz.* Hohlheit

hollyhock, *sub, -s* Malve

holocaust, *sub, -s* Holocaust

holography, *sub, nur Einz.* Holografie; **holographic** *adj,* holografisch

Holstein, *adj,* holsteinisch

holster, *sub, -s* Holster; *(Pistole)* Halfter

holy, *adj,* heilig; *Saint Barbara* die Hlge Barbara; *the Holy Father* der Hlge Vater; *the Holy Ghost* der Hlge Geist; *the Holy Land* das Hlge Land; *the Holy Three Kings* die Hlgen Drei Könige; **~ of holies** *sub, -ies* - Allerheiligste; **Holy Synod** *sub, nur Einz.* Synod; **~ water** *sub, -s* Weihwasser

Holy Week, *sub, -s* Passionszeit; *nur Einz. (Eccl)* Karwoche

homage, *sub, nur Einz.* Hommage, Huldigung; *to pay homage to a god* einem Gotte opfern; **~ rendered by a knight his lady** *sub, nur Einz.* Minnedienst

home, (1) *adj,* inländisch **(2)** *adv,* heim **(3)** *sub,* - Heimat; *nur Einz.* Inland; *(Altcrs-, Heim)* Heim; *(Heim)* Häuslichkeit; *(Zuhause)* Heim; *at home* auf eigenem Platz, zu Hause; *feel at home* sich heimisch fühlen; *he has no real home* er ist überall und nirgends zu Hause; *home waters* heimische Gewässer; *just like home* wie bei Muttern; *make oneself at home* sich häuslich niederlassen; *make oneself at home in a place* sich häuslich einrichten; *make os at home* es sich gemütlich machen; *take so home* jemanden nach Hause begleiten, nach Hause bringen; *there´s no place like home* eigener Herd ist Goldes wert; *(ugs.) to be a stay-at-home* immer zu Hause hocken; *he´s famous at home and abroad* er ist im Inland und im Ausland berühmt; *home-produced goods* im Inland hergestellte Waren; **~ computer** *sub, -s* Heimcomputer; **~ constructor** *sub, -s* Bastler; **~ defeat** *sub, -s (spo.)* Heimniederlage; **~ exerciser** *sub, -s* Heimtrainer; **~ for singles** *sub, -s* Ledigenheim; **~ for the blind** *sub, -s* Blindenanstalt; **Home Guard** *sub, -s (hist.)* Landwehrmann; **Home Office** *sub, -s* Innenministerium; **~ platform** *sub, -s* Einfahrgleis; **~ port**

sub, -s Heimathafen

Home Secretary, *sub, -ies* Innenminister; **home town** *sub, -s* Heimatstadt; **home win** *sub, -s* Heimsieg; **homecoming** *sub, -* Heimkehr; **homeland** *sub, -* Heimat; *-s* Homeland; **homeless** *adj,* heimatlos, wohnungslos; *to be homeless* kein Obdach haben; **homeless person** *sub, -s oder the homeless* Obdachlose; **homely** *adj,* wohnlich; **homemade** *adj,* hausbacken, hausgemacht; **homesick** *adj,* heimwehkrank; **homesickness** *sub, -* Heimweh; **homespun** *sub,* Home-spun; **homework** *sub, -s* Hausaufgabe; *nur Einz.* Schularbeit, Schulaufgabe; *-s (Schule)* Hausarbeit; **homework essay** *sub, -s* Hausaufsatz

homicide, *sub, -s* Mord; *(US)* Totschlag

homiletic, *adj, (theol.)* homiletisch; **homily** *sub, -ies* Moralpredigt

homo (Lat.), *sub, nur Einz.* Homo; **homoeopath** *sub, -s* Homöopath; **homoeopathic** *adj,* homöopathisch; **homoeopathy** *sub, nur Einz.* Homöopathie; **homoerotic** *adj,* homoerotisch; **homoeroticism** *sub, nur Einz.* Homoerotik; **homogeneity** *sub, nur Einz.* Homogenität; **homogeneous** *adj,* homogen; **homogenity** *sub, -ies* Gleichartigkeit; *nur Einz. (Gleichartigk.)* Gleichheit; **homogenize** *vt,* homogenisieren; **homologize** *vti,* homologieren; **homosexual (1)** *adj,* homophil, homosexuell **(2)** *sub, -s* Homosexuelle; **homosexuality** *sub, nur Einz.* Homosexualität

homuncule, *sub, -s* Homunkulus

Honduran, *adj,* honduranisch

honey, *sub, -s* Bienenhonig, Honig; **~sweet** *adj,* honigsüß; **~comb** *sub, -s (tt; biol.)* Wabe; **~moon (1)** *sub, nur Einz.* Flitterwochen; *-s* Hochzeitsreise **(2)** *vi,* flittern; *(i. ü. S.) the honeymoon is over!* der Traum ist ausgeträumt!; **~suckle** *sub, -s (ugs.)* Jelängerjelieber

honky-tonk, *sub, -s (ugs.)* Tingeltangel

honorary, *adj, (ehrenhalber)* ehrenamtlich; **~ citizen** *sub, -s* Ehrenbürger; **~ doctorate** *sub, -s* Ehrendoktor; **~ escort** *sub, -s* Ehreneskorte; **~ position** *sub, -s* Ehrenamt

honour, (1) *sub, -s* Ehre, Würde **(2)** *vt,* beehren, verehren; *(Ehre erweisen)* ehren; *(mit einem Orden etc.)* auszeichnen; *bring honour to so* jmd zur Ehre gereichen; *do so the honour of* jmd die Ehre erweisen; *hold sth in honour* etwas in Ehren halten; *in his* *honour ihm zu Ehren; in honour of zu* Ehren, *honour thy father and thy mother* du sollst Vater und Mutter ehren; *we are greatly honoured by your invitation* ihre Einladung ehrt uns sehr; ~ **amongst thieves** *sub,* - Ganovenehre; ~ **as a nobleman** *sub, nur Einz.* Standeswürde; ~ **of the duke** *sub,* - Herzogswürde; **~able** *adj,* ehrenhaft, ehrenvoll, honorabel; *(Absichten)* ehrbar; *an honourable man* ein ehrenhafter Mann; **~ably** *adv,* ehrenhalber; **~ed** *adj,* hochverehrt; **~ing** *sub, nur Einz. (Ehrung)* Auszeichnung; **~ing of the dead** *sub, honourings* Totenehrung; **~s** *sub, nur Mehrz.* Honneurs; *to do the honours* die Honneurs machen

hood, *sub,* -s Kapuze, Verdeck; *(US)* Motorhaube; **~ed crow** *sub,* -s Nebelkrähe

hoof, *sub,* -s Huf

hoo-ha, *sub, nur Einz.* Brimborium; *make a big hoo-ha about sth* Brimborium um etwas machen

hook, (1) *sub,* -s Haken; *(Häkel~)* Nadel **(2)** *vt,* haken; *hook and eye* Haken und Öse; *(Boxen) left/right hook* linker/rechter Haken; *hook os so* sich jemanden angeln; *(ugs.) to be hooked on heroin* an der Nadel hängen; ~ **on** *vt,* festhaken; ~ **to the chin** *sub,* -s Kinnhaken; **~-nosed** *adj,* krummnasig; **~ed** *adj,* hakenförmig; **~ed nose** *sub,* -s Habichtsnase; **~er** *sub,* -s *(ugs.; bes. US-Slang)* Nutte

hooligan, *sub,* -s Hooligan, Randalierer, Rowdy; *(ugs.)* Rabauke, Radaumacher; **~ism** *sub, nur Einz.* Rowdytum

hoopoe, *sub,* -s *(tt; zool.)* Wiedehopf

hooray!, *interj,* Hurra

hooter, *sub,* -s *(ugs.)* Riechkolben

hoover, (1) *sub,* -s Staubsauger **(2)** *vt,* Staub saugen

hop, (1) *sub,* -s *(bot.)* Hopfen **(2)** *vi,* hopsen, hüpfen, springen; *hop it!* ab durch die Mitte!; *(ugs.) to hop about like crazy* einen Veitstanz aufführen; *(ugs.) to hop it* die Platte putzen; **~pole** *sub,* -s Hopfenstange

hope, (1) *sub,* -s Hoffnung **(2)** *vi,* harren; *all his hopes came to nought* alle seine Hoffnungen endeten in Nichts; *gives cause to hope* berechtigt zu Hoffnungen; *(i. ü. S.) have hopes of something* auf etwas spekulieren; *have one´s hopes dashed* in seinen Hoffnungen betrogen werden; *he has fond hopes of becoming famous* er nährt den süßen Traum, berühmt zu werden; *not to hold out any hopes for someone* jemandem keine Hoffnungen machen; *see one´s*

hopes dashed seine Felle davon schwimmen sehen; *to abandon a hope* eine Hoffnung begraben; *to have hopes* sich Hoffnungen machen; ~ **(for)** *vti,* hoffen; **~ful** *adj,* hoffnungsvoll; **~fully** *adv,* hoffentlich; **~less** *adj,* aussichtslos, ausweglos, hoffnungslos, rettungslos, trostlos; *a hopeless venture* ein aussichtsloses Unterfangen; *it´s hopeless* damit ist nichts anzufangen; **~lessness** *sub, nur Einz.* Aussichtslosigkeit, Ausweglosigkeit, Trostlosigkeit

hopping mad, *adj,* fuchsteufelswild, fuchtig

horizon, *sub,* -s Horizont; *that opens new horizons* das eröffnet ganz neue Perspektiven; **~tal (1)** *adj,* horizontal, waagerecht, waagrecht **(2)** *sub,* - Waagerechte; **~tal bar** *sub,* -s *(spo.)* Reck; **~tal line** *adj,* Horizontale

hormone, *sub,* -s Hormon

horn, *sub,* -s Horn, Hupe; ~ **of plenty** *sub,* -s Füllhorn; **~ed** *adj,* gehörnt; **~et** *sub,* -s Hornisse; *(ugs.) to stir up a hornet´s nest* in ein Wespennest stechen; **~s** *sub, nur Mehrz.* Gehörn; **~y** *adj,* hornig; *(vulg.)* spitz; *(sexuell)* geil; **~y skin** *sub, nur Einz.* Hornhaut

horoscope, *sub,* -s Horoskop

horrible, (1) *adj,* abscheulich, grässlich, schauderhaft; *(erschreckend)* entsetzlich **(2)** *sub, nur Einz.* Abscheulichkeit; **~ness** *sub,* -es Grässlichkeit; **horrid** *adj, (Zone)* heiß; **horrific** *adj,* grauenhaft, schauerlich; **horrified** *adj,* entsetzt; **horrify** *vt,* entsetzen; **horrifying** *adj,* grausig

horror, *sub,* - Abscheu; *nur Einz.* Entsetzen; -s Grauen, Graus; - Grausen; *nur Einz.* Horror; -s Schrecken, Schrecknis; *horror of* Abscheu vor; *seized with horror* vom Graus gepackt; *(ugs.) I´m terrified of the exam* ich habe einen Horror vor der Prüfung; *(ugs.) it was a ghastly evening* der Abend war ein Horror; ~ **story** *sub,* -ies Schauergeschichte, Schauerroman

hors d´oeuvre, *sub,* -s Hors-d´oeuvre

horse, *sub,* -s Gaul, Pferd, Ross, Rössel; *never look a gift horse in the mouth* einem geschenkten Gaul sieht man nicht ins Maul; *hold your horses* immer sachte mit den jungen Pferden; *to back the right horse* aufs richtige Pferd setzen; *wild horses would not drag me there* keine 10 Pferde brächten mich dahin; *(i. ü. S.) come down from your high horse!* komm wieder von deinem Thron herunter!; *feel like eating a horse* einen Bärenhunger haben; ~ **chestnut** *sub, -s* Rosskastanie; ~ **fly plague** *sub, -s* Bremsenplage; ~ **power (hp)** *sub, nur Einz.* Pferdestärke; ~ **race** *sub, -s (einzelnes Rennen)* Pferderennen; ~ **show** *sub, -s* Reitturnier; ~ **breeding** *sub, nur Einz.* Pferdezucht; ~**-fly** *sub, -ies (biol.)* Bremse; ~**-racing** *sub, nur Einz. (Sportart)* Pferderennen; ~**-riding** *sub, -s* Reitsport; ~**-trader** *sub, -s* Rosstäuscher; ~**-trading** *sub, nur Einz.* Kuhhandel; ~**hair** *sub, nur Einz.* Rosshaar; ~**man** *sub, -men* Reiter, Reitersmann; ~**radish** *sub, nur Einz.* Meerrettich; ~**shoe** *sub, -s* Hufbeschlag, Hufeisen; ~**tail** *sub, nur Einz.* Zinnkraut; *-s (bot.)* Schachtelhalm; ~**y teeth** *sub, nur Mehrz.* Pferdegebiss

horticulture, *sub, -s* Gartenbau

hosanna!, *interj,* hosianna!

hose, *sub, -s* Schlauch; *(Feuer-)* Spritze; ~ **nozzle** *sub, -s* Benzinhahn

hosiery, *sub, nur Einz.* Strumpfwaren

hospitable, *adj,* gastlich, wirtlich

hospital, *sub, -s* Hospital, Klinik, Krankenhaus; *(ugs.)* Spital; *treat in hospital* stationär behandeln; ~ **for accident cases** *sub, hospitals* Unfallklinik; ~ **romance** *sub, -s* Arztroman; ~ **ship** *sub, -s* Lazarettschiff; ~**ity** *sub, -ies* Gastfreiheit, Gastfreundschaft, Gastlichkeit; *nur Einz. (ugs.)* Wirtlichkeit

host, *sub, -s* Gastgeber; *(tt; biol.)* Wirt; *-en (Gastgeber)* Hausherr; *-s (tt; theol.)* hochwürdigst, Hostie; ~ **(plant)** *sub, -s (tt; biol.)* Wirtspflanze

hostage, *sub, -s* Geisel; *take so hostage* jmdn als Geisel nehmen; ~ **drama** *sub, -s* Geiseldrama; ~ **taker** *sub, -s* Geiselnehmer

hostess, *sub, -es* Animiermädchen, Gastgeberin

hostile, *adj,* feindlich, feindschaftlich, feindselig; ~ **towards (1)** *adj, (gegen)* feindselig **(2)** *adv,* feindlich; **hostility** *sub, -ies* Anfeindung, Feindschaft, Feindseligkeit; *start hostilities* die Feindseligkeiten eröffnen; *suspend hostilities* die Feindseligkeiten einstellen

hot, *adj,* heiß; *(Gewürz)* scharf; *he went hot and cold* ihm wurde heiß und kalt; *hot blood* heißes Blut, heißes Blut; *hot goods* heiße Ware; *hot tip* heißer Tipp; *hot trail* heiße Spur; *I'm getting hot* mir wird heiß; *boiling hot* bullig heiss; *not too hot on* nicht sehr fit in; *that's red-hot* das brennt wie Pfeffer; *the hot favourite* die haushohe Favoritin; *things are getting too hot for me* die

Situation wird mir zu brenzlig; ~ **ash avalanche** *sub, -s (Vulkan)* Staublawine; ~ **dog** *sub, -s* Hotdog; ~ **flushes** *sub, nur Mehrz. (med.)* Hitzewelle; ~ **grog** *sub, -s* Grog; ~ **off the press** *adj,* druckfrisch; ~ **pants** *sub, nur Mehrz.* Hotpants; ~ **punch** *sub,* Punsch; ~ **spell** *sub, -s* Hitzeperiode; ~ **water bottle** *sub, -s* Wärmflasche; ~**-air heating** *sub, -s* Luftheizung; ~**-air merchant** *sub, -s (ugs.)* Schaumschläger; ~**-water central heating** *sub, -s* Warmwasserheizung; ~**bed** *sub, -s* Brutschrank; *(i. ü. S.)* Tummelplatz; ~**bed of gossip** *sub, -s* Klatschnest

hotch-potch, *sub, -es* Klitterung

hotchpotch, *sub, nur Einz. (ugs.)* Mischmasch; *-es (Essen)* Allerlei

hotel, *sub, -s* Hotel; ~ **(business)** *sub, -s (-es)* Hotelbetrieb; ~ **bar** *sub, -s* Hotelbar; ~ **guide** *sub, -s* Hotelführer; ~ **room** *sub, -s* Hotelzimmer; ~ **trade** *sub, nur Einz.* Hotelgewerbe, Hotellerie; ~**-keeper** *sub, -s* Hotelier

hothead, *sub, -s* Hitzkopf; *(i. ü. S.)* Heißsporn; ~**ed** *adj,* heißspornig

hothouse *sub, -s* Treibhaus

Hottentot, *sub, -s* Hottentotte

hound, *sub, -s* Jagdhund; *to release the hounds* die Meute loslassen; *to run with the hare and hunt with the hounds* es mit beiden Parteien halten

hour, *sub, -s* Stunde; *at a late hour* zu nächtlicher Stunde; *into the wee small hours* bis in den Morgen; ~ **of death** *sub, -s* Sterbestunde; ~ **of remembrance** *sub, -s* Gedenkstunde; ~ **of so's death** *sub, hours* Todesstunde; ~**glass** *sub, -es* Sanduhr, Stundenglas

houri, *sub, -s* Huri

hourly, *adj,* stündlich; ~ **wage** *sub, -s* Stundenlohn; **hours of business** *sub, nur Mehrz.* Öffnungszeit

house, *sub, -s* Haus; *I'm not having that in my house* das kommt mir nicht ins Haus; ~ **arrest** *sub, -s* Stubenarrest; ~ **building** *sub, nur Einz.* Wohnungsbau; ~ **cricket** *sub, -s (zool.)* Heimchen; ~ **next door** *sub, houses* Nachbarhaus; **House of Commons** *sub, nur Einz. (in Großbrit.)* Abgeordnetenhaus; **House of Lords** *sub, nur Einz. (in GB)* Oberhaus; **House of Representatives** *sub, nur Einz. (in den USA)* Abgeordnetenhaus; *(polit.)* Repräsentantenhaus; ~ **owner** *sub, -s* Hausbesitzer; ~ **search** *sub, -es* Hausdurchsuchung, Haussuchung; ~**-guest** *sub, -s (veraltet)* Logierbesuch;

~-mouse *sub, -mice* Stubenhocker

houseboat, *sub, -s* Hausboot; **housefly** *sub, -ies* Stubenfliege; **housefront** *sub, -s* Häuserfront; **household** *sub, -s* Haushalt; *(ugs.)* Wirtschaft; **household effects** *sub, nur Mehrz.* Hausrat; **household gods** *sub, - Laren;* **householder** *sub, -s* Wirtschafter

housing-property, *sub, nur Einz.* Wohnungseigentum; **housekeeper** *sub, -s* Hausdame, Haushälterin, Schaffnerin; *(Wirtschafterin)* Mamsell; **housekeeping** *sub, -s* Haushalt; *nur Einz.* Haushaltung; **housewife** *sub, -wives* Hausfrau; **housewifely** *adj,* hausfraulich; **housework** *sub, -s* Hausarbeit; **housing benefits** *sub, -s* Wohnungsgeld; **housing estate** *sub, -s* Wohnkomplex; **housing estates** *sub, nur Mehrz.* *(Wohn-)* Siedlung; **housing office** *sub, -s* Wohnungsamt

hovel, *sub, -s* Hütte

how, *adv,* wie; *how could you?* wie kannst du nur?; **~ come** *adv,* wieso; **~ disgusting!** *interj,* igitt; **~ many sorts** *adj, (ugs.)* wievielerlei; **~/what** *adv,* wobei; **~/which** *adv,* wodurch; **~ever** (1) *adv,* hingegen; *(einschränkend)* allerdings (2) *konj,* allein, jedoch; *however much you ask* und wenn du auch noch so bittest; *however young they may be* seien sie auch noch so jung; *however, he said* allerdings meinte er; *however, things turned out quite differently* es kam jedoch ganz anders; *we, however, don´t want to do it like that* wir, jedoch, wollen es so nicht machen

howitzer, *sub, -s* Haubitze; *(mil.)* Haubitze

howl, (1) *vi,* aufjaulen, flennen, heulen; *(Hund)* aufheulen; *(ugs.; weinen)* plärren (2) *vti,* johlen; *stop howling* hör auf mit der Heulerei; **~er** *sub, -s (ugs.)* Stilblüte; **~ing** *sub, -s* Geflenne; *-s* Geheul; **~s** *sub, - Geheul*

hub, *sub, -s* Nabe; *the hub of the universe* der Nabel der Welt; **~ cap** *sub, -s* Radkappe

hubble-bubble, *sub, -s (ugs.)* Wasserpfeife

hubbub, *sub, nur Einz.* Wirrwarr

hubris, *sub, nur Einz.* Hybris

hug, (1) *sub, -s* Umarmung (2) *vt,* umarmen, umhalsen

huge, *adj, (riesig)* groß, übergroß; **~ crowd** *sub, -s (i. ü. S.)* Heer

Huguenot, (1) *adj,* hugenottisch (2) *sub, -s* Hugenotte

hula-hula girl, *sub, -s* Hulamädchen

hulking, *adj, (Gestalt)* ungefüge; **~**

great piece of furniture *sub, pieces (ugs.)* Monster, Monstrum

hull, *sub, -s* Schiffsrumpf; *(Schiff)* Rumpf

hullabaloo, *sub, -s* Stunk; *nur Einz. (ugs.)* Zetergeschrei; *(ugs.) cause a hullabaloo* Stunk machen

hulled barley, *sub, nur Einz.* Kälberzähne

hum, (1) *vi,* schnurren (2) *vti,* summen; **~ and haw** *vi,* drucksen; *they hum and haw about sth* sie drucksen mit etwas herum

humane, *adj,* human; *(human)* menschlich; **~ness** *sub, nur Einz.* Humanität; **humanism** *sub, nur Einz.* Humanismus; **humanist** *sub, -s* Humanist; **humanistic** *adj,* humanistisch; **humanitarian** *adj,* humanitär; **humanity** *sub, nur Einz.* Humanität, Menschheit; *in the name of humanity* im Namen der Menschheit; *services to humanity* Verdienste um die Menschheit; **humanize** *vt,* humanisieren, vermenschlichen

humble, *adj,* demütig; *(ugs.)* devot; *that is my humble opinion* das ist meine unmaßgebliche Meinung

Humboldt-related, *adj,* humboldtisch

humid, *adj,* humid; *(Luft, Klima)* feucht; **~ity** *sub, nur Einz.* Humidität; *- (Luft)* Feuchtigkeit

humification, *sub, nur Einz.* Humifikation

humiliate, *vt,* demütigen; *(geb.)* erniedrigen; **humiliating** *adj,* erniedrigend; **humiliation** *sub, -s* Erniedrigung; **humility** *sub, -ies* Demut

hummer, *sub, -s* Summer; **humming** *sub, -s* Gebrumme; **humming bird** *sub, -s (zool.)* Kolibri; **humming top** *sub, -s* Brummkreisel

humoresque, *sub, -s (mus.)* Humoreske; **humorist** *sub, -s* Humorist; **humorous** *adj,* humoristisch, humorvoll; **humour** *sub, nur Einz.* Humor; *keep one´s sense of humour* seinen Humor bewahren; *to be in an ill humour* missgestimmt sein; **humourless** *adj,* humorlos

hump, *sub, -s* Höcker; *be hunch-backed* einen Höcker haben; **~y** *adj,* höckerig

humus, *sub, nur Einz.* Humus

Hun, *sub, -s* Hunne

hunchback, *sub, -s* Bucklige; *(med.)* Buckel; **~ of Notre Dame** *sub, nur Einz. (von Notre-Dame)* Glöckner; **~ed** *adj, (med.)* bucklig

hundred, *adj,* hundert; ~ **per cent** *adj,* hundertprozentig; *(ugs.) I´m a hundred per cent sure* ich bin mir hunderprozentig sicher; ~ **times** *adv,* Hundertfache, hundertmalig; ~**fold** *adj,* hundertfach, Hundertfache; ~**s and hundreds** *adv,* aberhundert; ~**th (1)** *adj,* hundertst **(2)** *adv,* hundertstens; ~**th (part)** *sub, nur Einz.* Hundertstel; ~**weight** *sub, -s (ugs.)* Zentner

Hungarian, *sub, -s* Ungar

hunger, *sub, nur Einz.* Hunger; ~ **for power** *sub, nur Einz.* Machthunger; ~ **strike** *sub, -s* Hungerstreik; **hungry** *adj,* hungrig

hung over, *adj,* verkatert

hunt, (1) *sub, -s* Hatz, Jagd, Parforcejagd **(2)** *vt,* jagen; *(Tiere)* hetzen; *(i. ü. S.; verfolgen, jagen)* hetzen; *(i. ü. S.) hunt down* zur Strecke bringen; *(ugs.) I wouldn´t eat that if you paid me* mit dem Essen kannst du mich jagen; *(i. ü. S.) one joke followed the other* ein Witz jagte den anderen; *(i. ü. S.) to drive someone out of the house* jemanden aus dem Haus jagen; *to hunt sth* Jagd machen auf etwas; ~**ability** *sub, nur Einz.* Jagdbarkeit; ~**er** *sub, -s* Jäger, Weidmann; ~**er-killer satellite** *sub, -s (mil.)* Abfangsatellit; ~**er´s jargon** *sub, nur Einz.* Jägerlatein; ~**ers** *sub, nur Mehrz.* Jägerschaft; ~**ing** *sub, -s* Hetzjagd; *nur Einz.* Jagd, Jägerei; ~**ing ground** *sub, -s* Jagdrevier, Wildbahn; ~**ing lodge** *sub, -s* Jagdschloss; ~**ing permit test** *sub, -s* Jägerprüfung; ~**ing trophy** *sub, -ies* Jagdtrophäe; ~**ress** *sub, -es* Jägerin; ~**sman** *sub, -men* Pikör; ~**en** Weidmann; ~**sman´s** *adj,* weidlich, weidmännisch

hurdle, *sub, -s (spo.)* Hürde; ~**race** *sub, -s* Hürdenlauf; ~**r** *sub, -s (spo.)* Hürdenläufer

hurl, *vti,* schleudern

hurly-burly, *sub, nur Einz.* Trubel

hurrah!, *interj,* Hurra!

hurricane, *sub, -s* Hurrikan, Orkan; ~ **force** *sub, nur Einz.* Orkanstärke; ~ **lamp** *sub, -s (US)* Sturmlaterne

hurried, *adj,* fluchtartig, hastig; *(schnell)* eilig

hurry, (1) *sub, nur Einz.* Eile, Hast **(2)** *vi,* hasten **(3)** *vt,* sputen, übereilen **(4)** *vti,* eilen; *be in a hurry* in Eile sein; *hurry sb up* jmd zur Eile antreiben; *there´s no hurry* das eilt nicht; *in a great hurry* in großer Hast; *without hurry* ohne Hast, *be in a hurry about sth* es sehr eilig mit etwas haben; *there´s no hurry* das hat noch gute Weile;

they hurried home sie machten, dass sie heimkamen; ~ **(up)** *vi,* beeilen; *hurry up* beeile dich; *hurry up with sth* sich mit etwas beeilen; ~ **along** *vt,* vorantreiben; ~ **back** *vi,* zurückeilen; ~ **on ahead** *vi,* vorauseilen; ~ **through** *vt,* durcheilen; ~ **up (1)** *vi,* voranmachen **(2)** *vr, (i. ü. S.; sich beeilen)* tummeln

hurt, (1) *adj,* verletzt **(2)** *vt,* schmerzen; *feel hurt* sich getroffen fühlen; *he wasn´t hurt in the fall* beim Sturz ist ihm nichts passiert; *it won´t hurt you* dabei fällt dir keine Perle aus der Krone, *(ugs.)* du brichst dir keinen Zacken aus der Krone; *the cold doesn´t hurt the engine* die Kälte macht dem Motor nichts; ~**ing** *sub, -es* Verletzung

husband, *sub, -s* Ehegatte, Ehemann, Gatte, Gemahl; *(Ehe~)* Mann

hush up, (1) *vt, (ugs.)* vertuschen **(2)** *vti,* totschweigen; **hush-money** *sub, nur Einz.* Schweigegeld

husky, (1) *adj, (belegt)* heiser **(2)** *sub, -ies* Husky

hussar, *sub, -s (mil.)* Husar

Hussite, *sub, -s* Hussit

hustle and bustle, *sub, nur Einz. (ugs.)* Rummel

hut, *sub, -s* Baracke, Bretterbude, Hütte; *(Hütte)* Bude; ~ **camp** *sub, - -s* Barackenlager

hyaline, *adj, (tech.)* hyalin

hybrid, (1) *adj,* hybrid **(2)** *sub, -s* Hybride; *(tt; bot.)* Bastard

hydra, *sub, -s* Hydra; *- (tt; astron.)* Wasserschlange

hydrangea, *sub, -s* Hortensie

hydrant, *sub, -s* Hydrant

hydrate, (1) *sub, -s (tt; chem.)* Hydrat **(2)** *vt,* hydratisieren

hydraulic, *adj, (tech.)* hydraulisch; ~ **engineering** *sub, nur Einz.* Hydrotechnik; ~ **lift** *sub, -s* Hebebühne; ~**s** *sub, nur Mehrz. (tech.)* Hydraulik

hydrocephalus, *sub, - (tt; med.)* Wasserkopf

hydrochlorid acid, *sub, nur Einz.* Salzsäure; **hydrofoil** *sub, -s* Tragflächenboot; **Hydrogen** *sub, nur Einz. (tt; chem.)* Hydrogenium, Wasserstoff; **hydrogenate** *vt,* hydrieren; **hydrography** *sub, nur Einz.* Hydrographie; **hydrology** *sub, nur Einz.* Hydrologie; **hydromechanics** *sub, nur Mehrz.* Hydromechanik; **hydrometer** *sub, -s (tt; tech.)* Hydrometer; **hydropathy** *sub, nur Einz. (med.)* Hydropathie; **hydrophyte** *sub, -s* *(tot.)* Hydrophyt; **hydroponics** *sub, nur Mehrz.* Hydrokultur; **hydrosphere** *sub, nur Einz. (geogr.)* Hydrosphäre; **hydroxide** *sub, -s (chem.)* Hydroxid

hyena, *sub, -s (zool.)* Hyäne

hygiene, *sub, nur Einz.* Hygiene; **hygienic** *sub,* hygienisch; **hygienics** *sub, nur Einz.* Eubiotik

hygrometer, *sub, -s* Feuchtigkeitsmesser, Hygrometer

hymen, *sub, -s (anat.)* Hymen

hymn, *sub, -s* Hymne, Hymnus; **~al** *adj,* hymnisch; **~book** *sub, -s (kirchl.)* Gesangbuch

hyperactivity, *sub, -ies* Überfunktion; **hyperalimentation** *sub, -s* Überernährung; **hyperbola** *sub, -s (tt; mat.)* Hyperbel; **hyperbole** *sub, -s* Hyperbel; **hyperextension** *sub, -s (Gelenk)* Überdehnung; **hyperfunction** *sub, -s* Hyperfunktion; **hypermarket** *sub, -s* Verbrauchermarkt; **hyperopic** *adj, (tt)* übersichtig; **hypertension** *sub, nur Einz. (med.)* Hypertonie

hyphen, *sub, -s* Divis; *(geb.)* Bindestrich

hypocentre, *sub, -s (geol.)* Erdbebenherd

hypochlorate, *sub,* Chlorkalk

hypochondriac, *sub, -s* Hypochonder; **~al** *adj,* hypochondrisch

hypocrisy, *sub, -ies* Heuchelei; *nur Einz.* Muckertum; **hypocrite** *sub, -s* Heuchler, Mucker; *(i. ü. S.)* Pharisäer; **hypocritical** *adj,* heuchlerisch, hypokritisch, scheinheilig; **hypostasis** *sub, -ases (med.)* Hypostase; **hypostatical** *adj,* hypostatisch; **hypostatize** *vt,* hypostasieren; **hypotactic** *adj,* hypotaktisch; **hypotaxis** *sub, -es* Hypotaxe; **hypotenuse** *sub, - (mat.)* Hypotenuse; **hypothalamus** *sub, -thalami (anat.)* Hypothalamus; **hypothecary** *adj,* hypothekarisch

hypothermia, *sub, - (tt; med.)* Unterkühlung; **hypothesis** *sub, -eses* Hypothese; **propose a hypothesis** eine Hypothese aufstellen; **hypothetical** *adj,* hypothetisch

hypsometry, *sub, nur Einz. (geogr.)* Hypsometrie

hysterectomy, *sub, -ies (med.)* Hysterektomie

hysteria, *sub, nur Einz.* Hysterie; **hysterical** *adj,* hysterisch

I

I, *pron*, ich; *don´t you remember me? it´s me!* kennst du mich nicht mehr? ich bin es!; *idiot that I am!* ich Idiot!; ~ **can´t make head or tail of it** *vt*, *(verstehen)* durchblicken; ~ **myself** *pron*, selber, selbst; ~ **see!** *interj*, *(ugs.)* soso

Iberian, *adj*, *(geogr.)* iberisch

ibex, *sub*, - *(zool.)* Steinbock

ibis, *sub*, -*es* Ibis

ice, (1) *sub*, - Glatteis; *sub Einz. (Wasser-)* Eis **(2)** *vt*, überzuckern; *(gastr.)* glasieren; *(i. ü. S.) skating on thin ice* aufs Glatteis geraten; *(i. ü. S.) be on thin ice* sich auf brüchigem Eis bewegen; *(ugs.) cut no ice with so* bei jemandem mit etwas nicht ankommen; *ice a cake with chocolate* einen Kuchen mit Schokolade überziehen; *icebein* Eisbein; ~ **age (1)** *adj*, eiszeitlich **(2)** *sub*, -*s* Eiszeit, Glazialzeit; ~ **bucket** *sub*, -*s* Eiskübel; ~ **cream** *sub*, -*s (schweiz.)* Glace; ~ **crystal** *sub*, -*s* Eiskristall; ~ **cube** *sub*, -*s* Eiswürfel; ~ **hockey** *sub*, *nur Einz.* Eishockey; ~ **show** *sub*, -*s* Eisrevue; ~**-breaker** *sub*, -*s* Eisbrecher; ~**-cold** *adj*, eiskalt; *ice-cold drink* eiskalter Drink; ~**-cream** *sub*, *nur Einz. (Speise-)* Eis; ~**-cream cone** *sub*, -*s* Hörnchen; ~**-cream parlour** *sub*, -*s* Eisdiele; ~**-pack** *sub*, -*s* Eisbeutel

Iceland, *sub*, Island; ~**ic** *adj*, isländisch

ice-rink, *sub*, -*s* Eisbahn; **ice-skate (1)** *sub*, -*s* Schlittschuh **(2)** *vi*, Eis laufen; **ice-skating** *sub*, - Schlittschuh laufen; **ice-stick** *sub*, -*s* Eisstock; **ice-stick shooting** *sub*, *nur Einz.* Eisstockschießen; **ice-surfing** *sub*, *nur Einz.* Eissegeln; **iceberg** *sub*, -*s* Eisberg; *iceberg-lettuce* Eisbergsalat; *(i. ü. S.) the tip of an iceberg* die Spitze des Eisbergs; **icecream** *sub*, - Sahneeis

ichneumon, *sub*, -*s* Schlupfwespe

icicle, *sub*, -*s* Eiszapfen; *cold as an icicle* wie ein Eiszapfen; **icing** *sub*, -*s* Zuckerguss; *(Backwerk)* Glasur; **icing sugar** *sub*, *nur Einz.* Puderzucker

icon, *sub*, -*s* Ikone; ~**olatry** *sub*, *nur Einz.* Ikonolatrie; ~**ology** *sub*, *nur Einz.* Ikonologie

icosahedron, *sub*, -*s (mat.)* Ikosaeder

icy, *adj*, eisglatt, eisig, schneeglatt; *(Straße)* glatt, spiegelglatt; *be icy cold* eisig kalt sein; *maintain an icy silence* eisiges Schweigen

id, *sub*, *(psych.)* Es; **ID check** *sub*, - -*s* Ausweiskontrolle

idea, *sub*, -*s* Einfall, Idee, Konzeption, Vorstellung; *(Einfall)* Gedanke; *(Sa-*

che) Sinn; *(Vorstellung)* Begriff, Bild; *a preconceived idea* eine vorgefasste Meinung; *a strange idea* ein sonderbarer Einfall; *can you give me a rough idea of how?* kannst du mir ungefähr sagen, wie?; *get a general idea of sth* einen Überblick verschaffen über; *get used to an idea* sich mit einem Gedanken anfreunden; *have not the faintest idea* nicht die leiseste Ahnung haben; *(ugs.) not to have the slightest idea about sth* keinen blassen Schimmer von etwas haben; *put ideas into so´s head* jmdm einen Floh ins Ohr setzen; *that´s a good idea* das ist ein guter Gedanke; *(ugs.) to have big ideas* große Rosinen im Kopf haben; *(ugs.) we don´t want any new ideas* wir wollen keine neuen Ideen einführen; *(ugs.) you and your stupid ideas!* du mit Deinen dummen Ideen!; *form an idea of sth* sich von etwas einen Begriff machen; *have no ideas* sich keine Begriffe machen; *get the wrong idea of sth* ein falsches Bild von etwas bekommen; *you have no idea* du machst dir kein Bild

ideal, (1) *adj*, ideal **(2)** *sub*, -*s* Ideal; *he´s a model teacher* er ist das Ideal eines Lehrers; *real is usually the opposite of ideal* real ist meistens das Gegenteil von ideal; ~ **opponent** *sub*, -*s* Wunschgegner; ~ **solution** *sub*, -*s* Ideallösung; ~ **state** *sub*, -*s* Idealzustand; ~ **weight** *sub*, -*s* Idealgewicht; ~**ism** *sub*, *nur Einz.* Idealismus; ~**ist** *sub*, -*s* Idealist; ~**istic** *adj*, idealistisch; ~**ity** *sub*, *nur Einz. (phil.)* Idealität; ~**ize** *vt*, idealisieren; ~**s** *sub*, *nur Mehrz.* Ideal; *his ideals stand in his way* seine Ideale hemmen ihn; *justice is one of his ideals* Gerechtigkeit ist eine seiner Ideale

ideational, *adj*, ideell

identical, *adj*, egal, gleich, identisch; *she hasn´t got two identical chairs* sie hat nicht zwei egale Stühle; *I went there straight away* ich ging gleich hin

identification, *sub*, *nur Einz.* Identifikation, Identifizierung, Legitimation; -*s* Schibboleth; *he had no means of identification on him* er hatte keine Papiere bei sich; ~ **(signal)** *sub*, -*s* Kennung; ~ **papers** *sub*, *nur Mehrz.* Ausweispapier

identify, *vi*, identifizieren; *to identify namhaft machen*; ~ **o.s.** *vr*, ausweisen

identikit, *sub*, -*s* Phantombild

identity, *sub*, *-ies* Identität; *(völlige)* Gleichheit; *in question sb concerning his identity* jmdn zur Person vernehmen; **~ card** *sub*, *- -s* Ausweis; *-s* Kennkarte, Personalausweis; **~ crisis** *sub*, *-ises* Identitätskrise

ideographic, *adj*, ideografisch; **~(al)** *adj*, ideografisch

ideological, *adj*, ideologisch; **ideologist** *sub*, *-s* Ideologe; **ideologize** *vt*, ideologisieren; **ideology** *sub*, *-ies* Ideologie

ides, *sub*, *nur Mehrz.* Iden

idiolatry, *sub*, *nur Einz.* Idiolatrie

idiom, *sub*, *-s* Idiom, Redewendung; **~atic** *adj*, idiomatisch; **~ology** *sub*, *nur Einz.* Idiomatik

idiot, *sub*, *-s* Idiot; *(ugs.)* Dussel, Kretin; **~ic** *adj*, idiotenhaft *(ugs.)* dusslig

idle, *adj*, tatenlos; *(faul)* müßig; *(träge)* faul; *the devil finds work for idle hands* Müßiggang ist aller Laster Anfang; *to live an idle life* sich dem Müßiggang hingeben; **~ness** *sub*, *nur Einz.* Faulheit, Müßiggang; *to live a life of idleness* sich dem Müßiggang hingeben; **~r** *sub*, *-s* Müßiggänger, Nichtstuer, Tagedieb; **idling** *sub*, *-s* Bummelei; **idling mixture (supply)** *sub*, *-s* Standgas

idol, *sub*, *-s* Abgott, Abgöttin, Götze, Götzenaltar, Idol; *(ugs.)* Schwarm; **~ater** *sub*, *-s* Götzendiener; **~atrous** *adj*, abgöttisch; **~atry** *sub*, *-ies* Abgötterei, Götzendienst; *nur Einz.* Idolatrie, Idololatrie; **~ization** *sub*, *-s* Vergötterung; **~ize** *vt*, anhimmeln, idolisieren, umschwärmen, vergöttern

idyll, *sub*, *-s* Idyll, Idylle; **~ic** *adj*, idyllisch

if, *konj*, falls, ob, sofern, wenn; *as if* als ob; *hadn't I better go?* ob ich nicht besser gehe?; *I wonder if he'll come tomorrow* ob er wohl morgen kommt?; *I wonder if you could you help?* ob sie mir wohl mal helfen könnten?; *shall we have a break now?* ob wir jetzt Pause machen?; *he asked if you got wet* er hat gefragt, ob du nass geworden bist; *if at all possible* sofern nur irgend möglich; *if only I had money!* Geld müsste man haben!; **~ necessary** *adv*, notfalls, nötigenfalls; **~ need(s) be** *adv*, notfalls, nötigenfalls; **~ the worst comes to the worst** *adv*, *(im schlimmsten Fall)* äußerstenfalls

igloo, *sub*, *-s* Iglu

ignite, (1) *vi*, zünden; *(Gas)* entzünden (2) *vt*, *(anzünden)* anbrennen; **ignition** *sub*, *-s* Zündung; **ignition lock** *sub*,

~s Zündschloss

ignominious, *adj*, schmachvoll

ignoramus, *sub*, *-es* Ignorant; **ignorance** *sub*, *nur Einz.* Ignoranz, Unkenntnis, Unwissenheit; **ignorant** *adj*, ignorant, unwissend

ignore, (1) *vr*, *(i. ü. S.; sich)* hinwegsetzen (2) *vt*, *(absichtlich)* überhören; *be ignored* keine Beachtung finden; *ignore sb's wishes* auf jmd nicht eingehen; *ignore someone's objections* jemandes Einwände übergehen; *to ignore* keine Notitz nehmen; *to ignore sb* jmdn links liegenlassen; **ignoring** *sub*, *-s* Vernachlässigung

iguana, *sub*, *-s* *(zool.)* Leguan

iguanodon, *sub*, *-s* Iguanodon

ikebana, *sub*, *nur Einz.* Ikebana

ill, *sub*, *-s* Übelstand; *(ugs.)* to make oneself really ill sich den Rest holen; **~ feeling** *sub*, *-s* *(Missmut)* Missstimmung; **~ with malaria** *adj*, malariakrank; **~-considered** *adj*, unüberlegt; **~-famed hotel** *sub*, *-s* Stundenhotel; **~-fated** *adj*, unglückselig; **~-humoured** *adj*, missgestimmt; **~-mannered** *adj*, *(unerzogen)* ungeraten; **~-treat** *vt*, malträtieren, misshandeln; **~-treatment** *sub*, *-s* Misshandlung

illegible, *adj*, unleserlich

illegitimacy, *sub*, *nur Einz.* Illegitimität; **illegitimate** *adj*, außerehelich, illegitim, unehelich; *(Kind)* unehelich

illicit, *adj*, *(ugs.)* schwarz; **~ still** *sub*, *-s* Schwarzbrennerei; **~ trading** *sub*, *-s* Schleichhandel; **~ work** *sub*, *-s* Schwarzarbeit

illiteracy, *sub*, *nur Einz.* Analphabetentum; **illiterate** *sub*, *-s* Analphabet

illness, *sub*, *-es* Erkrankung, Leiden

illogical, *adj*, unlogisch

illuminate, *vt*, ausleuchten, illuminieren, überstrahlen; *(erklären)* erhellen; **illumination** *sub*, *nur Einz.* Ausleuchtung; *-s* Illumination

illusion, *sub*, *-s* Illusion; *nur Einz.* Wahn; *-s* Wahnbild, Wunschtraum; **~al** *adj*, illusionär; **~ist** *sub*, *-s* Illusionist; **~istic** *adj*, illusionistisch

illusory, *adj*, illusorisch; **~ flowering** *sub*, *-s* Scheinblüte

illustrate, *vt*, bebildern, illustrieren, veranschaulichen, verbildlichen; *illustrate* durch Beispiele erläutern; *illustrate sth* etwas anschaulicher machen; **~d** *adj*, illustriert; **~d advertisement** *sub*, *- -s* Bildwerbung; **~d book** *sub*, *-s* Bildband; **~d**

broadsheet *sub*, -s Bilderbogen; **~d newspaper** *sub*, -s Bildzeitung; **illustration** *sub*, -s Illustration, Illustrierung; **illustrations** *sub*, *nur Mehrz.* Bebilderung; **illustrative** *adj*, illustrativ; **illustrative material** *sub*, -s Anschauungsmaterial; **illustrator** *sub*, -s Illustrator

illustrious, *adj*, erlaucht, illuster

ilmenite, *sub*, -s Ilmenit

image, *sub*, -s Abbild, Image; *(Image)* Bild; **~ neurosis** *sub*, -s Profilneurose; **~-building** *sub*, *nur Einz.* (ugs.) Imagepflege; **~ry** *sub*, *nur Einz.* Metaphorik; **imaginary** *adj*, imaginär; *(nicht real)* eingebildet; *imaginary* erdacht; **imagination** *sub*, -s Fantasie; *nur Einz.* Imagination; -s *(Vorstellung)* Einbildung; *vivid imagination* blühende Fantasie; **imaginative** *adj*, fantasievoll; *(geb.)* einfallsreich; **imaginative powers** *sub*, *nur Mehrz.* Einbildungskraft; **imaginativly** *adv*, fantasievoll; **imagine** *vt*, einbilden, einreden, imaginieren, wähnen; *imaginary illness* eine eingebildete Krankheit; *you´re imagining things* das bildest du dir nur ein; *be able to imagine sth* sich etwas ausmalen können; *imagine that!* das muss man sich mal vorstellen!; *just imagine* denken sie nur; **imagine to be** *vr*, wähnen; **imagined** *adj*, *(vorgestellt)* gedacht

imam, *sub*, -s Imam

imbalance, *sub*, -s *(in Proportionen)* Missverhältnis

imbecility, *sub*, *nur Einz.* Imbezillität

immanence, *sub*, *nur Einz.* Immanenz; **immanent** *adj*, immanent; **immanent in a system** *adj*, systemimmanent

immaterial, *adj*, immateriell

immature, (1) *adj*, *(i. ü. S.)* unausgegoren (2) *adv*, *(ugs.)* unreif

immeasurability, *sub*, *nur Einz.* Immensurabilität; **immeasurable** *adj*, immensurabel; *(Schaden)* unabsehbar

immediate, *adj*, immediat, sofortig, umgehend, unmittelbar, unverzüglich; *the immediate family* die nähere Verwandtschaft; *immediatly afterwards* unmittelbar danach; **~ly** *adv*, alsbald, sofort; *(sofort)* augenblicklich, gleich; *(wirt.) immediately deliverable* sofort lieferbar; *there is no immediate hurry* es muss nicht gleich sein

immense, *adj*, immens, unermesslich, ungemein; *(Belastung)* enorm; **immensity** *sub*, *nur Einz.* Unermesslichkeit

immersion, *sub*, -s Immersion, Versenkung; **~ coil** *sub*, -s Tauchsieder

immigrant, *sub*, -s Einwanderer, Immigrant; **~ worker** *sub*, -s Gastarbeiter; **immigrate** *vti*, immigrieren; **immigration** *sub*, -s Einwanderung; *nur Einz.* Immigration; -s Zuwanderung

imminent, *adj*, imminent

immobile, *adj*, immobil; **immobility** *sub*, *nur Einz.* Immobilität; *-ies* Ruhelage; **immobilization** *sub*, *nur Einz.* Lähmung; **immobilize** *vt*, immobilisieren

immoderate, *adj*, unmäßig; **immoderation** *sub*, *nur Einz.* Unmäßigkeit

immodest, *adj*, unbescheiden

immoral, *adj*, immoralisch, sittenwidrig, unmoralisch, unsittlich; *to behave immoral* sich unsittlich benehmen; **~ism** *sub*, *nur Einz.* Immoralismus; **~ity** *sub*, *nur Einz.* Immoralität; - Sittenlosigkeit

immortal, *adj*, unsterblich, unvergänglich; **~ity** *sub*, *nur Einz.* Immortalität, Unsterblichkeit; **~ize** *vtr*, verewigen; *to immortalize sb* jmd unsterblich machen

immovable, *adj*, *(nicht bewegbar)* unbeweglich

immune, *adj*, immun; **~ system** *sub*, -s Immunsystem; **~ system deficency** *sub*, *-ies* Immunschwäche; **immunisation** *sub*, *nur Einz.* Immunisierung; **immunity** *sub*, *nur Einz.* Immunität; **immunize** *vt*, immunisieren; **immunology** *sub*, *nur Einz.* Immunologie

immutable, *adj*, *(ewig)* unabänderlich

impact, *sub*, -s Aufprall; *(eines Balls etc.)* Aufschlag; **~ detonator** *sub*, - -s *(tech.)* Aufschlagzünder

impartial, *adj*, unparteiisch; *(unparteiisch)* gerecht; *a judge should be impartial* ein Richter sollte über den Parteien stehen; **~ity** *sub*, *nur Einz.* *(Unparteilichkeit)* Unbefangenheit

impassable, *adj*, unbefahrbar, unpassierbar, unwegsam

impathetic, *adj*, unpathetisch

impatience, *sub*, *nur Einz.* Ungeduld; **impatient** *adj*, ungeduldig

impecunious, *adj*, unbemittelt, unvermögend

impede, *vt*, beeinträchtigen, behindern, hemmen; **impediment** *sub*, -s Erschwerung; *(von Verkehr etc.)* Behinderung; **impediment to marriage** *sub*, -s *(jur.)* Ehehindernis; **impeding** *sub*, -s *(Behinderung)* Beeinträchtigung

impenetrable, *adj*, undurchdringlich, unerforschlich

impenitent, *adj*, unbußfertig

imperative, (1) *adj*, imperativ, imperativisch, unerlässlich (2) *sub*, *-s* Imperativ

imperator, *sub*, *-s* Imperator

imperfect, *adj*, unvollkommen; ~ (tense) *sub*, *-s* Imperfekt; ~**ion** *sub*, *nur Einz.* Unvollkommenheit

imperial, *adj*, imperial; ~ **orb** *sub*, *-s* Reichsapfel; ~ **palace** *sub*, *-s* (*hist.*) Kaiserpfalz; ~**ism** *sub*, *nur Einz.* Imperialismus; ~**ist** *sub*, *-s* Imperialist; ~**istic** *adj*, imperialistisch; **imperious** *adj*, befehlshaberisch, gebieterisch, herrisch

impermeability, *sub*, *nur Einz.* Impermeabilität; **impermeable** *adj*, impermeabel; **impermissible** *adj*, unstatthaft

impersonal, *adj*, unpersönlich; (*unpersönlich*) stereotyp

impetus, *sub*, *nur Einz.* (*i. ü. S.*; *Antrieb*) Aufschwung; *-es* Auftrieb; *give a fresh impetus to so/sth* etwas/jemandem neuen Aufschwung nehmen

impious, *adj*, pietätlos

implacable, *adj*, unversöhnbar

implant, (1) *sub*, *-s* (*med.*) Implantat (2) *vt*, implantieren; (*med.*) einpflanzen; ~**ation** *sub*, *-s* Implantation; (*med.*) Einpflanzung

implausible, *adj*, unglaubwürdig

implement, (1) *sub*, *-s* Utensil (2) *vt*, implementieren; ~**ation** *sub*, *-s* Implementierung; (*geh.*) Durchführung

implicated, *adj*, (*Verbrechen*) mitschuldig; **implication** *sub*, *-s* Implikation

implicit, *adj*, implizit, rückhaltlos; (*bedingungslos*) unbedingt

implode, *vti*, implodieren

imploringly, *adj*, händeringend

implosion, *sub*, *-s* Implosion

imply, *vt*, implizieren

impolite, *adj*, rüde, unhöflich; ~**ness** *sub*, *-* Unhöflichkeit

imponderable, *adj*, unwägbar

imponderables, *sub*, *nur Mehrz.* Imponderabilien; **imponderability** *sub*, *-es* Unwägbarkeit

import, (1) *sub*, *-s* Einfuhr, Import (2) *vt*, einführen, importieren; ~ **business** *sub*, *nur Einz.* Importhandel; ~ **duty** *sub*, *-ies* Einfuhrzoll; ~ **of goods** *sub*, *-s* Wareneinfuhr, Warenimport; ~ **restriction** *sub*, *-s* Einfuhrbeschränkung; ~-**goods** *sub*, *nur Mehrz.* Einfuhrware

imported coal, *sub*, *nur Einz.* Kohleimport; **importer** *sub*, *-s* Importeur; **importing country** *sub*, *-ies* Einfuhrland

impose, *vt*, auferlegen, verhängen; (*geh.*) oktroyieren; ~ **on** *vt*, (*Güte*) missbrauchen; *to impose on sb* jmdn zu

allem Möglichen missbrauchen; **imposing** *adj*, imposant; (*Eindruck*) stattlich; **imposition** *sub*, *-s* Strafarbeit

impossibility, *sub*, *nur Einz.* Unmöglichkeit; **impossible** *adj*, ausgeschlossen, unlösbar, unmöglich; *be quite impossible* ein Ding der Unmöglichkeit sein; *that´s impossible for me* das ist mir unmöglich; *the impossible* das Unmögliche

impotence, *sub*, *nur Einz.* Impotenz; (*Machtlosigkeit*) Ohnmacht; **impotent** *adj*, impotent; (*machtlos*) ohnmächtig; *impotent rage* ohnmächtige Wut

impound, *vt*, pfänden; *to impound some of sb´s possessions* jmdn pfänden

impoverishment, *sub*, *-s* Verelendung

impractical, *adj*, unpraktisch; **impracticable** *adj*, unpraktikabel, unausführbar; **impractical** *adj*, praxisfremd; **impregnate** *vt*, imprägnieren; **impregnation** *sub*, *nur Einz.* Imprägnierung

imprecise, *adj*, inexakt

impregnable, *adj*, uneinnehmbar

impresario, *sub*, *-s* Impresario

impress, *vt*, beeindrucken; *impress so* auf jmd Eindruck machen; ~ **so** *vt*, imponieren; ~ **sth. upon sb** *vt*, einschärfen; ~**ion** *sub*, *-s* Eindruck, Impression; *form an impression of sth* sich von etwas ein Bild machen; *gain an impression* einen Eindruck gewinnen; *give the impression of* den Anschein erwecken; *give the impression that* den Eindruck erwecken, daß; *he had the strong impression that* er konnte sich des Eindrucks nicht erwehren, daß; *judge sb by first impressions* jmd nach dem ersten Eindruck beurteilen; *make a bad impression* unangenehm auffallen; *make a bad impression on sb* einen schlechten Eindruck machen auf jmd; *make no impression on so* an jemandem abprallen; *to make a good impression* Eindruck schinden; ~**ionism** *sub*, *nur Einz.* (*kun.*) Impressionismus; ~**ionist** *sub*, *-s* Impressionist; ~**ionist(ic)** *adj*, impressionistisch; ~**ive** *adj*, eindrucksvoll, repräsentabel; (*beeindruckend*) eindringlich; *be impressive* Eindruck machen

imprint, (1) *sub*, *-s* Abdruck, Aufdruck, Impressum (2) *vt*, (*Stempel*) aufdrükken

imprison, *vt*, inhaftieren; ~**ed** *adj*,

(eingekerkert) gefangen; **~ment** *sub, -s* Gefangenschaft, Inhaftierung, Kerkerstrafe; **~ment awaiting trial** *sub, nur Einz. (tt; jur.)* Untersuchungshaft; **~ment for debt** *sub, -s (hist.)* Schuldhaft

improbability, *sub,* - Unwahrscheinlichkeit; **improbable** *adj,* unwahrscheinlich

impromptu speech, *sub, -es* Stegreifrede

improper, *adj,* missbräuchlich, uneigentlich, ungebührend, ungebührlich, unsachgemäß

improvisation, *sub, nur Einz.* Improvisation; **improvise (1)** *vi,* behelfen **(2)** *vti,* improvisieren, Stegreif; *be able to improvise* sich behelfen können; **improviser** *sub, -s* Improvisator

imprudent, *adj,* unklug

impudent, *adj,* unverfroren

impulse, *sub, -s* Impuls; *(Antrieb)* Anstoß; *-es (Motivation)* Antrieb; *on a sudden impulse* aus einer Anwandlung heraus; **impulsive** *adj,* impulsiv; **impulsiveness** *sub, nur Einz.* Impulsivität

impure, *adj,* treife; *(i. ü. S.)* unrein

impute sth., *vt,* unterstellen; **imputation** *sub, -s* Unterstellung

in, (1) *adv,* hinein **(2)** *präp,* ein, herein, in; *go in!* nur hinein!; *in here* hier hinein, *go in and out* ein und aus gehen; *(zweck) in apology* zu seiner Entschuldigung; *(art/Weise) in German* zu Deutsch; *(innerhalb) not one in a thousand* nicht einer unter tausend; *he's living in Italy* er lebt in Italien; *(ugs.) I wouldn't like to be in your shoes* in deiner Haut möchte ich nicht stecken; *(.) in two weeks* in zwei Wochen; *this year* in diesem Jahr; *to translate into English* ins Englische übersetzen; **~ a bad mood** *sub, -s* Grimmigkeit; **~ a blasé way** *adv,* blasiert; **~ a defeatist manner** *adv,* defätistisch; **~ a disgusting manner** *adv,* degoutant, ekelhaft; **~ a drunken state** *adv,* betrunken; **~ a gangling way** *adv,* schlaksig; **~ a good mood** *adj,* gut gelaunt; **~ a hurry** *adv,* hastig; **~ a masterly manner** *adv,* meisterhaft, meisterlich; **~ a number of places** *adv,* manchenorts, mancherorten, mancherorts

inaccurate, *adj,* inakkurat, unpräzis; *(nicht fehlerlos)* ungenau

inactivate, *vt,* inaktivieren; *(i. ü. S.; Parlament)* ausschalten; **inactive** *adj,* inaktiv, tatenlos, untätig; **inactive member** *sub, -s* Karteileiche; **inactivity**

sub, nur Einz. Inaktivität; - Untätigkeit

inadequate, *adj,* inadäquat, unzureichend; *(unzulänglich)* unangemessen; **~ly dressed** *adj,* underdressed

inadmissible, *adj,* unzulässig

inadvertent, *adj,* versehentlich

inadvisable, *adj,* unratsam

inalienable, *adj, (Recht)* unabdingbar, unabdinglich

inanimate, *adj,* unbelebt

in any case, *adv,* sowieso; **in arrears** *adj,* rückständig; *(wirt.)* ausständig; **in bad shape** *adj, (gesundheitlich)* heruntergekommen; **in between (1)** *adj,* zwischeninne **(2)** *adv,* dazwischen, hierzwischen, hiezwischen, zwischendrin; **in boots** *adj,* gestiefelt; *Puss-in-Boots* der gestiefelte Kater; **in breach of contract** *adv,* vertragswidrig; **in brief** *konj,* kurzum; **in broad outline** *adj,* skizzenhaft

inappropriate, *adj,* unangebracht, zweckwidrig; *be inappropriate* nicht angebracht sein

inapt, *adj,* unangepasst

in a rush, *sub, nur Einz.* Eiltempo; **in a state of apparent death** *adj,* scheintot; **in a thousand ways** *adv,* tausendfach; **in a way** *adv,* gewissermaßen; **in accordance** *adj,* entsprechend; *(Übereinstimmung)* demgemäß; *the quality is in accordance with the price* die Qualität ist demgemäß; **in accordance with hunting principles** *adj,* weidegerecht; **in accordance with nature** *adj,* wesensgemäß; **in addition** *adv,* darüber hinaus, hinzu; *(außerdem)* dazu; *(zusätzlich)* nebenher; *this is beyond (the pale)* das geht darüber hinaus (über den Anstand); **in addition to (1)** *adv,* zusätzlich **(2)** *präp,* zudem; **in advance** *adv,* voraus; **in an adult way** *adv,* erwachsen; **in an undertone** *adv,* halblaut

inasmuch as, *konj,* insofern

inattentive, *adj,* unachtsam, unaufmerksam

inaudibility, *sub,* - Unhörbarkeit; **inaudible** *adj,* unhörbar

inaugural address, *sub, -es* Antrittsrede; **inaugural dissertation** *sub, -s* Inauguraldissertation; **inaugurate** *vt,* inaugurieren; *(tt; arch.)* weihen; **inauguration** *sub, -s* Inauguration; *(tt; arch.)* Weihe

inboard, *adv, (geb.)* binnenbords

inborn, *adj,* angeboren

inbred, *adj,* ingezüchtet; **inbreeding** *sub, -s* Reinzucht

Inno, sub, -s Inka; ~ bone sub -s Inkaknochen

incapable, *adj*, unfähig; *he is incapable of that* dessen ist er unfähig; **incapacity** *sub, nur Einz.* Unfähigkeit

incapacitate, *vt, (jur.)* entmündigen; **incapacitation** *sub, -s* Entmündigung

incarceration, *sub, -s* Einkerkerung; **incarnate (1)** *adj*, leibhaftig **(2)** *vt*, inkarnieren; **incarnation** *sub, -s* Fleischwerdung, Inkarnation

in case, *konj*, falls; **in cash** *adv*, kontant; **in charge of** *sub*, Federführung; **in cold blood** *adv*, *(kaltblütig)* eiskalt; **in compliance with** *präp*, *(in Übereinstimmung)* gemäß; **in concerto form** *adj*, konzertant; **in conclusion** *adv*, schlussendlich; **in conjunction with** *sub*, -s Realkonkurrenz; **in contrast** *adv*, *(geh.)* demgegenüber; *on the other hand* demgegenüber jedoch; **in demand** *adj*, gefragt; **in detail** *adv*, ausführlich, detailliert, eingehend; *describe sth in detail* etwas ausführlich schildern; **in dismay** *adv*, bestürzt; **in dozens** *adv*, dutzendweise; **in dribs and drabs** *adv*, kleckerweise; **in droves** *adv*, scharenweise

incense, *sub, nur Einz.* Weihrauch; ~ **con** *sub, -s* Räucherkerze

incessant, *adj*, unablässig, unaufhörlich, unausgesetzt; ~**ly** *sub, nur Einz.* Unterlass; *(i. ü. S.) he talks incessantly* er redet in einer Tour

incest, *sub*, -s Blutschande, Inzest; ~**uous** *adj*, inzestuös

inch, *sub*, -s Fingerbreite; *(tt; arch.)* Zoll; ~-**wide** *adj*, fingerbreit

inchlorinated, *adj*, *(ugs.)* unterchlorig

incidence, *sub*, -s Vorkommen; *nur Einz. (Licht)* Einfall; ~ **of light** *sub, nur Einz.* Einfallslicht; -s Lichteinfall; **incident** *sub*, -s Geschehnis, Vorfall, Vorkommnis, Zwischenfall; **incidental expense** *sub*, -s Nebenausgabe; **incidental music** *sub, nur Einz.* Begleitmusik, Bühnenmusik; **incidentally** *adv*, übrigens; *(beiläufig)* nebenbei

incinerate, *vt*, verbrennen; **incineration** *sub, nur Einz.* Müllverbrennung; -s Verbrennung

incisor, *sub*, -s Schneidezahn

inclement, *adj*, *(Wetter)* unfreundlich

inclination, *sub*, -s Geneigtheit, Inklination; *(das Neigen)* Neigung; *(Neigung)* Lust; *to feel no inclination to do sth* keine Neigung verspüren, etwas zu tun; **incline** *vti*, *(kippen)* neigen; *incline* geneigte Ebene; **incline to** *vi*, zuneigen

include, *vt*, einbeziehen, zurechnen; *include sth in sth* etwas in etwas einbeziehen; *including all charges* alle Kosten eingeschlossen; ~ **in** *vt*, *(wirt.)* eingliedern; ~**d (1)** *adj*, eingerechnet, enthalten, inbegriffen, zurechenbar **(2)** *vt*, einbegriffen; *be included mit enthalten sein, included VAT* MWSt eingebegriffen; **including/inclusive** *präp*, einschließlich

inclusion, *sub, nur Einz.* Einbeziehung; -s *(polit./geol.)* Einschluss; **inclusive** *adj*, inklusive; *(inklusive)* pauschal; *the travelling costs are inclusive* die Reisekosten verstehen sich pauschal

incognito, *adv*, inkognito; *incognito* unter einem fremden Namen

incoherency, *sub, -ies* Inkohärenz; **incoherent** *adj*, inkohärent, ungereimt

income, *sub*, -s Einkommen; *nur Einz.* Einkünfte, Einnahme; -s Verdienst; ~**tax** *sub*, -es Einkommensteuer, Lohnsteuer; ~-**debit** *sub*, -s Einkommensoll; **incoming** *sub*, -s *(das Eingehen)* Eingang

incommensurable, *adj*, inkommensurabel

incomparable, *adj*, unvergleichlich

incompetence, *sub, nur Einz.* Inkompetenz; *accuse so of incompetence* jemandem Unfähigkeit bescheinigen; **incompetent** *adj*, inkompetent, unfähig; *he's simply incompetent* er ist einfach unfähig!; *he's simply incompetent!* er ist einfach unfähig!; **incompetent lawyer** *sub*, -s *(ugs.)* Winkeladvokat; **incompetent person** *sub*, -s Nichtskönner

incomplete, *adj*, inkomplett, unvollständig; *(Bericht, Beweis)* lückenhaft; ~**ness** *sub, nur Einz.* Unfertigkeit; **incompleteness** *sub, nur Einz.* Unvollständigkeit

incomprehensibility, *sub, nur Einz.* Unfassbarkeit; **incomprehensible** *adj*, unbegreiflich, unerfindlich, unfassbar, unfasslich, unverständlich

incongruity, *sub, -ies* Inkongruenz; **incongruous** *adj*, inkongruent

inconsiderable, *adj*, unbeträchtlich, unziemlich; **inconsiderate** *adj*, rücksichtslos; *(rücksichtslos)* gedankenlos; **inconsiderateness** *sub, nur Einz.* Rücksichtslosigkeit

inconsistence, *sub*, -s Unstimmigkeit; **inconsistency** *sub*, -ies Inkonsequenz, Inkonsistenz; **inconsistent** *adj*, folgewidrig, inkonsequent, inkonsistent

inconsolable, *adj*, untröstlich

inconspicuous, *adj,* unscheinbar

inconstancy, *sub, nur Einz.* Wankelmut; **inconstant** *adj,* inkonstant, wankelmütig

incontestable, *adj,* indisputabel, unanfechtbar

incontinence, *sub, nur Einz.* Inkontinenz

inconvenience, *sub, -s* Inkommodität; - Ungunst; *-s (eines Weges)* Beschwerlichkeit; *(Unbequemlichkeit)* Unannehmlichkeit; **inconvenient** *adj,* ungelegen, ungünstig, unpassend; *(lästig)* unbequem; *(Weg)* beschwerlich; *is this an inconvenient time for you?* komme ich ungelegen?; *that's inconvenient for me* das kommt mir ungelegen

inconvertible, *adj,* inkonvertibel

incorporate, *vt,* inkorporieren; *(eingliedern)* aufnehmen; ~ **into** *vt,* eingemeinden; *(jur.)* eingliedern; ~ **sth. into** *vt, (etwas einfügen)* einarbeiten; **incorporation** *sub, -s* Inkorporation; *(Eingliederung)* Aufnahme

incorrect, *adj,* inkorrekt, unrichtig

incorrigible, *adj,* unverbesserlich

increase, (1) *sub, -s* Anhebung; *nur Einz.* Erhöhung; *-s* Steigerung; - Vermehrung; *-s* Verschärfung, Zunahme; *(des Lohnes)* Aufbesserung; *(Handel)* Plus; *(i. ü. S.; Preis)* Anstieg; *(wirt.)* Aufstockung; *nur Einz. (Zuwachs)* Mehr **(2)** *vi, (anwachsen)* steigen; *(i. ü. S.; Preis)* ansteigen; *(zunehmen)* anwachsen **(3)** *vr,* zunehmen **(4)** *vt,* steigern, vergrößern; *(Verdienst)* aufbessern; *(vergrößern)* mehren; *(wirt.)* aufstocken **(5)** *vtr,* vermehren, verschärfen; ~ **(in)** *sub, -s* Zuwachs; ~ **in pressure** *sub, -s* Druckanstieg; ~ **of condition** *sub, -* Formanstieg; **increasing** *sub, -s* Erhöhung; **increasing marshiness** *sub, nur Einz.* Versumpfung; **increasingrate** *sub, - (tt; theol.)* Zuwachsrate

incredibility, *sub, -* Unglaubwürdigkeit; **incredible** *adj,* fantastisch, hanebüchen, unglaubhaft, unglaublich; *an incredible amount* unsinnig viel; *(ugs.) incredible amount of money* unheimlich viel Geld; *it is incredible* das ist doch nicht zu fassen; *(ugs.) it's just incredible* da schnallst du ab; *that's incredible* das darf nicht wahr sein; *(ugs.) the most incredible part about it is* das Tollste dabei ist; **incredible fun** *sub, nur Einz.* Mordsspaß; **incredible heat** *sub, nur Einz. (ugs.)* Mordshitze; **incredible hunger** *sub, nur Einz.* Mordshunger; **incredible thirst** *sub,*

nur Einz. Mordsdurst; **incredibly** *adv,* unerhört, unglaublich, wahnsinnig

increment, *sub, -s (mat.)* Inkrement

incriminate, *vt,* inkriminieren; *(jur.)* belasten; ~**d** *adj,* inkriminiert; **incriminating** *adj, (jur.)* belastend; **incriminating evidence** *sub, nur Einz.* Belastungsmaterial; **incrimination** *sub, -s (jur.)* Belastung

incubate, *vt, (im Brutschrank)* ausbrüten; **incubation** *sub, -s* Inkubation; **incubation period** *sub, -s* Inkubationszeit; **incubator** *sub, -s* Inkubator; *(med.)* Brutapparat; Brutkasten; *it's like an oven* eine Hitze wie im Brutkasten; *stay in the incubator* im Brutkasten liegen

incubus, *sub, -i* Inkubus

incumbency, *sub, nur Einz. (geb.)* Obliegenheit

incunabulum, *sub, -s (tt; tech.)* Wiegendruck

incur, *vr,* zuziehen

incurable, *adj,* inkurabel; *(tt; med.)* unheilbar

incus, *sub, -es (anat.)* Amboss

indebtedness, *sub, -es* Verschuldung

indecent, *adj,* indezent, schamlos; *(Kleidung)* unanständig; *to make indecent advances to so* sich jmd unsittlich nähern

indecisive, *adj,* unentschlossen

indeclinable, *adj,* indeklinabel

indeed, *adv,* wahrlich; *indeed!* in der Tat!

indegistible, *adj,* unverdaulich

indelible, *adj,* unauslöschlich, unaustilgbar; ~ **pencil** *sub, -s* Kopierstift

indelicate, *adj,* unfein

indemnity, *sub, -ies* Indemnität

indent, *vt, (Text)* einrücken; ~**ation** *sub, -s* Ausbuchtung

indentures, *sub, -* Lehrvertrag

independence, *sub, nur Einz.* Freiheit, Independenz, Unabhängigkeit; **independent** *adj,* eigenständig, frei, selbständig, unabhängig; *(tt; polit.)* unparteiisch; **independent action** *sub, -s* Einzelaktion; **independent barge-owner** *sub, -s* Partikulier; **independent businessman/woman** *sub, -men* Selbständige

indescribable, *adj,* unbeschreiblich

indeterminable, *adj,* unbestimmbar; **indeterminate** *adj, (phil.)* indeterminiert

index, *sub, -es, indices* Index; *-es* Register; - Verzeichnis; ~ **number** *sub, -s* Indexziffer; ~ **of headings** *sub, inde-*

xes Stichwortverzeichnis; **~-based cur-rency** *sub*, *-ies Indexwährung*; **~-lin-ked** *adj*, *(Lebensversicherung)* dynamisch

Indian, (1) *adj*, indianisch, indisch **(2)** *sub*, *-s* Inder, Indianer; **~ chief** *sub*, *-men (Indianer-)* Häuptling; **~ file** *sub*, *-s (US)* Gänsemarsch; **~ ink** *sub*, *-s* Tusche; **~ summer** *sub*, *-s* Altweibersommer

indicate, *vt*, *(ugs.; Kfz.)* blinken; *(med.)* indizieren; *(tt; phy.)* zeigen; *(tech.)* anzeigen; *indicate* zu erkennen geben; *indicate right* rechts blinken; **~d** *adj*, *(med.)* indiziert; **indication** *sub*, *-s* Hinweis, Indikation, Indiz; *(Hinweis)* Andeutung; *(med.)* Heilanzeige; *(tech.)* Anzeige; *there is every indication that* alles deutet daraufhin, dass; **indication of quantity** *sub*, *indications* Mengenangabe; **indicative (mood)** *sub*, *-s* Indikativ; **indicator** *sub*, *-s* Blinkleuchte, Indikator, Skalenzeiger, Winker; *(Kfz.)* Blinker; *(tech.)* Anzeiger

indictment, *sub*, *-s* Anklageschrift

indifference, *sub*, *nur Einz.* Gleichgültigkeit, Indifferenz; **indifferent** *adj*, gleichgültig, indifferent, teilnahmslos, unbeteiligt; *he was indifferent to her* sie war ihm gleichgültig

indigestion, *sub*, *nur Einz.* Indigestion; *-s* Verdauungsstörung

indignant, *adj*, entrüstet, indigniert, ungehalten, unwillig; **indignation** *sub*, *-s* Entrüstung; *nur Einz.* Indignation, Unwillen

Indio (S. or C. American Indian), *sub*, *-s* Indio

indirect, *adj*, indirekt; **~ object** *sub*, *-s* Dativobjekt; **~ness** *sub*, *nur Einz.* Indirektheit

indiscreet, *adj*, indiskret; **indiscretion** *sub*, *-s* Indiskretion

indiscriminate, *adj*, wahllos; **~ly** *adv*, unbesehen; *(Essen)* durcheinander

indispensable, *adj*, *(Person)* unentbehrlich; *(Voraussetzung)* unabdingbar, unabdinglich

indisposed, *adj*, indisponiert; **indisposition** *sub*, *nur Einz.* Indisposition; *-s* Unpässlichkeit; *nur Einz.* Unwohlsein

indisputable, *adj*, indisputabel; *(Tatsache)* unbestreitbar

indissoluble, *adj*, unauflöslich, unlösbar

indistinct, *adj*, undeutlich

indium, *sub*, *nur Einz.* *(chem.)* Indium

individual, (1) *adj*, individuell; *(aus vielen)* einzeln **(2)** *sub*, *-s* Einzelwesen, Individuum, Person; **~ bond** *sub*, *-s*

(Börse) Partialobligation; **~ culprit** *sub*, *-s* Einzeltäter; **~ item** *sub*, *-s* Einzelstück; **~ journey** *sub*, *-s* Einzelreise; **~ state** *sub*, *-s* Einzelstaat; **~ weight** *sub*, *-s* Stückgewicht; **~ism** *sub*, *nur Einz.* Individualismus; **~ist** *sub*, *-s* Individualist; **~ist(ic)** *adj*, individualistisch; **~ity** *sub*, *nur Einz.* Individualität; **~ize** *vt*, individualisieren; **individuation** *sub*, *nur Einz.* Individuation

indivisible, *adj*, unteilbar

indivisical, *adv*, unteilhaftig

indoctrinate, *vt*, indoktrinieren; **indoctrination** *sub*, *nur Einz.* Indoktrination

Indo-European, *sub*, *-s* Indoeuropäer, Indogermane; **~ studies** *sub*, *nur Mehrz.* Indogermanistik

indolence, *sub*, *nur Einz.* Indolenz; *(einer Person)* Bequemlichkeit; **indolent** *adj*, indolent

indoor sports, *sub*, *nur Mehrz.* Hallensport; **indoor tennis** *sub*, *- Hallen-tennis*; **indoors** *adv*, *(Haus)* drinnen

induce, *vt*, induzieren; **induction** *sub*, *-s* Induktion; **inductive** *adj*, *(phil.)* induktiv

indulge in, *vi*, frönen; **~ hairsplitting** *vi*, klügeln; **indulge oneself** *vt*, schwelgen; **indulgence** *sub*, *nur Einz.* Schwelgerei; **indulgent** *adj*, indulgent

induration, *sub*, *-s (med.)* Induration

industrial, *adj*, gewerblich, industriell; **~ area** *sub*, *-s* Industriegebiet; **~ building** *sub*, *-s* Industriebau; **~ chemist** *sub*, *-s* Chemotechniker; **~ court** *sub*, *-s* Arbeitsgericht; **~ enterprise** *sub*, *-s* Industriebetrieb; **~ espionage** *sub*, *-s* Werksspionage; **~ firm** *sub*, *-s* Industriebetrieb; **~ law** *sub*, *-s* Arbeitsrecht; **~ robot** *sub*, *-s* Industrieroboter; **~ist** *sub*, *-s* Industrielle; *(tt;' indu.)* Unternehmer; **~ization** *sub*, *nur Einz.* Industrialisierung; **~ize** *vt*, industrialisieren; **industrious** *adj*, arbeitsam, emsig; *(fleißig)* strebsam; **industriousness** *sub*, *nur Einz.* Bienenfleiß; **industry** *sub*, *-ies* Industrie; *have knowledge of the industry* sich in der Branche auskennen

inedible, *adj*, *(nicht essbar)* ungenießbar

in effect, *adj*, *(Gesetz)* geltend; **in exactly the same way** *adv*, *(mit Verben)* ebenso; *he does is in exactly the same way* er macht es ebenso; **in exchange** *adv*, *(Tausch)* dagegen; *get* *sth in exchange* etwas dagegen eintauschen; **in fact** *adv,* faktisch, zwar; *have you in fact ever been here* warst du eigentlich schon einmal hier; *(erklärend) in fact* und zwar; **in favour of** *präp,* zugunsten; **in former times** *adv,* ehemals; *(hist)* ehedem; **in front** *adv,* vorauf, voraus, vorn; **in front of (1)** *adv,* voran, vorn, vors **(2)** *präp,* vor; **in front of each other** *adv,* voreinander; **in front of it/them** *adv, (räuml.)* davor; *I 'm standing in front of it* ich stehe davor

ineffective, *adj,* ineffektiv, unwirksam, wirkungslos

inefficiency, *sub, nur Einz.* Ineffizienz; **inefficient** *adj,* ineffizient, unrationell

inequality, *sub, -s* Ungleichheit

inequation, *sub, -s* Ungleichung

inequitable, *adj, (ungerecht)* unbillig

ineradicable, *adj,* unausrottbar

inert gas, *sub, -es* Edelgas

inertia, *sub, nur Einz. (phy.)* Beharrungsvermögen

inescapable, *adj,* unentrinnbar

inevitable, *adj,* unabwendbar, unausbleiblich, unvermeidlich, unweigerlich, zwangsläufig, zwangsmäßig; *the colosion was inevitable* es musste notwendig zum Zusammenstoß kommen; *total defeat was then inevitable* damit war die Niederlage perfekt; **inevitably** *adv,* zwangsweise

inexact, *adj, (nicht wahrheitsgetreu)* ungenau

inexcusable, *adj,* unverzeihlich

inexhaustible, *adj,* unerschöpflich, unversiegbar

inexorable, *adj,* unerbittlich; *(unerbittlich)* unaufhaltbar, unaufhaltsam; *(willensstark)* unbeugsam

inexpedient, *adj,* unzweckmäßig

inexpensive, *adj,* preisgünstig; *(ugs.)* wohlfeil

inexperienced, *adj,* unerfahren; **inexpert** *adj,* unkundig, unsachgemäß

inexpiable, *adj, (Schuld)* unaustilgbar

inexplicable, *adj,* unerfindlich, unerklärbar, unerklärlich

inexpressive, *adj, (i. ü. S.)* unsagbar

inextricable, *adj,* unentwirrbar

infallibility, *sub, nur Einz.* Infallibilität, Unfehlbarkeit; **infallible** *adj,* infallibel, unfehlbar, untrüglich

infamous, *adj,* berüchtigt, infam; **infamy** *sub, -ies* Infamie

infant, *sub, little children* Kindlein; *-s* Kleinstkind; **Infant Jesus** *sub, nur Einz.* Jesuskind; **~ mortality** *sub, nur Einz.* Säuglingssterblichkeit; **~(e)ry**

sub, nur Einz. Infanterie; **~ile** *adj,* kindisch; **~ility** *sub, nur Einz.* Infantilität

infarct, *sub, -s (med.)* Infarkt

infect, *vt,* infizieren, verseuchen; *(infizieren)* anstecken; *we were infected by their happiness* ihre Fröhlichkeit hat sich auf uns übertragen; **~ion** *sub, -s* Anstecking, Infekt, Infizierung, Verseuchung; **~ious** *adj,* ansteckend, infektiös; *(Rhythmus)* mitreißend

infer, *vi,* schließen; **~ence** *sub, -s* Schlussfolgerung

inferior, (1) *adj,* minderwertig, unterlegen; *(i. ü. S.)* tief stehend **(2)** *vi,* zurückstehen; *to feel inferior* Minderwertigkeitsgefühle haben; **~ity** *sub, nur Einz.* Inferiorität; *-ies* Schlechtigkeit; **~ity complex** *sub, -es* Minderwertigkeitskomplex

infernal, *adj,* infernalisch; **inferno** *sub, -s* Inferno

infertile, *adj,* infertil, unfruchtbar; *(unfruchtbar)* steril; **infertility** *sub, nur Einz.* Infertilität, Unfruchtbarkeit; *(Unfruchtbarkeit)* Sterilität

infestation with lice, *sub, -s* Läusebefall; **infested** *adj,* befallen

infight, *sub, -s* Infight

infiltrate, (1) *vt,* einschleusen, unterwandern; *(verteilt)* durchsetzen **(2)** *vti,* infiltrieren; *infiltrate so into Germany* jmd nach Deutschland einschleusen; **infiltration** *sub, -s* Infiltration, Unterwanderung

infinite, *adj,* infinit, unendlich; **~ly** *adv,* übergangslos; **~simal calculus** *sub, -i (-es)* Infinitesimalrechnung; **~tive** *sub, -s* Infinitiv; *(Sprachw.)* Grundform; **infinitive clause** *sub, -s* Nennformsatz; **infinity** *sub, -ies* Endlosigkeit; *nur Einz.* Unendlichkeit

infirm, *adj,* siech; *(Mensch)* altersschwach; **~ity** *sub, -* Siechtum; *-ies (Alters-)* Gebrechlichkeit; *have infirmities of old age* Altersbeschwerden haben; **~ity of age** *sub, -ies -* Altersschwäche

infix, *sub, -es* Infix

inflamation of prostate, *sub, nur Einz.* Prostatitis; **inflammability** *sub, nur Einz.* Brennbarkeit; **inflammable** *adj,* brennbar, entflammbar, entzündbar; *highly inflammable* leicht brennbar; **inflammation** *sub, nur Einz.* Entflammung; *-s* Entzündung; **inflammatory** *adj, (med.)* entzündlich

inflatable, *adj,* aufblasbar; **inflate** *vt,* aufblasen, aufpumpen; **inflated** *adj, (Ballon)* aufgeblasen; *(Verwaltung)* aufgebläht; **inflation** sub, -s Inflation; **inflationary** adj, inflationär

inflect, vt, flektieren; **~ion** sub, -s Kasusendung; **~ional** adj, flektierbar

inflexibility, sub, nur Einz. Unnachgiebigkeit; -es (ugs.) Verbohrtheit

inflexion, sub, -s (Gramm.) Flexion

inflow, sub, -s (meteor.) Einfluss

influence, (1) sub, -s Einwirkung, Influenz; (i. ü. S.) Einfluss (2) vt, beeinflussen, einwirken, lenken; be under the influence of drugs unter der Einwirkung von Drogen stehen; easily influenced leicht beeinflussbar; (i. ü. S.) the calming influence der ruhende Pol; **~d by Buddhism** adv, buddhistisch; **influencing** sub, nur Einz. Beeinflussung; **influential** adj, einflussreich; influential circles maßgebende Kreise

influenza, sub, - Grippeanfall; nur Einz. Influenza; - (med.) Grippe

influenzal, sub, - grippal

influx, sub, nur Einz. Zuzug; -es (wirt.) Einfluss

inform, vt, benachrichtigen, informieren, instruieren, mitteilen, unterrichten; (aufklären) belehren; (Person) aufklären; I'll get acquainted with the matter ich werde mich darüber informieren; you've been wrongly informed da bist du falsch informiert; be informed Bescheid erhalten; he's well informed on that darüber ist er gut orientiert; to be informed by sb about sth sich über jmd über etwas unterrichten lassen; we beg to inform you that wir erlauben uns, ihnen mitzuteilen, daß; **~ oneself** vr, orientieren; **~ so** vt, hinterbringen

informal, adj, familiär, formlos, informell, leger, ungezwungen, zwanglos; **~ity** sub, - Ungezwungenheit

informant, sub, -s Informant, Kontaktmann; **information** sub, nur Einz. Auskunft, Information, Informierung; (ugs.) Info; (Einsicht) Aufschluss; (Information) Angabe; (Unterrichtung) Orientierung; get information Auskunft einholen; **information office** sub, - -s Auskunftsbüro, Auskunftsstelle; **informative** adj, aufschlussreich, informativ; **informatory** adj, informatorisch; **informer** sub, -s Denunziant

infra-red, adj, infrarot; **~ film** sub, -s Infrarotfilm

infrasonic waves, sub, nur Mehrz. (phy.) Infraschall

infrastructure, sub, -s Infrastruktur

infringement, sub, -s Ordnungswidrigkeit; **~ of the law** sub, -s Rechtsbruch

in full, sub, - Gänze; **in future** adj, zukünftig; **in gangs** adv, truppweise; **in general** (1) adj, generaliter (2) adv, insgemein; (sowieso) überhaupt; **in good time** adj, zeitig; **in great details** sub, nur Mehrz. detailreich; **in groups** (1) adj, gruppenweise (2) adv, rottenweise; **in herds** adv, herdenweise; **in high spirits** adj, aufgedreht; **in hordes** adv, hordenweise; **in horror** adv, entsetzt; **in it/them** adv, darein, darin; what's in it was ist darin; **in layers** adj, schichtweise

infuriate, vt, erbosen

infuse, vt, (med.) infundieren; **~r** sub, -s Teeei; **infusion** sub, -s Aufguss, Infusion

ingenious, adj, genial, ingeniös, patent; (klug) sinnvoll; a genius ein genialer Mensch; a stroke of genius ein genialer Einfall; **ingenuity** sub, nur Einz. Ingeniosität; **ingenuous** adj, (unbefangen) treuherzig

ingratitude, sub, -s Undank

ingredient, sub, -s Ingredienz; **~s** sub, nur Mehrz. Zutat

ingression, sub, -s (geol.) Ingression

inhabit, vt, (eine Region) bewohnen; **~ant** sub, -s Einwohner; (einer Region) Bewohner; the town has 2 million inhabitants die Stadt hat 2 Millionen Einwohner; **~ant of Italy, Greece, Spain or Portugal** sub, inhabitants Südländern; **~ant of Magdeburg** sub, inhabitants Magdeburger; **~ant of Merseburg** sub, inhabitants Merseburger; **~ant of Münster** sub, inhabitants Münsteraner; **~ant of Neuenburg** sub, inhabitants Neuenburger

inhalation, sub, -s Inhalation; **inhale** vt, inhalieren; to inhale auf Lunge rauchen

inherence, sub, nur Einz. Inhärenz; **inherent** adj, inhärent; **inherent dynamism** sub, -s Eigenbewegung

inherit, vt, erben; **~ance** sub, -s Erbe, Erbschaft; **~ed** adj, patrimonial; (i. ü. S.) he inherited it das ist ihm schon in die Wiege gelegt worden

inhibit, vt, (seelisch) hemmen; **~ed** adj, gehemmt, verklemmt; **~ion** sub, -s Gehemmtheit, Hemmung; have inhibitions Hemmungen haben; **~ion threshold** sub, -s Hemmschwelle; overcome one's inhibitions eine Hemmschwelle überwinden

inhomogeneity, sub, nur Einz. Inhomogenität; **inhomogenous** adj, inhomogen

inhospitable, *adj*, unwirtlich

inhuman, *adj*, inhuman, unmenschlich; **~ity** *sub*, nur *Einz*. Inhumanität

iniquitous, *adj*, sündhaft, sündig

inital, *adj*, ursprünglich

initial, (1) *adj*, anfänglich (2) *vt*, paraphieren; **~ (letter)** *sub*, -s Initial; **~ letter** *sub*, *initials* Anfangsbuchstabe; **~ situation** *sub*, -s Ausgangslage; **~ stage** *sub*, -s Anfangsstadium; **~ling** *sub*, -s Paraphierung

initiate, (1) *sub*, -s Eingeweihte (2) *vt*, initiieren; *initiate so into sth* jmd in etwas einweihen; **initiation** *sub*, -s Initiation; **initiation rite** *sub*, -s Initiationsritus; **initiative** (1) *adj*, initiativ (2) *sub*, -s Initiative; **initiator** *sub*, -s Initiator

inject, *vt*, einspritzen, injizieren; *(med.)* spritzen; **~ion** *sub*, -s Einspritzung, Injektion; *(med.)* Spritze; *give an injection* eine Spritze geben; *have an injection* eine Spritze bekommen

injustice, *sub*, nur *Einz*. Unbill; - Ungerechtigkeit; nur *Einz*. Unrecht

ink, *sub*, -s Tinte; - *(Drucker)* Farbe; **~blot** *sub*, -s Tintenklecks; *(Papier)* Tintenfleck; **~stain** *sub*, -s *(Kleidung)* Tintenfleck; **~pot** *sub*, -s Tintenfass

inlaid work, *sub*, nur *Einz*. Intarsie

inland, *adv*, landeinwärts; **~ letter** *sub*, -s Inlandsbrief; **~ navigation** *sub*, nur *Einz*. Binnenschifffahrt; **~ postage rate** *sub*, -s Inlandsporto; **~ price** *sub*, -s Inlandspreis; **~ revenue** *sub*, -s Finanzamt; **~ trip** *sub*, -s Inlandsreise

inlenient, *adj*, unnachsichtig

in lots, *adv*, partieweise; *(Handel)* partienweise; **in midsummer** *adv*, mittsommers; **in midwinter** *adv*, mittwinters; **in mime** *adv*, pantomimisch; **in monosyllables** *adv*, einsilbig; **in more detail** *adv*, *(genauer)* näher; **in most places** *adv*, meistenorts; **in my/our country** *adv*, zu Lande; **in need of care (and attention)** *attr*, pflegebedürftig; **in no time** (1) *adv*, *(im ~)* Nu (2) *sub*, - Handumdrehen; **in olden days** *adv*, vordem; **in one another** *pron*, ineinander; **in one piece** *adj*, *(unbeschädigt)* ganz; **in one´s best handwriting** *sub*, - Schönschrift; **in opposite to** *konj*, dementgegen; **in order to** *konj*, *(final)* um; *he went into the next room in order to make a phone call* er ging ins Nebenzimmer um zu telefonieren; **in painting** *attr*, *(bildnerisch)* malerisch

inmate, *sub*, -s Insasse

inn, *sub*, -s Gasthaus, Gasthof, Herberge, Rasthaus

inner, *adj*, innere, inwendig; **~ life** *sub*, -s Seelenleben; **~ strength** *sub*, -s seelenstark; **~ surface** *sub*, -s Innenfläche; **~ tube** *sub*, -s *(Auto)* Schlauch; **~most part** *sub*, -s Innerste

innervate, *vt*, innervieren

innocence, *sub*, - Unschuld; **innocent** *adj*, schuldlos, unschuldig, unverschuldet; *(unschuldig)* treuherzig; *to convict sb when he is innocent* jmd unschuldig verurteilen; *to act the innocent* unschuldig tun; **innocent person** *sub*, -s *(i. ü. S.)* Unschuldige; *the innocent* die Unschuldigen

innovation, (1) *sub*, -s Innovation, Neuheit, Novität (2) *sun*, Neuerung; **innovative** *adj*, innovativ, innovatorisch

In(n)uit, *sub*, nur *Mehrz*. Inuit

innumerable, *adj*, unzählig

inoculate, *vt*, impfen

inofficial, *adj*, inoffiziell

inorganic, *adj*, *(tt; chem.)* anorganisch; **~ fertilizer** *sub*, -s Mineraldünger

inositol, *sub*, -s *(tt; chem.)* Inosit

in pairs, (1) *adj*, paarweise (2) *attr*, paarig; **in paragraphs** *adv*, absatzweise; **in particular** *adv*, *(besonders)* namentlich; **in parts** *adv*, auszugsweise; **in perspective** *attr*, perspektivisch; **in pieces** *adj*, entzwei; **in piles** *adv*, haufenweise, stapelweise; **in places** *adv*, stellenweise; **in practice** *adj*, eingespielt; **in principle** *adj*, prinzipiell; **in proportion** *adj*, fraglich; **in reality** *adv*, realiter; **in return for** *präp*, *(als Gegenleistung)* gegen; **in rows** *adv*, reihenweise; **in series** *adv*, serienweise

in-patient, *adj*, *(med.)* stationär; **in-people** *sub*, nur *Mehrz*. Schickeria; **in-phrase** *sub*, -s Modeausdruck; **in-word** *sub*, -s Modewort; **inability** *sub*, nur *Einz*. Unvermögen; *(mangelndes Können)* Unfähigkeit; **inaccessible** *adj*, unerreichbar, unzugänglich; **input**, *sub*, -s Input; *(Daten)* Eingabe; **~ device** *sub*, -s Eingabegerät

inquire (1) *vi*, anfragen (2) *vti*, inquirieren; *(erkundigen)* fragen; **~ about** *vti*, *(sich erkundigen)* fragen; **inquiry** *sub*, -s *(Erkundigung,Unters.)* Frage; **Inquisition** *sub*, nur *Einz*. Inquisition; **inquisitive** *adj*, neugierig; **inquisitor** *sub*, -s Inquisitor; **inquisitorial** *adj*, *(i. ü. S.)* inquisitorisch

insalivate, *vt*, einspeicheln

insane, *adj*, aberwitzig, irre, wahnsinnig (*i ü S*) unsinnig: **insanity** *sub,* nur Einz. Irresein; - Unsinnigkeit; *nur Einz.* Wahnsinn; *(tt; jur.)* Unzurechnungsfähigkeit

insatiable, *adj*, unersättlich; *to be insatiable* ein Nimmersatt sein

inscription, *sub, -s* Inschrift

inscrutable, *adj,* (Miene) undurchdringlich

insect, *sub, -s* Insekt; *(zool.)* Kerbtier; ~ **damage** *sub, -s* Insektenfraß; ~ **eater** *sub, -s* Insektenfresser; ~**arium** *sub, -s* Insektarium; ~**icide** *sub, -s* Insektengift, Insektizid; ~**ivore** *sub, -s* Insektenfresser

insecure, *adj,* unsicher; *to feel insecure* sich unsicher fühlen; **insecurity** *sub, -es* Unsicherheit

insemination, *sub, -s* Besamung, Insemination; *artificial insemination* künstliche Befruchtung

insense, *vt,* weihräuchern

insensitive, *adj,* insensibel, unempfindlich; *(Gefühle)* gefühllos; **insensitivity** *sub,* Abgestumpftheit

insert, (1) *sub, -s* Beiblatt, Insert (2) *vt,* *(geb.)* einlegen; *(dazwischen)* einschieben; *(einfügen)* einbauen, einblenden; *(Münze)* einwerfen; *(Text)* einfügen, einsetzen; *insert a film into the camera* einen Film in die Kamera einlegen; ~ **into** *vt,* (bineinschieben) einführen; ~**ion** *sub, -s* Einblendung, Einschiebsel, Einschub; *nur Einz. (Einfügung)* Einbau; *-s* Einführung

in service, *adj,* bedienstet; **in shame** *adv,* beschämt; **in sips** *adv,* schluckweise; **in so far** *adv,* insofern; **in solidarity** *adv,* solidarisch; *act in solidarity* solidarisch handeln; **in soup-spoonfuls** *adj,* esslöffelweise; *administer medicine in soup-spoonfuls/dessert-spoonfuls* ihm die Medizin esslöffelweise verabreichen; **in spite of** *präp,* trotz, ungeachtet; **in squads** *adv,* truppweise; **in stages** *adv,* etappenweise; **in stalemate** *adj, adv,* patt; **in step** *sub,* - Gleichschritt; **in steps** *adv,* stufenförmig; **in stock** *adj,* vorrätig; *(Handel)* greifbar; **in strands** *adv,* strähnig; **in such way that** *adv,* dergestalt

inset, *sub, -s (Stoff)* Einsatz

inside, (1) *adj,* drin (2) *adv,* drinnen, innen (3) *präp,* innerhalb (4) *sub, -s* Innenseite; *he´s inside* er ist drin, go *inside* nach drinnen gehen; *inside information* Informationen aus erster Hand; *inside it´s pretty warm* drinnen ist es schön warm; *inside out* das Innere nach außen gekehrt; ~ **antenna** *sub, -s*

Innenantenne; ~ **forward** *sub, -s* *(spo.)* Innenstürmer; ~ **mirror** *sub, -s* Innenspiegel; ~ **out** *adv,* Effeff; *know sth inside out* aus dem Effeff beherrschen; ~ **pocket** *sub, -s* Innentasche; ~**r** *sub, -s* Insider, Szenegänger

in(side) o.s., *adv,* (ugs.) intus; *(ugs.)* *he´s had a few (drinks)* er hat schon einiges intus; *(ugs.) I´ve finally got it into my head* jetzt habe ich es endlich intus

insidious, *adj,* heimtückisch; ~**ness** *sub, -es* Heimtücke

insight, *sub, -s (Kenntnis)* Einblick

insignia, *sub,* nur Mehrz. Hoheitszeichen, Insignien

insignificant, *adj,* unbedeutend, unbeträchtlich, unerheblich, unwesentlich; *(unbedeutend)* harmlos

insincere, *adj,* unaufrichtig

insipid, *adj,* lasch

insist, *vt,* (bestehen auf) drängen; *he insisted on* er ließ es sich nicht nehmen; *if he insists on coming* wenn er durchaus kommen will; *insist on sth* sich etwas ausbedingen; *insist that* beharrlich auf etwas bestehen, darauf drängen, dass; *to insist on sth* auf etwas pochen; ~ **(on)** *vi,* beharren; *insist that* darauf bestehen, dass; ~ **stubbornly** *vti,* kaprizieren; ~**ence** *sub, nur Einz. (Aufdringlichkeit)* Penetranz; *at his insistence* auf sein Drängen hin; *his insistence on* sein Bestehen auf; ~**ent** *adj, (aufdringlich)* penetrant

insolation, *sub, nur Einz. (Sonne)* Einstrahlung

insole, *sub, -s* Einlegesohle

insolent, *adj,* insolent, patzig

insolubility, *sub,* nur Einz. Unlösbarkeit; **insoluble** *adj,* unlösbar; *(chem.)* unauflöslich

inspect, *vt,* inspizieren, untersuchen; *(besichtigen)* begehen; *(inspizieren)* besichtigen; *(Maschine)* überprüfen; *(prüfen)* abnehmen; *inspect sth* etwas in Augenschein nehmen; ~**ing officer** *sub, -s (mil.)* Inspekteur; ~**ion** *sub, nur Einz.* Inaugenscheinnahme; *-s* Inspektion, Inspizierung, Sichtung, Überprüfung, Untersuchung, Visitation; *(Besichtigung)* Augenschein; *(einer Prüfung)* Abnahme; *(Inspizierung)* Besichtigung; ~**or** *sub, -s* Beschauer, Inspekteur, Kommissar, Kontrolleur, Prüfer; ~**or´s report** *sub, -s* Prüferbilanz

inspirating, *adj,* geistbildend; **inspiration** *sub, -s* Eingebung, Erleuchtung,

Inspiration; **inspire** *vt*, beflügeln, inspirieren; *(anregen)* erleuchten; *(Idee)* eingeben; *(Person)* begeistern; *inspire so with an idea* jmd eine Idee eingeben; *inspire so* jemanden für etwas begeistern; **inspire sb with** *vt*, *(Mut/Vertrauen)* einflößen; *inspire sb with admiration* jmd Bewunderung einflößen

instability, *sub*, - Labilität

install, *vt*, installieren; *(Motor)* einmontieren; *(tech.)* einbauen, montieren; *(tt; tech.)* unterbringen; **~ation** *sub*, -s Installation; *(Aufstellung)* Montage; *nur Einz. (Motor)* Einbau; *-s (tech.)* Aufstellung; *the installation in office* die Einführung in ein Amt

instal(l)ment, *sub*, -s *(Rate)* Teilzahlung

instalment, *sub*, -s Rate

instant, *adj*, instant, sofortig; **~ coffee** *sub*, -s Pulverkaffee

instead of, (1) *adv*, *(stattdessen)* dafür (2) *konj*, *präp*, anstatt (3) *präp*, an Stelle, statt; *he will come tomorrow, instead* dafür will er morgen kommen, *instead of going to school* anstatt zur Schule zu gehen

instep, *sub*, -s Rist, Spann

instigate, *vt*, anstiften, anzetteln; **instigation** *sub*, -s Anzettelung, Aufwiegelei, Betreiben; *at his instigation* auf sein Betreiben hin; **instigations** *sub*, -s Anstiftung; **instigator** *sub*, - s Anstifter, Aufwiegler

instil(l), *vt*, instillieren

instinct, *sub*, -s Fingerspitzengefühl, Instinkt, Spürsinn; *(Instinkt)* Trieb; **~ive** (1) *adj*, instinkthaft, instinktiv, triebhaft (2) *adj*, gefühlsmäßig

institute, *sub*, -s Institut *(Lehranstalt)* Anstalt; **institution** *sub*, -s Institution; *(Institution)* Einrichtung; *(öffentliche)* Anstalt; *(public) institution* öffentliche Einrichtung; *become a permanent institution* eine ständige Einrichtung werden; *(ugs.) public institution* öffentliche Anstalt; **institutional** *adj*, institutionell; **institutionalize** *vt*, institutionalisieren

instruct, *vt*, beauftragen, instruieren, unterweisen; **~ion** *sub*, -s Belehrung, Instruktion, Unterweisung, Weisung; *(Anleitung)* Anweisung; *(Betriebs)* Anleitung; *give so instructions to* jemanden anweisen etwas zu tun; *have instructions to* die Anweisung haben zu; *on the instructions of* auf Anweisung von; **~ion manual** *sub*, - s *(umfangreiche)* Bedienungsanleitung; **~ions** *sub*, nur *Mehrz.* Betriebsanlei-

tung, Gebrauchsanweisung; *(kürzere)* Bedienungsanleitung; **~ive** *adj*, instruktiv; **~or** *sub*, -s Ausbilder, Instrukteur, Skilehrerin

instrument, *sub*, -s Instrument; *(Behörde)* Organ; *(Meß-)* Gerät; **~ flight** *sub*, -s Instrumentenflug; **~ of power** *sub*, *instruments* Machtmittel; **~ of state** *sub*, *instruments* Staatsorgan; **~ order** *sub*, *instruments (fin.)* Orderpapier; **~ to measure acid** *sub*, -s Säuremesser; **~al** *adj*, *(mus.)* instrumental; **~al (case)** *sub*, -s *(ling.)* Instrumental; **~alist** *sub*, -s Instrumentalist; **~arium** *sub*, -s *(med.)* Instrumentarium; **~ate** *vt*, *(mus.)* instrumentieren; **~ation** *sub*, -s Instrumentierung; **~s** *sub*, nur *Mehrz.* Instrumentarium; *(im Auto, etc.)* Armatur; *(med.)* Besteck

insubordinate, *adj*, *(Person)* unbotmäßig; **insubordination** *sub*, nur *Einz.* Insubordination; -s Widersetzlichkeit; *(mil.)* Ungehorsam

insular, *adj*, insular; **insulate** *vt*, *(tech.)* isolieren; **insulated** *adj*, wärmedämmend; **insulating layer** *sub*, -s Isolierschicht; **insulation** *sub*, -s Wärmedämmung; *(tech.)* Isolierung; **insulation tape** *sub*, -s Isolierband; **insulator** *sub*, -s Isolator

insulin, *sub*, -s Insulin

insult, (1) *sub*, -s Brüskierung, Injurie, Insult (2) *vt*, injuriieren, insultieren; *(stärker)* brüskieren; *a piece of offensive behaviour* Brüskierung; *insult sb* jmd brüsk zurückweisen; **~ing** *adj*, schimpflich; **~ing an officer/official** *sub*, -s *of officers/officials* Beamtenbeleidigung

insurance, *sub*, -s Assekuranz, Versicherung; **insure** *vt*, versichern; **insured (party)** *sub*, - Versicherte; **insurer** *sub*, -s Versicherer

insurgent, *sub*, -s Insurgent; **insurrection** *sub*, -s Insurrektion

intact, *adj*, heil, wohlbehalten

in tails, *adj*, befrackt; **in teams** *adj*, riegenweise; **in the abstract** *adv*, abstrakt; **in the afternoon** *adv*, nachmittags; **in the back of** *präp*, hinter; **in the beginning** *adv*, anfänglich, anfangs, ursprünglich; **in the early morning** *sub*, -s Frühe; **in the end** *adv*, endlich; **in the evening(s)** *adv*, abendlich, abends; **in the event of** *adj*, eventuell; **in the event of a claim** *sub*, -s Schadensfall; **in the face of** *präp*, angesichts; **in the form of an ultimatum** *adj*, ultimativ; **in the mar-**

gin *attr*, nebenstehend; *explanations in the margin* nebenstehende Erklärungen; **in the meantime** *adv*, inzwischen, mittlerweile, zwischendurch; **in the middle** *präp*, zwischen; **in the middle of** (1) *adv*, mitten (2) *präp*, inmitten; *(right) in the middle of sth* mitten an/in/auf/bei etwas; **in the middle of it** *sub*, -s mittendrin; *(right) in the middle of one´s work* mittendrin in der Arbeit; **in the morning** *adv*, morgens, vorm, vormittags; *at three in the morning* um drei Uhr morgens

intake, *sub*, -s *(Nahrung)* Aufnahme

intarsia, *sub*, *nur Mehrz.* Intarsie

integrable, *adj*, *(mat.)* integrierbar

integral, *adj*, integral, integrierend; **integrate** *vt*, integrieren; **integrate into** *vt*, eingliedern; **integrated** *adj*, *(in sich geschlossen)* einheitlich; **integrated grid system** *sub*, -s *(tt; tech.)* Verbundnetz; **integrated lamp** *sub*, -s Verbundlampe; **integration** *sub*, -s Integration, Integrierung; *(tt; polit.)* Verflechtung; **integrative** *adj*, integrativ; **integrity** *sub*, *nur Einz.* Integrität

intellect, *sub*, -s Intellekt; *(Intellekt)* Geist; **~ual** (1) *adj*, intellektuell; *(Denkkraft)* geistig (2) *sub*, -s Intellektuelle; **~ual creation** *sub*, -s *(geistiges)* Eigentum; **~ual gifts** *sub*, - Geistesgaben; **~ual greatness** *sub*, -es Geistesgröße; **~ual´s high brow** *sub*, -s Denkerstirn; **~uality** *sub*, -ies Geistigkeit; **intelligence** *sub*, *nur Einz.* Intelligenz, Klugheit; **intelligence (service)** *sub*, -s *(mil.)* Nachrichtendienst; **intelligence quotient** *sub*, -s Intelligenzquotient; **intelligence test** *sub*, -s Intelligenztest; **intelligent** *adj*, intelligent, klug; **intelligible** *adj*, intelligibel

intend, *vt*, beabsichtigen, intendieren; **~ do sth** *vt*, vornehmen; **~ to do sth** *vt*, gedenken; **~ant** *sub*, -s *(mil.)* Intendant

intense, *adj*, heftig, hochgradig; **~ly** *adj*, angespannt; *listen intently* angespannt zuhören; **intensification** *sub*, -s Steigerung, Verschärfung; **intensify** (1) *vr*, verstärken (2) *vt*, intensivieren, steigern (3) *vtr*, verschärfen; **intension** *sub*, -s *(phil.)* Intension; **intensity** *sub*, - Heftigkeit; *-ies* Intensität; *(Intensität)* Stärke; **intensity of radiation** *sub*, *nur Einz.* Strahlstärke; **intensive** *adj*, intensiv; *(i. ü. S.)* tief gehend; **intensive care unit** *sub*, -s Intensivstation; **intensive course** *sub*, -s Intensivkurs

intention, (1) Absicht, Absicht (2) *sub*, -s Intention, Vorsatz, Wille; *to form the intention of doing sth* den Plan fassen, etwas zu tun; **~al** *adj*, absichtlich, absichtsvoll, absichtsvoll; *(phil.)* intentional; *it is intentional* das ist beabsichtigt

interact, *vt*, interagieren; **~ion** *sub*, -s Interaktion

intercession, *sub*, -s Fürbitte, Fürsprache; *(ugs.) put in a good word for so* für jmdn Fürsprache einlegen; **intercessor** *sub*, -s Fürbitterin, Fürsprecher

interchange, *vt*, *(zwischeneinander)* auswechseln; **~ability** *sub*, *nur Einz.* Austauschbarkeit; **~able** *adj*, austauschbar, auswechselbar

intercity train, *sub*, -s Intercity; *(Zug)* Überlandbahn

intercom, *sub*, -s Sprechanlage

interconfessional, *adj*, interkonfessionell

intercontinental, *adj*, interkontinental; **~ missile** *sub*, -s Interkontinentalrakete

intercourse, *sub*, -s Umgang

interdenominational, *adj*, interkonfessionell

interdependence, *sub*, -s Interdependenz; **interdependent** *adj*, interdependent; *be interdependent* voneinander abhängig sein

interdict, *sub*, -s Interdikt

interdisciplinary, *adj*, interdisziplinär; **~ subject** *sub*, -s *(Fachgebiete)* Grenzgebiet

interest, (1) *sub*, -s Interesse; *nur Einz.* Sparzins; *-s (Interesse)* Anteil, Anteilnahme, Teilnahme; *- (wirt.)* Zins (2) *vt*, interessieren; *take an interest in* an etwas Anteil nehmen; *to live in rented accommodation* zur Miete wohnen; *as soon as you´ve served your purpose they´ve no further interest in you* der Mohr hat seine Schuldigkeit getan, der Mohr kann gehen; *free of interest* nicht verzinslich; *he has lost all interest in it* er hat die Lust daran verloren; *stamp-collecting simply doesn´t interest me* Briefmarkensammeln interessiert mich einfach nicht; *(tt; wirt.) to yield a fixed rate of interest* fest verzinslich sein; *what he thinks about it all interests me intensely* was er darüber denkt interessiert mich brennend; *what interests you most?* was interessiert dich am meisten?; **~ (on capital)** *sub*, *nur Einz.* Kapitalzins; **~ duty** *sub*, *-es (tt; wirt.)* Zinspflicht; **~ increase** *sub*, -s Zinserhöhung; **~ on deposits** *sub*, *nur Einz.* Habenzinsen; **~ payable creditors** *sub*, *nur Einz.* Passivzins; **~ penny** *sub*, *-es (ugs.)* Zinsgroschen; **~ policies** *sub*, *nur Mehrz. (tt; wirt.)* Zinspolitik; **~ rate** *sub*, *-s* Verzinsung, Zinsfuß, Zinssatz; **~ reduction** *sub*, *-s* Zinssenkung; **~ service** *sub*, *-s* Zinsendienst; **~-bearing** *adj*, verzinslich; **~-free** *adj*, unverzinslich

interested, *adj*, interessiert, teilnehmend; **~ party** *sub*, *-ies* Interessent; **interesting** *adj*, interessant; **interests on a loan** *sub*, *nur Mehrz.* Darlehenszins

interface, *vt*, unterfüttern; **~ing** *sub*, *-* Unterfutter; **interfacial angle** *sub*, *-s* Kantenwinkel

interfere, *vt*, *(phy.)* interferieren; *to interfere in sth* sich in etwas mischen; **~ in** *vt*, dareinreden, einmischen; **~ with** *vi*, hineinreden; **~nce** *sub*, *-s* Bildstörung, Einmischung, Funkstörung, Interferenz, Störfall; *(Radio-)* Störung; *excuse my butting in* verzeihen sie meine Einmischung; **~nce-free** *adj*, *(Radio)* störungsfrei

interferometer, *sub*, *-s (phy.)* Interferometer

intergalactic, *adj*, intergalaktisch; **interglacial** *adj*, interglazial

interim, (1) *adj*, interimistisch (2) *pron*, Zwischenzeit (3) *sub*, *-s* Interim

interior, *sub*, *nur Einz.* Binnenland; *-s* Innere, Interieur; *-* Landesinnere; **~ decorater (designer)** *sub*, *-s (arch.)* Dekorateur; **~ design** *sub*, *nur Einz.* Innenarchitektur

interjection, *sub*, *-s* Ausrufesatz, Interjektion, Zwischenruf

interlude, *sub*, *-s (i. ü. S.)* Intermezzo; *(mus.)* Einlage, Interludium

interlunation, *sub*, *-s* Interlunium

intermediary, *sub*, *-ies* Mittelsmann

intermediate position, *sub*, *-s* Mittelstellung; **intermediate zone** *sub*, *-s (Zwischenzone)* Grenzbereich

intermezzo, *sub*, *-s (mus.)* Intermezzo

intermittent, *adj*, intermittierend

intern, *vt*, internieren; **~al** *adj*, intern; **~al (affairs concerning Germany)** *adj*, innerdeutsch; **~al (matters concerning a firm)** *adj*, innerbetrieblich; **~al (party matters)** *adj*, innerparteilich; **~al combusting engine** *sub*, *-s (tt; tech.)* Verbrennungsmotor; **~al combustion engine** *sub*, *-s* Ottomotor; **~al party** *adj*, parteiintern; **~al revenue service** *sub*, *-s (US)* Finanzamt

internalization, *sub*, *nur Einz.* Verinnerlichung; **internalize** *vt*, internalisieren;

international *adj*, international; **international (football) team** *sub*, *-s* Nationalelf; **international call** *sub*, *-s* Auslandsgespräch; **international contest** *sub*, *-s (spo.)* Länderkampf; **International Criminal Police Organisation** *sub*, *nur Einz.* Interpol; **international law** *sub*, *-s* Völkerrecht; **international match** *sub*, *-es* Länderspiel; **international standing** *sub*, *nur Einz.* Weltgeltung; **international treaty** *sub*, *-ies* Staatsvertrag; **internationalism** *sub*, *nur Einz.* Internationalismus; **internationalize** *vt*, internationalisieren

internee, *sub*, *-s* Internierte

internet, *sub*, *-s* Internet

internment, *sub*, *-s* Internierung

internode, *sub*, *-s (bot.)* Internodium

internuntio, *sub*, *-s* Internuntius

interparty, *adj*, interfraktionell

interpellation, *sub*, *-s* Interpellation; **interpellator** *sub*, *-s* Interpellant

interplanetary, *adj*, interplanetarisch

interpolate, *vt*, interpolieren

interpret, *vt*, auffassen, interpretieren; *(interpretieren)* auslegen; *misinterpret sth* etwas falsch auffassen; *misinterpret* etwas falsch deuten; **~ation** *sub*, *-s* Auslegung, Deutung, Interpretation; *(Deutung)* Auffassung; **~ation of dreams** *sub*, *interpretations* Traumdeutung; **~er** *sub*, *-s* Dolmetscher, Interpret; **~er (f.)** *sub*, *-s* Interpretin; **~er of dreams** *sub*, *interpreters* Traumdeuter

interregnum, *sub*, *-na,-nums* Interregnum

interrelated, *adj*, *(ugs.)* versippt; **~ subjects** *sub*, *-* Themenkreis

interrogate, *vt*, *(verhören)* ausfragen; **interrogative pronoun** *sub*, *-s* Interrogativpronomen

interrupt, (1) *vi*, *(Gespräch)* hineinreden (2) *vt*, unterbrechen (3) *vti*, *(unterbrechen)* stören; **~ion** *sub*, *-s* Interruption, Unterbrechung

intersect, *vr*, überschneiden; **~ion** *sub*, *-s* Knotenpunkt, Kreuzung, Schnittpunkt; *(mat.)* Schnittmenge

intersexual, *adj*, intersexuell

intershop, *sub*, *-s* Intershop

interstellar, *adj*, interstellar

intersubjective, *adj*, intersubjektiv

intertrigo, *sub*, *nur Einz. (tt; med.)* Wolf

interval, *sub*, *-s* Intervall, Zwischenakt; *at long intervals (of time)* in großem zeitlichen Abstand

intervene, (1) *vi*, einschreiten, interve-

niesen (2) vt, einschalten; ~ in vt, ein
greifen; ~r sub, -s Intervenient; **intervention** sub, -s Intervention; (polit.)
Eingriff

interview, (1) sub, -s Interview, Unterredung, Vorgespräch (2) vt, interviewen;
~er sub, -s Interviewer

intervision, sub, nur Einz. Intervision

interweave, vtr, verflechten; **interweaving** sub, -s Verflechtung

intestinal adj, intestinal; ~ hae-
morrhage sub, -s Darmblutung; ~ ob-
struction sub, -s (med.) Darm-
verschluss; **intestine parasite** sub, -s
Darmparasit; **intestines** sub, nur
Mehrz. Darm, Gedärm

in the form of a prism, sub, -s Prismenform

in the near future, adv, demnächst; **in
the shape of** adj, gestalthaft; **in the
shape of a sabre** adj, säbelförmig; **in
the sick-bay** adj, revierkrank; **in the
waking state** sub, -s (i. ü. S.) Wachzustand; **in this case** adv, hierbei; **in this
country** adv, hierzulande; **in this
world** (1) adv, (veraltet) hienieden (2)
sub, in these worlds Diesseits; **in those
days** sub, nur Mehrz. dazumal; in those
days anno dazumal; **in three voices**
adv, dreistimmig; **in time** adj, fristgerecht; **in top form** sub, -s Hochform; **in
tufts/in handfuls** adv, büschelweise

intimacy, sub, -ies Intimität; **intimate**
adj, innig, intim, vertraut; intimate friends innige Freunde; intimate that
durchblicken lassen, daß

intimidate, vt, einschüchtern; (ugs.)
verprellen

intirety, sub, -ies Ganzheit; in its entirety in seiner Ganzheit

intnesify, vt, forcieren

into, adv, (in) hinein; rush headlong
into disaster in sein Verderben hineinrennen; well into the night bis in die
Nacht hinein

intolerable, adj, intolerabel, unausstehlich, untragbar; **intolerance** sub, nur
Einz. Intoleranz; **intolerant** adj, intolerant, unduldsam

intonate, vt, intonieren; **intonation**
sub, -s Intonation

intoxicated, adj, (geh.) trunken; **intoxicating** adj, berauschend; have an intoxicating effect berauschend wirken;
intoxication sub, -s Berauschung, Intoxikation, Rausch; nur Einz. (geh.) Trunkenheit

intransitive, adj, intransitiv; (gramm.)
nichtzielend

intrauterine, adj, intrauterin

intravenous, adj, intravenös; ~ **drip**
sub, -s (med.) Tropfflasche

intrepid, adj, kühn; ~**ity** sub, nur
Einz. Kühnheit

intricate, adj, (verwickelt) umständlich; that's rather intricate das hat
seine Tücken; ~ **manoeuvring** sub, -s
Eiertanz

intrigue, (1) sub, -s Intrige, Kabale, Machination, Ränke, Umtrieb (2) vti, intrigieren; ~**r** sub, -s Intrigant,
Ränkeschmied; ~**r** (f.) sub, -s Intrigantin; ~**s** sub, -Umtriebe-; **intriguing**
adj, intrigant

intrinsic, adj, weseneigen

introduce, vt, vorstellen; (Arbeit) einweisen; (Massnahmen) einleiten;
(Neuerung) einführen; (Sitte) einbürgern; (Vorstellung/Gesetz) einbringen; introduce so to so jemanden mit
jemandem bekannt machen; introduce a bill into parliament eine Gesetzesvorlage im Parlament einbringen;
introduction sub, -s Einführung, Einleitung, Einschiebung, Introduktion,
Vorstellung; (Gesetz) Einbringung; in
introduction to science eine Einführung in die Naturwissenschaften; **introductory seminar for students in
their first and second year** sub, -s
Proseminar

introspection, sub, -s Introspektion;
introspective adj, introspektiv

introverted, adj, introvertiert

intruder, sub, -s Eindringling

intuition, sub, -s Intuition; **intuitive**
adj, intuitiv

in turn, adv, wiederum; ~**s** adv, umschichtig; **in two rows** adv, doppelreihig; **in vain** adv, vergeblich;
(vergeblich) umsonst; **in verses** adj,
(Lied) strophisch; **in view of** sub, -s
(im - auf) Hinblick; **in what way** adv,
inwiefern; in what way will this put
him at a disadvantage? inwiefern
wird er dadurch benachteiligt?; **in
what/which** adv, worein, worin; **in
which** adv, wobei; **in writing** adv,
schriftlich

invade, vt, (Land) einfallen; invade a
country in ein Land einfallen; ~ **into**
vt, (mil.) eindringen; ~**r** sub, -s Invas-
or

invalid, (1) adj, invalide, ungültig;
(jur.) kraftlos; (ungültig) hinfällig,
nichtig (2) sub, -s Invalide; to declare
sth invalid etwas für nichtig erklären;
~**ate** vt, invalidisieren; ~**ity** sub, nur
Einz. Invalidität; - Ungültigkeit; -ies
(Ungültigk.) Hinfälligkeit; nur Einz.

(Ungültigkeit) Nichtigkeit

invaluable, *adj,* unschätzbar; *(äußerst nützlich)* unbezahlbar

invasion, *sub, -s* Invasion; *(Land)* Einfall; *(mil.)* Einmarsch; *(i. ü. S.: unerwartetes Auftauchen)* Überfall

invent, *vt,* erfinden; ~ **stories** *vi,* fabulieren; ~**ion** *sub, -s* Erfindung, Invention; *this statement is pure invention* die Behauptung ist aus der Luft gegriffen; ~**ive** *adj,* erfinderisch; ~**or** *sub, -s* Erfinder; ~**ory** *sub, -ies* Inventar, Inventur

inverse, *adj, (mat.)* invers; **inversion** *sub, -s* Inversion; *(mat.)* Umkehrung

invert *vt,* invertieren

invest, *vt,* investieren; *(Geld)* anlegen; *(wirt.)* einbringen; *invest capital into a company* Kapital in eine Gesellschaft einbringen; *(geben) to invest sb with full power* jmd mit einer Vollmacht versehen

investigate, (1) *vt,* untersuchen; *(erforschen)* nachgehen; *(jur.)* ermitteln **(2)** *vti,* recherchieren; ~ **thoroughly** *vt, (Problem)* durchleuchten; **investigation** *sub, -s* Ermittlung, Recherche, Untersuchung; *(Nachforschung)* Durchleuchtung; *on closer investigation* bei näherer Nachforschung; **investigaton** *sub, -s* Nachforschung; *Federal Bureau of Investigation* FBI; **investiture** *sub, -s* Investitur; **investive** *adj,* investiv; **investment** *sub, -s* Geldanlage, Investierung, Investition, Investment; **investment consultant** *sub, - s* Anlageberater; **investment fund** *sub, -s* Investmentfonds; **investor** *sub, -s* Investor, Kapitalgeber; *(wirt.)* Anleger

inveterate, *adj, (Raucher)* eingefleischt; ~ **liar** *sub, -s (veraltet)* Lügenbold

invicious, *adj, (i. ü. S.)* ungiftig

invigoration, *sub, -s (Kräftigung)* Stärkung

invincible, *adj,* unbesiegbar, unbesieglich; *(Gegner)* unbezwingbar

invisibility, *sub, nur Einz.* Unsichtbarkeit

invisible, *adj,* unsichtbar

invitation, *sub, -s* Einladung; **invite** *vt,* laden; *(zu)* einladen; *invite sb for a beer* jmd auf ein Bier einladen; *invite sb to dinner* jmd zum Abendessen einladen; *invite so out for dinner* jmd zum (auswärts) Abendessen einladen

invocation, *sub, -s (von Geistern)* Beschwörung

invoice, *vt, (kaufm.)* fakturieren

involuntary, *adj,* unfreiwillig, unwillkürlich

involve, *vt,* involvieren, verstricken; *(Person)* einbeziehen; *get involved in an argument* sich auf einen Streit einlassen; *without my wife's involvement* ohne das Mitwirken meiner Frau; ~**d** *adj,* verwickelt; ~**ment** *sub, -s* Verwicklung; *(Einsatz)* Engagement

inward(s), *adv,* inwärts; **inwardly** *adv,* innerlich; **inwards** *adv,* einwärts

iodine, *sub, nur Einz.* Jod; ~ **tincture** *sub, -s* Jodtinktur

ion, *sub, -s (phy.)* Ion; ~ **accelerator** *sub, -s* Ionenantrieb; ~**ization** *sub, -s* Ionisierung; *(phy.)* Ionisation; ~**ize** *vt,* ionisieren

ionosphere, *sub, nur Einz.* Ionosphäre

iota, *sub, -s* Jota

IQ, *sub, -s* Intelligenzquotient

Iranian, *adj,* iranisch; ~ **studies** *sub, nur Mehrz.* Iranistik

Iraqi, *adj,* irakisch

irascible, *adj,* cholerisch, jähzornig

Ireland, *sub,* Irland

irenic, *adj,* irenisch

iris, *sub, -es* Iris, Regenbogenhaut; *(bot.)* Schwertlilie

Irish, *adj,* irisch; ~**man** *sub, -men* Ire

iron, (1) *adj,* eisen, eisern **(2)** *sub, -s* Bügeleisen; *nur Einz.* Eisen; *-s* Plätteisen; *(ugs.)* Schießprügel **(3)** *vt,* aufbügeln, plätten **(4)** *vti,* bügeln; *cast-iron constitution* eiserne Gesundheit, *have many irons in the fire* viele Eisen im Feuer haben; *strike while the iron is hot* man muß das Eisen schmieden, solange es heiss ist; *have an iron will* einen stählernen Willen haben; **Iron Age** *sub, -s* Eisenzeit; ~ **bar** *sub, -s* Eisenstange; ~ **out** *vt,* ausbügeln; ~**bearing** *adj,* eisenhaltig; ~**sheet** *sub, -s* Eisenblech; ~**ic(al)** *adj,* ironisch; ~**ical person** *sub, -people* Ironiker; ~**ing** *sub, nur Einz.* Mangelwäsche; ~**ing-board** *sub, -s* Bügelbrett; ~**ing-machine** *sub, -s* Bügelautomat; ~**mongery** *sub, nur Einz.* Eisenwaren; ~**works** *sub, iron foundry* Eisenhütte

irony, *sub, -ies* Ironie

Iroquois, *sub, -* Irokese

irrational, *adj,* irrational, vernunftwidrig; ~**ism** *sub, nur Einz.* Irrationalismus; ~**ity** *sub, -ies* Irrationalität

irreality, *sub, -ies* Irrealität

irreconcilable, *adj,* unversöhnlich

irredentist, *sub, -s* Irredentist

irrefusable, *adj,* unabweislich

irrefutable, *adj,* unwiderlegbar; ~**d** *adj,* unumstößlich

irregular, *adj,* irregulär, ordnungswid-

rig, regellos, ungeregelt, ungleichmäßig, unregelmäßig, zwanglos; **~ity** *sub,
-ies* Irregularität

irrelevance, *sub, nur Einz.* Irrelevanz;
(Bedeutungslosigkeit) Belanglosigkeit;
irrelevant *adj,* irrelevant, unbeachtlich, unsachlich; *(unnötig)* gegenstandslos

irreligious, *adj,* irreligiös

irreparable, *adj,* irreparabel

irreplaceable, *adj,* unersetzbar, unersetzlich

irreproachable, *adj,* tadellos

irresistible, *adj,* unwiderstehlich

irresolute, *adj,* unschlüssig

irresponsible, *adj,* unverantwortlich,
verantwortungslos; *(verantwortungslos)* gewissenlos

irretrievable, *adj,* unwiederbringlich

irreversible, *adj,* irreversibel

irrevocable, *adj,* unwiderruflich

irrigate, *vt,* berieseln, bewässern, überrieseln; **irrigation** *sub, -s* Berieselung,
Bewässerung, Überrieslung

irritability, *sub, -* Gereiztheit

irritable, *adj,* irritabel; **irritate** *vt,* irritieren, verdrießen; **irritated** *adj,* gereizt;
irritating *adj,* nervig; **irritation** *sub, -s*
Irritation

is broken, *vti, (geht nicht)* gehen; *the
dishwasher is broken* die Spülmaschine
geht nicht

Isegrim, *sub, -* Isegrim

Islam, *sub, nur Einz.* Islam; **~ic** *adj,* islamisch, islamistisch; **islamize** *vt,* islamisieren

island, *sub, -s* Insel; **~ in the Baltic
(Sea)** *sub, islands* Ostseeinsel; **~er**
sub, -s Insulaner; **isle** *sub, -s* Eiland;
islet *sub, -s (geogr.)* Holm

ism, *sub, -s (phil.)* Ismus

isobar, *sub, -s (meteor.)* Isobare

isochromat, *sub, -s* Isochromasie; **~ic**
adj, isochromatisch

isogonic, *adj, (mat.)* isogonal

isolate, *vt,* internieren, isolieren; **~ o.s.
(1)** *vr, (i. ü. S.)* absondern **(2)** *vt,* isolieren; **~d** *adj,* isoliert; *(abgelegen)* einsam; **isolation** *sub, nur Einz.* Isolation,
Isoliertheit; *~s* Vereinsamung, Vereinzelung; *nur Einz. (abgeschieden)* Einöde;
isolation ward *sub, -s (med.)* Isolierstation; **isolationist** *sub, -s* Isolationist

isometric(al), *adj,* isometrisch; **isometry** *sub, -ies (mat.)* Isometrie

isomorphic, *adj, (biol.)* isomorph; **isomorphism** *sub, -s* Isomorphie

isostacy, *sub, nur Einz. (geol.)* Isostasie

isotherm, *sub, -s (tt)* Isotherme

isotope, *sub, -s (tt; chem. phys.)* Isotop

isotron, *sub, -s (nucl.)* Isotron

Israeli, *sub, -s* Israeli; **~te** *adj,* israelitisch

issue, (1) *sub, -s* Streitfrage, Streitpunkt; *(Angelegenheit)* Frage; *(einer
Zeitschrift)* Ausgabe; *(Streitfrage)* Gegenstand; *(von Dokumenten)* Ausstellung; *(wirt.)* Emission **(2)** *vt,*
ausfertigen; *(wirt.)* emittieren; *controversial issue* heißes Thema; *decide the
issue* den Ausschlag geben; *tackle a
hot issue* ein heisses Eisen anfassen;
without issue ohne Nachkommen; **~s**
sub, nur Mehrz. Belang; *public issues*
öffentliche Belange; **issuing** *sub, nur
Einz.* Ausfertigung; **issuing counter**
sub, -s Ausleihe; **issuing/distribution
of goods** *sub, -s (i. ü. S.)* Warenausga-
be

isthmus, *sub, -es* Isthmus, Landenge

ist is considered proper, *vr, (sich)* geziemen

it, *pron,* es; *I can do it* ich kann es; *is it
you* bist du es; *it´s raining* es regnet;
its me ich bin es; *nobody will admit
to it* keiner will es gewesen sein; *out
with it!* heraus mit der Sprache!; **~
(acc.)** *pron,* ihn; **~ (dat. fem.)** *pron,*
ihr; **~ (dat.)** *pron,* ihm; **~ doesn´t
matter** *adj, (egal)* gleich; *it doesn´t
matter when and where* es ist ganz
gleich wann und wo; **~ is a matter of**
vr, (sich um ~) handeln; **~ is all the
same to me** *adj, (egal)* gleich; **~ is
perfectly plain** *vt, (daran)* herumdeuteln; **~ was a long time ago** *vi, (i.
ü. S.)* zurückliegen

Italian, (1) *adj,* italienisch **(2)** *sub, -s*
Italiener, Italienerin; **~ (language)**
sub, nur Einz. Italienische; **~-made
Western** *sub, -s* Italowestern

italic, *adj,* kursiv; *in italics* schräg gedruckt; **~ized print** *sub, nur Einz.*
Kursivdruck

itch, (1) *sub, -es* Juckreiz **(2)** *vi,* jucken;
~ing powder *sub, -s* Juckpulver

item, *sub, -s (Tagesordnungspunkt)*
Gegenstand; *(Ware)* Artikel; *(Zei-
tungs~)* Notiz; **~ of classified information** *sub, -s* Verschlusssache

itend, *vt,* vorhaben

iteration, *sub, -s (mat.)* Iteration; **iterative** *adj,* iterativ

itinerant singing, *sub, nur Einz.* Bänkelsang

its, *pron,* sein

ivory, (1) *adj,* elfenbeinern **(2)** *sub,
nur Einz.* Elfenbein; *-ies (Elefant)*
Stoßzahn; **~ tower** *sub, -s* Elfenbein-
turm

J

jacaranda, *sub,* -s Palisander
jack, *sub,* -s Bube, Wagenheber; *Jack in the Box* Kinderspiel; *the bad boy of the Box* böse Bube; **~ of all rades** *sub,* - Hansdampf; **~ of all trades** *sub,* -s - Allerweltskerl; *Jacks* Tausendsasa; *(Alleskönner)* Tausendkünstler; **~ plane** *sub,* -s Schrupphobel; **~ up** *vt,* aufbocken; *(Auto hoch-)* hebeln
jackal, *sub,* -s Schakal
jackdaw, *sub,* -s Dohle
jacket, *sub,* -s Jacke, Jackett, Ummantelung; **~ crown** *sub,* -s *(med.)* Jakketkrone; **~ pocket** *sub,* -s Jackentasche
jackpot, *sub,* -s Haupttreffer, Jackpot; *to hit the jackpot* das große Los ziehen
Jacobin, *sub,* -s Jakobiner; **~ic(al)** *adj,* jakobinisch; **~ism** *sub, nur Einz.* Jakobinertum
Jacob´s ladder, *sub,* -s *(bot.)* Jakobsleiter
Jacquard, *sub,* -s Jacquard; **~ material** *sub,* -s Jacquard
jade, *sub,* -s Jade
jagged, *adj,* gezackt, schartig, zackig; **~ line** *sub,* -s Zackenlinie
jaguar, *sub,* -s *(zool.)* Jaguar
jail, *sub,* -s Gefängnis; **~er** *sub,* -s *(ugs.)* Schließerin
jam, (1) *sub,* -s Konfitüre, Marmelade, Verstopfung **(2)** *vt,* klemmen; *be jammy* Dusel haben
Jamaican, (1) *adj,* jamaikanisch **(2)** *sub,* -s Jamaikaner(in)
jamb, *sub,* -s *(Tür~, Fenster~)* Pfosten
jamming, *sub,* -s *(durch Störsender)* Funkstörung
janitor, *sub,* -s Pedell; *(US)* Hausbesorger, Hausmeister
January, *sub,* -ies Januar; - *(ugs.)* Schneemonat, Schneemond
Janus-face, *sub,* -s Janusgesicht; **~d** *adj,* januskÖpfig
jap, *sub,* -s *(vulg.)* Japser; **Japan** *sub* Japan; **Japan expert** *sub,* -s Japanologin; **Japanese (1)** *adj,* japanisch **(2)** *sub,* men Japaner; **Japanology** *sub, nur Einz.* Japanologie
jardinière, *sub,* -s Jardiniere
jargon, *sub,* -s Jargon
jasmine, *sub,* -s Jasmin
jasper, *sub,* -s Jaspis
jaundiced, *adj,* gelbsüchtig
javelin, *sub,* -s *(spo.)* Speer; **~ thrower** *sub,* -s Speerwerfer
jaw, *sub,* -s Kiefer; *her jaw just dropped* ihr verschlug es den Atem; *my jaw*

dropped da blieb mir die Spucke weg; **~-bone** *sub,* -s Kinnlade; **~bone** *sub,* -s Kieferknochen; **~s** *sub, nur Mehrz. (Tiere)* Maul; *the jaws of death* die Klauen des Todes; *with its prey between its jaws* mit der Beute im Maul
jay, *sub,* -s Eichelhäher, Häher
jealous, *adj,* eifersüchtig, neidisch; *to make sb jealous* jmds Neid erregen; *to be jealous of sb* auf jmdn neidisch sein; **~y** *sub,* - Futterneid; *nur Einz.* Neid; *out of jealousy* aus Neid; **~y (of)** *sub,* -ies Eifersucht
jeans, *sub, nur Mehrz.* Jeans
jeep, *sub,* -s Jeep
Jehova, *sub,* - Zebaoth
jelly, *sub,* -s Gallert, Gelee; - *(ugs.)* Wackelpeter; -ies *(gastr.)* Götterspeise; *my knees turned to jelly* die Knie wurden mir weich, *(ugs.)* der Schreck fuhr mir in die Glieder; *(ugs.)* to have knees like jelly Knie weich wie Wachs haben; **~ baby** *sub,* -ies Gummibärchen; **~-like** *adj,* gallertartig; **~fish** *sub,* -es Qualle
jerboa, *sub,* -s Springmaus
jerk, (1) *sub,* -s Ruck; *(ugs.)* Fatzke **(2)** *vi,* rücken; *(vulg.)* wichsen; **~ily** *adv, (bewegen)* eckig
jerkin, *sub,* -s Wams
jerky, *adj,* ruckartig
jerry can, *sub,* - -s Benzinkanister
jersey, *sub,* -s Trikot
jest, *vi,* spaßen; **~er** *sub,* -s *(Hof~)* Narr
Jesuit, *sub,* -s Jesuit; **~ism** *sub, nur Einz.* Jesuitentum
jet, (1) *sub,* -s Düsenmaschine, Jet; *(Einspritz-)* Düse; *(Wasser-)* Strahl **(2)** *vti,* jetten; **~ aeroplane** *sub,* -s Düsenflugzeug; **~ black** *adj,* kohlrabenschwarz; **~ engine** *sub,* -s Strahltriebwerk; **~ fighter** *sub,* -s Düsenjäger; **~ lag** *sub,* -s Jetlag; **~ of water** *sub,* -s Wasserstrahl; *(Strahl)* Guss; **~ propulsion** *sub,* -s Düsenantrieb; **~ set** *sub, nur Einz.* Jetset; **~ stream** *sub,* -s *(meteor.)* Jetstream; **~sam** *sub,* -s *(angespültes)* Strandgut
Jew, *sub,* -s Jude; **~´s harp** *sub,* -s Maultrommel
jewel, *sub,* -s Juwel; **~led** *adj,* schmückend; **~ler** *sub,* -s Juwelier; **~lery** *sub,* -ies Geschmeide; *nur Einz.* Schmuck, Schmuckwaren; *(ugs.)* Klunker; **~ry** *sub,* -ies *(US)* Geschmeide
jib, *sub,* -s Klüver

jigsaw, *sub.* *-s* Puzzle; ~ **puzzle** *sub.* *-s* Puzzlespiel

jingle, *sub.* *-s* Jingle

jitters, *sub.* *nur Mehrz.* Flattermann; **jittery** *adj.* (*ugs.*) kribbelig

job, *sub.* *-s* Auftrag, Beruf, Fach, Job, Metier, Tätigkeit; (*Arbeitsauftrag*) Aufgabe; (*Arbeitsstelle*) Arbeitsplatz; (*Beruf*) Arbeit; *know o´s job* sein Fach verstehen; *have a job* berufstätig sein; *look for a job* eine Arbeit suchen; (*ugs.*) *make a bad job off* sich dumm anstellen; *pull a job* ein Ding drehen; *to be away on a job* auf Montage sein; (*ugs.*) *to do the job properly* Nägel mit Köpfen machen; *to be good at one´s job* sich auf sein Metier verstehen; *job security* Sicherheit von Arbeitsplätzen; *job vacancies* freie Arbeitsplätze; *have a job* Arbeit haben; ~ **market** *sub.* *-s* Stellenmarkt; ~ **of one´s dreams**, *jobs* Traumjob; ~ **offer**, *s* Stellenangebot; ~ **sharing** *sub.*, *nur Einz.* Jobsharing; ~ **title** *sub.*, *- -s* Berufsbezeichnung; ~**-hunting** *adj.*, arbeitssuchend

jockey, *sub.* *-s* Jockey

jocular, *adj.* scherzhaft

jog, (1) *vi.* joggen (2) *vt.* stupfen, stupsen; ~**ger** *sub.* *-s* Jogger; ~**ging** *sub.*, *nur Einz.* Jogging

join, (1) *sub.*, *-s* (*tech.*) Naht (2) *vi.*, (*Club*) eintreten (3) *vt.* beigesellen, beitreten; (*angrenzen*) anschließen; (*sich angliedern*) angliedern; (*teilnehmen*) mitmachen; *at the point where the B300 joins the A9* an der Mündung der B300 auf die A9; (*Tod*) *he has gone to join his wife* er ist seiner Gattin nachgefolgt; *join in the laughter* in das Gelächter einstimmen; *join so* sich jemandem beigesellen; *may I join you?* darf ich mich zu Ihnen setzen?; *to have joined forces* liiert sein; (*ugs.*) *to have to join up* zum Militär müssen; *to join in* mit von der Partie sein; *you can let your family join you later* Sie können Ihre Familie nachkommen lassen; *he always joins in* er macht alles mit; ~ **an alliance** *vi.*, (*polit.*) liieren; ~ **forces** *vi.*, liieren; ~ **in** *vi.*, mitreden, mitsprechen; (*mus.*) einstimmen; ~ **so** *vt.*, gesellen; ~ **sth.** *vt.*, einreihen; *join sth* sich in etwas einreihen; ~ **together** *vr.*, vereinen; ~**er** *sub.* *-s* Tischler; ~**ing** *sub.* *-s* Beitritt; - Kopplung; *-s* (*Verein*) Eintritt; *on his joining the club* bei seinem Eintritt in den Club

joint, (1) *adj.*, (*jur.*) korrespektiv (2) *sub.*, *-s* Gelenk, Joint; (*tech.*) Fuge; (*i. ü. S.*) *be thrown out of joint* aus den Fugen geraten; ~ **heirs** *sub.*, *nur Mehrz.* Erbengemeinschaft; ~ **of meat including ribs** *sub.*, *-s* Rippenstück; ~ **plaintiff** *sub.*, *-s* Mitklägerin; (*jur.*) Nebenkläger; ~ **use** *sub.*, *nur Einz.* Mitbenutzung; ~**-stock company** *sub.*, *-ies* Aktiengesellschaft; *-ies* Kapitalgesellschaft; ~**ed doll** *sub.*, *-s* Gliederpuppe

joke, (1) *sub.*, *-s* Jux, Scherz, Späßchen, Witz; (*Scherz*) Spaß, Ulk (2) *vi.* kalauern, scherzen, spaßen, witzeln; *do something as a joke* etwas aus Ulk tun; *he can´t take a joke* er versteht keinen Spaß; *he is not to be joked with* er lässt nicht mit sich spaßen; *he´s joking* er beliebt zu scherzen; *is this some kind of practical joke?* das ist doch wohl ein Aprilscherz; (*i. ü. S.*) *it´s no joke* das ist schon nicht mehr feierlich; *play jokes on someone* seinen Ulk mit jemandem treiben; *that is no joking matter* damit ist nicht zu spaßen; *you must be joking!* sie spaßen wohl!; ~ **figur** *vi.*, flachsen; ~**r** *sub.*, *-s* Eulenspiegel, Joker, Schalk, Spaßvogel; **joking** *adj.*, scherzweise; *joking apart!* Spaß beiseite!

jolly, *adj.* fidel; (*munter*) lustig; *jolly fellow* Bruder Lustig

Jordanian, *sub.*, *-s* Jordanier(in)

Josephine, *adj.*, (*hist.*) Josephinisch

jostle (against), *vt.*, anrempeln

jotter, *sub.*, *-s* Schmierheft

journal, *sub.*, *-s* Journal; (*wirt.*) Tagebuch; ~**ism** *sub.*, *nur Einz.* Journalismus, Journalistik, Publizistik; ~**ist** *sub.*, *-s* Journalist, Journalistin, Publizist, Publizistin; ~**istic** *adj.*, journalistisch

journey, *sub.*, *-s* Anreise, Reise; (*Reise*) Fahrt; *set out on a journey* eine Reise antreten, sich auf eine Reise begeben; *to journey through life* durchs Leben wandern; *on the journey* auf der Fahrt; ~ **here** *sub.*, *-s* Herfahrt; ~ **there** *sub.*, *-s* Hinfahrt; ~ **through** *sub.*, *-s* Durchreise; ~**man** *sub.*, *-men* (*Handwerker*) Geselle

jovial, *adj.* jovial

joy, *sub.*, *nur Einz.* Entzückung; *-s* Freude, Freudigkeit, Wonne; *pure joy* eitel Freude; *there´s no joy without sorrow* wo Licht ist, ist auch Schatten; *to jump for joy* vor Freude in die Luft springen; *it was a real joy* es war reine Freude; *joy and sorrow* Freud und Leid; *weep for joy* vor Freude weinen; ~**ful** *adj.*, freudenreich, freudig;

~**less** *adj*, freude(n)los, freudlos; ~**s of fatherhood** *sub, nur Mehrz.* Vaterfreuden; ~**stick** *sub, -s (comp.)* Joystick

jubilee, *sub, -s* Jubiläum

Judaism, *sub, nur Einz.* Judaismus; **Judaist studies** *sub, -* Judaistik; **Judas** *sub, -es* Judas; **Judas kiss** *sub, -es* Judaskuss

judge, (1) *sub, -s* Preisrichter, Punktrichter, Richter **(2)** *vi,* richten, urteilen **(3)** *vt, (Person)* einschätzen; *(Situation, Verhalten)* beurteilen; *(ugs.! Urteil)* fällen **(4)** *vti,* judizieren, werten; *appoint os as a judge* sich zum Richter aufwerfen; *to judge others by one´s own standards* von sich auf andere schließen, *be a good judge of sth* etwas gut beurteilen können; *misjudge sth* etwas falsch beurteilen; ~ **in a regional court** *sub,* Landrichter; ~**able** *adj, (Person)* einschätzbar; ~**ment** *sub, -s* Gutdünken, Urteil, Urteilsspruch; *(einer Situation, von Verhalten)* Beurteilung; *(Richter-)* Spruch; **judging** *sub, -s* Einschätzung

judicative, *sub, -s* Judikative; **judicature** *sub, -s* Judikatur; **judicial** *adj,* gerichtlich, richterlich; **judicial hearing** *sub, -s* Gerichtsverhandlung; **judiciary** *sub, nur Einz.* Justiz

judo, *sub, nur Einz. (spo.)* Judo

judoka, *sub, -s* Judoka

jug, *sub, -s* Kanne, Krug; ~**ger** *sub, -s* Taschenspieler

juggle, *vti,* jonglieren; ~**r** *sub, -s* Jongleur

juice, *sub, -s* Juice, Saft; *(ugs.! Benzin)* Sprit; ~**r** *sub, -s* Fruchtpresse; ~**s** *sub, nur Mehrz. (Kochk.)* Fond; **juicy** *adj,* saftig

juke box, *sub, -es* Jukebox

jukebox, *sub, -es* Musicbox, Musikautomat, Musikbox

July, *sub, -s* Juli

Jumbo (jet), *sub, -s* Jumbojet

jump, (1) *sub, -s* Absprung, Sprung **(2)** *vi,* springen **(3)** *vt, (spo.)* überspringen **(4)** *vti,* jumpen; *jump around from one subject to another* von einem Thema zum anderen springen, *get ready to jump* zum Sprung ansetzen; *jump off the plane* vom Flugzeug abspringen; *jump the gun* einen Fehlstart verursachen; *take a running jump* rutsch mir den Buckel runter; *to jump to it* aufs Wort parieren; ~ **at** *vi,* anspringen; *(ugs.)* zugreifen; ~ **hill** *sub, -s* Sprunghügel; ~ **leads** *sub, nur Mehrz.* Starthilfekabel; ~ **like a dolphin** *vi,* Delfinsprung; ~ **off** *vi,* abspringen; ~

out *vi,* vorspringen; ~ **over** *vi,* hinwegsetzen; ~ **up** *vi, (hochspringen)* aufspringen; *(Person)* auffahren; ~ **up (from a chair)** *vi,* hochspringen

jumper, *sub, -s* Pullover, Springpferd, Sprungpferd; ~ **cable** *sub, -s (US)* Starthilfekabel; **jumping facilities** *sub, nur Mehrz.* Sprunganlage; **jumping jack** *sub, -s* Hampelmann, Knallfrosch; **jumping sheet** *sub, -s* Sprungtuch; **jumpy** *adj, (ugs.)* rappelig

June, *sub, -s* Juni

jungle, *sub, -s* Dschungel; - Urwald; *the law of the jungle* das Recht des Stärkeren; ~ **area** *sub, -s* Urwaldgebiet; ~ **of regulations** *sub, nur Einz.* Paragrafendschungel; ~ **of traffic signs** *sub, -s* Schilderwald

junior departemental manager, *sub, -s* Disponent; **junior executive** *sub, -s* Juniorchef; **junior high** *sub, -s (US)* Mittelstufe

juniper, *sub, nur Einz. (tt; bot.)* Wacholder; ~ **(tree)** *sub, -s* Machandel

junk, *sub, -s* Dschunke; - Gerümpel; *nur Einz.* Kram, Krempel, Plunder, Tinnef, Trödel; *(ugs.)* Ramsch, Schamott, Zimt; *(ugs.) the flat is crammed with old junk* die Wohnung ist vollgestopft mit altem Kram; ~ **dealer** *sub, - -s* Altwarenhändler; ~ **room** *sub, -s (ugs.)* Rumpelkammer; ~ **shop** *sub, -s* Ramschladen; ~**dealer** *sub, -s (Händler)* Trödler; ~**ie** *sub, -s* Fixer, Junkie

junta, *sub, -s (polit.)* Junta

juridicial district, *sub, -s* Gerichtsbezirk; **jurisdication** *sub, -s* Gerichtsbarkeit; **jurisdiction** *sub, -s* Jurisdiktion, Rechtsprechung; *nur Einz. (tt; jur.)* Zuständigkeit; **jurisprudence** *sub, nur Einz.* Jurisprudenz; ~ **-s** Rechtslehre, Rechtswissenschaft; **juror** *sub, -s* Schöffe

jurt, *sub, -s* Jurte

jury, *sub, -ies* Jury, Preisgericht; ~ **bench** *sub, -s* Schöffenbank

just, (1) *adj,* gerecht **(2)** *adv,* eben, gerade, just, schon, soeben; *(einschr., verstärk., Negation, Aufford.)* nur; *(einschränkend)* noch; *(zeitl.)* erst; *did you just say sth* hast du eben was gesagt; *it´s just no good* es taugt eben nichts; *only just* eben erst; *that´s just what I think* eben das meine ich auch; *he´s just out now* er ist gerade unterwegs; *I was just reading* ich war gerade beim Lesen; *just in that moment* gerade in dem Augenblick; *I just don´t like him!* er passt mir einfach nicht!; *just ask him* frag ihn doch; *just don´t tell your wife!* sagen Sie das nur nicht ihrer Frau!; *just for that* nur erst recht; *just for this purpose* eigens aus diesem Grunde; *just go!* geh nur!; *I was just talking* ich hab das nur so gesagt; *I´ve eaten just a piece of bread* ich habe nur ein Stück Brot gegessen; *it´s just a pity that* nur schade, dass; *only just good enough* gerade noch gut genug; *just now* eben erst; ~ **a housewife** *sub, -wives (- am Herd)* Heimchen; ~ **as** *adv,* (mit Adj) ebenso; *just as good as* ebenso gut wie; ~ **as little** *adj,* (wenig) genauso; ~ **as long** *adj,* (lang) genauso; ~ **as much (1)** *adj,* (gern) genauso **(2)** *adv,* (mit Verben) ebenso sehr; *he loves her just as much as* er liebt sie ebenso sehr wie; ~ **as much/many** *adv,* ebenso viel; ~ **as often** *adj,* (oft) genauso; ~ **as well** *adv,* ebenso gut, geradeso gut; *he does it just as well as his brother* er macht es ebenso gut wie sein Bruder; ~ **for the fun of it** *sub, (bayr.,österr.)* Gaudi; ~ **like** *adj,* (wie) genauso; ~ **like that** *adj,* glattweg; ~**now** *adv,* vorhin; ~ **the same** *pron,* ebensolche; ~/**of all** *adv,* ausgerechnet; *just when they are gone* ausgerechnet wenn sie weg sind; *me of all people* ausgerechnet ich; *today of all days* ausgerechnet heute

justice, *sub,* - Gerechtigkeit; *nur Einz.* Justitia; ~ **of the peace** *sub, -s (US)* Friedensrichter

justifiable, *adj,* vertretbar; **justification** *sub, -s* Justifikation, Rechtfertigung; *(Rechtfertigung)* Begründung; **justified** *adj,* begründet; *be unjustified* nicht begründet sein; **justify** *vt,* justifizieren, rechtfertigen; *(rechtfertigen)* motivieren; **justify sth** *vr,* verantworten

jut, *vi,* ragen; ~ **out** *vi,* herausragen, hervorragen, überstehen, vorstehen; *(arch.)* ausladen

Jutlandic, *adj,* jütländisch

Juvenalian, *adj,* juvenalisch

juvenile, *adj,* juvenil; ~ **delinquency** *sub, nur Einz.* Jugendkriminalität

juxtaposition, *sub, -s* Juxtaposition; *nur Einz.* Nebeneinander

K

Kaaba, *sub*, *nur Einz*. Kaaba

kainite, *sub*, *-s* Kainit

kala azar, *sub*, *nur Einz*. *(med.)* Kala-Azar

kale, *sub*, *-s* Grünkohl

kaleidoscope, *sub*, *-s* Kaleidoskop

Kamikaze, *sub*, *nur Einz*. Kamikaze

Kanaka, *sub*, *-s* Kanake

kangaroo, *sub*, *-s (zool.)* Känguru; ~ court *sub*, *-s (Gebeimgericht)* Feme

Kaposi´s sarcoma, *sub*, *-ta (med.)* Kaposisarkom

kappa, *sub*, *-s* Kappa

Karakalpak, *sub*, *-s (Anthrop.)* Karakalpake

karakul, *sub*, *-s* Karakulschaf

karate belt, *sub*, *-s* Dan; **karate expert** *sub*, *-s (spo.)* Karateka

karst development, *sub*, *-s* Verkarstung

Kashubian, *adj*, kaschubisch

katabolism, *sub*, *nur Einz*. Katabolismus

kauri (pine), *sub*, *-s (bot.)* Kopalfichte

Kawi, *sub*, *nur Einz*. Kawisprache

kayak, *sub*, *-s* Kajak; ~ pair *sub*, *-s (spo.)* Kajakzweier

kebab, *sub*, *-s* Kebab, Schaschlik

keel, *sub*, *-s* Kiel; *to put one´s finances back on an even keel* seine Finanzen wieder ins Lot bringen

ke(e)lson, *sub*, *-s* Kielschwein

keen insight, *sub*, *nur Einz*. Scharfblick; **keen on running** *adj*, lauffreudig; **keen on sport** *adj*, sportbegeistert; **keen on titles** *adj*, titelsüchtig; **keen on travel(ling)** *adj*, reiselustig; **keen perception** *sub*, *nur Einz*. Scharfsinn; **keenness** *sub*, *nur Einz*. Beflissenheit; - Versessenheit

keep, (1) *vi*, halten (2) *vr*, halten (3) *vt*, halten, verwahren; *(aufbewahren)* aufheben; *(Bücher)* führen; *(Gegenstand etc.)* behalten; *(Person)* aushalten; *(unterhalten)* ernähren; *(Verabredung/Limit)* einhalten; *keep right/left* rechts/links halten; *keep up one´s good health* sich bei guter Gesundheit halten; *keep warm* sich warm halten; *keep well* sich gut halten, *keep time* den Takt halten; *keep to a diet* Diät halten; *keep a secret to os* ein Geheimnis für sich behalten; *keep cool* die Nerven behalten; *keep in view* etwas im Auge behalten; *keep a family* eine Familie ernähren; *keep at it* bleib dran, (*i. ü. S.*) am Ball bleiben; *(Maschinen) keep going* in Gang halten; *keep one´s word* sein Wort einlösen; *keep so alive* jmd

am Leben erhalten; *keep sth to oneself* hinterm Busch halten mit; *(spo.) keep the ball on the ground* flach spielen; *keep the change!* stimmt so!; *keep to one´s resolution* seinem Vorsatz treu bleiben; *keep your advice!* spar dir deine Ratschläge!; *keep your shirt/hair on!* nun mach dich bloß nicht nass!; *not so fast, I can´t keep up!* nicht so schnell, ich kann nicht mehr mitschreiben!; *that keeps you young* das erhält einen jung; *(ugs.) to keep away* sich rar machen; *(ugs.) to keep sb in suspense* jmd zappeln lassen; *keep a promise* ein Versprechen einhalten; *keep going in the same direction* die Richtung einhalten; *keep one´s distance* Abstand halten; *keep the distance* den Abstand einhalten; ~ **a car in a garage** *sub*, Garagenwagen; ~ **a close watch** *vt*, *(ugs.)* Schießhund; ~ **a look-out** *sub*, *nur Einz*. Wachestehen; ~ **an eye on** *vt*, *(beobachten)* überwachen; ~ **apart** *vt*, *(getrennt halten)* auseinander halten; ~ **at a moderate temperature** *vt*, temperieren; ~ **at hand** *vi*, bereithalten; ~ **away** *vt*, davonbleiben; ~ **back** *vt*, zurückbehalten; ~ **bees** *vt*, imkern; ~ **busy** *vt*, *(Person)* beanspruchen; ~ **clear** *vt*, *(Straße)* freihalten; ~ **fit** *vr*, *(spo.)* trimmen; ~ **free from** *vt*, *(von)* freihalten

keeper, *sub*, *-s* Tiergärtner, Tierpfleger, Wärter; *(ugs.)* Verwahrerin; **keeping** *sub*, *nur Einz*. Einhaltung; *-s* Verwahrung; *(Tiere)* Haltung; **keeping clean** *sub*, *nur Einz*. Reinhaltung; **keepsake** *sub*, *-s (Gegenstand)* Andenken

keep house, *vi*, *(ugs.)* wirtschaften; ~ **for** *vt*, Haus halten; **keep off** *vt*, *(abbringen)* abhalten; *keep so from doing sth* jemanden davon abhalten etwas zu tun; **keep on** (1) *vi*, *(ugs.)* zureden (2) *vt*, anbehalten, aufbehalten; *(anbehalten)* anlassen; *keep one´s hat on* seinen Hut aufbehalten; **keep on driving** *vi*, weiterfahren; **keep one´s mouth shut** *vt*, dichthalten; *he cannot keep his mouth shut* er kann nicht dichthalten; **keep oneself free for** *vt*, *(sich .... für)* freihalten; **keep open** *vt*, offen halten; *(Angebot Stelle)* freihalten; *to keep a job open for sb* eine Stelle für jmdn offenhalten; **keep oscillating** *vi*, *(phy.)* einschwingen; **keep out of sth** *vr*, heraushalten;

keep so hanging *vt, (i. ü. S.; warten lassen)* hinhalten; **keep so out of sth** *vt,* heraushalten; **keep so short** *vt,* knapp halten

keep sth over, *vt,* überbehalten; **keep safe** *vt, (Platz)* freihalten; **keep secret** *vt,* verheimlichen; **keep sth shut** *vt,* zuhalten; **keep still** *vi,* stillhalten; **keep talking to** *vt, (auf jmd.)* einreden; **keep up (1)** *vi, (mithalten)* mitkommen; *(Schritt halten)* nachkommen **(2)** *vt, (Brauch)* beibehalten; *I can´t keep up* ich komme nicht mehr nach; **keep watch** *vi,* wachen; **keep-fit program(me)** *sub, -s* Trimmaktion

kefir, *sub, nur Einz.* Kefir
Kellogg Pact, *sub, nur Einz.* Kelloggpakt
Kelvin, *sub, nur Einz. (phy.)* Kelvin
kemp fibre, *sub, -s (textil)* Stichelhaar
kendo, *sub, nur Einz. (spo.)* Kendo
kennel, *sub, -s* Hundehütte, Kennel; *(-s)* Zwinger
keratin, *sub, (chem.)* Keratin
kerb, *sub, -s* Bordstein; *edge of the kerb* Bordsteinkante
kermis, *sub, -s* Kirchweih; **~ cake** *sub, -s* Kirmeskuchen
kernel, *sub, -s* Obstkern
kerosene, *sub, -s* Kerosin; *nur Einz.* Petroleum
ketch, *sub, -es* Ketsch
ketchup, *sub, -s* Ketschup
kettle, *sub, -s* Kessel, Wasserkessel; **~drum** *sub, -s* Kesselpauke, Pauke
key, *sub, -s* Schlüssel, Taste; *(mus.)* Tonart; *press a key* eine Taste drücken; **~ bugle** *sub, -s* Klappenhorn; **~ industry** *sub, -ies* Schlüsselindustrie; **~ money** *sub, nur Einz. (Wohnung)* Ablöse; **~ player** *sub, -s (spo.)* Spielmacher; **~ pressure** *sub, nur Einz.* Tastendruck; **~ reaction** *sub, -s* Schlüsselreiz; **~ word** *sub, -s* Stichwort; **~-signature** *sub, -s (tt; mus.)* Vorzeichen; **~board** *sub, -s* Klaviatur, Tastatur; *(mus.)* Keyboard; *(i. ü. S.) hammer away at the keyboard* auf die Tasten hauen; **~note** *sub, -s* Tonika; **~way** *sub, -s (Keil~)* Nute; **~word** *sub, -s* Schlüsselwort
khaki uniform, *sub, -s* Kakiuniform
kibbutz, *sub, -im* Kibbuz; **~ member** *sub, -s* Kibbuznik
kick, (1) *sub, -s* Fußtritt, Kick; *(Fuß-)*Tritt **(2)** *vi,* strampeln **(3)** *vt,* bolzen, kicken, treten; *(ugs.) a kick in the backside* ein Tritt in den Hintern; *give someone a kick* jemandem einen Tritt geben, *I could kick myself for doing it* ich könnte mich selbst ohrfeigen, dass ich das gemacht habe; *kick the ball*

about bolzen; *get kicked in the leg* gegen das Bein getreten werden; *take a kick at someone* nach jemandem treten; **~ against** *vi,* aufmucken; *(rebellieren)* aufmotzen; **~ in** *vt, (Ball)* einschießen; **~ off** *vi, (spo.)* anstoßen; **~ open** *vi, (aufstoßen)* auftreten; **~ out (1)** *vi, (Pferd)* ausschlagen **(2)** *vt, (Fußball)* abschlagen; **~ the bucket (1)** *vi, (ugs.)* krepieren **(2)** *vt, (vulg.; sterben)* abkratzen; **~ up** *vr,* spreizen; **~-off** *sub, -s (spo.)* Anstoß; *(tt; spo.)* Wiederanstoß; **~-starter** *sub, -s* Kickstarter; **~-ing everything above** *sub, - (i. ü. S.)* Geholze
kid, *sub, -s* Göre, Kitz; **~nap** *vt,* entführen, kidnappen; **~napper** *sub, -s* Kidnapper; **~napping** *sub, -s* Entführung, Kidnapping, Menschenraub
kidney, *sub, -s* Niere; **~ machine** künstliche Niere; **~ stone** *sub, -s* Nephrit, Nierenstein; **~ stones** *sub, nur Mehrz. (Nieren-)* Steinleiden; **~-shaped** *adj,* nierenförmig; **~-shaped table** *sub, -s* Nierentisch
kilim, *sub, -s* Kelim
kill, (1) *vt,* abtöten, erschlagen, morden, töten, umbringen **(2)** *vti,* totschlagen; *be killed in an accident* tödlich verunglücken; *be struck dead by lightning* vom Blitz erschlagen werden; *(i. ü. S.; ironisch) it won´t kill you* du wirst es schon überleben; *(i. ü. S.) it won´t kill you!* daran wirst du nicht sterben!; *it´s not going to kill you* du wirst dir schon kein Bein ausreißen; *(ugs.) my father will kill me* mein Vater wird mich auffressen; *that could kill off relations* das ist Gift für die Beziehung; *(i. ü. S.) the heat is killing me* ich komme um vor Hitze!; *to get ready for the kill* die Messer wetzen; *senseless killing* das sinnlose Morden; *(ugs.) if looks could kill* wenn Blicke töten könnten; **~ oneself laughing** *vr,* kranklachen; *(ugs.)* schieflachen; **~-joy** *sub, -s* Miesmacher; **~-or-cure remedy** *sub, -ies* Radikalkur; **~er** *sub, -s* Mörder; *(vulg.)* Killer; *(Person)* Totschläger; **~er satellite** *sub, -s* Killersatellit; **~er virus** *sub, -es* Killervirus; **~ing** *sub, -s* Abtötung, Tötung; *nur Einz. (ugs.)* Reibach
kiln, *sub, -s* Dörre; *kiln in* Dörre = Darre
kilo, *sub, -s* Kilo; **~calorie** *sub, -s* Kilokalorie; **~gramme** *sub, -s* Kilogramm; **~metre** *sub, -s* Kilometer; **~metric(al)** *adj,* kilometrisch
kilt, *sub, -s* Kilt, Schottenrock

kimino sleeve, *sub*, *-s* Kimonoärmel
kimino top, *sub*, *-s* Kimonobluse
kimono, *sub*, *-s* Kimono
kin(a)esthesia, *sub*, *nur Einz.* Kinästhesie
kind, (1) *adj*, freundlich, gütig, lieb, liebenswürdig (2) *sub*, *-s* Gattung, Sorte, *(Art)* Typ; *(Sorte)* Art; *could you be as kind as* könnten Sie so freundlich sein?; *with your kind permission* mit Ihrer gütigen Erlaubnis; *nothing of that kind* nichts derartiges; *she has such an engaging way* sie hat so eine liebenswürdige Art; *that´s very kind of you* das ist sehr liebenswürdig von dir; *would you be kind enough to* würden Sie die Freundlichkeit haben zu; *he´s a fraud of the worst kind* er ist ein Schwindler übelster Sorte; *other kinds of cheese* andere Sorten von Käse; *that´s a kind of* das ist eine Art von; *things of all kinds* Sachen jeder Art; ~**-hearted** *adj*, seelen(s)gut; ~**hearted** *adj*, gutherzig; ~**heartedness** *sub*, - Herzensgüte; ~**ly** *adv*, netterweise; ~**ness** *sub*, *-es* Freundlichkeit; *nur Einz.* Güte, Liebenswürdigkeit; *would you be as kind as* haben Sie die Güte zu; *(i. ü. S.) to be goodness/kindness itself* die wandelnde Güte sein
kindergarten, *sub*, *-s* Kindergarten, Spielschule
kinetic, *adj*, *(phy.)* kinetisch; ~**s** *sub*, *nur Mehrz.* Kinetik
king, *sub*, *-s* König; ~ **of the Huns** *sub*, *-s* Hunnenkönig; ~ **of trumps** *sub*, *kings* Trumpfkönig; ~**-size** *adj*, Kingsize; ~**dom** *sub*, *-s* Königreich; ~**dom of heaven** *sub*, *nur Einz.* Himmelreich; ~**ship** *sub*, *nur Einz.* Königtum
kiosk, *sub*, *-s* Kiosk; *(wirt.)* Bude; *kiosk* Telefonzelle
kip, *vi*, *(ugs.)* pennen; *(ugs.) a good kip* eine Mütze voll Schlaf; *I´ve just been kipping* ich habe gerade ein bisschen gepennt; *(ugs.) to have a kip* eine Runde Schlaf
kipper, *sub*, *-s* Kipper
kirsch, *sub*, - Kirschwasser
kismet, *sub*, *nur Einz.* Kismet
kiss, (1) *sub*, *-es* Kuss (2) *vti*, küssen; ~ **and cuddle** *vt*, *(liebkosen)* hätscheln; ~ **each other** *vti*, küssen; ~ **of peace** *sub*, *-es* Friedenskuss; ~ **on s.b.´s hand** *sub*, *-es* Handkuss; ~**-proof** *adj*, kussecht
kissem, *sub*, - *(ugs./mil.)* Spieß
kit, *sub*, *-s (spo.)* Dress; *tennis kit* Tennisdress
kitchen, *sub*, *-s* Küche; *stand in the kitchen all day long* den ganzen Tag am

Herd stehen; ~ **help** *sub*, *-s* Küchenhilfe; ~ **knife** *sub*, *-ves* Küchenmesser; ~ **scales** *sub*, *nur Mehrz.* Küchenwaage; ~ **scraps** *sub*, *nur Mehrz.* Küchenabfall; ~ **sideboard** *sub*, *-s* Küchenbüfett; ~ **table** *sub*, *-s* Küchentisch; ~ **things** *sub*, *nur Mehrz. (Küchen-)* Geschirr; ~ **unit** *sub*, *-s* Küchenzeile; ~**ware** *sub*, *-ies (Handel)* Geschirr
kite, *sub*, *-s (orn.)* Milan
kitsch, *sub*, *nur Einz.* Kitsch; ~**y** *adj*, kitschig
kiwi, *sub*, *-s* Kiwi
kleptomania, *sub*, *nur Einz. (psych.)* Kleptomanie; ~**c** *sub*, *-s* Kleptomane
knack, *sub*, *-s* Dreh; *have got the knack of it* den richtigen Dreh heraushaben; *you´ve got the knack of it now* jetzt hast du den Pfiff heraus; ~**er** *sub*, *-s* Abdecker; ~**er´s yard** *sub*, *-s* Abdeckerei, Schindanger
knapsack, *sub*, *-s (mil.)* Tornister
knead, *vt*, kneten; ~ **thoroughly** *vt*, durchkneten; *(Teig/Muskeln)* durcharbeiten; ~**ing machine** *sub*, *-s* Knetmaschine
kneel, *vi*, knien; ~ **down** *vi*, niederknien
Kneipp hydrotherapy, *sub*, *-ies* Kneippkur
knell, *sub*, *-s* Totenglocke
knickerbockers, *sub*, *nur Mehrz.* Knickerbocker, Pumphose; - Überfallhose; **knickers** *sub*, *nur Mehrz.* Schlüpfer
knick-knack, *sub*, *nur Einz.* Nippes; ~**s** *sub*, *nur Mehrz.* Krimskrams
knicknacks, *sub*, - Tand
knife, *sub*, *knives* Messer; *to hold a knife to sb´s throat* jmd das Messer an die Kehle setzen; *(ugs.) to stick a knife into sb* jmd ein Messer in den Bauch jagen; ~ **thrust** *sub*, *-s* Messerstich; ~**-point** *sub*, *-s* Messerspitze; ~**-thrower** *sub*, *-s* Messerwerfer
knight, *sub*, *-s* Ritter, Rittersmann; *(Schach)* Rössel; *like a knight in shining armour* als Retter in der Not; **Knight of the Grail** *sub*, *-s* Gralsritter; **Knight Templar** *sub*, *-s* Tempelritter; ~**´s move** *sub*, *-s (Schach)* Rösselsprung; ~**hood** *sub*, *-s* Ritterschaft, Ritterwesen; ~**ly** *adj*, ritterlich; **Knights of Malta** *sub*, *nur Mehrz.* Malteserorden
knit, *vti*, stricken; ~ **fashion** *sub*, *-s* Maschenmode; ~**ted dress** *sub*, *-es* Strickkleid; ~**ted vest** *sub*, *-s* Strickweste; ~**ter** *sub*, *-s* Stricker; ~**ting**

sub, -s Strickzeug; **~ting bag** *sub, -s* Strickbeutel; **~ting needle** *sub, -s* Stricknadel; **~ting pattern** *sub, -s (Anleitung)* Strickmuster; **~ting sample** *sub, -s (Probe)* Strickmuster; **~ting yarn** *sub, -s* Strickstoff; **~wear** *sub, nur Einz.* Maschenware, Strickwaren

knob, *sub, -s* Knauf; *(Gummi~)* Noppe

knock, (1) *sub, -s* Klopfzeichen **(2)** *vi, (klopfen)* pochen **(3)** *vt,* anklopfen, festklopfen, zurichten **(4)** *vti,* klopfen; *knock someone to the ground* einen zu Boden strecken; *(ugs.) to knock about the district* die Gegend unsicher machen; **~ down** *vt,* niederstoßen, umnieten; *(Wand)* einfahren; **~ flying** *vt,* umschmeißen; **~ in** *vt, (Scheibe)* einschlagen; **~ off** *vt, (Kante)* abstoßen; **~ on wood!** -, unberufen; **~ out** *vt,* heraushauen; *(i. ü. S.)* umhauen; *(Eimer etc.)* ausklopfen; **~ over** *vt,* umstoßen, *(umrennen)* umlaufen

knock so off, *vt,* *(ugs.)* kaltmachen; **knock through** *vt, (hin-)* durchschlagen; *knock through a nail* einen Nagel durchschlagen; **knock together** *vt, (ugs.)* fabrizieren; **knock up** *vt, (erschöpfen)* strapazieren; **knock-kneed** *adj,* x-beinig; **knock-knees** *sub, nur Mehrz.* X-Beine; **knock-out blow** *sub, -s* K.-o.-Schlag; **knock-out winner** *sub, -s* K.-o.-Sieger; **knockdown blow** *sub, -s (Boxen)* Niederschlag; **knocking** *sub,* - Geklopfe; **knockout** *sub, -s* Knock-out; **knockout blow** *sub, -s* Knock-out-Schlag

knoll, *sub, -s* Kuppe

knop fabric, *sub, -s* Noppengewebe

knot, (1) *sub, -s* Knoten **(2)** *vt,* knoten, knüpfen, verknoten; **~-shaped** *adj,* knotenförmig; **~-grass** *sub, -es* Knöterich; **~-hole** *sub, -s* Astloch; **~ted carpet** *sub, -s* Knüpfteppich; **~ty** *adj,* knotig; **~work** *sub, nur Einz.* Knüpfarbeit

know, (1) *vt,* kennen **(2)** *vti,* verstehen, wissen; *get to know about* erfahren von; *he didn't want so many people to know about it* er wollte nicht so viele Mitwisser haben; *he wouldn't know anything about that* da kann er nicht mitreden, da kann er nicht mitsprechen; *(wohl) I do know it's harmful but* ich weiß zwar, daß es schädlich ist, aber; *I don't know* ich weiß es nicht; *I don't know any details* ich weiß nichts Genaues; *I don't know anyone here* ich kenne niemanden hier; *I don't know him well* ich kenne ihn nicht näher; *I don't know that* das ist mir unbekannt;

I should know da kann ich mitreden, da kann ich mitsprechen; *I've never known anything like it* sowas ist mit noch nie passiert!; *I've never known that before* das habe ich noch nie gehört; *know all about it* Bescheid wissen; *know exactly what is going on* sich einer Situation völlig bewußt sein; *know sth inside out* etwas in- und auswendig kennen; *know all over the place* bekannt wie ein bunter Hund; *let so know* jemandem Bescheid geben; *Ludwig II, known as the Fairytale King* Ludwig II, genannt der Märchenkönig; *not to know the first thing about it* von Tuten und Blasen keine Ahnung haben; *now I know where I stand* jetzt weiss ich, wie ich dran bin; *she knows all about that* da kennt sie sich gut aus; *she knows what is what* sie kennt sich gut aus; *that shows how little you know me* da kennst du mich aber schlecht; *there's no knowing* man kann nie wissen; *to get to know sb better* jmdn näher kennenlernen; *to know about it* Mitwisser sein, Mitwisserin sein; *to know all about it* den Rummel kennen; *to know how to do it* die Masche raushaben; *(i. ü. S.) to think to know all* die Weisheit mit Löffeln gefressen; *we'll let you know* wir geben ihnen Nachricht; *Well, what do you know* Schau mal einer an; *you know what I'm like* du kennst mich doch!; *you mean you didn't know that?* hast du das noch nicht mitbekommen?; *you should have known that* das hättest du doch wissen müssen, das hättest dur dir denken können, *(ugs.) everybody knows that* das weiß jedes Kind; *God only knows* das wissen die Götter; *or something* oder was weiß ich; *to know of sth* von etwas wissen; *to let sb know sth* jmd etwas wissen lassen; *you never know* man kann ja nie wissen; **~ astronomy** -, sternkundig; **~ how to v** aux, können; *can you ride?* kannst du reiten?; *she never knew how to cook and she doesn't want to learn* kochen konnte sie nie und lernen will sie es auch nicht; **~ how to go on** *vi,* weiterwissen; **~ in advance** *vt,* vorauswissen; **~ one's way about** *vt, (räumlich)* auskennen; *he knows his way about in the city* er kennt sich in der Stadt gut aus; **~ the town** -, stadtkundig; **~ what's going on** *vt,* Durchblick; *know what's going on* den Durchblick haben; **~-all (1)** *adj,*

rechthaberisch (2) *sub*, -s Praktikus;
(ugs.) Besserwisser; ~-all attitude *sub*,
-s Rechthaberei; ~-how *sub*, *nur Einz.*
Know-how; ~ing one´s way round
attr, ortskundig; ~ingly *adv*, wissentlich

known, *adj*, bekannt; ~ all over town
adj, stadtbekannt

knuckle, *sub*, -s Knöchel; ~ down to *vi*,
(ugs.) zupacken; ~ under *vi*, *(i. ü. S.)*
kuschen

knurl, *vt*, *(tech.)* kordieren

koala bear, *sub*, -s Koalabär

kohlrabi, *sub*, -s Kohlrabi

kopeck, *sub*, -s Kopeke

Koran, *sub*, *nur Einz.* Koran

Korean, (1) *adj*, koreanisch (2) *sub*, -s
Koreaner

kosher, *adj*, koscher; *(ugs.)* it looks a
bit fishy to me die Sache scheint mir
nicht ganz koscher zu sein

kourbash, *sub*, -es Karbatsche

kowtow, *sub*, -s Kotau

kraal, *sub*, -s Kral

Kraut, *sub*, -s *(i. ü. S.)* Boche; *engl/am*
Schimpfwort für Deutsche; *frz*
Schimpfwort für Deutsche

Kremlin, *sub*, *nur Einz.* Kreml; ~ leadership *sub*, *nur Einz.* Kremlführung

krill, *sub*, *nur Einz.* *(biol.)* Krill

krimmer, *sub*, -s Krimmer

krypton, *sub*, - *(chem.)* Krypton

Ku Klux Klan, *sub*, *nur Einz.* Ku-Klux-
Klan

kung fu, *sub*, *nur Einz.* Kung-Fu

Kurd(ish), *adj*, kurdisch

kvass, *sub*, *nur Einz.* Kwass

kyanize, *vt*, kyanisieren

L

label, (1) *sub,* -s Etikett, Label; *(Etiket)* Aufschrift **(2)** *vt,* etikettieren; *(Gläser etc.)* beschriften; *(i. ü. S.; Ruf erhalten)* abstempeln; *(Waren)* auszeichnen; **~ing** *sub, nur Einz.* *(von Waren)* Auszeichnung; **~ling** *sub, nur Einz. (Versehen mit Etiketten)* Beschriftung

labiate, *sub,* -s Lippenblütler

labiodental, *adj,* labiodental

laboratory, *sub,* -ies Labor, Laboratorium; **~ animal** *sub,* -s Versuchstier; **~ experiment** *sub,* -s Laborversuch; **~ findings** *sub,* - Laborbefund; **~ technician** *sub,* -s Laborant

laborer, *sub,* -s *(US)* Hilfsarbeiter; **laborious** *adj,* mühevoll, mühsam; **laboriousness** *sub, nur Einz.* Mühseligkeit; **labour** *vti, (ugs.; schuften)* ackern; *ye that labour and are heavy laden* ihr Mühseligen und Beladenen; **labour camp** *sub,* - -s Arbeitslager; **labour dispute** *sub,* - -s Arbeitskampf; **labour for one´s feudal lord** *vi,* scharwerken; **labour force** *sub,* - -s Arbeiterschaft; **labour intensive** *adj,* arbeitsintensiv; **labour market** *sub,* -s Arbeitsmarkt; **labour party** *sub,* - -ies Arbeiterpartei; **labourer** *sub,* -s Handlangerin, Hilfsarbeiter

Labrador retriever, *sub,* -s Labradorhund

lab technician, *sub,* -s Präparator, Präparatorin

laburnum, *sub,* -s *(bot.)* Goldregen

labyrinth, *sub,* -s Labyrinth

lace, (1) *sub,* -s Senkel; *(Gewebe)* Spitze **(2)** *vt,* einschnüren, lacieren; **~ blouse** *sub,* -s Spitzenbluse; **~ cloth** *sub,* -s Spitzentuch; **~ curtain** *sub,* -s Tüllgardine, Tüllvorhang; **~-up corset** *sub,* -s Schnürmieder, **- -d shoe** *sub,* -s Schnürschuh

lachrymal gland, *sub,* -s Tränendrüse

lachrymose, *adj,* larmoyant

lacing star, *sub,* -s Tressenstern ´

lack, *sub, nur Einz. (Feblen)* Mangel; *(Mangel)* Fehlen; *for lack of evidence* aus Mangel an Beweisen; *he lacks talent* er ist ohne jede Begabung; **~ of appetite** *sub, nur Einz.* Appetitlosigkeit; **~ of expression** *sub, nur Einz.* Ausdruckslosigkeit; **~ of housing** *sub, nur Einz.* Wohnungsnot; **~ of interest** *sub,* -s Desinteresse; *their lack of interest* ihr Desinteresse an; **~ of knowledge** *sub,* -s Wissenslücke; **~ of light** *sub,* - Lichtmangel; **~ of raw material** *sub, nur Einz.* rohstoffarm; **~ of re-**

straint *sub,* - Hemmungslosigkeit; **~ of rights** *sub,* -s Rechtlosigkeit; **~ of space** *sub, nur Einz.* Platzmangel; **~ of talent** *sub, nur Einz.* Unbegabtheit; **~ of warmth** *sub, nur Einz.* Ungemütlichkeit; **~ sth.** *vt,* ermangeln

lackey, *sub,* -s Lakai

lacking self-assurance, *adj,* anlehnungsbedürftig; **lacking a sense of direction** *adj,* richtungslos; **lacking in ideas** *adj, (ugs.)* einfallslos; **lacking in instinct** *adj,* instinktlos

laconic, *adj,* lakonisch; **laconism** *sub,* - Lakonismus

lacquer, *vt,* lackieren

lactate, *vi,* laktieren; **lactation** *sub, nur Einz.* Laktation; *-s (Säugling)* Stillung

lactoprotein, *sub,* -s Milcheiweiß

lactose, *sub, nur Einz.* Laktose, Milchzucker

lad, *sub,* -s Junge, Knabe; *(Bursche)* Geselle; *(ugs.) a bit of a lad* ein lockerer Vogel

ladder, *sub,* -s Laufmasche, Leiter

laddie, *sub,* -s *(ugs.)* Matz

laden, *vi, (beladen)* behangen

ladies, *sub, Einz.* **lady** Mesdames; **~ hairdresser** *sub,* -s Damenfriseur; **~´ hat** *sub,* -s Damenhut; **~´ skirt** *sub,* -s Damenrock; **~´ underwear** *sub, nur Einz.* Dessous

ladle, *sub,* -s Kelle, Schöpfe, Schöpfgefäß, Schöpfkelle, Schöpflöffel

lady, *sub,* -ies Dame, Lady, Madam, Madame; *Ladies and Gentlemen* sehr geehrte Damen und Herren; *the lady of the house* die Dame des Hauses; *wellborn young lady* höhere Tochter; *my old lady* meine Madam; *he´s a bit of a ladies´ man* er wirkt auf Frauen; *his young lady* seine Freundin; *Ladies* Damen; *ladies and gentlemen!* Sehr geehrte Damen und Herren!; **~ doctor** *sub,* - -s Ärztin; **~ gardener** *sub,* -s Gärtnersfrau; **~ next door** *sub, ladies* Nachbarsfrau; **~ professor** *sub,* -s Professorin; **~ visitor** *sub,* -s Damenbesuch; **~-killer** *sub,* -s Herzensbrecher; **~´s bicycle** *sub,* -s Damenfahrrad; **~´s maid** *sub,* -s Zofe; **~-bird** *sub,* -s Glückskäfer, Marienkäfer; **~like** *adj,* ladylike; **Ladyship/Lordship** *sub,* -s Erlaucht; *Her/His/Your Ladyship/Lordship* Euer Erlaucht

laevorotatory, *adj, (chem.)* linksdrehend

lag behind, *vi,* *(ugs.)* nachzotteln

lagoon, *sub,* -s Lagune; ~ **fisherman** *sub, -men* Haffischer

laicism, *sub, nur Einz.* Laizismus

lake, *sub, -s* Binnensee, See; **Lake Winnipeg** *sub, nur Einz. (tt; geogr.)* Winnipegsee

Lama, *sub, -s* Lama; **~ism** *sub, nur Einz.* Lamaismus; **~ist(ic)** *adj,* lamaistisch

Lamarckism, *sub, nur Einz. (biol.)* Lamarckismus

lamb, *sub, -s* Lamm; *Lamm*fleisch; ~ **chop** *sub, -s* Lammkotelett; ~´s **lettuce** *sub,* - Feldsalat

lambda, *sub, -s* Lambda

lambdacism, *sub, nur Einz. (med.)* Lambdazismus

lambrusco, *sub,* - Lambrusco

lambskin, *sub, -s* Lambskin, Lammfell; **lambswool** *sub, nur Einz.* Lambswool

lame, *adj,* lahm; *(Witz, Pointe)* matt

lamella, *sub, -s (biol.)* Lamelle

lament, (1) *sub, -s* Klage **(2)** *vi,* beklagen, lamentieren, wehklagen **(3)** *vt,* bejammern; **~able** *adj,* bejammernswert, beklagenswert; **~ation** *sub, -s* Klagegeschrei, Wehklage; *(obs.)* Lamentation

lametta, *sub, nur Einz.* Lametta

laminar, *adj, (phy.)* laminar

laminate, *vt,* laminieren; **~d glass** *sub, -es* Verbundglas

lamp, *sub, -s* Lampe

lampas, *sub, -s* Lampas

lamplight, *sub, nur Einz.* Lampenlicht

lampoon, *sub, -s* Pamphlet

lamprey, *sub, -s* Neunauge; *(zool.)* Lamprete

lampshade, *sub, -s* Lampenschirm

lance, *sub, -s* Lanze; **~-corporal** *sub, -s (brit.)* Obergefreite; *(mil.)* Gefreite; **~r** *sub, -s* Lanzenreiter, Ulan; **~t fish** *sub,* - *(zool.)* Lanzettfisch

lancinate, *vi, (rare)* lanzinieren

land, (1) *sub, nur Einz.* Land **(2)** *vi,* landen; *(aufkommen)* aufspringen; *(Bombe)* einschlagen; *(landen)* aufkommen; *(Schifffahrt)* anlegen; *Italy is a wonderful country* Italien ist ein herrliches Land; *land ahoy!* Land in Sicht!; *to enjoy country life* das Leben auf dem Land genießen; *to get to know a country and its inhabitants* Land und Leute kennenlernen; *to have a picnic in the country* ein Picknick auf dem Land machen; *we´re going to see some friends in the country* wir besuchen Freunde auf dem Land; *(Flugzeug)* come in to land zur Landung ansetzen; *(ugs.)* find out how the land lies die Lage sondieren; *land property* Grund und Boden; *to see how*

the land lies die Lage peilen; ~ **improvement** *sub, -s* Melioration; ~ **of milk and honey** *sub,* - *s* Schlaraffenland; ~ **reform** *sub, nur Einz.* Bodenreform; ~ **register** *sub, -s* Kataster; **~registry office** *sub, -s* Katasteramt; **~-based** *adj,* landgestützt; **~ed aristocracy** *sub, nur Einz.* Junkerschaft; **~ed gentry** *sub, nur Mehrz.* Landadel; **~ing** *sub, -s* Einschlag, Landung; *(spo.)* Aufsprung; **~ing capsule** *sub, -s* Landekapsel; **~ing craft** *sub, -s* Landungsboot; **~ing flap** *sub, -s* Landeklappe; **~ing manoeuvre** *sub, -s* Landemanöver; **~ing strip** *sub, -s* Landeplatz

landlady, *sub, -s* Vermieterin; **landlord** *sub, -s* Hauswirt, Vermieter, Wirt; *(Vermieter)* Hausbesitzer; **landowner** *sub, -s* Grundbesitzer, Gutsbesitzer; **landscape** *sub, -s* Landschaft; *(Landschaft)* Gegend; **landscape painter** *sub, -s* Landschafter; **landslide** *sub, -s* Bergrutsch, Erdrutsch; **Landtag (state parliament)** *sub, -s* Landtag; **landvogt** *sub, -s (tt; hist.)* Vogt

lane, *sub, -s* Fahrbahn, Fahrspur, Gasse; *(Fahr-)* Spur; *(Fahrbahn)* Bahn; *keep to the edge of the inside lane* am äußersten rechten Fahrbahnrand; *(US) keep to the extreme right* am äußersten rechten Fahrbahnrand

language, *sub, -s* Sprache; *(i. ü. S.) we do not speak the same language* wir sprechen nicht dieselbe Sprache; ~ **acquisition** *sub, -es* Spracherwerb; ~ **boundary** *sub, -ies* Sprachgrenze; ~ **change** *sub, -es* Sprachwandel; ~ **instructor** *sub, -s* Sprechlehrer; ~ **laboratory** *sub, -ies* Sprachlabor; ~ **map** *sub, -s* Sprachkarte; ~ **society** *sub, -ies* Sprachverein; ~ **stock** *sub, -s* Sprachstamm; ~ **teacher** *sub, -s* Sprachlehrer; ~ **tour** *sub, -s* Sprachreise

lanky, *adj,* aufgeschossen

lanolin, *sub,* - Lanolin

lantern, *sub, -s* Laterne

lanthanum, *sub,* - Lanthan

lap, (1) *sub, -s (spo.)* Runde **(2)** *vt,* überrunden, umrunden; **~-dog** *sub, -s* Schoßhündchen

lapidary style, *sub, -s* Lapidarstil

lapis lazuli, *sub, -s* Lapislazuli

Lapp, *sub, -s* Lappe; **~ic** *adj,* lappisch

lapping, *sub, -s* Überrundung; ~ **machine** *sub, -s* Läppmaschine

lapse, *sub, -s (moral.)* Fehltritt; **lapsing** *sub, nur Einz.* Verfall

lapwing, *sub, -s (zool.)* Kiebitz

lonoh, oub, oo Länoho

lard, (1) *sub,* - Schmalz; *(Schmalz)* Fett (2) *vt, (Braten)* spicken; **~y** *adj, (fettig)* speckig

large, *adj,* reichhaltig, starkleibig; **~ concern** *sub, -s* Großbetrieb; **~ farm** *sub, -s (Landw.)* Großbetrieb; **~ intestine** *sub, -s (med.)* Großdarm; **~ part** *sub, -s* Großteil; **~ police deployment** *sub, -s (der Polizei)* Großeinsatz; **~-bellied** *adj,* dickbauchig; **~-caliber** *adj, (US)* großkalibrig; **~-calibre** *adj,* großkalibrig; **~-checked** *adj,* großkariert; **~-scale order** *sub, -s* Großauftrag; **~ly** *adv,* großenteils, weither; **~r than life** *adj,* Überlebensgröße

lark, *sub, -s* Heidelerche, Lerche, Ulk; **~ (around)** *vi,* ulken; **~spur** *sub, -s (bot.)* Rittersporn

larva, *sub, ae (zool.)* Larve; **~l** *adj,* larval

lascivious, *adj,* lasziv, wollüstig; **~ness** *sub, nur Einz.* Laszivität; *-es* Wollust

laser, *sub, -s (phy.)* Laser; **~ beam** *sub, -s* Laserstrahl; **~ impulse** *sub, -s* Laserimpuls; **~ printer** *sub, -s* Laserdrucker; **~ technology** *sub, -ies* Lasertechnik

lash, (1) *sub, -es* Wimper (2) *vt, (i. ü. S.)* peitschen; *(ugs.)* zurren; *(ugs.) she´s quick to lash out* bei ihr sitzt die Hand ziemlich locker; *to lash our on sth mit etwas Luxus treiben;* **~ out at** *vi, (nach)* hauen; *hit out in all directions* um sich hauen

lass, *sub, -es (ugs.)* Kerl

Lassa fever, *sub, -* Lassafieber

lasso, *sub, -s* Lasso

last, (1) *adj,* letzt, vorig (2) *adv,* zuletzt (3) *sub, -s* Leisten (4) *vi,* wären; *(geh.)* dauern; *(andauern)* anhalten (5) *vr,* halten; *at last* nun endlich; *be lasting* Bestand haben; *(ugs.) he won´t last long* er wird´s nicht mehr lang machen; *that is the last thing I want to do* es liegt mir fern; **~ but one** *adj, (ugs.)* vorletzt; **~ but two** *adj,* vorvorletzt; **~ day of the month** *sub, days* Monatsletzte; **~ meal** *sub, -s* Henkersmahl; **~ of all** *adv,* zuallerletzt; **~ possible** *adj,* letztmöglich; **~ post** *sub, nur Einz. (tt; mil.)* Zapfenstreich; **~ resort** *sub, -s (i. ü. S.)* Notnagel; **~ rites** *sub, nur Mehrz.* Sterbesakrament; **~ shot** *sub, -s* Schlussball; **~ stop** *sub, -s (Reise)* Endpunkt; **~ year´s** *adj,* letztjährig; **~mentioned** *adj,* letztgenannt; **~-minute panic** *sub, -s* Torschlusspanik

lasting, *adj,* dauerhaft, nachhaltig; *there has been a lasting improvement in her health* ihre Gesundheit hat sich nach-

haltig gehessert, to leave a lasting impression einen nachhaltigen Eindruck hinterlassen; **~ for days** *adj,* tagelang; **~ for eons** *adj,* äonenlang; **~ several hours** *attr,* mehrstündig; **~ness** *sub, nur Einz.* Nachhaltigkeit

late, (1) *adj,* spät, verspätet (2) *adv,* spät; *be late for something* zu etwas zu spät kommen; *he is always late with his rent* er bezahlt seine Miete immer zu spät; *it´s getting late* es ist schon spät, *a split second too late* um den Bruchteil einer Sekunde zu spät; *as late as the late 18th century* noch im späten 18Jh; *be late* spät dran sein; *in the late thirties* Ende der dreißiger Jahre; *several hours late* mit mehrstündiger Verspätung; *(ugs.) that´s his latest* das ist seine neueste Masche; **~ arrival** *sub, -s* Verspätung; **~ final edition** *sub, -s* Nachtausgabe; **~ Romanticism** *sub, nur Einz.* Spätromantik; **~ shift** *sub, -s* Spätschicht; **~ side-effect** *sub, -s* Spätschaden; **~ vintage** *sub, -s* Spätlese; **~ work** *sub, -s* Spätwerk; **~-born** *adj,* nachgeboren; **~-night show** *sub, -s* Spätprogramm; **~-riser** *sub, -s* Langschläfer; **~comer** *sub, -s* Nachzügler

lateen, *sub, -s* Lateinsegel

latency, *sub, nur Einz.* Latenz, Latenzperiode; **latent** *adj,* latent; **latent period** *sub, -s (med.)* Latenzzeit

La-Tène period, *sub, nur Einz.* La-Tène-Zeit

later, (1) *adj,* später; *(verspätet)* nachträglich (2) *adv, (später)* nachher; *a week later* eine Woche darauf; *it is later than I thought* es ist später als ich dachte; *see you later!* bis später!; *she was back five minutes later* nach fünf Minuten kam sie zurück; *sooner or later* früher oder später, *see you later!* bis nachher!; **~al** *adj,* lateral, seitlich

Lateran Council, *sub, -s* Laterankonzil; **Lateran Palace** *sub, -* Lateran

laterite, *sub, -s (geol.)* Lateritboden

latest, *adj,* letzt; **~ possible** *adj, (zeitlich)* äußerst

lathe, *sub, -s* Drehbank, Drehmaschine; **~-operator** *sub, -s* Dreher

lather, (1) *sub, nur Einz.* Seifenschaum (2) *vt,* einschäumen, einseifen; **~y** *sub, -ies* Dreherei

Latin, (1) *adj,* lateinisch (2) *sub, -* Latein; Lateinische; **~ America** *sub, -s* Lateinamerika; **~ proficiency examination** *sub, - Latinum; -s* Latinismus; **latinity** *sub, nur Einz.* Latinität; **latinize** *vt,* latinisieren

latitude, *sub*, *-s (geogr.)* Breite; *have the latitude of 35 degree (north)* auf dem 35(nördl) Breitengrad liegen

latrine, *sub*, *-s* Kübel, Latrine; **~ rumour** *sub*, *-s* Latrinenparole

lattice, *sub*, *-s (chem., phys.)* Gitter

laudable, *adj*, lobenswert

lauds, *sub*, - Laudes

laugh, (1) *sub*, *-s* Lacher (2) *vi*, lachen; *become a laughing stock* zum Gespött der Leute werden; *burst out laughing* in lautes Gelächter ausbrechen; *I could´t help laughing* ich mußte einfach lachen; *(ugs.) kill so laughing* sich einen Ast lachen; *split one´s sides laughing* sich vor Lachen den Bauch halten; **~ at** *vi*, anlachen, auslachen, belachen; **~ derisively** *vi*, Hohn lachen; **~ lines** *sub*, - Lachfältchen; **~ out loudly** *vi*, auflachen; **~ till one cries** *vi*, *(ugs.)* kaputtlachen; *(ugs.) his stories make me laugh till I cry* bei seinen Geschichten lache ich mich immer kaputt; **~ing gas** *sub*, *-es* Lachgas; **~ter** *sub*, - Gelächter; *nur Einz.* Lachen; *make so a laughing stock* jmdm dem Gelächter preisgeben; *roar with laughter* in schallendes Gelächter ausbrechen; *rippling laughter* perlendes Lachen; *to double up with laughter* sich vor Lachen krümmen

launch, (1) *sub*, *-s (Rakete)* Start (2) *vt*, lancieren; *(Rakete)* abschießen, starten; *be launched* vom Stapel laufen; *(i. ü. S.) sie was launched into society* sie wurde in die Gesellschaft lanciert; *to launch an advertising campaign* eine Werbekampagne lancieren; **~ing** *sub*, *-s* Stapellauf; *(Rakete)* Abschuss; **~ing pad** *sub*, *- s* Abschussrampe; **~ing site** *sub*, *-s* Raketenbasis

laundering facility, *sub*, *-es* Waschanlage; **laundry** (1) *pron*, Wäsche (2) *sub*, *-es* Wäscherei; **laureate** *sub*, *-s* Laureat

laurel, *sub*, *-s* Lorbeer; *to rest on one´s laurels* auf seinen Meriten sich auf seinen Lorbeeren ausruhen; **~ green** *adj*, lorbeergrün; **~ tree** *sub*, *-s* Lorbeerbaum; **~ wreath** *sub*, *s* Lorbeerkranz

Laurin, *sub*, - Laurin

lava, *sub*, *-s* Lava

lavabo, *sub*, *-s* Lavabo

lavatory, *sub*, *-ies* Klosett; *(WC)* Toilette

lavish, *adj*, opulent; *(i. ü. S.;)* üppig; fürstlich; *lavish care and attention on sb* hegen und pflegen; *reap lavish praise* dickes Lob ernten; **~ness** *sub*, *nur Einz.* Opulenz

law, *sub*, *-s* Gesetz; *nur Einz.* Jura, Justiz;

-s Recht; *nur Einz.* Rechtswesen; *against the law* gegen das Gesetz; *in the name of the law* im Namen des Gesetzes; *under the law* nach dem Gesetz; *his word is the law* was er sagt, gilt; *necessity knows no law* Not kennt kein Gebot; **Law Courts** *sub*, *nur Mehrz.* Justizpalast; **~ of causality** *sub*, *nur Einz.* Kausalgesetz; **~ of contract** *sub*, *-s (jur.)* Schuldrecht; **~ of gravity** *sub*, *-s* Gravitationsgesetz; **~ of heritance** *sub*, *nur Einz. (jur.)* Erbrecht; **~ of nature** *sub*, *-s* Naturgesetz; **~ relating to juveniles** *sub*, *-s* Jugendrecht; **~ student** *sub*, *-s* Jurist; **~-abiding** *adj*, *(Bürger)* gehorsam

laward, *vt*, verleihen

lawful, *adj*, legal, rechtmäßig; **lawless** *adj*, gesetzlos

lawn, *sub*, *-s* Rasenfläche, Wiese; **~mower** *sub*, *-s* Rasenmäher

lawsuit, *sub*, *-s* Rechtshandel, Rechtsstreit; **lawyer** *sub*, *-s* Jurist, Rechtsanwalt; *(jur.)* Anwalt; *to get a lawyer* sich einen Anwalt nehmen

lax, *adj*, lax; **~ative** *sub*, *-s* Laxans, Purgativ; *(med.)* Abführmittel

lay, *vt*, legen, verlegen; *(verlegen)* auslegen

layer, (1) *sub*, *-s* Lage, Schicht; *(geol.)* Bank (2) *vt*, schichten; **~ of air** *sub*, *layers* Luftschicht; **~ of dust** *sub*, *-s* Staubschicht; **~ of fat** *sub*, *-s* Fettschicht; **~ of haze** *sub*, *-s* Dunstschicht; **~ of paint** *sub*, *-s* Farbschicht; **~-out** *sub*, *-s* Leichenfrau

laying, *sub*, *-s (Kranz)* Niederlegung; **~ down** *sub*, *-s* Festsetzung; **~ hen** *sub*, *-s* Leghenne; **~ out** *sub*, *nur Einz.* Aufbahrung; *-s* Verauslagung; **layman** *sub*, *-men* Laie; **layman´s breviary** *sub*, *-ies* Laienbrevier; **layout** *sub*, *-s* Grundriss, Lay-out; **layout man** *sub*, *men* Layouter

laze around, *vi*, aalen; **laziness** *sub*, - Faulenzerei; *nur Einz.* Faulheit *(Faulheit)* Trägheit; **lazy** *adj*, *(faul)* träge; *(träge)* faul; *(i. ü. S.) laze around* faul herumliegen; *(i. ü. S.) lazy sod* faules As, faules As; **lazy about writing letters** *adj*, schreibfaul; **lazybones** *sub*, *nur Mehrz.* Faulenzer, Faulpelz

leaching agent, *sub*, *-s* Lauge

lead, (1) *adj*, *(Organisation, etc.)* angeführt (2) *sub*, *nur Einz.* Blei; *(Bleistift~)* Mine (3) *vi*, führen; *(Straße, auch i.ü.S.)* münden (4) *vt*, führen, heranführen, leiten; *(Organisation)* anführen (5) *vti*, *(weg führen)* gehen;

(i. ü. S.) *jemanden so üs…y* jemanden vom
Weg abbringen; *(i. ü. S.)* lead to sth auf
etwas hinauslaufen; *lead-poisonning*
Bleivergiftung; *(i. ü. S.)* to lead sb by the
nose jmdn an der Nase herumführen;
weigh heavily on sb´s stomach wie
Blei im Magen liegen, *lead a life* ein
Leben führen; *the M1 joins the M9 at
London* die M1 mündet bei London in
die M9, *lead into a room* in ein Zimmer
führen, *the way leads to the village* der
Weg geht zum nächsten Dorf; **~ a dissolute life** *vt, (Lebensstil)* ausschweifen; **~ a nomadic existence** *vi,*
nomadisieren; **~ back** *vt,* zurückführen; **~ crystal** *sub,* -s Bleikristall; **~
down** *vi,* hinuntergehen; **~ into** (1) *vi,*
(enden) einmünden (2) *vt, (Wasser)*
einleiten; **~ off** *vt,* abführen; **~ on** *vi,*
weiterführen; **~ out** *vi,* hinausführen;
~ player *sub,* -s Lead; **~ sb past** *vt,*
vorbeiführen; **~ sb to sth** *vt,* verleiten;
~ seal *sub,* -s *(Siegel)* Plombe; **~ the
prayer** *vi,* vorbeten

leadership, *sub,* -s Führerschaft, Führung; - Leitung; **leading** *adj,* leitend,
tonangebend; **leading dancer** *sub,* -s
Vortänzerin; **leading light** *sub,* -s *(ugs.)*
Koryphäe; **leading organization** *sub,*
-s Spitzenverband; **leading seaman**
sub, -men Obermaat; **leading voice**
sub, -s Vorsängerin

lead to, *vt,* zuführen; *(bewirken)* herbei-
führen; **leaden, like lead** *adj,* bleiern;
her limbs were like lead bleierne Glieder; **leader** *sub,* -s Anführer, Führer,
Konzertmeister, Leader, Leitartikel,
Oberhaupt, Veranlasser, Vorsitzende;
(spo.) Spitzenreiter; **leader in the battle** *sub,* - *(liter)* Rufer; **leader of a delegation** *sub, beads* Missionschef; **leader
of a Federal German state** *sub,* lea-
ders *(eines Bundeslandes)* Ministerpräsident; **leader of a gypsy band** *sub,* -
Zigeunerprimas; **leader of an expedition** *sub,* -s Expeditionsleiter; **leaderwriter** *sub,* -s Leitartikler

leaf, *sub, leaves* Blatt; *oakleaf* Eichenblatt; **~ by leaf** *adv,* blätterweise; **~
through** (1) *vt,* durchblättern (2) *vti,*
blättern; *leaf through a magazine* eine
Zeitschrift durchblättern, *leaf through
a book* ein Buch durchblättern; **~
wrong** *vt,* verblättern; **~less** *adj,*
blattlos; **~let** *sub,* -s Faltblatt, Flugblatt,
Handzettel, Merkblatt, Zettel

leak, (1) *sub,* -s Leck (2) *vi,* laufen, lek-
ken; *leak out* in die Öffentlichkeit dringen, nach außen dringen, *(i. ü. S.)* nach
außen sickern; *news has leaked out*

that es ist durchgesickert, dass; **~ out**
(1) *vi, (Betrug)* aufkommen (2) *vt,*
(Information) durchsickern; **~y** *adj,*
leck, *(unerwünscht)* durchlässig

lean, (1) *adj, (Fleisch)* mager (2) *vr,*
stützen (3) *vt,* lehnen; *the seven lean
years* die sieben mageren Jahre, *artistic leanings* künstlerische Neigungen; *(i. ü. S.)* be leans to the right
einen Drall nach rechts haben; **~ (on
or against)** *vt,* lehnen; **~ against/on**
vi, auflehnen; **~ as a rake** *adj,* spindeldürr; **~ back** *vr,* zurücklehnen; **~
bacon** *sub,* - Dörrfleisch; **~ cured
ham** *sub, nur Einz.* Lachsschinken; **~
on** *vt, (abstützen)* anlehnen; *to lean
on sb* jmd zusetzen; **~ out** *vr, (sich)*
hinausbeugen; **~ period** *sub,* -s
Durststrecke; *get over a lean period*
eine Durststrecke hinter sich bringen;
~ness *sub, nur Einz.* Magerkeit

leap, (1) *vi,* hüpfen, springen (2) *vti,*
zucken; *to jump for joy* vor Freude
hüpfen; **~ of the imagination** *sub,* -s
Gedankenflug; **~ round** *vt, (Hindernis)* umspringen; **~ year** *sub,* -s
Schaltjahr

learn, (1) *vi, (Fertigkeit)* aneignen (2)
vt, erlernen; *(lernen)* erfahren (3) *vti,*
lernen; *learn sth by watching* so jemanden etwas absehen; *to learn the
hard way* aus Erfahrung klug werden;
learn sth from so/sth etwas durch
jmd/etwas erfahren; **~ in addition** *vi,*
hinzulernen; **~ sth by watching** *vi,*
abgucken; **~ed** *adj,* gelehrt; **~ed behaviour** *sub, nur Einz.* (tt; biol.) Appetenzverhalten; **~er** *sub,* -s
Fahrschüler, Lerner; **~ing by heart**
sub, nur Einz. Auswendiglernen;
~ing goal *sub,* -s Lernziel; **~ing
process** *sub,* -es Lernprozess; **~ing
progress** *sub, nur Einz.* Lernschritt

lease, (1) *sub,* -s Mietvertrag, *nur Einz.*
Pacht; -s Pachtvertrag (2) *vt,* leasen,
pachten, verpachten; *to have sth on
leasehold* etwas in/zur Pacht haben; *to
let out sth on lease* etwas in Pacht
geben

leash, *sub,* -es Leine; *once let them off
the leash* wehe, wenn sie losgelassen

leasing, *sub, nur Einz.* Pachtung; **~
company** *sub,* -ies Leasingfirma

least, *adj,* geringste, wenigste; *not in
the least* nicht im geringsten; *that´s
the least of my worries* das ist meine
geringste Sorge; *the least little thing*
die geringste Kleinigkeit; *not in the
least* nicht im entferntesten

leather, (1) *adj,* rindsledern (2) *sub,* -s

Leder; **~ apron** sub, -s Lederschurz; **~ armchair** sub, -s Ledersessel; **~ bag** sub, -s Ledertasche; **~ belt** sub, -s Ledergürtel; **~ coat** sub, -s Ledermantel; **~ strap** sub, -s Lederriemen; **~ upholstery** sub, - Lederpolster; **~-coloured** adj, lederfarben; **~bound volume** sub, -s Ledereinband; **~y** adj, ledern

leave, (1) sub, -s (Gewährung von Urlaub) Beurlaubung (2) vi, abfahren, ausreisen, fortfahren, hinausgehen, weggehen; (ugs.; Flucht) absetzen; (gehen) aufbrechen; (Zug) abgehen (3) vt, hinterlassen, lassen, übrig lassen, vererben, verlassen; (aus einer Organisation) austreten; (übriglassen) überlassen (4) vti, fahren; (fort-, verkehren) gehen; leave a message eine Nachricht hinterlassen; leave sth to so jmdm etwas hinterlassen; (mil.) absence without leave unerlaubte Entfernung von der Truppe; I left a word out in the translation bei der Übersetzung habe ich ein Wort übersehen; I left off on page 20 ich bin auf Seite 20 stehengeblieben; leave behind hinter sich lassen; leave me in peace! laß mich in Ruhe!; leave so alone von jemandem ablassen; leave someone to his own devices jemanden sich selbst überlassen; let's drop the whole idea dann lassen wir es denn; let's leave it at that lassen wir die Sache auf sich beruhen; there's no hope left es gibt keine Hoffnung mehr; (i. ü. S.) to leave sb out in the cold jmdn im Regen stehen lassen; to leave something unsaid etwas ungesagt lassen; to leave sth with sb etwas bei jmd unterbringen; without so much as a by-your-leave mir nichts, dir nichts; leave something to be desired zu wünschen übrig lassen; **~ (there)** vt, dalassen; leave no message keine Nachricht dalassen; **~ a coating** vi, schleimen; **~ an impression** vt, abdrücken; **~ away** vt, (i. ü. S.) ausklammern; **~ free** vt, aussparen; **~ it up to so** vt, (anheimstellen) überlassen; **~ open** vt, offen lassen; (Tür) auflassen; **~ out** vt, weglassen; (weglassen) herauslassen; **~ sth** vt, belassen; leave it at that es dabei belassen; leave things as they are alles beim alten belassen; **~ sth behind** vt, zurücklassen; **~ sth here** vt, hier lassen

leavening, sub, -s Säuerung
leaves, sub, - Laub
leave sth shut, vt, (i. ü. S.) zulassen; **leave sth. up to sb** vt, (jem. etwas freistellen) freistellen; **leave the broadcast** vt,

ausblenden; **leave unmoved** vt, (ugs.) kalt lassen; he seemed completely unmoved by his wife's sudden death der plötzliche Tod seiner Frau schien ihn vollkommen kalt zu lassen; I couldn't care less das läßt mich kalt

leaving, sub, -s Vererbung; **~ away** sub, nur Einz. (i. ü. S.) Ausklammerung; **~ without paying** sub, - Zechprellerei

Lebanese, adj, libanesisch
lebensraum, sub, - (polit.) Lebensraum
lecithin, sub, - (chem.) Lezithin
lecture, (1) sub, - Festvortrag, -s Standpauke, Strafpredigt, Vorlesung, Vortrag (2) vt, schulmeistern (3) vti, lesen; lecture someone jemandem eine Strafpredigt halten; **~ (on)** (at) vt, dozieren; lecture on sth at sb vor jmd über etwas dozieren; **~ hall** sub, -s Hörsaal; **~ timetable** sub, -s Vorlesungsverzeichnis; **~-ship** sub, -s Dozentur; **~r** sub, -s Dozent, Lektor, Vortragende
ledge, sub, -s Vorsprung; (Rand) Sims
lee, sub, - Lee; -s Windschatten
leech, sub, -es Blutegel, Egel
leek, sub, -s Lauch, Porree
Left, sub, nur Einz. (polit.) Linke; from the left von links; (ugs.) to be left out in die Röhre gucken; (pol.) to be left wing links stehen; to purl links stricken; to the left of the king zur Linken des Königs; **left (hand) side** sub, nur Einz. (Seite) Linke; **left (over)** adj, übrig; **left alcohol** sub, nur Einz. Restalkohol; **left hand** sub, -s (Hand, Boxen) Linke; **left over rubbish** sub, nur Einz. Restmüll; **left turn** sub, -s Linkswendung; **left-handed** adj, linkshändig; (Gewinde) linksläufig; **left-handed person** sub, -s people Linkshänder; **left-handed thread** sub, -s Linksgewinde; **left-luggage office** sub, -s Gepäckaufbewahrung; **left-overs** sub, nur Mehrz. Rest; **left-wing liberal** adj, linksliberal; **left-wing party** sub, -ies Linkspartei; **leftist** adj, (polit.) linkslastig
leg, sub, -s Bein; (Geflügel) Schlegel; (Tisch, Stuhl) Fuß; it goes for your legs das geht in die Beine; (i. ü. S.) pull so's leg jemanden auf den Arm nehmen; to be on one's last legs auf dem letzten Loch pfeifen; (i. ü. S.) to pull sb's leg jmdn auf die Schippe nehmen; **~ (of meat)** sub, -s Keule; **~ in plaster** sub, -s Gipsbein; **~ of mutton** sub, -s Hammelkeule; **~ ring** sub, - -s

Delining, ~of-mutton sleeve *sub*, d Keulenärmel; **~-pulling** *sub*, -s Fopperei

legacy, *sub*, -ies *(hist.)* Erbschaft; *(jur.)* Legat

legal, *adj*, gerichtlich, gesetzmäßig, juristisch, legal, rechtlich; *legally certified* notariell beglaubigt; *take legal action* den Rechtsweg beschreiten; *to have legal repercussions* ein gerichtliches Nachspiel haben; **~ action** *sub*, -s Rechtsweg; **~ adviser** *sub*, -s *(Rechtsbeistand)* Beistand; **~ domicile** *sub*, -s Gerichtsstand; **~ justification** *sub*, -s Rechtsgrund; **~ matter** *sub*, -s Rechtssache; **~ official** *sub*, -s Justizbeamte; **~ proceedings** *sub*, *nur Mehrz.* Gerichtsverfahren; *institute legal proceedings against* ein Gerichtsverfahren einleiten gegen; **~ protection** *sub*, *nur Einz.* Rechtsschutz; **~ protection of expectant and nursing mothers** *sub*, *nur Einz.* Mutterschutz; **~ right** *sub*, -s Rechtsanspruch; **~ transaction** *sub*, -s Rechtsgeschäft; **~ism** *sub*, *nur Einz.* Legalismus; **~istic** *adj*, legalistisch; **~ity** *sub*, *nur Einz.* Legalität; **~ization** *sub*, *nur Einz.* Legalisation; **~ize** *vt*, legalisieren; **~ly responsible** *adj*, rechtsfähig; **~ly valid** *adj*, rechtsgültig, rechtskräftig

legatee, *sub*, -s Legatar

legation, *sub*, -s Gesandtschaft, Legation; **~ councillor** *sub*, -s Legationsrat

legend, *sub*, -s Legende, Sage; **~ figure** *sub*, -s Sagengestalt; **~ary** *adj*, legendär, legendenhaft, sagenhaft, sagenumwoben

legible, *adj*, lesbar, leserlich

legion, *sub*, -s Legion; **~ary** *sub*, -ies Legionär; **Legionnaire´s disease** *sub*, - Legionärskrankheit

legislation, *sub*, -s Gesetzgebung, Legislatur; **legislative** *adj*, gesetzgebend, legislatorisch; **legislative body** *sub*, -ies Legislative; **legislator** *sub*, -s Gesetzgeber

leisure, *sub*, -s Freizeit; Muße; *to allow oneself some leisure* sich Muße gönnen; *to do sth in a leisurely way* etwas mit Muße tun; *to find the time and leisure for sth* die Muße für etwas finden; *with a wide range of leisure facilities* mit hohem Freizeitwert; **~ shirt** *sub*, -s Freizeithemd; **~ly** *adj*, *(gemütlich)* geruhsam

leitmotif, *sub*, -s *(mus.)* Leitmotiv

lemma, *sub*, -ta Lemma

lemming, *sub*, -s Lemming

lemon, *sub*, -s *(tt; bot.)* Zitrone; **~ juice**

(tt; zool.) Zitronenfalter; **~ tree** *sub*, -s *(tt; bot.)* Zitronenbaum; **~ yellow** *adj*, zitronengelb; **~ade** *sub*, -s Limonade

lend, **(1)** *vt*, leihen, verleihen **(2)** *vti*, *(geben)* borgen; *could you lend me an hour of your time?* können Sie mir eine Stunde Ihrer Zeit leihen?; *he lent me some money* er hat mir Geld geliehen, *it lends itself to* die Sache bietet sich an für; *lend sb sth* jmd etwas borgen; *lend sth to sb* jmd etwas borgen; *lend sth to so* jemandem etwas ausborgen; **~ (out)** *vt*, ausleihen; *lend sth out to so* jemandem etwas ausleihen; **~ a hand** *vi*, zufassen; **~ out** *vt*, verborgen; **~ so a hand** *vi*, *(behilflich sein)* helfen; **~ing** *sub*, -s Verleihung; **~ing (out)** *sub*, -s Ausleihung; **~ing channels** *sub*, Leihverkehr; **~ing library** *sub*, -ies Leihbücherei

lenght of one´s stride, *sub*, -s Schrittlänge; **length** *sub*, -s Körperlänge, Länge, Pferdelänge, Weite; - *(ugs.)* Dauer; *the length of the movie* die Dauer des Films; **length of cloth** *sub*, -es Tuchbahn; **length of service** *sub*, -es Dienstalter; **length of wallpaper** *sub*, *lengths* Tapetenbahn; **lengthen** *vt*, längen, verlängern; **lengthways** *adv*, längs; **lengthy** *adj*, lang, langwierig

leniency, *sub*, *nur Einz.* Nachsicht; *(s. adj)* Milde; **lenient** *adj*, glimpflich, gnädig, nachsichtig; *(Urteil)* milde; *to be lenient* Nachsicht üben; *to be lenient* milde ausfallen; **leniently** *adv*, glimpflich

Leninism, *sub*, - Leninismus; **Leninist** *sub*, -s leninistisch

lenis, *sub*, -nes Lenis

lens, *sub*, -es *(Brillen-)* Glas; *(Optik)* Linse; **~ defect** *sub*, -s Linsenfehler; **~ sytem** *sub*, -s Optik

Lent, *sub*, - *(theol.)* Fastenmonat

lentiform, *adj*, linsenförmig

lentil, *sub*, -s *(bot., Küche)* Linse; **~ soup** *sub*, -s Linsensuppe

leo, *sub*, *nur Einz.* *(astron., astrol.)* Löwe; *to be (a) Leo* Löwe sein; *to be born under the sign of Leo* im Zeichen des Löwen geboren sein; **~nine courage** *sub*, *nur Einz. (geh.)* Löwenmut; **~pard** *sub*, -s Leopard; *(i. ü. S.) the leopard cannot change his spots* man kann nicht über seinen eigenen Schatten springen

leotard, *sub*, -s *(spo.)* Trikot

lepton, *sub,* -s Lepton
lesbian, (1) *adj,* lesbisch **(2)** *sub,* -s Lesbierin; *(vulg.)* Lesbe
lesbian (f.), *sub,* -s Homosexuelle
lesion, *sub,* -s *(med.)* Läsion
less, (1) *adj,* geringer, minder **(2)** *adv,* abzüglich, weniger; *to a lesser extent* in geringerem Maße; *and no less so* und das nicht minder; *more or less* mehr oder minder; *neither more nor less* nicht mehr und nicht minder; *no less important than* nicht minder wichtig als, *he won´t do it for less* darunter tut er es nicht; *with a greater of lesser degree of success* mit mehr oder weniger Erfolg; **~ gifted** *adj,* minderbegabt; *less gifted people* Minderbegabte; *(iro.) mentally less gifted* geistig minderbemittelt; **~ than (1)** *adj,* (als) geringer **(2)** *adv,* unter; *no less than* kein geringerer als, *(geringer) to be back in less than one hour* unter einer Stunde zurück sein; **~ well-off** *adj,* minderbemittelt; **~er celandine** *sub,* -s Scharbockskraut
lesson, *sub,* -s Denkzettel; - Lehre; -s Lektion, Schulstunde; *(Unterricht)* Stunde; *teach sb a lesson* ihm einen Denkzettel verpassen; **~s** *sub, nur Mehrz.* Unterricht
lessor, *sub,* -s Vermieter, Verpächterin
let, *vt,* lassen; *don´t let on* lass dir nichts anmerken; *don´t let the children out on the street* lass die Kinder nicht auf die Straße; *he let me know that* er hat mich wissen lassen, dass; *if you need anything let me know* wenn du was brauchst, melde dich; *just let him do it* lass ihn nur machen; *(ugs.) let him have it* gib ihm Saures; *let´s go!* packen wir´s!; *now let me tell you sth* ich muss dir jetzt mal was sagen; **~ (allow) sb through** *vt,* durchlassen; **~ alone** *konj,* *(- denn)* geschweige; **~ come along** *vt,* herbeilassen; **~ come up** *vt,* heraufwlassen; **~ down (1)** *vt,* herablassen; **~ go (1)** *vt,* gehen lassen **(2)** *vti, (-lassen)* gehen; *they have let him go* sie haben ihn gehen lassen; **~ go (of)** *vt, (nicht mehr festhalten)* loslassen; **~ go up** *vi,* hinauflassen; **~ in** *vt,* hereinlassen, hineinlassen; *let so in on a secret* jmd in ein Geheimnis einweihen; **~ off** *vt, (abfeuern)* loslassen; *(Dampf)* ablassen; *(Feuerwerk)* abbrennen; **~ out** *vt,* herauslassen, hinauslassen; *(ugs.)* ausplaudern; *(Flüssigkeit)* auslassen; **~ someone come near** *vt,* heranlassen; *he won´t let anyone come near his books* er lässt niemand an seine Bücher heran

lethal, *adj,* letal
lethargic, *adj,* lethargisch; **lethargy** *sub, nur Einz.* Lethargie
let past, *vt,* vorbeilassen; **let rest** *vt,* ruhen lassen; **let sb have sth** *vt,* überlassen; *they let him have it without resistance* sie überließen es ihm widerstandslos; **let sth cool** *vt,* kalt stellen; **let sth. in** *vt, (hineinlassen)* durchlassen; *let a goal in* den Ball durchlassen; **let sb through** *vt,* jmd durchlassen; **let up** *vi,* lockerlassen; *not to give or let up* nicht lockerlassen; **let´s assume** *konj,* *(- den Fall)* gesetzt
letter, *sub,* -s Anschreiben, Brief, Buchstabe, Letter; *open letter* offener Brief; *send a letter* einen Brief schicken; *according to the letters of the law* nach dem Buchstaben des Gesetzes; *capital/small letter* großer/kleiner Buchstabe; *letter puzzle* Buchstabenrätsel; **~ of condolence** *sub,* -s - Beileidsschreiben; **~ of credit** *sub,* -s Kreditbrief; **~ of marque** *sub,* -s Kaperbrief; **~ of protest** *sub,* -s Protestnote; **~ of safe-conduct** *sub,* -s Schutzbrief; **~ of thanks** *sub,* -s Dankadresse; **~-head(ing)** *sub,* -s Briefkopf; **~-opener** *sub,* - Brieföffner; **~card** *sub,* -s Kartenbrief; **~ing** *sub,* -s *(Beschriftung)* Aufschrift; **~press printing** *sub, nur Einz.* Buchdruck
lettuce, *sub,* -s Kopfsalat; - Salat; *lettuce* grüner Salat; **~ plant** *sub,* -s Salatpflanze
leukaemia, *sub, nur Einz.* Leukämie; **leukaemic** *adj,* leukämisch
levade, *sub,* -s Levade
Levant, *sub, nur Einz.* Levante; **~ine (1)** *adj,* levantinisch **(2) levantine** *sub,* - Levantine, -s Levantiner
lever, (1) *sub,* -s Hebel **(2)** *vt,* hebeln; *position the lever* den Hebel ansetzen
leviathan, *sub,* -s Leviathan
levitation, *sub,* -s Levitation
Levite, *sub,* -s Levit
lewd, *adj,* unzüchtig
lexeme, *sub,* -s Lexem
lexical, *adj,* lexikalisch; **lexicographer** *sub,* -s Lexikograf; **lexicography** *sub, nur Einz.* Lexikografie, Lexikologie; **lexicologist** *sub,* -s Lexikologin; **lexicology** *sub, nur Einz.* Lexikologie
liability, *sub,* -ies Haftpflicht; *(jur.)* Haftung; *(un)limited liability* (un)beschränkte Haftung; **liable** *adj,* haftbar; **liable for compensation** *adj,* regresspflichtig; **liable to punishment** *adj,* straffällig

liaison, sub, -s Liaison

llum, sub, -s Llani

liar, sub, -s Lügner; (i. ü. S.) Weißmacher

libel, sub, nur Einz. Injurie

liberal, (1) adj, freiheitlich; (Ansichten) großzügig (2) adv, liberal (3) **Liberal** sub, -s Freidemokrat, Liberale, Liberalist; **Liberalism** sub, nur Einz. Liberalismus; **~ity** sub, nur Einz. Liberalität; **~ize** vt, liberalisieren; **liberated** adj, (Volk, Land) befreit; **liberation** sub, -s (eines Volkes) Befreiung; **liberation movement** sub, - -s Befreiungsbewegung

Liberian, (1) adj, liberianisch (2) sub, -s Liberianerin

libertinism, sub, nur Einz. Libertinage

liberty, sub, nur Einz. Freiheit

Libra, sub, nur Mehrz. (tt; astrol.) Waage

librarian, sub, -s Bibliothekar; **library** sub, -ies Bibliothek, Bücherei; **-es** Werkbücherei; **library photo** sub, -s Archivbild

librettist, sub, -s Librettist

libretto, sub, -ti Libretto

licence, sub, -s Konzession, Lizenz; to be licensed to do sth eine Lizenz für etwas haben; to manufacture sth under licence etwas in Lizenz herstellen; **~ fee** sub, -s Lizenzgebühr; **~ number** sub, -s Konzessionär; **license** vt, (geh.) lizenzieren; **licensee** sub, -s Lizenznehmer, Lizenzträger; **licenser** sub, -s Lizenzgeber; **licensing authority** sub, -ies (Behörde) Lizenzgeber

licentiousness, sub, nur Einz. Zügellosigkeit

lichen, sub, -s (bot.) Flechte; **~ologist** sub, -s Lichenologe

lick, (1) vt, ablecken, belecken, lecken (2) vti, schlecken; lick so´s face jemandem das Gesicht ablecken; lick the plate clean den Teller ablecken; **~ out** vt, auslecken; **~ up** vt, auflecken; **~ing** sub, nur Einz. Schleckerei

lictor, sub, -s Liktor

lid, sub, -s Kistendeckel, Verschluss

lie, (1) sub, -s Lüge (2) vi, lügen; (ausgebreitet sein) liegen; it´s all lies das ist alles Lüge; to accuse sb of lying jmdn einer Lüge beschuldigen; I would be lying if Ich müsste lügen, wenn; rotten lie gemeine Lüge; that´s a lie! das ist gelogen!; to lie like mad lügen wie gedruckt; to lie down sich hinlegen; to lie dying im Sterben liegen; to lie low untertauchen; **~ around** vi, herumliegen, umherliegen; **~ back** vt, zurücklegen; **~ detector** sub, -s Lügendetektor; **~**

down (1) vi, legen, niederlegen (2) vt, (steh) hinlegen, she lay down in the grass sie legte sich ins Gras; (i. ü. S.) the matter began to prey on his mind die Sache legte sich ihm aufs Gemüt; to lie down on one´s back sich auf den Rücken legen; **~ in wait for** vi, belauern; **~ there** vi, daliegen; **~ to** vi, belügen, beschwindeln; **~ to sb** vt, vorlügen; **~ to so** vi, anschwindeln; **~ to so´s face** vi, anlügen; **~ waste** vi, brachliegen

lieutenant, sub, -s Leutnant, Oberleutnant; lieutenant Oberleutnant zur See; **~ colonel** sub, -s Oberstleutnant

life, sub, -ves Leben; - s Vita; (Lampe) Brenndauer; - (s. Saus) Braus; broadcast life direkt übertragen; escape with one´s life die nackte Existenz retten; firing time of the clay Brenndauer des Tons; full of life voller Schwung; in the prime of life im besten Alter; life is what you make it jeder ist seines Glückes Schmied; make an attempt on so´s life auf jemanden ein Attentat verüben; not on your life! nie im Leben!; she makes the most of everything life has to offer sie nimmt alles mit, was sich bietet; (ugs.) that´s life das ist Schicksal; the seamy side of life die Niederungen des Lebens; (i. ü. S.) to depart this life das Zeitlich segnen; to reproduce sth true to life etwas naturgetreu wiedergeben; live the high life in Saus und Braus leben; **~ annuity** sub, -ies Leibrente; **~ insurance** sub, -ies Lebensversicherung; **~ jacket** sub, -s Schwimmweste; **~ net** sub, -s (US) Sprungtuch; **~ of luxury** sub, -s Wohlleben; **~ span** sub, -s Lebensdauer; **~(long)** adj, lebenslänglich; **~´s work** sub, nur Einz. Lebensarbeit; **~belt** sub, -s Rettungsgürtel, Rettungsring; **~boat** sub, -s Rettungsboot; **~guard** sub, -s Strandwache

lifeless, adj, entseelt, leblos; (leblos) unbelebt; **life-size** sub, -s (i. ü. S.) adj, (in Lebensgröße) naturgetreu (2) adv, nur Einz. Lebensgröße; life-size in seiner natürlichen Größe, a life-sized portrait ein Porträt in Lebensgröße; (ugs.) there he was, as large as life da stand er in voller Lebensgröße; **~ness** sub, nur Einz. Leblosigkeit; **livelihood** sub, -s (Lebensgrundlage) Existenz; **lifelike** adj, naturgetreu; **lifetime** sub, nur Einz. Lebenszeit; **lifetime of a parliament** sub, -s Wahlperiode

lift, (1) sub, -s Fahrstuhl, Lift; (Fahrstubl) Aufzug; *(phy., in der Luft)* Auftrieb (2) *vr, (sich)* heben (3) *vt,* heben, herausheben, hochbringen, lift; *(hoch-)* stemmen *(hochheben)* aufheben; *(Schrank, etc.)* anheben (4) *vti, (ugs.: stehlen)* organisieren; *lift a load* eine Last heben; *can you give me a lift?* kann ich mitfahren?; *give sb a lift* jemanden ein Stück mitnehmen; *give so a lift* jemanden im Auto mitnehmen; *to give sb a lift* jmdn im Auto mitnehmen, jmdn mitfahren lassen; ~ **off** *vi, (Gegenstand)* abheben; ~ **shaft** *sub,* ~ *s* Aufzugsschacht; ~ **the hand** *vt, (zum Schlagen)* ausholen; ~ **up** *vt,* hochheben; ~**boy** *sub,* ~ *s* Liftboy; ~**ing capacity** *sub, -ies (tt)* Hub; ~**ing force** *sub,* - *s (tt; phy., in der Luft)* Auftriebskraft

ligament, *sub, -s (anat.)* Band

ligature, *sub, -s* Ligatur

light, (1) *adj,* leicht, licht; *(Farbe)* hell; *(Kleidung)* luftig (2) *sub, -s* Lampe, Leuchte, Licht; *nur Einz.* Schein (3) *vt,* entzünden, erleuchten, zünden; *(anbringen)* anmachen; *(Brand)* entfachen; *(Kerze, Zigarette)* anzünden; *a light meal* ein leichtes Essen; *it´s a leightweight suitcase* der Koffer ist aus einem leichten Material; *light music* leichte Musik; *the suitcase is big, but it´s light* der Koffer ist groß, aber leicht, *(i. ü. S.)* **bring to light** an den Tag bringen; *get off lightly* glimpflich davonkommen; *(ugs.) get out of my light!* geh mir aus der Sonne!; *Lights out!* Licht aus; **soften the light** Licht dämpfen; ~ **(up)** *vt, (Raum etc.)* beleuchten; ~ **a fire** *vi,* feuern; ~ **brown (hair)** *adj,* dunkelblond; ~ **coach horse** *sub, -s* Jucker; ~ **diet** *sub, -s* Schonkost; ~ **filter** *sub, -s* Lichtfilter; ~ **metal** *sub, -s* Leichtmetall; ~ **meter** *sub,* - *s* Belichtungsmesser; ~ **music** *sub, nur Einz.* Unterhaltungsmusik; ~ **novel** *sub, -s* Trivialroman; ~ **reflection** *sub, -s* Lichtreflex; ~ **signal** *sub, -s* Lichtsignal; ~ **up** (1) *vi, (Lampe, Augen)* aufleuchten (2) *vt,* erhellen; ~ **year** *sub, -s* Lichtjahr

light-buoy, *sub, -s* Leuchtboje; **light-footed** *adj,* leichtfüßig; **light-hearted** *adj,* leichtblütig, leichtherzig; **light-weight** *adj, (anspruchslos)* musikantisch; **lighten** *vt, (Gewicht)* erleichtern; **lighter** *sub, -s* Anzünder, Feuerzeug, Schleppkahn; **lighthearted** *adj,* unbekümmert, unbeschwert; **lighthouse** *sub, -s* Leuchtturm

lighting, *sub, nur Einz. (eines Raumes)* Beleuchtung; ~ **effect** *sub, -s* Lichteffekt; ~ **system** *sub, -s* Beleuchtungsan-

lage; ~ **technician** *sub, -s* Beleuchter; ~ **wire** *sub, -s* Lichtleitung; **lightly smoked pork loin** *sub, -s* Selchkarree; **lightness** *sub, nur Einz.* Leichtigkeit

lightning, (1) *adj,* blitzartig (2) *sub, nur Einz.* Blitz; *-s* Blitzschlag; *a flash of lightning* ein Blitz; *lightning has struck* ein Blitz hat eingeschlagen; *like greased lightning* wie ein geölter Blitz; ~ **operation** *sub, -s* Blitzaktion; ~ **poll** *sub, -s* Blitzumfrage; ~ **speed** *sub, nur Einz.* Blitzesschnelle; ~**-conductor** *sub, -s* Blitzableiter

lights, *sub, -* Lichtanlage

lightship, *sub, -s* Feuerschiff

lightweight, *sub, -s* Leichtgewicht

lignin(e), *sub, -s* Lignin

lighten up, *vt, (Fotografie)* aufhellen

like, (1) *vi,* gefallen (2) *vt,* mögen; *(mögen)* machen (aus); *how do you like my hat?* wie gefällt dir mein Hut?; *I don´t like it* es gefällt mir nicht; *I like it* es gefällt mir; *what I like about it* was mir daran gefällt, *and the like* und ähnliches; *as you like it* ganz nach Belieben; *be no longer liked* sich alle Sympathien verscherzen; *do as you like* mach, wie du Lust hast; *I don´t like him* er ist mir unsympathisch; *I don´t like it one bit* das behagt mir aber gar nicht; *I liked her at once* sie war mir vom ersten Moment an sympathisch; *I wouldn´t like to live here* hier möchte ich nicht wohnen; *I´d like to* ich hätte Lust dazu; *I´d like to know* das möcht´ ich auch wissen; *if you like, I don´t mind* wenn du meinst; *It´s just like him to say that* das passt zu ihm, so etwas zu sagen; *like father, like son* wie der Vater, so der Sohn; *Like it or not,* you *have to take off your shoes* Du musst die Schuhe ausziehen, ob du nun willst oder nicht; *she´s just like her father* sie ist ganz ihrem Vater nachgeraten; *something like* so etwas ähnliches wie; *that´s what I like* das lob ich mir; *to take a liking to sb* zu jmd eine Neigung fassen; *what would you like* was darf es sein; *what would you like?* was möchten sie, bitte?; *would you like sth to drink* etwas zu trinken gefällig?; ~ **a caterpillar** *adj,* raupenartig; ~ **a column** *adj,* säulenförmig; ~ **a coward** *adv,* feig, feige; ~ **a detective** *adv,* detektivisch; ~ **a married man** *adv,* ehemännlich; ~ **a relief** *adj,* reliefartig; ~ **a robot** *adj,* roboterhaft; ~ **a tendril** *adj,* rankenartig;

~ **an avalanche** *adj*, lawinenartig; ~ **Euripides** *adj*, euripideisch; ~ **junk** *adj*, ramschweise; ~ **mad** *adj*, rasend; ~ **this** *adv*, (auf diese Art) so; ~ **this/that** *adj*, solche; ~**-minded** *adj*, kongenial; ~**able** *adj*, sympathisch; ~**wise** *adv*, gleichfalls; **liking** *sub*, -s Faible

lilac, *sub*, -s Flieder, Fliederbusch; ~ **blossom** *sub*, -s Fliederblüte

Liliputian, *sub*, -s (Bewohner von Liliput) Liliputaner; **Lilliput** *sub*, nur Einz. Liliput

lilo, *sub*, -s (Markenname) Luftmatratze

lilt, *vi*, trällern

lily, *sub*, -ies Lilie; ~ **of the valley** *sub*, lilies Maiglöckchen; ~**-white** *adj*, (geh.) schwanenweiß

limbo, *sub*, nur Einz. Limbo

lime, *sub*, -s Limette, Limone; (chem.) Kalk; ~ **(tree)** *sub*, -s Linde; ~ **blossom** *sub*, -s Lindenblüte; ~ **blossom tea** *sub*, -s Lindenblütentee; ~ **honey** *sub*, -s Lindenhonig; ~ **juice** *sub*, -s Limettensaft; ~ **leaf** *sub*, -leaves Lindenblatt; ~ **twig** *sub*, -s Leimrute

limerick, *sub*, -s Limerick

limes castle, *sub*, -s Limeskastell

limestone, *sub*, nur Einz. Kalkstein

limit, **(1)** *sub*, -s Grenzwert; nur Einz. Höchstbetrag; ~ *sub*, -s Höchstgrenze, Limit; (i. ü. S.) Grenze (2) *vt*, befristen, limitieren; (Auswirkungen etc.) begrenzen; (begrenzen) einschränken; to the limit of bis zu einem Höchstbetrag von; to set sb a limit jmd ein Limit setzen; (i. ü. S.) keep within limits sich in Grenzen halten; (i. ü. S.) reach its limits an seine Grenzen stoßen, drive os to the limit sich vollständig ausgeben; fit for limited service bedingt tauglich; ~**ation** *sub*, -s Einschränkung, Limitation, Limitierung, Abgrenzung; ~**ations** *sub*, nur Mehrz. (von Möglichkeiten etc.) Begrenztheit; ~**ed (1)** *adj*, begrenzt, bemessen; (eingeschränkt) beschränkt **(2)** *adv*, begrenzt; available for a limited period only zeitlich begrenzt verfügbar; ~**ed partner** *sub*, -s Kommanditist; (Swiss) Kommanditär; ~**ed partnership** *sub*, -s (wirt.) Kommanditgesellschaft

limnimeter, *sub*, -s Limnimeter

limnological, *adj*, limnologisch

limousine, *sub*, -s Limousine

limp, **(1)** *adj*, lasch, schlaff **(2)** *vi*, hinken, humpeln; ~**ness** *sub*, nur Einz. Schlaffheit

linden avenue, *sub*, -s Lindenallee

line, **(1)** *sub*, -s Kurs, Leine, Linie, Verbindung, Zeile; (Haut) Falte; (Leitung) Draht; (Linie) Strich; (Reihe) Spalier; (spo.) Grenzlinie **(2)** *vt*, auskleiden, verkleiden; (Kleidung) füttern; (Mantel) abfüttern; (umgeben) umsäumen; hard/soft line harter/weicher Kurs; the governement won´t stick to its old line die Regierung wird nicht bei dem alten Kurs bleiben; (i. ü. S.) all along the line auf der ganzen Linie; (i. ü. S.) along the same lines auf der gleichen Linie; (mil.) the enemy lines die feindlichen Linien; to read between the lines zwischen den Zeilen lesen; draw a dividing line between etwas voneinander abgrenzen; drop me a line schreiben Sie mir ein paar Zeilen; have a direct line einen guten Draht haben; hold the line please am Apparat bleiben; hold the line, please! bleiben Sie bitte am Telefon!; I know that line die Platte kenne ich schon; line up sich aufreihen; Please hold the line Bitte bleiben sie am Apparat; that´s not my line das ist nicht mein Fach; form a line in Spalier bilden; ~ **etching** *sub*, -s Strichätzung; ~ **of business** *sub*, lines (wirt.) Sparte; ~ **of cars** *sub*, -s Auto-Kolonne; ~ **of fire** *sub*, -s Schusslinie; ~ **of thought** *sub*, -s Gedankengang; ~ **one´s own pocket** *vt*, (ugs.) sanieren; ~ **over** *vt*, überkleiden; ~ **with firebricks** *vt*, schamottieren

linear, *adj*, linear

line change, *sub*, -es (i. ü. S.) Zeilensprung

lined paper, *sub*, -s Linienpapier; **lined sheet (of paper)** *sub*, -s Linienblatt

linelength, *sub*, - (i. ü. S.) Zeilenlänge

linger (on), *vi*, (Erinnerung) nachklingen

lingua franca, *sub*, nur Einz. Verkehrssprache

lingual sound, *sub*, -s Linguallaut

linguist, *sub*, -s Linguist, Sprachkenner; ~**ic** *adj*, linguistisch; ~**ic atlas** *sub*, -es Sprachatlas; ~**ic criticism** *sub*, -s Sprachkritik; ~**ic exercise** *sub*, -s Sprachübung; ~**ic genius** *sub*, -s Sprachgenie; ~**ic island** *sub*, -s Sprachinsel; ~**ic law** *sub*, -s Sprachgesetz; ~**ic sophistication** *sub*, - Sprachkultur; ~**ically talented** *adj*, sprachbegabt; ~**ics** *sub*, nur Mehrz. Linguistik; - Sprachwissenschaft

liniment, *sub*, -s (anat.) Liniment

lining, *sub*, -s Auskleidung; - Steppfutter; -s Verkleidung; (Mantel) Abfütterung; *(von Bremsen)* Belag; *(von Kleidung)* Futter; ~ **material** *sub*, -s Futterstoff; ~ **silk** *sub*, -s Futterseide

link, (1) *sub*, -s Bindeglied; *(Ketten-)* Glied (2) *vt*, *(einfügen)* einbinden; *missing link* fehlendes entwicklungsgeschichtliches Bindeglied, *be linked with each other* mit einander in Beziehung stehen; *link a city into the transport system* eine Stadt in ein Verkehrsnetz einbinden; ~ **arms and sway from side to side** *vi*, schunkeln; ~ **up with** *vt*, *(zuschalten)* einblenden; ~**ing up to the cable network** *sub*, -Verkabelung

linnet, *sub*, -s Hänfling

lino(leum), *sub*, *nur Einz.* Linoleum

lintel, *sub*, -s *(arch.)* Fensterstock

lion, *sub*, -s Löwe; *to beard the lion in his den* sich in die Höhle des Löwen wagen; ~´s **share** *sub*, *nur Einz.* *(ugs.)* Löwenanteil; ~**ess** *sub*, -es Löwin

lip, *sub*, -s Lippe; *his thick lips* die dicken Wülste seiner Lippen; *(ugs.) the word froze on his lips* das Wort erstarb ihm auf den Lippen; *to be on everyone´s lips* in aller Munde sein; ~**-gloss** *sub*, *nur Einz.* Lipgloss

Lipizzaner, *sub*, -s Lipizzaner

lipstick, *sub*, -s Lippenstift

liquefaction, *sub*, -s Verflüssigung

liquefy, *vtr*, verflüssigen

liquid, (1) *adj*, flüssig, liquid (2) *sub*, -s Flüssigkeit, Liquida; *liquids/solids* flüssige/feste Nahrung; ~ **gas** *sub*, -es Flüssiggas; ~ **manure** *sub*, -s Gülle; *nur Einz.* Jauche, Odel; ~ **manure tank** *sub*, -s Jauchenfass; ~**ation** *sub*, -s Liquidation; *(von Firma)* Liquidierung; ~**ity** *sub*, *nur Einz.* *(wirt.)* Liquidität

liquorice, *sub*, - Lakritze; *nur Einz.* *(ugs.)* Bärendreck

lisp, *vti*, lispeln

list, (1) *sub*, -s Latte, Liste; *nur Einz.* Schlagseite; -s *(Liste)* Auflistung, Aufzählung (2) *vt*, auflisten, listen; *(auflisten)* aufführen; *(ugs.) he came with a (long) list of complaints* er kam mit einer Latte von Beschwerden; *(ugs.) he´s got a long criminal record* er hat eine Latte von Vorstrafen; *to put one´s name down on a list* sich in eine Liste eintragen; *to be listed* unter Naturschutz stehen; ~ **of (regional) candidates** *sub*, -s Landesliste; ~ **of names** *sub*, *lists* Onomastikon; ~ **of registered plant varieties** *sub*, *lists* Sortenzettel; ~ **price** *sub*, -s Listenpreis; ~ **sth for admission to the stock exchange** *vt*, *(wirt.)* kotieren

listen, *vi*, herhören, horchen, hören, lauschen; *I listen to the radio in the car* im Auto höre ich Radio; *will you listen to me for a change?* hörst du mal auf mich?; *listen* pass auf; *listen intently* angestrengt zuhören; *listen to reason* zur Einsicht kommen; *refuse to listen to* kein Gehör schenken; *to listen to what people really say* dem Volk aufs Maul schauen; ~ **(too)** *vi*, mithören; ~ **attentively** *vi*, aufmerken; ~ **to** (1) *vi*, zuhören (2) *vt*, anhören; *just listen to this* nun hör dir das an; *listen in on sth* etwas mit anhören; ~**er** *sub*, -s Hörer, Zuhörer; ~**ers** *sub*, *nur Mehrz.* Hörerschaft; ~**ing post** *sub*, -s *(tt. mil.)* Horchposten

listing, *sub*, -s *(das Auflisten)* Auflistung; ~ **the left** *adj*, linkslastig; ~ **to the right** *adj*, rechtslastig; **listless** *adj*, schlapp; **listlessness** *sub*, -Schlappheit

litany, *sub*, -*ies (theol.)* Litanei

literal, *adj*, wörtlich

literally, *adv*, buchstäblich; **literary** *adj*, literarisch; **literary and artistic director** *sub*, -s Dramaturg; **literary artistry** *sub*, - Sprachkunst; **literary studies** *sub*, *nur Mehrz.* Literaturwissenschaft; **literary world** *sub*, -s Literatentum

literature, *sub*, -s Literatur; *nur Einz.* Schrifttum

lithe, *adj*, *(geschmeidig)* gelenkig; *(Körper)* geschmeidig; ~**ness** *sub*, -Gelenkigkeit

lithium, *sub*, *nur Einz.* Lithium

lithograph, *vt*, lithografieren; **lithology** *sub*, *nur Einz.* Lithologie

litmus, *sub*, *nur Einz.* Lackmus; ~ **paper** *sub*, - Lackmuspapier

litotes, *sub*, - Litotes

litre, *sub*, -s Liter; *(Bier)* Maß; *two litres of beer* zwei Maß Bier; ~ **bottle** *sub*, -s Literflasche

little, (1) *adj*, gering, klein, wenig (2) *adv*, wenig; *little knowledge* geringe Kenntnisse; *(i. ü. S.) make do with very little* auf kleiner Flamme kochen; *precious little* erbärmlich wenig; ~ **aches** *sub*, *nur Einz.* *(ugs.)* Zipperlein; ~ **angel** *sub*, -s Engelchen; ~ **bare monkey** *sub*, -s *(Kind)* Nackedei; ~ **bonnet** *sub*, -s Häubchen; ~ **book** *sub*, -s Büchlein; ~ **by little** *adv*, *(zeitlich, ~ und ~)* nach; ~ **cup** *sub*, -s Tässchen; ~ **daughter** *sub*, -s Töchterchen; ~ **devil** *sub*, -s Lausebengel; *(i. ü. S.)* Wildfang; ~ **drink** *sub*, -s Schnäpschen; ~ **fellow** *sub*, -s

Knirps; ~ **flag** sub, -s Fähnlein; ~ **flan**
sub, -s Törtchen; ~ **flower** sub, -s Blümchen; ~ **goat** sub, -s Geißlein; ~ **help**
ful fairy sub, -ies Heinzelmännchen;
little jump, sub, -s Hüpfer; **little man**
sub, men Männchen; **little monster**
sub, -s (ugs.) Wechselbalg; **little mouse**
sub, mice Mäuschen; **little mussel** sub,
-s Müschelchen; **little picture** sub, -s
Bildchen; **little place** sub, -s (kleiner
Platz) Plätzchen; **little plaster** sub, -s
Pflästerchen; **little pot** sub, -s Töpfchen; **little rascal** sub, -s (niedl. Kind)
Fratz; **Little Red Ridinghood** sub, nur
Einz. Rotkäppchen; **little scarf** sub, -s
Tüchlein; **little shop** sub, -s Budike,
Tante-Emma-Laden
little shrug, sub, -s Sträuchlein; **little**
song sub, -s Liedchen; **little stalk** sub,
-s Stängelchen; **little stream** sub, -s
Flüsschen; **little sweetie** sub, -s Püppchen; **little while** sub, nur Einz. (ugs.)
Weilchen, **little wood** sub, -s Wäldchen;
littoral, adj, (geol.) litoral
liturgical, adj, liturgisch; **liturgics** sub,
nur Mehrz. (relig.) Liturgik; **liturgist**
sub, -s Liturg; **liturgy** sub, -ies Liturgie
live, (1) adj, live; (Kohlen)-glühend (2)
vi, hausen, leben, wohnen; (wohnen)
sitzen; be short-lived von kurzem Bestand sein; live to old age ein hohes
Alter erreichen; liven things up Leben
in die Bude bringen; they are just two
people living in the same house sie leben nur noch nebeneinanderher; to
live on sth love on etwas wohnen; what
do you do for a living? was machst du
beruflich?; ~ **as a vagabond** vi, vagabundieren; ~ **in want** vt, darben; ~ **off**
sb vt, durchfuttern; ~ **on** vi, weiterleben; ~ **on sb´s hospitality** vt, (i. ü. S.)
durchfressen; ~ **out** vt, (Phantasie)
ausleben; ~ **programme** sub, -s Livesendung; ~ **through** vt, (ugs.) durchleben; (erleben) mitmachen; ~ **together**
vi, zusammenleben; ~ **weight** sub, -s
Lebendgewicht; ~**lihood** sub, nur
Einz. (Existenz) Auskommen; make a
decent living ein Auskommen haben;
~**liness** sub, nur Einz. Lebendigkeit,
Munterkeit, Spritzigkeit
lively, (1) adj, angeregt, flott, lebendig,
lebhaft, quick, quirlig, spritzig; (ugs.)
peppig; (lebhaft) munter; (munter)
mobil; (Person) ausgelassen; (Szene)
belebt (2) adv, angeregt; to liven sb up
jmdn mobil machen, have a lively conversation sich angeregt unterhalten;
~**ness** sub, nur Einz. (einer Szene) Belebtheit; **liven up** vt, (munter machen)

ermuntern; (Stimmung) auflockern;
to liven up munter werden; **liven ing**
up sub, nur Einz. (der Stimmung)
Auflockerung
liver, sub, -s Leber; ~ **disorder** sub, -s
Leberleiden; ~ **paté** sub, -s Leberpastete
liveried, adj, livriert
livery, sub, -ies Livree
livestock, sub, -s Vieh, Viehbestand; ~
breeder sub, -s Viehzüchter; ~ **bree**
ding sub, nur Einz. Tierzucht; ~ Viehzucht; ~ **dealer** sub, -s Viehhändler;
~ **herd** sub, -s Viehherde; ~ **owning**
sub, -s Viehhaltung
living, (1) adj, lebend, (biol.) rezent
(2) sub, nur Einz. Lebensunterhalt;
there´s good living to be made as a
craftsman das Handwerk nährt seinen Mann; what do you do for a living? welchem Beruf gehen sie nach?;
she supports the family sie verdient
den Lebensunterhalt für die Familie;
you won´t be able to earn your living
with music mit Musik wirst du deinen
Lebensunterhalt nicht verdienen können;
~ **area** sub, -s Wohnbereich; ~ **cell**
sub, -s (med.) Frischzelle; ~ **image**
sub, -s Leibhaftige; ~ **one sommer** vi,
einsommerig; ~ **room** sub, -s Wohnraum, Wohnzimmer; ~ **space** sub, -s
Wohnraum; ~ **thing** sub, -s Lebewesen; ~ **together** sub, - Zusammenleben
Livonian, adj, livländisch
lizard, sub, -s Eidechse; ~ **skin** sub, -s
Eidechsleder
load, (1) sub, -s Auslastung, Fuhre, Ladung, Last, Traglast, Wucht; (tech.)
Belastung (2) vt, bepacken, laden,
verladen; (a. i.ü.S.) befrachten; (aufladen) beladen; (Gepäck) aufladen;
(Ladung) einschiffen; get so loaded
with sth sich etwas aufladen; load so
with sth jemandem etwas aufladen; (i.
ü. S.) that´s a load off my mind! mir
fällt ein Stein vom Herzen!; the maximum load die äußerste Belastung;
(ugs.) there was loads of wine es gab
jede Menge Wein; ~ (carried on
back) sub, -s (ugs.) Hucke; (ugs.) to
give so a good thrashing jemandem
die Hucke voll hauen; (ugs.) to tell so
a pack of lies jemandem die Hucke
voll lügen; ~ (into) vt, (in) einladen;
load sth into the car etwas ins Auto
einladen; ~ **capacity** sub, -ies Ladegewicht; ~ **of shit** sub, -s (vulg.) Scheißdreck; ~**bearing member** sub, -s
(Bauwerk) Tragwerk; ~**carrying**

adj., tragkräftig; **~able** *adj.*, *(tech.)* belastbar; **~ed** *adj.*, geladen; **~ing** *sub.*, *nur Einz.* Befrachtung; *-s* Beladung; **~ing capacity** *sub.*, *-ies (tech.)* Belastbarkeit; **~ing crane** *sub.*, *-s (tt; tech.)* Verladekran; **~ing hatch** *sub.*, *-es* Ladeluke; **~ing platform** *sub.*, *-s* Verladerampe; **~room** *sub.*, *-s* Laderaum

loaf, *sub.*, *-ves* Laib; **~ around** *vi.*, *(ugs.)* gammeln; **~ of bread** *sub.*, *-s* Brotlaib; **~er** *sub.*, *-s* Herumtreiber, Tagedieb; *(US)* Slipper

loathing, *sub.*, *-s (langfristig)* Ekel; *have a loathing for sth* einen Ekel vor etwas haben

lob, **(1)** *sub.*, *nur Einz. (spo.)* Lob **(2)** *vi.*, lobben

lobbering, *sub.*, *- (Essen)* Geschlabber

lobby, *sub.*, *-ies* Lobby; **~ist** *sub.*, *-s* Lobbyist.

lobe, *sub.*, *-s* Ohrläppchen

lobelia, *sub.*, *-s* Lobelie

lobotomy, *sub.*, *-s* Lobotomie

lobster, *sub.*, *-s* Hummer; **~ soup** *sub.*, *-s* Hummersuppe

local, **(1)** *adj.*, gebietsweise, lokal, örtlich, ortsansässig, ortsüblich; *(Handwerk)* bodenständig **(2)** *adv.*, hiesig **(3)** *sub.*, *-s* Stammkneipe; *it was limited to a local encounter* der Konflikt war örtlich begrenzt; *local anaesthetic* örtliche Betäubung; *standard local rents* ortsübliche Mieten; **~ (municipal) election** *sub.*, *-s* Kommunalwahl; **~ (telephone) exchange area** *sub.*, *-s* Ortsnetz; **~ anaesthesia** *sub.*, *-s* Lokalanästhesie; **~ authority** *sub.*, *-ies* Gemeindeamt; *(Verwaltung)* Gemeinde; **~ authority district** *sub.*, *-s* Kommune; **~ call** *sub.*, *-s* Ortsgespräch; *(Telefon)* Stadtgespräch; **~ colour** *sub.*, *-s* Lokalkolorit; **~ council** *sub.*, *-s* Gemeinderat; **~ derby** *sub.*, *-ies* Lokalderby; **~ dignitary** *sub.*, *-ies* Honoratioren; **~ election** *sub.*, *-s* Gemeindewahl; **~ exchange** *sub.*, *-s (Zweigstelle)* Nebenamt; **~ heritage museum** *sub.*, *-s* Heimatmuseum; **~ knowledge** *sub.*, *nur Einz.* Ortskenntnis; **~ news** *sub.*, *nur Mehrz.* Lokalbericht

locality, *sub.*, *-ies* Örtlichkeit; *(örtl. Beschaffenheit)* Lokalität; **localization** *sub.*, *-s (med.)* Lokalisation; **localize** *vt.*, lokalisieren

local newspaper, *sub.*, *-s* Lokalzeitung; **local newsroom** *sub.*, *-s* Lokalredaktion; **local patriotism** *sub.*, *nur Einz.* Lokalpatriotismus; **local press** *sub.*, *nur Einz.* Lokalpresse; **local rain** *sub.*, *-s* Strichregen; **local requirements** *sub.*,

nur Mehrz. (Handel) Platzbedarf; **local resident** *sub.*, *-s* Sass; **local studies** *sub.*, *-* Heimatkunde; **local telephone headquarters** *sub.*, *-* Fernmeldeamt; **local time** *sub.*, *-s* Ortszeit; **local traffic** *sub.*, *nur Einz.* Nahverkehr, Ortsverkehr; **local weights and measures office** *sub.*, *-s* local bureau of standards *sub.*, *-s* Eichamt   **↑**

locate, **(1)** *vi.*, lokalisieren **(2)** *vt.*, orten; **locating** *sub.*, *-s* Ortung; *(Sender)* Peilung; **location** *sub.*, *-s* Lage, Lokalisation, Standort, Trassierung; **location shot** *sub.*, *- -s (beim Filmen)* Außenaufnahme; **locative (case)** *sub.*, *- (gramm.)* Lokativ

lock, **(1)** *sub.*, *-s* Verschluss; *(Schiffe)* Schleuse; *(Tür)* Schloss **(2)** *vt.*, versperren, zuschließen; *(Schiffe)* schleusen; *(Tür)* absperren; **~ (up)** *vt.*, verschließen; **~ and chain** *sub.*, *-s* Schließkette; **~ away** *vt.*, wegschließen; **~ gate** *sub.*, *-s* Schleusentor; **~ out** *vt.*, aussperren; **~ out**. *vt.*, *(aussperren)* ausschließen; **~ sb up** *vt.*, *(ugs.)* einbuchten; *lock up sb* jmd einbuchten; **~ sb/sth. up** *vt.*, einsperren; **~ sth. up** *vt.*, einschließen; **~ up** *vt.*, *(Tür, Schmuck, etc.)* abschließen

lock-smith, *sub.*, *-s* Schlosser, Schlosserin; **lockable** *adj.*, *(techn.)* feststellbar; **locked** *adj.*, verschlossen; **locker** *sub.*, *-s* Schließfach, Spind; **locking** *sub.*, *-s* Verriegelung, Versperrung; **lockjaw** *sub.*, *-s* Starrkrampf; **lockout** *sub.*, *-s (Streikender)* Aussperrung

locomotion, *sub.*, *nur Einz.* Fortbewegung; **locomotive** *sub.*, *-s* Lokomotive

locust, *sub.*, *-s (gefährliche)* Heuschrecke

loden (cloth), *sub.*, *-s* Loden; **loden (coat)** *sub.*, *-s* Lodenmantel

lodge, *sub.*, *-s (Pförtner/Jagd-)* Häuschen; *(Pförtner-, Freimaurer-)* Loge; *this prejudice lodged in his mind* dieses Vorurteil nistete in seinem Hirn; **~r** *sub.*, *-s (Unter-~)* Mieter; *a lodger* ein möblierter Herr; **lodging** *sub.*, *-s* Wohnung; **lodgings** *sub.*, *nur Mehrz. (veraltet)* Logis; *board and lodging* Kost und Logis

loess, *sub.*, *nur Einz.* Löss

Lofoten Islands, *sub.*, *nur Mehrz.* Lofotinseln

lofty, *adj.*, turmhoch; **~ (of trees)** *adj.*, hochstämmig

log, *sub.*, *-s* Kloben, Scheit; *(naut.)* Log; **~ (book)** *sub.*, *-s* Logbuch; **~ cabin** *sub.*, *-s* Blockhaus; **~ table** *sub.*, *-s* Logarithmentafel; **~arithm** *sub.*, *-s* Logarithmus; **~book** sub, -s (mot.) Fahr-tenbuch

loggia, sub, -s Loggia

logic, sub, nur Einz. Logik; this statement is lacking in logic dieser Aussage fehlt die Logik; to conclude with incredible logic mit unglaublicher Logik; your logic is a bit quaint du hast vielleicht eine Logik!; **~al** adj, folgerichtig, logisch; **~ally** adv, folgerichtig; **~ian** sub, -s Logiker

logistic, adj, logistisch; **~s** sub, nur Mehrz. (mil.) Logistik

logopaedic, adj, logopädisch

loin, sub, -s Lende; **~ roast** sub, -s Lendenbraten, Lungenbraten; **~cloth** sub, -s Lendenschurz; Schurz

loll about, (1) vi, räkeln (2) vr, (ugs.) rekeln; **lollipop** sub, -s Lutscher

lomber, sub, nur Einz. (Kartenspiel) Lomberspiel

loneliness, sub, nur Einz. Einsamkeit; **lonely** adj, einsam; **loner** sub, -s Einzelgänger

lone wolf (loner), sub,   wolves Eigenbrötler

long, (1) adj, lang; (Entfernung) groß; (zeitl) weit (2) vt, ersehnen; it will be a long time before es wird lange dauern bis; long after sth etwas ersehnen; that´s too long for me das dauert mir zu lange; **~ ago** adv, längst; **~ blouse** sub, -s (Austrian) Kasack; **~ boot** sub, -s Langschäfter; **~ distance** sub, -s Langstrecke; **~ distance ride** sub, -s Distanzritt; **~ distance drink** sub, -s Longdrink; **~ fly** sub, -s (Turnen) Hechtsprung; **~ for** (1) vi, verlangen (2) vr, zurücksehnen (3) vt, herbeisehnen; **~ for sb/sth** vi, sehnen; **~ johns** sub, - Liebestöter; **~ match** sub, -es Fidibus; **~ narrow inlet** sub, -s Förde; **~ point** sub, -s (lt; geogr.) Zipfel; **~ seller** sub, -s Longseller

long shot, sub, -s Totale; **long-distance call** sub, -s Ferngespräch; **long-distance commuter** sub, -s Fernpendler; **long-distance line** sub, -s Fernleitung; **long-distance lorry** sub, -ies Fernlastzug; **long-distance lorry-driver** sub, -s Fernfahrer; **long-distance running** sub, nur Einz. Langstreckenlauf; **long-distance shot** sub, -s Fernaufnahme; **long-distance traffic** sub, nur Einz. Fernverkehr; **long-fingered** adj, langfingerig; **long-haired dachshund** sub, -s Langhaardackel; **long-handled scrubbing brush** sub, -es Schrubber

long-winded, adj, langatmig, weitläufig, weitschweifig (weitschweifig) um-

ständlich; **longboat** sub, -s Barkasse; **longed-for** adj, heiß ersehnt; **longing** (1) adj, sehnsüchtig (2) sub, -s Sehnsucht; nur Einz. Verlangen; **longing for revenge** adj, rachedurstig; **longish** adv, länglich; **longitudinal** adj, longitudinal; **longitudinal section** sub, -s Längsschnitt

loofah, sub, -s Luffa

look, (1) sub, -s Blick; nur Mehrz. (Aussehen) Optik; -s (Mode) Look (2) vi, äugen, ausnehmen, aussehen, blicken, hinsehen, nachsuchen, schauen; (ugs.) ausschauen (3) vti, gucken; give sb a look jmd einen Blick zuwerfen; if looks could kill wenn Blicke töten könnten; looking at it a second time auf den zweiten Blick; take a look behind the scenes einen Blick hinter die Kulissen werfen; take a quick look at sth einen Blick auf etwas werfen, look good sich schön ausnehmen; it looks like as if es sieht danach aus als ob; you are looking well/ill du siehst gut/schlecht aus; look away on Seite blicken; look back on the past year auf das vergangene Jahr blicken; look sb straight in the eyes jmd gerade in die Augen blicken; have a look and see if such mal nach, ob; it looked the worse for wear er sah ziemlich ramponiert aus; it looks as if es hat den Anschein, als wenn; it´s just here because it looks good das ist nur hier wegen der Optik; look out for someone nach jemandem spähen; look out for sth nach etwas Ausschau halten; the dog is well looked after by us der Hund hat bei uns gute Pflege; to have sb looked after jmdn in Pflege geben; to look after sb die Pflege von jmd übernehmen, jmdn in Pflege nehmen; (ugs) to look at sb out of the corner of one´s eye jmdn schräg ansehen; to look down on sb jmdn von oben herab ansehen; to look grim eine finstere Miene machen; to look sb up and down jmdn mit Blicken messen, von oben bis unten mustern; to look the worse for wear mitgenommen aussehen; when nobody was looking in einem unbeobachteten Augenblick, have a look guck mal; **~ about** vi, umherblicken; **~ after** (1) vi, (Kinder etc.) betreuen (2) vt, behüten, hegen, schonen, umsorgen, versorgen, warten; (Kinder) beaufsichtigen; have to look after os auf sich selbst angewiesen sein; to look after a child ein Kind pflegen; **~ after**

sth or so *vt*, kümmern; *I´ll get the meal ready* ich kümmere mich um das Essen; *she looked after her sick mother for years* sie sorgte seit jahrelang um ihre kranke Mutter; ~ **all spruced up** *adj, (wie - aussehen)* geleckt; ~ **around** *vr*, umschauen, umsehen; *have a look around the town* sich in der Stadt umsehen; *look around* Umschau halten; ~ **at** (1) *vi*, ansehen, besehen, zugucken; *(betrachten)* anschauen; *(untersuchen)* befassen (2) *vt*, anblicken, betrachten, sehen; *(Text)* einsehen; *have a close look* sich etwas genau ansehen; *have a close look at* sich etwas genau anschauen, *look upon as* etwas betrachten als

look at each other, *vt*, anblicken; **look at in amazement** *vi*, bestaunen; **look at o.s. in a mirror** *vi*, bespiegeln; **look back** *sub*, -s Rückblick; **look damasten** *vi*, damastartig; **look down on** *vi*, herabblicken, herabsehen; **look for** *vt*, suchen; *be looking for something* auf der Suche nach etwas sein; **look forward to** *vr, (sich auf etwas)* freuen; **look like** (1) *vi*, gleichsehen (2) *vt*, ähneln; *look alike* einander ähneln; **look morose** *vi*, dreinblicken; *look morose* böse dreinblicken; **look of a basilisk** *sub*, -s *of basiliscs* Basiliskenblick

looking after, *sub*, nur *Einz.* Betreuung; **lookout** *sub*, -s Aufpasser, Ausguck, Aussichtspunkt; **lookout guard** *sub*, - -s Ausguckposten; **looks** *sub*, - Aussehen

look on, *vi*, zusehen; **look out** *vi*, ausschauen; *it looks like as if* es schaut danach aus als ob; *look out for* ausspähen nach; *look out for sth* nach.etwas ausschauen; *You look well* Du schaust gut aus; **look over** *vt*, übersehen; **look through** *vt*, durchblicken, durchschauen; *(Fenster, Zeitung)* durchsehen; **look up** (1) *vi*, aufblicken, aufschauen, aufsehen (2) *vt, (nachschlagen)* nachlesen, nachschauen, nachsehen; *(Stelle, Zitat)* nachschlagen; *things are looking up again* es geht wieder aufwärts; *things are looking up for her* es geht bergauf mit ihr; *things are looking up for so* jemands Aktien steigen; **look upwards** *vi*, emporblicken; **look-alike** *sub*, -s Doppelgänger; **look-out** *sub*, -s Turmwächter; *be on the look-out* Ausschau halten; *(ugs.) to be the look-out* Schmiere stehen

loom, *sub*, -s Webstuhl; *power loom* mechanischer Webstuhl

loop, *sub*, -s Kringel, Lasche, Öse,

Schlaufe, Schleife, Schlinge; *(Schlinge)* Noppe; *to loop the loop* einen Looping machen; *a loop pile carpet* Teppich mit Noppen; ~**ing the loop** *sub*, -s Looping

loose, *adj*, locker, lose, wackelig; *(Haare)* offen; *(nicht befestigt)* los; *the dog has got loose* der Hund hat sich losgemacht; *to wear one´s hair loose* die Haare offen tragen; ~ **crystal structure** *vt, (chem.)* dekreptieren; ~ **coat** *sub*, -s Hänger; ~ **dress** *sub*, -es Hänger; ~**n** (1) *vr, (Schmutz)* lösen (2) *vt, (Stimmung)* auflockern; ~**n a docking** *vt, (tech)* Entkoppelung; ~**n up** *vt, (spo.)* auflockern; ~**ing** *sub*, -s Lockerung; *nur Einz. (des Bodens)* Auflockerung

loot, *vt*, plündern; *(Geschäft, Haus)* ausplündern; ~**er of corpses** *sub*, -Leichenfledderer; ~**ing** *sub*, -s Ausplünderung, Plünderung; ~**ing of corpses** *sub*, - Leichenfledderei

lord, *sub*, -s Lord; *(ugs.) drunk as a lord* blau wie ein Veilchen; *the Lord giveth and the Lord taketh away* der Herr hat´s gegeben, der Herr hat´s genommen; *to take the Lord´s name in vain* den Namen Gottes missbrauchen; ~ **chancellor** *sub*, -s Lordkanzler; **Lord´s prayer** *sub*, nur *Einz.* Paternoster; - *(tt; relig)* Vaterunser

Loretto, *adj*, lauretanisch

lorgnette, *sub*, -s Lorgnette, Stielbrille

lorgnon, *sub*, -s Lorgnon

Lorraine, *sub*, nur *Einz.* Lothringen

lorry, *sub*, -ies Lastauto, Lastwagen; -s Zug

lose, (1) *vi*, unterliegen (2) *vt*, einbüßen, verbummeln; *(ugs.)* vergeigen; *(Geld)* loswerden; *(tt; spo.)* verpatzen (3) *vti*, verlieren; *he has lost by it* er hat dabei sein Geld eingebüßt; *he has lost his purse* sein Geldbeutel ist abhanden gekommen; *I´m lost for words* ich finde keine Worte; *lose a leg* ein Bein einbüßen; *lose one´s ground* langsam Ansehen einbüßen; *lose one´s money/freedom* sein Geld/Freiheit einbüßen; *lost in thought* in Gedanken versunken; *to lose by sth* Nachteile durch etwas haben; *you look as though you´ve lost a pound and found a sixpence* du siehst aus, als wäre dir die Petersilie verhagelt; *you won´t lose by it* das soll Ihr Nachteil nicht sein; *many men lose their hair* vielen Männern gehen die Haare aus; ~ **consciousness** *vi, (med.)* synkonieren; **~ each other** vr, verlieren; **~ hairs** vr, (sich) haaren; **~ heart** vi, verzagen; **~ its scent** vi, (ugs.) verduften; **~ one´s hair** vi, haaren; **~ one´s temper** vr, (sich - lassen) gehen; **~ the magic** vi, Entzauberung; **~ weight** vi, (Gewicht) abnehmen; **~r** sub, - Verliererin; **be a good loser** mit Anstand verlieren können

loss, sub, -es Einbuße, Kursverlust, Verlust; (Verlust) Ausfall; she´s no great loss um sie ist es ist nicht schade; to look completely at a loss dastehen wie Pik Sieben; (Verkauf) to make a loss Manko machen; to make loss machen; we regret that the management cannot accept responsibility for losses due to theft für Gaderobe wird nicht gehaftet; **~ of blood** sub, -es Blutverlust; **~ of earnings** sub, -es Lohnausfall; **~ of motivation** sub, -es Demotivation; **~ of points** sub, -es Punktverlust; **~ of rent** sub, losses Mietausfall, Mietverlust; **~ of speed** sub, nur Einz. Tempoverlust; **~ of time** sub, -s Zeitverlust

lost, adj, verloren; **~ and found** sub, (Schild) Fundbüro; **~ property** sub, -ies Fundsache; **~ property office** sub, -s Fundbüro

lot, sub, -s (ugs.) Sippschaft; (Entscheidung) Los; (ugs.; große Menge) Menge; (Handel) Partie; nur Einz. (Schicksal) Los; (ugs.) he can take quite a lot er kann einen Stiefel vertragen; the whole lot die ganze Schose; to improve sb´s lot jmds Not lindern; his is a hard lot er hat ein hartes Los; it fell to my lot das Los hat mich getroffen; to decide sth by drawing lots etwas durch das Los entscheiden; (ugs.) a lot of time eine Menge Zeit; (ugs.) we drank a hell of a lot wir haben jede Menge getrunken

Lotcoupon, sub, -s Lottoschein, Lottozettel

lotion, sub, -s Lotion

lots of colours, sub, nur Mehrz. Buntheit

lottery, sub, -ies Lotterie, -s Zahlenlotterie; nur Einz. Zahlenlotto; **~ ticket** sub, -s Lotterielos

lotus (flower), sub, -s Lotosblume

Lotwin, sub, -s Lottogewinn

loud, adj, laut; **~-mouth** sub, -s (ugs.) Maulheld; **~mouth** sub, -es Großmaul; **~speaker** sub, -s Lautsprecher

lough off, vi, ablachen

lounge, sub,   Aufenthaltsraum, Lounge; **~ suit** sub, -s Straßenanzug

louse, sub, lice Laus; **lousily** adv, saumäßig; **lousy** adj, lausig, miserabel,

unmäßig; (ugs.) mies, (vulg.) beschissen; I feel lousy mir ist mies; I feel lousy es geht mir beschissen

lout, sub, -s Flegel, Lümmel, Rüpel; **~ish** adj, flegelhaft, rüpelhaft; **~ishness** sub, -es Flegelei

love potion, sub, -s Pharmakon; **loveletter** sub, -s Liebesbrief; **love-match** sub, -es Liebesheirat; **loveliness** sub, nur Einz. Lieblichkeit; **lovely** adj, goldig, lieblich, schön, wunderschön; (geh.) hold; (geh.) the fair (lovely) face das holde Antlitz; the fair sex die holde Weiblichkeit; **lover** sub, -s Beischläfer, Liebende, Liebhaber; (Geliebter) Geliebte; (Liebh.) Freund; **lovesickness** sub, nur Einz. Liebeskummer; **loving** adj, liebevoll, treusorgend

low, **(1)** adj, halblaut, niedrig, tief stehend; (niedrig) tief; (niedrig; auch Triebe, Kulturstufe) nieder **(2)** adj,adv, gering **(3)** sub, -s Tiefpunkt; (Rind) Geblök; to have a low opinion of sb von jmd niedrig denken; be the lowest of the low der letzte Dreck sein; lower one´s sights kleine Brötchen backen, have a low opinion of eine geringe Meinung haben von, (ugs.) he has reached an all-time low er befindet sich auf dem absoluten Tiefpunkt; **~ ball** sub, -s (Fußb.) Flachschuss; **~ blood pressure** sub, nur Einz. (lt; med.) Unterdruck; **~ blow** sub, -s Tiefschlag; **~ bow** sub, -s Kratzfuß; **~ building** sub, -s Flachbau; **~ down** vt, hinabsenken; **~ flame burner** sub, -s Sparbrenner; **~ in alcohol** adj, alkoholarm; **~ level** sub, -s Tiefstand; **~ price** sub, -s Billigpreis; **~ season** sub, -s Nebensaison; **~ stratus** sub, nur Einz. Hochnebel

lower, **(1)** adj, geringer, unter, untere; (weniger bedeutend; auch Stand) nieder **(2)** vt, herabsetzen, senken, versenken; (ugs.) erniedrigen; (Augen) niederschlagen; (Boot) ausbringen; (Fahrwerk) ausfahren; (Gegenstand) abseilen; (reduzieren) dämpfen; (weniger) temperatures below 25 degrees Temperaturen unter 25 Grad, lower oneself to do sth sich erniedrigen etwas zu tun; lower one´s voice Stimme dämpfen; **~ abdomen** sub, -s (lt; med.) Unterleib; **~ authority** sub, Unterinstanz; **~ court** sub, (lt; jur.) Unterinstanz; **~ fifth form** sub, -s Untersekunda; **~ house** sub, - Unterhaus; **~ jaw** sub, -s (lt; med.) Unterkiefer; **~ leg** sub, -s (lt; anat.)

Unterschenkel; **~ lip** sub, -s (tt; med.) Unterlippe; **~ part (of the body)** sub, -s Unterkörper; **Lower Rhine** sub, nur Einz. Niederrhein; **Lower Saxon** sub, -s Niedersachse; **Lower Saxony** sub, nur Einz. Niedersachsen; **~ stage** sub, -s (tt; theat) Versenkbühne

lowering, sub, - Herabsetzung; -s Versenkung; **low** adj, unterst, unterste; **lowest level** sub, -s Tiefststand; **lowland** sub, -s Flachland, Tiefebene, Tiefland; **lowlander** sub, -s Flachländer, Unterländer; **lowly** adj, (Stand, Geburt auch) niedrig; **lowness** sub, nur Einz. Niedrigkeit

low tide, sub, -s (Zustand) Ebbe; **low-(quality)** adj, minderwertig; **low-brow (1)** adj, spießerhaft **(2)** sub, -s Spießbürger, Spießer; **low-calorie** adj, kalorienarm; **low-cut** adj, dekolletiert; (T-Shirt etc.) ausgeschnitten; a dress with a low-cut neckline ein stark dekolltiertes Kleid; **low-emission** adj, abgasarm; **low-fat** adj, fettarm; **low-flying aircraft** sub, -s Tiefflieger; **low-grade** adj, geringhaltig; **low-income pensioner** sub, -s Kleinrentner; **low-level flight** sub, -s Tefflug; **low-pressure area** sub, -s (meteorologisch) Tief; **low-revving** adj, niedertourig; **low-salt** adj, kochsalzarm; **low-voltage** sub, -s Schwachstrom

loyal, adj, getreu, loyal; (Freund etc.) treu; **~ voter** sub, -s Stammwähler; **~ity to the alliance** sub, nur Einz. Bündnistreue; **~ty** sub, -ies Loyalität; nur Einz. (Ergebenheit) Treue; give a proof of loyalty jemandem die Treue beweisen

lubricant, sub, -s Schmiermittel; **lubricate** vt, (fetten) abschmieren; (Maschinenteil) ausschmieren; **lubricating grease** sub, -s Schmierfett; **lubricating oil** sub, -s Maschinenöl; **lubrication** sub, -s Schmierung

lucerne, sub, -s (bot.) Luzerne; **~ hay** sub, nur Einz. Luzerneheu

lucid, adj, klar denkend; **~ity** sub, nur Einz. Luzidität

luck, sub, - Glück; nur Einz. Massel; (ugs.) Dusel; an undeserved stroke of luck unverdientes Glück; good luck! viel Glück!; great luck ein großes Glück; have more luck than judgement mehr Glück als Verstand haben; try one´s luck sein Glück versuchen; anyone can have a stroke of luck once in a while ein blindes Huhn findet auch mal ein Korn; her luck was in sie hat Dusel gehabt; just my luck! das kann auch nur

mir passieren, so ein Pech!; **~ily** adv, glücklicherweise; **~less** adj, glücklos; **~y** adj, glücklich; lucky you du bist zu beneiden; to be dead lucky Massel haben; to be unlucky with sth bei etwas Pech haben; to go through an unlucky patch eine Pechsträhne haben; you are lucky du bist gut dran; **~y star** sub, -s Glücksstern

lucrative, adj, einbringlich, einträglich, lukrativ; (wirt.) ertragreich; do a lucrative work eine einträgliche Arbeit haben

ludicrous, adj, lachhaft, skurril; **~ness** sub, - Skurrilität

luff (up), vi, luven

lug, vt, schleppen; **~gage** sub, - Gepäck; nur Einz. Reisegepäck; nur Mehrz. (Gepäck) Bagage; you can have your luggage sent on Sie können Ihr Gepäck nachkommen lassen; **~gage box** sub, -es Kutschkasten; **~gage counter** sub, -s Gepäckabgabe; **~gage rack** sub, -s Gepäckablage, Gepäcknetz; **~gage ticket** sub, -s Gepäckschein; **~gage van** sub, -s Gepäckwagen, Packwagen; **~ger** sub, -s (naut.) Logger; **~ging around** sub, - (ugs.) Schlepperei

lukewarm, adj, lau, lauwarm

lull, sub, -s Flaute

lumbago, sub, -s Hexenschuss; (med.) Hexenschuss

lumbar vertebra, sub, -ae Lendenwirbel

lumberjack, sub, -s (veraltet) Lumberjack

luminesce, vi, lumineszieren; **~nce** sub, -s Lumineszenz; **luminography** sub, nur Einz. Luminografie; **luminous figure** sub, -s Leuchtziffer

lump, sub, -s Klumpen; (med.) Knoten; (i. ü. S.) lump everything together alles in einen Topf werfen; the charges are paid in a lump sum die Gebühren werden pauschal bezahlt

lunacy, sub, nur Einz. Aberwitz; **lunar** adj, (astr.) lunar; **lunar (excursion) module** sub, -s Mondfähre; **lunar eclipse** sub, -s Mondfinsternis; **lunar orbit** sub, nur Einz. (astr.) Mondbahn; **lunar probe** sub, -s Mondsonde; **lunar year** sub, -s Mondjahr; **lunatic** sub, -s Wahnsinnige; **lunation** sub, -s Mondwechsel

lunch, (1) sub, -es Mittagessen, Mittagsbrot **(2)** vi, lunchen; he came to lunch er kam zum Mittagessen; she´s (off) at lunch sie macht gerade Mittag; to be sitting at the table having lunch

am Mittagstisch sitzen; *to have sth for
lunch* etwas zu Mittag essen; **~-break**
sub, -s Mittagspause; *(~spause)* Mittag;
to take one´s lunch-break Mittagspause
machen; **~time** *sub, nur Einz.* Mittagszeit; *at lunchtime* in der Mittagszeit;
~time drink *sub, -s (um Mittag)* Frühschoppen

lung, *sub, -s - vgl. Lunge* Lungenflügel; **~
cancer** *sub, nur Einz.* Lungenkrebs; **~
fish** *sub, -* Lungenfisch; **~ tumour** *sub,
-s* Lungentumor

lunge, *vt, (Pferd)* longieren

lungs, *sub, nur Mehrz.* Lunge; *the lungs
of a city* die grüne Lunge einer Großstadt; *(ugs.) to cough one´s lungs out*
sich die Lunge aus dem Leib husten; *to
have a lung disease* lungenkrank sein

lur, *sub, -s* Lure

lure, (1) *sub, -s* Lockung **(2)** *vt,* ködern;
(Tier) anlocken; *(Tiere/Versuchung)*
locken; *the lure of forbidden fruits* der
Reiz des Verbotenen; *to lure sb into a
trap* jmdn in einen Hinterhalt locken

lurk, *vi,* lauern

Lusatian, *adj,* lausitzisch

Lusitanian, *adj,* lusitanisch

lust, *sub, -s (ugs.)* Wollust; *- (sexuell)*
Geilheit; *nur Einz.* Lust; *to lust after sth*
nach etwas lüstern sein; *to indulge
one´s lusts* seinen Lüsten frönen; **~ for
power** *sub, -* Herrschsucht

lutetium, *sub, nur Einz.* Lutetium

luxuriance, *sub, nur Einz.* Üppigkeit,
luxuriant *adj,* üppig; *(Pflanzen)* geil;
luxurious *adj,* luxuriös; **luxury** *sub,
nur Einz.* Luxus; *a life of luxury* ein
luxuriöses Leben; *I´ll treat myself to
the luxury of* ich leiste mir den Luxus
und; *live in luxury* im Überfluss leben; *to live in (the lap of) luxury* im
Luxus leben, wie die Made im Speck
leben; *to love luxury* den Luxus lieben; **luxury article** *sub, -s* Luxusarti-
kel; **luxury cruise ship** *sub, -s*
Luxusdampfer; **luxury flat** *sub, -s* Lu-
xuswohnung

lychee, *sub, -s* Litschi

lying, *adj, gelegen; (Mensch)* lügnerisch

lymph, *sub, nur Einz.* Lymphe; **~ nod**
sub, -s Lymphknoten; **~atic** *adj,* lymphatisch; **~ocyte** *sub, -s* Lymphozyt

lynch, *vt,* lynchen; **~-law** *sub, nur
Einz.* Lynchjustiz; **~ing** *sub, -s* Feme-
mord

lynx, *sub, -es* Luchs

lyophil, *adj,* lyophil

lyre, *sub, -s* Leier, Lyra

lyric poet, *sub, -s* Lyriker; **~ry** *sub, nur
Einz.* Lyrik; **lyric(al)** *adj,* lyrisch; **lyri-
cal drama** *sub, -s* Singspiel

lysin, *sub, -s (biol.)* Lysin

M

macabre, *adj*, makaber

macadam, *sub*, *-s* Makadam

macaque, *sub*, *-s* Makak

macaroni, *sub*, *nur Einz.* Makkaroni

macaronics, *adj*, makkaronisch

Macedonian, *adj*, makedonisch

macerate, (1) *vt*, ablaugen (2) *vti*, mazerieren

machete, *sub*, *-s* Buschmesser, Machete

Mache-unit, *sub*, *- (phys.)* Mache-Einheit

Machiavelli, *sub*, *nur Einz.* Machiavelli

machiavellism, *sub*, *nur Einz.* Machiavellismus

machine, *sub*, *-s* Maschine; *(Maschine)* Automat; *(i. ü. S.) to be no more than a machine* eine bloße Maschine sein; ~ **language** *sub*, *-s* Maschinensprache; ~ **to measure photosensitivity** *sub*, *-s* Sensitometer; ~**-gun** *sub*, *-s* Maschinengewehr; ~**ry** *sub*, *- (i. ü. S.)* Getriebe; *-ies* Maschinerie

machismo, *sub*, *nur Einz.* Machismo

macho, *sub*, *-s (ugs.)* Macho

mackerel, *sub*, *-s* Makrele

macramé (work), *sub*, *-s* Makramee

macrocephalic, *adj*, makrozephal

macro molecule, *sub*, *-s* Makromolekül; **macro-climate** *sub*, *-s* Makroklima; **macrobiotics** *sub*, *nur Mehrz.* Makrobiotik; **macrocosm** *sub*, *nur Einz.* Makrokosmos

mad, *adj*, irre, verrückt, wahnsinnig; *(verrückt)* närrisch; *(wütend)* böse; *(ugs.) this music is fantastic* diese Musik ist irre (gut); *to babble away* irres Zeug reden; *to be mad on sb* ganz närrisch auf jmdn sein; *be mad about sth* über etwas böse sein; *become raving mad* in Tobsucht verfallen; *get really mad* sich schwarz ärgern; *have you gone mad?* bist du noch normal?; *(i. ü. S.) he is driving me mad* er tötet mir noch den letzten Nerv!; *he is mad about football* einen Fußballfimmel haben; *(i. ü. S.) raving mad* wütend wie ein Stier; *to fall madly in love* sich unsinnig verlieben; ~ **cow disease** *sub*, *nur Einz.* Rinderwahnsinn; ~ **gunman** *sub*, *-men* Amokschütze; ~ **rage** *sub*, *nur Einz.* Tobsucht; ~ **rush** *sub*, *-es* Raserei

Madagascan, *adj*, madagassisch

madcap, *sub*, *-s* Springinsfeld

Madeira, *sub*, *nur Einz.* Madeira; *-s* Madeirawein

madhouse, *sub*, *-s* Tollhaus; *(ugs.)* Irrenanstalt; **madman** *sub*, *-men* Irre; *(Verrückter)* Berserker; *(i. ü. S.) set to work*

like a madman sich wie ein\Tiger auf die Arbeit stürzen; *to act like a madman* sich wie närrisch gebärden;

madness *sub*, *nur Einz.* Irrsinn, Tollheit; *-es* Verrücktheit; *nur Einz. (ugs.)* Wahnsinn

Madonna, *sub*, *-s* Madonna; **madonna-like** *adj*, madonnenhaft

Madras (muslin), *sub*, *nur Einz.* Madrasgewebe

madrigal, *sub*, *-s* Madrigal; **Madrigal choir** *sub*, *-s* Madrigalchor; **Madrigal style** *sub*, *-s* Madrigalstil

maestro, *sub*, *-s* Maestro

mafioso, *sub*, *-s oder mafiosi* Mafioso

magazin, *sub*, *-s* Zeitschrift; ~**e** *sub*, *-s* Illustrierte; *(am Gewehr, Zeitschrift)* Magazin; *(Zeitschrift)* Heft

magenta, *sub*, *nur Einz.* Magenta

maggot, *sub*, *-s* Made; *(tt; zool.)* Wurm; ~**y** *adj*, madig, wurmstichig

magic, (1) *adj*, wundertätig (2) *sub*, *nur Einz.* Magie; - Zauber, Zauberei; ~ **book** *sub*, *-s* Zauberbuch; ~ **box** *sub*, *-es* Zauberkasten; ~ **cap** *sub*, *-s* Tarnkappe; ~ **formula** *sub*, *-s* Zauberformel; ~ **lamp** *sub*, *-s* Wunderlampe; ~ **potion** *sub*, *-s* Zaubertrank; ~ **power** *sub*, *-s (i. ü. S.)* Zauberkraft; ~ **spell** *sub*, *-s* Zauberspruch; ~**ian** *sub*, *-s* Magier, Zauberer, Zauberkünstler

magma, *sub*, *-s (geol.)* Magma; ~**ic** *adj*, magmatisch

magnanimity, *sub*, *nur Einz. (geh.)* Seelengröße; **magnanimous** *adj*, großherzig

magnesia, *sub*, *nur Einz. (chem.)* Magnesia

magnesium, *sub*, *nur Einz.* Magnesium

magnet, *sub*, *-s* Magnet; ~**ic** *adj*, magnetisch; ~**ic (sound) recorder** *sub*, *-s* Magnettongerät; ~**ic card** *sub*, *-s* Magnetkarte; ~**ic field** *sub*, *-s* Magnetfeld; ~**ic needle** *sub*, *-s* Magnetnadel; ~**ism** *sub*, *-s* Magnetismus; ~**ite** *sub*, *-s* Magnetit; ~**ize** *vt*, magnetisieren; ~**izer** *sub*, *-s* Magnetiseur; ~**ometer** *sub*, *-s* Magnetometer

magnifying glass, *sub*, *-es* Lupe, Vergrößerungsglas

magnolia, *sub*, *-s* Magnolie

magpie, *sub*, *-s* Elster; *(ugs.) to thieve like a magpie* wie ein Rabe stehlen

maharaja(h), *sub*, *-s* Maharadscha

maharani, *sub*, *-s* Maharani

mahatma, *sub*, *-s* Mahatma

Mahdi, *sub*, *-s* Mahdi

mahogany, *sub*, *nur Einz*. Mahagoni; **~ wood** *sub*, *nur Einz*. Mahagoniholz

maid, *sub*, *-en* Dienerin, Dienstmädchen; *-s* Hausgehilfin; *(Haushalt)* a *maid-of-all-work* ein Mädchen für alles; **~(en)** *sub*, *-s* Magd; *(veraltet)* Maid; *Mary, the handmaid of the Lord* Maria, die Magd des Herrn; **~en flight** *sub*, *-s* Jungfernflug; **~en name** *sub*, *-s (einer Frau)* Geburtsname; *(von verheirateter Frau)* Mädchenname; **~en speech** *sub*, *-es* Jungfernrede; **~en voyage** *sub*, *-s* Jungfernfahrt; **~enhead** *sub*, *-s* Jungfernhäutchen; *(ugs.)* Hymen

mail, *sub*, *nur Einz*. Post; **~ coach** *sub*, *-es* Postkutsche; **~ coach driver** *sub*, *-s* Postillion; **~ order firm** *sub*, *-s* Versandhaus; **~ plane** *sub*, *-s* Postflugzeug; **~bag** *sub*, *-s* Postsack; **~box** *sub*, *-es* Mailbox; *(US)* Briefkasten; *mailbox* Hausbriefkasten

maiming, *sub*, *-s* Verstümmlung

main building, *sub*, *-s* Hauptgebäude; **main clause** *sub*, *-s (Sprachw.)* Hauptsatz; **main course** *sub*, *-s (gastr.)* Hauptgericht; **main emphasis** *sub*, *nur Einz*. Hauptgewicht; **main entrance** *sub*, *-s* Haupteingang, Hauptportal; **main feature** *sub*, *-s* Hauptfilm; **main focus** *sub*, *-ses* Schwerpunkt; **main point** *sub*, *-s* Hauptpunkt; **main post office** *sub*, *-s* Hauptpostamt; **main problem** *sub*, *-s* Kernproblem; **main proceedings** *sub*, *nur Mehrz. (Zivilprozess)* Hauptverhandlung; **main profit** *sub*, *-s (wirt.)* Hauptgewinn; **main share of the blame** *sub*, *-s* Hauptschuld

mainly, *adv*, größtenteils, hauptsächlich, zumeist; **mainmast** *sub*, *-s (Schifff.)* Großmast; **mainroute** *sub*, *-s* Hauptverkehrsstraße; **mains** *sub*, *nur Mehrz*. Hauptleitung; **mains connection** *sub*, *-s* Netzanschluss; **mains plug** *sub*, *-s* Netzstecker; **mains system** *sub*, *-s* Leitungsnetz; **mains voltage** *sub*, *-s* Netzspannung

main station, *sub*, *-s* Hauptbahnhof; **main street** *sub*, *-s* Hauptstraße; **main support** *sub*, *-s* Grundpfeiler; **main tenant** *sub*, *-s* Hauptmieter; **main theme** *sub*, *-s* Leitfaden; **main thing** *sub*, *-s* Hauptsache; **mainland (1)** *adj*, festländisch (2) *sub*, *-* Festland; **mainline** *sub*, *-s (Eisenb.)* Hauptverkehrsstraße

maintain, *vt*, *(Gebäude)* pflegen; *maintain that* be seiner Behauptung bleiben, dass; **~ing linguistic standards** *sub*, *nur Einz*. Sprachpflege; **maintenance** *sub*, *-s* Unterhaltung; **maintenance** *sub*, *-s (aufrecht-)* Erhaltung; *nur Einz*.

(Muschinen, Gebäude) Pflege; **maintenance-free** *adj*, wartungsfrei; **maintenanceless** *adj*, wartungsarm

maisonette, *sub*, *-s* Maisonnette

maize, *sub*, *nur Einz*. Mais; **~ flour** *sub*, *nur Einz*. Maismehl

majestic, *adj*, hoheitsvoll, majestätisch; **majesty** *sub*, *-ies* Majestät; *His Majesty* Seine Majestät; *their Imperial Majesties* die kaiserlichen Majestäten

majolica, *sub*, *-s* Majolika

major, (1) *adj*, *(ugs.; .)* kapital (2) *sub*, *-s* Major; *(ugs.) that was a major mistake* das war ein kapitaler Fehler; **~ (key)** *sub*, *nur Einz*. Dur; **~ chord** *sub*, *-s* Durakkord; **~ general** *sub*, *-s (mil.)* Generalmajor; **~ operation** *sub*, *-s* Großeinsatz, Staatsaktion; **~ scale** *sub*, *-s* Durtonleiter; **~ shareholder** *sub*, *-s* Großaktionär; **~ traffic route** *sub*, *-s* Magistrale; **~ triad** *sub*, *-s* Durdreiklang

Majorcan, *sub*, *-s* Mallorquiner

majority, (1) *attr*, mehrheitlich (2) *sub*, *nur Einz*. Majorennität; *-ies* Majorität, Mehrheit; *nur Einz*. Mündigkeit; *-ies* Überzahl; *-* Volljährigkeit; *-ies (Mehrheit)* Mehrzahl, Pluralität; *the majority of us think(s)* wir sind mehrheitlich der Meinung; *the parliament has reached a majority decision* das Parlament hat mehrheitlich beschlossen, *to have a majority* die Majorität haben; *an absolute/a simple majority* die absolute/einfache Mehrheit; *to gain a majority* die Mehrheit gewinnen; *to secure a majority of votes* die Mehrheit der Stimmen auf sich vereinigen; *with a majority of two* mit zwei Stimmen Mehrheit; **~ decision** *sub*, *-s* Majoritätsbeschluss, Mehrheitsbeschluss; **~ of votes** *sub*, *majorities* Stimmenmehrheit; *bare majority of votes* einfache Stimmenmehrheit; *be elected by a majority of votes* mit Stimmenmehrheit gewählt werden; *relative majority of votes* relative Stimmenmehrheit

make, (1) *sub*, *-s* Automarke; *-* Fabrikat (2) *vt*, basteln, fertigen, machen, schaffen, unternehmen, werken; *(ergeben)* geben; *(erzeugen)* herstellen; *(herstellen)* arbeiten; *(machen)* anfertigen; *(Teig)* ansetzen; *(Veranstaltung)* durchführen; *(von sich)* geben; *(wirt.)* erjagen; *3 and 6 make(s) 9* 3 und 6 macht 9; *altogether that's 25* das macht zusammen 25; *don't make it harder for him* mach es ihm nicht noch schwerer; *made of wood* aus

Holz gemacht; *make me an offer* mach mir einen guten Preis!; *to get down to sth* sich an etwas machen; *to have sth made* etwas machen lassen; *(verursachen) to make sb afraid* jmd Angst machen; *to make sb nervous* jmdn nervös machen; *to make sth happen* machen, dass etwas geschieht; *you could really make sth of that house* aus dem Haus könnte man schon etwas machen; *(ugs.) but we'll make up for it on the beer* wir halten uns dafür am Bier schadlos; *he made a supreme effort er* holte das Letzte aus sich heraus; *make a stand* Flagge zeigen; *make do with* sich mit etwas behelfen; *to make one's way home* heimwärts ziehen; *to make the bed* das Bett machen; *what makes him say that?* wie kommt er zu der Behauptung, dass?; *you never know what to make of her* man weiss nie, wie man mit ihr dran ist; *make a charity collection* eine Sammlung durchführen; **~ (pillow) lace** *vi,* klöppeln; **~ (wear) holes in** *vt,* durchlöchern; **~ a bed for o.s.** *vt,* betten; *as you make your bed so you must lie in it* wie man sich bettet, so liegt man; **~ a booking** *vt,* voranmelden; **~ a complaint** *vi,* reklamieren; **~ a copy** *vt, (kopieren)* abziehen; **~ a cut in** *vt,* einschneiden; **~ a fetish** *vt,* fetischisieren; **~ a film of** *vt,* verfilmen; **~ a final spurt** *vi,* spurten; **~ a fool of** *vt, (geh.)* narren; **~ a fool of oneself** *vr, (ugs.)* blamieren

make a fuss, *vr,* zieren; *(sich)* haben; *don't make such a fuss!* hab' dich nicht so!; **make a grap** *vi,* zufassen; **make a higher bid** *vi,* überbieten; **make a lot of dust** *vi,* stauben; **make a mess** *vi,* kleckern; **make a mistake (1)** *vi,* fehlgreifen **(2)** *vt,* vergreifen, verhauen, versehen, verzeichnen; **make a mystery out of** *vi,* heimlich tun; **make a noise** *vi,* rumoren; **make a note of** *vt,* notieren

make an announcement, *vi,* durchsagen; **make an appointment** *vi, (Beim Arzt)* anmelden; **make an impromptu speech -,** *(Rede)* Stegreif; **make batiks** *vt,* batiken; **make blots** *vi,* klecksen; **make butter** *vi,* buttern; **make cheese** *vi,* käsen; **make clear to so** *vt,* klarmachen; **make concessions** *vt, (i. ü. S.)* entgegenkommen; **make conditions permanent** *vt,* zementieren; **make dearer** *vt,* verteuern; **make do with** *vt, (mit Vorrat etc.)* auskommen; *make do without* ohne etwas auskommen;

make easier *vt,* versimpeln; *(vereinfachen)* erleichtern; **make enquiries** *vt, (amtlich)* nachforschen; **make equal** *vt,* gleichmachen; **make fun of (1)** *vi, (lustig)* spotten **(2)** *vt,* frotzeln, veralbern; *(ugs.)* verulken

make a packet, *vr, (ugs.)* gesundstoßen; **make a projected estimate** *vti,* hochrechnen; *how did you make your projected estimate? the figure can't be right* wie haben Sie das hochgerechnet? die Zahl kann nicht stimmen; **make a racket** *vi, (ugs.)* krakeelen; **make a rude noise/smell** *vi,* pupsen; *(ugs.)* pupen; **make a slip** *vr,* verlesen, verschreiben; **make a sound** *vi, (ugs.)* mucksen; **make a stink** *vt,* verstänkern; **make a stop** *vi,* Halt machen; **make a strike** *vi, (bei Bohrungen)* fündig; **make a telephone call** *vi,* telefonieren; **make a thorough investigation of** *vt, (Quellen)* durchforschen; **make a typing error** *vr,* vertippen; **make adjusting entries in a stock book** *vt,* skontrieren

make for sth, *vr,* zuhalten

make happy, *vt,* beglücken; **make haste** *vt,* sputen; **make improvements** *vi,* nachbessern; **make into a ball** *vt, (Schnee etc.)* ballen; **make invalid** *vt,* invalidisieren; **make it look dentate** *vt,* dentelieren; **make it with** *vt,* vernaschen; **make kitschy** *vt, (tt; kun.)* verkitschen; **make lighter** *vt, (Farbton)* aufhellen; **make liquid** *vt, (Kapital)* mobilisieren; **make love** *vti,* lieben; **make more difficult** *vt,* erschweren, problematisieren

make narrow, *vt,* verengen; **~er** *vt,* verschmälern; **make noise** *vi,* skandalieren; **make o.s. at home** *vr,* anbiedern; **make o.s. generally comprehensible** *vt,* gemeinverständlich; **make off** *vti,* davonmachen; *he's made off* er hat sich davongemacht; *make off with sth* mit etwas über den Deich gehen; **make off with** *vt, (i. ü. S.; Sache)* entführen; **make one's debut** *vt,* debütieren; **make one's way hand over hand** *vr,* hangeln; **make one's way home** *vr,* heimkehren; **make oneself up** *vr,* schminken; **make out** *vt, (deutlich sehen)* erkennen; *(Scheck)* ausstellen; *(sichten)* ausmachen; **make plates for** *vt,* klischieren; **make pottery** *vi,* töpfern; **make pregnant** *vt,* schwängern; **make progress** *vi,* vorankommen; **make provisions** *vi,* vorsorgen

make ready, *vt,* klarmachen; **make re-**

stitution of *vt.* restituieren; **make sacrifices** *vi*, verzichten; **make sb believe sth** *vt*, weismachen; **make sb soft** *vt*, verweichlichen; **make sb suffer** *vt*, (*ugs.*) Schindluder; **make sbhot** *vt*, (*jmd.*) erhitzen; **make secure** *vr*, versichern; **make so drunk** *vt*, berauschen; **make so feel sick** *vt, (Geschmack, etc.)* anekeln; **make so sick** *vt*, anwidern; (*ugs.*) ankotzen; (*Person*) anekeln; **maker of umbrellas**, *sub*, -s Schirmmacher

make sheep´s eyes, *vi*, (~ *machen*) Plüschaugen; **make sodden** *vt*, durchweichen; **make sth. angular** *vt*, ecken; **make sth. dynamic** *vt*, dynamisieren; **make sth. from wood** *vt*, zimmern; **make sth. higher** *vt*, (*räuml.*) erhöhen; **make sure** (1) *vr*, vergewissern (2) *vt*, sicher gehen; *it´s best to make sure* lieber ist sicher; **make sweaty** *vt*, verschwitzen; **make the firework** *vt*, feuerwerken; **make trouble** *vi*, (*ugs.*) stänkern; **make unsure** *vt*, verunsichern; **make up** *vt*, binden, schminken; *(aufholen)* nacharbeiten; *(Versäumtes)* nachholen; *(Zeit)* aufholen, einholen; *make up a bouquet* Blumenstrauss binden; *I can´t make up my mind* ich bin mir noch unschlüssig; *make up so´s mind for her/him* jemanden geistig bevormunden

make up for, *vt*, (*ugs.*) wettmachen; *(aufholen)* hereinholen; **make up the work** *vi*, nacharbeiten; **make use of** (1) *adv*, (*ugs.*) zu Nutze (2) *vt*, nutzen; *(nutzen)* ausnutzen; **make way** *vi*, (*einer Person etc.*) ausweichen; **make worse** *vt*, erschwerend, verschlimmern; *to make matters worse be es kommt erschwerend hinzu, daß er*; **make, perform** *vt*, (*dar-*) bringen; *make a sacrifice* ein Opfer bringen; *to perform a serenade* ein Ständchen bringen; **make-up** (1) *sub*, -s Make-up; *nur Einz.* Schminke (2) *vt*, erdenken; (*Geschichte*) erfinden; **make-up man/woman** *sub*, *men/women* Metteur; **make-up pencil** *sub*, -s Schminkstift; **make.up artist** *sub*, -s Visagist

maki, *sub*, (*biol.*) Maki

makimono, *sub*, -s (*jap. Kunst*) Makimono

making, *sub*, *nur Einz.* Anfertigung; **~ a woman pregnant** *sub*, -*men* Schwängerung; **~ an April fool (of so)** *sub*, In-den-April-Schicken; **~ beds** *sub*, - Bettenmachen; **~ entries in a stock book of incomings and outgoings** -, Skontration; **~ fun of** *sub*, - (*i. ü. S.*)

Veralberung; **~ one´s mark** *vr*, Profilierung; **~ peace** *sub*, - Friedenskurs

Makkabean, *adj*, makkabäisch

malachite, *sub*, -s Malachit; **~ green** *adj*, malachitgrün; **~ vase** *sub*, -s Malachitvase

Malaga, *sub*, *nur Einz.* Malaga

malaria, *sub*, *nur Einz.* Malaria; - Sumpffieber; *nur Einz.* (*tt; med.*) Wechselfieber; **malariology** *sub*, *nur Einz.* Malarialogie

Maldivian, *adj*, maledivisch

male, (1) *adj*, männlich (2) *sub*, -s (*biol.*) Männchen; **~ line** *sub*, -s Mannesstamm; **~ model** *sub*, -s Dressman; **~ profession** *sub*, -s Männerberuf; **~ prostitute** *sub*, -s Strichjunge; **~ visitor** *sub*, -s Herrenbesuch; **~ voice** *sub*, -s (*mus.*) Männerstimme

malformation, *sub*, -s (*tt; med.*) Verwachsung

malfunctioning, *sub*, -s Fehlfunktion

malice, *sub*, *nur Einz.* Arg, Bosheit, Tücke; *(böse Absicht)* Mutwille; *(Rache)* Niedertracht; *to do sth out of malice* etwas mit Mutwillen tun; **malicious**, *adj*, bösartig, boshaft, böswillig, dolos, hämisch, maliziös; *(boshaft)* tückisch; *(böswillig)* mutwillig; *(Rache)* niederträchtig; **malicious remarks** bösartige Bemerkungen; **wilful desertion** jmd böswillig verlassen; *he/she is not malicious* es ist kein Arg an ihm/ihr; **malicious joy** *sub*, - Schadenfreude; **malicious racial campaign** *sub*, -s Rassenhetze; **maliciousness** *sub*, - Bösartigkeit

malignant, *adj*, (*med.*) maligne; **~ tumour** *sub*, -s Krebsgeschwulst; (*med.*) Karzinom; **malignity** *sub*, *nur Einz.* Malignität

malinger, *vti*, *(vortäuschen)* simulieren; **~er** *sub*, -s Simulant

mall, *sub*, -s (*am*) Einkaufscenter; *mall* Einkaufscenter

mallet, *sub*, -s Klopfer

malnutrition, *sub*, - Unterernährung

Malperdy, *sub*, *nur Einz.* Malepartus

malt, *sub*, *nur Einz.* Malz; **~ beer** *sub*, -s Karamellbier, Malzbier; **~ extract** *sub*, -s Malzextrakt

Maltese, *sub*, -s Malteser; **~ cross** *sub*, -es Malteserkreuz

Malthusian, *adj*, (*wirt.*) malthusisch

maltose, *sub*, *nur Einz.* Maltose

maltreat, *vt*, misshandeln, schinden, traktieren; **~ment** *sub*, -s Traktierung

mamba, *sub*, Mamba

mambo, *sub, nur Einz.* Mambo

mameluke, *sub, -s* Mameluck

mammal, *sub, -s* Säugetier; **~s** *sub, nur Mehrz. (biol.)* Mammalia; **mammography** *sub, -ies* Mammografie

mammon, *sub, nur Einz.* Mammon; *mammon, filthy lucre* der schnöde Mammon; *to serve mammon* dem Mammon dienen; **~ism** *sub, nur Einz.* Mammonismus

mammoth, *sub, -s* Mammut; **~ (film) production** *sub, -s* Monsterfilm

man, (1) *sub, men* Herr, Mann (2) *vt,* bemannen; *have everything under control* Herr der Lage sein; *the Chairman* der Herr Präsident; *a dead man* ein Mann des Todes; *a man of the people* ein Mann aus dem Volk; *a surplus of men* ein Überschuss an Männern; *he´s the man for us* er ist unser Mann; *where men are men* wo Männer noch Männer sind, *a debauched old man* ein alter Lüstling; *it´s every man for himself* jeder muß sehen, wo er bleibt; *say hello to the nice man* sag dem Onkel guten Tag!; *the society of man* die menschliche Gesellschaft; *to become man and wife* Mann und Frau werden; *to draw matchstick men* Männchen malen; **~ in front-line** *sub, men* Frontmann; **~ of action** *sub, men* Macher; **~ of honour** *sub, men* - Biedermann; **~ of independent means** *sub, men* Privatier; **~ of the world** *sub, men* Weltmann; **~ who has made it in life** *adj, (-er Mann)* gestanden; **~(kind)** *sub, nur Einz. (Gattung)* Mensch; *(relig.) the Son of Man* des Menschen Sohn; **~-sized job** *sub, -s* Mordsarbeit; **~-to-man marking** *sub, -s* Manndeckung; **~/woman** *sub, men/women (Person)* Mensch; *man* der Mensch; **~/woman with a previous conviction** *sub, men* Vorbestrafte; **~´s business** *sub, -es* Männersache

manage, *vt,* bewerkstelligen, durchhelfen, managen, schaffen, verkraften, verwalten; *I´ll manage somehow!* ich manage das schon!; *manage on one´s pension* mit seiner Rente durchkommen; *(i. ü. S.) to manage sth* etwas über die Runden bringen; *we´ll manage it no problem* wir schaffen das allemal; **~ sth all right** *vt,* hinbekommen; **~ to force ... through** *vt, (Gesetz)* durchdrücken; **~ to grab** *vt,* ergattern; **~ability** *sub, nur Einz.* Leitbarkeit; **~ment** *sub, nur Einz.* Bewerkstelligung; *-s* Führung; *nur Einz.* Geschäftsführung; - Leitung; *- Management,*

Verwaltung; - Werkleitung; *nur Einz. (wirt.)* Direktion; *he´s just sucking up to the management* er will sich nur oben beliebt machen

manatee, *sub, -s* Seekuh

Manchoukuo, *sub, nur Einz.* Mandschukuo

mandarin, *sub, -s* Mandarin; **~ duck** *sub, -s (orn.)* Mandarinente; **~ orange** *sub, -s* Mandarine

mandate, *sub, -s* Mandat; *(pol.) fixed mandate* imperatives Mandat

mandola, *sub, -s* Mandola

mandolin, *sub, -s* Mandoline

mandrake, *sub, -s* Mandragore

mandrill, *sub, -s* Mandrill

mane, *sub, -s* Mähne; **~-like** *adj,* mähnartig

manege, *sub, -s* Tattersall

mangabey, *sub, -s* Mangabe

manganate, *sub, -s* Manganat

manganese, *sub, nur Einz.* Mangan

manganite, *sub, -s* Manganit

mange, *sub, -s* Räude

mangel -wurzel, *sub, -s* Mangold

manger, *sub, -s* Futterkrippe, Krippe

mangle, (1) *sub, -s* Wäschemangel; *(Wäsche)* Mangel (2) *vt,* mangeln; *to put through the mangle* durch die Mangel drehen

mango, *sub, -es* Mango

mangoose, *sub, -s* Manguste

mangrove, *sub, -s* Mangrove

mangy, *adj,* räudig

manhole, *sub, -s* Kanalschacht; **~ cover** *sub, -s* Kanaldeckel

manhood, *sub, nur Einz.* Mannesalter

mania, *sub, -s* Manie; *nur Einz. (tt; psych.)* Wahn; **manic** *adj,* manisch; **manic-depressive** *adj,* manisch-depressiv

manicure, (1) *sub, -s* Maniküre (2) *vt,* maniküren; *to give oneself a manicure* Nagelpflege machen

manifest, *adj,* manifest; **~ation** *sub, -s* Manifestation

manifesto, *sub, -s* Manifest

manipulate, *vt,* manipulieren; **manipulation** *sub, -s* Manipulation; **manipulative** *adj,* manipulativ; **manipulator** *sub, -s* Manipulant, Manipulator

manism, *sub, nur Einz. (psych.)* Manismus

Manitou, *sub, nur Einz.* Manitu

mankind, *sub, nur Einz.* Menschentum, Menschheit; *for the benefit of mankind* zum Wohle der Menschheit; **manliness** *sub, nur Einz.* Männlichkeit; **manly** *adj,* mannhaft; *(i. ü. S.)*

männlich

manner, *sub*, *-s* Umgangsform, Weise; *(Art und Weise)* Art, Manier; *(Verhalten)* Auftreten; *have no manners* kein Benehmen haben; *in a most convincing manner* in überzeugender Manier; *offend against good manners* gegen die guten Sitten verstoßen; *~ of death sub*, *manners* Todesart; *~ism sub*, *-s* Allüre; *nur Einz.* Manierismus; *~ist sub*, *-s* Manierist; *~istic adj*, manieristisch; *~s sub*, *nur Mehrz.* Anstand, Manieren, Mores; *(Umgangsformen)* Manier; *to teach sb some manners* jmdn Mores lehren

mannish woman, *sub*, *women* Mannweib

mannitol, *sub*, *-s* Mannit

manoeuverable, *adj*, wendig; **manoeuvre (1)** *sub*, *-s* Manöver **(2)** *vi*, lavieren, taktieren **(3)** *vti*, manövrieren

manometric(al), *adj*, *(tech.)* manometrisch

manor, *sub*, *-s* Rittergut

manslaughter, *sub*, *-s* Totschlag

mantelpiece, *sub*, *-s (Kamin)* Sims

mantic, *sub*, *nur Einz. (Wahrsagekunst)* Mantik

mantilla, *sub*, *-s* Mantille

mantle, *sub*, *-s* Havelock

mantrap, *sub*, *-s* Fußangel

manual, **(1)** *adj*, körperlich, manuell **(2)** *sub*, *-s* Handbuch, Manual; *to do heavy manual work (or labour)* schwer körperlich arbeiten; *to operate manually* manuell bedienen; *~ operation sub*, *-s* Handbetrieb; *~ skill sub*, *-s* Handfertigkeit; *~ work sub*, *-s (manuelle Arbeit)* Handarbeit; *~ worker sub*, *-s* Handarbeiter; *~ly adv*, händisch

manufacture, **(1)** *sub*, *-s* Fertigung **(2)** *vt*, verfertigen; *(Hand)* erzeugen; *~ (clothing)* *vt*, konfektionieren; *~ goods adj*, fabrikmäßig; *~r sub*, *-s* Fabrikant, Hersteller, Herstellerin; *(Hand)* Erzeuger

manure, **(1)** *sub*, *-* Stalldünger **(2)** *vt*, jauchen; *to spread manure* Mist fahren; *~ cart sub*, *-s* Jauchewagen

manuscript, *sub*, *-s (Manuskript)* Handschrift

Maoism, *sub*, *nur Einz.* Maoismus; **Maoist (1)** *adj*, maoistisch **(2)** *sub*, *-s* Maoist

Maori, *adj*, maorisch

map, **(1)** *sub*, *-s* Karte, Landkarte; *s* Wegkarte; *(in Straßen~)* Plan **(2)** *vt*, kartieren; *something isn´t on the map* etwas ist in der Karte nicht eingezeichnet; *~ (sheet) sub*, *-s* Kartenblatt; *~ of trails*

sub, *-s* Wanderkarte

maple tree, *sub*, *-s (bot.)* Ahorn

Maquis, *sub*, *nur Einz. (hist.)* Maquis; *~ard sub*, *-s* Maquisard

marabou, *sub*, *-s (orn.)* Marabu

marabout, *sub*, *-s (rel.)* Marabut

maraschino, *sub*, *-es* Maraschino

marasmic, *adj*, marantisch

marathon, *sub*, *-s* Marathonlauf; *~ speech sub*, *-s* Marathonrede

marble, **(1)** *sub*, *-s* Klicker; *nur Einz.* Marmelstein, Marmor; *-s* Murmel; *(ugs.)* Schusser **(2)** *vt*, marmorieren; *~ bust sub*, *-s* Marmorbüste; *~ cake sub*, *-s* Marmorkuchen; *~ column sub*, *-s* Marmorsäule; *~ slab sub*, *-s* Marmorplatte; *~ stairs sub*, *nur Mehrz.* Marmortreppe; *~ statue sub*, *-s* Marmorstatue; *~ top sub*, *-s (Tisch~)* Marmorplatte; *~-like adj*, marmorartig

march, **(1)** *sub*, *-es* Marsch, März; *(Musik)* Parademarsch **(2)** *vi*, marschieren; *forward march!* vorwärts marsch!; *to go on a march* einen Marsch machen; *during March* im Laufe des März; *in March* im März; *on the second of March* am zweiten März; *this March* diesen März; *dressed for marching* marschmäßig angezogen; *the Brandenburg Marches* die Mark Brandenburg; *~ off vi*, abmarschieren; *(a. mil.)* abrücken; *~ on vi*, *(Zeit)* fortschreiten; *~ up vi*, aufmarschieren; *~-past sub*, *-* Vorbeimarsch; *~er sub*, *-s* Marschierer; *~ing attr*, marschmäßig; *~ing off sub*, *-s* - Abmarsch; *~ing orders sub*, *(ugs.)* Laufpass; *nur Mehrz. (mil.)* Marschbefehl; *did she give you your marching orders?* und hat sie dir den Laufpass gegeben?; *~ing step sub*, *-s* Marschtritt; *~ing through sub*, *-s* Durchmarsch; *~ing time sub*, *-s* Marschtempo; *~ing up sub*, *nur Einz. (von Menschen)* Aufmarsch

mare, *sub*, *-s* Stute

margarine, *sub*, *nur Einz.* Margarine

margin, *sub*, *-s* Marge; *(Buch)* Rand; *- (Preis-)* Spanne; *-s (wirt.)* Spielraum; *leave a margin* Spielraum lassen; *~ stop sub*, *-s* Randsteller; *~al adj*, marginal; *(Steigerung)* minimal; *~al note sub*, *-s* Randbemerkung

marginalia, *sub*, *nur Mehrz. (meist Mehrz.)* Marginalie

married life, *sub*, *lives* Eheleben

marigold, *sub*, *-s* Ringelblume

marijuana, *sub*, *nur Einz.* Marihuana

marimba, *sub*, *-s (mus.)* Marimba

marinade, *sub*, *-s (Küche)* Marinade;
marinate *vt*, marinieren

marine, (1) *adj*, *(Tiere, Pflanzen)* marin
(2) *sub*, *-s* Marinesoldat; **~s** *sub*, *nur
Mehrz*. Marineinfanterie; **mariological**
adj, mariologisch

marital, *adj*, ehelich; **~ crisis** *sub*, *crises*
Ehekrise; **~ status** *sub*, *-* Familienstand;
-es Personenstand

maritime, *adj*, maritim; **~ affairs** *sub*,
nur Mehrz. Seewesen; **~ climate** *sub*,
-s Seeklima

marjoram, *sub*, *-s* Majoran

mark, (1) *sub*, *-s* Druckstelle, Einzeichnung, Fleck, Merkzeichen; *(biol.)* Merkmal; *(Fleck)* Mal; *(Schule)* Note; *nur
Einz. (Währung)* Mark (2) *vt*, anzeichnen, benoten, kennzeichnen, markieren, zeichnen, zensieren, zinken;
(Wörter) anstreichen; *(i. ü. S.) get off
the mark* Tritt fassen; *(i. ü. S.) make
one´s mark on something* etwas seinen
Stempel aufdrücken; *mark my words!*
merk dir das!; *on your marks, get set,
go!* Achtung, fertig, los!; *the Mark Brandenburg* die Mark Brandenburg; *to
overstep the mark* über das übliche Maß
hinausgehen; *distinguishing marks* besondere Merkmale; *deutschmark* Deutsche Mark; **~ of Cain** *sub*, *-s (bibl.)*
Kainsmal; **~ of favour** *sub*, *-s (US)* Gunst-
beweis; **~ off** (1) *vi*, *(unterschreiben)*
abzeichnen (2) *vt*, *(abgrenzen)* begrenzen; *(Grundstück)* abgrenzen; **~ out**
vt, abstecken; **~ with a circle** *vt*, *(Fehler etc.)* umranden; **~ you** *adv*, wohlverstanden; **~(ing)** *sub*, Markierung

marked, *adj*, ausgesprochen; *(Gesicht)*
gezeichnet; *the illness has left its mark*
von der Krankheit gezeichnet; **~ section of forest** *sub*, *-s* Jagen; **~ with a date**
adj, Datumsangabe; **~-out route** *sub*,
-s Trasse; **marker** *sub*, *-s (spo.)* Fähnlein; **marker on the skin** *sub*, - Dermographie

market, *sub*, *-s* Absatzmarkt, Markt; *on
the market* im Handel; *at the marketplace* am Markt; *to come on the market*
auf den Markt gebracht werden; *to
flood the market with sth* etwas in großen Mengen auf den Markt werfen; *to
go to the market* auf den Markt gehen;
to have a market Markt abhalten; *to put
on the market* auf den Markt bringen;
~ day *sub*, *-s* Markttag; **~ economy**
sub, *nur Einz*. Marktwirtschaft; **~ fountain** *sub*, *-s* Marktbrunnen; **~ leader**
sub, *-s* Marktführer; **~ prospects** *sub*,
nur Mehrz. Marktchance; **~ regulati-**

ons *sub*, *nur Mehrz*. Marktordnung; **~
research** *sub*, *nur Einz*. Marktfor-
schung; **~ segment** *sub*, *-s* Marktseg-
ment; **~ share** *sub*, *-s* Marktanteil; **~
stall** *sub*, *-s* Marktstand; **~-leading**
adj, marktführend; **~able** *adj*, marktgängig; *(wirt.)* absetzbar; **~place** *sub*,
-s Marktplatz; *in the marketplace* am
Marktplatz; *to live on the marketplace*
am Marktplatz wohnen

marking, *sub*, *nur Einz. (Geben der
Noten)* Benotung; **~ ink** *sub*, *nur
Einz*. Wäschetinte

marks, *sub*, *nur Mehrz. (Noten)* Benotung; **~man** *sub*, *-men* Schütze

marketing, *sub*, *nur Einz*. Marketing,
Vermarktung

markup loss, *sub*, - *-es* Aufschlagverlust

marmalade, *sub*, *-s (Orangen~)* Marmelade

marmot, *sub*, *-s* Murmeltier

Marocain, *sub*, *-s (Textil)* Marocain

Maronite, *adj*, maronitisch

marquee, *sub*, *-s* Festzelt; *-s* Zelt

marquess, *sub*, *-es* Marquis

marquise, *sub*, *-s* Marquise

marquisette, *sub*, *-s (Textil)* Markisette

marriagable, *adj*, *(Mädchen)* mannbar; **marriage** *sub*, *-s* Ehe, Heirat,
Konnubium, Verheiratung, Vermählung; *(Kartenspiel)* Mariage; **marriage ads** *sub*, *nur Mehrz. (Zeitung)*
Heiratsmarkt; **marriage by proxy**
sub, *-s* Ferntrauung; **marriage ceremony** *sub*, *-ies* Trauung; **marriage
certificate** *sub*, *-s* Heiratsurkunde;
marriage guidance (am: counsel-
lor) *sub*, *-s* Eheberaterin; **marriage
guidance (am:** marriage counsel-
ling) *sub*, *-s* Eheberatung; **marriage
into** *sub*, *-s* Einheirat; **marriage market** *sub*, *-s* Heiratsmarkt; **marriage of
convenience** *sub*, *-s* Vernunftehe

marriage proposal, *sub*, *-s* Heiratsantrag; **marriage-bed** *sub*, *-s* Ehebett;
marriageability *sub*, *nur Einz. (Mädchen)* Mannbarkeit; **marriageable**
adj, heiratsfähig; *of a marriagable
age* in einem heiratsfähigen Alter;
married *adj*, verheiratet, vermählt;
married one *sub*, *-s* Verheiratete

marrow, *sub*, *nur Einz. (Knochen~)*
Mark; **~bone** *sub*, *-s* Markknochen

marry, (1) *vr*, verehelichen (2) *vt*, verheiraten; *(heiraten)* freien; *(verheiraten)* trauen (3) *vti*, heiraten (4) *vtr*,
vermählen; *as a married man* als Ehemann; *(heiraten)* get married sich
trauen lassen; *she has two children*

from her first marriage sie hat zwei Kinder aus der ersten Ehe mitgebracht; *to have sth when one gets married* etwas in die Ehe mitbringen; *to marry (into) money* sich ins gemachte Nest setzen; *(ugs.) to marry into money* reich heiraten; *to marry money* eine gute Partie machen; *to marry sb off* jmdn an den Mann bringen; ~ *into* vi, einheiraten

Marsala wine, *sub*, *-s* Marsala, Marsalawein

marsh, *sub*, *nur Einz.* Marschland; *-es* Sumpf; *(Marschland)* Marsch; ~ **gas** *sub*, *-es* Sumpfgas; ~ **mallow** *sub*, *(bot.)* Eibisch; ~ **marigold** *sub*, *-s* Dotterblume, Sumpfdotterblume; ~ **plant** *sub*, *-s* Sumpfpflanze

marshal, *sub*, *-s* Marschall; *(US)* Gerichtsvollzieher

marshland, *sub*, *-s* Sumpfgebiet; **marshy** *adj*, sumpfig

martial art, *sub*, *-s* Kampfsport; **martial law** *sub*, *nur Einz.* Standrecht

Martinmas, *sub*, *nur Einz.* Martinstag

martyr, *sub*, *-s* Märtyrer; *to make a martyr of oneself* sich zum Märtyrer aufspielen; *to make a martyr of sb* jmdn zum Märtyrer machen; ~**dom** *sub*, *-s* Martyrium; ~**ed expression** *sub*, *-s* Duldermiene

marvellous, *adj*, herrlich, wunderbar

marvelous, *adj*, *(US)* herrlich

Marxism, *sub*, *nur Einz.* Marxismus; **Marxist (1)** *adj*, marxistisch **(2)** *sub*, *-s* Marxist

marzipan, *sub*, *-s* Marzipan

mascara, *sub*, *-s* Wimperntusche; *(Wimpern-)* Tusche

mascot, *sub*, *-s* Maskottchen

masculine, *adj*, maskulin, maskulinisch; ~ **discipline** *sub*, *nur Einz.* Manneszucht; ~ **loyalty** *sub*, *nur Einz.* Mannestreue; ~ **noun** *sub*, *-s* Maskulinum; ~ **strength** *sub*, *-s* Mannesstärke; **masculinity** *sub*, *nur Einz. (Auftreten)* Männlichkeit; **masculinize** *vt*, vermännlichen

mash, *vt*, zerdrücken; ~**ed potatoes** *sub*, *nur Mehrz.* Kartoffelbrei

mask, *sub*, *-s* Maske; *his face froze to a mask* sein Gesicht wurde zur Maske; *that´s all just pretence* das ist alles nur Maske; *(i. ü. S.) to let fall one´s mask* die Maske abnehmen

masochism, *sub*, *nur Einz.* Masochismus; **masochist (1)** *adj*, masochistisch **(2)** *sub*, *-s* Masochist, Masochistin

masonry, *sub*, *nur Einz.* Maurerarbeit; ~ **drill** *sub*, *-s* Steinbohrer

masquerade, *sub*, *nur Einz.* Mummenschanz

masques, *sub*, *nur Mehrz.* Maskenspiele

massacre, **(1)** *sub*, *-s* Gemetzel, Massaker **(2)** *vt*, massakrieren

massage, **(1)** *sub*, *-s* Knetmassage, Massage **(2)** *vt*, *(Massage)* massieren; *to have massage treatment* Massagen nehmen; ~ **parlour** *sub*, *-s* Massagesalon

masses, *sub*, *nur Mehrz. (i. ü. S.)* Herde

masseur, *sub*, *-s* Masseur, Massör

masseuse, *sub*, *-s* Masseuse, Massöse

massif, *sub*, *-s* Gebirgsstock, Massiv

massive, *adj*, klotzig, reißend; ~ **dose of vitamins** *sub*, *-s* Vitaminstoß; ~**ness** *sub*, *nur Einz.* Massivität, Wuchtigkeit

Massoretic, *adj*, *(relig. hist.)* massoretisch

mast, *sub*, *-s (naut.)* Mast

master, **(1)** *sub*, *-s* Gebieter, Prinzipal **(2)** *vt*, meistern; *a master of his trade* ein Meister seines Faches; ~ **(craftsman)** *sub*, *-men (Handwerks~)* Meister; *no-one is born a master* es ist noch kein Meister vom Himmel gefallen; *past master at sth* Meister einer Sache; *to take one´s master craftman´s diploma* seinen Meister machen; ~ **(of a trade)** *sub*, *-s* Lehrmeister; ~ **brewer** *sub*, *nur Einz.* Braumeister; **Master Bruin** *sub*, *-s (poet.; Meister ~)* Petz; ~ **builder** *sub*, *-s* Maurermeister; ~ *-s (auf der Baustelle)* Baumeister; ~ **craftsman´s certificate** *sub*, *-s* Meisterbrief; **Master of Arts** *sub*, **Masters** *(univ.)* Magister; ~ **of business administration** *sub*, *-s* Betriebswirt; **Master of Ceremonies** *sub*, *-s* Hofmarschall, Zeremonienmeister; ~ **of the guild** *sub*, *-s* Gildemeister; ~ **painter** *sub*, *-s* Malermeister; ~ **thief** *sub*, *thieves* Meisterdieb; ~´**s certificate** *sub*, *-s* Kapitänspatent; ~**ly** *adj*, gekonnt, meisterhaft, meisterlich; ~**piece** *sub*, *-s* Meisterstück, Meisterwerk; ~**y** *sub*, *nur Einz. (Können)* Meisterschaft; *(Kunst) to achieve real mastery* es zu wahrer Meisterschaft bringen

masthead, *sub*, *-s* Impressum; ~ **light** *sub*, *-s* Topplaterne

masticate, *vt*, zerkauen; **masticatory organs** *sub*, *nur Mehrz. (med.)* Kauwerkzeuge

mastiff, *sub*, *-s* Mastino; *(Englische)* Dogge

mastodon, *sub*, *-s* Mastodon

masturbate, (1) *vi*, *(sexuell)* befriedigen (2) *vtir*, masturbieren; **masturbation** *sub*, *-s* Masturbation; *nur Einz.* Onanie; *-s* Selbstbefriedigung

mat, *sub*, *-s* Matte, Untersatz, Vorleger; *to have a mat finish* mattiert sein; ~ **coaster** *sub*, *-s* Untersetzer

match, (1) *sub*, *-es* Match, Schwefelholz, Streichholz, Zündholz; *(ugs.)* Zündhölzchen; *(Wettkampf)* Spiel (2) *vi*, *(ugs.)* zusammenpassen; *(zusammenpassen)* übereinstimmen (3) *vt*, zusammenstimmen; *(harmonieren)* passen; *(qualitativ)* anpassen; *(spo.)* paaren; *a bag which matches it exactly* eine im Ton genau dazu passende Tasche; *he´s met his match* er hat seinen Meister gefunden; *the match will start in five minutes* der Anpfiff ist in fünf Minuten; *to be no match for sb* sich mit jmd nicht messen können; *to match one´s strength against sb´s* seine Kräfte mit jmd messen, *to match sth* zu etwas im Ton passen; ~ **box** *sub*, *-es* Zündholzschachtel; ~ **stick** *sub*, *-s* (*dünner Mensch*) Hering; ~**box** *sub*, *-es* Streichholzschachtel; ~**ing** *adj*, *(harmonisch)* passend; *I must buy some matching shoes* ich muß passende Schuhe kaufen; ~**less** *adj*, unübertrefflich; ~**make** *vi*, kuppeln; ~**making** (1) *adj*, kupplerisch (2) *sub*, *nur Einz.* Kuppelei

mate, (1) *sub*, *-s* Kumpel, Maat; *nur Einz.* Matt; *-s* (*ugs.*) Kumpan (2) *vi*, rammeln; *(sich paaren)* balzen (3) *vt*, begatten (4) *vti*, paaren

material, (1) *adj*, materiell (2) *sub*, *-s* Material, Wissensstoff; *(Material)* Stoff; *to be only interested in material things* nur materielle Interessen haben, *material for a novel* Stoff für einen Roman; ~ **assets** *sub*, *nur Mehrz.* Sachwert; ~ **interests** *sub*, *nur Mehrz.* Kommerz; *material interests are taking over everywhere* alles wird zunehmend von Kommerz beherrscht; ~**ism** *sub*, *-s* Dinglichkeit; *nur Einz.* Materialismus; ~**ist** *sub*, *-s* Materialist; ~**ist(ic)** *adj*, materialistisch; *to be materialistic* materiell eingestellt sein; ~**istic thinking** *sub*, *-* Konsumdenken; ~**ization** *sub*, *nur Einz.* Materialisation; ~**ize** *vti*, materialisieren

maternal, *adj*, mütterlich; **maternity dress** *sub*, *-es* Umstandskleid; **maternity hospital** *sub*, *-s* Gebärklinik

mathematical, *adj*, mathematisch; **mathematician** *sub*, *-s* Mathematiker; **mathematics** *sub*, *nur Mehrz.* Mathematik; **mathematize** *vt*, mathematisieren

matinée, *sub*, *-s* Matinee

mating, *sub*, *-s* Begattung; *(biol.)* Paarbildung; *(Kreuzung)* Paarung; *nur Einz.* *(Paarung)* Balz; ~ **call** *sub*, *-s* *(biol.)* Balzruf; ~ **season** *sub*, *-s* Balzzeit

matins, *sub*, *nur Einz.* Mette

matriarchal, *adj*, matriarchalisch; **matriarchy** *sub*, *nur Einz.* Matriarchat

matriculation register, *sub*, *-s* *(univ.)* Matrikel

matrimonial, *adj*, ehelich; ~ **tragedy** *sub*, *-ies* Ehetragödie; **matrimony** *sub*, *nur Einz.* Ehestand

matrix, *sub*, *matrices* Mater, Matrix, Matrize

matron, *sub*, *-s* Matrone; *(Krankenhaus)* Oberin; ~**ly** *adj*, matronenhaft

matted, *adj*, *(Haar)* filzig

matter, *sub*, *-s* Angelegenheit; Materie; *-s* Sache; *(Angelegenheit)* Ding; *(Inhalt)* Gegenstand; *as matters stand* so wie die Dinge liegen; *doesn´t matter* macht nichts!; *in matters of taste* in Dingen des Geschmacks; *it doesn´t matter whether* es spielt keine Rolle, ob; *it´s a matter of courtesy* es ist ein Gebot der Höflichkeit; *no matter who* ganz egal wer; *not that it mattered but* nicht etwasa, daß; *that matters a lot to me* mir liegt viel daran; *the matter is as follows* es hat damit folgende Bewandtnis; *there the matter rested* damit hatte es sein Bewenden; *there´s sth the matter with him* mit ihm ist es etwas nicht in Ordnung; *what´s the matter?* was ist denn passiert?; ~ **of feeling** *sub*, *-s* Gefühlssache; ~ **of luck** *sub*, *-s* Glückssache; ~ **of opinion** *sub*, *nur Einz.* Ansichtssache; ~ **of taste** *sub*, *-s* Geschmackssache; ~ **of the heart** *sub*, *-s* Herzenssache

mattress, *sub*, *-es* Matratze

matzo, *sub*, *-s* Matze

Maundy Thursday, *sub*, *-* Gründonnerstag

Mauritanian, (1) *adj*, mauretanisch (2) *sub*, *-s* Mauretanier

mausoleum, *sub*, *-a* Mausoleum

mauve, *adj*, malvenfarben, malvenfarbig, mauve, mauvefarben

mawkish, *adj*, *(widerlich)* süßlich; ~**ness** *sub*, *nur Einz. (i. ü. S.)* Süßlichkeit

maxillary sinus, *sub*, *-es (med.)* Kieferhöhle

maxim, *sub*, *-s* Grundsatz, Maxime

maximazation, *sub*, *-s* Maximierung; **maximize** *vt* maximieren; **maximum (1)** *adj*, höchst **(2)** *sub*, *-s* Maximum; *maximum number of people allowed* höchste Personenzahl; **maximum amount** *sub*, *-s* Höchstbetrag; **maximum height** *sub*, *-s* Maximalhöhe; **maximum pay** *sub*, *-s* Spitzenlohn; **maximum penalty** *sub*, *-ies* Höchststrafe; **maximum price** *sub*, *-s* Höchstpreis; **maximum speed** *sub*, *-s* Höchstgeschwindigkeit; **maximum value** *sub*, *-s* Maximalwert

may, **(1)** *sub*, *-s* Mai **(2)** *vt*, *(Vermutung)* mögen **(3)** *vti*, *(höflich)* dürfen; *May Day* der erste Mai, *come what may* mag kommen, was da will; *(geh.)* *he may well be right*, but er mah wohl recht haben, aber; *(geh.) may the force be with you!* möge die Macht mit dir sein!; *what might that mean?* was mag das wohl heißen?, *are you allowed to* darfst du das; *he may come tomorrow* möglicherweise kommt er morgen; *may I smoke* erlauben sie, daß ich rauche; *may I visit him* darf ich ihn besuchen; *yes, you may* ja, sie dürfen; *you may go to the blackboard* du sollst an die Tafel gehen; **May Day celebrations** *sub*, *nur Mehrz.* Maifeier; **~be** *adv*, vielleicht; *maybe I should come along?* oder soll ich lieber mitkommen?; **~day** *interj*, Mayday; **~fly** *sub*, *-ies (zool.)* Eintagsfliege

mayonnaise, *sub*, *-s* Majonäse; *nur Einz.* Mayonnaise

mayor, *sub*, *-s* Bürgermeister, Oberbürgermeister; *(hist.)* Schulze

maze, *sub*, *-s* Gewirr

me, *pron*, mich, mir; *(geh.) excuse me!* verzeihen Sie!; *objections from me* Einwände meinerseits

mead, *sub*, *nur Einz.* Met

meadow, *sub*, *-s* Weide, Wiese, Wiesengrund; **~ flower** *sub*, *-s* Wiesenblume; **~ saffron** *sub*, *-s* Herbstzeitlose; **~ wax** *sub*, *- (i. ü. S.)* Wiesenwachs

meal, *sub*, *-s* Mahl, Mahlzeit, *(Mahl)* Essen; *nur Einz. (Mahlzeit)* Tisch; *(Guten Appetit) enjoy your meal* Mahlzeit!; *a square meal* ein nahrhaftes Essen; *don't let me disturb your meal* laßt euch nicht beim Essen stören; *enjoy your meal* guten Appetit; *invite sb for a meal/to dinner* jmd zum Essen einladen; **~ offering** *sub*, *-s* Speiseopfer; **~-ticket** *sub*, *-s* Essensmarke; **~time** *sub*, *-s* Essenszeit; **~y** *adj*, mehlig; **~y-mouthed person** *sub*, *people* Leisetreter

mean, **(1)** *adj*, geizig, gemein, karg, kleinherzig, schäbig, *(gemein)* erbärmlich **(2)** *adv*, kleinlich **(3)** *sub*, *-s* Mittelwert; *(mat.)* Durchschnitt **(4)** *vi*, heißen; *(aussagen)* meinen; *(bedeuten)* beinhalten **(5)** *vt*, *(Bedeutung haben)* bedeuten; *(sagen wollen, bedeuten, beabsichtigen)* meinen; *that's mean* das ist gemein; *arithmetical mean* arithmetisches Mittel; *he be meant for* jmdm gelten; *by no means* durchaus nicht; *does that mean that* soll das heißen, dass; *he means nothing to* me er ist mir gleichgültig; *Jochen is good, but Fabian is no mean runner either* Jochen ist ein guter Läufer, aber Fabian ist auch nicht wie Pappe; *mean a lot to so* jemandem viel bedeuten; *meant for so* an jemands Adresse gerichtet sein; *that doesn't mean anything to me* darunter kann ich mir nichts vorstellen; *that doesn't mean much* das will nicht viel heißen; *that was no mean left hook* dieser linke Haken war nicht von Pappe; *the golden mean* die goldene Mitte, *the mean is* der Durchschnitt beträgt, *that doesn't mean anything* das besagt überhaupt nichts, *it doesn't mean anything* das hat nichts zu bedeuten; *he means no harm* er meint es nicht böse; *it wasn't meant like that* so war es nicht gemeint; *what do you mean (drohend: by that)?* was meinen Sie damit?

meander, **(1)** *sub*, *-s* Windung **(2)** *vr*, winden

meanness, *sub*, *-es* Gemeinheit; *the mean thing about it* die Gemeinheit dabei

meaning, *sub*, *-s (Bedeutung)* Sinn; *(Inhalt)* Gehalt; *(Sinn)* Bedeutung; *there is a deeper meaning* das hat einen tieferen Sinn; **~ of life** *sub*, *nur Einz.* Lebenssinn; **~ful** *adj*, bedeutungsvoll; *(vielsagend Blick)* bedeutsam; **~less** *adj*, *(bedeutungslos)* sinnlos; *(sinnlos)* bedeutungslos, gegenstandslos; *my life is meaningless* mein Leben ist sinnlos

meanness, *sub*, *- Geiz*; *nur Einz.* Schuftigkeit

means, *sub*, *nur Mehrz.* (~ *zum Zweck)* Mittel; *a means to an end* Mittel zum Zweck; *the end justifies the means* der Zweck heiligt die Mittel; *to find ways and means* Mittel und Wege finden; **~ of advertising** *sub*, *nur Mehrz.* Werbemittel; **~ of bringing pressure to bear** *sub*, *nur*

Mehrz. Druckmittel; ~ **of enforcement** *sub*, - Zwangsmittel; ~ **of legal redress** *sub*, - Rechtsmittel; ~ **of protection** *sub, nur Einz.* Schutzmittel; ~ **of transport** *sub, nur Mehrz.* Verkehrsmittel; ~ **of transportation** *sub, nur Mehrz.* Beförderungsmittel

meant, *adj*, gedacht

meantime, *pron*, Zwischenzeit; **meanwhile** *adv*, indes, indessen, unterdessen; *(inzwischen)* einstweilen; *(zeitl.)* darüber; *write the letter, meanwhile I´ll ring up* schreib du den Brief, ich werde indessen den Anruf erledigen; *meanwhile it had become evening* es war darüber Abend geworden

measles, *sub, nur Mehrz.* Masern

measurability, *sub, nur Einz.* Mensurabilität, Messbarkeit; **measurable** *adj*, mensurabel, messbar; **measure (1)** *sub*,-*s* Maßnahme; *(Einheit)* Maß (2) *vt*, abmessen, messen, vermessen; *to take measures to do sth* Maßnahmen treffen, um etwas zu tun; *(i. ü. S.) the measure of all things* das Maß aller Dinge; *weights and measures* Maße und Gewichte, *beyond all measure* über alle Maßen; *to have sth made to measure* sich etwas nach Maß schneidern lassen; *to measure up* Maß nehmen; **measure (out)** *vt*, ausmessen; **measure again** *vt*, nachmessen; **measure exactly** *vi*, *(ugs.)* zirkeln; **measure of alcohol content according specific gravity** *sub*, Öchsle; **measure of length** *sub*, -*s* Längenmaß; **measure out** *vt*, *(techn.Gerät)* durchmessen

measure technology, *sub*, *nur Einz.* Messtechnik; **measured** *adj*, gemessen; **measurement** *sub*, -*s* Ausmessung, Messwert; *(i. S. v. messen)* Abmessung; *(Messergebnis)* Messung; *(Meßgröße)* Maß; *her measurements are:* ihre Maße sind:; **measurement method** *sub*, -*s* Messverfahren; **measuring ring** *sub*, -*s (das Messen)* Messung; **measuring cylinder** *sub*, -*s* Messzylinder; **measuring instrument** *sub*, -*s* Messgerät; **measuring jug** *sub*, -*s* Messbecher; **measuring rod** *sub*, -*s* Messlatte

meat, *sub*, -*s (Kochk.)* Frikadelle; - *(Nahrung)* Fleisch; ~ **from the belly** *sub, nur Einz.* Bauchfleisch; ~ **from the leg** *sub, nur Einz.* Beinfleisch; ~ **loaf** *sub*, -*s* Fleischkäse; ~ **market** *sub*, -*s (US)* Fleischerei; ~ **paste** *sub*, -*s* Streichwurst; ~ **poisoning** *sub*, -*s* Fleischvergiftung; ~ **products** *sub, nur Mehrz.* Fleischwaren; ~ **salad** *sub*, -*s* Fleischsalat; ~**ball** *sub*, -*s* Frikadelle

mechanic, *sub*, -*s* Mechaniker, Mechanikerin; *(Auto~)* Monteur; ~**al** *adj*, mechanisch; ~**al engineer** *sub*, -*s* Maschinenbauer; ~**al engineering** *sub*, *nur Einz.* Maschinenbau; ~**ally** *adv*, maschinell; ~**s** *sub*, *nur Mehrz.* Mechanik; - *(Funktionsweise)* Technik; **mechanism** *sub*, -*s* Laufwerk, Mechanismus; *(tt; tech.)* Werk; **mechanization** *sub*, -*s* Mechanisierung; **mechanize** *vt*, mechanisieren; *(Landwirtschaft)* motorisieren

medaillon, *sub*, -*s* Medaillon; **medal** *sub*, -*s (Wettbewerb)* Medaille; **meddle in sb´s affairs** *vt*, dreinmischen

medial, *adj*, *(med.)* medial

media studies, *sub*, *nur Mehrz.* Zeitungswissenschaft

mediate, **(1)** *vi*, vermitteln **(2)** *vti*, schlichten; *mediate revenge on Rache sinnen*; **mediation** *sub*, -*s* Mediation, Schlichtung, Vermittlung

mediatized prince, *sub*, -*s (hist.)* Standesherr

mediator, *sub*, -*s* Mittler, Schlichter, Unterhändler, Vermittler; ~**y position** *sub*, -*s* Mittlerrolle

medic, *sub*, -*s (univ.)* Mediziner, Medizinerin; ~**al** *adj*, arzneilich, ärztlich; *(ärztlich)* medizinisch; *be under medical care* in ärztlicher Behandlung sein; *medical aid* ärztliche Hilfe; *medical care* medizinische Betreuung; *medical certificate* ärztliches Attest; ~**al advice** *sub*, -*s* Sanitätsrat; ~**al association** *sub*, -*s* Ärztekammer; ~**al certificate** *sub*, -*s* Attest; ~**al check-up** *sub*, -*s (tt; med.)* Vorsorgeuntersuchung; ~**al examination for military service** *sub*, *nur Einz. (für Wehrdienst)* Musterung; ~**al licence** *sub*, -*s (tt; med.)* Approbation; ~**al officer** *sub*, -*s* Truppenarzt; ~**al officer of health** *sub*, *officers* Medizinalrat; ~**al plant** *sub*, -*s* Heilpflanze; ~**al profession** *sub, nur Einz.* Ärzteschaft; ~**al record card** *sub*, -*s* Krankenblatt; ~**al tent** *sub*, -*s* Sanitätszelt; ~**al training** *sub*, -*s (med.)* Famulatur

medicinal, *adj*, medikamentös; *(heilend)* medizinisch

medicine, *sub*, *nur Einz.* Arznei, Arzneimittel; -*s* Heilkunde; *nur Einz.* Medikament, Medizin; *(med.)* Mittel; ~ **cabinet** *sub*, -*s* Hausapotheke; ~ **man** *sub*, *men* Medizinmann

medieval, *adj*, mittelalterlich; *(ugs.) it is positively medieval there!* da herschen Zustände wie im Mittelalter!; ~

studies *sub, nur Mehrz.* Mediävistik; Ist *sub, -s* Mediävistin

mediocre, *adj,* mittelmäßig; *(geb.)* medioker; *(unterdurchschnittlich)* mäßig; *he´s a pretty mediocre speaker* als Redner gibt er eine recht mittelmäßige Figur ab; **mediocrity** *sub, nur Einz.* Mediokrität; *(Unterdurchschnittlichkeit)* Mäßigkeit

meditate, *vi,* meditieren; **meditation** *sub, -s* Meditation; *lost in meditation* in meditativer Versunkenheit; **meditative** *adj,* meditativ; *lost in meditation* in meditativer Versunkenheit

Mediterranean, *adj,* mediterran; ~ **(Sea)** *sub, nur Einz.* Mittelmeer

medium, *sub, media* Medium; ~ **dry** *adj,* demi-sec; *(Wein etc.)* halbtrocken; ~ **of expression** *sub, -dia* Ausdrucksmittel; ~ **range** *sub, -s (Rakete)* Mittelstrecke; ~ **range missile** *sub, -s* Mittelstreckenrakete; ~ **wave (band)** *sub, -s* Mittelwelle; *to broadcast on the medium wave band* auf Mittelwelle senden; **~-high** *adj,* halbhoch

medley, *sub, -s* Medley; ~ **relay** *sub, -s (spo.)* Lagenstaffel

meek, *adj,* gottergeben, kleinlaut; *meek as a lamb* geduldig wie ein Lamm

meerschaum, *sub, nur Einz. (min.)* Meerschaum

meet, (1) *vi, (einer Person)* begegnen (2) *vt,* antreffen; *(begegnen)* treffen; *(Erwartungen)* befriedigen; *meet so at the airport* jemanden vom Flughafen abholen; *meet someone* auf jemanden treffen; ~ **up with** *vi,* zusammentreffen; ~ **with** *vi, (einem Problem)* begegnen; **~ing** *sub, -s* Meeting, Treffen; *-Wiedersehen; -s* Zusammenkunft, Zusammentreffen; *(Konferenz)* Sitzung; *(Treffen)* Begegnung, Treff; *call a meeting* eine Tagung einberufen; *hold a meeting* eine Tagung abhalten; **~ing day** *sub, -s* Jour (fixe); **~ing of the supervisory board** *sub, -s* Aufsichtsratssitzung; **~ing office** *sub, -s* Tagungsbüro; **~ing place** *sub, -s (Treffpunkt)* Treff

megacephalic *sub,* makrokephal

megalith, *sub, -s (archäol.)* Megalith; ~ **tomb** *sub, -s* Megalithgrab; **~ic** *adj,* megalithisch

megalomania, *sub, nur Einz.* Cäsarenwahn; -Gigantomanie; *nur Einz. (geb.)* Megalomanie

megalopolis, *sub, -ses* Megalopolis

megaphone, *sub, -s* Megafon, Megaphon, Sprachrohr; *(ugs.)* Flüstertüte

meiosis, *sub, meioses (biol.)* Meiose

Mekong delta, *sub, nur Einz.* Mekong-delta

melamine resin, *sub, -s* Melaminharz

melancholic, *sub, -s* Melancholiker; **melancholy** (1) *adj,* melancholisch, schwermütig, trübsinnig, wehmütig (2) *sub, nur Einz.* Melancholie, Schwermut, Trübsinn, Wehmut

Melanesian, *adj,* melanesisch; **melanite** *sub, -s (min.)* Melanit

melanoma, *sub, -s (med.)* Melanom

melasma, *sub, -s oder -mata* Melasma

melismatic, *adj, (mus.)* melismatisch

melodic, *adj,* melodisch; **~s** *sub, nur Mehrz.* Melodik; **melodious** *adj,* wohlklingend; *(geb.)* melodiös; **melodious sound** *sub, -s* Wohlklang; **melodrama** *sub, -s* Melodrama; **melodramatic** *adj,* melodramatisch; **melody** *sub, -ies* Melodie, Tonfolge

melon, *sub, -s (Frucht)* Melone

melt, (1) *vi,* laufen, schmelzen, zerrinnen; *(tt; gastron.)* zergehen (2) *vt, (Fett)* auslassen; *(tt; gastron.)* zerlassen (3) *vti,* tauen; *the butter is melting* die Butter läuft; *(i. ü. S.) he looks as if butter would not melt in his mouth* er sieht aus, als könne er kein Wässerchen trüben; ~ **down** *vt,* einschmelzen; ~ **together** *vt,* verschmelzen; **~able** *adj,* schmelzbar; **~ed** *adj, (geschmolzen)* flüssig; **~ing area** *sub, -s* Schmelzzone; **~ing furnace** *sub, -s* Schmelzofen; **~ing point** *sub, -s* Schmelzpunkt

member of the lower middle-class, *sub, -s* Kleinbürger; **member of the Reformed Church** *sub, -s* Reformierter; **member of the same species** *sub, -s -* Artgenosse; **member of the supervisory board** *sub, -s - (Ratsmitglied)* Aufsichtsrat; **member of the Teutonic Order of the Knights** *sub, -s* Deutschherr; **member of the white guard** *sub, -s (tt; hist.)* Weißgardist; **membership** *sub, -s* Mitgliedschaft; *nur Einz.* Zugehörigkeit; **membership card** *sub, - -s (Mitgliedsausweis)* Ausweis

membrane, *sub, -s* Membrane; *(anat.)* Membran

memo, *sub, -s (an Mitarbeiter)* Mitteilung; **~(randum)** *sub, -s* Denkschrift

memoirs, *sub, nur Mehrz.* Memoiren; **memorability** *sub, nur Einz.* Einprägsamkeit; **memorable** *adj,* denkwürdig; *a memorable event* ein denkwürdiges Ereignis; **memorandum** *sub, -s* Agenda; *-s oder -da (pol.)* Memorandum; **memorial** *sub, -s*

Denkmal, Ehrenmal, Gedenkstätte, Mahnmal; *(Ehren~)* Mal; **memorial plaque** *sub*, -s Epitaphium; **memorial service** *sub*, -s *(-gottesdienst)* Gedächtnisfeier

memorize, *vt*, einprägen, memorieren; **memory** *sub*, -ies Erinnerung, Erinnerungsvermögen, Gedächtnis; -s *(Angedenken)* Andenken; -ies *(EDV)* Speicher; *have fond memories of* in guter Erinnerung haben; *play a song from memory* ein Lied auswendig spielen; *slip one´s memory* aus dem Gedächtnis verlieren; *a memory like a sieve* ein Gedächtnis wie ein Sieb; *from memory* aus dem Gedächtnis; *in memory of* zum Andenken an

menagerie, *sub*, -s Menagerie

menarche, *sub*, *nur Einz. (med.)* Menarche

mend, *vt*, flicken; *(Schadstelle)* ausbessern; ~ **invisibly** *vt*, kunststopfen; ~ **ladders** *vt*, repassieren

mendacious, *adj*, verlogen; **mendacity** *sub*, -es Verlogenheit

mendelevium, *sub*, *nur Einz.* Mendelevium

Mendelism, *sub*, *nur Einz.* Mendelismus

mendicant friar, *sub*, -s Bettelmönch

menial work, *sub*, *nur Einz.* Drecksarbeit

meninges, *sub*, - Gehirnschale

meningitis, *sub*, *-tides* Meningitis

meniscus, *sub*, *-es (anat.)* Meniskus

menopause, *sub*, -s Menopause; *nur Einz.* Wechseljahre; *(med.)* Klimakterium; *to start the menopause* in die Wechseljahre kommen

menorrhoeal, *adj*, *(physiol.)* menorrhöisch

Menshevik, *sub*, -s *(hist.)* Menschewist

men´s singles, *sub*, *nur Mehrz. (Tennis)* Herreneinzel

menstruate, *vi*, menstruieren; **menstruation** *sub*, -s Menstruation, Regelblutung

mental, *adj*, mental, seelisch; *(Denkkraft)* geistig; *he has the mental age of a three-year-old* er hat das geistige Niveau eines Dreijährigen; ~ **crisis** *sub*, -crises Nervenkrise; ~ **debility** *sub*, *nur Einz.* Debilität; ~ **deficiency** *sub*, -ies *(med.)* Schwachsinn; ~ **disease** *sub*, -s Geisteskrankheit; ~ **home** *sub*, -s Heilanstalt; ~ **hospital** *sub*, -s Irrenanstalt; ~ **retarded** *adv*, *(tt; med.)* zurück; ~ **state** *sub*, -s Geisteszustand; *give so a mental examination* jmdn auf seinen Geisteszustand hin untersuchen; ~**ity** *sub*, -ies Mentalität; *the German menta-*

lity das deutsche Gemüt; ~**ly disturbed** *adj*, geistesgestört, nervenkrank, umnachtet; ~**ly ill** *adj*, geisteskrank; ~**ly lazy** *adj*, denkfaul; ~**ly subnormal** *adj*, *(med.)* debil

menthol, *sub*, -s Menthol

mention, **(1)** *sub*, -s Erwähnung **(2)** *vt*, erwähnen; *(erwähnen)* anführen, bemerken, nennen; *it´s not worth mentioning* das ist nicht der Rede wert; *mention something* etwas zur Sprache bringen; *mention sth in passing* etwas beiläufig erwähnen; *the dialects mentioned* die genannten Dialekte; *make no mention of sth* etwas mit keinem Wort erwähnen; *the above-mentioned museum* das genannte Museum; ~**ed first** *adj*, erstgenannt

mentor, *sub*, -s Vordenkerin; *(geb.)* Mentor

menu, *sub*, -s Karte, Küchenzettel, Speisekarte, Speisenkarte, Speisezettel; *a wide choice of menu* eine reichhaltige Speisekarte; *waiter, may I have the menu, please?* Herr Ober, bitte die Speisekarte!

Mephistopheles, *sub*, *nur Einz.* Mephisto; **Mephistophelian** *adj*, mephistophelisch

mercantile, *adj*, *(geb.; hist.)* merkantil; **mercantilism** *sub*, *nur Einz. (hist.)* Merkantilismus; **mercantilist** *sub*, -s Merkantilist; **mercantilist(ic)** *adj*, merkantilistisch

Mercator projection, *sub*, -s Mercatorprojektion

mercenary, *sub*, -ies Söldner; ~ **army** *sub*, -ies Söldnerheer

mercerize (cotton), *vt*, merzerisieren

merchant, *sub*, -s Händler, Kaufmann; ~ **ship** *sub*, -s Handelsschiff

mercurialism, *sub*, *nur Einz.* Merkurialismus

mercy, *sub*, - Gnade; -ies Schonung; *be at so´s mercy* jmdm auf Gnade oder Ungnade ausgeliefert sein; *be in so´s good graces* bei jmdm in hoher Gnade stehen; *God have mercy on him* Gott sei ihm gnädig; *he knows no mercy* er kennt keine Nachsicht; *he was punished without mercy* er wurde ohne Nachsicht bestraft

mere, *adj*, läppisch; ~**ly** *adv*, lediglich

merge, **(1)** *vi*, fusionieren **(2)** *vt*, *(tt; wirt.)* vereinigen; ~**r** *sub*, -s Verschmelzung; *(wirt.)* Fusion; **merging** *sub*, -s Vereinigung

meridian, *sub*, -s Längenkreis, Meridian, Mittagslinie

meringue, *sub*, -s Baiser; *(Küche)* Me-

merino (sheep), *sub,* *-s bzw. m. sheep* Merino, Merinoschaf; **Merino wool** *sub, nur Einz.* Merinowolle

meritorious, *adj,* meritorisch; **merits** *sub, nur Mehrz. (geh.)* Meriten

mermaid, *sub, -s* Meerjungfrau, Nixe, Seejungfrau

Merovingian, *adj,* merowingisch

merriness, *sub, nur Einz. (Munterkeit)* Lustigkeit

merry, *adj, (ugs.)* angeheitert; *(munter)* lustig; *(scherzhaft)* neckisch; *to prattle away merrily* munter drauflos reden; *things got quite merry* es wurde lustig; ~ **as a lark** *adj,* kreuzfidel; ~ **month (of May)** *sub, -s (i. ü. S.)* Wonnemonat; ~ **tale** *sub, -s* Schwank; ~ **tale figure** *sub, -s* Schwankfigur; **~-go-round** *sub, -s* Karussell

mésalliance, *sub, -s* Mesalliance, Missheirat

mescalin(e), *sub, nur Einz.* Meskalin

mesentery, *sub, -ies (med.)* Gekröse

mesh, *sub, -es* Maschennetz; *(Draht-)* Geflecht; *the mesh of a net* die Maschen eines Netzes

mesocephalia, *sub, nur Einz.* Mesozephalie; **mesocephalic** *adj,* mesokephalisch

Mesolithic, *adj,* mesolithisch; ~ **period** *sub, nur Einz.* Mesolithikum

meson, *sub, -s* Meson

Mesopotamian, *sub, -s* Mesopotamier

Mesozoic, *sub, nur Einz.* Mesozoikum

mess, *sub, nur Einz.* Schlamassel, Schmuddelei, Schweinerei; - Sudelei; *(ugs.)* Sauerei, Verhau; *-es (mil.)* Messe; *a fine mess that is* das ist ja eine schöne Bescherung; *be in a mess* im Dreck sitzen; *(i. ü. S.) get someone into a nice mess* jemanden in eine schöne Suppe einbrocken; *(ugs.) he really messed that up* da hat er Mist gebaut; *make a mess* Dreck machen; *mess up* über den Haufen werfen; *to go around looking a mess* lotterig herumlaufen; *to make a mess* eine Sauerei machen; ~ **around (1)** *vi,* manschen **(2)** *vt,* schikanieren; *stop messing me around* komm mir nicht so link; ~ **up** *vt,* beklecksern, dreinfahren, verschusseln; *(ugs.)* versauen; *he messed up my business* er ist mir ins Geschäft dreingefahren

message, *sub, -s (Botschaft)* Nachricht; *(Computer)* Meldung; *(kun.)* Aussage; *(Nachricht)* Botschaft; *can I take a message?* kann ich etwas ausrichten?; ~ **in a bottle** *sub, -s* Flaschenpost; ~ **of greeting** *sub, -s* Grußadresse

messed up, *adv, (Ordnung)* durcheinander

messenger service, *sub, -s* Botendienst; *earn money as a messenger* mit Botendiensten Geld verdienen

Messianic, *adj, (relig.)* messianisch

Messianism, *sub, nur Einz.* Messianismus

messing about, *sub,* - Fisimatenten; **messy** *adj,* schmuddelig

mestizo, *sub, -s* Mestize

met, *vi, (i. ü. S.)* zusammen laufen

metabolic, *adj, (biol.)* metabolisch; **metabolism** *sub, -s* Stoffwechsel; *nur Einz. (physiol.)* Metabolismus

metacarpus, *sub, -s (anat.)* Mittelhand; **metacentre** *sub, -s* Metazentrum

metamorphose, *vr,* verwandeln; **metamorphosis** *sub, -ses* Metamorphose; *-es* Verwandlung

metaphor, *sub, s* Metapher; *metaphor* bildlicher Ausdruck; **~ic(al)** *adj,* metaphorisch; **metaphysical** *adj,* metaphysisch; **metaphysics** *sub, nur Mehrz.* Metaphysik; **metaplasm** *sub, nur Einz.* Metaplasmus; **metastasis** *sub, -ses* Metastase; **metastasize** *vi,* metastasieren; **metastatic** *adj,* metastatisch; **metazoa** *sub, meist Mehrz. (zool.)* Metazoon

meteor, *sub, -s* Meteor; **~ic** *adj,* meteoritisch; **~ic iron** *sub, -s* Meteoreisen; **~ite** *sub, -s* Meteorit, Meteorstein; **~ologist** *sub, -s* Meteorologe, Meteorologin; **~otropic** *adj, (med.)* meteorotrop

meter, *sub, -s* Metrum; **meteorological** *adj,* wetterkundig; **meteorology** *sub, nur Einz.* Meteorologie, Wetterkunde

methane, *sub, nur Einz.* Methan

methinks, *vt,* dünken; *methinks* es dünkt mir

method, *sub, -s* Methode; *(~ zum Zweck)* Mittel; *(Methode)* System; *he's got his methods* er hat so seine Methoden; *there's a method behind it* das hat Methode; *he is not fussy about what methods he chooses* er ist in der Wahl seiner Mittel nicht zimperlich; *to employ other methods* zu anderen Mitteln greifen; *but according to one's own system* nach seinem eigenen System wetten; *there's method behind it* dahinter steckt System; ~ **of examination** *sub, -s* Prüfmethode; **~ic(al)** *adj,* systematisch; **~ical** *adj,* methodisch; *to do sth methodically* etwas mit Methode machen

Methodist, *sub, -s* Methodist

methodize, *vt,* systematisieren; **methodology** *sub, nur Einz.* Methodik, Methodologie

Methuselah, *sub, nur Einz.* Methusalem; *old as Methuselah* alt wie Methusalem

methyl, *sub, nur Einz.* Methyl; **~ alcohol** *sub, nur Einz.* Methanol, Methylalkohol; **~ated spirits** *sub, nur Mehrz.* Brennspiritus

meticulous, *adj, akribisch; (gewissenhaft)* peinlich; *(Nachbildung)* minuziös; *his room was meticulously tidy* in seinem Zimmer herrscht peinliche Ordnung; *meticulously clean* peinlich sauber; **~ness** *sub, nur Einz.* Akribie, Penibilität; *(Gewissenhaftigkeit)* Peinlichkeit

metre, *sub, -s* Meter; *at a distance of 100 metres* in einer Entfernung von 100 Metern; *at a height of 100 metres* in 100 Meter Höhe; *by the metre* nach Metern; **metric** *adj,* metrisch; **metrics** *sub, nur Mehrz.* Metrik

metro, *sub, -s* Metro; **~logic** *adj,* metrologisch; **~nome** *sub, -s* Metronom; **~polis** *sub, - (i. ü. S.)* Weltstadt; *-es (größte Stadt)* Metropole; **~politan (1)** *adj, (groß-)* städtisch **(2) Metropolitan** *sub, -s* Metropolit

Mexican, (1) *adj,* mexikanisch **(2)** *sub, -s* Mexikanerin

mezzanine (floor), *sub, -s (arch.)* Mezzanin

miasma, *sub, -s oder -mata* Miasma; **~tic** *adj,* miasmatisch

mica, *sub, -* Glimmer

microbe, *sub, -s* Mikrobe; **microbiology** *sub, nur Einz.* Mikrobiologie; **microcephalic (1)** *adj,* mikrokephal, mikrozephal **(2)** *sub, -s* Mikrozephale; **microchemistry** *sub, nur Einz.* Mikrochemie; **microchip** *sub, -s* Mikrochip; **microcosm** *sub, nur Einz.* Mikrokosmos; **microelectronics** *sub, nur Mehrz.* Mikroelektronik; **microfauna** *sub, -s* Mikrofauna; **microfilm** *sub, -s* Mikrofilm; **microgram(me)** *sub, -s* Mikrogramm; **Micronesian** *adj,* mikronesisch; **microorganism** *sub, -s* Mikroorganismus

microphone, *sub, -s* Mikrofon; **microphonic** *adj,* mikrofonisch; **microprocessor** *sub, -s* Mikroprozessor; **microscope** *sub, -s* Mikroskop; *to examine sth under the microscope* etwas mikroskopisch untersuchen; **microscopic** *adj,* mikroskopisch; *microscopically small* mikroskopisch klein;

microscopy *sub, nur Einz.* Mikroskopie; **microtome** *sub, -s* Mikrotom; **microwave (oven)** *sub, -s* Mikrowellenherd

midday, *sub, nur Einz.* Mittag; *around midday* gegen Mittag, um die Mittagszeit; *the Germans have a hot meal at midday* die Deutschen essen mittags warm; **~ heat** *sub, nur Einz.* Mittagshitze; **~ meal** *sub, -s* Mittagsmahl; **~ sun** *sub, nur Einz.* Mittagssonne

middle, (1) *adj,* mittig; *(gramm.)* medial **(2)** *sub, -s* Mitte; *be piggy in-the-middle* in der Besuchsritze sein; *in mid-Atlantic* mitten im Atlantik; *to be in the middle of it* voll drinstecken; *he is in his mid-fourties* er ist Mitte vierzig; *in the middle of August* Mitte August; *the Middle Kingdom* das Reich der Mitte; **Middle Ages** *sub, nur Mehrz.* Mittelalter; **~ brain** *sub, -s* Zwischenhirn; **~ classes** *sub, nur Mehrz.* Mittelstand; *(soziol.)* Mittelklasse; **Middle East** *sub, nur Einz. (geog.)* Orient; **Middle Eastern** *adj,* orientalisch; **Middle Eastern studies** *sub, nur Mehrz.* Orientalistik, Orientkunde; **~ finger** *sub, -s* Mittelfinger; **~ of the market** *sub, nur Einz. (wirt.)* Mittelklasse

middle part, *sub, -s* Mittelstück; *(mus.)* Mittelstimme; **middle school** *sub, -s (Brit.)* Mittelstufe; **middle weight** *sub, nur Einz.* Mittelgewicht; *middle weight champion* Meister im Mittelgewicht; **middle-barrel** *sub, -s* Zwischenlauf; **middle-class man** *sub, men* Bürgersmann; **middle-distance event** *sub, -s (spo.)* Mittelstrecke; **middle-door** *sub, -s* Zwischentür; **middle-high** *sub, - (i. ü. S.)* Zwischenhoch; **middlebusinnes** *sub, -* Zwischenhandel; **midfield player** *sub, -s* Halbstürmer

midge, *sub, -s* Mücke

midlife crisis, *sub, crises* Midlifecrisis

midnight, *sub, -s* Mitternacht; **~ sun** *sub, -s* Mitternachtssonne

midshipman, *sub, -men (mil.)* Fähnrich; **midships** *adv, (naut.)* mittschiffs

midsummer, *sub, -s* Hochsommer; **Midsummer´s Eve bonfire** *sub, -* Johannisfeuer

midwife, *sub, -wives* Hebamme

might, *sub, -s (Stärke)* Macht; *might is right* Macht geht vor Recht; *with all one´s might* mit aller Macht; *with might and main* mit aller Macht; **~y** *adj, (sehr groß)* mächtig

migraine, *sub, nur Einz.* Migräne

migrate, *vi,* wandern; *(Menschen)* abwandern; *(Volk)* auswandern; **migration** *sub, -s* Migration; *(eines Volkes)* Auswanderung; *(von Menschen)* Abwanderung; **migration of peoples** *sub, -s* Völkerwanderung; **migratory bird** *sub, -s* Strichvogel, Zugvogel

mild, *adj,* gelinde, lau; *(Wetter, Zigaretten)* mild, milde; *to put it mildly* gelinde gesagt; *to put it mildly* milde ausgedrückt; *to put sb in a mild mood* jmdn milde stimmen; *to put it mildly* milde ausgedrückt; *to put sb in a mild mood* jmdn milde stimmen

mildew, *sub, nur Einz. (Moder)* Muff; **~ mark** *sub, -s* Stockflecken; **~ed** *adj,* stockfleckig

mildness, *sub, nur Einz. (s. adj)* Milde

mile, *sub, -s* Meile; *sea mile* nautische Meile; *(ugs.) you can smell that a mile off* das riecht man drei Meilen gegen den Wind; **~stone** *sub, -s (i. ü. S.)* Meilenstein

militant, *adj,* kämpferisch, militant; **militarism** *sub, nur Einz.* Militarismus; **militarist** *sub, -s* Militarist; **militaristic** *adj,* militaristisch; **militarize** *vt,* militarisieren; **military** *adj,* militärisch; **military bloc** *sub, -s* Militärblock; **military budget** *sub, -s* Militäretat; **military dictatorship** *sub, -s* Militärdiktatur; **military district** *sub, -s (tt; med.)* Wehrbereich; **military government** *sub, -s* Militärregierung; **military hospital** *sub, -s* Lazarett; **Military Intelligence Service** *sub, -s* Abschirmdienst; **military junta** *sub, -s* Militärjunta

military law, *sub, nur Einz.* Kriegsrecht; **military marches** *sub, nur Mehrz.* Marschmusik; **military music** *sub, nur Einz.* Militärmusik; **military passbook** *sub, -s* Soldbuch; **military service** *sub, nur Einz.* Kriegsdienst; *-s (tt; mil.)* Wehrdienst; *be called up for military service* zum Barras müssen; *do one´s military service* den Militärdienst ableisten; **militia** *sub, -s* Miliz; **militiaman** *sub, -men* Milizionär, Milizsoldat

milk, **(1)** *sub, nur Einz.* Milch **(2)** *vti,* melken; *curdled milk* dicke Milch; *the land flowing with milk and honey* das Land, wo Milch und Honig fließen; *to yield milk* Milch geben; **~ bar** *sub, -s* Milchbar; **~ bottle** *sub, -s* Milchflasche; **~ icecream** *sub, nur Einz.* Milcheis; **~ powder** *sub, -s* Milchpulver; **~ product** *sub, -s* Milchprodukt; **~ teeth** *sub, nur Mehrz.* Milchgebiss; **~ tooth** *sub, -s* Milchzahn; **~ yield** *sub, -s* Milchertrag;

~/milch cow *sub, -s* Milchkuh; **~er** *sub, -s* Melker; **~ing machine** *sub, -s* Melkmaschine; **~ing stool** *sub, -s* Melkschemel; **~y** *adj,* milchig; **~y coffee** *sub, -s* Milchkaffee; **Milky Way** *sub, nur Einz.* Milchstraße; *(Milchstr.)* Galaxis

mill, (1) *sub, -s* Mühle **(2)** *vr,* walken **(3)** *vt, (Metall)* fräsen; **~ stone** *sub, -s* Schrotmühle

millennium, *sub, -s* Jahrtausend

miller, *sub, -s* Müller; **~´s lad** *sub, -s* Müllerbursch

millet, *sub, -s* Hirse

millimetre, *sub, -s* Millimeter

milliner, *sub, -s* Hutmacherin, Modistin, Putzmacherin

milling cutter for grooving, *sub, cutters* Nutenfräser; **milling machine** *sub, -s (f. Metall)* Fräse; **milling machine operator** *sub, -s (Metall)* Fräsmaschine

million, *sub, -s* Billion; *- Million; to make a million* es zum Millionär bringen; *a million Londoners are on their way* eine Million Londoner sind unterwegs; *two million inhabitants* zwei Millionen Einwohner; **~aire** *sub, -s* Millionär, Millionärin; **~th (part of)** *adj,* billionstel; **~th part** *sub, -s* Millionstel; **~th part of** *sub, -s* Billionstel; **millipede** *sub, -s* Tausendfüßler

milter, *sub, -s* Milchner

mimiaturized bugging device, *sub, -s* Minispion

mimic, *adj,* mimisch; **~ry** *sub, nur Einz. (auch i.ü.S; biol.)* Mimikry; *(jemanden)* Nachäfferei

miming, *sub, nur Einz. (TV)* Play-back

mimosa, *sub, -s* Mimose

minaret, *sub, -s* Minarett

mince, (1) *vi, (geziert gehen)* trippeln **(2)** *vt, (Fleisch)* durchdrehen; *(österr.)* faschieren; *(Person)* tänzeln *mince one´s words* sich vorsichtig ausdrücken; **~d** *vpp, (Fleisch)* durchgedreht; **~d beef** *sub,* Tatar; **~d meat** *sub, -* Hackfleisch; **~d pork** *sub, nur Einz.* Mett; **~r** *sub, -s* Fleischwolf

mind, (1) *sub, -s* Geist, Verstand; *(i. ü. S.) Kopf; (Verstand)* Sinn; *(Verstand, Sinn, Gemüt)* Geist **(2)** *vt, (achten auf)* achten; *(ugs.) be out of one´s mind* nicht recht bei Trost sein; *dirty mind* schmutzige Phantasie; *do you mind my smoking?* gestatten Sie, dass ich rauche?; *get so´s mind onto other things* auf andere Gedanken bringen;

have sth particular in mind auf etwas bestimmtes hinauswollen; *I don´t mind* von mir aus, von mir aus; *I don´t mind the rain* der Regen macht mir nichts; *I haven´t made up my mind yet* ich bin mit mir selbst noch uneinig; *(ugs.) I´ve a good mind to* ich habe nicht übel Lust; *keep sth in mind* sich etwas vor Augen halten; *make up one´s mind to* zu dem Entschluß kommen, daß; *she has changed her mind* sie hat es sich anders überlegt; *sth preys on sb´s mind* etwas liegt jmd schwer im Magen; *the best minds in the country* die besten Köpfe des Landes; *the idea crossed my mind that* mir ist neulich in den Kopf gekommen, daß; *to change one´s mind* seine Meinung ändern; *(ugs.) to give sb a piece of one´s mind* jmd kräftig die Meinung sagen; *to speak one´s mind* seine Meinung offen sagen; *what goes on in his mind?* was muss bloß in ihm vorgehen?; *would you mind getting the mail in?* sei so nett und hol die Post; *have in mind to do something* im Sinn haben, etwas zu tun; *I can´t get it out pf my mind* das geht mir nicht aus dem Sinn; *body and mind* Körper und Geist; **~ you** *adv*, wohlgemerkt; **~ed** *adj*, gesinnt; *pull a face in Gesicht machen*; **~ful** *adj*, eingedenk; **~less** *adj*, (geistlos) stupide; **~lessness** *sub, nur Einz.* Stupidität; **~numbing** *adj*, geisttötend

mine, (1) *pron subst*, meine (2) *sub*, -s Bergwerk; *(mil./min.)* Mine (3) *vt*, schürfen, verminen; *(Bergb.)* fördern; *what is mine* das Meine, *to hit a mine* auf eine Mine laufen; *to work in the mines* in den Minen arbeiten, *a friend of mine* ein Freund von mir; *the pleasure´s all mine* ganz meinerseits!; *this damn car of mine* mein verdammtes Auto; **~ surveyor** *sub*, -s Markscheider; **~ tunnel** *sub, -s (min.)* Minenstollen; **~r** *sub*, -s Bergarbeiter, Bergmann, Knappe, Kumpel; **~r´s hammer** *sub*, -s Schlägelchen; **~r´s lamp** *sub*, -s Grubenlampe

mineral, *sub*, -s Mineral; *(mineral) waters* Trinkbrunnen; **~ coal** *sub*, - Steinkohle; **~ nutrient** *sub*, -s Mineralstoff; **~ oil** *sub*, -s Mineralöl; **~ resources** *sub, nur Mehrz.* Bodenschätze; **~ water** *sub, nur Einz.* Mineralwasser; -s Sprudel; **~ water cure** *sub*, -s Trinkkur; **~ogist** *sub*, -s Mineralogin; **~ogy** *sub*, *nur Einz.* Mineralogie

miners´ guild, *sub*, -s Knappschaft

minestrone, *sub*, -s Minestrone

mingle (under), *vt*, *(geb.)* mengen

miniature, *sub*, -s Miniatur, Miniaturbild; **~ battle** *sub*, -s Kleinkrieg; **~ golf** *sub, nur Einz.* Minigolf; **~ railway** *sub*, -s Liliputbahn; **miniaturize** *vt*, miniaturisieren

minicomputer, *sub*, -s Minicomputer; **minimal**, *adj*, *(Unterschied, Aufwand)* minimal; **minimization** *sub*, -s Minimierung; **minimize** *vt*, minimieren; **minimum** *sub*, -s Mindestmaß, Minimalwert, Minimum; **minimum age** *sub, nur Einz.* Mindestalter; **minimum height** *sub*, -s *(von Menschen)* Mindestgröße; **minimum number** *sub*, -s Mindestzahl; **minimum price** *sub*, -s Tiefstpreis; **minimum rate** *sub*, -s Mindestsatz; **minimum size** *sub*, -s Mindestgröße; **minimum time** *sub*, -s Mindestzeit; **minimum wage** *sub*, -s Mindestlohn

mining, (1) *adj*, bergmännisch (2) *sub, nur Einz.* Bergbau; - Grubenausbau; *-s (Bergb.)* Förderung; *nur Einz. (Bergbau)* Abbau; **~ of ore** *sub*, -s Erzgewinnung; **~ rights** *sub, nur Mehrz.* Abbaurecht, Schürfrecht; **~ site** *sub*, -s Abbaufeld

minion, *sub*, -s *(Druck)* Mignon

minister, *sub*, -s Minister; **Minister of the Interior** *sub*, -s Innenminister; **~president** *sub*, -s *(ugs.)* Landesvater; **~ial** *adj*, ministeriell; **~ial office** *sub*, -s Ministeramt; **~ial(is)** *sub*, -s *(-ses) (hist.)* Ministeriale; **ministry** *sub*, -ies Ministerium; **ministry of education and the arts** *sub*, -ies Kultusministerium; **ministry of justice** *sub*, -ies Justizministerium; **Ministry of the Interior** *sub*, -ies Innenministerium

mini-version, *sub*, -s *(kleine Ausgabe)* Pikkolo

mink, *sub*, -(s) Mink; -s Nerz; **~ farm** *sub*, -s Nerzfarm; **~ fur** *sub*, -s Nerzfell

minnelied, *sub*, -s Minnelied; **minnesinger** *sub*, -s Minnesänger; **minnesong** *sub*, -s Minnesang

minor, (1) *adj*, Duodez..., gering, geringfügig, nebensächlich (2) *attr*, Moll; *minor prospects* geringe Chancen, *scale of C minor* C-Moll-Tonleiter; **~ matter** *sub*, -s Nebensache; **~ produce** *sub, nur Einz.* Nebennutzung; **~ road** *sub*, -s *(Land)* Nebenstraße

Minorcan, *sub*, -s Menorquiner

minority, *sub*, *-ies* Minderheit; *nur Einz.* Minorennität; *-ies* Minorität; *nur Einz.* Unmündigkeit

minstrel, *sub*, -s *(hist.)* Spielmann

mint, (1) *sub.,* *c* Münzanstalt, Prägepresse, Prägestätte (2) *vt,* münzen

minuet, *sub, -s* Menuett

minus, (1) *adv, (auch math.)* minus (2)
präp, minus; *to be minus sth* ohne etwas sein; **~ sign** *sub, -s* Minuszeichen;
(~zeichen) Minus

minuscule, *sub, -s* Minuskel

minute, (1) *adj,* haarklein (2) *sub, -s* Minute; *at the last minute* im letzten Augenblick; *it won´t be minute* ich hab es
bald; *one minute she wants to, the next
she doesn´t* bald mag sie, bald mag sie
nicht; **~ (of play)** *sub, minutes* Spielminute; **~´s silence** *sub, -s* - Gedenkminute; **~s** *sub, nur Mehrz. (Protokoll)*
Niederschrift

minx, *sub, -es (ugs.)* Luder

mirabelle, *sub, -s* Mirabelle

miracle, *sub, -s* Wunder, Wundertat;
(veraltet) Mirakel; *an architectural miracle* ein architektonisches Wunder; **~
cure** *sub, -s* Wundermittel; **~ of nature**
sub, miracles Naturwunder; **~ play**
sub, -s Mirakelspiel; **~ power** *sub, -s*
Wunderkraft; **~ worker** *sub, -s (ugs.)*
Wundertäter

mirror, (1) *vt,* spiegeln (2) *vt,* spiegeln; *(i. ü. S.)* *hold up a mirror to
someone* jemandem den Spiegel vorhalten; *look in the mirror* in den Spiegel
sehen; **~ glass** *sub, -s* Spiegelglas; **~
writing** *sub, -s* Spiegelschrift; **~-like**
adj, spiegelblank

misandry, *sub, nur Einz. (psych.)* Misandrie; **misanthropic** *adj,* misanthropisch; **misanthropist** *sub, -s*
Misanthrop; **misanthropy** *sub, nur
Einz.* Menschenhass, Misanthropie

misappropriate, *vr,* vergreifen

misappropriation, *sub, -s* Unterschlag

miscalculate, *vr,* verrechnen; **miscalculation** *sub, -s* Rechenfehler

miscarriage, *sub, -s* Fehlgeburt; *(tt;
med.)* Abort; **~ of justice** *sub, -s* Justiz-
irrtum

miscast, *vt, (Theat.)* fehlbesetzen

mischief, *sub, nur Einz. (Mutwille)*
Übermut; *(Übermut)* Mutwille; *get up
to mischief* Unfug treiben; *to be up to
mischief* den Schelm im Nacken haben,
sein Unwesen treiben; *out of pure mischief* aus reinem Mutwillen; **mischievous** *adj,* diebisch, schelmisch,
spitzbübisch, verschmitzt; *(Spielchen)*
neckisch; *(übermütig)* mutwillig; *take
a mischievous pleasure in sth* diebisch über etwas freuen; **mischievous
bunch** *sub, -es (ugs.)* Rasselbande

misconception, *sub, -s (falsche Vorstel-*

lung) Missverständnis

miscount, *vr,* verzählen

misdeal, (1) *vr,* verwerfen (2) *vt,* vergeben

misdeed, *sub, -s (veraltet)* Missetat

misdemeanour, *sub, -s* Verfehlung;
(veraltet) Missetat

misdirection, *sub, -s* Fehlleitung

miserable, *adj,* elend, miesepeterig,
unglückselig; **miserably** *adv,* elendiglich; *perish miserably* elendiglich
zugrunde gehen; **misery** *sub, -ies*
Elend; *nur Einz.* Mühseligkeit; *-ies
(Hunger, Krieg)* Misere; *live in misery*
im Elend leben; *to make sb´s life a
misery* jmd das Leben zur Pein machen; **misery-guts** *sub, nur Mehrz.*
Miesepeter

misfortune, *sub, - * Unglück; *-s* Unglücksfall; *to be dogged by misfortune*
vom Missgeschick verfolgt werden;
mishap *sub, -s* Malheur, Missgeschick; *he´s had a mishap* ihm ist ein
kleines Malheur passiert; *a slight mishap* ein kleines Missgeschick; **mishit**
vt, (tt; spo.) verschlagen; **mishmash**
sub, nur Einz. (ugs.) Mischmasch; **misinterpret** *vt,* missdeuten; **misinterpretation** *sub, -s* Fehldeutung,
Missdeutung

mislay, *vt,* verlegen

mislead, *vt,* irreführen, missleiten; *be
misled* einem Irrtum erliegen; **~ing**
sub, -s Missleitung; **~ing packaging**
sub, -s Mogelpackung

mismanagement, *sub, nur Einz.* Misswirtschaft

misogamist, *sub, -s* Misogam

misogynist, *sub, -s* Weiberfeind

misplace, *vti,* deplacieren; *a misplaced remark* eine deplazierte Bemerkung; *I felt out of place* ich kam mir
deplaziert vor; **~d** *vi,* deplatziert

misprint, *sub, -s* Druckfehler

miss, (1) *sub, -es* Fehlschuss, Mademoiselle; *(Abkürzung für Anrede)*
Frl.; *-es (Anrede)* Fräulein (2) *vi, (ver-
feblen)* fehlen (3) *vt,* danebenhauen,
darumkommen, verfehlen, vermissen, verpassen, versäumen; *(geh.)*
missen; *(vermissen)* entbehren; *(verpassen)* entgehen (4) *vti,* danebengehen; *miss the opportunity of doing sth*
darumkommen etwas zu tun; *he cannot be missed* man kann ihn nicht
übersehen; *my heart missed a beat*
mir ist das Herz fast stehengeblieben;
she didn´t miss a thing ihr entging
nichts; **~ (out)** *vt, (Chance)* auslassen

misshapen, *adj,* missgestaltet

misshapen figure, *sub*, *-s* Missgestalt

missile, *sub*, *-s* Rakete; *(Rakete)* Geschoss

missing, (1) *adj*, abgängig, fehlend, vermisst, verschollen (2) *sub*, *-s* Verfehlung (3) *vi*, fehlschießen; **~ person** *sub*, *-s* Vermisste; **~ person´s report** *sub*, *-s* Abgängigkeitsanzeige

mission, *sub*, *-s* Mission; *(Mission)* Auftrag; *fly a mission* einen Einsatz fliegen; **~ary** (1) *adj*, missionarisch (2) *sub*, *-ies* Missionar, Missionarin; *to be a missionary* in der Mission tätig sein; *to do missionary work* in der Mission tätig sein, Mission treiben; **~ary camp** *sub*, *nur Einz.* Zeltmission

missive, *sub*, *(ugs.)* Schrieb

mist, *sub*, *-s* Nebel; *nur Einz.* *(Nebel)* Dunst; *at the dead of night* bei Nacht und Nebel; *in mist* bei Nebel; *to have a mist in front of one´s eyes* einen Schleier vor den Augen haben

mistake, *sub*, *-s* Fehler, Missgriff, Versehen; *point out a mistake* einen Fehler aufzeigen; *there you are mistaken* darin irren sie sich; *you learn from your mistakes* durch Schaden wird man klug; **~n** *adj*, irrig; *unless I´m very much mistaken* wenn mich nicht alles trügt; **~nly** *adv*, irrigerweise

mistletoe, *sub*, *nur Einz.* Mistel; *a kiss under the mistletoe* ein Kuss unter dem Mistelzweig

mistral, *sub*, *nur Einz.* Mistral

mistress, *sub*, *-es* Geliebte, Mätresse

mistrust, (1) *sub*, *nur Einz.* Misstrauen (2) *vt*, misstrauen; *to mistrust sb* jmd Misstrauen entgegenbringen; **~ful** *adj*, misstrauisch

misty, *adj*, nebelig, neblig; *(Nebel)* dunstig

misunderstand, *vt*, missverstehen; *please do not misunderstand me* Sie dürfen mich nicht missverstehen; **~ing** *sub*, *-s* Missverständnis; *a serious misunderstanding* ein arges Missverständnis; *be a misunderstanding* auf einem Missverständnis beruhen, auf einem Missverständnis beruhen; **misunderstood** *adj*, unverstanden

misuse, *sub*, *-s* *(falsche Anwendung)* Missbrauch; *(ugs.) to misuse sth* mit etwas Schindluder treiben

mite, *sub*, *-s* Milbe; *(ugs.)* Winzling; *(bibl.)* Scherflein; *(ugs.) little mite* der kleine Wurm (Kind)

mitersaw, *sub*, *-s* *(US)* Gehrungssäge

mitigating circumstances, *sub*, *nur Mehrz.* *(~ e Umstände)* mildernd

mitosis, *sub*, *-ses* Mitose

mitrailleuse, *sub*, *-s* Mitrailleuse

mitre, *sub*, *-s* Bischofsmütze; *(relig.)* Mitra; **~ mushroom** *sub*, *-s* Lorchel

mitresaw, *sub*, *-s* Gehrungssäge

mitten, *sub*, *-s* Fäustling

mix, (1) *vt*, beimischen, melieren, mixen, vermengen, versetzen; *(geb.)* mengen (2) *vti*, mischen; *(Teig, etc.)* anrühren (3) *vtr*, vermischen; *be all mixed up* durcheinander sein (Person); **~ in** *vt*, einmischen, untermischen; **~ thoroughly** *vt*, durchmischen; **~ up** *vt*, durcheinanderbringen, vertauschen, verwechseln; *get everything mixed up* alles durcheinanderbringen; **~ed colour** *sub*, *-s* Mischfarbe; **~ed coloured** *adj*, mischfarben, mischfarbig; **~ed crops** *sub*, *nur Mehrz.* Manggetreide; **~ed cultivation** *sub*, *-s* *(agr.)* Mischkultur

mizzen, *sub*, *-s* Besan

mnemonic, *sub*, *-s* Eselsbrücke

mnemonic sentence, *sub*, *-s* Merksatz; **mnemotechnics** *sub*, *nur Mehrz.* Mnemotechnik

moan, *vi*, lamentieren, nölen, nörgeln, stöhnen; *(ugs.)* maulen; *(i. ü. S.) the wind moaned in the trees* der Wind stöhnte in den Bäumen; *he always finds something to carp about* er hat immer was zu nörgeln; *he always finds something to moan about* er hat immer was zu nörgeln; **~er** *sub*, *-s* Nörgler; *(ugs.)* Meckerer, Unke; **~ing** (1) *adj*, nörgelig, nörglerisch (2) *sub*, *-s* Genörgel; *nur Einz.* Nörgelei; *(ugs.)* Meckerei; *(s (Nörgelei)* Gemecker

moat, *sub*, *-s* Wassergraben; *(Burg)* Graben

mob, *sub*, *nur Einz.* Mob, Pöbel, *-s (i. ü. S.)* Horde, Meute

mobile, (1) *adj*, mobil (2) *sub*, *-s* Mobile; **~ phone** *sub*, *-s* Handy; **mobility** *sub*, *nur Einz.* Mobilität; **mobilisation** *sub*, *-s* Mobilisation; *(mil.)* Aufbietung, Mobilmachung; **mobilize** *vt*, aufbieten, mobilisieren; *mobilize all troops* alle Truppen aufbieten; *(mil.) to mobilize* mobil machen

moccasin, *sub*, *-s* Mokassin

mocha, *sub*, *-s* Mokka

mock, (1) *vi*, spötteln, spotten (2) *vt*, verhöhnen, verspotten (3) *vi*, höhnen; *don´t mock!* spotte nicht!, *don´t mock the afflicted* wer den Schaden hat, braucht für den Spott nicht zu sorgen; **~-up** *sub*, *-s (tech.)* Attrappe; **~er** *sub*, *-s (ugs.)* Spottvogel; **~ery** *sub*, *-ies* Gespött; *nur Einz.* Hohn; *-Spott*; *-es* Verspottung; *that´s sheer* *mockery das ist der reinste Hohn; the barbs of his mockery* die Pfeile seines Spottes; **~ing (1)** *adj*, spöttisch **(2)** *sub, -s* Verspottung; **~ing-bird** *sub, -s (zool.)* Spottvogel

modal, *adj, (gramm.)* modal; **~ verb** *sub, -s* Modalverb

mode, *sub, -s (comp.)* Modus; **~ (of life)** *sub, -s* Wandel; **~ of existence** *sub, -s* Daseinsweise

model, (1) *sub, -s* Leitbild, Mannequin, Modell, Vorbild; *(Foto~)* Model; *(Modell)* Typ; *(Vorbild)* Muster **(2)** *vt,* modeln (3) *vti,* modellieren; *to be a model for sb* für jmdn einen Maßstab setzen; *to be the model for sth* Modell stehen; *he is a model husband* er ist ein Muster von einem Ehemann; **~ dress** *sub, -es* Modellkleid; **~ husband** *sub, -s* Mustergatte; **~ railway** *sub, -s* Modelleisenbahn; **~ type** *sub, -s* Modellpuppe, Modepüppchen; **~-maker** *sub, -s* Modellbauer; **~ler** *sub, -s* Modellierer; **~ling** *sub, -s* Modellierung

modem, *sub, -s* Modem

moderate, (1) *adj,* gemäßigt, mäßig, moderat **(2)** *vt, (geb.; Strafe, Zorn)* mildern; *to be a moderate smoker* mäßig rauchen; *be moderately talented* durchschnittlich talentiert sein; *(polit.)* *to be moderate* in der Mitte stehen; **~ly severe** *adj, (Verletzung)* mittelschwer; **moderation** *sub, nur Einz.* Mäßigkeit; *in moderation but regularly* mäßig, aber regelmäßig; *to do sth in moderation* etwas mäßig tun

modern, *adj,* modern, neuzeitlich; *modern man* der moderne Mensch; **~ age** *sub, nur Einz.* Neuzeit; *the modern age* das Zeitalter der Moderne; **~ English** *adj,* neuenglisch; **~ Hebrew** *adj,* neuhebräisch; **~ languages** *sub, -* Neuphilologie; **~ times** *sub, nur Mehrz.* Jetztzeit; **~ism** *sub, nur Einz.* Modernismus; **~ity** *sub, nur Einz. (geb.)* Modernität; **~ization** *sub, nur Einz. (tech.)* Nachrüstung; **~ize** *vt,* modernisieren

modifiable, *adj,* abdingbar; **modification** *sub, -s* Abwandlung, Modifikation, Umarbeitung, Umgestaltung; **modify** *vt,* abändern, abwandeln, modifizieren, umändern

modular system, *sub, -s* Baukastensystem; **modulate (1)** *vi, (Radio)* aussteuern **(2)** *vt,* modulieren; **modulation** *sub, -s* Modulation; **module** *sub, -s (comp.)* Modul

mogul, *sub, -s (hist.)* Mogul

mohair, *sub, -s (tex.)* Mohair

Mohammedan, *sub, -s* Mohammedaner; **~ism** *sub, nur Einz.* Islam

moiré, *sub, -s (tex.)* Moiré

moist, *adj, (Augen, Lippen, Haut)* feucht; *his eyes were moist* er hatte feuchte Augen; **~ with tears** *adj,* tränenfeucht; **~en** *vt,* anfeuchten, benetzen; *(Papier etc.)* befeuchten; **~ening** *sub, nur Einz. (von Papier etc.)* Befeuchtung; **~ure** *sub, -* Feuchtigkeit; *nur Einz.* Nässe

molar, *sub, -s* Backenzahn

molasses, *sub, -* Melasse

mold, *sub, -s (US)* Gussform; **~ing** *sub, -s* Gesims

moldy, *adj, (US)* faulig

mole, *sub, -s* Leberfleck, Maulwurf

mol(e), *sub, -s (chem.)* Mol

molecular, *adj,* molekular; **~ weight** *sub, nur Einz.* Molekulargewicht; **molecule** *sub, -s* Molekül

molest, *vt, (geb.)* molestieren

molleton, *sub, -s (tex.)* Molton

moloch, *sub, -s* Moloch

Molotov cocktail, *sub, -s* Molotowcocktail

molt, *sub, nur Einz. (us.)* Mauser

molybdenum, *sub, nur Einz.* Molybdän

moment, *sub, -s* Augenblick, Moment, Zeitpunkt; *at the moment* im Augenblick; *for a moment* im ersten Augenblick; *one moment, please* einen Augenblick bitte; *are you ready? - just a moment!* bist du fertig? - sofort!; *at the last moment* in letzter Minute; *at the moment zur* Zeit; *for the moment* fürs erste; *in the heat of the moment* im Affekt; *not a moment goes by without* es vergeht keine Minute, ohne dass; *the next moment* im nächsten Atemzug; **~ of shock** *sub, -s* Schrecksekunde; **~ary** *adj,* momentan, vorübergehend; **~ous** *adj,* folgenschwer; **~um** *sub, -s (phys.)* Moment

monad, *sub, nur Einz. (philos.)* Monade

monarch, *sub, -s* Monarch; *(Monarch)* Herrscher, Herrscherin; **~ic(al)** *adj,* monarchisch; **~ism** *sub, -s* Monarchismus; **~ist** *sub, -s* Monarchist; **~istic** *adj,* monarchistisch; **~y** *sub, -ies* Monarchie

monastery, *sub, -ies* Kloster, Monasterium; **monastic cell** *sub, -s* Mönchszelle; **monastic order** *sub, -s* Mönchsorden; **monastic rule** *sub, -s* Klosterregel

mondane, *adj,* weltlich; **mondanity**

sub, nur Einz. Weltlichkeit

Monday, *sub,* -s Montag; *skip work on monday* blauer Montag; ~ **preceding Ash Wednesday** *sub,* -s Rosenmontag; **monetary** *adj,* monetär

money, *sub,* - Geld; *-s (ugs.)* Kasse; *all he thinks of is money* er ist nur auf Geld aus; *easy money* billiges Geld; *hard earned money* teures Geld; *money back* Geld zurück; *money down the drain* rausgeschmissenes Geld; *money is no object* Geld spielt keine Rolle; *money is not everything* Geld allein macht nicht glücklich; *money makes the world go round* Geld regiert die Welt; *be made of money* ein Dukatenesel sein; *hard-earned money* mühsam verdientes Geld; *have money to burn* Geld wie Heu haben; *money spoils people* Geld verdirbt den Charakter; *put one´s money into sth* sein Geld für etwas hergeben; *there is no money in that* brotlose Kunst; *(i. ü. S.) throw one´s money away* sein Geld zum Fenster hinauswerfen; *(ugs.) to be short of money* schlecht bei Kasse sein; *(ugs.) to go halves* getrennte Kasse machen; *(ugs.) to make off with the cash* mit der Kasse durchbrennen; *we haven´t got the money* es fehlt uns an nötigen Geld; ~ **changer** *sub,* -s Wechsler; ~ **order** *sub,* -s Postauftrag; ~ **purse** *sub,* -s (US) Geldbeutel, Geldbörse; ~ **sock** *sub,* -s Sparstrumpf; ~ **supply** *sub,* - (wirt.) Geldmenge; ~-**bag** *sub,* -s Geldsack; ~-**grubber** *sub,* -s (ugs.) Raffzahn; ~ **laundering** *sub,* ~**bags** *sub, nur Mehrz. (reicher Mann)* Geldsack; ~**ed** *adj,* kaufkräftig; ~**spinner** *sub,* -s (i. ü. S.) Goldgrube

Mongol(ian), *sub,* -s Mongole; **mongolism** *sub, nur Einz. (med.)* Mongolismus; **mongoloid** *adj,* mongoloid

mongoose, *sub,* -s (zool.) Mungo

monitor, *sub,* -s Monitor

monk, *sub,* -s Mönch, Ordensbruder; *to live like a monk* wie ein Mönch leben; *my brother monks* meine Ordensbrüder; *to become a monk/nun* in einen Orden eintreten; ~ **Latin** *sub, nur Einz.* Mönchslatein; ~ **seal** *sub,* -s Mönchsrobbe; ~´s **habit** *sub,* -s Mönchskutte

monkey, *sub,* -s Affe; ~ **wrench** *sub,* (ugs.; Schraubenschl.) Franzose

monolingual, *adj,* einsprachig; **monolith** *sub,* -s Monolith; **monolithic** *adj,* monolithisch; **monologic(al)** *adj,* monologisch; **monologue** *sub,* -s Monolog; **monomania** *sub,* -s Monomanie; **monomaniac** *sub,* -s Monomane; **mo-**

nomanic *adj,* monomanisch; **monomer** *sub,* -s Monomere; **monophthong** *sub,* -s Monophthong; **monoplane** *sub,* -s Eindecker

monopolist, *sub,* -s Monopolist; ~**ic** *adj,* monopolistisch; **monopolization** *sub,* -s Monopolisierung; **monopolize** *vt,* monopolisieren; **monopoly** *sub,* -ies Monopol

monostich, *sub,* -s Monostichon

monosyllabic, *adj,* einsilbig

monotheism, *sub, nur Einz.* Monotheismus; **monotheistic** *adj,* monotheistisch; **monotonous** *adj,* einförmig, eintönig, gleichförmig, monoton; **monotony** *sub,* -ies Einerlei, Einförmigkeit, Eintönigkeit; *nur Einz.* Monotonie; -ies (Eintönigkeit) Gleichförmigkeit; *the daily monotony* das tägliche Einerlei; **monotremes** *sub, nur Mehrz. (zool.)* Kloakentier, Kloakentiere

monovalent *adj,* monovalent

monsoon, *sub,* -s Monsun; ~ **rain** *sub, nur Einz.* Monsunregen

monster, (1) *attr, (riesig)* monströs **(2)** *sub,* -s Monster, Monstrum, Scheusal, Ungeheuer, Ungestalt, Ungetüm, Untier

monstera, *sub,* -s (bot.) Monstera

monsticism, *sub, nur Einz.* Mönchswesen

monstrance, *sub,* -s (kirchl.) Monstranz

monstrosity, *sub, nur Einz.* Monstrosität; -ies (Missbildung) Monster, Monstrum; **monstrous** *adj,* monströs, ungeheuer, (allg.) ungeheuerlich; **monstrous creature** *sub,* -s Ausgeburt

montane, *adj,* montan

month, *sub,* -s Monat; *(veraltet) Mond; months ahead* auf Monate hinaus; *she´s over two months pregnant* sie ist im dritten Monat schwanger; *to sentence sb to three months imprisonment* jmdn zu drei Monaten Haft verurteilen; *one month´s salary* ein Monatsgehalt; *to take place every month* monatlich stattfinden; ~**ly (1)** *adj,* allmonatlich, monatlich **(2)** *adv/adj,* monatsweise; ~**ly salary** *sub,* -ies Monatsgehalt; ~**ly season ticket** *sub,* -s Monatskarte

monument, *sub,* -s Denkmal, Monument; ~ **of art** *sub,* -s Kunstdenkmal; ~**al** *adj,* monumental; ~**ality** *sub, nur Einz.* Monumentalität

moo, *vi,* muhen

mood, *sub,* -s Gestimmtheit, Laune; (Gemüts-) Stimmung; (gramm.) Modus; *be in a good mood* gut aufgelegt sein; *he´s in a devilish mood* ihm sitzt der Schalk im Nacken; *I´m not in the mood for working* ich habe keine Lust zu arbeiten; *just depending on your/my mood* je nach Lust und Laune; **~y** *adj,* launenhaft, launisch; *(Person)* unausgeglichen

moor, (1) *sub, -s (veraltet)* Mohr; *(Hoch~)* Moor; *(Land)* Heide **(2)** *vi, (Boot)* festmachen **(3)** *vt, (tt; naut)* vertäuen; *the Moor of Venice* der Mohr von Venedig; **~ing** *sub, -s* Muring; **~ing buoy** *sub, -s* Muringsboje; **~ings** *sub, nur Mehrz.* Anlegeplatz, Anlegestelle; **Moorish** *adj,* maurisch; **~land sheep** *sub,* - Heidschnucke

moped, *sub, -s* Moped; **~ rider** *sub, -s* Mopedfahrer; **~ with a kick-starter** *sub, mopeds* Mokick

mora, *sub, -s* Mora

moraine, *sub, -s (geol.)* Moräne

moral, (1) *adj,* moralisch, sittlich **(2)** *sub, -s (Lehre)* Moral; *to have high moral standards* eine hohe Moral haben, *the moral of the story* die Moral der Geschicht´; **~ code** *sub, -s* Moralbegriff, Sittenkodex; **~ concept** *sub, -s* Wertvorstellung; **~ coward** *sub, -s* Duckmäuser; **~ law** *sub, -s* Sittengesetz; **~ novel** *sub, -s* Sittenroman; **~/social constraints** *sub, nur Mehrz.* Zwang; **~e** *sub, nur Einz. (Soldaten)* Moral; *the morale is falling* die Moral sinkt; **~ist** *sub, -s* Moralist; **~istic** *adj,* moralistisch; **~ity** *sub, nur Einz.* Moralismus, Moralität; - Sittlichkeit; *nur Einz. (gesellschaftlich)* Moral; *bourgeois morality* die bürgerliche Moral; **~ize** *vi,* moralisieren; *to moralize* Moral predigen, Moralpredigten halten; **~s** *sub, nur Mehrz. (Sittlichkeit)* Moral

morass, *sub, -es (Sumpf auch)* Morast

moratorium, *sub, -s oder -ria* Moratorium

moray, *sub, -s* Muräne

morbid, *adj,* morbid; **~ity** *sub, nur Einz.* Morbidität

more, *pron/adv,* mehr; *be more or less ready* soweit fertig sein; *do one more thing* ein übriges tun; *I hardly go out any more* ich gehe kaum noch aus; *I have no more money* ich habe kein Geld mehr; *(ugs.) let´s have more of your cheek* jetzt werde mal nicht zu üppig; *more and more* immer mehr; *more or less* mehr oder weniger; *not anymore* nicht mehr; *once more* noch einmal; *some more meat?* noch etwas Fleisch?; *(ugs.) there´s more to come!* es

kommt noch toller!; *to more beers* noch zwei Bier; *(ugs.) to think one is sth more* sich für mehr halten; *what more do you want?* was wollen Sie mehr?; *with more effort* mit einem Mehr an Mühe; **~ detailed** *adj, (genauer)* näher; **~ likely** *adv, (wahrscheinlicher)* eher; *that´s more likely* das ist schon eher möglich; **~ than clear** *adj,* überdeutlich

morel, *sub, -s (bot.)* Morchel

moreover, *adv, (außerdem)* überdies

morganatic, *adj,* morganatisch

Mormon, *sub, -s* Mormone; **~ism** *sub, nur Einz.* Mormonentum

morning, (1) *adj,* allmorgendlich, vormittägig **(2)** *attr,* morgendlich, morgenfrisch **(3)** *sub, -s* Vormittag, *(Tagesanfang)* Morgen; *from morning till night* von früh bis spät; *from morning to night* von morgens bis abends; *good morning!* guten Tag!; *in the morning* am Morgen; *red sky in the morning, shepherd´s warning* Morgenrot, Schlechtwetterbot´; *that morning* an jenem Morgen; *this morning* heute früh, *in the morning* am Morgen; *one morning* eines Morgens; *to say good morning* Guten Morgen sagen; **~ drink** *sub, -s* Frühschoppen; **~ hour** *sub, -s* Morgenstunde; **~ song** *sub, -s* Tagelied; **~ star** *sub, nur Einz.* Morgenstern; **~ sun** *sub, nur Einz.* Morgensonne; *to catch the morning sun* Morgensonne haben

Moroccan, *adj,* marokkanisch; **Morocco** *sub, nur Einz.* Marokko, Maroquin; **morocco leather** *sub, nur Einz.* Saffian, Saffianleder

morpheme, *sub, -s* Morphem

morphine, *sub, nur Einz.* Morphin, Morphium; **~ addiction** *sub, nur Einz.* Morphinismus

morphlogical, *adj,* morphologisch; **morphogenesis** *sub, nur Einz. (biol.)* Morphogenese; **morphology** *sub, nur Einz.* Morphologie; *-es* Wortbildung

Morse (code), *sub, nur Einz.* Morsealphabet; **Morse signal** *sub, -s* Morsezeichen

morsel, *sub, -s (kleines)* Häppchen

mortage, *sub, -s (tt; jur.)* Verpfändung

mortal, (1) *adj,* sterblich, tödlich **(2)** *sub, -s* Sterbliche; *his mortal remains* seine sterblichen Überreste; *we are all mortal* alle Menschen müssen sterben; **~ (being)** *adj,* staubgeboren; **~ danger** *sub, -* Lebensgefahr; **~ remains** *sub, nur Mehrz. (sterbl. Reste)*

Gebein; ~ **sin** *sub*, *-s* Todsünde

mortality, *sub*, *nur Einz.* Sterblichkeit; ~ **rate** *sub*, *nur Einz.* Mortalität

mortar, *sub*, *-s* Granatwerfer, Mörser, Mörtel; *(mil.)* Granatwerfer; *(veraltet; mil.)* Minenwerfer; ~ **bed** *sub*, *-s* Mörtelpfanne

mortgage, *sub*, *-s* Hypothek

mortuary, *sub*, *-ies* Leichenhalle

morula, *sub*, *-lae* Morula

Mosaic, (1) *adj*, mosaisch, musivisch (2) **mosaic** *sub*, *-s* Mosaik; **mosaic work** *sub*, *-s* Mosaikarbeit

moschus, *sub*, *-es* Bisam

Moselle, *sub*, *nur Einz.* Mosel

Moslem, (1) *attr*, *(veraltet)* muselmanisch (2) *sub*, *-s* Moslem, Moslime; *(veraltet)* Muselman, Muselmännin

mosquinet, *sub*, *-s* Moskitonetz

mosquito, *sub*, *-s* Moskito, Mücke

mosquito bite, *sub*, *-s* Mückenstich

moss, *sub*, *-es* Moos; *overgrown with moss* von Moos überzogen; *(i. ü. S.) to become hoary with age* Moos ansetzen; ~-**covered** *adj*, moosbedeckt; ~**y** *adj*, bemoost, moosig

most effective, *adj*, *(wirksamste)* bestbewährt; **most esteemed** *adj*, hochlöblich; **most frequently mentioned** *adj*, *attr*, meistgenannt; **most hated** *adj*, *(ugs.)* bestgehasst; **most important** *adj*, hauptsächlich; **most obvious** *adj*, nächstliegend; **most of all** *adv*, zuallermeist; **most popular** *adj*, meistgefragt; **most probably** *adv*, höchstwahrscheinlich; **most reliable** *adj*, *(verläßlichste)* bestbewährt; **most severly** *adv*, strengstens; *be punished most severly* strengstens bestraft werden; **most widely read** *adj*, *attr*, meistgelesen; **most worthy** *adj*, hochverdient; **mostly** *adv*, meist, meistens, zumeist

motel, *sub*, *-s* Motel

motet, *sub*, *-s* Motette; ~ **style** *sub*, *nur Einz.* Motettenstil

moth, *sub*, *-s* Falter, Motte, Nachtfalter, Nachtschwärmer; *attracted like moths to a flame* angezogen wie die Motten vom Licht; *moth-eaten* von Motten zerfressen; ~ **powder** *sub*, *nur Einz.* Mottenpulver; ~**ball** *sub*, *-s* Mottenkugel

mother, (1) *sub*, *-s* Mutter (2) *vt*, bemuttern; *as a wife and a mother* als Frau und Mutter; *(Essen) just like mother makes* wie bei Muttern; *Mother Earth* Mutter Erde; *she´s a mother of two* sie ist Mutter von zwei Kindern; *necessity is the mother of invention* Not macht erfinderisch; *one´s duties as a mother*

die mütterlichen Pflichten; *to mother sb* jmdn mütterlich umsorgen; ~ **church** *sub*, *-es* Mutterkirche; ~ **hen** *sub*, *-s* Glucke; **Mother of God** *sub*, *nur Einz.* Gottesmutter; **Mother Superior** *sub*, *-s* Oberin; ~ **tongue** *sub*, *-s* Muttersprache; ~ **wit** *sub*, *nur Einz.* Mutterwitz; ~-**in-law** *sub*, *-s* Schwiegermutter; ~-**of-pearl** (1) *adj*, perlmuttern (2) *sub*, *nur Einz.* Perlmutt; **Mother´s Day** *sub*, *-s* Muttertag; ~´**s milk** *sub*, *nur Einz.* Muttermilch; ~**hood** *sub*, *nur Einz.* Mutterschaft; ~**ing** *sub*, *nur Einz.* Bemutterung; ~**ly** *adj*, *(liebevoll besorgt)* mütterlich; ~**ly love** *sub*, *nur Einz.* Mutterliebe

motif, *sub*, *-s* *(Leit~)* Motiv

motility, *sub*, *nur Einz.* Motilität

motion of no confidence, *sub*, *motions* Misstrauensantrag; **motionless** (1) *adj*, reglos, regungslos, unbewegt; *(bewegungslos)* starr, unbeweglich (2) *adj*, *adv*, bewegungslos

motivate, *vt*, *(anregen)* motivieren; **motivation** *sub*, *-s* Motivation; *nur Einz.* Motivierung; *give so the motivation he/she needs* jemandem neuen Antrieb geben; **motive** *sub*, *-s* Beweggrund; *(Grund)* Motiv; *the real motive* der tiefere Beweggrund; *for what motive?* aus welchem Motiv heraus?; *the motive for a deed* das Motiv einer Tat; *without any apparent motive* ohne erkennbares Motiv; **motive power** *sub*, *-s* *(tech.)* Triebkraft

motley, *adj*, kunterbunt

motocross, *sub*, *nur Einz.* Motocross

motor, (1) *attr*, motorisch (2) *sub*, *-s* Motor; ~ **activity** *sub*, *nur Einz.* Motorik; ~ **cyclist rifleman** *sub*, *-men* *(ugs.; mil.)* Kradschütze; ~ **fire engine** *sub*, *-s* Motorspritze; ~ **manufacturing industry** *sub*, *-ies* Fahrzeugbau; ~ **show** *sub*, *- -s* Automobilausstellung; ~ **traffic** *sub*, *nur Einz.* Kraftverkehr; ~ **vehicle** *sub*, *-s* Kraftfahrzeug, Kraftwagen; ~-**paced race** *sub*, *-s* Steherrennen

mottled gray, *adj*, *(Stoff, US)* grau meliert

mottled grey, *adj*, *(Stoff)* grau meliert

motto, *sub*, *-es* Devise; *-s* Motto; *it´s my motto* es ist meine Devise

moufflon, *sub*, *-s* Mufflon

mould, (1) *sub*, *-s* Gussform; *nur Einz.* Schimmel, Schimmelpilz; *-s (Mikro~)* Pilz; *(Modell)* Form (2) *vt*, *(techn.)* formen; ~**er** *vi*, vermodern; ~**ing** *sub*, *-s* Gesims; ~**ing machine opera-**

tor *sub, -s (Werkz.)* Fräsmaschine

mouthy, adj, laung (moarig) dumpig

moulinee yarn, *sub, -s* Mouliné

moult, (1) *sub, nur Einz.* Mauser **(2)** *vi,* mausern

mound, *sub, -s* Hügel

mount, (1) *sub, -s* Aufhängevorrichtung, Rähm; *(Reit~ auch)* Pferd **(2)** *vi,* wachsen; *(auf ein Fahrrad)* aufsteigen; *(auf ein Reittier)* aufsitzen **(3)** *vr, (sich)* häufen **(4)** *vt, (einfassen)* fassen; *(Fahrrad)* besteigen; *(tt; zool.)* bespringen; *evidence is mounting* die Hinweise häufen sich; **~ up** *vi,* läppern; *the mistakes slowly mount up till one day* die Fehler läppern sich langsam bis eines Tages

mountain, *sub, -s* Berg; *drive to the mountains* in die Berge fahren; *move mountains* Berge versetzen; *to make a mountain out of a molehill* aus einer Mücke einen Elefanten machen; **~ air** *sub, nur Einz.* Bergluft; **~ ash** *sub, -s* Eberesche; **~ bike** *sub, -s* Mountainbike; **~ chain** *sub, - -s* Höhenzug; **~ climber** *sub, - -s* Bergsteiger; **~ dweller** *sub, - -s* Bergbewohner; **~ guide** *sub, - -s* Bergführer; **~ hike** *sub, - -s* Bergwanderung; **~ infantry** *sub, -ies (mil.)* Gebirgsjäger; **~ of debts** *sub, -s* Schuldenberg; **~ pass** *sub, -es* Gebirgspass

mountain path, *sub, - -s* Höhenweg; **mountain range** *sub, -s* Gebirgskette; **mountain rescue service** *sub, -s* Bergwacht; **mountain road** *sub, -s* Bergstraße; **mountain stream** *sub, - -s* Gebirgsbach; **mountain trail** *sub, - -s* Bergpfad; **mountaineer** *sub, -s* Hochtourist; **mountaineering** *sub, nur Einz.* Bergsteigen; **mountaineering rope** *sub, -s* Kletterseil; **mountainous** *adj,* bergig, gebirgig; **mountainousness** *sub, -es* Gebirgigkeit; **mountains** *sub, nur Mehrz.* Gebirge

mounted, *adj,* beritten

mourn, (1) *vi,* trauern **(2)** *vt,* nachtrauern **(3)** *vti,* beweinen; **~ing** *sub, nur Einz. (Trauern)* Trauer; **~ing band** *sub, -s* Trauerbinde

mouse, *sub, mice* Maus; *a mouse ine* graue Maus; *the cat is a good mouser* diese Katze maust gut; **~ trap** *sub, -s* Mausefalle; **~grey** *adj,* mausgrau

mousse, *sub, -s* Mousse

Mousterian Age, *sub, nur Einz. (archäol.)* Mousterien

mousy, *adj, (i. ü. S.)* mausgrau

moutain railway, *sub, - -s (Bergeisenbahn)* Bergbahn

mouth, *sub, -s* Maul, Mund; *(vulg.)* Klap-

pe; *(Fluss, Rohr)* Mündung; *to feed hungry mouths* hungrige Mäuler stopfen; *to have a big mouth* ein großes Maul haben; *he can't keep his big mouth shut* er kann einfach den Mund nicht halten; *to raise a cup to one's mouth* eine Tasse an den Mund setzen; *by word of mouth* durch mündliche Überlieferung; *(vulg.) shut up!* halt' die Klappe!; *to have a big mouth* ein großes Mundwerk haben, eine große Klappe haben; *to shoot big mouth off* angeben wie 10 nackte Neger; *you've taken the very words out of my mouth* Sie nehmen mir das Wort aus dem Mund; **~ of a glacier** *sub, -s* Gletschertor; **~ of a river** *sub, -s* Flussmündung; **~ organ** *sub, -s* Mundharmonika; **~-/ear-piece** *sub, -s (Telefon)* Muschel; **~-parts** *sub, (zool.)* Mundwerkzeug; **~ful** *sub, nur Einz.* Bissen; *scrimp and save* sich jeden Bissen vom Mund absparen; *to take a mouthful* einen Bissen nehmen; *you said a mouthful* etwas Wichtiges sagen; **~piece** *sub, -s (ugs.)* Sprachrohr

movable, *adj,* bewegbar, verschiebbar; *(Dinge)* beweglich; *(Vermögen)* mobil; *movables* mobiles Vermögen;

move (1) *sub, -s* Schachzug, Umzug, Zuzug; *(aus einer Wohnung)* Auszug; *(Umzug)* Übersiedlung; *(Wohnung)* Einzug **(2)** *vi,* hinziehen, umziehen, verziehen, wandern, weichen; *(Tier, Fahrzeug etc.)* bewegen; *(umziehen)* ausziehen, übersiedeln **(3)** *vrt,* regen **(4)** *vt,* fortbewegen, rühren, verschieben, versetzen; *(einen Gegenstand)* bewegen; *don't move* keine Bewegung; *get a move on* Beeilung, bitte; seinem Herzen einen Stoß geben; *get so moving* jemandem Beine machen; *(ugs.) make no move to* keine Anstalten machen zu; *make someone get a move on* jmd Dampf machen, *(i. ü. S.)* jemanden auf Trab bringen; *move closer!* tritt näher!; *start to move* sich in Bewegung setzen; *to move off* sich in Marsch setzen; **move (away from)** *sub, -s* Wegzug; **move (on)** *vi,* dalli!; **move along (1)** *vi, (weitergehen)* durchtreten **(2)** *vt, (sich)* fortbewegen; **move away** *vt,* abrücken; **move back** *vt,* zurücksetzen

move forward, (1) *vr,* vorschieben **(2)** *vt,* vorsetzen, vorstellen **(3)** *vti,* vorrücken; **move in (1)** *vi, (mil.)* einrücken; *(Wohnung)* einziehen **(2)** *vt, (ugs.)* installieren; *he has moved* into my living room with his rucksack er hat sich mit seinem Rucksack bei mir im Wohnzimmer installiert; **move in with so** vi, zusammenziehen; **move into** vi, zuziehen; (ein Haus) beziehen; **move into a lane/space** vi, einscheren; **move nearer** vt, heranrücken; **move out** vi, hinausziehen; (Polizei etc.) ausrücken; **move so out** vt, ausquartieren; **move so to another accommodation** vt, umquartieren; **move up** vi, hinaufziehen; (nachrücken) aufrücken; **moved in** adj, (Wohnung) eingezogen

movement, sub, -s Fortbewegung, Regung; (eines Tieres, Fahrzeugs etc.) Bewegung; ~ **of the air** sub, movements Luftbewegung; ~ **of the hand** sub, -s Handbewegung

moves, sub, -s (tit; spiel) Zug

movie director, sub, -s (US) Filmregisseur; **movie maker** sub, -s Filmemacher; **movie star** sub, -s Filmstar; **movie-projector** sub, -s Heimkino

moving, (1) adj, ergreifend (2) sub, -s Verschiebung; ~ **away** sub, nur Einz. Verzug; ~ **screen** sub, -s Laufschrift; ~ **up** sub, -s Versetzung

mow, vt, (Rasen) mähen; ~ **down** vt, niedermähen; ~**er** sub, -s Mähmaschine

Mozarabic, adj, mozarabisch

Mr., sub, - (Anrede) Herr; nur Einz. Messieurs; **Mrs.** sub, -men Frau; nur Einz. Mesdames

mu, sub, (griech. Buchst.) My

much, adv, viel

muck, sub, -s (abw.) Gesöff; (ugs.; schlechtes Essen) Fraß; I can´t eat this porridge muck! ich kann diese Pappe von Porridge nicht essen!; like Lord Muck wie ein Pascha; ~**y pup** sub, -s (ugs.; Kind) Mistfink

mud, sub, nur Einz. Matsch, Modder; -s Schlamm; nur Einz. (Erde) Dreck; drag so´s name in the mud jmd in den Dreck ziehen; ~ **bath** sub, -es (med.) Fangobad; ~**-bath** sub, -s Moorbad; ~**-flats** sub, - Wattenmeer; ~**dle** sub, -s Durcheinander, Kuddelmuddel; ~**dle along** vi, (ugs.) wursteln; ~**dle-head** sub, -s Wirrkopf; ~**dled** adj, verfahren; ~**dy** adj, matschig, schlickerig; (Flüssigkeit) trüb; (schmutzig) erdig; ~**dy weather** sub, nur Einz. Matschwetter; ~**guard** sub, -s Kotflügel, Schutzblech; ~**hole** sub, -s Pfuhl; ~**pack** sub, -s Moorpackung

muesli, sub, -s Müsli

muezzin, sub, -s Muezzin

muff, sub, -s Muff; ~**le** vt, (mus.) ab-

dämpfen

mufti, sub, -s Mufti

mugbath, sub, -s Schlammbad

mugwort, sub, - (biol.) Beifuß

mulatto, sub, -s Mulatte

mule, sub, -s Dickkopf, Maulesel, Maultier, Muli; stubborn as a mule stur wie ein Büffel; you are stubborn as a mule du bist ein Dickkopf

mulitplication, sub, -s Multiplikation

mulled wine, sub, -s Glühwein

mullion, sub, -s (Fenster-) Sprosse; ~ **and transom** sub, -s Fensterkreuz

multi-discipline event, sub, -s (spo.) Mehrkampf; **multi-millionaire** sub,-s Milliardär, Milliardärin; **multi-storey** adj, etagenförmig; **multiform** adj, polymorph; **multilateral** adj, multilateral; **multilingual** adj, mehrsprachig; to grow up multilingual mehrsprachig aufwachsen; **multimedia** (1) attr, multimedial (2) sub, nur Mehrz. Multimedia; **multimillionaire** sub, -s Multimillionär; a multimillionaire ein mehrfacher Millionär; **multinational** adj, multinational; **multiple** adj, mehrfach, multipel, vielfach; multiple sclerosis multiple Sklerose

multiple rocket launcher, sub, -s (mil.) Nebelwerfer; **multiplex** sub, -es Multiplex; **multiplication** sub, -s Potenzierung; **multiplication tables** sub, nur Mehrz. Einmaleins; multiplication tables from 1 to 10 das kleine Einmaleins; **multiplier** sub, -s Multiplikator; **multiply** (1) sub, multiplizieren (2) vi, (sich vermehren) mehren (3) vt, potenzieren; (bibl.) be fruitful and multiply seid fruchtbar und mehret euch!; **multiply (by)** vt, malnehmen (mit); **multipurpose device** sub, -s Mehrzweckgerät; **multistage rocket** sub, -s Mehrstufenrakete, Stufenrakete; **multistorey** adj, mehrstöckig; to erect multistorey buildings mehrstöckig bauen; **multitude** sub, -s Vielzahl; **multivalence** sub, nur Einz. Multivalenz; **multivalent** adj, multivalent

mumble, vi, brummeln, grummeln; mumble to os in seinen Bart murmeln; **mumbling** sub, -s Gemurmel

mummify, vt, mumifizieren; **mummy** sub, -ies Mumie

munch, vti, (ugs.) mampfen

municipal, adj, (Verwaltung) städtisch; ~ **archives** sub, nur Mehrz. Stadtarchiv; ~ **area** sub, -s Stadtgebiet; ~ **authority** sub, -ies Stadtverwaltung; ~ **building surveyor** *sub*, -s Stadtbaurat; ~ **coat of arms** *sub*, coats Stadtwappen; ~ **development authority** *sub*, -ies Stadtbauamt; ~ **district** *sub*, -s Stadtbezirk; ~ **park** *sub*, -s Stadtgarten; ~ **theatre** *sub*, -s Stadttheater; ~**ity** *sub*, -ies Gemeinde; **municipial authorities** *sub*, *nur Mehrz.* Magistrat

murder, (1) *sub*, -s Mord, Mordfall (2) *vt*, ermorden, morden; *it´s (sheer) murder!* das ist ja Mord!; *the Reithmeier murder der Mordfall* Reithmeier; *to yell blue murder* mörderisch schreien; ~ **(for payment)** *vt*, *(vulg.)* killen; ~ **attempt** *sub*, -s Mordversuch; ~ **by poisoning** *sub*, -s Giftmord; ~ **charge** *sub*, -s Mordanklage; *to be on a murder charge* unter Mordanklage stehen; *to lay a murder charge* Mordanklage erheben; ~ **threat** *sub*, -s Morddrohung; ~ **trial** *sub*, -s Mordprozess; ~ **weapon** *sub*, -s Mordinstrument, Mordwaffe, Tatwaffe; ~**er** *sub*, -s Mordbube, Mörder; ~**ous** *adj*, meuchlerisch; *(schrecklich)* mörderisch; ~**ous deed** *sub*, -s *(poet.)* Mordtat

murmur, (1) *sub*, -s Raunen (2) *vi*, *(i. ü. S.)* brummen (3) *vti*, murmeln; *without a murmur* ohne einen Mucks; ~**ing** *sub*, -s Gemurmel

muscle *sub*, -s Muskel; *to flex one´s muscles* seine Muskeln spielen lassen; *to tear a muscle* sich einen Muskelriss zuziehen; ~ **cramp** *sub*, -s Muskelkrampf; ~ **fibre** *sub*, -s Muskelfaser; ~ **man** *sub*, men *(ugs.)* Kraftprotz; ~**man** *sub*, -men Muskelprotz; *(ugs.)* Muskelpaket

Muscovite, *adj*, moskowitisch

muscular, *adj*, muskulär, muskulös; *to be muscular* Muskeln haben; *to have a muscular build* muskulös gebaut sein; ~ **atrophy** *sub*, *nur Einz.* Muskelschwund; ~ **system** *sub*, *nur Einz.* Muskulatur

muse, *sub*, -s Muse

museum, *sub*, -s Museum; ~ **piece** *sub*, -s Museumsstück; *to be almost a museum piece* museumsreif sein

mush, *sub*, -es Mus; *make sth a mush* einen Brei aus etwas machen

mushroom, *sub*, -s *(bot.)* Champignon; *(essbar)* Pilz; ~ **cloud** *sub*, -s (Atom~) Pilz; ~ **meal** *sub*, -s Pilzgericht

mushy, *adj*, breiig, labberig

music, *sub*, *nur Einz.* Musik, Musikalien; *(i. ü. S.)* that´s music to my ears! das ist Musik in meinen Ohren!; *to play some music* Musik machen; *expose us to an endless flow of music* sich von Musik berieseln lassen; *(i. ü. S.)* have to face

the music die Suppe auslöffeln müssen; *(ugs.)* he has to face the music er muß die Suppe auslöffeln; *music* Noten; *to play from music* nach Noten spielen; ~ **box** *sub*, -es *(US)* Spieluhr; ~ **engraver** *sub*, -s Notenstecher; ~ **for strings** *sub*, *nur Einz.* Streichmusik; ~ **publishers** *sub*, *nur Mehrz.* Musikverlag; ~ **stand** *sub*, -s Notenständer; ~ **teacher** *sub*, -s Musiklehrer; ~ **theatre** *sub*, *nur Einz.* Musiktheater; ~-**loving** *adj*, musikantisch; ~**al** (1) *adj*, musikalisch (2) *sub*, -s Musical; *to give sb a musical training* jmdn musikalisch ausbilden; *we always have a musical evening on weekends* am Wochenende musizieren wir immer abends; ~**al box** *sub*, -es Spieluhr; ~**al instrument** *sub*, -s Musikinstrument; ~**al notation** *sub*, -s Notenschrift; ~**alness** *sub*, *nur Einz.* Musikalität; ~**ian** *sub*, -s Musikant, Musiker, Musikus, Tonkünstler; ~**ologist** *sub*, -s Musikologin, ~**ology** *sub*, *nur Einz.* Musikwissenschaft

musk, *sub*, -s Moschus; ~-**like** *adj*, moschusartig; ~-**rat** *sub*, -s Bisamratte

musket, *sub*, -s (Gewebe) Mull; *(tex.)* Musketier

muslin, *sub*, -s (Gewebe) Mull; *(tex.)* Musselin; ~ **curtains** *sub*, *nur Mehrz.* Mullgardine

must, (1) *modv*, (Verpflichtung, auch Vermutung) müssen (2) *sub*, *nur Einz.* Muss; *(für Wein)* Most; *he must be at home* er ist bestimmt zuhause; *he must have missed the train* er hat offenbar den Zug verpasst; *I must be going now* ich muss jetzt gehen; *it must have been him* es muss es gewesen sein; *it must have rained* es muss geregnet haben; *the letter must be mailed today* der Brief muss heute noch zur Post; *you must obey* du hast zu gehorchen; *you mustn´t say things like that* du darfst so etwas nicht sagen, *it´s not a must* es ist kein Muss; ~ **get in** *vt*, hineinmüssen

mustang, *sub*, -s Mustang

mustard, *sub*, *nur Einz.* Mostrich; -s Senf; ~ **gas** *sub*, *nur Einz.* Lost; ~ **plaster** *sub*, -s *(med.)* Senfpflaster; ~ **sauce** *sub*, -s Senfsoße; ~ **seed** *sub*, -s Senfkorn

muster roll, *sub*, -s Stammrolle

mustiness, *sub*, *nur Einz.* Dumpfigkeit, Moder; *(Modergeruch)* Muff; **musty** *adj*, muffig; *(muffig)* dumpf, dumpfig; *it smells musty* es riecht nach Moder; **musty odour** *sub*, -s Mo-

dergeruch
mutability, *sub, nur Einz.* Mutabilität;
mutable *adj,* mutabel; **mutant** *sub, -s*
Mutant; **mutate** *vi,* mutieren; **mutation** *sub, -s* Mutation
mute, *adj,* stumm; **~ness** *sub, nur Einz.*
Stummheit
mutilate, *vt,* verstümmeln; **mutilation**
sub, -s Verstümmelung
mutiny, (1) *sub, -ies* Meuterei **(2)** *vi,*
meutern
mutter, (1) *sub,* brabbeln **(2)** *vti,* murmeln, nuscheln; *to mutter sth to oneself*
etwas vor sich hin murmeln
mutton, *sub,* - Hammelfleisch; *-s (-
fleisch)* Hammel
mutual, *adj,* gegenseitig, mutual; *mutual help* gegenseitige Hilfe; *mutual interest* gegenseitiges Interesse; *the feeling
is mutual* das beruht auf Gegenseitigkeit; **~ism** *sub, nur Einz.* Mutualismus
muʒzel loader, *sub,* *-s* Vorderlader;
muzzle *sub, -s* Beißkorb, Maulkorb;
(Gewehr~) Mündung; *(Tier)* Schnauze;
to put a muzzle on a dog einem Hund
einen Maulkorb umhängen
my, *pron,* mein; *I drink my five bottles
of beer a day* ich trinke so meine 5
Flaschen Bier am Tag; *I'll do my bit* ich
tue das Meine; *my family* die Meinen;
~ own kind *adj, (gleichrangig)* mei-

nesgleichen
mycosis, *sub, mycoses* Mykose
myopia, *sub, nur Einz.* Myopie
myrrh, *sub, -s* Myrrhe
myrtle, *sub, -s* Myrte; **~ grass** *sub, -es
(bot.)* Kalmus
myself, *pron, (reflexiv)* mich
mysterious, *adj,* abgründig, geheimnisvoll, mysteriös, rätselhaft; *(ugs.)*
schleierhaft; *(geheimnisvoll)* mystisch; **mystery** *sub, -ies* Mysterium;
(rätselhaft) Geheimnis; *the whole affair was shrouded in mystery* über
der ganzen Sache lag ein Nebel; *surrounded by mystery* geheimnisumwittert; **mystery-monger** *sub,* *-s*
Heimlichtuer
mystic, *sub, -s* Mystiker; **~(al)** *adj,* mystisch; **~ism** *sub, nur Einz.* Mystik,
Mystizismus; **~ism of figures** *sub,
nur Einz. (i. ü. S.)* Zahlenmystik; **~ize**
vt, mystifizieren
myth, *sub, -s* Mythos; *he was a myth in
his time* er war zeitlebens von einem
Mythos umgeben; **~ical** *adj,* mythisch; **~ologic(al)** *adj,* mythologisch; **~ologize** *vt,* mythologisieren;
~ology *sub, nur Einz.* Mythologie

N

nab (a thief), vt, (vulg.) hops nehmen

nadir, sub, nur Einz. Nadir

nag, sub, -s Klepper, Mähre, Rosinante, Schindmähre; (ugs.; abw.) Gaul

nagaika, sub, -s Nagaika

nail, (1) sub, -s Nagel (2) vt, nageln; (ugs.) to be a nail in sb´s coffin der Nagel zu jmds Sarg sein; (ugs.) to hit the nail on the head den Nagel auf den Kopf treffen; (ugs.) to pinch sth sich etwas unter den Nagel reißen; ~ **care,** sub, nur Einz. Nagelpflege; ~ **on** vt, annageln; ~ **root** sub, -s Nagelwurzel; ~ **up** vt, zunageln; ~ **varnish** sub, -es Nagellack; **~-biting event** sub, -s (ugs.) Zitterpartie; **~-scissors** sub, nur Mehrz. Nagelschere; **~brush** sub, -es Nagelbürste; **~-file** sub, -s Nagelfeile; **~ing up** sub, nur Einz. Vernagelung

naive, adj, naiv; (arglos) einfältig; (theat.) the ingénue die Naive; how can anyone be so naive? wie kann man bloß so ein Naivling sein?; **~ty** sub, nur Einz. Naivität

naked, adj, nackt; he was standing there stark naked er stand ganz nackt da; to run around naked nackt herumlaufen; ~ **baby** sub, -ies (ugs.) Nacktfrosch; ~ **body** sub, -ies Nacktkedei; **~ness** sub, - (geb.) (Nacktheit) Blöße; nur Einz. (vgl. nackt) Nacktheit; to show one´s nakedness seine Blöße zur Schau stellen

name, (1) sub, -s Bezeichnung, Name, Personenname (2) vt, (einene Namen geben, aufzählen) nennen; (nennen) benennen; a musician, Brahms by name ein Musiker, Brahms mit Namen; an unfortunate choice of name eine unglückliche Namensgebung; could you give me the name of a good lawyer? können Sie mir einen guten Anwalt nennen?; it has a number of names das wird verschieden bezeichnet; to have sth to one´s name sein eigen nennen; we would request you to refrain from naming the donors wir bitten, von einer namentlichen Aufführung der Spender abzusehen; an assumed name ein angenommener Name; by the name of mit Namen; I won´t lend my name to that dazu geb´ ich meinen Namen nicht her; in the name of the law im Namen des Gesetzes; under the name of unter dem Namen; what was the name? wie war doch gleich Ihr Name?, to name sb after/for (US) sb jmdn nach jmd nennen; ~ **day** sub, -s Namenstag; **~less** adj, namenlos; the nameless millions die Millionen der Namenlosen; **~ly** adv, nämlich; **~plate** sub, -s Namensschild; **~sake** sub, -s Namensvetter; **naming** sub, -s Namensgebung; (das Benennen) Benennung; **naming names** sub, nur Einz. Namennennung; we don´t need to name names auf Namennennung wollen wir doch verzichten; **naming of a ship** sub, -s Schiffstaufe

nanny, sub, -ies Kindermädchen, Nurse

nanosecond, sub, -s Nanosekunde

napa leather, sub, -s Nappaleder

napalm, sub, nur Einz. Napalm; ~ **bomb,** sub, -s Napalmbombe

nape of the neck, sub, -s Genick; be breathing down so´s neck jmdm im Genick sitzen; break one´s neck sich das Genick brechen; stiff neck steifes Genick

napkin, sub, -s Serviette

Napoleonic, adj, napoleonisch

nappy, sub, -es Windel

narcissism, sub, nur Einz. Narzissmus; **narcissist** sub, -s (psych.) Narzisst; **narcissistic** adj, narzisstisch; **narcissus** sub, - oder -es oder -cissi Narzisse; (poet.) Narziss

narcotic, (1) adj, narkotisch (2) sub, -s Narkotikum

narrative, adj, erzählerisch; ~ **art** sub, -s Erzählkunst

narrator, sub, -s (Schriftsteller) Erzähler

narrow, (1) adj, schmal; (schmal) eng (2) vr, verengen, verschmälern; narrow enger werden; within narrow bounds in engen Grenzen; ~ **edged** adj, schmalrandig; ~ **lane** sub, -s Gässchen; ~ **side** sub, -s Schmalseite; ~ **specialist** sub, -s Fachidiot; **~-angle lighting fitting** sub, -s Tiefstrahler; **~-gauge** adj, schmalspurig; **~-minded** adj, bor-

niert, spießerhaft, spießerisch, spießig; *(einfältig)* eingleisig; *(engstir-*
nig) beschränkt; **~-mindedness** *sub,*
nur Einz. Borniertheit; - Engstirnigkeit; *nur Einz. (Engstirnigkeit)* Begrenztheit

narrowing, *sub, -s* Verengerung; **nar-**
rows *sub, nur Mehrz. (geogr.)* Enge

narwhal, *sub, -s* Narwal

nasal, *adj,* nasal; *nasal twang* nasaler
Ton; **~ization** *sub, -s* Nasalierung;
~ize *vti,* nasalieren

nasi goreng, *sub, -s* Nasigoreng

nastiness, *sub, -es* Gemeinheit; **nasty**
(1) *adj,* fies, garstig, gemein; *(ugs.)*
hundsgemein; *(körperlich)* übel **(2)**
sub, -ies Garstigkeit; *(ugs.) a nasty*
piece of work ein ganz linker Hund;
don´t touch it, it´s nasty fass das
nicht an, das ist pfui; *he can get quite*
nasty er kann unangenehm werden;
things could get very nasty here in a
moment es kann hier gleich sehr ungemütlich werden; **nasty little man**
sub, men Giftzwerg; **nasty piece of**
work *sub, -s* Fiesling; **nasty swine**
sub, -s Fiesling

nation, *sub, -s* Nation, Volk, Völker-
schaft; **~al (1)** *adj,* national **(2)** *sub,*
-s Inländer; **~al anthem** *sub, -s* Na-
tionalhymne; **National Assembly**
sub, -ies Nationalversammlung; **~al**
budget *sub, -s* Staatshaushalt; **~al**
church *sub, -es* Volkskirche; **~al cof-**
fers *sub, nur Mehrz.* Staatssäckel; **~al**
colours *sub, nur Mehrz.* Hoheitszeichen; **~al consciousness** *sub,* Natio-
nalbewusstsein; **~al costume** *sub, -s*
Nationaltracht; **~al custom** *sub, -s*
Volksbrauch; **~al dance** *sub, -s* Nationaltanz; **~al defence** *sub, nur*
Einz. Landesverteidigung; **~al dress**
sub, nur Einz. Landestracht

national economy, *sub, -es (lt; wirt.)*
Volkswirtschaft; **national educated**
adj, volksbildend; **national enemy**
sub, -ies Landesfeind; **national flag**
sub, -s Nationalflagge, Staatsflagge;
National Giro office *sub, -s* Postgiro-
amt; **National Guard** *sub, -s* Natio-
nalgarde; **national hero** *sub, -es*
Nationalheld; **national league** *sub,*
-s Nationalliga

nationality, *sub, -ies* Nationalität,
Staatsangehörigkeit; **nationalizati-**
on *sub, -s* Verstaatlichung; **nationali-**

ze *vt,* nationalisieren, sozialisieren,
verstaatlichen; **nationally con-**
scious *adj,* nationalbewusst; **na-**
tionally owned *adj,* volkseigen;
nationwide *adj,* überregional

national lottery, *sub, -ies* Lotto;
how on earth did you ever pass
your driver´s licence? Sie haben
wohl Ihren Führerschein im Lotto
gewonnen!; *to do the national lot-*
tery Lotto spielen; **national mari-**
ne *sub, nur Einz. (lt; mil.)*
Volksmarine; **national mourning**
sub, nur Einz. Landestrauer,
Staatstrauer; **national security**
sub, -ies Staatsschutz; **National So-**
cialism *sub, nur Einz.* Nationalsozialismus; **National Socialist (1)**
adj, nationalsozialistisch **(2)** *sub, -s*
Nationalsozialist; **national territo-**
ry *sub, -ies* Staatsgebiet; **nationa-**
lism *sub, -s* Nationalismus; **na-**
tionalist (1) *adj,* nationalistisch
(2) *sub, -s* Nationalist

native, (1) *adj,* eingeboren, einheimisch, heimisch; *(cult.)* bodenständig **(2)** *sub, -s* Eingeborene,
Einheimische, Inländer, Ureinwoh-
ner; *native population* bodenständige Bevölkerung; *he´s a native*
speaker of Welsh Walisisch ist seine
Muttersprache; **~ country** *sub, -ies*
Heimatstaat; **~ Vaterland;** ~ **of Lis-**
bon *sub, natives* Lissabonner; **Na-**
tivity play *sub, -s* Krippenspiel

natural, (1) *adj,* naturgegeben, natürlich, naturrein, selbstverständlich, ursprünglich; *(natürlich)*
unbefangen; *(ugs.; selbstverständ-*
lich) logisch **(2)** *adv,* kreatürlich;
it´s only natural that es ist doch
nur zu natürlich, dass; *natural se-*
lection natürliche Auslese; *the*
most natural thing in the world die
natürlichste Sache der Welt; *to die*
a natural death eines natürlichen
Todes sterben; *she´s a natural* sie
ist ein Naturtalent; **~ abilities** *sub,*
nur Mehrz. Veranlagung; ~ **gas**
sub, -es Erdgas; ~ **monument** *sub,*
-s Naturdenkmal; ~ **prodigy** *sub,*
-ies Naturtalent; ~ **produce** *sub,*
nur Einz. Naturalien; ~ **product**
sub, natural produce Naturprodukt; ~ **science** *sub, -s, auch für* ~
allgemein Naturwissenschaft; ~ -

state *sub, -s* Naturzustand; **~-coloured** *adj,* naturfarben; **~ism** *sub, nur Einz.* Naturalismus; **~ist** *sub, -s* Naturalist, Naturalistin; **~istic** *adj,* naturalistisch; **~ization** *sub, -s* Einbürgerung, Naturalisation; **~ize** *vt,* nostrifizieren; *(jur.)* naturalisieren; *(Person/Pflanze)* einbürgern; **~ly** *adv,* natürlich, selbstredend; *the illness took its natural course* die Krankheit verlief ganz natürlich; *his hair is naturally blond* sein Haar ist von Natur aus blond; **~ness** *sub, nur Einz.* Unbefangenheit

nature, *sub, -s* Gemüt, Wesen; *nur Einz. (Art)* Beschaffenheit; *nur Einz. (Beschaffenheit)* Natur; *nur Einz. (Kosmos, Naturzustand)* Natur; *become second nature* in Fleisch und Blut übergehen; *it´s not in my nature to have to answer a call of nature* eine menschliche Regung verspüren; *a question of a general nature* eine Frage allgemeiner Natur; *back to nature!* zurück zur Natur!; *it is in the nature of things* es liegt in der Natur der Dinge; *they are effective by nature* sie sind von Natur aus wirksam; *nature and civilization* Natur und Kultur; *she´s one of Nature´s masterpieces* sie ist ein Meisterwerk der Natur; **~ healing** *sub, nur Einz.* Naturheilkunde; **~ reserve** *sub, -s* Naturschutzgebiet, Schongebiet; **~ trail** *sub, -s* Waldlehrpfad; **~-boy** *sub, -s* Naturbursche; **~-lover** *sub, -s* Naturfreund; **naturism** *sub, -* Freikörperkultur

naught, *sub, nur Einz.* Null; **~iness** *sub, nur Einz.* Unartigkeit; *-* Ungezogenheit; **~y** *adj,* unartig, ungezogen

nausea, *sub, -e* Brechreiz; *nur Einz.* Nausea; *-s* Übelkeit; **nauseous** *adj, (vulg.)* kotzübel

nautical, *adj,* seemännisch; *(Instrumente, Ausbildung)* nautisch; **nautilus** *sub, -es oder -li* Nautilus

naval base, *sub, -s* Flottenbasis; Flottenstützpunkt; **naval cadet** *sub, -s (mil.)* Seekadett; **naval port** *sub, -s* Kriegshafen; **naval power** *sub, -s* Seemacht; **naval supremacy** *sub, -ies* Seeherrschaft; **naval war** *sub, -s* Seekrieg; **nave** *sub, -s (archit.)* Mittelschiff; **navel** *sub, -s* Bauchnabel,

Nabel; *the centre of the world* der Nabel der Welt; **navel orange** *sub, -s* Navelorange

navigability, *sub, nur Einz. (eines Gewässers)* Befahrbarkeit; **navigable** *adj,* schiffbar; *(Gewässer)* befahrbar; **navigate** *vti,* navigieren; **navigation** *sub, nur Einz.* Nautik; *-s* Navigation; **navigational** *adj,* nautisch; **navigator** *sub, -s* Nautiker, Navigator

navy, *sub, -ies* Kriegsflotte, Kriegsmarine, Marine; **~ blue** *adj,* marineblau

Nazi barbarity, *sub, -ies* Nazibarbarei; **Nazi dictatorship** *sub, nur Einz.* Nazidiktatur; **Nazi period** *sub, nur Einz.* Nazizeit

NBC weapons, *sub, nur Mehrz.* ABC-Waffen

Neanderthal man, *sub, men* Neandertaler

near, (1) *adj, (örtlich, zeitlich)* nahe **(2)** *adv,* heran; *(örtlich, zeitlich)* nahe; *from near and far* von nah und fern; *to be a near relative of sb´s* mit jmd nah verwandt sein, *near me* in meiner Nähe; *(i. ü. S.)* **nearly do something** nahe daran sein; **~est** *adj,* nächstliegend; **~ly** *adv,* beinah, beinahe, fast, nahezu, schier; *not nearly* nicht annähernd; *very nearly* um ein Haar

neat, *adj,* adrett, proper, sauber, schmuck; **~ appearance** *sub, -s* Gepflegtheit; **~en** *vt,* vernähen

nebula, *sub, -s (astr.)* Nebel

nebulous, *adj,* nebulös

necessary, *adj,* nötig, notwendig; *(ugs.)* erforderlich; *(logisch)* stringent; *if necessary* wenn nötig; *is that absolutely necessary?* ist das unbedingt nötig?; *it necessarily follows* es folgt notwendig; *is that necessary?* muss das sein?; *it´s necessary* das muss sein

necessity, *sub, -ies* Nötige, Notwendigkeit; *(Zwang)* Not; *of necessity* mit Notwendigkeit; *the bare necessities of life* das Lebens Notdurft; *the necessity of doing sth* die Notwendigkeit, etwas zu tun; *bowing to necessity* der Not gehorchend; *to make a virtue (out) of necessity* aus der Not eine Tugend machen

neck, *sub, -s* Hals, Nacken; *(eines*

T-Shirts etc.) Ausschnitt; *break one´s neck* sich den Hals brechen; *crane one´s neck* einen langen Hals machen; *crane one´s neck to see sth* sich den Hals nach etwas ausrenken; *they were neck and neck at the finish* sie gingen nebeneinander durchs Ziel; ~ **brace** *sub, -s (med.)* Halskrause; ~ **guard** *sub, nur Einz.* Nackenschutz; ~ **of tooth** *sub, (tt; med.)* Zahnhals; ~**erchief** *sub, -s* Halstuch; ~**lace** *sub, -s* Collier, Halsband, Halskette, Kollier; ~**line** *sub, -s* Dekolletee

necromancy, *sub, -ies* Nekromantie

necrophilia, *sub, nur Einz.* Nekrophilie; **necrophobia** *sub, nur Einz. (tt; psych.)* Todesfurcht; **necrosis** *sub, -croses* Nekrose; **necrosis of the bone** *sub, nur Einz. (med.)* Knochenfraß; **necrotic** *adj,* nekrotisch; **necrotize** *vi, (med.)* absterben

nectar, *sub, -s* Göttertrank; *nur Einz.* Nektar; ~**ine** *sub, -s* Nektarine

need, (1) *sub, nur Einz. (Benötigtes)* Bedarf; *-s (Mangel,Elend)* Not; *(Verlangen)* Bedürfnis **(2)** *vi, (nötig sein)* brauchen **(3)** *vt,* bedürfen, benötigen; *(benötigen)* brauchen; *for-s* für den eigenen Bedarf; *to have need* Bedarf haben; *a time of need* eine Zeit der Not; *feel an urgent need to* ein dringendes Bedürfnis verspüren zu, *all you need* alles was du brauchst; *no further proof is needed* es braucht keines weiteren Beweises; *there is no need to cry* du brauchst nicht weinen; *there is no need to help* du brauchst nicht zu helfen, *need no evidence* keiner Beweise bedürfen; *need sth urgently* etwas dringendst benötigen; *be in need of clothes* einer Kleidung bedürftig sein; *I don´t need to let you shout at me* ich habe es nicht nötig, mich von dir anschreien zu lassen; *I need to go to the loo* ich muss mal; *if needs be* im Notfall, zur Not; *(ugs.) it need not have happened* das brauchte nicht zu sein; *it needn´t be true* es muss nicht wahr sein; *(ugs.) that was all I needed* darauf habe ich gerade noch gewartet; *(i. ü. S.) that´s all we needed:* das fehlte gerade noch!; *the money needed for the journey* das nötige Geld für die Reise; *there was no need for that* das war wirklich nicht nötig; *the-*

re´s no need for you to go deshalb mußt du doch nicht gehen; *to need sth badly* etwas bitter nötig haben; ~ **for recognition** *sub, -s* Geltungsbedürfnis; ~ **to** *modv, (Notwendigkeit)* müssen; *I don´t need to* ich muss nicht; *you´d need to ask a cook about it* dafür müssten Sie einen Koch fragen; ~ **to talk to other people** *sub, nur Einz.* Mitteilungsbedürfnis; ~**iness** *sub, nur Einz.* Bedürftigkeit; ~**ing repair** *adj,* ausbesserungsbedürftig

needle, *sub, -s* Nadel, Nähnadel; *(ugs.) he´s like a cat on hot bricks* er sitzt wie auf Nadeln; *to be able to wield a needle and thread* mit Nadel und Faden umgehen können; *(ugs.) be on the needle* an der Spritze hängen; *it is easier for a camel to go through the eye of a needle* eher geht ein Kamel durch ein Nadelöhr; *it´s like looking for a needle in a haystack* da sucht man eine Stecknadel im Heuhaufen; ~**-shaped** *adj,* nadelförmig; ~**less injector** *sub, -s* Impfpistole

needless, *adj, (unnötig)* nutzlos; *to risk one´s life needlessly* sein Leben nutzlos aufs Spiel setzen

needlework, *sub, -s* Handarbeit; *nur Einz.* Nadelarbeit

needy, *adj,* bedürftig **(2)** *sub, nur Mehrz.* Notleidende

née, *adj, (geborene Schmid)* geboren; *née Schmidt* geborene Schmidt

neglect, (1) *sub, nur Einz.* Außerachtlassung; *-s* Vernachlässigung **(2)** *vt,* verabsäumen; *(vernachlässigen)* hintansetzen **(3)** *vtr,* vernachlässigen; *state of neglect* Zustand der Verwilderung; ~ **oneself** *vi,* verwahrlosen; ~**ed** *adj,* vernachlässigt; *(vernachlässigt)* ungepflegt

négligé, *sub, -s* Negligé, Negligee

negligence, *sub, - (jur.)* Fahrlässigkeit; *gross negligence* grobe Fahrlässigkeit; **negligent** *adj,* fahrlässig; *causing death through neglicence* fahrlässige Tötung; *(US) negligent homicide* fahrlässige Tötung

negotiate, (1) *vi,* unterhandeln **(2)** *vt,* aushandeln **(3)** *vti,* verhandeln;

negotiations *sub. nur Mehrz.* Verhandlung; **negotiator** *sub, -s* Unterhändler

negro, (1) *adj,* negrid (2) *sub, -es* Neger, Negride; ~ **slave** *sub, -s* Negersklave; ~**id** *adj,* negroid

neigh, *vi,* wiehern

neighbour, *sub, -s* Nachbar, Nachbarin; *(Mitmensch)* Nächste; *(iro.) the neighbours* die lieben Nachbarn; *(bibl.) thou shalt love thy neighbour as thyself* du sollst deinen Nächsten lieben wie dich selbst; *to love one´s neighbour as oneself* Nächstenliebe üben; ~ **at table** *sub, neighbours* Tischnachbar; ~**hood** *sub, nur Einz. (Gegend)* Nachbarschaft; *(Umgebung)* Nähe; ~**ing** *adj,* benachbart, nachbarlich, umwohnend; ~**ing country** *sub, -ies* Nachbarland; ~**ing state** *sub, -s* Nachbarstaat; ~**ing town** *sub, -s* Nachbarstadt; ~**ing village** *sub, -s* Nachbardorf; ~**ly** *adj, (freundlich)* nachbarlich; ~**s** *sub, nur Mehrz. (Nachbarn)* Nachbarschaft; *we must see people as neighbours* wir müssen in jedem den Mitmenschen sehen

neighing, *sub, -* Gewieher

neither, (1) *konj,* weder (2) *pron (adj),* kein; *I don´t know - neither do I* ich weiß das nicht - ich auch nicht; *neither fish nor fowl* nichts Halbes und nichts Ganzes; *neither of the two* keiner von beiden; *neither of us* keiner von uns beiden

nemesis, *sub, nur Einz.* Nemesis

neo-fascism, *sub, nur Einz.* Neofaschismus; **neo-fascist** *sub, -s* Neofaschist

neolithic, *adj,* neolithisch; **Neolithic age** *sub, nur Einz.* Jungsteinzeit

neologism, *sub, -s* Neologismus, Wortschöpfung

neon, *sub, nur Einz.* Neon; ~ **sign** *sub, -s* Lichtreklame, Neonreklame; ~ **tube** *sub, -s* Neonröhre

Nepalesian, *adj,* nepalesisch

neper, *sub, nur Einz.* Neper

nephoscope, *sub, -s* Nephoskop

nephritis, *sub, nur Einz.* Nierenentzündung

nepotism, *sub, nur Einz. (i. ü. S.)* Vetternwirtschaft

nerve, *sub, -s* Nerv; *he´s got a nerve!* der hat vielleicht Nerven!; *his nerves* *are shaky* er hat labile Nerven; *it gets on my nerves* das geht mir auf die Nerven; *it´s a strain on the nerves* das kostet Nerven; *to have nerves of steel* Nerven wie Drahtseile haben; *to have the nerve to do sth* den Nerv haben, etwas zu tun; *to have weak nerves* schwache Nerven haben; *to shatter sb´s nerve* jmd den letzten Nerv rauben; *to touch a raw nerve* jmdn am Nerv treffen; **nervous** *adj,* aufgeregt, fahrig, kopfscheu, nervös; **nervous breakdowns** *sub, -s* Nervenzusammenbruch; **nervous complaint** *sub, -s* Nervenleiden; **nervous shock** *sub, -s* Nervenschock; **nervousness** *sub, nur Einz. (Nervosität)* Aufgeregtheit

nest, (1) *sub, -s* Horst, Nest (2) *vi,* horsten, nisten; *to fowl one´s own nest* sein eigenes Nest beschmutzen; ~ **egg** *sub, -s* Notgroschen, Spargroschen, Sparpfennig; ~ **of a magpie** *sub, -s of magpies* Elsternnest; ~**ing time** *sub, -s* Nistzeit

net, (1) *adv,* netto (2) *sub, -s* Netz; *the social security net* das soziale Netz; *to go up to the net* ans Netz gehen; *to slip through sb´s net* jmd durch die Maschen schlüpfen; ~ **curtain** *sub, -s* Gardine, Spanngardine; ~ **player** *sub, -s* Netzspieler; ~ **profit** *sub, -s* Nettoertrag, Nettogewinn, Reineinnahme, Reingewinn; ~ **register ton** *sub, -s* Nettoregistertonne; ~ **weight** *sub, -s* Nettogewicht, Reingewicht; *(wirt.)* Eigengewicht

netball, *sub, -s (spo.)* Netzball; **netting** *sub, -s (garn)* Geflecht; *(Handarbeit)* Filet

nettle, *sub, -s* Nessel; *grasp the nettle* in den sauren Apfel beißen; ~ **jellyfish** *sub, -es* Nesselqualle; ~ **rash** *sub, -es* Nesselfieber

network, *sub, -s* Leitungsnetz, Netzwerk

neural system, *sub, -s* Nervensystem; **neuralgia** *sub, -e* Neuralgie; **neuralgic** *adj,* neuralgisch

neuritis, *sub, -ritides* Neuritis

neurodermitis, *sub, -es* Neurodermitis; **neurological** *adj,* neurologisch; **neurologist** *sub, -s* Nervenärztin, Neurologe; **neuro-**

logy *sub, nur Einz.* Neurologie; **neuron** *sub, -s* Neuron; **neuronal** *adj,* neuronal; **neuropter** *sub, -s* Netzflügler; **neurosis** *sub, -ses* Neurose; **neurotic (1)** *adj,* neurotisch **(2)** *sub, -s* Neurotiker, Neurotikerin

neuter, (1) *adj,* sächlich **(2)** *sub, -a (gram.)* Neutrum

neutral, *sub, -* Leerlauf; **~ zone** *sub, -s* Bannmeile; **~isation** *sub, -s* Neutralisation, Neutralisierung; **~ity** *sub, nur Einz.* Neutralität; **~ization of acidity** *sub, -s* Entsäuerung; **~ize** *vt,* neutralisieren; *(Wirkung ausgleichen)* aufheben

neutron, *sn,* Neutron; **~ bomb** *sub, -s* Neutronenbombe

never, *adv,* keinmal, nie, niemals, nimmer; *I´ve never known anybody have such nerve* seine Frechheit ist ohnegleichen; *never noch nie; never again* einmal und nie wieder; *well I never!* nein, sowas!; *never again* nie mehr; *never ever* nie und nimmer; **~mind** *konj, (- denn)* geschweige; **~ending** *adj, (abwertend)* ewig; **~ never day** *sub, nur Einz.* Nimmerleinstag; **~ending task** *sub, -s* Sisyphusarbeit; **~theless (1)** *adv,* dennoch, gleichwohl, nichtsdestoweniger, trotzdem; *(dennoch)* doch **(2)** *adv & conj,* immerhin; *he paid his debts; who would have thought so* er hat seine Schulden bezahlt; immerhin!; *one should know that nevertheless* das sollte man immerhin wissen

news, *sub, nur Einz.* Botschaft, Neuigkeit; - News; *(veraltet; Neuigkeit)* Mär; *break the news to him gently* teil ihm die Nachricht schonend mit; *good news* freudige Botschaft; *news headlines* Meldungen in Kürze; *sports news* Meldungen vom Sport; *the news completely stunned us* die Nachricht traf uns wie ein Donnerschlag; *a piece of news* eine Nachricht; *that´s bad news* das sind aber schlechte Nachrichten; *the last news of him was from Brazil* die letzte Nachricht von ihm kam aus Brasilien; *this is the news* sie hören Nachrichten; **~ agency** *sub, -ies* Nachrichtenagentur; **~ flash** *sub, -es* Kurzmeldung; **~ magazine** *sub, -s* Nachrichtenmagazin; **~ service** *sub, -s*

Pressedienst; *(Radio, TV)* Nachrichtendienst; **~caster** *sub, -s* Laufschrift; **~paper** *sub, -s* Zeitung; **~paper man** *sub, -men (ugs.)* Zeitungsmann; **~paper woman** *sub, -women* Zeitungsfrau; **~reader** *sub, -s (Nachrichten-)* Sprecher; **~reel** *sub, -s* Wochenschau

New Year, *sub, nur Einz.* Neujahr; *to celebrate the New Year* Neujahr feiern; *to the New Year!* Prosit Neujahr!; *to wish sb a Happy New Year* jmd zu Neujahr gratulieren; **~ greetings** *sub, nur Mehrz.* Neujahrsgruß; **~´s Day** *sub, -s* Neujahrsfest, Neujahrstag; **~´s Eve** *sub, -* Silvester; **New Zealand** *sub, nur Einz.* Neuseeland; **New Zealander** *sub, -s* Neuseeländer; **newploughed field** *sub, -s* Sturzacker; **newborn** *adj,* neugeboren; **newborn child** *sub, children* Neugeborene; **newcomer** *sub, -s* Ankömmling, Debütant, Neuling, Newcomer; **newly-wed** *sub, -s* Neuvermählte

next, *adj, (folgend)* andere; *he sat next to me in the cinema* er war im Kino mein Nachbar; *I´m next* als nächster drankommen; *next to nothing* so gut wie nichts; *right next to me* unmittelbar neben mir; *the next day* am anderen Tag; *the next-door garden* Nachbars Garten; **~ above** *sub, next ones above* Nächsthöhere; **~ in ascending order of height** *sub, next ones* Nächsthöhere; **~ in ascending order of quality** *attr,* nächstbesser; **~ one** *sub, -s (folgend)* Nächste; *first, please!* (US u Scot) der Nächste, bitte!; *next, please! (engl)* der Nächste, bitte!; **~ possible** *adj,* nächstmöglich; **~ room** *sub, -s* Nebenzimmer; **~ tenant** *sub, -s* Nachmieterin; **~ to (1)** *adv, (räuml.)* daneben **(2)** *präp,* nächst; *(örtlich)* neben; **~ world** *sub, nur Einz.* Jenseits; **~ year´s** *attr,* nächstjährig

nexus, *sub, -* Nexus

N. German stew (with fish and meat), *sub,* Labskaus

nibble, (1) *vi,* mümmeln, naschen; *(ugs.)* schnabulieren; *(knabbern)* nagen **(2)** *vti,* knabbern; *the child-*

ren *have been nibbling all day* die Kinder haben den ganzen Tag nur genascht; ~ **at** *vt*, anknabbern; ~ **off** *vt*, abknabbern, abnibbeln; **nibbling** *sub, nur Einz.* Nascherei

Nibelung, *sub, -s* Nibelunge; **~enlied** *sub, nur Einz.* Nibelungensage

Nicaraguan, *sub, -s* Nicaraguaner

nice, *adj,* lieb, nett; *a nice girl* ein sympathisches Mädchen; *(ugs.) a nice little sum* ein stattliches Sümmchen; *nice of you to ask* danke der Nachfrage; *the nice doctor* der Onkel Doktor; *a nice little sum* ein ganz nettes Sümmchen; *Michael very nicely did the washing-up* Michael war so nett und hat abgewaschen; *you do say some nice things* was Netteres ist dir wohl nicht eingefallen

niche, *sub, -s* Nische

nick, *sub, -s* Scharte

nickel, *sub, nur Einz.* Nickel; ~ **coin** *sub, -s* Nickelmünze; ~ **plating** *sub, nur Einz.* Vernickelung, Vernicklung

nickname, *sub, -s* Beiname, Kosename, Schimpfname, Spitzname; ~ **for a child who will not eat its soup** -, Suppenkaspar

nicotine, *sub, nur Einz.* Nikotin; ~-**free** *adj,* nikotinfrei; **nictating** *sub, -s* Nickhaut

niece, *sub, -s* Nichte

Nigerian, (1) *adj,* nigerianisch **(2)** *sub, -s* Nigerianerin

nightly, *adj, (jede Nacht)* nächtlich; **nightmare** *sub, -s* Alptraum, Mahr, Nachtmahr; **nightrobe** *sub, -s* Nachtgewand; **nightshirt** *sub, -s (Herren~)* Nachthemd; **nightwear** *sub, nur Einz.* Nachtwäsche

night porter, *sub, -s* Nachtportier; **night raid** *sub, -s* Nachtangriff; **night safe** *sub, -s* Nachttresor; **night shift** *sub, -s* Nachtschicht; **night sky** *sub, -s* Nachthimmel; **night train** *sub, -s* Nachtzug; **night watchman** *sub, -men (in Betrieben)* Nachtwächter; **night-work** *sub, nur Einz.* Nachtarbeit; **night´s sleep** *sub, nur Einz.* Nachtschlaf; **nightcap** *sub, -s* Schlafmütze; **nightdress** *sub, -es (Damen~)* Nachthemd; **nightfall** *sub, -s (nächtl.)* Dunkelheit; *at nightfall* bei Anbruch der Dunkelheit, bei einbrechender Dunkelheit; **nightingale**

sub, -s Nachtigall; *it was the nightingale and not the lark* es war die Nachtigall und nicht die Lerche

nihilism, *sub, nur Einz.* Nihilismus; **nihilist** *sub, -s* Nihilist; **nihilistic** *adj,* nihilistisch

nil, *sub, nur Einz. (spo.)* Null; ~ **return** *sub, -s (mil.)* Fehlanzeige

Nile Delta, *sub, nur Einz.* Nildelta

nimble, *adj,* behende, hurtig

nine, *num,* neun; *done up to the nines* aufgedonnert wie ein Pfau; ~ **(different) kinds of** *num,* neunerlei; ~ **and a half** *num,* neuneinhalb; ~ **digits** *adj,* neunstellig; ~ **hour** *adj,* neunstündig; ~ **hundred** *num,* neunhundert; ~ **men´s morris** *sub, nur Einz. (Spiel)* Mühle; ~ **storey** *adj,* neunstöckig; ~ **thousand** *num,* neuntausend; ~ **times** *num,* neunfach; ~**fold** *num.,* neunerlei

Ninevite, *adj,* ninivitisch

ninny, *sub, -ies (einfältiger Mensch)* Gimpel

ninth, *sub, -s* Neuntel; *es (mus.)* None

niobium, *sub, nur Einz.* Niob

nip, *vti,* nippen; ~**per** *sub, -s* Dreikäsehoch

nipple, *sub, -s* Brustwarze, Nippel; *(tt; anat.)* Warze; *(Gummi~)* Noppe; *condom with nipples* Kondom mit Noppen

nirvana, *sub, nur Einz.* Nirwana

Nissen hut, *sub, -s* Nissenhütte

nitrate, (1) *sub, -s* Nitrat **(2)** *vt,* nitrieren

nitrogen, *sub, nur Einz.* Stickstoff

nitroglycerine, *sub, nur Einz.* Nitroglyzerin

nitwit, *sub, -s (vulg.)* Dummkopf

nix(ie), *sub, -es (-s)* Nixe

no, (1) *adj,* kein **(2)** *adv,* nein **(3)** *sub, nur Einz.* Nein; *(geb.) have you no heart?* hast du kein Herz?; *I see no difference* ich sehe keinen Unterschied; *no man would ever* kein Mann würde jemals; *no more than* nicht mehr als; *no you don´t!* nichts da!; *Oh no* Au Backe, *for the last time - no!* nein und nochmals nein; *hundreds, nay/no thousands* Hunderte, nein Tausende, *to vote yes or no* mit Ja oder Nein stimmen; ~ **chance** *sub, -s (ugs.)* Fehlanzei-

ge; ~ **difference** sub, -s egal; *I don´t
care* das ist mir egal; *it makes no
difference to sb* es ist jmd egal; ~
man´s land sub, nur Einz. Niemandsland; ~ **matter** adj, einerlei;
no matter who/where einerlei
wer/wo; ~ **matter if** adv, (ob) gleichviel; ~ **one** sub, kein; *no one loves me*
keiner liebt mich; *no one was there*
es war keiner da; ~ **stopping** sub, -s
Halteverbot; ~**-one** pron, niemand

nobelium, sub, nur Einz. Nobelium
Nobel Peace Prize, sub, -s Friedens-
nobelpreis; **Nobel prize** sub, -s Nobelpreis
nobility, sub, -es Vornehmheit; ~ **of
mind** sub, -ies Edelmut; **noble** adj,
adelig, adlig, hehr, nobel, vornehm;
(Charakter) edel; **noble born** adj,
hochgeboren; **noble metal** sub, -s
(chem.) Edelmetall; **noble(-man/wo-
man)** sub, ~ Edle; **noble-minded**
adj, edelmännisch, edelmütig; **noble-woman** sub, -women Edelfrau;
nobleman sub, -men Edelmann; **noblesse** sub, nur Einz. (geh.) Noblesse
nobody, (1) pron, niemand **(2)** sub, -s
Niemand, Nobody; *he is a nobody* er
ist ein Niemand
nocturne, sub, -s Notturno
nod, (1) sub, -s Wink **(2)** vi, nicken; *a
slight nod* ein leichtes Nicken; *to
have a nodding acquaintance with
sb* jmdn nur oberflächlich kennen, *to
nod one´s head* mit dem Kopf nik-
ken; ~ **to/towards s.o** vi, zunicken
nodule, sub, -s Knötchen
noetics, sub, nur Mehrz. Noetik
noise, sub, -s Geräusch; nur Einz.
Krach; - Lärm; ~ **of (the) engines**
sub, nur Einz. Motorenlärm; ~ **prevention** sub, nur Einz. Lärmschutz;
~**less** adj, geräuschlos; **noisy** adj,
geräuschvoll, lärmend; **noisy person**
sub, - people Polterer
nomad, sub, -s Nomade; ~**ic** adj, nomadenhaft, nomadisch; ~**ic life** sub,
nur Einz. Nomadenleben; ~**ic
people** sub, -s Nomadenvolk
nomenclature, sub, -s Benennung,
Nomenklatur
nominal, adj, nominal, nominell; ~
style sub, -s Nominalstil; ~
value sub, -s (fin.) Nennwert, Nominalwert
nominate, vt, nominieren; *(aufstel-

len)* benennen; **nomination** sub,
-s Nominierung; **nominative,** sub,
-s Nominativ; **nominative clause**
sub, -s Subjektsatz
nomographic, adj, nomografisch
non-aggression pact, sub, -s Nicht-
angriffspakt; **non-alcoholic** adj, alkoholfrei; **non-alcoholic
beverage** sub, -s Softdrink; **non-
blended butter** sub, nur Einz.
Markenbutter; **non-Christian (1)**
adj, nichtchristlich **(2)** sub, -s
Nichtchrist; **non-committal** adj,
unverbindlich; **non-conflicting**
adj, konfliktlos; **non-dancer** sub,
-s Nichttänzer; **non-denominational** adj, freireligiös; **non-existent**
adj, inexistent; **non-fat** adj, fettfrei; **non-fiction book** sub, -s Sachbuch
none, pron (sub), kein; *none of his
ideas* keine seiner Ideen
nonet, sub, -s Nonett
non-flowering plant, sub, -s Grünpflanze; **non-heading lettuce** sub,
-s Pflücksalat; **non-iron** adj, bügelfrei; **non-irritant** adj, hautschonend; **non-medical practitioner**
sub, -s Heilpraktiker; **non-party**
adj, überparteilich; *(tt; polit.)* **non-
perishable** adj, *(Lebensm.)* haltbar; **non-political**
adj, unpolitisch; **non-polluting
paper** sub, -s Umweltpapier; **non-
seller** sub, -s Ladenhüter; **non-
skid** adj, gleitsicher; **non-slip** adj,
rutschsicher; **non-smoker** sub, -s
Nichtraucher; **non-smoking campaign** sub, - -s Antiraucherkampagne; **non-starter** sub, -s (ugs.)
Windei
nonplussed, adj, (ugs.) verdutzt
nonsense, sub, nur Einz. Blödsinn,
Humbug, Nonsens, Schmus, Stuss,
Unfug; *(i. ü. S.)* Zeug; (ugs.) Käse,
Quatsch, Unsinn; -es (Ulk) Flachs;
-ies (Unsinn) Firlefanz; *nonsense*
albernes Zeug, (ugs.) ungereimtes
Zeug; *sheer nonsense* barer Unsinn; (ugs.) *talk a lot of nonsense*
einen Stiefel zusammenreden;
That´s nonsense Das ist doch albernes Geschwätz; *to talk a lot of nonsense* dummes Zeug reden; *don´t
talk such nonsense!* rede keinen
Stuss!; *stop that nonsense!* lass den

Unfug! *(ugs.) he talks nonsense* er erzählt nur Käse; *(ugs.) to talk nonsense* Unsinn reden

non-stop, (1) *adj*, pausenlos **(2)** *adv*, nonstop; *non-stop* in einem weg; **non-commissioned officer** NCO *sub*, *-s (tt; mil.)* Unteroffizier; ~**-flight** *sub*, *-s* Nonstopflug, Ohnehaltflug; **non-transparent** *adj*, *(Glas etc.)* undurchsichtig; **non-verbal** *adj*, nonverbal; **nonchalance** *sub*, *nur Einz. (geb.)* Nonchalance; **nonchalant** *adj*, nonchalant; **nonconformism** *sub*, *nur Einz.* Nonkonformismus; **nonconformist (1)** *adj*, nonkonformistisch **(2)** *sub*, *-s* Nonkonformist; **nondescript** *adj*, *(tt; bot.)* unscheinbar

nonviolence, *sub*, *- (als Prinzip)* Gewaltlosigkeit

noodle, *sub*, *-s (Suppen~)* Nudel

noon, *sub*, *-s* Mittag; *at twelve noon* zwölf Uhr mittags

nor, *konj*, noch; *not this nor that* nicht dies, nicht jenes

nordic, *adj*, *(Völker, Sprache)* nordisch; *nordic combined* nordische Kombination

norm, *sub*, *-s* Norm; ~**al** *adj*, gebräuchlich, normal, regulär *(normal)* üblich; *act like a normal human being, can´t you?* benimm dich doch mal normal!; *to be considered normal* als Norm gelten; ~**al pressure** *sub*, *nur Einz.* Normaldruck; ~**al size** *sub*, *-s* Normalgröße; ~**ality** *sub*, *nur Einz.* Normalität; ~**alize** *vt*, normalisieren; ~**ally** *adv*, üblicherweise

normative, *adj*, normativ

Norn, *sub*, *-s* Norne

north, *sub*, *nur Einz.* Nord, Norden; *(von Land)* Norden; *from the north* von Norden (her); *in the far north* im hohen Norden; *in the north of the country* im Norden des Landes; *north(wards)* gen Norden; **North America** *sub*, *nur Einz.* Nordamerika; **North Atlantic Treaty** *sub*, *nur Einz.* Nordatlantikpakt; ~ **face** *sub*, *-s (von Berg)* Nordwand; **North German** *adj*, norddeutsch; *the North German Lowlands* die norddeutsche Tiefebene; *the North Germans* die Norddeutschen; **North Pole** *sub*, *nur Einz.* Nordpol; **North Star** *sub*, *nur*

Einz. Polarstern; ~ **wind** *sub*, *-s* Nordwind; ~**(wards)** *adv*, nordwärts; *the wind is moving round to the north* der Wind dreht nordwärts; ~**-east** *sub*, *nur Einz.* Nordosten; *(von Land)* Nordosten; *from the north-east* von Nordosten; *to the north-east* nach Nordosten; ~**-east(erly)** *adj*, *(Wind)* nordöstlich; ~**-easterly wind** *sub*, *-s* Nordostwind; ~**-eastern** *adj*, nordöstlich; ~**-south divide** *sub*, *nur Einz.* Nord-Süd-Gefälle; ~**-west** *sub*, *nur Einz.* Nordwesten; *(von Land)* Nordwesten; ~**-west(erly)** *adj*, *(Wind)* nordwestlich; ~**-westerly wind** *sub*, *-s* Nordwestwind; ~**-western** *adj*, *(Gegend)* nordwestlich; ~**ern (1)** *adj*, nordisch, nordländisch, nördlich **(2)** *sub*, *-s* Nordländerin; ~**ern lights** *sub*, *nur Mehrz.* Nordlicht; ~**ern slope** *sub*, *-s* Nordhang; **Northerner** *sub*, *-s (i. ü. S.; Mensch)* Nordlicht

Norwegian, *adj*, norwegisch

nose, *sub*, *-s* Nase, Schnäuzchen; *nur Einz.* Spürsinn; *he pokes his nose into everything* er steckt seine Nase in alles hinein; *to blow one´s nose* sich die Nase putzen; *to have a good nose for sth* eine gute Nase für etwas haben; *to wipe one´s nose* sich die Nase putzen; *pick one´s nose* in der Nase bohren; *sensitive nose* feine Nase; *to bop sb on the nose* jmdn einen Nasenstüber versetzen; *to turn one´s nose up at sth* mit Naserümpfen reagieren; **nos(e)y** *adj*, *(neugierig)* naseweis; **nos(e)y parker** *sub*, *-s* Naseweis; ~ **around in** *vi*, *(neugierig)* herumstöbern; ~ **dive** *sub*, *-s* Sturzflug; ~ **drops** *sub*, *nur Mehrz.* Nasentropfen; ~ **ornament** *sub*, *-s* Nasenschmuck; ~ **out** *vt*, *(ugs.)* ausbaldowern; ~**-dive** *vi*, *(Flugzeug)* abschmieren; ~**bleed** *sub*, *-s* Nasenbluten

nostalgia, *sub*, *nur Einz.* Nostalgie, Wehmütigkeit; **nostalgic** *adj*, nostalgisch, wehmütig, wehmutsvoll

nostril, *sub*, *-s* Nüster; *his nostrils twitched* seine Nasenflügel bebten

nosy parker, *sub*, *-s (ugs.)* Topfgucker

not, *adv,* nicht; *certainly not* aber nein!; *don´t do it* tu´s nicht; *he does not smoke* er raucht nicht; *he isn´t coming, is he?* er kommt nicht, nicht wahr?; *he kisses well, doesn´t he?* er küsst gut, nicht wahr?; *I really don´t know why* ich weiß auch nicht, warum; *non-* nicht-; *not any longer* nicht mehr; *not at all* absolut nicht, ganz und gar nicht, nichts zu danken; *not three days* noch keine drei Tage; ~ ... **anything** *pron, (bedingend, fragend auch)* nichts; *not anything more* nichts mehr; ~ ... **anywhere** *adv,* nirgends; *he doesn´t like it anywhere* ihm gefällt es nirgends; ~ **a** *adv,* kein; *I´m not a child any longer* ich bin kein Kind mehr; *not a single suggestion* kein einziger Vorschlag; ~ **a single word** *sub, (ugs.; kein ~)* Piep; ~ **any** *pron (adj),* kein; *we haven´t got any time left* es bleibt uns keine Zeit mehr; *we haven´t got any tomatoes* wir haben keine Tomaten; ~ **anywhere** *adv,* nirgendwohin; ~ **at all** *adv, (veraltet)* mitnichten; ~ **be considered** *vi, (i. ü. S.; nicht in Frage kommen)* ausscheiden; ~ **binding** *adj,* unverbindlich; ~ **come** *vi, (Regen)* ausbleiben; ~ **dangerous** *adj,* gefahrlos; ~ **far from** *adv,* unweit; ~ **for sale** *adj,* unverkäuflich; ~ **guilty** *adj, (tt; jur.)* unschuldig; *to plead not guilty* sich für unschuldig bekennen; ~ **helpful** *adj, (i. ü. S.)* unkollegial; ~ **in time** *adv,* unpünktlich; ~ **including** *präp,* ungerechnet;

notarial, *adj,* notariell; **notary public** *sub, -s* Notar; **notary´s office** *sub, -s* Notariat; **notation** *sub, -s* Notation

notch, *sub, -es* Kerbe; ~ **up** *vt,* verbuchen; ~**back** *sub, -s* Stufenheck

note, (1) *sub, -s* Banknote, Nota, Note, Notiz, Zettel; *(Geld)* Schein **(2)** *vt, (vormerken)* notieren; *(zur Kenntnis nehmen)* beachten **(3)** *vti,* registrieren; *to take notes* sich Notizen machen; *be worthy to note* Beachtung verdienen; *give the note* den Ton angeben; *(i. ü. S.) bit the wrong note* sich im Ton vergreifen; *note:* merke:; *Please take a note/letter/memo, Miss Holzleitner* Frau Holzleitner, bitte notieren sie!; *there was a note of disappointment in his voice* in seiner Stimme schwang ein Ton von Enttäu-

schung mit; ~ **down** *vt,* vormerken; ~**book** *sub, -s* Kladde, Merkheft, Notebook, Notizbuch; ~**s** *sub, nur Mehrz. (Niedergeschriebenes)* Niederschrift; *(Schriftstücke)* Aufzeichnung; *(i. ü. S.) you don´t get anything for nothing in the world* umsonst ist nur der Tod; ~**ness** *sub, nur Einz. (philos.)* Nichts

nothing, *pron,* nichts; *have nothing to do with sth* einer Sache fernstehen; *I know nothing* ich weiß nichts; *next to nothing* fast nichts; *nothing new* nichts Neues; *nothing of any importance* nichts von Bedeutung; *to be left with nothing* vor dem Nichts stehen; ~**worthy** *adj,* beachtenswert

notice, (1) *sub, notes* Aushang; *nur Einz.* Kündigung **(2)** *vi,* gewahren; *(- werden)* gewahr **(3)** *vt, (bemerken)* merken; *(wahrnehmen)* bemerken; *nobody will notice* das fällt nicht auf; *notice sth* aufmerksam werden auf; *take hardly any/no notice of* etwas kaum/nicht beachten; *everyone will notice* das merkt jeder; ~ **board** *sub, -s* Pinnwand; ~ **of assessment** *sub, notices* Steuerzettel; ~ **of non-negotiability** *sub, notices* Sperrvermerk; ~ **of resignation** *sub, -s* - Austrittserklärung; ~**able** *adj,* feststellbar, fühlbar, merkbar, merklich, wahrnehmbar; **notification** *sub, nur Einz.* Benachrichtigung; *-s* Verständigung; *give notification that one is moving* sich polizeilich abmelden; **notification of sickness** *sub, -s* Krankmeldung; **notify** *vt,* notifizieren, verständigen

not much, *adj,* wenig; **not to hear** *adj, (i. ü. S.)* unüberhörbar; **not occur** *vi, (Ereignis)* ausbleiben; **not religious** *adj,* religionslos; **not rulable** *adj, (i. ü. S.)* unregierbar; **not satisfied** *adj,* ungesättigt; **not signed** *adj,* ungezeichnet; **not straight** *adj,* schief; *(i. ü. S.) to leave the straight and narrow* auf die schiefe Bahn geraten; **not subject to a supplement** *adj, (bahn)* zuschlagfrei; **not subject to seasickness** *adj,* seefest;

not talented *adj*, untalentiert; **not to care about sb/sth.** *vti*, scheren; **not to carry out** *vt*, unterlassen; **not to grudge so sth** *vt*, (nicht neiden) gönnen; *don´t be so grudging* gönne es ihm doch!; *I don´t grudge him the pleasure* ich gönne ihm das Vergnügen

notorious, *adj*, notorisch, verschrieen; *(im neg. Sinn)* allbekannt

notwithstanding, *präp*, unbeschadet

nougat, *sub*, -s Nougat, Nugat; ~ **centre** *sub*, -s Nugatfüllung

noun, *sub*, -s Nomen, Substantiv; *(Sprachw.)* Hauptwort; ~ **that occurs only in the plural** *sub*, **nouns** Pluraletantum

nourish, *vt, (ugs.)* päppeln; *he refused all nourishment* er verweigerte jegliche Nahrung; **~ing** *adj, (Nahrung)* gehaltreich, gehaltvoll

nous, *sub*, - Grips

nouveau riche, *adj*, neureich

nova, *sub*, -s oder -e Nova

novel, **(1)** *adj, (neu)* originell **(2)** *sub*, -s Roman; **~ist** *sub*, -s Romanautorin, Romancier; **~la** *sub*, -s Novelle; **~la form** *sub*, -s Novellenform; **~la writer** *sub*, -s Novellist; **~s** *sub*, *nur Mehrz.* Romanliteratur

novelty, *sub*, -ies Neuartigkeit; *nur Einz.* Neuheit; *-ies* Novum

November, *sub*, -s November; **~-like** *adj*, novemberhaft, novemberlich

novice, *sub*, -s Novize, Novizin

novitiate, *sub*, -s Noviziatjahr

now, *adv*, jetzt; *(jetzt; Folge)* nun; *for now* für dieses Mal; *now and again* das eine oder andere Mal; *what is it now* was ist denn; *as from now* von nun an; *now that he´s here* nun, da er da ist; *now that´s enough!* nun ist aber genug!; *only now* nun erst; *what now?* was nun?; ~ **and again** *adv*, mitunter; ~ **and then** *adv, (ugs.)* bisweilen, zwischendurch; **~adays** *adv*, heutigentags; **~here** *adv*, nirgends, nirgendwohin; *there´s nowhere he feels so happy as* er fühlt sich nirgends so wohl wie; *get nowhere* nichts ausrichten können; *if you´ve got nowhere to spend the night* wenn man nirgendwohin gehen kann, um zu übernachten; *nowhere else but here* nirgendwo anders als hier; *this physicist sprang*

out from nowhere dieser Physiker ist aus dem Nichts aufgetaucht; *we stopped in the middle of nowhere* wir hielten an auf offener Strecke; **~here to be found** *adj*, unauffindbar

nozzle, *sub*, -s Düse

nuance, (1) *sub*, -s Nuance, Nuancierung **(2)** *vt*, nuancieren

nuclear, *adj*, atomar, nuklear; ~ **age** *sub*, *nur Einz.* Atomzeitalter; ~ **attack** *sub*, -s Atomangriff; ~ **bomb** *sub*, -s Atombombe; ~ **currency** *sub*, *nur Einz.* Atomstrom; ~ **energy** *sub*, *nur Einz.* Atomenergie, Kernenergie; ~ **explosion** *sub*, -s Kernexplosion; ~ **family** *sub*, *-ies* Kleinfamilie; ~ **fission** *sub*, -s Kernspaltung; ~ **fusion** *sub*, -s Kernfusion, Kernverschmelzung; ~ **medicine** *sub*, *nur Einz.* Nuklearmedizin; ~ **missile** *sub*, -s Atomrakete

nuclear village, *sub*, -s Rundling; **nuclear war** *sub*, -s Atomkrieg; **nuclear warhead** *sub*, -s Atomsprengkopf; **nuclear waste** *sub*, *nur Einz.* Atommüll; **nuclear weapon** *sub*, -s Atomwaffe, Kernwaffen, Nuklearwaffe; **nuclear weapons restriction treaty** *sub*, *-ies* Atomwaffensperrvertrag; **nuclear-free** *adj*, atomwaffenfrei; **nuclear-powered** *adj*, atombetrieben

nucleus, *sub*, *-es oder -clei* Nukleus, *-es (it; biol.)* Zellkern

nude, *adj*, nackt; *to sleep in the nude* nackt schlafen; ~ **(picture)** *sub*, -s Nudität; ~ **model** *sub*, -s Nacktmodell

nudge, (1) *sub*, -s Knuff **(2)** *vt*, knuffen

nudism, *sub*, - Freikörperkultur; *nur Einz.* Nudismus; **nudist** *sub*, -s Nudist; **nudity** *sub*, *nur Einz.* Nacktheit

nugget, *sub*, -s Nugget

nuisance, *sub*, -s Ärgernis, Klette; *(i. ü. S.)* Plage; *a public nuisance* ein öffentliches Ärgernis; *(i. ü. S.) his little sister is a real a nuisance* seine kleine Schwester ist die reinste Klette; *(ugs.) what a blasted nuisance!* so ein Mist!; *to become a nuisance* zu einer Plage werden

nullify, vt, nullifizieren

nullity, sub, -ies Nullität; - (tt; jur.) Ungültigkeit

numb, adj, steif; (betäubt) taub; (Gliedmaßen) gefühllos; numb with cold starr vor Kälte

number, (1) sub, nur Einz. Anzahl; -s Numero, Nummer, Startnummer, Zahl; (gram.) Numerus (2) vt, numerieren, nummerieren; (mit Ziffern versehen) beziffern; our house is number 7 unser Haus hat die Nummer 7; the number one talking point Gesprächsthema Nummer eins; a number of things etliches; numbered consecutively fortlaufend numeriert; in large numbers in großer Zahl; ~ consecutively from the beginning to the end vt, durchnummerieren; ~ of goals sub, nur Einz. Torausbeute; ~ of hits sub, numbers Trefferzahl; ~ of people sub, numbers Personenzahl; ~ of the (one´s) direct line sub, -s Durchwahlnummer; ~ of unrecorded cases sub, -s Dunkelziffer; ~ of visitors sub, -s Besucherzahl; ~ of votes sub, - Stimmenzahl; ~ plate sub, -s Kennzeichen, Nummernschild; ~ed account sub, -s Nummernkonto; ~ing sub, nur Einz. Benummerung, Bezifferung; -s Numerierung; **numbness** sub, nur Einz. (Gefühlslosigkeit) Taubheit; (Starrheit) Steifigkeit; **numeral** sub, -s Zahlwort; (gramm.) Numerale; **numerical** adj, numerisch; **numerically** adv, (ugs.) zahlenmäßig; **numerous** adj, zahlreich

numismatic, adj, numismatisch; ~ collection sub, -s Münzsammlung; ~s sub, nur Einz. Numismatik; **numismatist** sub, -s Numismatiker

nun, sub, -s Klosterfrau, Nonne; ~ moth sub, -s (Schmetterling) Nonne

nunciature, sub, -s Nuntiatur

nuncio, sub, -s Nuntius

nurse, (1) sub, -s Amme, Krankenschwester, Pfleger (2) vt, (Kind) stillen; ~´s uniform sub, -s Schwesterntracht; ~ry sub, -ies Gärtnerei, Kinderstube; ~ry-school sub, -s Vorschule; ~s´ home sub, -s Schwesternwohnheim; ~s´ training college sub, -s Schwesternschule; **nursing** adj, pflegerisch; **nursing auxiliary** sub, -ies Schwesternhelferin; **nursing home** sub, -s Pflegeheim; **nursing staff** sub, nur Einz. Pflegepersonal

nutrition, sub, nur Einz. Nutrition; ~al value sub, -s Nährwert; **nutritious** adj, (Essen) nahrhaft

nuts, adj, (ugs.) bescheuert, meschugge, plemplem; (ugs.) you must be nuts du hast ja einen Schatten; ~**hell** sub, -s Nussschale; **nutty** adj, (ugs.) spleenig

nylon, sub, nur Einz. (eingetr. Markenzeichen) Nylon, Perlon

nymph, sub, -s Nymphe; ~**omania** sub, nur Einz. Nymphomanie; ~**omaniac** (1) adj, nymphoman (2) sub, -s Nymphomanin

oak (-tree), *sub, -s (Baum)* Eiche; **oak (-wood)** *sub, nur Einz. (Holz)* Eiche; **oak apple** *sub, -s* Gallapfel; **oak table** *sub, -s* Eichentisch; **oak(en)** *adj,* eichen

oasis, *sub, oases* Oase

oath, *sub, -s* Eid, Schwur; *(Versicherung)* Beschwörung; *on oath* unter Eid stehen; *take an oath* einen Eid ablegen; *testify on oath* unter Eid aussagen; **~ of allegiance** *sub,* - Fahneneid; *oaths* Treueschwur; **~ of disclosure** *sub, oaths* Offenbarungseid; *to swear an oath of disclosure* einen Offenbarungseid leisten; **~ of revenge** *sub,* ~ Racheschwur; **~ of supremacy** *sub, oaths* Suprematseid; **~ of truce** *sub, (hist.)* Urfehde

oatmeal, *sub, nur Einz. (US)* Brei; - Haferflocken; **oats** *sub,* - Hafer

obdurate, *adj, (unnachgiebig)* stur; **~ness** *sub, nur Einz. (Unnachgiebigkeit)* Sturheit

obedience, *sub, nur Einz.* Botmäßigkeit, Folgsamkeit; - Gehorsam; *nur Einz.* Obedienz; *blind obedience* blinder Gehorsam; **obedient** *adj,* botmäßig, folgsam, fügsam, gehorsam; *(Diener)* ergeben

obelisk, *sub, -s* Obelisk

obesity, *sub, nur Einz.* Fettsucht; *(tt; med.)* Verfettung

obey, (1) *vi,* gehorchen, parieren **(2)** *vt,* hören; *(Befehl etc.)* befolgen; *(Gesetze)* einhalten **(3)** *vti, (gehorchen)* folgen; *the dog doesn´t obey* der Hund hört überhaupt nicht; *(Prov.) you´ll learn the hard way* wer nicht hören will, muß fühlen; *obey the laws* Gesetze einhalten

obituary, *sub, -ies* Nachruf, Todesanzeige

object, (1) *sub, -s* Gebilde, Gegenstand, Objekt **(2)** *vt,* einwenden **(3)** *vti,* dawiderreden; *object to* etwas an etwas auszusetzen haben; *object to sth* etwas einwenden gegen; **~ of dispute** *sub, objects* Streitgegenstand, Streitobjekt; **of saving** *sub, objects* Sparziel; **~ify** *vi,* objektivieren; **~ion** *sub, -s* Einspruch, Einwand, Querschuss; *(gegenteilige Meinung)* Gegenstimme; *raise objections to sth*

Einwände gegen etwas erheben; *I have no objections* ich habe nichts dagegen einzuwenden; *raise objections* Bedenken anmelden; **~ion (to)** *sub, -s* Einwendung; **~ivation** *sub, -s* Objektivation; **~ive (1)** *adj,* objektiv, sachlich **(2)** *sub, -s* Objektiv, Programmatik; *to judge sth objectively* objektiv über etwas urteilen; **~ives** *sub,* - Zielstellung; **~ivism** *sub, nur Einz.* Objektivismus; **~ivity** *sub, nur Einz.* Objektivität, Sachlichkeit; **~ivize** *vt, (Problem)* objektivieren

obligation, *sub, -s* Obligation, Verpflichtung; *the firm is under no obligation* die Firma übernimmt keine Obligation; **~ to strew** *sub, nur Einz.* Streupflicht; **obligatorily registrable trader** *sub, -s* Sollkaufmann; **obligatory (1)** *adj,* obligat, obligatorisch, verbindlich **(2)** *sub, -es* Verbindlichkeit; *the obligatory corny joke* der obligate Sparwitz

oblige, *vt,* verpflichten; **~d** *adj,* verpflichtet; **obliging** *adj,* gutwillig, kulant, verbindlich, zuvorkommend; **obligingness** *sub, nur Einz.* Kulanz; *-es* Verbindlichkeit

oblique, *sub, -s* Schrägstrich; **~ly** *adv,* schräg

oboe, *sub, -s* Oboe; **~ player** *sub, -s* Oboist

obscene, *adj,* obszön; *(Sprache)* unflätig; **obscenity** *sub, -ies* Ferkelei, Obszönität, Unflätigkeit

obscurantism, *sub, nur Einz.* Obskurantismus; **obscurantist** *sub, -s* Finsterling; **obscure** *adj,* obskur; *(i. ü. S.; Person)* undurchsichtig; *for some obscure reasons* aus unerfindlichen Gründen; *not a cloud obscured the sky* kein Wölkchen trübte den Himmel; **obscuring** *sub, nur Einz.* Vernebelung; **obscurity** *sub, nur Einz.* Obskurität

obsequious, *adj,* unterwürfig; *(geh.)* devot; **~ness** *sub, nur Einz.* Unterwürfigkeit

observance *sub, -s* Observanz; *nur Einz. (Vorschriften)* Einhaltung; **observation** *sub, -s* Beobachtung, Observation; *make observations* eine Überlegung anstellen; **observation tower** sub, -s Aussichtsturm; **observation-point** sub, -s Warte; **observatory** sub, -ies Observatorium, Sternwarte; **observe** vt, observieren, wahrnehmen; (beachten) einhalten; observe the law, the sabbath, silence das Gesetz, den Sabbat, Ruhezeiten einhalten; **observe Sunday as a day of rest** sub, - Sonntagsruhe; **observer** sub, -s Beobachter, Merker, Observator; (einer Prüfung) Beisitzer; **observing** sub, -s Wahrnehmung

obsessed, adj, (begeistert) besessen; (i. ü. S.) he is still obsessed with the idea die Idee spukt ihm immernoch im Kopf herum; **obsession** sub, nur Einz. Besessenheit; -s Manie, Obsession; (i. ü. S.) Monomanie; (tt; med.) Zwangsvorstellung; **obsessional neurosis** sub, -es Zwangsneurose

obsidian, sub, -s Obsidian

obstacle, sub, -s Hemmnis, Hindernis, Stolperstein; (i. ü. S.) Hemmschuh, Hürde; (i. ü. S.) we're over the first hurdle damit ist die erste Hürde genommen; **~ to climb up** sub, -s Eskaladierwand

obstain from, vt, enthalten; abstain sich der Stimme enthalten

obstetrics, sub, nur Mehrz. Geburtshilfe

obstinacy, sub, -ies Starrsinn; nur Einz. Störrigkeit; -ies (Beharrlichkeit) Eigensinn; **obstinate** adj, eigensinnig, starrköpfig, starrsinnig, störrisch, verstockt; (geh.) obstinat; (-sinnig) eigenwillig; (eigensinnig) trotzköpfig; **obstinate mule** sub, -s Starrkopf

obstruct, vt, hintertreiben, verbauen; obstruct so jemanden auflaufen lassen; **~ion** sub, -s Verstellung; (tt; arch.) Verbauung; **~ive** adj, hinderlich, obstruktiv

obtain, vt, erwirken; (Endprodukt) erhalten; (Preis) erzielen; (Visum/Kredit) erlangen; take action to obtain the money das Geld eintreiben lassen; to obtain information about sth sich über etwas unterrichten; **~ someones release** vt, freipressen; **~ sth** vr, verschaffen; **~able** adj, beziehbar, erhältlich; **~able at a chemist's only** adj, apothekenpflichtig

obtrusive, adj, (Person, etc.) aufdringlich; **~ness** sub, nur Einz. (von Personen) Aufdringlichkeit

ocarina, sub, -s Okarina

occasion, sub, -s Okkasion; (Grund) Anlass; on the occasion of aus Anlass des; should the occasion arise im Eventualfall; to mark the occasion zur Feier des Tages; **~al** adj, gelegentlich, vereinzelt; **~ally** adv, vereinzelt, verschiedentlich, zuweilen

Occident, sub, nur Einz. Abendland, Okzident; **occidental** adj, okzidental

occlude, vt, okkludieren

occlusion, sub, -s Okklusion; (tt; med.) Verschluss

occultism, sub, nur Einz. Okkultismus; **occult** adj, okkult; **occultist** sub, -s Okkultist, Okkultistin

occupancy, sub, nur Einz. (von Zimmern) Belegung; **occupant** sub, -s Hausbewohner, Insasse; (eines Hauses) Bewohner; **occupation** sub, -s Besitznahme, Okkupation; (Beschäftigung) Tätigkeit; (eines Gebäudes) Bezug; (eines Landes) Besatzung, Besetzung; (Tätigkeit) Beschäftigung; what is your occupation? welcher Tätigkeit gehen sie nach?; **occupational disease** sub, -s Berufskrankheit; **occupational hazard** sub, -s Berufsrisiko; **occupational therapy** sub, -ies Beschäftigungstherapie; **occupied** adj, (Land, Stuhl) besetzt; (Zimmer) belegt; **occupier** sub, -s Okkupant

occupy, vt, okkupieren, versehen; (Arbeit verschaffen) beschäftigen; (ein Haus) bewohnen; (Hotelzimmer) belegen; (Stuhl, Land) besetzen; occupy an important place in eine wichtige Stellung bei etwas einnehmen; the occupying forces die Okkupanten; **~ sb** vt, vereinnahmen; **~ing power** sub, -s Besatzer, Besatzungsmacht

occur, (1) vi, vorkommen; (auftreten) eintreten; (sich ereignen) stattfinden; (vorkommen) auftreten (2) vt, erfolgen; (i. ü. S.) zutragen; (Unfall) ereignen; the unexpected had occured das Unerwartete war eingetreten, (i. ü. S.) it suddenly occu-

red to me that plötzlich fuhr mir der Gedanke durch den Kopf, dass; **~ence** *sub*, -s Ereignis, Vorkommen; *nur Einz. (Ereignis)* Eintritt; **~rence** *sub*, -s *(Vorkommen)* Auftreten

occur to sb, *vt*, einfallen; *sth occurs to sb* etwas fällt jmd ein

ocean, *sub*, -s Meer, Weltmeer; *(auch i.ü.S)* Ozean; **~ perch** *sub*, - Goldbarsch; **~ steamer** *sub*, -s Ozeandampfer; **~-going yacht** *sub*, -s Hochseejacht; **~ography** *sub*, *nur Einz.* Meereskunde, Ozeanografie, Ozeanographie

ocelot, *sub*, -s Ozelot

ochlocracy, *sub*, *-ies* Ochlokratie

ochre, *adj*, ocker, ockerfarben, okkerfarbig

Ockhamism, *sub*, *nur Einz.* Ockhamismus

octagon, *sub*, -s Achteck, Oktogon; **~al** *adj*, achteckig, oktogonal

octane number, *sub*, -s Oktanzahl; *high octane petrol* Benzin mit hoher Oktanzahl

octave, *sub*, -s Oktave; *octavo sub*, -s Oktavformat; *octet sub*, -s Oktett

October, *sub*, -s Oktober

octogenerian, *sub*, -s Achtziger; **octohedron** *sub*, -s Oktaeder; **octopod** *sub*, *-da* Oktopode; **octopus** *sub*, *-es* Krake; - *(tt)* Tintenfisch

odalisque, *sub*, -s Odaliske

odd, *adj*, kauzig, kurios, merkwürdig, schrullig, sonderbar; *(ugs.)* ungleich; *(Zahl)* ungerade; **~ fellow** *sub*, -s *(ugs.)* Kauz; **~-job man** *sub*, -men Handlanger, Kalfaktor; **~ity** *sub*, *-ies* Kuriosität; **~ness** *sub*, *nur Einz.* Merkwürdigkeit; **~s** *sub*, *nur Mehrz.* Odds; **~s and ends** *sub*, *nur Mehrz.* Krimskrams

ode, *sub*, -s Ode

odeum, *sub*, -s Odeon, Odeum

odious, *adj*, hassenswert

odour, *sub*, -s Odeur; - *(übler)* Geruch; **~less** *adj*, geruchlos

Odyssey, *sub*, -s Irrfahrt, Odyssee

oedema, *sub*, -s Ödem

oedipal *adj*, ödipal

Oedipus complex, *sub*, *-es* Ödipuskomplex

oestrogen, *sub*, -s Östrogen

of, *präp*, von; *(bestehen aus)* aus; *a pot of soup* ein Topf mit Suppe; *(erklärend) inclusive of* und zwar ein-

schließlich; *(Zusatz) the melody of the song* die Melodie zu dem Lied; *(veränder.) to make a man of sb* jmd zum Manne machen; *to smell of sth* nach etwas riechen; *the container is made of glass* der Behälter ist aus Glas; **~ a few seconds** *adj*, sekundenlang; **~ a thousand (different) kinds** *adj*, tausenderlei; **~ age (1)** *adj*, volljährig **(2)** *attr*, mündig; *to come of age* mündig werden; *to declare sb of age* jmdn für mündig erklären; **~ beech** *adj*, buchen; **~ carbonic acid** *adj*, *(chem.)* kohlensauer; **~ clay** *adj*, tönern; **~ course** *adv*, freilich, selbstverständlich; *(selbstverständlich)* natürlich; **~ definition** *adj*, definitorisch; **~ eight sorts** *adj*, achterlei; **~ equal importance** *adj*, gleichrangig; **~ equal rank** *adj*, *(Beruf)* gleichrangig; **~ gold** *adj*, golden; **~ good behaviour** *adj*, formgewandt; **~ integrity** *adj*, integer; **~ it** *adv*, *(Anteil)* davon; **~ Italy, Greece, Spain or Portugal** *adj*, südländisch

offence, *sub*, -s Beleidigung, Delikt, Gesetzesübertretung, Kränkung, Vergehen; *(Anlass)* Anstoß; *(jur.)* Tat; *cause offence* Ärgernis erregen; *commit an offence* sich strafbar machen; *no offence* nichts für ungut; *offend (against) the law* ein Delikt begehen; *sexual offence commited by a person in position of authority over victim* Missbrauch zur Unzucht; *cause offence* Anstoss erregen; *take offence at* an etwas Anstoss nehmen; **~ against the forest law** *sub*, -s Forstfrevel; **offend (1)** *vi*, verstoßen **(2)** *vt*, beleidigen, brüskieren; *(i. ü. S.) to offend sb* jmd zu nahe treten; **offended** *adj*, beleidigt; *be deeply offended* zutiefst beleidigt sein; **offender** *sub*, -s Beleidiger; - Delinquent; **offense** *sub*, -s *(US)* Gesetzesübertretung, **offensive (1)** *adj*, anstößig, ausfallend, offensiv, unflätig, widerwärtig **(2)** *sub*, *nur Einz.* Offensive; -s *(mil.)* Angriff; *take the offensive* zum Angriff übergehen, *take the offensive* in die Offensive gehen; **offensive warfare** *sub*, -s Angriffskrieg; **of-**

fensive weapon *sub*, *-s* Angriffswaffe; **offensiveness** *sub*, *nur Einz.* Anstößigkeit

offer, (1) *sub*, *nur Einz.* Anerbieten; *-s* Angebot, Darbringung, Feilbietung, Offerte; *(wirt.)* Andienung (2) *vt*, anerbieten, darbringen, offerieren; *(anbieten)* bieten, darbieten; *(Belohnung)* aussetzen; *(zum Verkauf, etc.)* anbieten; *offer sacrifice (to the gods)* Darbringung eines Opfers; *offer so a chair* jemanden auf einen Lehrstuhl berufen; *offer so sth* jemandem etwas antragen, *the offered hand* die dargebotene Hand; *be on offer* angeboten werden; *offer so sth* jemandem etwas anbieten; *offer to resign* seinen Rücktritt anbieten; ~ **a salary** *vt*, dotieren; ~ **condolences** *vi*, kondolieren; ~ **one´s services** *vt*, *(Dienste)* anbieten; ~ **so a glass of wine** *vt*, kredenzen; ~ **sth for sale** *vt*, feilbieten; ~ **to do** (1) *sub*, *-s* Erbieten (2) *vt*, erbieten; ~ **to do sth** *vt*, erbötig

offertory, *sub*, *-s (kirchl.)* Opferung

office, *sub*, *-s* Büro, Geschäftsstelle, Kanzlei, Schreibbüro, Sekretariat; *(Dienststelle)* Amt; *at the office* im Büro; *by virtue of his office* kraft seines Amtes; *in his office* an seiner Dienststelle; *take up office* ein Amt antreten; ~ **hours** *sub*, *nur Mehrz.* Sprechstunde; ~ **of mayor** *sub*, *-s (hist.)* Schulzenamt; ~ **of vice-principal** *sub*, *-s* Prorektorat; ~ **outing** *sub*, *- -s* Betriebsausflug; ~ **work** *sub*, *nur Einz.* Innendienst; ~ **worker** *sub*, *-* Büroangestellte; ~**-boy** *sub*, *-s* Bürogehilfe; ~**-building** *sub*, *-s* Bürohaus; ~**-executive** *sub*, *-s* Bürokauffrau, Bürokaufmann; ~**-girl** *sub*, *-s* Bürogehilfin; ~**-hour** *sub*, *-s* Bürozeit; ~**-supplies** *sub*, *nur Mehrz.* Büromaterial

officer, *sub*, *-s* Offizier; *(der Polizei)* Beamte; *(einzelner Soldat)* Militär; *to become an (army) officer* Offizier werden; ~ **on a ship** *sub*, *-s* Schiffsoffizier; ~**s´ mess** *sub*, *nur Einz.* Kasino; **official** (1) *adj*, amtlich, behördlich, dienstlich, offiziell; *(ugs.)* kanzleimäßig (2) *sub*, *-s* Funktionär; *(einer Behörde)* Beamte; *according to official sources* wie von offizieller Seite verlautet; *to an-*

nounce sth officially etwas offiziell bekanntgeben; **official act** *sub*, *-s* Amtshandlung; **official car** *sub*, *-s* Dienstwagen; **official channels** *sub*, *nur Mehrz.* Amtsweg, Dienstweg; *go through the official channels* den Amtsweg beschreiten; *go through official channels* den Dienstweg einhalten; *through official channels* auf dem Dienstweg; **official escort** *sub*, *-s* Ehrengeleit; **official matter/letter** *sub*, *-s* Dienstsache

official party, *sub*, *-ies* Staatspartei; **official seal** *sub*, *-s* Dienstsiegel; **official secret** *sub*, *-s* Amtsgeheimnis; **officialdom** *sub*, *nur Einz.* Beamtentum; **officialese** *sub*, *nur Einz.* Kanzleistil; **officially** *adv*, behördlich; *authorize officially* behördlich genehmigt werden; *officially recognized* behördlich anerkannt; **officials** *sub*, *nur Mehrz.* Beamtenstand

offprint, *sub*, *-s* Separatdruck, Sonderdruck

offset (printing), *sub*, *nur Einz.* Offsetdruck

offshore, *adj*, vorgelagert

offside, *sub*, *nur Einz. (spo.)* Abseits; *be offside* im Abseits stehen; ~ **goal** *sub*, *-s* Abseitstor

offspring, *sub*, *nur Einz. (Nachfahren)* Nachwuchs; *-s (i. ü. S.; Nachkomme)* Spross

of Lugano, *adj*, luganesisch; **of Mantua** *adj*, mantuanisch; **of medium difficulty** *attr*, *(Text)* mittelschwer; **of Merseburg** *attr*, Merseburger; **of motifs/motives** *attr*, motivisch; **of Münster** *attr*, Münsteraner; **of no consequence** *adv*, *(ugs.)* unmaßgeblich; *an not authoritative judgement* ein unmaßgebliches Urteil; **of one colour** *adj*, einfarbig; **of Pistoia** *adj*, pistoiaisch; **of privations** *sub*, entbehrungsreich; **of puberty** *adj*, pubertär; **of pure race** *adj*, reinrassig; **of seven** *adj*, siebenköpfig; **of seven different kinds** *adj*, siebenerlei; **of Singapore** *adv*, singapurisch; **of Solomon** *adj*, salomonisch; **of sports medicine** *adj*, sportmedizinisch

oft(en), *adv*, *(geh.)* oftmalig, oft-

mals, often (1) *adj*, häufig (?) *adv*
oft; *how often have you been to Baden?* wie oft warst du schon in Baden?; *often enough* schon so oft; *the
bus doesn't go very often* der Bus
fährt nicht oft; *the more often* je öfter
of the, (1) *Artikel*, des (2) *best.Art.*,
der; *of the car* des Autos; ~ **elector's
heir** *adj*, kurprinzlich; ~ **electorate
of Cologne** *adj*, kurkölnisch; ~ **electorate of Hessen** *adj*, kurhessisch; ~
**electorate of the Mark of Branden-
burg** *adj*, kurmärkisch; ~ **electorate
of the Palatinate** *adj*, kurpfälzisch;
~ **electorate of Trier** *adj*, kurtrierisch; ~ **same age** *adj*, gleichaltrig;
~ **same blood** *adj*, leiblich; ~ **same
color** *adj*, (US) gleichfarbig; ~ **same
colour** *adj*, gleichfarbig; ~ **same
kind** *adj*, gleichartig; ~ **same name**
adj, gleichnamig; ~**m** *pron*, ihrer
of this, *adv*, hiervon; **of today** *adj*,
(gegenwärtig) heutig; **of top priority** *adj*, erstrangig; **of us** *poss.pron*,
unser; **of which** (1) *pron*, (.Sachen)
dessen (2) *rel.pron*, (Sachen) deren;
of your *pron*, eueres; **of Zimbabwe**
adv, simbabwisch; **of Zurich** *adj*,
zürcherisch; züricherisch
oh boy!, *interj*, (ugs.) Manometer
ointment, *sub*, -s Salbe; *an ointment
to be rubbed in* ein Mittel zum Einreiben
okapi, *sub*, -s Okapi
okay, *interj*, okay
Oktoberfest (Munich beer festival),
sub, -s Oktoberfest
old, *adj*, (Alter) alt; *(Kleidung)* getragen; *grow old* alt werden; *I'm too old
to hurry* alte Frau/Mann ist doch kein
D-Zug; *old and young* groß und
klein; ~ **age** *sub*, nur Einz. Betagtheit; ~ *s* Greisenalter; *nur Einz.* Lebensabend; ~ **biddy** *sub*, -ies (ugs.)
Kaffeetante; ~ **book** *sub*, -s Schwarte;
~ **building** *sub*, -s Altbau; ~ **crone**
sub, -s (ugs.) Schrulle, Spintwachtel;
~ **dodderer** *sub*, -s Mummelgreis;
~ **favourite** *sub*, -s Evergreen; ~ **flat**
sub, Altbauwohnung; ~ **fog(e)y** *sub*,
-s (vulg.) Knacker; *I gave the old fogey
a piece of my mind* ich habe dem
alten Knacker die Meinung gesagt; ~
maid *sub*, -s Jungfer; ~ **man** *sub*,
men Greis; **Old Nick** *sub*, *nur Einz.*
Gottseibeiuns

olden, *adj*, (i. ü. S.) urväterlich; ~
times *sub*, -s Urväterzeit; **oldie**
sub, -s Oldie; **oldish** *adj*, ältlich
old people's home, *sub*, -s Altenheim, Altersheim, Seniorenheim;
old reactionary *sub*, -ies Giftzwerg-
strige; **old rifle** *sub*, -s Donner-
büchse; **old shrew** *sub*, -s (i. ü. S.)
Giftschlange; **Old Testament** ...
adj, alttestamentarisch; **old trooper** *sub*, -s (Soldat) Haudegen;
old warhorse *sub*, -s (Politiker)
Haudegen; **old woman** *sub*, -men
Greisin; **old-age pension** *sub*, - -s
Altersrente, Altersversorgung; **old-
fashined** *adj*, unzeitgemäß; **old-
fashioned** *adj*, altmodisch;
old-maidish *adj*, jüngferlich
oleander, *sub*, -s Oleander
oleate, *sub*, -s Oleat
oleum, *sub*, -s Oleum
olfactory organ, *sub*, -s Geruchsor-
gan; **olfactory sense** *sub*, -s Ge-
ruchssinn
oligarchic, *adj*, oligarchisch; **oligarchy** *sub*, -ies Oligarchie
olive, *sub*, -s Ölfrucht, Olive; ~ **harvest** *sub*, -s Olivenernte; ~ **oil** *sub*,
-s Olivenöl; ~**-green** *adj*, olivgrün
olivine, *sub*, *nur Einz.* Olivin
olm, *sub*, proteidae Olm
Olympiad, *sub*, -s (Zeitraum) Olympiade; **Olympian** (1) *adj*, (Götter)
olympisch (2) *sub*, -s Olympier; *to
Olympian deities* die olympischen
Götter; **Olympic** *adj*, (spo.) olympisch; *the Olympic Games* die
olympischen Spiele; **Olympic athlete** *sub*, -s Olympionike; **Olympic
Games** *sub*, *nur Mehrz.* Olympiade
omega, *sub*, -s Omega
omelette, *sub*, -s Omelett, Omelette
omen, *sub*, -s Mahnzeichen, Omen;
- Vorzeichen
omicron, *sub*, -s Omikron
ominous, *adj*, (geh.) ominös; (Entwicklung) bedrohlich
omission, *sub*, -s Auslassung, Unterlassung; **omit** *vt*, unterlassen;
(Wort etc. weglassen) auslassen
omnipotence, *sub*, -s Allgewalt; *nur
Einz.* Allmacht; **omnipotent** *adj*,
allgewaltig, allmächtig; **omnipresent** *adj*, allgegenwärtig, omnipräsent; **omniscience** *sub*, *nur Einz.*
Allwissenheit; **omniscient** *adj*, all-

wissend; **omnivore** sub, -s (.) Allesfresser

on, präp, zu; (zeitich) an; (zeitlich) am; a book on trees ein Buch über Bäume; and so on und dergleichen mehr; from now on von jetzt an; I´d like to stay on longer ich möchte gern noch bleiben; (Lage) on both sides zu beiden Seiten; (art/weise) on foot zu Fuß; on receipt nach Erhalt; on test zur Probe; the debate went on and on die Debatte ging ins Uferlose; the light is on das Licht ist an; on January 26th am 26 Januar; ~ (the) one hand adv, einerseits; on one hand and on the other hand einerseits und andererseits; ~ (top of) it/them adv, (räuml.) darauf; put the suitcase on top of it stell die Koffer darauf; ~ a festive day adj, festtags; ~ a full-time basis adv, hauptamtlich; ~ a massive scale attr, massenhaft, massenweise; ~ a payroll attr, lohnabhängig; ~ a Saturday adv, sonnabends; ~ account of me adv, (wegen mir, mir zuliebe) meinetwegen; ~ account of which adv, (Sachen) derenthalben; ~ alert adj, alarmbereit; ~ all sides adv, allerseits; ~ board computer sub, -s Bordcomputer; ~ both sides (1) adj, beidseitig; (polit.) beiderseitig (2) adv, präp, beiderseits; ~ call adj, abrufbereit

onanistic, adj, onanistisch

once, adv, einmal; (einmal) einfach; (früher) einst; all at once alles auf einmal; have you ever haben sie schon einmal; just once won´t matter einmal ist keinmal; once a year einmal im Jahr; once more noch einmal; once one is one einmal eins ist eins; once upon a time es war einmal; just once das eine Mal; once and for all ein für alle Mal; once and for ever ein für allemal; once upon a day einst war einmal; ~ (upon a time) adv, einmal; ~ again adv, abermals, hinwiederum; ~ in a while adv, mitunter

oncologic, adj, onkologisch

oncoming traffic, sub, -s Gegenverkehr

on display, adj, ausgestellt; **on duty** adj, dienstbereit; **on earth** Partikel, bloß; how on earth could that happen wie konnte das bloß geschehen; what on earth were you thinking of was hast du dir bloß dabei gedacht; **on end** adv, hochkant; **on file** adj, aktenkundig; **on Friday** sub, freitags; **on heat** adj, läufig; (heftig) heiß; **on here** adv, hierauf; **on his part** adv, seinerseits

one, (1) pron, man (2) sub, nur Einz. Eins (3) Zahl, ein, eins; (alle) every single one Mann für Mann; (i. ü. S.) he has had one too many er hat zuviel getankt; (bintereinander) one after the other Mann für Mann; to be made one ein Paar werden, how is one supposed to know that wie soll das einer wissen; in one day in einem Tag; one and the same ein und derselbe; one day eines Tages; one Dollar ein Dollar; one of them the two einer von beiden; at one um eins; be number one die Nummer eins sein; score one for you eins zu null für dich; there is one thing I don´t like about it eins gefällt mir nicht; two to one zwei zu eins; ~ after another adv, nacheinander; ~ after the other adv, (nacheinander) aufeinander; ~ another pron, (i.einzelnen) einander; love one another liebet einander; ~ behind the other adv, hintereinander; one after the other einer nach dem anderen; they were running close behind one another sie liegen dicht hintereinander; ~ by one adv, hintereinander; ~ course meal sub, -s Tellergericht; ~ higher attr, nächsthöher; ~ penny at a time adv, pfennigweise; ~ person sub, nur Einz. Einzelperson; ~´s lifeblood sub, - (i. ü. S.) Herzblut; ~´s own pleasure sub, nur Einz. (zur Freude) Hausgebrauch; ~´s own space sub, - Privatsphäre

one-act play, sub, -s Einakter; **one-armed** adj, einarmig; **one-door** adj, eintürig; **one-eyed** adj, einäugig; in the kingdom of the blind the one-eyed man is king unter Blinden ist der Einäugige König; **one-humped** adj, einhöckerig; **one-mark piece** sub, -s Einmarkstück; **one-metre board** sub, -s Einmeterbrett; **one-month** adj, einmonatig;

one ~~pound note~~ sub, -s Pfundnote;
one-room apartment sub, - -s Apartment, Appartement; **one-room flat** sub, -s (österr. Einzimmerw.) Garçonnière; **one-sided** adj, einseitig; give a one-sided description of sth etwas sehr einseitig darstellen; written on one side only einseitig beschrieben

one-way street, sub, -s Einbahnstraße; **one-winged** adj, einflügelig; **one-year-old car** sub, -s Jahreswagen; **onelooker** sub, -s (ugs.) Zaungast

on it, adv, (ugs.) drauf; be on the point of doing sth drauf und dran sein, etwas zu tun; **~/them** adv, (räuml.) daran; hold on to it sich daran festhalten; there are no buttons on it es sind keine Knöpfe daran; **on looker** sub, - (ugs.) Zuschauer, Zuschauerin; **on Mondays** adv, montags; **on one´s belly** adv, bäuchlings; **on our account** adv, unsertwillen; **on our half** adv, (i. ü. S.) unserthalben; **on principle** adj, grundsätzlich; **on purpose** adv, (absichtlich) extra; **on record** adj, protokollarisch; **on Saturdays** adv, samstags, sonnabends

only, (1) adj, einzig (2) adv, bloß; (Anzahl) erst; (einschr., Wunsch) nur; that´s the only thing to do das ist das einzig richtige, I only have one shirt ich habe bloß ein Hemd; I saw him only yesterday ich habe ihn noch gestern gesehen; if only I knew how wüsst ich nur, wie; it´s only five o´clock es ist erst fünf Uhr; only after erst nach; only just nur mit Mühe; only when erst als; you only have to say (the word) sie brauchen es nur zu sagen; only this nur das; only two minutes to go nur noch zwei Minuten; **~ fit for scrap** adj, schrottreif; **~ just** adv, (gerade noch) eben; only just manage sth etwas eben noch schaffen

onset, sub, -s (meteor.) Einbruch; (Winter-) Einfall; the onset of a cold wave bei Einbruch der Kältewelle; the onset of the winter der Einfall des Winters

on strike, adj, (streikend) ausständig; **on Sundays** adv, sonntags; **on that score** sub, -s Hinsicht; **on the back**

adv, hintendrauf; **on the first floor** adv, (US) parterre; **on the ground floor** adv, (brit.) parterre; **on the left (hand side)** adv, links; **on the left(-hand) side** adj, linksseitig; **on the occasion of** präp, anlässlich; **on the other hand (1)** adv, andererseits, wiederum; (ugs.) demgegenüber (2) konj, (Vergl.) dagegen; his son on the other hand is blonde sein Sohn ist dagegen blond; **on the other side of** präp, jenseits; **on the part of** präp, seitens

on the right, adv, rechts; **~(-hand) side** adj, rechtsseitig; **on the same level** attr, niveaugleich; **on the strength of** präp, kraft; **on the top** adv, obenauf; **on the verge of** präp, nahe; **on the way** adv, unterwegs; **on the way there** sub, -s Hinweg; **on this occasion** adv, hierbei; **on this side** adv, diesseits; **on time (1)** adj, termingemäß (2) adv, pünktlich; **on top** adv, zuoberst; **on top of each other** adv, aufeinander, übereinander; **on top of everything** adv, obendrein; **on Wednesdays** adv, mittwochs

ontological, adj, ontologisch; to ontological argument der ontologische Gottesbeweis

on what, adv, worauf; **on whose account** adv, (pers.) derenthalben; on whose account derenthalben neu: derentwegen; **on whose/what account** adv, wessentwegen; **on workdays** adv, werktäglich, werktags; **on your account** adv, eurethalben; **on your behalf** adv, euerthalben; **on your part** adv, eu(r)erseits; **on(for) your part** adv, deinerseits; **on-line** adj, online

onyx, sub, -es Onyx

ooze, vi, sickern

opal, sub, -s Opal; **~esce** vi, opaleszieren

opaque meal, sub, nur Einz. (med.) Kontrastbrei; **opaque white** sub, nur Einz. Deckweiß

open, (1) adj, offen, offenherzig, weit (2) adv, (offen) auf (3) sub, - (Straße, Brücke) Freigabe (4) vi, (Augen, Knospen, etc.) aufgehen; (Tür) aufmachen; (Wunde) aufplatzen **(5)** *vt,* aufblättern; *(Brücke)* einweihen; *(Buch, etc.)* aufklappen; *(Flasche, etc.)* anbrechen; *(Gardinen, Schublade)* aufziehen; *(Geschäft/Konferenz)* eröffnen; *(med.)* aufschneiden; *(Mund)* auftun; *(öffnen)* entfalten, erbrechen; *(Tür, Konto)* aufmachen; *(Untersuchung)* einleiten; *(Zeitung etc.)* aufschlagen **(6)** *vtir,* öffnen; *an open letter* ein offener Brief; *he's got an open face* er hat einen offenen Blick; *on the open road* auf offener Strecke; *on the open sea* auf offener See; *open day* Tag der offenen Tür; *the course is open to everyone* der Kurs ist für alle offen; *the shops are open until 8 o'clock* die Geschäfte haben bis 8 Uhr offen; *to admit sth openly* etwas offen zugeben; *to be open to new ideas* allem Neuen gegenüber offen sein; *to be openhanded* eine offene Hand haben; *to go through life with one's eyes open* mit offenen Augen durchs Leben gehen; *(i. ü. S.) to kick at an open door* offene Türen einrennen; *to wear an open neck* mit offenem Hemd gehen; *to welcome sb with open arms* jmdn mit offenen Armen empfangen, *the window is open* das Fenster ist auf, *his father's money opens all doors for him* das Geld ebnet ihm alle Wege; *leave something open* etwas unbestimmt lassen; *open all day* durchgehend geöffnet; *open fire* das Feuer eröffnen; *open new possibilities to sb* jmd neue Möglichkeiten eröffnen; *the ground opened (up)* die Erde öffnete sich; *the night porter opened the door for me* der Nachtportier öffnete mir; *the shop opens at 10 o'clock* das Geschäft wird um 10 Uhr geöffnet; *bring an action against einen Prozess einleiten, *the valley is open to the west* das Tal öffnet sich nach Westen; *(comp.) to open a file* eine Datei öffnen; **~ air** *sub,* - Freie; **~ end** *adj,* open end; **~ fire** *vi,* losschießen; **~ sandwich** *sub, -es* Smörrebröd; **~ up (1)** *vi, (a. i.ü.S.)* auftun; *(Tür)* aufschließen **(2)** *vt, (Geschäft eröffnen)* aufmachen; *(wirt.)* erschließen; **~-air concert** *sub, -s* Platzkonzert; **~-air festival** *sub, -s* Openairfestival; **~-air show** *sub, -s*

Estrade; **~-air theater** *sub, -s (US)* Freilichtbühne; **~-air theatre** *sub, -s* Freilichtbühne; **~-cast mining** *sub, -s* Tagebau
open-handed, *adj,* spendabel
opening, *sub, -s* Durchbruch, Eröffnung, Öffnung, Spalt; *(im Brief)* Anrede; *opening at 6 pm* Einlass ab 18 Uhr; **~ credits** *sub, nur Mehrz.* Vorspann; **~ day** *sub, -s (tt; kun.)* Vernissage; **~ of presents** *sub, nur Einz.* Bescherung; **~ up** *sub, (s.o.)* Erschließung; **~ words** *sub, nur Mehrz.* Grußwort; **openly/freely** *adv,* zwanglos
open-minded, *adj, (i. ü. S.)* aufgeschlossen; **~ thinker** *sub, -s* Querdenkerin; **~ness** *sub, nur Einz.* Aufgeschlossenheit; **open-plan office** *sub, -s* Großraumbüro; **open-reel tape deck** *sub, -s* Spulmaschine; **opener** *sub, -s* Öffner; **openhanded** *adj,* gebefreudig
opera, *sub, -s* Oper; *to become an opera singer* an die Oper gehen; *to go to the opera* in die Oper gehen; **~ guide** *sub, -s* Opernführer; **~ singer** *sub, -s* Opernsänger; **~-hat** *sub, -s* Chapeau
operation, *sub, nur Einz.* Betriebung; *-s* Operation; *nur Einz. (ugs.; einer Maschine)* Betrieb; *-s (med.)* Eingriff; *(tt; mil.)* Unternehmen; *nur Einz. (tech.)* Bedienung; *-s* Betätigung; *go into operation* in Funktion treten; *in operation* im praktischen Einsatz; *to have an operation* sich operieren lassen; **~al** *adj,* betriebsbereit, operational; **operative** *adj,* operativ; **operator** *sub, -s* Betreiber, Betreiberin, Operator
operetta, *sub, -s* Operette
ophiolatry, *sub, nur Einz. (rel.)* Ophiolatrie
ophthalmology, *sub, nur Einz.* Augenheilkunde
opiate, *sub, -s* Opiat
opinion, *sub, -s* Dafürhalten, Erachten, Meinung, Urteil; *(med.)* Ansicht, Auffassung; *in my opinion* nach meinem Dafürhalten; *confirm so's opinion* jemanden in seiner Meinung bestärken; *express one's opinion on* Stellung nehmen zu; *in my opinion* nach meinem

Befinden: *that´s a matter of opinion* das ist Auffassungssache; *to share the same opinion* einer Meinung sein; *in my opinion* meiner Meinung nach; *what´s your opinion on that?* was ist Ihre Meinung dazu?; *in my opinion* nach meiner Ansicht; ~ **poll** *sub, -s* Meinungstest; *(Meinungs-)* Umfrage; ~ **pollster** *sub, -s* Demoskop; ~ **research (1)** *adj,* demoskopisch **(2)** *sub, nur Einz.* Demoskopie, Meinungsforschung; ~ **research institute** *sub,* -s Meinungsforschungsinstitut

opisometer, *sub, -s* Kurvimeter

opisometry, *sub, nur Einz.* Kartometrie

opium, *sub, nur Einz.* Opium; ~ **law** *sub, -s* Opiumgesetz; ~ **pipe** *sub, -s* Opiumpfeife; ~ **smoker** *sub, -s* Opiumraucher; ~ **trade** *sub, nur Einz.* Opiumhandel

opossum, *sub, -s* Beutelratte; *-(s)* Opossum

opponent, *sub, -s* Gegenspieler, Gegner, Kontrahent, Opponent; ~ **of war** *sub, -s* Kriegsgegner

opportune, *adj, (geh.)* opportun; *(günstig)* gelegen; ~**ness** *sub, nur Einz. (geh.)* Opportunität; **opportunism** *sub, nur Einz.* Opportunismus; **opportunist** *sub, -s* Opportunist; *to act in an opportunist fashion* opportunistisch handeln; **opportunist(ic)** *adj,* opportunistisch; **opportunity** *sub, -ies* Gelegenheit, Möglichkeit; *at the first best opportunity* bei der ersten Gelegenheit; *have the opportunity to* Gelegenheit haben zu; *I´d like to take this opportunity to* bei dieser Gelegenheit möchte ich; *opportunity makes the thief* Gelegenheit macht Diebe; *to make the most of one´s opportunities* mit seinem Pfunde wuchern

oppose, (1) *vi,* opponieren, widerstreben **(2)** *vr,* widersetzen; *(sich feindlich -)* gegenüberstellen **(3)** *vt, (geh.)* frondieren; *do you always have to oppose everything* ihr müsst auch immer opponieren!; *oppose so/sth* sich gegen etwas/jemanden auflehnen; *oppose sth/so* gegen etwas/jemanden auftreten; *opposed to* feindlich eingestellt gegen; **opposing** *adj,* gegnerisch; *(Meinung)* ent-

gegengesetzt; **opposite (1)** *adj,* entgegengesetzt, gegensätzlich, gegenteilig; *(i. ü. S.)* gegenläufig **(2)** *adv,* gegenüber, vis-a-vis **(3)** *sub, -s* Gegenteil; *(Gegenteil)* Gegensatz; *illustration opposite* nebenstehende Abbildung; *produce the opposite effect* das Gegenteil bewirken; *to play opposite sb* als jmds Partner spielen, *opposite the station* dem Bahnhof gegenüber, *have the opposite effect* das Gegenteil bewirken; *the exact opposite* genau das Gegenteil; **opposite number** *sub, -s* Frondeur; **opposite pole** *sub, -* Gegenpol; **opposition (1)** *adj,* oppositionell **(2)** *sub, -s* Gegnerschaft; - Kontra; *-s* Opposition

oppression *sub, -* Oppression; **oppress** *vt,* beklemmen, knechten, unterdrücken; *(Volk)* niederhalten; **oppression** *sub, nur Einz.* Bedrückung; - Beklemmung; **oppressive** *adj,* beklemmend; *(Wetter)* drückend; *the heat is oppressive* das Wetter ist drückend; **oppressor** *sub, -s* Unterdrücker

optant, *sub, -s* Optant

optative, *sub, -s* Optativ

optical, *adj, (phys.)* optisch; *optical effect* optischer Eindruck; *optical illusion* optische Täuschung; **optician** *sub, -s* Augenoptiker, Optiker; **optics** *sub, nur Mehrz.* Optik

optimism, *sub, nur Einz.* Optimismus, Zuversicht; **optimist** *sub, -s* Optimist; **optimistic** *adj,* optimistisch, zuversichtlich

optimization, *sub, -s* Optimierung; **optimize** *vt,* optimieren; **optimum (1)** *attr,* optimal **(2)** *sub, -ma* Bestwert; *-s oder -ma* Optimum

option, *sub, -s* Option; ~**al** *adj,* fakultativ, optional; ~**al exercise** *sub, -s* Kürübung; ~**al subject** *sub, -s* Wahlfach

optical reticule, *sub,* -s Fadenkreuz; *have sth/sb in one´s sights* im Fadenkreuz haben

opulence, *sub, nur Einz.* Üppigkeit

opuntia, *sub, -s (bot.)* Opuntie

opus, *sub, opera (mus.; Gesamtwerk)* Opus

orache, *sub, -s* Melde

oracle, *sub, -s* Orakel; *he speaks like an oracle* er spricht in Orakeln; *to* consult the oracle das Orakel befragen

oral, *adj*, oral; *(Prüfung)* mündlich; *(ugs.) the oral* das Mündliche; ~ **proceedings** *sub, nur Mehrz. (jur.)* Mündlichkeit; ~ **vaccination** *sub*, -s Schluckimpfung; ~**ity** *sub, nur Einz.* Mündlichkeit

orange, (1) *adj*, orange, orangefarben, orangefarbig **(2)** *sub*, -s Apfelsine, Orange; ~ **blossom** *sub*, -s Orangenblüte; ~ **juice** *sub*, -s Orangensaft; ~ **peel** *sub*, -s Apfelsinenschale; ~ **tree** *sub*, -s Orangenbaum; ~**ade** *sub*, -s Orangeade; ~**ry** *sub*, -ies Orangerie

orang-(o)utan(g), *sub*, -s Orang-Utan

orator, *sub*, -s Kanzelredner

oratorio, *sub*, -s Oratorium

orbit, (1) *sub*, -s Dunstkreis, Orbit **(2)** *vt*, *(astron.)* umrunden; *live within one´s orbit* in seinem Dunstkreis leben; ~ **of the earth** *sub*, -s Erdumrundung; ~**al (1)** *adj*, orbital **(2)** *sub*, -s Orbitalbahn; ~**er** *sub*, -s Raumgleiter

orchestra, *sub*, -s Klangkörper, Orchester; ~**te** *vt*, orchestrieren; **orchestrion** *sub*, -s Orchestrion

orchid, *sub*, -s Knabenkraut, Orchidee; ~ **species** *sub*, - Orchideenart

ordain, *vt*, weihen; ~**ed** *adj*, *(Priester)* geweiht

ordeal, *sub*, -s *(i. ü. S.)* Martyrium, Tortur

order, (1) *sub*, -s Gebot, Kommando, Orden, Order, Reihenfolge; *nur Einz. (Anweisung)* Befehl; -s *(Befehl)* Anordnung, Aufforderung; *(Bestellung)* Auftrag; *nur Einz. (geordneter Zustand; Rang)* Ordnung; -s *(jur.)* Verfügung; *(Rennen)* Platzierung; *(von Essen etc.)* Bestellung **(2)** *vt*, auffordern, befehlen, beordern, ordnen, ordnen, verfügen; *(befehlen)* anordnen; *(Essen etc.)* bestellen; *I have my orders* ich habe meine Order; *law and order* die öffentliche Ordnung; *made out to order* an Order lautend; *orders are orders* Befehl ist Befehl; *out of order* außer der Reihe; *till further orders* bis auf weiteren Befehl; *to order sb* jmd Order erteilen; *act on orders of* auf Befehl von jemandem handeln; *law and order* Ruhe und Ordnung; *to keep sth in*

order etwas in Ordnung halten; *we like to have a little order around here* hier bei uns herrscht Ordnung; *we´ll see to your order* ihre Bestellung geht in Ordnung, *I won´t be ordered about by him* Von ihm lasse ich mir nichts befehlen; *order so to do sth* jemandem etwas befehlen; ~ **form** *sub*, - -s Bestellkarte, Bestellschein; ~ **in advance** *vt*, vorbestellen; ~ **list** *sub*, - -s Bestellliste; ~ **of knights** *sub*, -s Ritterorden; ~ **of magnitude** *sub*, - Größenordnung; ~ **of merit** *sub*, -s Verdienstorden; ~ **of punishment** *sub*, orders Strafbefehl; **Order of the Crown** *sub*, Kronenorden; ~ **of the day** *sub*, orders Tagesbefehl; **Order of the Garter** *sub*, *nur Einz.* Hosenbandorden; ~ **of the menu** *sub*, *nur Einz.* Speisenfolge; **Order of the Temple** *sub*, *Orders* Tempelorden **order pad**, *sub*, - -s Bestellblock; **order so to do sth** *vt*, *(j-m et. zu tun)* gebieten; **order to fire** *sub*, -s Schießbefehl; *(mil.)* Feuerbefehl; **order to stay away** *sub*, -s Hausverbot; **orderly (1)** *adj*, geordnet, geregelt, ordentlich **(2)** *sub*, -ies Ordonanz; *she runs a very orderly household* in ihrem Haushalt geht es sehr ordentlich zu; **orders situation** *sub*, -s -s Auftragslage

ordinal number, *sub*, -s Ordinalzahl, Ordnungszahl

ordinariness, *sub*, *nur Einz.* Profanität; **ordinary** *adj*, gewöhnlich; *(alltäglich)* ordinär; *(mehrheitlich)* durchschnittlich; *(Qualität)* alltäglich; *under ordinary circumstances* unter gewöhnlichen Umständen; *we ordinary mortals* der gewöhnliche Sterbliche; *you are wanting that much for a perfectly ordinary horn?* sie wollen so viel für eine ganz ordinäre Hupe?; *an ordinary face* ein durchschnittliches Gesicht; *an ordinary man* ein einfacher Mann; *(ugs.) that´s nothing out of the ordinary here* das ist hier an der Tagesordnung; **ordinary road** *sub*, -s Landstraße; **ordinary share capital** *sub*, - Stammkapital

ordinate, *sub*, -s Ordinate; **ordina-**

tlon *sub, -s (kirchl.)* Ordination; *(tt. relig.)* Weihe

ordnance survey map, *sub, -s* Generalstabskarte

ore, *sub, -s* Erz; **öre** *sub,* öre Öre; **~ casting** *sub, -s* Erzgießerei; **~-mining** *sub, -s* Erzbau

oregano, *sub, -s* Oregano, Origano

or (else), *conj,* oder; *either or entweder oder; one or the other* eins oder das andere; *or else* oder aber; *or perhaps* oder auch

organ, *sub, -s* Organ, Orgel, Presseorgan; *(i. ü. S.)* Sprachrohr; **~ builder** *sub, -s* Orgelbauerin; **~ concert** *sub, -s* Orgelkonzert; **~ pipe** *sub, -s* Orgelpfeife

organic, *adj,* biodynamisch, organisch; *ein organic whole* ein organisches Ganzes; **~ally** *adv,* biodynamisch

organisation, *sub, -s* Gestaltung; *(i. ü. S.; polit.)* Apparat

organist, *sub, -s* Organist

organization, *sub, nur Einz.* Einteilung; *-s* Organisation; *nur Einz.* Veranstaltung; *-s* Verein, Vereinigung; *a masterpiece of organization* eine organisatorische Höchstleistung; **~al** *adj,* organisatorisch; *organisatorically it was a failure* das hat organisatorisch gar nicht geklappt; **organize (1)** *vt,* veranstalten; *(Arbeit/Archiv)* einteilen; *(i. ü. S.; Veranstaltung)* aufziehen **(2)** *vti,* organisieren; **organized** *adj,* organisiert; **organizer** *sub, -s* Gestalterin, Organisator, Veranstalter; *(spo.)* Spielleiter

organography, *sub, -ies (med.)* Organografie

organology, *sub, nur Einz.* Organologie

orgasm, *sub, -s* Orgasmus; **~ic** *adj,* orgastisch

orgiasm, *sub, nur Einz.* Orgiasmus

orgiastic, *adj,* orgiastisch

orgy, *sub, -s* Orgie; *to have orgies* Orgien feiern; *(i. ü. S.) to run riot* Orgien feiern

Orient, *sub, nur Einz.* Morgenland, Orient; **~al** *sub, -s* Morgenländer; **orientate** *vtir,* orientieren; *a positivistically orientated thinker* ein positivistisch orientierter Denker; **orientation** *sub, nur Einz. (Zurechtfinden, Ausrichtung)* Orientierung;

oriented *adj,* gesinnt

orifice of the mouth, *sub, orifices* Mundöffnung

origin, *sub, -s* Abstammung, Anfang, Herkunft, Ursprung; *be of humble origin* von einfacher Herkunft sein; **~al (1)** *adj,* eigentlich, original, originär, ursprünglich; *(selbständig)* originell **(2)** *sub, -s* Original; *his got an original mind* er ist ein sehr origineller Kopf; *the original meaning of a word* die eigentliche Bedeutung eines Wortes; *what is your original extraction* wo stammen sie eigentlich her; *that's a very original idea of his* das hat er sich sehr originell; **~al (text)** *sub, -s* Urschrift, Urtext; **~al (text, film..)** *sub, -s* Urfassung; **~al language from which a word is derived** *sub, -s (Sprachw.)* Gebersprache; **~al meaning** *sub, -s* Urbedeutung; **~al picture** *sub, -s* Bildvorlage; **~al price** *sub, -es* Neupreis

original sin, *sub, -s* Erbsünde; **original soundtrack** *sub, -s* Originalton; **original text** *sub, -s* Originaltext; **original version** *sub, -s* Quellfassung; **originality** *sub, nur Einz. (Urtümlichkeit)* Originalität; **originally** *adv,* ursprünglich; **originate** *vi,* entstehen

oriole, *sub, -s* Pirol

ornament, *sub, -s* Ornament, Schmuckstück; *nur Einz.* Zier; **~al** *adj,* ornamental; **~al bush** *sub, -es* Zierstrauch; **~al cup** *sub, -s* Sammeltasse; **~al doll** *sub, -s* Zierpuppe; **~al form** *sub, -s* Ornamentform; **~al grass** *sub, -* Ziergras; **~al plant** *sub, -s* Zierpflanze; **~ation** *sub, nur Einz.* Ornamentik; **~s** *sub, nur Mehrz.* Nippes

ornate, *adj,* schnörkelig

ornithological, *adj,* ornithologisch; **~ station** *sub, -s* Vogelwarte; **ornithologist** *sub, -s* Ornithologe, Ornithologin; **ornithology** *sub, nur Einz.* Ornithologie

orphan, *sub, -s* Vollwaise, Waise, Waisenkind; **~ (boy)** *sub, -s* Waisenknabe; **~'s allowance** *sub, -s* Waisenrente; **~-age** *sub, -s* Waisenhaus

Orphic, *adj,* orphisch

orthodox, *adj,* orthodox, rechtgläubig, strenggläubig; **~y** *sub, nur Einz.* Orthodoxie

orthogonal, *adj,* orthogonal

orthographic(al), *adj,* orthografisch, orthographisch; **orthography** *sub, nur Einz.* Orthografie, Orthographie

orthopaedic, *adj,* orthopädisch; **~s** *sub, nur Mehrz.* Orthopädie; **orthopaedist** *sub, -s* Orthopäde, Orthopädist

oscillate, *vi,* oszillieren; **oscillating quarz** *sub, -es (tech.)* Schwingquarz; **oscillation** *sub, -s* Oszillation; **oscillator** *sub, -s* Oszillator; **oscillograph** *sub, -s* Oszillogramm

osmium, *sub, nur Einz.* Osmium

osmosis, *sub, nur Einz.* Osmose; **osmotic** *adj,* osmotisch

ossified, *adj,* verknöchert; **ossify** *vi,* ossifizieren, verknöchern

osteitis, *sub, -es (med.)* Ostitis

ostracism, *sub, nur Einz.* Ostrazismus; *-s* Scherbengericht

ostrich, *sub, -s (zool.)* Strauß; **~ farm** *sub, -s* Straußenfarm

other, *adj,* andere; *every other minute* alle paar Minuten; *go for each other* aufeinander losgehen; *one after the other* einer nach dem anderen; *one or the other* die eine oder andere (Sache); *other things* andere Dinge; *some other time* ein andermal; *someone or other* der eine oder andere; *the others* die anderen; **~ side** *sub, -s* Gegenpartei; **~wise** *adv,* anderenfalls, andernfalls, ansonsten; *(außerdem)* sonst; *(im übrigen)* sonst; *I have to hurry, otherwise I´ll be late* ich muß mich beeilen, sonst komme ich zu spät

otology, *sub, nur Einz. (med.)* Otiatrie

otter, *sub, -s* Fischotter, Otter

ought to, *modv, (sollen)* müssen; *I ought to know that* das müsste ich eigentlich wissen

ounce, *sub, -s* Unze; *he hasn´t an ounce of intelligence* er hat nicht für fünf Pfennig Verstand

our, (1) *pers.pron,* uns **(2)** *poss.adj,* unser **(3)** *poss.pron,* , unsere; **~s (1)** *poss.pron,* unser **(2)** *pron,* unseres; **~s,our one** *pron,* unsrige; **~selves** *refl.pron,* uns

oust, *vt, (i. ü. S.; Konkurrenten)* ausbooten; *to oust sb from his office* jmd aus seinem Amt vertreiben; **~ing** *sub, -s* Vertreibung

out, (1) *adj,* out **(2)** *adv,* hervor, hinaus, raus **(3)** *präp,* heraus; *out here* hier hinaus; *out of* hinaus aus, hinaus aus; *out of the window* zum Fenster hinaus; *out with it* hinaus damit; *all out* mit vollem Einsatz; *count me out!* ohne mich!; *let´s get out* nichts wie raus; *(spo.) out* aus; *this fashion went out long ago* diese Mode ist längst passé; *(i. ü. S.) throw someone out* jemanden aus die Straße setzen, *out there!* heraus da!; *out with it* heraus mit der Sprache; **~ of (1)** *adv, (aus)* hervor **(2)** *präp,* heraus; *(beiseite, weg)* aus; *(Betrieb, Frage)* außer; *out of a sense of* aus einem Gefühl heraus; *out of the window* zum Fenster heraus; *keep out of so´s way* jemandem aus dem Weg gehen; *out of service/question* außer Betrieb/Frage; **~ of favour** *sub, - (i. ü. S.)* Ungnade; *(i. ü. S.) to fall/be out of favour with so* in Ungnade fallen/sein; **~ of focus** *adj, (tt; tech.)* unscharf; **~ of hand** *adj,* überhand; **~ of it** *adv, (Gefäss)* daraus; *drink out of it* daraus trinken; **~ of place** *adj,* unpassend; **~ of tune** *adj,* verstimmt; **~ of what/which** *adv,* woraus

out-and-out, *adj,* ausgemacht; **out-of-court** *adj,* außergerichtlich; **outboard motor** *sub, -s* Außenbordmotor; **outbreak** *sub, -s (eines Feuers)* Ausbruch; **outburst of rage** *sub, -s* Wutausbruch; **outcast** *sub, -s* Outcast; **outclass** *vt, (spo.)* deklassieren; **outcome** *sub, -s (Resultat)* Ausgang; *have a happy ending* einen glücklichen Ausgang haben; *have a tragic outcome* einen tragischen Ausgang haben; *(ugs.) the outcome (of all this)* das Ende vom Lied; **outcry** *sub, -s (i. ü. S.; des Protests)* Aufschrei; **outdo** *vt, (i. ü. S.)* übertrumpfen

outdoor photograph, *sub,   - -s (beim Fotografieren)* Außenaufnahme; **outdoor plant** *sub, - -s* Balkonpflanze; **outdoor restaurant** *sub,   -s* Gartenlokal; **outdoor swimming pool** *sub, -s* Freibad; **outdoor temperature** *sub, - -s* Außentemperatur

outer, *adj*, *(Hülle)* äußere; ~ **tyre** *sub*, -s *(Reifen)* Mantel; ~ **wall** *sub*, --s Außenwand; ~**most** *adj*, *(räumlich)* äußerst

outfit, *sub*, -s Outfit; *(ugs.; einer Person)* Aufmachung; ~**ter** *sub*, -s Konfektioneuse; **outflow** *sub*, *nur Einz. (Abfließen)* Ausfluss; -s *(einer Flüssigkeit)* Ablauf; *(von Einz. (Geldmittel)* Abfluss; *(von Kapital)* Abwanderung; **outhouse** *vt*, *(zur Lagerung)* auslagern; **outing destination** *sub*, - -s Ausflugsort, Ausflugsziel

outlaw (1) *sub*, -s Outlaw (2) *vt*, *(Person)* ächten; ~**ed** *adj*, vogelfrei; ~**ry** *sub*, *nur Einz. (Bann)* Acht; **outlet** *sub*, -s Abflussöffnung; *(für Gase)* Abzug; *(Abfluss)* Auslauf, Durchfluss; *(Öffnung)* Ausfluss; **outline** (1) *sub*, -s Skizzierung, Umriss, Umrisslinie; *(Plan)* Skizze (2) *vt*, *(grob darstellen)* umreißen; *(Plan)* skizzieren; *to see the outlines of sth* etwas schemenhaft sehen; **outlive** *vt*, überleben; **outlook** *sub*, *nur Einz. (i. ü. S.; Vorhersage)* Aussicht; *that´s a fine outlook* das sind schöne Aussichten; *(Wetter) the further outlook* die weiteren Aussichten

outlying estate, *sub*, -s Vorwerk; **outmanoeuvre** *vt*, ausmanövrieren; **outpatient** (1) *adj*, ambulant, poliklinisch (2) *adv*, ambulant; *outpatient* ambulant behandelter Patient; *outpatient treatment* ambulante Behandlung; **outpatients´ department** *sub*, -s *(Krankenhaus)* Ambulanz; **outpost** *sub*, -s *(tt; mil.)* Vorposten; **outpouring** *sub*, *nur Einz. (Ausgießen)* Auguss

output, *sub*, -s Output; *nur Einz. (comp.)* Ausgabe; *(von Produkten)* Ausstoß; ~ **target** *sub*, -s Plansoll

outrage, (1) *sub*, -s Empörung (2) *vt*, empören; ~**d** *adj*, empört; ~**ous** *adj*, empörend, unerhört, unverschämt; *(Leichtsinn etc.)* ungeheuerlich; *(vermessen)* ungeheuerlich; *an outrageous insolence!* eine unerhörte Frechheit! ~**ousness** *sub*, -s Unverschämtheit

outrigger, *sub*, -s Auslegerboot; *(eines Bootes)* Ausleger; **outshine** *vt*, *(i. ü. S.)* überstrahlen; *(i. ü. S.; übertreffen)* überragen; **outside** (1) *adj*, *präp*, auswärtig (2) *adv*, außen, draußen, hinaus; *(Stadt)* außerhalb (3) *präp*,

außerhalb, vor (4) *sub*, -s Außenseite; *nur Einz. (im Ggs. zum Inneren)* Äußere; *come from outside* von außen kommen; *on the outside he is friendly* nach außen hin ist er nett; *keep out* bleibt draußen; *out in the garden* draußen im Garten; *(i. ü. S.) outside the town* vor den Toren der Stadt; **outside lecturer** *sub*, -s Privatdozent; **outside settlement** *sub*, -s Randsiedlung; **outside world** *sub*, *nur Einz.* Außenwelt; **outside-right** *sub*, -s Rechtsaußen

outsider, *sub*, -s Außenseiter, Outsider; **outskirts** *sub*, *nur Mehrz.* Stadtrand; *(von Stadt)* Peripherie; **outstanding** *adj*, hervorragend; **outstanding accounts** *sub*, *nur Mehrz. (wirt.)* Ausstand; **outstrip** *vt*, *(i. ü. S.)* überflügeln, überrunden; *(i. ü. S.) to outstrip sb* jmd den Rang ablaufen; **outstripping** *sub*, -s Überflüglung; **outvote** *vt*, majorisieren; *(Person)* überstimmen; **outvoting** *sub*, -s Überstimmung; **outward appearance** *sub*, *nur Einz. (Erscheinungsbild)* Äußere; **outwards** *adv*, *(woanders)* auswärts; **outweigh** *vt*, überwiegen; **outwit** *vt*, austricksen, überlisten

oval, (1) *adj*, oval (2) *sub*, -s Oval

ovation, *sub*, -s Ovation; *standing ovations* stehende Ovationen; *to give sb an ovation* jmd Ovationen darbringen

oven, *sub*, -s Backofen, Backröhre, Ofen, Röhre; ~ **dish** *sub*, Auflaufform

over, (1) *adv*, *(über)* hin; *(vorbei)* herum (2) *präp*, *(räumlich)* über; *all over* kreuz und quer; *be over* zu Ende sein; *it´s all over* die Sache wäre ausgestanden; *over the head* über den Kopf weg; *thank heavens, that´s over!* das wäre überstanden!; ~ **here** *adv*, herüber; ~ **it/them** *adv*, *(räuml.über)* darüber; *get over it* darüber hinwegkommen; ~ **sth** *adv*, *(über etw.)* hinweg; ~ **there** *adv*, dahinten, drüben, hinüber; *over on the other side* drüben auf der anderen Seite; ~-**attentive** *adj*, betulich; ~-**attentiveness** *sub*, *nur Einz.* Betulichkeit; ~-**dose** *sub*, -s Überdosis; ~-**fertilization** *sub*, -s Überdüngung; **~-fertilize** vt, überdüngen; **~-subtle** adj, spitzfindig; **~-weight (caused by compensating problems with food)** sub, nur Einz. Kummerspeck

overaccentuate, vt, (Körperteil) überbetonen; **overaccentuation** sub, -es Überbetonung

overall, adj, global; **~ amount** sub, -s Globalsumme; **~ view** sub, -s (Überblick) Übersicht; **~s** sub, nur Mehrz. Overall; **overbiddable** adj, überbietbar

overambitious, adj, streberhaft, streberisch

overbearing, adj, hochfahrend

overbid, (1) sub, -s Überbietung (2) vt, überbieten

overbite, sub, -s Überbiss

overbred, adj, überzüchtet; **overburdening** sub, -s Überbürdung; **overcast** adj, bedeckt; (stark) bewölkt; **overcharge** (1) sub, -s Überzahlung (2) vt, übervorteilen; **overcharging** sub, -s Übersteuerung; **overcoat** sub, -s Überrock; (veraltet) Paletot; **overcome** vt, meistern, übermannen, überwinden; (i. ü. S.; Angst) überwältigen; (Schwierigkeiten) nehmen; he was overcome with emotion die Rührung hat ihn übermannt; sleep overcame him der Schlaf übermannte ihn; (i. ü. S.) he was overcome by deep sadness tiefe Traurigkeit überfiel ihn; I was overcome with fear Furcht überkam mich; to overcome difficulties Schwierigkeiten meistern; overcome one´s inclinations vr, überwinden; **overcritical** adj, hyperkritisch; **overcrowd** vt, überbelegen; **overcrowded** adj, überfüllt, überlaufen; **overcrowding** sub, -s Überbelegung, Überfüllung; **overdevelopment** sub, -s Zersiedelung; **overdiligent** adj, überfleißig; **overdo** vt, (zu weit treiben) übertreiben; (ugs.) to overdo it den Mund voll nehmen; you can overdo things man kann es auch übertreiben; **overdraft** sub, -s (Konto) Minus; **overdraft facility** sub, -ies Dispositionskredit; **overdraw** vt, (i. ü. S.; Charakter) überzeichnen; (Konto) überziehen; **overdressed** adj, overdressed

overdue, adj, säumig, überfällig; **overeat** vr, überfressen; (ugs.) gorge oneself on something sich an etwas überfressen; **overemployment** sub, -s Überbeschäftigung; **overestimate** vt, überschätzen; **overexcitable** adj, übererregbar; **overexcitement** sub, -s (Fantasie) Überreizung; **overexert** vr, überanstrengen; **overexploitation** sub, - Raubbau; **overexplosion** vt, überlichten; **overexposure** sub, -s Überbelichtung; **overfeeding** sub, -s Überfüttern; **overfill** vt, überfüllen; **overfishing** sub, -s Überfischung

overflow, (1) sub, -s Überflutung, Überlauf, Überschwemmung (2) vi, überfließen, überlaufen, überquellen, überströmen; (Flüssigkeit) überschießen (3) vt, überschwemmen; (Damm etc.) überfluten; his heart is overflowing with love sein Herz fließt vor Liebe über; **overfreight** vt, überfrachten; **overfulfil** vt, übererfüllen; **overfull** adj, übervoll; **overgrow** (1) vi, zuwachsen (2) vt, überwachsen, überwuchern; **overgrowing** sub, -s (tt; bot.) Verwilderung; **overgrowth** adj, überwachsen, verwachsen; **overhang** sub, -s (Fels-) Überhang; **overhaul** vt, instandsetzen; (ausbessern) überholen

overhead cable, sub, -s Oberleitung; **overhead projector** sub, -s Overheadprojektor; **overhead transmission line** sub, -s Freileitung

overhear, (1) vi, lauschen (2) vt, belauschen, mithören; **overheat** (1) vi, heiß laufen (2) vr, heiß laufen (3) vt, überhitzen; the engine is overheated der Motor ist heißgelaufen; **overheating** sub, -s Überhitzung; **overjoyed** adj, selig, überglücklich; **overkill** sub, nur Einz. Overkill; **overlap** (1) sub, -s Überlappung (2) vi, (ineinander) übergreifen (3) vr, überlappen; (i. ü. S.) überschneiden; **overlaying** sub, -s Überlagerung

overleaf, adj, umseitig; **overload** (1) sub, -s (tech.) Überlastung (2) vt, überbelasten, überladen; (tech.) überlasten; **overlook** (1) vi, (i. ü. S.) hinwegsehen (2) vt, überblicken, überschauen; *(die Szenerie)* beherrschen; *(ignorieren)* übersehen; *(übersehen)* übergehen, überlesen; **overloud** *adj*, überlaut

overmature, *adj*, überreif, überständig; **overmodesty** *sub, -ies* Tiefstapelei; **overnight stay** *sub, -s* Übernachtung; **overpass** *sub, -es* Überwerfung; **overpay** *vt*, überbezahlen; **overplastering** *sub, -s* Übergipsung; **overpopulate** *vt*, übervölkern; **overpopulation** *sub, -s* Übervölkerung; **overpower** *vt*, überwältigen; *his self-confidence is overpowering* seine Selbstsicherheit ist schon penetrant; *this cupboard is too overpowering for the room* der Schrank erdrückt den ganzen Raum; **overpowering** *adj*, *(Duft)* narkotisch; **overprecise** *adj*, übergenau; **overprint** *vt*, überdrucken; **overproduction** *sub, -s* Überproduktion; **overrate** *vt*, überschätzen; *(i. ü. S.)* überbewerten; *(i. ü. S.) they have overrated his abilities* sie haben seine Fähigkeiten überbewertet

oversize, (1) *adj*, überdimensional (2) *sub, -s* Übergröße; **~d** *adj*, übergroß; **oversleep** (1) *vi*, verschlafen (2) *vri*, verpennen; **overspend** *vr*, verausgaben; **overspending** *sub, -s* Verausgabung; **oversteer** *vi*, übersteuern; *(i. ü. S.) overstep the mark* den Bogen überspannen; **overstimulation** *sub, -s* Reizüberflutung; **overstocked** *adj*, *(Lager)* überfüllt

overstrain, (1) *sub, -s (Nerv etc.)* Überreizung; *(Person)* Überlastung (2) *vt*, überanstrengen; *(zu stark spannen)* überspannen; **overstress** (1) *sub, -es* Überbetonung (2) *vt*, überbetonen; **overstretch** *vt*, überdehnen; **overstrung** *adj*, *(mus.)* kreuzsaitig; **oversubscribe** *vt*, *(wirt.)* überzeichnen; **oversubtlety** *sub, -ies* Überspitzung; **overtake** *vti*, überholen; **overtaking lane** *sub, -s* Überholspur; **overtax** *vt*, *(körperlich)* überfordern; *(Person)* überlasten; **overtax oneself** *vr*, verausgaben; **overtaxing** *sub, -s* Verausgabung

overthrow, (1) *sub, -s* Umsturz; *(i. ü. S.)* Sturz (2) *vi*, stürzen (3) *vt*, *(polit.)* umstürzen; *(i. ü. S.) the overthrow of*

a government der Sturz einer Regierung; **overtidiness** *sub, nur Einz.* Putzfimmel; **overtime** *sub, -* Überstunde; **overtired** *adj*, übermüdet; **overtone** *sub, -s (a. i.ü.S.)* Beiklang; **overtrump** *vt*, *(Kartenspiel)* übertrumpfen; **overture** *sub, -s* Ouvertüre; *(tt; mus.)* Vorspiel; **overturn** *vt*, umstürzen, umwerfen; *(Situation)* umkehren

overvaluation, *sub, -s* Überwertung; **overvalue** *vt*, überbewerten; *to overvalue sth* einer Sache zuviel Ehre antun; **overweight** (1) *adj*, übergewichtig (2) *sub, -s* Übergewicht; *be overweight* an Übergewicht leiden; **overwhelm** *vt*, überhäufen; *(i. ü. S.; Schönheit)* überwältigen; **overwhelming** (1) *adj*, erdrückend, überwältigend (2) *sub, -s* Überhäufung; **overwork** (1) *sub, nur Einz.* Überarbeitung (2) *vr*, überarbeiten

ovoid, (1) *adj*, ovoid (2) *sub, -s* Eierbrikett

ovulation, *sub, -s* Eisprung, Ovulation

ovum, *sub, ova (med.)* Ei

owe, *vt*, schulden; *(i. ü. S.) to owe sb sth* jmd etwas schuldig sein; **~ sth sb** *vt*, verdanken; **owing to** *präp*, infolge

owl, *sub, -s* Eule; *carry coals to Newcastle/send owls to Athens* Eulen nach Athen tragen

own, *adj*, eigen; *do sth on one´s own* etwas alleine machen; *for one´s own use only* nur für den eigenen Gebrauch; *I have a room of my own* ich habe ein eigenes Zimmer; *in Blair´s own words* Originalton Blair; *make sth one´s own* sich etwas zu eigen machen; *my own brother* mein eigener Bruder; *one´s own opinion* persönliche Meinung; *stand on one´s own feet* auf eigenen Füßen stehen; **~ goal** *sub, -s* Eigentor; **~ initiative** *sub, -s* Extratour; *keep doing things off one´own bat/initiative* sich ständig irgendwelche Extratouren leisten; **~ requirements** *sub, nur Mehrz.* Eigenbedarf; **~ resources** *sub, nur Mehrz.* Eigenmittel; **~ weight** *sub, -s* Eigengewicht; **~er** *sub, -s* Besitzer, Eigentümer, Inhaber; *(Eigentümer)* Halter; *(Restaurant)* Gastwirt; **~er of a castle** *sub*, *-s* Schlossherr; **~er-occupied flat (am: co-op apartment)** *sub*, *-s* Eigentumswohnung; **~er´s bill of exchange** *sub*, *-s* Eigenwechsel; **~ership** *sub*, *-s* Besitzstand; **~ership of land** *sub*, *nur Einz.* Grundbesitz; **~ing a house of one´s own** *vt*, Eigenheimer

ox, *sub*, *-en* Ochse; **~-cart** *sub*, *-s* Ochsenkarren; **~-fence** *sub*, *-s* Oxer

oxidation, *sub*, *-s* Oxidation, Oxidierung; **oxide** *sub*, *-s* Oxid; **oxidize (1)** *vi*, *(Metall)* beschlagen **(2)** *vti*, oxidieren

oxygen, *sub*, *nur Einz.* Oxygen, Sauerstoff; **~ tent** *sub*, *-s* Sauerstoffzelt

oxymoron, *sub*, *-ra* Oxymoron

oyster, *sub*, *-s* Auster; **~ bed** *sub*, *-s* Austernbank; **~ catcher** *sub*, *-s (zool.)* Austernfischer; **~ farm** *sub*, *-s (Zuchtstätte)* Austernzucht; **~ farming** *sub*, *nur Einz. (Aufzucht)* Austernzucht

ozalid paper, *sub*, *nur Einz. (phot.)* Ozalidpapier

ozone, *sub*, *nur Einz.* Ozon; **~ alarm** *sub*, *nur Einz.* Ozonalarm; **~ layer** *sub*, *nur Einz.* Ozonschicht; **ozonize** *vt*, ozonisieren

pacemaker, *sub*, -s Herzschrittmacher, Pacemaker; **pacesetter** *sub*, -s Schrittmacher

Pacific, *sub*, *nur Einz.* Pazifik; **pacifism** *sub*, *nur Einz.* Pazifismus; **pacifist** (1) *adj*, pazifistisch (2) *sub*, -s Pazifist; **pacify** *vt*, pazifizieren; *by peaceful means* auf friedlichem Wege; *pacify* friedlich stimmen

pack, (1) *sub*, *nur Einz.* Marschgepäck; -s Rudel (2) *vt*, abpacken, pferchen, verpacken; *(Koffer)* packen; *two packs of playing cards* zwei Pack Spielkarten; *we might as well pack up and go* da können wir einpacken, *to pack sth in cotton wool* etwas in Watte packen; ~ **(of hounds)** *sub*, -s Meute; ~ **animal** *sub*, -s Saumtier, Tragtier; ~ **basket** *sub*, -s Tragkorb; *(Dial)* Kiepe; ~ **full** *vt*, voll packen; ~ **ice** *sub*, -s Packeis; ~**-mule** *sub*, -s Lastesel, Packesel

package, *sub*, -s Frachtstück, Kollo; ~ **(deal)** *sub*, -s *(polit.)* Junktim; ~ **insert** *sub*, - -s Beipackzettel; ~ **tour** *sub*, -s Packagetour; **packed** *adj*, randvoll; *(dicht)* gedrängt; **packed lunch** *sub*, -es Lunchpaket; **packet** *sub*, -s Päckchen, Paket; *a packet of cigarettes* ein Päckchen Zigaretten; **packing** *sub*, *nur Einz.* Packerei; **packing department** *sub*, -s Packerei, Packraum

pact, *sub*, -s Pakt; *to make a pact* einen Pakt abschließen

pad, (1) *sub*, -s Papierblock (2) *vt*, *(Tür)* polstern; ~ **(out)** *vt*, auspolstern; ~**ding-out** *sub*, *nur Einz.* Auspolsterung

paddle, *sub*, -s Paddel; ~**wheel** *sub*, -s Schaufelrad; **paddling pool** *sub*, -s Planschbecken; **paddock** *sub*, -s Koppel, Pferdekoppel, Sattelkissen; **paddy-field** *sub*, -s Reisfeld; **padlock** *sub*, -s Vorhängeschloss

p(a)ediatric, *adj*, pädiatrisch; ~ **nurse** *sub*, -s Kinderschwester; ~**ian** *sub*, -s Kinderarzt, Pädiater; ~**s** *sub*, *nur Mehrz.* Pädiatrie; **p(a)edophile** *adj*, pädophil; **p(a)edophilia** *sub*, *nur Einz.* Pädophilie

paella, *sub*, -s Paella

pagan, (1) *adj*, heidnisch (2) *sub*, -s Heide; ~**ism** *sub*, *nur Einz.* Heiden-

tum, Paganismus

page, *sub*, -s Blatt, Page; *(Buch)* Seite; *(hist.)* Knappe; *page* Buchblatt; ~ **gauge** *sub*, -s Kolumnenmaß; ~**boy (cut)** *sub*, -s Pagenfrisur; **pagination** *sub*, -s Paginierung

pagoda, *sub*, -s Pagode; ~ **roof** *sub*, -s Pagodendach

pail, *sub*, -s *(Milch)* Eimer

pain, *sub*, -, - Qual; -s Schmerz; *cry out with pain* vor Schmerz aufschreien; *have aches and pains* körperliche Beschwerden haben; *he was at pains not to talk about it* er vermied es peinlichst, davon zu sprechen; *no pains, no gains* ohne Fleiß kein Preis; *racked with pain* von Schmerzen gepeinigt; *take great pains over* viel Fleiß verwenden auf; *to take great pains* sich große Mühe geben; *writhe in pain* sich vor Schmerzen aufbäumen; ~ **threshold** *sub*, -s Schmerzschwelle; ~**ful** *adj*, peinvoll, qualvoll, schmerzhaft, schmerzvoll; *(geh.)* schmerzlich; *it was so bad it was really painful* es war so schlecht, dass es schon peinlich war; *to make painfully slow progress* nur mühsam vorwärtskommen; ~**ful aftermath** *sub*, *nur Mehrz. (i. ü. S.)* Nachwehen; ~**less** *adj*, schmerzfrei, schmerzlos; ~**s** *sub*,- Wehe; ~**s in the chest** *sub*, *nur Mehrz.* Herzschmerz; ~**staking work** *sub*, *nur Einz.* Kleinarbeit

paint, (1) *sub*, *nur Einz.* Deckfarbe; -s Lack; - *(Anstrich)* Farbe (2) *vt*, anmalen, anstreichen, bemalen, bestreichen, malern, vorstreichen; *(Farbe)* streichen (3) *vti*, malen; *(ugs.)* pinseln; *to paint the town red* auf die Pauke hauen; *von Gogh´s painting* das malerische Schaffen van Goghs; ~ **gold** *vt*, vergolden; ~ **in watercolours** *vt*, aquarellieren; ~ **one´s face** *vt*, bemalen; ~ **over** *vt*, übermalen, überpinseln; *(Lippen)* nachziehen; ~ **remover** *sub*, -s Abbeizmittel; ~ **shop** *sub*, -s Lackiererei; ~**box** *sub*, -es Farbenkasten, Tuschkasten; ~**er** *sub*, -s Anstreicher, Glasmalerin, Maler; *(Schifff.)* Fangleine; *his* *technique as a painter* seine malerischen Mittel

painting, *sub*, *nur Einz*. Bemalung; *-s* Einpinselung, Gemälde; *(Anstreichen)* Anstrich; *nur Einz. (die Bemalung)* Bestreichung; *(einer Fläche, Wunde)* Bepinselung; *-s (Gemälde)* Bild; *be full of paintings* voller Bilder hängen; ~ **(job)** *sub*, *-s* Malerarbeit; ~ **on glass** *sub*, *-s* Glasmalerei

Pakistan, *sub*, *nur Einz*. Pakistan; **~i (1)** *adj*, pakistanisch **(2)** *sub*, *-s* Pakistaner

pal, *sub*, *-s* Kumpel; *(ugs.)* Kompagnon, Kumpan

palace, *sub*, *-s* Hof, Palast; *the princess´s palace* der Hof der Prinzessin; ~ **guard** *sub*, *-s* Palastwache; ~ **revolution** *sub*, *-s* Palastrevolution

paladin, *sub*, *-s (hist.)* Paladin

Palaearctic, *adj*, paläarktisch; **palaeobotany** *sub*, *nur Einz*. Paläobotanik; **Palaeolithic Age** *sub*, *nur Einz*. Altsteinzeit, Paläolithikum

Pal(a)eocene, *sub*, *nur Einz*. Paläozän

palaeontologist, *sub*, *-s* Paläontologe; **palaeontology** *sub*, *nur Einz*. Paläontologie

Palaeozoic, **(1)** *adj*, paläozoisch **(2)** *sub*, *nur Einz*. Paläozoikum

palatable, *adj*, wohlschmeckend; *he found it unpalatable* es mundete ihm nicht

palatal, *sub*, *-s (lt; med.)* Vordergaumen; **~ization** *sub*, *-s* Mouillierung; **~ize** *vt*, mouillieren; **palate** *sub*, *-s* Gaumen; *have a fine palate* einen feinen Gaumen haben

palaver, **(1)** *sub*, *-s* Palaver **(2)** *vi*, palavern

pale, **(1)** *adj*, blass, bleich, fahl, käseweiß, käsig; *(blass)* farblos **(2)** *sub*, *-s* Latte **(3)** *vi*, verbleichen, verblichen; *red makes you look pale* rot macht dich blass; *turn pale* blass werden; *go pale* Farbe verlieren; ~ **blue** *adj*, blassblau; ~ **face** *sub*, *-s* Bleichgesicht; ~ **green** *adj*, blassgrün; ~ **red** *adj*, blassrot; **~ness** *sub*, Blässe

Palestine, *sub*, *nur Einz*. Palästina; **Palestinian** *adj*, palästinisch

palette, *sub*, *-s (Malerei)* Palette

palindrome, *sub*, *-s* Palindrom

palisade, *sub*, *-s* Palisade; **~d ditch** *sub*, *-es (hist.)* Pfahlgraben

pall of haze, *sub*, *-s* Dunstglocke

palm, *sub*, *-s* Palme; *palm sth off on so* jemandem etwas andrehen; *to bear off the palm* die Palme des Sieges erringen; ~ **leaf** *sub*, *leaves* Palmenblatt, Palmenwedel, Palmenzweig, Palmwedel; ~ **of the hand** *sub*, *-s* Handfläche; ~ **sth off on so** *vt*, *(ugs.)* unterjubeln; **~like** *adj*, palmenartig; **~ist** *sub*, *-s* Handleserin

palpable, *adj*, palpabel; **palpitation** *sub*, *-s* Palpitation; **palpitations** *sub*, *nur Mehrz. (med.)* Herzklopfen

paltry, *adj*, kümmerlich

pampas, *sub*, *nur Mehrz.* Pampa; ~ **grass** *sub*, *-es* Pampasgras

pamper, *vt*, hätscheln; *(ugs.)* verhätscheln; **~ed child** *sub*, *-ren* Hätschelkind; **~ing** *sub*, *nur Einz. (ugs.)* Verzärtelung; **pamphlet** *sub*, *-s* Flugschrift, Traktätchen

pan, *sub*, *-s* Pfanne; *brush and pan* Besen und Schaufel; *to bung a couple of eggs in the pan* ein paar Eier in die Pfanne schlagen; *to fall out of the frying-pan into the fire* vom Regen in die Traufe kommen; ~ **handle** *sub*, *-s* Pfannenstiel; **~-Arab** *adj*, panarabisch; **~-Arabism** *sub*, *nur Einz*. Panarabismus; **~-Europe** *sub*, *nur Einz*. Paneuropa

panacea, *sub*, *-s* Allheilmittel

pancake, *sub*, *-s* Eierkuchen, Pfannkuchen; ~ **cut up into small pieces** *sub*, *-s* Schmarren

panchromatic, *adj*, panchromatisch

pancreas, *sub*, *-es (anat.)* Pankreas

panda, *sub*, *-s* Panda

pandering, *adj*, kupplerisch

panel, **(1)** *sub*, *-s* Paneel; *(bei Diskussionen)* Podium; *(leitende Gruppe)* Stab; *(soziol.)* Panel **(2)** *vt*, paneelieren; *(Decke)* täfeln; ~ **discussion** *sub*, *-s (Podiumsgespräch)* Forum; ~ **van** *sub*, *-s* Kastenwagen; **~ing** *sub*, *- (US)* Getäfel; **~led** *adj*, getäfelt; **~ling** *sub*, *-* Getäfel, Verschalung; *-s* Vertäfelung; *nur Einz*. Verzimmerung

panentheism, *sub*, *nur Einz. (philos.)* Panentheismus

pane of glass, *sub*, *-s* Glasscheibe

panic, *sub*, *-s* Panik; *don´t panic!* nur keine Panik!; *panic broke out*

Panik brach aus, *panic stricken von*
Panik ergriffen; **~-buying** *sub, -s*
Hamsterkauf; **~-stricken** *adj,* panisch; *panic-stricken fear* panische
Angst; **~ky** *adj,* kopflos; **~le** *sub, -s*
(bot.) Rispe; **~led** *adj,* rispenförmig
panorama, *sub, -s* Panorama, Rundsicht; **~ coach** *sub, -es* Panoramabus
panpipes, *sub, nur Einz.* Panflöte
pansy, (1) *adj,* penseefarbig **(2)** *sub,
-ies (bot.)* Stiefmütterchen; **~ dress**
sub, -es Penseekleid
pant, *vi,* hecheln, keuchen, lechzen;
~heism *sub, nur Einz.* Pantheismus;
~her *sub, -s* Panter, Panterkatze;
~ies *sub, - (Damen-)* Slip; *nur Mehrz.
(f)* Unterhose; **~ile** *sub, -s (Dach~)*
Pfanne
pantograph, *sub, -s* Pantograph; **~y**
sub, nur Einz. Pantographie
pantry, *sub, -ies* Pantry, Speisekam-
mer
pants, *sub, nur Mehrz. (m)* Unterhose;
~ (tapered at the ankles) *sub, nur
Mehrz.* Karottenhose; **panty hose**
sub, -s (US) Strumpfhose
papacy, *sub, nur Einz.* Papsttum; **papal family** *sub, -ies* Papstfamilie; **Papal States** *sub, nur Mehrz.*
Kirchenstaat
papaya, *sub, -s* Papaya
paper, (1) *sub, -s* Papier **(2)** *vti,* tapezieren; *a sheet of paper* ein Blatt Papier; *to commit one´s thoughts to
paper* sein Gedanken zu Papier bringen; *you can say what you like on
paper* Papier ist geduldig; **~ bank**
sub, -s Altpapierbehälter; **~ basket**
sub, -s Papierkorb; **~ collection** *sub,
- -s* Altpapiersammlung; **~ flower**
sub, -s Papierblume; **~ knife** *sub,
knives* Papiermesser; **~ mill** *sub, -s*
Papierfabrik, Papiermühle; **~clip**
sub, -s Büroklammer, Heftklammer
paper money, *sub, nur Einz.* Papiergeld; **paper plate** *sub, -s* Pappteller;
paper scissors *sub, nur Mehrz.* Papierschere; **paper tiger** *sub, -s (i. ü.
S.)* Papiertiger; **paper-chase** *sub, -s*
Schnitzeljagd; **paperback (1)** *adj,*
broschieren **(2)** *sub, -s* Paperback, Ta-
schenbuch; **paperhanger** *sub, -s* Tapezierer; **paperwork** *sub, -s*
Schreiberei; *there´s so much paperwork we can´t get on with our research* vor lauter Papierkrieg

kommen wir nicht zur Forschung
papier-mâché *sub, -s* Pappmaschee
papilionaceae, *sub, -* Schmetter-
lingsblütler
papism, *sub, nur Einz.* Papismus;
papist *sub, -s* Papist
papoose, *sub, -s* Steckkissen
paprika, *sub, nur Einz. (Gewürz)*
Paprika
papyrus, *sub, -ri* Papyrus
parable, *sub, -s* Gleichnis; *(lit.)* Parabel
parabola, *sub, -s (math.)* Parabel
parachute, *sub, -s* Fallschirm; *open
up one´s parachute* den Fallschirm
öffnen; **~ troops** *sub, nur Mehrz.
(mil.)* Fallschirmtruppe; **parachuting** *sub, - (-springen)* Fallschirm;
parachutist *sub, -s* Fallschirm-
springer
parade, (1) *sub, -s* Defilee; *(festlicher Umzug)* Aufmarsch; *(Festzug)*
Aufzug, Umzug; *(mil.)* Parade **(2)**
vi, paradieren; **~ (before)** *vti,* defilieren; **~ ground** *sub, -s* Exerzier-
platz; **~ leader** *sub, -s*
Aufzugführer; **~ step** *sub, -s* Parademarsch
paradigm, *sub, -s* Paradigma; **~atic
figure** *sub, -s* Idealgestalt
paradise, *sub, -s* Paradies; *a child-
ren´s paradise* ein Paradies für Kinder; *the expulsion from paradise*
die Vertreibung aus dem Paradies;
they were living in paradise da haben sie wie im Paradies gelebt; *this
is paradise* hier ist es paradiesisch
schön
paradox, *sub, -es* Paradox; **~ical**
adj, paradox
paraffin, *sub, -s* Paraffin; *nur Einz.*
Petroleum; **~ic** *adj,* paraffinisch
paragon, *sub, -s* Musterknabe; *a paragon of virtue* ein Muster an Tugend; **~ of virtue** *sub, -s* paragons
Tugendbold, Tugendheldin
paragraph, *sub, -s (Abschnitt)* Paragraf; *(Text)* Abschnitt; *(Textabschnitt)* Absatz; **~ in the press** *sub,
-s* Pressenotiz
parakeet, *sub, -s (zool.)* Sittich
paralexia, *sub, -s (med.)* Paralexie
Paralipomenon *sub, nur Einz.* Paralipomenon
parallax, *sub, -es* Parallaxe

parallel, (1) adj, gleichlaufend, parallel **(2)** sub, -s Parallele; *(elek.) to connect in parallel* parallel schalten, *to draw a parallel to sth* eine Parallele zu etwas ziehen; **~ (case)** sub, -s Parallelfall; **~ bars** sub, nur Mehrz. *(spo.)* Barren; **~ projection** sub, -s Parallelprojektion; **~ism** sub, nur Einz. Parallelismus, Parallelität; **~ogram** sub, -s Parallelogramm
paramater, sub, -s Parameter
parameter, sub, -s *(math.)* Platzhalter
paramilitary, adj, paramilitärisch
paramour, sub, -s Buhle
paranoia, sub, nur Einz. Paranoia; **paranoid** adj, paranoid; **paranormal** adj, paranormal; **paraphrase (1)** sub, -s Paraphrase; *(mit Worten)* Umschreibung **(2)** vt, paraphrasieren; *(mit anderen Worten ausdrücken)* umschreiben
paraplegia, sub, -s Querschnittslähmung; **parapsychology** sub, nur Einz. Parapsychologie
parasite, sub, -s Parasit; *(biol.)* Schmarotzer; **~ plant** sub, -s Gastpflanze; **parasitic plant** sub, -s Schmarotzerpflanze; **parasitic(al)** adj, parasitär, parasitisch; **parasitism** sub, nur Einz. Parasitentum
parasol, sub, -s *(Straße)* Sonnenschirm; **~ mushroom** sub, -s Parasolpilz
parasympathetic nervous system, sub, -s Parasympathikus
paratrooper, sub, - *(mil.)* Fallschirmjäger
parcel, sub, -s Päckchen; *(Post)* Paket; *to post a small parcel* ein Päckchen aufgeben; *to make up a parcel* ein Paket packen; **~ of land** sub, parcels Parzelle; **~ out** vt, parzellieren; **~led goods** sub, nur Mehrz. Stückgut; **~s office** sub, -s Paketannahme
parchment, sub, -s *(Handschrift)* Pergament
pardon, (1) interj, bitte **(2)** sub, -s Begnadigung, Pardon **(3)** vt, begnadigen, pardonieren; *I beg your pardon?* wie meinen Sie?, *to ask sb´s pardon* jmdn um Pardon bitten
parent ship, sub, -s Mutterschiff; **parental** adj, elterlich; **parental home** sub, -s Vaterhaus; **parental love** sub, nur Einz. Elternliebe; **parenthesis** sub, -theses Parenthese; **parenthood**

sub, -s *(Eltern sein)* Elternschaft; **parents** sub, nur Mehrz. Eltern; **parents-in-law** sub, nur Mehrz. Schwiegereltern; **parents´ evening** sub, -s Elternabend; **parents´ association** sub, -s Elternbeirat; *(Eltern sein)* Elternschaft
par excellence, adv, katexochen
pariah, sub, -s Paria
parietal eye, sub, -s Parietalauge
parish, (1) attr, pfarreilich **(2)** sub, -es Pfarrei; *(Kirchen-)* Gemeinde; *(Pfarrers-)* Sprengel; **~ church** sub, -es Pfarrkirche; **~ hall** sub, -s *(kirchl.)* Gemeindehaus; **~ priest** sub, -s Pastor, Pastorin; *(kath., evang.)* Pfarrer; **~ register** sub, -s Taufregister
Parisian, adj, Pariser, pariserisch
Paris in miniature, sub, nur Einz. Klein-Paris
parity, sub, -ies Parität
park, (1) sub, -s Grünanlage, Park **(2)** vt, parken; *a parked car* ein parkendes Auto; *no Parking!* parken verboten!; *there is no parking here* hier ist Parkverbot; **~ bench** sub, -es Parkbank; **~ oneself on sb** vr, einlogieren
parka, sub, -s Parka
parking ban, sub, -s Parkverbot; **parking disc** sub, -s Parkscheibe; **parking level** sub, -s Parkdeck; **parking light** sub, -s Parkleuchte; **parking meter** sub, -s Parkuhr; **parking offender** sub, -s Falschparker; **parking place** sub, -s Stellplatz; **parking space** sub, -s Parkraum, Stellfläche; *(für einzelne Autos)* Parkplatz; **parking time** sub, -s Parkzeit
parliament, sub, -s Abgeordnetenhaus, Bundestag, Parlament, Reichstag; *to dissolve parliament* das Parlament auflösen; *to elect sb to parliament* jmdn ins Parlament wählen; *to govern by a parliament* parlamentarisch regieren; **~arian** sub, -s Parlamentarier; **~arianism** sub, nur Einz. Parlamentarismus; **~ary** adj, parlamentarisch; *parliamentary democracy* parlamentarische Demokratie; **~ary allowance** sub, -s Diäten; **~ary bill** sub, -s Lex; **~ary party** sub, -ies *(Parlament)*

Fraktion; **~ary term** *sub, -s* Legislaturperiode

parlourmaid, *sub, -s* Stubenmädchen

Parmesan, *adj,* parmesanisch; **~ (cheese)** *sub, nur Einz.* Parmesan; **Parnassian** *adj,* parnassisch

parodist, *sub, -s* Parodist; **~ic** *adj,* parodistisch

parody, (1) *sub, -ies* Parodie **(2)** *vt,* parodieren; *(ugs.)* verballhornen; *he is now only a parody of his former self* er ist nur noch eine Parodie seiner selbst, *parody* parodistische Sendung; **~ mass** *sub, -es* Parodiemesse

parole, *sub, -s* Tageslosung

parquet, (1) *sub, -s (Fußboden)* Parkett **(2)** *vt,* parkettieren; *in international circles* auf dem internationalen Parkett; *to lay parquet in a room* ein Zimmer mit Parkett auslegen; **~ floor** *sub, -s* Parkettboden

parquet layer, *sub, -s* Parkettleger

parry, (1) *sub, -s (Boxen)* Parade **(2)** *vt,* parieren

parse, *vt, (tt; gram)* zerlegen; **parsley** *sub, nur Einz.* Petersilie; **parsnip** *sub, -s (bot.)* Pastinak

part, (1) *sub, -s* Bruchteil; *(Abschnitt)* Stück; *(Bruchteil)* Teil; *(Teil, Ausschnitt)* Partie **(2)** *vt,* scheiden **(3)** *vr,* trennen, zerteilen; *for the most part* zum größten Teil; *I, for my part* ich für meinen Teil; *the greater part of it* der größte Teil davon; *a non-speaking part* eine stumme Person; *have a part in sth* an etwas Anteil haben; *I can´t bear to part with these shoes* von diesen Schuhen kann ich mich nicht trennen; *I for my part* ich für meinerseits; *it´s all part of it* das gehört mit dazu; *that´s part and parcel of it* das gehört mit dazu; *(i. ü. S.) to have played one´s part* seine Rolle ausgespielt haben; *to take an active part in lessons* beim Unterricht mitarbeiten; **~ of a building** *sub, -s* Gebäudeteil; **~ of a sentence** *sub, -s* Satzteil; **~ of town** *sub, parts* Stadtviertel; **~ performance** *sub, -s* Teilleistung; **~ writing** *sub, -s* Stimmführung; **~-time employment** *sub, -s* Teilzeitarbeit; **~ial** *adj,* partiell, teilweise; **~ial fraction** *sub, -s (math.)* Partialbruch; **~ial product** *sub, -s* Teilfabrikat; **~ial view**

sub, -s Teilansicht; **~ially sighted** *adj,* sehbehindert

participant, *sub, -s* Mitwirkende, Teilnehmer, Teilnehmerin; **~ in a discussion** *sub, -s* Diskutant; **participate** *vi,* beteiligen, partizipieren, teilhaben, teilnehmen; **participate (in)** *vi, (spo.)* antreten; **participation** *sub, nur Einz.* Beteiligung, Mitbestimmung; **-s** Partizipation; *(Beteiligung)* Teilnahme; *worker participation* Mitbestimmung der Arbeiter

participle, *sub, -s* Partizip; *present participle* Partizip Präsens

particle, *sub, -s* Partikel, Teilchen; **particular** *adj,* wählerisch; *(bestimmte)* besondere; *(heikel)* anspruchsvoll; *(mit "sein")* eigen; *(Sache)* bestimmt; *there is a particular reason for that* dies hat einen besonderen Grund; *this particular case* dieser besondere Fall; *be very particular about* etwas genau nehmen; **particular case** *sub, -s* Einzelfall; *in particular cases* im Einzelfall; **particular nature** *sub, -s (Wesen)* Eigenart; **particularism** *sub, nur Einz.* Partikularismus; **particularly** *adv,* insbesondere, sonderlich; **particulars** *sub, nur Mehrz.* Personalien

parting, *sub, -s (Abschied)* Trennung; *(Haare)* Scheitel

partisan, *sub, -s* Partisan; **~ship** *sub, -s* Parteinahme

partition, *sub, -s* Zwischenwand; **~ (wall)** *sub, -s (tt; arch.)* Wand; **~ed room** *sub, -s* Verschlag

partitive, *adj, (gramm.)* partitiv

partly, *adv,* bedingt, teilweise; **~ furnished** *adj,* teilmöbliert; **~ responsible** *adj, (Unfall)* mitschuldig

partner, *sub, -s* Beteiligte, Mitkämpferin, Partner, Sozius, Teilhaber, Teilhaberin; *to be sb´s partner* als jmds Partner spielen; **~ (country)** *sub, -s (-ies)* Partnerland, Partnerstaat; **~ in life** *sub, -s (Lebens-)* Gefährte; **~-swopping** *sub, -s (sexuell)* Partnertausch; **~ship** *sub, -s* Partnerschaft

partridge, *sub, -s* Rebhuhn

party, *sub, -ies* Feier; *-s* Fest; *-ies* Fete, Partei, Party; *have a party* ein

Fest feiern; *it´s not every day you get a chance to celebrate* man muss die Feste feiern wie sie fallen; *the disputing parties* die streitenden Parteien; *to change parties* die Partei wechseln; *at a party* auf einer Party; *have a leaving party* seinen Ausstand geben; *to go to a party* zu einer Party gehen; *to have a party* eine Party geben; ~ **branch exchange** sub, -s Sammelanschluss; ~ **chairman** sub, -men (Partei) Geschäftsleitung; ~ **game** sub, -s Gesellschaftsspiel; ~ **leader** sub, -s Parteichefin, Parteiführer; ~ **leadership** sub, -s Parteispitze; ~ **line** sub, -s Parteilinie; *to tow the party line* auf die Parteilinie einschwenken; ~ **on the eve of a wedding at which old crockery is smashed to bring luck** sub, - Polterabend; ~ **organ** sub, -s Parteiorgan; ~ **programme** sub, -s Parteiprogramm; ~ **supporter** sub, -s Parteigänger; ~ **to a (collective) wage agreement** sub, parties Tarifpartner
parvenu, sub, -s Parvenü
pasha, sub, -s Pascha
passable, adj, begehbar, leidlich, passierbar; *(Brücke etc.)* befahrbar; **passage** sub, -s Passage, Passus; *(Weg)* Durchgang; *block the passage* den Durchgang versperren; **passage (march) through** sub, -s *(Leute)* Durchzug
passé, adj, passé; **passe-partout** sub, -s Passepartout
passenger, sub, -s Fahrgast, Fluggast, Passagier; *(Personenwagen)* Beifahrer; ~ **train** sub, -s Personenzug; **passer-by** sub, nur Einz. Durchgänger; **passers-by** Passant; **passing** sub, nur Einz. *(einer Prüfung)* Bestehen; -s *(tt; polit.)* Verabschiedung; **passing fancy** sub, -ies *(i. ü. S.)* Strohfeuer; **passing of a resolution** sub, - of -s Beschlussfassung; **passing through** sub, -s Durchfahrt
passion, sub, -s Leidenschaft, Passion; *nur Einz. (relig.)* Passion, Passionsweg; ~ **for gossip** sub, - Klatschsucht; ~ **fruit** sub, -s Maracuja; ~**ate** adj, leidenschaftlich, ungestüm; *(Rede)* feurig; ~**ately loved** adj, heiß geliebt
passive, adj, passiv; *to be passive* sich passiv verhalten; ~ **(voice)** sub, -s

Passiv; *the verb is in the passive voice* das Verb steht im Passiv; ~ **voice** sub, -s Leideform; ~**ness** sub, nur Einz. Passivität
pass on, vt, weitererzählen, weitergeben, weiterleiten, weitersagen; *(mitteilen)* ausrichten; *pass sth on to so* jemandem etwas ausrichten; *She will pass it on* Sie wird es ihm ausrichten; ~ **by telephone** vt, durchgeben; **pass out** vi, *(ugs.; ohnmächtig werden)* umfallen, umkippen; **pass over sth** vi, hinwegziehen; **pass rate** sub, -s *(Prüfungen)* Erfolgsquote; **pass sentence on** vt, *(jur.)* fällen; **pass through** vt, durchreichen; *(Gemüse)* durchdrücken; *(Land)* durchziehen; *(Sieb)* durchstreichen; *pass sth through sth* etwas durch etwas durchreichen; **pass to so** vti, *(spo.)* anspielen; **passability** sub, -ies *(Weg)* Gangbarkeit
Passover, sub, nur Einz. Passah
passport, sub, -s Reisepass; *(Ausweis)* Pass; *passports please!* Passkontrolle!; ~ **control** sub, -s Passkontrolle; ~ **photograph** sub, -s Passbild, Passfoto
passtime, sub, - Zeitvertreib; **password** sub, -s Kennwort, Losung, Losungswort, Passwort, Tageslosung; *(mil.)* Parole
past, **(1)** adj, vergangen **(2)** adv, vorbei **(3)** sub, - Vergangenheit; *five past twelve* fünf nach zwölf; *he´s past it* er gehört zum alten Eisen; *it is past five* es ist fünf (Uhr) durch; *make a break with one´s past* mit seiner Vergangenheit aufräumen; *past eighty* über achtzig Jahre alt; *she´s past fourty already* sie hat die Vierzig schon überschritten; *that´s all in the past* das war einmal; ~ **(life)** sub, - Vorleben; ~ **perfect** sub, -s Plusquamperfekt
pasta, sub, nur Einz. Nudel; - Tagliatelle; nur Einz. Teigwaren; **paste** sub, -s Kleister, Paste, Strass; **paste pot** sub, -s Kleistertopf; **pastel (1)** adj, pastellfarben **(2)** sub, -s Pastell, Pastellfarbe; *to paint sth in pastels* etwas pastellfarben streichen; **pastel (crayon)** sub, -s Pastellstift
pastering, sub, nur Einz. Piesak-

kerei

pastern, *sub*, *-s* (*anat. Tier*) Fessel, (*zool.*) Fesselgelenk

pasteurization, *sub*, *-s* Pasteurisation, Pasteurisierung; **pasteurize** *vt*, pasteurisieren

pastiche, *sub*, *-s* Persiflage

pastille, *sub*, *-s* Pastille

pastry, *sub*, *-ies* Gebäck, Teig; ~ **board** *sub*, *-s* Kuchenbrett; ~ **bowl** *sub*, *-s* Teigschüssel; ~ **fork** *sub*, *-s* Kuchengabel; ~ **jagging wheel** *sub*, *-s* Teigrädchen; ~ **kitchen** *sub*, *-s* Patisserie; ~**-cook** *sub*, *-s* Konditor, Kuchenbäcker

pasturage, *sub*, *-s* Weideland; ~ **right** *sub*, *- -s* Abtrift; **pasture** *sub*, *-s* (*agrar*) Weide; **pasturing** *adj*, koppelgängig

pasty, *adj*, käsig

pat, (1) *vi*, (*Tier*) tapsen (2) *vt*, tätscheln

Patagonian, *adj*, patagonisch

patch, *sub*, *-es* Flicken; (*für Gemüse*) Beet; ~ **up** *vt*, (*i. ü. S.*) kitten

patchouli, *sub*, *nur Einz.* Patschuli; ~ **oil** *sub*, *-s* Patschuliöl

patchwork, *sub*, *-s* Flickarbeit; *nur Einz.* Patchwork; *-s* Stückwerk; ~ **quilt** *sub*, *-s* Flickendecke

pâte, *sub*, *-s* (*Leber- etc.*) Pastete

paten, *sub*, *-s* (*kirchl.*) Patene

patent, (1) *sub*, *-s* (*Erfindung*) Patent (2) *vt*, patentieren; *patent pending* zum Patent angemeldet; *to apply for a patent on sth* etwas zum Patent anmelden; *to have sth patented* sich etwas patentieren lassen; ~ **law** *sub*, *-s* Patentrecht; ~ **leather** *sub*, *- -* Lackleder; **Patent Office** *sub*, *-s* Patentamt; ~ **remedy** *sub*, *-ies* Patentlösung, Patentrezept; ~ **right** *sub*, *-s* Patentschutz; ~**-leather boot** *sub*, *-s* Lackstiefel; ~**able** *adj*, patentfähig

paternal, *adj*, väterlich; **paternity** *sub*, *-s* (*tt; jur.*) Vaterschaft; **paternoster** *sub*, *-s* (*Aufzug*) Paternoster

path, *sub*, *-s* Pfad, Trampelpfad; - Weg; *to follow the path of virtue* auf dem Pfad der Tugend wandeln; *tread new paths* neue Wege beschreiten; ~ **of a bullet through the body** *sub*, *-s* (*med.*) Schusskanal

pathetic, *adj*, jämmerlich, kläglich; ~ **concoction** *sub*, *-s* Elaborat

pathogene, *sub*, *-s* Krankheitserreger; ~ **als** *sub*, *geneses Pathogene**se; **pathogenic** *adj*, pathogen; **pathological** *adj*, krankhaft, pathologisch; **pathologist** *sub*, *-s* Pathologe; **pathology** *sub*, *nur Einz.* Pathologie

patience, *sub*, *nur Einz.* Geduld, Patience; (*Geduld*) Ausdauer; *be patient with* Geduld haben mit; *lose one´s patience* die Geduld verlieren; *patience is a virtue* mit Geduld und Spucke; *to play patience* eine Patience legen; ~ **of a saint** *sub*, *nur Einz.* Engelsgeduld; ~ **of a saint** *sub*, *nur Einz.* Lammesgeduld; **patient** (1) *adj*, geduldig (2) *sub*, *-s* Kranke, Patient; *be patient* Geduld üben

patinate, *vt*, patinieren; *to patinate* Patina ansetzen

patio, *sub*, *-s* Patio

patisserie, *sub*, *-s* Feinbäckerei

patogen, *sub*, *-s* Erreger

patriarch, *sub*, *-s* Erzpriester, Patriarch; ~**al** *adj*, patriarchalisch; ~**y** *sub*, *nur Einz.* Patriarchat; **patrician** *sub*, *-s* Patrizier, Patrizierin

patriot, *sub*, *-s* Patriot; ~**ic** *adj*, patriotisch; ~**ism** *sub*, *nur Einz.* Patriotismus; **patristic** (1) *adj*, (*theol.*) patristisch (2) *sub*, *-s* Patristiker

patrol, (1) *sub*, *-s* Patrouille, Streife, Streifengang (2) *vi*, patrouillieren (3) *vt*, (*kontrollieren*) abgehen; (*Strecke*) abfliegen

patron, *sub*, *-s* Gönner, Mäzen, Schirmherr; (*Schirmherr*) Patron, Patronin; ~ **saint** *sub*, *-s* Schutzheilige; (*rel.*) Patron, Patronin; ~**age** *sub*, *nur Einz.* Mäzenatentum; Patronage, Patronat; ~**ess** *sub*, *-es* Schirmherrin; ~**izing expression** *sub*, *-s* Gönnermiene; ~**izing treatment** *sub*, *-s* (*polit.*) Bevormundung

patter, *vi*, (*Regen*) plätschern

pattern, (1) *sub*, *-s* Dessin, Pattern, Schnittmuster; - Vorlage; *-s* (*Vorlage*) Muster (2) *vt*, dessinieren; *to knit from a pattern* nach einem Muster stricken; ~ **card** *sub*, *-s* Musterkarte

paunch, *sub*, *-es* Bauch, Wamme; (*ugs.*) Wampe; ~**y** *adj*, speckbäuchig

pauperism, *sub*, *nur Einz*. Pauperismus

pause, (1) *sub*, *-s (Innehalten)* Pause (2) *vi*, innehalten, verharren; *(innehalten)* einhalten

pavan(e), *sub*, *-s* Pavane

pave, *vt*, bepflastern; ~ **the way for** *vt*, anbahnen; ~**ment** *sub*, *-s* Bürgersteig, Gehsteig, Gehweg, Trottoir; *on the pavement* auf dem Bürgersteig; ~**ment artist** *sub*, *-s* Pflastermaler; ~**r** *sub*, *-s* Plattenleger

pavilion, *sub*, *-s* Pavillon

pawl, *sub*, *-s* Sperrklinke

pawn, (1) *sub*, *-s (Schachspiel)* Bauer (2) *vt*, verpfänden; ~ **ticket** *sub*, *-s* Pfandschein, Pfandzettel; ~**broker** *sub*, *-s* Pfandleiher; ~**ing** *sub*, *-s* Verpfändung; ~**shop** *sub*, *-s* Leihhaus, Pfandhaus

pay, (1) *sub*, *-s* Sold; *(Einkommen)* Gehalt; *(Schiff.)* Heuer; *nur Einz. (von Lohn)* Bezahlung (2) *vi*, bezahlen (3) *vir*, rentieren (4) *vt*, begleichen, besolden, entrichten (5) *vti*, zahlen; *be paid by so* bei jemandem abkassieren; *immediate payment with money* cash bezahlen; *it doesn´t pay* das bringt nichts ein; *payable by May 31* zum 31 Mai fällig werden; *to pay in kind* in Naturalien bezahlen; *you´ll pay for being so lazy* deine Faulheit wird sich rächen; *you´ll pay for that!* das hast du nicht umsonst getan!, *pay taxes* Steuern entrichten, *(i. ü. S.) to pay a high price* einen hohen Preis zahlen; ~ **(a fee)** *vt*, honorieren; ~ **(for)** *vti*, bezahlen; *be unable to pay for sth* etwas nicht bezahlen können; *pay dearly for sth* etwas teuer bezahlen; ~ **(out)** *vt*, auszahlen; ~ **a bit more** *vt*, draufzahlen; ~ **a deposit** *vt*, anzahlen; ~ **attention** *vt*, *(Aufmerksamkeit schenken)* beachten; *(zuhören)* aufpassen; ~ **back** *vt*, zurückbezahlen, zurückzahlen; ~ **duty on** *vt*, verzollen; ~ **extra** (1) *vi*, zuzahlen (2) *vti*, nachzahlen; ~ **for** (1) *vi*, *(für Kosten)* aufkommen (2) *vt*, entgelten; *(jemanden)* freihalten; *(Lebensunterhalt etc.)* bestreiten; *make so pay for sth* jmd für etwas entgelten lassen; *pay so for sth* jmd für etwas entgelten; ~ **for by instalments** *vt*, *(ugs.)* abstottern

pay freeze, *sub*, *-s* Lohnstopp; **pay**

homage to *vi*, huldigen; **pay in advance** *vt*, vorauszahlen; **pay interest on** *vt*, *(tt; wirt.)* verzinsen; **pay later** *vti*, *(später zahlen)* nachzahlen; **pay off** (1) *vi*, auszahlen (2) *vr*, rechnen (3) *vt*, abbezahlen, abfinden, abmustern, abzahlen; *(Schuld)* abgelten, tilgen; *(Schulden)* abtragen; *it doesn´t pay* es zahlt sich nicht aus; *it´ll pay off in the end* es wird sich auszahlen; **pay out** *vt*, ausbezahlen; *(Kabel)* abrollen; **pay packet** *sub*, *-s* Lohntüte

paying off, *sub*, *-s* - Abmusterung; *(von Schulden)* Abtragung; **payload** *sub*, *-s* Nutzlast; **paymaster** *sub*, *-s* Zahlmeister; **payment** *sub*, *-s* Abgeltung, Abzahlung, Begleichung, Besoldung, Bestreitung, Einzahlung, Entgelt, Entlohnung, Entrichtung, Honorierung, Zahlung, Zuwendung; *(Auszahlen; Geldbetrag)* Auszahlung; *(von Dienstleistungen, Waren)* Bezahlung; *ask so for payment of* eine ausstehende Zahlung bei jemandem anmahnen; **payment by instalment** *sub*, *-s* Ratenzahlung; **payment in kind** *sub*, *payments* Naturallohn; **payment of interest** *sub*, *- (tt; wirt.)* Verzinsung; **payment of kind** *sub*, *-s* Sachleistung; **payment of the rent** *sub*, *payments* Mietzahlung; **payment on account** *pron*, Abschlagszahlung; **payments office** *sub*, *-s* Zahlstelle; **payoff** *sub*, Abbezahlung

pay phone, *sub*, *-s* Münzapparat, Münzfernsprecher; **pay s.b. back** *vt*, heimzahlen; **pay sb** *vt*, entlohnen; **pay slip** *sub*, *-s* Lohnzettel; **pay so** *vt*, zuwenden; **pay tax on** *vt*, versteuern; **pay too much** *vt*, überbezahlen; **pay TV** *sub*, *nur Einz*. Pay-TV; **pay-day** *pron*, *(ugs.)* Zahltag; **payable** *adj*, zahlbar; **payee** *sub*, *-s* Remittent; **paying guest** *sub*, *-s* Pensionsgast

pea, *sub*, *-s* Erbse; *as like as two peas* wie ein Ei dem anderen gleichen; *they are like as two peas* sie gleichen sich wie ein Ei dem anderen; ~ **soup** *sub*, *nur Einz*. Erbsensuppe; *pea-supper* der Nebel ist so dick wie Erbsensuppe

peace, *sub*, *nur Einz*. Friede; - Geruhsamkeit; *nur Einz.* Ruhe; *he may rest in peace* er ruhe in Frieden; *keep the peace* Frieden bewahren; *make one´s peace with* seinen Frieden machen mit; *make peace* Frieden schließen; *(ugs.) to leave so in peace* jemanden ungeschoren lassen; ~ **and quiet** sub, - *(i. ü. S.)* Ungestörtheit; ~ **envoy** sub, -s Parlamentär; ~ **movement** sub, -s Friedensbewegung; ~ **settlement** sub, -s Friedensschluss; ~ **treaty** sub, -ies Friedensvertrag; ~**able** adj, friedfertig; ~**ful** adj, friedlich, geruhsam; ~**ful intercourse** sub, nur Einz. (Koexistenz) Auskommen; ~**loving** adj, friedliebend; ~**time** sub, nur Einz. Friedenszeit

peach, sub, sub Pfirsich; ~ **skin** sub, nur Einz. Pfirsichhaut; ~ **tree** sub, -s Pfirsichbaum

peacock, sub, -s Pfau; *he struts around like a peacock* er stolziert daher wie ein Pfau; ~ **butterfly** sub, -ies (Tag~) Pfauenauge; ~ **moth** sub, -s (Nacht~) Pfauenauge

peak, sub, -s Höchststand, Mützenschirm, Piz; (Berg) Gipfel; ~ **hours** sub, - Hochbetrieb; ~ **performance** sub, -s (tech.) Spitzenleistung; ~ **season** sub, -s Hauptsaison; ~ (Hochsaison) Hochbetrieb; ~ **value** sub, -s Spitzenwert; ~**ed cap** sub, -s Schirmmütze

peal of bells, sub, -s Glockenklang; **peal of thunder** sub, -s Donnerschlag

peanut, sub, -s Erdnuss; *(i. ü. S.)* peanuts kleine Fische (Kleinigk); *these are peanuts* das sind nur Kleinigkeiten

pear, sub, -s Birne; ~**-shaped** adj, birnenförmig; ~**-tree** sub, -s Birnbaum; ~**-wood** sub, nur Einz. Birnbaum

pearl, sub, nur Einz. Perl; -s Perle, Perlschrift; *to cast pearls before swine* Perlen vor die Säue werfen; *thread pearls* Perlen aufreihen; ~ **necklace** sub, -s Perlenkette; ~ **oyster** sub, -s Perlmuschel; ~ **white** adj, perlweiß

peasant, sub, -s (ugs.) Primitivling; **Peasants´ War** sub, peasants´ wars Bauernkrieg

pebble, sub, -s Kiesel

peck, (1) sub, -s Küsschen, Schnabelhieb (2) vti, picken; ~**ing order**

sub, -s Hackordnung

pectin, sub, -s Pektin

pectoral cross, sub, -es (kirchl.) Pektorale

peculiar, adj, eigenartig, eigentümlich; ~**ity** sub, -ies Eigenheit; (Charakterzug) Eigenart

pedal, (1) sub, -s Pedal (2) vi, (Radfahrer) treten; *to pedal hard* in die Pedale treten; ~ **boat** sub, -s Tretboot; ~ **car** sub, -s Tretauto

pedant, sub, -s Pedant; ~**ic** adj, pedantisch; ~**ry** sub, nur Einz. Pedanterie

pederast, sub, -s Päderast; ~**y** sub, nur Einz. Päderastie

pedestal, sub, -s Piedestal, Postament; (Sockel) Podest; (Statue) Sockel

pedestrian, sub, -s Fußgänger, Fußgängerin

pedicure, sub, nur Einz. Pediküre; **pedicurist** sub, -s Fußpflegerin

pedigree, sub, -s (zool.) Stammbaum

pediment, sub, -s (Zier-) Giebel

pedlar, sub, -s Höker

pedometer, sub, -s Hodometer, Pedometer

pee, vi, pinkeln, strullen

peep, vi, (dial.) linsen; (ugs.) linsen, luchsen; *peep through the gap in the fence* durch die Zaunlücke spähen; ~ **show** sub, -s Peepshow; ~**hole** sub, -s Guckfenster, Guckloch; ~**ing Tom** sub, -s (i. ü. S.; Voyeur) Spanner

peer, vi, (verstoblen) spähen; ~**ing** sub, -s Späherei

peeved, adj, pikiert; *she looked peeved* sie machte ein pikiertes Gesicht

peg, sub, -s Klammer, Pflock; (einer Geschichte) Aufhänger; *a suit off the peg* ein Anzug von der Stange; ~ **on** vt, (Wäsche) festklammern

Pegnitz order, sub, nur Einz. (hist.) Pegnitzorden

pekinese, sub, -s Pekinese

pelagic region, sub, nur Einz. Pelagial

pelican, sub, -s Pelikan

pellet, sub, -s Schrotkugel; ~**ize** vt, pelletieren

pellucid, adj, transparent; ~**ity** sub, nur Einz. Transparenz

pelmet, *sub, -s (Vorhang)* Überhang

pelvis, *sub, -ves (anat.)* Becken; **~ of the kidney** *sub, -ses oder -ves* Nierenbecken

pemmican, *sub, nur Einz.* Pemmikan

pen, *sub, -s (Schreib-)* Feder; *(Schreibgerät)* Stift; *quillpen* Gänsefeder; *take up one´s pen* zur Feder greifen; *(geh.) wield a sharp pen* eine spitze Feder führen; **PEN Club** *sub, nur Einz.* P.E.N.-Club; **~-and-ink drawing** *sub, -s* Tuschzeichnung; **~-friend** *sub, -s* Briefpartner

penal authority, *sub, -ies* Strafgewalt; **penal charge** *sub, -s* Strafanzeige; **penal institution** *sub, -s* Strafanstalt; **penal law** *sub, -s* Strafgesetz; **penal system** *sub, -s* Strafvollzug; **penalty** *sub, -ies* Elfmeter, Elfmetertor, Penalty; *(spo.)* Strafe; *take a penalty* einen Elfmeter schießen; *under penalty of* unter Androhung von; **penalty kick** *sub, -s* Strafstoß; **penalty minute** *sub, -s* Strafminute; **penalty of honour** *sub, -ies* Ehrenstrafe; **penalty point** *sub, -s* Strafpunkt

penance, *sub, nur Einz.* Buße; *-s* Kirchenbuße

pencil, *sub, -s* Bleistift; *pencil-sharpener* Bleistiftspitzer

pendant, *sub, -s (Schmuck)* Anhänger; **~s** *sub, -* Gehänge

pendule, *sub, -s* Pendüle; **pendulum** *sub, -s* Pendel, Perpendikel; *the pendulum swung in the other direction* das Pendel schlug nach der entgegengesetzten Seite aus

penetrate, **(1)** *vi, (geh.)* dringen **(2)** *vt,* eindringen, penetrieren; *(durch etw.dringen)* durchdringen; *penetrate into a forest/maze* in einen Wald/ein Labyrint eindringen; *penetrate the darkness* die Dunkelheit durchdringen; **~d** *adj,* durchdrungen; **penetration** *sub, -s* Penetration

penfriend, *sub, -s* Brieffreund

penguin, *sub, -s* Pinguin

penicillin, *sub, -s* Penicillin, Penizillin

peninsula, *sub, -s* Halbinsel, Peninsula

penis, *sub, -es oder penises* Penis; *-s (Penis)* Glied; **penitent (1)** *adj,* bußfertig **(2)** *sub, -s* Pönitent; *(bibl.)* Büßer

penknife, *sub, -ves* Federmesser, Klappmesser

pennant, *sub, -s* Fähnlein, Wimpel

penny, *sub, pence oder -ies* Penny; *a penny for your thought* ich möchte deine Gedanken lesen können; *be penniless* mittellos dastehen; *down to the last penny* auf Heller und Pfennig; *he hasn´t got a penny to his name* er hat keinen Pfennig Geld; *not a single penny* keine müde Mark; *(i. ü. S.) not worth a penny* keinen Groschen wert; *(ugs.; WC) spend a penny* auf die Toilette gehen; *take care of the pennies, and the pounds will look after themselves* wer der Pfennig nicht ehrt, ist den Taler nicht wert; *(ugs.) that cost a pretty penny* es hat eine hübsche Summe gekostet; *(ugs.) that´ll cost a pretty penny* das kostet einen ganzen Batzen; *(i. ü. S.) the penny has dropped* der Groschen ist gefallen; *to count every penny* auf den Pfennig schauen; *to have to count every penny* mit jeder Mark rechnen müssen; *to think twice about every penny one spends* jeden Pfennig dreimal umdrehen

penpusher, *sub, -s* Federfuchser

pension, *sub, -s* Rente; *(Ruhegehalt)* Pension; **~ fund** *sub, -s* Pensionskasse; **~ scheme** *sub, -s* Rentenversicherung; **~er** *sub, -s* Rentier, Rentner; *(im Ruhestand)* Pensionär; **~ing-off** *sub, -s (Vorgang)* Pensionierung

pensive, *adj,* versonnen

pentagon, *sub, -s* Pentagon; **pentagram** *sub, -s* Drudenfuß, Pentagramm; **pentahedron** *sub, -s* Pentaeder; **pentameter** *sub, -s* Pentameter; **pentathlon** *sub, -s* Pentathlon; **pentatonic scale** *sub, nur Einz.* Pentatonik

penthouse, *sub, -s* Penthaus, Penthouse

peony, *sub, -ies* Pfingstrose

people, *sub, Mz.* Leute; *-s* Volk; *nur Mehrz. (Gattung)* Mensch; *10 people were killed* es gab 10 Tote; *people* Personen; *people used to believe* früher glaubte man; *(i. ü. S.) that´s how the best people do it* das gehört zum guten Ton; *the people of Germany* Deutschlands Bevölkerung; *to meet a lot of* *people* viel unter Menschen kommen; *we still need a few people* es fehlen uns immer noch einige Leute; *you have to take people as they come* man muss die Menschen nehmen, wie sie sind; ~ **like myself** *sub, nur Mehrz. (meiner Art)* meinesgleichen; ~ **like you** *sub, nur Mehrz.* deinesgleichen; ~ **seeking advice** *sub, nur Mehrz.* Ratsuchende; ~ **sharing a flat** *sub, - (i. ü. S.)* Wohngemeinschaft; ~ **willing to work** *sub, nur Mehrz.* Arbeitswillige; ~´s **republic** *sub, -s* Volksrepublik

pep, *sub, nur Einz.* Pep; *to put a bit of pep into sth* etwas mit Pep machen; ~ **up** *vt, (ugs.)* aufpeppen

pepper, (1) *sub, -s* Pfeffer; *(Schote)* Paprika **(2)** *vt, (Küche)* pfeffern; *salt and pepper* Pfeffer und Salz; ~ **steak** *sub, -s* Pfeffersteak; ~**-mill** *sub, -s* Pfeffermühle; ~**mint** *sub, nur Einz.* Pfefferminze

pepsin, *sub, -s* Pepsin

per, (1) *adv,* je **(2)** *präp,* pro; *per se* per se; ~ **cent (1)** *adj,* prozentisch **(2)** *sub, -* Prozent; ~ **cent rate** *sub, -s* Prozentkurs; ~ **line** *adj,* zeilenweise; ~ **se** *adv,* schlechthin, schlechtweg

perboric acid, *sub, nur Einz.* Perborsäure

percale, *sub, nur Einz.* Perkal

perceive, *vt,* konstatieren, perzipieren

percentage, (1) *adj,* prozentual, prozentuell **(2)** *sub, -s* Hundertsatz, Prozentsatz, Prozentwert; ~ **point** *sub, -s* Prozentpunkt

perceptible, *adj,* bemerkbar; **perception** *sub, -s* Perzeption, Wahrnehmung; **perceptive** *adj,* divinatorisch, hellsichtig; **perceptive faculty** *sub, -ies* Auffassungsgabe

perch, *sub, -es (zool.)* Barsch

percolate, *sub, -s* Perkolat

percussion, *sub, -s* Percussion, Perkussion

percutaneous, *adj,* perkutan

peregrine (falcon), *sub, -s (tt; zool.)* Wanderfalke

perestroika, *sub, nur Einz.* Perestroika

perfect, (1) *adj,* einwandfrei, perfekt, vollendet, vollkommen **(2)** *vt,* perfektionieren, vervollkommnen; *perfect world* heile Welt; *to speak*

English perfectly perfekt Englisch sprechen; *to speak perfect English* perfekt Englisch sprechen; ~ **(tense)** *sub, -s* Perfekt; ~**ion** *sub, nur Einz.* Perfektion; ~**ionism** *sub, nur Einz.* Perfektionismus; ~**ionist (1)** *adj,* perfektionistisch **(2)** *sub, -s* Perfektionist; ~**ive** *adj,* perfektiv; ~**ly** *adv, (völlig)* durchaus

perfidious, *adj, (geh.)* perfid, perfide; **perfidy** *sub, nur Einz.* Perfidie

perforate, *vt,* lochen, perforieren; ~**d** *adj, (Briefmarke)* gezahnt; **perforation** *sub, -s* Perforation; *(tt; Briefmarke)* Zahn

perforce, *adv,* notgedrungen

perform, *vt,* verrichten, vollführen, vollziehen; *(theat.)* darbieten; *(Theater)* geben; *(Theaterstück)* aufführen; *perform a play* ein Theaterstück darbieten; ~ **a death-defying leap** *vt, (Zirkus)* Salto mortale; ~ **exercises on a horseback** *vi, (tt; spo.)* voltigieren; ~ **official duties** *vi,* repräsentieren; ~ **statute labor** *vi, (US)* fronen; ~ **statute labour** *vi,* fronen; ~**ance** *sub, -s* Aufführung, Leistung, Performance, Vollführung, Vollziehung, Vorstellung; *(eines Schauspielers)* Auftreten; *(theat.)* Darbietung; ~**er** *sub, -s (Mitspieler)* Mitwirkende; ~**ing** *sub, -s* Verrichtung; ~**ing ban** *sub, - -s* Auftrittsverbot; ~**ing rights** *sub, nur Mehrz.* Aufführungsrecht

perfume, (1) *sub, -s* Parfüm **(2)** *vt,* parfümieren; ~**ry** *sub, -ies* Parfümerie

perhaps, *adv,* vielleicht, wohl

pericope, *sub, -s* Perikope

perigone, *sub, -s (bot.)* Perigon

peril of death, *sub, perils* Todesnot; **perilous** *adj,* lebensgefährlich

perimeter, *sub, -s (Kreis-)* Umfang

period, *sub, -* Laufzeit; *-s* Periode, Zeitabschnitt, Zeitabstand; *(i. ü. S.) have one´s period* seine Tage haben; ~ **following** *sub, -s* Folgezeit; ~ **of apprenticeship** *sub, -s* Lehrzeit; ~ **of circulation** *sub, periods* Umlaufzeit; ~ **of directorship** *sub, -s* Intendantur; ~ **of drought** *sub, -s* Dürreperiode; ~ **of industrial expansion** *sub, nur Einz.* Gründerzeit; ~ **of probation** *sub, -s -*

Bewährungsfrist; ~ **of suffering** *sub*, -*s* Leidenszeit; ~ **of time** *sub*, -*s* Frist, Zeitraum; ~**ic number** *sub*, -*s* Periodenzahl; ~**ic(al)** *adj*, periodisch; ~**ical** *sub*, -*s* Journal; ~**ization** *sub*, -*s* Periodisierung; ~**ontosis** *sub*, -*to-ses* Parodontose

periostium, *sub*, *nur Einz. (anat.)* Knochenhaut

peripheral, *adj*, peripher; **peripherial zone** *sub*, -*s* Randzone; **periphery** *sub*, -*ies* Peripherie

periscope, *sub*, -*s* Periskop, Sehrohr; **periscopic** *adj*, periskopisch

perish, *vi*, untergehen, verenden

peristalsis, *sub*, *nur Einz.* Peristaltik

peristyle, *sub*, -*s* Peristyl

peritoneum, *sub*, -*nea (anat.)* Bauchfell

perjury, *sub*, -*ies* Meineid; *to commit perjury* einen Meineid leisten, meineidig werden

permanence, *sub*, *nur Einz.* Permanenz; *(Dauerhaftigkeit)* Beständigkeit; **permanent** *adj*, dauernd, permanent, ständig; *(dauerhaft)* beständig; *permanent residence* dauernder Wohnsitz; *permanent stock* eiserne Reserve; **permanent (state)** *sub*, -*s* Dauerzustand; **permanent damage** *sub*, -*s* Dauerschaden; **permanent disposal** *sub*, -*s* Endlagerung; *permanent disposal (of nuclear waste)* Endlagerung von Atommüll; **permanent disposal site** *sub*, -*s* Endlager; **permanent secretary** *sub*, -*ies* Staatssekretär; **permanent sleep** *sub*, *nur Einz.* Dauerschlaf; **permanent wave** *sub*, -*s* Dauerwelle; **permanent way** *sub*, -*s (Bahn)* Oberbau

permanganate, *sub*, -*s* Permanganat

permeable, *adj*, *(geb.; erwünscht)* durchlässig

Permian, *sub*, *nur Einz.* Perm

permissible, *adj*, zulässig; **permission** *sub*, -*s* Erlaubnis, Genehmigung, Permission; *give so the permission to do sth* jmd erlauben etwas zu tun; **permission for demolition** *sub*, -*s* Abbruchgenehmigung; **permission to pass** *sub*, -*s (Pers.)* Durchlass; **permission to take part** *sub*, *permissions (spo.)* Starterlaubnis; **permissive** *adj*, permissiv; **permissiveness** *sub*, *nur Einz.* Permissivität; -*es (mora*

lisch) Freizügigkeit; **permit (1)** *sub*, -*s* Bezugsschein, Erlaubnisschein; *(behördl. Zulassung)* Genehmigung **(2)** *vt*, gestatten, zulassen; *(ermöglichen)* erlauben; **permitted** *adj*, statthaft

permutable, *adj*, permutabel; **permutation** *sub*, -*s* Permutation; **permute** *vt*, permutieren

pernicious, *adj*, verderblich; **pernickety** *adj*, pusslig

perpendicular, (1) *adj*, perpendikular **(2)** *sub*, -*s (mat.)* Senkrechte; *(math.)* Lot; *to drop a perpendicular* das Lot fällen

perpetration, *sub*, -*s* Täterschaft; *(einer Tat)* Ausführung; **perpetrator** *sub*, -*s (jur.)* Täter; **perpetual** *adj*, immerwährend; *perpetual snow* ewiger Schnee; **perpetuate** *vt*, verewigen

persecution, *sub*, -*s (tt; jur.&pol)* Verfolgung; ~ **of the Jews** *sub*, -*s* Judenverfolgung

Persia, *sub*, *nur Einz.* Persien; ~**n** *adj*, persisch; ~**n carpet** *sub*, -*s* Perserteppich; ~**n cat** *sub*, -*s* Perserkatze; ~**n lamb (coat)** *sub*, -*s* Persianer; ~**n wars** *sub*, *nur Mehrz. (die ~e)* Perserkrieg

persistence *sub*, *nur Einz.* Persistenz; **persistent** *adj*, persistent; *(hartnäckig)* beharrlich; *(Krankheit etc.)* hartnäckig; **persistently** *adv*, beharrlich

person, *sub*, -*s (auch gramm.)* Person; *(Person)* Mensch; *(the person of) the king is inviolable* die Person des Königs ist unantastbar; *a nice type of person* ein nobler Kunde; *it concerns the chancellor as person, not the office* es geht um die Person des Kanzlers, nicht um das Amt; *juristic person* juristische Person; *per person* pro Person; *to appear in person* in Person erscheinen; *to be passed on from person to person* von Mund zu Mund gehen; *you are required to appear in person* sie müssen persönlich erscheinen; *to become a different/new person* ein anderer/neuer Mensch werden; ~ **believed to be dead** *sub*, *persons* Totgeglaubte; ~ **blinded in war** *sub*, *the war-blind* Kriegsblinde; ~ **celebrating an anniversary** *sub*, *people* Jubilar; ~ **concerned** *sub*, *people* - Betreffende; ~ **doing community service** *sub*, - *(ugs.)* Zivi; ~ **doing illicit work** *sub*, *people* Schwarzarbeiter; ~ **from Copenhagen** *sub*, *people* Kopenhagener(in); ~ **from Eiderstedt** *sub*, -s Eiderstedter; ~ **from Helmstedt** *sub*, -s Helmstedter; ~ **from the Erzgebirge** *sub*, *people* Erzgebirgler; ~ **from the Middle East** *sub*, *persons* Orientale

personal, *adj*, personal, persönlich; *get personal* persönlich werden; *get personal* anzüglich werden; *personal pronoun* persönliches Fürwort; *personal views* eigene Ansichten; ~ **chef** *sub*, -s Leibkoch; ~ **computer** *sub*, -s Personalcomputer; ~ **description** *sub*, -s Steckbrief; ~ **enrichment** *sub*, *nur Einz. (das Hinzufügen)* Bereicherung; ~ **file** *sub*, -s Personalakte; ~ **freedom** *sub*, *nur Einz.* Freiraum; ~ **hygiene** *sub*, *nur Einz.* Körperkultur; ~ **message** *sub*, -s Reiseruf; ~ **physician** *sub*, -s Leibarzt; ~ **pronoun** *sub*, -s Personalpronomen; ~ **property** *sub*, -ies Eigenbesitz

personal security, *sub*, *nur Einz.* Personenschutz; **personal union** *sub*, *nur Einz.* Personalunion; **personality** *sub*, -ies Personalität, Persönlichkeit; *nur Einz. (i. ü. S.; einer Person)* Ausstrahlung; *he hasn´t got much personality* er besitzt wenig Persönlichkeit; *he´s quite a personality* er ist eine Persönlichkeit; *he hasn´t got the personality it takes* er hat kein Format; **personality cult** *sub*, -s Personenkult; *a great personality cult has been built up around Che Guevara* mit Che Guevara wird viel Personenkult betrieben; **personalize** *vti*, personalisieren; **personally (1)** *adj*, persönlich **(2)** *adv*, eigenhändig; *to be personally liable* persönlich haften; *to take sth personally* etwas persönlich nehmen; **personification** *sub*, -s Inbegriff, Personifikation, Personifizierung, Verkörperung; **personify** *vt*, personifizieren, verkörpern; *she is patience personified* sie ist die Geduld in Person

person in charge, *sub*, *people* - Betreuer; -s *(eines Sachgebiets)* Bearbeiter; **person in her/his late forties** *sub*, -s Endvierziger; **person in**

her/his **late thirties** *sub* -s Enddreißiger; **person in work** *sub*, *those in work* Erwerbstätige; **person looked after** *sub*, *people* - Betreute; **person opposite** *sub*, -s Gegenüber; **person peparing for the diploma** *sub*, -s Diplomand; **person receiving welfare** *sub*, *persons* Sozialhilfeempfänger; **person speaking a Romance language** *sub*, *people* Romane; **person suffering from neuralgia** *sub*, *people* Neuralgiker; **person undergoing rehabilitation** *sub*, *people* Rehabilitand; **person who forces prices up** *sub*, *people* Preistreiber

personnel, **(1)** *attr*, personell **(2)** *sub*, *nur Einz.* Personal; *the delays in production are caused by personnel problems* die Verzögerungen in unserer Produktion sind personell bedingt; ~ **department** *sub*, -s Personalbüro; ~**-intensive** *adj*, personalintensiv

person who habilitates, *sub*, -s Habilitandin; **person who is able to see ghosts** *sub*, -s Geisterseher; **person who is involved in an accident** *sub*, -s Havarist; **person who is not Jewish** *sub*, -s *(jüdisch)* Goi; **person who is skilled in medicine** *sub*, -s Heilkundige; **person who lives in the heathen** *sub*, -s Heidjer; **person who pays the deposit** *sub*, -s Hinterleger; **person who prefers fruit and vegetables uncooked** *sub*, *people* Rohköstler, Rohköstlerin; **person who returns** *sub*, *people* Rückkehrerin; **person who smokes pot** *sub*, -s Hascher

perspective, *sub*, -s Perspektive; *to put sth into the right perspective* etwas in die rechte Optik bringen

perspicacity, *sub*, *nur Einz.* Scharfsichtigkeit

perspiration, *sub*, *nur Einz.* Perspiration, Transpiration, *(von Schweiß)* Ausdünstung; **perspire** *vi*, transpirieren, *(Haut)* ausdünsten

persuade, *vt*, überreden, überzeugen; *(i. ü. S.)* breitschlagen; *be persuaded to do sth* sich zu etwas bewegen lassen; *friendly persuasion* freundliches Zureden; *he´s not*

to be persuaded er lässt sich nicht umstimmen; *let him/herself be persuaded* sich breitschlagen lassen; ~ **so** *vt, (jemanden überreden)* bereden; **persuasion** *sub, -s* Überredung **pert,** *adj,* keck
pertaining to content(s), *adj,* inhaltlich
pertness, *sub, nur Einz.* Keckheit
perversion, *sub, -s* Perversion, Perversität; **pervert** *vt,* pervertieren; *a pervert* ein perverser Mensch; **perverted** *adj,* pervers; **pervertedness** *sub, nur Einz.* Pervertiertheit
pessimism, *sub, nur Einz.* Pessimismus; *-s* Schwarzmalerei, Schwarzseherei; *this eternal pessimism!* immer dieser Pessimismus!; **pessimist** *sub, -s* Pessimist, Schwarzseher; **pessimistic** *adj,* pessimistisch; *to take a pessimistic view of sth* etwas pessimistisch beurteilen
pest, *sub, nur Einz.* Schädling; *a pest* ein penetranter Kerl; ~ **control** *sub, nur Einz. (gegen Ungeziefer)* Pflanzenschutz; ~ **controller** *sub, -s* Kammerjäger; ~**(ilence)** *sub, nur Einz.* Pest; ~**er (1)** *vi,* zusetzen **(2)** *vt, (aufdringlich umwerben)* nachstellen; *(belästigen)* piesacken, plagen; *(eindringlich bitten)* bedrängen; *he won´t stop pestering me* er geht mir nicht von der Pelle; *he´s been pestering me all day* er piesackt mich schon den ganzen Tag; *to pester the living daylights out of somebody* jmd Löcher in den Bauch fragen; ~**er (death) with questions** *vt,* löchern; *he´s been pestering me for weeks wanting to know when* er löchert mich seit Wochen, wann; ~**ering** *sub, nur Einz.* Behelligung; *(Aufdringlichkeit)* Nachstellung; ~**icide** *sub, -s* Pestizid; *-* Schädlingsbekämpfungsmittel; ~**ilence** *sub, nur Einz. (veraltet)* Pestilenz
pet, (1) *sub, -s* Haustier **(2)** *vi, (ugs.; erot.)* fummeln **(3)** *vt, (Tier)* streicheln; ~ **name** *sub, -s* Kosename; ~ **shop** *sub, -s* Tierhandlung, Zoohandlung
petal, *sub, -s* Blütenblatt
petard, *sub, -s* Petarde
petition, *sub, -s* Bittschrift, Gesuch, Petition; *(Antrag)* Eingabe; *(jur.)* Antrag; *present a petition for/against*

sth to eine Bittschrift für/gegen etwas bei einreichen; *make a petition to for sth* eine Eingabe bei für etwas machen; ~ **for a referendum** *sub, nur Einz. (tt; polit.)* Volksbegehren; ~**er** *sub, -s* Bittsteller; *(jur.)* Antragsteller
petrel, *sub, -s (zool.)* Sturmvogel
petrifaction, *sub, -s* Petrefakt
petrochemistry, *sub, nur Einz.* Petrochemie; **petrodollar** *sub, -s* Petrodollar; **petrol** *sub, nur Einz. (für Fahrzeuge)* Benzin; **petrol prices** *sub, nur Mehrz.* Benzinpreis; **petrol pump** *sub, -s* Zapfsäule; **petrol pump attendant** *sub, -s* Tankwart; **petroleum** *sub, nur Einz.* Erdöl
petticoat, *sub, -s* Jupon, Unterrock
petting, *sub, nur Einz.* Liebesspiel, Petting; *- (vulg.)* Zärtlichkeit; *-s (ugs.; erot.)* Fummelei
petty, (1) *adj,* engherzig **(2)** *adv,* kleinlich; *petty/grand larceny* einfacher/schwerer Diebstahl; ~ **bourgeois (1)** *adj,* kleinbürgerlich **(2)** *sub, -* Kleinbürger; ~ **jealousy** *sub, -ies* Eifersüchtelei; ~ **offence** *sub, -s* Kavaliersdelikt; *smuggling cigarettes is no longer a petty offence* Zigarettenschmuggeln ist kein Kavaliersdelikt mehr; ~**-minded nature** *sub, -s* Krämerseele; ~**-minded thinking** *sub, nur Einz.* Krämergeist
petunia, *sub, -s* Petunie
pewter tankard, *sub, -s* Zinnkrug
pfennig, *sub, -s* Pfennig, Pfennigstück
phagocyte, *sub, -s* Phagozyt
phallic, *adj,* phallisch; ~ **cult** *sub, -s* Phalluskult; **phallus** *sub, phalli* Phallus
phantasm, *sub, -s* Traumgebilde; **phantom** *sub, -s* Phantom, Traumgesicht; *(Erscheinung)* Truggebilde; **phantom existence** *sub, nur Einz.* Scheindasein
Pharaoh, *sub, -s* Pharao; ~´**s ant** *sub, -s* Pharaoameise; **pharaonic** *adj,* pharaonisch; **pharisaic(al)** *adj,* pharisäisch; **pharisee** *sub, -s (hist.)* Pharisäer
pharmaceutical, *sub, -s* Pharmazeutikum; ~**s industry** *sub, -ies* Pharmaindustrie; **pharmaceutics**

sub, *nur Mehrz* Arzneikunde; **pharmacist** *sub*, -s Pharmazeut, Pharmazeutin; **pharmacology** *sub, nur Einz.* Pharmakologie; **pharmacon** *sub*, -s Pharmakon; **pharmacophilia** *sub*, -s Tablettenmissbrauch; **pharmacy** *sub, nur Einz.* Pharmazeutik, Pharmazie

pharyngeal tonsil, *sub*, -s Rachenmandel

pharynx, *sub*, -es (tt) Rachen; *(anat.)* Schlund

pheasant, *sub*, -s Fasan; ~**ry** *sub*, -ies Fasanenzucht, Fasanerie

phenomenal, *adj*, phänomenal; *this film is phenomenal* dieser Film ist phänomenal; **phenomenology** *sub, nur Einz.* Phänomenologie; **phenomenon** *sub*, *phenomena* Erscheinung; -s Phänomen; *this person is an absolute phenomenon* dieser Mensch ist ein Phänomen

phial, *sub*, -s Phiole

philanderer, *sub*, -s Schürzenjäger, Schwerenöter; **philanthropic(al)** *adj*, philanthropisch; **philanthropy** *sub, nur Einz.* Philanthropie; **philatelist** *sub*, -s Philatelist; **philately** *sub, nur Einz.* Philatelie

philharmonic, *adj*, philharmonisch

philistine, *sub*, -s Banause; **philistinism** *sub, nur Einz.* Philisterei, Philistertum

philodendron, *sub*, -s *oder* -dra Philodendron

philological, *adj*, philologisch; **philologist** *sub*, -s Philologe; **philology** *sub, nur Einz.* - Sprachkunde; **philosopher** *sub*, -s Philosoph, Philosophin; **philosophical** *adj*, philosophisch; **philosophize** *vi*, philosophieren; **philosophy** *sub*, -ies Philosophie

phimosis, *sub*, -moses Phimose

phlegm, *sub*, - (*Schleim*) Sputum

phobia, *sub*, -s Phobie

phographic chemical, *sub*, -s Fotochemie; **phographic model** *sub*, -s Fotomodell

phone, *sub*, -s (*Telefon*) Apparat; *answer the phone* ans Telefon gehen; *can I use your phone?* kann ich mal bei dir telefonieren?; *phone* telefonisch durchgeben; *speak to someone on the phone* mit jemandem telefonieren; *the phone is ringing!* das Te-

lefon läutet!; ~ **book** *sub*, -s Telefonbuch; ~ **cable** *sub*, -s Telefonkabel; ~ **call** *sub*, -s Telefonanruf, Telefonat; ~**matic** *adj*, phonematisch

phoneme, *sub*, -s Phonem

phonetic, *adj*, phonetisch; ~ **script** *sub, nur Einz.* Lautschrift; ~ **syllable** *sub*, -s Sprechsilbe; ~ **symbol** *sub*, -s Lautzeichen; ~**s** *sub*, *nur Mehrz.* Phonetik

phoney peace, *sub*, *nur Einz.* Scheinfriede

phono technics, *sub*, - Fonotechnik; **phonografic** *adj*, fonografisch; **phonograph** *sub*, -s (*US*) Grammofon; **phonological** *adj*, fonologisch; **phonometrics** *sub*, *nur Mehrz.* Phonometrie

phophoresce, *vi*, phosphoreszieren; **phosphate** *sub*, -s Phosphat; **phosphorescence** *sub*, *nur Einz.* Phosphoreszenz; **phosphorus** *sub*, *nur Einz.* Phosphor

photo, *sub*, -s Lichtbild; ~(**graph**) *sub*, -s Foto; *to take a photo(graph)* ein Foto machen; ~**engraving machine** *sub*, -s Klischograf; ~**chemical** *adj*, fotochemisch; ~**copy** (1) *sub*, -ies Ablichtung, Fotokopie (2) *vi*, fotokopieren (3) *vti*, ablichten; ~**copy paper** *sub*, - Kopierpapier; ~**copying machine** *sub*, -s Kopiergerät; ~**electric barrier** *sub*, -s Lichtschranke

photogenic, *adj*, fotogen; **photograph** (1) *sub*, -s Aufnahme; *(Bild)* Fotografie (2) *vt*, *(Foto)* aufnehmen; *no photographs* Fotografieren nicht gestattet; **photographer** *sub*, Fotograf; **photographic** *adj*, fotografisch; **photographic equipment** *sub*, -s Fotoartikel; **photographic studio** *sub*, -s Fotoatelier; **photographically** *adv*, fotografisch; **photography** *sub, nur Einz.* *(Kunst)* Fotografie; **photogravure** *sub*, -s Fotogravure

photojournalist, *sub*, -s Fotoreporter; **photomechanical** *adj*, fotomechanisch; **photometric** *adj*, fotometrisch; **photometry** *sub*, -ies *(phy.)* Lichtmessung; **photomontage** *sub*, -s Fotomontage; **photorealism** *sub*, - Fotorealismus; **photosphere** *sub, nur Einz.*

Fotosphäre; **photosynthesis** *sub, -syntheses* Fotosynthese; **phototropic** *adj, (biol.)* lichtwendig

phrase, (1) *sub, -s* Floskel, Phrase **(2)** *vt,* phrasieren; *backneyed phrase* abgedroschene Phrase, *rephrase* neu formulieren; **~-book** *sub, -s* Sprachführer; **~ology** *sub, nur Einz.* Phraseologie; **phrasing** *sub, -s* Phrasierung

prophesy doom, *vi, (ugs.)* unken

phut-machine, *sub, -s* Töfftöff

phylogenetic, *adj,* phylogenetisch

physical, *adj,* körperlich, leiblich, physikalisch, physisch; *(Erkrankung)* organisch; **~ assets** *sub, nur Mehrz.* Realkapital; **~ education** *sub, -* Leibeserziehung; *nur Einz. (Schulfach)* Sport; **~ education teacher** *sub, -s* Sportlehrer; **~ force** *sub, -* Zwang; **~ injury** *sub, -ies* Körperverletzung; **~ strength** *sub, nur Einz.* Muskelkraft; **~ly disabled person** *sub, people* Körperbehinderte

phytogenic, *adj,* phytogen

pianist, *sub, -s* Pianist; **piano** *sub, -s* Klavier, Piano; *(ugs.)* Klimperkasten; **piano playing** *sub, nur Einz.* Klavierspiel; **piano recital** *sub, -s* Klavierabend; **piano stool** *sub, -s* Klavierstuhl

piccolo, *sub, -s* Pikkoloflöte

pick, *vt,* abpflücken, pflücken; *pick in one´s teeth* in den Zähnen stochern; *(ugs.) pick so up* sich jemanden anlachen; *pick your feet up* heb die Füße; *to pick sth up* etwas in die Hand nehmen; **~ o.s. up** *vr, (i. ü. S.)* aufrichten; **~ one´s nose** *vt, (ugs.)* popeln; **~ sth out of sth** *vt,* klauben; **~ up** *vt,* abholen, aufgabeln, auflesen, aufsammeln; *(aufklauben)* aufheben; *(auflesen)* einsammeln; *(ugs.; Frau)* aufreißen; *(Funkspruch)* auffangen; *(Person)* aufgreifen; *(ugs.; Person mitnehmen) (Spur)* aufsammeln; *(Spur)* aufnehmen; *pick up the children* die Kinder einsammeln; **~ up o.s.** *vr, (nach Erkrankung)* aufrappeln

pick(axe), *sub, -s* Picke; *(Spitzhacke)* Pickel; **pick-up** *sub, -s* Abholung, Tonabnehmer; *(offen)* Lieferwagen; **pick-up arm** *sub, -s* Tonarm; **pickax** *sub, -es (US)* Hacke; **pickaxe** *sub, -s* Hacke, Spitzhacke; **picker** *sub, -s* Pflücker; **picket** *sub, -s* Streikposten; **picket fence** *sub, -s* Staket; **picking**

sub, - Hacken; **picking up** *sub, nur Einz.* Einsammlung

pickle, (1) *sub, -s (US)* Gewürzgurke **(2)** *vt,* pökeln; *pickle* in Essig einlegen; *pickled herring* marinierter Hering; **~d** *adj,* sauer; **~d egg** *sub, -s* Solei; **~d herring** *sub, -s* Pökelhering; **~d herring salad** *sub, -s* Heringssalat

picklock, *sub, -s* Dietrich; **pickpocket** *sub, -s* Taschendieb

picnic, *sub, -s* Picknick; *nur Einz. (i. ü. S.)* Zuckerlecken; *it was no picnic, I can tell you* das war beileibe kein Vergnügen; *to go for a picnic* zum Picknick fahren; *to have a picnic* Picknick machen; **~ area** *sub, -s* Rastplatz; **~ basket** *sub, -s* Picknickkorb

pictogram, *sub, -s* Piktogramm; **pictography** *sub, nur Einz.* Piktografie; **pictorial** *adj,* bildlich

picture, *sub, -s* Abbildung, *(Foto, Zeichnung)* Bild; **~ atlas** *sub, - -es* Bilderatlas; **~ book** *sub, - -s* Bilderbuch; **~ frame** *sub, - -s* Bilderrahmen; **~ gallery** *sub, -ies* Pinakothek; **~ of a saint** *sub, -s* Heiligenbild; **~ of misery** *sub, -s (Elend)* Häufchen; **~ of the Madonna** *sub, pictures* Madonnenbild; **~ of the Savior** *sub, -s* Erlöserbild; **~ postcard** *sub, - -s* Ansichtskarte; **~ puzzle** *sub, - -s* Bilderrätsel; *-s* Rebus, Vexierbild; **~ tube** *sub, -s* Bildröhre; **~sque** *adj,* pittoresk; *(pittoresk)* malerisch

pie, *sub, -s* Pastete

piece, *sub, -s* Schnitz, Stück; *(i. ü. S.) pull sb to pieces* kein gutes Haar an jmdm lassen; *piece by piece* Stück für Stück; **~ by piece** *adv,* stückweise; **~ of apparatus** *sub, nur Einz. (Turnen)* Gerät; **~ of beechwood** *sub, -s* Buchenscheit; **~ of bumph** *sub, -s (ugs.)* Wisch; **~ of dribbling** *sub, -s* Dribbling; **~ of evidence** *sub, -s -* Beweisstück; **~ of fluff** *sub, -s* Fussel; **~ of folly** *sub, -s* Schwabenstreich; **~ of horsedung** *sub, horsedung* Pferdeapfel; **~ of knitting** *sub, pieces* Strickarbeit

piece of land, *sub, -s* Grundstück; **piece of music** *sub, pieces* Musikstück; **piece of niello-work** *sub*, *pieces* Nielloarbeit; **piece of paper** *sub*, *pieces* Notizzettel; **piece of tail** *sub*, *-s* Schwanzstück; **piece of turf** *sub*, *pieces* Sode; **piece of wood/glass/plastic** *sub*, *pieces* (Holz, Glas, Plastik) Platte; **piece or item of baggage** *sub*, *-s (US)* Gepäckstück; **piece or item of luggage** *sub*, *-s* Gepäckstück; **piece together** *vt*, stückeln; **piecework** *sub*, *-* Akkordarbeit; *-s (wirt.)* Akkord; *do piecework* im Akkord arbeiten

Piedmontese, *adj*, piemontisch

pier, *sub*, *-s* Pier

pierce, *vt*, *(Ohr)* durchstechen; *(Reifen, etc.)* anstechen; **piercing** *sub*, *-s* Durchbohrung, Durchstecherei; **piercingly** *adv*, durchbohrend

Pierrot, *sub*, *-s* Pierrot

pietistic, *adj*, pietistisch; **piety** *sub*, *-* Frömmigkeit; *nur Einz.* Pietät

pig, *sub*, *-s* Borstenvieh, Sau, Schwein; *(ugs.; abw.)* Ferkel; *and pigs might fly* am StNimmerleinstag; *if pigs could fly* wenn Ostern und Pfingsten auf einen Tag fallen; **~ fat** *sub*, *nur Einz.* Schweinefett; **~'s head** *sub*, *-s* Schweinskopf

pigeon, *sub*, *-s* Taube; *that's your pigeon* das ist dein Bier; **~ breeding** *sub*, *-s* Taubenzucht; **~ loft** *sub*, *-s* (für Brieftauben) Taubenschlag; **~'s egg** *sub*, *-s* Taubenei; **~hole** *sub*, *-s* Fach

piggish, *adj*, schweinisch; **piggy bank** *sub*, *-s* Sparschwein; **piglet** *sub*, *-s* Ferkel; **piglet-breeding** *sub*, *-* Ferkelzucht

pigment, **(1)** *sub*, *-s* Pigment, Pigmentfarbe **(2)** *vti*, pigmentieren; **~ation mark** *sub*, *-s* Pigmentfleck

pigsty, *sub*, *-ies* Koben, Schweinestall; *nur Einz. (ugs.)* Saustall; *-ies (Schweine-)* Stall; **pigtail** *sub*, *-s (ugs.)* Zopf

pike, *sub*, *-s* Hecht

pilaw, *sub*, *nur Einz.* Pilaw

pile, **(1)** *sub*, *-s* Haufen, Pack, Packen, Pulk, Stapel; *(Brücken~)* Pfahl; *(Bündel)* Paket; *(Stapel)* Stoß **(2)** *vt*, raffen; *a pile of work* ein Haufen Arbeit; *sweep into a pile* zu einem Haufen zusammenkehren, *a pile of books* ein Stoß Bücher; *he's got piles of magazines lying around* bei ihm liegen stapelweise Zeitschriften herum; *piles of rubbish* Berge von Müll; **~ dwelling** *sub*, *-s (Ucbundc)* Pfahlbau; **~ of dog's muck** *sub*, *-s (Kot)* Häufchen; **~ up (1)** *vi*, anhäufen, auftürmen **(2)** *vr*, stapeln **(3)** *vt*, auftürmen, häufen, türmen; *(Erde, etc.)* anhäufen; *(Haufen)* aufschütten **(4)** *vti*, aufhäufen; **~-driver** *sub*, *-s* Rammbock, Ramme

pilferer, *sub*, *-s* Langfinger; *pilferer* eine diebische Elster

pilgrim, *sub*, *-s* Pilger, Pilgersmann, Wallfahrer, Wallfahrerin; **~age** *sub*, *-s* Pilgerfahrt; *nur Einz.* Pilgerschaft; *-s* Wallfahrt

pill, *sub*, *-s* Pille, Tablette; *(ugs.)* Antibabypille; *she's on the pill* sie nimmt die Pille; *that was a bitter pill for him* das war eine bittere Pille für ihm; *the morning-after pill* die Pille danach; *she's on the pill* sie nimmt die Pille

pillage and threaten to burn, *vti*, *(hist.)* brandschatzen

pillar, *sub*, *-s* Pfeiler, Säule

pillion rider, *sub*, *-s (KFZ)* Sozius

pillow, *sub*, *-s* Kissen, Kopfkissen, Pfühl; **~ case** *sub*, *-s* Kissenbezug

pilot, *sub*, *-s* Flieger, Flugzeugführer, Pilot; **~ experiment** *sub*, *-s* Pilotversuch; **~ film** *sub*, *-s* Pilotfilm; **~ license** *sub*, *-s (Lizenz US)* Flugschein; **~ programme** *sub*, *-s* Pilotsendung; **~ service** *sub*, *-s* Lotsendienst; **~ study** *sub*, *-ies* Pilotstudie; **~ through** *vt*, *(Schiff)* durchlotsen; **~'s licence** *sub*, *-s (Lizenz)* Flugschein

pilous, *adj*, *(bot.)* haarig

pils(ner), *sub*, *-s* Pils

pimento, *sub*, *-(s)* Piment

pimp, *sub*, *-s (ugs.)* Lude, Zuhälter; **~ernel** *sub*, *-s* Miere; **~ical** *adj*, *(ugs.)* zuhälterisch; **~ing** *sub*, *nur Einz.* Zuhälterei; **~le** *sub*, *-s* Eiterpickel, Pickel, Pustel

pin, **(1)** *sub*, *-s* Stecknadel; *(Halte-)* Stift; *(Nadel)* Anstecknadel; *(Steck~, Drucker)* Nadel **(2)** *vt*, feststecken, pinnen; *(fest-)* stecken; *(mit einer Nadel)* aufstecken; *(i. ü. S.)* it was so quiet you could have heard a pin drop* es war so still, daß man eine Stecknadel hätte fallen hören können; **~ on** *vt*, *(Nadel)* anstecken; **~ tin** *sub*, *-s* Nadel-

büchse; **~-cushion** *sub, -s* Nadelkissen; **~-money** *sub, nur Einz.* Nadelgeld; **~-up** *sub, -s* Pin-up-Girl
pinafore, *sub, -s* Latzschürze, Schürze
pinball machine, *sub, -s* Flipper
pince-nez, *sub, -* Kneifer
pincer shaped, *adj,* zangenförmig; **pincers** *sub, nur Mehrz. (tt; biol.)* Zange; **pinch (1)** *sub, -es* Prise; *(Bill.)* Kopfstoß **(2)** *vi, (ugs.)* zwacken **(3)** *vt,* ergaunern, kneifen, zwicken; *(ugs.)* klauen, mausen, mopsen, wegschnappen; *(ugs.; ~ lassen)* mitgehen; *(ugs.; festnehmen)* einkassieren; *(Küche) a pinch* eine Messerspitze; *(i. ü. S.) I must be hearing/seeing things* ich glaub ich steh´ im Walde; *you have to take what he says with a pinch of salt* er nimmt es mit der Wahrheit nicht so genau, *where did you pinch that bike* wo hast du dir das Rad ergaunert; **pinchbeck** *sub, nur Einz.* Talmi
pine cone, *sub, -s* Pinienzapfen; **pine forest** *sub, -s* Kiefernwald; **pine needle** *sub, -s* Kiefernnadel; **pine tree** *sub, -s* Föhre, Pinie; **pine wood** *sub, -s* Kiefernholz; **pine-nut** *sub, -s* Pignole; **pineal** *sub, -s* Zirbel; **pineal body** *sub, -s* Zirbeldrüse; **pineapple** *sub, -s* Ananas; **pinecone** *sub, -s* Kienapfel
ping-pong, *sub, -s (ugs.)* Pingpong
pink, *adj,* rosa; *be tickled pink at sth* sich diebisch über etwas freuen
pinnace, *sub, -s* Pinasse
pinniped, *sub, -s (zool.)* Flossenfüßer
pint, *sub, -s (Einheit)* Pinte
pioneer, *sub, -s* Vorkämpferin; *(i. ü. S.)* Pionier; **~ing** *adj,* bahnbrechend; **~ing spirit** *sub, -s* Pioniergeist
pious, *adj, (theol.)* fromm
pipe, **(1)** *sub, -s* Leitung, Leitungsrohr, Pipe, Rohr, Rohrleitung; *(Orgel~, Rauchen)* Pfeife **(2)** *vt,* paspelieren; **~ tobacco** *sub, -es* Pfeifentabak; **~-line** *sub, -s* Pipeline; *(Röhren-)* Fernleitung; **~tte** *sub, -s* Pipette, Saugrohr; **piping** *sub, -s* Biese; *nur Einz.* Paspel, Paspelierung; **piping bag** *sub, -s* Spritzbeutel
piquancy, *sub, nur Einz.* Pikanterie; **piquant** *adj,* pikant; *piquant remark* Pikanterie
piqué collar, *sub, -s* Pikeekragen
piracy, *sub, nur Einz.* Seeräuberei

piranha, *sub, -s* Piranha
pirate, *sub, -s* Pirat; *~ copy* *sub, -ies* Raubpressung
pirogue, *sub, -s* Piroge
piroshki, *sub, nur Mehrz. (meist Mehz)* Pirogge
pirouette, *sub, -s* Pirouette; *(tt; spo.)* Wirbel
Pisces, *sub, nur Mehrz. (astrol.)* Fisch
piss, **(1)** *sub, nur Einz. (vulg.)* Pisse **(2)** *vi, (ugs.)* schiffen; *(vulg.)* pissen **(3)** *vt,* bepissen; *~ down vi, (vulg.; regnen)* pissen
pistachio, *sub, -s* Pistazie
piste, *sub, -s (Ski~)* Piste
pistol, *sub, -s* Pistole; *to hold a pistol to sb´s head* jmd die Pistole auf die Brust setzen; *~ barrel sub, -s* Pistolenlauf
piston, *sub, -s* Kolben; *~ rod sub, -s* Kolbenstange
pit, *sub, -s* Fallgrube, Kohlenbergwerk, Kohlengrube, Sprunggrube; *~ foreman sub, -men* Steiger
pitch, **(1)** *sub, -es* Pech; *(spo.)* Feld **(2)** *vi,* abkippen; *black as pitch* schwarz wie Pech; *be sent off des Feldes verwiesen werden, (i. ü. S.) queer someone´s pitch* jemandem die Suppe versalzen; **~-black** *adj,* kohlrabenschwarz, rabenschwarz; **~-dark** *adj,* pechfinster, stockdunkel, stockfinster
pitcher, *sub, -s (tt; spo.)* Werfer; **pitchfork** *sub, -s* Gabel, Heugabel, Mistgabel
pithy, *adj,* kernig; *(Sprache)* plakativ
pitiful, *adj,* kläglich; **~ness** *sub, nur Einz.* Kläglichkeit; **pitiless** *adj,* mitleidslos
pituitary gland, *sub, -s (tt; anat.)* Hypophyse
pity, *sub, -ies* Erbarmen **(2)** *vt,* bemitleiden
pivot, *sub, -s* Angelpunkt; *(für Kompassnadel)* Pinne; *~ leg sub, -s (spo.)* Standbein; *~ player sub, -s* Kreisläufer; *~al point sub, -s (i. ü. S.)* Angelpunkt
pizza, *sub, -s* Pizza; *~ cook* *sub, -s* Pizzabäcker
placard, *vt,* plakatieren
place, **(1)** *sub, -s* Ort, Stätte, Stelle; *(Platz)* Platzierung **(2)** *vt,* stellen;

(hinzu) fügen; (platzieren) setzen; a *place for quiet contemplation* ein Ort der Einkehr; *a place of any size has a post office* jeder größere Ort hat ein Postamt; *a place of peace* ein Ort des Friedens; *from place to place* von Ort zu Ort; *I've obviously not come to the right place* hier bin ich wohl nicht am richtigen Ort; *in the centre of the place/town* mitten im Ort; *in the place quoted* am angegebenen Ort; *the decision came from higher places* das ist höheren Ortes entschieden worden; *this is not the time or place to talk about it* hier ist nicht der Ort, darüber zu sprechen; *we're related to half the people in the place* wir sind mit dem halben Ort verwandt; *in the first place* an erster Stelle; *take the place of someone* an jemandes Stelle treten, *come to the wrong place* an die falsche Adresse geraten; *(i. ü. S.) I can't be in two places at once* ich kann mich nicht zerreißen; *it varies from place to place* das ist örtlich verschieden; *place a knife at someone's throat* jemandem ein Messer an die Kehle setzen; *show so to his/her place* jemanden einen Platz anweisen; *there are a few places left* es sind noch ein paar Plätze frei; *this expression is out of place in this sentence* dieser Ausdruck passt nicht in den Satz; *to change places with sb* mit jmd den Platz tauschen; *(i. ü. S.) to travel around all over the place* in der Weltgeschichte herumfahren; *(ugs.) you must be at my place at six* du musst um sechs bei mir auf der Matte stehen; ~ **for drying laundry** *sub, places* Trockenplatz; ~ **in front** *vt*, voranstellen; ~ **name** *sub, -s* Ortsname; ~ **number** *sub, -s* Platzziffer; ~ **of detention** *sub, -s* Justizvollzugsanstalt; ~ **of execution** *sub, -s* Richtstätte; ~ **of registration** *sub, places* Meldestelle; ~ **of residence** *sub, -s -* Aufenthaltsort; ~ **on the party list** *sub, places (polit.)* Listenplatz; ~ **sth. underneath** *vt*, untersetzen; ~ **sth/sb** *vt*, einreihen; *place sb in a category* jmd in eine Kategorie einreihen; ~ **to go** *sub, -s* -Anlaufstelle; ~ **to sleep** *sub, -s* Schlafstelle; ~ **to stay** *sub, -s* Bleibe; ~ **where drinks are tested** *sub, -s* Probierstube; ~~**mar-**

ker *sub -s* Platzhalter

placebo, *sub, -s* Placebo

placenta, *sub, -s* Plazenta; *(anat.)* Mutterkuchen

place-setting, *sub, -s* Essgeschirr

plague, (1) *sub, nur Einz.* Pest; *-s* Plage (2) *vt, (quälen)* triezen; *to avoid sb like the plague* jmdn wie die Pest meiden; *to spread like the plague* sich wie die Pest ausbreiten; ~ **(of insects)** *sub, -s* Landplage

plaice, *sub, -s (Fisch)* Scholle

plain, (1) *adj*, schmucklos, uni; *(einfach)* simpel; *(Person)* unansehnlich (2) *sub, -s (ebene Fläche)* Plan; *(geogr.)* Ebene; *in plain terms* in aller Deutlichkeit; *speak in very plain terms* deutlich werden; *speak plainly with so* mit jmd deutsch reden; *plain blue* uniblau, *on the plain* in der Ebene

plain .., *adj, (mit Farbe)* einfarbig; *the dress is plain blue* das Kleid ist einfarbig blau; **plain language** *sub, nur Einz.* Klartext; **plain terms** *sub, nur Mehrz. (ugs.)* Tacheles; *speak in plain terms* Tacheles reden

plaintiff, *sub, -s* Beschuldiger, Kläger; *(jur.)* Anklage; ~**s** *sub, -s* Klägerschaft

plait, *vt, (Haar)* flechten; ~**ed bun** *sub, -s* Hefezopf

plan, (1) *sub, -s* Plan, Schema, Vorhaben; *(i. ü. S.)* Kalkül (2) *vt*, intendieren, vorsehen (3) *vti*, planen; *the plans for the renovation of the house* die Pläne zur Renovierung des Hauses; *to make plans* Pläne schmieden; *to run according to plan* nach Plan verlaufen; *(ugs.) mess up someone's plans* jemandem die Tour vermasseln; *the outlook for the plan is not good* es steht misslich um dieses Vorhaben; *this house is still being planned* dieses Haus ist noch in Planung; ~ **ahead** *vti*, disponieren; *dipose of something* über etwas disponieren; ~ **badly** *vr*, verplanen; ~ **for the future** *sub, -s* Zukunftsplan; ~ **past** *vti*, vorbeiplanen

plane, (1) *sub, -s (mat./phys)* Ebene; *(Werkz.)* Hobel (2) *vt*, hobeln; *(Holz)* glätten

planet, *sub, -s* Planet; *to stare at so*

as if he/she was from another planet
jmd anstarren wie ein Weltwunder;
~arium *sub, -s oder -ria* Planetarium; **~ary** *adj,* planetar, planetarisch; **~ary orbit** *sub, -s* Planetenbahn; **~ary year** *sub, -s* Planetenjahr; **~oid** *sub, -s* Planetoid

plank, *sub, -s* Bohle, Planke; *(lang)* Brett; **~ bed** *sub, -s* Pritsche; **~ing** *sub, -s* Bohlenbelag; - Decksplanke

plankton, *sub, nur Einz.* Plankton; **~ net** *sub, -s* Planktonnetz; **~ic** *adj,* planktonisch

planned economy, *sub, nur Einz.* Planwirtschaft; **planned target** *sub, -s* Planziel; **planner** *sub, -s* Pläneschmied; **planning** *sub, -s* Planung; *at the planning stage* schon in Planung; **plans** *sub, nur Mehrz.* Konzept

plant, (1) *sub, -s* Fabrikanlage, Gewächs, Pflanze **(2)** *vt,* anpflanzen, bepflanzen, einpflanzen, setzen **(3)** *vt(r), (ugs.)* pflanzen; *plant* os sich aufpflanzen; **~ poison** *sub, -s* Pflanzengift; **~ with grass etc.** *vt, (bepflanzen)* begrünen

plantain, *sub, -s (tt; bot.)* Wegerich

plantation, *sub, -s* Anpflanzung, Plantage; **planter** *sub, -s* Pflanzer; **plantiation** *sub, -s (Plantage)* Pflanzung; **planting** *sub, nur Einz.* Bepflanzung; *-s* Einpflanzung; *nur Einz. (Vorgang)* Pflanzung

plaque, *sub, -s* Plaque; *(Gedenk-)* Tafel; *nur Einz. (Zahnstein)* Belag

plaster, (1) *sub, -s* Gips, Putz; *(Heft~)* Pflaster; *(med.)* Gips **(2)** *vt,* gipsen, putzen, verputzen; **~ cast** *sub, -s* Gipsabdruck, Gipsabguss; *(med.)* Gipsverband; **~ed** *adj,* besoffen; **~ing** *sub, -* Bewurf; **~work,** *sub, nur Einz.* Verputz

plastic, (1) *adj, (Kunst, med.)* plastisch **(2)** *sub, -s* Kunststoff; *(Kunststoff)* Plastik; **~ bag** *sub, -s* Plastiksack, Plastiktüte; **~ bomb** *sub, -s* Plastikbombe; **~ film** *sub, -s* Plastikfolie; **~ helmet** *sub, -s* Plastikhelm; **~ money** *sub, nur Einz.* Plastikgeld; **~ surgery** *sub, -ies* Dermoplastik; **~ wrap** *sub, -s (US, Plastik)* Folie; **~ine** *sub, nur Einz.* Plastilin

plate, *sub, -s* Teller; *(Fleisch~)* Platte; *(i. ü. S.) it wasn't handed to him on a plate* das ist ihm nicht in den Schoß

gefallen; **~ rail** *sub, -s* Tellerbrett; **~ shears** *sub, nur Mehrz.* Tafelschere; **~ with gold** *vt,* dublieren; **~-shaped** *adj,* tellerförmig

plateau, *sub, -s* Hochebene, Plateau

platen, *sub, -s (tt; tech.)* Walze; **~ print** *sub, -s* Tiegeldruck

platform, *sub, -s* Bahnsteig, Podium, Rednerbühne; *(Podium)* Podest; *(Redner-)* Tribüne; *(von Schuh)* Plateau

platinum, *sub, nur Einz.* Platin; **~ blonde** *adj,* platinblond

platitude, *sub, -s* Plattitüde

plausibility, *sub, nur Einz.* Wahrscheinlichkeit; **plausible** *adj,* einleuchtend, glaubwürdig, plausibel

play, (1) *sub, -s* Spiel, Theaterstück; *(tech.)* Spielraum **(2)** *vt,* leiern, nachspielen, spielen; *(herauskehren)* hervorkehren; *(Spielkarte)* ausspielen; *(vortäuschen)* markieren **(3)** *vti,* blasen; *play a trick on someone* jemandem einen Streich spielen; *play the innocent* den Unschuldigen spielen; *(mus.) play a chord* einen Akkord greifen; *(spo.) play away from home* auswärts spielen; *play the comb* auf dem Kamm blasen; *play the trumpet* die Trompete blasen; *play the villain* den Bösen spielen; *playing well together* aufeinander eingespielt; *she's playing the lady now* jetzt macht sie auf große Dame; *to play at being sick* den Kranken mimen; *to play it safe* auf Nummer sicher gehen; *to play sb up* jmd auf der Nase herumtanzen; **~ (an affair) up** *vt,* hochspielen; *the newspapers played up (the importance of) trivial details* die Zeitungen haben unerhebliche Einzelheiten hochgespielt; *to make an issue of something* etwas künstlich hochspielen; **~ (for studio theatre)** *sub, -s* Kammerspiel; **~ (in a concert)** *vi,* konzertieren; **~ a musical instrument** *vi,* musizieren; *they sat together playing their instruments* sie saßen zusammen und musizierten; **~ a part** *vi,* mitwirken; **~ a role** *vt, (i. ü. S.)* herauskehren; **~ about** *vi,* tändeln; **~ billiards** *vt,* billardieren; **~ dice** *vi,* knobeln; **~ down** *vt,* bagatellisieren, unterspielen, untertreiben, verharmlosen

player, *sub*, - · Bläser; *-s* Feldspieler, Mitspielerin, Spieler; *to send a player off* einen Spieler vom Platz stellen; *wind player* Bläser; **~-piano** *sub*, *-s* Pianola; **playfellow** *sub*, *-s* Spielkamerad; **playfield** *sub*, *-s (spo.)* Spielfläche; **playful** *adj*, spielerisch, spielfreudig; **playfulness** *sub*, *nur Einz.* Spielfreude; **playgirl** *sub*, *-s* Playgirl; **playground** *sub*, *-s* Spielplatz, Tummelplatz; **playing ball** *sub, nur Einz.* Ballspielen; **playing of stringed instrument** *sub, nur Einz.* Saitenspiel; **playing-field** *sub*, *-s* Spielfeld; **playmate** *sub*, *-s* Gespiele, Spielkamerad; **playstreet** *sub*, *-s* Spielstraße

play extra-time, *vi*, nachspielen; **play first** *vt*, vorspielen; **play football** *vi*, kicken; **play golf** *vi*, golfen; **play jazz** *vi*, jazzen; **play one´s trumps** *vt*, auftrumpfen; **play pinball** *vi*, flippern; **play poker** *vi*, pokern; **play skittles** *vi*, kegeln; **play sth on the violin** *vi*, geigen

play snowballs, *vt*, schneeballen; **play sth to** *vt*, vorspielen; **play the flute/recorder** *vti*, flöten; **play the organ** *vi*, *(ugs.)* orgeln; **play the quack** *vi*, kurpfuschen; **play the trombone** *vi*, posaunen; **play the violin** *vi*, geigen; **play through** *vt*, *(Musik)* durchspielen; **play with fire** *vi*, *(ugs.)* kokeln; **play-off** *sub*, *-s* Playoff; - *(spo.)* Stechen; **play-room** *sub*, *-s* Spielzimmer; **playboy** *sub*, *-s* Playboy

plea, *sub*, *-s (geh.)* Bitte; *(i. ü. S.)* Plädoyer; *have a plea* eine inständige Bitte haben; **~ for clemency** *sub*, *-s* Gnadengesuch; **~d (1)** *vi*, flehen, plädieren **(2)** *vt*, vorschützen; *plead that* sich darauf berufen, dass; **~dingly** *adj*, flehentlich

pleasance, *sub*, *-es (veraltet)* Lustgarten

pleasant, *adj*, angenehm, erfreulich, gefällig, sympathisch, wohlig; *(angenehm)* freundlich; *(vergnüglich)* ersprießlich; *he has a pleasant smile* er hat ein sympathisches Lächeln; **~ sounding** *adj*, wohlautend; **~ to drink** *adj*, süffig; **~ly** *adv*, angenehm; *be pleasantly surprised* ange-

nehm überrascht sein

pleasure, *sub*, *-s* Gefallen, Lust, Pläsier, Vergnügen; *(Vergnügen)* Behagen; *take pleasure in it* Gefallen daran finden; *Business before pleasure* Zuerst die Arbeit, dann das Vergnügen; *combine business with pleasure* Angenehmes mit Nützlichem verbinden; *get a lot of pleasure out of* sich an etwas freuen; *to whom have I the pleasure of speaking* mit wem habe ich die Ehre; **~ in fault-finding** *sub, nur Einz.* Krittelsucht; **~ principle** *sub, nur Einz.* Lustprinzip; **~ steamer** *sub*, - *-s* Ausflugsschiff; **~-loving** *adj*, genussfreudig; **~-seeking** *adj*, *(ugs.; abw.)* genusssüchtig; **~s** *sub*, *-s (Vergnügen)* Freude; *give so pleasure* jmdm eine Freude machen; *his only pleasure* seine einzige Freude; *it gives him a lot of pleasure* er hat viel Freude daran

pleated skirt, *sub*, *-s (Faltenrock)* Falte

pleb, *sub*, *-s (ugs.; Mensch)* Popel

plebiscitary, *adj*, plebiszitär; **plebiscite** *sub*, *-s* Plebiszit, Volksabstimmung

plectrum, *sub*, *-s oder -tra* Plektron

pledge, *sub*, *-s* Faustpfand, Pfand, Unterpfand; *to redeem a pledge* ein Pfand einlösen; *I pledge my word* ich gebe mein Wort als Pfand; *to pledge sth* etwas zum Pfand geben; **~ of secrecy** *sub, nur Einz.* Schweigepflicht

Pleiades, *sub, nur Mehrz. (astron.)* Siebengestirn

Pleistocene, *sub, nur Einz.* Diluvium

Pleistucene, *adj*, diluvial

plentiful, *adj*, reichlich; *be plentiful* reichlich bemessen sein

plenum, *sub*, *-s oder -na* Plenum

pleonasm, *sub*, *-s* Pleonasmus; **pleonastic** *adj*, pleonastisch

plesiosaur, *sub*, *-s* Plesiosaurier

plexus, *sub, nur Einz.* Plexus

pliers, *sub, nur Mehrz.* Beißzange, Kneifzange; *(tt; tech.)* Zange

plight, *sub*, *-s (Wirtschaft)* Misere; *Great Britain´s economic plight* die wirtschaftliche Notlage Großbritanniens

plot, **(1)** *sub*, *-s* Intrige, Komplott,

Parzelle, Plot, Verschwörung; *(Bau-)* Grund **(2)** *vr,* verschwören **(3)** *vt, (Richtung)* peilen; *(Verbrechen, Attentat)* planen; *hatch a plot* zu einer Verschwörung anstiften; *plot against so* eine Verschwörung gegen jemanden anzetteln; **~ter** *sub,* -s Verschworne; **~ting** *sub,* -s *(Richtung)* Peilung

Plough, (1) *sub,* -s *(tt; astrol.)* Wagen; *(brit.)* Pflug **(2)** **plough** *vt,* beackern; *(brit.)* pflügen **(3)** *vti,* ackern; **plough through** *vt,* durchackern; *(Akten)* durchwühlen; *plough through the books* die Bücher durchackern; *plough through a pile of documents* sich durch einen Aktenstoß wühlen; **plough under** *vti,* unterpflügen; **plough up** *vt,* umpflügen; **ploughshare** *sub,* -s *(brit.)* Pflugmesser, Pflugschar; *(Pflug)* Schar

plover, *sub,* -s Regenpfeifer

plow, (1) *sub,* -s *(US)* Pflug **(2)** *vt,* pflügen; **~share** *sub,* -s Pflugmesser, Pflugschar

pluck, *vt,* rupfen, zupfen; **~ (off)** *vt,* abrupfen; **~ up courage** *vt,* ermannen; **~ed violin** *sub,* -s *(tt; mus.)* Zupfgeige

plug, (1) *sub,* -s Dübel, Pfropfen, Schleichwerbung, Stecker, Steckkontakt, Stopfen, Stöpsel; *(Watte)* Pfropf **(2)** *vt,* stöpseln, verstopfen; **~ in** *vt, (Stecker reinstecken)* anschließen; *plug the iron in* steck das Bügeleisen ein; **~-ugly** *adj, (ugs.)* potthässlich

plum, *sub,* -s Pflaume; **~ dumpling** *sub,* -s *(ugs.)* Powidlknödel; **~ pudding** *sub,* -s Plumpudding; **~ purée** *sub, nur Einz.* Zwetschenmus; **~ tree** *sub,* -s Pflaumenbaum; **~age** *sub,* -Gefieder; *-s (zool.)* Federschmuck

plumb, *vt,* loten; *(arch.)* ausloten; **~er** *sub,* -s Installateur, Klempner; **~ing** *sub, nur Einz.* Installation, Klempnerei; -s *(Seefahrt)* Lotung; **~line** *sub,* -s Senkblei; *(naut.)* Lot

plume, *sub,* -s *(Hutschm.)* Federbusch; *strut in borrowed plumes* sich mit fremden Federn schmücken

plummet, (1) *sub,* -s *(Seefahrt)* Sonde **(2)** *vi,* kippen

plump, *adj,* rundlich; *(ugs.; rundlich)* mollig; **~ish** *adj,* dicklich; **~ness** *sub, nur Einz.* Rundlichkeit

plunder, (1) *sub,* -s Plünderung **(2)** *vt,* fleddern, plündern; **~ing expedition** *sub,* -s Beutezug

plunge into, *vt, (Wasser)* einspringen

plural, *sub,* -s Plural; *(gramm.)* Mehrzahl; **~ ending** *sub,* -s Pluralendung; **~ism** *sub, nur Einz.* Pluralismus; **~istic** *adj,* pluralistisch; **~ity** *sub, -ies* Pluralität

plus, (1) *präp,* zuzüglich **(2)** *präp, adv,* plus; *to put a plus (sign)* ein Plus machen, *plus or minus 5 years* plus minus 5 Jahre; **~ sign** *sub,* -s Pluszeichen; *(~zeichen)* Plus

plush, *sub,* -es Plüsch; **~ chair** *sub,* -s Plüschsessel

plutonium, *sub, nur Einz.* Plutonium

plywood, *sub, nur Einz.* Sperrholz

pneumatic, *adj,* pneumatisch; **~ brake** *sub,* -s Knorr-Bremse; **~ drill** *sub,* -s Pressluftbohrer; **~ hammer** *sub,* -s Presslufthammer; **~s** *sub, nur Einz.* Pneumatik

pneumonia, *sub,* -s Lungenentzündung, Pneumonie; **pneumothorax** *sub, -es* Pneumothorax

poach, *vt,* pochieren; *(Kunden)* abwerben; **~er** *sub,* -s Wilddieb, Wilderer; **~ing** *sub,* -s Abwerbung, Wilddieberei, Wilderei

pock, *sub, smallpox* Pocke; **~ (mark)** *sub,* -s *(Pocken~)* Narbe; **~mark** *sub,* -s Blatternarbe

pocket, *sub,* -s *(Kleidung)* Tasche; *out-of-pocket expenses* persönliche Auslagen; **~ billiards** *sub, nur Mehrz.* Poolbillard; **~ calculator** *sub,* -s Taschenrechner; **~ camera** *sub,* -s Pocketkamera; **~ comb** *sub,* -s Taschenkamm; **~ watch** *sub,* -es Taschenuhr; *- (ugs.)* Zwiebel; **~ money** *sub,* - Taschengeld

pockmark, *sub,* -s Pockennarbe; **~ed** *adj,* pockennarbig

pod, *sub,* -s Hülse; *(bot.)* Schote; **~sol soil** *sub, nur Einz.* Podsol

poem, *sub,* -s Gedicht, Poem; **poet** *sub,* -s Dichter, Versemacher; **poetaster** *sub,* -s Poetaster; **poetic** *adj,* dichterisch, poetisch; *to have a poetic streak* eine poetische Ader haben; **poetics** *sub, nur Mehrz.* Poetik; **poetize** *vti,* poetisieren; **poetry** *sub, nur Einz.* Poesie; **poe-**

try of the meistersingers *sub, nur Einz.* Meistergesang

pogrom, *sub, -s* Pogrom; **~ victim** *sub, -s* Pogromopfer

poinsettia, *sub, -s (tt; bot.)* Weihnachtsstern

point, (1) *sub, -s* Punkt, Zacke, Zweck; *(Gegenstände)* Spitze; *(tt; geogr.)* Zipfel; *(Geschichte)* Pointe; *(Sache)* Sinn **(2)** *vi,* weisen **(3)** *vt,* richten; *to get the point of a story* die Pointe einer Geschichte verstehen; *that´s the whole point* das ist der Sinn der Sache, *be on the point of doing sth* dicht dran sein etwas zu tun; *end in a point* spitz auslaufen; *he made the point that* er bemerkte, dass; *I just don´t see the point of it* ich kann absolut keinen Sinn erkennen; *keep to the point* nicht vom Thema abschweifen; *let´s get to the point!* kommen wir zum Thema!; *look at sth from a specific point of view* etwas unter einem bestimmten Aspekt betrachten; *make a point of being/behaving* (auf ein betsimmtes Verhalten) bedacht sein; *(i. ü. S.) make clear one´s point of view* seinen Standpunkt abstecken; *that´s not the point* darum geht es nicht, das ist Nebensache; *that´s the point of the exercise* das ist der Zweck der Übung; *there is no point (in)* es hat ja doch alles keinen Zweck mehr; *what´s the point of that?* wozu soll das alles nützen?; *you´ve scored a point there* das können Sie als Plus für sich buchen; **~ (at)** *vt,* deuten; *point (one´s finger) at sb/sth* mit dem Finger auf jmd/etwas deuten; *read the cards die Karten deuten;* **~ (of a needle)** *sub, -s* Nadelspitze; **~ in controversy** *sub, points* Streitpunkt; **~ of contact** *sub, -s (a. i.ü.S.)* Berührungspunkt; **~ of detonation** *sub, points* Sprengpunkt; **~ of existence** *sub, -s* Daseinszweck; **~ of issue** *sub, points* Streitfrage; **~ of reference** *sub, -s* Fixpunkt; **~ of view** *sub, -s* Gesichtspunkt; *points* Perspektive; *-s* Standpunkt; **~ open to criticism** *sub, -s* Kritikpunkt; **~ sth out to so** *vt,* hinweisen

pointillism, *sub, nur Einz.* Pointillismus; **pointillist** *sub, -s* Pointillist

pointless, *adj,* unnütz, zwecklos;

points *sub, nur Mehrz.* Weiche; **points fight** *sub, -s* Punktekampf; **points system** *sub, -s* Punktwertung

point to, *vi,* hinweisen; *(auf)* hindeuten; **pointed** *adj,* ostentativ, spitz; *(Bemerkung)* gezielt; **pointed cap** *sub, -s (ugs.)* Zipfelmütze; **pointed column** *sub, -s* Spitzpfeiler; **pointed gable** *sub, -s* Spitzgiebel; **pointed shoe** *sub, -s* Schnabelschuh; **pointer** *sub, -s* Pointer, Vorstehhund; - Zeiger, Zeigestock

poke, *vi,* stochern; *(ugs.)* stöbern; *poke the fire* in der Glut stochern; **~ around** *vi,* herumstöbern; **~r** *sub, nur Einz.* Poker; **~r face** *sub, -s* Schüreisen, Schürhaken; **~r face** *sub, -s* Pokerface, Pokergesicht; *to put on a poker-faced expression* ein Pokerface aufsetzen

poky room, *sub, -s* Kabuff

polar, *adj,* polar; **~ air** *sub, nur Einz.* Polarluft; **~ circle** *sub, -s* Polarkreis; **~ front** *sub, -s* Polarfront; **~ ice** *sub, nur Einz.* Polareis; **~ lights** *sub, nur Mehrz.* Polarlicht; **~ night** *sub, nur Einz.* Polarnacht; **~ region** *sub, -s* Polargebiet, Polargegend; **~bear** *sub, -s* Eisbär; **~ity** *sub, -ies* Polarität; **~ization** *sub, -s* Polarisation; **~ize (1)** *vt,* polen **(2)** *vti,* polarisieren; **~izer** *sub, -s* Polarisator

polaroid camera, *sub, -s* Polaroidkamera

polder, *sub, -s* Einpolderung, Polder; **~ dyke** *sub, -s* Polderdeich

pole, (1) *sub, -s* Pol; *(Stab)* Stange **(2)** *vt,* staken; **~ position** *sub, -s* Poleposition; **~ vault** *sub, nur Einz.* Stabhochsprung; **~ wood** *sub, -* Stangenholz; **~cat** *sub, -s (zool.)* Iltis

polemic(al), *adj,* polemisch; **polemical pamphlet** *sub, -s* Streitschrift; **polemicist** *sub, -s* Polemikerin; **polemicize** *vi,* polemisieren; **polemics** *sub, nur Mehrz.* Polemik; *his polemics are unbearable* seine Polemik ist unerträglich

polenta, *sub, -s* Polenta

police, (1) *adj,* polizeilich **(2)** *sub, nur Mehrz.* Polizei; *nur Einz. (in*

Osteuropa: Polizei) Miliz; **~ announcement about wanted persons** *sub, announcements* Suchmeldung; **~ branch** *sub, -s* Polizeiorgan; **~ chief** *sub, -s* Polizeichef; **~ dog** *sub, -s* Polizeihund; **~ force** *sub, -s* Polizeiwesen, Schutzpolizei; **~ inspector** *sub, -s* Polizeiinspektor; **~ officer** *sub, -s* Inspektor; **~ radio** *sub, -s* Polizeifunk

police state, *sub, -s* Polizeistaat; **police station** *sub, -s* Kommissariat, Polizeiwache; *(österr.)* Gendarmerie; **police-informer** *sub, -s* Spitzel; **policecar** *sub, -s* Polizeiauto; **policeman** *sub, -men* Polizist, Schutzmann; *(österr.)* Gendarm

policy, *sub, -ies* Police; *(bestimmte)* Politik; *to pursue a policy* eine Politik verfolgen; **~ of détente** *sub, -ies* Entspannungspolitik

polio(myelitis), *sub, nur Einz.* Polio; *(med.)* Kinderlähmung

Polish, (1) *adj,* polnisch, polonistisch **(2) polish** *sub, -es* Poliermittel, Politur, Schliff **(3)** *vt,* polieren, wichsen; *(i. ü. S.; Aufsatz)* durchfeilen; *(tech.)* abschleifen **(4)** *vti,* bohnern; *(i. ü. S.) polish up* feilen an, *just polished floor* Vorsicht, frisch gebohnert; **polish off** *vt,* verputzen; **polish up** *vt, (a. i.ü.S.; Holz, etc.)* aufpolieren; *(ugs.; sein Ansehen)* aufmöbeln; **polished** *adj,* abgeledert, geschliffen; *(i. ü. S.)* ausgefeilt; *(poliert)* glatt; **polisher** *sub, -s* Polierer

polite, *adj,* höflich; **politely** in höflicher Form; **~ly** *adv, (essen)* manierlich; **~ness** *sub, nur Einz.* Höflichkeit

politic, *adj, (klug)* politisch; **~al** *adj,* politisch; *he´s a political prisoner* er ist ein politischer Gefangener; **~al agitation** *sub, nur Einz.* Agitation; **~al detainee** *sub, -s (polit.)* Häftling; **~al economy** *sub,* - Sparpolitik; **~al issue** *sub, -s* Politikum; **~al realism** *sub, nur Einz.* Realpolitik; **~al science** *sub, nur Einz.* Politologie; **~al scientist** *sub, -s* Politologe; **~ian** *sub, -s* Politiker, Politikerin; **~ize** *vti,* politisieren; **~s** *sub, nur Mehrz.* Politik, Politologie; *to go into politics* in die Politik gehen; *what are his politics?* welche Politik vertritt er?; **~s of the day** *sub,* - Tagespolitik

polka, *sub, -s* Polka; **pollack** *sub, -s*

Seelachs

polling card, *sub, -s* Wahlzettel

pollute, *vt,* belasten, verpesten, verschmutzen, verunreinigen; **~r** *sub, -s* Umweltsünder; **pollution** *sub, -s* Pollution; *nur Einz. (der Umwelt)* Belastung; **pollutive** *adj, (für die Umwelt)* belastend

polo, *sub, -s* Polo

polonaise, *sub, -s* Polonäse

polonium, *sub,* - Polonium

poltergeist, *sub, -s* Poltergeist

polyandry, *sub, nur Einz.* Polyandrie; **polychrome** *sub, -s* Polychromie; **polyedron** *sub, -s (mat.)* Polyeder; **polyester** *sub,* - Polyester; **polyethylene** *sub, -s* Polyäthylen; **polygamous** *adj,* polygam; **polygamy** *sub, nur Einz.* Polygamie, Polygynie; **-es** Vielmännerei

polyglot, *adj,* polyglott, vielsprachig; **polygon** *sub, -s* Polygon, Vieleck; **polygonal** *adj, (mat.)* polygonal; **polygyny** *sub, -es* Vielweiberei; **polyhedral** *adj, (tt; mat.)* vielflächig; **polyhedron** *sub, -s* Vielflächner; **polymeter** *sub, -s* Polymeter; **polymorphism** *sub, nur Einz. (Naturwissenschaft)* Polymorphie

polynomial, *adj, (tt; mat.)* vielgliedrig; *(math.)* mehrgliedrig; **polyp** *sub, -s (zool.)* Polyp; **polyphony** *sub,* - Polyfonie; **polyploid** *adj,* polyploid; **polystyrene** *sub, -s* Polystyrol; **polysyndeton** *sub, -s* Polysyndeton; **polytechnic** *sub, -s* Polytechnikum; **polytheism** *sub, nur Einz.* Polytheismus; **~** Vielgötterei; **polytrop** *adj,* polytrop; **polyvinyl chloride** *sub, -s* Polyvinylchlorid

pomade, (1) *sub, -s* Pomade **(2)** *vt,* pomadisieren

pome, *sub, -s* Kernobst; **~granate** *sub, -s (bot.)* Granatapfel

Pomeranian, *sub, -s (zool.)* Spitz

pommel, *sub, -s* Sattelknopf

pomp, *sub, -s* Gepränge; **~** Pomp

Pompeian, *adj,* pompejanisch

pompom, *sub, -s* Bommel

poncho, *sub, -s* Poncho

pond, *sub, -s* Teich, Weiher; *(ugs.; Atlantischer Ozean) the herring pond* der große Teich; **~er (1)** *vi,* nachgrübeln (?) *vt, wägen;* **~er (about/over)** *vt,* nachsinnen; **~erable** *adj,* wägbar; **~erous** *adj,* schwerfällig

pong, *vi, (ugs.)* miefen; *there´s a pong in here* hier mieft es; *what´s this awful pong?* was mieft denn hier so?; **~y** *adj,* miefig

Pontifex, *sub,* **-es** Pontifex; **pontificate** *sub,* **-s** Pontifikat; **Pontifical Mass** *sub,* **-es** Pontifikalamt

pontoon, *sub,* **-s** Ponton; **~ bridge** *sub,* **-s** Pontonbrücke

pony, *sub,* **-ies** Pony; *on Shanks´ pony* per pedes; **~-tail** *sub,* **-s** *(Frisur)* Pferdeschwanz

poodle, *sub,* **-s** Pudel

pool, *sub,* **-s** Bassin, Lache, Tümpel; *(Schwimmbecken)* Becken; **~ attendant** *sub, - -* Bademeister

poor, *adj,* arm, dürftig, kläglich, mangelhaft, mau, schlecht, schwach, unbemittelt; *(arm)* ärmlich, armselig; *I feel poorly* mir ist mau; **~ breathing** *sub, nur Einz.* schwachatmig; **~ devil** *sub, -s (ugs.)* Hungerleider; **~ eyesight** *sub, nur Einz.* Sehschwäche; **~ farm** *sub, -s (ugs.)* Klitsche; **~ imitation** *sub, -s (i. ü. S.)* Abklatsch; **~ man** *sub, -* Unglückliche; **~(-quality)** *adj,* minderwertig; **~ly** *adj,* unpässlich; **~ly** *lit adj,* lichtarm; **~ness** *sub, nur Einz.* Ärmlichkeit; Armseligkeit; *nur Einz. (ärmlich)* Dürftigkeit; *(unzulänglich)* Dürftigkeit

pop, (1) *adj, (ugs.; kun./mus.)* poppig **(2)** *vi, (ugs.)* verpuffen; **~ music** *lyrics sub, nur Mehrz.* Schlagertext; **~ scene** *sub, -s* Popszene; **~ singer** *sub, -s* Popsängerin; **~ star** *sub, -s* Popstar, Schlagerstar; **~-art** *sub, nur Einz.* Pop-Art; **~-song** *sub, -s* Schlager; **~corn** *sub, nur Einz.* Popcorn

pope, *sub,* **-s** Papst

popfestival, *sub, -s* Popfestival

poplar, *sub, -s* Pappel

poplin, *sub, -s* Popeline

popmusic, *sub, nur Einz.* Popmusik

poppy, *sub, -ies* Mohn; **~-seed plait** *sub, -s* Mohnzopf; **~-seed roll** *sub, -s* Mohnbrötchen

populate, *vt,* bevölkern; **population** *sub, -s* Bevölkerung, Einwohnerschaft; *(biol.)* Population; *the town has a population of 2 million* die

Stadt hat eine Einwohnerschaft von 2 Millionen; **population policy** *sub, nur Einz.* Bevölkerungspolitik; **populist** *adj,* populistisch; **populous** *adj,* volkreich

porcelain, *sub, -s* Porzellan

porch, *sub, -s (arch.)* Vorbau

porcupine, *sub, -s* Stachelschwein

pore, *sub, -s* Pore, Schweißpore; **~ over** *vt,* wälzen

pork, *sub, nur Einz.* Schweinefleisch; **~ butcher** *sub, -s (ugs.)* Selcher; **~ chop** *sub, -s* Schweinekotelett; **~ fat** *sub, nur Einz. (ugs.)* Schmer; **~ sausage** *sub, -s* Fleischwurst; **~/beef sausage** *sub, -s* Mettwurst; **~er** *sub, -s* Mastschwein

porn, *sub, -s (ugs.)* Porno; **~ography** *sub, -ies* Pornografie

porous, *adj,* porig, porös

porphyry, *sub, -ies* Porphyr

porridge, *sub, nur Einz.* Brei; *-s* Haferbrei; *nur Einz.* Porridge; **~ oats** *sub, nur Mehrz.* Haferflocken

port, *sub, nur Einz.* Portwein; *-s (comp.)* Port; *(Handels-)* Hafen; *(Wein)* Port; **~ of entry** *sub, -s* Einfuhrhafen; **~ of refuge** *sub, -s* Schutzhafen

portable phone, *sub, -s* Mobiltelefon; **portable radio** *sub, -s* Kofferradio; **portable TV** *sub, -s* Portable

portal, *sub, -s* Portal

porter, *sub, -s* Dienstmann, Pförtner; *-* Porter; *-s* Portier, Portiersfrau, Türhüter; *(Gepäck-)* Träger; *(Person)* Gepäckträger; **~´s office** *sub, -s* Pförtnerloge; **~house steak** *sub, -s* Porterhousesteak

portiere, *sub, -s* Portiere

portion, *sub, -s* Portion

Portuguese, *sub, -s* Portugiesin

pose, (1) *sub, -s* Pose **(2)** *vi,* posieren

posh, *adj,* stinkvornehm; *(ugs.)* piekfein; *(elegant; ugs.)* nobel

position, *sub, -s* Lage, Ort, Position, Posten, Rang, Standort, Stellung; *nur Einz. (i. ü. S.)* Lage; *-s (Stellung)* Funktion; *maintain one´s position* sich gegen jemanden behaupten; *what position did he come in?* welche Platzierung hatte er?; *(mil.) move into position* Stellung beziehen; *I´m not in a position to do that* dazu bin ich nicht in der Lage; *to be in control of the situation* Herr der Lage sein; *hold a key position* eine hohe Funktion ausüben; **~ (for apprenticeship)** *sub*, *-s* Lehrstelle; **~al warfare** *sub*, *-s* Stellungskrieg; **~el** *adj*, positionell

positive, *adj*, gewiss, positiv; **~ pole** *sub*, *-s* (*~pol*) Plus; **~ness** *sub*, *-*Positivum; **positivist** *adj*, positivistisch

positron, *sub*, *-s* Positron

possesion of firearms, *sub*, *nur Einz.* Waffenbesitz; **possess** *vt*, (*Güter*) besitzen; **possessed** *adj*, (*vom Teufel*) besessen; **possession** *sub*, *-s* Besitz, Besitztum; *nur Einz.* Verfügung; *be in full possession of one´s mental faculties* im Vollbesitz seiner geistigen Kräfte sein; *be in possession of* im Besitz sein von; *take possession of* Besitz ergreifen von; **possessions** *sub*, *nur Mehrz.* Habe; **possessive** *adj*, possessiv; **possessive pronoun** *sub*, *-s* Possessivpronomen, Possessivum

possibility, *sub*, *-ies* Möglichkeit; **possible** *adj*, eventuell, möglich; *I´d never have thought it possible* das hätte ich mir nie träumen lassen; *it is just possible* es ist nicht ganz ausgeschlossen; **possible to finance** *adj*, finanzierbar; **possible to get** *vi*, beschaffbar; **possibly** *adv*, irgend, möglicherweise, womöglich; *he can´t possibly do it* er fühlt sich außer Stande, es zu tun; *if you possibly can* wenn du irgend kannst; *there is possibly a misunderstanding* da liegt möglicherweise ein Missverständnis vor

post, (1) *sub*, *-s* Amt, Pfahl, Pfosten; *nur Einz.* Post; *-s* Posten (2) *vt*, postieren; (*Post*) aufgeben; (*Wache*) aufstellen; **~ free** *adj*, portofrei; **~ mortem** *adj*, postmortal; **~ office** *sub*, *-s* Postamt, Postanstalt; **~ office bank** *sub*, *-s* Postbank; **~ office box** *sub*, *-es* Postfach, Postschließfach; **Post Office Giro account** *sub*, *-s* Postscheckkonto; **~ office official** *sub*, *-s* Postbeamte, Postbeamtin; **Post Office savings book** *sub*, *-s* Postsparbuch; **~-box** *sub*, *-es* Briefkasten; *post-box* Postfach; **~-horn** *sub*, *-s* Posthorn; **~-natal** *adj*, postnatal; **~-office van** *sub*, *-s* Postauto; **~-paid** *adv*, franko; **~-war time** *sub*, *-s* Nachkriegszeit

postage, *sub*, *nur Einz.* Porto; **~ stamp** *sub*, *-s* Postwertzeichen, Wertzeichen; **postal** *adj*, postalisch, postamtlich; **postal code** *sub*, *-s* Postleitzahl; **postal order** *sub*, *-s* Postanweisung; **postal system** *sub*, *-s* Postverkehr; **postal vote** *sub*, *-s* Briefwahl; **postcard** *sub*, *-s* Postkarte; **postdate** *vt*, nachdatieren; **poste restante** *adv*, postlagernd

poster, *sub*, *-s* Plakat, Poster; (*Plakat*) Anschlag; **~ art** *sub*, *nur Einz.* Plakatkunst

posterior, *sub*, *-s* (*ugs.*) Podex

posterity, *sub*, *nur Einz.* (*die ~*) Nachwelt

postglacial, *adj*, postglazial

posthumous, *adj*, postum; **~ly published** *adj*, nachgelassen

posting, *sub*, *nur Einz.* (*von Post*) Aufgabe

postman, *sub*, *-men* Briefträger, Postbote; **postmark** (1) *sub*, *-s* Poststempel; (*Post-*) Stempel (2) *vt*, überstempeln; (*Post*) stempeln; *the letter bears the postmark of May 5* der Brief trägt den Stempel vom 5 Mai; **postmaster general** *sub*, *-s* Postminister; **postnumerando** *adv*, postnumerando; **postoperative** *adj*, postoperativ

postpone, *vt*, verlegen; (*i. ü. S.*) hinausschieben; (*i. ü. S.; Arbeit*) aufschieben; **~d game** *sub*, *-s* Nachholspiel; **~ment** *sub*, *-s* Aufschub, Verschiebung; **postposition** *sub*, *nur Einz.* (*gramm.*) Nachstellung; **postscript** *sub*, *-s* Nachtrag, Postskript, Postskriptum; (*Nachschrift*) Nachsatz; **postscript (PS)** *sub*, *-s* (*Zugefügtes*) Nachschrift

postulant, *sub*, *-s* Postulant; **postulate** (1) *sub*, *-s* Postulat, Postulierung (2) *vt*, postulieren

postule, *sub*, *-s* (*med.*) Pustel

posture, *sub*, *-s* Haltung, Positur; *have a good posture* eine gute Haltung haben

posture (of the head), *sub*, *-s* Kopfhaltung

posy, *adj*, (*ugs.*) protzenhaft

pot, (1) *sub*, *-s* Kännchen, Kanne, Pott, Topf; (*ugs.*) Pot; (*Topf*) Hafen

(2) *vt*, topfen; ~ **(up)** *vt*, eintopfen; *pot up plants* Blumen eintopfen; ~ **belly** *sub*, *-ies* Dickwanst; **~-plant** *sub*, *-s* Kübelpflanze; **~-roast** *sub*, *-s* Schmorbraten

potash, *sub*, *nur Einz.* Kali; *-es* Pottasche; ~ **salt** *sub*, *-s (chem.)* Kalisalz

potassium bromide, *sub*, *nur Einz.* Kaliumbromid; **potassium permanganate** *sub*, *-s* Kaliumpermanganat

potato, *sub*, *-es* Erdapfel, Kartoffel; ~ **beetle** *sub*, *-s* Kartoffelkäfer; ~ **fritter** *sub*, *-s* Reibekuchen; ~ **rot** *sub*, *nur Einz.* Knollenfäule; ~ **salad** *sub*, *-s* Kartoffelsalat

potbelly *sub*, *-ies* Quabbe; *(ugs.)* Schmerbauch

potency, *sub*, *-ies* Potenz; **potent** *adj*, potent; *(ugs.)* so *l wrote him a pretty potent letter* da habe ich ihm einen saftigen Brief geschrieben

potentate, *sub*, *-s* Potentat

potential, (1) *adj*, potential; *(eventuell)* möglich (2) *sub*, *-s* Potenzial; **~ity** *sub*, *-ies* Potentialis; **~ly** *adv*, potenziell

potherb, *sub*, *-* Suppenkraut; **potpourri** *sub*, *-s (mus.)* Allerlei; **pots and pans** *sub*, *-s* Geschirr; **pots of money** *adv*, *(viel Geld)* heidenmäßig; **potted plant** *sub*, *-s* Topfpflanze; **potter** *sub*, *-s* Keramiker(in), Töpfer; **pottery** *sub*, *nur Einz.* Keramik; *-ies* Töpferei; **pottery market** *sub*, *-s* Töpfermarkt; **potty** *sub*, *-ies (ugs.; Nachttopf)* Töpfchen

poullard, *sub*, *-s* Poularde

poultice, *sub*, *-s (tt; med.)* Zugsalbe

poultry, *sub*, *nur Einz.* Federvieh, Geflügel; ~ **farm** *sub*, *-s* Geflügelfarm

pounce on so, *vr*, stürzen

pound, (1) *sub*, *-s oder (nach Zahl)* - Pfund (2) *vi*, *(Herz, Blut)* pochen; *(Maschine)* stampfen (3) *vt*, zerstampfen; *20 pounds sterling* 20 Pfund Sterling; *3 pounds of ham sausage, please!* 3 Pfund Bierschinken, bitte!

pour, (1) *vi*, ergießen, quellen; *(in Strömen)* fließen (2) *vt*, gießen, schütten; *(draufgießen)* aufgießen; *(Flüssigkeit)* einflößen; *it´s pouring* es gießt; *a poetic outpouring* ein literarischer Erguss; *the crowd poured out of the hall* die Menge strömte aus dem Saal; *pour sth into sb's mouth*

jmd etwas einflößen; ~ **in** *vt*, eingießen; ~ **off** *vi*, *(Flüssigkeit)* abgießen; ~ **out** *vt*, ausschenken; *(ausgießen)* auskippen; *(ausschütten)* ausgießen; *(Flüssigkeit)* ausschütten; ~ **out sth. for sb** *vt*, einschenken; ~ **over** *vt*, *(Soße)* übergießen; ~ **water over** *vt*, *(Gegenstand, Person)* begießen; **~ing out** *sub*, *nur Einz.* Einguss

pout, *sub*, *-s* Flunsch, Schmollmund, Schnute

poverty, *sub*, *nur Einz.* Armut; *(Mangel, Elend)* Not; *drive so into poverty* jemanden in die Armut treiben; *intellectual poverty* geistige Armut; *there is great poverty here* hier herrscht große Not

powder, (1) *sub*, *nur Einz.* Puder; - Pulver (2) *vt*, pudern; ~ **factory** *sub*, *-ies* Pulvermühle; ~ **oneself** *vr*, pudern; ~ **puff** *sub*, *-s* Puderquaste; ~ **snow** *sub*, *nur Einz.* Pulverschnee; ~ **sth with talcum** *vt*, talkumieren

power, *sub*, *-s* Kraft, Macht; - Schlagkraft; *-s* Wucht, Wuchtigkeit; *nur Einz. (ugs.)* Power; *-(Macht)* Gewalt; *nur Einz.* Herrschaft; *-s* Stärke; *everything within our power* alles in unserer Macht stehende; *it did not lie within his power to* es stand nicht in seiner Macht; *(überirdisch) the Powers of Darkness* die Mächte der Finsternis; *to assume power* die Macht übernehmen; *to be in power* an der Macht sein; *to seize power* die Macht ergreifen; *from the corridors of power* von maßgebender Seite; *seize power* die Herrschaft an sich reißen; *the powers that be* die da oben; *the powers-that-be in Uganda* die Machthaber in Uganda; ~ **cut** *sub*, *-s* Stromsperre; ~ **failure** *sub*, *-s* Stromausfall; ~ **house** *sub*, *-s* Turbinenhaus; ~ **of judgement** *sub*, *nur Einz.* Urteilskraft; ~ **of observation** *sub*, *-s* - Beobachtungsgabe; ~ **of radiation** *sub*, *nur Einz.* Strahlkraft; ~ **of the keys** *sub*, *- (theol.)* Schlüsselgewalt; ~ **plant** *sub*, *-s (i. ü. S.)* Triebwerk; ~ **station** *sub*, *-s* Elektrizitätswerk, Kraftwerk; ~ **steering** *sub*, *-s* Servolenkung

powerboat, *sub*, -s Rennboot; **powered glider** *sub*, -s *(Flug)* Motorsegler; **powered sailing boat** *sub*, -s *(naut.)* Motorsegler; **powerful** *adj*, gewaltig, kräftig, leistungsfähig, machtvoll, PS-stark; *(mächtig)* stark; *(mit Macht)* eindringlich; *powerful blow* ein gewaltiger Schlage; **powerful acceleration** *sub*, -s Kickdown; **powerless** *adj*, machtlos; *I was powerless against these arguments* gegen diese Argumente war ich machtlos; **powerlessness** *sub*, *nur Einz. (Machtlosigkeit)* Ohnmacht; **powerplay** *sub*, -s Powerplay; **powers of vision** *sub*, *nur Mehrz.* Sehvermögen

practiability, *sub*, -ies *(Lösung)* Gangbarkeit; **practicability** *sub*, -ies Durchführbarkeit; **practicable** *adj*, praktikabel; *(geb.)* durchführbar; **practical** (1) *adj*, faktisch, handlich, praktisch; *(Zweck)* sinnig (2) *sub*, -s Praktikum; **practical constraint** *sub*, -s Sachzwang; **practical training** *sub*, -s *(Übung)* Training; **practical value** *sub*, -s Gebrauchswert

practice, *sub*, -s Praktik; -es Praxis; -Übung; -s *(Übung)* Training; *(ugs.) sharp practices* krumme Touren; *it all comes with practice* alles nur eine Sache der Übung; *keep in practice* in der Übung bleiben; *out of practice* aus der Übung; *practice makes perfect* Übung macht den Meister; ~ **alarm** *sub*, -s Sirenenprobe; **witchcraft** *vi*, *(US)* hexen; **practician** *sub*, -s Praktiker; **practise** (1) *vt*, einüben, exerzieren, praktizieren; *(Beruf)* nachgehen (2) *vti*, trainieren, üben; *practise sth with sb* mit jmd etwas einüben; **practise witchcraft** *vi*, hexen

pragmatic, *adj*, pragmatisch; **pragmatism** *sub*, -s Pragmatik, Pragmatismus; **pragmatist** *sub*, -s Pragmatiker

prairie, *sub*, -s Prärie; ~ **wolf** *sub*, -wolves *(zool.)* Steppenwolf; ~**dog** *sub*, -s Präriehund; ~**oyster** *sub*, -s Prärieauster; ~**wolf** *sub*, -ves Prärie-wolf

praise, (1) *sub*, -s Belobung; *nur Einz.* Lob (2) *vt*, anpreisen, belobigen, loben, preisen, rühmen; *to deserve praise* Lob verdienen, *praise sth to high heaven* etwas beweihräuchern; *sing one's praises* sich selbst beweih-räuchern; ~ **(highly)** *vt*, hochpreisen; ~**worthy** *adj*, lobenswert, rühmenswert, rühmlich; **praising** *sub*, -s *(Lobung)* Anpreisung

pram, *sub*, -s Kinderwagen

prance, *vt*, *(Pferd)* tänzeln

prank, *sub*, -s Jokus, Schabernack

prate, *vt*, salbadern

prattle, *sub*, -s Geschwätz; **prattling** *sub*, - *(abw.)* Geplapper

prawn, *sub*, -s *(ugs.)* Krabbe; *(US)* Garnele

pray, *vi*, beten; ~**er** *sub*, -s Gebet; *say one's prayers* sein Gebet verrichten; ~**er book** *sub*, -s Gebetbuch; ~**er corner** *sub*, -s Gebetsnische; ~**er leader** *sub*, -s Vorbeter; ~**er mantle** *sub*, -s Gebetsmantel; ~**er mat** *sub*, -s Gebetsteppich; ~**ing mantis** *sub*, -es *(zool.)* Gottesanbeterin

preach, *vt*, predigen; ~**er** *sub*, -s Prediger, Verkünderin

preamble, *sub*, -s Präambel

prearranged, *adj*, abgekartet

Pre-Cambrian, *adj*, präkambrisch; **pre-election promise** *sub*, -s Wahlgeschenk; **Pre-Raphaelitism** *sub*, *nur Einz.* Jugendstil; **preschool** *adj*, vorschulisch; **preschool-education** *sub*, -s Vorschulerziehung; **pre-wordly** *adj*, vorweltlich

precarious, *adj*, sengerig; *(Situation)* bedrohlich; ~**ness** *sub*, *nur Einz. (einer Situation)* Bedrohlichkeit

precaution, *sub*, -s Vorkehrung, Vorsichtsmaßregel; *nur Einz.* Vorsorge

precede, *vi*, vorausgehen; ~**nce** *sub*, *nur Einz.* Vortritt; ~**nt** *sub*, -s Präzedenzfall; **preceding** *adj*, vorhergehend

preceive, *vt*, wahrnehmen

precentorship, *sub*, *nur Einz. (mus.)* Kantorat

precincts, *sub*, - *(i. ü. S.)* Weichbild

precious, *adj*, preziös; ~ **metal** *sub*, -s Edelmetall; ~ **stone** *sub*, -s Edelstein; **precipitation** *sub*, -s *(meteor.)* Niederschlag

precise, *adj*, akkurat, exakt, genau, penibel, präzis, präzise; *(Ausdrucksweise)* treffsicher; ~ **distinction** *sub*, -s Differenzierung;

~ness *sub*, *-es* Präzisierung; **precision** *sub*, *-s* Exaktheit, Genauigkeit, Präzision; **precision balance** *sub*, *-s* Feinstwaage; **precision landing** *sub*, *-s* Punktlandung

preclinical, *adj*, vorklinisch

precocious, (1) *adj*, *(Kind)* frühreif; *(vorlaut)* naseweis (2) *sub*, altklug; **precocniousness** *sub*, *-es (Kind)* Frühreife

preconceived, *adj*, vorgefasst, vorgefertigt; **precondition** *sub*, *-s* Voraussetzung, Vorbedingung

predator, *sub*, *-s* Raubtier

predecessor, *sub*, *-s* Vorgängerin

predestination, *sub*, *-s* Prädestination; **predestine** *vt*, prädestinieren; **predestined** *adv*, prädestiniert

predicament, *sub*, *nur Einz.* Zwangslage

predicate, *sub*, *-s* Prädikat, Satzaussage; **predicative noun/adjective/pronoun** *sub*, *-s* Prädikativum

predict, *vt*, voraussagen, vorhersagen; ~ **the future** *vt*, wahrsagen; **~able** *adj*, voraussagbar, vorhersagbar

predispose, *vt*, prädisponieren; **predisposition** *sub*, *-s (tt; anat.)* Veranlagung

predominance, *sub*, *-s* Vorherrschaft; *(i. ü. S.)* Übergewicht; *nur Einz. (Gefühle)* Übermacht; **predominant** *adj*, überwiegend, vorwiegend; *(i. ü. S.) become predominant* das Übergewicht bekommen; **predominantly** *adv*, vorwiegend; **predominate** *vi*, prädominieren, überwiegen, vorherrschen

prefabricated, *adj*, *(vorgefertigt)* fertig; ~ **house** *sub*, *-s* Fertighaus

preface, (1) *sub*, *-s* Vorwort (2) *vt*, bevorworten

prefix, *sub*, *-es* Präfix, Vorsilbe

preform, *vt*, präformieren

pregnancy, *sub*, *-ies* Gravidität, Schwangerschaft; *nur Einz.* Trächtigkeit; **pregnant** *adj*, schwanger, trächtig; *(geb.) be pregnant* in anderen Umständen sein

prehistorian, *sub*, *-s* Prähistoriker; **prehistoric** *adj*, prähistorisch, vorzeitlich; **prehistoric painting** *sub*, *-s* Felsmalerei; **prehistoric rock** *sub*, *-s* Urgestein; **prehistoric times** *sub*, *nur Mehrz.* Vorzeit; **prehistory** *sub*,

-ies Prähistorie; *nur Einz.* Urgeschichte, Vorgeschichte

prehuman, *adj*, *(i. ü. S.)* urmenschlich

prejudge, *vt*, präjudizieren; **prejudice** *sub*, *-s* Vorurteil; *be prejudiced against sb* gegen jmdeingenommen sein; **prejudiced** *adj*, präjudiziell

prelate, *sub*, *-s* Prälat

preliminary consultation, *sub*, *-s* Vorberatung

preliminary contract, *sub*, *-s (tt; jur.)* Vorvertrag; **preliminary decision** *sub*, *-s* Vorbescheid, Vorentscheid, Vorentscheidung; **preliminary examination** *sub*, *-s (tt; med.)* Voruntersuchung; **preliminary examination in medicine** *sub*, *examinations* Physikum; **preliminary exercise** *sub*, *-s* Vorübung; **preliminary inquiry** *sub*, *-s (jur.)* Ermittlungsverfahren; **preliminary investigation** *sub*, *-s (tt; jur.)* Voruntersuchung; **preliminary remark** *sub*, *-s* Vorbemerkung; **preliminary stage** *sub*, *-s* Vorstufe; **preliminary talks** *sub*, *nur Mehrz.* Präliminarien; **preliminary work** *sub*, *-s* Vorleistung

prelude, *sub*, *-s* Präludium; *(tt; mus.)* Vorspiel

prematerial, *adj*, *(i. ü. S.)* urstofflich

premature, *adj*, verfrüht; *(voreilig)* übereilt; *(vorzeitig)* frühzeitig; ~ **birth** *sub*, *-es* Frühgeburt; ~ **praise** *sub*, *nur Mehrz.* Vorschusslorbeeren; **prematurity** *sub*, *nur Einz.* Prämaturität

premiere, *sub*, *-s* Premiere, Uraufführung

première *sub*, *-s* Erstaufführung

premise, *sub*, *-s* Prämisse; *to leave the premises* die Lokalitäten verlassen

premium, *sub*, *-s* Prämie; ~ **rate** *sub*, *-s* Prämienkurs; **~-free** *adj*, prämienfrei

preoccupy, *vt*, *(Verstand)* beanspruchen; *it greatly preoccupies me* es beansprucht mich seelisch sehr

preordered, *adj*, vorgeordnet

preparation, *sub*, *nur Einz.* Bereitung; *-s* Präparat, Präparation, Vor-

bereitung, Zubereitung, Zurichterei;
preparator *sub, -s* Zurichterin; **preparatory course** *sub, -s* Propädeutik;
prepare (1) *vr,* rüsten, wappnen **(2)**
vt, präparieren, richten, zubereiten,
zurechtmachen, zurichten; *(Essen)*
anrichten; *(herrichten)* bereiten;
(Soße, etc.) anmachen **(3)** *vtr,* vorbereiten; *be pepared for the worst* das
Schlimmste befürchten; *be prepared
for* gefasst sein auf; *prepare for* sich
einrichten auf, sich gefasst machen
auf; *we're not prepared for that sort
of thing* auf so etwas sind wir nicht
eingerichtet; **prepared** *adj,* parat
preponderance, *sub, -s* Präponderanz
preposition, *sub, -s* Präposition, Verhältniswort; **~al** *adj,* präpositional
preppie, *sub, -s* Popper
preproduced, *adj,* vorgefertigt
prerogative, *sub, -s* Prärogativ, Prä-ro-
gative
Presbyterian, *sub, -s* Presbyter
prescribe, *vt,* verabreichen, verordnen, verschreiben; **prescription** *sub,
-s* Verordnung, Verschreibung;
(med.) Rezept; **prescription pad**
sub, -s Rezeptblock; **prescriptive**
adj, präskriptiv
presence, *sub, nur Einz.* Anwesenheit; - Gegenwart; *-s* Präsenz; *unassu-
ming presence* bescheidenes
Auftreten; **present (tense** *sub* - Präsens; **present itself** *vr, (Gelegenheit)*
anbieten; **present tense** *sub, -s*
(Sprachw.) Gegenwart
present, (1) *adj,* anwesend, augenblicklich, gegenwärtig; *(i. ü. S.)* zugegen **(2)** *attr,* momentan **(3)** *sub, -s*
Gastgeschenk; - Gegenwart; *-s* Geschenk; *nur Einz.* Jetzt; *-s* Präsent **(4)**
vt, präsentieren, vorführen, vorlegen; *(feierlich)* überreichen **(5)** *vti,*
moderieren; *misrepresent* etwas
falsch darstellen
presentability, *sub, nur Einz.* Hoffä-
higkeit; **presentable** *adj,* präsentabel, repräsentabel, salonfähig; *(ugs.)*
hoffähig; **presentation** *sub, -s* Aufmachung, Darbietung, Darreichung,
Moderation, Präsentation, Überreichung, Vorlage; **presentation ceremony** *sub, -ies (spo.)* Siegerehrung;
presenter *sub, -s* Moderator, Moderatorin
presentiment, *sub, -s (Vorgefühl)* Ah-

nung; **~ of death** *sub, presenti-
ments* Todesahnung; **presently**
adv, präsentisch
preservation, *sub, (Gebäude)* Erhalt; *-s (Kunst)* Erhaltung; **~ pot**
sub, -s Einkochtopf; **preservative**
sub, -s Konservierungsmittel; **preserve (1)** *sub, -s* Präserve; *(Jagd-)*
Gehege **(2)** *vt,* einmachen, einwek-
ken, konservieren, präservieren,
wahren; *(bewahren)* erhalten; *(in
gutem Zustand)* bewahren; **preserved fruit/vegetables** *sub, -* Eingemachte; **preserver** *sub, -s*
Bewahrer; **preserves** *sub, nur
Mehrz.* Konserve
**preserving and bottling
equipment,** *sub, -s* Weckapparat;
preserving jar *sub, -s* Einmachglas, Weckglas; **preserving sugar**
sub, - Gelierzucker; **preserving-jar**
sub, -s Einweckglas
presquabble, *sub, -* Vorgeplänkel
press, (1) *sub, nur Einz.* Blätterwald; *-es* Presse; *nur Einz.* Presse-
wesen **(2)** *vt,* drücken, pressen,
stemmen; *there are rumblings in
the press* es rauscht im Blätterwald;
be pressed for time im Druck sein;
just press the button ein Druck auf
den Knopf genügt; *press so, with
questions* in jmd dringen; *press the
trousers* Hose bügeln; *press sth
into sb's hands* jmd etwas in die
Hand drücken; **~ (down)** *vt,*
niederdrücken; **~ ahead** *vi, (ugs.)*
vorpreschen; **~ commentary** *sub,
-ies* Pressestimme; **~ for** *vt,* drängen; *press for payment* auf Zahlung
drängen; **~ law** *sub, -s* Pressege-
setz; **~ office** *sub, -s* Pressestelle;
~ open *vt, (aufstoßen)* aufdrükken; **~ out** *vt, (Saft)* auspressen; **~
right down** *vt, (Pedal)* durchtreten; **~ so** *vt, (nötigen)* bedrängen;
~ the (door) handle down *vi,*
klinken; **~-stud (am: snap-fastener)** *sub, -s (Kleidung)* Druckknopf; **~-up** *sub, -s (spo.)*
Liegestütz; **~ed** *adj,* gepresst; **~ed
glass** *sub, -es* Pressglas
pressing, *adj, (Problem)* akut;
pressure *sub, -s* Pression;
(phy./psych) Druck; *to exert pressure on sb* auf jmd Zwang ausüben;
have a feeling of pressure in one's

stususs Druck im Magen haben; *put so under pressure* jmd unter Druck setzen; **pressure bandage** *sub*, *-s* Druckverband; **pressure cooker** *sub*, *-s* Druckkessel; **pressure gauge** *sub*, *-s* Manometer; **pressure of time** *sub*, *nur Einz.* Termindruck; **pressure to succeed** *sub*, *-s* Erfolgszwang; **pressure-cooker** *sub*, - Dampfkochtopf; **pressurized cabin** *sub*, *-s* Druckkabine

prestige, *sub*, *nur Einz.* Prestige

presumable, *adj*, vermutlich; **presumably** *adv*, vermutlich; **presumed** *adj*, *(Vater)* mutmaßlich; **presumptuous** *adj*, unbescheiden, vermessen

presuppose, *vt*, präsumieren, voraussetzen

pretence, *sub*, *-s* Vorspiegelung; **pretend** *vt*, prätendieren, vorgeben; *he's only pretending* er tut nur so; *pretend to* sich den Anschein geben zu; *pretend to be asleep* sich schlafend stellen; *to pretend* so tun, als ob; **pretend to be** *vi*, *(sich ausgeben für)* ausgeben; **pretender** *sub*, - Prätendent; **pretension** *sub*, *-s* Prätention; **pretentious** *adj*, großmächtig, prätentiös

preterite, *sub*, *-s* Präteritum

pretext, *sub*, *-s* Vorwand

pretty, (1) *adj*, hübsch (2) *adv*, weidlich; *(i. ü. S.) be sitting pretty* fein heraus sein; *(ugs.) they're pretty well off* sie werden wohl nicht am Hungertuch nagen; ~ **boy** *sub*, *-s (ugs.)* Schönling

pretzel, *sub*, *-s* Brezel; *pretzels with mustard* Brezeln mit Senf

prevail, (1) *adj*, walten (2) *vi*, *(geh.)* obsiegen; *to let reason prevail* Vernunft walten lassen

prevent, (1) *vi*, vorbeugen (2) *vt*, verhindern, verhüten; *(Situation)* abwenden; ~ **so from** *vt*, *(jemand daran)* hindern; **~ion** *sub*, *-s* Prävention, Unterbindung, Verhinderung, Vorbeugung; **~ion of accidents** *sub*, *nur Einz.* Unfallschutz; **~ive** *adj*, präventiv; **~ive custody** *sub*, *-s (tt; jur.)* Vorbeugehaft

preview, *sub*, *-s* Vorschau

previous, *adj*, bisherig, früher, vorig; *a previously unknown* ein bisher unbekannter; *in the previous year* im Jahr zuvor; *previously convicted for*

the same offence einschlägig vorbestraft; *their previous flat* ihre bisherige Wohnung; ~ **conviction** *sub*, *-s* Vorstrafe; ~ **knowledge** *sub*, - Vorkenntnis; *nur Einz.* Vorwissen; ~ **month** *sub*, *-s* Vormonat; ~ **sign** *sub*, *-s* Vorwegweiser; ~ **tenant** *sub*, *-s* Vormieterin; ~ **week** *sub*, *-s* Vorwoche; ~ **year** *sub*, *-s* Vorjahr; **~ly** *adv*, bislang; **~ly convicted** *adj*, vorbestraft

price, *sub*, *-s* Kostenpunkt, Preis, Prix; *I like it, but how much is it?* es gefällt mir, aber wie ist der Kostenpunkt?; *beat down the price* vom Preis etwas abhandeln; *rockbottom prices* niedrigste Preise; *that's the price you have to pay for* das ist die Quittung dafür, dass; ~ **cartel** *sub*, *-s* Preiskartell; ~ **cut** *sub*, *-s* Preissenkung; ~ **decline** *sub*, *-s* Kursrückgang; ~ **fixing** *sub*, *-s* Preisbildung, Preisbindung; ~ **for one** *sub*, *prices* Stückkosten; ~ **freeze** *sub*, *-s* Preisstopp; ~ **gap** *sub*, *-s* Preisgefälle; ~ **level** *sub*, *-s* Preisniveau; ~ **limit** *sub*, *-s* Preisgrenze; ~ **of wheat** *sub*, *-s* Weizenpreis; ~ **paid for ignorance** *sub*, Lehrgeld; *when he was young, he had to pay dearly for his ignorance* als er jung war, hat er kräftig Lehrgeld zahlen müssen

price quotation, *sub*, *-s* Preisangabe; **price range** *sub*, *-s* Preisklasse; **price reduction** *sub*, *-s* Preisnachlass; **price structure** *sub*, *-s* Preisgefüge; **price-tag** *sub*, *-s* Preisschild; **priceless** *adj*, köstlich, *(i. ü. S.; unersetzlich)* unbezahlbar; *his sayings are priceless* seine Sprüche sind köstlich; *it's priceless* das ist nicht mit Geld zu bezahlen; **priceworthy** *adj*, preiswürdig; **pricing authority** *sub*, *-ies* Preisbehörde; **pricing policy** *sub*, *-ies* Preispolitik

prick, (1) *sub*, *-s (Nadel-)* Stich (2) *vt*, stechen; *(i. ü. S.) prick up* die Ohren spitzen; ~ **one's ears** *vt*, aufhorchen; **~le** (1) *sub*, *-s* Stachel (2) *vti*, kribbeln; *(ugs.) I've got pins and needles in my foot* es kribbelt mir im Fuß; *to have a prickling sensation* auf der Haut kribbeln;

~**liness** *sub, nur Einz.* Stachligkeit;
~**ly** *adj,* stachelig, stachlig
pride, *sub, nur Einz.* Stolz; *be a source
of pride to someone* jemanden mit
Stolz erfüllen; *have too much pride
to do something* zu stolz sein, etwas
zu tun; *her pride and joy* ihr ganzer
Stolz; *pride goes before a fall* Hochmut kommt vor dem Fall
priest, *sub, -s* Geistliche, Pope, Priester; ~**´s office** *sub, -s* Pfarramt;
~**hood** *sub, -s* Priesteramt, Priester-
tum; ~**ly** *adj,* priesterhaft
priggish, *adj,* moralinsauer; ~**ness**
sub, nur Einz. Moralin
prim, *adj, (ugs.)* zickig
prima ballerina, *sub, -s* Primaballerina
prima donna, *sub, -s* Diva, Primadonna
primary, *adj,* primär; *(Bedeutung)*
übergeordnet; ~ **administrative division of a Land** *sub, -s* Regierungsbezirk; ~ **education** *sub, -s*
Primarstufe; ~ **energy** *sub, -ies* Primärenergie; ~ **power** *sub, nur Einz.*
Primärstrom; ~ **pupil** *sub, -s* Grundschüler; ~ **school** *sub, -s* Grundschule
prime, *vt, (tt; kun.)* untermalen;
(tech.) grundieren; *to be in one´s
prime* im besten Mannesalter sein; ~
costs *sub, nur Mehrz.* Selbstkosten;
~ **minister** *sub, -s* Ministerpräsident,
Premierminister; ~ **number** *sub, -s*
Primzahl; ~**r** *sub, -s* Fibel; *(Farbe)*
Grundierung
primeval landscape, *sub, -* Urlandschaft; **primeval man** *sub, -men* Urmensch; **primeval sea** *sub, -* Urmeer;
primeval times *sub, -* Urzeit; **primeval world** *sub, -s* Urwelt
priming, *sub, - (tt; kun.)* Untermalung
primitive, (1) *adj,* primitiv (2) *sub, -s
(ugs.)* Primitivling; ~**ness** *sub, nur
Einz.* Primitivismus
primogeniture, *sub, -s* Primogenitur
primrose, *sub, -s* Primel
prince, *sub, -s* Fürst, Prinz; *(hist.)* Landesfürst; **Prince Charming** *sub, nur
Einz.* Märchenprinz; ~ **consort** *sub,
-s* Prinzgemahl; ~**ly** *adj,* fürstlich;
~**ss** *sub, -es* Prinzessin
principal, *adj,* vornehmlich; ~ **witness** *sub, -es* Kronzeuge; ~**ity** *sub,
-ies* Fürstentum; ~**ly** *adv,* vornehm-

lich; **principle** *sub, -s* Gesetz,
Grundsatz, Prinzip; *he´s a man of
principle* er ist ein Mann mit
Grundsätzen; *on the principle that*
nach dem Grundsatz, dass; *(ugs.)
to insist on one´s principles* Prinzipien reiten; **principle debt** *sub, -s
(wirt.)* Hauptschuld; **principle of
legality** *sub, nur Einz.* Legalitätsprinzip
print, (1) *sub, -s* Druck; *(Kunst)*
Grafik (2) *vt,* abdrucken, aufdruk-
ken, bedrucken, drucken; ~ **(out)**
vti, ausdrucken; ~ **in uneven lines** *sub,* Flattersatz; ~ **run** *sub, - -s*
Auflagenhöhe; ~ **through** *vi,*
durchdrucken; ~**ed matter** *sub, -s
(Post)* Drucksache; ~**ed pattern**
sub, -s Druckmuster; *(i. ü. S.) follow a pattern* nach einem bestimmten Druckmuster vorgehen;
~**ed stationery** *sub, -ies (Druck)*
Drucksache; ~**er** *sub, -* Buchdruk-
ker; *-s* Drucker, Printer; *laser printer* Laserdrucker; ~**er´s ink** *sub, -s*
Druckerschwärze
printing, *sub, -s* Bedruckung,
Drucklegung; ~ **block** *sub, -s* Klischee; ~ **paper** *sub, -s* Druckpapier; ~ **plate** *sub, -s* Druckplatte;
~-**house** *(printer´s) sub, -es (Firma)* Druckerei; ~**works** *sub, nur
Mehrz. (Tätigkeit)* Druckerei;
printmedium *sub, -s* Printmedium; **printout** *sub, -s (comp.)* Ausdruck
prior, (1) *adj,* vorherig (2) *sub, -s*
Prior; ~**ity** *sub, -ies* Primat, Priori-
tät; *nur Einz.* Vorrang, Vortritt; *it´s
is top priority* es steht dringend an;
of top priority von grösster Dringlichkeit
prism, *sub, -s* Prisma; ~**atic** *adj,*
prismatisch; ~**atic telescope** *sub,
-s* Prismenglas
prison, *sub, -s* Gefängnis, Haftan-
stalt, Zuchthaus; *be sent to prison*
ins Gefängnis kommen; *be sentenced to prison* mit Gefängnis bestraft
werden; *get five years in prison*
fünf Jahre Gefängnis bekommen; ~
camp *sub, -s* Gefangenenlager;
~ **sentence** *sub, -s* Gefängnisstra-
fe, Haftstrafe, Zuchthausstrafe;
(jur.) Freiheitsstrafe; ~**er** *sub, -s*
Gefangene, Häftling, Inhaftierte.

Sträfling, Zuchthäusler; **~er-of-war camp** sub, -s (mil.) Gefangenenlager; **~er´s leaver** sub, -s Hafturlauber

privacy, sub, nur Einz. Intimbereich; **~ of the post** sub, nur Einz. Briefgeheimnis; **private (1)** adj, außerschulisch, intern, privat **(2)** adv, privatim **(3)** sub, -s (mil.) Landser, Muschkote; for the time being our measures will have to remain private unsere Maßnahmen müssen vorläufig intern bleiben; that´s a purely private matter das ist eine rein interne Angelegenheit, in private unter Ausschluss der Öffentlichkeit; private party geschlossene Gesellschaft; to speak to sb in private jmd unter vier Augen sprechen; **private 1st class** sub, -s (mil./US) Gefreite; **private and confidential** adj, privatissime; **private audience** sub, -s Privataudienz; **private clinic** sub, -s Privatklinik; **private exchange number** sub, -s Sammelnummer

privateer, sub, -s Kaperschiff; **privation** sub, -s Entbehrung; **privatization** sub, -s Privatisierung; **privatize** vt, privatisieren

private first class, sub, privates (US) Obergefreite; **private health insurance company** sub, -ies Ersatzkasse; **private individuals** sub, nur Mehrz. Privatleute; **private initiative** sub, -s Privatinitiative; **private letter** sub, -s Privatbrief; **private life** sub, -ves Intimsphäre; -s Privatleben; **private matter** sub, -s Privatsache; **private means** sub, nur Mehrz. Privatmittel; **private office** sub, -s Privatkontor

private parts, sub, nur Mehrz. Schamdreieck; **private person** sub, pepole Privatperson; **private print** sub, -s Privatdruck; **private property** sub, -ies Privatbesitz; **private quarters** sub, nur Mehrz. Privatquartier; **private room** sub, -s Privatzimmer, Separee; **private school** sub, -s Privatschule; **private tuition** sub, nur Einz. Nachhilfe; -s Privatstunde; **private tutor** sub, -s Privatlehrer; **private wing** sub, -s Belegstation

privet, sub, nur Einz. Liguster

priviledge of serving, sub, -s Ehrendienst; **privilege (1)** sub, -s Privileg,

Sonderrecht, Vergünstigung, Vorrecht, (t. ü. S., Vorrecht) Freibrief **(2)** vt, privilegieren; **privileged** adj, privilegiert

Privy Council, sub, -s Hofrat

prize, sub, -s (Lotterie) Gewinn; **~ competition** sub, -s Preisaufgabe, Preisrätsel; **~giving (am: awards ceremony)** sub, -s Ehrung; **~winner** sub, -s Preisträger

pro, sub, -s (ugs.) Profi

probably, (1) adj, wahrscheinlich **(2)** adv, voraussichtlich, wohl

probation, sub, -s (jur.) Bewährung; **~ officer** sub, - -s Bewährungshelfer

probe, sub, -s Probebohrung; (med.) Sonde

problem, sub, -s Problem, Problematik; (gesundheitliche) Beschwerde; explore the ins and outs of a problem ein Problem ausloten; have problems Sorgen haben; solve problems with a sledgehammer Probleme mit der Brechstange lösen; that´s his problem das ist seine Angelegenheit; that´s not a problem dem ist leicht abzuhelfen; the problems ov everyday living die Nöte des Alltags; **~ area** sub, -s Fragenkreis, Problemkreis, Problemzone; **~ car** sub, -s Montagsauto; **~ child** sub, -ren Problemkind; **~ hair** sub, nur Einz. Problemhaar; **~ play** sub, -s Problemstück; **~ skin** sub, nur Einz. Problemhaut; **~atic** adj, problematisch

procedural law, sub, -s Prozessrecht; **procedure** sub, nur Mehrz. Geschäftsordnung; -s Handlungsweise, Modalität, Praktik, Prozedur, Verfahren; **proceed (1)** vi, prozedieren **(2)** vr, verfügen; proceed to bearing the evidence in die Beweisaufnahme eintreten; **proceeding** sub, nur Mehrz. (tt; jur.) Verfahren; **proceedings** sub, nur Mehrz. Procedere; **proceeds** sub, nur Mehrz. Erlös

process, (1) sub, -es Arbeitsgang; -s Fortsatz; -es (tt; biol.) Vorgang **(2)** vt, (tt; biol.&techn) verarbeiten; (tech.) aufbereiten; **~ of disintegration** sub, -es Auflösungsprozess; **~ of ripening** sub, -

Reifungsprozess; ~ of thinking sub, -es Denkprozess; ~ing sub, -s Aufbereitung; (tt; biol.&tech) Verarbeitung; nur Einz. (eines Antrags etc.) Bearbeitung; ~ion sub, -s Prozession; (Festzug) Auszug; (Umzug) Umgang

proclaim, vt, proklamieren, verkündigen; (Republik) ausrufen; **proclamation** sub, -s Proklamation, Verkündigung

proconsul, sub, -s Prokonsul; ~ate sub, -s Prokonsulat

procuration, sub, -s Prokura; ~ of payment sub, -s Inkasso; **procure** vt, (befehlen) anschaffen; **procure sb for sb** vt, (ugs.) verkuppeln; **procurement** sub, nur Einz. Beschaffung; **procuring** sub, -s (ugs.) Verkuppelung

produce, vt, anfertigen, entwickeln, erbringen, erzeugen, fabrizieren, fertigen, herstellen, hervorbringen, hervorholen, produzieren, vorzeigen; (produzieren) ausstoßen; (Zeugen) anführen; (ugs.) I can´t just produce it from nowhere ich kann es doch nicht durch die Rippen schwitzen; produce a good crop of fruit viele Früchte tragen; ~r sub, -s Erzeuger, Hersteller, Herstellerin, Produzent, Produzentin, Sendeleiter; (Film) Spielleiter; ~r´s cellar sub, -s Kellerei

product, sub, -s Erzeugnis, Fabrikat, Produkt, Ware; ~ of fission sub, products Spaltprodukt; ~ion sub, -s Fabrikation, Fertigung; - Herstellung; -s Inszenierung, Produktion, Regie, Verfertigung; nur Einz. (Film) Spielleitung; (tech.) Anfertigung; go into production in Serie gehen; ~ion costs sub, nur Mehrz. Produktionskosten, Regiekosten; ~ion idea sub, -s Regieeinfall; ~ion line sub, -s Fertigungsstraße; - -s (Fließband) Band; ~ion manager sub, - -s (Film) Aufnahmeleiter; ~ion time sub, nur Einz. (Herstellungszeit) Arbeitszeit; ~ive adj, produktiv; (agr.) ertragreich; (Mine) ergiebig; ~ivity sub, -ies Produktivität

profanation, sub, -s Profanation, Profanierung; **profane (1)** adj, profan (2) vt, profanieren

profess, vi, (zu einem Glauben) be-

kennen; ~ed intention sub, -s Willenserklärung

profession, sub, -s Berufsstand, Metier, Profession; (anspruchsvollerer) Beruf; ~al (1) adj, beruflich, berufsmäßig, fachgerecht, fachlich, gewerbsmäßig, professionell, zünftig (2) sub, -s Professional; give a professional opinion on sth etwas fachlich beurteilen; ~al association sub, -s Kammer; ~al boxing sub, nur Einz. Berufsboxen; ~al driver sub, -s Berufsfahrer; ~al error sub, -s Kunstfehler; ~al ethics sub, nur Mehrz. Berufsethos; ~al expenses sub, nur Mehrz. Werbungskosten

professional football, sub, nur Einz. Profifußball; **professional group** sub, -s Berufsklasse; **professional honour** sub, -s Standesehre; **professional hunter** sub, -s Jägermeister; **professional life** sub, nur Einz. Berufsleben; **professional secrecy** sub, -ies (Schweigepflicht) Berufsgeheimnis; **professional secret** sub, -s Berufsgeheimnis; **professionalize** vt, professionalisieren; **professionally** adv, berufsmäßig, fachgerecht

professional player, sub, -s Berufsspieler

proffer, vt, darreichen

proficiency, sub, - Könnerschaft; -s (Können) Fertigkeit; **proficient** adj, konzertreif; **proficient in languages** adj, sprachkundig

profile, sub, -s Profil, Profileisen

profit, (1) sub, -s Profit; (i. ü. S.) Zugewinn (2) vti, profitieren; ~ and loss account sub, -s Gewinn-und-Verlust-Rechnung; ~ centre sub, -s Profitcenter; ~ margin sub, -s Gewinnquote; ~ sharing sub, -s Gewinnbeteiligung; ~ situation sub, -s Ertragslage; ~-making sub, nur Einz. Kommerz; even the arts are just a profit-making business these days auch die Kunst ist nur Kommerz heutzutage; ~-orientated adj, kommerziell; ~-seeking sub, - Gewinnsucht; ~ability sub, nur Einz. Rentabilität

profitable, adj, einträglich, ersprießlich, Gewinn bringend, Nutz bringend, profitabel, rentabel;

(wirt.) ertragfähig; *profitable busi-ness* ein einträgliches Geschäft; **pro-fiteer** (1) *sub*, -s Profitjäger, Wucherer (2) *vi*, wuchern; **profitee-ring** *sub*, *nur Einz.* Wucher; -s Wucherei

profound, *adj*, profund, tiefgründig; *(i. ü. S.)* tief gehend; *(Gedanken)* gehaltvoll; *(tief)* hintergründig; **pro-fundity** *sub*, *nur Einz.* Tiefsinn

profuse, *adj*, profus

progenitor, *sub*, -s Stammvater; **pro-genitrix** *sub*, *-es* Stammmutter

progesterone, *sub*, *nur Einz.* Progesteron

prognosis, *sub*, *-es* Prognose; **prog-nostic** (1) *adj*, prognostisch (2) *sub*, -s Vorbedeutung; **prognosticate** *vti*, orakeln, prognostizieren; **prog-nostication** *sub*, -s Prognostikum

program of events, *sub*, -s Festpro-gramm; **programmatic** *adj*, pro-grammatisch; **programme** (1) *sub*, -s Programm, Programmheft, Sendung (2) *vt*, programmieren; **programme control** *sub*, -s Programmsteuerung; **programmer** *sub*, -s Programmierer; **programming language** *sub*, -s Pro-grammiersprache

progress, (1) *sub*, *-es* Fortgang; - Fort-kommen, Fortschritt; *-es* Gedeihen; - Progress (2) *vi*, fortschreiten; **~ion** *sub*, -s Progression; **~ive** *adj*, pro-gressiv; *(Ansichten, Eltern)* modern; **~ive party supporter** *sub*, -s Pro-gressist; **~ive reduction** *sub*, -s De-gression

prohibit, *vt*, verbieten; *smoking is prohibited here* hier darf man nicht rauchen; **~ed** *adj*, verboten; **~ed area** *sub*, -s Sperrgebiet; **Prohibition** *sub*, -s Prohibition; *nur Einz.* Unter-sagung; **~ion sign** *sub*, -s Verbot; **~ion sign to land** *sub*, - Landeverbot; **Prohibitionist** *sub*, -s Pro-hibitionist; **~ive** *adj*, prohibitiv, unerschwinglich

project, (1) *sub*, -s Projekt (2) *vt*, pro-jektieren, projizieren, vortreten; *(ugs.) to give up a project (or ventu-re)* den Laden dichtmachen; **~ed estimate** *sub*, -s Hochrechnung

projectile, *sub*, -s Flugkörper, Ge-schoss, Projektil, Wurfgeschoss

projecting, *adj*, *(Bauwerk)* ausla-dend; **~ part** *sub*, -s *(vorstehender*

Teil) Überhau; **projection** *sub*, -s Projektion, Projizierung; *(tt; arch.)* Vorsprung; **projection room** *sub*, -s Vorführraum; **projectionist** *sub*, -s Vorführerin; **projector** *sub*, -s Projektionsapparat, Projektor, Vor-führgerät

proliferate, *vt*, proliferieren; **proli-feration** *sub*, -s Proliferation; **pro-lific** *adj*, kinderreich

prologue, *sub*, -s Prolog, Vorrede

prolong, *vt*, prolongieren; **~ation** *sub*, -s Prolongation

promenade, (1) *sub*, -s Promenade (2) *vti*, promenieren

Promethean, *adj*, prometheisch

prominence, *sub*, *nur Einz. (von Gesichtszügen)* Ausgeprägtheit; **prominent** *adj*, prominent; *(Ge-sichtszüge)* ausgeprägt; *(Kinn etc.)* markant; **prominent figures** *sub*, *nur Mehrz.* Prominenz

promiscuity, *sub*, - Promiskuität; **promiscuous** *adj*, promiskuitiv

promise, (1) *sub*, -s Versprechen, Versprechung; *(i. ü. S.)* Zusage (2) *vt*, verheißen, versprechen, zusa-gen, zusichern; *(i. ü. S.) to sell the electorate false promises* den Wäh-lern ein Mogelpackung verkaufen; **promising** *adj*, aussichtsreich, aussichtsvoll, hoffnungsvoll, ver-heißungsvoll, zukunftsreich, zu-kunftsvoll; **promising to be rich in natural gas** *adj*, erdgashöffig; **promissory note** *sub*, -s Schuld-schein

promontory, *sub*, *-ies* Landzunge

promote, *vt*, fördern; *(beruflich)* befördern; **~r** *sub*, -s Förderer, Promoter; **promotion** *sub*, -s För-derung, Promotion; *(beruflich)* Be-förderung; *(i. ü. S.; spo.)* Aufstieg; **promotion prospects** *sub*, *nur Mehrz.* Aufstiegsmöglichkeit

prompt, (1) *adj*, schleunig (2) *vi*, soufflieren; *to need propting* sich nötigen lassen; **~er** *sub*, -s Souf-fleur, Souffleuse; **promt** *adj*, prompt

promulgate, *vt*, promulgieren; **promulgation** *sub*, -s Promulgati-on

prong, *sub*, -s Zacke, Zinke

pronominal, *adj*, pronominal; *(Sprachw.)* fürwörtlich

pronoun, *sub,* -s Pronomen; *(Sprachw.)* Fürwort

pronounce, *vt, (betonen etc.)* aussprechen; *it is hard to pronounce* es ist nur schwer aussprechbar; ~ **wrong** *vr,* versprechen; ~**able** *adj,* aussprechbar; *it is unpronounceable* es ist nicht aussprechbar; **pronouncing dictionary** *sub, -ies* Aussprachewörterbuch; **pronunciation** *sub, -s (Betonung etc.)* Aussprache; *(ugs.) say it, don´t spray it* du hast aber eine feuchte Aussprache; *the correct pronunciation* die richtige Aussprache

prop, *sub,* -s Strebe; *prop one´s ellbows on the table* die Ellbogen auf den Tisch stützen; ~ **o.s. up** *vr,* aufstützen; ~ **up** *vt,* aufstützen

propaganda, *sub,* - Propaganda, Propagierung; **propagandist** *sub, -s* Propagandist; **propagandistic** *adj,* propagandistisch

propagate, *vt,* propagieren

propane, *sub,* - Propan

propaple, *adj,* probabel

propellant, *sub,* -s *(chem.)* Treibmittel; *(Raketen-)* Treibstoff; **propeller** *sub.* -s Luftschraube, Propeller; **propelling charge** *sub,* -s Treibladung

proper, *adj,* gebührlich, gründlich, sachgemäß, sachgerecht, schicklich, schmuckvoll; *(i. ü. S.)* zünftig; *a proper breakfast* ein ordentliches Frühstück; *a proper hiding* eine ordentliche Tracht Prügel; ~ **name** *sub,* -s Eigenname; ~**ly** *adv,* zweckmäßig; ~**ly speaking** *präp,* an und für sich

property, *sub,* -ies Eigentum, Grundbesitz, Grundeigentum; *hier nur Einz.* Immobilie; *nur Einz.* Liegenschaft, Vermögen; *-ies (Besitz)* Gut; *-s (Grundstück)* Objekt; *-ies (Sachen/Stoffe)* Eigenschaft; *private/state property* privater/staatlicher Besitz; ~ **manager** *sub,* -s Requisiteur

prophecy, *sub,* -ies Orakelspruch, Prophetie, Prophezeiung; *-es* Weissagung; **prophesy (1)** *vi, (i. ü. S.)* vorschauen **(2)** *vt,* prophezeien; **prophet** *sub,* -s Prophet, Vordenkerin; *(i. ü. S.)* Wahrschauer; **prophet of doom** *sub,* -s *(ugs.)* Unke; **prophetic** *adj,* prophetisch, seherisch

prophylactic, *adj,* prophylaktisch

prophylaxis, *sub,* -es Prophylaxe

proponent, *sub, -s (i. ü. S.; Überzeugung)* Streiter

proportion, *sub,* -s Proportion, Quote, Verhältnis; *to be out of all proportion to sth* in keinem Vergleich zu etwas stehen; ~**al representation** *sub,* -s Proporz; ~**al** *adj,* anteilig, anteilsmäßig; ~**ately** *adv,* anteilig, anteilsmäßig; ~**ed** *adj,* proportioniert; ~**s** *sub, nur Mehrz.* Größenverhältnis

proportional, *adj,* proportional, verhältnismäßig

proposal for alteration, *sub,* -s Abänderungsvorschlag; **propose** *vt,* proponieren; *propose to so* jemandem einen Heiratsantrag machen; **proposition** *sub,* -s *(phil.)* Theorem

proprietary article, *sub,* -s Markenartikel; **proprietor** *sub,* -s Prinzipal, Prinzipalin; *(Hotel, Geschäft)* Eigentümer

prosaic, *adj,* prosaisch

proscenium, *sub,* -s Postszenium, Proszenium

proscribe, *vt,* proskribieren; **proscription** *sub,* -s Proskription

prose, *sub, nur Einz.* Prosa

prosecute, *vt, (tt; jur.)* verfolgen; ~**r** *sub,* -s *(jur.)* Ankläger; **prosecuting party** *sub, -ies* Kläger; **prosecution** *sub,* -s Prosekution; **prosecution mania** *sub, nur Einz. (tt; med.)* Verfolgungswahn; **prosecutor** *sub,* -s *(tt; jur.)* Verfolger

proselytize, *vti,* missionieren

prosody, *sub,* -ies Prosodie

prospect, *vt,* prospektieren; *have sth in prospect* etwas in Aussicht haben; *the prospect is not particularly appealing* die Aussicht ist nicht gerade reizvoll; *(ugs.) what a prospect!* na, dann gute Nacht; ~**ing** *sub, nur Einz.* Prospektierung; ~**ive** *adj,* prospektiv; ~**ive customer** *sub,* -s Interessent; ~**ive purchaser** *sub,* -s Reflektant; ~**or** *sub,* -s Prospektor; ~**s** *sub, nur Mehrz. (Aussichten)* Perspektive; *(Zukunftsaussichten)* Ausblick

prosper, *vi,* prosperieren; ~**ity** *sub, -ies* Prosperität; *nur Einz.* Wohlstand; ~**ous** *adj,* wohlhabend

prostate, *sub,* -s *(tt; med.)* Vorste-

herdrüse; ~ **gland** sub, -s Prostata
prosthesis, adj, prothetisch

prostitute, sub, -s Dirne, Freudenmädchen, Prostituierte, Straßenmädchen, Strichmädchen; ~ **oneself** vr,
prostituieren; **prostitution** sub, nur
Einz. Prostitution

prostrate oneself, vr, niederwerfen

protégé, sub, -s Protegé

protactinium, sub, nur Einz. Protactinium

protagonist, sub, -s Protagonist;
(Handelnder) Akteur

protection of trademarks, sub, nur
Einz. Markenschutz; **protective barrier** sub, -s Schutzgitter; **protective
clothing** sub, -s Schutzanzug; **protective cover** sub, -s Schutzhülle;
protective custody sub, nur Einz.
Schutzhaft; **protective goggles** sub,
nur Mehrz. Schutzbrille; **protective
hood** sub, -s Schutzhaube; **protective mask** sub, -s Schutzmaske; **protective tariff** sub, -s Schutzzoll

protector, sub, -s Beschirmer, Heger,
Protektor; (tt; hist.) Vogt; ~ **of animals** sub, protectors Tierschützer;
~**ate** sub, -s Protektorat, Schutzgebiet, Schutzherrschaft

protégé, sub, -s Schutzbefohlene,
Schützling

protein, sub, -s Eiweiß, Eiweißstoff,
Protein; ~ **deficiency** sub, -ies Ei-
weißmangel; ~ **requirement** sub, -s
Eiweißbedarf

protest, (1) sub, -s Protest, Protestation, Verwahrung (2) vi, protestieren
(3) vt, beteuern; ~ **against** vr, verwahren; ~ **song** sub, -s Protestsong;
~**ant** (1) adj, protestantisch (2) sub,
-s Protestant, Protestantin; ~**antism**
sub, nur Einz. Protestantismus; ~**ation** sub, -s Beteuerung

protogen, adj, protogen

Proto-Germanic, adj, urgermanisch;
protofascist adj, faschistoid

proton, sub, -s Proton

protoplasm, sub, nur Einz. Protoplasma; **prototype** sub, -s Prototyp, Urform, Urtyp; **protozoon** sub, - (tt;
zool.) Urtierchen

protract, vt, verschleppen; ~**ion** sub,
nur Einz. Verschleppung; ~**or** sub, -s
(tt; tech.) Winkelmesser

protrude, vi, (überstehen) überragen;
~**r** sub, -s Vorspringer

protuberance, sub, -s Höcker, Protuberanz; nur Einz. (biol., méd.)
Auswuchs; *a single-humped camel*
ein Kamel mit einem Höcker

proud, adj, stolz; *as proud as a peacock* eitel wie ein Pfau; mit stolzgeschwellter Brust; *be proud of*
stolz sein auf; *that´s nothing to be
proud of* das ist nichts, worauf man
stolz sein kann

provable, adj, beweisbar, nachweisbar, nachweislich; *it can be proved
that he was in Schiltberg* er war
nachweislich in Schiltberg; **prova-
cation** sub, -s Provokation; **prove**
(1) adv, zugute (2) vt, belegen,
beweisen, nachweisen; (beweisen)
erweisen; *prove os right* beweisen,
dass man im Recht ist; *prove that
one is not guilty* seine Unschuld
beweisen; *he police could not prove anything against him* die Polizei
konnte ihm nichts nachweisen; *he
succeeded in proving his need* der
Nachweis seiner Bedürftigkeit ist
ihm geglückt; *it cannot be proved
that the accused is in any way
guilty* dem Angeklagten ist keinerlei Schuld nachweisbar; *prove sth*
etwas unter Beweis stellen; *prove
to be* sich erweisen als; *what does
that prove?* was soll das besagen?;
prove o.s./itself vr, (Arbeiter, Sache) bewähren; **prove true** vi,
(sich als wahr erweisen) bewahrheiten; **proved** adj, erwiesen

provenance, sub, -s Provenienz

Provençal, sub, -s Provenzalin

provide, vi, unterlegen; *provided
he doesn´t loose his nerve* wenn er
nur nicht die nerven verliert; *(versorgen.) to provide oneself with sth*
sich mit etwas versehen; *to provide
sb with sth* jmd mit etwas versehen;
~ **afterwards** vt, nachschieben; ~
for vt, versorgen; ~ **sb** vt, versehen; ~ **sb with sth** vt, verschaffen;
~ **sewerage** vt, kanalisieren; ~ **sth**
vt, (tt; mus.) untermalen; ~**d that**
(1) adj, vorausgesetzt (2) konj, sofern

providence, sub, -s Fügung; nur
Einz. Vorsehung

provider, sub, -s Ernährer; **providing** sub, -s Versorgung

province, sub, -s Provinz; **provin-**

cial (1) *adj*, kleinstädtisch, provinzi-
ell **(2)** *sub*, -s Provinziale, Provinz-
nest; **provincial stage** *sub*, -s
Provinzbühne; **provincial town** *sub*,
-s Provinzstadt; **provincialism** *sub*, -s
Provinzialismus

provisional, *adj*, kommissarisch, pro-
visorisch; **~ arrangement** *sub*, -s
Provisorium; **provisions** *sub*, *nur*
Mehrz. Mundvorrat, Proviant; **provi-
sions for the journey** *sub*, *nur*
Mehrz. Wegzehrung

provocation, *sub*, -s Herausforderung, Provozierung; **provocative**
adj, aufreizend, provokant, provokatorisch; **provoke** *vt*, herausfordern,
herbeireden, provozieren; *(bewir-*
ken) hervorrufen; *(Streit)* entfachen;
provoke so´s anger jmd Zorn erregen

provost, *sub*, -s Propst

prowler, *sub*, -s Strauchdieb,
Strauchritter

proximity, *sub*, *nur Einz*. *(örtlich)*
Nähe

prude, *sub*, -s *(ugs.; zimperliche Frau)*
Tunte; **~nce** *sub*, *nur Einz*. Besonnenheit, Umsicht; **~nt** *adj*, besonnen, umsichtig; **~ry** *sub*, -ies
Prüderie; **prudish** *adj*, prüde, tuntig,
zimperlich; *(ugs.)* zickig

prune, (1) *sub*, -s Backpflaume,
Dörrpflaume **(2)** *vt*, *(einen Baum)*
beschneiden; **pruning** *sub*, *nur Einz*.
(von Bäumen) Beschneidung

Prussia, *sub*, *nur Einz*. Preußen

prussic acid, *sub*, *nur Einz*. *(tt;*
chem.) Blausäure

prying fellow, *sub*, -s *(i. ü. S.; Mensch)*
Spürnase

psalm, *sub*, -s Psalm; **~ist** *sub*, -s
Psalmist; **~like** *adj*, psalmodisch;
~ody *sub*, -ies Psalmodie

pseudo-croup, *sub*, *nur Einz*. *(med.)*
Pseudokrupp; **pseudomorph** *adj*,
pseudomorph; **pseudonym** *sub*, -s
Künstlername, Pseudonym; *a pseud-*
onym ein Pseudonym

psoriasis, *sub*, *nur Einz*. *(med.)*
Schuppenflechte

psoriatist, *sub*, -s Psoriatiker

psychatric clinic, *sub*, -s Nervenklinik

psyche, *sub*, -s Psyche

psychedelic, *adj*, psychedelisch

psychiatric, *adj*, psychiatrisch; **psychiatrist** *sub*, -s Psychiater; **psychiatry** *sub*, -ies Psychiatrie

psychoanalyse, *vt*, psychoanalysieren; **psychoanalysis** *sub*, -es Psychoanalyse; **psychoanalyst** *sub*, -s
Psychoanalytiker; **psychoanalytical** *adj*, psychoanalytisch; **psychogenic** *adj*, psychogen;
psychokinesis *sub*, -es Psychokinese; **psychological** *adj*, psychisch, psychologisch; *his*
psychological makeup seine seelische Beschaffenheit; *it is psycholo-*
gical psychisch bedingt sein;
psychological terror *sub*, -s Psychoterror

psychologist, *sub*, -s Psychologe;
psychologize *vt*, psychologisieren; **psychology** *sub*, *nur Einz*.
Psychologie, Seelenkunde, Seelenlehre; **psychopath** *sub*, -s Psychopath; **psychopathic** *adj*,
psychopathisch; **psychosis** *sub*, -es
Psychose; **psychosomatic** *adj*,
psychosomatisch; **psychosomatics** *sub*, *nur Einz*. Psychosomatik;
psychotherapist *sub*, -s Psychotherapeut; **psychotherapy** *sub*, -
ies Psychotherapie; **psychotic** *adj*,
psychotisch

psychiatric drugs, *sub*, *nur Mehrz*.
Psychopharmakon

Ptolemaic, *adj*, ptolemäisch

pub, *sub*, -s Kneipe, Lokal, Wirtshaus; *(ugs.)* Wirtschaft; **~ crawl**
sub, -s Sause; **~ politician** *sub*, -s
Kannegießer; **~-owner** *sub*, -s
Kneipenwirt

puberty, *sub*, *nur Einz*. Pubertät

pubic region, *sub*, *nur Einz*.
Schamgegend

public, (1) *adj*, öffentlich, publik
(2) *sub*, *nur Einz*. Öffentlichkeit,
Publikum; *public institution* Anstalt des öffentlichen Rechts; *public*
opinion die öffentliche Meinung;
to be in public life im öffentlichen
Leben stehen; *to execute sb*
publicly jmdn öffentlich hinrichten; *to make sth public* etwas öffentlich bekanntmachen; *to sell by*
public auction öffentlich versteigern; *to take sth under public con-*
trol etwas in die öffentliche Hand
überführen, *in public* in aller Öffentlichkeit; *to bring sth before the*
public mit etwas an die Öffentlichkeit treten; *when he made his first*

public appearance als er das erste Mal vor die Öffentlichkeit trat, **authority** *sub, -ies* Behörde; **~ bar** *sub, -s* Schankstube; **~ expenses** *sub, nur Mehrz.* Staatskosten; **~ finance** *sub,* - Finanzwesen; **~ funds** *sub, nur Mehrz.* Staatsgelder; **~ health** *sub, nur Einz.* Sozialhygiene; **~ holiday** *sub, -s (gesetzl.)* Feiertag; **~ lavatory** *sub, -ies* Bedürfnisanstalt; **~ property** *sub, -ies* Gemeinbesitz, Gemeindegut; **~ prosecutor** *sub, -s* Staatsanwalt; **~ prosecutor´s office** *sub, -s* Staatsanwaltschaft

publication, *sub, -s* Publikation

publician, *sub, -s (Wirtshaus)* Gastwirt

public relations, *sub, nur Mehrz.* Publicrelations; **~ departement** *sub, -s* PR-Abteilung; **public speaker** *sub, -s* Volksredner; **public spirit** *sub, -s* Gemeingeist, Gemeinsinn; **public welfare** *sub, nur Einz.* Allgemeinwohl; - Gemeinwohl; *-s (öffentl.)* Fürsorge

publish, (1) *vt,* verlegen; *(Buch)* herausbringen, herausgeben (2) *vti,* publizieren, veröffentlichen; *unpublished poems* Gedichte aus dem Nachlass; **~, broadcast** *vt, (veröffentlichen)* bringen; *TV broadcasts the Academy Award* das Fernsehen bringt die Oscar-Verleihung; **~er** *sub, -s* Herausgeber, Verleger; **~er´s mark** *sub, -s* Signet; **~ing** *sub, nur Einz.* Verlagswesen; **~ing firm** *sub, -s* Verlag; **~ing house** *sub, -s* Verlagshaus; **~ing rights** *sub, -* Verlagsrecht; **publlcation** *sub, -s* Veröffentlichung

puck, *sub, -s* Puck; **~er** *vt,* kräuseln; *(i. ü. S.) pucker one´s lips* die Lippen spitzen; *(i. ü. S.) to mockingly pucker one´s lips* spöttisch die Lippen kräuseln; *(i. ü. S.) to wrinkle one´s brow* die Stirn kräuseln

pudding made with curd cheese, sugar, milk, fruit etc, *sub, -s* Quarkspeise; **pudding mould** *sub, -s* Puddingfrom

puddle, *sub, -s* Lache, Pfütze

pueblo, *sub, -s* Pueblo

puerile, *adj, (geh.)* pueril

puerility, *sub, nur Einz.* Puerilität

puerpera, *sub, -s (tt; med.)* Wöchnerin

puff, (1) *sub, -s (i. ü. S.)* Zug; *nur Einz.* *(ugs.)* Puste (2) *vi, (ugs.; nicht inhalieren)* paffen (3) *vi,* pullen (4) *vti,* pusten; *you´re just puffing at it!* du paffst ja bloß!; **~ away** *vi,* schmauchen; *(ugs.; heftig rauchen)* paffen; **~ away at** *vt,* qualmen; **~ o.s. up** *vr,* aufblasen; **~ oneself up** *vr,* blähen; *(i. ü. S.)* bauschen; **~ pastry** *sub, nur Einz.* Blätterteig; **~-paste** *sub, -s* Plunderteig; **~ed rice** *sub, nur Einz.* Puffreis

pug (dog), *sub, -s (Hund)* Mops

pugnacity, *sub, nur Einz.* Kampfeslust; *-ies* Rauflust

pugnacy *sub, nur Einz.* Streitsucht; **pugnatious** *adj,* streitlustig

Pulcinello, *sub, nur Einz.* Polichinelle

pull, (1) *sub, -s* Zug; *(tt; med.)* Zerrung (2) *vi,* reißen; *(am Seil)* anziehen (3) *vt,* ziehen, zuziehen; *have more pull* einen längeren Arm haben; *I have to pull myself together* ich muss mich beherrschen; *pull another one* das kannst du mir nicht erzählen; *to pull faces* Grimassen schneiden, *to pull sb down* jmd nach unten ziehen; **~ a face** *vi,* grimassieren; **~ along** *vt, (hinter sich)* herziehen; **~ apart** *vt,* zerpflücken; **~ back** *vt, (tt; spo.)* zurücknehmen; **~ down** (1) *vi, (Bauwerk)* abreißen (2) *vt,* hinabziehen, niederreißen, niederstrecken; *(Sitz, etc.)* aufklappen

pull in, *vt,* hineinziehen; *(Netz/Segel)* einholen; **pull o.s. up** *vr, (sich)* hinaufziehen; **pull oneself together** *vr,* zusammennehmen; **pull out** (1) *vi, (beim Überholen)* ausscheren; *(Zug)* ausfahren (2) *vt,* herausreißen, herausziehen, hervorziehen, hinausziehen, vorziehen; *(Tisch etc.)* ausziehen; **pull past** *vt,* vorbeiziehen; **pull round** *vt, (Steuerrad)* herumwerfen; **pull so´s leg** *vt,* foppen; **pull the trigger** *vt,* abdrücken; **pull there** *vt,* hinziehen; **pull to the right** *sub, -s* Rechtsdrall

pulp, (1) *sub, -s* Pulp (2) *vt,* einstampfen; *pulp files* Akten Einstampfen; **~ literature** *sub, nur Einz.* Schundliteratur; **~ novel** *sub, -s* Schundroman; **~ paper**

sub, *nur Einz.* Schundblatt; **~ing**
sub, *-s* Einstampfung
pulpit, *sub*, *-s* Kanzel
pulpy, *adj*, pulpös
pulque, *sub*, *nur Einz.* Pulque
pulsate, *vi*, pulsieren; **pulse** *sub*, *-s*
Hülsenfrucht, Puls; **pulse count** *sub*,
-s Pulszahl; **pulse through** *vt*, durchpulsen; *the streets pulsated with life*
buntes Leben durchpulste die Straßen
pulverize, *vt*, pulverisieren, zerpulvern
puma, *sub*, *-s* Puma; *(zool.)* Silberlöwe
pumice-block, *sub*, *-s (tt; arch.)* Bimsstein
pumice-stone, *sub*, *nur Einz. (tt;
geol.)* Bimsstein
pump, (1) *sub*, *-s* Pumpe, Pumps (2)
vti, pumpen; **~ out** *vt*, auspumpen
pumpernickel, *sub*, *-* Pumpernickel
pumping station, *sub*, *-s* Pumpwerk
pumpkin, *sub*, *-s* Kürbis
punch, (1) *sub*, *-es* Faustschlag, Locher, Patrize, Punch, Punsch, Schlag; *(i. ü. S.)*
Biss; *-es (Faust)* Hieb; *nur Einz. (Getränk)* Bowle; *-es (Kopf~)* Nuss; *-es
(Loch~)* Stanze (2) *vt*, stanzen; *pack a
powerful punch* Dynamit in den Fäusten haben; *Punch and Judy show*
Puppenspiel; *punch press* Lochzange; *put punch into sth* einer Sache
Biss geben; **~ card** *sub*, *-s* Stempel-
karte; **~ cutter** *sub*, *-s* Medailleur; **~
holes in** *vt*, durchlochen; **~bowl**
sub, *-s (Gefäß)* Bowle; **~-card operator** *sub*, *-s (Mensch)* Locher; **~-line**
sub, *-s (Witz)* Pointe; **~bag** *sub*, *-s
(Boxen)* Sandsack; **~ball** *sub*, *-s* Pun-
chingball
punchessence, *sub*, *-s* Punschessenz
punctual, *adj*, pünktlich, rechtzeitig;
(ugs.) super-punctual pünktlich wie
die Maurer
puncture, *sub*, *-s* Reifenpanne; *(im
Reifen)* Loch; *(Reifen~)* Panne; *to
have a puncture* eine Panne mit dem
Fahrrad haben
Pundit, *sub*, *-s* Pandit
pungency, *sub*, *nur Einz.* Penetranz;
pungent *adj*, penetrant
punish, *vt*, ahnden, bestrafen, strafen;
punish someone for something jemanden für etwas strafen; **~ability**
sub, *nur Einz.* Strafbarkeit; **~able**
adj, strafbar, strafwürdig; *(jur.)* pu-

nishable *under* strafbar nach;
~ment *sub*, *-s* Ahndung, Bestrafung; *- Strafe; (i. ü. S.)* Strafgericht,
Zuchtmittel; *-s (Strafe)* Lohn; *an
exemplary punishment* eine
abschreckende Bestrafung; **punitive action** *sub*, *-s* Strafaktion
punk, (1) *adj*, punkig (2) *sub*, *-s nur
Einz.* Punk
punt, *vi*, staken; **~er** *sub*, *-s (vulg.;
Prostitution)* Freier
pup, *sub*, *-s (ugs.)* Welpe
pupation, *sub*, *nur Einz. (tt; biol.)*
Verpuppung
pupil, *sub*, *-s* Pupille, Schüler, Zögling; **~ acting as road crossing
warden** *sub*, *-s* Schülerlotse; **~ at
the elementary school** *sub*, *-s*
Volksschüler; **~ in second year of
German secondary school** *sub*, *-s*
Quintanerin; **~ in sixth and seventh year of German secondary
school** *sub*, *-* Sekundaner, Sekun-
danerin; **~ in third year of German secondary school** *sub*, *-s*
Quartanerin; **~ who has to repeat
a year** *sub*, *pupils who have* Sitzen-
bleiber
puppet, *sub*, *-s* Marionette; **~ show**
sub, *-s* Puppenspiel; **~ theatre** *sub*,
-s Puppentheater
puppy fat, *sub*, *nur Einz. (ugs.)* Ba-
byspeck
purchasable, *adj*, käuflich; **purchase** (1) *sub*, *-s* Ankauf, Besorgung,
Erwerb, Erwerbung, Kauf; *(Kauf)*
Anschaffung; *(von Versandwaren)*
Bezug; *(Ware)* Einkauf (2) *vt*, ankaufen, einkaufen, erstehen; *(kaufen)* erwerben; **purchaser** *sub*, *-s*
Einkäuferin; **purchasing power**
sub, *nur Einz.* Kaufkraft
pure, *adj*, jungfräulich, lauter, naturrein, pur, rein, schier; *(echt)*
bar; *that´s a pack of lies* das sind
lauter Lügen; *that´s sheer nonsense* das ist lauter Unsinn; *that´s the
unadulterated truth* das ist die lauter Wahrheit; **~ silver** *adj*, reinsilbern
puree, (1) *sub*, *-s* Püree; *(Apfel~)*
Mus (2) *vt*, pürieren
purely, *adv*, rein
purgatory, *sub*, *nur Einz.* Fegefeuer, Purgatorium
purificate the blood by dialysis,

vt, dialysieren; **purification** *sub*, *-s* Purifikation, Reinigung; **purify** *vt*, läutern, purifizieren, reinigen

Purim, *sub*, *nur Einz.* Purim; **purism** *sub*, *nur Einz.* Purismus

purist, *sub*, *-s* Purist

Puritan, (1) *adj*, puritanisch (2) *sub*, *-s* Puritaner, Puritanerin; **puritanical** *adj*, sittenstreng; **~ism** *sub*, *nur Einz.* Puritanismus

purity, *sub*, *-ies* Reinheit; **~ regulations** *sub*, *nur Mehrz.* Reinheitsgebot

purlin roof, *sub*, *-s* Pfettendach

purloin from, *vt*, entwenden; **purloining** *sub*, *-s* Entwendung

purple, *adj*, lila, violett

purpose, *sub*, *-s* Bestimmung, Zweck; *to serve its purpose* seinen Zweck erfüllen

purr, *vi*, *(Katze)* schnurren

purse, *sub*, *-s* Börse, Brustbeutel, Geldbeutel, Geldbörse, Portemonnaie; *(US)* Tasche; *to purse one's lips* die Lippen schürzen; **~r** *sub*, *-s (tt; Seefahrt)* Zahlmeister

pursue, *vt*, verfolgen; **~r** *sub*, *-s* Verfolger, Verfolgerin; **pursuit** *sub*, *nur Einz.* Nachstellung; *-s* Verfolgung

pus, *sub*, *nur Einz.* Eiter

push, (1) *sub*, *-es* Schub; *-s* Stoß (2) *vt*, anschieben, drängeln, puschen, schieben, stoßen, stupsen, zustoßen; *(Knopf)* drücken; *push os to one's limit* sich alles abfordern; *push so into doing sth* jemanden etwas anschaffen; *push the button* den Knopf drücken, *push one's way through the crowd* sich durch die Menge drängeln; *push the price down* Preis drücken; **~ aside** *vi*, abdrängen; **~ away** *vi*, abschieben; **~ back** *vi*, zurückstoßen; **~ drugs** *vt*, dealen; **~ forward** *vt*, forcieren; **~ in front** *vt*, vorschieben; **~ in** *vt*, *(hinein)* einschieben; **~ in front** *vt*, vorschieben; **~ o.s. off** *vr*, abstoßen; **~ off** (1) *vi*, *(ugs.; sich entfernen)* abschieben, abziehen (2) *vr*, trollen (3) *vt*, *(Boot)* abstoßen; *push off!* troll dich!; **~ one's way through** *vt*, durchdrängen; **~ open** *vt*, *(Tür)* aufstoßen; *(i. ü. S.; Tür)* aufschieben

pusher, *sub*, *-s* Dealer; **pushing** (1) *adj*, streberhaft, streberisch (2) *sub*, - Geschiebe; **pushing and shoving** *sub*, - Gedränge; *nur Einz.* Stößerei;

-s (ugs.) Rempelei; **pushy** *adj*, zudringlich; *he was too pushy for my liking* der Typ war mir zu penetrant

push out, *vt*, hinausschieben; *(Gegenstand)* ausstoßen; **push over** *vt*, herschieben; **push sth** *vt*, zuschieben; **push sth over to s.b.** *vt*, *(jmd. etwas)* hinschieben; **push to the front** *vr*, vordrängeln, vordrängen; **push underneath** *vt*, *(ugs.)* unterschieben; **push up** *vi*, hochschieben; *(ugs.) to be pushing up the daisies* sich die Radieschen von unten ansehen; **push-button** *sub*, *-s (Gerät)* Druckknopf

pustulous, *adj*, pustulös

put, *vt*, anstellen, hinstellen, legen, stecken, stellen; *(legen)* setzen; *(tun, legen, stecken)* geben; *he put it to me that I should resign* er legte mir nahe zu kündigen; *I couldn't put the book down* ich konnte das Buch nicht aus der Hand legen; *I don't know how to put it, but you really ought to know* es ist mir sehr peinlich, aber ich muss es Ihnen einmal sagen; *I put the towels in the cupboard* ich habe die Handtücher in den Schrank gelegt; *if I may put it like that* wenn ich es so formulieren darf; *it puts you off* da kann einem die Lust vergehen; *put one's hand in front of one's mouth* die Hand vor den Mund halten; *put something on the agenda* etwas auf die Tagesordnung setzen; *(ugs.) the things I put up with!* mit mir kann man's ja machen!; *to attach importance to something* Wert auf etwas legen; *to be put behind bars* hinter Schloß und Riegel wandern; *to get put out* pikiert reagieren; *to put a book on the table* ein Buch auf den Tisch legen; *(i. ü. S.) to put off sth* etwas vor sich her schieben; *to put sb off sth* jmd etwas madig machen; *put someone in prison* jemanden ins Gefängnis stecken; *put salt into the soup* Salz in die Suppe geben; **~ a spell on** *vt*, verzaubern; **~ a stop to** *vt*, unterbinden; **~ after** *vt*, *(gramm.)* nachstellen; **~ an advertisement in a newspaper** *vt*, annoncieren; **~ aside** *vt*, wegtun; **~ away** *vt*, weglegen, wegstehlen, wegtun;

(beseitigen) aufräumen; ~ **away/back in(to)** vt, *(Schrank)* einräumen; *put things into a cupboard* einen Schrank einräumen; ~ **away/in** vt, *(weg -)* einstellen; *put in the garage* in die Garage einstellen

putative, adj, *(geh.)* putativ

put back, vt, zurücksetzen, zurückstufen; **put down** vt, hinlegen, hinsetzen, niedersetzen, unterdrücken; *(Gegenstand)* ablegen, abstellen; *(schriftl.)* fixieren; *(Telefonhörer)* auflegen; *put one´s name down* sich eintragen lassen(vormerken); **put drops in** vt, einträufeln; **put forward** vt, vorschieben; *(Kandidaten)* aufstellen; **put here** vt, herstellen

put in, vt, einsetzen; *(Bett/Wand)* einziehen; *(Post)* einwerfen; *the dog put its tail between its legs* der Hund zog den Schwanz ein; ~ **a row** vt, *(Bücher etc.)* aufreihen; ~ **an envelope** vt, *(Austrian)* kuvertieren; ~ **another demand for** vt, nachfordern; ~ **function** vi, funktionalisieren; ~ **ghetto** vt, gettoisieren; ~ **order** vt, einordnen; **~liquidation** vt, *(Geschäft)* liquidieren; **~service** vt, verdingen; **~to one´s head** vt, einflüstern; **~to practice** vt, *(Idee)* durchführen; **~to·sacks** vt, einsacken; **~to the archives** vi, archivieren

put last, vt, hintansetzen, hintannsetzen; **put mascara on** vt, *(Kosmetik)* tuschen; **put money aside for one´s old age** vt, aussorgen; **put o.s. in s.o´s position** vr, *(sich)* hineinversetzen; **put of** vt, vertrösten, wegsanieren; **put off (1)** adj, prorogativ **(2)** vt, hinauszögern; *keep putting off sth* etwas auf die lange Bank schieben; *let sth put os off* sich von etwas abschrecken lassen; *not be put off from* sich nicht beirren lassen in; *the matter can´t be put of* die Angelegenheit ist unaufschiebbar; **put on** vt, aufstecken, umbinden, umhängen, umtun, verstreichen; *(CD)* auflegen; *(Hose, etc.)* anziehen; *(Mütze etc.)* aufsetzen; *(Reifen)* aufziehen; *(Schmuck)* anlegen

put on a leash, vt, *(Tier)* anbinden; **put on a level with** vt, gleichsetzen; **put on fancydress** vt, kostümieren; *you have to wear fancydress to that party* für das Fest muß man sich ko-

stümieren; **put on the index** vt, *(Eccl.)* indizieren; **put on underneath** vt, unterziehen; **put on weight (1)** vr, *(i. ü. S.)* zunehmen **(2)** vt, *(Gewicht)* ansetzen; **put one´s face on** vt, *(ugs.; sich schminken)* anmalen; **put one´s foot in it** sub, Fettnäpfchen; *he is always putting his foot in it* er tritt dauernd ins Fettnäpfchen; **put one´s seatbelt on** vt, gurten; **put out** vt, herausstellen, löschen; *(Auge)* ausstechen; *(Falle)* auslegen; *(Feuer)* ausmachen; **put out the flags** vi, flaggen; **put over** vt, überlegen, überstellen

put perfume on, vi, parfümieren; *you put too much perfume on* du parfümierst dich zu stark; **put round** vt, *(umhängen)* umlegen; **put sb in charge of sb** vt, vorsetzen; **put sb in the picture** vt, *(unterrichten)* orientieren; **put sb off sth** vt, *(ugs.)* verekeln; **put so to death** vt, töten; **put sth in brakkets** vt, einklammern; **put sth on** vr, überziehen; **put sth over sth** vt, stülpen; *put something over something* etwas über etwas stülpen; **put sth under taboo** vt, tabuisieren

putrefaction, sub, -s Putrefaktion; *nur Einz. (stinkend)* Fäulnis; **putrefactive** adj, saprogen

putsch, sub, -es Putsch

put sth out of one´s head, vt, entschlagen; **put sth together** vt, zusammentun; **put sth. in** vt, einstecken; *put the plug in* den Stecker einstecken; **put sth. in/into** vt, einlegen; *put in a good word for sb with so* ein gutes Wort für jmd bei jmd einlegen; *put in a spurt* einen Spurt einlegen; **put the heating on** vi, heizen; **put through (to)** vt, durchstellen; **put to shame** vt, beschämen; **put to sleep** vt, einschläfern; **put together** vt, zusammenfügen, zusammenlegen; *(ugs.)* zusammensetzen; *(zusammen)* fügen; **put underneath** vt, unterlegen

putt, vt, putten; **~er** sub, -s Putter

putting into operation, sub, nur Einz. Inbetriebnahme; **putting**

into the archives *sub*, Archivierung;
putting on *sub*, *- (ugs.)* Vertrösung
putto, *sub*, *-s (kun.)* Engelchen
putty, *sub*, *-ies* Kitt; *(ugs.) to be putty in sb hands* Wachs in jmd Hand sein
put up, *vt*, heraufsetzen, hochstellen; *(Haare)* aufstecken; *(Plakat etc.)* aushängen; *(Zelt)* aufbauen; *put so up to do sth* jemanden zu etwas anstiften; ~ **with** *vt*, *(dulden)* hinnehmen; *(ertragen)* aushalten, ausstehen; *I can't put up with it any longer* ich kann es nicht länger aushalten; ~ **with sth** *vi*, *(- lassen)* gefallen; *I'm not going to put up with it* das lasse ich mir nicht gefallen; *put up with sth* sich etwas gefallen lassen; **put/place sth.** *vt*, zurechtlegen

Pygmy, *sub*, *-ies* Pygmäe
pyjamas, *sub*, *nur Mehrz.* Pyjama, Schlafanzug
pylon, *sub*, *-s (von Hängebrücke)* Pfeiler
pylorus, *sub*, *-es (anat.)* Magenausgang
pyramid, *sub*, *-s* Pyramide; ~ **cake** *sub*, *- -s* Baumkuchen
pyre, *sub*, *-s* Scheiterhaufen
pyromania, *sub*, *nur Einz.* Pyromanie; ~**c** *sub*, *-s* Pyromane; **pyrometer** *sub*, *-s* Pyrometer;
pyrotechnics *sub*, *nur Einz.* Pyrotechnik; **pyrotechnist** *sub*, *-s* Pyrotechniker
python, *sub*, *-s* Python
pyx, *sub*, *-es* Pyxis

Q

qadi, *sub, -s* Kadi; *(ugs.) to haul someone before the judge* jemanden vor den Kadi bringen

quack, (1) *sub, -s* Medikus; *(ugs.)* Wunderdoktor **(2)** *vi,* quacksalbern, quaken; ~ **(doctor)** *sub, -s* Kurpfuscher; *(ugs.)* Quacksalber; ~**ery** *sub, nur Einz.* Kurpfuscherei

quadrant, *sub, -s* Quadrant; **quadrature** *sub, -s* Quadratur; **quadrille** *sub, -s* Quadrille

quadrophony, *sub, nur Einz.* Quadrofonie; **quadrosound** *sub, -s* Quadrosound

quagmire, *sub, -s* Morast; *(i. ü. S.)* Pfuhl

quail, *sub, -s (tt; zool.)* Wachtel; ~**dog** *sub, -s* Wachtelhund

Quaker, *sub, -s* Quäker

qualification, *sub, -s* Qualifikation; *(geistige)* Tauglichkeit; *(Qualifikation)* Befähigung; **qualified** *adj,* fachlich, gelernt, qualifiziert; *(geistig)* tauglich; *(schulisch)* ausgebildet; *qualified in the subject* fachlich qualifiziert; **qualify** *vt,* qualifizieren, relativieren; **qualify for practising medicine** *vi,* approbieren; **qualifying match** *sub, -es* Ausscheidungsspiel; **qualifying round** *sub, -s* Ausscheidungsrunde; *(tt; spo.)* Vorrunde; **qualitative** *adj,* qualitativ; **quality** *sub, -ies* Eigenschaft, Qualität; *-s* Wahl; *top quality* erste Wahl; **quality label** *sub, -s* Gütezeichen; **quality of life** *sub, nur Einz.* Lebensqualität

quantify, *vt,* quantifizieren; **quantitative** *adj,* mengenmäßig, quantitativ; **quantity** *sub, -ies* Quantität; *(Menge)* Größe; *in quantities of* in Mengen zu; *(Handel) the profit only comes with quantity* die Masse muss es bringen

quantum, *sub, -s* Quant, Quantum; ~**mechanics** *sub, nur Mehrz.* Quantenmechanik

quarantine, *sub, -s* Quarantäne

quark, *sub, nur Einz.* Quark; *- (ugs.)* Schotten

quarrel, (1) *sub, -s* Hader, Krach, Querele, Streit **(2)** *vi,* hadern, streiten; *let´s not have a quarrel about it* wir wollen uns nicht darüber streiten;

(Sprichwort) when two people quarrel there´s always a third who rejoices wenn zwei sich streiten, freut sich der Dritte; ~**ing** *sub, -s* Gehader, Verfeindung; ~**some** *adj,* zanksüchtig; *(ugs.)* zänkisch; ~**someness** *sub, nur Einz.* Händelsucht, Streitsucht

quarry, *sub, -ies* Steinbruch; *-s* Verfolgte

quart, *sub, -s* Quart

quarter, (1) *sub, -s* Ortsteil, Quartal, Viertel **(2)** *vt,* einquartieren, vierteilen; *(tt; mil.)* unterbringen; *to give sb no quarter* jmdn kein Pardon geben; ~ **in barracks** *vt,* kasernieren; ~ **note** *sub, -s* Viertelnote; ~ **of an hour** *sub, -s* Viertelstunde; ~**hour** *adj,* viertelstündig, viertelstündlich; ~**-litre** *sub, -s* Viertelliter; ~**-pound** *sub, -s* Viertelpfund; ~**deck** *sub, -s* Achterdeck; ~**ing** *sub, -s (mil.)* Einquartierung; ~**light** *sub, -s* Ausstellfenster; ~**ly (1)** *adj,* vierteljährlich **(2)** *adv,* vierteljährlich; ~**s** *sub, -* Truppenunterkunft; *nur Mehrz. (mil.)* Quartier; **quaters** *sub, - (tt; mil.)* Unterkunft

quartet, *sub, -s (mus.)* Quartett

quarto (format), *sub, nur Einz.* Quartformat

quartz, *sub, nur Einz.* Quarz; ~ **clock/watch** *sub, -s/-es* Quarzuhr; ~ **filter** *sub, -s* Quarzfilter; ~ **glass** *sub, -es* Quarzglas; ~ **lamp** *sub, -s* Quarzlampe

quarziferous, *adj,* quarzhaltig

quasi, *adv,* quasi; ~**optical** *adj,* quasioptisch

quaver, *vi,* tremolieren, tremulieren, zittern

quay, *sub, -s* Kai; ~ **wall** *sub, -s* Kaimauer

queen, *sub, -s* Königin; *(ugs.)* Schwuchtel; *(Karten)* Ober; *(Spiel)* Dame; ~ **bee** *sub, -s (tt; zool.)* Weisel; **queer bird** *sub, -s* Ulknudel; **queer fish** *sub, - (ugs.)* Unikum

quench, *vt, (Durst)* stillen

querulation, *sub, -s* Querulation

query, *vt, (comp.)* abfragen

question, (1) *sub, -s* Frage, Rätselfrage, Rückfrage **(2)** *vt,* ausfragen,

befragen, hinterfragen, verhören;
(ugs.) hinterhaken; *ask a question*
eine Frage stellen, eine Frage stellen;
call in question in Frage stellen; *that
is out of question* das kommt nicht in
Frage; *there is no question about it*
das steht ausser Frage; *cluster of questions* ein Bündel Fragen; *it´s out of
question* es ist nicht daran zu denken;
sleep was out of the question an
Schlaf war nicht zu denken; ~ **mark**
sub, -s Fragezeichen; ~ **of cost(s)**
sub, - Kostenfrage; ~ **of detail** *sub*, -s
Detailfrage; ~ **of matter** *sub*, -s Ver-
trauensfrage; ~ **of nerves** *sub*, ques-
tiones Nervensache; *it´s all a
question of nerves* reine Nervensache!; **~able** *adj*, bedenklich, fragwürdig, zweifelhaft; **~aire** *sub*, -s
Fragebogen; **~ing** *sub*, -s Verhör; *nur
Einz. (von Personen)* Befragung; **~s**
sub, nur Mehrz. Fragerei

queue, *sub*, -s Schlange; *join sthe
queue* sich hinten anstellen; *(ugs.)*
queue up in front of a shop sich vor
einem Laden anstellen; ~ **up** *vi*, *(in
einer Schlange)* anstellen

quibbler, *sub*, -s Rabulist; **quibbling**
(1) *adj*, rabulistisch **(2)** *sub*, -s Rabulisterei, Rabulistik

quick, **(1)** *adj*, fix, flink, hurtig,
schnell; *(flink)* gewandt **(2)** *sub, nur
Einz.* Innerste; *at a quick glance* bei
oberflächlicher Betrachtung; *to go
for a quick one* einen zwitschern,
hurt to the quick bis ins Innerste getroffen; ~ **action** *sub*, - Zugriff; ~ **as
a flash** *adv, (ugs.)* wieselflink; **~fire**
sub, nur Einz. Schnellschuss; **~ with
the tonguc** *adj*, flinkzüngig; **~-fro-
zen** *adj*, tief gekühlt; **~-growing** *adj*,
raschwüchsig; **~-tempered** *adj*, auf-
brausend, hitzig; **~-witted** *adj*,
schlagfertig; **~ly** *adv*, fix, geschwind,
raschestens; **~ness** *sub, nur Einz.*
Schnelle, Schnelligkeit; **~sand** *sub*,
-s Treibsand; **~silver (1)** *adj, (ugs.)*
wieselflink **(2)** *sub, nur Einz.* Quecksilber; **~silver poisoning** *sub, nur
Einz.* Quecksilbervergiftung

quid of tobacco, *sub*, -s Priem

quid pro quo, *sub*, -s Quidproquo

quiet, *adj*, geräuscharm, leise, ruhig,
still, stille; *he knows how to keep
quiet* er kann schweigen wie ein
Grab; *he was given a quiet burial* er

wurde in aller Stille beigesetzt, on
the quiet heimlich, still und leise;
be quiet! sei still!; **~ness** *sub, nur
Einz.* Stille

quiff, *sub*, -s Tolle

quill, *sub*, -s *(Schwanz-/Schwung-)*
Feder

quilt, **(1)** *sub*, -s Oberbett,
Steppdecke; *(gesteppte)* Bettdecke
(2) *vt, (wattieren)* steppen; **~ed
coat** *sub*, -s Steppmantel

quince, *sub*, -s Quitte; ~ **bread** *sub*,
-s Quittenbrot; **~jelly** *sub*, -ies
Quittengelee

quinine, *sub, nur Einz.* Chinin

quint, *sub*, -s Quint; **~essenc)** *sub*,
nur Einz. Inbegriff

quinte, *sub*, -s Quinte; **~ssence**
sub, -s Quintessenz

quintet, *sub*, -s Quintett

qui pro quo, *sub*, -s Quiproquo;
qui vive *sub*, - Quivive

quirk, *sub*, -s Marotte, Schrulle; *(Eigenart)* Tick; *that´s one of her little
quirks* das ist ihre Marotte

quisling, *sub*, -s Quisling

quit, *vt*, quittieren

quite, *adv*, recht; *(ziemlich)* ganz;
quite a lot recht viel; *quite possible*
durchaus möglich; *I quite liked it*
es hat mir ganz gut gefallen; *quite
a lot* ganz schön viel; *quite good*
ganz gut; ~ **a lot of** *Zahlw*, etliche;
~ **literally** *adv*, wortwörtlich

quits, *adj*, wett

quitt, *adj*, quitt

quiver, **(1)** *sub*, -s Köcher **(2)** *vi*, zittern

quixotism, *sub*, -s Donquichotterie

quiz, *sub*, -es Quiz; **~master** *sub*, -s
Quizmaster; **~program** *sub*, -s
Quizsendung

quorum, *sub, nur Einz.* Beschluss-
fähigkeit, Quorum

quota, *sub*, -s Quote; *(wirt.)* Kontingent; *daily quota* tägliches Pensum; **~tion** *sub*, -s Quotation,
Wort; *(tt; hist.)* Zitat; *(Preisangebot)* Angebot; **~tion mark** *sub*, -s
Anführungsstrich, Anführungszeichen; **~tion marks** *sub, nur
Mehrz. (ugs.; Anführungszeichen)*
Gänsefüßchen; **quote (1)** *vi*, zitieren **(2)** *vt*, quotieren

quotient, *sub*, -s Quotient

R

rabbit, *sub*, -s Kaninchen, Stallhase; *(Kaninchen)* Hase; **~-punch** *suc*, Nackenschlag

rabble, *sub*, -s Gesindel; *nur Einz.* Kanaille, Pack, Pöbel; *nur Mehrz.* *(ugs.; das Pack)* Bagage; *rabble like that are at at each others throats one minute and friend again the next* Pack schlägt sich, Pack verträgt sich

rabies, *sub*, *nur Einz.* Tollwut

race, (1) *sub*, -s Galopprennen, Lauf, Rasse, Rennen, Wettlauf, Wettrennen (2) *vi*, rasen; *to race towards sb* auf jmdn losschießen; **~ along** *vi*, dahinsausen; **~ track** *sub*, -s Rennbahn, Rennstrecke; **~horse** *sub*, -s Rennpferd; **~r** *sub*, -s Rennmaschine

rachitic, *adj*, rachitisch

rachitis, *sub*, *nur Einz.* Rachitis

racial hatred, *sub*, - Rassenhass; **racial law** *sub*, -s Rassengesetz; **racial problem** *sub*, -s Rassenfrage

racing car, *sub*, -s Rennauto; **racing cyclist** *sub*, -s Rennfahrerin; **racing dive** *sub*, -s Startsprung; *(Schwimmen)* Hechtsprung; **racing driver** *sub*, -s Rennfahrerin

racism, *sub*, -s Rassismus; **racist** (1) *adj*, rassistisch (2) *sub*, -s Rassist

rack, *sub*, -s Gestell, Stellage; *(Gepäck~)* Netz; *(Gestell)* Ständer; **~-railway** *sub*, -s *(tt; tech.)* Zahnradbahn

racket, *sub*, *nur Einz.* Krach; -s Racket, Rakett; *(Schläger)* Federball

raclette, *sub*, -s Raclette; **~ cheese** *sub*, *nur Einz.* Raclettekäse

racoon, *sub*, -s *(tt; zool.)* Waschbär

racquet, *sub*, -s *(spo.)* Schläger

raction, *sub*, -s Reaktion

radar, *sub*, -s Radar; **~ screen** *sub*, -s Radarschirm; **~ speed check** *sub*, -s Radarkontrolle; **~ station** *sub*, -s Radarstation

radiant, *adj*, strahlend

radiate, (1) *vi*, *(phy.)* ausstrahlen; *(Wärme)* strahlen (2) *vt*, abstrahlen; *(i. ü. S.; Freude etc.)* ausstrahlen; **~ sound waves at** *vt*, beschallen; **radiation** *sub*, - Abstrahlung; -s Strahlung; *(ugs.)* Zerstrahlung; *nur Einz.* *(phy.)* Ausstrahlung; **radiation protection** *sub*, -s Strahlenschutz; **radiator** *sub*, -s Heizung, Kühler, Radiator,

Strahler; **radiator grid** *sub*, -s Kühlergrill; **radiator mascot** *sub*, -s Kühlerfigur

radical, (1) *adj*, radikal; *(stärker)* einschneidend (2) *sub*, -s Radikale; **~ change** *sub*, -s Umbruch; **~isation** *sub*, -s Radikalität; **~ism** *sub*, -s Radikalismus; **~ize** *vt*, radikalisieren; **~ly left-wing** *adj*, linksradikal

radicchio, *sub*, -s Radicchio

radio, (1) *sub*, *nur Einz.* Bordfunk; -s Funk, Radio, Rundfunk (2) *vt*, anfunken, funken; **~ advertisement** *sub*, -s Rundfunkwerbung; **~ advertisment** *sub*, -s Funkwerbung; **~ broadcast** *sub*, -s Rundfunkübertragung; **~ call** *sub*, -s Suchmeldung; **~ contact** *sub*, -s Funkkontakt; **~ element** *sub*, -s Radioelement; **~ engineering** *sub*, -s Funktechnik; **~ ham** *sub*, -s Funkamateur; *(ugs.)* Radioamateur

radioactive, *adj*, radioaktiv; **radioactivity** *sub*, -ies Radioaktivität; **radiochemistry** *sub*, *nur Einz.* Radiochemie; **radiological** *adj*, radiologisch; **radiologist** *sub*, -s Röntgenologe; *(med.)* Radiologe; **radiology** *sub*, -ies Radiologie; *nur Einz.* Röntgenologie; **radiometer** *sub*, -s Radiometer; **radiometry** *sub*, *nur Einz.* Radiometrie; **radiophony** *sub*, *nur Einz.* Radiophonie; **radioscopy** *sub*, -ies Röntgenoskopie; **radiotherapy** *sub*, -ies Strahlenbehandlung

radio mast, *sub*, - -s Antennenmast; **radio message** *sub*, -s Funkspruch; **radio operator** *sub*, -s Bordfunker, Funker; **radio patrol** *sub*, -s *(Polizei)* Funkstreife; **radio play** *sub*, -s Hörspiel; **radio programme** *sub*, -s Rundfunkprogramm, Rundfunksendung; **radio set** *sub*, -s Radioapparat, Radiogerät, Rundfunkapparat, Rundfunkgerät; **radio station** *sub*, -s Funkstation, Radiosender, Rundfunkstation

radio technology, *sub*, -ies Radiotechnik; **radio telescope** *sub*, -s Radioteleskop; **radio tower** *sub*, -s Funkturm; **radio traffic service**

sub, nur Einz. Verkehrsfunk· **radio-owner without a having licence** *sub, -s* Schwarzhörer

radish, *sub, -es* Radieschen, Rettich

radium, *sub, nur Einz.* Radium

radius, *sub, -es* Radius; *~ (anat.)* Speiche; *within a radius of* im Umkreis von; *~ of action sub, -dii* - Aktionsradius

radix, *sub, -ces* Radix

radon, *sub, nur Einz.* Radon ·

raffia, *sub, -s (Raffiabast)* Bast

raffle, (1) *sub, -s (Tombola)* Lotterie **(2)** *vt,* verlosen; **raffling** *sub, -s* Verlosung

raft, (1) *sub, -s* Floß **(2)** *vti,* flößen; *~er sub, -s* Dachsparren, Sparren; *(Dachbalken)* Balken; *~ers sub, nur Mehrz.* Sparrendach

rage, (1) *sub, nur Einz.* Rage; · Wut **(2)** *vi,* toben, wogen, wüten; *(Krankh.)* grassieren; *(Sturm)* tosen; *(Wind)* stürmen; *be white with rage* bleich vor Wut sein; *in rage* im Zorn; *to fly into rage* in Zorn geraten; *~ of a berserk sub, nur Einz.* Berserkerwut

ragged, *adj,* zerlumpt, zerschunden; *(Kleidung)* lumpig; *to run sb ragged* jmdn fertigmachen

raging, *sub, -s (Naturgewalt)* Entfesselung; *raging of the elements* die Entfesselung der Naturgewalten; *~ flames sub, nur Mehrz. (geb.)* Lohe

raglan, *sub, -s* Raglan; *~ sleeve sub, -s* Raglanärmel

ragout, *sub, -s* Ragout; **rags** *sub, -* *(ugs.)* Fummel; **ragtime** *sub, -s* Ragtime

raid, (1) *sub, -s* Razzia; *(Razzia)* Aushebung **(2)** *vt, (ausrauben)* plündern; *(Verbrecherring)* ausheben; *sb has raided our apple trees* jemand hat unsere Apfelbäume geplündert; *~ing party sub, -ies* Rollkommando

rail, (1) *sub, -s* Laufschiene, Reling, Schiene; *(Kleider-)* Stange; *~ bus sub, -ses* Schienenbus; *~ network sub, -s* Schienennetz; *~car sub, -s* Triebwagen; *~ing sub, -s* Geländer; *~s sub, nur Mehrz.* Geleise; *~s Gleis; ~way sub, -s (Eisenbahn)* Bahn; *(i. ü. S.) it´s like a railway station here!* hier geht´s ja zu wie in einem Taubenschlag!; *work for the railway* bei der Bahn arbeiten; *~way (am: railroad) sub, -s* Eisenbahn; *~way carria-*

ge/wagon *sub, -s* Eisenbahnwagen; *~way line sub, - -s* Bahnlinie; *~way map sub, - -s* Schienenweg; *~way map sub, - -s* Bahnkarte; *~way network sub, -s* Streckennetz; *~wayman sub, -men* Eisenbahner

rain, (1) *sub, -* Regen **(2)** *vti,* regnen; *(i. ü. S.) it never rains but it pours* ein Unglück kommt selten allein; *it´s pouring with rain* es regnet in Strömen; *to some money away for a rainy day* sich einen Notgroschen zurücklegen; *~ down vi,* niederregnen; *~ down on sb vt,* einprasseln; *~ drop sub, -s* Regentropfen; *~ forest sub, -s* Regenwald; *~ gauge sub, -s* Pluviometer; *~ is coming through vti,* durchregnen; *~ shadow sub, -s* Regenschatten; *~ shelter sub, -s* Regenschutz; *~bow sub, -s* Regenbogen; *~coat sub, -s* Regenmantel; *~water sub, nur Einz.* Regenwasser; *~y day sub, -s* Regentag; *~y weather sub, -* Regenwetter

raise, (1) *sub, -s (arch.)* Aufstockung **(2)** *vt,* heraufsetzen; *(arch.)* aufstocken; *(aufbringen)* erbringen; *(aufziehen)* heranziehen; *(Bedenken)* anmelden; *(empor/Stimme)* erheben; *(i. ü. S.; Frage)* aufwerfen; *(Geld)* aufbringen; *(hochheben)* lüften; *(höher stellen)* heben; *(Preis)* anheben; *(Schatz, Wrack)* heben; *(Stimme)* heben; *raise so to the peerage* jmd in den Adelsstand erheben; *~ number to the cube vt, (mat.)* kubieren; *~ to the nobility vt,* adeln; *~d ground-floor sub, -s* Hochparterre; *~d hide sub, -s* Hochsitz

raisin, *sub, -s* Rosine; *~ bread sub, -s* Rosinenbrot; *~ coloured adj,* rosinfarben

raising, *sub, -s* Erhöhung; *nur Einz. (Geld)* Aufbringung; *~ agent sub, -s (backen)* Treibmittel

rake, (1) *sub, -s* Lebemann, Rechen; *(ugs.)* Windbeutel, Windhund **(2)** *vt,* harken, rechen, schüren; *(ugs.) he raked in a pile from the insuranc* von der Versicherung hat er ganz nett kassiert; *~ in vt, (Geld)* einstreichen; *(raffen)* einheimsen

raki, *sub,* -s Raki
rakish, *adj,* lebemännisch
rally, (1) *sub,* -ies Kundgebung, Rallye, Sternfahrt; -s *(Demonstration)* Aufmarsch (2) *vt,* zusammenrufen
RAM, (1) *sub,* -s RAM; *(tt; zool.)* Widder (2) *ram vt,* rammen; **ram(mer)** *sub,* -s Rammbock
rambler, *sub,* -s *(ugs.)* Wandersmann
ramp, *sub,* -s Rampe
rampage (about), *vi,* randalieren
rampart, *sub,* -s Festungswall
ramshackle, *adj, (Gebäude)* morsch
ranch, *sub,* -es Ranch; **~er** *sub,* -s Rancher
rancid, *adj,* ranzig
rancour, *sub,* -s Groll, Ranküne
random, *adj, (ziellos)* planlos
randy, *adj, (ugs.)* scharf; *(sexuell)* geil
range, (1) *sub,* -s Reichweite; *(i. ü. S.)* Palette; *(figurativ)* Skala; *(Reichweite)* Bereich, Spanne, Tragweite; *nur Einz. (wirt.)* Auswahl (2) *vi, (Kosten)* bewegen; *within range* in Reichweite; **~ of fire** *sub,* -s Schussweite; **~ of goods for sale** *sub,* - Warenangebot; **~ of vision** *sub,* -s *(opt.)* Gesichtsfeld; **~-finder** *sub,* -s Entfernungsmesser; **~d** *adj,* rechtsbündig
rank, (1) *sub,* -s Dienstgrad, Stellenwert; *(mil.)* Charge, Rang; *(Personen)* Linie (2) *vi,* rangieren; *the lower ranks* die unteren Chargen, *a high-ranking personage* eine hochgestellte Person; *I rank him among the greatest musicians of the 20th century* ich stelle ihn neben die größten Musiker des 20 Jahrhunderts; **~ growth** *sub,* -s *(tt; bot.)* Wucherung; **~ of a general** *sub,* -s Generalsrang; **~ of master (craftsman)** *sub, nur Einz.* Meisterwürde; **~ed growth** *adj,* wildwüchsig; **~ings** *sub, nur Mehrz. (spo.)* Klassement
rankle with, *vt,* wurmen
ransom, *sub,* -s Lösegeld
ranter, *sub,* -s *(beim Sprechen)* Polterer
ranting and raving, *sub,* - Geschimpfe
rap, *sub,* - Rap; **~ (on the head)** *sub,* -s Kopfnuss; **~acity** *sub,* -ies Raubgier
rape, (1) *sub,* -s Notzucht, Vergewaltigung; *(bot.)* Raps (2) *vt,* notzüchtigen, vergewaltigen; *to commit rape*

Notzucht begehen; **~ field** *sub,* -s Rapsfeld; **~ oil** *sub,* -s Rapsöl
rapid, (1) *adj,* kometenhaft, rapide, schleunig, zügig; *(Entwicklung)* sprunghaft (2) *sub,* -s Stromschnelle; *have a rapid rise* eine steile Karriere machen; **~ fire** *sub, nur Einz. (mil.)* Schnellfeuer; **~ly** *adv,* rasch
rapier, *sub,* -s Rapier
rapper, *sub,* -s Rapper
rapture, *sub, nur Einz.* Verzücktheit; -s *(geh.)* Entzückung
Rapunzel, *sub,* - Rapunzel
rare, *adj,* rar, selten; **~ly** *adv,* selten; **~ness** *sub, nur Einz.* Seltenheit; **rarity** *sub,* -ies Rarität, Seltenheit
rascal, *sub,* -s Gauner, Racker, Schlingel; *(ugs.)* Malefizkerl; *(Kind)* Halunke; *you rascal you* du Lümmel, du
rash, (1) *adj,* eilfertig, kopflos, leichtsinnig, rasch, übereilt, unbesonnen, voreilig (2) *sub,* -es Quaddel; *(med.)* Ausschlag; **~ action** *sub,* -s Kurzschlusshandlung; **~reaction** *sub,* -s Kurzreaktion; **~ing** *sub,* -s Voreiligkeit
rasp, (1) *sub,* -s Raspel (2) *vt,* raspeln
raspberry, *sub,* -ies Himbeere; **~brandy** *sub,* - Himbeergeist; **~juice** *sub,* -s Himbeersaft
raster, *sub,* -s Raster
rat, *sub,* -s Ratte; *(ugs.)* Ratze; *I smell a rat* es geht nicht mit natürlichen Dingen zu; *to smell a rat* Lunte riechen; **~ trap** *sub,* -s Rattenfalle; **~-catcher** *sub,* -s Rattenfänger; **~´s king** *sub,* -s Rattenkönig; **~´s tail** *sub,* -s Rattenschwanz
rate, (1) *sub,* -s *(Lohn-)* Tarif; *(wirt.)* Taxe (2) *vt, (Ergebnis etc.)* beurteilen; *(wirt.)* taxieren (3) *vti,* werten; *over-/underrate sth* etwas über-/unterbewerten; *rate low* wenig gelten; *we´ll never finish at this rate!* bei diesem Tempo werden wir nie fertig!; **~ for loans on security** *sub,* -s Lombardsatz; **~ of depreceation** *sub,* -s Abnutzungsgebühr; **~ of exchange** *sub,* -s Wechselkurs
rather, *adv,* einigermaßen, lieber, vielmehr; *(lieber)* eher; *I´d rather*

leave than do it ehe ich das tue, gehe ich lieber, *or rather oder besser ge-sagt; I´d rather go by train* es wäre mir lieber mit dem Zug zu fahren; *I´d rather not say anything* ich möchte lieber nichts sagen; *what would you prefer?* was ist dir lieber?; *he´s lazy rather than stupid* er ist eher faul als dumm; *his apartment is rather on the small side* seine Wohnung ist eher klein

ratiné, *sub, -s* Ratiné

rating, *sub, -s (von Ergebnissen)* Beurteilung; *(wirt.)* Taxation

ration, **(1)** *sub, -s* Ration; - Zuteilung **(2)** *vt,* rationieren; **~al** *adj,* rational; *(vernünftig)* nüchtern; **~alism** *sub, -s* Rationalismus; **~alist** *sub, -s* Rationalist; **~ality** *sub, -ies* Rationalität; *nur Einz. (Vernunft)* Nüchternheit; **~alize** *vti,* rationalisieren; *rationalizations* nachgeschobene Gründe; **~ally** *adv,* vernünftig; **~ing** *sub, -s* Rationierung

rattle, **(1)** *sub, -s* Klapper, Rassel **(2)** *vi,* rasseln, rattern, rütteln **(3)** *vti,* klappern, klirren; *every nut and bolt in the car rattled* das Auto klappert an allen Ecken und Enden; **~ (out)** *vi,* knattern; **~snake** *sub, -s (zool.)* Klapperschlange; **rattling** *sub, -* Gerassel; *-s* Rüttelei

rave, *vi,* rasen; **~-up** *sub, -s* Budenzauber

raven, *sub, -s* Kolkrabe, Rabe; *(zool.)* Kohlrabe; **~(-black)** *adj,* rabenschwarz; **~ous** *adj,* heißhungrig; **~ous hunger** *sub, nur Einz. (ugs.)* Kohldampf

Ravensberger, *sub, -* Ravensberger

ravine, *sub, -s (Swiss)* Krachen

raving mad, *adj,* tobsüchtig

raw, *adj,* roh; *(unverarbeitet)* grob; **~ fruit and vegetables** *sub, nur Mehrz.* Rohkost; **~ material** *sub, -s* Rohmaterial; *(phy.)* Grundstoff; **~ steel** *sub, nur Einz.* Rohstahl; **~ vegetables** *sub, nur Mehrz.* Grünzeug

ray, *sub, -s* Rochen; *(Licht-)* Strahl; **~ fungus** *sub, - (bot.)* Strahlenpilz; **~ of hope** *sub, -s* Lichtblick; **~-treatment** *sub, -s (med.)* Bestrahlung

razor, *sub, -s* Rasierapparat, Rasierer; *(Rasier~)* Messer; *it´s touch and go whether* es steht auf Messers Schneide, ob; *to be on a razor´s edge* auf

Messers Schneide stehen; **~ blade** *sub, -s* Rasierklinge; **~-sharp** *adj,* messerscharf

reach, **(1)** *sub, -es* Reichweite **(2)** *vi,* gelangen, heranreichen, reichen **(3)** *vt,* erreichen; *(ugs.)* langen; *(ankommen)* anlangen; *(Einigung/Geschwindigkeit)* erzielen; *(spo.)* erringen **(4)** *vti, (bis an)* gehen; *close enough to reach out and touch* zum Greifen nahe; *reach out for sth* seine Hand nach etwas ausstrecken; *reach the top of the ladder(of success)* die oberste Stufe der Leiter erklimmen; *within easy reach* leicht zu erreichen; *(i. ü. S.) within reach* in greifbarer Nähe, *the water reaches my knees* das Wasser geht mir bis an die Knie; **~ an agreement** *vt, (geh.)* einigen; **~ puberty** *vi,* pubertieren; **~ through** *vt, (räuml.)* durchgreifen; **~able** *adj,* erreichbar

react, **(1)** *vi,* reagieren **(2)** *vt,* verhalten; **~ant** *sub, -s (chem.)* Substrat; **~ion time** *sub, nur Einz.* Reaktionszeit; **~ionary** **(1)** *adj,* reaktionär **(2)** *sub, -ies* Reaktionär; **~ivate** *vt,* reaktivieren; **~ivation** *sub, -s* Reaktivität; **~ive** *adj,* reaktiv; **~or** *sub, -s* Reaktor; **~or block** *sub, -s* Reaktorblock

read, **(1)** *vt,* lauten **(2)** *vt,* verlesen; *(Notizen, etc.)* ablesen **(3)** *vti,* lesen; *the letter reads as follows* der Brief lautet folgendermaßen; *the sentence should read like this* der Satz muß so lauten, *read so like a book* jemandem alles vom Gesicht ablesen; *read up on sth* sich etwas anlesen; *to read sth at the same time as sb* etwas mit jmd mitlesen; **~ a paper** *vt,* Zeitung lesen; **~ a supplementary paper** *vt,* koreferieren; **~ aloud** *vti,* vorlesen; **~ sth. through** *vt,* durchlesen; *read sth all the way through* ganz genau durchlesen; *read sth for errors* auf Fehler durchlesen; **~ too** *vt,* mitlesen; **~able** *adj,* lesbar; **~er** *sub, -s* Lektor, Leser, Reader, Vorleser; **~er of a supplementary paper** *sub, -s* Korreferent; **~ers´ request** *sub, -s* Leserwunsch; **~ership** *sub, nur Einz.* Leserschaft

readiness, *sub, nur Einz. (Startbe-*

reitschaft) Bereitschaft; ~ **make sacrifices** *sub*, Opferbereitschaft

readoption, *sub*, -s Wiederaufnahme

ready, *adj*, bereit, fertig, klar, parat, reif; *be ready for sth* zu etwas bereit sein; *be ready to leave* zur Abfahrt bereit stehen; *all ready* fix und fertig; *get over sth* fertig werden damit, daß(schlechte Nachricht); *I´ll be ready in a minute* ich bin gleich fertig; *(spo.) ready, steady, go* Achtung, fertig, los; *be ready!* halte dich parat!; *he was always ready with an excuse* er hat immer eine Ausrede parat; *be getting ready to go* im Aufbruch begriffen sein; *everyone is getting ready to go* es herrscht Aufbruchsstimmung; *(ugs.) get ready to do sth* Anstalten machen etwas zu tun; *ready and waiting* gestiefelt und gespornt; ~ **for a holiday** *adj*, urlaubsreif; ~ **for a penalty** *adj*, elfmeterreif; ~ **for battle** *adj*, kampfbereit; ~ **for bed** *adj*, bettreif; ~ **for building** *adj*, baureif; ~ **for occupation** *adj*, bezugsfertig; *(Gebäude)* beziehbar; ~ **for press** *adj*, druckfertig; ~ **for retirement** *adj*, *(ugs.)* pensionsreif; ~ **for sewing** *adj*, nadelfertig; ~ **for take-off** *adj*, startklar; *(Flugzeug)* startbereit; ~ **for the slaughter** *adj*, schlachtreif

ready in the can, *adj*, dosenfertig; **ready money** *sub*, *nur Einz*. Barschaft, Kontanten; **ready move** *adj*, marschbereit; **ready to attack** *adj*, *(mil.)* sturmbereit; **ready to fire** *adj*, schussbereit, schussfertig; **ready to go** *adj*, reisefertig; **ready to jump** *adj*, sprungbereit, sprungfertig; **ready to make sacrifices** *attr*, opferbereit; **ready to move** *adj*, marschbereit **ready to learn,** *adj*, belehrbar; **ready to sail** *adj*, segelfertig; **ready to start** *adj*, startbereit; **ready to work** *adj*, einsatzbereit; **ready-to-serve** *adj*, tafelfertig, tellerfertig, tischfertig

reafforest, *vt*, aufforsten; ~**ation** *sub*, -s Aufforstung

reagent, *sub*, -s Reagenz

real, *adj*, real, regelrecht, richtig, tatsächlich, wahrhaft, wirklich; *(mat.)* reell; ~ **character** *sub*, -s *(i. ü. S.)* Urvieh; - *(ugs.)* Unikat; ~ **coffee** *sub*, *nur Einz.* Bohnenkaffee; ~ **estate** *sub*, *nur Einz.* Immobilie, Liegenschaft; ~ **estate register** *sub*, -s

Grundbuch; ~ **hair** *sub*, *nur Einz.* Echthaar; ~ **little Eve** *sub*, -s Evastochter

realism, *sub*, *nur Einz.* Realismus; **realist** *sub*, -s Realist; **realistic** *adj*, realistisch; **realities** *sub*, *nur Mehrz.* Realien; **reality** *sub*, -ies Realität; *-es Wirklichkeit; in reality* in Wirklichkeit; **reality film** *sub*, -s Problemfilm

realizable, *adj*, realisierbar; **realize (1)** *vi*, gewahren; *(- werden)* gewahr **(2)** *vt*, klarmachen, realisieren, verwirklichen; *realize that* zu der Einsicht gelangen, daß; *you ought to have realized that* das hättest du ja wissen müssen

realization, *sub*, -s Feststellung, Realisation, Realisierung; *(das Erkennen)* Erkenntnis

really, *adv*, ausgesprochen, ausgesprochenermaßen, echt, rechtschaffen, schwer, tatsächlich, wahrhaft, wahrlich, wirklich; *was really pleased* ich habe mich recht gefreut; *is that real gold* ist das echt Gold; *really good* echt gut; *really?* ehrlich?; *you really must read this book* du musst unbedingt dieses Buch lesen; ~ **comfortable** *adj*, urgemütlich; ~ **ugly** *adj*, grundhässlich

realm, *sub*, -s Reich

real silver, *adj*, echtsilbern; **real tax receipts** *sub*, *nur Mehrz*. Istaufkommen; **real thing** *sub*, -s Ernstfall

reaper, *sub*, -s Schnitter, Schnitterin

rear, **(1)** *adj*, hinter **(2)** *sub*, -s *(mot.)* Heck; *the horse is rearing up* das Pferd bäumt sich auf; *the rear coaches* die hinteren Wagen; *(geh.) to bring up the rear* den Reigen beschließen; ~ **admiral** *sub*, -s *(mil.)* Konteradmiral; ~ **axle** *sub*, -s Hinterachse; ~ **light** *sub*, -s Rückleuchte, Schlusslicht; ~ **sight** *sub*, -s Kimme; ~ **up** *vi*, *(Tier)* bäumen; ~ **wheel** *sub*, -s Hinterrad; ~ **window**. *sub*, -s Heckfenster; ~ **windscreen** *sub*, -s Heckscheibe; ~**-end collision** *sub*, - -s Auffahrunfall; ~**-wheel drive** *sub*, -s Heckantrieb; ~**guard** *sub*, -s Nachhut; *in the rearguard* bei der Nachgut

rearrange, *vt*, umgruppieren; *(i. ü.*

S.) umschichten; *(anders anordnen)* umräumen; *(Möbel etc.)* umstellen; **~ment** *sub, -s* Umschichtung

reasons of state, *sub, nur Mehrz.* Staatsräson

rebaptism, *sub, -s* Wiedertaufe

rebate, *vt, (Bauholz)* überblatten

rebel, (1) *sub, -s* Aufrührer, Aufständische, Insurgent, Meuterer, Rebell **(2)** *vi,* aufbegehren, meutern, rebellieren; *(i. ü. S.; Mensch)* aufbäumen; *(sich auflehnen)* bäumen; **~lion** *sub, -s* Rebellion; *(Aufstand)* Empörung; **~lious** *adj,* aufrührerisch, aufsässig, empörerisch, rebellisch; *(ugs.)* aufmüpfig; **~liousness** *sub, nur Einz.* Aufsässigkeit; *(ugs.)* Aufmüpfigkeit; **~llious** *adj,* aufständisch

rebirth, *sub, -* Wiedergeburt

rebound, (1) *sub, -s* Abprall **(2)** *vi,* abprallen

rebuff, *sub, nur Einz.* (ugs.) Abfertigung; *-s (Abweisung)* Abfuhr; *(Person)* Abweisung

rebuild, *vt,* umbauen; **~ing** *sub, -s* Umbau

rebuke, (1) *sub, -s* Maßregelung **(2)** *vt,* verweisen; *(zurechtweisen)* tadeln

rebuyer, *sub, -s (i. ü. S.)* Wiederkäufer

recall, (1) *sub, -s* Abberufung **(2)** *vt,* abberufen; *(comp.)* abrufen; *subject to recall* auf Abruf bereitstehen

recapitulate, *vt,* rekapitulieren

recast, *sub, -s (Theater)* Umbesetzung; **~ing** *sub, -s (theat.)* Neubesetzung

recede, *vi,* zurückweichen; **receding** *adj, (Kinn,Stirn)* fliehend

receipt, *sub, -s* Beleg, Empfang, Kassenzettel, Quittung; *(Brief)* Erhalt; *-s (das Erhalten)* Eingang; *(Kassen-)* Bon; *acknowledge the receipt of* sth den Empfang von etwas bescheinigen

receive, *vt,* aufnehmen, empfangen, rezipieren; *(Brief)* erhalten; *receive a good education* eine gute Erziehung genießen; *(Nachricht)* the police have already received several clues der Polizei sind einige Hinweise zugegangen; **~ later** *vt,* nachbekommen; **~r** *sub, -s* Hörer, Receiver; *(tech.)* Empfänger; *pick up the receiver* den Hörer abnehmen; **~r of stolen goods** *sub, -s (jur.)* Hehler; **receiving** *sub, -s* Empfangnahme; re-

receiving a meal *sub, -s* Essenempfang; **receiving of stolen goods** *sub, -s (jur.)* Hehlerei

reception, *sub, -s* Aufnahme, Empfang, Rezeption; *meet with a cool reception* eine kühle Aufnahme finden; *we met with a friendly reception* wir wurden sehr freundlich empfangen; **~ hall** *sub, -s* Empfangssaal; **~ist** *sub, -s* Empfangsdame

receptive, *adj,* aufnahmefähig, empfänglich, gelehrig, rezeptiv; *be very receptive to* sth sehr empfänglich für etwas sein; **~nes** *sub, -es* Gelehrigkeit; **receptivity** *sub, -ies* Aufnahmefähigkeit; **receptor** *sub, -s* Rezeptor

recess, *sub,* Aussparung; *-es (Koch~)* Nische; *recess (US)* die große Pause; **~ion** *sub, -s* Rezession; **~ive** *adj, (biol.)* rezessiv

rechristen, *vt,* umtaufen

recipe, *sub, -s* Kochrezept, Rezept; *there´no instant recipe* es gibt kein Patentrezept; *there´s no instant recipe (for success)* es gibt keine Patentlösung; **recipient** *sub, -s* Empfänger, Rezipient; **recipient of an order** *sub, -s of orders* Befehlsempfänger

reciprocate, *vr,* revanchieren

recitation, *sub, -s* Deklamation, Rezitation; **recitative** *sub, -s (mus.)* Rezitativ

recite, *vt,* aufsagen, deklamieren, vorsagen, vorsprechen, vortragen, wiedergeben

reckless, *adj,* rücksichtslos, tollkühn; **~ness** *sub, nur Einz.* Leichtsinn, Tollkühnheit

reckon with, *vi,* gewärtigen; **reclaim from** *vt, (Altmaterial)* gewinnen; **reclamation,** *sub, -s (Neuland)* Gewinnung

reclining position, *sub, -s* Ruhelage

recognition, *sub, nur Einz. (polit.)* Anerkennung; *in recognition of* in Anerkennung; *win recognition* Anerkennung erlangen

recognizable, *adj,* erkennbar; **recognize** *vt,* wiedererkennen; *(polit.)* anerkennen; *(wieder-)* erkennen; *refuse to recognize* sth etwas nicht anerkennen

recoil, *vi,* zurückschrecken

recoin, *vt, (neu prägen)* ummünzen

recommend, *vt,* empfehlen; *not to be recommended* nicht zu empfehlen; *recommend sth so so* jmd etwas empfehlen; **~ation** *sub, -s* Empfehlung; *on recommendation* auf Empfehlung; **~ed price** *sub, -s* Richtpreis; **~ed speed** *sub, -s* Richtgeschwindigkeit

reconcilable, *adj, (Gegensätze)* überbrückbar; **reconcile** (1) *vr, vt,* aussöhnen (2) *vt,* vereinbaren, versöhnen; *reconcile os with so* sich mit jemandem aussöhnen; **reconciler** *sub, -s* Versöhnerin; **reconciliation** *sub, -s* Aussöhnung, Versöhnlichkeit; *(Gegensätze)* Überbrückung; **reconditioned engine** *sub, -s* Austauschmotor

reconnaissance, *sub, -s (mil.)* Erkundung

reconnoitre, (1) *vt,* erkunden (2) *vti, (mil.)* kundschaften; **~r** *sub, -s* Kundschafter

reconstruct, *vt,* rekonstruieren; *(einen Vorgang)* nachstellen; **~ion** *sub, -s* Rekonstruktion; **reconstuction** *sub, -s* Wiederaufbau

record, (1) *sub, -s* Protokoll, Rekord, Rekordmarke, Schallplatte; *(Rekord~)* Marke; *(Schall~)* Platte (2) *vt,* bespielen, mitschneiden, verzeichnen; *(auf Band aufnehmen)* aufzeichnen; *(aufzeichnen)* festhalten; *(Daten)* erfassen; *better a record by* einen Rekord drücken um; *my personal record* meine persönliche Bestzeit; *to record sth* etwas auf Platte aufnehmen; *a record of funk music* eine Platte mit Funkmusik; *change the record, can´t you!* leg doch mal eine neue Platte auf!; *the record´s stuck* die Platte hat einen Kratzer, *put sth down in writing* etwas schriftlich festhalten; **~ harvest** *sub, -s* Rekordernte; **~ index** *sub, indices* Diskografie; **~ length** *sub, -s* Rekordweite; **~ sleeve** *sub, -s* Plattenhülle; **~ time** *sub, -s* Spitzenzeit; **~ visitation** *sub, -s* Rekordbesuch; **~-holder** *sub, -s* Rekordhalter; **~-player** *sub, -s* Plattenspieler; **~er** *sub, -s* Blockflöte, Recorder, Rekorder; *(Block-)* Flöte; **~ing** *sub, -s* Aufzeichnung; *(eines Tonbandes)* Aufnahme; **~ing manager** *sub, - -s (Musik, etc.)* Aufnahme-

leiter

recover, (1) *vi,* erholen, genesen, gesunden (2) *vt, (Tote)* bergen; **~y** *sub, -ies* Genesung; - Gesundung; *-ies* Heilungsprozess; *(gesundheitlich)* Besserung; *(von Gütern, Toten)* Bergung; *be on the road to recovery* auf dem Wege der Besserung sein

recreation, *sub, -s* Rekreation; **~al assets** *sub, nur Mehrz.* Freizeitwert

recruit, (1) *sub, -s (mil.)* Rekrut (2) *vt,* anwerben; *(mil.)* rekrutieren; **~er** *sub, -s (tt; mil.)* Werber; **~ment** *sub, -s* Anwerbung, Rekrutierung

rectal, *adj, (med.)* rektal

rectangle, *sub, -s* Orthogon, Rechteck; **rectangular** *adj,* rechteckig

rectification, *sub, -s* Rektifikation

rectum, *sub, -s* Rektum

recuperation, *sub, -s (nach Krankheit)* Erholung

recycled paper, *sub, nur Einz.* Recyclingpapier; **recycling** *sub, nur Einz.* Recycling

red, *adj,* rot; *I´m beginning to see red* ich kriege langsam das Kotzen; *to make sb see red* jmd zur Weißglut reizen; **~ as a lobster** *adj,* krebsrot; **~ cabbage** *sub, nur Einz.* Rotkohl, Rotkraut; **~ deer** *sub, nur Einz.* Rotwild; **~ fox** *sub, -es* Rotfuchs; **~ fruit pudding** *sub, -s (rote)* Grütze; **~ lead** *sub, nur Einz.* Mennige; **~ light** *sub, nur Einz.* Rotlicht; **~ pencil** *sub, -s* Rotstift; **~ sandstone** *sub, nur Einz. (geol.)* Buntsandstein

redeem, *vt,* einlösen; **Redeemer** *sub, nur Einz.* Heiland; - *(rel.)* Erlöser; **redemption** *sub, -s* Erlösung; **redemption amount** *sub, -s* Tilgungssumme; **redemption rate** *sub, -s* Tilgungsrate

re-direct, *vt,* umdirigieren; **re-education** *sub, -s* Umerziehung; **re-election** *sub, -s* Wiederwahl; **re-equip** *vt, (mil.)* umrüsten; **re-establishment** *sub, nur Einz. (Wiederbegründung)* Neugründung; **re-examination** *sub, -s (nochmalige Prüfung)* Nachprüfung; **re-examine** *vti, (nochmals prüfen)* nachprüfen; **re-formulate** *vt,* umformulieren; **re-interpret**

vt, umdeuten; **re-issue under a new title** *sub*, re-issues Titelauflage

redness, *sub*, *nur Einz.* Röte

redoubling, *sub*, *-s* Verdopplung

redoubt, *sub*, *-s* Redoute

redound, *vi*, gereichen; *redound to so´s honour* jmdm zur Ehre greichen

reduce, *vt*, abschwächen, drosseln, einschränken, ermäßigen, herabsetzen, reduzieren, verkleinern, vermindern, verringern; *(geb.; Gegensätze)* mildern; *(Preis)* nachlassen; *reduce smoking* das Rauchen einschränken; **~ iron** *vt*, *(Lebensmittel)* enteisen; **~ the cost of** *vt*, verbilligen; **~ the density** *vt*, *(Stadt)* entkernen; **~d** *adj*, ermäßigt; **reduction** *sub*, *-s* Ermäßigung, Erniedrigung; *- Herabsetzung; *-s* Minderung, Reduktion, Reduzierung, Verbilligung; *-s* Verminderung; *-s* Verringerung; **reduction gear** *sub*, *-s* *(tt; tech.)* Untersetzung; **reduction in working hours** *sub*, *-s* - Arbeitszeitverkürzung

redundancy, *sub*, *-ies* Redundanz; **redundant** *adj*, redundant

reduplicate, *vt*, reduplizieren; **reduplication** *sub*, *-s* Reduplikation

red wine, *sub*, *-s* Rotwein; **red-backed shrike** *sub*, *-s* *(orn.)* Neuntöter; **red-faced** *adj*, rotgesichtig; **red-faced spider monkey** *sub*, *-s* *(zool.)* Klammeraffe; **red-nosed** *adj*, rotnasig; **red/black currant** *sub*, *-s* Johannisbeere; **redden** *vt*, röten; **reddening** *sub*, *-s* Rötung

reed, (1) *sub*, *-s* Rohr (2) *vt*, spulen; **~ bed** *sub*, *-s* Röhricht; **~s** *sub*, *nur Mehrz.* Ried, schilfig

reef, (1) *sub*, *-s* Riff (2) *vt*, reffen; **~ knot** *sub*, *-s* Weberknoten

reel, (1) *sub*, *-s* Rolle, Spule (2) *vi*, torkeln (3) *vt*, haspeln; **~ed off** *adj*, abgeleiert

refer, *vt*, *(Patienten)* überweisen; *refer to sth* sich berufen auf; *referring to* mit Hinweis auf; *the case referred to before* der weiter oben erwähnte Fall; **~ to** *vt*, verweisen; **~ to** *vi*, hinweisen; **~ee** *sub*, *-s* Pfeifenmann; *(spo.)* Kampfrichter, Ringrichter; *nur Einz. (ugs.; spo.)* Unparteiische; **~eeing** *sub*, *nur Einz. (spo.)* Spielleitung

reference, *sub*, *-s* Betreff, Referenz; *(Verweis)* Hinweis; **~ book** *sub*, *-s*

Nachschlagewerk; **~ book or work** *sub*, *-s* Repertorium; **~ library** *sub*, *-ies* Präsenzbibliothek; **~ point** *sub*, *- -s* Bezugspunkt; **~ works** *sub*, *nur Mehrz. (Biblio.)* Handapparat

referendum, *sub*, *-s* Referendum; *(des Volkes)* Befragung; *(tt; phy.)* Volksentscheid

referral, *sub*, *-s* Verweisung; *(Patienten)* Überweisung

reflation, *sub*, *-s* Reflation; **~ary** *adj*, reflationär

reflect, (1) *vi*, spiegeln (2) *vt*, widerspiegeln; *(tt; phy.)* zurückwerfen (3) *vti*, reflektieren; *reflect on* über etwas Betrachtungen anstellen; **~ed image** *sub*, *-s* Spiegelbild; **~ive person** *sub*, *-s (Denker)* Grübler; **~or** *sub*, *-s* Reflektor, Rückstrahler; **~or telescope** *sub*, *-s* Spiegelteleskop

reflection, *sub*, Abglanz; *nur Einz.* Nachdenken; *-s* Reflex, Reflexion, Spiegelung; - Widerschein; *-s* Widerspiegelung, Widerstrahl; *(t. ü. S.)* Spiegelbild

reflex, *sub*, *-es* Reflex; *conditioned reflex* bedingter Reflex; **~ camera** *sub*, *-s* Spiegelreflexkamera; **~ive** *adj*, reflexartig, reflexiv, rückbezüglich; **~ive pronoun** *sub*, *-s* Reflexivpronomen

reform, (1) *sub*, *-s* Erneuerung, Reform (2) *vt*, reformieren; *(polit./wirt.)* erneuern; **~ of pensions** *sub*, *-s* Rentenreform; **Reformation** *sub*, *nur Einz.* Reformation; - Reformierung; **Reformer** *sub*, *-s* Reformator, Reformer; **~ing** *adj*, reformatorisch, reformerisch; **~ism** *sub*, *nur Einz.* Reformismus

refraction, *sub*, *-s* Brechung

refrain, *sub*, *-s* Kehrreim; *refrain from (doing) sth* von etwas absehen; **~ from** *vt*, unterlassen

refresh, *vt*, erfrischen, erquicken, laben; **~ oneself** *vr*, laben; **~ing** *adj*, erfrischend, erholsam; **~ing change** *sub*, *-s (i. ü. S.)* Erholung; **~ment** *sub*, *-s* Erfrischung, Erquickung, Stärkung; **~ment room** *sub*, *-s* Imbisshalle

refrigerate, *vt*, kühlen; **refrigerator** *sub*, *-s* Eisschrank, Kühlschrank, Refrigerator

refuel, *vt*, betanken

refuge, *sub*, *-s* Asyl; *nur Einz.* Zuflucht; *-s* Zufluchtsort, Zufluchtsstätte; *(geh.)* Refugium; **~e** *sub*, *-s* Flüchtling

refund, *vt*, rückvergüten; **~ sbsth** *vt*, vergüten; **~ing** *sub*, *-s* Vergütung

refusal, *sub*, *-s* Ablehnung, Verweigerung, Weigerung; *to stick to one´s refusal* (1) *sub*, *nur Einz.* Unrat (2) *vr*, sträuben, verbitten, weigern (3) *vt*, verwehren, verweigern, zurückweisen; *refuse to do something* sich mit Händen und Füßen sträuben; *refuse to speak* beharrlich schweigen; *to refuse sb sth* jmd etwas verwehren; *he can refuse nothing* er kann ihr keinen Wunsch verweigern; *the horse has refused* das Pferd hat verweigert; *to refuse intimacy with sb* sich jmd verweigern; **refuse chute** *sub*, *-s* Müllschlucker; **refuse collection (department)** *sub*, *-s* Müllabfuhr; **refuse sb sth** *vt*, versagen; **refuse to speak** *vi*, ausschweigen; **refusenik** *sub*, *-s* Verweigerer

refutable, *adj*, widerlegbar; **refutation** *sub*, *-s* Entkräftung, Widerlegung; **refute** *vt*, widerlegen; *(Argumente)* entkräften

regain, (1) *vi*, wiedererlangen (2) *vt*, wiedergewinnen; **~ one´s strength** *vt*, erstarken

regalia, *sub*, *nur Mehrz.* Ornat

regatta, *sub*, *-s* Regatta

regenerate, (1) *vrt*, regenerieren (2) *vt*, verjüngen; **regeneration** *sub*, *-s* Regeneration, Verjüngung; **regenerator** *sub*, *-s (tech.)* Regenerator

regime, *sub*, *-s* Regime

regiment, *sub*, *-s* Regiment; **~ation** *sub*, *-s* Reglementierung

region, *sub*, *-s* Gebiet, Region; *(geogr.)* Gegend; *(US) neighbouring territories* benachbarte Gebiete; *neighbouring territories* benachbarte Gebiete; **~al** *adj*, gebietsweise, regional; **~al (or state) level** *sub*, *-s* Landesebene; **~al league** *sub*, *-s* Regionalliga; **~al station** *sub*, *-s* Regionalprogramm; **~alism** *sub*, *nur Einz.* Regionalismus; **~alist** *sub*, *-s* Regionalist

register, (1) *sub*, *-s* Register (2) *vi*, *(polizeilich)* anmelden (3) *vt*, beurkunden, inskribieren, katastrieren; *(Brief)* einschreiben; *(Name/Warenzeichen)* eintragen (4) *vti*, registrieren; *register a letter* einen Brief einschreiben lassen; *have registered a trade-mark* ein Warenzeichen eintragen lassen; **~ of patents** *sub*, *registers* Patentrolle; **~ ton** *sub*, *-s* Registertonne; **~ed** *adj*, eingeschrieben; *(Markenzeichen)* eingetragen; *registered Trademark* eingetragenes Warenzeichen; **~ed consignment** *sub*, *-* Wertsendung; **~ed letter** *sub*, *-s* Einschreibebrief; **~ed mail** *sub*, *nur Einz.* Einschreibebesendung; **~ed security** *sub*, *-ies (fin.)* Namenspapier

registrar, *sub*, *-s* Registrator; **registration** *sub*, *-s* Beurkundung, Registratur; *(tt; autom.)* Zulassung; *(polizeilich)* Anmeldung; **registration date** *sub*, *-s* Meldetermin; **registration number** *sub*, *- -s* Autonummer; **registration of a new vehicle** *sub*, *registrations* Neuzulassung; **registry office** *sub*, *-s* Standesamt

regress, *sub*, *-es* Regress; **~ion** *sub*, *-s* Regression; **~ive** *adj*, regressiv

regret, (1) *sub*, *-s* Bedauern (2) *vi*, bereuen (3) *vr*, gereuen (4) *vt*, bedauern; *much to my regret* zu meinem großen Bedauern; *regret sth very much* etwas außerordentlich bedauern; *(ugs.) some day you´ll regret it!* du kriegst es noch zu spüren!; *we regret to have to inform you* es tut uns leid, Ihnen mitteilen zu müssen; *we regret to inform you* wir müssen Ihnen leider mitteilen, *regret having done sth* bedauern, etwas getan zu haben; *you can´t help feeling sorry for her* sie ist zu bedauern; **~table** *adj*, bedauerlich, bedauernswert

regroup, *vt*, umgruppieren

regular, (1) *adj*, ebenmäßig, geregelt, gleichmäßig, laufend, periodisch, regelmäßig, regulär, turnusmäßig (2) *sub*, *-s* Stammgast; *I have this bother regularly* diesen Ärger habe ich laufend; *keep me up-to-date* halt´ mich auf dem laufenden; *regular expenses* die laufenden Kosten; **~ (petrol or gas)**

sub, nur Einz. Normalbenzin; **~ customer** *sub, -s* Stammkunde; **~ evening ...** *adj,* allabendlich; **~ service** *sub, -s* Liniendienst; **~ service ship** *sub, -s* Linienschiff; **~ soldier** *sub, -s* Berufssoldat; **~ tenant** *sub, -s* Stammmieter; **~ity** *sub, nur Einz.* Ebenmaß; *-ies* Regularität

regul(at)able, *adj,* regulierbar

regulate, *vt,* reglementieren, regulieren; *(Bach etc.)* begradigen; **~d** *adj,* festgesetzt; **regulation** *sub, -s* Bestimmung, Regel, Regelung, Regulierung, Vorschrift; *(biol.)* Regulation; *(eines Baches etc.)* Begradigung; **regulative** *adj,* reglementarisch, regulativ; **regulator** *sub, -s* Regler

rehabilitate, *vt,* rehabilitieren, resozialisieren, sanieren; **rehabilitation** *sub, -s* Rehabilitation, Resozialisierung, Sanierung

rehearsal, *sub, -s* Probe, Theaterprobe; **~s** *sub, nur Mehrz.* Probenarbeit; **rehearse** (1) *vt,* einstudieren (2) *vti,* proben; *all of his gestures seemed carefully rehearsed* jede seiner Gesten wirkte sorgfältig eingeübt

reign, (1) *adj,* walten (2) *sub, -s* Regentschaft (3) *vi, (Monarch)* herrschen; **~ of terror** *sub, -s* Schreckensherrschaft

rein, *sub, -* Zügel; *to let sb free rein* jmd walten lassen; *to seize the reins* die Zügel an sich reißen; **~ in** *vt, (tt; spo.)* zügeln

reincarnation, *sub, -s* Reinkarnation

reindeer, *sub, -s* Rentier

reinfection, *sub, -s* Reinfektion

reinforce, *vt,* verstärken; *(mit Beton, Metall)* bewehren; **~ a wall** *vt,* hintermauern; **~d concrete** *sub, nur Einz.* Stahlbeton; **~ment** *sub, -s* Verstärkung; *(mit Beton etc.)* Bewehrung; **~ments** *sub, nur Mehrz. (Material)* Nachschub

reinsman, *sub, -men* Rosselenker

reject, *vt,* verwerfen, weisen; *(ablehnen)* abweisen; *(abweisen)* abwehren; *(med.)* abstoßen; *(Vorschlag)* ablehnen; **~ out of hand** *vt, (Ball)* abschmettern; **~ed** *adj,* abgestoßen; **~ion** *sub, -s* Verschmähung; *(Ablehnung)* Abweisung; *(med.)* Abstoßung; **~ion of an order** *sub, -s of orders* Befehlsverweigerung; **~s** *sub, nur Mehrz.* Ausschussware

rejoice, (1) *vi,* jubeln (2) *(tt)* jauchzen; **rejoicing** *sub, nur Einz.* Jubel

rejuvenate, *vt,* verjüngen; **rejuvenation** *sub, -s* Verjüngung

relapse, *sub, -s* Rückfall, Rückschlag; **~d** *adj,* rückfällig

related, *adj,* artverwandt, bezogen, verschwägert, verwandt; *interrelated* aufeinander bezogen; **~ness** *sub, nur Einz.* Bezogenheit; **relating to rural exodus** *adj,* landflüchtig; **relation** *sub, -s* Relation; *(zwischen Dingen)* Beziehung; *economic relations* wirtschaftliche Beziehungen; *human relations* zwischenmenschliche Beziehungen; **relations** *sub, nur Mehrz.* Verwandtschaft; **relationship** *sub, -s* Verhältnis; *(zwischen Menschen)* Beziehung; **relationship to** *sub, -s* Bindung

relativ, *sub, -s* Verwandte; **~e** (1) *adj,* relativ (2) *sub, -s* Anverwandte; *(Verwandter)* Angehörige(r); **~e pronoun** *sub, -s* Relativpronomen; **~ely** *adv,* relativ; **~ity** *sub, -ies* Relativität

relax, (1) *vi,* ausspannen, relaxen; *(ugs.)* abregen; *(entspannen)* erholen (2) *vt,* entkrampfen; *(Griff, Vorschriften)* lockern (3) *vti,* entspannen; *to relax sb* jmdn lokker machen; **~ation** *sub, nur Einz.* Ausspannung; *-s* Entkrampfung, Entspannung; *(auch Beziehungen)* Lockerung; **~ed** *adj, (ugs.)* relaxed; *(Haltung, Sitzweise)* locker

re-lay, *vt, (tech.)* umlegen; **reopening** *sub, -s (Gerichtsverfahren)* Neuaufnahme; **re-plan** *vi,* umdisponieren; **re-record** *vt,* überspielen; **re-recording** *sub, -s* Überspielung; **re-registration** *sub, -s* Rückmeldung; **re-set** *vt, (tech.)* umrüsten; **re-store** *vt, (Waren)* umlagern

relay, *sub, -s* Relais, Stafette; *(spo.)* Staffel; **~ race** *sub, -s* Staffellauf; **~ station** *sub, -s* Relaisstation; **~ team** *sub, -s (spo.)* Staffel

release, (1) *sub, -s* Entlassung, Erlösung, Freigabe, Freilassung; *(einer Kamera)* Auslöser (2) *vt,* freistellen; *(befreien)* freistellen; *(Kamera)* auslösen; *(Krankenhaus)* entlassen; *(Pflicht)* entbinden;

(Schallplatte) herausbringen; *(Schmerz)* erlösen (3) *vti*, freilassen; *release so from sth* jmd eine Schuld erlassen, *release so from sth* jmd entbinden von etwas; **~ from his/her articles** *vt*, *(Lehrl.)* freisprechen; **~ the safety catch** *vt*, entsichern; **~-centre** *sub*, *-s* Release-center

reliability, *sub*, *-ies* Bewährtheit; *nur Einz.* Zuverlässigkeit; **reliable** *adj*, bewährt, verlässlich, zuverlässig; **reliable source** *sub*, *-s* Vernehmen

relic, *sub*, *-s* Relikt

relief, *sub*, *relieves* Linderung; *-s* Relief, Wohltat; *nur Einz. (befreit)* Erleichterung; *her tension found relief in tears* ihre Anspannung löste sich in Tränen; *that´s a relief* da bin ich aber beruhigt; **~ campaign** *sub*, *-s* Hilfsaktion; **~ map** *sub*, *-s* Reliefkarte; **~ printing** *sub*, *-s* Reliefdruck; **~ train** *sub*, *-s* Entlastungszug; **relieve** *vt*, entheben, entlasten, lindern; *(befreien)* erleichtern; *relieve sb of sth* jmd von etwas entlasten; *relieve so* sein Bedürfnis verrichten; *relieve so* of jmd um seine Brieftasche erleichtern; *that was a great relief to me* das erleichtert mich sehr; **relieved** *adj*, erleichtert

religion, *sub*, *-s* Religion; **religious** *adj*, geistlich, gläubig, religiös; **religious denomination** *sub*, *-s* Konfession; **religious faith** *sub*, *-* Gläubigkeit; **religious feast** *sub*, *-s* Kirchenfest; **religious freedom** *sub*, *-* Glaubensfreiheit; *-s* Religionsfreiheit; **religious holiday** *sub*, *-s (rel.)* Feiertag; **religious studies** *sub*, *nur Mehrz.* Religionswissenschaft; **religiousness** *sub*, *nur Einz.* Religiosität

reliquary, *sub*, *-ies* Reliquie

relive, *vt*, nacherleben

reload, *vt*, umladen

reluctance, *sub*, *nur Einz.* Abgeneigtheit, Widerstreben; **~ of food** *sub*, *-s* Essunlust; **~-feeling** *sub*, *-s (i. ü. S.)* Unlustgefühl; **reluctant** (1) *adj*, abgeneigt; *(ugs.)* unlustig (2) *sub*, widerwillig; *be reluctant to do sth* abgeneigt sein, etwas zu tun; *to do sth reluctantly* etwas mit Unlust tun; **reluctant to eat** *adj*, essunlustig

rely, *vr*, verlassen; **~ing** *sub*, *nur Einz.* Verlass

remain, (1) *sub*, *-s* Überbleibsel (2) *vi*,

festbleiben, überbleiben, verbleiben, verharren; **~ firm** *vi*, *(wirt.)* behaupten; **~ standing** *vi*, stehen bleiben; **~ing** *adj*, restlich, übrig; **~ing stock** *sub*, *-s* Restbestand; **~s** *sub*, *nur Mehrz.* Neige, Rückstand, Überrest; **~s to be seen** *vi*, dahinstehen

remake, *sub*, *-s* Remake

remark, (1) *sub*, *-s* Ausspruch, Bemerkung, Vermerk; *(Äußerung)* Anmerkung (2) *vti*, *(erwähnen)* anmerken; *make a remark about* eine Bemerkung über etwas machen; *what´s that remark supposed to mean?* was soll diese Bemerkung?; *a passing remark* eine beiläufige Bemerkung; **~able** *adj*, auffallend, beachtlich, bedeutend, bemerkenswert; **~ably** *adv*, bemerkenswert

remedy, (1) *sub*, *-dies* Abhilfe; *-ies* Behebung, Gegenmittel, Heilmittel; *nur Einz. (von Mängeln)* Beseitigung (2) *vt*, abhelfen; *(abhelfen)* beheben; *(Mängel beheben)* beseitigen; *to remedy sth which is wrong* einen Missstand beseitigen

remelt, (1) *sub*, *-s* Umschmelzung (2) *vt*, umschmelzen

remember, (1) *vi*, gedenken (2) *vt*, erinnern (3) *vti*, entsinnen, wissen (4) *vtr*, *(im Gedächtnis behalten)* merken; *as far as I remember* soviel ich mich erinnern kann; *as long as I remember* solange ich denken kann; *I´ve just remembered that* mir fällt eben ein, daß; *if I remember rightly* wenn ich mich recht erinnere; *remember* sich besinnen auf; *remember so/sth* sich an jmd/etwas erinnern, *if I remember rightly* wenn ich mich recht entsinne, *that´s easy to remember* das ist leicht zu merken; **remembrance** *sub*, Gedenken; *in remembrance of* zum Gedenken an

remind, *vt*, erinnern; *remind so of sth* jmd an etwas erinnern; **~ (of)** *vt*, *(erinnern)* mahnen; *to remind sb by letter* jmdn brieflich mahnen; **~ s.b. of sth** *vi*, *(jmdn.)* gemahnen; **~ slightly** *vt*, anklingen; **~er** *sub*, *-s* Mahnbescheid, Mahnung; *(wirt.)* Erinnerung; *reminder* Zahlungs-Erinnerung; *to receive a re-*

minder gemahnt werden; **reminiscence** *sub*, *-s* Reminiszenz; *(Ähnlichkeit)* Anklang

remit, (1) *vi*, remittieren **(2)** *vt*, *(Geld)* übersenden; *(verzichten)* erlassen; **~tance** *sub*, *-s (Geld)* Übersendung

remnant, *sub*, *-s* Rückbleibsel, Überbleibsel; **~s** *sub*, *- (Überreste)* Trümmer; **~s sale** *sub*, *-s* Resteverkauf

remodel, *vt*, umformen; *(Form)* ummodeln; *(umbilden)* umgestalten

remorse, *sub*, - Reue

remorseful, *adj*, reuevoll, reuig, reumütig, zerknirscht

remote, *adj*, abgelegen, entlegen; *(fern)* entfernt; **~ control (1)** *sub*, *-s* Fernbedienung, Fernsteuerung **(2)** *vt*, fernsteuern; **~ controle** *sub*, *-* Fernlenkung; **~ from life** *adj*, lebensfremd; **~-controlled** *adv*, ferngelenkt

remoulade, *sub*, *-s* Remoulade

remoulded, *adj*, runderneuert

removal, *sub*, *-s* Abfuhr, Abtransport, Ausquartierung, Umzug; *(Entfernung)* Ablösung; *(Organe)* Entnahme; *(tech.)* Ausbau; *(von Dingen)* Beseitigung

remove, *vt*, entfernen, herausnehmen, lösen, wegbekommen, wegnehmen; *(aus dem Weg räumen)* beseitigen; *(entfernen)* ablösen, abmachen; *(Kleidung)* entledigen; *(Organe/Haut)* explantieren; *(tech.)* ausbauen; *remove an item of clothing* sich eines Kleidungsstückes entledigen; **removal expenses** *sub*, *nur Mehrz.* Umzugskosten; **removal firm** *sub*, *s (Möbel-)* Spedition; **~ a student´s name from the register** *vt*, exmatrikulieren; **~ an ulcer** *vt*, exulzerieren

remove from, *vt*, loslösen; **remove nitrogen** *vt*, Entstickung; **remove scrap** *vt*, entschrotten; **remove shoots** *vt*, *(bot.)* entkeimen; **remove sludge** *vt*, entschlammen; **remove the dust** *vt*, Entstaubung

renaissance, *sub*, *-s (hist.)* Renaissance

renal colic, *sub*, *-s* Nierenkolik

rename, (1) *sub*, *-s* Umbenennung **(2)** *vt*, umtaufen

rencontre, *sub*, *-s* Renkontre

rendering, *sub*, *- s (Übersetzung)* Übertragung

rendition, *sub*, *-s* Wiedergabe

renegade, *sub*, *-s* Renegat

renew, *vr*, *(Natur)* erneuern; **~ed** *adj*, nochmalig

renounce, *vt*, entäußern, entsagen, lossagen, renunzieren; *(Religion)* abschwören; *renounce* sth einer Sache entsagen; *to renounce sth* sich von etwas lossagen

renovate, *vt*, renovieren, sanieren, umbauen; *(wiederherstellen)* erneuern; **renovation** *sub*, *-s* Erneuerung, Renovierung, Sanierung, Umbau; *closed for renovations!* wegen Umbaus geschlossen!

renowned, *adj*, renommiert; **~ works** *sub*, *nur Mehrz. (ugs.)* Klassiker

rent, (1) *sub*, *-s* Pacht; *- Zimmermiete*; *-s (dial.)* Mietzins; *(Wohnung)* Miete **(2)** *vt*, anmieten, mieten **(3)** *vti*, vermieten; *(rent) arrears* rückständige Miete

renunciation, *sub*, *-s* Abkehr, Entäußerung, Entsagung; *nur Einz.* Verzicht; **~ of force** *sub*, - Gewaltverzicht; **~ of maximum pay** *sub*, *renunciations* Lohnverzicht; **~ of the/an inheritance** *sub*, *-s* Erbverzicht

reoccupy, *vt*, *(mil.)* reokkupieren

reopen, *vt*, *(tt; jur.)* wieder aufnehmen; **~ing** *sub*, *-s* Neueröffnung

reorganisation, *sub*, *-s* Reorganisation; **reorganize** *vt*, reorganisieren; *(Verwaltung)* umbilden

rep, *sub*, Rips

repacking, *sub*, *-s* Umverpackung

repair, (1) *sub*, *-s* Ausbesserung, Behebung, Reparatur **(2)** *vt*, instandsetzen, reparieren; *(reparieren)* beheben; *he repaired the old car with his own hands* er hat das alte Auto eigenhändig instandgesetzt; *that´s beyond repair* das kann man nicht mehr instandsetzen; *the repair* der bauliche Zustand; **~ a sawblade** *vt*, schränken; **~able** *adj*, reparabel; **reparations** *sub*, *nur Mehrz.* Reparation

repartition, *sub*, *-s* Repartition

repatriate, *vt*, repatriieren; **repatriation** *sub*, *-s* Rückführung

repeal, (1) *sub*, *-s (eines Gesetzes)*

Abschaffung; *(jur.)* Außerkraftsetzung (2) *vt*, *(Gesetz)* abschaffen, aufheben

repeat, (1) *sub*, *-s* Reprise (2) *vt*, nachsprechen, repetieren, weitersagen (3) *vti*, wiederholen; *repeatedly* zum wiederholten Mal; **~ parrot-fashion** *vt*, nachbeten; *(ugs.)* nachplappern; *to repeat everything sb says parrot-fashion* jmd alles nachplappern; **~able** *adj*, wiederholbar; **~ed** *adj*, mehrfach, wiederholt; **~edly** *adv*, mehrmals; **~ing rifle** *sub*, *-s* Repetiergewehr

repentance, *sub*, *-* Reue; **~-preacher** *sub*, *-* Bußprediger; **repentant** *adj*, reuevoll, reuig, reumütig

repercussion, *sub*, *-s* Rückwirkung

repertoire, *sub*, *-s* Repertoire

repetition, *sub*, *-s* Repetition, Wiedergabe, Wiederholung

repile, *vt*, umschichten

replace, *vt*, auswechseln, erneuern, verdrängen, vertreten; *(austauschen)* ersetzen; *(Person)* ablösen; *(tech.)* austauschen; *to replace so* als Ersatz für jmd; **~ment** *sub*, *-s* Erneuerung, Ersatz, Neubesetzung, Vertretung; *(Erneuerung)* Auswechselung; *(Person)* Ablösung; *(tech.)* Austausch

replenishment, *sub*, *-s* *(von Vorräten)* Auffüllung

replete, *adj*, satt; **repletion** *sub*, *-s* *(geh.)* Sättigung

replication, *sub*, *-s* *(jur.)* Replik

reply, (1) *sub*, *-ies* Entgegnung, Rückäußerung; *-es* Zuschrift (2) *vt*, entgegnen; *(antworten)* erwidern (3) *vti*, *(jur.)* replizieren; *in reply to my question he said* auf meine Frage erwiderte er

report, (1) *sub*, *-s* Bericht, Rapport, Report, Reportage; *(Ergebnis)* Abfassung; *(Presse~, dienstliche ~)* Meldung; *(tt; schul.)* Zeugnis; *(von Korrespondenten)* Mitteilung (2) *vti*, rapportieren (3) *vt*, berichten, vortragen, zutragen; *(Anzeige)* erstatten; *(jur.)* anzeigen (4) *vtr*, melden; *according to reports by* nach Berichten von; *give a report on sth to so* jemandem über etwas Bericht erstatten; *State of the Nation message* Bericht zur Lage der Nation; *according to reports just coming in* wie soeben gemeldet wird; *to make a report* Mel-

dung machen; *to report sth to so* jmd Mitteilung machen, *as reported* wie berichtet; *report sth to so* jemandem etwas berichten; *report so to the police* jemanden anzeigen, *beg to report* melde gehorsamst; **~ (on)** *vi*, berichten; **book** *sub*, *-s* Berichtsheft; **~ from our own correspondent** *sub*, *-s* Eigenbericht; **~ on one's journey** *sub*, *-s* Reisebericht; **~er** *sub*, *-s* Reporter; *(Presse)* Berichterstatter; **~ing** *sub*, *nur Einz.* Berichterstattung; *-s (s.o.)* Erstattung

repot, *vt*, umtopfen

reprehensible, *adj*, verwerflich

represent, *vt*, repräsentieren, vertreten, vorstellen, wiedergeben; **~ation** *sub*, *-s* Darstellung, Repräsentation, Vertretung, Wiedergabe; *(polit.)* Repräsentanz; *the representation of the new product* die Darstellung des neuen Produkts; *graphic representation* bildliche Darstellung; **~ative (1)** *adj*, repräsentativ (2) *sub*, *-s* Beauftragte, Geschäftsträger, Obmann, Repräsentant, Vertreter, Vertreterin; *(vorübergehend)* Stellvertreter, Stellvertretung; **~ative body** *sub*, *-es* Volksvertretung

reprieve, *sub*, *-s* Galgenfrist, Gnadenfrist

reprimand, (1) *sub*, *-s* Maßregelung, Rüge, Tadel, Verweis (2) *vt*, maßregeln, rügen, tadeln, zurechtweisen

reprint, (1) *sub*, *-s* Reprint, Wiederdruck (2) *vt*, nachdrucken; **~(ing)** *sub*, *-s (Buch)* Nachdruck

reprisal, *sub*, *-s* Repressalie

reproach, (1) *sub*, *-es* Tadel (2) *vt*, vorwerfen; **~able** *adj*, tadelnswert; **~free** *adj*, vorwurfsfrei; **~ful** *adj*, vorwurfsvoll

reproduce, *vt*, fortpflanzen, reproduzieren, wiedergeben, zeugen; *(sich)* fortpflanzen; *no part of this publication may be reprinted without the prior permission of the publishers* Nachdruck verboten; **reproduction** *sub*, *-s* Fortpflanzung, Reproduktion, Zeugung; *(Schule)* Nacherzählung; **reproductive** *adj*, reproduktiv; *(bot.)* generativ reprove so, *vt*, *(obs)* koram

reptile, *sub*, *-s* Kriechtier, Reptil

republic, *sub*, *-s* Republik; **~an** (1) *adj*, republikanisch (2) *sub*, *-s* Republikaner

repuls, *vt*, *(tt; mil.)* zurückwerfen

repulse, (1) *sub*, *nur Einz. (eines Angriffs)* Abwehr (2) *vt*, vertreiben; **repulsion** *sub*, *-s* Rückstoß; **repulsive** *adj*, repulsiv; **repulsiveness** *sub*, *nur Einz.* Abscheulichkeit

repurchase, *sub*, *-s* Rückkauf

reputable, *adj*, reputierlich; **reputation** *sub*, *-s* Leumund, Reputation, Ruf; *gain a doubtful reputation* traurige Berühmtheit erlangen; *her reputation suffered* an Ansehen einbüßen

requarter, *vt*, *(mil.)* umquartieren

request, (1) *sub*, *-s* Ansinnen, Ansuchen, Aufforderung, Bitte, Ersuchen, Nachsuchung; *nur Einz.* Verlangen (2) *vt*, anfordern, auffordern, ausbitten, erbitten; *(um etwas)* nachsuchen; *at his request* auf seine Bitte hin; *request of payment of a debt* Bitte um Bezahlung (Mahnung), *request to let one have sth* sich etwas von jemandem ausbitten; *to request sth of sb* bei jmd um etwas nachsuchen; **~ sth** *vi*, bitten; *to request so to express his opinion* jmd um seine Meinung bitten; *to request their presence* um ihre Anwesenheit bitten; **~ sth.** *vt*, ersuchen; *request sth from so* jmd um etwas ersuchen; **~ to speak** *sub*, *-s* Wortmeldung; **~ed** *adj*, wunschgemäß

requiem, *sub*, *-s* Requiem

requisition, *vt*, *(mil.)* requirieren

rerun, *sub*, *-s* Reprise

resaddle, *vt*, umsatteln

rescue, (1) *sub*, *-s* Befreiung, Rettung; *(von Verletzten)* Bergung (2) *vt*, retten; *(retten)* befreien, bergen, erlösen; **~ service** *sub*, *-s* Rettungsdienst; **~d** *adj*, *(gerettet)* befreit; **~r** *sub*, *-s* Lebensretter, Retter

research, (1) *sub*, *-es* Erforschung, Forschung (2) *vi*, *(Wissensch.)* forschen; *do research work* Forschungen betreiben; **~ vessel** *sub*, *-s* Forschungsschiff; **~er** *sub*, *-s* Forscher

resemble, *vi*, gleichen, gleichsehen

resentful, *adj*, missgünstig; **~ness** *sub*, *-es* Übelnehmerei; **resentment**

sub, *o* Groll; *nur Einz.* Minogunnot, Ressentiment

reservation, *sub*, *-s* Buchung, Einschränkung, Reservat, Reservation, Reservierung, Vorbehalt; *have (no) reservations* (keine) Bedenken haben; *with the (one) reservation that* mit der Einschränkung, daß; *without reservation* ohne Einschränkung; **~ book** *sub*, *-s* Vormerkbuch; **reserve** (1) *sub*, *-s* Reserve; *nur Einz.* Zurückhaltung; *-s (Reserven)* Eingemachte (2) *vt*, reservieren, vormerken; *draw on one´s reserves* ans Eingemachte gehen, *he has nothing in reserve* er hat nichts mehr zuzusetzen; **reserve fond** *sub*, *-s* Reservefonds; **reserve price** *sub*, *-s* Mindestgebot; **reserve sth** *vt*, vorbehalten; **reserve tank** *sub*, *-s* Reservetank; **reserve training** *sub*, *nur Einz.* Reserveübung; **reserved** *adj*, distanziert, reserviert; **reserves** *sub*, *nur Mehrz.* Rücklage; **reserves bench** *sub*, *-es* Reservebank; **reservist** *sub*, *-s* Reservist

reservoir, *sub*, *-s* Reservoir; *(Kugelschreiber~)* Mine; *(Wasser-)* Speicher

reset, *sub*, *-s (med.)* Einrenkung

resetting, *sub*, *-s* Reposition

resettle, (1) *vi*, umsiedeln (2) *vt*, aussiedeln; **~ment** *sub*, *-s* Aussiedelung, Umsiedelung, Umsiedlung; **~r** *sub*, *-s* Umsiedler, Umsiedlerin

reshuffle, (1) *sub*, *-s (polit.)* Umbesetzung (2) *vt*, umbilden

reside, *vt*, residieren; **~nce** *sub*, *-s* Residenz; *(Wohn-)* Sitz; **~nce permit** *sub*, *- -s* Aufenthaltsgenehmigung; **~nt** (1) *adj*, ansässig, beheimatet, sesshaft (2) *sub*, *-s* Anlieger, Anwohner, Resident; *non-resident* nicht ansässig; *be resident in* in (einer Stadt) beheimatet sein, *we have no resident doctor* wir haben keinen Arzt am Ort; **~nt with a parking permit** *sub*, *-s* Dauerparker

residential, *adj*, wohnhaft; **~ area** *sub*, *-s* Wohnlage, Wohnviertel; **~ building** *sub*, *-s* Wohngebäude, Wohnhaus; **~ traffic** *sub*, *nur Einz.* Anliegerverkehr

residual pollution, *sub*, *nur Einz.* Altlast

resin, *sub*, *-s* Harz

resist, (1) *sub*, widerstehen **(2)** *vi*, *(med.)* resistieren **(3)** *vr*, widersetzen; **~ance** *sub*, *-s* Auflehnung, Resistenz, Widerstand, Widerstandskraft; **~ance movement** *sub*, *-s* Widerstandsbewegung; **~ant** *adj*, resistent, widerstandsfähig

resolute, *adj*, konsequent; *(Person)* entschlossen; **~ly** *adv*, eisern; **resolution** *sub*, *-s* Entschließung, Resolutheit, Resolution; *nur Einz. (eines Bildschirm)* Auflösung; **resolve** *vr*, erledigen; *to resolve these problems* zur Lösung dieser Schwierigkeiten

resonance, *sub*, *-s* Resonanz; **resonant platform** *sub*, *-s (tech.)* Schwingbühne; **resonate** *vi*, mitschwingen

resort to, *vt*, zurückgreifen

resound, *vi*, widerklingen; **~ing** *adj*, *(Erfolg)* durchschlagend

resource, *sub*, *-s* Ressource; **~ful** *adj*, findig; **~s** *sub*, *nur Mehrz. (Geld~)* Mittel

respect, (1) *sub*, *nur Einz.* Ansehen; *-s* Ehrerbietung, Hochachtung; *nur Einz.* Hochschätzung, Pietät; *-s* Respekt; *nur Einz.* Wertachtung; *(Aufforderung)* Achtung; *(Hinsicht)* Beziehung **(2)** *vt*, achten, respektieren; *(achten)* ehren; *without respect of persons* ohne Ansehen der Person; *with all respect to* bei aller Hochachtung vor; *yours faithfully* mit vorzüglicher Hochachtung (Brief); *old people used to be treated with respect, but these days* früher hat man alte Menschen mit Hochschätzung behandelt, aber heutzutage; *be highly respected* Achtung genießen; *pay respect to so* jemandem Achtung erweisen; *in every respect* in jeder Hinsicht; *in that respect* in dieser Hinsicht; *command so´s respect* jemandem Respekt abnötigen; *have a great respect for sb* vor jmd große Ehrfurcht haben; *pay one´s last respects to so* jmd die letzte Ehre erweisen; *pay one´s respects to so* jemandem seine Aufwartung machen; *with all due respect to your opinion, I still think* deine Meinung in Ehren, aber; **~ for silence** *sub*, *-*

Friedhofsruhe; **~ability** *sub*, *-ties* Achtbarkeit; **~able** *adj*, achtbar, respektabel, unbescholten; *(allg.)* seriös; *(anständig)* ordentlich, solide; *(Aussehen)* manierlich; *(Person)* ehrbar; *a respectable elderly gentleman* ein seriöser älterer Herr; **~able success** *sub*, *-* Achtungserfolg; **~ed** *adj*, angesehen

respectful, *adj*, achtungsvoll, ehrerbietig, respektvoll; **respective** *adj*, jeweilig; **respectively** *adv*, beziehungsweise, respektive

respiration, *sub*, *-s* Respiration; **respirator** *sub*, *-s* Beatmungsgerät; **respiratory organ** *sub*, *-s* Atmungsorgan; **respiratory tract** *sub*, *nur Einz.* Atemwege

respire, *vi*, respirieren

respond, *vi*, *(med.)* ansprechen; *(reagieren)* antworten; **~ (to)** *vt*, *(Publikum)* mitgehen; **response** *sub*, *-s* Resonanz, Respons; *(i. ü. S.)* Antwort; **response (to)** *sub*, *-s (i. ü. S; Reaktion)* Echo; **responsibility** *sub*, *-ies* Aufgabenbereich, Aufsichtspflicht; *nur Einz.* Verantwortung; *-es* Zuständigkeit; *it´s his responsibility as head of department* als Abteilungsleiter hat er die Pflicht; *place the responsibility on so´s shoulder* jemandem die Verantwortung auferlegen; *rights and responsibilities* Rechte und Pflichten; **responsible** *adj*, federführend, haftbar, verantwortlich, verantwortungsbewusst, zuständig; *to be directly responsible to the board* dem Vorstand unmittelbar unterstehen; **responsive** *adj*, ansprechbar

rest, (1) *sub*, *-s* Erholung, Lehne, Rast, Rest; *nur Einz.* Ruhe; *-s (Rast)* Pause **(2)** *vi*, ausruhen, rasten, ruhen, verweilen; *(ausruhen)* ausrasten **(3)** *vt*, ausruhen, lagern; *(mus.)* a minim rest eine halbe Note Pause; *(mus.)* to make the rests die Pausen einhalten, *let sth rest* etwas auf sich beruhen lassen; *the goal keeper had to rest up* der Torwart musste pausieren, *rest one one´s laurels* seine auf seinen Lorbeeren ausruhen; *rest one´s feet* seine Füße ausruhen; **~ on** *vi*, *(Ge-*

~~gcnsland)~~ **auflieqen,** *(tech.)* aufsitzen; ~ **period** *sub, -s* Ruhezeit; ~
room *sub, -s* Ruheraum; ~**-day** *sub,
-s* Ruhetag

restaint, *sub, nur Einz.* Zurückhaltung

restart, *sub, nur Einz. (ugs.)* Wiederbeginn

restaurant, *sub, -s* Gasthaus, Gasthof,
Lokal, Restaurant; ~ **manager** *sub, -s
(Restaurant, Pächter)* Gastwirt; ~
trade *sub, -s* Gastronomie; **restaurateur** *sub, -s* Gastronom, Gastronomin; **Restauration** *sub, nur Einz.
(hist.)* Restauration

restitution, *sub, -s* Restitution

restless, *adj,* rastlos, ruhelos, unruhig, unstet; *(i. ü. S.)* quecksilbrig;
play the young and restless die beleidigte Leberwurst spielen; *(ugs.) to be
restless* in Unruhe sein; ~**ness** *sub,
nur Einz.* Unrast, Unruhe; - Unstetigkeit

restocking, *sub, -s (eines Lagers)* Auffüllung

restoration, *sub, -s* Restauration; ~ **of
peace** *sub, -s* - Befriedung; **restore
(1)** *sub,* wieder herstellen **(2)** *vt,* restaurieren; **restore peace** *vt,* befrieden; **restore to health** *vt,
(gesundhl.)* herstellen; **restorer** *sub,
-s* Restaurator

restrain, *vt,* restringieren, zurückhalten; *(tt; spo.)* zügeln; ~ *(one´s impatience)* *vt,* zähmen; ~ **o.s.** *vt,*
beherrschen, bezähmen; ~**ed** *adj,*
verhalten, zurückhaltend; ~**t** *sub, -s*
Hemmwirkung; *nur Einz.* Mäßigung

restrict, *vt,* beschränken, einengen,
engen, terminieren; *(i. ü. S.) restrict
sb freedom* jmd in seiner Freiheit einengen; *(i. ü. S.) restrict sb movements*
jmd einengen; ~ **transferability of**
vt, (tt; wirt.) vinkulieren; ~**ed area
around a cathedral under the jurisdiction of the church** *sub,* Domfreiheit; ~**ed entry** *sub, -ies (~
clausus)* Numerus; ~**ion** *sub, -s* Einschränkung, Restriktion, Terminierung; *(auch wirt.)* Beschränkung;
impose restrictions on sb jmd Einschränkungen auferlegen; ~**ive** *adv,
(geb.)* restriktiv

result, (1) *sub, -s* Fazit, Resultat; *(ugs.)*
Ergebnis; *(i. ü. S.; Ergebnis)* Bilanz
(2) *vi,* resultieren; *result in* zur Folge

haben· ~ **from** *vi,* hervorgehen; ~
in *vt,* ergeben; *(auslösen)* bewirken; ~ **of the football pools** *sub,
results (Fußball)* Totoergebnis; ~**s
of the vote** *sub, nur Mehrz.* Abstimmungsergebnis

resume, *vt,* fortsetzen, wieder aufnehmen; *resume a conversation*
an ein Gespräch anknüpfen;
resumption *sub, -s* Wiederaufnahme; *(Wiederaufnahme)* Fortsetzung

resurgence, *sub, -s (i. ü. S.)*
Auferweckung; **resurrection** *sub,
-s* Auferstehung; *nur Einz. (einer
Pflanze)* Belebung

resusciate, *vt, (med.)* reanimieren;
resusciation *sub, -s* Reanimierung; **resuscitation** *sub, -s* Reanimation

retail, *vt,* verschleißen; ~ **bookseller** *sub, -s* Sortimenter; ~ **business**
sub, -es Kleinhandel; ~ **price** *sub,
-s* Ladenpreis; *(Handel)* Ordinärpreis; ~ **sale** *sub, -s* Detailhandel;
~ **trade** *sub, nur Einz.* Einzelhan-
del; ~**er** *sub, -s* Kleinhändler

retain, *vt, (Eigenschaft)* beibehalten; *(Kälte/Wärme)* dämmen;
(Wert) behalten; *easy to retain*
leicht merkbar; ~**able** *adj, (zu behalten)* merkbar

retaliation, *sub, -s* Vergeltung

retard, *vt,* retardieren; ~**ation** *sub,
-s* Retardation; ~**ed ignition** *sub,
-s* Spätzündung

retell, *vt,* nacherzählen; ~**ing** *sub,
-s* Nacherzählung

retention, *sub, -s* Belassung; *(von
Eigenschaften)* Beibehaltung

reticence, *sub, nur Einz.* Verschlossenheit

reticulate, *adj,* retikuliert; ~**d** *adj,*
retikulär

retina, *sub, -e* Netzhaut; *-s* Retina

retinue, *sub, -s* Hofstaat

retire, (1) *vi,* ausscheiden **(2)** *vr,* zurückziehen **(3)** *vt,* pensionieren;
not be eligible von vorneherein
ausscheiden; *retire from a job* aus
einem Beruf ausscheiden, *to retire
in Pension gehen, to retire* sich
pensionieren lassen; ~ **as professor emeritus** *vi,* Emeritierung; ~**d**
adj, ausgedient, zurückgezogen;
~**ment** *sub, nur Einz.* Ruhestand;

-*s (Ruhestand)* Pension; *(Zustand)*
Pensionierung; **~ment age** *sub, nur
Einz.* Pensionsalter; - Rentenalter;
~ment home *sub, -s* Ruhesitz

retort, *sub, -s* Retorsion, Retorte;
(ugs.) Retourkutsche

retouch, *vt,* nachbessern, retuschieren; **~ing** *sub, -s* Retusche

retract, *vt, (tech.)* einfahren; **~ion**
sub, -s Retraktion

retrain, *vt,* umlernen, umschulen;
~ee *sub, -s* Umschülerin; **~ing** *sub,
-s* Umschulung

retreat, *sub, -s* Rückzug

retribution, *sub, -s* Retribution; *(ugs.)*
Retourkutsche

retrieve, *vt,* apportieren

retrograde, *adj,* retrograd

retrospective, (1) *adj,* retrospektiv,
rückblickend **(2)** *sub, -s* Retrospektive

retsina, *sub, nur Einz.* Retsina

return, (1) *sub, -s* Remittende, Rendement, Return, Rückgabe; *nur Einz.*
Rückkehr; - Rückkunft; *-s* Rücksendung, Rückwendung; - Wiederkehr;
nur Einz. Wiederkunft **(2)** *vi,* wiederkehren, zurückkehren **(3)** *vt,* remittieren; *(ugs.)* retournieren;
(reagieren) erwidern; **~ (on investment)** *sub, -s (wirt.)* Ertrag; **~ flight**
sub, -s Rückflug; **~ journey** *sub, -s*
Rückfahrt; **~ match** *sub, -es* Retour-
spiel; **~ on capital** *sub, -s* Rendite; **~
pass** *sub, -es (spo.)* Rückpass; **~
punch** *sub, -es* Konter; **~ settlement**
sub, -s Rücksiedlung

reunification, *sub, -s* Wiedervereinigung; **reunion** *sub, -s* Reunion; - Wiedersehen

revaluation, *sub, -s* Aufwertung; **revalue** *vt,* aufwerten; *(tt; wirt.)* valorisieren

revanchism, *sub, nur Einz.* Revanchismus

reveal, (1) *vt,* offen legen; *(Geheimnis)* entschleiern; *(mitteilen)* eröffnen; *(i. ü. S.; Verbrechen)* aufdecken
(2) *vtr,* offenbaren; *to reveal one´s
charms* seine Reize zeigen, *to reveal
oneself (Liebe: one´s feelings) to sb*
sich jmd offenbaren; **~ itself** *vr,* bekunden; **~ing** *adj, (ugs.; Kleidung)*
offenherzig; *(Rückschlüsse zulassend)* bezeichnend

reveil, *vt, (offenbaren)* enthüllen

revelation, *sub, -s* Offenbarung; *(eines Verbrechens)* Aufdeckung;
(s.o.) Eröffnung

revel in, *vr,* weiden

revenge, *sub, nur Einz.* Rache; *-s* Revanche; *(ugs.) revenge is sweet* Rache ist süß; *(ugs.) sweet revenge* die
Rache des kleinen Mannes

revenue, *sub, nur Einz. (wirt.)* Aufkommen; **~ officer** *sub, -s* Finanz-
beamte; **~ stamp** *sub, - -s*
Banderole

reverberation, *sub, nur Einz.* Nachhall; *-s* Widerhall

reverence, *sub, -s* Reverenz; **~ (for)**
sub, -s Ehrfurcht; *reverence for life*
Ehrfurcht vor dem Leben; **Reverend (Father)** *sub, -s* Ehrwürden; **reverent** *adj,* ehrfürchtig

reverie, *sub, -s* Entrücktheit, Reverie

revers, *sub, -es* Revers

reversal, *sub, -s* Umkehrung, Umschwung; *(Buchung)* Stornierung,
Storno; **reverse (1)** *adj, (Reihenfolge)* umgekehrt **(2)** *sub, -s* Rückseite **(3)** *vt, (Buchung)* stornieren;
reverse (side) *sub, -s* Kehrseite;
reverse gear *sub, -s* Rückwärtsgang; **reverse running** *sub, nur
Einz.* Rücklauf; **reversibility** *sub,
-ies* Reversibilität; **reversible** *adj,*
reversibel; **reversing mechanism**
sub, -s (Einrichtung) Umsteuerung; **reversion** *sub, -s (Vorgang)*
Umsteuerung

revieve sth., *adv,* zuteil

review, (1) *sub, -s* Kritik, Review, Revue, Rezension, Umschau **(2)** *vt,*
rezensieren; *(i. ü. S.) to pass sth in
review* etwas Revue passieren lassen; **~er** *sub, -s* Rezensent

revival, *sub, -s* Revival; *(geistige)* Erneuerung; *nur Einz. (von Freundschaften)* Auffrischung; *(wirt.) see
a revival* einen Aufschwung neh-
men; **revive (1)** *vi, (i. ü. S.)* zurückrufen **(2)** *vt,* reaktivieren;
(Freundschaft) auffrischen; *revive*
wieder zum Leben erwecken

revocable, *adj,* widerruflich; **revocation** *sub, -s* Revokation, Widerruf; **revoke** *vt,* revozieren,
widerrufen; *revoke so´s licence*
jmd den Führerschein entziehen

revolt, (1) *sub, -s* Aufruhr, Aufstand,

Revolte (2) *vi,* putschen, revoltieren **(3)** *vti,* insurgieren; **revolution** *sub, -s* Revolution; *(Erd-)* Umlauf; *(Motor)* Umdrehung; **revolution indicator** *sub, -s* Tourenzähler; **revolutionary (1)** *adj,* revolutionär, umstürzlerisch; *(Entwicklung)* bahnbrechend **(2)** *sub, -ies* Revolutionär, Umstürzler, Umstürzlerin; **revolutionize** *vt,* revolutionieren; *(i. ü. S.)* umwälzen; **revolutions** *sub, nur Mehrz.* Drehzahl

revolve, (1) *vt, (astron.)* umkreisen **(2)** *vti,* revolvieren; *everything revolves around him* alles dreht sich um ihn; *the earth revolves around the sun* die Erde dreht sich um die Sonne; **~r** *sub, -s* Revolver

revue, *sub, -s* Revue; **~ theatre** *sub, -s* Revuetheater

revulsion, *sub, -s* Widerwille

reward, (1) *sub, -s* Belohnung, Lohn **(2)** *vt,* belohnen, lohnen; *get sth as a reward for* etwas als Belohnung für etwas bekommen; *hard work brings its own reward* sich regen bringt Segen; *offer a reward* eine Belohnung aussetzen; *reward so for sth* jmd etwas danken; *sb´s just reward* jmds verdienter Lohn; *get a reward* belohnet werden; *give so a reward* jemanden mit etwas belohnen

rewind, *vt,* umspulen

rewrite, *vt, (Text)* umschreiben

rhapsody, *sub, -ies* Rhapsodie

rhesus, *sub, -* Rhesus, Rhesusfaktor

rhetoric, *sub, -s* Redekunst; *nur Einz.* Rhetorik; **~al** *adj,* oratorisch, rednerisch, rhetorisch

rhetorician, *sub, -s* Rhetoriker

rheumatic, (1) *adj,* rheumatisch **(2)** *sub, -s* Rheumatiker; **rheumatism** *sub, nur Einz.* Rheuma; *-s* Rheumatismus; **rheumatism blanket** *sub, -s* Rheumadecke; **rheumatism clothes** *sub, nur Mehrz.* Rheumawäsche; **rheumatoid arthritis** *sub, -* *(med.)* Gelenkrheumatismus; **rheumatologist** *sub, -s* Rheumatologe

rhino, *sub, .s* Nashorn; **~ceros** *sub, -es* Rhinozeros

rhizome, *sub, -s (tt; bot.)* Wurzelstock

rhomboidal, *adj,* rhombisch

rhombus, *sub, -es* Rhombus; *(mat.)* Raute

rhubarb, *sub, -* Rhabarber

rhyme, (1) *sub* *-s* Reim, Reimwort **(2)** *vti,* reimen; **~ster** *sub, -s* Reimschmied; *(ugs.)* Verseschmied; **rhyming couplet** *sub, -s* Knüttelvers; **rhyming dictionary** *sub, -ies* Reimlexikon

rhythm, *sub, -s* Rhythmus; **~ical** *adj,* rhythmisch; **~ics** *sub, nur Einz.* Rhythmik

rib, *sub, -s* Rippe; *(Schifffahrt)* Spant

ribbon, *sub, -s* Band, Farbband; **~built village** *sub, -s* Straßendorf

ribonucleic acid, *sub, -s* Ribonukleinsäure

ribwort, *sub, -s* Spitzwegerich

rice, *sub, nur Einz.* Reis; **~ water** *sub, -* Reisschleim; **~ wine** *sub, -s* Reiswein

rich, *adj,* ergiebig, reich; *(Farben)* satt; *(Milch)* fett; **~ aunt** *sub, -s* Erbtante; **~ in songs** *adj,* liederreich; **~ in vitamins** *adj,* vitaminreich; **~ uncle** *sub, -s* Erbonkel; **~ with fruit** *adj,* früchtereich, fruchtreich; **~es** *sub, nur Mehrz.* Schatz; **~ly illustrated** *adj,* bilderreich; **~ness** *sub, nur Einz.* Ergiebigkeit; *-* Reichtum; *nur Einz. (Farben)* Sattheit

rickety, *adj,* klapprig, wackelig

rickshaw, *sub, -s* Rikscha

ricochet (shot), *sub, -s* Querschläger

riddle, (1) *sub, -s* Rätsel, Scherzfrage **(2)** *vt, (Kugeln)* durchsieden; *to be faced with a riddle* vor einem Rätsel stehen; *riddle sb with bullets* mit Schüssen durchlöchern

ride, (1) *sub, -s* Ausritt, Ritt, Spazierritt; *(Fahrt)* Anfahrt; *(mot.)* Fahrt; *(Zweirad)* Spazierfahrt **(2)** *vti,* fahren, reiten; *take so for a ride* jemandem einen Bären aufbinden; *to take sb for a ride* jmdn über´s Ohr hauen; **~ comfort** *sub, -* *(mot.)* Fahrkomfort; **~ out** *vi,* ausreiten; **~ past** *vi,* vorbeireiten; **~ roughshod over** *vt, (ugs.)* unterbügeln; **~ through** *vt,* durchreiten; **~ towards** *vi,* zureiten; **~r** *sub, -s* Herrenreiter, Reiter; *- (tt; jur.)* Zusatz

ridicule, (1) *sub, nur Einz. (Hohn)* Spott **(2)** *vi,* spotten **(3)** *vt,* bewitzeln; *be object of general ridicule*

Gegenstand des allgemeinen Spottes sein; *hold someone up to ridicule* jemanden dem Spott preisgeben, *to ridicule sth* etwas ins Lächerliche ziehen; **ridiculous** *adj,* lächerlich; *it look ridiculous* unmöglich aussehen

riding instructor, *sub, -s* Reitlehrerin; **riding school** *sub, -s* Tattersall; **riding whip** *sub, -s* Reitpeitsche; **riding-boot** *sub, -s* Reitstiefel; **riding-breeches** *sub, nur Mehrz.* Reithose; **riding-habit** *sub, -s* Reitdress

rid of, *adj, (ugs.; frei von)* los; *to get rid of sb* jmdn loswerden

ridorous, *adj, (geh.)* rigoristisch

riff, *sub, -s (mus.)* Riff

rifle, *sub, -s* Gewehr; *(mil.)* Büchse; *come into sb´s sights* etwas vor die Büchse bekommen; **~ butt** *sub, -s* Gewehrkolben

rift, *sub, -s (i. ü. S.)* Kluft; *a deep rift opened up in the party* in der Partei tat sich eine tiefe Kluft auf; *an unbridgeable gap* eine unüberbrückbare Kluft; **~ valley** *sub, -s (geol.)* Graben

rig, *sub, -s* Takelage; **~ up** *vt, (Schiff)* auftakeln; **~ging** *sub, -s* Takelwerk; *nur Einz.* Tauwerk

right, (1) *adj,* geeignet, korrekt, recht, richtig (2) *sub, -s* Anrecht, Recht, Reservat; *(Recht)* Berechtigung; *he is not the right man for it* er ist nicht geeignet dafür; *just right* gut geeignet; *all right then,* also gut,; *all right!* in Ordnung!; *be right in the end* recht behalten; *downright ridiculous* direkt lächerlich; *have you got the right money?* haben Sie´s passend?; *be always knows the right thing to say* er findet immer das passende Wort; *I find it quite right that* ich finde es ganz in Ordnung, dass; *I´m all right* mir geht´s ganz passabel; *let´s leave it at that, right?* lassen wir es so, oder?; *right in front of you* direkt vor dir; *right in the face* mitten ins Gesicht; *serves you right* das hast du nun davon; *that´s it, right?* das war´s, nicht?; *have a right to* ein Anrecht haben auf; **~ away** *adv,* sofort; **~ hand** *sub, -s* Rechte; **~ into** *adv, (bis)* hinein; **~ of abode** *sub, -s* Heimatrecht; **~ of asylum** *sub, nur Einz. (Bewerbungsrecht)* Asylrecht; **~ of disposal** *sub, nur Einz. (tt; jur.)* Verfügungsgewalt; **~ of hospitality** *sub, -s* Gastrecht; **~ of inheritance** *sub, -s* Erbrecht

right-hand bend, *sub, -s* Rechtskurve; **right-handed** *adj,* rechtshändig, rechtsläufig; **right-hander** *sub, -s* Rechtshänder; **right-to-left** *adj, (Schrift)* linksläufig; **right-wing extremism** *sub, -s* Rechtsextremismus; **right-wing extremist** (1) *adj,* rechtsextrem (2) *sub, -s* Rechtsextremist; **right-wing party** *sub, -ies* Rechtspartei; **rightful** *adj,* rechtmäßig, verdient; **rightly** *adj,* Fug; *with good reason* mit Fug und Recht

right of veto, *sub, nur Einz.* Vetorecht; **right of way** *sub, nur Einz.* Vorfahrt; **right to be buried in the family grave** *sub, -s* Erbbegräbnis; **right to benefits** *sub, -s (jur.)* Anwartschaft; **right to conclude collective agreements** *sub, rights* Tarifhoheit; **right to exist** *sub, -s* Daseinsrecht; **right to strike** *sub, rights* Streikrecht; **right to vote** *sub, rights* Stimmrecht; *nur Einz. (aktiv)* Wahlrecht; **right-angled** *adj,* rechtwinklig

rigid, *adj,* streng; *(geb.)* rigide; *(unbeweglich)* starr; **~ity** *sub, nur Einz.* Strenge; *(med.)* Rigidität

rigor mortis, *sub, -* Totenstarre; **rigorous** *adj,* rigoros; **rigorousness** *sub, nur Einz.* Rigorosität; **rigour** *sub, nur Einz. (geb.)* Rigorismus

rile, *vt, (ärgern)* giften

rim, *sub, -s* Radfelge, Rand; *(mot.)* Felge; **~ (of a wheel)** *sub, -s* Radkranz

rind, *sub, -s* Schwarte

ringing, *sub, -* Geläute; *-s (ugs.)* Gebimmel; **ringleader** *sub, -s* Rädelsführer; **ringlet** *sub, -s* Ringellocke; **ringleted** *adj,* ringelig; **ringlets** *sub, nur Mehrz.* Peies; **rings under one´s eyes** *sub, nur Mehrz.* Augenringe

rinse, *vt,* abspülen; *(Geschirr etc.)* ausspülen; *(Waschmaschine)* spülen; **rinsing** *sub, -s* Spülung

riot, *sub, -s* Ausschreitung, Krawall; *(ugs.) it was a riot es ging toll her;* **~ squad** *sub, - -s* Bereitschaftspolizei; **~ing** *sub, -s* Randale; **~s** *sub, -s (tt; polit.)* Unruhen

rip, *vt*, *reißen*; ~ **off** *vt*, *neppen*; ~ **off** *sub*, *-s* Nepperei; *nur Einz. (ugs.)* Nepp; ~**-off artist** *sub*, *- -s* Beutelschneider

ripe, *adj*, reif; ~ **for decision** *adj*, *(jur.)* spruchreif; ~**n** (1) *vi*, *(Früchte)* ausreifen, heranreifen (2) *vti*, reifen; ~**ning** *sub*, *-s* Reife; *nur Einz. (von Früchten)* Ausreifung

ripper, *sub*, *-s* Trennmesser

rise, (1) *sub*, *-s* Lohnerhöhung (2) *vi*, ragen; *(i. ü. S.)* emporkommen; *(entstehen)* erstehen; *(Preise)* erhöhen; *(Rauch)* aufsteigen; *(Sonne, etc.)* aufgehen; *(Temperatur etc.)* steigen; *(Weg)* ansteigen; *rise and fall* sich heben und senken; *(ugs.) rise and shine* raus aus den Federn; *rise in life* im Leben emporkommen; ~ **aloft** *vti*, *(Ballon/Drachen)* emporsteigen; ~ **from the dead** *vi*, auferstehen; ~ **from/up/above** *vt*, erheben; *rise from one´s seat* sich von seinem Platz erheben; ~ **in price** *sub*, *-s* Verteuerung; ~ **in prices** *sub*, *-s* Preisanstieg; *rises* Teuerung; ~ **in quotations increasing prices** *sub*, *-* Kursanstieg; **rising** *sub*, *nur Einz. (der Sonne, etc.)* Aufgang

risk, (1) *sub*, *-s* Gefahr, Risiko, Wagnis (2) *vt*, gefährden, riskieren, wagen; *(etw.riskieren)* einsetzen; *at one´s own risk* auf eigene Gefahr; *at the risk of one´s life* unter Einsatz seines Lebens; *at the risk of that happening* auf die Gefahr hin, dass das passiert; *even at the risk of* auf die Gefahr hin; *run or take a risk* jmdn/sich einer Gefahr aussetzen; ~ **factor** *sub*, *-s* Risikofaktor; ~ **group** *sub*, *-s* Risikogruppe; ~**y** *adj*, gefährlich, riskant; ~**y birth** *sub*, *-s* Risikogeburt

rissole, *sub*, *-s* Bulette

rite, *sub*, *-s* Ritus; **ritual** (1) *adj*, rituell (2) *sub*, *-s* Ritual; **ritual act** *sub*, *-s* Ritualhandlung; **ritual murder** *sub*, *-s* Ritualmord; **ritual(istic)** *adj*, kultisch; **ritualistic act** *sub*, *-s* Kulthandlung

rival, *sub*, *-s* Konkurrent, Nebenbuhler, Rivale; *(Rivale)* Gegner; *rival someone* jemandem den Rang streitig machen; ~**ry** *sub*, *nur Einz.* Konkurrenz; *-ies* Rivalität; *(Rivalität)* Gegnerschaft

river, *sub*, *-s* Fluss; *(Fluss)* Strom; ~-

dam *sub*, *-s (Staumauer)* Talsperre; ~ **valley** *sub*, *-s* Flusstal; ~**bed** *sub*, *-s* Flussbett; ~**fish** *sub*, *nur Einz.* Flussfisch

rivet, (1) *sub*, *-s* Niet, Niete (2) *vt*, nieten, vernieten; ~**ing** *sub*, *-s* Nietung

rivulet, *sub*, *-s* Rinnsal

roach, *sub*, *-s* Plötze

road, *sub*, *-s* Chaussee, Fahrbahn, Fahrweg; *(Land-)* Straße; *a busy road* eine stark befahrene Straße; *a quiet road* eine gering befahrene Straße; *hardly anyone uses this road* diese Staße ist kaum befahren; *off the road* abseits der Straße; *put so on the road to success* jemandem den Weg zum Erfolg bahnen; *when crossing the road* beim Überqueren der Fahrbahn; ~ **accident** *sub*, *-s* Verkehrsunfall; ~ **atlas** *sub*, *-es* Autoatlas; ~ **casualty** *sub*, *-es* Verkehrstote; ~ **conditions** *sub*, *nur Mehrz. (von Straßen)* Befahrbarkeit; ~ **construction** *sub*, *-s* Straßenbau; ~ **embankment** *sub*, *-s* Straßendamm; ~ **holding** *sub*, *-s* Straßenlage; ~ **law** *sub*, *- (i. ü. S.)* Wegerecht; ~ **map** *sub*, *- -s* Autokarte; *-s* Straßenkarte

road-sweeper, *sub*, *-s* Kehrmaschine, Straßenfeger; **road-worthyness** *sub*, *nur Einz.* Verkehrssicherheit; **roadblock** *sub*, *-s* Absperrung; *(Straßen-)* Sperre; *(Straße) sub, nur Mehrz.* Reede; **roadside** *sub*, *-s* Straßenrand, Straßenseite; **roadster** *sub*, *-s* Roadster; **roadworks** *sub*, *nur Mehrz.* Straßenarbeiten; *(Straßenbaustelle)* Baustelle; **roadworthiness** *sub*, *nur Einz.* Verkehrstüchtigkeit; **roadworthy** *adj*, *(Fahrz.)* fahrtüchtig; *(mot.)* fahrtauglich

roam, *vi*, schweifen; ~ **about** *vi*, *(Blicke)* umherirren; *(herum-)* streunen; ~ **around** *vr*, *(sich)* herumtreiben; ~ **through** *vt*, durchstreifen

roar, (1) *sub*, *nur Einz.* Brausen; -Getöse (2) *vi*, brüllen, rauschen, röhren, tosen; *(Maschine)* dröhnen; *(Motor)* aufheulen; *(Verkehr)* brausen (3) *vti*, *(Menge)* grölen; *roar like a lion* brüllen wie ein

Löwe; **~ing** *sub*, *-s* Gebrüll; **~ing drunk** *adj*, *(ugs.)* veilchenblau

roast, (1) *sub*, *nur Einz.* Braten; *-s* Rostbraten **(2)** *vi*, schmoren **(3)** *vt*, rösten; *(Ofen)* braten **(4)** *vti*, brennen; *(Sonne)* braten; *roast pork* Schweinebraten; *roast coffee/almonds* Kaffee/Mandeln brennen; *roast in the sun* in der Sonne braten; *roast sth on a spit* am Spiess braten; **~ beef** *sub*, *-* Rinderbraten; *-s* Roastbeef; **~ chicken** *sub*, *-s* Brathähnchen; **~ duck** *sub*, *-s* Entenbraten; **~ goose** *sub*, *geese* Gänsebraten; **~ hare** *sub*, *-s* Hasenbraten; **~ loin** *sub*, *-s* Nierenbraten; **~ mutton** *sub*, *-s* Hammelbraten; **~ pork** *sub*, *nur Einz.* Schweinebraten; **~ sth. till it is well done** *vt*, durchbraten; **~ veal** *sub*, *nur Einz.* Kalbsbraten

rob, (1) *vi*, rauben **(2)** *vt*, ausrauben, berauben; **~ber** *sub*, *-s* Räuber; **~ber band** *sub*, *-s* Räuberbande; *-s* **ber's cave** *sub*, *-s* Räuberhöhle; **~bery** *sub*, *-ies* Raub, Raubüberfall; *(ugs.)* Räuberei; **~bery with murder** *sub*, *-ies* Raubmord; **~bing** *sub*, *nur Einz.* *(Raub)* Beraubung

robe, *sub*, *-s* Robe; *(jur.)* Talar; *(US)* Überwurf; *(wallend)* Gewand

robin, *sub*, *-s* Rotkehlchen

robinia, *sub*, *-s* Robinie

Robinsonade, *sub*, *-s* Robinsonade

robot, *sub*, *-s* Roboter

robust, *adj*, handfest, kernig, robust; **~ stomach** *sub*, *-s (ugs.)* Saumagen

rocaille *sub*, *nur Einz.* Muschelwerk

rock, (1) *sub*, *-s* Felsen, Gestein, Klippe; *- (geol.)* Fels **(2)** *vi*, *(mus.)* rocken **(3)** *vt*, schaukeln, wiegen; *firm as rock* wie ein Fels in der Brandung, *(i. ü. S.) the ground rocked beneath my feet* der Boden schwankte unter meinen Füßen; **~ concert** *sub*, *-s* Rockkonzert; **~ face** *sub*, Felswand; **~ music** *sub*, *nur Einz.* Rockmusik; **~ musician** *sub*, *-s* Rockmusiker; **~ opera** *sub*, *-s* Rockoper; **~ salt** *sub*, *-s* Steinsalz; **~ singer** *sub*, *-s* Rocksängerin; **~ solid** *adj*, grundsolide; **~candy** *sub*, *nur Einz.* Kandiszucker; **~-climber** *sub*, *-s* Kraxler; **~-crystal** *sub*, *-s* Bergkristall; **~-hard** *adj*, knochenhart; **Rock'n'Roll** *sub*, *nur Einz.* Rock'n'Roll; **~ed into sleep** *adj*, *(schaukeln)* gewiegt

rocker, *sub*, *-s* Rocker; *(i. ü. S.) he's off his rocker!* er hat nicht alle Tassen im Schrank!; *(ugs.) you're off your rocker!* du tickst ja nicht richtig!; **~ gang** *sub*, *-s* Rockerbande; **~'s girl-friend** *sub*, *-s* Rockerbraut

rocket, *sub*, *-s* Rakete; *(Fußb.)* Gewaltschuss; *(ugs.) to give sb a rocket* jmd den Marsch blasen; **~ car** *sub*, *-s* Raketenauto; **~ launch(ing)** *sub*, *-s* Raketenstart; **~ launcher** *sub*, *-s* Raketenwerfer

rockfall, *sub*, *-s* Steinschlag

rocky, *adj*, felsig, klippenreich; **~ mountain** *sub*, *-s (schwed.)* Fjäll

rocky ravine, *sub*, *-s* Felsschlucht

Rococo period, *sub*, *nur Einz.* Rokoko

rod, *sub*, *-s* Rute, Stange; *(Stange)* Stab; **~ aerial** *sub*, *-s* Stabantenne

rodent, *sub*, *-s* Nager, Nagetier

rodeo, *sub*, *-s* Rodeo

roe, *sub*, *-s* Rogen; **~deer** *sub*, *-s* Reh

Rogation Sunday, *sub*, *-* Rogate

rogue, *sub*, *-s* Filou, Halunke, Schelm; *(i. ü. S.)* Galgenvogel; *(veraltet)* Lump; *you rogue you* du Lümmel, du; **~'s gallery** *sub*, *-s* Verbrecheralbum; **roguish** *adj*, schalkhaft; *(obsolete)* lausbübisch

roisterer, *sub*, *-s (ugs.)* Krakeeler

role, *sub*, *-s (Theater)* Rolle; *play an important role* einen hohen Stellenwert haben; **~ play** *sub*, *-s* Rollenspiel

roll, (1) *sub*, *-s* Brötchen, Klassenbuch, Rolle, Semmel, Wecke; *(tt; mus.)* Wirbel **(2)** *vi*, kugeln, rollen, schlingern; *(ugs.)* eiern **(3)** *vt*, wälzen; *he is the Chancellor of the Exchequer and Foreign Secretary rolled into one* er ist Finanz- und Aussenminister in einer Person; *(ugs.) to be rolling in money* in Geld schwimmen, *the stone rolled before my feet* der Stein kugelte mir vor den Füßen; **~ (up)** *vi*, kugeln; *to roll up with laughter* sich kugeln vor Lachen, **~ back** *vt*, zurückrollen; **~ call** *sub*, *-s (mil.)* Appell; **~ film** *sub*, *-s* Rollfilm; **~ of wallpaper** *sub*, *rolls* Tapetenrolle; **~ off** *vi*, abrollen; **~ round** *vt*, umwälzen; **~ through** *vt*, *(Ziel)* durchrollen; **~ up** *vt*, aufkrempeln, hochkrempeln krempeln· *(ugs.) to change someone (or something) radically* jemanden (oder etwas) umkrempeln; *(ugs.) to roll up one´s sleeves (and get down to work)* die Ärmel nach oben krempeln; **~-fronted cupboard** *sub, -s* Rollschrank; **~ed gold** *sub, nur Einz.* Dublee

roller, *sub, -s* Roller, Walze, Wickel; **~ coaster** *sub, - -s* Achterbahn; **~-skate** *sub, -s* Rollschuh; **~skates** *sub, -s* Rollerskates; **rolling line** *sub, -s (tt; tech.)* Walzenspinne; **rolling mill** *sub, -s* Walzenmühle, Walzwerk; **rolling pin** *sub, -s* Nudelholz, Nudelwalker; **rolling stone** *sub, -s (i. ü. S.)* Wandervogel; **rolling train** *sub, -s (tt; tech.)* Walzenstraße

rollmops, *sub, -es* Rollmops
roly-poly, *sub, -s (ugs.; Dickwanst)* Mops

Roman, (1) *adj,* römisch **(2)** *sub, -s* Römer; **roman à clef** *sub, -s* Schlüsselroman; **~ Catholic** *adj,* römisch-katholisch; **~ culture** *sub, nur Einz.* Römertum; **~ road** *sub, nur Einz.* Römerstraße

Romanesque, *adj, (kun.)* romanisch; **~ period** *sub, nur Einz.* Romanik
Romania, *sub,* - Rumänien
romantic, (1) *adj,* romantisch **(2) Romantic** *sub, -s* Romantiker, Romantikerin; *(i. ü. S.)* Romantiker, Romantikerin; **~ novel** *sub, -s* Liebesroman; **Romanticism** *sub, nur Einz.* Romantik; **~ize** *vt,* romanisieren

Rome, *sub, -ies* Rom
Romeo, *sub, -s (i. ü. S.)* Galan
romp, *sub, nur Einz.* Tollerei; **~ (about)** *vi,* tollen; **~ about** *vr,* tummeln; **~ around (1)** *vi,* herumtollen **(2)** *vr, (sich)* herumbalgen; **~er** *vi, (lärmend spielen)* toben; **~ers** *sub, nur Mehrz.* Spielhöschen

rondo, *sub, -s (mus.)* Rondo
roof, (1) *sub, -s* Abdachung; Dach; *-s* Überdach **(2)** *vt,* abdachen, bedachen; *bit the roof* an die Decke gehen; *live under the same roof* mit jmd unter einem Dach leben; **~ beam** *sub, -s* Hahnenbalken; **~ over** *vt,* überdachen; **~-damage** *sub, -s* Dachschaden; **~-terrace** *sub, -s* Dachterrasse; **~-tile** *sub, -s* Dachziegel; **~-truss** *sub, -es* Dachstuhl; **~ing** *sub, nur Einz.* Bedachung; *-s* Überda-

chung
roofer, *sub,* - Dachdecker; **roofing-felt** *sub, -s* Dachpappe; **rooforganisation** *sub, -s* Dachverband; **roofrack** *sub, -s (Auto)* Gepäckträger

rook, *sub, -s* Saatkrähe
room, *sub, -s* Raum, Stube, Zimmer; *nur Einz. (freier Raum)* Platz; *make a bit of room* mach mal ein bisschen Platz; *there´s not room for more than 10 people here* mehr als 10 Leute haben hier nicht Platz; *to find room for sth* Platz finden für etwas; *to make room* Platz schaffen; *to occupy room* Platz einnehmen; *to take up all the room* den ganzen Platz wegnehmen; **~ blaze** *sub, -es* Zimmerbrand; **~ hunting** *sub, nur Einz.* Zimmersuche; **~ number** *sub, -s* Zimmernummer; **~ plant** *sub,* - Zimmerpflanze; **~ with a bay-window** *sub, -s* Erkerzimmer; **~ work** *sub, -s* Zimmerarbeit; **~ing-in** *sub, -s* Rooming-in

root, *sub, -s* Wurzel; *I rooted around in every drawer* ich habe in allen Schubladen gestöbert; **~ fibre** *sub, -s* Wurzelfaser; **~ nodule** *sub, -s (tt; bot.)* Wurzelknolle; **~ syllable** *sub, -s* Wurzelsilbe; **~ treatment** *sub, -s (tt; med.)* Wurzelbehandlung; **~ed** *adj,* angewurzelt; *stand rooted to the spot* wie angewurzelt dastehen; **~ing** *sub, -s* Verwurzelung, Verwurzelung

rope, *sub, -s* Leine, Seil, Strang, Strick, Tau; *(Strick)* Fessel; *(spo.) climb the rope* am Tau klettern; **~ in** *vt, (Person)* einspannen; *rope so in doing sth* jmd für etwas einspannen; **~ ladder** *sub, -s* Jakobsleiter, Strickleiter; **~ up (1)** *vi,* anseilen **(2)** *vt,* anseilen; **~d party** *sub, -ies* Seilschaft; **~maker** *sub, -s* Seiler; **~s** *sub, nur Einz.* Tauwerk

Roquefort, *sub, -s* Roquefort
rosary, *sub, -ies* Rosenkranz
rose, *sub, -s* Rose; *his life was· no bed of roses* sein Weg war voller Dornen; **~ hip** *sub, -s (bot.)* Hagebutte; **~ water** *sub, nur Einz.* Rosenwasser; **rosé wine** *sub, -s* Schillerwein; **~-coloured** *adj,* rosenfarben; **~-grower** *sub, -s* Rosenzüchter; **~bush** *sub,* -es

Rosenstrauch; **~fish** *sub*, - Goldbarsch; **~mary** *sub*, *nur Einz.* Rosmarin

rosin, *sub*, *-s (in hartem Zust.)* Harz

rosy, *adj*, rosenfarbig, rosig

rot, (1) *vi*, modern, verfaulen, verrotten (2) *vti*, humifizieren; **~ off** *vi*, abfaulen; **~ through** *vi*, durchfaulen

rotary clothes dryer, *sub*, *-s (ugs.)* Wäschespinne; **rotary hoe** *sub*, *-s (f. Boden)* Fräse; **rotary pump** *sub*, *-s* Kreiselpumpe

rotate, *vi*, rotieren; **rotation** *sub* *-s* Drehbewegung, Drehung, Rotation, Turnus, Wechsel; *(phy.)* Umdrehung

rotgut, *sub*, *-s (ugs.; abw.)* Fusel

rotisserie, *sub*, *-s* Rotisserie

rotor, *sub*, *-s* Rotor

rotten, *adj*, morsch, verfault; *(ugs.)* mies; *(verdorben)* faul; *I feel rotten* mir ist mies; *to be in the red* in den Miesen sein; *(i. ü. S.) sth is rotten in that question* etwas ist faul an der Sache; **~ess** *sub*, Fäule; *nur Einz.* Fäulnis; **rotting** *adj*, faulig

Rottweiler, *sub*, - Rottweiler

rouge, *sub*, *-s* Rouge

rough, *adj*, grob, holperig, rabiat, rau, roh, ruppig, unsanft; *(Haut)* spröde; *(raub)* uneben; *(ungefähr)* ungenau; *at a rough estimate* nach oberflächlicher Schätzung; *(ugs.)* rough *diamond* ungeschliffener Kerl; **~ copy** *sub*, *-ies* Konzept; *at least the draft is ready now* es ist jetzt wenigstens als Konzept fertig; *(ugs.) that doesn´t suit his plans* das paßt ihm nicht ins Konzept; *to lose the thread* aus dem Konzept kommen; **~ file** *sub*, *-s* Schruppfeile; **~ sketch** *sub*, *-s* Faustskizze; **~ wine** *sub*, *-s* Krätzer; **~en** *vt*, anrauen, aufrauen; **~en (up)** *vt*, rauen; **~ened** *adj*, angeraut, aufgeraut; **~ly** *adv*, annähernd, ungefähr; *roughly all right* annähernd richtig; *how many do you need roughly?* wieviele brauchst du ungefähr?; **~ness** *sub*, *nur Einz.* Holp(e)rigkeit; - *(Haut)* Sprödigkeit

roulette, *sub*, *-s* Roulette

round, (1) *adj*, rund (2) *adv*, reihum, rund (3) *sub*, *-s (tt; med.)* Visite; *(spo.)* Durchgang (4) *vi*, *(eine Kurve)* ausfahren; *right round the clock* rund um die Uhr, *round a number down* eine Zahl abrunden; *round a number*

up eine Zahl aufrunden; **~ bed** *sub*, *-s* Rundbeet; **~ dance** *sub*, *-s* Reigen; **~ each other** *adv*, *(räumlich)* umeinander; **~ it/them** *adv*, *(räuml.)* darum; **~ of shot** *sub*, *-s* Schrotladung, Schrotschuss; **~ off** *vt*, abrunden; **~ off sth.** *vt*, Schlusspunkt; **~ table** *sub*, *-s (arch.)* Rondell; **~ track** *sub*, *-s* Rundstrecke

round up, *vt*, aufrunden; **roundabout** *sub*, *-s* Kreisel, Kreisverkehr; **roundabout way** *sub*, *-s (i. ü. S.)* Umweg; **rounders** *sub*, *nur Einz.* Schlagball; **rounding up** *sub*, *nur Einz.* Aufrundung; **rounding-off** *sub*, *-s* - Abrundung; **roundness** *sub*, *nur Einz.* Rundheit; **rounds** *sub*, *nur Mehrz.* Rundgang; **rounds record** *sub*, *-s* Rundenrekord; **roundworm** *sub*, *-s* Spulwurm

rouse, *vt*, *(Wild)* aufstöbern; **rousing** *adj*, *(Rede)* mitreißend

routine, (1) *adj*, routinemäßig (2) *sub*, *-s* Routine; *(i. ü. S.)* Trott; *(Gesetzmäßigkeit)* Ordnung; *it´s only a routine question* ich frage nur der Ordnung halber; *same old routine* ein ewiges Einerlei; **~ matter** *sub*, *-s* Routinesache; **~d person** *sub*, *people* Routinier

roux, *sub*, *-es* Einbrenne; - Mehlschwitze; *-s* Schwitze

rove around, *vi*, vagabundieren

row, (1) *sub*, *-s* Donnerwetter, Ehekrach, Krach, Reihe; - Spektakel; *nur Einz.* Zank; *-s (ugs.)* Rabatz, Radau; *(Häuser-)* Flucht; *(Lärm)* Skandal (2) *vti*, rudern; *that causes a hell of a row* das setzt ein Donnerwetter; *having rows with* Ehekräche haben; *(ugs.) there´s a row next door every evening* jeden Abend gibt es nebenan Krach; *(ugs.) to kick up a row* Radau machen, *kick up a row* einen Skandal machen, *(ugs.)* Stunk machen; *sit in the front row* in der vordersten Bank sitzen; **~ club** *sub*, *-s* Ruderverband, Ruderverein; **~ of five** *sub*, *-s* Fünferreihe; **~ of four** *sub*, *-s* Viererreihe; **~ of houses** *sub*, *-s* Häuserfront, Häuserreihe; **~ of three** *sub*, *-s* Dreierreihe; **~ of two** *sub*, *-s* Zweierreihe

rowan, *sub*, *-s* Eberesche; **~**

(tree)/(berry) sub, s (tr, bot.) Vogel
beere

rowdy, sub, -ies Schreier; (ugs.) Kra
keeler; -s Rabauke; -ies Radaubruder

rowing, sub, nur Einz. Rudersport; ~
boat sub, -s Barke, Ruderboot; ~ **re
gatta** sub, -s Ruderregatta

royal, adj, königlich, royal; ~ **couple**
sub, -s Prinzenpaar; ~ **court** sub, -s
Fürstensitz; ~ **crown** sub, -s Königs
krone; ~ **eagle** sub, -s (zool.) Kö
nigsadler; ~ **household** sub, -s
Hofstaat; ~ **palace** sub, -s Königs
schloss; ~ **stables** sub, nur Mehrz.
Marstall; ~ **stag** sub, -s Kapitalhirsch;
~**ist** adj, -s Royalist; ~**ty** sub, -ies
Tantieme

rub, (1) vt, einreiben, frottieren;
(Schnee) einseifen (2) vti, reiben;
(ugs.) ribbeln; rub sth into the skin
die Haut mit etwas einreiben; ~
against sth. vr, scheuern; ~ **down**
vt, abfrottieren; (Person, etc.) abrei
ben; ~ **in** vt, einmassieren; ~ **off** vt,
(Gegenstand) abreiben; ~ **oneself**
vr, reiben; ~ **out** (1) vt, (an die Tafel
Geschriebenes) auslöschen (2) vti, ra
dieren

rubber, sub, -s Gummi, Kautschuk, Ra
dierer, Radiergummi; (Kondom)
Gummi; ~ **apron** sub, -s Gummi
schürze; ~ **band** sub, -s (-ring) Gum
mi; ~ **boots** sub, nur Mehrz.
Gummistiefel; ~ **coat** sub, -s Gummi
mantel; ~ **dinghy** sub, -ies Schlauch
boot; ~ **plant** sub, -s Gummibaum;
~ **sole** sub, -s Kreppsohle; ~ **tire** sub,
-s (US) Gummireifen; ~ **tyre** sub, -s
Gummireifen; **rubbing** sub, -s Rei
bung; **rubbing-down** sub, -s - (Ab
trocknung) Abreibung

rubbish, sub, - Gelumpe; nur Einz.
Kehricht, Müll, Plunder; - Schmarren;
nur Einz. Tinnef; - (i. ü. S.) Spinnerei;
nur Einz. (ugs.) Quark, Quatsch, Zin
nober; (Hausmüll) Abfall; (Unsinn)
Mist; talk rubbish dummes Zeug re
den; ~ **bin** sub, -s Abfalleimer, Müll
eimer; ~ **heap** sub, -s Müllberg

rubble, sub, -s Geröllschutt, Schutt; -
(Schutt) Trümmer; ~ **tip** sub, -s
Schutthalde

rubidium, sub, nur Einz. Rubidium

ruby, sub, -ies Rubin; ~**-red** adj, kar
funkelrot

ruche, sub, -s Rüsche; ~**d blouse** sub,

Rüschenbluse; ~**d shirt** sub, -s
Rüschenhemd

rucksack, sub, -s Rucksack

rude, adj, ungeraten; (ugs.) unhöf
lich; (beleidigend) grob; ~ **noi
se/smell** sub, -s (ugs.) Pups; ~**ness**
sub, - Sottise

ruderal flora, sub, -s Trümmerflora

rudiment, sub, -s Rudiment; ~**ary**
adj, rudimentär

rue, sub, -s (bot.) Raute

ruff, sub, -s Halskrause

ruffian, sub, -s Raufbold, Schläger

ruffle, (1) sub, -s Krause (2) vt, ver
wirren, zerzausen; ~ **tape** sub, -s
Kräuselband; ~ **the feathers** vt,
(Vogel) aufplustern

rug, sub, -s (Brücke) Teppich; pull
the rug from under so's feet jeman
dem das Wasser abgraben

Ruhr area, sub, nur Einz. Ruhrge
biet

ruin, (1) adv, zu Grunde, zu Schan
den (2) sub, nur Einz. Ruine; - Rui
ne; nur Einz. Verderb, Verderben
(3) vt, ruinieren, verderben, ver
masseln; (i. ü. S.) zerstören; (ugs.)
kaputtmachen, ramponieren, ver
hunzen, verschandeln; be in ruins
in Trümmern liegen; be ruined da
hin sein, in Trümmer gehen; to
ruin sb jmd das Rückgrat brechen;
(ugs.) he ruined the carpet with his
cigarette mit seiner Zigarette hat er
den Teppich kaputtgemacht; ~ **sb
sth** vt, versauern; to ruin sth for sb
jmd etwas versauern; ~**ed** adj, rui
nenartig, verdorben; (ugs.) ver
kracht; (ugs.; verdorben) futsch;
~**ous** adj, ruinös; ~**s** sub, - (Ge
bäude-) Trümmer; (Ruine) Ge
mäuer; ~**s of castle** sub, nur
Mehrz. Schlossruine

rule, (1) sub, -s Gesetz; nur Einz.
Herrschaft; -s Maßregel, Regel; nur
Einz. (eines Landes) Beherr
schung; -s (Meterstab) Metermaß
(2) vi, herrschen (3) vt, (jur.) ent
scheiden (4) vti, regieren; make
sth a cardinal rule sich etwas zum
obersten Gesetz machen; break a
rule von einer Regel abweichen; to
rule over sb/sth über jmd/etwas
walten; ~ (of the order) sub, -s
Ordensregel; ~ of distribution
sub, -s Distributivgesetz; ~ of

etiquette *sub, -s* - Anstandsregel; ~ of force *sub, -s* Faustrecht; ~ of thumb *sub, -s* Faustregel; ~ out *vt, (Möglichkeit)* ausschließen; *rule so out of order* jmd das Wort entziehen; ~ over *vi, (über)* gebieten; ~r *sub, -s* Beherrscher, Gebieter, Herrscher, Herrscherin, Lineal, Machthaber; *the rulers in Uganda* die Machthaber in Uganda; ~s *sub, nur Mehrz.* Reglement; *(Vorschrift)* Ordnung; *according to the rules* der Ordnung gemäß; ~s for residents *sub, nur Mehrz.* Hausordnung; **ruling** *sub, -s* Lineatur; *(tt; jur.)* Weisung

rum, *sub, -s* Rum; ~ **ball** *sub, -s* Rum-kugel

rumba, *sub, -s* Rumba

rumble, *vi,* knurren, rumoren; *(Donner)* grollen; ~s *sub, nur Mehrz.* Magenknurren

rumen, *sub, -mina* Pansen; *-s (tt; zool.)* Wanst

ruminant, *sub, -s* Wiederkäuer

rummage, (1) *sub, -s* Stöberei (2) *vi,* stöbern, wühlen; ~ **about** *vi,* kramen; ~ **through** *vt, (Archiv)* durch-stöbern; *(durchsuchen)* durchwühlen; *to rummage through the house/in search of sth/looking for sth* das Haus nach etwas durch-wühlen

rumor, *sub, -s (Gerüchte US)* Gerede; *(US)* Gerücht; *(geh.; US)* Fama; **rumour** *sub, -s* Gerede, Gerücht; *(geh.)* Fama; *contradict a rumour* einem Gerücht entgegentrten; *there´s a rumour that* es geht das Gerücht, dass; *you hear all kinds of rumours* es wird allerlei gemunkelt

rump, *sub, -s (zool.)* Bürzel; ~ **steak** *sub, -s* Rumpsteak

rumpot, *sub, -s* Rumtopf

run, (1) *sub, -s* Run; *(Farbe)* Nase; *(Lauf~)* Masche (2) *vi,* laufen, rinnen, verkehren, verlaufen (3) *vt,* unterhalten, verwalten; *(Maschine, Fabrik)* betreiben (4) *vti,* fahren, rennen; *(verkehren)* gehen; *have a clear run* freie Fahrt haben; *he can take a running jump* er kann bleiben, wo der Pfeffer wächst; *in the long run* auf die Dauer, auf lange Sicht; *let one´s passions run wild* seinen Leidenschaften frönen; *run so down* über jemanden abfällig sprechen; *runs*

into millions geht in die Millionen; *take a run* Anlauf nehmen; *to run down* mies machen; *to run sth down* etwas madig machen; *you´ve got a run (in your stocking)* dir läuft eine Masche im Strumpf, *run as fast as you can!* lauf so schnell, wie du kannst!; *(i. ü. S.) sweat was running down his face* der Schweiß lief ihm ins Gesicht; *to run a race* um die Wette laufen, *run one´s hand over* mit der Hand überfahren; *the train runs twice a day* der Zug fährt zweimal am Tag; *the train runs every hour* der Zug geht stündlich; ~ **after** *vt,* nachlaufen; *to run after sb/sth* jmd/einer Sache nachlaufen; ~ **aground** *vi, (Schiff)* auflaufen; ~ **around** *vi,* herumlaufen, umherlaufen; *(um)* herumführen; ~ **away** (1) *vi,* fortlaufen; *(weglaufen)* durchbrennen; *(ugs.; weglaufen)* ausreißen (2) *vt,* weglaufen (3) *vti,* davonlaufen; *it makes you want to run a mile* es ist zum davonlaufen; ~ **down** (1) *adj, (Gebäude etc.)* heruntergekommen (2) *vi, (über)* herziehen (3) *vt,* abwirtschaften, umrennen; *(ugs.)* mies machen; *(niederfahren)* umfahren; *run so down* jemanden anschwärzen

runaway, *sub, -s* Ausreißer

run dry, *vi,* leer laufen; **run high** *vi, (i. ü. S.)* hochschlagen; *after the third accident within a week feelings of outrage ran high* nach dem dritten Unfall innerhalb einer Woche, schlug eine Welle der Empörung hoch; **run in** *vi,* hineinrennen; **run into** (1) *vi, (spo.)* einlaufen (2) *vt, (rammen)* anfahren; *run into the stadium* ins Stadion einlaufen; *the water is running into bathtub* das Wasser in die Wanne einlaufen lassen; **run o.´s fingers through (over)** *vt,* kraulen; *(ugs.) will you run your fingers over my back?* kraulst du mir den Rücken?; **run off** (1) *vi, (Flüssigkeit)* abfließeń, ablaufen; *(weglaufen)* durchgehen (2) *vt,* weglaufen; **run out** *vi,* hinauslaufen; *(ugs.)* ausrinnen; *(Flüssigkeit)* auslaufen; *(Zeit)* ablaufen; *(zur Neige gehen)* ausgehen; *have run* out of sth etwas ist alle; *I´m running out of breath* mir geht die Luft aus; *I´m running out of money* mir geht das Geld aus

rune, *sub,* -s Rune

rung, *sub,* -s *(Leiter-)* Sprosse

runic, *adj,* runisch; ~ **writing** *sub,* -s Runenschrift

runner, *sub,* -s Kufe, Wettläufer; *(bot.)* Ausläufer; ~ **amok** *sub,* - -s Amokläufer; ~**-up** *sub,* - *(tt; spo.)* Vizemeister; **running (1)** *adj,* laufend **(2)** *sub,* -s Rennen; **running about** *sub,* - Rennerei; **running around** *sub,* -s Rennerei; **running style** *sub,* -s Laufstil; **running to capacity** *adj,* ausgelastet; **running water** *sub,* -s Fließwasser; **runny** *adj,* *(Konsistenz)* dünnflüssig

run over, (1) *vi,* überlaufen, überströmen **(2)** *vt,* *(Tier etc.)* überfahren; **run past** *vi,* vorbeilaufen; **run the gauntlet** *vi, nur Einz.* Spießrutenlaufen; **run through** *vt,* durchrieseln; *(Fluß/Straße)* durchziehen; *(räuml.)* durchlaufen; *the theme runs all through the novel* das Theme zieht sich durch den Roman; **run towards to** *vi,* zulaufen; **run up** *vi,* *(spo.)* anlaufen; **run without stopping** *vi,* *(zeitl.)* durchlaufen; **run-off** *sub,* -s *(US)* Stichwahl; **run/walk on** *vi,* weiterlaufen

runs, *sub, nur Mehrz.* Dünnschiss; *(i. ü. S.)* Durchmarsch; **runway** *sub,* -s Landebahn, Rollbahn, Rollfeld, Startbahn; *(Luftfahrt)* Piste

rupture, *sub,* -s Ruptur

rural, *adj,* bäuerlich, dörflich, ländlich; ~ **area** *sub,* -s Land; ~ **character** *sub, nur Einz.* Ländlichkeit; ~ **commune** *sub,* -s Landkommune; ~ **community** *sub,* -ies Landgemeinde; ~ **exodus** *sub,* - Landflucht; ~ **preservation** *sub,* - Landschaftspflege

rush, (1) *sub, nur Einz.* Hast, Hektik; Hetzerei; -s Überhastung, Überstürzung; - *(Eile)* Hetze; *(schnell bewegen)* Gesause **(2)** *vi,* hasten; *(rasen)* eilen; *(rennen)* stürzen; *(Wind)* fegen **(3)** *vt,* hetzen, übereilen, überha-

sten; *be unable to stand the rush* dem Ansturm nicht gewachsen sein; *I won´t be rushed* ich lasse mich nicht drängeln; *rush into the room* ins Zimmer stürzen; *rush out of the room* aus dem Raum eilen; *the news happen in a rush* die Ereignisse überstürzen sich; *there´s no rush* damit hat´s keine Not; *to be rushed off one´s feet* viel um die Ohren haben; *(ugs.)* *to be rushing around like a mad thing* am Rotieren sein, *be in a rush all day long* den ganzen Tag hetzen; *don´t rush things!* nur nichts übereilen!; *don´t rush things!* nur nichts überhasten!; ~ **downstairs** *vi, (Treppe)* hinabstürzen; ~ **hour** *sub,* -s Hauptverkehrszeit; *nur Einz.* Rushhour; -s Stoßzeit; ~ **into** *vt,* überstürzen; *don´t let´s rush into anything!* nur nichts überstürzen!; ~ **through** *vt,* durchbrausen; ~-**hour traffic** *sub, nur Einz.* Stoßverkehr; ~**ed** *adj,* hastig

russet, *adj,* rehbraun

Russia, *sub,* - Russland; ~**n (1)** *adj,* russisch **(2)** *sub,* -s Russe; ~**n blouse** *sub,* -n Russenbluse; ~**n leather** *sub, nur Einz.* Juchtenleder

russula, *sub,* -s *(bot.)* Täubling

rust, (1) *sub, nur Einz.* Rost **(2)** *vi,* rosten, verrosten; ~ **formation** *sub,* -s Rostbildung; ~**-heap** *sub,* -s Rostlaube

rustic, *adj,* dörfisch

rustle, *vi,* rascheln

rusty, *adj,* rostig

rut, *sub,* -s *(ugs.)* Schlendrian; *nur Einz. (mask.)* Brunft

ruthenium, *sub, nur Einz.* Ruthenium

rutted, *adj,* zerfahren; **rutting (mask)/on heat (fem)** *adj,* brunftig; **rutting stag** *sub,* -s Brunfthirsch

rye, *sub,* -s Roggen; ~ **harvest** *sub,* -s Roggenernte

S

Sabbath, *sub,* -s Sabbat

sable, *sub,* - Zobel

sabre, *sub,* -s Säbel; ~ **fencing** *sub, -s* Säbelfechten; **~-rattler** *sub, -s* Säbelrassler; **~-rattling** *sub, nur Einz.* Säbelrasseln

saccharin, *sub, nur Einz.* Saccharin

sachertorte, *sub, -s* Sachertorte

sack, (1) *sub,* -s Sack (2) *vt,* sacken; **~ing** *sub, -s* Sackleinwand, Sacktuch

sacral, *adj,* sakral; ~ **building** *sub, -s* Sakralbau

sacrament, *sub, -s* Sakrament; ~ **of penance** *sub, nur Einz.* Bußsakrament; **~al** *adj,* sakramental

sacred, *adj,* geheiligt, heilig; *(mus.)* geistlich; *sacred places* heilige Stätten; *sth is sacred to sb* etwas ist jmdm heilig; ~ **music** *sub, nur Einz.* Kirchenmusik

sacrifice, (1) *sub,* -s Opferung, Sakrifizium; *(~gabe)* Opfer (2) *vt,* aufopfern; *(opfern)* hingeben (3) *vtir,* opfern; *to offer sth as a sacrifice to sb* jmd etwas als Opfer darbringen; *we must all make sacrifices* wir müssen alle Opfer bringen, *to sacrifice one´s life* sein Leben opfern; ~ **o.s.** *vr,* aufopfern; **Sacrifice of the Mass** *sub, nur Einz.* (relig.) Messopfer; **sacrificial bowl** *sub, -s* Opferschale

sacrilege, *sub, -s (geh.)* Sakrileg; *(theol.)* Frevel; **sacrilegious** *adj,* frevlerisch, sakrilegisch

sacristan, *sub, -s* Sakristan, Sakristanin

sacristy, *sub, -ies* Sakristei

sacrosanct, *adj,* sakrosankt

sad, *adj,* betrüblich, betrübt, traurig; ~ **face** *sub, -s* Trauermiene; **~cloth** *sub, -s (i. ü. S.)* Armutszeugnis

sadden, *vt,* betrüben

saddle, *sub, -s* Sattel, Ziemer; *saddle so with sth* jemandem etwas aufbürden; *saddled so with sth* jemandem etwas aufhalsen; *(i. ü. S.) to be firmly in the saddle* fest im Sattel sitzen; ~ **(up)** *vt,* satteln; ~ **horse** *sub, -s* Sattelpferd; **~bag** *sub, -s* Satteltasche; **~cloth** *sub, -s* Satteldecke, Schabracke; **~r** *sub, -s* Sattler; **saddling** *sub, -s* Einsattelung

sadism, *sub, nur Einz.* Sadismus; **sadist** *sub, -s* Sadist; **sadistic** *adj,* sadistisch

sado-masochism, *sub, nur Einz.* Sadomasochismus

safari, *sub, -s* Safari

safe, (1) *adj,* geborgen, heil, ungefährdet; *(Gefahr)* sicher; *(Krankheit)* harmlos; *(sicher)* ungefährlich (2) *sub, -s* Geldschrank, Safe, Tresor; *be safe from*

something vor etwas sicher sein; *it´s a safe guess* es ist so gut wie sicher, *it´s better to be on the safe side* doppelt genäht hält besser; *safe and secure* sicher wie in Abrahams Schoß; ~ **and sound** *adv,* ungefährdet; ~ **from** *adj,* gefeit; **~guard** *vt,* sichern; **~guard(ing)** *sub, -s* Sicherung; *(in order) to safeguard peace* zur Sicherung des Friedens; **~ly** *adj,* getrost; *one can safely say that* man kann getrost behaupten, dass; **~r sex** *sub, nur Einz.* Safersex; **~ty** *sub, - (Gefahr)* Sicherheit; *leap to safety* sich in Sicherheit bringen; *(spo.) play for safety* auf Sicherheit spielen; **~ty (seat)** *sub, -s* Sicherheitsgurt; **~ty device** *sub, -s* Schutzvorkehrung; **~ty glass** *sub, nur Einz.* Sicherheitsglas; **~ty lock** *sub, -s* Sicherheitsschloss; **~ty mechanism** *sub, -s (tech.)* Sicherung

saffron, *sub, -s* Safran; ~ **(-yellow)** *adj,* Kurkumagelb

sag, *vi, (phys.)* durchhängen; *the boards sagged* die Bretter biegen sich durch

saga, *sub, -s* Saga

sage, *sub, nur Einz.* Salbei

Sagittarius, *sub, nur Einz. (astrol.)* Schütze

sago, *sub, nur Einz.* Sago

sahib, *sub, -s* Sahib

said, *adj,* genannt

sail, (1) *sub, -s* Segel (2) *vi,* segeln (3) *vti,* fahren; ~ **along** *vi,* dahinsegeln; ~ **round** *vt,* umsegeln; ~ **through** *vt,* durchsegeln; *sail through the 7 seas* die 7 Meere durchsegeln; *sail through/between the rocks* zwischen den Felsen durchsegeln; **~boarding** *sub, nur Einz.* Windsurfing; **~ing boat** *sub, -s* Segelboot; **~ing regatta** *sub, -s* Segelregatta; **~ing ship** *sub, -s* Segelschiff; **~maker** *sub, -s* Segelmacher; **~or** *sub, -s* Matrose; **~or´yarn** *sub, -s* Seemannsgarn; **~or´s death** *sub, -s* Seemannstod; **~or´s home** *sub, -s* Seemannsheim

saint, (1) *sub,* Sankt (2) *sub, -s* Heilige, Schutzpatron; *to be thought of as a saint* im Nimbus der Heiligkeit stehen

sake, *sub, nur Einz.* Sake

salad, *sub, -s* Salat, Salatplatte, Salatteller; ~ **servers** *sub, nur Mehrz.* Salatbesteck salamander, *sub*, -s Molch, Salamander

sal ammoniac, *sub*, *nur Einz.* Salmiak

salaried employee, *sub*, -s Gehaltsempfänger; **salary** *sub*, *-ies* Salär; *(Einkommen)* Gehalt; **salary account** *sub*, -s Gehaltskonto; **salary bracket** *sub*, -s Gehaltsstufe; **salary increase** *sub*, -s Gehaltserhöhung

sale, *sub*, -s Schlussverkauf, Verkauf; *(wirt.)* Ausverkauf; **~ of alcohol** *sub*, *nur Einz.* (Verkauf von Alkoholika) Ausschank; **~able** *adj*, *(Handel)* gängig

Salem, *sub*, *nur Einz.* Salam

sales, *sub*, *nur Mehrz.* Vertrieb; *(wirt.)* Absatz; **~ area** *sub*, - -s Absatzgebiet; **~ assistance** *sub*, -s Verkäufer; **~ department** *sub*, *nur Mehrz.* Vertrieb; **~ price** *sub*, -s Abgabepreis; **~ quota** *sub*, - -s Abgabesoll; **~ room** *sub*, -s Verkaufsraum; **~ slip** *sub*, -s Kassenzettel; **~ tax** *sub*, *-es* Umsatzsteuer; **~ trick** *sub*, -s Reklametrick; **~manship** *sub*, *nur Einz.* Salesmanship; **~person** *sub*, -s Verkäuferin

saliva, *sub*, *nur Einz.* (*med.*) Speichel

salmon, *sub*, -s Lachs; **~-coloured** *adj*, lachsfarbig; **~-pink** *adj*, lachsfarben

salmonellae, *sub*, *nur Mehrz.* Salmonellen; **salmonellosis** *sub*, *-es* Salmonellose

salon, *sub*, -s Salon; **saloon** *sub*, -s Saloon

salt, (1) *sub*, -s Salz (2) *vt*, einpökeln, einsalzen, pökeln, salzen; *salt an invoice* Rechnung fälschen; *salt cod* Kabeljau einpökeln; *salt down money* Geld beiseite bringen; *salt the books* die Bücher fälschen; **~ cellar** *sub*, -s Salzfass; **~ dough** *sub*, -s Salzteig; **~ lake** *sub*, -s Salzsee; **~ meat** *sub*, *nur Einz.* Pökelfleisch, Salzfleisch; **~ mine** *sub*, -s Salzbergwerk; **~ plant** *sub*, -s Salzpflanze; **salt shaker**, *sub*, -s Salzstreuer; **salt water**, *sub*, *nur Einz.* Salzwasser; **salt-water fish** *sub*, *nur Einz.* Seefisch; **salt-works** *sub*, *nur Mehrz.* Saline; **salted** *adj*, gesalzen; **salted knuckle of pork** *sub*, -s Eisbein; **saltpetre** *sub*, *nur Einz.* Salpeter; (*chem.*) Kalisalpeter; **saltwater** *sub*, -s Sole; **salty** *adj*, salzig

salutary, *adj*, heilbringend, heilsam; **~ nature** *sub*, -s Heilsamkeit; **salute** (1) *sub*, -s (*mil.*) Salut, Salve (2) *vti*, grüßen, salutieren; *to take the salute* die Parade abnehmen

salvation, *sub*, - (*Kirchl.*) Heil, -s (*theol.*) Seligkeit; *everyone has to look to his own salvation* jeder muss nach seiner Fasson selig werden; **Salvation Army** *sub*, *nur Einz.* Heilsarmee

salve!, *interj*, salve!

salvö, *sub*, -s salve

Samaritan, *sub*, -s Samariter

samba, *sub*, -s Samba

same, (1) *adj*, dasselbe, eins, gleich; *(identisch)* gleich (2) *pron*, derselbe, ein (3) *sub*, - (*veraltet; der/die/das ~*) nämlich; *it´s allways the same* es ist immer dasselbe; *it´s the same the whole world over* es ist überall dasselbe; *the same to you* gleichfalls; *the very same* genau dasselbe; *he is at the same time Prime Minister and party chairman* er ist Kanzler und Parteivorsitzender in Personalunion; *it all amounts to the same thing* das ist doch alles eins; *it was the same with me* mir ist es genauso ergangen; *it´s all the same to me* es ist mir völlig gleichgültig; *more or less the same* in etwasa dasselbe; *thanks, same to you* danke, ebenfalls; *the same* der/die/das Nämliche; *the same age* gleich alt; *the same one* derselbe; *be of the same opinion* einer Meinung sein; *it all comes to the same thing* es kommt alles auf eins heraus; **~ way** *adj*, genauso

Samoa islands, *sub*, *nur Einz.* Samoainseln

Samos, *sub*, *nur Einz.* Samos

samovar, *sub*, -s Samowar

sample, (1) *sub*, -s *(Probestück)* Muster (2) *vt*, kosten; *sample of no commercial value* Muster ohne Wert; **~ case** *sub*, -s Musterkoffer; **~ census** *sub*, *nur Einz.* Mikrozensus; **~ on approval** *sub*, -s - Ansichtssendung; **~ pack** *sub*, -s Probesendung

Samurai, *sub*, -s Samurai

sanatorium, *sub*, -s Heilanstalt

Sancitas, *sub*, *nur Einz.* Sanctitas

sanctify, *vt*, heiligen

sanctimonious, *adj*, bigott, frömmlerisch; **~ person** *sub*, -s Frömmler; **~ness** *sub*, *nur Einz.* Bigotterie

sanction, (1) *sub*, -s Sanktion (2) *vt*, sanktionieren; **~ing** *sub*, -s Sanktionierung

sanctuary, *sub*, *-ies* Sanktuarium

sand, (1) *sub*, *nur Einz.* Sand (2) *vt*, schmirgeln; **~ clam** *sub*, -s (*zool.*) Klaffmuschel; **~ lizard** *sub*, -s (*tt; biol.*) Zauneidechse; **~ track** *sub*, -s Sandbahn; **~-coloured** *adj*, drappfarben; **~-pit** *sub*, -s Buddelkasten

sandal, *sub*, -s Sandale; **~wood** *sub*, -s Sandelholz; **~wood oil** *sub*, - Sandelholzöl, Sandelöl

sandbag, *sub*, -s Sandsack; **sandbank**

sub, -s Sandbank; **sanded metal** *sub, -s* Schrappeisen; **sandman** *sub, nur Einz.* Sandmann, Sandmännchen; **sandpaper (1)** *sub, -s* Schmirgelpapier **(2)** *vt,* abschmirgeln; **sandpiper** *sub, -s (tt; zool.)* Wasserläufer; **sandstone** *sub, -s* Sandstein; **sandwich** *sub, -es* Butterbrot, Sandwich, Stulle; *(Dial)* Klappstulle; **sandy** *adj,* sandig

sanguine, *adj,* sanguinisch; ~ **person** *sub, people (psych.)* Sanguiniker

sanitary, *adj,* sanitär; ~ **land fill** *sub, -s* Mülldeponie; ~ **napkin** *sub, -s (US)* Damenbinde; ~ **towel** *sub, -s* Damenbinde, Monatsbinde; *(ugs.)* Binde

Sansculotte, *sub, -s* Sansculotte

Sanskrit, (1) *adj,* sanskritisch **(2)** *sub, nur Einz.* Sanskrit; ~**ian** *sub, -s* Sanskritist

Santa Claus, *sub, -* Weihnachtsmann

sap, *sub, -s (Pflanzen)* Saft; ~ **so strength** *vi,* zehren

sapmoney, *sub, - (i. ü. S.)* Zehrgeld; **sappenny** *sub, -es* Zehrpfennig; **sapper** *sub, -s (mil.)* Mineur, Pionier

sapphire, *sub, -s* Saphir; ~ **brooch** *sub, -es* Saphirnadel

saprophyt, *sub, -s* Saprophyt

saraband, *sub, -s (mus.)* Sarabande

Saracen, (1) *adj,* sarazenisch **(2)** *sub, -s* Sarazene

sarcasm, *sub, -s* Sarkasmus; **sarcastic** *adj,* sarkastisch

sarcophagus, *sub, -es* Sarkophag

sardine, *sub, -s* Ölsardine, Sardine; *you must be crammed in like sardines* da sitzt ihr ja wie die Ölsardinen!

Sardinian, (1) *adj,* sardisch, sardonisch **(2)** *sub, -s* Sardinierin

sardonic, *adj, (geh.)* mokant; **sardonyx** *sub, -es* Sardonyx

sarong, *sub, -s* Sarong

sash, *sub, -es* Schärpe

sassafras oil, *sub, -s* Sassafrasöl

Satan, *sub, -s* Satan; ~ ´**s brood** *sub, nur Einz.* Teufelsbraten; **satanic** *adj,* luziferisch, satanisch, teuflisch

satchel, *sub, -s* Ranzen; *(Schulranzen)* Tornister

satellite, *sub, -s* Satellit, Trabant; ~ **dish** *sub, -es* Parabolantenne; ~ **town** *sub, -s* Trabantenstadt

satin, *sub, -s* Satin

satire, *sub, -s* Persiflage, Satire; **satirical** *adj,* satirisch; **satirical poem** *sub, -s* Spottgedicht; **satirical song** *sub, -s* Couplet; **satirist** *sub, -s* Satiriker; **satirize** *vt,* persiflieren

satisfaction, *sub, -s* Befriedigung, Genugtuung, Satisfaktion; *nur Einz.* Wohl-

gefallen; *demand satisfaction* Genugtuung verlangen; **satisfactory (1)** *adj,* befriedigend **(2)** *sub,* zufrieden stellend; **satisfy** *vt,* sättigen, saturieren; *(mat.)* erfüllen; *(zu Frieden stellen)* befriedigen; *to be satisfied with* mit etwas zufrieden sein; *he finds his work very satisfying* seine Arbeit erfüllt ihn

satsify, *vt,* zufrieden stellen

satrap, *sub, -s (hist.)* Satrap

saturated, *adj,* saturiert; *(chem.)* gesättigt; **saturation** *sub, -s* Sättigung

Saturday, *sub, -s* Samstag, Sonnabend

Saturn rocket, *sub, -s* Saturnrakete

satyr, *sub, -s* Satyr

sauce, *sub, -s* Sauce, Soße, Tunke; ~ **boat** *sub, -s* Sauciere; ~ **recipe** *sub, -s* Soßenrezept; ~ **pan** *sub, -s (Koch-)* Tiegel; ~**r** *sub, -s* Untersatz, Untertasse; **sauciness** *sub, nur Einz.* Keckheit, Kessheit; **saucy** *adj,* keck, kess, schnippisch; *(keck)* frech

sauna, *sub, -s* Sauna

saurian, *sub, -s* Echse

sausage, *sub, -s* Bratwurst, Wurst; *(Dial)* Knacker; ~ **salad** *sub, -s* Wurstsalat

savage, (1) *adj,* wild; *(grausam)* barbarisch **(2)** *sub, -s* Kannibale; *behave like a savage* sich wie die Axt im Walde benehmen

savanna, *sub, -s* Savanne

save, (1) *vi, (Geld)* sparen **(2)** *vt,* einsparen, erretten, ersparen, sparen **(3)** *vti,* ansparen; *save money* Geld einsparen; *save s from* jmd vor etwas erretten; *(i. ü. S.)* save one ´s money sein Geld in den Strumpf stecken; *save so eyesight* jmd das Augenlicht erhalten; *save so work and money* jmd Kosten und Arbeit ersparen; *that will save you 10 DM a week* dadurch sparen sie 10 DM die Woche; ~ **(up)** *vt,* aufsparen; ~ **from** *vt, (retten vor)* bewahren; ~**r** *sub, -s* Sparer; **saving** *sub, nur Einz.* Aufsparung; **saving for a purpose** *sub, -s (i. ü. S.)* Zwecksparen; **savings** *sub, nur Mehrz.* Ersparnis, Reserve; **savings account** *sub, -s* Sparguthaben; **savings agreement** *sub, -s* Sparvertrag; **savings bank** *sub, -s* Sparkasse; **savings book** *sub, -s* Sparbuch; **savings deposit** *sub, -s* Spareinlage

savior, *sub, -s* Erretter; *nur Einz. (US)* Heiland; ~**like** *adj,* erlöserhaft; **saviour** *sub, -s* Erlöser; *nur Einz.* Heiland; *-s* Retter

savoy cabbage, *sub, nur Einz. (tt;*

bot.) Wirsing, Wirsingkohl

saw, (1) *sub,* -s Säge (2) *vt,* ansägen (3) *vti,* sägen; **~ away at** *vt, (ugs.)* säbeln; **~ off** *vt,* absägen; **~ out** *vt,* aussägen; **~ through** *vt,* durchsägen; **~ to cut out** *sub,* -s Dekupiersäge; **~ tooth** *sub,* teeth Sägezahn; **~ up** *vt,* zersägen; **~dust** *sub, nur Einz.* Sägemehl; *have sawdust between one´s ears* Stroh im Kopf haben; **~fish** *sub,* - Sägefisch; **~mill** *sub,* -s Sägemühle, Sägewerk

saxophone, *sub,* -s Saxofon; **saxophonist** *sub,* -s Saxofonist

say, (1) *vi, (erwähnen)* besagen (2) *vt,* sagen, vorbringen; *Goethe says* bei Goethe steht; *he always has to have his say* er will überall mitsprechen; *I can´t bring myself to say it* das bringe ich nicht über die Lippen; *(i. ü. S.) I cannot say as yet* das lässt sich noch nicht überblicken; *I still have sth to say about that too* dabei habe ich auch noch ein Wort mitzureden; *I´d like to have some say in this too* da möchte ich auch ein Wörtchen mitreden; *not say any more about sth* sich nicht näher auslassen; *one of his favourite sayings* ein Wort das er immer im Mund führt; *say the Lord´s Prayer* das Vaterunser beten; *(ugs.) she always has to have her say* sie will überall mitreden; *she couldn´t say a word* sie brachte kein Wort heraus; *so that nobody can say* damit es nachher nicht heißt; *that says something* das hat etwas zu bedeuten; *the letter says* es heißt in dem Brief; *to have no say* nichts zu melden haben; *to say nothing of* ganz zu schweigen von; *(i. ü. S.) to say the wrong thing* aus der Rolle fallen; *to say what sb wants to hear* jmd nach dem Mund reden; *what did he say?* wie hat er geantwortet?; *what did I say?* na also; *what say?* wie beliebt?; *when all is said and done* letzten Endes; *you can say that again* das kann man wohl sagen; **~ before hand** *vt,* vorwegsagen; **~ goodbye** *vr,* verabschieden; **~ goodbye to** *vt,* verabschieden; **~ing** *sub,* -s Redensart, Spruch, Wort; *as the saying goes* wie das Sprichwort sagt

sb regrets sth., *vt,* reuen; **sb who invents stories** *sub,* - *(geh.)* Fabulant

scab, (1) *sub,* -s Soor; *(med.)* Grind (2) *vi,* verschorfen; **~ formation** *sub,* -s *(tt; med.)* Verkrustung; **~bard** *sub,* -s *(Schwert)* Scheide; **~by** *adj,* grindig; *(Pflanzen)* schorfig

scabies, *sub,* - *(med.)* Krätze

scaffold, *sub,* -s Schafott; **~er** *sub,* -s Ge-

rüstbauer; **~ing** *sub, nur Einz. (Bau)* Gerüst

scalar, *adj, (mat.)* skalar

scale. (1) *attr,* maßstäblich (2) *sub,* -s Tonleiter; *(bot.)* Schuppe; *(elektrisch)* Skala; *(Karten~)* Maßstab (3) *vt,* abschuppen, entschuppen; *(Fische)* schuppen; *the map is on a large scale* die Karte hat einen großen Maßstab; *to scale sth down* etwas in verkleinertem Maßstab darstellen; *on a large scale* in großem Umfang; *the scales fell from my eyes* mir fiel es wie Schuppen von den Augen; **~ armour** *sub,* -s Schuppenpanzer; **~ down** *vt,* repartieren; **~ of figures** *sub,* -s Zahlenskala; **~ pan** *sub,* -s Waagschale; **~s** *sub, nur Mehrz.* Waage; *tip the scales in so´s favour* für jemanden den Ausschlag geben; **~s factory** *sub,* -es Waagenfabrik; **scaling** *sub,* -s Abschuppung; **scaling ladder** *sub,* -s Sturmleiter

scallop, (1) *sub,* -s *(zool.)* Kammmuschel (2) *vi,* ausbuchten (3) *vt,* langettieren

scalp, (1) *sub,* -s Kopfhaut, Skalp (2) *vt,* skalpieren

scalpel, *sub,* -s Seziermesser; *(med.)* Skalpell

scaly, *adj,* schorfartig, schuppig

scamp, *sub,* -s Lausbub, Lausebengel, Racker, Spitzbube, Strolch; *(ugs.)* Bengel

scampi, *sub, nur Mehrz.* Scampi

scan, (1) *vt, (tech.)* abtasten (2) *vti,* skandieren

scandal, *sub,* -s Schweinerei; *(allg.)* Skandal; *hush up a scandal* einen Skandal vertuschen; **~ sheet** *sub,* -s Revolverblatt; **~monger** *sub,* -s Klatschbase, Klatschmaul, Ohrenbläser; **~ous** *adj,* skandalös

Scandinavian, *sub,* -s *(Skandinavier)* Nordländerin

scandium, *sub, nur Einz.* Scandium

scanner, *sub,* - Scanner; **scanning** *sub, nur Einz.* Scanning; -s *(tech.)* Abtastung

scantiness, *sub, nur Einz.* Knappheit, - Spärlichkeit; *nur Einz. (ärmlich)* Dürftigkeit; *(unzulänglich)* Dürftigkeit; **scanty** *adj, (knapp); (dürftig)* spärlich; *(Wissen, Aufsatz, Ergebnis)* dürftig; *it´ll be just barely enough* es wird knapp reichen; *scanty provisions* knappe Vorräte

scapegoat, *sub,* -s Sündenbock; *(ugs.)* Prellbock

scar, *sub,* -s Narbe; *deep down, you*

still bear the scars die Narbe bleibt, auch wenn die Wunde heilt; *to leave a scar* eine Narbe hinterlassen; *to scar sb* jmd eine tiefe Wunde schlagen

scarab, *sub, -s* Skarabäus

scare, *vt*, erschrecken; *be scared stiff* Bammel haben; *to scare easily* leicht die Nerven verlieren; *you really gave me a scare* du hast mich aber erschreckt; **~ off** *vt*, *(ugs.)* vergraulen; *(verängstigen)* abschrecken; **~crow** *sub, -s (Vogelscheuche)* Strohmann; **~d** *adj*, verängstigt, verschreckt; **~d of water** *adj*, wasserscheu; **~d to death** *adj*, himmelangst

scaredy-cat, *sub, -s (ugs.)* Schisser

scarf, **(1)** *sub, -ves -fs* Kopftuch; *-ves* Schal; *-s* Überblattung; *(Hals-) Tuch* **(2)** *vt, (Schienen)* überblatten

scarlet, *sub, nur Einz.* Scharlach; **~ fever** *sub, -* Scharlachfieber; **~ red** *adj*, scharlachrot

scarp, *vt*, verschrotten

scarred, *adj*, narbig

scary, *adj, (nicht -)* geheuer

scatter, *vt*, ausstreuen, streuen, verstreuen, zerstreuen; **~ cushion** *sub, -s* Paradekissen; **~ed persons** *sub, nur Mehrz.* Versprengte; **~ed property** *sub, -ies* Streubesitz; **~ing** *sub, -s (phy.)* Streuung; **~ing coefficient** *sub, -s* Streuungsmaß; **~ing surface** *sub, -s* Streugebiet

scenario, *sub, -s* Szenario, Szenarium

scene, *sub, nur Einz.* Scene; *-s* Schauplatz, Szene; *(Szene)* Auftritt; *on the political scene* auf der politischen Bühne; *scene of the action* Ort der Handlung; *scene of the crime* Ort des Verbrechens; *to arrive on the scene* auf den Plan treten; *to re-appear (on the scene)* aus der Versenkung auftauchen; *to vanish from the scene* in der Versenkung verschwinden; *(ugs.) know the scene* sich in der Szene auskennen; *make a scene in front of someone* jemandem eine Szene machen; **~ change** *sub, -s* Szenenfolge; **~ of devastation** *sub, scenes (i. ü. S.)* Trümmerfeld; **~ of the accident** *sub, scenes* Unfallstelle; **~ of the crime** *sub, scenes* Tatort; **~ of the fire** *sub, -s (Brandstelle)* Feuerstelle; **~ry** *sub, nur Einz.* Kulisse, Landschaft; *-ies* Szenerie; *(i. ü. S.) have a change of scenery* die Tapeten wechseln; **scenic** *adj*, landschaftlich; **scenic(al)** *adj*, szenisch; **scenically** *adv*, szenisch; *present something scenically* etwas szenisch darstellen

scent, **(1)** *sub, -s* Duft, Parfüm, Witte-

rung; *- (Duft)* Geruch **(2)** *vt*, wittern; *throw so off the scent* jmd von der Fährte abbringen

sceptic, *sub, -s* Skeptiker; *-* Zweifler; **~ism** *sub, -* Skepsis

sceptre, *sub, -s* Zepter

schalom!, *interj*, schalom!

schedule, *sub, -s* Flugplan; *(US)* Fahrplan, Stundenplan; *he does everything according to a fixed schedule* alles muss seine Ordnung haben; *scheduled time of departure* planmäßige Abfahrt; **~d** *adj*, fahrplanmäßig; *the train is due at 12 o´ clock* der Zug kommt fahrplanmäßig um 1 Uhr an; *the train is scheduled to leave at 12 o´ clock* der Zug fährt fahrplanmäßig um 12 Uhr ab; **~d traffic** *sub, nur Einz.* Linienverkehr

schematic, *adj*, schematisch; **schematism** *sub, -s* Schematismus; **schematize** *vti*, schematisieren; **scheme** *sub, -s* Schema; *(= Unternehmen)* Unternehmung; **scheming** *adj*, intrigant, ränkesüchtig

schiism, *sub, nur Einz.* Schiismus

schism, *sub, -s* Schisma

schismatic, *adj*, schismatisch

schizoid, *adj*, schizoid

schizophrenia, *sub, nur Einz. (med.)* Schizophrenie; **schizophrenic** *adj*, schizophren

schmaltz bread, *sub, nur Einz.* Schmalzbrot; **schmaltzy film/book/song** *sub, -s (ugs.)* Schnulze

schnauzer, *sub, - (Hund)* Schnauzer

schnitzel, *sub, -s* Schnitzel

scholar, *sub, -s* Gelehrte, Scholar; **~ly** *adj*, *(wissenschaftlich)* gelehrt; **~ship** *sub, -s* Gelehrtheit, Stipendium; **~ship holder** *sub, -s* Stipendiat; **scholastic (1)** *adj*, scholastisch **(2)** *sub, -s* Scholastiker; **scholasticism** *sub, nur Einz.* Scholastik

school, *sub, -s* Bildungsanstalt, Schule; *state school* öffentliche Schule; *(ugs.) the way I learned it at school that makes DM 350* das macht nach Adam Riese DM 3,50; *there is no school tomorrow* morgen fällt der Unterricht aus; **~ attendance** *sub, -s* Schulbesuch; **~ beginner** *sub, -s* Abc-Schütze; **~ building** *sub, -s* Schulgebäude; **~ bus** *sub, -ses* Schulbus; **~ complex** *sub, -es* Schulzentrum; **~ doctor** *sub, -s* Schulärztin; **~ education** *sub, nur Einz.* Schulbildung; **~ fees** *sub, nur Mehrz.* Schulgeld; **~ holidays** *sub, nur Mehrz.* Schulferien; **~ leaver** *sub, -s* Abgänger; **~ management** *sub, -s* Schulleitung

schoolfriend, *sub, -s* Schulfreund; **schoolgirl** *sub, -s* Schulmädchen; **schoolmate** *sub, -s* Schulkamerad; **schools inspector** *sub, -s* Schulrat; **schoolteacher** *sub, -s* Schullehrer; **schoolyard** *sub, -s* Schulgarten

school-leaving certificate, *sub, -s* Abgangszeugnis,   Abschlusszeugnis; **school-leaver** *sub, -s* Absolvent; **school-leaving exam** *sub, -s* Abitur, Matura; **school-leaving exam and university entrance qualification** *sub, -s* Reifeprüfung; **schoolbag** *sub, -s* Schultasche; **schoolbook** *sub, -s* Schulbuch; **schoolchildren** *sub, nur Mehrz.* Schuljugend; **schoolday** *sub, -s* Schultag

school master, *sub, -s* Lehrer, Schulmeister; **school mistress** *sub, -es* Lehrerin; **school playground** *sub, -s* Schulhof; **school readiness** *sub, nur Einz.* Schulreife; **school report** *sub, -s* Schulzeugnis; **school rules** *sub, nur Mehrz.* Schulordnung; **school satchel** *sub, -s* Schulranzen; **school sport** *sub, nur Einz.* Schulsport; **school system** *sub, -s* Schulwesen; **school year** *sub, -s* Schuljahr; **school´s radio** *sub, -s* Schulfunk

schussing *sub, -s* Schussfahrt

sciatic, *adj, (med.)* ischiadisch; **~ nerve** *sub, -s* Ischiasnerv; **~a** *sub, nur Einz. (med.)* Ischias

science, *sub, -s* Wissenschaft; **~ fiction** *sub, nur Einz.* Sciencefiction; **~ of arms** *sub, nur Einz.* Waffenkunde; **~ of cells** *sub, nur Einz.* Zellenlehre; **~ of documents** *sub, -s* Diplomatik; **~ of energies** *sub, nur Einz.* Energetik; **~ of the chaos** *sub, nur Einz.* Chaostheorie; **scientist** *sub, -s* Wissenschaftler; *(Naturw.)* Forscher; **scientist in epidemics** *sub, -s* Epidemiologe; **scientist of documents** *sub, -s* Diplomatiker

scissors *sub, nur Mehrz.* Schere; **~ hold** *sub, - -s (spo.)* Beinschere

sclerose, *vt, (ti; med.)* veröden; **sclerosis** *sub, - (med.)* Sklerose; **sclerotic** *adj,* sklerotisch

scold, *vt,* ausschelten, schelten, schimpfen; **~ing** *sub, -s* Schelte, Schimpferei

sconce, *sub, -s* Leuchter

scoop, (1) *sub, -s* Knüller **(2)** *vt, (Wasser)* schöpfen; **~ out** *vt,* ausschöpfen; **~ing-out** *sub, nur Einz.* Ausschöpfung

scooter, *sub, -s* Motorroller, Roller, Skooter

scope, *sub, -s (Spielraum)* Freiheit; *(i. ü. S.; zeitlich)* Spielraum; *it would be beyond my/our etc scope* das würde

den Rahmen sprengen; **~ for development** *sub, -s* Freiraum

scorch, *vt,* verbrennen, versengen

score, *sub, -s* Partitur, Punktzahl, Trefferquote; *(spo.)* Trefferzahl; *know the score* durchblicken; **~-run** *sub, (i. ü. S.; spo.)* Wertungslauf

scorn, *sub, nur Einz.* Hohn; *(Verachtung)* Spott; *to heap scorn on somebody* jemanden mit Spott und Hohn überschütten; *earn scorn and derision* Spott und Hohn ernten; *pour scorn on someone* jemanden mit Spott und Hohn überschütten; **~ful** *adj,* höhnisch

Scorpio, *sub, -s (astrol.)* Skorpion; **scorpion** *sub, -s (zool.)* Skorpion

Scotch, *sub, -s* Scotch; **Scot´s joke** *sub, -s* Schottenwitz; **~ tape** *sub, nur Einz. (US)* Tesafilm; **~ terrier** *sub, -s* Scotchterrier; **Scotsman** *sub, -men* Schottländer; **Scottish** *adj,* schottisch; **Scottish dance** *sub, -s* Schottische

scoundrel, *sub, -s* Erzspitzbube, Hundsfott, Spitzbube

scour, *vti,* scheuern; **~er** *sub, -s* Topfreiniger; **~ing powder** *sub, -s* Scheuersand

scout, (1) *sub, -s* Pfadfinder, Späher **(2)** *vi, (kundschaften)* spähen; *he´s in the Boy Scouts* er ist bei den Pfadfindern; **~ing trip** *sub, -s* Streifzug

scrabble, *sub, -s* Scrabble

scramble, *sub, -* Gerangel; *to scramble to get sb/sth* sich um jmdn/etwas reißen; **~d eggs** *sub, nur Mehrz.* Rührei

scrap, (1) *sub, -s* Rauferei; *(ugs.)* Schnippel, Schnipsel; *(Papier)* Fetzen **(2)** *vi,* rangeln; *there´s not a scrap of truth in it* da ist kein Fünkchen Wahrheit drin; *throw so on the scrap heap* jmd zum alten Eisen werfen; **~ heap** *sub, -s* Schrotthaufen; **~ iron** *sub, nur Einz.* Alteisen; **~ metal** *sub, - -s* Altmetall; *nur Einz.* Schrott; **~ of paper** *sub, -s* Schnitzel; **~ value** *sub, nur Einz.* Schrottwert; **~ yard** *sub, -s* Schrottplatz

scrape, (1) *vt,* kratzen, schaben **(2)** *vti,* scharren; *scrape through* sich mühsam durchschlagen; **~ clean** *vt,* auslöffeln; **~ off** *vt, (abschaben)* abkratzen; **~ out** *vt, (Behälter)* auskratzen; **~d off** *adj,* abgeschabt; **~r** *sub, -s* Schabemesser; **scraping knife** *sub, -ves* Schabmesser; **scrapping** *sub, -* Gerangel; *-s* Rangelei

scratch, (1) *sub*, *-es* Kratzer, Ritz, Schramme **(2)** *vt*, ankratzen, kratzen, ritzen, verschrammen **(3)** *vti*, kribbeln; ~ **off** *vt*, *(ugs.)* schrapen; ~ **oneself** *vr*, kratzen; ~ **sth.** *vt*, zerkratzen; ~**y** *adj*, *(Schallplatte)* abgespielt

scrawl, (1) *sub*, - Gekrakel, Gesudel; *-s* Schmiererei; *nur Einz.* *(ugs.)* Klaue **(2)** *vti*, krakeln; *(ugs.)* you can hardly read your scrawl deine Klaue kann man kaum lesen; ~ **on** *vi*, *(Wand etc.)* beschmieren; ~**y** *adj*, krakelig

scream, (1) *sub*, *-s* (vor Schmerz etc.) Aufschrei **(2)** *vi*, aufschreien, schreien, zetern; *(schreien)* gellen; it is a scream das ist zum Brüllen; it was a scream es war zum Piepen!; *(ugs.)* that´s a scream das ist zum Schießen; ~**ing** *sub*, *-s* (Geschrei) Gebrüll; *(stärker)* Schrei; *(ugs.)* screamingly funny umwerfend komisch; ~**ing fit** *sub*, *-s* Schreikrampf

scree, *sub*, *-s* Geröllhalde

screech, (1) *vi*, kreischen **(2)** *vti*, quäken, tröten; ~ **owl** *sub*, *-s* Kauz; ~**ing** *sub*, *- (Metall)* Gequietsche

screen, *sub*, *-s* Bildschirm, Leinwand, Paravent, Wandschirm; ~ **spectacular** *sub*, *- -s* Ausstattungsfilm; ~**er** *sub*, *-s* Siebmaschine; ~**ing** *sub*, *nur Einz.* Vernebelung

screw, (1) *sub*, *-s* Schraube; *(vulg.; Koitus)* Nummer **(2)** *vt*, schrauben, zuschrauben **(3)** *vti*, *(vulg.)* bumsen, ficken, vögeln; *(ugs.)* she´s got a scew loose bei ihr ist eine Schraube locker, he´s got a screw loose er ist nicht ganz dicht; *(ugs.)* to have a screw loose ein Rad abhaben, screw around fremdgehen; ~ **in** *vt*, einschrauben; ~ **on** *vt*, anschrauben; *(schließen)* aufschrauben; ~ **together** *vt*, verschrauben; ~ **wheel** *sub*, *-s* Schraubenrad; ~ **wrench** *sub*, *(ugs.; Schraubenschlüssel)* Franzose; ~**ball** *sub*, *-s (i. ü. S.; US)* Spinner; ~**driver** *sub*, *-s* Schraubenzieher; ~**ed-up** *adj*, verdreht; ~**ing up one´s nose** *attr*, naserümpfend

scribble, (1) *vti*, krakeln, kritzeln; ~**r** *sub*, *-s* Schmierfink, Schreiberling, Skribent; **scribbling** *sub*, *nur Einz.* Kritzelei; *(ugs.)* Krakelei; **scribblings** *sub*, *-* Geschreibsel

scribe, *sub*, *-s (bibl.)* Schriftgelehrte; **script** *sub*, *-s* Drehbuch, Manuskript, Schriftbild, Skript; *(Film)* Textbuch

scroll, *sub*, *-s* Schnörkel, Schnörkelei, Schriftrolle

scrotum, *sub*, *-s*, *-a (anat.)* Skrotum

scrounge, *vi*, *(ugs.)* schnorren; ~**r** *sub*, *-s* Nassauer, Schnorrer; **scrounging**

sub, *-s* Schnorrerei

scrub, (1) *sub*, *-s* Gestrüpp **(2)** *vt*, abschrubben, schrubben; ~**bing broom** *sub*, *-s* Scheuerbesen; ~**bing brush** *sub*, *-es* Schrubbbesen, Wurzelbürste

scruple, *sub*, *-s (Skrupel)* Bedenken, Hemmung

scrutinize, *vt*, hintersinnen; *(betrachten)* mustern; *to scrutinize sb from head to toe* jmdn von Kopf bis Fuß mustern; **scrutiny** *sub*, *nur Einz.* Musterung

scuba diver, *sub*, *-s (mit Atemgerät)* Sporttaucher; **scuba diving** *sub*, *nur Einz.* Sporttauchen

scuffle, (1) *sub*, *-s* Balgerei **(2)** *vi*, balgen, latschen

scull, *vti*, *(spo.)* skullen; ~**er** *sub*, *-s* Skuller

sculptor, *sub*, *-s* Bildhauer, Bildhauerin; **sculpture (1)** *sub*, *nur Einz.* Bildhauerei, Bildhauerkunst; *-s (kun.)* Skulptur; *(Skulptur)* Plastik **(2)** *vt*, *(kun.)* skulptieren

scum, *sub*, *nur Einz.* Abschaum; the scum of the world der Abschaum der Menschheit

scurf, *sub*, *-s (Kopf-)* Grind

scurry, *vi*, huschen; *(ugs.)* wieseln

scurvy, *sub*, *nur Einz. (med.)* Skorbut

scythe, *sub*, *-s* Sense; ~**d chariot** *sub*, *-s* Sichelwagen

sea, *sub*, *-s* Meer, See; across the sea jenseits des Meeres; by the sea am Meer; to go to the sea(side) ans Meer fahren; to travel the seas übers Meer fahren; *(geogr.)* the Dead Sea das Tote Meer; ~ **battle** *sub*, *-s* Seeschlacht; ~ **blockade** *sub*, *-s* Seeblockade; ~ **bottom** *sub*, *nur Einz.* Meeresboden, Meeresgrund; ~ **chart** *sub*, *-s* Seekarte; ~ **eagle** *sub*, *-s* Seeadler; ~ **holly** *sub*, *-ies* Stranddistel; ~ **level** *sub*, *nur Einz.* Meeresspiegel, Normalnull; above sea-level über dem Meer; ~ **of flames** *sub*, *-s* Flammenmeer; ~ **of lights** *sub*, *-s* Lichtermeer

seal, (1) *sub*, *-s* Petschaft, Robbe, Seehund, Siegel, Verschluss; *(Siegel)* Plombierung; *(tech.)* Abschluss **(2)** *vt*, abdichten, besiegeln, petschieren, versiegeln, zukleben; *(Fenster)* dichten; *(Siegel)* plombieren; *(tt; tech.)* verplomben; his lips are sealed er ist verschwiegen wie ein Grab; affix a seal to something ein Siegel auf etwas drücken; under the seal of secrecy unter dem Siegel der Verschwiegen-

heit, ~ **hunten** sub, ~ **Robbenfänger,** ~
of confession sub, -s - Beichtgeheimnis; ~ **sth. in transparent film** vt, (in
Plastikfolie) einschweißen; ~**ed** adj,
verschlossen; ~**er** sub, -s Robbenjäger;
~**ing** sub, -s Abdichtung; nur Einz. Versiegelung; -s Versiegelung, Versieglung;
nur Einz. (tech.) Dichtung; -s (tt; tech.)
Verplombung; ~**ing wax** sub, -es Siegel-
lack; ~**skin** sub, -s Seal

seam, sub, -s Naht, Saum; (geol.,Berg-
bau) Flöz; to be bursting at the seams
aus allen Nähten platzen; ~**an´s registration book** sub, -s Seefahrtbuch;
~**stress** sub, -es Weißnäherin

séance, sub, -s Séance

seaplane, sub, -s Wasserflugzeug; **seaport** sub, -s Seehafen; **seaquake** sub, -s
Seebeben

search, (1) sub, -es Durchsuchung,
Fahndung, Suche (2) vi, fahnden (3) vt,
untersuchen; search one´s conscience
sein Gewissen erforschen; go in search
of auf die Suche gehen nach; ~ **(for)** vt,
durchsuchen; search the house for sth
das Haus nach etwas durchsuchen; ~
(of an area) sub, Durchkämmung; ~
all through vt, (Haus) durchstöbern; ~
for (1) vi, fahnden, forschen (2) vti,
(eingehend) suchen; ~ **thoroughly** vt,
(suchen) durchforschen; ~ **warrant**
sub, -s Durchsuchungsbefehl; ~**er** sub,
-s (Person) Sucher; ~**ing image** sub, -s
Suchbild

sea route, sub, -s Seeweg; **sea salt** sub,
nur Einz. Meersalz; **sea shanty** sub, -ies
Seemannslied; **sea snake** sub, -s Seeschlange; **sea tubor** sub, -s Seegurke;
sea urchin sub, -s Seeigel; **sea view**
sub, -s Seeblick; **sea voyage** sub, -s
Schiffsreise, Seefahrt, Seereise; **sea-elephant** sub, -s Seeelefant; **sea-horse**
sub, -s Seepferdchen

seascape painter, sub, -s Marinemaler;
seashore sub, -s Meeresstrand; **seasick**
adj, seekrank; **seasickness** sub, nur
Einz. Seekrankheit; **seaside resort** sub,
- -s Badeort; ~ ~ Seebad

season, (1) sub, -s Jahreszeit, Saison (2)
vt, (würzen) abschmecken; ~ **ticket**
sub, -s Dauerkarte; (i. ü. S.) Zeitkarte;
~**al** adj, saisonal, saisonweise; ~**al
work** sub, -s Saisonarbeit; ~**ed** adj,
(Holz) abgelagert

seat, sub, -s (allg.) Sitz; (Sitzplatz) Platz;
the guests took their seats die Gäste
nahmen ihre Sitze ein; to resign one´s
seat sein Mandat niederlegen; (wirt.)
with the place of business and legal
seat in Berlin mit dem Sitz in Berlin;

please remain seated behalten Sie
doch bitte Platz!; this seat is taken
dieser Platz ist belegt; to take a seat
Platz nehmen; ~ **in the stalls** sub,
-s Parkettsitz; ~ **of a/the bishopric** sub, -s Bischofssitz; ~ **reservation (ticket)** sub, -s Platzkarte; ~**belt**
sub, -s (Sicherheits-) Gurt; ~**belt tensioner** sub, -s Gurtstraffer; ~**ing arrangement** sub, -s Sitzordnung;
~**ing order (at table)** sub, nur Einz.
Tischordnung; ~**ing plan** sub, -s Sitzordnung; ~**s** sub, -s Gestühl

seawards, adv, seewärts; **seaweed**
sub, nur Einz. Seetang; -s Tang; **seaworthy** adj, seetüchtig

sebaceous, adj, (med.) talgig

sebum, sub, nur Einz. (anat.) Talg

secant, sub, -s (mat.) Sekante

secession sub, -s Sezession; ~**ist** sub,
-s Sezessionist

secluded, adj, abgeschieden, klösterlich, zurückgezogen; ~ **seclusion** sub,
nur Einz. Abgeschiedenheit, Klausur

second, (1) adj, zweite (2) sub, -s Se-
kundant, Sekunde; to take second
place to sth hinter etwas zurückstehen; ~ **car** sub, - Zweitwagen; ~
copy sub, -es Zweitschrift; ~ **flat** sub,
-s (Zweitwohnung) Nebenwohnung;
~ **harvest** sub, -s (Ernte) Nachlese; ~
helping sub, nur Einz. (ugs.) Nach-
schlag; ~ **home** sub, - Zweitwohnung; ~ **job** sub, -s Nebenjob;
(Zweitberuf) Nebenarbeit, Nebenbeschäftigung; ~ **machine** sub, -s
Zweitgerät; ~ **occupation** sub, -s Nebenerwerb; ~ **shot** sub, -s (Fußball)
Nachschuss

secondary, adj, nebenamtlich, sekundär, untergeordnet; he does that just
as a secondary occupation das
macht er nur nebenamtlich; (med.)
secondary infection opportunistische Infektion; ~ **aim** sub, -s Nebenabsicht; ~ **colour** sub, -s (phys.)
Mischfarbe; ~ **energy** sub, -ies Sekundärenergie; ~ **haemorrhage**
sub, -s Nachblutung; ~ **literature**
sub, nur Einz. Sekundärliteratur; ~
modern school sub, -s Hauptschule,
(=Realschule) Mittelschule; ~ **office**
sub, -s (Nebenberuf) Nebenamt; ~
school sub, -s Realschule

second-hand bookshop, sub, - -s Antiquariat

second voice, sub, -s Zweitstimme;
second-largest adj, zweitgrößte; **second-last** adj, zweitletzte; **second-
punch** sub, -es Zweitschlag;

second-ranked *adj,* zweitrangig; **second-rate** *adj,* zweitklassig; **second-rate school** *sub,* -s Klippschule; **secondhand bookseller** *sub,* - -s Antiquar; **secondhand shop** *sub,* -s Secondhandshop, Trödelladen, Trödlerladen

second-highest, *adj,* zweithöchste

secretary, *sub,* -ies Minister, Protokollant, Schriftführer, Sekretär, Sekretärin; *(Verein)* Geschäftsleitung; **Secretary General** *sub,* -ies Generalsekretär; **Secretary of the Treasury** *sub, nur Einz. (US)* Finanzminister

secrete, (1) *vi, (med.)* sekretieren (2) *vt, (biol.)* absondern; **secretion** *sub,* -s Sekret, Sekretion; *(biol.)* Absonderung

secretive, *adj, (mat.)* sekretorisch; **~ness** *sub,* -es Geheimtuerei; **secretively** *adv,* heimlich, insgeheim; *make off secretly* sich in aller Stille davonmachen

secret path, *sub,* -s Schleichweg; **secret police** *sub,* -s Geheimpolizei; **secret recipe** *sub,* -s Geheimrezept; **secret remedy** *sub,* -ies Geheimmittel; **secret service** *sub,* -s Geheimdienst; **secret society** *sub,* -ies Geheimbund; **secret transmitter** *sub,* -s Geheimsender; **secret weapon** *sub,* -s Geheimwaffe

sect, *sub,* -s Sekte; **~arian** *sub,* -s Sektierer; **~arianism** *sub, nur Einz.* Sektenwesen, Sektierertum

section, *sub,* -s Sektion; *(jur.)* Paragraf; *(Straße)* Abschnitt; **~al steel** *sub,* -s Profilstahl

sector, *sub,* -s Sektor; *(mat.)* Ausschnitt

secular, *adj,* säkular, weltlich; **~ization** *sub,* -s Säkularisation; **~ize** *vt,* säkularisieren

secure, (1) *adj,* geborgen; *(Geborgenheit)* sicher (2) *vt,* sichern, sicherstellen; *(Ladung)* absichern; *she feels very secure with him* sie fühlt sich bei ihm geborgen, *secure position* gesicherte Existenz; **securities** *sub, nur Mehrz.* Valoren; **security** *sub,* -ies Geborgenheit; *(Geld)* Sicherheit; *(Handel)* Gewähr; *(Wert~)* Papier; **security measure** *sub,* -s Sicherheitspolitik

sedan chair, *sub,* -s Portechaise, Sänfte

sedate, *adj,* behäbig; **~ness** *sub, nur Einz.* Behäbigkeit

sedative, *sub,* -s Sedativ

sedge, *sub, nur Einz. (ugs.)* Segge

sediment, *sub,* -s *(Bodensatz)* Niederschlag; *(geol.)* Sediment; **~ary** *adj,* sedimentär; **~ation** *sub,* -s Sedimentation

seditious, *adj,* aufwieglerisch

seduce, *vt,* verführen; **~r** *sub,* -s Verführer; **seduction** *sub,* -s Verführung; **seductress** *sub,* -es Verführerin

see, *vt,* schauen, sehen; *(i. ü. S.)* überschauen; *(ablesen)* absehen; *(einen Arzt)* aufsuchen; *as I see it* für meine Begriffe; *can't you see straight?* du hast wohl einen Knick in der Optik!; *go and see for yourself!* überzeugen Sie sich selbst davon!; *I don't know what she sees in him* ich weiß nicht, was so an ihm findet; *I don't like this, it's got ginger in it,* you see mir schmeckt das nicht, da ist nämlich Ingwer drin; *I don't see any harm in it* ich kann nichts dabei finden; *I don't see why* ich sehe nicht ein, weshalb; *(ugs.) let's see what you can do* zeig' mal was du kannst; *(i. ü. S.) let's wait and see!* abwarten und Tee trinken!; *(ugs.) now I see what you're after* Nachtigall, ick hör dir trapsen!; *oh, I see* ach so!; *see something of the world* sich in der Welt umsehen; *see something through* etwas zu Ende führen; *see what it's really about* durchschauen worum es wirklich geht; *she refuses to see anybody* sie empfängt niemanden; *(theol.) the Holy See* der Heilige Stuhl; *the way I see it* nach meinem Empfinden; *to refuse to see that* auf einem Auge blind sein; **~ how to go on** *vi,* weitersehen; **~ into** *vt, (Garten)* einsehen; **~ over** *vi,* hinwegsehen; **~ red** *vi, (ugs.)* rot sehen; **~ so home** *vt,* heimbringen; **~ so to the door** *vt, (an die Tür -)* geleiten; **~ through** (1) *adj, (i. ü. S.)* durchschaubar (2) *vt,* durchschauen; *(durchsichtig sein)* durchsehen; *I've seen through you* du bist durchschaut; **~ to** *vi, (erledigen)* besorgen; **~ you!** *interj, (ugs.)* servus!

seed, *sub,* -s Kern, Saat, Saatgut, Same, *nur Einz.* (Saat) Aussaat; **~ capsule** *sub,* -s Samenkapsel; **~ corn** *sub,* -s Saatkorn; **~bed** *sub,* -s (i. ü. S.) Keimzelle; *the seedbed of revolution* die Keimzelle der Revolution; **~less raisin** *sub,* -s *(US)* Sultanine; **~ling** *sub,* -s Setzling; **~lings** *sub, nur Mehrz.* Saat; **~lings care** *sub, nur Einz.* Saatenpflege; **~s** *sub, nur Mehrz.* Samen

seek, *vt, (danach streben)* suchen; *(Rat)* einholen; *seek medical treatment* sich in Behandlung begeben; **~ing help** *adj,* hilferufend; **~ing justice** *adj,* rechtsuchend

seem, (1) *vi,* scheinen, wirken (2) *vi,* *(sich darstellen)* erscheinen; *you* *seem to have made a mistake* da haben Sie sich offenbar geirrt; *it would seem advisable* es erscheint ratsam

seep, *vi,* sickern; ~ **into** *vt, (Flüssigkeit)* eindringen; ~ **through** *vti,* durchsickern; ~**ing** *sub, -s* Versickerung; ~**ing water** *sub, nur Einz.* Sickerwasser

seer, *sub, -s* Seher

seesaw, (1) *sub, -s* Wippe (2) *vi,* wippen

seethe, *vi, (i. ü. S.)* gären; *(i. ü. S.) he was seething* ihm lief die Galle über

segment, (1) *sub, -s* Segment (2) *vt,* segmentieren; ~**al** *adj,* segmental; ~**ary** *adj,* segmentär; **segregate** *vt,* segregieren

s. einmal, *adv, (ugs.; .)* mal

seismic, *adj,* seismisch; ~ **focus** *sub, -es/foci* Erdbebenherd

seismogram, *sub, -s* Seismogramm; **seismograph** *sub, -s* Erdbebenmesser, Seismograf; **seismologist** *sub, -s* Seismologin; **seismology** *sub, nur Einz.* Seismik, Seismologie; **seismometer** *sub, -s* Seismometer

seize, *vt,* bemächtigen, beschlagnahmen, pfänden; *(Gefühle)* packen; *(packen)* erfassen; *he seized the opportunity* er ließ sich die Gelegenheit nicht entgehen; *she was seized with fear* Furcht erfasste sie; **seizure** *sub, -s* Bemächtigung, Beschlagnahme, Besitzergreifung, Pfändung

Sejm, *sub, nur Einz.* Sejm

select, (1) *adj, (ausgewählt)* sortiert; *(Gesellsch.)* gewählt; *(Wein)* gepflegt (2) *vt,* selektieren, selektionieren; ~**ion** *sub, -s* Selektion; *(Auswahl)* Auslese; ~**ion process** *sub, -es* Ausleseprozess; ~**ive** *adj,* punktuell, selektiv, trennscharf; *(i. ü. S.)* gezielt; *(i. ü. S.) they are very selective* es wird sehr gesiebt; ~**iveness** *sub, nur Einz.* Selektivität; ~**ivity** *sub, -ies* Trennschärfe; ~**or** *sub, -s (tt; tech.)* Wähler

selenium, *sub, nur Einz.* Selen

self-criticism, *sub, nur Einz.* Selbstkritik; **self-deception** *sub, nur Einz.* Selbstbetrug; **self-defence** *sub, nur Einz.* Notwehr; **self-determination** *sub, -s* Selbstbestimmung; **self-discipline** *sub, -s* Selbstzucht; **self-employed** *adj,* freiberuflich; **self-enrichment** *sub, -s* Sanierung; **self-esteem** *sub, nur Einz.* Selbstgefühl; *-s (Selbstachtung)* Ehre; *(Selbstwert)* Egoismus; **self-evidence** *sub, -s* Evidenz; **self-growing** *adj,* eigenwüchsig

self-help, *sub, nur Einz.* Selbsthilfe; **self-ignition** *sub, -s* Selbstzünder; **self-im-**

portance *sub, nur Einz.* Aufgeblasenheit; **self-important** *adj, (Person)* aufgeblasen; **self-important little pipsqueak** *sub, -s (ugs.; Mensch)* Pinscher; **self-interest** *sub, -s* Eigennutz; **self-interested** *adj,* eigennützig; **self-irony** *sub, nur Einz.* Selbstironie; **self-knowledge** *sub, nur Einz.* Selbsterkenntnis; *self-knowledge is the first step towards self-improvement* Selbsterkenntnis ist der erste Weg zur Besserung; **self-made man** *sub, -men* Selfmademan; **self-mutilation** *sub, -s* Selbstverstümmelung; **self-optionated twit** *sub, -s (ugs.; i. ü. S.)* Pinsel

self-portrait, *sub, -s* Selbstbildnis; **self-praise** *sub, -s* Eigenlob; *self-praise is no recommendation* Eigenlob stinkt; **self-propelling wheelchair** *sub, -s* Selbstfahrer; **self-protection** *sub, nur Einz.* Selbstschutz; **self-purification** *sub, -s* Selbstreinigung; **self-respect** *sub, -s* Selbstachtung; **self-righteousness** *sub, nur Einz. (i. ü. S.)* Pharisäertum; **self-sacrifice** *sub, -s* Aufopferung; *sub, nur Einz.* Opfermut, Opfertod; **self-sacrificing** *adj,* aufopferungsvoll; **self-satisfaction** *sub, nur Einz.* Selbstgefälligkeit, Süffisanz; **self-satisfied** *adj,* süffisant; **self-service** *sub, -s* Selbstbedienung

self-service shop, *sub, -s* Selbstbedienungsladen; **self-sufficiency** *sub, -ies* Autarkie; **self-sufficient** *adj,* autark; **self-taught person** *sub, -s* Autodidakt; **self-willed** *adj,* eigenwillig; **selfish** *adj,* eigensüchtig; **selfishness** *sub, nur Einz.* Ichsucht; **selfless** *adj,* selbstlos; **selfsupporting** *adj, (tech.)* freitragend

sell, (1) *vi,* weggehen (2) *vt, (Ware)* gehen (3) *vtr,* verkaufen; *easy to sell* leicht absetzbar; *get so to sell one sth* jemandem etwas abhandeln; *it sells well* es wird gern gekauft, *these boots don't sell well* diese Stiefel gehen überhaupt nicht; ~ **off** *vt, (ugs.)* verschachern, verscheuern; ~**er** *sub, -s* Verkäufer; ~**er of souls** *sub, -s* Seelenverkäufer

Sellotape, *sub, nur Einz.* Tesafilm

sellout, *sub, nur Einz. (polit.)* Ausverkauf

semantic, *adj,* semantisch; ~**s** *sub, nur Einz.* Semantik

semaphor flag, *sub, -s (tt; naut.)* Winkerflagge; **semaphore** *sub, -s* Semaphor; **semaphoric** *adj,* semaphorisch

semester, *sub, -s* Semester

semibreve, (1) *adj. (mus. ganze Note/Pause)* ganz **(2)** *sub, -s* Ganzton; *semibreve* ganze Note

semicircle, *sub, -s* Halbkreis; **semicolon** *sub, -s* Semikolon, Strichpunkt; **semiconductor** *sub, -s* Halbleiter; **semidarkness** *sub, -* Halbdunkel

semi-final, *sub, -s* Halbfinale, Semifinale; **semi-finished** *adj, (tech.)* halb fertig; **semi-luxury** *sub, -ies* Genussmittel; **semiprecious stone** *sub, -s* Halbedelstein

seminar, *sub, -s* Seminar, Seminarübung; **~ paper** *sub, -s* Referat; **~ian** *sub, -s* Konviktuale; **~ist** *sub, -s* Seminarist, Seminaristin

semiofficial, *adj,* halbamtlich, offiziös

semiotics, *sub, nur Einz.* Semiotik

Semite, *sub, -s* Semit; **Semitic** *adj,* semitisch, semitistisch; **Semitics** *sub, nur Einz.* Semitistik

semitone, *sub, -s (mus.)* Halbton; **semivowel** *sub, -s* Semivokal

semolina, *sub, -s (gastr.)* Grieß

senate, *sub, -s* Senat

senator, *sub, -s* Senator; **~ial** *adj,* senatorisch; **~ium** *sub, -s* Sanatorium

send, (1) *vt,* hinschicken, senden, übersenden, zusenden **(2)** *vti,* schicken; *have been sent by so* im Auftrag von jemandem kommen; *to send sb to Coventry* mit Nichtachtung strafen; *two players were sent off* es gab zwei Platzverweise; **~ a fax** *vt,* durchfaxen; **~ along** *vt, (Person)* mitgeben; *to send sb along with sb* jmd jmdn mitgeben; **~ as a delegate** *vt,* delegieren; *delegate tasks to* Aufgaben delegieren; *send so as a delegate* jmd delegieren; **~ away** *vt,* fortschicken, versenden, wegschicken; **~ back** *vt,* zurückschicken, zurücksenden

sender, *sub, -s* Absender, Adressant, Einsenderin; **sending** *sub, -s* Sendung, Übersendung; **sending-off** *sub, -s* Platzverweis; *(spo.)* Feldverweis; **sending-out** *sub, nur Einz. (von Post)* Aussendung

send for, *vt,* rufen; **send in** *vt,* einschicken; *send in an application* eine Bewerbung einschicken; *send in an order* eine Bestellung einschicken; *send sth (in) for repair* etwas zur Reparatur einschicken; **send in advance** *vt,* vorschicken; **send off** *vt,* absenden, losschicken; **send out** *vt,* ausschicken, funken, verschicken; *(Post)* aussenden; **send over** *vt,* herschicken; **send sth. (in)** *vt,* einsenden; **send to** *vt,* zuschik-

ken; **send up** *vt, (ugs.)* verhohnepeln

Senegalese, *adj,* senegalisch

seneschal, *sub, -s (hist.)* Majordomus

Senhor, *sub, -s* Senhor; **~a** *sub, -s* Senhora; **~ita** *sub, -s* Senhorita

senile, *adj,* altersbedingt, senil; **senility** *sub, nur Einz.* Senilität

senior, *sub, -* Senior; **~ officer** *sub, -s (mil.)* Rangälteste; **~ physician** *sub, -s* Oberarzt

sensation, *sub, -s* Eklat, Gefühl, Knüller, Sensation, Sentiment; *(Sinne)* Empfindung; **~al effect** *sub, -s* Knalleffekt

sensational, *adj,* sensationell; *(Neuigkeit)* Aufsehen erregend

sense, *sub, -s* Gespür; *(Gespür)* Gefühl; *(organ.)* Sinn; *be out of senses* von Sinnen sein; *come to one´s senses* Vernunft annehmen; *make sense* einen Sinn ergeben; *there is no sense* das hat keinen Sinn; *to come to one´s sense* zur Vernunft kommen; **~ of balance** *sub, -s* Gleichgewichtssinn; **~ of direction** *sub, nur Einz.* Ortssinn; **~ of distance** *sub, nur Einz.* Augenmaß; *(i. ü. S.) be good at sizing things up* ein gutes Augenmaß haben; *have a good eye for distances* ein gutes Augenmaß haben; **~ of duty** *sub, nur Einz.* Pflichtbewusstsein Pflichtgefühl; *he has a great sense of duty* er ist sehr pflichtbewusst; **~ of family** *sub,* Familiensinn; **~ of hearing** *sub, -* Gehör; **~ of mission** *sub, -s* Sendungsbewusstsein; **~ of responsibility** *sub, nur Einz.* Verantwortungsbewusstsein; **~ of shame** *sub, nur Einz.* Schamgefühl; **~ of touch** *sub, nur Einz.* Tastsinn; **~ organ** *sub, -s (anat.)* Sinnesorgan; **~s** *sub, nur Mehrz. (ugs. Verstand)* Besinnung; *bring so back to her/his senses* jemanden zur Besinnung bringen; *come to one´s senses* wieder zu Besinnung kommen

sensitive, *adj,* empfindlich, feinfühlig, gefühlecht, reizbar, sensibel sensitiv; *(geb.)* einfühlsam; *(i. ü. S.)* zart fühlend; *(empfindsam)* gefühlvoll; *(Person)* hellhörig; **~ to the weather** *adj,* wetterfühlig; **~ly** *adv* feinfühlig; **~ness** *sub, nur Einz.* Reizbarkeit; *-ies (mit - handeln)* Feinfühligkeit; **sensitivity** *sub, -ies* Empfindsamkeit, Feinfühligkeit, Gefühligkeit; *nur Einz.* Sensibilität, Sensitivität, Zartheit; **sensitize** *vt,* sensibilisieren; **sensitizer** *sub, -*

Sensibilisator; **sensivity to the weather** *sub, nur Einz.* Wetterfühligkeit

sensor, *sub, -s* Sensor; *(tech.)* Fühler; **~y** *adj,* sensorisch, sensuell; **~y cell** *sub, -s* Sinneszelle

sensual, *adj,* sinnlich, wollüstig; *a sensualist* ein sinnlicher Mensch; **~ passion** *sub, -s* Sinnenrausch; **~ism** *sub, nur Einz.* Sensualismus; **~ist** *sub, -n* Wollüstling; **~ity** *sub, nur Einz.* Sensualität; - Sinnlichkeit; *-es* Wollust; **sensuous** *adj,* sinnlich; **sensuous person** *sub, -s* Sinnenmensch; **sensuously intoxicating** *adj,* sinnbetörend

sentence, *sub, -s* Satz, Strafmaß; *(Gefängnis-)* Strafe; *begin serving a sentence* eine Strafe antreten; *serve a sentence* eine Strafe absitzen; **~ construction plan** *sub, -s* Satzbauplan

sentimental, *adj,* sentimental; **~ity** *sub, -ies* Gefühligkeit; *nur Einz.* Larmoyanz; *-ies* Sentimentalität

sentry, *sub, -ies* Schildwache; *-es* Wachposten, Wachtposten; *-ies (tt; mil.)* Horchposten; **~-box** *sub, -es* Schilderhaus

separability, *sub, nur Einz.* Trennbarkeit; **separable** *adj,* trennbar; **separate (1)** *adj,* abgesondert, gesondert, getrennt, partikular, separat **(2)** *vi, (sich trennen)* auseinander gehen **(3)** *vt,* scheiden, separieren, sondern; *(entfernen)* trennen; *(etwas)* abtrennen; *(Person, etc.)* absondern; *separate the pupils* Schüler auseinander setzen; **separate a package deal** *vt, (wirt.)* Entkoppelung

separately, *adv, (getrennt)* extra; *(separat)* besonders; **separation** *sub, -s* Abtrennung, Scheidung, Separation, Trennung; *(Person, etc.)* Absonderung; **separation of powers** *sub, - (polit.)* Gewaltenteilung; **separation of property** *sub, -s (jur.)* Gütertrennung; **separatism** *sub, nur Einz.* Separatismus; **separatist (1)** *adj,* separatistisch **(2)** *sub, -s* Separatist; **separator** *sub, -s* Separator

sepia bone, *sub, -s* Sepiaknochen

sepsis, *sub, sepses (med.)* Sepsis; *-es (tt; med.)* Vereiterung

September, *sub, nur Einz.* September

septet, *sub, -s (mus.)* Septett

septic, *adj,* septisch

septum, *sub, -s (tt; biol.)* Wand

sepulchral voice, *sub, -s* Grabesstimme

sequel, *sub, -s (i. ü. S.)* Nachspiel

sequester, *vt,* sequestrieren

sequin, *sub, -s* Paillette

seraglio, *sub, s* Serail

seraphic, *adj,* seraphisch

Serbian, *adj,* serbisch

serenade, *sub, -s* Serenade, Ständchen; *serenade sb* ein Ständchen darbringen; *serenade sb* jemandem ein Ständchen bringen

serene, *adj,* abgeklärt; **serenity** *sub,* Abgeklärtheit

sergant, *sub, -s (tt; mil.)* Wachtmeister

serge, *sub, -s* Serge

sergeant, *sub, (mil.)* Feldwebel; *-s* Sergeant; *(tt; mil.)* Unteroffizier

serial, *adj,* seriell; **~ letter** *sub, -s* Litera; **~ized novel** *sub, -s* Fortsetzungsroman; **series** *sub, nur Einz.* Reihe; - *(Serie)* Folge; *(IV)* Serie; **series of lectures by different speakers** *sub, -* Ringvorlesung; **series of strikes** *sub, -* Streikwelle; **series of victories** *sub, nur Einz.* Siegesserie; **series(-produced)** *adj,* serienmäßig

serif, *sub, -s* Serife

serious, *adj,* ernst, ernsthaft, schwerblütig, schwerwiegend; *(Zeitung)* seriös; *I'm serious about it* ich meine es ernst; *serious music* ernste Musik; *take so seriously* jmd ernst nehmen; *are you serious about that?* ist das dein Ernst; *are you serious about that?* meinen Sie das im Ernst; *have a serious talk with so* jmdm ins Gewissen reden; *he takes his duties very seriously* er ist sehr pflichtbewusst; *I'm deadly serious* es ist mein voller Ernst; *it's not serious!* das ist doch kein Malheur!; *(i. ü. S.) not to take sb seriously* jmd nicht für voll nehmen; *seriously now!* Spaß beiseite!; *a serious offer* ein seriöses Angebot; *he makes a serious impression* er wirkt seriös; **~ly disabled** *adj,* schwerbeschädigt; **~ly handicapped person** *sub, -s* Schwerbehinderte; **~ly ill patient** *sub, -s* Schwerkranke; **~ness** *sub, nur Einz.* Ernst; *-es* Ernsthaftigkeit; *nur Einz.* Seriosität; *(Ernsthaftigkeit)* Bedenklichkeit; *in all seriousness* allen Ernstes

sermon, *sub, -s* Moralpredigt, Predigt, Sermon; *to give sb a sermon* jmd eine Moralpredigt halten; *give someone a lecture* jemandem einen Sermon halten

serous, *adj,* serologisch, serös

serpentine, *sub, -* Serpentin

serum, *sub, -ra, -s* Serum

serval, *sub, -s (zool.)* Serval; **~ine cat** *sub, -s* Serval

servant, *sub, -s* Diener, Gesinde,

Hausbursche; ~´s room *sub.*, *-s* Gesin-
destube; ~s *sub.*, *nur Mehrz.* Diener-
schar

serve, (1) *vi.*, bedienen, ministrieren;
(spo.) angeben; *(Tennis)* aufschlagen,
geben (2) *vt.*, ableisten, bedienen, servieren, verbüßen, vorlegen; *(Diener/Sa-
chen)* dienen (3) *vti.*, auftischen; *are
you being served?* werden sie schon
bedient?; *let that serve as a warning to
you* als Warnung dienen; *serve mit Essen aufwarten*; *serve as a museum* als
Museum dienen; *serve in the army*
beim Heer dienen; *serve so* bei jmd
dienen; *serve so well* jmd gute Dienste
leisten; ~r *sub.*, *-s* Messdiener, Messdienerin, Ministrant; **service** (1) *sub.*, *-s*
Dienstleistung, Gottesdienst, Service;
nur Einz. (Service) Bedienung; *-s (spo.)*
Angabe; *(Tennis)* Aufschlag (2) *vt.*, *(tt;
tech.)* warten; *get bad service* schlecht
bedient werden; *in the service sector* im
Dienstleistungsbereich; *may I be of service to you?* kann ich Ihnen nützlich
sein?; *first-class service* erstklassiger
Service, *he services his car* er wartet
sein Auto; **service charge** *sub.*, *- -s* Bedienungsgeld; **service fault** *sub.*, *- -s*
Aufschlagfehler; **service in return** *sub.*,
-s Gegenleistung

service net, *sub.*, *-s* Servicenetz; **service
tree** *sub.*, *-s* Spierstrauch; **servicing** *sub.*,
-s (tt; tech.) Wartung
serviette, *sub.*, *-s* Mundtuch
servile, *adj.*, hündisch, kriecherisch, lakaienhaft, servil, unterwürfig; **servility**
sub., *-ies* Servilität; *nur Einz.* Unterwürfigkeit; **serving** *sub.*, *-s* Ableistung; **serving hatch** *sub.*, *-es* Durchreiche;
serving of meals *sub.*, *-s* Essenausgabe;
serving-fork *sub.*, *-s* Vorlegegabel; **serving-table** *sub.*, *-s* Serviertisch; **servitude** *sub.*, *nur Einz.* Knechtschaft
sesame, *sub.*, *-* Sesam
session, *sub.*, *-s* Session; *(jur.)* Sitzung
set, (1) *sub.*, *-s* Garnitur, Set; *(ugs.)* Sippschaft; *(Fernseher, Radio)* Gerät; *(Geschirr)* Service; *(Satz)* Serie (2) *vi.*,
untergehen (3) *vt.*, richten; *(Abschnitt)*
absetzen; *(Falle)* aufstellen; *(Haare)*
einlegen; *(hinzu-)* fügen; *(platzieren)*
setzen; *(regulieren)* stellen; *(von Zement)* abbinden; *to set up as a doctor*
sich als Arzt niederlassen; *set so´s hair*
jmd die Haare einlegen; ~ **(small stones in jewellery)** *vt.*, karmosieren; ~
afloat *vt.*, *(Boot)* flottmachen; ~ **an example** *vi.*, statuieren; ~ **an example of
sth** *vt.*, vorleben; ~ **fire to** *vt.*, *(anzünden)* anstecken; *(Gebäude)* anzünden;

~ **free** *vt.*, freilassen; ~ **loose (on)** *vt.*,
loslassen (auf); ~ **meal** *sub.*, *-s* Menü;
(Speise) Gedeck; *(set)* **meal of the
day** Menü des Tages; ~ **o.s. up** *vr.*,
aufwerfen; *set so up as sth* sich zu
etwas aufwerfen; ~ **of fire-fighting
appliances** *sub.*, *-s* Löschzug; ~ **of
four cards** *sub.*, *-s* Quartett; ~ **of signals** *sub.*, *nur Mehrz.* Signalanlage;
~ **of teeth** *sub.*, *nur Mehrz.* Gebiss; ~
to music *vt.*, vertonen
set off, (1) *vi.*, *(abfahren)* losfahren;
(weggehen) losgehen (2) *vt.*, *(chemische Reaktion)* auslösen; *set sth off
against sth* etwas gegen etwas aufrechnen; **set out** *vi.*, losziehen; *(losgehen)* aufmachen; **set piece** *sub.*, *-s*
Versatzstück; **set sail** *vi.*, *(Schiff)* ablegen; **set square** *sub.*, *-s* Geodreieck;
set theory *sub.*, *nur Einz.* *(math.)*
Mengenlehre; **set to work on** *vr.*,
(sich) heranmachen; **set up** *vt.*, gründen, instituieren; *(auch Rekord)* aufstellen; *(Zelte)* aufschlagen; *set os up
in life* sich eine Existenz aufbauen;
set-back *sub.*, *-s* Rückschlag, Schlappe; **set-gun** *sub.*, *-s* Selbstschuss
settee *sub.*, *-s* Kanapee; *(kleines Sofa)*
Sofa
setter, *sub.*, *-s (tt; zool.)* Setter
setting, *sub.*, *-s* Untergang; *(Edelstein)*
Fassung; *nur Einz. (von Zement)* Abbindung; ~ **(to music)** *-s* Vertonung; ~ **lotion** *sub.*, *-s* Festiger,
Haarfestiger; ~ **out** *sub.*, *-s (schriftlich)* Niederlegung; ~**-up** *sub.*, *-s (Geschäft)* Gründung; *nur Einz. (von
Gegenständen)* Aufstellung
settle, (1) *vi.*, etablieren, siedeln;
(geol., med.) ablagern; *(phy.)* absetzen (2) *vi, vt.*, ansiedeln (3) *vr.*, festsetzen (4) *vt.*, regeln; *(einen)*
beilegen; *(sich ansiedeln)* besiedeln;
(Streit; Bankkonto) bereinigen; *have
settled in* ansässig sein; *settle sesshaft
werden*; *settle a matter once and for
all* mit etwas abschließen; *settle
down* sich sesshaft machen; *settle in*
ansässig werden; *to settle the matter*
die Sache perfekt machen; ~ **by
dicing** *vt.*, ausknobeln; ~ **down** *vi.*,
(Wohnsitz) niederlassen; ~**d** *adj.*,
festgesetzt; *(abgemacht)* perfekt;
(stationär) sesshaft; *(Wetter)* beständig; ~**dness** *sub.*, Sesshaftigkeit;
~**ment** *sub.*, *nur Einz.* Abfindung; *-s*
Ansiedelung, Niederlassung, Siedlung; *nur Einz. (Ansiedlung)* Besiedelung, Besiedlung; *-s (eines Streites)*
Beilegung; *(eines Streits, Kontos)*

Berreinigung; *(Geschäft)* Abwicklung; *(tt; jur.)* Vergleich; *to reach a settlement out of court* einen außergerichtlichen Vergleich schließen; **~ment of accounts** *sub, -s (Endrechnung)* Abrechnung

settling, *sub, nur Einz.* Eingewöhnung; *-s* Festsetzung; **~ of accounts** *sub, -s - (wirt.)* Aufrechnung

sever, *vt, (geb.)* durchtrennen; *(Glied)* abtrennen; *sever the head from the body* den Hals durchtrennen

several, **(1)** *adj, (einige)* etliche; *(gleiche)* divers **(2)** *pron/adj,* mehrere **(3)** *unb.Zahlw., (verschiedene)* einige; *several hundreds of marks* manche hundert Mark; *the man who has several times been champion* der mehrfache Meister; *to send several copies of the documents* die Unterlagen in mehrfacher Ausfertigung einsenden, *several thousands of* einige tausend; **~ hours (away)** *adv,* stundenweit; **~ minutes of** *attr,* minutenlang; **~ pages long** *adj,* seitenlang; **~ times** *adv,* mehrfach, mehrmals, verschiedentlich

severance declaration, *sub, -s* Abfindungserklärung; **severance pay** *sub, -s (bei Kündigung)* Abfindungssumme; *(von Mitarbeitern)* Abfindung

severe, *adj,* streng, strikt; *(Kälte)* groß; *(Strafe)* empfindlich; *take severe measures* strikte Maßnahmen ergreifen; *punish someone severely* jemanden streng bestrafen; **severing** *sub, -s (Glied)* Abtrennung; **severity** *sub, nur Einz.* Strenge

sevice, *sub, -s* Leistung

Seville orange, *sub, -s* Pomeranze; **~ oil** *sub, -s* Pomeranzenöl

sew, **(1)** *vi, (nähen)* sticheln **(2)** *vt,* schneiden **(3)** *vti,* nähen; *hand sewn* von Hand genäht, *this material is very easy to sew* dieser Stoff näht sich sehr gut; *to sew one's fingers to the bone* sich die Finger wund nähen; **~ on** *vt,* annähen, aufnähen; **~ sth. into** *vt,* einnähen

sewage, *sub,* Abwasser; **~ farm** *sub, -s* Rieselfeld; **~ plant** *sub, -s* Kläranlage; **sewer** *sub, -s* Kloake; *(Abwasserkanal)* Siel; **sewerage** *sub, nur Einz.* Kanalisation

sewing, *sub, -s (tt; Buchdr.)* Fadenheftung; **~ box** *sub, -es* Nähkästchen; **~ machine** *sub, -s* Nähmaschine; **~-silk** *sub, -s* Nähseide; **~-table** *sub, -s* Nähtisch; **sewn** *adj,* geheftet

sex, *sub, -es* Geschlecht; *-* Liebe; *nur Einz.* Sex; *the fair sex* das schöne Ge-

schlecht; *the opposite sex* das andere Geschlecht; *the strong sex* das starke Geschlecht; *of either sex* beiderlei Geschlechts; **~ appeal** *sub, -s* Sexappeal; **~ bomb** *sub, -s (ugs.)* Sexbombe; **~ change** *sub, -s* Geschlechtsumwandlung; **~ crime** *sub, -s* Sexualdelikt; **~ education** *sub, nur Einz.* Sexualerziehung; **~ fiend** *sub, -s (ugs.)* Sittenstrolch; **~ hormone** *sub, -s* Sexualhormon; **~ life** *sub, nur Einz.* Sexualleben; **~ murder** *sub, -s* Lustmord; **~ murderer** *sub, -s* Triebmörder; **~ offender** *sub, -s* Sexualtäter, Triebtäter; **~ shop** *sub, -s* Sexboutique, Sexshop; **~ tourism** *sub, nur Einz.* Sextourismus; **~agesimal** *adj,* sexagesimal; **~ism** *sub, -* Sexismus; **~ist (1)** *adj,* sexistisch **(2)** *sub, -s* Sexist; **~ologist** *adj,* sexologisch; **~ology** *sub, nur Einz.* Sexologie

sextant, *sub, -s (tt; Schifffahrt)* Sextant; **sextet(te)** *sub, -s* Sextett; **sextodecimo** *sub, nur Einz.* Sedezformat

sexual, *adj,* geschlechtlich, sexuell; *have sexual intercourse with* so mit jmdm geschlechtlich verkehren; **~ assault** *sub, -s (sexuell)* Missbrauch; **~ drive** *sub, -s* Geschlechtstrieb, Sexualtrieb; **~ education** *sub, nur Einz.* Sexualkunde; **~ intercourse** *sub, -s* Beischlaf, Geschlechtsverkehr; *nur Einz.* Koitus; **~ maturity** *sub, -s* Geschlechtsreife; *nur Einz. (Junge)* Mannbarkeit; **~ offence** *sub, nur Einz.* Unzucht; **~ity** *sub, nur Einz.* Sexualität; **~ies** Sexus; **~ly mature** *adj, (Junge)* mannbar

shabbiness, *sub, -* Schäbigkeit; **sexy** *adj,* sexy; **shabby** *adj,* billig, schäbig; *(Gesinnung)* lumpig

shackle, *sub, -s* Fessel; **~s** *sub, nur Mehrz. (i. ü. S.)* Kette

shade, **(1)** *sub, -s* Blende, Farbton; *-* Schatten; *-s* Schirm; *(Farbton)* Tönung; *(Kleinigkeit)* Nuance **(2)** *vt,* schatten, schattieren; *(Schatten werfen auf)* beschatten; *a shade* Geist; *shade* Sonnenblende; *a shade too loud* um eine Nuance zu laut; **~ of opinion** *sub, -s (polit.)* Couleur; **shading** *sub, -s* Schattierung; *nur Einz. (einer Wiese etc.)* Beschattung

shadow, **(1)** *sub, -s* Schatten **(2)** *vt, (i. ü. S.) hinterherspionieren)* beschatten; **~ play** *sub, -s* Schattenspiel; **~ing** *sub, nur Einz. (i. ü. S.; Verfolgung)* Beschattung; **~less** *adj,* schattenlos; **~y** *adj,* schattenhaft, schemenhaft; **shady** *adj*, schattig, zwielichtig; *(dubios)* finster; *(Geschäft)* düster; *(Geschäfte)* dunkel; **shady customer** *sub*, *-s (dubios)* Finsterling; **shady deals** *sub*, *nur Mehrz.* Schiebung; **shady nature** *sub*, *nur Einz. (i. ü. S.)* Unsauberkeit

shag, *sub*, *nur Einz.* Krülltabak; *-s (ugs.)* Shag; **~g** (1) *sub*, *-s* Zottel (2) *vt*, zotteln; **~giness** *sub*, *nur Einz. (Tier)* Struppigkeit; **~gy** *adj*, *(ugs.)* zottelig, zottig, zottlig; *(Tier)* struppig

shake, (1) *sub*, *-s* Shake, Tatterich (2) *vi*, wackeln, zittern (3) *vt*, erschüttern, rütteln, schütteln; *have the shakes* den Tatterich haben, *we were shaken by the news* die Botschaft hat uns erschüttert; *he can't shake off his cold* er wird seine Erkältung einfach nicht los; *(ugs.) his achievements were no great shakes* seine Leistungen waren nicht gerade umwerfend; *(ugs.) it's not great shakes* das ist nicht das Wahre; *shake hands with so* jmd die Hand drücken; *shake one's fist to so* er drohte mit der Faust; *(ugs.) to shake a leg* das Tanzbein schwingen; **~ off** *vt*, abwimmeln; *(a.i. ü. S.)* abschütteln; *(Last)* abwerfen; *(ugs.; Verfolger)* abhängen; **~ out** *vt*, ausschütteln; **~ sb about badly** *vt*, durchrütteln; **~ so up** *vt*, *(a. i.ü.S.)* aufrütteln; **~ up** *vt*, aufschütteln; **~r** *sub*, *-s* Streubüchse, Streuer, Würfelbecher; **shaking** *sub*, *-s* Rüttelei; **shaking hands** *sub*, *-* Shakehands

shako, *sub*, *-s* Tschako

shaky, *adj*, kippelig, klapprig, wackelig; *(Gesundheit)* angeschlagen; *(i. ü. S.; Gesundheit)* angeknackst

shall, *vi*, sollen; *what shall we do now?* was sollen wir jetzt tun?; *you should call home* sie möchten zuhause anrufen

shallot, *sub*, *-s* Schalotte

shallow, *adj*, hohl, seicht, untief; *(Kenntnisse, Mensch auch)* oberflächlich; *(Wasser)* flach; *breathe shallowly* flach atmen; **~ness** *sub*, *nur Einz.* Seichtigkeit

sham, *vti*, *(vortäuschen)* simulieren

shaman, *sub*, *-s* Schamane

shame, *sub*, *nur Einz.* Beschämung, Scham, Schande; *shame on you!* pfui, schäm dich!, schäme dich!; **~ful** *adj*, beschämend, schmählich; **~fully** *adv*, blamabel; **~less** *adj*, schamlos; **~lessness** *sub*, *-* Hemmungslosigkeit

shampoo, (1) *sub*, *-s* Schampun, Shampoo (2) *vt*, schamponieren

shandy, *sub*, *-ies (ugs.)* Radler

shanghai, *vt*, schanghaien

shank, *sub*, *-s* Schaft

shape, (1) *sub*, *-s* Fasson, Gestalt; *(geom.)* Figur (2) *vt*, formen, gestalten, prägen; *(Holz)* fräsen; *be in good shape again* wieder auf dem Damm sein; *be shaping well* sich gut entwickeln; *get out of shape* aus der Form geraten; *give sth shape* einer Sache Gestalt geben; *keep its shape* Form behalten; *lend shape to* Form geben; *out of shape* deformiert; *take shape* Gestalt annehmen; **~ of a drop** *sub*, *shapes of drops* Tropfenform; **~ability** *sub*, *nur Einz.* Prägbarkeit; **~d like an umbel** *adj*, doldenförmig; **~less** *adj*, unförmig, ungestaltet

share, (1) *sub*, *-s* Share; *(Anteil)* Teil; *(Teil, Beteiligung wirt.)* Anteil; *(wirt.)* Beteiligung (2) *vt*, mitbenutzen; *(auf-)* teilen (3) *vti*, *(Mahlzeit)* mitessen; *share sth in a fair and generous way* brüderlich teilen; **~ in the profits** *sub*, *-s* Gewinnanteil; **~ of an/the inheritance** *sub*, *-s* Erbteil; **~ out** *vt*, zuteilen; **~ things** *vi*, abgeben; **~d** *adj*, gemeinsam, kommun

sharp, *adj*, pfiffig, scharf; *(i. ü. S.) have a sharp tongue* eine spitze Zunge haben; **~ curve** *sub*, *-s* Kehre; **~ pain** *sub*, *-s (Schmerz)* Stechen; **~-edged** *adj*, scharfkantig; **~-tongued** *adj*, spitzzüngig; **~en** (1) *vi*, schleifen (2) *vt*, anspitzen, dengeln, schärfen, spitzen, zuspitzen; **~ness** *sub*, *nur Einz.* Pfiffigkeit

shatter, (1) *vi*, zerspringen (2) *vti*, zerbrechen; *shattering defeat* haushohe Niederlage; *to shatter into a thousand pieces* in tausend Stücke zerspringen; *to shatter the silence* die Stille zerreißen, *to shatter china* das Geschirr zerbrechen; **~ed** *adj*, abgeschlafft; *(ugs.)* groggy; *(i. ü. S.; erschöpft)* fertig; **~proof** *adj*, splitterfrei

shave, (1) *sub*, *-s* Rasur (2) *vt*, barbieren, kahl scheren, rasieren; **~ off** *vt*, abrasieren; *shave off one's beard* sich seinen Bart abrasieren; *(ugs.) shave one's fingers* sich seine Finger abrasieren; **~ the top of one's head** *vt*, tonsurieren; **~r** *sub*, *-s* Rasierapparat; **shaving brush** *sub*, *-es* Rasierpinsel; **shaving cream** *sub*, *-s* Rasiercreme; **shaving foam** *sub*, *-s* Rasierschaum; **shaving head** *sub*, *-s* Scherkopf; **shaving soap** *sub*, *-s* Rasierseife; **shaving with an electric shavor** *sub*, *-s* Elektrorasur; **shavings** *sub*, *nur Mehrz. (Holz)* Span shawl, *sub*, -s Umhängetuch, Umschlagtuch, *collar sub*, -s Schalkragen

shawm, *sub*, -s Schalmei

she, *pron*, sie; *not she!* die nicht!; *there she is!* da ist sie!; ~ herself *pron*, *(sie)* selber, selbst

sheaf, *sub*, -s *(Landw.)* Garbe; *bundle into sheafs* in Garben binden

shearing, *sub*, -s Schur; ~ knife *sub*, -ves Schermesser

sheath, *sub*, -s Scheide

shed, (1) *sub*, -s Verschlag (2) *vt*, vergießen; *(Blätter)* abwerfen; ~ *(its needles) vi*, *(Baum)* nadeln; ~ light on *vt*, *(i. ü. S.; einen Vorgang)* aufhellen; *(i. ü. S.; Thema etc.)* beleuchten; ~ one´s skin *vr*, häuten; ~ the leaves *vt*, *(bot.)* entblättern

sheep, *sub*, *nur Einz.* Herdenmann; - Schaf; *to look like a shorn sheep* wie ein gerupftes Huhn aussehen; ~-dog *sub*, -s Bobtail; ~´s head *sub*, -s *(Spiel)* Schafskopf; ~´s milk *sub*, *nur Einz.* Schafsmilch; ~ish *adj*, *(ugs.)* belämmert; ~ishly *adv*, betreten; *look rather sheepish* dreinblicken; ~skin *sub*, *nur Einz.* Schafskleid

sheer, *adj*, lauter, pur; *sheer poverty* die nackte Armut; ~ foolishness *sub*, *nur Einz.* Wahnwitz

sheet, *sub*, -s Bettlaken, Betttuch, Blatt, Laken, Leintuch, Papierbogen; *lose Blätter* loose sheets; *sheet of paper* Blatt Papier; ~ anchor *sub*, -s Notanker; ~ by sheet *adv*, blätterweise; ~ calendar *sub*, -s Abreißkalender; ~ lightning *sub*, -s Flächenblitz; *nur Einz.* Wetterleuchten

sheikh, *sub*, -s Scheich

shelf, *sub*, *shelves* Fach; -ves Schrankfach; *(i. ü. S.) put on shelf* auf ein totes Gleis schieben; ~-mark *sub*, -s *(Buch)* Signatur

shell, (1) *sub*, -s Granate, Rohbau; *(Schnecken)* Gehäuse (2) *vt*, kirnen; ~ out *vt*, *(ugs.)* lockermachen; *(i. ü. S.; Geld)* hinblättern; *to get sb to shell out 100 marks* bei jmd 100 Mark lockermachen; ~ing *sub*, *nur Einz.* *(mil.)* Beschuss; ~ *(mit Waffen)* Beschießung

shelves, *sub*, *nur Mehrz.* Regal, *(Regal)* Gestell

shepherd, *sub*, -s Schäfer; *the Good Shepherd* der gute Hirte; ~(´s) plaid *sub*, -s Pepita; ~´s purse *sub*, - *(bot.)* Täschelkraut

sherbet, *sub*, -s Brausepulver

sheriff, *sub*, -s Hilfssheriff, Scherif; *(ugs.)* Sheriff

sherpa, *sub*, -s Sherpa

sherry, *sub*, -ies Sherry

Shetland, *sub*, -s *(geogr.)* Shetland

shield, (1) *sub*, -s Schild, Schutzschild, Wappenschild; *(geb.)* Blason; *(i. ü. S.)* Panzer (2) *vt*, abschirmen; *(geb.)* schirmen; ~-bearer *sub*, -s Schildknappe; ~ing *sub*, -s Abschirmung

shift, (1) *sub*, -s Schicht, Verlagerung (2) *vr*, verschieben (3) *vt*, abwälzen, bugsieren, umverteilen; *(umstellen)* umräumen; *shift the case* den Koffer bugsieren; ~ rates *sub*, *nur Mehrz.* Schichtlohn; ~ time *sub*, -s Schichtzeit; ~ing *sub*, -s Umschichtung, Umverteilung, Verschiebung; ~y *adj*, schlitzohrig

Shiite, (1) *adj*, schiitisch (2) *sub*, -s Schiit

shilling, *sub*, -s *(wirt.)* Shilling

shilly-shally, *vi*, *(ugs.)* fackeln; *no shilly-shallying* nicht lange fackeln

shimmer, (1) *sub*, -s Schimmer (2) *vi*, changieren, flimmern, schillern, schimmern (3) *vt*, erschimmern; ~ through *vt*, durchschimmern

shin, *sub*, -s Schienbein

shindy, *sub*, -s *(ugs.)* Rabatz; - *(Radau)* Spektakel

shine, (1) *sub*, -s Glanz (2) *vi*, glänzen, leuchten, scheinen, spiegeln, strahlen; *her eyes shone* ihre Augen strahlten; ~ in *vi*, *(Licht)* einstrahlen; ~ on *vt*, *(mit Licht)* bestrahlen; ~ through *vt*, durchscheinen

shining, *adj*, glänzend; *(leuchtend)* hell; ~ light *sub*, -s Lichtgestalt

shintoism, *sub*, *nur Einz.* *(theol.)* Schintoismus; shintoist *sub*, -s Schintoist

ship, (1) *sub*, -s Schiff (2) *vi*, schiffen (3) *vt*, verschiffen; ~ in the bottle *sub*, -s Buddelschiff; ~ of the desert *(camel) sub*, -s *(i. ü. S.)* Wüstenschiff; ~ owner *sub*, -s Reeder; ~´s boy *sub*, -s Schiffsjunge; ~´s cook *sub*, -s Schiffskoch, Smutje; ~´s doctor *sub*, -s Schiffsarzt; ~´s galley *sub*, -s Kombüse; ~´s kobold *sub*, -s Klabautermann; ~´s name *sub*, -s Schiffsname; ~´s propeller *sub*, -s Schiffsschraube

shipload, *sub*, -s Schiffsladung; shipment *sub*, -s *(tt; naut.)* Verschiffung; shipping *sub*, -s Schifffahrt, Schiffsfahrt; shipping agency *sub*, -ies *(Schiffsfracht-)* Spedition; shipping agent *sub*, -s Spediteur; shipping company *sub*, -ies Reederei; shipwreck *sub*, -s Schiffbruch; shipwright *sub*, -s Schiffsbauer; shipyard *sub*, -s Schiffswerft, Werft

shirker, *sub*, -s Drückeberger, Kneifer

shirt, *sub*, -s Hemd, Hemdbluse, Oberhemd, Shirt; *have the shirt off sb´s back* jmdn bis aufs Hemd ausziehen; *he´d sell his shirt off his back to help her* für sie gibt er sein letztes Hemd her; **~ button** *sub*, -s Hemdenknopf; **~ sleeve** *sub*, -s Hemdsärmel; **~-sleeved** *adj*, hemdsärmelig

shit, (1) *sub*, *nur Einz. (vulg.)* Scheiß, Scheiße; *- Schiss; nur Einz.* Shit (2) *vi*, kacken, scheißen; *(vulg.) to be shit scared* Schiss haben; *(vulg.) to get the shits* vor Angst in die Hosen scheißen; **~ty shop** *sub*, -s *(ugs.)* Scheißladen; **~ty weather** *sub*, *nur Einz.* Scheißwetter

shiver, (1) *vi*, schlottern, zittern (2) *vr*, schütteln; *a shiver went down my spine* ein Schauer rieselte mir über den Rükken; *send shivers down the spine* eine Gänsehaut bekommen; **~ (all night)** *vi*, durchzittern; **~ing** *adj*, schlotterig; **~ing fit** *sub*, -s *(med.)* Schüttelfrost

shoal, *sub*, -s Untiefe

shock, (1) *sub*, -s Schock; *(psych.)* Erschütterung (2) *vt*, schockieren; *(ugs.)* schocken; *(Getreide)* docken; *cause great shock* große Bestürzung auslösen; *(ugs.) to get a shock* eine gewischt bekommen; **~ absorber** *sub*, -s Stoßdämpfer; **~ film/novel** *sub*, -s *(ugs.)* Schocker; **~ of hair** *sub*, -s Schopf; **Shock-headed Peter** *sub*, -s Struwwelpeter; **~-proof** *adj*, stoßfest; **~-resistant** *adj*, stoßfest; **~ed** *adj*, *(bestürzt)* betroffen

shoe, *sub*, -s Schuh; *(Bremsbacke)* Bakke; *I shouldn´t like to be in your shoes* ich möchte nicht in deiner Haut stekken; *(ugs.) you´ll never get your feet into those shoes* in den Schuh kriegst du deine Latschen niemals; **~ box** *sub*, -es Schuhkarton; **~ brush** *sub*, -es Schuhbürste; **~ factory** *sub*, -ies Schuhfabrik; **~ scraper** *sub*, -s Fußabtreter; **~ size** *sub*, -s Schuhnummer; **~ horn** *sub*, -s Schuhlöffel; **~lace** *sub*, -s Schnürriemen, Schnürsenkel; **~maker** *sub*, -s Schuhmacher, Schuster; **~maker´s wax** *sub*, *nur Einz.* Schusterpech; **~tree** *sub*, -s Schuhspanner; *(Schuh-)* Spanner

Shogun, *sub*, -s Schogun

shoo away, *vt*, scheuchen, wegscheuchen

shoot, (1) *sub*, -s Sproß; *(bot.)* Ableger, Schoß, Schössling, Trieb (2) *vi*, flitzen, schnellen; *(Drogen)* fixen; *(Knospen)* sprießen; *(ugs.; schießen)* ballern; *(tt;*

spo.) zuschießen (3) *vt*, erlegen, schießen; *(Film)* drehen; *shoot a goal to the score 1 : 1* im Ball zum 1 : 1 einschießen; *(i. ü. S.) to shoot one´s bolt* seine Munition verschießen, *shoot a film* einen Film drehen; **~ (with case shot)** *vti*, kartätschen; **~ dead** *vt*, erschießen; **~ dead by order of court martial** *vt*, füsilieren; **~ down** (1) *vi*, (Adler) niederstoßen (2) *vt*, abknallen; *(Argument)* abschmettern; *(heruntberschießen, töten)* abschießen; *(i. ü. S.) take the cake* den Vogel abschießen; **~ forward** *vi*, vorschießen; **~ so dead** *vt*, totschießen; **~ through** *vt*, durchsausen; *(Schmerz)* durchzucken; **~/rush towards** *vi*, zuschießen

shooting, *sub*, -s Erschießung, Schießen; *nur Einz. (ugs.; schießen)* Ballerei; *-s (Tier)* Abschuß; **~ gallery** *sub*, -ies Schießstand; **~ iron** *sub*, -s *(ugs.)* Schießeisen; **~ practice** *sub*, *nur Einz.* Schießübung; **~ range** *sub*, -s Schießplatz; **~ star** *sub*, -s Sternschnuppe

shoot to pieces, *vt*, *(i. ü. S.)* zerschießen

shore, *sub*, -s Küste; *(dichter.)* Gestade; *(See-)* Ufer; *(Strand;* **~ crab** *sub*, -s Strandkrabbe; **~ leave** *sub*, *nur Einz.* Landgang

short, *adj*, kurz; *(h.)* flüchtig; *be short-lived* von kurzer Dauer sein; *the long and the short of it* lange Rede, kurzer Sinn; *the shirt is too short* das Hemd fällt zu kurz aus; *this road is shorter* dieser Weg ist näher; *(ugs.) to be short* Manko haben; *(poet.) to be short of* Mangel an etwas leiden; *we are short of everything* es fehlt an allen Ecken und Enden; **~ (-crust) pastry** *sub*, *nur Einz.* Mürbeteig; **~ (film)** *sub*, -s Kurzfilm; **~ cut** *sub*, -s *(eines Wegs)* Abkürzung; **~ distance** *sub*, -s Kurzstrecke; *(Entfernung)* Spanne; **~ form** *sub*, -s Sigel; **~ of sth** *vi*, hapern; *short of everything* es hapert an allem; **~ programme** *sub*, -s Kurzprogramm; **~ rifle** *sub*, -s *(ugs.)* Stutzen; **~ story** *sub*, -ies Kurzgeschichte; **~ therapy** *sub*, -ies Kurztherapie; **~ time** *sub*, *nur Einz.* Kurzarbeit

short-circuit, *sub*, - Kurzschluss; **short-lived** *adj*, kurzlebig; **short-range missile** *sub*, -s Kurzstreckenrakete; **short-sighted** *adj*, kurzsichtig; **short-sightedness** *sub*, *nur Einz.* Kurzsichtigkeit; **short-slee-**

ved *adj*, kurzärmelig; **short-stemmed** *adj*, kurzstämmig; **short-term** *adj*, kurzfristig; **short-time worker** *sub*, -s Kurzarbeiter; **shortage of acid** *sub*, *nur Einz.* Säuremangel; **shortcoming** *sub*, -s *(i. ü. S.; Nachteil)* Manko

shorten, *vt*, kürzen, verkürzen; **~ing** *sub*, *(Back-)* Fett; **shorthand (1)** *adj*, stichwortartig (2) *sub*, - Kurzschrift, Stenografie; *recount it in shorthand!* geben Sie es nur stichwortartig wieder!; **shorthand dictation** *sub*, -s Stenogramm; **shorthand language** *sub*, -s Abkürzungssprache; **shorthand writer** *sub*, -s Stenografin; **shorthead** *sub*, -s Rundschädel; **shortness of breath** *sub*, *nur Einz.* Atemnot; **shorts** *sub*, *nur Mehrz.* Shorts

shot, *sub*, -s Schrot, Schuss; *he was off like a shot* er schoss wie ein Pfeil davon; *(i. ü. S.) he´s a big shot* er ist ein hohes Tier; *like a shot* wie aus der Pistole geschossen; *warning shot* Schuss vor den Bug; **~ in the back of the neck** *sub*, -s Genickschuss; **~ in the head** *sub*, -s Kopfschuss; **~-putting** *sub*, *nur Einz. (spo.)* Kugelstoßen; **~gun** *sub*, -s Flinte, Schrottflinte; **~gun pellet** *sub*, -s Flintenkugel

should, *modv*, *(sollen)* müssen; *he should be here by now* er müsste schon da sein; *I should have done it yesterday* das hätte ich gestern tun müssen; *that should be enough* das dürfte reichen; *you should know that* das müsstest du eigentlich wissen; *you shouldn´t do that!* das musst du nicht tun!; *you shouldn´t tell lies* du darfst nicht lügen; **~ go up** *vi*, hinaufsollen; **~ the occasion arise** *adv*, gegebenenfalls

shoulder, **(1)** *sub*, -s Achsel, Schulter (2) *vt*, schultern; *shrug one´s shoulder* mit den Achseln zucken; *cry on so´s shoulder* sich bei jemandem ausweinen; **~ bag** *sub*, -s Umhängetasche; **~ blade** *sub*, -s Schulterblatt; **~-length** *adj*, schulterlang

shout, **(1)** *sub*, -s Schrei, Zuruf (2) *vi*, schreien (3) *vt*, rufen; **~ abuse at** *vt*, anpöbeln; **~ at** *vi*, anschreien; **~ down** *vt*, überschreien; **~ for joy** *vi*, aufjauchzen; **~ sth to s.o** *vt*, zurufen; **~ing** *sub*, Geschrei

shove, **(1)** *sub*, -s Schubs, Stoß; *(ugs.)* Schlenkerich (2) *vt*, schieben, stoßen; *(ugs.)* schubsen; *(ugs.) to shove sth down sb´s throat* jmd etwas in den Rachen werfen; **~l (1)** *sub*, -s Schaufel, Schippe (2) *vti*, schaufeln; **~l/cover** *vt*, *(i. ü. S.)* zuschaufeln

show, **(1)** *sub*, -s Schau Show *(?)* *vt* aufzeigen, bezeigen, erzeigen, vorweisen, zollen; *(Film)* spielen; *(Gefühle)* ausdrücken; *(Interesse)* bekunden; *(Respekt)* erweisen; *(ugs.) don´t show me up* mach mir keine Schande; *(ugs.) he runs the show on his own* er schmeißt den Laden alleine; *I´ll show him what´s what* dem werde ich es schon beibringen; *it´s all show* alles ist nur Attrappe; *(ugs.) it´s beginning to show* das zeigt sich jetzt; *show so how to do the job* jemanden bei der Arbeit anleiten; *the matter shows itself by* die Sache äußert sich darin, dass; *to let one´s feelings show* seine Gefühle merken lassen; *to make a good showing* sich tapfer schlagen; *to put on a great show* eine tolle Nummer aufs Parkett legen; *to show oneself to be sth* sich als etwas offenbaren; *(ugs.) to put on a show* eine Show abziehen; *show one´s gratitude* sich jmd gegenüber dankbar erweisen; **~ a deficit** *vt*, defizitär; **~ a great deal of understanding** *vt*, einsichtig; **~ appreciation** *vt*, erkenntlich; **~ booth** *sub*, -s Schaubude; **~ business** *sub*, *nur Einz.* Showbusiness, Showgeschäft; **~ case** *sub*, -s Vitrine; **~ clearly** *vt*, verdeutlichen; **~ horse** *sub*, -s Paradepferd; **~ interest** *vi*, teilnehmen; **~ jumper** *sub*, -s Springreiter; **~ of approval** *sub*, -s Beifallskundgebung; **~ of hands** *sub*, *nur Einz. (parl.)* Handzeichen; **~ of mercy** *sub*, -s Gnadenbeweis

shower, **(1)** *sub*, -s Dusche; *(i. ü. S.)* Überhäufung; *(Regen)* Brause; *(Regen)* Schauer; *(Regen-)* Guss (2) *vt*, überschütten; *(duschen)* brausen; *der having a shower* unter der Dusche stehen; *it´s only a shower* das ist nur ein Platzregen; *to shower sb with presents* jmdn reich beschenken; **~ (of rain)** *sub*, -s Regenschauer; **~ cubicle** *sub*, -s Duschkabine; **~ down** *vt*, abrausen; **~ foam** *sub*, -s Duschschaum; **~ gel** *sub*, -s Duschgel; **~ of sparks** *sub*, -s Funkenregen; **~ (-bath)** *sub*, -s Duschbad; **~-curtain** *sub*, -s Duschvorhang; **~y** *adj*, schauerartig

showgirl, *sub*, -s Nummerngirl; **showing off** *sub*, -s Großtuerei; - *(ugs.)* Protzigkeit; **showing up** *sub*, -s Bloßstellung; **showman** *sub*, -men Schausteller; **showpiece** *sub*, -s Paradestück; *(kun.)* Kabinettstück;

showroom *sub, -s* Ausstellungsraum
show off, (1) *vi,* aufschneiden, renommieren; *(prahlen)* angeben (2) *vt, (ugs.)* produzieren; ~ **with** *vt,* Dicktuer; **show proof of identity** *vt,* legitimieren; **show sb how do sth** *vt,* vormachen; **show sb sth** *vt,* weisen; **show so round** *vt, (in)* herumführen; **show sth** *vt,* zeigen; *(ugs.) I'll show him* dem werd' ich es zeigen; **show tournament** *sub, -s* Schauturnier; **show trial** *sub, -s* Schauprozess; **show up** (1) *sub,* - Vorschein (2) *vi, (ugs.; kommen)* anrücken; **show-down** *sub, -s* Show-down; **show-jumping course** *sub, -s* Parcours; *She doesn't like show-jumping* Sie reitet nicht gern Parcours; *to jump a course* einen Parcours reiten; **show-off** *sub, -s* Aufschneider, Prahlhans; **showcase** *sub, -s* Schaukasten
shrapnel, *sub, -s* Schrapnell
shred, *sub, -s (Stoff)* Fetzen; *in shreds* in Fetzen; *tear in shreds* in Fetzen reissen; ~**der** *sub, -s* Reißwolf, Schredder; *(tt; tech.)* Wolf
shrew, *sub, -s* Spitzmaus
shrill, *adj,* gellend, schrill; *(Ton)* grell; ~**ness** *sub, nur Einz.* Schrillheit
shrimp, *sub, -s* Garnele, Schrimp, Shrimp
shrine, *sub, -s (geb.)* Schrein
shrink, *vi,* schrumpfen; *(Wäsche)* einlaufen; ~**age** *sub, nur Einz.* Schwund; ~**ing** *sub, -s* Schrumpfung
shrivel, *vi,* einschrumpfen; *(tt; bot.)* vertrocknen
shroud, *sub, -s* Leichenhemd, Leichentuch, Totenhemd; *(tt; naut.)* Want
shrub, *sub, -s* Strauch; *(Strauch)* Staude; ~**bery** *sub, -ies* Gesträuch, Strauchwerk; ~**like** *adj,* strauchartig
shrug of the shoulders, *sub, nur Einz.* Achselzucken
shrunken head, *sub, -s* Schrumpfkopf
shudder, (1) *sub, -s* Schauder, Schauer (2) *vi,* erschaudern, schaudern, schauern; *(i. ü. S.) it makes you shudder* da fröstelt's einen ja (bei einem Gedanken)
shuffle, (1) *vi,* schlurfen (2) *vt, (Karten)* mischen
shunt, *vt,* rangieren, umrangieren; ~**in(to)** *vt,* einrangieren; ~ **out** *vt, (Eisenbahnfahrzeuge)* ausrangieren
shut, (1) *vi,* zugehen, zumachen (2) *vt, (i. ü. S.)* zubringen; *(ugs.)* zutun; *shut the door* Tür zu; *shut up!* halt den Mund!; *the case won't shut der* Koffer geht nicht zu; *(adj) to be shut* zu sein; ~**-down** *sub, -s (Betrieb)* Stilllegung

shutter, *sub, -s* Fensterladen, Laden, Verschluss; ~**s** *sub, nur Mehrz.* Rollladen
shuttle, *sub, -s* Schützen; ~ **(bus)** *sub, -es (ugs.)* Zubringerbus; ~ **service** *sub, -s* Pendelverkehr; ~**cock** *sub, -s (Ball)* Federball
shy, *adj,* scheu, schüchtern; *no need to be shy* du brauchst dich nicht zu genieren; ~ **away from** *vt,* scheuen; ~**ness** *sub, -es* Schüchternheit; *nur Einz. (Tier)* Scheu
sibilant, *sub, -s* Sibilant
siblings, *sub,* - *(jur.)* Geschwister
Sibyl, *sub, -s* Sibylle; ~**line** *adj,* sibyllinisch
siccative, *sub, -s* Sikkativ
Sicilian, (1) *adj,* sizilianisch (2) *sub, -s (geogr.)* Sizilianerin
sick, *adj,* krank, speiübel; *(ugs.)* hundeelend; *(Witz, Geschichte)* makaber; *I feel sick!* mir ist übel!; *I'm sick and tired of it* die Sache wird mir zu dumm, mir steht es bis hier!, *(ugs.)* ich habe es knüppeldick; *I'm sick to death of the whole thing* die ganze Sache steht mir bis hier oben; *I think I'm going to be sick* mir ist speiübel!; ~ **by alcohol** *adj,* alkoholkrank; ~ **person** *sub, people* Kranke; ~**bed** *sub, -s* Krankenbett; ~ Krankenlager
sickle, *sub, -s* Sichel; ~**-shaped** *adj,* sichelförmig
sickly, *adj,* kränklich; **sickness** *sub, -es* Krankheit; ~ *nur Einz.* Übelkeit, Übelsein; **sickpay** *sub, nur Einz.* Krankengeld
side, *sub, -s* Seite; *(mat.)* Schenkel; *(polit.)* Lager; *(i. ü. S.) on all sides* nach allen Richtungen; *on the distaff side* mütterlicherseits; *show the attractive side* sich von seiner charmanten Seite zeigen; *to do sth on the side* etwas nebenbei machen; *to take sides against sb* gegen jmdn Partei ergreifen; *with the head held on one side* mit seitwärts geneigtem Kopf; *he's on our side* er steht in unserem Lager; *to change sides* ins andere Lager überwechseln; ~ **aisle** *sub, -s (arch.)* Seitenschiff; ~ **altar** *sub, -s (arch.)* Seitenaltar; ~ **by side** *adv,* nebeneinanderher; *(räumlich)* nebeneinander; ~ **dish** *sub, - -es (einer Speise)* Beilage; ~ **drum** *sub, -s* Trömmelchen; ~ **effect** *sub, -s* Nebeneffekt, Nebenwirkung; ~ **exit** *sub, -s* Nebenausgang; ~ **of the nose** *sub, sides* Nasenflügel
side piece, *sub, -s* Seitenstück; **side**

pocket *sub, -s* Seitentasche; **side portal** *sub, -s* Seitenportal; **side protection** *sub, -s* Seitenschutz; **side ramp** *sub, -s* Seitenrampe; **side street** *sub, -s* Seitenstraße; *(Stadt)* Nebenstraße; **side wing of building** *sub, -s* Seitentrakt; **side-saddle** *sub, -s* Damensattel; **sideboard** *sub, -s* Anrichte, Sideboard; *(Möbel)* Büfett; **sideswipe** *sub, -s* Seitenhieb

sidesplitting, *adj, (ugs.)* zwerchfellerschütternd; **sidewalk** *sub, -s (US)* Bürgersteig, Gehsteig, Gehweg, Trottoir; **sideways** *adv,* seitwärts; *(i. ü. S.) it knocks you sideways!* das haut einen ja vom Stuhl!; **siding** *sub, -s* Abstellgleis, Rangiergleis

side whiskers, *sub, nur Mehrz.* Koteletten; **sideburns** *sub, nur Mehrz.* Backenbart; **sidecar** *sub, -s* Beiwagen, Seitenwagen; **sidelight** *sub, -s* Streiflicht; **sidelights** *sub, nur Einz.* Standlicht; **sideline** *sub, -s (Tennis)* Seitenlinie; *that´s just a sideline* das mache ich so nebenbei; **sidelong glance** *sub, -s* Seitenblick; **sidereal hour** *sub, -s (astrol.)* Sternstunde

sidle up to, *vr, (sich - an jmd.)* heranmachen

siege, *sub, -s* Belagerung

sierra, *sub, -s* Sierra

siesta, *sub, -s* Siesta

sift, *vt,* durchsieben, sieben; ~ **out** *vt,* ausgliedern; *(a. i.ü.S.)* aussieben; ~ **through regulations** *vt, (i. ü. S.)* durchforsten; **~er** *sub, -s* Siebmaschine; **~ing out** *sub, nur Einz.* Ausgliederung

sigh, (1) *sub, -s* Seufzer (2) *vi,* seufzen; *he heaved a deep sigh* er seufzte tief; *sign of the zodiac sub, signs* Tierkreiszeichen

sight, (1) *sub, -s* Anblick, Sehenswürdigkeit, Visier (2) *vt,* sichten; *a sorry sight* ein jämmerlicher Anblick; *at first sight* beim ersten Anblick; *be within sight* in Sicht sein; *have set one´s sights on doing sth* Ambitionen haben etwas zu tun; *loose sight of* etwas aus den Augen verlieren; *lower one´s sights* Abstriche machen; *out of sight, out of mind* aus den Augen, aus dem Sinn; *within sight* in Sichtweite; ~ **line** *sub, -s (tt; mil.)* Visierlinie; **~ing** *sub, -s* Sichtung; ~ **distance** *sub, -es* Sichtweite; **~seeing** *sub, -s* Sightseeing; **~seeing flight** *sub, -s* Rundflug; **~seeing tour** *sub, -s* Sightseeingtour

sigma, *sub, -s* Sigma

sign, (1) *sub, -s* Aushängeschild, Hand-

zeichen, Indiz, Merkzeichen, Schild, Wink, Zeichen; *(Anzeichen)* Äußerung; *(astrol.)* Sternbild; *(Hinweis)* Anzeichen; *(objektiv)* Symptom; *(Zeichen)* Signal (2) *vi,* zeichnen (3) *vt,* quittieren, signieren, unterschreiben, unterzeichnen; *the contract is signed, sealed and delivered* der Vertrag ist perfekt; *(i. ü. S.) to give sb the V sign* jmd den Vogel zeigen; *(ugs.) to give a sign* der Wink mit dem Zaunpfahl; *to give sb a sign* jmd ein Zeichen geben; *that was the sign to leave* das war das Signal zum Aufbruch; ~ **(of the zodiac)** *sub, signs (astrol.)* Sternzeichen; ~ **language** *sub, -s* Zeichensprache; ~ **of the Cross** *sub, -s* Kreuzzeichen; ~ **off** *vi,* abmustern; ~ **on** *vt,* anmustern, heuern; ~ **out** *vi, (beim Verlassen)* austragen; *(Institution)* abmelden; ~ **over** *vt, (übertragen)* überschreiben

signal, (1) *sub, -s* Signal, Zeichen; *(i. ü. S.)* Fanal (2) *vt,* signalisieren (3) *vti,* winken; *give a signal* ein Signal geben; ~ **bell** *sub, -s* Signalglocke; ~ **box** *sub, -es* Stellwerk; ~ **fire** *sub, -s* Signalfeuer; ~ **flag** *sub, -s* Signalflagge; ~ **knob** *sub, -s* Signalknopf; ~ **lamp** *sub, -s* Signallampe; ~ **light** *sub, -s* Signallicht; ~ **rocket** *sub, -s* Leuchtrakete; ~ **the departure** *vt,* abläuten; **~ing colour** *sub, -s* Signalfarbe; **~ing whistle** *sub, -s* Signalpfiff

signature, *sub, -s* Paraphe, Signatur, Signum, Unterschrift

signed, *adj,* handsigniert; *(unterschrieben)* gezeichnet

signet, *sub, -s* Signet

significance, *sub, nur Einz.* Signifikanz; *-s (Bedeutsamkeit)* Größe; **significant** *adj,* signifikant

signing on, *sub, -s* Verpflichtung

signor, *sib,* Signor

signora, *sub, -s* Signora

signorina, *sub, -s* Signorina

signorino, *sub, -s* Signorino

signpost, (1) *sub, -s* Wegweiser (2) *vt,* ausschildern, beschildern; **~ing** *sub, -s* Ausschilderung

silage, *sub, -* Silage

sild, *sub, -s* Sild

silence, *sub, nur Einz.* Ruhe, Schweigen, Stille; *(Schweigen)* Stummheit; *after a long silence he said* nach einer langen Pause sagte er; *to listen to sth in stony silence* etwas mit eisiger Miene anhören; **~r** *sub, -s* Auspufftopf

silent, *adj,* geräuschlos, schweigend, schweigsam, still, stille, wortlos;

(schweigend) stumm; **~ march** *sub, -es* Schweigemarsch; **~ly** *adv,* stillschweigend

Silesia, *sub,* - Schlesien

silhouette, *sub, -s* Schattenbild, Schattenriss, Schemen, Scherenschnitt, Silhouette; *be silhouetted against* sich als Silhouette abzeichnen gegen; **~ target** *sub, -s (ugs.; mil.)* Pappkamerad

silicate, *sub, -s (chem.)* Silikat

silicic acid, *sub, nur Einz.* Kieselsäure

silicon, *sub, nur Einz. (chem.)* Silicium

silicone, *sub, -s* Silikon

silk, (1) *adj,* seiden (2) *sub, -s* Seide; **~ blouse** *sub, -s* Seidenbluse; **~ dress** *sub, -es* Seidenkleid; **~ satin** *sub, -s* Seidenatlas; **~ scarf** *sub, -ves* Seidenschal; **~ thread** *sub, -s* Seidenfaden; **~-screen print** *sub, -s* Siebdruck; **~worm** *sub, -s* Seidenraupe; **~worm moth** *sub, -s (zool.)* Spinner; **~y** *adj,* seidenartig, seidig; **~y sheen** *sub, -s* Seidenglanz

sill, *sub, -s* Türschwelle; *(Fenster)* Gesims, Sims

silliness, *sub, nur Einz.* Alberei; *(Dummheit)* Torheit; **silly** *adj,* albern, kindsköpfig; *(dumm)* töricht; *don´t ask such silly questions* frag nicht so dumm; *(ugs.) don´t be silly* mach keine Sachen; *don´t be so silly* sei doch nicht so zimperlich; **silly goose** *sub, -s (ugs.)* Wachtel; **silly idea** *sub, -s (i. ü. S.)* Grille; **silly joker** *sub, -s* Blödelbarde; **silly little typist** *sub, -s (ugs.)* Tippse; **silly prank** *sub, -s* Dummejungenstreich; **sillyness** *sub, nur Einz.* Albernheit

silo, *sub, -s* Silo

silt, (1) *sub, -s* Flusssand, Schlick (2) *vi,* versanden (3) *vti,* kolmatieren; **~ up** *vi, (ugs.)* verlanden

Silurian, *sub, nur Einz* Silur

silver-bearing, *adj,* silberhaltig; **silverfish** *sub, - (zool.)* Silberfischchen; **silver-plater** *sub, -s* Versilberer; **silverfox** *sub, -es (zool.)* Silberfuchs; **silvering** *sub, -s* Versilberung; **silvery** *adj,* silberfarbig, silbrig; **silvery hair** *sub, -* silberhaarig

similar, (1) *adj,* ähnlich (2) *adv,* einschlägig; **~ to gold** *adj,* goldähnlich; **~ity** *sub, -ties* Ähnlichkeit

Simmental, *sub, -s* Simmentaler

simony, *sub, -ies* Simonie

simple, *adj,* einfältig, kinderleicht, schlicht; *(einfach)* anspruchslos, bescheiden, simpel; *(nicht schwierig, einleuchtend)* einfach; *for the simple reason that* aus dem einfachen Grunde daß; **~ matter** *sub, -s (ugs.)* Klacks;

(ugs.) he can easily afford 200 marks die 200 Mark sind für ihn ein Klacks; **~-minded** *adj,* dümmlich; **~-mindedness** *sub, nur Einz.* Einfalt; **~ness** *sub, nur Einz. (geb.)* Einfalt; **~ton** *sub, -s* Naivling; **~x** *sub, -es* Simplex; **simplicity** *sub, nur Einz.* Einfachheit, Schlichtheit, Simplizität; *(arglos)* Einfalt; - *(Einfachheit)* Anspruchslosigkeit; **simplify** *vti,* simplifizieren, vereinfachen; **simply** *adv,* *(mit Adj.)* einfach; *it´s simply good* es ist einfach gut

simulate, *vti, (phys.)* simulieren; **simulation** *sub, -s* Simulation; **simulator** *sub, -s (tech.)* Simulator; **simultaneity** *sub, -* Simultanität; **simultaneous** *adj,* gleichzeitig, simultan; *(gleichzeitig)* nebenher; **simultaneously** *adv,* *(gleichzeitig)* nebenher; *(zeitlich)* nebeneinander; **simultaneousness** *sub, -* Simultanität

sin, (1) *sub, -s* Sünde, Versündigung (2) *vi,* sündigen; *confess one´s sins* seine Sünden beichten; *forgive someone his sins* jemandem seine Sünden vergeben; *(i. ü. S.) she is ugly as sin* sie ist hässlich wie die Sünde; **~ against** *vr,* versündigen

since, (1) *konj,* seit; *(jetzt; Folge)* nun; *(dial.; kausal)* nachdem (2) *präp,* seit; *it´s a long time since I saw her* es ist lange her, dass ich sie gesehen habe; **~ then** *adv,* seitdem, seither

sincere, *adj,* aufrichtig; **sincerity** *sub, nur Einz.* Aufrichtigkeit

sinecure, *sub, -s (i. ü. S.)* Pfründe

sinewy, *adj,* sehnig

sinful, *adj,* sündhaft, sündig; *lead a sinful life* ein sündhaftes Leben führen

sing, *vti,* singen; **~ falsetto** *vi, (geb.; mus.)* falsettieren; **~ joyfully** *vi,* jubilieren; **~ psalms** *vt,* psalmodieren; **~able** *adj,* singbar

Singaporean, *sub, -s (geogr.)* Singapurerin

singe, *vt,* sengen; *to singe sb´s hide* jmdn eins auf den Pelz brennen

singer, *sub, -s* Sänger, Sängerin; **~-songwriter** *sub, -s* Liedermacher; **singing** *sub, -* Gesang; **~s** *(ugs.)* Singerei; **singing school** *sub, -s* Gesangschule; **singing teacher** *sub, -s* Gesanglehrer

single, (1) *adj,* allein stehend, einfach, ledig; *(einzeln)* einmalig; *(jeder -)* einzeln; *(verneint)* einzig (2) *sub, -s* Single; *single payment* einmalige Abfindung; *not a single car* kein ein-

~~~iges Auto~~~, ~~~single tinket to einfache~~~
Fahrkarte nach; ~ **cell** *sub*, *-s* Einzelzelle; ~ **compartment** *sub*, *-s* Einzelabteil; ~ **event** *sub*, *-s* Einzeldisziplin; ~ **file** *sub*, *-s* Gänsemarsch; ~ **parent** *sub*, *- -s* allein erziehend; ~ **room** *sub*, *-s* Einzelzimmer; ~ **sculler** *sub*, *-s* (*spo.*) Einer; ~ **woman** *sub*, *women* Junggeselin; ~**-bedded** *adj*, einschläfig

single-breasted suit/jacket, *sub*, *-s* Einreiher; **single-handed effort** *sub*, *-s* Alleingang; **single-lens** *adj*, (*tech.*) einäugig; **single-minded** *adj*, zielstrebig; **single-mindedness** *sub*, *nur Einz.* Konsequenz; **single-person household** *sub*, *-s* Einpersonenhaushalt; **single-storey** *adj*, einstöckig; **single-track** *adj*, eingleisig; **singles** *sub*, *nur Mehrz.* (*spo.*) Einzel

singsong, *sub*, *-s* (*ugs.*) Singsang

singular, (1) *adj*, singularisch **(2)** *sub*, *-s* Einzahl, Singular; ~ **form** *sub*, *-s* Singularform; **~ity** *sub*, *-ies* Singularität; **~ly** *adj*, singulär

sinister, *adj*, sinister; (*geb.*) ominös

sink, (1) *sub*, *-s* Spültisch; (*Becken*) Ausguss; (*Waschbecken*) Becken **(2)** *vi*, sacken, sinken, untergehen, versacken; (*Schiff*) absacken, absinken **(3)** *vt*, senken, untersinken, versenken; *sink in someone´s eyes* in jemandes Achtung sinken, *has that sunk in?* schreib dir das hinter die Ohren!; ~ **down** *vi*, (*geb.*) niedersinken; ~ **in** *vi*, einsacken; ~ **in sth** *vt*, verfallen; ~ **of iniquity** *sub*, *nur Einz.* Sündenbabel; ~ **sth. into** *vt*, einsenken; ~ **to the ground** *vt*, umsinken; ~ **unit** *sub*, *-s* Spüle; **~hole** *sub*, *-s* Doline; **~ing** *sub*, *-s* Senkung, Untergang, Versenkung

sinner, *sub*, *-s* Sünder

sino-, *adj*, (*tt; wiss.*) sinologisch; **sinologist** *sub*, *-s* Sinologe; **sinology** *sub*, *-* Sinologie

sinus, *sub*, *-es* (*mat.*) Sinus

sip, *vi*, ~ *s* Schluck; *to sip the wine* vom Wein nippen

siphon, *sub*, *-s* (*tt; tech.*) Siphon

Sir, *adj*, wohlgeboren

sire, *sub*, *-s* (*geb.*) Sire

siren, *sub*, *-s* Hupe, Sirene

sirocco, *sub*, *-s* Schirokko

sirs, *sub*, *Einz.* Herr Messieurs

sisal mat, *sub*, *-s* Sisalläufer

siskin, *sub*, *-s* (*tt; zool.*) Zeisig; ~ **food** *sub*, *-s* Zeisigfutter

sissy, *sub*, *-ies* (*ugs.*) Jammerlappen; *-s* Waschlappen

sister, *sub*, *-s* Schwester; **~-/brother-in-law** *ly* *adj*, schwägerlich; **~-in-law** *sub,*

sub, *-s* (*ugs.*) Schwippschwager; **~ly** *adj*, schwesterlich

Sisyphean task, *sub*, *-s* (*i. ü. S.*) Sisyphusarbeit

sit, *vi*, tagen; (*allg.*) sitzen; *be is sitting pretty* er hat ausgesorgt; (*ugs.*) *he´s sitting in his room* er hockt in seinem Zimmer; *sit down!* setzt euch!; *sit up* aufrecht sitzen; (*zum Hund*) *sit!* Platz!; *to sit for sb* jmd Modell stehen; (*ugs.*) *to sit in front of the box* in die Röhre glotzen; (*Hund*) *to sit up and beg* Männchen machen; (*Tier*) *to sit up on its hind legs* Männchen machen; *the dress sits perfectly* das Kleid sitzt wie angegossen; ~ **around** *vi*, herumsitzen; ~ **down (1)** *vi*, niederlassen, niedersetzen **(2)** *vr*, (*sich*) hinsetzen; (*sich setzen*) setzen; (*ugs.*) *to sit oneself down* sich auf seine vier Buchstaben setzen; ~ **enthroned** *vi*, thronen; ~ **further back** *vr*, zurücksetzen; ~ **out** *vi*, (*Zeit*) absitzen; ~ **still** *vi*, stillsitzen; ~ **there** *vi*, dabeisitzen, dasitzen

sitar, *sub*, *-s* (*mus.*) Sitar

site foreman, *sub*, *-men* Polier

sitting, *sub*, *-s* (*polit.*) Tagung

sit together, *vr*, zusammensetzen; **sit up** *vi*, (*sich aufrichten*) aufsetzen, aufsitzen; **sit-down strike** *sub*, *-s* Sitzblockade; **sit-in** *sub*, *-s* Sit-in

situate, *vt*, situieren; **~d** *adj*, befindlich, gelegen, situiert; *the files (situated) on the shelves* die in den Regalen befindlichen Akten; **situation** *sub*, *-s* Konstellation, Lage, Situation; *account of the situation* Lagebericht; *what´s your view of the situation?* wie beurteilst du die Situation?; *be master of the situation* Herr der Situation sein; *he rose to the situation* er war der Situation gewachsen; *meet the new situation* der neuen Situation gerecht werden; **situation report** *sub*, *-s* (*mil.*) Lagebericht

six, *num*, sechs; ~ **and a half** *num*, sechseinhalb; ~ **axled** *adj*, sechsachsig; ~ **digit** *adj*, sechsstellig; ~ **edged** *adj*, sechskantig; ~ **hundred** *num*, sechshundert; ~ **in a row** *sub*, *-* Sechserreihe; ~ **pack** *sub*, *-s* Sechserpack; ~ **thousand** *num*, sechstausend; ~ **wheeler** *sub*, *-s* Sechsachser; **~days bicycle race** *sub*, *-s* Sechstagerennen; **~teen** *num*, sechzehn; **~th** *sub*, *-s* Sechstel; **~s** *sub*, *-s* Sexte; **~th-former** *sub*, *-s* Sextaner; **~ty** *num*, sechzig

size, (1) *sub, -s* Format, Größe; *nur Mehrz. (Größe)* Ausmaß, *-s* Nummer, Umfang (2) *vt,* zuschneiden; *be the same size* dieselbe Größe haben; *what size do you take?* welche Größe tragen Sie?; *the size of a* mit den Ausmaßen eines/r; ~ **number** *sub, -s* Konfektionsgröße; ~ **of a penny** *attr,* pfenniggroß

sizzle, *vi,* (ugs.) zischen

skat, *sub, -s* Skat; ~ **player** *sub, -s* Skatspieler; ~ **tournament** *sub, -s* Skatturnier

skate, *vti,* skaten; ~**board** *sub, -s* Skateboard; ~**boarder** *sub, -s* Skateboarder; ~**r** *sub, -s* Skater

skeleton, *sub, -s* Gerippe, Skelett; *(spo.)* Skeleton; ~**ize** *vt,* skelettieren

skerry, *sub, -ies* Schäre

sketch, (1) *sub, -es* Kroki, Sketch, Sketsch; *-s (Abriss)* Skizze; *-es (knappe Darstellung)* Abriss (2) *vt, (umreißen)* skizzieren; ~ **in** *vt,* stricheln; ~ **out** *vt,* vorzeichnen; ~**book** *sub, -s* Skizzenbuch; ~**pad** *sub, -s* Skizzenblock

skewer, *sub, -s* Speil; *(Fleisch-)* Spieß

ski, (1) *sub, -* Schi; *-s* Schier, Ski (2) *vi,* Ski fahren; *take off the skis* die Ski abschnallen; *put on the skis* die Skier anschnallen; ~ **acrobatics** *sub, nur Mehrz.* Skiakrobatik; ~ **boot** *sub, -s* Schistiefel; ~ **cap** *sub, -s* Skimütze; **instructor** *sub, -s* Schilehrerin; ~ **tow** *sub, -s* Schlepplift; ~**bob** *sub, -s* Skibob; ~**jump** *sub, -s* Sprungschanze; *(spo.)* Schanze; ~**jumper** *sub, -s* Skispringer, Skispringerin; ~**run** *sub, -s* Skipiste; ~**stick** *sub, -s* Skistock; ~**wax** *sub, -es* Skiwachs

skid, (1) *sub, -s (Auto)* Rutschpartie (2) *vi,* schleudern

skier, *sub, -s* Schifahrerin, Schiläuferin, Skifahrerin, Skiläuferin

skies, *sub, nur Mehrz. (geh.; nur Plural)* Luft

skiff, *sub, -s (spo.)* Skiff

skiing, *sub, nur Einz.* Skisport

skijoring, *sub, (spo.)* Skijöring

skilful, *adj,* kunstfertig, kunstgerecht; *(geschickt)* gewandt; **skill** *sub, -s* Erfahrenheit, Fertigkeit, Geschicklichkeit; - Gewandtheit; *-s* Können, Kunst; *practical skills* praktische Fähigkeiten; **skilled** *adj,* fachgerecht; *(Arbeiter)* gelernt; **skilled in making balances** *adj,* bilanzsicher; **skilled worker** *sub, nur Einz.* Facharbeiter; **skillfull** *adj,* geschickt

skim, *vt,* absahnen; *(Lebensmittel)* entfetten; *(Milch)* entrahmen; *to skim through sth* etwas oberflächlich lesen;

~ **off** *vt,* abschöpfen; ~**med milk** *sub, nur Einz.* Magermilch; ~**mer** *sub, -s* Schaumkelle, Schaumlöffel; ~**ming off** *sub, -s -* Abschöpfung

skimp, *vt,* schludern

skin, (1) *sub, -s* Haut, Pelle; *(Haut)* Balg (2) *vt,* häuten, pellen; *be nothing but skin and bone* nur noch Haut und Knochen sein; *save one´s own skin* die eigene Haut retten; *have a thick skin* ein dickes Fell haben; ~ **cancer** *sub, -s* Hautkrebs; ~ **diver** *sub, -s* Sporttaucher; ~ **diving** *sub, nur Einz.* Sporttauchen; ~**flint** *sub, -s* Geizhals; *(ugs.)* Knauser, Pfennigfuchser; ~**head** *sub, -s* Skinhead; ~**ny** *adj,* knochig, *(Person)* dürr; ~**tight** *adj,* hauteng

skip, (1) *vi,* seilspringen, springen (2) *vt,* (ugs.) schwänzen; *(auslassen)* übergehen, überspringen; *(weglassen)* überschlagen; ~ **work** *vi,* blau machen; ~**per** *sub, -s* Skipper

skirt, *sub, -s* Rock; ~**ing board** *sub, -s* Leiste

skittish, *adj,* kopfscheu

skittle, *sub, -s* Kegel

skull, *sub, -s* Schädel, Totenschädel; *(Schädel)* Totenkopf; ~ **and crossbones** *sub, nur Einz. (Symbol)* Totenkopf

skunk, *sub, -s* Stinktier; *(zool.)* Skunk

sky, *sub, -* Himmel; *in the sky* am Himmel; *(geh.) the skies* die Lüfte; *unter southern skies* unter südlichem Himmel; ~ **glow** *sub, -s (mil.)* Feuerschein; ~**jacker** *sub, -s* Luftpirat; ~**light** *sub, -s* Dachfenster, Dachluke; *(arch.)* Skylight; *(Dach)* Luke; ~**light window** *sub, -s* Klappfenster; ~**line** *sub, -s* Skyline, Umrisslinie; ~**scraper** *sub, -s* Wolkenkratzer

slab, *sub, -s (Beton, Stein)* Platte; ~ **covering** *sub, -s* Plattenbelag

slack, (1) *adj,* flau, lasch; *(Seil)* lose (2) *sub, -s (Kohle)* Grus; *business is slack* die Geschäfte gehen mau; ~**ness** *sub, nur Einz. (wirt.)* Unlust

slagheap, *sub, -s (Bergb.)* Halde

slalom, *sub, -s (spo.)* Slalom; ~ **racer** *sub, -s* Slalomläufer

slam, (1) *sub, -s* Knall (2) *vt,* zuwerfen; *(hinwerfen)* hinhauen; *(Tür)* schmettern (3) *vti,* knallen; *slam the ball into the net* den Ball ins Netz dreschen

slander, *vt,* verleumden; ~**er** *sub, -s* Verleumderin; ~**ing** *sub, -s* Verleumdung

slang, *sub, -s (ugs.)* Slang

siant, *sub, -s* schlage

slap, (1) *sub, -s* Klaps, Ohrfeige; *(ugs.)* Watsche **(2)** *vt,* ohrfeigen; *(ugs.)* watschen; *to get a slap round the face* eine Ohrfeige bekommen; *to slap sb´s face* jmd eine Ohrfeige geben; ~ **in the face** *sub, slaps* Maulschelle; *-s* Schelle; **~dash work** *sub, nur Einz.* Patzerei, Pfusch, Pfuscharbeit; **~stick** *sub, nur Einz.* Klamauk; *-s* Slapstick; **~stick farce** *sub, -s (ugs.)* Schmierenstück

slat, *sub, -s* Latte; *(biol.)* Lamelle

slaughter, (1) *sub, -s* Abschlachtung, Metzelei **(2)** *vt,* abschlachten, metzeln, schlachten; *to lead sb like a lamb to the slaughter* jmdn wie ein Lamm zur Schlachtbank führen; **~house** *sub, -s* Schlachthaus, Schlachthof; **~able** *adj,* schlachtbar; **~ing** *sub, -s* Schlachtung; **~ing day** *sub, -s* Schlachttag

Slav, *sub, -s* Slawe

slave, (1) *sub, -s* Sklave **(2)** *vi,* abarbeiten; *(ugs.)* roboten; *be a slave to one´s work* Sklave seiner Arbeit sein; *make a slave of so* jmd zum Sklaven machen; ~ **(away)** *vir,* rackern; ~ **away** *vi,* abschuften, schuften; *(i. ü. S.)* fronen; **~driver** *sub, - -s* Antreiber; **~ market** *sub, -s* Sklavenmarkt; **~driver** *sub, -s* Schinder; **~r (1)** *sub, -s (Speichel)* Geifer **(2)** *vi,* geifern; **~ry** *sub, -ies* Sklaverei

slavicise, *vt,* slawisieren

slavish, *adj,* sklavenartig, sklavisch; ~ **obedience** *sub, nur Einz.* Kadavergehorsam; **Slavist** *sub, -s* Slawist

Slavonic, *adj,* slawisch, slawistisch; ~ **studies** *sub, nur Einz.* Slawistik

slay, *vt,* morden

sledge, (1) *sub, -s* Rodel, Schlitten **(2)** *vi,* rodeln

sleek, *adj,* rassig

sleep, (1) *sub, nur Einz.* Schlaf **(2)** *vi,* schlafen; *my leg has gone to sleep* mein Bein ist eingeschlafen; *(wirt.) sleeping partner* stiller Teilhaber; *to sleep it off* seinen Rausch ausschlafen; *(ugs.) to sleep like a log* schlafen wie ein Murmeltier, schlafen wie ein Murmeltier; *Wimmer´s having a little sleep again during the lesson* der Wimmer pennt schon wieder im Unterricht; ~ **all night** *vi,* durchschlafen; ~ **in advance** *vi,* vorschlafen; ~ **off** *vt,* ausschlafen; *sleep it off* seinen Rausch ausschlafen; ~ **on** *vt,* überschlafen; ~ **through** *vt,* verpennen, verschlafen; ~ **with** *vi,* beischlafen, beschlafen; **~er** *sub, -s* Schläfer; **~iness** *sub, nur Einz.* Müdigkeit; **~walk** *vi,* mondsüchtig sein, traum-

~walking (1) *adj,* schlafwandlerisch **(2)** *sub, nur Einz.* Mondsucht; *-s* Somnambulismus

sleeping, *adj,* schlafend; **Sleeping Beauty** *sub, -s* Dornröschen; ~ **doll** *sub, -s* Schlafpuppe; ~ **draught** *sub, -s* Schlaftrunk; ~ **drug** *sub, -s* Schlafmittel; ~ **sickness** *sub, nur Einz.* Schlafkrankheit; **~-bag** *sub, -s* Schlafsack; **~-car** *sub, -s* Schlafwagen; **sleepless** *adj,* schlaflos; **sleeplessness** *sub, nur Einz.* Schlaflosigkeit; **sleepwalker** *sub, -s* Nachtwandler, Schlafwandler; **sleepy** *adj,* schläfrig, verschlafen

sleet, *sub, nur Einz.* Schneeregen; *nur Mehrz. (US)* Graupel

sleeve, *sub, -s* Ärmel; *(tech. Dichtung)* Manschette; *(i. ü. S.) have sth up one´s sleeve* etwas im Hinterhalt haben; *sleeve* Plattencover; ~ **length** *sub, - -s* Ärmellänge; **~d** *adj,* ärmelig; **~less** *adj,* ärmellos

slender, *adj,* feingliedrig, schlank, schmal; ~ **and supple** *adj,* rank; **~ness** *sub, nur Einz.* Schlankheit

sleuth, *sub, -s (i. ü. S.; Mensch)* Spürhund

slice, (1) *sub, -s* Scheibe, Schnitte; *(Scheibe Fleisch)* Tranche **(2)** *vt, (in Scheiben)* durchschneiden; *slice bread* das Brot durchschneiden; *slice through the waves* die Wellen durchschneiden; ~ **of bread** *sub, -s* Brotscheibe; *(ugs.)* Brotschnitte; ~ **of bread and butter** *sub, -s* Butterstulle; *-s - (ugs.)* Bemme; **~d bread** *sub, nur Einz.* Schnittbrot

slide, (1) *sub, -s* Dia, Rutschbahn, Rutsche, Schieber, Schlittenbahn; *(tt; mus.)* Zug **(2)** *vi,* gleiten, rutschen, schlittern **(3)** *vt,* zuschieben; ~ **bar** *sub, -s* Gleitschiene; ~ **projector** *sub, -s* Diaprojektor; ~ **rest** *sub, -s* Support; **~-rule** *sub, -s* Rechenschieber; **sliding stage** *sub, -s (Theater)* Schiebebühne; **sliding surface** *sub, -s* Gleitfläche; **sliding weight** *sub, -s* Laufgewicht

slight, *adj,* gelinde, gering, geringfügig, schmächtig; *with a slight delay* mit geringer Verspätung; **~est** *adj,* geringste; *he hasn´t got the slightest idea* er hat nicht die geringste Ahnung; *we haven´t got the slightest chance* wir haben nicht die geringste Aussicht; **~ly cured pork rib** *sub, -s* Rippchen; **~ly damaged** *adj, (Gegenstand)* angeknackst; **~ly drunken** *adj,* angetrunken

slim, (1) *adj,* schlank (2) *vi,* abspecken;
I think his chances are very slim ich
schätze seine Chancen sehr niedrig ein;
(Mädchen) slim and sylphlike rank und
schlank

slime, *sub,* -s Schleim; ~ **mould** *sub,* -s
Schleimpilz; **slimness** *sub, nur Einz.*
Schlankheit

slimy, *adj,* quabbelig; *(schleimig)* glitscherig

sling, *sub,* -s Schlinge; *(Waffe)* Schleuder; ~**er** *sub,* -s Schleuderer

slip, (1) *sub,* -s Fehltritt, Lapsus, Patzer,
Rutsch, Rutschpartie, Versprecher (2)
vi, ausrutschen, flutschen, glitschen,
rutschen, schlüpfen, verrutschen; *(i. ü.
S.; leistungsmäßig)* absacken (3) *vt,*
entgleiten; *(aus der Hand)* entfallen; *I
made a slip* mir ist ein Patzer unterlaufen, *(i. ü. S.) money slips through his
fingers* das Geld rinnt ihm durch die
Finger; *she slipped her hand out of his*
sie löste ihre Hand aus der seinen; *slip
away* sich in die Büsche schlagen; *to
give sb the slip* jmd durchs Netz schlüpfen, *slip away from so* jmd entgleiten;
slip out of so hand jmd entgleiten; *it
has slipped my memory* ist mir entfallen; ~ **(off)** *vi,* abgleiten, abrutschen;
sideslip seitlich abrutschen; *slip in
one´s performance* leistungsmäßig abrutschen; ~ **away** *vr,* verdrücken; ~ **off**
vi, abstreifen; ~ **on** *vt,* überstreifen; ~
out *vt, (Worte)* entschlüpfen; ~ **road**
sub, - -s Auffahrtsstraße, Autobahnein-
fahrt; *(Autobahn)* Auffahrt; ~ **through**
vt, durchschlüpfen; *slip through one´s
fingers* durch die Finger schlüpfen; *slip
through the control* durch die Kontrolle
schlüpfen; ~ **up** (1) *vi, (ugs.)* patzen;
(einen Fehler machen) pfuschen (2) *vr,*
vertippen; ~**-on** *sub,* -s Pantolette; ~-
on jacket *sub,* -s Schlupfjacke; ~**-up**
sub, -s *(ugs.)* Regiefehler

slipper, *sub,* -s Filzpantoffel, Hausschuh,
Hüttenschuh, Latschen, Pantoffel;
(ugs.) Schläppchen, Schlappen; *(ugs.)*
they match like an old pair of slippers
sie passen zusammen wie ein Paar alte
Latschen; ~ **animalcule** *sub,* -s Pantof-
feltierchen; ~**y** *adj,* glitscherig, glitschig, rutschig, schlüpfrig; *(i. ü. S.)*
aalglatt; *(glitschig)* glatt; ~**y roads due
to surface water** *sub, nur Einz.* Wasser-
glätte

slit, (1) *sub,* -s Schlitz (2) *vt,* schlitzen;
the curtain was only open a narrow slit
der Vorhang war nur einen winzigen
Spalt geöffnet; ~ **(open)** *vt,* aufschlit-
zen; ~**-eyed** *adj,* schlitzäugig

slithery, *adj, (ugs.)* schlabberig

slivovitz, *sub,* - Slibowitz

slobber, (1) *sub,* -s *(ugs.)* Sabber (2)
vi, sabbern; *(ugs.)* schlabbern; ~ **on**
vi, beschlabbern; ~**ing** *sub,* -s *(ugs.)*
Schlabberei

sloe, *sub,* -s Schlehe

slogan, *sub,* -s Slogan; *(pol.)* Parole

slog away, *vi, (ugs.)* abstrampeln

sloop, *sub,* -s Schaluppe, Sloop, Slup

sloppiness, *sub,* -es *(ugs.)* Schlampe-
rei; **slopping sub,** - *(Kleidung)* Geschlabber; **sloppy** *adj,* liederlich,
lotterig, salopp; *(ugs.)* schlampig

slosh around, *vi,* schwappen

slot, *sub,* -s *(zur Einfügung)* Nute; *slot
machine* einarmiger Bandit; ~ **ma-
chine** *sub,* -s Spielautomat; ~ **machine** **burglar** *sub,* - -s
Automatenknacker

sloth, *sub,* -es *(zool.)* Faultier

slouch, *vi,* latschen

slough, *sub,* -s *(Lache)* Suhle; *(i. ü. S.)
in the slough of the big city* im Sumpf
der Großstadt; ~ **off** *vr, (Schlange)*
häuten

Slovac, *sub,* - Slowakische; **Slo-
vak(ian)** *adj,* slowakisch

slove, *vt, (Rätsel)* auflösen

Slovene, *sub,* -s Slowenierin; **Slovenian** *sub,* -s Slowenische; **slovenliness** *sub, nur Einz.* Lotterigkeit;
slovenly *adj,* liederlich, lotterig

slow, *adj,* gemach, langsam; *(langsam)* bedächtig, bedachtsam; ~
coach *sub,* -es Transuse; -s *(ugs.)* Trö-
delliese; ~ **down** (1) *vti,* abbremsen
(2) *vtr,* verlangsamen; ~ **foxtrot** *sub,*
-s Slowfox; ~ **motion** *sub, nur Einz.*
Zeitlupe; ~ **on the uptake** *adj,* Spätentwickler; ~**liness** *sub,* - Bummeligkeit; ~**ly** *adv,* gemächlich;
(langsam) bedächtig, bedachtsam;
~**ness** *sub, nur Einz.* Langsamkeit;
~**worm** *sub,* -s Blindschleiche

sludge, *sub, nur Einz.* Klärschlamm

slug, *sub,* -s Nacktschnecke, Schnek-
ke; ~**gish** *adj,* lahm; *(bequem)* träge;
~**gishness** *sub, nur Einz.* *(Bequemlichkeit)* Trägheit

sluice, *sub,* -s *(Schleuse)* Siel

slum, *sub,* - -s Armenviertel, Slum;
(Südam.) Favela; ~ **area** *sub,* -s
Elendsviertel; *(US)* ghetto Elendsvier-
tel

slumber, (1) *sub,* -s Schlummer (2) *vi,*
schlummern

slurp, *vt,* schlürfen

slut, *sub,* -s *(ugs.)* Schlampe

sly, *adj,* ausgefuchst, gerieben; *(ugs.)*

ausgekocht; ~ **devil** sub, -s (dial.ugs.) Lorbass; ~ **fox** sub, -es (ugs.) Schlitzohr

smack, (1) sub, nur Einz. Klatsch (2) vt, (Kind) hauen; (i. ü. S.) to smack of sth nach etwas schmecken; ~**er** sub, -s (ugs.) Schmatz

small, adj, gering, klein; ~ **barrel** sub, -s Fässchen, Fässlein; ~ **beer** sub, nur Einz. Dünnbier; ~ **bone** sub, -s Knöchelchen; ~ **bottle** sub, -s Flakon; ~ **box** sub, -es Schächtelein; ~ **business** sub, -es Kleinbetrieb; ~ **capital** sub, -s Kapitälchen; ~ **car** sub, -s Kleinwagen; ~ **cask** sub, -s Fässchen; ~ **castle** sub, -s Schlösschen, Schlösslein; ~ **plug** sub, -s Zäpfchen

small chocolate-covered cream-cake, sub, -s Mohrenkopf; **small contribution** sub, -s (Tiere) Geziefer; **small creature** sub, -s (Tiere) Geziefer; **small cupboard** sub, -s (ugs.) Schaff; **small flat** sub, -s Kleinwohnung; **small format** sub, -s Kleinformat; **small glass for spirits** sub, -es Schnapsglas; **small horn** sub, -s Hörnchen; **small horse** sub, -s Rösslein; **small house** sub, -s Häuschen

small intestine, sub, -s Dünndarm; **small market town** sub, -s Marktflekken; **small of the back** sub, nur Mehrz. (anat.) Kreuz; **small room** sub, -s Kammer; **small room in a cellar** sub, -s Gelass; **small shopkeeper** sub, -s Krämer; **small snack** sub, -s Häppchen; **small state** sub, -s Kleinstaat; **small suitcase** sub, -s Handkoffer; **small town** sub, -s Kleinstadt; (ugs.) Kaff; **small town person** sub, people Kleinstädter; **smallholding** sub, -s Pachtgut; **smallpox** sub, nur Einz. Blattern; nur Mehrz. Pocken; **smallpox virus** sub, -es Pockenvirus

smarmy, adj, pomadig

smart, adj, fesch, pfiffig, schlau, schnittig, smart; (ugs.) zackig; (US) clever; (schick) flott; a smart guy ein cleveres Kerlchen; ~ **but casual** adj, sportlich-elegant; ~**-aleck** adj, (iron.) neunmalklug; ~**-ass** sub, -es (vulg.) Klugscheißer

smash, (1) sub, -s Smash (2) vt, schmettern; (ugs.) kaputttreten, zerbrechen, zerhauen, zerschmettern; (Fenster) einschießen, einwerfen; (ugs.) to smash sb's face in jmd die Fresse polieren; ~ **hit** sub, -s Bombenerfolg; ~ **in** vt, (zerbrechen) eindrücken; ~ **up** vt, zusammenfahren; (Möbel) demolieren; ~**ed** adj, (ugs.) zerschmettert

smear, (1) sub, -s (med.) Abstrich (2) vt,

schmieren, (besehmieren) anschmieren; (med.) take a smear einen Abstrich machen; the kids smeared my shoes with toothpaste die Kinder schmierten meine Schuhe mit Zahnpasta ein; ~ **campaign** sub, -s Hetzkampagne; ~**ing** sub, -s Schmiererei

smell, (1) sub, - Geruch; nur Einz. (Geruch) Dunst (2) vi, stinken (3) vt, (ugs.) wittern (4) vi, riechen; (i. ü. S.) to smell a rat Lunte riechen; ~ **(of)** vi, duften; ~**ed** vt, gerochen; ~**ing salts** sub, nur Mehrz. Riechsalz; ~**ing water** sub, - Riechwasser

smelt, (1) sub, -s Stint (2) vt, verhütten; ~**ing** sub, -s Verhüttung; ~**ing plant** sub, -s Schmelzerei, Schmelzhütte

smile, vi, lächeln, schmunzeln; draw a smile from so jemandem ein Lächeln ablocken; ~ **at** vi, anlächeln, belächeln; ~ **derisively** vi, hohnlächeln

smirk, vi, feixen, grienen; (spöttisch) grinsen; ~**ing** sub, - Geschmunzel

smith, sub, -es Grobschmied

smock, sub, -s Russenkittel

smoke, (1) sub, nur Einz. Qualm, Rauch, Schmauch (2) vt, räuchern (3) vti, qualmen, rauchen; there's no smoke without fire kein Rauch ohne Feuer; (i. ü. S.) to go up in smoke sich in Rauch auflösen; I don't smoke ich bin Nichtraucher; it went up in smoke das ging den Bach runter; no smoking nicht rauchen!; ~ **out** vt, (Gegner) ausräuchern; ~ **pot** vi, (Haschisch r.) haschen; ~ **pot (grass)** vi, (ugs.) kiffen; ~ **room** sub, -s Rauchzimmer; ~ **signal** sub, -s Rauchsignal, Rauchzeichen; ~ **stick** sub, -s Glimmstängel; ~**-coloured** adj, rauchfarben, rauchfarbig

smoked, sub, - Geräucherte; ~ **bacon** sub, -s Räucherspeck; ~ **fish** sub, - Räucherfisch; ~ **foods** sub, nur Mehrz. Räucherware; ~ **ham** sub, - Rollschinken; ~ **herring** sub, -s (Fisch) Bückling; ~ **meat** sub, nur Einz. Rauchfleisch, Selchfleisch; ~ **salmon** sub, -s Räucherlachs; **smokehouse** sub, -s Selchkammer; **smokeless** adj, rauchlos; **smokescreen** sub, -s Einnebelung; **smoking ban** sub, -s Rauchverbot

smoky, adj, qualmig

smooch, vi, knutschen

smooth, (1) adj, geschmeidig, glatt (2) vt, (tech.) anschleifen; smooth landing glatte Landung, smooth the *way for sb* den Weg für jmd ebnen; *(ugs.) smoothie* aalglatter Typ; **~ down** *vt*, glätten; **~ out** *vt*, glätten; **~-tongued** *adj*, glattzüngig; **~ing lathe** *sub*, -s Planierbank; **~ness** *sub*, Glätte

smorgasbord, *sub*, -s Schwedenplatte

smoulder, *vi*, schwelen; **~ing fire** *sub*, -s Schwelbrand

smudge, *vt*, verwischen

smuggle, *vti*, schmuggeln; **~r** *sub*, -s Schmuggler; **smuggling** *sub*, *nur Einz.* Schmuggel, Schmuggelei

smurf, *sub*, -s Schlumpf

smutty, *adj*, zotig; **~ joke** *sub*, -s *(ugs.)* Zote; **~ joke teller** *sub*, - *(i. ü. S.)* Zotenreißer

snack, *sub*, -s Imbiss, Snack; *(Essen)* Brotzeit; *take a snack with (me)* eine Brotzeit mitnehmen; **~ bar** *sub*, -s Imbissstand, Snackbar

snaffle bit, *sub*, -s Trensenring

snail, (1) *pron*, *(ugs.)* Weinbergschnecke (2) *sub*, -s Schnecke; **~-shell** *sub*, -s Schneckenhaus

snake, *sub*, -s Schlange; *(i. ü. S.) a snake in the grass* eine falsche Schlange; **~ poison** *sub*, - Schlangengift; **~bite** *sub*, -s Schlangenbiss

snap, *vi*, blaffen, schnappen, schnauzen, zuschnappen; *he snapped* die Nerven sind mit ihm durchgegangen; **~ link** *sub*, -s *(tech.)* Karabinerhaken; **~ off** *vti*, abknicken; **~ open** *vi*, aufschnappen; **~dragon** *sub*, -s Löwenmaul; **~shot** *sub*, -s Schnappschuss

snarling, *adj*, Zähne fletschend

snatch, *vt*, schnappen; **~ away** *vt*, hinwegraffen; **~ sth away** *vt*, *(ugs.)* wegschnappen; **~es** *sub*, - *(Gesprächs-)* Fetzen

sneak, *vr*, schleichen; *sneak away* sich heimlich entfernen; **~ away** *vr*, fortstehlen; **~ in** *vt*, *(ugs.)* unterbuttern; **~ in(to)** *vt*, einschleichen; **~ on** *vt*, *(ugs.)* verpetzen; **~er** *sub*, -s *(US)* Turnschuh

sneer, *vi*, mokieren; **~ing** *adj*, *(hönisch)* spöttisch; **~ing comment** *vt*, *(bespötteln)* glossieren

sneeze, *vi*, niesen

sniff, (1) *vi*, schnüffeln (2) *vt*, schnupfen, schnuppern; **~ at** *vt*, beschnuppern; **~ the air** *vi*, wittern; **~ling** *sub*, - Geschnüffel

snip, *sub*, -s *(ugs.)* Preisbrecher; **~ at** *vi*, schnippeln, schnipseln

snipe, *sub*, -s Schnepfe; **~r** *sub*, -s *(mil.)* Heckenschütze

snivelling, *adj*, *(ugs.)* wehleidig

snob, *sub*, -s Snob; **~bish** *adj*, snobistisch; **~bishness** *sub*, -es Snobismus

snoop, *vi*, *(i. ü. S.)* spionieren; *(ugs.)* spitzeln; **~ around** *vi*, schnüffeln

snooper, *sub*, -s Schnüffler, Spitzel; **snooping** *sub*, *nur Einz.* Schnüffelei; **snooping around** *sub*, - *(i. ü. S.)* Geschnüffel

snooty, *adj*, hochnäsig

snooze, *sub*, -s Schläfchen

snore, *vi*, schnarchen

snorkel, (1) *sub*, -s Schnorchel (2) *vi*, schnorcheln

snot, *sub*, *nur Einz.* *(ugs.)* Rotz; **~ty little upstart** *sub*, -s Schnösel; **~ty nose** *sub*, -s Rotznase

snout, *sub*, -s Rüssel; **~like** *adj*, rüsselförmig

snow, (1) *sub*, *nur Einz.* Schnee; *(ugs.)* Koks (2) *vi*, schneien (3) *vt*, überschneien; *be snowed under with work* von Arbeit überhäuft werden; **~ blindness** *sub*, *nur Einz.* Schneeblindheit; **~ blower** *sub*, -s Schneefräse; **~ cannon** *sub*, -s Schneekanone; **~ cat** *sub*, -s Schneeräumer; **~ chain** *sub*, -s Schneekette; **~ field** *sub*, -s Schneefläche; **~ person** *sub*, *people* Schneemensch; **~ proof** *adj*, schneesicher; **Snow White** *sub*, *nur Einz.* Schneewittchen; **~-clearer** *sub*, -s Räumfahrzeug; **~-goggles** *sub*, *nur Mehrz.* Schneebrille; **~-shoe** *sub*, -s Schneeschuh; **~-white** *adj*, schlohweiß

snowball, *sub*, -s Schneeball; **snowblind** *adj*, schneeblind; **snowboard** *vti*, snowboarden; **snowboarder** *sub*, -s Snowboarder; **snowboarding** *sub*, - Snowboarding; **snowdrop** *sub*, -s Schneeglöckchen; **snowflake** *sub*, -s Schneeflocke; **snowplough** *sub*, -s Schneepflug; **snowstorm** *sub*, -s Schneesturm; **snowy owl** *sub*, -s Schneeeule

snuff, *sub*, *nur Einz.* Schnupftabak; **~ers** *sub*, *nur Mehrz.* Dochtschere; **~le** *vi*, schnobern; **~ling** *sub*, *nur Einz.* Schnüffelei

snuggle up, *vi*, *(Kind)* anschmiegen; **~ in sth** *vi*, einkuscheln

so, (1) *adv*, so, solchermaßen (2) *konj*, also; *he was so stupid* er war so dumm; *how long will it take? - a week or so* wie lange dauert das? - so eine Woche; *so far so good* so weit, so gut; *so it was that* so kam es, daß; *I hope so* ich hoffe es; *I´m so thirsty!* ich habe solchen Durst!; **~ and so** *adv*, soundso; **~ far** *adv*, soweit; *(zeitl.)* dahin; *so far so good* soweit so gut; **~ is** *vi*, desgleichen; *he is a doctor*

and so is his wife er ist Arzt, desgleichen
seine Frau; **~ long!** *interj*, (*ugs.*; *US*)
servus!; **~ much** *adv*, sosehr, soviel;
don´t talk so much! rede nicht so viel!;
~ much that *adv*, dermaßen; *he has
lied to me so much that* er hat mich
dermaßen belogen, dass; *so beautiful
that* dermaßen schön, dass; **~ that**
konj, (*causal*) damit, dass; (*so daß*) so;
*help him so that he´ll finally be finis-
hed* hilf ihm, dass er endlich fertig wird;
*he ate too much so that he feels sick
now* er hat zuviel gegessen, so daß ihm
jetzt schlecht ist

soak, (1) *sub*, *-s* Einweichung (2) *vi*,
(*Fleisch*) durchziehen (3) *vt*, aufweichen, durchnässen, durchtränken, einweichen,   quellen,   schwemmen;
(*aufquellen lassen*) aufquellen; (*durchnässen*) tränken (4) *vti*, weichen; *he/it
is soaked* er/es ist vollkommen durch-
nässt; *be soaking wet* vor Nässe triefen;
soaked through durch und durch
feucht; **~ off** *vt*, (*Briefmarke*) abweichen; **~away** *sub*, *-s* Sickergrube; **~ing**
sub, *-s* Aufweichung; **~ing wet** *adj*,
patschnass, pudelnass; (*ugs.*) patschenass

soap, (1) *sub*, *-s* Seife (2) *vt*, seifen; **~
cloth** *sub*, *-s* Seifenlappen; **~ dish** *sub*,
-es Seifenschale; **~ opera** *sub*, *-s* (*ugs.*)
Seifenoper; **~ powder** *sub*, *-s* Seifen-
pulver; **~-bubble** *sub*, *-s* Seifenblase;
~flakes *sub*, *nur Mehrz.* Seifenflocke;
~stone *sub*, *-s* Speckstein, Talkum;
~suds *sub*, *nur Mehrz.* Seifenlauge; **~y**
adj, seifenartig; **~y water** *sub*, *nur
Einz.* Seifenwasser

soar, *vi*, (*Vögel*) aufsteigen; **~ up** *vi*,
hochfliegen; **~ upwards** *vi*, emporstre-
ben; **~ing** *adj*, (*Bauwerk*) aufstrebend

sob, *vti*, schluchzen; **~ loudly** *vi*, aufschluchzen; **~bing** *sub*, *-* Geschluchze;
~bler *vi*, sabbeln

sober, *adj*, (*nicht betrunken*) nüchtern;
to sober up wieder nüchtern werden; **~
up (1)** *vt*, ernüchtern (2) *vti*, ausnüchtern; **sobriety** *sub*, *nur Einz.* (*nicht betrunken sein*) Nüchternheit

socage, *sub*, *-s* (*US*) Fron; **~ worker** *sub*,
-s Scharwerker; **soccage** *sub*, *-s* Fron

soccer-team, *sub*, *-s* (*spo.*) Elf

sociability, *sub*, *-ies* Geselligkeit; **sociable** *adj*, gesellig, kontaktfreudig, so-
ziabel

social, (1) *adj*, gesellschaftlich, sozial
(2) *adv*, gesellschaftlich; *be socially
minded* sozial denken; *social conditions* die sozialen Verhältnisse; *social
welfare* soziale Fürsorge; **~ climber**

sub, *-s* Aufsteiger; **~ criticism** *sub*, *-s*
Sozialkritik; **~ economy** *sub*, *-ies* Ge-
meinwirtschaft; **~ education** *sub*,
nur Einz. Sozialpädagogik; **~ expediture** *sub*, *nur Einz.* Soziallasten; **~
improvement** *sub*, *-s* (*gesellschaftlich*) Aufbauarbeit; **~ insurance** *sub*,
-s Sozialversicherung; **~ legislation**
sub, *-s* Sozialrecht; **~ reforms** *sub*,
nur Mehrz. Sozialreform

social security pension, *sub*, *-s* Sozialrente; **social services** *sub*, *nur
Mehrz.* Fürsorgeamt; **social studies**
sub, *nur Einz.* Sozialkunde; **social
welfare** *sub*, *-s* Sozialfürsorge; **social
withdrawal** *sub*, *-* Kontaktarmut; **social work** *sub*, *-s* Sozialarbeit; **social
worker** *sub*, *-s* Fürsorgerin, Sozialarbeiter

sock, *sub*, *-s* Beinstrumpf, Socke;
(*Herren*) Strumpf; (*ugs.*) *take to
one´s heels* sich auf die Socken machen

socket, *sub*, *-s* Buchse, Höhle, Steckdose; (*anat.*) Pfanne; (*med.*) Gelenk-
pfanne; **~ of tooth** *sub*, *nur Einz.* (*tt*;
med.) Zahnbett

sod, *sub*, *-s* Grasnarbe, Sode; (*vulg.*)
sod it verdammter Mist; **~ widow**
sub, *-s* (*US*) Strohwitwe

soda, *sub*, *nur Einz.* Soda; **~ water**
sub, *-s* Sodawasser

sodium, *sub*, *nur Einz.* Natrium; **~
compound** *sub*, *nur Einz.* Natron

sodomite, *sub*, *-s* Sodomit

sofa, *sub*, *-s* Couch, Sofa; **~ corner**
sub, *-s* Sofaecke

soft, *adj*, leise, sacht, weich, zart; (*Leder*) geschmeidig; *you can´t afford
to be soft* da kann man nicht so zimperlich sein; *to have a soft heart* ein
weiches Herz haben; **~ as silk** *adj*,
seidenweich; **~ drink** *sub*, *-s* (*i.w.S*)
Limonade; **~ fruits** *sub*, *nur Mehrz.*
Beerenobst; **~ hail** *sub*, *nur Mehrz.*
(*meteor.*) Graupel; **~ ice-cream** *sub*,
-s Softeis; **~ porn** *sub*, *-s* Softporno;
~ soap *sub*, *-s* Schmierseife; **~ top**
sub, *-s* Verdeck; **~-focusing lens** *sub*,
-es (*tt*; *fotogr.*) Weichzeichner; **~-
hearted** *adj*, weichherzig; **~-shelled**
adj, weichschalig

soften, (1) *vi*, aufweichen (2) *vt*, erweichen; *to soften* jmd weich krie-
gen/machen, weich werden; **~ up** *vt*,
weich machen

softly-softly, *adj*, (*ugs.*) windelweich

softner, *sub*, *-s* Weichspüler

softness, *sub*, *nur Einz.* Weiche, Zartheit

software, *sub, nur Einz.* Software
softy, *sub, -es* Weichling; *-s (ugs.)* Softie
soil, (1) *sub, -s* Erde, Erdreich (2) *vt,*
verschmutzen; *(ugs.)* besudeln; *(i. ü. S.;*
sein Image) beschmutzen; **~ erosion**
sub, nur Einz. Bodenerosion; **~ed** *adj,*
(i. ü. S.; Image) beschmutzt; **~ing** *sub,*
nur Einz. (des Images) Beschmutzung
solanine, *sub, nur Einz. (chem.)* Solanin
solar, *adj, solar;* **~ cell** *sub, -s* Solarzelle,
Sonnenzelle; **~ eclipse** *sub, -s* Sonnenfinsternis; **~ energy** *sub, -* Solarenergie, Sonnenenergie; **~ plexus** *sub, -*
Solarplexus; **~ power station** *sub, -s*
Sonnenkraftwerk; **~ system** *sub, -s*
Sonnensystem; **~ technology** *sub, -ies*
Solartechnik; **~ium** *sub, -s* Solarium
soldanella, *sub, -s* Troddelblume
solder, (1) *vt,* verlöten (2) *vti,* löten; **~
on** *vt,* anlöten
soldier, *sub, -s* Soldat; **~** *(of a body-*
guard) *sub, -s* Leibgardist; **~ in the**
People's Army *sub, -s* Volksarmist; **~**
of fortune *sub, -s* Glücksritter; **~ with**
a halberd *sub, -s* Hellebardier; **~like**
adj, soldatisch; **~ly** *adj,* soldatisch; **~y**
sub, nur Einz. Soldatentum
sold out, *adj,* ausverkauft
sole, (1) *sub, -* Seezunge; *(Fuß-)* Sohle
(2) *vt,* besohlen; **~ earner** *sub, -s*
Alleinverdiener; **~ heir** *sub, -s/-es* Alleinerbe; *-s (tt; jur.)* Universalerbe;
~ leather *sub, -* Sohlenleder; **~ of the**
foot *sub, -s* Fußsohle; **~ owner** *sub, -s*
Alleininhaber
solemn, *adj,* ehrenwörtlich, feierlich,
solenn; *(feierl.)* getragen; *(würdig)* erhaben; *make a solemn promise that*
feierlich versprechen, daß; solemnly
promise feierlich versprechen; **~ pro-**
mise *sub, -es* Gelöbnis; **~ity** *sub, -ies*
Feierlichkeit; *-* Getragenheit; *-es (.)* Weihe; *with all due ceremony* mit aller
Feierlichkeit; **~ly** *adv,* feierlich; **~ly**
promise *vt,* geloben; *the Promised*
Land das Gelobte Land
solid, (1) *adj,* fest, gediegen, solid;
(geb.) derb; *(festgebaut)* solide; *(nicht*
hohl) massiv; *(pos.)* deftig (2) *sub, -*
Festkörper; *a solid piece of work* solide
Arbeit; *be solidly behind so* geschlossen
hinter jmdm stehen; *solid meal* deftiges
Essen; **~ line of cars** *sub, -s* Blechlawine; **~ state physics** *sub, - (phy.)* Festkörper
solidarity, *sub, -* Solidarität; *-es* Verbundenheit; *-* Zusammengehörigkeitsgefühl; **solidarize** *vr,* solidarisieren;
solidarize with someone sich mit jemandem solidarisieren; **solidary** *adj,*

solidarisch; *declare one's solidarity*
with someone sich mit jemandem solidarisch erklären; *show solidarity*
with solidarisch sein mit
solidification, *sub, -s* Verfestigung;
solidify *vtr,* verfestigen; **solidity**
sub, -ies Gediegenheit; *- (Stärke)* Solidität
solitaire, *sub, -* Solitär
solitary, *adj,* abseitig, *(allein)* einzeln; **~ confinement** *sub, -s* Einzelhaft; **solitude** *sub, -s* Abseitigkeit;
nur Einz. (Alleinsein) Einsamkeit
solo, (1) *adj,* solistisch (2) *adv,* solistisch, solo (3) *sub, -s* Solo; **~ (part)**
sub, -s Solopart; **~ dance** *sub, -s* Solotanz; **~ dancer** *sub, -s* Solotänzerin; **~ entertainer** *sub, -s* Solounterhalter; **~ flight** *sub, -s*
Alleinflug; **~ singer** *sub, -s* Solosängerin; **~ist** *sub, -s* Solist
solstice, *sub, -s* Sonnenwende
solubility, *sub, -ies* Löslichkeit; **so-**
luble *adj,* lösbar, löslich; *not readily*
soluble schwer löslich; **solution** *sub,*
-s Lösung, Solution; *(einer Glei-*
chung, eines Rätsels) Auflösung; *the-*
re is no other solution es gibt keinen
anderen Ausweg
somatic, *adj,* somatisch
sombre, *adj, (Farbe)* düster; **~ness**
sub, -es Düsterkeit
sombrero, *sub, -s* Sombrero
some, (1) *pron,* einige; *(ein Teil)* etwas (2) *Zahlw., (wenige)* etliche; *it*
takes something to do that dazu gehört schon einiges; *some hundred*
einige hundert; *there is some hope*
that es besteht einige Hoffnung,
dass; *can I have some of it too* kann
ich auch etwas davon haben; *he's*
right about some things in Manchem
hat er recht; *some (people)* dieser
und jener; *some of the people* ein Teil
der Menschen; *you can never teach*
sense to some people manch einem
kann man nie Vernunft beibringen; **~**
(day) *adv, (später)* einst; **~ (kind**
of) *pron,* irgendein; *a mole or some*
kind of animal ein Maulwurf oder
irgend so ein Tier; *it seems to be some*
kind of container das scheint irgendein Behälter zu sein; **~ day** *adv, der-*
einst; *(später)* einmal; *some day in*
the future dereinst mal; *some day I*
sat in the taxi ich habe einmal im
Taxi gesessen; *some day I'll sit in the*
taxi ich werde einmal im Taxi sitzen;
~ time (1) *adv,* noch (2) *pron,* irgendwann; *I'll come sometime or*

other for sure irgendwann werde ich bestimmt kommen; *she wants to go to China sometime or other* sie will irgendwann nach China; **~body** *pron,* irgendeine, man; *somebody (some woman) said* irgendeine (Frau) sagte; *somebody (some woman) will look after the child* irgendeine wird auf das Kind aufpassen; *somebody told me* man hat mir gesagt; *wer;* **~body/someone** *pron,* wer; **~how (or other)** *pron,* irgendwie; *don´t do it just anyhow!* mach´ es nicht irgendwie!; *I´ll manage somehow* ich werde es irgendwie schaffen; **~one** *pron,* jemand; *someone else* ein(e) andere(r); *someone one knows* ein flüchtiger Bekannter; **~one (or other)** *pron,* irgendjemand; *someone or other claimed* irgendjemand hat behauptet; **~one who leaves without paying** *sub, - (i. ü. S.)* Zechpreller; **~one who tends to gloss things over** *sub, people* Schönfärber

somersault, *sub, -s* Kobolz (schiessen), Purzelbaum, Salto

something, (1) *pron,* etwas, irgendeine **(2)** *sub, -s* Etwas; *something is bothering him* irgendeine Sache beunruhigt ihn, *did you say something* hast du etwas gesagt; *something unforeseen* ein unvorhergesehener Umstand; *that certain something* das gewisse etwas; **~ (or other)** *pron,* irgendetwas; *he mumbled something or other* er murmelte irgendetwas; *something has gone wrong* irgendetwas ist schief gegangen; **~ else do** *sub, nur Einz. (Ablenkung)* Nebenbeschäftigung; **~ small** *sub, -* Kleinigkeit; **sometimes** *adv,* manchmal, zuweilen; **somewhere (or other)** *pron,* irgendwo, irgendwohin; *the key must be somewhere* der Schlüssel muß irgendwo sein; *I feel like going somewhere at the weekend* ich hätte Lust am Wochenende irgendwohin zu fahren; **somewhere else** *adv,* sonst wohin, woanders

somnambulary, *adv,* somnambul

somnambulism, *sub, nur Einz.* Somnambulismus; *(geb.)* Mondsucht

son, *sub, -s* Filius, Sohn; *(ugs.) every mother´s son of them* der ganze Sippschaft; *like father like son* der Apfel fällt nicht weit vom Stamm, wie der Vater, so der Sohn; *(bibl.) the prodigal son* der verlorene Sohn; **~ and heir** *sub, -* Stammhalter; **~-in-law** *sub, -s* Schwiegersohn

sonata, *sub, -s* Sonate

sonatina, *sub, -s* Sonatine

sonde, *sub, -s (Wetter-)* Sonde

song, *sub, -s* Lied, Sang, Song; *Song to burst into song* ein Lied anstimmen; *(ugs.) to make a song and dance about sth* eine Staatsaktion aus etwas machen; *for a song* für einen Apfel und ein Ei; *get sth for a song* für ein Butterbrot bekommen; *part-song* mehrstimmiges Lied; **~ of praise** *sub, songs* Lobpreisung; **~ thrush** *sub, -s* Singdrossel; **~-bird** *sub, -s (zool.)* Singvogel; **~-like** *adj,* liedhaft; **~-loving** *adj,* sangeslustig; **~book** *sub, -s* Gesangbuch

sonnet, *sub, -s* Sonett

sonorous, *adj,* klangvoll, sonor

soon, *adv,* bald; *coming soon* demnächst in diesem Theater; *see you soon* bis bald; *soon* binnen kurzem; *soon after bald* danach; *we hope to see you again soon* auf ein baldiges Wiedersehen; **~er** *adv,* eher, lieber; *the sooner the better* je eher, je lieber; *he´d sooner die than* er würde lieber sterben als; *I´d sooner do it myself* ich täte es lieber selbst

sop, *sub, -s (ugs.)* Jammerlappen

sophism, *sub, -s* Sophismus; **sophist** *sub, -s* Rabulist, Sophist; **sophistic** *adj,* rabulistisch; **sophisticated** *adj,* ausgeklügelt, sophistisch, weltgewandt, weltmännisch; **sophistication** *sub, nur Einz.* Sophistik; **sophistry** *sub, -ies* Rabulisterei, Rabulistik, Sophisterei

Sophoclean, *adj,* sophokleisch

soporific, *adj,* einschläfrig

sopping (wet), *adj,* klatschnass

soprano, *sub, -s* Sopran, Sopranistin

sorbet, *sub, -s* Sorbet

Sorbian, *adj,* sorbisch

sorcerer, *sub, -s* Hexenmeister, Hexer; **sorceress causing nightmares** *sub, -es (myth.)* Drude; **sorcery** *sub, -s* Hexerei

sore, (1) *adj,* weh, wund **(2)** *sub, -s* Schmerz; *to open up old sores* alte Wunden wieder aufreißen; **~ throat** *sub, -s* Halsentzündung, Halsschmerz, Halsweh; **~ly tried** *adj,* leidgeprüft

sorghum, *sub, -s (bot.:Hirse)* Durra

sorrel, *sub, -s* Sauerampfer; *- (bot.)* Ampfer; *-s (Pferd)* Fuchs

sorrow, *sub, - Gram; nur Einz.* Harm, *-s* Leid; *(Kummer)* Sorge, Trauer, Trübsal; *(i. ü. S.) be no child of sorrow* kein Kind von Traurigkeit sein; **~ful** *adj,* kummervoll, leidvoll; **sorry (1)** *adj,* leid; *(beklagenswert)* traurig **(2)** *interj,* bitte; *I´m sorry for coming* *so late* es tut mir leid, daß ich so spät gekommen bin; *she cried and said how sorry she was* sie weinte und sagte, wie leid es ihr täte, *I am terribly sorry for* ich bitte vielmals um Verzeihung; *I´m so sorry* Mein herzliches Beileid; *sorry wie bitte?; sorry!* entschuldigen Sie!; *(ugs.) you´ll/he´ll etc be sorry* Rache ist Blutwurst; **sorry effort** *sub, -s* Machwerk

sort, (1) *sub, -s (Art)* Sorte, Typ (2) *vt*, sortieren, verlesen; *he´s an odd sort* er ist eine seltsame Sorte Mensch; *of all sorts* von allen Sorten; *be quiet or I´ll come and sort you out* seid ruhig, sonst schaffe ich gleich mal Ordnung; *for your sort* für dich und deinesgleichen; *to sort things out* Ordnung schaffen, *sort according to size* nach Größen sortieren; ~ *itself out vr*, entwirren; ~ *out vt*, aussondern, aussortieren; *(ausrangieren)* ausmustern; ~/*put into vt*, einsortieren

sorter, *sub, -s* Sortiererin
sortilege, *sub, -s* Sortilegium
so to speak, *adv*, sozusagen; **so what** *adv*, (ugs.) wennschon; **so-so** *adv*, soso; **so...** *that adv*, derart; *she screamed so much that* sie hat derart geschrien, dass; *the consequences were such that* die Folgen waren derart, dass; *treat sb so badly that* jmd derart schlecht behandeln, dass
sou, *sub, -s* Sou
souchong (tea), *sub, -s* Souchongtee
soufflé, *sub, -s* Soufflee
soul, *sub, -s (Seele)* Herz; *it soothes a troubled soul* das ist Balsam für die Seele; *(ugs.) not a bloody soul was to be seen* es war kein Aas zu sehen; *sth for the soul* etwas fürs Gemüt; *there was not a soul there* es war kein Mensch da; ~ *music sub, -* Soul
sound, (1) *adj*, stichhaltig; *(ansehnlich)* solide; *(Firma,Ansichten, Instinkt)* gesund (2) *sub, -s* Geräusch, Hall, Klang, Laut, Schall, Sound, Sund; *(ugs.)* Mucks; *(Laut)* Ton (3) *vi*, ertönen, klingen, schallen; *(klingen)* tönen (4) *vt*, *(med.)* abhorchen, abhören; *(Wassertiefe)* peilen; *sound arguments* stichhaltige Gründe; *sound common sense* gesunder Menschenverstand, *not to make a sound* keinen Mucks sagen, *a sound firm* eine seriöse Firma; *not to utter a sound* keinen Ton von sich geben; *sound so out* jemanden anbohren; *sound things out* auf den Busch klopfen; *that sounds bad* das hört sich schlecht an; *that sounds good* das hört

sich gut an; *the sound of the trombones dying away* die Nachklang der Posaunen; ~ **absorber** *sub, -s* Schalldämpfer; ~ **barrier** *sub, -s* Schallmauer; ~ **editor** *sub, -s* Tonschneider; ~ **effect** *sub, -s* Klangeffekt; ~ **engineer** *sub, -s* Toningenieur, Tonmeisterin; ~ **film** *sub, -s* Tonfilm; ~ **mind** *adj*, zurechnungsfähig; ~ **of bugles** *sub, -s* Hörnerschall; ~ **off** *vi, (i. ü. S.; prahlen)* tönen; ~ **out** *vt*, sondieren; *(i. ü. S.; Argumente)* abklopfen; ~ **quality** *sub, -ies* Tonqualität; ~ **recording** *sub, -s* Tonaufnahme; ~ **so out** *vt*, aushorchen
sound technician, *sub, -s* Tontechniker; **sound the horn** *vi*, hupen; **so- und through** *(i. ü. S.)* durchklingen; **sound to sb** *vt, (i. ü. S.)* durchklingen; **sound-board sub**, *-s* Schallboden; **sound-track** *sub, -s* Soundtrack; **soundbox** *sub, -es* Resonanzkörper; **sounding** *sub, -s (Seefahrt)* Lotung; *(Wassertiefe)* Peilung; **sounding of alarm** *sub, nur Einz.* Sturmläuten; **soundless** *adj*, lautlos; **soundness** *sub, - (Ansehnlichkeit)* Solidität; **soundness of mind** *sub, nur Einz.* Zurechnungsfähigkeit; **soundproof** *adj*, schalldicht, schallsicher; *(schallgedämpft)* geräuscharm; **soundwave** *sub, -s* Schallwelle
soup, *sub, -s* Süppchen, Suppe; *(i. ü. S.)* be in the soup sein (in der Tinte sitzen); ~ **cup** *sub, -s* Suppentasse; ~ **ladle** *sub, -s* Suppenkelle; ~ **noodle** *sub, -s* Suppennudel; ~ **plate** *sub, -s* Suppenteller; ~ **spoon** *sub, -s* Suppenlöffel; ~ **up** *vt, (i. ü. S.; mot.; Zahlen etc.)* frisieren; ~-**spoon** *sub, -s* Esslöffel; **soup-spoon/dessert-spoon** Esslöffel/Suppenlöffel/Dessertlöffel; ~**y** *adj*, suppig
sour, *adj*, herb, sauer, sauertöpfisch; ~ **cherry** *sub, -ies* Sauerkirsche; ~ **dough** *sub, -s* Sauerteig; ~ **milk** *sub*, nur Einz. Dickmilch
source, *sub, -s* Quelle, ~ **of conflict** *sub, -s* Konfliktherd; ~ **of danger** *sub, -s* Gefahrenherd; ~ **of employment** *sub, -s* Erwerbszweig; ~ **of error** *sub, -s* Fehlerquelle; ~ **of fire** *sub, -s* Brandursache; ~ **of light** *sub*, -s Lichtquelle; ~ **of supply** *sub, -s* Bezugsquelle; ~ **research** *sub, nur Einz.* Quellenkunde; ~**ful** *adj*, *(schlau)* erfinderisch
sourness, *sub*, Säure
sourpuss, *sub, -s (ugs.)* Meckerziege

south, (1) *adv*, südlich (2) *sub, nur Einz.* Süden; *face due south* direkt nach Süden; **South Africa** *sub*, - Südafrika; **South African** *sub*, -s Südafrikaner; **South America** *sub*, -s Südamerika; **South Asiatic** *adj*, südasiatisch; **South German** *sub*, -s Süddeutsche; **South Pacific** *sub*, *nur Einz.* Südsee; **South Pole** *sub*, *nur Einz.* Südpol; **~ side** *sub*, -s Südseite; **South Tyrolean** *adj*, südtirolisch; **~-southeast** *sub*, *nur Einz.* Südsüdosten; **~-southwest** *sub*, *nur Einz.* Südsüdwesten; **Southamerican lasso** *sub*, -es Bola; **~east** *sub*, - Südosten

southern, *adj*, südlich; **south-west** *sub*, *nur Einz.* Südwesten; **south-west wind** *sub*, -s Südwestwind; **south-western** *adj*, südwestlich; **south-western state** *sub*, -s Südweststaat; **~ states** *sub*, *nur Mehrz.* Südstaaten; *(USA)* Südstaaten; **southward(s)** *adv*, südwärts; **southwester** *sub*, -s Südwester

souvenir, *sub*, -s Erinnerung, Mitbringsel, Souvenir; *buy a souvenir* ein Andenken kaufen

sovereign, (1) *adj*, *(polit.)* souverän (2) *sub*, -s Regent, Souverän, Sovereign; **~ rights** *sub*, *nur Mehrz.* Hoheitsrecht; **~ty** *sub*, *nur Einz.* Hoheit, Landeshoheit; - Souveränität; *nur Einz.* Staatshoheit

sow, (1) *sub*, -s Sau (2) *vi*, *(Saatgut)* ausbringen (3) *vt*, aussäen, besäen (4) *vti*, säen; *sow discord* Unfrieden stiften; **~ed** *adj*, besät; **~ing** *sub*, *nur Einz.* *(Aussäen)* Aussaat

Soy, *sub*, - Soja; **soy bean** *sub*, -s *(bes. US)* Sojabohne; **soy sauce** *sub*, -s Sojasoße; **~a** *sub*, - Soja; **soya bean** *sub*, -s Sojabohne; **soya flour** *sub*, - Sojamehl; **soya oil** *sub*, -s Sojaöl; **soya sauce** *sub*, -s Sojasoße

spa, *sub*, -s Kur; - Whirlpool; **~ orchestra** *sub*, -s Kurorchester; **~ promenade** *sub*, -s Kurpromenade; **~ romance** *sub*, -s Kurschatten

space, *sub*, -s Spatium; *nur Einz.* Weltraum; *-es (Formbl.)* Feld; *nur Einz. (freier Raum)* Platz; *(Platz)* Luft; -s *(zwischen Wörtern)* Lücke; *send into space* ins All schicken; *an open space in front of the church* ein freier Platz vor der Kirche; *there's no more space on the shelf for that book* das Buch hat keinen Platz mehr im Regal; *to leave a space in between* etwas Luft dazwischen lassen; **~ flight** *sub*, -s Raumflug, Weltraumflug; **~ probe** *sub*, -s Raumsonde; **~ programme** *sub*, -s Raumpro-

gramm; **~ shuttle** *sub*, -s Raumfähre, Spaceshuttle; **~ station** *sub*, -s Raumstation; **~ to move about** *sub*, *nur Mehrz. (Freiraum)* Auslauf; **~ travel** *sub*, -s Raumfahrt, Raumschifffahrt, Weltraumfahrt; **~ traveller** *sub*, -s Weltraumfahrer; **~-bar** *sub*, -s Leertaste; **~-saving** *adj*, Raum sparend; **~band** *sub*, -s Spatienkeil; **~craft** *sub*, -s Raumfahrzeug; **~suit** *sub*, -s Raumanzug

spacing, *sub*, *nur Einz. (bei Zeilen)* Abstand; **spacious** *adj*, geräumig; *(räuml.)* weitläufig; *(weiträumig)* großzügig; **spaciousness** *sub*, - Geräumigkeit

spade, *sub*, -s Spaten; **~s** *sub*, *nur Mehrz. (Karten)* Pik, Schippe; *ace of spades* Pik As; *king of spades* Pik König

spaetzle, *sub*, - Spätzle

spaghetti, *sub*, *nur Mehrz.* Spagetti

span, *vt*, überspannen; *a new bridge spans the river* eine neue Brücke überspannt den Fluss; **~ width** *sub*, -s *(Brücke)* Spannweite

spandrel, *sub*, -s *(tt; arch.)* Zwickel

spaniel, *sub*, -s Spaniel

Spanish, *adj*, spanisch; **~ fly** *sub*, *nur Einz. (med.)* Kantharidin

spanner, *sub*, -s Schraubenschlüssel

spar, (1) *sub*, -s Spat (2) *vi*, sparren

spare, (1) *adj*, *(ugs.)* zaundürr; *(übrig)* überzählig (2) *vt*, entbehren, erübrigen, verschonen; *(Unannehmlichkeiten)* ersparen; *can you spare* kannst du entbehren; *spare me that* verschone mich damit; *spare me your speeches* verschone mich mit deinen Reden; *spare oneself something* sich etwas ersparen; **~ part** *sub*, -s Ersatzteil; **~ rib** *sub*, -s Rippenspeer; **~ tyre** *sub*, -s Pölsterchen, Rettungsring; **sparing** (1) *adj*, zurückhaltend (2) *sub*, *nur Einz.* Schonung; **~s** Verschonung

spark, *sub*, -s Fünkchen, Funke, Funken; *send out sparks* Funken sprühen; *we clicked* der Funke ist übergesprungen; **~ plug** *sub*, -s Kerze; **~ing plug** *sub*, -s *(tt; tech.)* Zündkerze; **~le** *vi*, funkeln; *(Augen)* sprühen; *(sprudeln)* perlen; **~ler** *sub*, -s Wunderkerze; **~ling** *adj*, prickelnd; **~ling clean** *adj*, blitzblank, blitzsauber; **~ling white** *adj*, blütenweiß; **~ling wine** *sub*, -s Schaumwein, Sekt

sparring, *sub*, -s Sparring

sparrow, *sub*, -s Spatz, Sperling;

cheeky as a sparrow frech wie ein Spatz; **~'s nest** sub, -s Spatzennest; **~hawk** sub, -s Sperber

sparse, adj, (Menge) dünn; (zerstreut) spärlich; **~ly populated** adj, menschenarm; **~ness** sub, nur Einz. Dünnheit

Spartacist, sub, -s Spartakist; **Spartacus league** sub, nur Einz. Spartakusbund; **Spartakiad** sub, -s Spartakiade; **spartan** adj, spartanisch

spasm, sub, -s Krampf, Spasmus; **spastic (1)** adj, spastisch **(2)** sub, -s Spastiker, Spastikerin

spat, sub, -s (bis zum Knöchel) Gamasche

spatial, adj, räumlich

spatula, sub, -s Spachtel, Spatel

spawn, vi, laichen; *a spawn of hell* eine Ausgeburt der Hölle; **~er** sub, -s Rogner; **~ing ground** sub, -s Laich

speak, (1) vi, reden; (anreden) ansprechen **(2)** vti, sprechen; *be wellspoken* sich gepflegt ausdrücken; *I won't be spoken to like that!* ich verbitte mir diesen Ton!; *speak freely* mit der Sprache herausrücken; *speak out against sth* sich gegen etwas aussprechen; (ugs.; seine Meinung sagen) *to speak up* den Mund aufmachen; **~ broken English/German etc.** vti, radebrechen; **~ through one's nose** vi, näseln; **~ well** vi, gutsprechen; **~er** sub, -s Festrednerin, Redner, Referent, Sprecher; (tech.) Box; **~ing part** sub, -s Sprechrolle

spear, (1) sub, -s Ger; (Waffe) Speer, Spieß **(2)** vt, (mit Speer) aufspießen; **~head** sub, -s Lanzenspitze

special, adj, speziell; (außergewöhnlich) besondere; *oh, no special reason* ach, nur so!; *a special car* ein besonderes Auto; *for a special friend* für einen besonderen Freund; **~ account** sub, -s Sonderkonto; **~ award** sub, -s Ehrenpreis; **Special Branch** sub, -es Sonderdezernat; **~ case** sub, -s Ausnahmefall; **~ circumstances** sub, nur Mehrz. Bewandtnis; **~ class** sub, -s Sonderklasse; **~ day** sub, -s Ehrentag; **~ delivery** sub, -ies Sondersendung; **~ discount** sub, -s Sonderabzug, Sonderrabatt; **~ discount price** sub, -s Vorzugspreis

special edition, sub, -s Extraausgabe, Sonderausgabe, Sondernummer; **special feature** sub, -s Besonderheit; **special leave** sub, -s Sonderurlaub; **special offer** sub, -s Sonderangebot; **special position** sub, -s Sonderstellung; **special price** sub, -s Sonderpreis; **special refuse** sub, - Sondermüll; **special re-**

quest** sub, -s Sonderwunsch; **special school** sub, -s Sonderschule; (ugs.) Hilfsschule; **special status** sub, - Sonderstatus; **special subject** sub, -s Spezialfach; **special tax** sub, -es Sondersteuer; **special terms** sub, nur Mehrz. Partiepreis

specialist, (1) adj, einschlägig **(2)** sub, -s Fachmann, Spezialist, Spezialistin; **specialised** adj, fachlich; **~ area** sub, -s Sachbereich; **~ book** sub, -s Fachbuch; **~ in** sub, -s Facharzt; **~ in internal medicine** sub, -s Internist, Internistin; **~ in Middle Eastern and oriental studies** sub, **specialists** Orientalist; **~ knowledge** sub, - Fachkenntnis; **~ shop** sub, -s Fachgeschäft; **~ term** sub, -s Fachwort; **speciality** sub, -ies Spezialität; **specialize** vr, spezialisieren; *specialize in history* sich auf Geschichte spezialisieren; **specially** adv, eigens

special train, sub, -s Sonderzug; **special treatment** sub, -s Extrawurst; *she always wants to get special treatment* sie will immer eine Extrawurst gebraten bekommen; **special trip** sub, -s Sonderfahrt; **special unit** sub, -s Sonderkommando

species, sub, - Spezies; (biol.) Art; nur Einz. (zool.) Sippe; (zool., Art) Gattung; *the human species* die Spezies Mensch; **~ conservation** sub, nur Einz. (biol.) Artenschutz; **~ of bird** sub, -s (tt; biol.) Vogelart; **~ preserving** adj, arterhaltend

specimen, sub, -s Exemplar, Musterbrief, Spezifikum; **~ copy** sub, - -ies Belegexemplar; **~ of one's writing** sub, -s Schriftprobe

speckle, sub, -s Sprenkel; **~d** adj, gesprenkelt

speck of fat, sub, -s Fettauge

spectacle, sub, -s (i. ü. S.) Schauspiel; *to make a spectacle of oneself* sich zur Schau stellen; **~ cobra** sub, -s (zool.) Brillenschlange; **~lens** sub, -es Brillenglas; **~d** adj, bebrillt

spectacular, adj, spektakulär; **~ play** sub, -s Ausstattungsstück; **spectator** sub, -s Anwesende; (tt; spo.) Zuschauer

spectral, adj, spektral

spectre, sub, -s Spukgestalt

spectrometer, sub, -s Spektrometer; **spectroscope** sub, -s Spektralapparat, Spektroskop

spectrum, sub, -a Spektrum; -tra (i. ü. S.; Wissen) Bandbreite; **~ analysis**

sub, - Spektralanalyse

speculate, *vi*, spekulieren; **speculation** *sub*, -s Deutelei, Spekulation; *make a speculation* eine Spekulation anstellen; **speculative** *adj*, spekulativ; **speculator** *sub*, -s Spekulant

speech, *sub*, -es Ansprache, Festrede, Rede, Speech; *(Sprachfähigkeit)* Sprache; *make a speech* eine Ansprache halten; *speech is silver but silence is golden* Reden ist Silber, Schweigen ist Gold; ~ **area** *sub*, -s Sprachgebiet; ~ **balloon** *sub*, -s Sprechblase; ~ **break** *sub*, -s Sprechpause; ~ **bubble** *sub*, -s Sprechblase; ~ **exercise** *sub*, -s Sprechübung; ~ **impediment** *sub*, -s Sprachfehler; ~ **song** *sub*, -s Sprechgesang; ~ **therapist** *sub*, -s Logopäde; ~ **therapy** *sub*, nur Einz. Logopädie; ~**less** *adj*, baff, sprachlos; *be simply speechless* einfach sprachlos sein; *(i. ü. S.) to be left speechless* mit den Ohren schlackern

speed, *sub*, - Geschwindigkeit; *-s* Schnelle, Schnellheit, Speed, Tempo; ~ *(ugs.)* Rasanz; *at full speed* in voller Fahrt; *speed up* das Tempo beschleunigen, die Fahrt beschleunigen; *drive at a lunatic speed* ein mörderisches Tempo fahren; *speed up* Tempo zulegen; ~ **limit** *sub*, -s Geschwindigkeitsbegrenzung, Geschwindigkeitsbeschränkung, Höchstgeschwindigkeit, Tempolimit; ~ **maniac** *sub*, -s *(ugs.)* Raser; ~ **of light** *sub*, - Lichtgeschwindigkeit; ~ **of sound** *sub*, nur Einz. Schallgeschwindigkeit; ~ **skating** *sub*, nur Einz. Eisschnelllauf; ~ **up (1)** *sub*, - *(vulg.; tech.)* Zeitraffer **(2)** *vi*, beschleunigen; ~**boat** *sub*, -s Schnellboot; ~**ing** *sub*, -s Geschwindigkeitsüberschreitung

speedo, *sub*, -s Tacho; ~**meter** *sub*, -s Geschwindigkeitsmesser, Tachometer; **speedway** *sub*, -s Speedway; **speedy** *adj*, baldig

spel(a)eologist, *sub*, -s Speläologin

spell, (1) *sub*, -s Bannkreis; - Zauber; - *(Abhängigkeit, Zauber)* Bann **(2)** *vi*, rechtschreiben **(3)** *vti*, buchstabieren; *come under so´s spell* in jemandens Bann geraten; *he still under the spell of an adventure* noch unter dem Eindruck eines Erlebnisses stehen; *her spelling is not always correct* sie schreibt orthografisch nicht immer richtig; *to break the spell* den Zauber lösen; *spell a word* ein Wort buchstabieren; *spell out a word* noch buchstabieren müssen; ~ **of love** *sub*, -s Liebeszauber; ~**ing** *sub*, -s Rechtschreibung, Schreibung; ~**ing mistake** *sub*,

« Schreibfehler

spend, *vt*, verbringen, verleben, wenden, zubringen; *(Geld)* ausgeben; *spend one´s spare-time with doing sports* seine Freizeit mit Sport ausfüllen; *spend one´s time on* sich mit etwas aufhalten; ~ **itself** *vt*, *(Unwetter)* austoben; ~**ing** *sub*, -s *(ugs.)* Verbringung; nur Einz. *(von Geld)* Ausgabe

sphere, *sub*, -s Himmelskugel, Kreis, Kugel, Sphäre; *the sphere of her interests* der Kreis ihrer Interessen; ~ **(in which one lives)** *sub*, -s Lebenskreis; ~ **of activity** *sub*, -es Wirkungskreis; ~ **of influence** *sub*, -s Einflussbereich; *spheres* Machtbereich; **spherical** *adj*, kugelförmig; *(mat.)* sphärisch; **spherometer** *sub*, -s Sphärometer

sphincter, *sub*, -s *(anat.)* Schließmuskel

sphinx, *sub*, nur Einz. Sphinx

sphragistics, *sub*, nur Einz. Sphragistik

spice, *sub*, -s Gewürz, Speisewürze; - Spezerei, -s Würze; *(i. ü. S.) that adds spice to life* das gibt dem Leben die Würze; ~**d meat** *sub*, nur Einz. Würzfleisch

spider, *sub*, -s Spider, Spinne; ~´s **web** *sub*, -s Spinnwebe; ~**wort** *sub*, -s *(bot.)* Tradeskantie

spigot, *sub*, -s Spund

spike, (1) *sub*, -s Spike **(2)** *vt*, *(Essen)* aufspießen; ~**d helmet** *sub*, -s Pickelhaube

spill, *vt*, kleckern, vergießen, verschütten, verstreuen; *(verschütten)* ausschütten, gießen, übergießen

spin, (1) *sub*, - Drall; -s Effet, Spritzfahrt, Spritztour **(2)** *vi*, trudeln; *(Räder)* durchdrehen **(3)** *vt*, *(Garn)* spinnen **(4)** *vti*, spinnen; *put spin on the ball* dem Ball Effet geben, *my head is spinning* mir dreht sich alles; ~ **round** *vti*, herumwirbeln; ~**drier** *sub*, -s *(Wäsche)* Schleuder

spinach, *sub*, - Spinat

spinal, *adj*, spinal; ~ **column** *sub*, -s *(tt; med.)* Wirbelsäule; ~ **cord** *sub*, nur Einz. Rückenmark

spindle, *sub*, -s Spindel; ~**-legged** *adj*, storchbeinig; **spindly arms** *sub*, nur Mehrz. Spinnenarme; **spindly legs** *sub*, nur Mehrz. Spinnenbeine

spineless, *adj*, rückgratlos

spinel(le), *sub*, -s Spinell

spinet, *sub*, -s *(mus.)* Spinett

spinner, *sub*, -s *(Garn-)* Spinner

spinning mill, *sub, -s (Fabrik)* Spinnerei; **spinning song** *sub, -s* Spinnerlied; **spinning-thread** *sub, -s* Spinnenfaden; **spinning-top** *sub, -s* Kreisel; **spinning-wheel** *sub, -s* Spinnrad

spinous process, *sub, -es* Dornfortsatz

Spinozistic, *adj,* spinozaisch

spiny, *adj, (zool.)* stachelig

spiral, (1) *adj,* spiralförmig, spiralig (2) *sub, -s* Spirale; ~ **line** *sub, -s* Spirallinie; ~ **staircase** *sub, -s* Wendeltreppe

spirit, (1) *sub, -s* - Spiritus; *nur Einz.* Verve; ~ *(Alkohol)* Sprit; *(Seele)* Geist; *(überirdisch)* Geist (2) *vt,* vergeistigen; *tax on spirits* Branntweinsteuer; *act in the spirit of so* in jmds Geiste handeln; *the spirit is willing but the flesh is weak* der Geist ist willig, aber das Fleisch ist schwach; *the spirit of Christianity* der Geist des Christentums, der gute Geist; ~ **made from juniper berries** *sub, -s* Genever; ~ **of the Sudeten Mountains** *sub, nur Einz.* Rübezahl; ~ **varnish** *sub, -s* Spiritusslack; ~-**level** *sub, -s* Wasserwaage; ~-**ism** *sub, -* Spiritismus; ~s *sub, nur Mehrz.* Schnaps; - Spiritualien; *nur Mehrz.* Spirituosen; *(Laune)* Mut; *to be in good spirits* guten Mutes sein

spiritual, (1) *adj,* durchgeistigt, seelisch, spirituell; *(nicht weltlich)* geistlich; *(seelisch)* geistig (2) *sub, -s (mus.)* Spiritual; *spiritual father* der geistige Vater; ~ **welfare** *sub, nur Einz.* Seelsorge; ~**ism** *sub, nur Einz* Spiritualismus; ~**ist** (1) *adj,* spiritistisch (2) *sub, -s* Spiritist, Spiritualist; ~**ity** *sub, -ies* Geistigkeit; - Spiritualität

spit, (1) *sub, -s* Nehrung; *(Brat-)* Spieß (2) *vi,* ausspucken, spucken (3) *vt,* speien; ~ **at** (1) *vi,* anspucken (2) *vt,* anfauchen; ~ **out** (1) *vt, (a. i.ü.S.; auch comp.)* ausspucken (2) *vti,* ausspeien

spite, *sub, nur Einz.* Tücke; *(Boshaftigkeit)* Trotz; *out of sheer spite* aus purem Trotz; ~**ful** *adj,* gehässig, scharfzüngig; ~**fulness** *sub, -es* Gehässigkeit; *out of sheer spite* aus reiner Gehässigkeit

spitting image, *sub, -s* Ebenbild; *be the spitting image of sb* ganz das Ebenbild von jmd sein

spittle, *sub, nur Einz.* Speichel; *-s* Spukke

Spitz, *sub, - (zool.)* Spitz

spiv, *sub, -s (ugs.)* Spitzbube

splash, (1) *sub, nur Einz.* Klatsch (2) *vi,* klatschen; *(Bach, Brunnen)* plätschern; *(ugs.; verschütten)* plempern (3) *vt, (be-* bespritzen, spritzen, verspritzen; *he went splash into the water* er plumpste ins

Wasser; ~ **about** *vi, (ugs.)* matschen; ~ **around** *vi,* planschen; ~ **up** *vi, (hochspritzen)* aufspritzen

spleen, *sub, -s* Milz

splice, *vt, (Leine)* splissen

splint, *vt,* schienen; ~**er** (1) *sub, -s* Splitter (2) *vi,* splittern (3) *vt,* absplittern (4) *vti,* aufsplittern, zersplittern; ~**er group** *sub, -s (polit.)* Splittergruppe; ~**er of glass** *sub, -s* Glassplitter; ~**er off** (1) *vi, (polit.)* abspalten (2) *vr,* absplittern; ~**er party** *sub, -ies* Splitterpartei; ~**ering** *sub, -s* Absplitterung, Aufsplitterung; *(polit.)* Abspaltung

split, (1) *adj,* gespalten (2) *sub, -s* Spagat; *(i. ü. S.)* Spalt; *(polit.)* Spaltung (3) *vi, (Naht)* platzen; *(Stoff)* ausreißen (4) *vt,* spalten, splitten; *(Holz)* spleißen (5) *vti,* aufspalten; *do the splits* einen Spagat machen; *we split our sides laughing* wir sind vor Lachen fast geplatzt; *the party has split* die Partei hat sich gespalten; *have split up* auseinander sein; ~ **(up)** *vt,* portionieren; ~ **hairs** *vi,* herumdeuteln; ~ **in half** *vt,* halbieren; ~ **off** *vt,* abspalten; ~ **sth. in two** *vt,* durchschlagen; *split wood* Holz hacken; ~ **up** *vt, (teilen)* aufgliedern; ~**-time** *pron, (tt; spo.)* Zwischenzeit; ~**ting** *sub, -s* Aufspaltung, Zerspaltung; *(allg.)* Spaltung; *a splitting headache* rasende Kopfschmerzen; ~**ting off** *sub, -s* - Abspaltung

splutter, (1) *vi, (Motor)* stottern (2) *vr, (i. ü. S.)* verschlucken (3) *vti, (hastig sprechen)* haspeln

spoil, *vt,* verderben, verpatzen, verwöhnen; *(i. ü. S.; Freude)* trüben; *(i. ü. S.) don't be a spoilsport* sei kein Frosch; ~**t** *vt,* verleiden; ~ **sth for sb** *vt,* vermiesen; ~**-sport** *sub, -s* Spielverderber; ~**er** *sub, -s* Spoiler; ~**ing** *sub, nur Einz.* Verderben; ~ *Verunzierung;* ~**t** *adj,* verwöhnt, verzogen; ~**t child** *sub, -ren* Schoßkind; ~**tness** *sub, nur Einz.* Verwöhntheit

spoke, *sub, -s* Speiche; ~**n-word record** *sub, -s* Sprechplatte; ~**sman** *sub, men* Wortführer; *-men (Wortführer)* Sprecher; ~**swoman** *sub, men* Wortführerin

sponge, (1) *sub,* Biskuitteig; *-s* Schwamm, Schwammtuch (2) *vi,* schmarotzen; ~ **mixture** *sub, -s* Rührteig; ~**-bag** *sub, -s* Wäschebeutel; ~**r** *sub, -s* Schmarotzer; **spongy** *adj,* schwammartig, schwammig, spongiös

sponsor, (1) *sub,* -s Geldgeber, Geldgeberin, Pate, Patin, Sponsor **(2)** *vt,* protegieren, sponsern; *(Veranstaltungen)* finanzieren; *(i. ü. S.)* **stand sponsor to a child** ein Kind aus der Taufe heben; **~ship** *sub,* -s *(Firmung)* Patenschaft

spontaneity, *sub,* - Spontaneität; **spontaneous** *adj,* spontan; **spontaneousness** *sub,* - Spontanität

spooky, *adj,* geisterhaft

spool, (1) *sub,* -s Spule **(2)** *vt,* spulen

spoon, (1) *sub,* -s *(Besteck)* Löffel; *(Fischen)* Blinker **(2)** *vt,* löffeln; **~-handle** *sub,* -s Löffelstiel

sporadic, *adj,* sporadisch

spore, *sub,* -s Spore; **~ capsule** *sub,* -s Sporenkapsel; **~ leaf** *sub,* -s Sporenblatt

sport, *sub,* -s Sport, Sportart; **he´s great sport** mit ihm kann man Pferde stehlen; **~ hotel** *sub,* -s Sporthotel; **~ sock** *sub,* -s Sportstrumpf; **~ing** *adj, (Veranstaltung)* sportlich; **~ing ace** *sub,* -s *(ugs.)* Sportskanone; **~ing event** *sub,* -s Sportveranstaltung; **~ing rifle** *sub,* -s Jagdgewehr; **~ing spirit** *sub,* nur Einz. Sportsgeist; **he showed great sporting spirit** er hat großen Sportsgeist bewiesen; **~s accident** *sub,* -s Sportunfall; **~s association** *sub,* -s Sportverband; **~s club** *sub,* -s Sportklub, Sportverein; **~s equipment** *sub,* - Sportartikel; **~s field** *sub,* -s Sportplatz; **~s friend** *sub,* -s Sportkamerad

sports grounds, *sub,* nur Einz. Sportanlage; nur Mehrz. Sportplatz; **sports instructor** *sub,* -s Sportlehrer; **sports invalid** *sub,* -s Sportinvalide; **sports jacket** *sub,* -s Sakko; **sports magazine** *sub,* -s Sportzeitung; **sports medicine** *sub,* nur Einz. Sportmedizin; **sports pal** *sub,* -s Sportkamerad; **sports press** *sub,* nur Einz. Sportpresse; **sports program(me)** *sub,* -s Sportsendung; **sports report** *sub,* -s Sportbericht; **sports section** *sub,* -s Sportbeilage; **sports shirt** *sub,* -s Polohemd; **sports stadium** *sub,* -s Sportstätte; **sportsmad** *adj, (ugs.)* sportbegeistert; **sportsman** *sub,* -men Sportler; **sportswoman** *sub,* -women Sportlerin; **sporty** *adj,* burschikos, sportiv

spouse, *sub,* -s Gatte, Gattin, Gemahl, Gemahlin

sprain, (1) *sub,* -s *(tt; med.)* Verstauchung **(2)** *vt,* verstauchen

sprat, *sub,* -s Sprotte

spray, (1) *sub,* -s Spray **(2)** *vi,* spritzen; *(Flüssigkeit)* sprühen **(3)** *vt,* anspritzen, spritzen, verspritzen; *(ugs.)* zerstäuben; *(lackieren)* sprühen **(4)** *vti,* sprayen; **~ can** *sub,* -s Sprühflasche; **~ gun** *sub,* -s Spritzpistole; **~ on** *vt,* aufsprayen, aufsprühen; *(Farbe aufsprühen)* aufspritzen; **~ work** *sub,* -s Spritzarbeit

spread, (1) *sub,* nur Einz. Ausbreitung; -s *(Brotaufstrich)* Aufstrich; nur Einz. *(eines Krieges)* Ausweitung **(2)** *vi,* ausbreiten; *(Gerücht)* grassieren; *(Schmerz)* ausstrahlen; *(verbreiten)* übergreifen **(3)** *vt,* verteilen **(4)** *vt,* breit machen, schmieren, spreizen, verbreiten, verschmieren, verstreichen; *(Düngemittel)* ausbringen; *(schmieren)* streichen; *(verstreichen)* einstreichen; **the pest is spreading** die Pest macht sich breit; **sth is spreading** etwas greift um sich; *(ugs.)* **to spread sth** etwas unters Volk bringen; **spread butter on bread** Brot mit Butter einstreichen; **~ (out)** *vt,* ausbreiten; **~ away** *vt,* wegstreichen; **~ bitumen on** *vt,* bituminieren; **~ on** *vt, (mit Klebstoff, Marmelade etc.)* bestreichen

spreader, *sub,* -s Verbreitern; **spreading** *sub,* nur Einz. Verbreitung; *(das Verteilen)* Bestreichung

spreckle, *vt,* sprenkeln

sprightly, *adj,* rüstig

sprig of laurel, *sub,* -s Lorbeerzweig; **sprig of mistletoe** *sub,* sprigs Mistelzweig

spring, (1) *sub,* nur Einz. Frühjahr; -s Frühling, Quelle, Sprungfeder; *(geh.)* Lenz; *(tech.)* Feder **(2)** *vt,* federn; **~ barley** *sub,* - Sommergerste; **~ cleaning** *sub,* -s Hausputz; **~ day** *sub,* -s Frühlingstag; **~ from** *vi,* entsprießen; **~ lid** *sub,* -s Sprungdeckel; **~ roll** *sub,* -s Frühlingsrolle; **~ tide** *sub,* -s Springflut; **~ trap** *sub,* -s Tellereisen; **~ water** *sub,* - Quellwasser; **~-clean** *sub,* nur Einz. Frühjahrsputz; **~board** *sub,* -s Sprungbrett

springe path, *sub,* -s Dohnensteig

springiness, *sub,* nur Einz. Schnellkraft; **springs** *sub,* nur Mehrz. *(Möbel)* Federung

sprinkle, (1) *vi,* streuen **(2)** *vt,* beregnen, besprengen, einsprengen, überstreuen; *(ugs.)* versprudeln; *(Rasen)* sprengen; *(Wäsche)* befeuchten; *(Wiese)* besprenkeln; **~r** *sub,* -s Sprinkler; **sprinkling** *sub,* -s *(Rasen)* Sprengung; nur Einz. *(von Wäsche)* Befeuchtung

sprint, (1) *sub,* -s Kurzstreckenlauf,

Sprint (2) *vi*, spurten (3) *vti*, sprinten; *put on a sprint* einen Spurt einlegen; **~er** *sub*, *-s* Sprinter

sprit, *sub*, *-s* Spriet

spritzer, *sub*, *-s* Schorle

spruce, *sub*, *-s* Fichte; **~** *forest* *sub*, *-s* Fichtenhain; **~** **needle** *sub*, *-s* Fichtennadel; **~ up** *vt*, *(ugs.)* schniegeln; **~** **wood** *sub* *vt*, *(ugs.)* Fichtenholz; **~d up** *adj*, geschniegelt

spunk, *sub*, *nur Einz. (ugs.)* Mumm

spun yarn, *sub*, *-s* Gespinst

spur, (1) *sub*, *-s* Sporn (2) *vt*, anspornen; *spur a horse* einem Pferd die Sporen geben; *win one's spurs* sich die Sporen verdienen; **~** **on** *vt*, anstacheln, stacheln

spurge, *sub*, *nur Einz. (tt; biol.)* Wolfsmilch

spurious reason, *sub*, *-s* Scheingrund

spurn, *vt*, verschmähen

spurt, *sub*, *-s* Spurt

sputnik, *sub*, *-s* Sputnik

sputter, *vi*, knattern, *(Motor)* spucken

sputum, *sub*, *sputa* Sputum; *nur Einz. (med.)* Auswurf

spy, (1) *sub*, *-ies (mil.)* Spion (2) *vi*, spionieren; *(Spiel) I spy with my little eye* ich sehe was, was du nicht siehst; *put a spy onto so* einen Spion auf jemanden ansetzen; **~** **film** *sub*, *-s* Spionagefilm; **~** **network** *sub*, *-s* Spionagenetz; **~** **on** *vi*, bespitzeln; **~** **out** *vt*, ausspähen, ausspionieren; *(Informationen)* auskundschaften; **~-hole** *sub*, *-s (Tür-)* Spion; **~-ring** *sub*, *-s* Spionagering; **~ing** *sub*, *nur Einz.* Bespitzelung, Bespitzlung, Spioniererei

sqeeze, *sub*, *-s* Einzwängung

squabble, (1) *sub*, *-s (i. ü. S.)* Plänkelei; *(ugs.)* Kabbelei; *nur Einz.* Zank (2) *vi*, *(i. ü. S.)* plänkeln (3) *vr*, *(ugs.)* zanken; **~r** *sub*, *-s* Streithammel; **squabbling** *sub*, *-s (ugs.)* Zänkerei

squad, (1) *sub*, *-s (Polizei)* Trupp (2) *vt*, *(Haus)* besetzen; **~ron** *sub*, *-s (mil.)* Geschwader, Schwadron, Staffel; **~ron leader** *sub*, *-s (Luftwaffe)* Major

squander, *vt*, *(ugs.)* aasen; **~er** *sub*, *-s* Verschwender

squash, (1) *sub*, *nur Einz.* Squash (2) *vt*, zerdrücken, zerquetschen (3) *vti*, quetschen; *squash sich dünn machen;* **~** **oneself** *vr*, quetschen

squat, *vi*, hocken; **~ter** *sub*, *-s* Hausbesetzer; **~ting** *sub*, *nur Einz. (eines Hauses)* Besetzung; **~ting position** *sub*, *-s* Hockstellung

squaw, *sub*, *-s* Squaw

squawk, *vi*, quäken

squeak, (1) *vi*, *(Kinderstimme)* piepen; *(Kinderstimme, Maus)* piepsen (2) *vti*, quieken, quietschen; **~iness** *sub*, *nur Einz. (ugs.)* Piepsigkeit; **~ing** *sub*, *-* Gequietsche; **~y voice** *sub*, *-s* Fistelstimme

squeal, *vti*, quieken, quietschen; *(ugs.)* singen; **~ing** *sub*, *- (Autoreifen)* Gequietsche

squeeze, (1) *vt*, zusammenballen, zwängen; *(Lappen etc.)* ausdrücken; *(Tube)* auspressen (2) *vti*, quetschen; *(ugs.) they were nearly squeezed to death* sie wurden fast zu Mus zerquetscht; **~** **off** *vt*, abdrücken; **~oneself** *vr*, klemmen; **~** **out** *vt*, *(Tube etc.)* ausquetschen; **~d** *adj*, *(Zitrone etc.)* gepresst

squid, *sub*, *-s (zool.)* Kalmar

squiggle, *sub*, *-s* Schnörkelei

squint, (1) *sub*, *nur Einz. (zool.)* Silberblick (2) *vi*, schielen (3) *vt*, kneifen

squirrel, *sub*, *-s* Eichhörnchen, Eichkätzchen, Feh

squirt, *vt*, spritzen

stab, (1) *sub*, *-s (Messer-)* Stich (2) *vt*, zustoßen; *(Waffe)* stechen; *myth of the stab in the back* die Dolchstoßlegende; **~** **to death** *vt*, erdolchen, erstechen; **~** **wound** *sub*, *-s* Stichwunde; *(Wunde)* Messerstich

stability, *sub*, *- Stabilität; -ies (Gleichtät)* Beständigkeit, Härte; **stabilization** *sub*, *-s* Stabilisierung; **stabilize** *vt*, stabilisieren; **stabilizer** *sub*, *-s* Stabilisator; **stable** (1) *adj*, krisenfest, stabil (2) *sub*, *-s* Pferdestall, Rennstall; *(Pferde-)* Stall; *(i. ü. S.; Familie) from a good stable* aus einem guten Stall; **stable boy** *sub*, *-s* Stallbursche; **stable fly** *sub*, *-ies* Stechfliege; **stable in price** *adj*, preisstabil; **stable lamp** *sub*, *-s* Stalllaterne; **stableman** *sub*, *men* Stallknecht; **stables** *sub*, *nur Mehrz.* Stallung

staccato, *sub*, *-s* Stakkato

stack, (1) *sub*, *-s* Pack, Packen, Stapel (2) *vt*, stapeln; *(Bretter etc.)* aufschichten; **~** **up** *vt*, aufstapeln; **~ing** *sub*, *nur Einz. (von Brettern etc.)* Aufschichtung

staff, (1) *attr*, personell **sub**, *nur Mehrz.* Kollegium; - Lehrkörper; *sub* *Einz.* Personal; *-s (mil.)* Stab; *our difficulties are simply to do with staffing* unsere Schwierigkeiten sind rein personell; *staff an office* ein Büro mit Personal ausstatten; **~** **council for civil servants** *sub*, *(representatives) councils* Personalrat; **~** **plan** *sub*, *-s*

Stellenplan, ~age *sub, a Lehrzim-*
mer; ~age *sub, -s (kun.)* Staffage; ~ing
schedule *sub, -s (US)* Stellenplan

stag, *sub, -s (männl.)* Hirsch; ~ beetle
sub, -s Hirschkäfer; ~ party *sub, -ies*
Herrenabend; ~´s antlers *sub, nur
Mehrz.* Hirschgeweih

stage, *sub, -s* Bühne, Etappe, Schaubüh-
ne, Sprechbühne, Stadium, Teilstrecke;
(Bühne) Szene; *(Mikroskop)* Objekt-
tisch; *(i. ü. S.; Stadium)* Stufe; *backstage* hinter der Bühne; *bring sth off
(smoothly)* etwas (gut) über die Bühne
bringen; *put something on the stage*
etwas in Szene setzen; *(med.) at an
advanced stage* in vorgerücktem Stadium; *go through all the stages* alle Stadi-
en durchlaufen; ~ (of a rocket) *sub, -s*
Raketenstufe; ~ fright *sub, nur Einz.*
Lampenfieber; ~ manager *sub, -s* Inspizient; *-es* Inspizientin; ~ set *sub, -s*
Bühnenbild; ~-owned factory *sub, -ies*
Regiebetrieb; ~-win *sub, -s (spo.)* Etap-
pensieg; ~able *adj,* aufführbar; ~s of
appeal *sub, nur Mehrz.* Instanzenweg

stagger, *vi,* schwanken, taumeln, torkeln, wanken; ~ing *sub, -* Staffelung

stagnancy, *sub, -ies* Stagnierung; stagnant *adj, (Wasser)* stehend; stagnate
vi, stagnieren; *(ugs.)* versauern; stagnation *sub, -* Stagnation

staidness, *sub, -es* Gesetztheit

stain, (1) *sub, -s* Befleckung, Fleck; *(für
Holz)* Beize (2) *vt,* beflecken; *(Holz)*
beizen; *(Holz, Papier)* grundieren;
bloodstained mit Blut befleckt; *stain
the tablecloth* die Tischdecke beflek-
ken; *without a stain on one´s reputation* ohne Makel; ~ed *sub,* fleckig; ~ing
sub, nur Einz. Beizen (Beizen von Holz); Beize;
~less *adj,* rostfrei; ~less steel *sub, nur
Einz.* Cromargan, Edelstahl; *(eingetragenes Markenzeichen)* Nirosta

stair, *sub, -s* Treppenstufe; ~case *sub, -s*
Stiege, Treppe; *nur Einz. (Treppe)* Aufgang; ~s *sub, -* Treppe; ~s (to cellar)
sub, nur Mehrz. Kellertreppe; ~way
sub, -s (US) Treppe; ~well *sub, -s* Stie-
genhaus, Treppenflur, Treppenhaus

stake, *sub, -s* Marterpfahl, Pfahl, Scheiterhaufen, Spieleinsatz; *(für Tiere)*
Pflock; *(Spiel)* Einsatz; *the stakes are
high* die Einsätze sind hoch; *to be at
stake* auf dem Spiel stehen; *double the
stakes* den Einsatz verdoppeln

stalactite, *sub, -s (geol.)* Stalaktit; stalagmite *sub, -s* Stalagmit

stale, *adj,* altbacken, fade, schal; *(Brot)*
hart; *(Luft)* abgestanden; *the air in here
is so stale* hier mieft es; ~mate *sub, -s*

Patt Pattsituation; *to come to (a) stalemate* ein Patt erreichen; *now we´ve
both reached a stalemate* jetzt steht
es patt

Stalinism, *sub, -* Stalinismus

stalk, (1) *sub, nur Einz.* Pirsch; *-s* Stängel; *(Getreide-)* Halm (2) *vi,* anpirschen, pirschen, stelzen (3) *vt,*
(hochmütig) stolzieren; *to go stalking* pirschen, *to go stalking auf die
Pirsch gehen; ~ed *adj, (bot.)* gestielt; ~less *adj,* stiellos

stall, *vt, (Motor)* abwürgen; *(i. ü. S.) to
stall sb* jmdn in Schach halten

stallion, *sub, -s* Gestüthengst, Hengst

stalls, *sub, - (Chor)* Gestühl; *nur
Mehrz. (theat.)* Parkett; *there was applause from the stalls* das Parkett
klatschte Beifall

stamina, *sub, nur Einz.* Sitzfleisch,
Stehvermögen; *(spo.)* Ausdauer; ~
training *sub, nur Einz.* Aufbautrai-
ning

stammer, *vti,* stammeln; ~er *sub, -s*
Stammler; ~ing *sub, -* Gestammel

stamp, (1) *sub, -s* Briefmarke, Marke,
Prägestempel, Stempelmarke; *(Gum-
mi-)* Stempel; *(min.)* Pochstempel
(2) *vt,* einprägen, frankieren, prägen,
stanzen, stempeln; *(Brief)* abstempeln, freimachen (3) *vti,* stampfen,
trampeln; *bear the stamp of* den
Stempel vontragen; *stamp sth on
one´s memory* sich etwas einprägen;
~ one´s foot *vt,* aufstampfen; ~ out
vt, (Feuer) austreten; ~ed addressed envelope *sub, -s* Freiumschlag;
~ede *sub, -s* Stampede; ~er *sub, -s*
Präger; ~ing *sub, -s* Abstempelung;
~ing ink *sub, -s* Stempelfarbe

stanch, *vt, (Blut, US)* hemmen

stand, (1) *sub, -s* Ständer, Untersatz;
(Markt-) Stand; *(Ständer)* Gestell;
(Zuschauer-) Tribüne (2) *vt,* vertragen; *(Situation)* durchstehen (3) *vti,*
stehen; *as things stand* nach Stand
der Dinge; *be a person of some standing* eine Person von Bedeutung
sein; *have to stand* einen Stehplatz
haben; *he hasn´t got a leg to stand
on* er hat keine Handhabe; *he won´t
stand for that* das lässt er nicht mit
sich machen!; *I can´t stand him* Ich
kann ihn nicht ausstehen; *it´s as if
time had stood still here* die Zeit
scheint hier stehengeblieben zu sein;
*only a limited number of people are
allowed to stand* die Anzahl der Stehplätze ist begrenzt; *stand by* sich bereit halten; *stand on tip-toe* sich auf

Zehenspitzen stellen; *stand one's ground* Standpunkt beibehalten; *stand out against sth* sich gegen etwas abheben; *stand out from* sich abheben von; *stand the cold* die Kälte durchstehen; *stand up for oneself* sich seiner Haut wehren; *(i. ü. S.) stand up for something* sich für etwas stark machen; *that's enough to make your hair stand on end* da sträuben sich einem ja die Haare!; *to stand gaping* mit offenem Mund dastehen; *to stand up for one's right* auf sein Recht pochen; ~ **around** *vi*, darumstehen; ~ **as a candidate** *vi*, *(polit.)* kandidieren; ~ **at attention (1)** *adj*, strammstehen **(2)** *vi*, *(mil.)* stillstehen; ~ **crammed together** *ci*, einpferchen; ~ **firm** *vi*, *(Person)* standhalten; ~ **for** *vi*, *(polit.)* bewerben; ~ **in a queue** *vi*, *(in einer Schlange)* anstehen; ~ **in for** *vt*, doubeln; *have a stand-in* sich doubeln lassen; *use a stand-in for* eine Szene doubeln; ~ **in for sb** *vi*, einspringen; ~ **on end** *vr*, *(Haare)* sträuben; ~ **on one's head** *vi*, Kopf stehen; ~ **there** *vi*, dabeistehen, dastehen; *stand alone* allein dastehen

standard, (1) *adj*, *(Format, Maß, Gewicht)* normal **(2)** *sub*, -s Kanon, Standard, Standarte; *(Größenvorschrift)* Norm; *(Münzen)* Feingehalt; *nur Einz.* *(Niveau)* Anforderung; *-s (i. ü. S.; Richtlinie)* Maßstab; *this school has high standards* diese Schule hat ein hohes Niveau; *to be the usual thing* als Norm gelten; *to apply a strict standard* einen strengen Maßstab anlegen; ~ **bearer** *sub*, - -s Bannerträger; ~ **dance** *sub*, -s Standardtanz; ~ **design** *sub*, -s Standardform; ~ **form of accounts** *sub*, Kontenrahmen; ~ **gauge** *attr*, normalspurig; ~ **lamp** *sub*, -s Stehlampe; ~ **meal** *sub*, -s Stammgericht; ~ **of living** *sub*, -s Lebensniveau, Lebensstandard; ~ **value** *sub*, -s Standardwert; ~ **wage** *sub*, -s Tariflohn; ~ **weight** *sub*, -s Eichgewicht; ~ **work** *sub*, -s Standardwerk

standardization, *sub*, -s Normung; - Unifizierung; **standardize** *vt*, normen, normieren, standardisieren, unifizieren, vereinheitlichen; *(Produkte)* typisieren; **standardized** *adj*, *(unterschiedslos)* einheitlich; *standardize the examination regulations* die Prüfungsbestimmungen einheitlich regeln; **standardized fashion** *sub*, *nur Einz.* Einheitslook

standing, *adj*, stehend; ~ **expenses** *sub*, *nur Mehrz.* Fixkosten; ~ **leg** *sub*,

-s Standbein; ~ **order** *sub*, -s Dauerauftrag; ~ **orders** *sub*, *nur Mehrz.* *(Parl.)* Geschäftsordnung; ~ **position** *sub*, -s Stand; ~ **reception** *sub*, -s Stehempfang; ~ **room** *sub*, -s Stehplatz; ~ **stone** *sub*, -s *(archäol.)* Menhir; ~**s** *sub*, *nur Mehrz.* *(Spiel-)* Stand

standoffish *adj*, *(ugs.)* unnahbar; **standpoint** *sub*, -s *(Ansicht)* Standpunkt; **standstill** *sub*, - Stehenbleiben; *nur Einz.* Stillstand

stand open, *vi*, *(Fenster)* offenstehen; **stand out** *vi*, hervorstechen; *(i. ü. S.)* hervorragen; *(Kontrast)* abzeichnen; **stand out (against)** *vi*, abstechen; **stand sb up** *vt*, versetzen; **stand sth on edge** *vt*, kanten; **stand sth.** *vt*, durchhalten; **stand still** *vi*, stillstehen; **stand the test** *vt*, probehaltig

stand up, (1) *vi*, *(sich erheben)* aufstehen **(2)** *vr*, *(sich)* hinstellen; *stand up for someone* jemandem die Stange halten; ~ **for** *vt*, *(für etw.)* eintreten; ~ **straight** *vi*, gerade stehen; ~ **to** *vi*, *(Unangenehmes)* aushalten; ~ **stand-by mode** *sub*, *nur Einz.* *(eines Geräts)* Bereitschaft; **stand-in** *sub*, -s Double; **stand-up collar** *sub*, -s Stehkragen; **stand-up snack bar** *sub*, -s Stehimbiss

stanza, *sub*, -s *(Gedicht)* Strophe; ~**ic** *adj*, strophisch; ~**ic form** *sub*, -s Strophenform; ~**ic structure** *sub*, -s Strophenbau

staple, *sub*, -s Krampe; ~ **fibre** *sub*, -s Stapelfaser

star, *sub*, -s Gestirn, Stern; *(Film-)* Star; *(i. ü. S.) be born under a lucky star* unter einem glücklichen Stern geboren sein; *filmstar* Filmdiva; *it's all in the stars* es steht in den Sternen; *(i. ü. S.) reach for the stars* nach den Sternen greifen; *see stars* die Engel im Himmel singen hören, *(benommen sein)* Sterne sehen; ~ **cast** *sub*, -s Starbesetzung; ~ **cult** *sub*, -s Starkult; ~ **of Bethlehem** *sub*, -s *(tl; bibl.)* Weihnachtsstern; ~ **of David** *sub*, -s Davidsstern; ~**-like** *adj*, sternförmig; ~**-shaped** *adj*, sternförmig; ~**-spangled banner** *sub*, -s Sternenbanner; ~**-studded** *adj*, Staraufgebot; ~**board** *sub*, -s Steuerbord

starch, (1) *sub*, -es *(Speise)* Stärke; -s *(Stärkemittel)* Steife **(2)** *vt*, *(Wäsche)* stärken; ~ **factory** *sub*, -ies Stärkefabrik

stare, *vi*, glotzen, starren, stieren; *stare at someone* jemanden starr ansehen; ~ **at (1)** *vi*, anstarren **(2)** *vt*,

(anstaunen) **finieren**, **at in amaue**
ment *vi*, anstaunen

stark, *adj*, krass; **~-naked** *adj*, splitter-fasernackt, splitternackt; **~ers** *adj, (ugs.)* splitterfasernackt; *he was standing there absolutely starkers* er stand ganz nackt da

starlight, *sub, nur Einz.* Sternenlicht; **starling** *sub, -s (zool.)* Star; **starlit** *adj,* sternenhell, sternenklar

starost(a), *sub, -s* Starost

starry, *adj,* gestirnt, sternenklar; **~ sky** *sub, -ies* Sternenhimmel, Sternhimmel; **Stars and Stripes** *sub, - (US)* Flagge; *nur Mehrz.* Sternenbanner

start, (1) *sub, -s (allg.)* Start; *(Beginn)* Auftakt; *(s.o.)* Eröffnung (2) *vi,* starten; *(Auto)* anspringen; *(beginnen)* angehen, einsetzen; *(ugs.)* losgehen; *(losfahren)* anfahren (3) *vt,* einleiten, eröffnen, starten; *(beginnen)* ansetzen; *(spo.)* *flying (standing) start* fliegender (stehender) Start; *get off to a good (bad) start* einen guten (schlechten) Start haben; *have a good start* sich gut anlassen; *he started on about his ideas* er legte gleich mit seinen Ideen los; *it´s good start to the day* der Tag lässt sich gut an; *(i. ü. S.)* *start something up* etwas aus der Taufe heben; *start sth off* den Anstoss zu etwas geben; *start with* seinen Ausgang nehmen von; *that´s a great start* das fängt ja gut an; *to start a fight* einen Streit vom Zaun brechen, *do you mind!* jetzt geht´s aber los!; *here we go!* jetzt geht´s los; *it´s just about to start* gleich geht´s los, *start the search* die Suche einleiten; *start business* ein Geschäft eröffnen; **~ (up)** (1) *vi, (Maschine)* anlaufen (2) *vt, (Auto)* anlassen; **~ fighting with so** *vt,* anlegen; **~ from** *vi, (von etwas/einem Ort ausgeben)* ausgehen; **~ of play** *sub,* - Spielbeginn; **~ of programme** *sub, -s* Sendebeginn; **~ of the season** *sub, nur Einz.* Saisonbeginn; **~ of work** *sub, -s* Dienstbeginn; **~ playing** *vi, (Instrument)* anstimmen; *(spo.)* anspielen; **~ school** *vt,* einschulen; **~ singing** *vi, (Lied)* anstimmen; **~ the game** *vt, (spo.)* anpfeifen

starting, *sub, nur Einz.* Inangriffnahme; **~ capital** *sub, nur Einz.* Startkapital; **~ flag** *sub, -s* Startflagge; **~ pistol** *sub, -s* Startpistole; **~ point** *sub, -s* Ausgangsbasis, Ausgangspunkt; *(einer Entwicklung, etc.)* Ansatzpunkt; **~ position** *sub, -s* Ausgangsstellung; **~ salary** *sub, - -ies* Anfangsgehalt; **~ school** *sub, nur Einz.* Einschulung; **~ signal** *sub, -s*

startle, *vt,* aufscheuchen, aufschrecken; *to startle sb out of his dreams* jmdn aus seinen Träumen schrecken

start to decay, *vi,* anfaulen; **start to glow** *vi,* aufglühen; **start to thaw** *vi,* antauen; **starter** *sub, -s* Anlasser, Starter, Vorspeise

starvation diet, *sub, -s* Hungerkur, Nulldiät; **starve** *vi,* abhungern, hungern, verhungern; *starve off two kilos* sich zwei Kilo abhungern; **starve (out)** *vt,* aushungern; **starveling** *sub, -s* Hungerleider

state, (1) *adj,* staatlich (2) *sub, -s* Staat; *nur Einz.* Staatswesen; *-s (Zustand)* Beschaffenheit (3) *vt, (aussprechen)* feststellen; *(jur.)* aussagen; *be in a sorry state* sich in einem beklagenswerten Zustand befinden; **~ apartment** *sub, -s* Prunkgemach; **~ archives** *sub, nur Mehrz.* Staatsarchiv; **~ building** *sub, -s* Prunkbau; **~ exam(ination)** *sub, -s* Staatsexamen; **~ frontier** *sub, -s* Staatsgrenze; **~ more precisely** *vt,* präzisieren, **~ of** *sub, -s* Verfassung; **~ of affairs** *sub, nur Einz.* Sachlage; **~ of alert** *sub, -s* - Alarmzustand; **~ of dilapidation** *sub, -s* - Baufälligkeit; **~ of drunkenness** *sub, nur Einz. (Zustand)* Suff; **~ of emergency** *sub, -s* Ausnahmezustand; **states** *(pol.)* Notstand; *declare a state of emergency* einen Ausnahmezustand verhängen; *internal state of emergency* innerer Notstand; *to declare a state of emergency* den Notstand ausrufen; **~ of health** *sub, nur Einz.* Befindlichkeit; *(Gesundheitszustand)* Befinden; **~ of siege** *sub, -s* - Belagerungszustand; **~ of the crop(s)** *sub, -s* Saatenstand; **~ retail shop (DDR)** *sub, -s* HO-Geschäft; **~ under the rule of the law** *sub, -s* Rechtsstaat; **~ visit** *sub, -s* Staatsbesuch; **~-owned** *adj,* staatlich, staatseigen; **~ly** *adj, (Gebäude)* stattlich

statement, *sub, -s* Statement, Stellungnahme; *(Äußerung)* Aussage; *(Erklärung)* Feststellung, Mitteilung; *(polit.)* Erklärung; *give a statement* ein Statement abgeben; *give a statement on* sich äußern zu; **~ of account** *sub, -s (Kontoauszug)* Auszug; **~ of claim** *sub, -s* Klageschrift

statesmanship, *sub, nur Einz.* Staatskunst

static, *adj, (phy.)* statisch; **~ friction** *sub, -s* Haftreibung; **~s** *sub, nur*

Mehrz. Statik; **~s interference** *sub,* -s *(atmosphärisch)* Störgeräusch

station, (1) *sub,* -s Bahnhof, Revier, Sendestation, Sendezentrum, Station, Wache **(2)** *vt,* stationieren; *meet so at the station* jemanden von der Bahn abholen; *the power station had to be shut down* das Werk musste vom Netz genommen werden; **~ bookshop** *sub,* - -s Bahnhofsbuchhandlung; **~ concourse** *sub,* - -s Bahnhofshalle; **~ snack booth** *sub,* -s Bahnhofsbuffet; **~ wagon** *sub,* -s Kombiwagen; *(ugs.) (Kombi)* Caravan; **~-agent** *sub,* -s *(US)* Stationsvorstand

stationary, *adj,* stationär

stationery, *sub, nur Einz.* Papierwaren, Schreibwaren; **stationary heating** *sub,* -s Standheizung; **stationer´s** *sub, nur Einz.* Papeterie

stations of the Cross, *sub,* Kreuzweg

statistical, *adj,* statistisch; **statistician** *sub,* -s Statistiker; **statistics** *sub, nur Mehrz.* Statistik; *her vital statistics are:* ihre Maße sind:; *statistics show* die Statistik zeigt

statue, *sub,* -s Standbild, Statue; **Statue of Liberty** *sub,* - Freiheitsstatue; **~-like** *adj,* statuenhaft; **~sque** *adj,* statuarisch; **~tte** *sub,* -s Statuette

stature, *sub,* -s Statur, Wuchs; *a man of stature* ein Mann von Format

status, *sub,* - Status, Stellenwert, Stellung; **~ consciousness** *sub,* - Statusdenken; **~ symbol** *sub,* -s Statussymbol

statute, *sub, articles* Statut; **~ book** *sub,* -s Gesetzbuch; **~ labor** *sub,* -s *(US)* Fronarbeit; **~ labour** *sub,* -s Fronarbeit; **~s** *sub, nur Mehrz.* Satzung; **statutory** *adj,* statutarisch; **statutory portion** *sub,* -s Pflichtteil

staunch, *vt, (Blut)* hemmen; **~ supporter** *sub,* -s Stammwähler

stave, *sub,* -s *(Fass)* Daube

stay, (1) *sub,* -s Aufenthaltsdauer; *(Verweilen)* Aufenthalt **(2)** *vi,* aufhalten, verweilen, weilen; *(veraltet)* logieren; *his words stayed in my head for some time* seine Worte klangen noch lange in mir nach; *stay on course* den Kurs halten; **~ abroad** *sub,* -s Auslandsaufenthalt; **~ away** *vi,* fernbleiben, fortbleiben, wegbleiben; *(wegbleiben)* ausbleiben; *to stay away from home* von zuhause wegbleiben; **~ back** *vi,* zurückbleiben; **~ behind** *vi,* nachbleiben; **~ free** *vi,* freibleiben; **~ here** *vi,* hier bleiben; **~ open** *vi, (Fenster, etc.)* aufbleiben; **~ overnight** *vi,* übernachten; **~ there (1)** *vi,* dableiben **(2)** *vt,*

dableibleiben; **~ up** *vi, (Person)* aufbleiben; **~, remain** *vi,* bleiben; *stay on the path* auf dem Weg bleiben; *to stay for supper* zum Abendessen bleiben; *to stay in Frankfurt* in Frankfurt bleiben; *to stay in one´s place* auf der Stelle bleiben; *to stay on* noch bleiben; **~-at-home** *sub,* -s *(ugs.)* Stubenhocker; **~ing power** *sub,* - *(Durchhaltevermögen)* Stehvermögen

St Bernard dog, *sub,* -s Bernhardiner; **St Lucie cherry** *sub,* -es Weichselkirsche; **St Peter´s** *sub,* - **~ churches** Petrikirche; **St. Hubert´s Day Hunt** *sub,* -s Hubertusjagd; **St. Mark´s (Cathedral)** *sub, nur Einz. (Venedig)* Markuskirche; **St. Mary´s church** *sub,* -es Marienkirche; **St. Vitus Dance** *sub,* - Veitstanz

steadfast, *adj,* standhaft; **steadiness** *sub,* - Festigkeit; **-es** Gleichförmigkeit; *nur Einz.* Stetigkeit; **steady** *adj,* gleichförmig, standsicher, stetig; *(Person)* solide; *(stabil)* beständig; *manage to steady oneself* sich wieder fangen

steak, *sub,* -s Steak

steal, (1) *vt,* beklauen, rauben **(2)** *vti,* stehlen; *have sth stolen* beklaut werden; *steal sth from so* jemanden bestohlen; **~ away (1)** *vt,* wegstehlen **(2)** *vti,* davonstehlen

steam, (1) *sub, nur Einz.* Dampf, -s Wasserdampf **(2)** *vi,* dampfen **(3)** *vt,* dämpfen, dünsten; *(Kleidung, Speisen)* abdämpfen; *clouds of steam* wallende Dämpfe; *let off steam* Dampf ablassen; *steam-powered* mit Dampf betrieben, *steamed potatoes* gedämpfte Kartoffeln; *steam vegetable/fish* Gemüse/Fisch dünsten; **~ (Turkish) bath** *sub,* -s Dampfbad; **~ engine** *sub,* -s Dampfmaschine; **~ heater** *sub,* - Dampfheizung; **~ pressure** *sub,* -s Dampfdruck; **~ up** *vi, (Fensterscheibe)* beschlagen; *(Scheibe)* anlaufen; **~ed up** *adj, (Fensterscheibe)* beschlagen; **~er** *sub,* - Dampfer, Dampfschiff

stearin, *sub,* -s Stearin; **~ candle** *sub,* -s Stearinkerze

steatite, *sub, nur Einz.* Speckstein

steel, (1) *adj,* stählern **(2)** *sub, nur Einz.* Stahl **(3)** *vr,* stählen; *muscles of steel* stählerne Muskeln, *as hard as steel* so hart wie Stahl; *nerves of steel* Nerven aus Stahl; **~ bottle** *sub,* -s Stahlflasche; **~ burnisher** *sub,* -s Polierstahl; **~ engraver** *sub,* -s Stahlste cher; ~ **girder** *sub, -s* Stahlträger; ~ **helmet** *sub, -s* Stahlhelm; ~ **overpass** *sub, -es* Stahlstraße; ~ **rope** *sub, -s* Stahltrosse; ~ **sheet** *sub, -s* Stahlplatte; ~**-girder construction** *sub, -s* Stahlbau

steep, *adj,* steil; *(ugs.)* gepfeffert; *(i. ü. S.; Preis)* gesalzen; *a steep coast* ein steiles Ufer; ~ **slope** *sub, -s* Steilhang; ~ **track** *sub, -s* Steig; ~ **turn** *sub, -s* Steilkurve

steeple, *sub, -s* (Kirch-) Turm; ~**chase** *sub, -s* Hindernislauf, Hindernisrennen

steer, *vt,* lenken; *(Schiff)* steuern; *steer a conversation in the desired direction* eine Unterhaltung in die gewünschte Richtung steuern; ~ **against** *vi,* gegenlenken; ~ **clear of it** *vt, (ugs.)* davonlassen; ~**ability** *sub, nur Einz.* Lenkbarkeit; ~**ing** *sub, - (Auto)* Steuerung; ~**ing wheel** *sub, -s* Lenkrad, Steuerrad; *(Auto)* Steuer

stein, *sub, -s* Bierkrug, Seidel

stellar, *adj,* stellar

stem, *sub, -s* Stängel; *(bot.)* Stiel; *(dicker Stengel)* Strunk; *(Glas)* Fuß; *(ling.)* Stamm; *(tt; naut)* Vordersteven; ~ **from** *vi,* herrühren, herstammen; ~ **leaf** *sub, -s* Stängelblatt; ~ **turn** *sub, -s* Stemmbogen; ~**med** *adj,* gestielt; ~**med glass** *sub, -es* Stängelglas

stench, *sub, -* Gestank

stencil, *sub, -s* Schablone; *(Schreibmaschine)* Matrize; *to stencil sth* etwas auf Matrize schreiben; ~ **offset** *sub, -s* Matrizenrand

steno typist, *sub, -s* Stenotypistin; **stenographer** *sub, -s (Amts-)* Stenografin

stentorious, *adj, (geb.)* überlaut

step, (1) *sub, -s* Pas, Schritt, Stufe, Treppenstufe; *(Schritt)* Tritt (2) *vi,* treten (3) *vt,* stufen; *get out of step* aus dem Tritt kommen; *just step up* bitte, treten Sie näher; *step by step* Schritt für Schritt, *you stepped on my foot!* Sie sind mir auf den Fuß getreten!; ~ **back** *vi,* zurücktreten; ~ **backwards** *sub, -s* Rückschritt; ~ **by step** *adv,* stufenweise; ~ **forward** *vt,* vortreten; ~ **in** *vi,* hineintreten; *step in and help out* für jemand einspringen; ~ **on it** *vt, (ugs.; sich beeilen)* losmachen; ~ **on the gas** *vt, (ugs.)* aufdrehen; ~ **out** *vi,* ausschreiten; ~ **sequence** *sub, -s* Schrittfolge

steppe, *sub, -* Steppe

stepped, *adj,* stufenförmig

step up, *vi, (sich aufstellen)* antreten; **stepbrother** *sub, -s* Stiefbruder; **stepdaughter** *sub, -s* Stieftochter; **stepfather** *sub, -s* Stiefvater; **stepladder**

sub -s Stehleiter, Steigleiter, Stufenleiter, Trittleiter; **stepmother** *sub, -s* Stiefmutter; **stepparents** *sub, nur Mehrz.* Stiefeltern

stereo, *adj,* stereo, stereofon; ~ **set** *sub, -s* Stereoanlage; ~**(phonic) record** *sub, -s* Stereoplatte; ~**(scopic) camera** *sub, -s* Stereokamera; ~**(type) plate** *sub, -s (Druck)* Stereoplatte; ~**meter** *sub, -s (mat.)* Stereometer; ~**phonic** *adj,* stereofon; ~**scope** *sub, -s* Stereoskop; ~**scopic** *adj,* stereoskopisch; ~**scopy** *sub, nur Einz.* Stereoskopie; ~**type (1)** *adj,* stereotyp (2) *sub, -s* Stereotyp; ~**type printing** *sub, -* Stereotypie; ~**typed** *adj,* floskelhaft

sterlet, *sub, -s (zool.)* Sterlet

stern, (1) *adj,* ernst (2) *sub, -s (Schiff)* Heck; *with a stern face* mit stenger Miene

stertorous breathing, *sub, -* Geröchel

stethoscope, *sub, -s* Stethoskop

stew, (1) *sub, -s* Eintopf, Eintopfgericht (2) *vt, (Früchte)* dünsten; *Irish Stew* Irischer Bohneneintopf

steward, *sub, -s* Ordner, Platzordner, Steward; ~**ess** *sub, -es* Stewardess

stewed fruit, *sub, -s* Kompott; **stewed plums** *sub, nur Mehrz.* Pflaumenmus

stich, *vt, (tt; med.)* vernähen; ~ **of a horse fly** *sub, -es* Bremsenstich; **stick** (1) *sub, -s* Knüppel, Schlegel, Stecken, Stock; *(Stock)* Stab (2) *vi,* haften, hängen (3) *vt,* kleben, pappen; *out in the sticks* am Arsch der Welt; *stick out one´s tongue* die Zunge aus dem Mund strecken; *stick to sb* dranbleiben an jmd; *walk with a stick* am Stock gehen, *the glue sticks well* der Leim pappt gut; *stick (with putty or cement)* vt, kitten; **stick a needle through** *vt,* durchstechen; **stick of rock** *sub, -s* Zuckerstange; **stick on** *vt,* ankleben, aufkleben

stick out, *vi,* hervorragen; *(herausstehen)* abstehen; **stick sth onto** *vt,* bekleben; **stick to (1)** *vi,* festhalten; *(Angewohnheit)* beibehalten (2) *vr, (an)* festklammern; **stick together** (1) *vi,* zusammenhalten (2) *vt,* verkleistern; **stick-on address label** *sub, -s* Paketadresse; **sticker** *sub, -s (ugs.)* Aufkleber; **stickiness** *sub, nur Einz.* Klebrigkeit; **sticking plaster** *sub, -s* Heftpflaster; **stickleback** *sub, -s (zool.)* Stichling; **sticky** *adj,* klebrig; *(ugs.)* pappig

stiff, *adj,* steif; *(i. ü. S.)* hölzern; *(steif)* starr; *a stiff breeze* eine steife Brise;

beat the egg white until stiff das Eiweiß steif schlagen; *(i. ü. S.) keep a stiff upper lip* die Ohren steif halten; *(ugs.) be stiff with dirt* vor Dreck stehen; *my arms are stiff* ich habe einen Muskelkater in den Armen; ~ **petticoat** *sub, -s* Petticoat; ~**-legged** *adj*, steifbeinig; ~**ener** *sub, -s* Versteifung; ~**ly beaten egg-white** *sub, nur Einz.* Eischnee; ~**ness** *sub, nur Einz.* Steife, Steifigkeit; ~**ness of the neck** *sub, -es* Genickstarre

stifle, *vt*, unterdrücken; **stifling** *adj*, stickig

stigma, *sub, -ta* Stigma; *sub, -ta* Wundmal; *-s oder -mata (bot.)* Narbe; **stigmata** *(Schandfleck)* Makel; *(poet.) to be stigmatized* mit einem Makel behaftet sein; ~**tize** *vt*, stigmatisieren

stiletto, *sub, -s* Stilett

still, (1) *adj, (unbewegt)* still (2) *adv*, doch, immerhin; *(weiterhin; auch bei Vergleichen)* noch; *anything is still possible* es ist noch alles drin; *bring to a standstill* außer Funktion setzen; *but I still recognized him* ich habe ihn doch erkannt; *keep one´s feet still* die Füße still halten; *still nach wie vor; (i. ü. S.) still waters run deep* stille Wasser gründen tief; *that might still happen* das kann noch passieren; *this is still to come* das kommt auch noch; *we still meet every week as always* wir treffen uns nach wie vor jede Woche; *it´s still a mystery* es bleibt immerhin ein Rätsel; *he still isn´t here* er ist noch nicht da; *still* noch immer; *you´re still too young* du bist noch zu klein; ~ **hungry** *adj*, ungesättigt; ~**-life** *sub, -* Stillleben; ~**birth** *sub, -* Totgeburt; ~**born** *adj*, tot geboren; ~**ness** *sub, nur Einz.* Stille

stilt, *sub, -s* Stelze; ~**ed** *adj*, künstlich; *(Stil)* gekünstelt, geschraubt

stimulant, *sub, -s* Aufputschmittel, Muntermacher, Stimulans; *(anregende)* Genussmittel; *(biol.)* Signalreiz; *(med.)* Anregungsmittel; **stimulate** *vt*, stimulieren; *(geistig, usw.)* anregen; *(wirt.)* beleben; *intellectual stimulation* geistige Nahrung; **stimulating** (1) *adj*, anregend (2) *adv*, anregend; *have a stimulating effect* eine anregende Wirkung haben; **stimulation** *sub, -s* Stimulation, Stimulierung; *nur Einz. (des Stoffwechsels, wirt.)* Belebung; *-s (Vorschlag)* Anregung; **stimulation therapy** *sub, -ies (med.)* Reiztherapie; **stimulus** *sub, hier nur Einz.* Impuls; *-es* Reiz; *-li* Stimulus; *(med.)* Anregung; **stimulus threshold** *sub, -s* Reizschwelle

stingy, *adj*, geizig, knauserig; ~**ness** *sub, - Geiz

stink, (1) *sub, -* Gestank (2) *vi*, stinken; *(ugs.)* miefen; *(ugs.) that stinks like hell* das stinkt wie die Pest; *(ugs.) the whole business stinks* die ganze Sache stinkt; *to stink to high heaven* stinken wie die Pest; ~**ing rich** *adj* steinreich; *(ugs.)* schwer reich

stiny, *adj, (zool.)* stachlig

stipulate, *vt*, vorschreiben; **stipulate that** sich ausbedingen, dass; ~**d in the contract** *adj*, vertragsgemäß; **stipulation** *sub, -s* Klausel; *make stipulations* Bedingungen stellen

stir, (1) *sub, -s* Aufsehen (2) *vi*, rühren (3) *vt*, umrühren; *cause a stir* Aufsehen erregen; *(a. i. ü. S.) cause a big stir* viel Staub aufwirbeln; *cause quite a stir* die Gemüter bewegen; ~ **in** *vt* unterrühren; ~ **oneself** *vr*, umtun; ~ **up** *vt*, aufhetzen, aufstacheln, aufwiegeln, scharfmachen, schüren, verhetzen; *(a. i.ü.S.)* aufrühren *(Menschenmenge)* aufputschen

stirrup, *sub, -s* Steigbügel; ~**-strap** *sub, -s* Steigriemen

stitch, (1) *sub, -es* Seitenstechen *(Näh-)* Stich; *(Stricken, Häkeln)* Masche (2) *vt, (Nähen)* heften; *he ran around without a stitch on* er rannte splitterfasernackt herum; ~ **(up)** *vt (Wunde)* nähen; ~**ed** *adj*, geheftet ~**es** *sub, nur Mehrz. (med.)* Naht

stoat, *sub, -s (zool.)* Hermelin

stochastic, *adj*, stochastisch; ~ **studies** *sub, nur Einz.* Stochastik

stock, (1) *sub, -s* Aktie, Vorrat; *(ugs.)* Brühe; *(an Waren)* Bestand; *(gastronomisch)* Sud (2) *vt, (Fischteich)* besetzen; *the outgoing stocks* der Warenausgang; ~ **book** *sub, -s* Skontrobuch; ~ **car** *sub, -s* Stockcar; ~ **exchange** *sub, -s (Gebäude)* Börse; ~ **of game** *sub, -s* Wildbestand; ~ **up with** *vt*, eindecken; ~**-market** *sub, -s (wirt.)* Börse; ~**-market report** *sub, -s* Marktbericht; ~**-market speculator** *sub, -s* Börsianer; ~**-keeping** *sub, nur Einz.* Lagerhaltung

stockily built, *adj*, pyknisch; **stockiness** *sub, nur Einz.* Stämmigkeit; **stocking**, *sub, -s (Damen-)* Strumpf **stocking up** *sub, nur Einz.* Bevorratung

stockkeeper, *sub, -s* Lagerist; **stock of goods** *sub, nur Mehrz.* Warenbestand

stock-room, *sub, -s* Lager; **stock-taking** *sub, nur Einz.* Inventur; *-s (a. i.ü.S.)* Bestandsaufnahme; **stockbro-**

ker sub, Börsenmakler; **stockholder** sub, -s Aktionär; **stockholders´ meeting** sub, -s Aktionärsammlung

stocky, adj, stämmig; (ugs.) untersetzt; (Gestalt) gedrungen; ~ **person** sub, people Pykniker

stoke up, vt, (Diskussion) anfachen; **stoker** sub, -s (tech.) Heizer

stole, sub, -s Stola

stomach, sub, -s Bauch, Magen; on a full stomach mit vollem Bauch; on an empty stomach auf nüchternen Magen; sth lies heavily on sb´s stomach es liegt jmd wie Blei im Magen; the way to a man´s heart is through his stomach Liebe geht durch den Magen; to upset one´s stomach sich den Magen verderben; to upset sb´s stomach jmd auf den Magen schlagen; ~ **cold** sub, nur Einz. Magenkatarr; ~ **cramp** sub, -s Magenkrampf; ~ **disorder** sub, -s Magenleiden; ~ **muscles** sub, nur Mehrz. Bauchmuskulatur; ~ **pains** sub, - Leibschmerz; nur Mehrz. Magenschmerz; ~ **region** sub, -s Magengegend; ~ **ulcer** sub, -s Magengeschwür; ~**-ache** sub, -s Magendrücken

stone, (1) adj, steinern (2) sub, -s Gestein, Kern, Stein (3) vt, entsteinen; (Gebäude) not a stone was left standing es blieb kein Stein auf dem anderen; (i. ü. S.) the philosophers´ stone der Stein der Weisen; **Stone Age** sub, nur Einz. Steinzeit; ~ **axe** sub, -s Steinaxt; ~ **building** sub, -s Steinbau; ~ **fruit** sub, -s Steinfrucht, Steinobst; ~ **jar** sub, -s Kruke; ~ **tile** sub, -s Steinfliese; ~´s **throw** sub, -s Steinwurf; nur Einz. (ugs.) Katzensprung; ~**mason** sub, -s Steinmetz; ~**ware** sub, nur Einz. Steingut; **stony** adj, steinig

stool, sub, -s Hocker, Schemel; (i. ü. S.) fall between two stools sich zwischen zwei Stühle setzen; ~**-pigeon** sub, -s (ugs.) Spitzel

stop, (1) sub, -s Einkehr, Haltestelle; nur Einz. Stillstand; ~ Stopp; (Fahrtunterbrechung) Aufenthalt; (Haltestelle) Station; (Pause) Halt; (tech.) Sperre (2) vi, Halt machen, stehen bleiben; (stehenbleiben) anhalten; (unterbrechen) aussetzen (3) vt, halten, hemmen, lassen, unterlassen, verhalten; (anhalten) aufhalten; (beenden) einstellen; (Fahrzeug) anhalten; (spo.) abwinken (4) vti, aufhören, stoppen; can´t you stop (give up) smoking? kannst du das Rauchen nicht lassen?; she rang up every day for weeks, but then she finally stop-

ped wochenlang rief sie täglich an, aber dann hat sie es schließlich gelassen; stop your moaning laß das Jammern; he never stops for a minute er gönnt sich keine Pause; (wirt.) stop a cheque einen Scheck sperren; stop it! nicht doch!; (i. ü. S.) stop sth etwas zu Fall bringen; stop work die Arbeit einstellen; there´s no stopping him er ist nicht zu bremsen; to work nonstop ohne Pause arbeiten, stop doing sth aufhören etwas zu tun; stop it! höre endlich damit auf; ~ **at an inn** vi, einkehren; ~ **down** vt, (tt; foto.) abblenden; ~ **sign** sub, -s Stoppschild; ~ **signal** sub, -s Stoppsignal; ~ **street** sub, -s Stoppstraße; ~ **taking** vt, (Medizin) absetzen; ~ **talking** vt, verstummen; ~ **the game** vt, abpfeifen; ~ **up** vt, verstopfen; ~! interj, stopp; ~**-watch** sub, -es Stoppuhr

stopgap, sub, -s Pausenfüller; (ugs.) Lückenbüßer; **stoppage** sub, -s (Verkehr) Stilllegung; **stopper** sub, -s Spundzapfen, Stopfen, Stöpsel; (Stöpsel) Pfropf, Pfropfen; **stopping** sub, nur Einz. (Beendigung) Einstellung; -s (wirt.) Sperrung; **stopping train** sub, -s Eilzug

storage, sub, nur Einz. Aufbewahrung, Einlagerung; - Lagerung; (EDV) Speicherung; ~ **charge** sub, -s Lagergebühr; ~ **heater** sub, -s Speicherofen; ~ **reservoir** sub, -s (Speichersee) Talsperre; ~ **space** sub, -s Stauraum; **store** sub, (1) sub, -s Fachgeschäft, Stapelplatz; (Laden, US) Geschäft (2) vi, (Wein) ablagern (3) vt, aufbewahren, magazinieren, speichern, unterbringen, unterstellen; (Lebensmittel) bunkern (4) vti, lagern; **store in a cellar** vt, Einkellerung; **store in a/the cellar** vt, einkellern; **store of knowledge** sub, -s Fundus, Wissensstand; **store-house** sub, -s (Lager-) Speicher; **storeroom** sub, -s Vorratsraum; (Lager) Magazin

storey, sub, -s Etage, Stockwerk; in the second storey in der zweiten Etage **storing**, sub, -s (allg.) Speicherung

stork, sub, -s Storch; (zool.) Klapperstorch; (i. ü. S.) the neigbbours are expecting the stork soon bei den Nachbarn kommt bald der Storch; ~´s **bill** sub, -s Storchschnabel; ~´s **nest** sub, -s Storchennest

storm, (1) sub, - Unwetter; -s Wetter; (i. ü. S.) Orkan; (Unwetter) Sturm (2) vi, (*wüten*) toben (3) vt, bestürmen; (*mil.*) stürmen; *take by storm* im Sturm nehmen; *the calm before the storm* die Ruhe vor dem Sturm; **~ bell** sub, -s Sturmglocke; **~ lantern** sub, -s Sturmlaterne; **~ of applause** sub, -s - Beifallssturm; **~ of protest** sub, -s Proteststurm; **~ signal** sub, -s Sturmsignal, Sturmzeichen; **~ tide** sub, -s Sturmflut; **~ warning** sub, -s Sturmwarnung; **~-proof** adj, sturmerprobt; **~y** adj, stürmisch; **~y front** sub, -s Gewitterwand

Storting, sub, nur Einz. (*polit.*) Storting
story, sub, -ies Geschichte, Story; *hier nur Einz. (i. ü. S.)* Kapitel; -ies (*geb.*) (*Literaturw.*) Fabel; (*mod.*) Erzählung; (*zu Sache/Person*) Geschichte; (*i. ü. S.*) *that´s a different story* das ist ein anderes Kapitel; (*i. ü. S.*) *that´s a sad story* das ist ein trauriges Kapitel; *the story goes* es kursiert das Gerücht; *to tell filthy stories* Sauereien erzählen; *it´s always the same old story* immer dieselbe alte Geschichte, (*ugs.*) es ist immer dasselbe Lied; **~ (in the first person)** sub, -ies Icherzählung; **~-teller** sub, -s Erzähler; **~book career** sub, - -s Bilderbuchkarriere; **~teller** sub, -s Märchenonkel, Märchentante
stout, (1) adj, beleibt, feist, vollschlank; (*Person*) füllig (2) sub, nur Einz. Malzbier; **~ness** sub, nur Einz. Beleibtheit
stove, sub, -s Herd, Kocher, Ofen; **~ heating** sub, -s Ofenheizung; **~pipe** sub, -s Ofenrohr
stow, vt, (*Güter*) stauen
straddle, (1) sub, -s Grätsche; (*spo.*) Straddle (2) vti, grätschen; *go into the straddle position* in die Grätsche gehen
straight, (1) adj, gerade, geradenwegs, geradlinig, schnurgerade; (*Haar*) glatt; (*Haltung*) straff, stramm (2) adv, gerade, geradewegs, schnurstracks (3) sub, -s (*spo.*) Gerade; *straight win* ein glatter Sieg, *a straight line* eine gerade Linie; *a dead-straight line* eine pfeilgerade Linie; *things have been straightened out* die Sache ist wieder im Lot; *to put the record straight* die Sache wieder ins Lot bringen; **~ as an arrow** adj, kerzengerade; **~ away** adv, stracks; (*sofort*) gleich; (*weitererzählen*) brühwarm; **~ line** sub, -s (*mat.*) Gerade; **~ on** adv, geradeaus; **~ through** adv, quer durch, querüber; **~en** vt, (*Knie*) durchdrücken; (*Weg etc.*) begradigen; **~forward** adj, (*i. ü. S.*) geradlinig; (*einfach*) banal; **~ness** sub, nur Einz. Geradheit; **straightening** sub, -s (*eines

Weges etc.) Begradigung
strain, (1) sub, -s Anstrengung, Strapaze; (*Muskel*) Überdehnung; (*physisch,* *psychisch,* *von Freundschaften*) Belastung (2) vt, anstrengen, vertreten, verzerren; (*Freundschaft, Gesundheit*) belasten; (*Küche*) passieren; *be not able to stand the strain* den Strapazen nicht gewachsen sein; (*i. ü. S.*) *don´t strain yourself!* übernimm dich nicht!, *put a heavy strain on* jemanden stark belasten; **~ed** adj, (*Beziehung*) gespannt; **~er** sub, -s Passiersieb; (*Teesieb*) Sieb; *pour tea through a strainer* Tee durch ein Sieb gießen; **~ing for effect** sub, nur Einz. Effekthascherei
strait, sub, -s (*Meerenge*) Straße; **~jacket** sub, -s Zwangsjacke
straits, sub, nur Mehrz. Meerenge
stramineous, adj, strohfarbig
strand, sub, -s Strähne; **~ed goods** sub, nur Mehrz. Strandgut
strange, adj, absonderlich, befremdend, befremdlich, fremd, fremdartig, komisch, kurios, merkwürdig, seltsam, sonderbar, wunderlich (*seltsam*) eigenartig; *become strangers* sich fremd werden *foreign/strange customs* fremde Sitten; *in strange hands* in fremder Händen; *he looked at me in such a strange way* er hat mich so komisch angeschaut; *with some sort of strange (unconvincing) excuse* mit irgend einer komischen Ausrede; *I hear a strange feeling* mir ist nicht sonderbar zu mute; *what´s strange about it?* was ist daran sonderbar?; **~ foreigner** sub, -s Exot; **~ happenings** sub, Spuk; **~ thing** sub, -s Kuriosum
strangely enough, adj, seltsamerweise; **strangeness** sub, -es Absonderlichkeit; nur Einz. Merkwürdigkeit Seltsamkeit; **stranger** sub, -s Fremde Fremdling; (*Fremder*) Unbekannte *he´s a stranger here* er ist hier unbekannt
strangle, vt, abwürgen, erdrosseln, erwürgen, strangulieren, würgen *strangle sb neck* jmd mit etwas erwürgen; *strangle sb throat* jmd die Gurgel zudrücken; **~hold** sub, die Würgegriff; **~r** sub, -s Würger
strangling sub, -s Erdrosselung
strangulate vt, (*med.*) strangulieren
strangulation sub, -s Strangulation
strangulation mark sub, -s Würgemal

trap, (1) *sub, -s* Riemen, Schuhriemen; *(Trage-)* Gurt (2) *vt,* gurten, schnallen; ~ **on** *vt, (Gegenstand)* anschnallen

trategic, *adj,* strategisch; **strategist** *sub, -s* Stratege; **strategy** *sub, -ies* Strategie

tratification, *sub, -s (geol.)* Aufschichtung; **stratify** *vt,* aufschichten

tratosphere, *sub, nur Einz.* Stratosphäre

tratus, *sub, -ti* Stratus; ~ **cloud** *sub, -s* Stratuswolke

traw, *sub, nur Einz.* Stroh; *-s* Strohhalm; *(Stroh-)* Halm; *(i. ü. S.)* **clutch at any straw** sich an einen Strohhalm klammern; ~ **baler** *sub, -s* Strohpresse; ~ **fire** *sub, -s* Strohfeuer; ~ **hat** *sub, -s* Strohhut; ~**-coloured** *adj,* strohfarben; ~**berry** *sub, -ies* Erdbeere; ~**berry punch** *sub, -es* Erdbeerbowle; ~**flower** *sub, -s* Strohblume, Trockenblume

tray, (1) *sub, -s (Tier)* Streuner, Stromer (2) *vi,* abirren, abstreifen, streunen; *(streunen)* stromern (3) *vr,* verfliegen

tream, (1) *sub, -s* Strömung; *nur Einz.* Zustrom; *-s (klein)* Fluss; *(Menschen-)* Strom (2) *vi,* strömen; *his face streamed blood* Blut strömte ihm über das Gesicht; ~ **in** *vi,* einströmen; ~ **through** *vt, (Personen)* durchströmen; ~**er** *sub, -s* Luftschlange; ~**ing with blood** *adj,* blutüberströmt

treet, *sub, -s* Straße; *(i. ü. S.) be on the street* auf der Straße sitzen; *cross the street* über die Straße gehen; *(demonstrieren) take to the streets* auf die Straße gehen; *that's right up my street,* das ist mein Fach; ~ **ballad** *sub, - -s* Bänkellied; ~ **cleaner** *sub, -s* Straßenfeger; ~ **corner** *sub, -s* Straßenecke; ~ **girl** *sub, -s* Straßenmädchen; ~ **loafer** *sub, -s* Eckensteher; ~ **name** *sub, -s* Straßenname; ~ **noise** *sub, nur Einz.* Straßenlärm; ~ **party** *sub, -ies* Straßenfest; ~ **sale** *sub, -s* Straßenhandel; ~ **sprinkler** *sub, -s* Sprengwagen; ~ **that runs at right angles to another street** *sub, -s* Querstraße; ~ **urchin** *sub, -s (ugs./abw.)* Gassenjunge; ~ **worker** *sub, -s* Streetworker; ~**-walker** *sub, -s* Stricher; ~**car** *sub, -s (US)* Straßenbahn, Tram, Trambahn; ~**scape** *sub, -s* Straßenbild

treet café, *sub, -s* Straßencafé

trength, *sub, -s* Körperkraft; *nur Einz.* Kraft; *-s (Kraft)* Stärke; *- (phy.)* Festigkeit; *it'll take all our strength* es bedarf aller Kraft; *muster up all one's strength* all seine Kräfte aufbieten; ~ **of the**

team *sub, nur Einz.* Spielstärke; ~**en** (1) *vr, (sich)* festigen (2) *vt,* erhärten, stärken, versteifen; ~**ening** *sub, -s* Stärkung, Versteifung

strenuous, *adj, (Arbeit etc.)* strapaziös; ~**ness** *sub, nur Einz.* Strebsamkeit

stress, (1) *sub, -s* Stress; *-es* Stress; *-s (Betonung)* Akzent; *nur Einz. (eines Wortes)* Betonung; *(tech.)* Beanspruchung (2) *vt, (i. ü. S.)* hervorheben; *(tech.)* beanspruchen; *(Wort)* betonen; *to stress particularly that* besonderen Nachdruck darauf legen, dass; ~ **at school** *sub, nur Einz.* Schulstress; ~ **period** *sub, -s* Drangperiode; ~**ed** *adj,* betont

stretch, (1) *vi,* erstrecken, reichen (2) *vr,* räkeln, ziehen; *(sich - räumlich)* hinziehen (3) *vt,* recken, spannen, verziehen, weiten; *(dehnen)* strecken; *(Kleidung)* ausdehnen; *(Kleidung ausdehnen)* ausweiten (4) *vti,* dehnen; *strech to* sich erstrecken bis zu, *to stretch out* alle viere von sich strecken, *(ugs.) stretch oneself out* alle viere von sich strecken, *strech oneself* sich dehnen; ~ **fabric** *sub, -s* Lastex; ~ **forward** *vt,* vorstrecken; ~ **of water** *sub, -es* Gewässer; ~ **oneself** *vr,* recken; ~ **out** (1) *vr, (sich)* hinstrecken; *(sich ausstrecken)* strecken (2) *vt,* ausstrecken, hinstrecken; ~**ed ligament** *sub, -s* Bänderzerrung; ~**er** *sub, -s* Tragbahre, Trage; *(Krankenbahre)* Bahre; ~**ing** *sub, nur Einz.* Dehnung; *-s (med.)* Streckung

strew, *vt,* bestreuen, überstreuen

strict, *adj,* gestreng, streng, strikt; *(Disziplin)* stramm; *(Organisation)* straff; *(streng)* genau; *have strict principles* strikte Grundsätze haben; *strictly forbidden!* streng verboten!; ~**ness** *sub, nur Einz.* Strenge

stride, (1) *sub, -s* Schritt (2) *vi,* schreiten, stiefeln

strife, *sub,* Zwist; *-* Zwistigkeit

strike, (1) *sub, -s* Bestreikung, Streik; *nur Mehrz. (Streik)* Ausstand (2) *vi,* hinschlagen, streiken; *(Blitz)* einschlagen (3) *vt,* schlagen; *(dagegenschlagen)* anstoßen; *(schlagen)* treffen; *call a strike* einen Streik ausrufen; *call off a strike* einen Streik abbrechen; *go on strike* in den Streik treten; *wildcat strike* wilder Streik; *go on strike* in den Ausstand treten, *call a strike* zum Streik aufrufen; *be* *got a strike* er warf alle neune; *our house was struck by lightning* bei uns hat es eingeschlagen; *strike the right note* den richtigen Ton anschlagen; *strike!* alle neune!; ~ **against** *vi*, bestreiken; ~ **committee** *sub*, -s Streiklokal; ~ **dead** *vt*, erschlagen; ~ **fund** *sub*, -s Streikkasse; ~ **line** *sub*, -s Streiklinie; ~ **movement** *sub*, -s Streikaktion; ~ **up** *vt*, (mus.) aufspielen; **striking** *adj*, eklatant, frappant, rassig; *(Ähnlichkeit)* treffend; *(Wirkung)* plakativ; *a striking mistake* ein eklatanter Fehler

string, (1) *sub*, -s Bindfaden, Geigensaite, Rattenschwanz, Saite, Schnur, Treppenwange; *nur Einz.* (ugs.) Kordel; -s *(Schnur)* Strippe (2) *vt*, besaiten; *(einen Schläger)* bespannen; *piece of string* ein Stück Bindfaden; *have more than one string to one´s bow* zwei Eisen im Feuer haben; ~ **bag** *sub*, -s Einkaufsnetz; ~ **instrument** *sub*, -s Saiteninstrument, Streichinstrument; ~ **instrument player** *sub*, -s Streicher, Streicherin; ~ **of beads** *sub*, *strings* Perlenschnur; ~ **trio** *sub*, -s Streichtrio; ~ **vest** *sub*, -s (brit.) Netzhemd; ~-**pulling** *sub*, -s Schiebung; ~**s** *sub*, - (mus.) Streicher; ~**y** *adj*, schnurartig; *(Fleisch)* faserig

stringboard, *sub*, -s Wange

strip, (1) *sub*, -s *(Papier etc.)* Streifen (2) *vt*, abbeizen (3) *vti*, (i. ü. S.) entblättern; *strip to the waist* den Oberkörper frei machen; ~ **bare** *vt*, kahl fressen; ~ **by strip** *adv*, bahnenweise; ~ **cartoon** *sub*, -`-s Bildstreifen; ~ **of grass** *sub*, -s Grasstreifen

stripe, *sub*, -s (tt; mil.) Winkel; *(regelmäßig)* Streifen; ~**d** *adj*, gestreift, getigert; **stripper** *sub*, -s (ugs.) Stripperin; **striptease** (1) *sub*, *nur Einz.* Striptease (2) *vi*, strippen

stroboscope, *sub*, -s Stroboskop

stroke, (1) *sub*, -s Gehirnschlag, Schlaganfall, Strich; *(Schreibmaschine)* Anschlag; (tt; spo.) Zug (2) *vt*, streicheln; *200 strokes per minute* 200 Anschläge pro Minute; ~ **(of a piston)** *sub*, -s (tt; tech.) Hub; ~ **of genius** *sub*, -s Geniestreich; ~ **of luck** *sub*, -s Glücksfall; ~ **of the pen** *sub*, -s Federstrich; (i. ü. S.) Federstrich

stroll, (1) *sub*, *nur Einz.* Bummel; ~ Spaziergang (2) *vi*, flanieren, lustwandeln, schlendern, spazieren, wandeln; *go for a stroll* einen Spaziergang machen; *stroll along* gemütlich daherkommen; ~ **around** *vi*, bummeln; ~ **through town** *sub*, *strolls* Stadtbummel; ~**er**

sub, -s Spaziergänger

strong, (1) *adj*, kräfterfüllt, kräftig tragkräftig; *(allg.)* stark; *(stark)* dringend (2) *adv*, fest; *the stronger sex* das starke Geschlecht; ~ **as a horse** *adj*, baumstark; ~ **as an ox** *adj*, bärenstark; ~ **beer** *sub*, -s Starkbier; ~ **nerves** *sub*, *nur Mehrz.* Nervenkraft Nervenstärke; ~-**willed** *adj*, willensstark; ~-**willed character** *sub*, -` Kämpfernatur; ~-**hold** *sub*, -s Hort; (i. ü. S.) Hochburg; *a stronghold of liberty* ein Hort der Freiheit; ~**room** *sub*, -s Stahlkammer

strontium, *sub*, *nur Einz.* (chem.) Strontium

strophantin, *sub*, *nur Einz.* (med.) Strophanthin

strophic song, *sub*, -s Strophenlied

structural, *adj*, strukturell; *(Bau)* statisch; *(tech.)* konstruktiv; ~ **analysis** *sub*, -es Strukturanalyse; ~ **engineer** *sub*, -s Statiker; ~ **fabric** *sub*, -s Bausubstanz; **structure** (1) *sub*, -s Gefüge, Gliederung, Struktur; (i. ü. S.) Gebäude; -ies *(Struktur)* Aufbau (2) *vt*, durchgliedern, gliedern, strukturieren; *(Text)* aufbauen

strudel, *sub*, -s *(Mehlspeise)* Strudel

struggle, (1) *sub*, -s Kampf, Ringen Schinderei (2) *vi*, kämpfen (3) *vr* schinden; *have to struggle hard for sth* sich etwas hart erkämpfen müssen; *struggle with* sich abschleppen mit; ~ **(with)** *vi*, abplagen; ~ **for existence** *sub*, -s Daseinskampf, Existenzkampf; ~ **for survival** *sub*, *nur Einz.* Lebenskampf; ~ **on** *vi*, (ugs.) krebsen; ~ **through** (1) *vi*, durchschlagen (2) *vt*, durchkämpfen; ~ **to one´s feet** *vi*, aufraffen; (ugs.) hochrappeln; *(sich hochziehen)* auf rappeln; *after a short rest, we struggled to our feet again* nach einen kurzen Rast, rappelten wir uns wieder hoch

strut, (1) *sub*, -s *(Verstrebung)* Strebe (2) *vi*, *(angeberisch)* stolzieren; ~**s** *sub*, - Gestänge

strychnine, *sub*, *nur Einz.* (chem.) Strychnin

Stuart collar, *sub*, -s Stuartkragen

stub, *sub*, -s Bleistiftstummel, Stummel, Stummelchen

stubble, *sub*, - Bartstoppel; ~ **Stoppel** ~ **field** *sub*, -s Stoppelfeld; **stubbly** *adj*, stoppelig; **stubbly beard** *sub*, -` Stoppelbart; **stubbly hair** *sub*, - Stoppelhaar

stubborn, (1) *adj*, eigensinnig, hals

starrig hartnäckig starrköpfig starrsinnig, störrisch, stur (2) vi, (ugs.) verbohrt; (ugs.) to be stubborn einen dicken Schädel haben; ~, awkward adj, bockig; ~ness sub, - Starrsinn; nur Einz. Störrigkeit, Sturheit; (Sturheit) Eigensinn

stucco, sub, nur Einz. Stuck; ~work sub, -s Stuckarbeit

stud, sub, -s Stutenzucht; ~ brand sub, -s Gestütsbrand; ~ farm sub, -s Gestüt; ~ mare sub, -s (Stute) Gestütpferd; ~horse sub, -s Beschäler; ~ded jeans sub, pairs of Nietenhose; ~ded tires sub, nur Mehrz. Spikereifen

student, (1) adj, studentisch (2) sub, -s Eleve, Student, Studierende; a student with many terms behind him ein bemoostes Haupt; ~ at secondary school sub, -s Realschüler; ~ days sub, nur Mehrz. Studienzeit; ~ going for the doctorate sub, -s Doktorand; ~ in a fraternity sub, Korpsstudent; ~ of a correspondence course sub, -s Fernstudent; ~ of physical education sub, students Sportstudent; ~ teacher sub, -s Referendar, Referendarin; ~'s duelling society sub, -ies Burschenschaft; ~'s record sub, -s Studienbuch; ~'s removal from the register sub, -s Exmatrikulation; ~'s fencing bout sub, -s (univ.) Mensur; ~'s revolt sub, -s Studentenrevolte; ~'s society sub, -ies Studentenverbindung; studies sub, nur Mehrz. Studien

studio, sub, -s Atelier, Senderaum, Studio, Studiobühne; (tt; kun.) Werkstatt; ~ couch sub, -es Schlafcouch; ~ flat sub, -s Atelierwohnung; ~ shot sub, -s Atelieraufnahme; ~ window sub, -s Atelierfenster

study, (1) sub, -ies Herrenzimmer, Studie, Studierstube, Studierzimmer, Studium (2) vt, studieren; begin one's studies ein Studium aufnehmen; break off one's studies ein Studium abbrechen; ~ of speech sub, studies Sprechkunde; ~room sub, -s Arbeitszimmer; ~ trip sub, -s Studienreise; ~ trip/tour sub, -s Exkursion

stuff, (1) sub, nur Einz. Klamotten, Kram, Krempel; (ugs.) Zeug (2) vt, ausstopfen, kröpfen; (Braten) füllen; (gastr.) farcieren; (pressen) stopfen; (ugs.) what am I supposed to do with all this stuff? was soll ich mit diesem ganzen Kram?, (ugs.; Rauschgift) score some stuff sich Stoff beschaffen; to know one's stuff die Materie beherr-

schen; to stuff oneself den Wanst vollschlagen, (ugs.) sich den Ranzen voll schlagen; ~ under vt, (ugs.) unterstopfen; ~ed cabbage-roll sub, -s Kohlroulade; ~ed pancake sub, -s (österr.) Palatschinken; ~ed quilt sub, -s (US) Federbett; ~ed shirt sub, -s (i. ü. S.) Stockfisch; ~iness sub, - Spießigkeit; ~ing sub, -s Ausstopfung; (Lebensmittel) Füllung; ~y adj, spießig, stickig; the room is stuffy im Zimmer ist schlechte Luft

stultification, sub, -s (ugs.) Verdumpfung

stumble, vi, stolpern, straucheln

stump, sub, -s Stump, Stumpf; (Baumstumpf) Strunk

stun, vt, verblüffen; (mittels eines Schlages) betäuben

stunt, sub, -s Stunt

stunt man, sub, -men Stuntman

stupid, adj, blöd, dämlich, doof, dumm; (dumm) simpel; be bored stupid zu Tode gelangweilt sein; where is that stupid key? wo ist der blöde Schlüssel?; don't look so stupid mach nicht so ein dummes Gesicht; how stupid zu dumm; I'm not that stupid ich bin doch nicht bescheuert, ich lasse mich nicht für dumm verkaufen; (i. ü. S.) stupid chatter hohles Geschwätz; stupid thing! so ein blödes Patent!; to be pretty stupid nichts loshaben; to look stupid dumm aus der Wäsche gucken; ~ film (or play) sub, -s Klamotte; ~ idiot sub, -s Blödmann; ~ twit sub, -s (doofe ~) Nuss; ~ity sub, -ies Blödheit; ~ies Doofheit; ~ies Dummheit, Dusseligkeit, Eselei, Sottise; don't do anything stupid mach keine Dummheiten; what a stupid thing to do was für eine Dummheit

sturdiness, sub, nur Einz. Stämmigkeit; sturdy adj, (kräftig) stabil, stämmig

sturgeon, sub, -s Stör

stutter, vi, stottern; ~ing sub, - Gestotter

style, (1) sub, -s Ausdrucksweise, Baustil, Fasson, Schreibweise, Stil, Stilrichtung; (arch.) Bauart; (Baustil) Bauweise (2) vt, fassonieren; in the style of expressionism in Anlehnung an den Expressionismus; that dress has style das Kleid hat Pep; there's nothing like bowing out in style nobel geht die Welt zugrunde; to do sth in great style etwas mit Rasanz tun; to live in style üppig leben; do things *in style* alles im großen Stil tun; *in the style of our time* im Stil unserer Zeit; ~ **all over** *vi*, durchstylen; ~ **and diction** *sub*, -s Diktion; ~ **of driving** *sub*, -s *(mot.)* Fahrstil; ~ **of riding** *sub*, -s *(Fahrr..)* Fahrstil; ~**s** *sub*, -s Schick; **styling** *sub*, *nur Einz.* Styling; **stylish** *adj*, stilvoll; *(Stil)* geschmackvoll; *(stilvoll)* elegant; **stylishness** *sub*, *nur Einz.* Bravur

stylist, *sub*, -s Stilist, Stylist; ~**ic** *adj*, stilistisch, stilkundlich; *from the stylistic point of view* in stilistischer Hinsicht; ~**ic lapse** *sub*, -s Stilblüte; ~**ically instructive** *adj*, stilbildend; ~**ics** *sub*, *nur Einz.* Stilistik; **stylization** *sub*, -s Stilisierung; **stylize** *vt*, stilisieren; *(Charakter)* typisieren

styptic, *adj*, blutstillend

styrene, *sub*, *nur Einz. (chem.)* Styrol

Styrian, *sub*, -s Steiermärker

subaltern, *adj*, subaltern

subbarrier, *sub*, - Untergrenze

subchallenge, *vi*, unterfordern

subconcious, (1) *adj*, unterbewusst **(2)** *sub*, *(tt; psych.)* Unterbewusstsein

subcontinent, *sub*, -s Subkontinent

subcultural, *adj*, subkulturell

subculture, *sub*, -s Subkultur

subcutaneous, *adj*, *(med.)* subkutan

subdivide, *vt*, unterteilen; **subdivision** *sub*, -s Untergliederung; - Unterteilung

subdue, *vt*, *(Farbe, Licht, Stimmung)* abdämpfen

subframe, *sub*, -s Untergestell

subhuman creature, *sub*, -s Untermensch

subject, *sub*, -s Fach, Studienfach, Subjekt, Sujet, Thema; - Untertan; *-s* Vorwurf; *(Gesprächs-)* Stoff; *(Inhalt)* Gegenstand; *(Kunst)* Motiv; *change the subject* das Thema wechseln; *get off the subject* vom Thema abweichen; *go off the subject* vom Thema abirren; *know a subject* auf einem Gebiet Bescheid wissen; *subject to all regulations* unter Berücksichtigung aller Vorschriften; *to be subject to* dem Gesetz unterstehen; ~ **catalogue** *sub*, -s Realkatalog; ~ **index** *sub*, -es Sachkatalog, Sachregister; ~ **matter** *sub*, *nur Einz.* Inhalt; *-s* Thematik; *the subject matter of our talk* der Inhalt unseres Gesprächs; ~ **to** *adv*, unterziehen; ~ **to** *vt*, vorbehaltlich; ~ **to being sold** *adj*, freibleibend; *(Handel)* freibleibend; ~ **to charges** *adj*, gebührenpflichtig

subjection, *sub*, *nur Einz.* Hörigkeit; **subjective** *adj*, subjektiv, unsachlich; **subjectivism** *sub*, *nur Einz.* Subjekti-

vismus; **subjectivistic** *adj*, subjektivistisch; **subjectivity** *sub*, *nur Einz.* Subjektivität

sub judice, *adj*, rechtsanhängig

subjugate, *vt*, unterjochen, unterwerfen; **subjugation** *sub*, -s Unterjochung, Unterwerfung

subjunctive, *sub*, -s Konjunktiv

sublimate, *vt*, *(chem.)* sublimieren; **sublimation** *sub*, -s Sublimation, Sublimierung

sublime, (1) *adj*, hehr, sublim **(2)** *vt*, sublimieren

submachine gun, *sub*, -s Maschinenpistole

submarine, (1) *adj*, submarin; *(ugs.)* unterseeisch **(2)** *sub*, -s U-Boot, Unterseeboot; ~ **warfare** *sub*, -s U-Boot-Krieg

submerge, *vi*, *(U-Boot)* tauchen; ~**d** *adj*, versunken; **submerging** *sub*, -s Verschüttung

submission, *sub*, -s Einreichung, Unterwerfung; *(tt; jur.)* Vorlage; **submissive** *adj*, willfährig

submit, *vt*, einreichen, unterwerfen; *to submit* den Nacken beugen; ~ **sth** *vt*, unterbreiten; ~ **to** *vt*, *(Schicksal)* ergeben; ~**ted** *adj*, unterworfen

subordinate, (1) *adj*, subaltern, untergeordnet; *(geb.)* nachgeordnet **(2)** *sub*, -s Untergebene **(3)** *vt*, subordinieren, unterordnen; ~**d** *adj*, unterordnend; ~**d category** *sub*, -ies Subkategorie; **subordination** *sub*, -s Subordination, Unterordnung, Unterstellung

sub-post-office, *sub*, -s Zweigpostamt

subscribe, (1) *vi*, abonnieren **(2)** *vt*, subskribieren; *(wirt.)* zeichnen; ~ **to** *vi*, *(Zeitschriften)* beziehen; ~**r** *sub*, -s Abonnent, Bezieher, Subskribent; *(Telefon)* Teilnehmer, Teilnehmerin; **subscription** *sub*, -s Abonnement, Subskription; *(Beitrag)* Gebühr; *(von Zeitschriften)* Bezug; **subscription fee** *sub*, - -s *(Mitgliedsbeitrag)* Beitrag; **subscription right** *sub*, - -s Bezugsrecht

subsequent, *adj*, anschließend; ~**ly** *adv*, anschließend

subservient, *adj*, untertan

subside, (1) *vi*, verebben **(2)** *vr*, glätten; ~**nce** *sub*, -s *(geol.)* Einbruch

subsidiarity, *sub*, *nur Einz.* Subsidiarität; **subsidiary** *sub*, -ies *(wirt.)* Ableger; **subsidiary company** *sub*, - Tochterfirma, Tochtergesellschaft; **subsiding** *sub*, - Glättung

subsidize, *vt*, bezuschussen, subven-

tionieren) (unterstützen) finanzieren;
~d rate *sub*, -s Sozialtarif
subsidy, *sub*, -ies Beihilfe; *(staatlich)*
Subvention
subsistence level, *sub*, -s Existenzminimum
subsoil, *sub*, -s *(tt; agrar)* Untergrund
subspecies, *sub*, - Subspezies; -s *(tt;
biol.)* Unterfamilie
substance, *sub*, -s Substanz; *(chem.)*
Stoff
substandard, *sub*, -s Substandard
substantial, (1) *adj*, gehaltreich, gehaltvoll, handfest, inhaltsreich, substantiell, substanziell; *(Essen)* herzhaft (2)
adv, herzhaft; **substantiate** *vt*, substantiieren; *(Behauptung)* fundieren; **substantivate** *vt*, substantivieren;
substantive *adj*, -s Substantiv
substitute, (1) *sub*, -s Surrogat (2) *vt*,
substituieren; *(ersetzen)* einwechseln;
(Fähigkeiten) ersetzen; *substitute B for
A* A durch B substituieren; *substitute a
player* jemanden einwechseln; **~ drug**
sub, -s Ersatzdroge; **substitution** *sub*, -s
Einwechslung, Substitution
substrate, *sub*, -s *(biol.)* Substrat
subsumable concept, *sub*, -s Unterbegriff; **subsumption** *sub*, -s Subsumie-
rung
subtenancy, *sub*, -es Untermiete; **subtenant** *sub*, -s Untermieter
subtitle, (1) *sub*, -s Untertitel (2) *vt*, untertiteln
subtle, *adj*, hintergründig; *(feinsinnig)*
subtil; **~ty** *sub*, -ies Spitzfindigkeit
subtract, (1) *vi*, *(Dampf)* abziehen (2)
vt, *(abziehen)* abrechnen (3) *vti*, subtrahieren; **~ion** *sub*, -s Subtraktion
subtrahend, *sub*, -s *(mat.)* Subtrahend
subtropical, *adj*, subtropisch; **~ regions** *sub*, *nur Mehrz*. Subtropen; **subtropics** *sub*, *nur Mehrz*. Subtropen
subunity, *sub*, -es Untereinheit
suburb, *sub*, -s Außenbezirk, Vorort,
Vorstadt; *live in the suburbs* am Stadtrand leben; **~-cinema** *sub*, -s Vorstadt-
kino; **~an** *adj*, vorstädtisch; **~an
railway** *sub*, -s S-Bahn; **~an railway
carriage** *sub*, -s S-Bahn-Wagen
subvention, *sub*, -s *(privat)* Subvention;
subversion *sub*, -s Subversion; **subversionary** *adj*, subversiv, umstürzlerisch
subversive, (1) *adj*, subversiv (2) *sub*,
(ugs.) Wühlmaus; **~ activities** *sub*, -
Umtriebe
subway, *sub*, -s Unterführung; -s Untergrundbahn; *nur Einz*. (US) U-Bahn; **~
system** *sub*, -s U-Bahn-Netz
succade, *sub*, -s Sukkade

succeed, *vi*, gelingen; *(geh.)* arrivieren; *he didn´t succeed in/he failed* es
gelang ihm nicht; *he succeeded in* es
gelang ihm; *to succeed sb* jmd im Amt
nachfolgen, jmds Nachfolge antreten; **success** *sub*, -e Erfolg; - Gelingen; -s *(i. ü. S.)* Wurf; *help to make
sth a success* zum Gelingen einer Sache beitragen; **success in series** *sub*,
nur Einz. *(mehrere Erfolge)* Erfolgsserie; **success rate** *sub*, -s Erfolgsquote; **successful** *adj*, arriviert,
erfolgreich; **successful author** *sub*,
-s Erfolgsautor; **successful book**
sub, -s Erfolgsbuch; **successful play**
sub, -s Erfolgsstück; **successful series** *sub*, *nur Mehrz*. *(erfolgreiche Serie)* Erfolgsserie; **succession** *sub*, -s
Abfolge, Aufeinanderfolge, Erbfolge,
Nachfolge, Sukzession; *in rapid succession* in rascher Folge; **succession
to the throne** *sub*, *nur Einz*. Thron-
folge; **successive** *adj*, sukzessiv; **successively** *adv*, sukzessive
successor, *sub*, -s Nachfolgerin,
Nachrückerin; **~ to the throne** *sub*,
successors Thronfolger
succinctness, *sub*, -es Prägnanz;
succinct *adj*, prägnant
succumb, *vt*, *(Druck)* erliegen
such, (1) *adj*, derartig, solcher, sol-
cherweise, solches (2) *pron*, solch;
such a beautiful woman eine derartig schöne Frau; *such a fit of fury* ein
derartiger Wutausbruch; *such good*
derart gut, *how would such a long
dress suit me?* wie würde mir ein
solch langes Kleid stehen?; *such luck!*
solch ein Glück!
suction, *sub*, -s *(Explosions-)* Sog
Sudanese, *adj*, sudanesisch
sudden, *adj*, jäh, plötzlich, schlagartig, unvermittelt; *all of a sudden* mit
einem Mal; **~ death** *sub*, -s *(spo.)*
Suddendeath; **~ fall in temperature
and atmosheric pressure** *sub*, -s
Wettersturz; **~ shower** *sub*, -s *(ugs.)*
Husche; **~ly** *adv*, plötzlich, schlagartig
sudorific, *adj*, *(med.)* hidrotisch
suds, *sub*, *nur Mehrz*. Lauge; - Laugen-
wasser
sue, *vt*, belangen, verklagen
suede, *sub*, -s Wildleder
suet, *sub*, -s *(roh)* Talg; **~y** *adj*, talgig
sufacing *sub*, *nur Einz*. *(von Straßen)*
Befestigung
suffer, *vt*, erleiden; **~ (from)** (1) *vi*,
kranken (2) *vt*, *(ugs.)* laborieren (3)
vti, leiden; *(ugs.)* he´s suffering from

flu again er laboriert wieder an einer Grippe, *he died without suffering a lot* er starb, ohne viel zu leiden; *he suffers from loneliness* er leidet unter der Einsamkeit; *the colour faded badly in the sun* die Farbe hat durch die grelle Sonne sehr gelitten; **~ for** *vt,* ausbaden; **~er** *sub, -s* Leidende; **~ing** *sub, -s* Leiden, Pein; *his sufferings are ove* er ist erlöst; **~ing from a kidney disease** *attr,* nierenkrank; **~ing from diminished responsibility** *adj,* schuldfähig

suffice, *vi,* reichen; **sufficient** *adj,* hinreichend, suffizient; **sufficient amount** *adj u. adv,* genug; **sufficiently** *adv,* hinlänglich

suffix, *sub, -es* Suffix

suffocate, *vti, (tödlich)* ersticken

suffragan bishop, *sub, -s* Weihbischof; **suffragette** *sub, -s* Suffragette

sugar, *sub, nur Einz.* Zucker; **~ water** *sub, nur Einz.* Zuckerwasser; **~beet** *sub, -s* Zuckerrübe; **~-cane** *sub, -s* Zukkerrohr; **~-factory** *sub, -es* Zuckerfabrik; **~-loaf** *sub, -s* Zuckerhut; **~-pea** *sub, -s* Zuckererbse; **~y** *adj,* zukkerhaltig; *(schmeichlerisch) her sugary smile gets on my nerves* ihr süßes Lächeln geht mir auf die Nerven

suggest, *vt,* nahelegen, suggerieren, vorschlagen; *(vorschlagen)* anregen; *to suggest sth to sb* jmd etwas nahelegen; *influence someone by suggesting something* jemandem etwas suggerieren; *it suggests itself* dieser Gedanke drängt sich auf; **~ itself** *vr,* nahe liegen; *the idea suggested itself to the* Gedanke lag nahe; **~ible** *adj,* suggestibel; **~ion** *sub, -s* Suggestion, Vorschlag; **~ive** *adj,* anzüglich, suggestiv; *(schamlos)* frivol; **~iveness** *sub, nur Einz.* Anzüglichkeit

suit, (1) *sub, -s* Klage; *(Bekleidung)* Anzug (2) *vi,* behagen (3) *vt, (genehm sein)* passen; *that does not suit me* das liegt mir nicht; *(i. ü. S.) that suits me fine* es kommt mir ganz gelegen; *(passen) that suits you* das steht dir, *it doesn't suit him* es behagt ihm nicht, *to be suited to sb* zu jmd (menschlich) passen; **~ability** *sub, nur Einz.* Eignung; **~ies** Geeignetheit; *(Eignung)* Tauglichkeit; **~ability for use** *sub, nur Einz.* Benutzbarkeit; **~able** *adj,* gebührend, geeignet; *(angenehm)* passend; *(geeignet)* tauglich; **~able for boiling** *adj,* kochfest; **~able for children** *adj,* kindgerecht

suitcase, *sub, -s* Koffer, Suitcase; **~ lid** *sub, -s* Kofferdeckel

suite, *sub, -s* Suite; *(Möbel)* Garnitur; **~**

of rooms *sub, -s (tt; arch.)* Zimmerflucht

suitor, *sub, -s* Freier

sulfate, *sub, -(e)s* Sulfat

sulk, *vi,* schmollen; *to go off into a corner to sulk* sich in den Schmollwinkel zurückziehen; **~y** *sub, -ies* Sulky; **~y driver** *sub, -s (Fahrer)* Traber

sullen, *adj,* missmutig, murrköpfisch; *(abweisend)* mürrisch; **~ness** *sub, nur Einz.* Missmut, Mürrischkeit

sulphur, *sub, nur Einz.* Schwefel; **~ creme** *sub, -s* Schwefelsalbe; **~ spring** *sub, -s* Schwefelquelle; **~ic acid** *sub, nur Einz.* Schwefelsäure; **~ization** *sub, -s* Schwefelung; **~ize** *vt,* schwefeln; **~ous yellow** *adj,* schwefelgelb

sultan, *sub, -s* Sultan; **~a** *sub, -s* Sultanine; **~ate** *sub, -s* Sultanat

sultriness, *sub, nur Einz.* Schwüle; **sultry** *adj,* schwül

sum, *sub, -s* Betrag, Rechenaufgabe, Summe; *sum sth up in a few briefly* knapp formulieren; *sum up* das Fazit ziehen; *(ugs.) that's a tidy little sum* das ist ein schöner Batzen Geld; *they couldn't agree on the sum* sie konnten sich über die Höhe der Summe nicht einigen; **~ of digits of a number** *sub, -s* Quersumme; **~ up** *vt,* aufsummieren, summieren

summa, *sub, -s* Summa

summand, *sub, -s* Summand

summarize, (1) *vt,* zusammenfassen (2) *vti,* resümieren; **summary** (1) *adj,* summarisch (2) *sub, -ies* Resümee; **~es** Zusammenfassung; **summation** *sub, -s* Summation

summer, *sub, -* Sommer; *(i. ü. S.) be in the summer of one's life* im Sommer des Lebens stehen; *summer is drawing near* der Sommer naht; **~ break** *sub, -s* Sommerpause; **~ camp** *sub, -s (im Sommer)* Ferienlager; **~ clothing** *sub, -* Sommerkleidung; **~ dress** *sub, -es* Sommerkleid; **~ heat** *sub, -* Sommerhitze; **~ holidays** *sub, nur Mehrz.* Sommerferien; **~ journey** *sub, -s* Sommerreise; **~ month** *sub, -s* Sommermonat; **~ night** *sub, -s* Sommernacht; **~** *(Drama) A Midsummernight's Dream* Ein Sommernachtstraum; **~ rain** *sub, -s* Sommerregen

summer residence, *sub, -* Lustschloss; **summer resort** *sub, -s (Ort)* Sommerfrische; **summer sale** *sub, -s* Sommerpreis, Sommerschlussverkauf; **summer shoe** *sub*, *-s* Sommerschuh; **summer solstice** *sub*, *-* Sommersonnenwende; **summer time** *sub*, *-s* Sommerzeit; *nur Einz.* Sommerzeit; **summer weather** *sub*, *-* Sommerwetter; **summer-house** *sub*, *-s* Gartenhaus, Laube, Sommerresidenz; **summer-job** *sub*, *-s* *(Sommer)* Ferienarbeit; **summer´s evening** *sub*, *-s* Sommerabend; **summerwear** *sub*, *-* Sommeranzug

summon, (1) *vi*, *(tt: jur.)* zitieren (2) *vt*, einbestellen, evozieren, herbeordern, laden; *(Bundestag)* einberufen; *summon one´s courage* allen Mut zusammennehmen; *summon sb as a whitness* jmd als Zeugen einbestellen; *summon sb to table* jmd zu Tisch rufen; *summon sth into existence* etwas erschaffen; *summon the Bundestag* den Bundestag einberufen; **~ up** *vt*, zusammennehmen; *(Kräfte, etc.)* aufbieten; *(Mut)* aufbringen; **~ing** *sub*, *-s* Einberufung; **~** (1) *sub*, *-* Aufruf; *nur Einz.* Ladung (2) *vt*, *(tt: jur.)* vorladen

sump, *sub*, *-* *(tt: tech.)* Wanne; **~tuous** *adj*, kostbar; **~tuous garment** *sub*, *-s* Prunkgewand; **~tuousness** *sub*, *nur Einz.* Kostbarkeit

sun, *sub*, *-s* Sonne; *(i. ü. S.) a place in the sun* ein Platz an der Sonne; *go out in the sun* an die Sonne gehen; *(ugs.) you must have been out in the sun too long!* du hast wohl einen Sonnenstich!; **~ bench** *sub*, *-s* Sonnenbank; **~ cream** *sub*, *-s* Sonnencreme; **~ deck** *sub*, *-s* Sonnendeck; **~-blind** *sub*, *-s* Sonnenblende; **~-exposed** *adj*, besonnt; **~-glasses** *sub*, *nur Mehrz.* Sonnenbrille; **~-hat** *sub*, *-s* Sonnenhut; **~-tan** *sub*, *-s* Sonnenbräune; **~-tanned** *adj*, sonnengebräunt; **~bathe** *vi*, sonnen, sonnenbaden; **~beam** *sub*, *-s* Sonnenstrahl; **~burn** *sub*, *-s* Sonnenbrand; **~burnt** *adj*, sonnverbrannt

sundae dish, *sub*, *-es* Eischale

Sunday, *sub*, *-s* Sonntag; **~ driver** *sub*, *-s* Sonntagsfahrer; **~ edition** *sub*, *-s* Sonntagsausgabe; **~ evening** *sub*, *-s* Sonntagsabend; **sundaylike** *adv*, feiertäglich

sundial, *sub*, *-s* Sonnenuhr; **sundown** *sub*, *-s* *(US)* Sonnenuntergang; **sunflower** *sub*, *-s* Sonnenblume

sunken, *adj*, versunken; *(geol.)* eingefallen

sunlight, *sub*, *nur Einz.* Sonnenlicht

Sunnite, *sub*, *-s* Sunnit

sunny, *adj*, sonnig; **sun-tan lotion** *sub*, *-s* Sonnenöl; **~ side** *sub*, *-s* Sonnenseite; **~ spells** *sub*, *nur Mehrz.* *(Meteoro-*

logie) Aufheiterungen; **sunrise** *sub*, *nur Einz.* Morgenrot; *-s* Sonnenaufgang; *(Drama) "Before Sunrise"* "Vor Sonnenaufgang"; *at sunrise* bei Sonnenaufgang; **sunroof** *sub*, *-s* Schiebedach; **sunset** *sub*, *-s* Abendrot, Sonnenuntergang; **sunshade** *sub*, *-s* Parasol; *(Garten)* Sonnenschirm; **sunshine** *sub*, *-s* Sonnenschein; **sunshine boy** *sub*, *-s* Sonnyboy, Strahlemann; **sunspot** *sub*, *-s* *(astron.)* Sonnenfleck; **sunstroke** *sub*, *-s* Sonnenstich

super, (1) *adj*, super; *(ugs.)* spitze (2) *sub*, *nur Einz.* Superbenzin; *(Benzin)* Super; *bis new car is absolutely super* sein neues Auto ist einfach super; **~able** *adj*, überwindbar; **~acidification** *sub*, *-s* Übersäuerung; **~annuation** *sub*, *-s* Ruhegehalt, Überalterung; **~b** *adj*, superb; *(hervorragend)* einmalig; **~bly** *adv*, erstklassig, vorzüglich; **~cargo** *sub*, *-s* Superkargo; **~ciliousness** *sub*, *nur Einz.* *(Hochmut)* Überlegenheit; **~fast** *adj*, überschnell

superficial, *adj*, oberflächlich, vordergründig; *(oberfl.)* flüchtig; *he´s only got superficial injuries* er ist nur oberflächlich verletzt; **~ knowledge** *sub*, *-* Halbbildung; **~ly** *adv*, obenhin; **superfluous** *adj*, *(entbehrlich)* überflüssig; *(überflüssig)* überzählig; *superfluously* zu allem Überfluss; **superhuman** *adj*, übermenschlich; **superimposition** *sub*, *-s* *(tech.)* Überlagerung; **superintendency** *sub*, *-ies* Superintendentur; **superintendent** *sub*, *-s* Chefarzt

superior, (1) *adj*, überlegen, übermächtig; *(i. ü. S.)* souverän; *(Behörde)* übergeordnet; *(spezif.)* erlesen (2) *sub*, *-s* Vorgesetzte; *he won in superior style* er siegte ganz souverän; **Superior Board of the Mines** *sub*, *nur Einz.* Oberbergamt; **~ of miners** *sub*, *-s* *(Bergbau)* Fahrsteiger; **~ strength** *sub*, *-s* Übermacht; **~ity** *sub*, *nur Einz.* Überlegenheit; **superlative** *sub*, *-s* Superlativ; *speak in superlatives* in Superlativen sprechen

superman, *sub*, *-men* Übermensch; **supermarket** *sub*, *-s* Supermarkt; **supernatural** *adj*, übernatürlich; *(übernatürlich)* überirdisch, übersinnlich; **supernova** *sub*, *-s* Supernova; **supernumeraries** *sub*, *nur Mehrz.* *(Theater)* Statisterie; **supernumerary** *sub*, *-ies* Statist; **superor-**

dination *sub*, -s Überordnung

supersaturate, *vt*, übersättigen; **super-seding** *sub*, -s Verdrängung; **super-sory** *adj*, übersinnlich; **supersonic aircraft** *sub*, -s Überschallflugzeug; **su-personic speed** *sub*, -s Überschallge-schwindigkeit; **superstar** *sub*, -s Superstar; **superstition** *sub*, *nur Einz*. Aberglaube; **superstitious** *adj*, aber-gläubisch; **superstructure** *sub*, -s *(Brücke etc.)* Überbau; *(Brücken)* Ober-bau

supervise, *vt*, kontrollieren; *(ein Pro-jekt)* beaufsichtigen; *(kontrollieren)* überwachen; **supervision** *sub*, *nur Einz*. Beaufsichtigung, Oberaufsicht; -s *(Kontrolle)* Überwachung; *(Überwa-chung)* Aufsicht; **supervisor** *sub*, -s In-spektor, Inspektorin, Inspizient, Inspizientin; *(Aufseher)* Aufsicht; *(Aus-stellung etc.)* Aufsichtsbeamte; **super-visory board** *sub*, - -s *(Gremium)* Aufsichtsrat

supper, *sub*, -s Souper; *to have supper* zur Nacht essen

supple, *adj*, gelenkig, schmiegsam

supplement, (1) *sub*, -s Beiheft, Supple-ment; *(einer Zeitung)* Beilage (2) *vt*, supplizieren; **~ary** *sub*, Zuschlag; **~ary agreement** *sub*, -s *(jur.)* Nebenabrede; **~ary fare** *sub*, -s Zuschlagsatz; **~ary paper** *sub*, -s Korreferat

suppleness, *sub*, -es Gelenkigkeit

supplier, *sub*, -s Lieferant, Lieferantin, Lieferfirma; **supplies** *sub*, *nur Mehrz*. *(mil.)* Nachschub; **supply** (1) *sub*, *nur Einz*. Belieferung; -es Lieferung; -es Versorgung; *nur Einz*. Zufuhr; - *(tech.)* Speisung; -ies *(Warenangebot)* Ange-bot (2) *vt*, liefern, versorgen, zuführen, zuleiten (3) *vti*, beliefern; *in limited supply* beschränkt verfügbar; *in plenti-ful supply* im Überfluss vorhanden, *(Handel) to supply the foreign market* ins Ausland liefern; **supply of needs** *sub*, *nur Einz*. Bedarfsdeckung; **supply route** *sub*, -s Nachschubweg; **supply ship** *sub*, -s Trossschiff; **supply with a sample** *sub*, - -samples Bemusterung; **supply with blood** (1) *sub*, *nur Einz*. Durchblutung (2) *vt*, durchbluten; **supply with food** *vt*, verproviantieren

support, (1) *sub*, *nur Einz*. Befürwor-tung; -s Lebenshilfe, Rückhalt; *nur Einz*. Schützenhilfe; -s Stütze, Unterhalt, Un-terstützung; *nur Einz*. *(moralische Un-terstützung)* Beistand; -s *(Stütze)* Halt; *(Unterstützung)* Hilfe (2) *vt*, abstützen, befürworten, halten, stützen, unterhal-ten, unterstützen, vertreten; *(Ansicht*

etc.) bekräftigen; *(Person)* durchfüt-tern; *he could support it fully* er konnte es nur bestätigen; *the stick serves me as a support* der Stock dient mir als Stütze; *be a support to so* jmdm ein Halt sein, *he was support-ed by two friends* er wurde von zwei Freunden gestützt; *support his son* den Sohn durchfüttern; **~ers** *sub*, *nur Mehrz*. Anhängerschaft; **~ing** *sub*, -s Verstrebung; *nur Einz*. *(einer Ansicht)* Bekräftigung; **~ing bar** *sub*, -s Stützbalken; **~ing column** *sub*, -s Stützpfeiler; **~ing corset** *sub*, -s Stützkorsett; **~ing programme** *sub*, -s Beiprogramm, Vorprogramm; **~ing stocking** *sub*, -s Stützstrumpf; **~ing tissue** *sub*, - Stützgewebe; **~ing wheel** *sub*, -s Stützrad; **~ive** *adj*, *(Unterstützung)* hilfreich

suppose, *konj*, (- *den Fall)* annehmen; *let's suppose (that)* nehmen wir ein-mal an, dass; *supposing* gesetzt den Fall; **~d** (1) *adj*, angenommen, ver-meintlich (2) *adv*, angeblich; *suppo-sed to be* angeblich sein; **~d revenue** *sub*, -s Solleinnahme; **sup-pository** *sub*, - *(tt; pharm)* Zäpfchen

suppress, *vt*, supprimieren, unterdrücken, unterschlagen; *(Auf-stand)* niederdrücken, niederwer-fen; *(tech.)* entstören; *(unterdrücken)* ersticken; **~ sth** *vt*, verbeißen; **~ible** *adj*, suppressiv; **~ion** *sub*, -s Entstörung, Suppressi-on; **~ion of evidence** *sub*, -s *(tt; jur.)* Verdunkelung

suppurate, *vi*, eitern; **suppurating** *adj*, eitrig; **suppuration** *sub*, -s Eite-rung

supraconductive, *adj*, supraleitend

supremacy, *sub*, -ies Suprematie; *nur Einz*. Vormacht; **Supreme Com-mand** *sub*, -s Oberkommando; **su-preme court** *sub*, -s Obergericht

sura, *sub*, -s Sure

surcharge, *sub*, Zuschlag

sure, *adj*, gewiss, sicherlich, treffsi-cher; *(Gewissheit)* sicher; *be sure of one's facts* sich seiner Sache gewiss sein; *there is one thing for sure* eines ist gewiss; *please, make sure that bit-te* sorgen Sie dafür, dass; *(says.) as sure as fate* so sicher wie das Amen in der Kirche; *be sure of oneself* sich seiner Sache sicher sein; **~ of victory** *adj*, siegesgewiss, siegessicher

surgeon, *sub*, -s Chirurg; *(med.)* Ope-rateur; *(tt; med.)* Wundarzt; **~ gene-ral** *sub*, -s Generalarzt; **surgery** *sub*, *nur Einz.* Chirurgie; *that appendix needs immediate surgery* der Blinddarm muss sofort operiert werden; *that can only be removed by means of surgery* das ist nur durch einen operativen Eingriff zu beseitigen; **surgical** *adj,* chirurgisch, operativ; *to remove a growth surgically* eine Geschwulst operativ entfernen

surf, (1) *sub, nur Einz.* Brandung **(2)** *vi,* surfen

surfboard, *sub, -s* Surfbrett

surfeit, *sub, -s (Übersättigung)* Überdruss

surfer, *sub, -s* Surfer; *(tt; spo.)* Wellenreiter; **surfing** *sub, nur Einz.* Wellen reiten

surge, (1) *sub, -s* Aufwallung; *(i. ü. S.)* Woge **(2)** *vi,* wallen, wogen; *(See)* aufbrausen; ~ **up** *vi, (i. ü. S.; Gefühle)* aufwallen

Surinamese, (1) *adj,* surinamisch **(2)** *sub, -s* Surinamerin

surliness, *sub, nur Einz.* Bärbeißigkeit; **surly** *adj,* bärbeißig

surname, *sub, -s* Familienname, Kognomen, Nachname, Zuname

surpass, *vt,* übertreffen; *(i. ü. S.) to surpass everyone* den Vogel abschießen; ~ **o.s.** *vr,* überbieten; **~able** *adj,* übersteigbar

surplus, (1) *adj,* überschüssig; *(überschüssig)* überzählig **(2)** *sub, -* Surplus; *-es* Überangebot, Überschuss; ~ **money** *sub, - (Geld)* Überhang

surprise, (1) *sub, -s* Überraschung, Überrumplung **(2)** *vt,* erstaunen, überraschen; *be in for a surprise* große Augen machen; *get a nasty surprise* sein blaues Wunder erleben; *much to my surprise* sehr zu meinem Erstaunen; *that's surprised you* da bist du platt, nicht?; ~ **attack** *sub, -s* Handstreich; *(mil.)* Überrumplung; **~d** *vt,* wundern; **surprising** *adj,* überraschend, verwunderlich

surrealism, *sub, nur Einz.* Surrealismus; **surrealist** *sub, -s* Surrealist, Surrealistin; **surrealist(ic)** *adj,* surrealistisch

surrender, (1) *sub, -s* Kapitulation **(2)** *vr,* überantworten **(3)** *vt,* unterwerfen; *(mil.)* ergeben **(4)** *vti,* kapitulieren; *surrender the world* die Welt untertan machen/sich ergeben lassen

surrogate, *sub, -s* Surrogat; **surrogation** *sub, -s* Surrogation

surround, (1) *vi, (um etwas)* herumliegen **(2)** *vt,* umgeben, umringen, umschließen, umstellen, umzingeln; *(umgeben)* einschließen; ~ **with sha-**

dow *vi, umschatten;* **~ing** *adj,* umliegend; **~ing field** *sub, -s* Umfeld; **~ings** *sub, -* Umgebung, Umkreis

surveillance, *sub, -s (Verdächtige)* Überwachung; *be under surveillance* unter polizeilicher Aufsicht stehen; *he has been under surveillance* er ist observiert worden; **survey (1)** *sub, -s (Abriss)* Überblick; *(Umfrage)* Erhebung; *(Zusammenfassung)* Übersicht **(2)** *vt, (betrachten)* mustern; *survey commission* Enquete Kommission; *conduct a survey* eine Statistik aufstellen, *to survey sb sceptically* jmdn skeptisch mustern

survival instinct, *sub, -s* Selbsterhaltungstrieb; **survive (1)** *vt, (überleben)* überstehen **(2)** *vti,* überleben, survive sth unscathed etwas heil überstehen; *(ugs.; ironisch) you´ll survive* it du wirst es schon überstehen!; **surviving family of fallen soldier** *sub,* Kriegshinterbliebene; **survivor** *sub, -s* Überlebende

suspect, (1) *adj, (verdächtig)* obskur **(2)** *sub, -s* Verdächtige **(3)** *vt,* argwöhnen, verdächtigen, vermuten; *(vermuten)* ahnen; *it seams reasonable to suspect* der Verdacht liegt nahe; *to be suspected of murder* unter Mordverdacht stehen; **~ed** *adj, (Verbrecher)* mutmaßlich

suspend, *vt,* suspendieren; *(i. ü. S.; aussetzen)* einfrieren; *(geb.; Auto)* abfedern; *(jur.)* aussetzen; *(vom Dienst suspendieren)* beurlauben; *suspend so from office* jmdn vom Dienst suspendieren; *a suspended/an unconditional sentence of one year* ein Jahr Gefängnis mit/ohne Bewährung; *suspend a sentence* eine Strafe zur Bewährung aussetzen; ~ **from** *vi,* hängen; **~er** *sub, -s* Sokkenhalter, Straps

suspense, *sub, - (Ungewissheit)* Spannung; *keep so in suspense* jmdn auf die Folter spannen; *there was an atmosphere of breathless suspense in the hall* im Saal herrschte atemlose Spannung; *wait in suspense* voller Spannung warten; **suspension** *sub, nur Einz.* Abfederung; *-s* Aufhängung, Sperrfrist, Suspension; *(chem.)* Aufschwemmung; *(jur.)* Aussetzung; *nur Einz.* Suspendierung; *(mot.)* Federung; *-s (spo.)* Startverbot; *(Suspendierung vom Dienst)* Beurlaubung; *have good suspension* gut gefedert; *his temporary suspension from office* der vorübergehende Ausschluß von seinem Amt; **suspension bridge** sub, -s Hängebrükke; **suspension railway** sub, -s Schwebebahn; **suspensory** sub, -ies Suspensorium

suspicion, sub, nur Einz. Argwohn; -s Tatverdacht, Verdacht, Verdächtigung; (Vermutung) Ahnung; arouse suspicion Argwohn erregen; I have suspicion that ich hege den Verdacht, dass; suspicion fell on him der Tatverdacht fiel auf ihn; ~ of murder sub, nur Einz. Mordverdacht; **suspicious** adj, argwöhnisch, misstrauisch, suspekt, verdächtig; to be suspicious of sb Misstrauen gegen jmdn hegen; be suspicious Argwohn hegen; I find his behaviour rather suspicious ich finde sein Benehmen reichlich suspekt; I find it suspicious that ich finde es dubios, dass; make someone suspicious jemanden stutzig machen; **suspiciousness** sub, nur Einz. Misstrauen

suss, vt, (ugs.) raffen

sutler, sub, -s (hist.) Marketender

swab, (1) sub, -s Tupfer (2) vt, (Wunde) abtupfen

swallow, (1) sub, -s Schwälbchen, Schwalbe (2) vt, schlucken, verschlukken; have trouble swallowing Beschwerden beim Schlucken haben; I wanted the floor to swallow me up ich hätte vor Scham in den Boden versinken können; I wish the earth could have swallowed me up ich hätte vor Scham in den Boden sinken mögen; ~ up vt, (vulg.: verschlingen) fressen; ~tail sub, -s Schwalbenschwanz

Swami, sub, -s Swami

swamp, (1) sub, -s Sumpf (2) vt, (Arbeit) eindecken; get lost in a swamp in einen Sumpf geraten; ~y adj, sumpfig; ~y **district** sub, -s Sumpfgegend

swan, sub, -s Schwan; ~ **mussel** sub, -s Teichmuschel

swank, sub, -s Protz; ~y adj, (ugs.) protzig

swansong, sub, -s Abgesang, Schwanengesang

swap, vt, (vertauschen) austauschen

swarm, (1) sub, -s Schar, Schwarm (2) vi, schwärmen, wimmeln; ~ **out** vi, ausschwärmen

swastika, sub, -s Hakenkreuz

swear, (1) vi, fluchen, pöbeln (2) vt, schwören; ~ **eternal friendship** vr, verbrüdern; ~ **in** vt, vereidigen; ~ **sb in** vt, einschwören; swear sb in to sth jmd auf etwas einschwören; ~ **to** vi, (versichern) beschwören; ~ **to sth** vi,

beeiden, beeidigen; swear to an evidence eine Aussage beeidigen; ~**ing** sub, - Gefluche; ~**ing in** sub, -s Vereidigung; ~**word** sub, -s Kraftausdruck, Schimpfwort; (ugs.) Fluch

sweat, (1) sub, nur Einz. Schweiß (2) vi, schwitzen; beads of sweat were running down his forehead der Schweiß perlte ihm von der Stirn; ~ **away** vi, abquälen, abrackern; ~ **gland** sub, -s Schweißdrüse; ~ **stain** sub, -s Schweißfleck; ~**band** sub, -s Schweißband; ~**er** sub, -s Sweater; ~**ing cure** sub, -s Schwitzkur; ~**shirt** sub, -s Sweatshirt

Swede, sub, -s Schwede, Steckrübe; ~**n** sub, - Schweden; **Swedish** (1) adj, schwedisch (2) sub, nur Einz. Schwedische

sweep, (1) vi, rauschen (2) vt, kehren (3) vti, fegen; she swept into/out of the room sie rauschte in das/aus dem Zimmer; that's much too sweeping a statement so pauschal kann man das nicht sagen; to sweep aside objections Einwände vom Tisch wischen; ~ **away** vt, hinwegfegen, wegfegen; ~ **off** vt, abkehren; ~ **out** vt, ausfegen, auskehren; ~ **the board** vi, (Wettkampf) abräumen; ~ **thoroughly** vti, durchfegen; ~ **up** vt, aufkehren; ~**er** sub, -s (spo.) Libero; ~**ing** sub, -s Schisslaweng, schwungvoll; (i. ü. S.; Geste) ausladend; ~**ing blow** sub, -s Rundumschlag

sweet, (1) adj, lieb, lieblich, niedlich, süß (2) sub, -s Bonbon; the sweet scent of the roses der lieblliche Duft der Rosen; the wine is extremely sweet der Wein ist ausgesprochen lieblich; the kitten looked so sweet lying on my bed das Kätzchen lag so niedlich auf meinem Bett; I like my tea very sweet ich trinke meinen Tee gerne sehr süß; (niedlich) isn't the baby sweet? ist das Baby nicht süß?; sweet dreams! süße Träume!; sweet idleness das süße Nichtstun, you and your sweet tooth sei nicht so naschhaft; ~ **chestnut** sub, -s Esskastanie; roasted sweet-chestnut Maronen; ~ **pea bloom** sub, -s Wickenblüte; ~ **potato** sub, -es Süßkartoffel; ~**violet** sub, -s Märzveilchen; ~**-and-sour** adj, süßsauer; ~**-toothed person** sub, people Leckermaul; ~**en** vt, süßen, versüßen; to sweeten sth for sb jmd etwas versüßen; ~**ener** sub, -s Süßstoff; ~**heart** sub, -s Erwählte, Liebchen; (i. ü. S.) Herzbinkerl;

(ugs.) Schnuckelchen; **~heart of one´s youth** *sub, -s* Jugendliebe; **~ish** *adj,* süßlich; **~ishness** *sub, nur Einz.* Süßlichkeit; **~ness** *sub, nur Einz.* Niedlichkeit; **~s** *sub, nur Mehrz.* Süßigkeit; **~s and biscuits** *sub, nur Mehrz. (nur Mehrz., Süßigkeiten)* Näscherei

swell, (1) *sub, -s* Seegang (2) *vi,* quellen, schwellen; *(Bohnen, etc.)* aufquellen; *(Fluß, Gewebe)* anschwellen; *(Teig)* auftreiben (3) *vr,* weiten (4) *vt,* blähen, verquollen; **swollen** *badly* dick geschwollen, *his chest swollen with pride* mit vor Stolz geblähter Brust; *to swell about* sich brüsten; *to swell the sails* die Segel aufblähen; **~ing** *sub, -s* Anschwellung, Schwellung; *(med.)* Aufschwemmung

sweltering heat, *sub, nur Einz.* Bruthitze

swerve, *vi, (Auto)* ausbrechen, schlenkern; *(beim Abbiegen etc.)* ausscheren; *swerve to the left/right* zur linken/rechten Seite ausweichen; **~ around** *vi,* Schlangenlinie

swift, *sub, -s* Mauersegler; **~ly** *adv,* flugs
swill down, *vt, (Getränk)* gluckern
swim, *vi,* schwimmen; *(schwimmen)* baden; *can´t swim a stroke* schwimmen wie eine bleierne Ente; *go for a swim* ein Bad nehmen (schwimmen); **~ butterfly** *vt,* delfinschwimmen; **~mer** *sub, -s* Schwimmer, Schwimmerin; **~ming** *sub, nur Einz.* Schwimmsport; **~ming bath** *sub, -s* Schwimmhalle; **~ming pool** *sub, -s* Badeanstalt, Schwimmbad, Swimmingpool; *(Schwimmbad)* Bad; **~ming season** *sub, -s* Badesaison; **~ming style** *sub, -s* Schwimmstil; **~ming-trunks** *sub, nur Mehrz.* Badehose; **~suit** *sub, -s* Badeanzug, Schwimmanzug

swindle, (1) *sub, -s* Gaunerei; *nur Einz.* Hochstapelei; *-s* Schwindel; *nur Einz. (ugs.)* Beschiss (2) *vti,* hochstapeln; **~r** *sub, -s* Hochstapler, Schwindler, Schwindlerin; **swindling** *sub, -s* Gaunerei

swine, *sub, nur Einz. (ugs.)* Vieh; **~ erysipelas** *sub, -* Rotlauf; **~ fever** *sub, nur Einz.* Schweinepest

swing, (1) *sub, -s* Rutsch, Schaukel, Schwinger, Schwung; *(polit.)* Ruck (2) *vi,* schaukeln, schwenken, schwingen (3) *vti,* schwingen; **~ (and fro)** *vi,* pendeln; **~ crane** *sub, -s* Schwenkkran; **~ sth round** *vt,* herumreißen; **~ the arm** *vt, (zum Werfen)* ausholen; **~boat** *sub, -s* Luftschaukel; **~ing board** *sub, -s* Schwungbrett

swipe, (1) *vi, (ugs.; klauen)* abstauben (2) *vt, (ugs.)* klauen; **~ or blow from a paw** *sub, -s* Prankenhieb
swish, *adj, (ugs.)* schnieke
switch, (1) *sub, -es* Gerte, Rute, Schalter; *(ugs.)* Knipser; *(tech.)* Kontroller (2) *vi, (i. ü. S.)* umsatteln (3) *vt,* schalten; **~ lever** *sub, -s* Schalthebel; **~ off** (1) *vi, (i. ü. S.)* abschalten (2) *vt, (ugs.)* ausknipsen; *(Gerät)* abstellen; *(ugs.; im Schaufenster)* ausstellen; *(Licht)* löschen; *(Licht etc.)* ausschalten; **~ on** *vt,* anschalten, einschalten; *(Licht)* anmachen; **~ over** *vt,* umschalten; *(Hebel)* umstellen

switch tower, *sub, -s (US)* Stellwerk; **switchblade** *sub, -s* Springmesser; **switchboard** *sub, -s* Schalttafel; **switchgear** *sub, -s* Schaltanlage; **switching** *sub, -s* Schaltung, Umsatzlung; **switching circuit** *sub, -s (tech.)* Schaltkreis

Switzerland, *sub, -* Schweiz
swollen, (1) *adj,* aufgeschwemmt, verschwollen (2) *sub,* geschwollen
sword, *sub, -s* Degen, Schwert; *with sword and warrier* mit Schwert und Degen; **~ of Damokles** *sub, nur Einz.* Damoklesschwert; **~ pommel** *sub, -s* Schwertknauf; **~-blade** *sub, -s* Degenklinge; **~fish** *sub, -es* Schwertfisch

swot, (1) *sub, -s* Streber (2) *vi, (ugs.; lernen)* pauken; *my mother always helped my with my swotting* meine Mutter hat immer mit mir gepaukt; **~ up** *vt,* pauken; *to help sb swot up their Latin vocabulary* mit jmd Lateinvokabeln pauken; **~ting** *sub, nur Einz.* Büffelei

sybaritic, *adj, (ugs.)* vergnügungssüchtig
sycophant, *sub, -s* Sykophant
syllabic, (1) *adj,* syllabisch (2) *sub, -s* Sonant; **~ation** *sub, -s* Silbentrennung; **syllable** *sub, -s* Silbe, Sprachsilbe; **syllabus** *sub, -ses* Curriculum, *-es* Lehrplan; **syllogism** *sub, -s* Syllogismus

sylph, *sub, -s (i. ü. S.)* Nymphe
sylvaner wine, *sub, -s* Silvaner
Sylvester, *sub, -s* Sylvester
symbiont, *sub, -s* Symbiont; **symbiosis** *sub, -es* Symbiose; **symbiotic(al)** *adj,* symbiotisch
symbol, *sub, -s* Signum, Sinnbild, Symbol, Wahrzeichen; *(Karten)* Signatur; *the balance is the symbol of justice* die Waage ist das Symbol der Gerechtigkeit; **~ic(al)** *adj,* sinnbild-

lich, symbolisch; **~ically** adv, symbolisch; *that is meant symbolically* das muss symbolisch aufgefasst werden; **~ism** sub, nur Einz. Symbolik, Symbolismus; **~ize** vt, symbolisieren, versinnbildlichen

symmetric(al), adj, symmetrisch; **symmetry** sub, -ies Symmetrie; **sympathetic** adj, mitleidsvoll, nachfühlend; (med.) sympathisch; (med.) the sympathetic nervous system das sympathische Nervensystem; **sympathetic system** sub, -s Sympathikus; **sympathize** vi, sympathisieren; **sympathize (with)** vt, mitfühlen; **sympathizer** sub, -s Sympathisant; **sympathy** sub, -ies Bemitleidung; nur Einz. Mitempfinden, Mitgefühl, Mitleid, Nachempfindung; -ies Sympathie; nur Einz. (Mitgefühl) Anteilnahme; show (no) great sympathy for something etwas (keine) große Sympathie entgegenbringen; the sympathies of the spectators were on the loser´s side die Sympathien der Zuschauer lagen auf Seiten des Verlierers; try to get some sympathy Mitleid schinden

symphonic, adj, sinfonisch

symptom, sub, -s Symptom; (med.) Anzeichen; (typische -) Erscheinung; **~atic** adj, symptomatisch

synagogue, sub, -s Synagoge

synapsis, sub, -es Synapse

synchronization, sub, -s Synchronisation; **synchronize** vt, (tech.) gleichschalten, synchronisieren; to synchronize one´s plans die Pläne zeitlich aufeinander abstimmen; **synchronized** adj, gleichläufig; **synchronos** adj, (tech.) gleichlaufend; **synchronous** adj, synchron

syncopate, vt, synkopieren; **syncopation** sub, -s (mus.) Synkope; **syncope** sub, -s Synkope

syndetic, adj, syndetisch

syndic, sub, -s (jur.) Syndikus; **~ate** sub, -s Syndikat; form a syndicate sich zu einem Syndikat zusammenschließen

syndrome, sub, -s Syndrom

synergetic(al), adj, synergetisch; **synergy** sub, nur Einz. Synergie

synod, sub, -s Synode; **~al** adj, synodal; **~alist** sub, -s Synodale; **~ic(al)** adj, synodisch

synonym, sub, -s Synonym; a synonym ein sinnverwandtes Wort; **~ics** sub, nur Einz. Synonymik; **~ous** adj, sinnverwandt, synonym; **~ousm with** adj, (mit) gleichbedeutend; **~y** sub, nur Einz. Synonymie

synoptic(al), adj, synoptisch; **synoptics** sub, nur Einz. Synoptik

syntactic(al), adj, syntaktisch

syntagm, sub, -s Syntagma

syntax, sub, -es Syntax

synthesis, sub, -es Synthese; **synthesizer** sub, -s Synthesizer

syphilis, sub, nur Einz. Syphilis; **syphilitic** adj, syphilitisch; **syphilitic patient** sub, -s Syphilitiker

syringe, sub, -s Spritze

syrup, sub, -s Sirup

system, sub, -s Gefüge, System; **~ crash** sub, -s (comp.) Absturz

systematic, adj, planvoll, systematisch; **~s** sub, -s Systematik; **systematize** vt, systematisieren

systole, sub, -s Systole

tab, *sub*, *-s (eines Mantels, etc.)* Aufhänger; **~(ulator)** *sub*, *-s* Tabulator

tabasco, *sub*, *nur Einz.* Tabasco

tabernacle, *sub*, *-s* Tabernakel

table, *sub*, *-s* Tabelle, Tisch; *(ugs.) drink someone under the table* jemanden unter den Tisch trinken; *lay the table* den Tisch decken; *sit down at table* sich zu Tisch setzen; **~ leader** *sub*, *-s* Tabellenführer; **~ mountains** *sub*, *nur Mehrz.* Tafelgebirge; **~ of contents** *sub*, *nur Mehrz.* Inhaltsverzeichnis; **~ salt** *sub*, *nur Einz.* Kochsalz; **~ tennis** *sub*, *nur Einz.* Tischtennis; **~ tipping** *sub*, *-s* Tischrücken; **~ water** *sub*, *-s* Tafelwasser

tableau, *sub*, *-s* Tableau

table-cloth, *sub*, *-s* Tapet, Tischtuch

tablet, *sub*, *-s* Dragée, Tablette; *(coated) tablet* Dragée; *the tablets are to be taken* die Eingabe der Medikamente

table-top, *sub*, *-s* Tischplatte

taboo, (1) *adj*, tabu (2) *sub*, *-s* Tabu, Tabuschranke (3) *vt*, tabuisieren; *this subject is taboo for you* dieses Thema ist für dich tabu, *break a taboo* ein Tabu brechen; *ignore all social taboos* sich über die Tabus der Gesellschaft hinwegsetzen; **~ word** *sub*, *-s* Tabuwort

tabular, *adj*, tabellarisch, tafelförmig; **~ form** *sub*, *-s* Tabellenform; *in tabular form* in Tabellenform; **tabulate** *vt*, tabellarisieren, tabellieren; **tabulator** *sub*, *-s* Tabellierer

tachymeter, *sub*, *-s* Tachymeter

tacit, *adj*, stillschweigend; *a tacid understanding* eine stillschweigende Übereinkunft

taciturn, *adj*, wortkarg; *(i. ü. S.; Person)* einsilbig; *he is very taciturn* er ist sehr einsilbig; **~ity** *sub*, *nur Einz.* Wortkargheit; *(i. ü. S.)* Einsilbigkeit

tack, (1) *sub*, *-s* Zwecke (2) *vt*, reihen

tackle (1) *sub*, *-s* Schwenkseil (2) *vt*, *(Problem)* angehen, anpacken; **tackling** *sub*, *nur Einz.* Inangriffnahme; *hard tackling* harter Einsatz (Sport)

tact, *sub*, *nur Einz. (Feingefühl)* Takt; *(Takt)* Fingerspitzengefühl; *handle an affair with tact* eine Angelegenheit mit Takt behandeln; *he lacks tact* es fehlt ihm an Takt; **~ful** *adj*, taktvoll; **~ical** *adj*, taktisch; **~ician** *sub*, *-s* Taktiker; **~ics** *sub*, *-s* Taktik; *proceed according to certain tactics* nach einer bestimmten Taktik vorgehen; *use subtle tactics* eine raffinierte Taktik anwenden; **~less** *adj*, taktlos; *(taktlos)* abgeschmackt, ge-

schmacklos; **~less familiarity** *sub*, *-ies* Anbiederung; **~lessness** *sub*, *nur Einz.* Taktlosigkeit; *-es (Taktlosigkeit)* Abgeschmacktheit

tadpole, *sub*, *-s* Kaulquappe, Quappe

Tadzhik, *adj*, tadschikisch

taek won do, *sub*, *nur Einz.* Taekwondo

taffeta, *sub*, *-s* Taft

taiga, *sub*, *nur Einz.* Taiga

tail, *sub*, *-s* Schwanz, Schwänzchen, Schweif, Sterz; *(Flugz.)* Heck; **~ feather** *sub*, *-s* Schwanzfeder; **~ fin** *sub*, *-s* Schwanzflosse; **~ unit** *sub*, *-s* Leitwerk; **~light** *sub*, *-s* Hecklaterne; **~-skid** *sub*, *-s (Flugzeug)* Sporn; **~-wheel** *sub*, *-s* Spornrädchen; **~back** *sub*, *-s* Rückstau, Stau; **~board** *sub*, *-s* Ladeklappe

tailor, *sub*, *-s* Schneider; **~ing** *sub*, *-s* Schneiderei

tails, *sub*, *nur Mehrz.* Frack

take, (1) *vt*, einnehmen, nehmen, vereinnahmen; *(Ball)* annehmen; *(begleiten)* bringen; *(Beruf/Gelegenheit)* ergreifen; *(fahren mit)* benutzen, benützen; *(geleiten)* führen; *(hin-)* bringen; *(Prügel)* einstecken; *(Zeit aufwenden)* brauchen (2) *vi*, greifen; *be very taken with oneself* von sich eingenommen sein; *take a meal* eine Mahlzeit einnehmen; *take one´s seat* seinen Platz einnehmen; *take up a position/attitude* einen Standpunkt/Haltung einnehmen; *to take a wife* sich eine Frau nehmen; *take the children to school* die Kinder zur Schule bringen; *´wegen´ takes the genitive* nach wegen steht der Genitive; *a bag of chips to take away! (brit)* einmal Pommes frites zum Mitnehmen!; *be taken with* angetan sein, von etwas angetan sein; *he was taken from our midst* er wurde aus unserer Mitte gerissen; *he´s got what it takes* er ist nicht ohne; *how many people can you take?* wie viele Leute können bei dir mitfahren?; *how much will you take for it?* was nehmen Sie dafür?; *I won´t take that much longer* ich mache das nicht mehr lange mit; *I´ve taken it upon myself* ich habe es mir zur Pflicht gemacht; *(ugs.) it took it out of me* das hat mich geschafft; *she was quite taken* sie war begeistert; *take man* nehme; *take in (a city etc) along the way* einen Abstecher machen nach; *take it or leave it!* entweder oder!; *take it well* (Schrekkensmeldung) gut aufnehmen; *take sth literally* etwas (wörtl) genau nehmen; *take that with you* das geb ich dir noch mit; *take the initiative/an opportunity* die Initiative/Gelegenheit ergreifen; *take the liberty of (inviting)* sich erlauben zu; *take the offensive* zum Angriff übergehen; *(ugs.)* take to one´s heels stiften gehen; *take up a career* einen Beruf ergreifen; *the car took the hill in 3rd gear* das Auto nahm den Berg im 3Gang; *the takers and the givers* die Nehmenden und die Gebenden; *(kümmern)* to take a collegue´s place den Dienst eines Kollegen versehen; *to take an exam* eine Prüfung machen; *to take photos* Fotos machen; *to take sb as he is* jmdn nehmen wie er ist; *to take sb in* jmdn zu sich nehmen; *to take sb off* eine Parodie von jmd geben; *to take sb´s blood pressure* jmds Blutdruck messen; *to take sth an omen* etwas als ein Zeichen nehmen; *to take sth as it comes* etwas nehmen, wie es kommt; *to take sth lightly* etwas auf die leichte Schulter nehmen; *what would you like to order I´ll take it down* was möchten Sie bestellen? Ich notiere; *with him it´s just take take take* er ist immer der Nehmende; *you can take my word for it* du kannst mir glauben; *take a matter to court* einen Fall vor Gericht bringen; *take me home* bring mich nach Hause; *take the film to the drugstore* den Film zur Drogerie bringen; *he can take a lot* er kann viel ertragen; *how long will it take you?* wie lang brauchst du?; *it takes him ten minutes* er braucht zehn Minuten; ~ (a horse) out *vt*, ausreiten; ~ (money) *vi*, kassieren; ~ (with one) *vt*, mitnehmen; ~ a bearing on *vt*, *(Objekt)* anpeilen; ~ a goal kick *vt*, *(spo.)* abstoßen; ~ a photo (1) *vt*, knipsen (2) *vti*, fotografieren; ~ a photo of *vt*, abfotografieren; ~ a short cut *vt*, *(Weg)* abkürzen, abschneiden; ~ a shower *vi*, duschen; ~ across *vt*, *(Boot etc.)* überfahren

take advantage of, *adv*, zu Nutze; ~ sb/sth. *vt*, schadlos; take after (1) *vi*, *(nach jmdm.)* geraten (2) *vt*, nachgeraten; *(ähneln)* nachschlagen; *take after his/her father* nach seinem Vater geraten, *to take after sb* jmd nachgeraten; take aim at (1) *vi*, visieren (2) *vt*, anvisieren; take amiss *vt*, übel nehmen; *don´t take it amiss but* nehmen Sie es mir nicht übel, aber; take an inventory *vt*, inventarisieren; take apart *vt*, aus-

einander nehmen; take ashore *vt*, ausbooten

take down, *vt*, mitschreiben; *(Gegenstand)* abhängen; *(herunternehmen)* abnehmen; *take down so´s car number* jemandens Kennzeichen aufschreiben; take down so´s particulars jemandens aufschreiben; ~ in shorthand *vt*, stenografieren; take drastic measures *vt*, *(i. ü. S.)* durchgreifen; take drugs *vr*, dopen; *give drugs to sb* jmd dopen; *have taken drugs* gedopt sein; take from an album *vt*, *(Lied)* auskoppeln; take great pains *vi*, *(sich bemühen)* plagen; take hold *vi*, *(Unsitte)* grassieren; take hold of *vt*, fassen; take in (1) *vi*, hereingeben (2) *vt*, abnähen, hereinnehmen; *(ugs.)* übertölpeln; *(enger nähen)* einnähen; take into account *vt*, *(in Überlegungen einbeziehen)* berücksichtigen; take into custody *vt*, *(Täter)* abführen; take legal action *vi*, klagen; take longer than expected *vr*, *(sich)* hinauszögern

take notes, *vt*, mitschreiben; take off (1) *vi*, *(Flugzeug)* aufsteigen, starten (2) *vt*, *(Hut)* absetzen; *(jemanden)* nachäffen; *(karikieren)* nachahmen; *(Kleider)* ausziehen; *(nachäffen)* nachmachen; take off its hinges *vt*, *(Tür)* aushängen; take off one´s make-up *vr*, abschminken; take off one´s seatbelt *vr*, abschnallen; take off so´s make-up *vt*, abschminken; take off the coat *vt*, ablegen

take on, *vt*, *(Form, etc.)* annehmen; ~ coal *vt*, kohlen; ~ too much *vr*, übernehmen; ~e´s cloth off *vt*, entblößen; ~e´s leave (1) *vi*, empfehlen (2) *vt*, beurlauben; ~e´s own life *vi*, entleiben; take out *vt*, herausheben, herausmachen, herausnehmen, hervorholen, hinausführen; *have one´s appendix taken out* sich den Blinddarm herausnehmen lassen; *take liberties* sich Freiheiten herausnehmen; *it really took it out of him* das hat ihn arg mitgenommen; take pains to *vi*, befleißigen; take pains to do *vt*, abmühen

take part, *vi*, teilnehmen; *(mitspielen)* mitwirken; take place (1) *vi*, stattfinden; *(stattfinden)* geschehen (2) *vr*, vollziehen (3) *vt*, erfolgen; take pleasure in *vt*, erfreuen; take possession (of) *vt*, nisten; take precautions *vi*, vorbauen; take proceedings against *vt*, verklagen; take root *vt*, *(Wurzeln*

schlagen) anwachsen; take bro's fin-
ger prints sub, -s (nehmen) Fingerabdruck; **take so for a ride** vt, (i. ü. S.)
hereinlegen; (ugs.) anschmieren, leimen; *he really took you for a ride with
those repairs* er hat dich mit den Reparaturen regelrecht geleimt; **take so in**
vt, (i. ü. S.; finanziell) hereinlegen;
take so out vt, (zusammen ausgehen)
ausführen; **take so up** vt, hinaufführen
take so's **advice**, vt, (Rat) annehmen;
take shape vr, (sich) gestalten; **take
shelter** (1) vi, unterstehen (2) vr, unterstellen; **take sick-leave** vi, krankfeiern; **take sth after** sb vt,
(hinterhertragen) nachtragen; **take sth
amiss** vt, (ugs.) verübeln; **take sth the
wrong way** vt, krumm nehmen; **take
sth.** vt, entnehmen; *I take it that* ich
entnehme ihren Worten, daß; **take the
minutes of a meeting** vi, protokollieren; **take the piss out of** sb (vulg.)
verarschen; **take the piss out of sb** vt,
(ugs.) verscheißern; **take the responsibility for** vi, gerade stehen; **take
time off** vt, (nicht arbeiten) freimachen; **take to heart** vt, beherzigen;
take to one's heels vi, (i. ü. S.; flüchten) türmen; **take turns** vt, abwechseln
take **up**, vt, vorbringen, (Angewohnheit) annehmen, (Arbeit) aufnehmen;
(Raum, Zeit) ausfüllen, (Thema) aufgreifen; (Zeit etc.) beanspruchen; *take
up a challenge* sich einer Herausforderung stellen; *take up an offer/lot of
space/time* ein Angebot/viel Raum/Zeit
in Anspruch nehmen; *taking took up
half the day* das Einkaufen füllte den
halben Tag aus; ~ **one's position** vt,
aufstellen; **take with** vt, einstecken;
take-off board sub, -s Sprungbalken;
take-off clearance sub, -s (Flugzeug)
Starterlaubnis; **take-off power** sub, -s
Sprungkraft; **take-off speed** sub, -s Abfluggeschwindigkeit; **take/bring back**
vi, zurückbringen; **takeover** sub, -s
(wirt.) Übernahme
taking, sub, -s Einspielung; (med.) Einnahme; ~ **back** sub, - Rücknahme; ~
Wiederaufnahme; - (ugs.) Zurücknahme; ~ **down** sub, -s (med.) Abnahme;
~ **drugs** sub, - Doping; ~ **into custody**
sub, -s - (Täter) Abführung; ~ **of evidence** sub, nur Einz. Beweisantrag;
~ **of hostages** sub, -s Geiselnahme; ~ **off**
sub, nur Einz. (Karikieren) Nachah-
mung; ~ **part** adj, teilnehmend; ~
roots sub, nur Einz. Einwurzelung; ~
up sub, nur Einz. (Arbeit) Aufnahme
talcum, sub, nur Einz. Talkum

talk, sub, - (Geschichte) Erzählung;
(geh.; Literaturw.) Fabel; (Märchen)
Geschichte; ~**bearer** sub, - Zuträger
talent, sub, -s Begabung, Talent (Begabung) Geschick; *have a talent for sth*
eine Begabung haben für etwas; ~ **for
education** sub, -s Erziehergabe; ~ **for
languages** sub, talents Sprachtalent;
~**ed** adj, begabt, talentiert; ~**ed person** sub, -s (Person) Talent
taler, sub, -s Taler
talion, sub, -s Talionslehre
talisman, sub, -s Talisman
talk, (1) sub, - Gerede; -s Gespräch,
Talk (2) vi, auslassen, reden; (ugs.;
Geheimnis preisgeben) auspacken (3)
vti, sprechen, talken; *people have
started talking about her* sie ist ins
Gerede gekommen; *have talks* Gespräche führen, *talk about sth* sich
über etwas auslassen; *enough talk* genug der Worte; *have no one to talk to*
keine Ansprache haben; (wegen
schlechter Laune) *he/she isn't talking
to anyone* er/sie ist nicht ansprechbar;
it's like talking to a brick wall das ist
wie gegen eine Wand reden; *just start
talking to so* jemanden einfach ansprechen; *may I talk to Mr Schmidt* ist
Herr Schmidt zu sprechen?; *talk at
cross-purposes* aneinander vorbeireden; *talk one's way into trouble* sich
das Maul verbrennen; *talk so into
buying sth* jemandem etwas aufschwatzen; (i. ü. S.) *talk so out of
doing sth* jemanden von etwas abbringen; (i. ü. S.) *that is the talk of the
town* das pfeifen die Spatzen von den
Dächern; *they are not talking (to each
other) any more* sie reden nicht mehr
miteinander; *to be a fast talker* ein
gutes Mundwerk haben; *to be much
talked about* von sich reden machen;
(ugs.) *to talk big* große Reden schwingen; (ugs.) *to talk nineteen to the dozen* wie ein Wasserfall reden; (i. ü. S.)
to talk on and on einen Monolog halten; (ugs.) *to talk too big* den Mund
zu voll nehmen; (ugs.) *to talk until
one is blue in the face* sich die Seele
aus dem Leib reden; *we had a long
talk* wir haben lange miteinander geredet; *you can talk!* fass dich an die
eigene Nase; ~ **away** vi, parlieren; ~
deliriously vi, (med.) fantasieren; ~
nonsense vi, (i. ü. S.) spinnen; ~ **of
the town** sub, talks Stadtgespräch; ~
over vt, durchsprechen; ~ **round sth**
vi, vorbereiten; ~ **sb into believing
sth.** vt, einreden; ~ **shop** vi, (ugs.)

fachsimpeln; ~ **so** *vt*, unterhalten; ~ **so out of sth** *vt*, ausreden; ~ **so round** *vt*, beschwatzen; ~ **to oneself** *vi*, Selbstgespräch; ~ **Yiddish** *vi*, *(sprachl.)* mauscheln; **~ative** *adj*, geschwätzig, redselig, schwatzhaft; **~ativeness** *sub*, *nur Einz*. Redseligkeit

tall, *adj*, hochstämmig; *(Gestalt, Haus, Baum)* hoch; *(Person)* groß; *how tall are you?* wie groß bist du?; ~ **stories (of the hunt)** *sub*, *nur Mehrz*. *(ugs.)* Jägerlatein; ~ **story** *sub*, *-ies* Flunkerei

tallow, *sub*, *-s (ausgelassen)* Talg; ~ **candle** *sub*, *-s* Talglicht

talon, *sub*, *-s* Kralle

tamarind, *sub*, *-s* Tamarinde

tamarisk, *sub*, *-s* Tamariske

tambourine, *sub*, *-s* Tamburin

tame, (1) *adj*, zahm; *(ugs.)* kirre (2) *vt*, *(Tier)* bändigen; ~ **(an animal)** *vt*, zähmen; **~ness** *sub*, *nur Einz*. Zahmheit; **~r** *sub*, *-s* Bändiger, Dompteur, Dompteuse; **taming** *sub*, *nur Einz*. Zähmung

tamped concrete, *sub*, *nur Einz*. Stampfbeton

tampon, *sub*, *-s* Tampon; **~ade** *sub*, *-s* Tamponade

tam-tam, *sub*, *-s (mus.)* Tamtam

tan, (1) *adj*, *(Haut)* braun (2) *sub*, *nur Einz*. Bräune, Bräunung (3) *vt*, gerben

Tanagra, *sub*, *-s* Tanagrafigur

tandem, *sub*, *-s* Tandem; ~ **axle** *sub*, *-s* Tandemachse

tangent, *sub*, - Tangens, *-s* Tangente; ~ **curve** *sub*, *-s* Tangenskurve; **~ial** *adj*, tangential; **~ial trunk road** *sub*, *-s (Städteplanung)* Tangente

tangerine oil, *sub*, *-s* Mandarinenöl

tangibility, *sub*, *nur Einz*. Fassbarkeit; **tangible** *adj*, *(i. ü. S.)* greifbar

tangle, (1) *sub*, *-s* Gewirr, Knäuel (2) *vtr*, verwickeln; ~ **of thorn-bushes** *sub*, *-s* Dorngestrüpp

tango, *sub*, *-s* Tango; *dance the tango* Tango tanzen

tank, *sub*, *-s* Heizungstank, Tank; *(mil.)* Panzer; ~ **filling** *sub*, *-s* Tankfüllung; ~ **lock** *sub*, *-s* Tankschloss; ~ **top** *sub*, *-s* Pullunder; ~ **trap** *sub*, *-s* Panzersperre; ~ **wagon** *sub*, *-s* Kesselwagen; **~ard** *sub*, *-s* Humpen, Krug; **~ard (with a lid)** *sub*, *-s* Deckelkanne; **~er** *sub*, *-s* Tanker, Tankfahrzeug; **~er fleet** *sub*, *-s* Tankerflotte

tannery, *sub*, *-ies* Gerberei

tannic acid, *sub*, *-s* Gerbsäure

tannin, *sub*, *nur Einz*. Tannin; ~ **mordant** *sub*, *nur Einz*. Tanninbeize

Tanzanian, *sub*, *-s* Tansanierin

tao, *sub*, *nur Einz*. Tao

Taoism, *sub*, *nur Einz*. Taoismus

tap, (1) *sub*, *-s* Anstich, Zapfhahn, Zapfstelle; *(tech.)* Hahn (2) *vi*, *(leise)* pochen (3) *vt*, anzapfen, zapfen; *(Bier, etc.)* abzapfen; *(Bierfass)* anstechen; *(med.)* abklopfen; *(nutzbar machen)* erschließen (4) *vti*, tippen; *turn the tap on/off* den Hahn auf/zudrehen, *(ugs.)* *tap so for money* jemanden um Geld anzapfen; *he always has an excuse on tap* er hat immer eine Ausrede parat, *tap someone on the shoulder* jemanden auf die Schulter tippen

tape, (1) *sub*, *-s* Tape, Tonband; *(Tonband, Maßband etc.)* *(Musik)* aufnehmen; *record on tape* auf Tonband aufnehmen; *speak onto a tape* auf Band sprechen; *tape sth* etwas auf Band aufnehmen; ~ **deck** *sub*, *-s* Tapedeck; ~ **measure** *sub*, *-s* Maßband, Messband; *(Maßband)* Metermaß; **~r** *vi*, auslaufen; *taper to a point* in eine Spitze auslaufen

tapestry, *sub*, *-ies* Gobelin, Tapisserie

tapeworm, *sub*, *-s* Bandwurm

taphole, *sub*, *-s (tech.)* Stichgraben

tapir, *sub*, *-s* Tapir

tappet, *sub*, *-s (tech.)* Exzenter

tapping, *sub*, *(s.o.)* Erschließung; *-s (tech.)* Abstich

taproot, *sub*, *-s* Pfahlwurzel

tarantella, *sub*, *-s* Tarantella

tarantula, *sub*, *-s* Tarantel

tarboosh, *sub*, *-es* Tarbusch

tare, *sub*, *-s* Tara (2) *vt*, tarieren; ~ **balance** *sub*, *-s* Tarierwaage

Tarentine, *adj*, tarentinisch

target, *sub*, *-s* Ziel, Zielscheibe; *(Plan)* Soll; *he didn't achieve his target* er hat sein Pensum nicht geschafft; *make sb the target of attacks* sich auf jmd einschießen; *to meet one's target* die Norm erreichen; ~ **language** *sub*, *nur Einz*. Zielsprache; ~ **shooting** *sub*, *-s* Scheibenschießen

tariff, *sub*, *-s* Tarifierung; *(wirt.)* Tarif; ~ **autonomy** *sub*, *-ies (Zollwesen)* Tarifautonomie; ~ **policy** *sub*, *-ies (Zoll)* Tarifpolitik

tarot, (1) *sub*, *-s* Tarock (2) *vi*, tarocken

tarpaulin, *sub*, *-s* Persenning, Plane

tarragon, *sub*, *(-s) (Gewürz kein Pl)* Estragon

tarry, *vi*, säumen

tart, *sub*, *-s* Törtchen; *(ugs.)* Flittchen, Hure, Nutte

tartar, *sub*, *nur Einz*. *(tt; med.)* Zahnstein

Tartarean, *adj*, tartareisch

tartlet, *sub*, *-s (Obst-)* Törtchen

Taizun, sub, o Tarnan
tassel, sub, -s Quaste, Troddel; (ugs.) Zipfel

taste, (1) sub, -s Beigeschmack, Geschmack, Gusto (2) vi, munden, schmecken (3) vt, degustieren, kosten; (probieren) abschmecken; have a slightly bitter taste einen bitteren Beigeschmack haben; have an unpleasant taste einen unangenehmen Beigeschmack haben; everyone to his own taste jeder nach seinem Geschmack; have no taste keinen Geschmack haben; is it your taste? ist es nach deinem Geschmack?; it's not everyone's taste es ist nicht jedermanns Geschmack; be to so's taste nach jmds Gusto sein, to taste delicious to sb jmd köstlich munden; have got a taste for it Blut geleckt haben; he only had a taste of everything er hat von allem nur genascht; taste good fein schmecken; to leave a nasty taste in one's mouth einen üblen Nachgeschmack hinterlassen; you can't taste anything for ginger das schmeckt penetrant nach Ingwer, have you tasted this wine yet? hast du diesen Wein schon gekostet?; I just want to have a taste ich möchte nur ein bisschen kosten; ~ before sb vi, vorschmecken; ~ one after another vt, durchkosten; ~full adj, geschmackvoll; ~less adj, fade, geschmacklos; (geschmacklos) abgeschmackt; have no taste fade schmecken; tasting glass sub, -es Probierglas; tasting like train-oil adj, tranig; tasty adj, schmackhaft, würzig

tatter, (1) sub, - Stofffetzen (2) vi, (ugs.) zerflattern (3) vt, zerfleddern

tattoo, (1) sub, - Tattoo (2) vt, tätowieren; have oneself tattooed sich tätowieren lassen; ~(ing) sub, -s Tätowierung

Taurus, sub, - (astrol.) Stier

taut, adj, (Seil) gespannt, stramm; ~en vt, (spannen) straffen

tavern, sub, -s Schenke, Taverne

tax, (1) sub, -es Staatssteuer, Steuer; -s (wirt.) Abgabe (2) vt, besteuern; (wirt.) be subject to a tax einer Taxe unterliegen; (wirt.) evade taxes Steuern hinterziehen; ~ advisor sub, -s Steuerhelfer; ~ allowance sub, -s Freibetrag; ~ amount sub, -s Steuerbetrag; ~ ascertainment procedure sub, -s Steuerermittlungsverfahren; ~ assessment (bill) sub, -s Steuerbescheid; ~ authorities sub, nur Mehrz. Fiskus; ~ authority sub, -ies Steuerbehörde; ~ card sub, -s Steuerkarte; ~ consultant sub,

~s Steuerberater; ~ evasion sub, -s Steuerflucht; ~ evation sub, -s Steuerhinterziehung; ~ group sub, -s Steuerklasse

tax haven, sub, -s Steuerparadies; tax inspector sub, -s Steuerprüfer; tax on oil sub, taxes Mineralölsteuer; tax owed sub, taxes Steuerschuld; tax reform sub, -s Steuerreform; tax remission sub, -s Steuererlass; tax return sub, -s Steuererklärung; tax scale sub, -s Steuertarif; tax stamp sub, -s Steuermarke; tax system sub, -s Steuerwesen; tax-exempt adj, (wirt.) abgabenfrei; tax-free adj, steuerfrei; taxable adj, abgabenpflichtig; taxation sub, -s Besteuerung, Versteuerung; taxes sub, nur Mehrz. Steuergelder

taxi, sub, -s Taxi; go by taxi mit dem Taxi fahren; take a taxi ein Taxi nehmen; ~ driver sub, -s Taxifahrerin; ~meter sub, -s Taxameter

taxonomic, adj, taxonomisch; taxonomy sub, nur Einz. Taxonomie

taxpayer, sub, -s Steuerträger, Steuerzahler

tea, sub, -s Tee; a cup of tea eine Tasse Tee; five o'clock tea Fünf-Uhr-Tee; let the tea infuse den Tee ziehen lassen; (i. ü. S.) not for all the tea in China um nichts in der Welt; ~ cup sub, -s Teetasse; ~ harvest sub, -s Teeernte; ~ leaf sub, -s Teeblatt; ~-room sub, -s Teestube; ~-rose sub, -s (bot.) Teerose; ~-table sub, -s Teetisch; ~-towel sub, -s Geschirrtuch; ~-trolley sub, -s Teewagen; ~-wagon sub, -s (US) Teewagen; ~bag sub, -s Aufgussbeutel

teach, (1) vt, unterrichten; (lehren) beibringen, belehren; (Unterricht) geben (2) vti, lehren; teach so sth jmd in etwas unterrichten; teach so sth to so jemandem etwas beibringen, ability to teach pädagogische Fähigkeiten; that will teach you das kommt davon; ~-in sub, -s Teach-in; ~ability sub, nur Einz. Lehrbarkeit; ~er sub, -s Fachlehrerin, Lehrer; (ugs.; Lehrer) Pauker; teacher-training college Pädagogische Hochschule; ~er at a secondary high school sub, teachers Mittelschullehrer; ~er at a secondary school sub, teachers Studienrätin, Studienrat, Studienrätin; ~er/student/scholar of Romance languages and literature sub, -s Romanist; ~er's desk sub, -s Katheder; ~ing sub, nur Einz. Lehre; -s Schuldienst, Unterricht; ~ing load

sub, *-s* Deputat; **~ing method** *sub*, *-s* Lehrmethode; **~ing staff** *sub*, *nur Mehrz.* Lehrerschaft; **~ing unit** *sub*, *-s* Lehrstunde; **~ings** *sub*, - Lehre
tea-house, *sub*, *-s* Teeküche
teak (wood), *sub*, *nur Einz.* Teakholz
teapot, *sub*, *-s* Teekanne; **~ warmer** *sub*, *-s* Teelicht
tear, (1) *sub*, *-s* Einriss, Riss, Träne; *(i. ü. S.)* Zähre **(2)** *vti*, reißen; *(i. ü. S.) to be inclined into tears* in Tränen ausbrechen; *to tear at one´s hair* sich die Haare raufen; *to tear sb away* jmdn losreißen; *to tear sb to pieces* jmdn in der Luft zerreißen; *burst into tears* in Tränen ausbrechen; *in tears* unter Tränen; *shed tears* Tränen vergießen; *(i. ü. S.) you are bringing tears to my eyes!* mir kommen die Tränen!, *(i. ü. S.) to be torn* hin und her gerissen sein; **~ away** *vt*, wegreißen; **~ down** *vt*, umreißen; *(i. ü. S.; Schranken)* niederreißen; **~ off** *vt*, losreissen; *(Gegenstand)* abreißen; **~ open** *vt*, *(Verpackung)* aufreißen; **~ out** *vt*, herausreißen; *(herausreißen)* ausreißen; **~ sth. up/in pieces** *vt*, zerfetzen; **~-duct** *sub*, *-s* Tränengrube; **~-gas** *sub*, *nur Einz.* Tränengas
tear through, *vti*, durchrasen; *tear through the department store* durch das Kaufhaus durchrasen; **tear into pieces** *vt*, zerfleischen; *(ugs.)* verreißen; **tear up (1)** *vt*, ausraufen; *(Teerdecke)* aufreißen **(2)** *vti*, zerreißen; *tear one´s hair* sich die Haare ausraufen; **tear-jerker** *sub*, *-s (ugs.)* Schmachtfetzen; **tear-resistant** *adj*, *(i. ü. S.)* zerreißfest; **tearful** *adj*, tränenreich; **tearproof** *adj*, reißfest, rissfest, unzerreißbar; **tears of joy** *sub*, - Freudenträne
tease, *vt*, frotzeln, hänseln, necken, striezen; *(necken)* triezen; *to have a tease* einander necken; **~1** *sub*, *-s (bot.)* Kardendistel; **teasing** *sub*, *nur Einz.* Neckerei; *-s* Witzelei; *teasing is a sign of affection* was sich neckt, das liebt sich
teat, *sub*, *-s* Sauger; *(auf Fläschchen)* Nuckel; *(tt; biol.)* Zitze
technical, *adj*, technisch; **~ college** *sub*, *-s* Fachschule; **~ language** *sub*, - Fachsprache; **~ term** *sub*, *-s* Fachausdruck, Fachbegriff, Fachwort; **~ize** *vt*, technisieren; **technician** *sub*, *-s* Techniker, Technikerin; **technicize** *vt*, technisieren; **technics** *sub*, - Technik; **technique** *sub*, *-s (Verfahren)* Technik
techno, *sub*, *nur Einz. (mus.)* Techno; **~cracy** *sub*, *nur Einz.* Technokratie;

~crat *sub*, *-s* Technokrat; **~cratic** *adj*, technokratisch; **~logical** *adj*, technisch, technologisch; **~logist** *sub*, *-s* Technologe; **~logy** *sub*, *-ies* Technik, Technologie; **tectonic** *adj*, tektonisch
tectonics, *sub*, *nur Einz.* Tektonik; **tedious** *adj*, *(Arbeit)* stumpfsinnig
Te Deum, *sub*, *-s* Tedeum
teem, *vi*, wimmeln; *to be teeming with vermin* vor Ungeziefer strotzen
teenage *adj*, halbwüchsig; **~r** *sub*, *-s* Halbwüchsige; **teener** *sub*, *teens* Teenager, Teenie; **teeny-weeny** *adj*, klitzeklein
tee-pee, *sub*, *-s* Tipi
teething ring, *sub*, *-s* Beißring
teetotaler, *sub*, *-s (US)* Abstinenzler; **teetotaller** *sub*, *-s* Antialkoholiker
telebanking, *sub*, *-s* Telebanking; **telecommunication** *sub*, *-s* Telekommunikation; **telecommunications satellite** *sub*, *-s* Nachrichtensatellit; **telecopy** *vt*, telekopieren; **telecratic** *adj*, telekratisch; **telefax** *sub*, *-es* Telefax; **telegenic** *adj*, telegen; **telegram** *sub*, *-s* Telegramm; *they will let you know by telegram* man wird Sie telegrafisch verständigen!; **telegram (to)** *sub*, *-s* Depesche; **telegram form** *sub*, *-s* Telegrammformular; **telegraph (1)** *sub*, *-s* Telegraf **(2)** *vi*, telegrafieren; **telegraph operator** *sub*, *-s* Telegrafist; **telegraphic** *adj*, telegrafisch; **telegraphy** *sub*, *nur Einz.* Telegrafie; **telekinesis** *sub*, *nur Einz.* Telekinese
Telekom, *sub*, *nur Einz.* Telekom; **telemetric** *adj*, telemetrisch; **telemetry** *sub*, *nur Einz.* Telemetrie; **teleologic(al)** *adj*, teleologisch; **telepathic** *adj*, telepathisch; **telepathist** *sub*, *-s* Telepath; **telepathy** *sub*, *-ies* Gedankenübertragung; *nur Einz.* Telepathie; **telephone (1)** *sub*, *-s* Telefon **(2)** *vi*, *(ugs.)* telefonieren; **telephone-box** *sub*, *-es* Sprechzelle, Telefonzelle
telescope, *sub*, *-s* Fernrohr, Teleskop; **~ eye** *sub*, *-s (zool.)* Teleskopauge; **telescopic antenna** *sub*, *-s* Teleskopantenne; **telescopic sight** *sub*, *-s (tt; mil.)* Zielfernrohr; **telescopic(al)** *adj*, teleskopisch
teletext, *sub*, *-s* Videotext
television, *sub*, *-s* Fernsehapparat; *nur Einz.* Fernsehen; *nur Einz.* Television; *be shown on television* im Fernsehen übertragen werden; **~ image** *sub*, *-s* Fernsehbild; **~ play** *sub*, *-s* Fernsehspiel; **~ reporter** *sub*, - *-s* Bildrepor-

ter; ~ **series** *sub, nur Mehrz* Fernsehserie; ~ **tower** *sub, -s* Fernsehturm; ~/**radio company** *sub, -ies* Sendeanstalt; **telex machine** *sub, -s* Fernschreiber

tell, (1) *vt,* erzählen, mitteilen **(2)** *vti,* petzen; *can you tell me why* kannst du mir erklären, warum; *how could you tell?* wie hast du das gemerkt?; *(ugs.) I can tell you a thing or two about that* davon kann ich ein Lied singen; *I could tell you a thing or two about him* ich könnte dir einiges über ihn erzählen; *I´ve been told* man hat mir erzählt; *now come on and tell me* nun leg mal los und erzähle; *tell a story* eine Geschichte zum Besten geben; *tell me another* das kaufe ich dir nicht ab; *tell sb in a roundabout way* durch die Blume sagen; *tell so about sth* jemandem über etwas berichten, jmd von etwas erzählen; *(ugs.) tell so where to go* jemanden abblitzen lassen; *(ugs.) tell someone off* mit jemandem Tacheles reden; *(ugs.; verraten) tell someone sth* jemandem etwas stecken; *there is no telling how things will turn out* die Konsequenzen sind nicht abzusehen; *there´s no way of telling* da steckt man nicht drin; *(ugs.) time will tell* es wird sich zeigen wer recht hat!; *to tell sb all about sth* jmd etwas auf die Nase binden; *would you tell him to come and see me* sagen Sie ihm, er möchte zu mir kommen; *he always tells* der petzt alles; *he told sir* er hat´s dem Lehrer gepetzt; *he went and told that* er hat gepetzt, dass; ~ **fibs** *vti,* kohlen; ~ **off** *vt,* ausschimpfen; *(ugs.)* rüffeln; ~ **on** *vt,* verklatschen; ~ **sb sth** *vt,* vorsagen; ~ **so what´s what** *vi, (i. ü. S.)* heimleuchten; ~ **stories** *vi,* fabulieren, flunkern; ~ **er** *sub, -s (Bank)* Kassierer; ~**ing-off** *sub, - (ugs.)* Rüffel; ~**tale** *sub, -s* Petze

tellurium, *sub, nur Einz.* Tellur

temper (1) *sub, -s* Laune **(2)** *vt,* vergüten; *(mus.)* temperieren *(Stahl)* härten; *(tech.)* ausglühen; *to be in a hell of a temper* eine Mordswut im Bauch haben; ~ **carbon** *sub, -* Temperkohle

tempera, *sub, -s* Temperafarbe; ~**-painting** *sub, -s* Temperamalerei

temperament, *sub, -s* Naturell, Temperament

temperature, *sub, -s* Temperatur, Temperierung; *- (erhl Temp.)* Fieber; *have a temperature* erhöhte Temperatur haben; *take someone´s temperature* jemandes Temperatur messen; *the temperature has dropped below zero*

die Temperatur ist unter null Grad gesunken; ~ **chart** *sub, -s* Fieberkurve

tempering, *sub, -s* Vergütung

template, *sub, -s* Schablone

temple, *sub, -s* Schläfe, Tempel

temporal, *adj, temporal; (tt; rel.)* zeitlich; ~ **clause** *sub, -s* Temporalsatz; ~**ity** *sub, nur Einz.* Zeitlichkeit; **temporarily (1)** *adj,* aushilfsweise **(2)** *adv,* temporär, vorläufig; *(zeitweise)* einstweilen; **temporary** *adj,* einstweilig, kurzzeitig, temporär, vorläufig, vorübergehend, zeitweilig; *(zeitweilig)* behelfsmäßig, gelegentlich; *a temporary injunction/order* eine einstweilige Anordnung/Verfügung; **temporary assistant** *sub, -s* Aushilfskraft; **temporary cook** *sub, -s* Aushilfskoch; **temporary help** *sub, -s* Aushilfe; **temporary home** *sub, -s* Behelfsheim; **temporary position** *sub, -s* Aushilfsstellung; **temporary staff** *sub, nur Einz. (i. ü. S.)* Zeitpersonal; **temporary value** *sub, -s* Zeitwert; **temporary waiter** *sub, -s* Aushilfskellner; **temporary work** *sub, nur Einz.* Aushilfsarbeit

tempt, *vt,* ködern, verführen, verleiten, versuchen; *(Versuchung)* locken; *tempt fate* das Schicksal herausfordern; *(geh.; bibl.) to be tempted in* Versuchung geraten; *I´m very tempted by the offer* das Angebot lockt mich sehr; ~**ation** *sub, -s* Verführung, Versuchung; *(Versuchung)* Lockung; *(geh.; bibl.) and lead us not into temptation* und führe uns nicht in Versuchung; *to lead sb into temptation* jmd in Versuchung führen; ~**er** *sub, -s* Versucher; ~**ing** *adj,* verführerisch; ~**ress,** *sub, -es* Versucherin

ten, *adj,* zehn; ~ **mark note** *sub, - (ugs.)* Zehner; ~**-pfennig piece** *sub, -s* Groschen; *- (ugs.)* Zehnerl

tenacious, *adj, (i. ü. S.)* zäh

tenant, *sub, -s* Lehnsträger, Mieter, Pächter, Partei; *(Mieter)* Hausbewohner; *the tenant after us* unser(e) Nachmieter(in); *he´s a tenant farmer* er ist Pächter eines Bauernhofs

tend, *vi,* tendieren; *tend to* die Tendenz haben zu; *to tend to the left* links orientiert sein; ~ **(to)** *vi, (tendieren)* neigen; *he tends toward socialism* er neigt zum Sozialismus; *to tend towards the view* zu der Ansicht neigen; ~**ency** *sub, -ies* Trend; *(Neigung)* Hang, Tendenz; *(Tendenz)* Neigung; *(Veranlagung)* Anlage; *he has a tendency to drink* er neigt zum Alkohol;

(wirt.) prices show a tendency to rise die Preise zeigen eine steigende Tendenz; *he has a tendency to be mean* er hat eine Neigung zum Geiz; **~entious** *adj,* tendenziös

tender, (1) *adj,* weich, zart; *(Fleisch)* mürbe **(2)** *sub,* -s Tender; **~loin** *sub,* Lendenstück; **~ness** *sub, nur Einz.* Zartheit; - Zärtlichkeit; *nur Einz.* *(Fleisch)* Mürbheit; **~some** *adj, (i. ü. S.)* zart fühlend

tendon, *sub, -s (anat.)* Sehne

tendril, *sub, -s* Ranke

tenement house, *sub, -s* Mietskaserne

tennis, *sub, nur Einz.* Tennis; **~-ball** *sub, -s* Tennisball; **~-court** *sub, -s* Tennisplatz; **~-match** *sub, -es* Tennismatch; **~-racket** *sub, -s* Tennisschläger; **~-shoe** *sub, -s* Tennisschuh

tenon, *sub, - (tt; Zimmerhandwerk)* Zapfen

tenor, *sub, -s* Tenor

tense, (1) *adj,* angespannt; *(Athmosph.)* gereizt; *(Muskel, Lage)* gespannt **(2)** *sub, -s* Tempus; **~ up** *vi,* anspannen; **~ly awake** *adj,* überwach; **~ness** *sub, nur Einz.* Verspannung; **tensible strength** *sub, nur Einz.* Reißfestigkeit; **tension (1)** *sub, -s* Anspannung, Gespanntheit, Tension, Verkrampfung; *(tech.)* Spannung **(2)** *vt, (Feder)* spannen; *the tension of the rope decreased* die Spannung des Seils ließ nach; **tension voltage** *sub, -s (phy.)* Spannung

tent, *sub, -s* Zelt; **~ peg** *sub, -s (ugs.)* Zelthering; *(Zeltpflock)* Hering

tentacle, *sub, -s* Tentakel; *(Weicht.)* Fühler; *(zool.)* Greifarm

tent canvas, *sub, -es* Zeltleinwand; **tenter frame** *sub, -s* Spannrahmen

tenth (part) of, *adv, -* Zehntel; **tenth gram** *sub, -s* Zehntelgramm

tentside, *sub, -s* Zeltwand

tequila, *sub, -* Tequila

term, *sub, nur Mehrz.* Kondition; *-* Laufzeit; *-s* Term, Terminus; *(Wort)* Ausdruck; *-s* Begriff; *be on good terms with so* mit jemandem in guten Beziehungen stehen; *get on good terms with so* sich bei jemandem anbiedern; *in economic terms* in wirtschaftlicher Hinsicht; *on equal terms* auf der gleichen Basis; *to be on close terms with sb* jmd nahe kommen; *to be one Christian-name terms with sb* mit jmd per du sein; **~ of endearment** *sub, -s* Kosewort; **~s of admission** *sub, nur Mehrz.* Aufnahmebedingung

terminal, *sub, -s* Terminal; **terminate**

vt, (Arbeitsverhältnis) beenden; *(tt; med.)* unterbrechen; **termination** *sub, -s* Fristlösung; *(tt; chem.)* Unterbrechung; *(von Arbeitsverhältnisses)* Beendung; **terminator** *sub, -s* Vernichter; **terminologist** *sub, -s* Terminologe; **terminology** *sub, -ies* Terminologie; **terminus** *sub, termini* Endstation; - Sackbahnhof; **terminus (station)** *sub, -s* Kopfbahnhof

ternary, *adj,* ternär

terrace, (1) *sub, -s* Terrasse **(2)** *vt,* abstufen; *(stufenförmig anlegen)* stufen; **~d** *adj, (Gelände)* abgestuft; **~d house** *sub, -s* Reihenhaus

terra-cotta, *sub, nur Einz.* Terrakotta

terrain, *sub, -s* Terrain; *(mil.) advance in difficult terrain* in unwegsamem Terrain vorrücken; *reconnoitre the terrain* das Terrain sondieren

terrariatology, *sub, nur Einz.* Terraristik

terrarium, *sub, -s* Terrarium

terrazzo, *sub, -s* Terrazzo

terrestrial, *adj,* terrestrisch; **~ globe** *sub, -s* Erdkugel

terrible, *adj,* fürchterlich, grässlich, grauenvoll, grausig, schauderbar, schrecklich, wüst; *(ugs.)* unmenschlich; *(schlimm)* entsetzlich; *(schrecklich)* erbärmlich; *I have a terrible feeling that* ich habe das peinliche Gefühl, dass; *it´s all terribly sad* es ist alles maßlos traurig; *terrible mess* unheimliches Durcheinander; *have a terrible thirst* einen entsetzlichen Durst haben; **~ fright** *sub, nur Einz.* Mordsschreck; **~ rage** *sub, nur Einz.* Mordswut; **~ shame** *sub, nur Einz. (ugs.)* Jammer; *it would be a terrible shame if you couldn´t come* es wäre ein Jammer, wenn du nicht kommen könntest; *what a shame!* das ist doch ein Jammer; **~ vision** *sub, -s* Scheuche, Schreckbild; **~ness** *sub, -es* Grässlichkeit

terrier, *sub, -s* Terrier

terrific, *adj,* bombig; *(ugs.)* unschlagbar; *(großartig)* toll; *make a terrific showing* sich bombig schlagen; *terrific* nicht von schlechten Eltern; *terrific weather* bombiges Wetter; **terrifying experience** *sub, -s (ugs.)* Horrortrip; *(ugs.) it was a terrifying flight* der Flug war der reinste Horrortrip

territorial, *adj,* territorial; **~ sovereignty** *sub, nur Einz.* Territorialhoheit; **territory** *sub, -s* Revier; **-ies** Territorium; *(i. ü. S.)* Terrain; *(Staats-*

) Gebiet; *be in)breign territory sich auf* fremdem Territorium befinden; **territory of the enemy** *sub,* Feindesland

terror, *sub, nur Einz.* Terror; *there was terror and bloodshed* es kam zum blutigen Terror; *this country is ruled by terror* dieses Land vom Terror beherrscht; **~ism** *sub, nur Einz.* Terrorismus; **~ist** *sub, -s* Terrorist, Terroristin; **~ist bombing** *sub, -s* Bombenterror; **~ist commando** *sub, -s* Terrorkommando; **~ization** *sub, -s* Terrorisierung; **~ize** *vt,* terrorisieren

terry cloth, *sub, -es* Frotteestoff; **terry towel** *sub, -s* Frotteetuch

tessera, *sub, -rae* Mosaikstein

test, (1) *sub, -s* Probe, Test, Testfall **(2)** *vt,* austesten, prüfen, testen; *(med.)* erproben; *test a medication* ein Medikament erproben; **~ drill** *sub, -s* Probebohrung; **~ flight** *sub, -s* Testflug; **~ of courage** *sub, tests* Mutprobe; **~ of strength** *sub, -s* Kraftprobe; **~ pilot** *sub, -s* Testpilot; **~ report** *sub, -s* Prüfbericht; **~ satellite** *sub, -s* Testsatellit; **~ standard** *sub, -s* Prüfnorm; **~ subject** *sub, -s* Testkandidat; **~ track** *sub, -s* Teststrecke; **~(ing) method** *sub, -s* Testmethode; **~-tube** *sub (chem.)* Reagenzglas; **~-tube baby** *sub, -ies* Retortenbaby

testamentary, *adj,* letztwillig, testamentarisch

testatix, *sub, -es* Erblasserin

testator, *sub, -s* Erblasser

testcard, *sub, -s* Testbild; **tested** *adj,* probat; **tester** *sub, -s* Tester

testicle, *sub, -s* Testikel; *(med.)* Hode

testified, *adj,* gutachtlich; **testify (1)** *vi, (jur.)* aussagen **(2)** *vt,* bezeugen, zeugen; **testimonial** *sub, -s (tt; wirt.)* Zeugnis; **testimony** *sub, -ies* Bezeugung; *(jur.)* Aussage, Einlassung; *-s (tt; jur.)* Zeugnis

testing area, *sub, -s* Testgelände; **testing machine** *sub, -s* Prüfautomat

tetanus, *sub, nur Einz.* Tetanus; *- (med.)* Starrkrampf; *(tt; med.)* Wundstarrkrampf

tête-à-tête, *sub, -s* Tete-a-tete

tether, *vt,* festbinden, pflocken

tetragonal, *adj,* tetragonal; **tetrapod** *sub, -s (tt; zool.)* Vierfüßler

tetrahedron, *sub, -s* Tetraeder; *(tt; mat.)* Vierflächner

text, *sub, -s* Text; **~ for a sermon** *sub, -s* Predigttext; **~ of the contract** *sub, - (i. ü. S.)* Vertragstext; **~ printing** *sub, -s* Textabdruck; **~ writer** *sub, -s (mus.)* Texter; **~book** *sub, -s* Lehrbuch

textilo, adj, rextil; **~ factory** *sub, -ies* Textilfabrik; **~ goods** *sub, nur Mehrz.* Textilwaren; **~ industry** *sub, -ies* Textilindustrie; **~s** *sub, nur Mehrz.* Textilien

Thai, (1) *adj,* thailändisch **(2)** *sub, -s* Thailänderin; **~land** *sub, -* Thailand

thalamus, *sub, -mi* Thalamus

than, *präp, (Vergleich)* als; *he is taller than her* er ist größer als sie; *more than ever* mehr denn je

thank, *vt,* bedanken; *get little thanks* Undank ernten; *(i. ü. S.) no, thank you very much* dafür bedanke ich mich; *thank so for sth* sich bei jemandem für etwas bedanken; **~ sb for sth.** *vt,* danken; *how can I begin to thank you* wie kann ich ihnen nur danken; *thank sb for sth* jmd für etwas danken; **~ you** *interj,* danke!; **~ful** *adj,* dankerfüllt; **~less** *adj, (Aufgabe)* undankbar; **~s** *sub, nur Mehrz.* Dank; *as a way of saying thanks* zum Dank; *many thanks* Herzlichen Dank; *never expect thanks for anything* Undank ist der Welt Lohn; *thank you very much* vielen Dank; **~s to** *präp,* dank; *thanks to your help* dank deiner Hilfe; **~s!** *interj,* Merci!

that, (1) *dem.pron,* der **(2)** *konj,* dass **(3)** *pron,* es, jene, was **(4)** *rel.pron.,* den; *I know (that) I´m right* ich weiss, dass ich recht habe; *not that I know of* nicht, dass ich wüsste, *I like this dress, not that one* dieses Kleid gefällt mir, jenes nicht; *I mean that man* ich meine den Mann; *in order that* auf dass; *leave that to me!* lass das meine Sorge sein!; *that man over there* der Mann dort; *that´s that* das wäre erledigt; *(ugs.) that´s what you think!* so siehst du aus!; *you clear the stuff up and that´s that* das Zeug räumst Du auf, da gibts kein Pardon; *at that time* zu jener Zeit; **~ sort of thing** *pron,* dergleichen; **~/those** *dem.Pron,* den, die; *that women* die Frau da; *the women that I saw* die Frau, die ich gesehen habe; *those men* die Männer da; **~´ll do for me** *vi,* genügen; *that´ll do for a week* das genügt für eine Woche; **~´s why** *adv, (ugs.)* deshalb

thaumaturge, *sub, -s* Kophta

thaw, (1) *sub, -s* Tauwetter **(2)** *vi, (i. ü. S.; Person)* auftauen **(3)** *vti,* abtauen, tauen; *(Eis)* auftauen

the, (1) *best.Art.* der **(2)** *best.Art.,* das, der **(3)** *konj, (mit Komparativ)* desto; *Susan (without: the)* die Susanne; *the* *cup which* die Tasse, die; *the little girl* die Kleine; *the woman walking over there* die Frau, die da drüben geht, die *car* das Auto; *he was the first to know* er war der erste, der es erfuhr; *of the men der Männer; the man* der Mann, *all the better* desto besser; *I appreciate him all the more* ich schätze ihn desto mehr; *the more the better* je mehr desto besser; ~ ... *the ... konj*, je; *the sooner the better* je eher, desto besser; ~ **one who** *sub*, derjenige; *he who* derjenige, der; ~ **other day** *adv*, neulich; ~ **two** *pron*, *(unbetont)* beide; *the two of us* wir beide

theatre, *sub*, -s Musentempel, Theater; ~ **hall** *sub*, -s Theatersaal; ~ **of war** *sub*, -s Kriegsschauplatz; ~ **sister** *sub*, -s OP-Schwester; ~ **ticket** *sub*, -s Theaterkarte; ~ **wardrobe** *sub*, - Kostümfundus; ~**goer** *sub*, -s Theaterbesucher; **theatrical** *adj*, theatralisch; **theatricality** *sub*, *nur Einz.* Theatralik

theft, *sub*, -s Diebstahl; ~ **of comestibles for personal consumption** *sub*, *nur Einz.* Mundraub

their, (1) *poss.pron*, ihre (2) *poss.pron.*, deren

theism, *sub*, *nur Einz.* Theismus

them, *pron*, ihnen

thematic collector, *sub*, -s Motivsammler; **theme** *sub*, -s Thematik; *(Leitgedanke)* Thema; *he started on his old theme* er legte die alte Platte auf

then, (1) *adj*, seinerzeitig (2) *adv*, dann; *(danach)* nun; *(zeitl.)* da; *well then* nun denn; *what then?* sondern was?, *and then there is* und dann kommt noch; *now and then* dann und wann, hier und da; *only then did he go* nun erst ging er; *from then on* von da an

theodolite, *sub*, -s Theodolit

theorem, *sub*, -s Lehrsatz, Theorem

theoretical, *adj*, theoretisch; **theorist** *sub*, -s Theoretiker; **theory** *sub*, -ies Theorie; *that´s only in theory* das steht nur auf dem Papier; **theory of colors** *sub*, - *(phy.)* Farbenlehre; **theory of colours** *sub*, - *(phy.)* Farbenlehre; **theory of evolution** *sub*, -ies Evolutionstheorie; **theory of knowledge** *sub*, -ies Erkenntnistheorie; **theory of relativity** *sub*, *nur Einz.* Relativitätstheorie

theosophy, *sub*, -ies Theosophie

therapeutic, *adj*, therapeutisch; ~ **agent** *sub*, -s Therapeutikum; ~ **effect** *sub*, -s Heilwirkung; **therapeutist** *sub*, -s Therapeut, Therapeutin; **therapist** *sub*, -s Therapeut, Therapeutin; **the**rapy *sub*, -ies Therapie

there, *adv*, dorthin, hin; *(dort)* da; *(räuml.)* dahin; *(s.a. da)* dort; here, *there and everywhere* überall und nirgends; *there and then* an Ort und Stelle; *(i. ü. S.)* there *is nothing in it* es ist nichts daran; *there is sth in it* an der Sache ist was dran; *there was dancing* es wurde getanzt; *there and back* hin und zurück; *out/in/down/up/over there* da draußen/drinnen/hinunter/ hinauf/drüben; *there he is* da ist er ja; *there is little to do about it* da kann man wenig machen; *there you are* da hast du´s; *we´re almost there* wir sind gleich da; *on the way there* auf dem Weg dahin; *from there* von dort; ~ **and back** *adv*, tour-retour; ~ **is, there are** *vt*, *(es gibt)* geben; ~**fore (1)** *adv*, somit; *(ugs.)* demzufolge; *(veraltet)* mithin; *(causal)* demnach (2) *konj*, daher; *(ugs.: deshalb)* folglich

thermal, *adj*, thermal, thermisch; ~ **energy** *sub*, -es Wärmeenergie; ~ **salt** *sub*, -s Thermalsalz; ~ **spring** *sub*, -s Therme; ~ **unit** *sub*, -s Wärmeeinheit

thermic, *adj*, thermisch; ~ **current** *sub*, -s *(spo.)* Thermik

thermionics, *sub*, *nur Einz.* *(phy.)* Thermik

thermodynamics, *sub*, *nur Einz.* Thermodynamik; **thermometer** *sub*, -s Thermometer, Wärmemesser; **thermonuclear** *adj*, thermonuklear; **thermos bottle** *sub*, -s Thermosflasche; **thermostat** *sub*, -(e)s Thermostat; - Wärmeregler

these days, *adv*, heutzutage

thesis, *sub*, - These; *evolve a thesis* eine These aufstellen; ~ **play** *sub*, -s Tendenzstück; ~ **supervisor** *sub*, -s Doktorvater

Thessalian, *adj*, thessalisch

theta, *sub*, -s Theta

they themselves, *pron*, selber, selbst

thick, *adj*, üppig, wulstig; *(Haar,Moos,Wolken...)* dicht; *(Material)* dick; *be as thick as two planks* sie kann nicht bis drei zählen; *I´m thick of it/him* ich habe es/ihn dick; *that´s really a bit thick!* das ist ja ein starkes Stück!; *they are as thick as thieves* dicke Freunde sein; *thickly spread with butter* dick mit Butter bestrichen; *through thick and thin* durch dick und dünn; ~ **as an arm** *adj*, armdick; ~ **custard-based dessert often flavoured with vanilla, chocolate etc** *sub*, -s Pudding; ~

head *sub,* *-s (ugs.)* Brummschädel: ~ **layer** *sub, -s (Dunst)* Glocke; ~ **maize porridge** *sub, -s* Maisbrei; ~**en (1)** *vr,* verdichten (2) *vtr,* verdicken; ~**ened** *adj, (Soße)* gebunden; ~**ening** *sub, -s* Verdichtung

thicket, *sub, -s* Dickicht

thickset, *adj,* stämmig; *(Gestalt)* gedrungen

thief, *sub, -s, thieves* Dieb; *-ves (bibl.)* Schächer; *stop thief* haltet den Dieb; *to be as thick as thieves* zusammenhalten wie Pech und Schwefel; **thieve** *vi, (ugs.)* räubern

thigh, *sub, -s* Oberschenkel; *(anat.)* Schenkel

thikning trousers, *sub, - (ugs.)* Zwillichhose

thimble, *sub, -s* Fingerhut

thin, *adj,* dünnflüssig, schütter; *(dünn)* mager; *(Mass)* dünn; *thin hair* spärliches Haar; *get the thin end of the wedge* den Anfang machen müssen; *thin as a lath* dünn wie eine Bohnenstange; *thin on top* fast eine Glatze haben; ~ **(down)** *vt,* verdünnen; ~ **as a rake** *adj, (ugs.)* klapperdürr; ~ **cardboard** *sub, -s* Pappendeckel; ~ **cutting** *sub, -s* Dünnschliff, Dünnschnitt; ~ **edge (of the wedge)** *sub, nur Einz. (ugs.)* Kippe; ~ **out** *vt,* ausdünnen, lichten; *(Wald)* durchforsten

thing, *sub, -s* Gebilde, Gegenstand, Sache; *(ugs.)* Schose; *(Gegenstand)* Ding; *(i. ü. S.) get things straight* reinen Tisch machen; *(ugs.) how are things?* wie stehen die Aktien?; *(ugs.) I'm seeing things* ich glaub, mich laust der Affe; *it's best to get unpleasant things over and done with* lieber ein Ende mit Schrecken als ein Schrecken ohne Ende; *it's not worth a thing* es ist keinen Pfennig wert; *no such thing* nichts dergleichen; *not worth a thing* keinen Pfifferling wert; *(ugs.) the latest thing* der letzte Schrei; *thingumajig* Dingsda; *(i. ü. S.) to have things under control* die Zügel fest in der Hand halten; *as things are* wie die Dinge stehen; *it takes time to do a thing well* gut Ding will Weile haben; *the way things are* nach Lage der Dinge; *there are two sides to everything* jedes Ding hat zwei Seiten; *these things happen* das passiert nun mal; *things have gone better than I expected* es lief besser als ich erwartet hatte; ~**s** *sub, nur Einz.* Zeug; *nur Mehrz. (ugs.)* Kram; *strange things happen when you're abroad* wenn einer eine Reise tut, so kann er was erzählen;

~**s get pretty lively** *vi, (heiß.)* hergehen; ~**s go (well) for** *vt,* ergehen; *things go well/bad for him* es ergeht ihm gut/schlecht; ~**s military** *sub, nur Einz.* Militaria

think, (1) *vi,* nachdenken, nachgrübeln; *(nachdenken)* überlegen (2) *vr,* denken (3) *vt,* denken (4) *vti,* glauben; *(denken, der Ansicht sein)* meinen; *it doesn't bear thinking about* darüber darf man gar nicht nachdenken; *think about it!* denk doch mal nach!; *think carefully!* denk mal scharf nach!; *to think aloud* laut nachdenken; *a great thinker* ein großer Geist; *can't think straight* ein Brett vor dem Kopf haben; *don't think that* bilde dir ja nicht ein, daß; *give me a bit of time to think* gib mir ein bisschen Zeit zum Nachdenken; *(ugs.) he didn't think that up himself* es ist nicht auf seinem Mist gewachsen; *he thinks no end of himself* er ist ganz schön eingebildet; *I can't think straight* ich kann keinen klaren Gedanken fassen; *I think I saw him* ich bilde mir ein, jmd gesehen zu haben; *it's too dreadful to think about* es ist nicht auszudenken; *let so go on thinking* jemanden in seinem Glauben belassen; *now let me think* lass mich mal überlegen; *that's just what I think!* genau meine Meinung!; *that's what you think* Hast du eine Ahnung, So siehst du aus; *that's what you think!* denkste!; *think hard* angestrengt denken; *to set sb thinking* jmdn nachdenklich stimmen; *to think twice before spending anything* jede Mark umdrehen; *when you think about it* wenn man es recht bedenkt; *who do you think you are?* erlauben sie mal!, was bildest du dir eigentlich ein, wer sind Sie überhaupt?; *think better of it* sich eines Besseren besinnen auf; *without thinking twice* ohne sich lange zu besinnen, *I think so* ich denke schon; *I think with him* ich bin seiner Meinung; *I thought him dead* ich dachte er sei tot; *I thought nothing of it* ich habe mir dabei nichts gedacht; *that makes me think* das gibt mir zu denken; *think over and over again* etwas immer wieder überdenken; *thought as much* das habe ich mir gedacht, *I think so* ich glaube schon; *one would think* man möchte meinen; ~ **about** *vi,* besinnen; *it's worth thinking about* das wäre zu überlegen; *that is worth thinking about* das wäre eine Überlegung wert; ~ **back** *vi*, zurückdenken; ~ **in relative terms** *vi*, relativieren; ~ **it over** *vt*, bedenken; ~ **of** (1) *vi*, gedenken (2) *vt*, *(erinnern)* einfallen; *I can´t think of it now* es fällt mir jetzt nicht ein; ~ **out** *vt*, *(Plan)* ausdenken; *a well thought-out plan* ein gut durchdachter Plan; ~ **over** (1) *vi*, *(durchdenken)* überlegen (2) *vt*, durchdenken, überdenken; ~**er** *sub*, - Denker; *-s (Denker)* Geist; ~**ing** *sub*, *nur Einz.* Denken; *logical thought* logisches Denken

thinly, *adv*, dünn; *apply sth thinly* etwas dünn auftragen; *thinly sliced cheese* dünn geschnittener Käse; **thinness** *sub*, *nur Einz. (Menschen)* Magerkeit; **thinning clearance** *sub*, -s Durchforstung; **thinning out** *sub*, *nur Einz.* Ausdünnung

third, *sub*, -s Drittel; *(mus.)* Terz; ~ **inversion of the seventh chord** *sub*, - Sekundakkord; ~ **part of** *sub*, Drittel; ~ **party insurance** *sub*, -s Haftpflichtversicherung; ~ **Sunday after Easter** *sub*, -s Jubilate; ~**highest** *adj*, dritthöchste; ~**rate funds** *sub*, *nur Mehrz.* Drittmittel

3rd Sunday before Easter, *sub*, Lätare

thirst, *sub*, *nur Einz. (ugs.: Durst)* Brand; *a thirst for fame* Durst nach Ruhm; *be thirsty* Durst haben; *become thirsty* Durst bekommen; *quench one´s thirst* seinen Durst löschen; ~ **for glory** *sub*, -s Ruhmbegierde; *nur Einz.* Ruhmsucht; ~ **for knowledge** *sub*, *nur Einz.* Wissbegierde, Wissensdurst; ~ **for life** *sub*, *nur Einz.* Lebenshunger; ~**quenching** *adj*, Durst löschend, Durst stillend; ~**y** *adj*, durstig; ~**y for adventure** *adj*, abenteuerlustig; ~**y for glory** *adj*, ruhmbegierig, ruhmsüchtig

thirteen, *Zahl*, dreizehn

thirty, *Zahl*, dreißig

this contract must be drawn up in writing, *sub*, - *(jur.)* Schriftform; *(jur.) this contract must be drawn up in writing* dieser Vertrag erfordert die Schriftform; **this (here)/that (there)** *dem.pron*, dieser, diese, dieses; *one of these days* dieser Tage (Zuk); *that book* dieses Buch da; *these days* dieser Tage (Verg); *these man/woman/car* diese Männer/Frauen/Autos; *this and that* dieses und jenes; *this men/women/cars* dieser Mann, diese Frau, dieses Auto; **this minute** *adv*, soeben; **this time** *adv*, diesmal; **this way** *adv*, hierher; **this year** *adv*, heuer; **this year´s** *adj*, heurig; **this/that** *pron*, das

thistle, *sub*, -s Distel

thoracic, *sub*, -s Rückenwirbel

thorax, *sub*, -es Thorax; *nur Einz. (anat.)* Brustkorb

thorn, *sub*, -s Dorn; *(Dorn)* Stachel; *be a thorn in so side* jmd ein Dorn im Auge sein; ~**y** *adj*, dornenreich, dornig; *(bot.)* stachelig, stachlig

thorough, *adj*, gründlich, reiflich; *the case was given a very thorough goingover* der Koffer wurde peinlich genau untersucht; *to be a thorough and precise worker* ordentlich arbeiten; ~**bred** (1) *adj*, *(reinrassig)* edel (2) *sub*, -s *(tt; zool.)* Vollblüter; ~**ly** *adv*, gründlich; *be well-grounded in* gründliche Kenntnisse haben; *he´s done his job thoroughly* er hat seine Sache gründlich gemacht; *(i. ü. S.) thoroughly* nach Strich und Faden; ~**ly healthy** *adj*, kerngesund; ~**ly miserable** *adj*, kreuzunglücklich; ~**ness** *sub*, *nur Einz.* Ausgiebigkeit

those, *pron*, jene; *in those days* in jenen Tagen; *which flowers would you like? those over there?* welche Blumen möchtest du? jene dort hinten?

though, *konj*, obgleich, obwohl; ~**tful** *adj*, gedankenvoll, nachdenklich, zuvorkommend; *that´s very thoughtful of you* das ist sehr aufmerksam von Ihnen; *to be in a thoughtful mood* nachdenklich gestimmt sein

thought, *sub*, -s Gedanke, Gedankengut; *hier: nur Einz.* Nachdenken; -s Überlegung; *just the thought of it* allein der Gedanke daran; *lost in thought* in Gedanken versunken; *after (giving the matter) considerable thought* nach langem Nachdenken; *be lost in thought* in Betrachtungen versunken sein; *I´ll give it some thought* das werde ich mir überlegen; *(ugs.) it was just a thought* ich meine nur so; *our thoughts will be with you* wir werden im Geiste bei euch sein; *the mere thought* allein schon der Gedanke; ~**content** *sub*, *nur Einz.* Ideengehalt; ~ **of revenge** *sub*, -s Rachegedanke; ~**less** *adj*, gedankenlos, leichtfertig, leichtsinnig, unbedacht, unbedachtsam, unbesonnen; *(unachtsam)* nachlässig; ~**lessness** *sub*, -es Gedankenlosigkeit; *nur Einz.* Leichtsinn; *(Unachtsamkeit)* Nachlässigkeit

thousand, *Zahl*, tausend; *(ugs.) die a thousand deaths* tausend Ängste ausstehen; *I have a thousand and one different things to do* ich habe tausend verschiedene Dinge zu tun; *I still* *have a thousand things to do* ich habe noch tausenderlei Dinge zu erledigen; *they came in their thousands* sie kamen in wahren Massen; **~ of** viele Tausende; **~ and one** *adj,* tausendeins; **~ billions** *sub, nur Mehrz.* Billiarde; **~ millions (Brit.)** *sub, nur Mehrz.* Milliarde; *thousands of millions of people* Milliarden von Menschen; **~ millionth (Brit.)** *adj,* milliardste; **~ millionth part (Brit.)** *sub, -s* Milliardstel; **~ times** *adv,* tausendmalig; **~ trillions** *sub,* - Trilliarde; **~fold (1)** *adj,* tausendfach **(2)** *sub, nur Einz.* Tausendfache; **~s and thousands** *adv,* abertausend; **~s of** *sub,* - Tausende; **~th** *adj,* tausendstens; **~th (part)** *sub, -s* Tausendstel; **~th part** *sub, -s* Promillesatz

thrash out, *vt, (ugs.)* ausdiskutieren, bequatschen; *(ein Thema)* ausreizen; **thrashing** *sub, -s (ugs.)* Keile; *(ugs.: Schläge)* Abreibung

thread, *sub, -s* Faden, Garn; *(tech.)* Gewinde; *(tt; tech.)* Windung; *hang by a single thread* an einem Bindfaden hängen (Leben), *(i. ü. S.)* es hing an einem seidenen Faden; *(i. ü. S.) lose ones´s thread* den Faden verlieren; *(i. ü. S.) pick up the thread* den Faden wiederaufnehmen; **~ in** *vt, (Band)* einziehen; **~ing** *sub, -s* Einfädelung

threat, *sub, -s* Androhung, Bedrohung, Drohung; **~en** *vt,* bedrohen, drohen, gefährden; *be threatened to drown or drohte zu ertrinken; it theatens to rain* es droht zu regnen; *threaten revenge* Rache androhen; *threaten sb with death* jmd mit dem Tod drohen; *threaten so with sth* jmd etwas androhen; *threaten to call the police* mit der Polizei drohen; **~ening gesture** *sub, -s* Drohgebärde; **~ening letter** *sub, -s* Drohbrief; **~ening word** *sub, -s* Drohwort; **~eningly** *adv, (schauen)* bedrohlich; *come threateningly close* bedrohlich nahe kommen

three, (1) *Kard.zahl,* drei **(2)** *sub, -s* Drei; *all good things come in threes* aller guten Dinge sind drei, *three times as much* das Dreifache; *three times the amount* die dreifache Menge; **~ and a half** *Zahl,* dreieinhalb; **~ different kinds** *sub, nur Mehrz.* dreierlei; **~ hundred** *Zahl,* dreihundert; **~ months** *sub, nur Mehrz.* Vierteljahr; **~ months´** *adj,* vierteljährig; **Three Saints** *sub, nur Mehrz.* Eisheilige; **~ thousand** *Zahl,* dreitausend; **~ times** *adv,* dreimal; **~-column** *adj,* dreispal-

tig; *a three column page* eine dreispaltige Seite; **~-day event** *sub, -s* Military; **~-day fever** *sub, nur Einz.* Dreitagefieber

three-dimensional, *adj,* räumlich; **~ (3D)** *adj, (dreidimensional)* plastisch; **~ity** *sub, -ies* Räumlichkeit; **three-field system** *sub, nur Einz.* Dreifelderwirtschaft; **three-figure** *adj,* dreistellig; **three-horse carriage** *sub, -s* Dreispänner; **three-jet** *adj,* dreistrahlig; **three-master** *sub, -s* Dreimaster; **three-phase current** *sub, -s* Drehstrom; **three-piece suite** *sub, -s* Klubgarnitur; **three-rake** *adj,* dreischürig; **three-storey** *adj,* dreistöckig

3-D-movie, *sub, -s* 3-D-Film

3-D-picture, *sub, -s* 3-D-Bild

thresh, *vt,* dreschen; *thresh a horse* auf ein Pferd eindreschen; **~ing floor** *sub, -s* Tenne; **~ing-machine** *sub, -s* Dreschmaschine; **~old** *sub, -s* Schwelle, Türschwelle; **~old value** *sub, -s* Schwellenwert

thrill, *sub, -s* Nervenkitzel; *it adds to the thrill* das erhöht den Reiz; **~er** *sub, -s* Krimi, Thriller; **~ing** *adj, (aufregend)* spannend

thrive, *vi,* gedeihen; **thriving** *adj,* gedeihlich

throat, *sub, -s* Gurgel, Kehle, Rachen; *(innen)* Hals; *have a look at so´s throat* jmdm in den Hals schauen; *(i. ü. S.) he took it the wrong way* er hat es in den falschen Hals bekommen; *I´ve got a sore throat* ich hab´s im Hals; **~y** *adj,* kehlig

throb, *vi,* klopfen

throes, *sub, nur Mehrz.* Agonie

thrombocyte, *sub, -s (tt; med.)* Thrombozyt; **thrombosis** *sub, -* Thrombose; **thrombotic** *adj,* thrombotisch

throne, *sub, -s* Königsthron, Thron; *ascend the throne* den Thron besteigen; **~-chair** *sub, -s* Thronsessel

throttle, *vt,* abdrosseln; **~ down** *vt,* Abdrosselung

through, (1) *adv,* hindurch **(2)** *präp,* durch; *all night through* die ganze Nacht durch; *through sth* durch etwas hindurch, *have been through a lot* viel hinter sich haben; *he is through* Er hat ausgespielt, er ist unten durch; *I´m through* ich habe die Nase voll; *I´m through with you* bei mir hast du ausgespielt, du bist für mich erledigt; *it goes right through me* es geht mir durch Mark und Bein; *no throughfare* Durchgang verboten; *once the anticy-*

clone has moved through nach Durchzug des Tiefdruckgebietes; *see a matter through* eine Sache durchziehen; *she´s been through a lot in her time* sie hat viel mitgemacht; *through and through* durch und durch; *through fair and foul* durch dick und dünn; *through ignorance* durch Unwissenheit; *through your fault* durch deine Schuld; *wet through* durch und durch nass; ~ **ball** *sub, -s (spo.)* Steilvorlage; ~ **coach** *sub, -es* Kurswagen; ~ **here** *adv*, hierdurch; ~ **it/them** *adv, (räuml.)* dadurch; *shall I go through it?* soll ich dadurch gehen?; ~ **road** *sub, -s* Durchgangsstraße; ~ **the grapevine** *adv, (i. ü. S.; erfahren)* hintenherum; ~ **the middle** *adv*, mittendurch; ~**out** (1) *adv*, durch (2) *präp, während; throughout the year* das ganze Jahr durch

throw, (1) *sub, -s (tt; spo.)* Wurf (2) *vt*, schmeißen (3) *vt*, verbiestern, zuwerfen (4) *vti*, werfen, würfeln; *throw oneself into the breach* in die Bresche springen; *throw someone with a question* jemanden mit einer Frage überrumpeln; *(i. ü. S.) to throw oneself at sb* sich jmd an den Hals schmeißen; ~ **around** *vt*, herumwerfen; ~ **at** *vt*, bewerfen; ~ **away** *vt*, wegwerfen; ~ **back** *vt*, zurückwerfen; ~ **doublets** *vi*, paschen; ~ **down** *vt*, hinschmeißen, niederwerfen; ~ **for goal** *sub, -s (spo.)* Korbwurf; ~ **in** *vt, (Bemerkung/Ball)* einwerfen; ~ **o.s. down** *vr, (sich)* hinwerfen; ~ **off** *vt, (Kleider)* abwerfen

throw on, *vt, (Kleidung)* überwerfen; ~**eself away** *vr*, verschenken; **throw out** *vt*, ausrangieren, hinauswerfen; **throw sth down** *vt*, vorwerfen; **throw up** (1) *vt, (erbrechen)* brechen, spukken (2) *vt, (Wall)* aufschütten, aufwerfen (3) *vti*, kotzen; *(ugs.)* erbrechen; *(vulg.) just listening to you makes me want to throw up* wenn ich dich höre, könnte ich kotzen; *He makes me want to throw up* Er ist ein Brechmittel, ich finde ihn zum Kotzen (Erbrechen); **thrower** *sub, -s* Werfer; **throwing the discus** *sub, -* Diskuswerfen

thrush, *sub, -es (zool.)* Drossel; *(tt; zool.)* Zippdrossel; ~ **nightingale** *sub, -s (zool.)* Sprosser

thug, *sub, -s* Scherge

thumb, *sub, -s* Daumen; *be under so´s thumbs* unterm Pantoffel stehen; *suck one´s thumb* am Daumen lutschen; *to be all thumbs* zwei linke Hände haben, *(ugs.)* ungeschickte Finger haben; *twiddle one´s thumbs* Daumen drehen;

~**-nail** *sub, -s* Daumennagel; ~**screws** *sub, nur Mehrz.* Daumenschraube; *put the screws on sb* jmd die Daumenschrauben anlegen; ~**tack** *sub, -s (US)* Heftzwecke

thump, (1) *sub, -s* Puff (2) *vt*, puffen

thunder, (1) *sub, -s* Donner (2) *vi*, donnern; *(Beifall)* tosen; *(reiten)* sprengen; *thunderstruck* wie vom Blitz getroffen, wie vom Donner gerührt; ~**bolt** *sub, -s* Bombenschuss; ~**cloud** *sub, -s* Kumulonimbus; ~**ing** *sub, -s* Gedonner; ~**storm** *sub, -s* Gewitter; ~**struck** *adj*, perplex

Thursday, *sub, -s* Donnerstag; ~**s** *adv*, donnerstags

thus, *adv*, also, somit; *thus equipped* dergestalt ausgerüstet

thwart, *vt*, vereiteln; *(Pläne)* durchkreuzen; *(i. ü. S.) thwart so´s plans* jmd einen Strich durch die Rechnung machen; ~**ing** *sub, -s* Vereitelung

thyme, *sub, -s* Thymian

thymus, *sub, -* Bries

thyroid gland, *sub, -s* Schilddrüse

tic, *sub, -s* Tic

tick, (1) *sub, -s (auf Liste)* Haken; *(vulg.; biol.)* Zecke (2) *vi*, ticken (3) *vt*, ankreuzen; ~ **off** *vt, (Liste)* abhaken

ticker, *sub, -s (ugs.)* Ticker

ticket, *sub, -s* Billett, Fahrausweis, Fahrkarte, Flugschein, Karte, Strafzettel, Ticket; *(Lotterie)* Los; *(US)* oneway ticket einfache Fahrkarte nach; ~ **collector** *sub, -s (Swiss obs)* Kondukteur; ~ **of ten** *sub, -s (i. ü. S.)* Zehnerkarte; ~ **office** *sub, -s* Fahrkartenschalter; ~**-office** *sub, -s (US)* Theaterkasse

tickle, (1) *vt*, kitzeln (2) *vti*, kribbeln, prickeln; ~**r** *sub, -s (US)* Terminkalender; **ticklish** *adj*, kitzelig

tidal amplitude, *sub, -s* Tidenhub; **tidal wave** *sub, -s* Flutwelle

tiddly person, *sub, - people* Beschwipste

tide, *sub, -s* Gezeit, Tide; *nur Einz. (Gezeit)* Flut; *the tide is turning in his favour* die Waagschale neigt sich zu seinen Gunsten; *the tide is coming in (going out)* die Flut kommt (geht); ~ **is out** *vi*, ebben; ~**way** *sub, -s* Priel

tidiness, *sub, -es* Reinlichkeit; **tidy** *adj*, geordnet, ordentlich, reinlich; *her house always looks neat and tidy* bei ihr sieht es immer ordentlich aus; *a tidy mind is half the battle* Ordnung ist das halbe Leben; *to keep things tidy* Ordnung halten; *to teach a child tidy* *habits* ein Kind zur Ordnung erziehen; **tidy up (1)** *vi*, aufräumen **(2)** *vt*, *(Boden, etc.)* aufräumen; **tidying up** *sub*, *nur Einz.* Aufräumung

tie, (1) *sub*, *-s* Binder, Krawatte, Schlips, Selbstbinder; *(spo.)* Gleichstand **(2)** *vt*, binden, schlingen, verknüpfen; *familiy ties* die familiäre Band; *feel tied down by sth* etwas als Fesseln empfinden; *I am too young to be tied down* Ich bin zu jung, um mich schon zu binden; *tie oneself up in knots* sich in Schwierigkeiten verstricken; *tie sb hands* jmd die Hände binden; *tie sth into sth* etwas zu etwas binden; **~ oneself** *vr*, *(i. ü. S.)* ketten; **~ up** *vt*, fesseln, festbinden, schnüren, verschnüren, zubinden; *(Geld)* festlegen; *(Schnur, etc.)* anbinden; *(i. ü. S.) be tied to the bed/house/wheelchair* ans Bett/Haus/an den Rollstuhl gefesselt sein; *tie so´s hands and feet* jmdan Händen und Füßen fesseln; **~-break** *sub*, *-s* Tie-Break; **~pin** *sub*, *-s* Krawattennadel, Schlipsnadel; **~d** *adj*, *(i. ü. S.)* gebunden; **~ing** *sub*, *-s* Anknüpfung

Tierra del Fuego, *sub*, *(geogr.)* Feuerland

tiger, *sub*, *-s* Tiger; *striped like a tiger* gestreift wie ein Tiger; **~ shark** *sub*, *-s* Tigerhai

tight, *adj*, eng anliegend; *(gespannt)* straff; *(Kleid)* eng; *(Kleidung)* stramm; *(straff)* fest; *(i. ü. S.) to keep a tight rein on sth* etwas im Zaum halten; *I´ve got a tight schedule already* das wird zeitlich sehr eng für mich; *(Kleidung) fit tightly* stramm sitzen; **~ spot** *sub*, *-s (i. ü. S.)* Klemme; *(ugs.) now we´re in trouble* jetzt sitzen wir in der Klemme; *to help someone out of a tight spot* jemanden aus der Klemme helfen; **~en** *vt*, straffen; *(Saite)* spannen; *(Schnur)* anspannen; *(Schraube)* anziehen; **~en (up)** *vt*, nachziehen; **~ly** *adv*, fest; **~rope walker** *sub*, *-s* Drahtseilakt, Seiltänzer, Seiltänzerin; **~s** *sub*, *nur Mehrz.* Strumpfhose

tilde, *sub*, *-s* Tilde

tile, *sub*, *-s* Kachel; *- (tt; bandw.)* Ziegel; **~d stove** *sub*, *-s* Kachelofen; **~r** *sub*, *-s* Fliesenleger

tiller, *sub*, *-s* Pinne

till the end of time, *adv*, ewiglich

tilt, *vt*, kanten, kippen; **~ window** *sub*, *-s* Kippfenster

timber, *sub*, *-s* Nutzholz; **~ track** *sub*, *-s* Holzweg; **~ed ceiling** *sub*, *-s* Balkendecke

timbre, *sub*, *-s* Klang

time, (1) *adj*, zeitlich **(2)** *sub*, *-s* Uhrzeit, Zeit; *(Gelegenheit)* Mal; *(mus.)* Takt, Tempo **(3)** *vt*, timen; *(ugs.) a complete waste of time* ein Schuss in den Ofen; *all in good time* alles zu seiner Zeit; *at what time?* um wieviel Uhr?; *(i. ü. S.) do time* Tüten kleben; *do time for* absitzen wegen; *do you have the correct time?* haben Sie die genaue Uhrzeit?; *from time immemorial* seit ewigen Zeiten; *go on about it being time to leave* zum Aufbruch drängen; *(i. ü. S.) have no time for someone* für jemanden nichts übrig haben; *help in the nick of time* Hilfe in höchster Not; *in time* mit der Zeit; *it was high time* es war aber längst fällig; *take your time* du brauchst dich nicht zu beeilen; *that is still a long time away* das liegt noch in weiter Ferne; *that was a long time ago* das liegt schon in weiter Ferne; *(i. ü. S.) the ravages of time* der Zahn der Zeit; *the referee allowed extra-time* der Schiedsrichter ließ nachspielen; *the time isn´t convenient* das passt zeitlich nicht; *three times in a row* dreimal nacheinander; *time and tide wait for no man* keiner kann das Pendel der Zeit aufhalten; *time flies* die Zeit rast; *time is running short* die Zeit drängt; *time sth well* etwas gut abpassen; *to move with the times* mit der Zeit gehen; *what time is it?* wieviel Uhr ist es?; *times have changed* die Zeiten haben sich geändert; *to devote some time for sb/sth* sich für jmd/etwas Zeit nehmen; *(i. ü. S.) to get old before one´s time* vor der Zeit alt werden; *every time* von Mal zu Mal; *for the first time* zum ersten Mal; *from time to time* das eine oder andere Mal; *one last time* ein letztes Mal; *the time before* voriges Mal; *the time after* ein ums andere Mal; *(mus.) in time* im Takt; *(mus.) keep time* den Takt halten; *(mus.) play out of time* aus dem Takt kommen; **~ as a recruit** *sub*, *nur Einz.* Rekrutenzeit; **~ clock** *sub*, *-s* Kontrolluhr, Stechuhr; **~ exposure** *pron*, Zeitaufnahme; **~ for reflection** *sub*, *nur Einz.* Bedenkzeit; **~ fuse** *pron*, *(tt; mil.)* Zeitzünder; **~ limit** *sub*, *-s* Terminierung; **~ of arrival** *sub*, *-s* Ankunftszeit; **~ of going to press** *sub*, *nur Einz.* Redaktionsschluss; **~ of stay** *sub*, *nur Einz.* Verweildauer; **~ out** *sub*, *-s* Auszeit; **~ served in the army** *sub*, *nur Einz.* Kommisszeit; **~- Vorsilbe,** zeit; **~-bill**

sub, -s Datowechsel
time-out whistle, *sub,* -s Pausenpfiff;
time consuming *adj,* zeitraubend;
time sequence *sub,* -s Zeitenfolge;
time transferred *adj, (i. ü. S.)* zeitversetzt; **time zone** *sub,* -s Zeitzone; **timeless** *adj,* zeitlos; **times** *adv, (math.)* mal; **times of peace** *sub, nur Mehrz.* Friedenszeit; **timesaving** *adj,* zeitsparend; **timetable** *sub,* -s Fahrplan, Flugplan, Stundenplan, Zeitplan; **timewise** *adv,* zeitlich
timid, *adj,* zaghaft; *(schüchtern)* ängstlich; **~ity** *sub,* - Zaghaftigkeit; **~ness** *sub, nur Einz.* Ängstlichkeit
timing, *sub,* -s Timing; - Zeittakt
timocratic(al), *adj,* timokratisch
timpani, *sub, nur Mehrz.* Pauke
tincture, *sub,* -s Tinktur
tinder, *sub, nur Einz.* Zunder
tine, *sub,* -s *(Geweih)* Sprosse
tinfoil, *sub,* -s Silberpapier
tinfounding, *sub,* -s Zinnguss
tingle, *vi,* prickeln; **tingling** *adj,* prickelnd; **tingly** *adj, (ugs.)* kribbelig
tinker around, *vi,* herumdoktern; **tinkering** *sub,* -s Pusselarbeit
tinkle, *vi,* klimpern; **tinkling** *sub,* - Geklirre; *nur Einz.* Klimperei
tinned food, *sub, nur Einz.* Konserve; **tinned meat** *sub, nur Einz.* Dosenfleisch; **tinned milk** *sub, nur Einz.* Büchsenmilch; **tinned vegetables** *sub, nur Mehrz.* Dosengemüse; **tinplate** *sub,* -s Weißblech
tinsel, *sub,* - Flittergold; -s Flitterkram
tint, *vt, (färben)* tönen; **~ing** *sub,* -s Tönung
tiny, *adj,* winzig; *tiny little* winzig klein; **~ bit** *sub,* -s Quäntchen; **~ hair** *sub, nur Einz.* Härchen; **~ tot** *sub,* -s Hosenmatz
tip, *sub,* -s Deponie, Hinweis, Schuttplatz, Tipp, Trinkgeld; *(ugs.)* Zipfel; *(Glieder)* Spitze; *(tt; tech.)* Zwinge; *anonymous tip-off* anonymer Hinweis; *no tipping* Müll abladen verboten; **~ away** *vt, (ugs.)* wegschütten; **~ of a dagger** *sub,* -s Dolchspitze; **~ of the nose** *sub,* -s Nasenspitze; **~ of the tail** *sub,* -s Schwanzende; **~ of the tongue** *sub,* -n Zungenspitze; **~ over** *vti,* umkippen
tip of the toe, *sub,* -s Zehenspitze
tipper, *sub,* -s Kipper, Lore
tipple, *(1) vi, (ugs.)* bechern, zechen *(2) vti,* süffeln; **~r** *sub,* -s *(ugs.)* Zecher
tirade, *sub,* -s Tirade; *go into tirades* sich in Tiraden ergehen
tire out, *vt,* abhetzen; **tired** *adj,* müde;

(Person) ermüdet; *I´m tired of doing that* ich bin es müde, das zu tun; *don´t you tell me you´re tired* nur keine Müdigkeit vorschützen; **tired of TV** *adj,* fernsehmüde; **tired out** *adj,* abgespannt; **tired-looking** *adj, (i. ü. S.)* welk; **tiredness** *sub, nur Einz.* Müdigkeit; *-es (Person)* Ermüdung; *to fight one´s tiredness* gegen die Müdigkeit ankämpfen; *to overcome one´s tiredness* die Müdigkeit überwinden; **tireless** *adj,* nimmermüde, unermüdlich; *(spo.)* ausdauernd; **tiresome** *adj,* lästig, leidig; **tiring** *adj, (ermüdend)* strapaziös
tissue, *sub,* -s *(med.)* Gewebe; **~ of lies** *sub, tissues* Lügengebäude, Lügengewebe; **~ paper** *sub,* -s Seidenpapier
Titan, *sub,* -s *(myth.)* Titan
titanic, *adj,* titanisch
titanium, *sub, nur Einz. (chem.)* Titan
titch, *sub,* -s Wicht
title, *sub,* -s Titel; *bestow a title on someone* jemandem einen Titel verleihen; *defend one´s title* seinen Titel verteidigen; *hold a title* einen Titel führen; **~ heroine** *sub,* -s Titelheldin; **~ holder** *sub,* -s Titelverteidiger; **~ of doctor** *sub,* -s Doktortitel; **~ of master craftsman** *sub, titles (Handwerk)* Meistertitel; **~-page/cover** *sub,* -s Deckblatt; **titling type** *sub,* -s Titelschrift
titmouse, *sub, -mice* Meise
tits, *sub, nur Mehrz. (vulg.; Brüste)* Mops
title-tattle, *sub,* -s Tratsch, Tratscherei
titulary, *sub, -ies* Titular
tivoli, *sub,* -s Tivoli
to, (1) *adv, (nach, auf, zu)* hin **(2)** *konj,* bis, zu **(3)** *präp,* bis, zu; *(örtlich)* nach; *(räumlich)* ans; *10 to 11* 10 bis 11; *from Saturday to Monday* von Samstag bis Montag; *(mit infin)* he has to obey er hat zu gehorchen; *(mit infin)* I have to work ich habe zu arbeiten; *(mit partizip)* problems (that are) not to be underestimated nicht zu unterschätzende Probleme; *(mit infin)* sth to eat etwas zu essen; *(mit partiz)* the candidate to be examined der zu prüfende Kandidat; *(mit pron)* who to zu wem, *(zablenang.)* five to 30 pence fünf zu 30 Pfennig; *from beginning to end* von Anfang bis Ende; *from top to toe* über und über; *(Vergleich) in relation to* im Verhältnis zu; *it´s 5 km to there* bis dahin sind es 5 km; *(folge/umst) to death* zu seinem Tode; *to Frankfurt* bis nach Frankfurt;

(örtl/bewg) *h 's J kant to the station* his zum Bahnhof sind es; *(örtl/bewg) to take sth* etwas zu sich stecken; *(örtl/bewg) to the station* zum Bahnhof; *from left to right* von links nach rechts; *the train to Augsburg* der Zug nach Augsburg; *to the front* nach vorn; *to the left* nach links; **~ a certain extent** *adv*, gewissermaßen; **~ a great extent** *adv*, großenteils; **~ a large extent** *adv*, größernteils, **~ one´s heart´s content** *sub*, - *(nach)* Herzenslust; **~ port** *adv*, backbord; **~ such an extent** *adv*, solchermaßen; **~ the right** *adv*, rechtsherum; **~ what extent** *adv*, inwieweit; *I don´t know to what extent he has told the truth* ich weiß nicht, inwieweit er die Wahrheit gesagt hat; **~ you** *pers.pron*, dir; *I give it to you* ich gebe es dir; *I give you the book* ich gebe dir das Buch; *let´s go to your place* gehen wir zu dir; *same to you* dir auch; *wash your hands* wasch dir die Hände; **~/for somebody/anybody** *pron*, wem; **~/into/as** *präp*, zu; *(veränder.) to burn to ashes* zu Asche verbrennen; *(als) to chose sb as king* jmd zum König wählen; *(veränder.) to grow into sth* zu etwas heranwachsen; *(als) to have sb as friend* jmd zum Freund haben; *(als) to take sb as one´s example* sich jmd zum Vorbild nehmen; *(veränder.) to turn into sth* zu etwas werden

toad, *sub*, -s Kröte, Unke; **~-stone** *sub*, -s Krötenstein; **~-cry** *sub*, -es (i. ü. S.) Unkenruf; **~stool** *sub*, -s (bot.) Fliegenpilz; **~y** *sub*, -ies Kriecher, Liebediener

toast, (1) *sub*, -s Prosit, Toast, Trinkspruch **(2)** *vt*, toasten; *propose a toast to someone* einen Toast auf jemanden ausbringen; *to toast oneself* sich die Sonne auf den Pelz brennen lassen; **~ed bread** *sub*, - Toast

toboggan, *sub*, -s Rodelschlitten; **~er** *sub*, -s Rodler

toccata, *sub*, -s Tokkata

today, *adv*, heute; **~´s** *adj*, heutig

toddle, *vi*, wackeln; **~r** *sub*, -s Kleinkind

toe, *sub*, - Zeh; **~s** *sub*, -s Zehe; *(i. ü. S.) to tread on sb´s toe* jmd auf die Zehen treten; **~ the line** *vi*, *(sich fügen)* spuren

engrave, (1) *vi*, *(tt; kun.)* ziselieren **(2)** *vt*, gravieren; **~ on** *vt*, eingravieren; *ingrave on stone* in Stein eingravieren; *ingrave sth on one´s memory* ins Gedächtnis tief einprägen; **~r (1)** *pron*, *(tt; kun.)* Ziseleur **(2)** *sub*, -s Graveur; **engraving** *sub*, -s Gravur, Gravüre; *(tt; kun.)* Ziselierung

toffee, *sub*, -s Karamelle, Sahnebonbon;

-ies Toffee

tofu, *sub*, *nur Einz.* Tofu

toga, *sub*, -s Toga

together, *adv*, beieinander, beisammen, miteinander, zusammen; *all together now!* alle miteinander!; *birds of a feather flock together* gleich und gleich gesellt sich gern; *get-together* geselliges Beisammensein; *to go together* zueinander passen; **~ with** *präp*, nebst; **~ness** *sub*, *nur Einz.* Zweisamkeit

tohubohu, *sub*, -s Tohuwabohu

toilet, *sub*, -s Abort, Klosett, Lokus; *nur Einz. (Körperpflege)* Toilette; *(WC) go to the toilet* auf die Toilette gehen; *(Körperpflege) make one´s toilet* Toilette machen; **~ bag** *sub*, -s Kulturbeutel; **~ry** *sub*, -ies Toilettenartikel

toil over, *vt*, *(ugs.)* laborieren

Tokay (wine), *sub*, -s Tokaierwein

token fee, *sub*, -s Schutzgebühr; **token of respect** *sub*, -s - Achtungsbezeigung; **token woman** *sub*, -men Vorzeigefrau

tolerable, *adj*, tolerabel; *(annehmbar)* erträglich; **tolerance** *sub*, -s Duldsamkeit, Toleranz; **tolerant** *adj*, duldsam, tolerant; **tolerate** *vt*, dulden, leiden, tolerieren, zulassen; *(tech.)* aushalten; *(zulassen)* erdulden; *I won´t have it that* ich dulde es nicht, daß; **toleration** *sub*, -s Tolerierung

tomahawk, *sub*, -s Tomahawk

tomato, *sub*, -s Tomate; -es *(obs.)* Liebesapfel; *(österr.)* Paradiesapfel; *stuffed tomatoes* gefüllte Tomaten; **~ juice** *sub*, -s Tomatensaft; **~ ketchup** *sub*, -s Tomatenketschup; **~ pulp** *sub*, *nur Einz.* Tomatenmark; **~ salad** *sub*, -s Tomatensalat; **~ sauce** *sub*, -s Tomatensoße; **~ soup** *sub*, -s Tomatensuppe

tomb, *sub*, -s Grabmal, Gruft

tombac, *sub*, *nur Einz.* Tombak

tombola, *sub*, -s Tombola

tom-cat, *sub*, -s Kater

tomography, *sub*, -ies Tomografie

tomorrow, *adv*, morgen; *a week (from) tomorrow* morgen in acht Tagen; *are you free tomorrow?* hast du morgen Zeit?; *see you tomorrow* bis morgen; *the technology of tomorrow* die Technik von morgen; *there´s always tomorrow* morgen ist auch noch ein Tag; *tomorrow lunchtime* morgen mittag; *tomorrow never comes* morgen, morgen, nur nicht heute, sagen alle faulen Leute

Tom Thumb, *sub*, Däumling

to much, *präp*, zu sehr; *(ugs.)* he´s carrying on a little too much er treibt es etwas zu toll; how much is this car? wie teuer ist dieser Wagen?; however much he wie sehr er sich auch; not so much as nicht einmal; you are very much mistaken there du hast dich gründlich getäuscht

ton, *sub*, -s *(Gewicht)* Tonne; we found tons of mistakes wir fanden Fehler noch und nöcher; **~al** *adj*, tonal; **~ality** *sub*, nur Einz. Tonalität

tone, *sub*, -s Farbton, Klang; *(Laut)* Ton; in a deadpan tone ohne jeglichen Ausdruck; **~ colour** *sub*, -s Timbre; **~ down** *vt*, abtönen; **~ poem** *sub*, -s Tondichtung; **~ poet** *sub*, -s Tondichter; **~less** *adj*, klanglos, tonlos; **~lessness** *sub*, nur Einz. Tonlosigkeit

Tonga, *sub*, - Tongainseln; **~n language** *sub*, -s Tongasprache

tongs, *sub*, nur Mehrz. Zange

tongue, (1) *sub*, -s Mundwerk, Zunge; *(Mundwerk)* Mund (2) *vi*, *(ugs.)* züngeln; her tongue never stops wagging ihr Mundwerk steht nie still; to have a vicious tongue ein böses Mundwerk haben; my tongue is hanging out mir hängt die Zunge zum Hals heraus; to have a sharp tongue eine spitze Zunge haben; to tie one´s tongue in knots sich die Zunge abrechen, a malicious tongue ein gottloses Maul; hold your tongue! nun halt mal die Luft an!; that will start people´s tongues wagging darüber werden sich die Leute das Maul zerreißen; *(ugs.)* to have a loose tongue ein lockeres Maul haben; *(ugs.)* to hold one´s tongue die Schnauze halten; **~ sausage** *sub*, -s Zungenwurst

tonic, *sub*, -s Tonic, Tonika, Tonikum

tonsil, *sub*, -s *(med.)* Mandel; **~litis** *sub*, nur Einz. Mandelentzündung; -es *(med.)* Angina

tonsure, *sub*, -s Tonsur

tonus, *sub*, -ni Tonus

too, *adv*, zu; he wanted to come too er wollte mit; *(ugs.)* his wife works too seine Frau arbeitet mit; *(adv/allzu)* I should have only too pleased to come ich wäre zu gerne mit ihm gekommen; *(adv/allzu)* too deeply in love zu verliebt; *(adv/allzu)* too much zu viel; why don´t you have sth to eat too? willst du nicht mitessen?; **~ lazy to say much** *adj*, *(ugs.)* mundfaul; **~ little** *pron*, zuwenig; **~ much** *pron*, zuviel; better too much than too little besser zuviel als zuwenig; that´s just too much was zuviel ist zuviel

tool, *sub*, -s Werkzeug; *(i. ü. S.)* Instrument; *(Garten)* Gerät; **~ for repairing sawblades** *sub*, -s Schränkeisen; **~s** *sub*, nur Mehrz. Rüstzeug

toot, *vi*, hupen

tooth, *sub*, - Zacken; teeth Zahn; break a tooth sich einen Zahn ausbeißen; by the skin of one´s teeth mit Ach und Krach; he has a sweet tooth er nascht gern; *(ugs.)* I´m fed up to the back teeth! die Angelegenheit stinkt mir!; *(ugs.)* to be fed up to the back teeth die Schnauze gestrichen voll haben; *(i. ü. S.)* to defend sth tooth and nail etwas mit den Zähnen verteidigen; *(i. ü. S.)* to pull out a tooth jmd einen Zahn ziehen; *(ugs.)* to sound sb out jmd auf den Zahn fühlen; **~ache** *sub*, nur Einz. Zahnschmerz; *(ugs.)* Zahnweh; **~brush** *pron*, Zahnbürste; **~ed** *adj*, gezahnt; **~ed whale** *sub*, -s *(tt; biol.)* Zahnwal; **~gap** *sub*, -s *(ugs.)* Zahnlücke; **~paste** *sub*, -s Zahnpasta; **~pick** *sub*, -s Stocher, Zahnstocher

tooting, *sub*, - Gehupe; **tootling** *sub*, -s *(Instr.)* Dudelei

top, (1) *adj*, obere (2) *sub*, -s Deckel, Mastkorb, Oberteil, Platte; *(Baum)* Gipfel; *(Gebäude)* Spitze; the top brass die Oberen, at the top of one´s voice aus voller Kehle; everything is topsy-turvy es geht alles drunter und drüber; from top to bottom von oben bis unten; from top to toe vom Scheitel bis zur Sohle; I blow my top da krieg ich zuviel; in the top right hand corner rechts oben; in top form in glänzender Form; on top of that it was raining noch dazu regnete es; on top of the mountain oben auf dem Berg; right at the top ganz oben; the road to the top der Weg nach oben; to top sb up with sth jmd etwas nachschenken; top secret! streng geheim!; would you like the top bunk? möchten Sie lieber oben schlafen?; **~ condition** *sub*, - -s Bestform; nur Einz. Bestzustand; **~ deck** *sub*, -s Oberdeck; **~ fermented** *adj*, *(Bier)* obergärig; **~ floor** *sub*, -s Obergeschoss; **~ gear** *sub*, -s Schnellgang; **~ grade** *sub*, -es Sonderklasse; **~ hair** *sub*, nur Einz. Deckhaar; **~ hat** *sub*, -s Zylinder; **~ knobs** *sub*, nur Mehrz. Hautevolee

topaz, *sub*, -es Topas; **~ine** *adj*, topasfarben, topasfarbig

topcoat, *sub*, -s *(Übermantel)* Überzieher; **topdressing** *sub*, nur Einz. Kopfdüngung; **topgallant sail** *sub*, -s Bramsegel

topic, *sub,* -s Thema; *that´s an interesting topic to discuss* das ist ein interessantes Thema für eine Diskussion; *(i. ü. S.; Gespräch) we ran out of topics* uns ist der Stoff ausgegangen; **~al** *adj,* aktuell; **~ality** *sub, -ies* Aktualität; **~s** *sub, nur Einz.* Topik

topkick, *sub, - (ugs.; US mil.)* Spieß

top lawyer, *sub,* -s Staranwalt; **top layer** *sub,* -s Oberschicht; **top management** *sub,* -s Topmanagement; **top movie** *sub,* -s Spitzenfilm; **top of the pass** *sub, tops of the passes* Passhöhe; **top of the skull** *sub,* -s Schädeldach, Schädeldecke; **top part** *sub, -s (Oberteil)* Aufsatz; **top play** *sub,* -s Spitzenspiel; **top pupil** *sub,* -s Primus; **top seller** *sub, -s (wirt.)* Spitzenreiter; **top sports** *sub, -* Spitzensport; **top up** *vt, (nachfüllen)* auffüllen

topless, *adj,* barbusig, topless; *to be topless* oben ohne sein

topographical, *adj,* topografisch; **topography** *sub, -ies* Topografie; **topological** *adj,* topologisch; **topology** *sub, nur Einz.* Topologie

topping-out ceremony, *sub, -ies* Richtfest; *(Hochfest)* Dachgleiche

top-rate performance, *sub, -s* Spitzenleistung

prefer, *vt,* bevorzugen, präferieren, vorziehen, wollen; **~ably** *adv,* vorzugsweise; **~ence** *sub, -s* Bevorzugung, Präferenz, Vorliebe, Vorzug; **~ence share** *sub, -s (tt; wirt.)* Vorzugsaktie; **~ential treatment** *sub, -s* Begünstigung; *(bevorzugte Behandlung)* Bevorzugung

topsy-turvy, *adj,* kunterbunt

Torah, *sub, nur Einz.* Thora

torch, *sub, -es* Fackel, Taschenlampe; **~bearer** *sub, -s* Fackelträger; **~light** *sub, -s* Fackellicht; - Fackelschein

torero, *sub, -s* Torero

torment, (1) *sub, -s* Marter (2) *vt,* drangsalieren, plagen, quälen; *(i. ü. S.)* peinigen; *(quälen)* piesacken; *his life was one long torment* sein Leben war eine einzige Pein; *tormented by doubt* von Zweifeln gepeinigt; **~or** *sub, -s (i. ü. S.)* Peiniger; **~s of Tantalus** *sub, nur Mehrz.* Tantalusqualen

torn, *adj,* kaputt; *(ugs.) my stockings are torn* meine Strümpfe sind kaputt; **~ligament** *sub, -s* Bänderriss; **~ muscle** *sub, -s* Muskelriss

tornado, *sub, -s* Tornado

torpedo, (1) *sub, -s* Torpedierung, Torpedo (2) *vt,* torpedieren; **~-boat** *sub, -s* Torpedoboot

torque, *sub, -s* Drehmoment

torrent, *sub, -s* Sturzbach, Wildbach; **~ of words** *sub, -s* Wortschwall; **~ial** *adj,* reißend

torsion, *sub, -s* Torsion; *(phy.)* Drall

torso, *sub, -s/-si* Torso

torture, (1) *sub, -s* Folter, Quälerei, Tortur; *(i. ü. S.)* Folter (2) *vt,* peinigen; *to torture sb till he bleeds* jmdn bis aufs Blut peinigen; **~ chamber** *sub, -s* Folterkammer; **~ oneself** *vr,* quälen; **~r** *sub, -s* Folterer, Peiniger

Tory, *sub, -ies* Tory

toss, *vt,* wälzen; **~ and turn** *vt, (sich im Schlaf)* herumwerfen; **~ around** *vt,* herumwerfen

total, (1) *adj,* gesamt, total (2) *sub, -s* Endsumme; *in total* unter dem Strich; *the total of my ambitions* die Summe meiner Wünsche; *total length* die ganze Länge; **~ amount** *sub, -s* Gesamtsumme; **~ art work** *sub, -s* Gesamtkunstwerk; **~ expenditure** *sub, -s (Geld)* Gesamtausgabe; **~ proceeds** *sub, nur Mehrz.* Gesamtgewinn; **~itarism** *sub, nur Einz.* Totalitarismus; **~ity** *sub, nur Einz.* Totalität; **~ize** *vt,* totalisieren; **~ly** *adv, (völlig)* ganz; **~ly drunk** *adj,* volltrunken

totem, *sub, -s* Totem; **~ pole** *sub, -s* Totempfahl; **~ism** *sub, nur Einz.* Totemglaube, Totemismus; **~istic** *adj,* totemistisch

totter, *vi,* wackeln; **~ing** *adj,* klapprig

touch, (1) *sub, -s* Touch; *-es (a. i.ü.S.)* Berührung; *(Einrichtung; Kleidung)* Note; *(mus.)* Anschlag (2) *vt,* berühren, streifen, tangieren; *(ugs.)* anpumpen; *(anfassen)* fassen; *(berühren)* anfassen, anlangen; *(Gegenstand, Thema)* anrühren; *(seelisch)* bewegen (3) *vti, (an-)* tippen; *add the finishing touches to* die letzte Feile legen an, letzte Hand anlegen; *do not touch* nicht berühren!; *don´t touch!* lass die Finger davon!; *keep in touch* melde dich mal wieder!; *(i. ü. S.) keep in touch* miteinander in Berührung bleiben; *touch sth* mit etwas in Berührung kommen; *to give sth a personal touch* einer Sache eine persönlich Note verleihen, *touch so for some money* jemanden um Geld anpumpen; **~ down** *vi, (Flugzeug)* aufsetzen; **~ lightly** *vt,* antippen; **~ on** *vt, (Thema)* anschneiden; **~ sth** *vi, (i. ü. S.)* rühren; **~ up** *vt,* tuschieren; **~-me-not** *sub, nur Einz. (bot.)* Rührmichnichtan; **~-sensitive button** *sub, -s*

Sensortaste; **~-typing** sub, nur Einz.
Zehnfingersystem; **~ed** adj, (seelisch)
bewegt; **~iness** sub, nur Einz. (ugs.)
Reizbarkeit; **~ing** adj, rührend, rührselig; **~line advertising** sub, nur Einz.
Bandenwerbung; **~y** adj, (ugs.) reizbar
tough, adj, zäh; (ugs.) knallhart; (Maßnahmen) scharf; (physisch) abgehärtet;
(straff) fest; (zäh) hart; (ugs.) a tough
negotiator ein knallharter Verhandlungspartner; (ugs.) he´s as hard as
nails er ist ein knallharter Typ; (ugs.)
don´t come the tough guy here spiel
hier nicht den Macker; have a tough job
einen schweren Stand haben; (i. ü. S.)
to find sth too tough a nut to crack sich
an etwas die Zähne ausbeißen; to take
a tough line eine Politik der starken
Hand treiben; tough! Pech gehabt!; **~-
day** sub, (ugs.) Großkampftag; **~en** vt, stählen; **~en up** vt, ertüchtigen; **~ness**
sub, nur Einz. Zähigkeit; -es (i. ü. S.)
Härte

toupee, sub, -s Toupet
tour, sub, -s Rundfahrt, Tour, Tournee;
~ing car sub, -s Reisewagen
tourism, sub, Fremdenverkehr; nur
Einz. Tourismus, Touristik; **tourist** sub,
-s Tourist; **tourist information office**
sub, -s Verkehrsbüro
tourmaline, sub, -s Turmalin
tournament, sub, -s (Wettkampf) Turnier
tousle, vt, (ugs.) zausen; **~-headed person** sub, -s (Person) Strubbelkopf; **~d**
adj, (Haar) strubbelig
tow, (1) sub, nur Einz. Werg (2) vti, treideln; **~ a car** vt, (Auto) anschleppen;
~ in vt, (Schiff) einschleppen; **~ off** vt,
(Auto) abschleppen; **~ards** (1) adv,
(nach, auf, zu) hin; (räumlich) entgegen; (Richtung) danach (2) präp, gen;
(örtl, zeitl.) gegen; towards midday
gegen Mittag; on towards the sun auf,
der Sonne entgegen; (örtl) towards the
forest auf den Wald zu; jump towards
danach springen
towel, sub, -s Handtuch; throw in the
towel die Flinte ins Korn werfen, (i. ü.
S.) das Handtuch werfen; **~ing** sub,
(US) Frottee; **~ing dress** sub, -es Frotteekleid; **~ling** sub, Frottee; **~ling
dress** sub, -es Frotteekleid
tower, (1) sub, -s Tower, Turm (2) vt,
türmen; **~ above** vt, (größer sein) überragen; **~ block** sub, -s Hochhaus; **~
bridge** sub, -s Towerbrücke; **~ crane**
sub, -s Turmdrehkran; **~ing** adj, turmhoch; **~ing rage** sub, nur Einz. Stinkwut

towing path, sub, -s Treidelpfad
town, sub, -s Ortschaft, Stadt; go into
town in die Stadt gehen; it´s all over
town das pfeifen ja schon die Spatzen
von den Dächern; live out of town
auswärts wohnen; the best hotel in
town das erste Haus am Platz; **~ charter** sub, -s (hist.) Stadtrecht; **~ chronicles** sub, nur Mehrz. Stadtchronik;
~ clerk´s office sub, -s Ordnungsamt; **~ council** sub, -s Stadtrat, Stadtverwaltung; **~ councillor** sub, -s
(Person) Stadtrat; **~ gate** sub, -s Stadttor; **~ gossip** sub, -s Stadtklatsch
town hall, sub, -s Rathaus; **town map**
sub, -s Stadtplan; **town musician** sub,
-s Stadtpfeifer; **town on a lagoon** sub,
-s Lagunenstadt; **town planning** sub,
-s Stadtplanung; **town vagrant** sub, -s
Stadtstreicher; **townie** sub, -s (ugs.)
Stadtmensch; **townscape** sub, -s Städtebilder
towrope, sub, -s Abschleppseil
toxic, adj, (chem.) giftig; **~ waste** sub,
-s Giftmüll; **~ant** adj, toxisch; **~olo-
gist** sub, -s Toxikologin; **~ology** sub,
nur Einz. Toxikologie; **toxin** sub, -s
Toxin; (chem.) Gift
toy, (1) sub, -s Spielzeug (2) vt, spielen; **~ animal** sub, -s Kuscheltier; **~
with an idea** vi, liebäugeln; they´re
flirting with idea of living on an island sie liebäugeln mit dem Gedanken auf einer Insel zu leben; to toy
with the idea of buying a new car mit
einem neuen Auto liebäugeln; **~s** sub,
nur Mehrz. Spielsachen
trace, (1) sub, -s (Anflug) Hauch; (Zeichen) Spur (2) vt, abpausen, durchbilden, durchpausen, durchzeichnen,
pausen, rädeln; trace out a drawing
eine Zeichnung sorgfältig entwerfen;
(i. ü. S.) kick over the traces über die
Stränge schlagen; **~s of blood** sub,
nur Mehrz. (Kleidung) Blutspur
trachea, sub, -s (it; med.) Trachea
tracing back, sub, -s Rückführung
track, sub, -s Geleise; nur Mehrz. Gleis;
~ sub, -s Pfad; (Abdruck) Spur; (Rennbahn)
Bahn; (i. ü. S.) get onto the wrong
track auf ein falsches Gleis geraten;
single track einfaches Gleis; (i. ü. S.)
I´m on the right track now jetzt bin
ich auf den richtigen Trichter gekommen; lose track den Überblick verlieren; put someone on the right track
jemanden auf die richtige Spur bringen; track sb jmds Fährte verfolgen; **~
down** vt, nachspüren; (Person, Tier)
aufspüren; **~ suit** sub, -s Joggingan-

zug. ~ **transport** *sub, -s* Schienenbahn; ~**er dog** *sub, -s* Spürhund; ~**s** *sub, nur Mehrz.* Fährte; *be on the right tracks* auf der richtigen Fährte sein; *be on the wrong tracks* auf der falschen Fährte sein; *cover up one´s tracks* seine Spuren verwischen; ~**suit** *sub, -s* Übungsanzug

ract, *sub, -s* Trakt; ~**ability** *sub, nur Einz.* Lenkbarkeit; ~**able** *adj,* lenksam; ~**ate** *sub, -s* Traktat; ~**ion** *sub,* Griffigkeit; ~**s** Zugkraft; ~**ive power** *sub, -s* Zugkraft

ractor, *sub, -s* Schlepper, Traktor, Trekker, Zugmaschine; ~ **driver** *sub, -s* Traktorist

rade, (1) *sub, -s* Handel, Handwerk, Verkehr; *(Handel)* Geschäft; *-es (Handel, Handwerk)* Gewerbe; *nur Einz. (Warenverkehr)* Markt **(2)** *vi,* firmieren; *(Handel)* handeln; *carry on a trade* eine Handwerk ausüben; *foreign trade* Handel mit dem Ausland, *trade under the name of* firmieren unter dem Namen; ~ **fair** *sub, -s* Mustermesse; ~ **margin** *sub, -s* Gewinnspanne; ~ **of goods** *sub, nur Einz.* Warenhandel; ~ **on the stockexchange** *vt, (Börse)* handeln; ~ **register** *sub, -s* Handelsregister; ~ **sample** *sub, -s* Warensendung; ~ **secret** *sub, - -s* Betriebsgeheimnis; ~ **Geschäftsgeheimnis;** ~ **supervisory** *sub, -* Gewerbeaufsicht

rade union, *sub, -s* Gewerkschaft; **trade wind** *sub, -s* Passat; **trademark (1)** *pron,* Handelsmarke **(2)** *sub, -s* Schutzmarke, Warenzeichen; *that´s my trademark* das ist meine persönliche Note; **trader** *sub, -s* Handelsmann, Händler; **trader in animals** *sub, traders* Tierhändler; **tradestamp** *sub, -s* Warenstempel

rading, *adj,* gewerbetreibend; ~ **center** *sub, -s (US)* Handelsplatz; ~ **centre** *sub, -s* Handelsplatz; ~ **company** *sub, -ies* Handelsgesellschaft; ~ **port** *sub, -s* Handelshafen; ~ **stamp** *sub, -s* Rabattmarke; ~ **vessel** *sub, -s* Handelsschiff

radition, *sub, -s* Herkommen, Tradition, Überlieferung; *continue a tradition* an eine Tradition anknüpfen; ~**al** *adj,* althergebracht, herkömmlich, traditionell; ~**al costume** *sub, -s* Tracht, Volkstracht; ~**al enemy** *sub, -ies* Erbfeind; ~**alism** *sub, nur Einz.* Traditionalismus

ragedian, *sub, -s* Tragiker

ragedy, *sub, nur Einz.* Tragik; *-ies* Tragödie, Trauerspiel; **tragic** *adj,* tragisch; *come to a tragic end* ein tragisches

Ende nehmen; **tragic poet** *sub, -s* Tragiker; **tragicomedy** *sub, -ies* Tragikomödie; **tragicomic(al)** *adj,* tragikomisch

trail, (1) *sub, -s* Fährte, Kriechspur, Trampelpfad, Weg **(2)** *vi,* schleifen; *(i. ü. S.) blaze a trail* Signale setzen; ~ **of blood** *sub, -s (Jagd)* Blutspur; ~**rope** *sub, -s* Schleppseil; ~**er** *sub, -s* Trailer; *(eines Fahrzeugs)* Anhänger

train, (1) *sub, -s* Zug; *(Kleid)* Schleppe; *(Zug)* Bahn **(2)** *vi,* lernen **(3)** *vt,* abrichten, anlernen, dressieren, einarbeiten, heranbilden, schulen; *(schulen)* ausbilden **(4)** *vti,* trainieren; *he is training at present* er arbeitet sich gerade ein; *go by train* mit der Bahn fahren; ~ **control** *sub, -* Zugkontrolle; ~ **guard** *sub, -s* Zugbegleiter, Zugführer; ~ **in front** *sub, -s* Vorzug; ~ **number** *sub, -s* Zugnummer; ~ **staff/crew** *sub, nur Mehrz.* Zugpersonal; ~**oil** *sub, -s* Tran; ~**ed** *adj,* geübt; *(praktisch)* ausgebildet; ~**ee** *sub, -s* Auszubildende, Praktikant, Praktikantin, Referendar, Referendarin, Volontär; *(Land- u. Forstwirtschaft)* Eleve; ~**ee nurse** *sub, -s* Schwesternschülerin; ~**ee waiter** *sub, -s* Pikkolo; ~**er** *sub, -s* Dresseur, Trainer

training, *sub, -* Abrichtung; *-s* Dressur, Einarbeitung, Schulung, Training; *(theoretisch und praktisch)* Ausbildung; *do further training* sich fachlich weiterbilden; ~ **ground** *sub, -s* Übungsplatz; ~ **school** *sub, -s* Schulschiff; **traintraffic** *sub, nur Einz.* Zugverkehr

traipse, *vi, (ugs.)* tippeln

traitor, *sub, -s* Hochverräter, Verräter, Verräterin

traject, *sub, -s* Trajekt; ~**ory** *sub, -ies* Geschossbahn, Trajektorien; *-es* Wurfbahn

tram, *sub, -s* Elektrische, Tram, Trambahn; ~**(way)** *sub, -s* Straßenbahn

tramp, (1) *sub, -s* Landstreicher, Tramp; *(ugs.)* Pennbruder; *(Landstreicher)* Stromer; *(Person)* Streuner; *(Vagabund)* Herumtreiber **(2)** *vi,* stromern; *(Person)* tapsen; ~**er** *sub, -s* Trampschiff; ~**le (1)** *vt,* zerstampfen, zertrampeln **(2)** *vti,* trampeln; *trample on* mit Füßen treten; ~**le to death** *vt,* tottrampeln; ~**oline** *sub, -s* Trampolin

trance, *sub, -s* Trance; *fall into trance* in Trance fallen; *put someone into trance* jemanden in Trance versetzen

tranche, *sub*, *-s (wirt.)* Tranche
tranquilizer, *sub*, *-s (US)* Beruhigungsmittel, Beruhigungsspritze
tranquillizer, *sub*, *-s* Tranquilizer
transaction, *sub*, *-s* Geschäftsabschluss,
Handel, Tätigung, Transaktion; *(Transaktion)* Geschäft; **~s in foreign notes
and coins** *sub*, *-* Sortenhandel
transalpine, *adj*, transalpin; **transatlantic** *adj*, transatlantisch; **transatlantic
harbour** *sub*, *-s* Überseehafen
transcribe, *vt*, *(mus.)* transkribieren;
transcript, *sub*, *-s (Protokoll)* Nachschrift
transept, *sub*, *-s* Querschiff, Transept
transfer, **(1)** *sub*, *-s* Abziehbild, Transfer,
Versetzung; *(Geld)* Überweisung;
(wirt.) Umschreibung **(2)** *vt*, transferieren, überführen, verlegen, versetzen;
(an anderer Stelle schreiben) übertragen; *(Besitz)* umschreiben; *(Geld)* abzweigen, überweisen; *(wirt.)*
umbuchen; **~ (ticket)** *sub*, *-s* Umsteiger, Umsteigkarte; **~ fee** *sub*, *-s (spo.)*
Ablöse, Ablösesumme; **~ of technology** *sub*, *transfers* Technologietransfer;
~ so to another bed *vt*, umbetten; **~
to another school** *vt*, *(Schulwechsel)*
umschulen; **~able** *adj*, transferabel
transfigure, *vt*, verklären
transform, *vt*, transformieren, verwandeln; *(Strom)* umspannen; **~ation** *sub*,
-s Transformation, Umschaffung, Umwandelung, Verwandlung; *(chem.)* Umsetzung; **~er** *sub*, *-s* Transformator;
~er plant *sub*, *-s* Umspannwerk
transfusion, *sub*, *-s* Transfusion
transistor, *sub*, *-s* Transistor
transit, **(1)** *sub*, *-s* Transit **(2)** *vt*, transi-
tieren; **~ camp** *sub*, *-s* Auffanglager; **~
goods** *sub*, *-* Transitware; **~ visa** *sub*, *-s*
Transitvisum; **~ion** *sub*, *-s* Überleitung;
~ional period *sub*, *-s* Übergangszeit;
~ive *adj*, transitiv; **~ory** *adj*, transitorisch, vergänglich
translatable, *adj*, übersetzbar; **translate** *vti*, übersetzen; *translate something
into action* etwas in die Tat umsetzen;
translation *sub*, *-s* Wiedergabe;
(sprachlich) Übersetzung; **translator**
sub, *-s* Übersetzerin
transliterate, *vt*, transkribieren; **transliteration** *sub*, *-s* Transliteration
translucent, *adj*, *(durchsichtig)* luzid
transmigration of souls, *sub*, *-s* Seelenwanderung
transmission, *sub*, *-s (mot.)* Getriebe;
(phy.) Fortpflanzung; *(tech.)* Aussendung, Übermittlung, Übersetzung; **~
area** *sub*, *-s* Sendegebiet; **~ line** *sub*, *-s*

(Strom) Fernleitung; **~ range** *sub*, *-s*
Sendebereich; **~ tunnel** *sub*, *-s (tech.)*
Kardantunnel; **transmit** *vt*, transmittieren, übermitteln, weitergeben
(phy.) fortpflanzen; *(tech.)* aussenden, übertragen; **transmitter** *sub*, *-s*
Sender; *(chem.)* Überträgerin; **transmitting installation** *sub*, *-s* Sendeanlage, Senderanlage; **transmutation
of sounds** *sub*, *-s* Lautwechsel
transom, *sub*, *-s* Querholz
transparency, *sub*, *nur Einz.* Transparenz; *-ies (Durchscheinbild)* Transparent; *(Glas/Plan)* Durchsichtigkeit
transparent *adj*, durchschaubar
transparent; *(Glas/Plan)* durchsichtig; *(Kochk.)* glasig
transpiration, *sub*, *nur Einz. (bot.)*
Transpiration; **transpire** *vi*, transpirieren
transport, **(1)** *sub*, *-s* Transport
(Transport) Überführung **(2)** *vt*, spedieren, transportieren, verfrachten
(Güter etc.) befördern; **~ agent** *sub*
-s Verfrachter; **~ fleet** *sub*, *-s* Fuhrpark; **~ glider** *sub*, *-s* Lastensegler; **~
of goods in a combination with aeroplanes and railways** *sub*, *-s* Fleiverkehr; **~ plane** *sub*, *-s (Flugzeug)*
Transporter; **~able** *adj*, beförderbar.
transportabel; **~ation** *sub*, *nur Einz.*
(von Gütern etc.) Beförderung; **~ati-
on charges** *sub*, *nur Mehrz.* Beförderungstarif; **~er** *sub*, *-s* Transporteur
~ing *sub*, *-s* Verfrachtung; **transposition** *sub*, *-s (tech.)* Umsetzung
transverse, *adj*, transversal; **~ flute**
sub, *-s* Querflöte; **~ presentation**
sub, *-s (med.)* Querlage
transvestism, *sub*, *nur Einz.* Transvestismus; **transvestite** *sub*, *-s* Transvestit
trap, *sub*, *-s* Falle; *(i. ü. S.)* Fallgrube,
Fußangel; *(i. ü. S.)* *set a trap for sb*
jmd eine Falle stellen; *(i. ü. S.)* *walk
into the trap* in die Falle gehen; *to
walk straight into the trap* ins offene
Messer laufen; **~ (door)** *sub*, *-s (tt;
theat)* Versenkung
trapeze, *sub*, *-s (Zirkus)* Trapez; **trapeziform** *adj*, trapezförmig; **trapezium**
sub, *-s (mat.)* Trapez; **trapezohedron**
sub, *-s* Trapezoeder
trapper, *sub*, *-s* Trapper
trash, **(1)** *sub*, *nur Einz.* Kolportage,
Müll; *-* Schund **(2)** *vt*, *(ugs.)* verschlagen; *put it in the trash* in den Eimer
werfen; **~ing** *sub*, *nur Einz.* Zunder;
(ugs.) *to give sb a good trashing* jmd
ordentlich den Ranzen vollhauen

trauma, *sub*, -s Trauma; ~**tic** *adj*, traumatisch; ~**tic fever** *sub*, *nur Einz.* (tt; med.) Wundfieber

travel, *vi*, anreisen, reisen, wandern; *travel light* mit leichtem Gepäck reisen; ~ **agency** *sub*, -ies Reisebüro; ~ **around** *vi*, umherreisen; ~ **costs** *sub*, *nur Mehrz.* (*Autoreise*) Fahrtkosten; ~ **cutlery** *sub*, -ies Reisebesteck; ~ **nerves** *sub*, *nur Mehrz.* Reisefieber; ~ **on** *vi*, weiterfahren; ~ **season** *sub*, -s Reisesaison; ~ **through** *vt*, durchfahren, durchreisen; ~ **without paying** *vi*, schwarzfahren; ~**ing salesman** *sub*, -men (US) Handelsvertreter

traveller, *sub*, -s Reisende, Wanderer; ~'**s cheque** *sub*, -s Reisescheck, Travellerscheck; **travelling alarm clock** *sub*, -s Reisewecker; **travelling around** *sub*, -s Reiserei; **travelling bag** *sub*, -s Reisetasche; **travelling circus** *sub*, -es Wanderzirkus; **travelling day** *sub*, -s Anreisetag; **travelling disco** *sub*, -s Diskokoller

travelling expenses, *sub*, *nur Mehrz.* Reisekosten, Reisespesen; **travelling salesman** *sub*, -men Handelsvertreter; **travelling time** *vi*, Fahrzeit; **travelling trade** *sub*, -s Wandergewerbe; **travelling weather** *sub*, - Reisewetter; **travels** *sub*, *nur Einz.* Wanderschaft; *to be on one's travels* auf Wanderschaft sein; *to go off on one's travels* auf Wanderschaft gehen

traverse, *sub*, -s Überquerung; (*Quergang*) Traverse

travertine, *sub*, -s Travertin

travesty, (1) *sub*, -ies Travestie (2) *vt*, travestieren

trawl net, *sub*, -s Schleppnetz, Trawl; **trawler** *sub*, -s Trawler

tray, *sub*, -s Tablett

treacle, *sub*, -s (*Zucker-*) Sirup

tread, (1) *sub*, -s Rillenprofil; (*Tritt*) Profil (2) *vi*, (*mit den Füßen*) auftreten; (*ugs.*) *to tread on sb's toes* jmd auf dem Schlips treten; (*i. ü. S.*) *tread on someone's toes* jemandem auf die Füsse treten; *tread softly* leise auftreten; *we must tread very carefully* wir müssen sehr vorsichtig operieren; ~ **down** *vt*, niedertreten; ~ **off** *vi*, (*Schuhe*) abtreten; ~ **on** *vt*, zertreten; ~**ed sole** *sub*, -s Profilsohle; ~**ing water** *sub*, *nur Einz.* (tt; spo.) Wassertreten; ~**mill** *sub*, -s (*Routine*) Mühle; ~**wheel** *sub*, -s Tretrad

treason, *sub*, *nur Einz.* Landesverrat

treasure, *sub*, -s Kostbarkeit, Schatz; (*i.*

ü. S.) *having enough time is the most precious thing for me* genügend Zeit zu haben ist für mich die größte Kostbarkeit; *the little statue is a real treasure* die kleine Statue ist eine wahre Kostbarkeit; ~ **chamber** *sub*, -s Schatzkammer; ~ **hunt** *sub*, -s Schatzsuche; ~ **hunter** *sub*, -s Schatzsucher; ~ **island** *sub*, -s Schatzinsel; ~**hunter** *sub*, -s Schatzgräber; ~**r** *sub*, -s Schatzmeister; **treasury** *sub*, -ies Staatskasse; **treasury bond** *sub*, -s Schatzanweisung

treat, *vt*, therapieren; (*jemanden*) freihalten; (*Krankheit; Werkstück*) behandeln; *I'm being treated by Dr Burzler* ich bin Patient von DrBurzler; *treat oneself to sth* sich etwas erlauben; *treat so roughly* mit jmd grob umgehen, mit jmd grob umspringen; *treat so with contempt* jmd mit Verachtung strafen; ~ **in advance** *vt*, vorbehandeln; ~ **like a child** *vt*, bevormunden; ~ **oneself to sth** *vtr*, leisten; ~ **so to sth** *vt*, spendieren; ~ **sth ironically** *vt*, ironisieren

treatise, *sub*, -s Abhandlung, Traktat; *a treatise on* eine Abhandlung über

treatment, *sub*, -s Behandlung, Treatment; (*eines Themas*) Bearbeitung; *to give sb the red-carpet treatment* jmdn mit Pauken und Trompeten empfangen

treble, *sub*, -s Diskant; ~ **clef** *sub*, - (tt; mus.) Violinschlüssel

tree, *sub*, -s Baum; (*i. ü. S.*) *be barking up the wrong tree* auf der falschen Spur sein; (*Wiese*) *covered in trees* mit Bäumen bestanden; (*Straße*) *lined with trees* mit Bäumen bestanden; *not to see the wood for the trees* den Wald vor lauter Bäumen nicht sehen; *the tree of knowledge* der Baum der Erkenntnis; ~**frog** *sub*, -s Laubfrosch; ~**nursery** *sub*, -ies Baumschule; ~**stump** *sub*, -s Baumstumpf; ~**trunk** *sub*, - -s Baumstamm; ~**fern** *sub*, -s Baumfarn; ~**line** *sub*, -s Baumgrenze; ~**top** *sub*, -s Baumwipfel, Wipfel; *in the treetops* in den Wipfeln der Bäume

tref, *adj*, treife

trek, *sub*, -s Treck

trellis, *sub*, - (*Haus*) Spalier; -s (*Spalier*) Gitter; ~ **tree** *sub*, -s Spalierbaum

tremble, (1) *sub*, -s Tatterich (2) *vi*, beben, schaudern, schlackern, zittern; *my knees are trembling* mir zittern die Knie; *to tremble all over* am ganzen Körper zittern; ~ **across** *vt*,

durchbeben; **trembling** *sub, nur Einz.*
Beben

tremendous, *adj,* gewaltig, großartig,
riesenstark; *(Anstrengung)* enorm; *(genial)* ungeheuer; *tremendous achievement* gewaltige Leistung; *(ungeheuer)*
he knows a tremendous amount er
weiß unerhört viel; *she´s a tremendous*
woman sie ist eine patente Frau; **~ly**
adv, riesig; *(ugs.)* mächtig

tremolo, *sub, -s* Tremolo

tremor, *sub, -s* (geol.) Beben, Erdbewegung

trend, *sub, -s* Richtung, Tendenz, Trend;
(Tendenz) Strömung; *follow a trend*
eine Tendenz verfolgen; **~ change** *sub,*
-s Tendenzwende; **~-setter** *sub, -s*
Trendsetter; **~y** *adj, (ugs.)* Schikkimicki; *(Kleidung)* poppig

trespasser, *sub, -s* Unbefugte

triad, *sub, -s* Dreiklang, Triade

trial, *sub, -s* Aburteilung, Nervenprobe,
Prozess, Trial; - *(als brauchbar etc.)*
Bewährung; *-s (tt; jur.)* Verhandlung;
(Strafprozess) Hauptverhandlung;
(Strafverf.) Gerichtsverfahren, Gerichtsverhandlung; *(i. ü. S.) a path of*
trial and tribulation ein steiniger Weg;
be on trial unter Anklage stehen, vor
Gericht stehen; *he´s a real trial* das ist
eine Crux mit ihm; *he´s a trial for her*
sie hat ihre Plage mit ihm; **~ and error**
(method) *sub, nur Einz.* Trial-and-Error-Methode; **~ by ordeal** *sub, -s* Gottesurteil; **~ copy** *sub, -ies*
Probenummer; **~ of one´s patience**
sub, -s Geduldsprobe; **~ period** *sub, -s*
Probezeit; **~ run** *sub, -s* Testlauf; **~**
work *sub, -* Probearbeit

triangle, *sub, -s* Dreieck, Triangel; **triangular** *adj,* dreieckig, triangulär; **triangular scarf** *sub, -s* Dreieckstuch;
triangulate *vt,* triangulieren; **triangulation** *sub, -s* Triangulation

tribal chieftain, *sub, -s* Stammesfürst;
tribal legend *sub, -s* Stammessage; **tribal name** *sub, -s* Stammesname; **tribalism** *sub, nur Einz.* Tribalismus; **tribe**
sub, -s (Volks-) Stamm

tribulation, *sub, -s (geh.)* Mühsal; *the trials and tribulations of life* die Mühsal
des Lebens

tribunal, *sub, -s* Tribunal

tributary, *sub, -ies* Nebenfluss; *(eines*
Flusses) Arm

tribute, *sub, -s* Tribut; *(i. ü. S.) pay tribute to someone* jemandem Tribut zollen

triceps, *sub, -es* Trizeps

trichina, *sub, -s* Trichine; **trichinous**

adj, trichinös

trick, (1) *sub, -s* Finte, Kunststück,
Schlich, Trick; *(i. ü. S.)* Streich; (2) *sub,*
Kniff; *(Trick)* Masche; *(trickreicher*
Plan) List (2) *vi,* tricksen; *dirty trick*
gemeiner Streich; *(i. ü. S.)* play a trick
on so jemandem eins auswischen;
play a trick on someone jemanden
einen Streich spielen; *(ugs.) that´s an*
old trick auf den Schwindel falle ich
nicht herein; *(i. ü. S.) to know all the*
tricks mit allen Wassern gewaschen
sein; *trick so out of sth* jemandem
etwas ablisten; *use all the tricks of the*
trade mit sämtlichen Finessen arbeiten; *a dirty trick* ein gemeiner Trick,
ein gemeiner Streich; *once you get the*
trick wenn du erst einmal den Trick
heraus hast; *there´s a special trick to*
it da ist ein Trick dabei; *(ugs.) he´s*
still trying the same old trick er versucht es immer noch auf die alte Masche; **~ film** *sub, -s* Trickfilm; **~ sb** *vt,*
Schnippchen; *(ugs.)* to play a trick on
sb jmd ein Schnippchen schlagen;
~ery *sub, -ies* Gaukelei

trickle, *vi,* kleckern, rieseln, sickern,
träufeln, tröpfeln; *(rollen)* perlen; **~**
down *vi,* abperlen

tricks, *sub, nur Mehrz.* Finesse; **~er**
sub, -s Trickdiebin; **~ing** *sub, -s* Trickbetrug; **tricky** *adj,* kniffelig, verzwickt; *(ugs.)* vertrackt

tricolour, *sub, -s* Trikolore; **tricorn**
sub, -s Dreispitz; **tricycle** *sub, -s* Dreirad; **trident** *sub, -s* Dreizack, Trident

trifle, *sub, -s* Bagatelle, Kleinigkeit,
Lappalie; *(ugs.)* Läpperei (2) *vi,* scherzen; *do you find 100 marks a trifle?*
well, I don´t findest du 100 Mark eine
Kleinigkeit? ich aber nicht; *it´s a*
trifling matter for him das ist eine
Kleinigkeit für ihn; *debts like that are*
no longer a trifling matter solche
Schulden sind keine Lappalie mehr

trifoliate, *adj,* dreiblättrig

trigger, *sub, -s (einer Waffe)* Auslöser;
(Pistole, etc.) Abzug; **~ off** *vt, (Krieg,*
Schuss) auslösen

trigonometrical, *adj,* trigonometrisch; **trigonometry** *sub, nur Einz.*
Trigonometrie

trill, (1) *sub, -s* Triller (2) *vi,* tremolieren, tremulieren, trillern

trillion, *sub, -s* Trillion; *(US)* Billion

trilogy, *sub, -ies* Trilogie

trim, (1) *sub, -s* Trimmung (2) *vt,* abgraten, kappen, stutzen, verbrämen;
(eine Hecke) beschneiden; *(tech.)*
trimmen

trimester, *sub, -s* Trimester

trimming, *sub, -s* Besatz, Verbrämung; *nur Einz. (einer Hecke)* Beschneidung; **~s** *sub, nur Mehrz.* Beiwerk; *with all the trimmings* mit allen Finessen (zB Auto)

Trinity, *sub, -ies* Dreifaltigkeit; *nur Einz.* Trinität

trinkets, *sub, -* Tand

trio, *sub, -s* Terzett, Trio

trip, (1) *sub, -s (Ausflug)* Fahrt; *(Fahrt)* Tour **(2)** *vi,* stolpern, tippeln, trippeln; *go on a trip* eine Fahrt machen; *take a trip* eine Fahrt machen, *(Landpartie)* to go on a trip eine Partie machen; *trip so up* jmd ein Bein stellen; *(i. ü. S.) trip so up with sth* jmd einen Strick aus etwas drehen; **~ abroad** *sub, -s* - Auslandsreise; **~ along on high heels** *vi,* stöckeln; **~ there** *sub, -s* Hinreise; **~ to Switzerland** *sub, -s* Schweizreise; **~ wire** *sub, -s* Stolperdraht

tripe, *sub, -s (gastr.)* Gekröse

triple, *adj,* dreifach; *in triplicate* in dreifacher Ausfertigung; **~t** *sub, -s* Drilling

tripod *sub, -s* Stativ

trite, *adj, (platt)* banal

triumph, (1) *sub, -s* Triumph **(2)** *vi,* triumphieren; *make justice triumph der* Gerechtigkeit zum Sieg verhelfen; **~al chariot** *sub, -s* Triumphwagen; **~ant** *adj,* triumphal; **~ant expression** *sub, -s* Siegermiene

triumvirate, *sub, -s* Dreigestirn, Triumvirat

Triune God, *sub,* Dreieinigkeit

trivial, *adj,* läppisch, trivial; *(unbedeutend)* nichtig; **~ stuff** *sub, nur Einz. (ugs.)* Kleinkram; **~ity** *sub, -ies* Nebensache, Trivialität; *(Bedeutungslosigkeit, Kleinigkeit)* Nichtigkeit; *(Unwichtiges)* Belanglosigkeit; **~ize** *vt,* veräußerlichen, verniedlichen

trochee, *sub, -s* Trochäus

trochophore, *sub, -s* Trochophora

troika, *sub, -s* Troika

troll, *sub, -s* Troll

trolley, *sub, -s* Obus, Servierwagen; *(Schienenfahrzeug)* Draisine

trombone, *sub, -s* Posaune; **~ band** *sub, -s* Posaunenchor; **trombonist** *sub, -s* Posaunistin

troop, *sub, -s (Arbeits-)* Trupp; *(mil.)* Truppe; **~s** *sub, nur Mehrz.* Truppen

trophy, *sub, -ies* Trophäe

tropic, *sub, -s* Wendekreis; **~al** *adj,* tropisch; **~al and subtropical fruit** *sub, -s* Südfrucht; **~al climate** *sub, -s* Tropenklima; **~al fever** *sub, -s* Tropenfieber; **~al suit** *sub, -s* Tropenanzug; **~s**

sub, nur Mehrz. Tropen, tropisch *sub,* -s Tropismus; **troposphere** *sub, nur Einz.* Troposphäre

trot, (1) *sub,* - Laufschritt; *nur Einz.* Trab; **-s** *(Gangart)* Trott **(2)** *vi,* traben, trotteln; *at a trot* im Trab; **~ along** *vi,* trotten

Trotskyism, *sub, nur Einz.* Trotzkismus; **Trotskyist** *sub, -s* Trotzkist

troubadour, *sub, -s* Troubadour

trouble, *sub, -s* Ärger; *nur Einz.* Bredouille; *-s* Mühe, Trouble, Ungemach; *nur Einz. (ugs.)* Schererei; *-s* Schwulität; *nur Einz.* Zoff; *-s (Ärger)* Sorge; *(einer Aufgabe)* Arbeit; *(Schwierigkeit)* Unannehmlichkeit; *(Sorge)* Not; *cause trouble* Ärger verursachen; *there will be trouble* das wird Ärger geben; *be in real trouble* in der Bredouille stecken; *to be worth the trouble* die Mühe wert sein; *to have a tremendous amount of trouble* alle Mühe haben; *to take no trouble* sich keine Mühe geben; *without any trouble* ohne Mühe; *a trouble area* ein neuralgischer Punkt; *don´t trouble yourself on my account* machen Sie sich meinetwasegen keine Umstände!; *(i. ü. S.) get into trouble* in Teufels Küche kommen; *get into trouble with* es zu tun bekommen mit; *if it isn´t too much trouble* wenn es Ihnen keine Mühe macht; *that has caused nothing but trouble* es hat mir nichts als Ärger eingebracht; *this Group is always making trouble* diese Gruppe macht ständig Opposition; *this topic is a trouble spot* dieses Thema ist ein neuralgischer Punkt; *to get sb out of trouble* jmdn aus einer Misere herausholen; *(ugs.) to stir up trouble* Unruhe stiften; *what´s the trouble* wo drückt der Schuh?; *this causes a lot of trouble* das macht eine Menge Arbeit; *get into trouble* Unannehmlichkeiten bekommen; **~ maker** *sub, -s* Provokateur, Störenfried; *(i. ü. S.)* Früchtchen; *(ugs.)* Quertreiber; **~ taken** *sub, troubles* Mühewaltung; **~ with** *sub,* - Crux; **~-free** *adj, (ugs.) trouble-free* reibungslos; *(ugs.) trouble-free digs* eine sturmfreie Bude; **~d** *adj,* sorgenschwer, unruhig

trough, *sub, -s* Trog

trouser pocket, *sub, -s* Hosentasche; **trouser stripes** *sub, -s* Lampassen; **trousers** *sub, nur Mehrz.* Beinkleid, Hose

trousseau, *sub, -s* Aussteuer

trout, *sub, -s* Forelle

truce, *sub, nur Einz.* Burgfrieden

truck, *sub, -s* Brummi, Lastauto, Lastwagen, Truck; *(Eisenbahn)* Lore; **truck-stop** Brummi-Treff; **~ farming** *sub, -s (US)* Gemüseanbau

trudge, *vi,* stapfen

true, *adj,* wahr, wahrhaft; *(tech.)* genau; *(wahr)* echt, eigentlich; *it can´t be true* das darf doch nicht wahr sein; *a true Englishman* ein echter Engländer; *come true* in Erfüllung gehen; *in the true sense of the word* im eigentlichen Sinne; *is that true?* stimmt das?; *it can´t be true that* es kann nicht angehen, dass; *to come true* Wirklichkeit werden; *true to his name* Nomen est Omen; **~ to style** *adj,* stilecht

truffle, *sub, -s* Trüffel; **~d sausage** *sub, -s* Trüffelwurst

truly, *adv,* wahrhaft; **~ devoted** *adj,* treu ergeben

trump, **(1)** *sub, -s* Trumpf **(2)** *vti,* trumpfen; *(i. ü. S.) hearts are trumps* Herz ist Trumpf; *(i. ü. S.) hold all the trumps* alle Trümpfe in der Hand haben, *play a trump* einen Trumpf ausspielen; **~ (card)** *sub, -s* Trumpfkarte; **~ (suit)** *sub, -s* Trumpffarbe; **~ery** *sub, -ies* Flitterwerk

trumpet, *sub, -s* Trompete; *(i. ü. S.) to blow one´s own trumpet* sich selbst auf die Schulter klopfen; **~er** *sub, -s* Trompeter

truncheon, *sub, -s* Gummiknüppel, Schlagstock

trunk, *sub, -s* Oberkörper, Rumpf, Rüssel; *(bot.)* Stamm; **~like** *adj,* rüsselförmig

truth, *sub, -* Wahrheit; *that is getting nearer the truth* das kommt der Wahrheit schon näher; *there was a lot of truth in it* das hast ein wahres Wort gesprochen; *to tell the truth* um die Wahrheit zu sagen; *to tell you the truth* offen gestanden; *truth will out* Lügen haben kurze Beine; **~ful** *adj,* wahrhaft; *(wahrhaftig)* ehrlich; **~fulness** *sub, nur Einz.* Ehrlichkeit

try, **(1)** *sub, -s* Versuch **(2)** *vt,* versuchen **(3)** *vti,* probieren; *be prepared to try anything* zu allem bereit sein; *can I try a bit?* darf ich mal naschen?; *have an other try* einen neuen Anlauf nehmen; *there´s no point in even trying* das zu versuchen ist aussichtslos; *try a little harder* sich stärker anstrengen; **~ (out)** *vt,* ausprobieren; **~ hard** *vi,* bemühen; *try hard to get sth* sich um etwasa bemühen; **~ on** *vt,* anprobieren; **~ to find out** *vt,* nachforschen; **~ to get out**

of *vr, (sich - um)* herumdrücken; **~ to persuade** **(1)** *sub, - (i. ü. S.)* Zureden **(2)** *vi,* zureden

tsar, *sub, -s* Zar; **~ family** *sub, -es (ugs.)* Zarenfamilie; **~dom** *sub, nur Einz.* Zarentum; **~ism** *sub, nur Einz. (ugs.)* Zarismus; **~ist** *adj,* zaristisch

tsetse fly, *sub, -ies* Tsetsefliege; **tsetse plague** *sub, -s* Tsetseplage

T-shirt, *sub, -s* T-Shirt

tub, *sub, -s* Bottich, Butte, Küvelierung, Wanne; **~ of lard** *sub, -s* Fettsack

tuba, *sub, -s* Tuba

tube, *sub, -s* Röhre, Tube, Tubus; *(ugs.)* Zuber; **~less** *adj,* schlauchlos

tuber, *sub, -s* Knolle

tubercle, *sub, -s* Tuberkel

tubercular, *adj,* lungenkrank; **tuberculosis** *sub, -* Tuberkulose; **tuberculous** *adj,* tuberkulös

tubular, *adj,* tubulär

tucan, *sub, -s* Tukan

tuck, **(1)** *sub, -s* Aufnäher **(2)** *vt,* verpacken; *to tuck in* es sich schmecken lassen; *to tuck sb up* jmdn ins Bett packen; *tuck in!* greift nur ordentlich zu!; **~ away** *vt, (ugs.)* verspachteln; **~ up** *vt, (Ärmel)* umschlagen

Tuesday, *sub, -s* Dienstag; *he is coming on Tuesday* er kommt Dienstag; *on Tuedsays* jeden Dienstag; *on Tuesday* am Dienstag; *on Tuesday morning(s)* Dienstag morgens; *the whole of Tuesday* den ganzen Dienstag; *Tuesday, April 13th* Dienstag, der 13 April; *Tuesday morning* Dienstagmorgen; **~(´s)** *adj,* dienstäglich

tuft, *sub, -s* Troddel; *(zool.)* Federbusch

tuition, *sub, -s* Unterricht

tulip, *sub, -s* Tulpe

tulle, *sub, -s* Tüll; **~ veil** *sub, -s* Tüllschleier

tumble, **(1)** *vi,* purzeln; *(ugs.)* plumpsen **(2)** *vr,* walken; **~ down** *vi,* zerfallen; **~r** *sub, -s* Gaukler, Stehaufmännchen; **~r switch** *sub, -es* Kippschalter

tumo(u)r, *sub, -s* Tumor; **tumor** *sub, -s (med. US)* Geschwulst; **tumour** *sub, -s (med.)* Geschwulst; **tumour** *sub, -s* Blastom; *(med.)* Geschwulst; *malignancy of a tumour* Bösartigkeit eines Tumors

tumult, *sub, -* Getümmel; *-s* Tumult

tumulus, *sub, -li* Tumulus

tundra, *sub, -s* Tundra

tune, **(1)** *sub, -s* Melodie **(2)** *vt,* tunen; *(mus.)* abstimmen, stimmen; *to the tune of* nach der Melodie von, *(i. ü. S.) change one´s tune* eine andere Tonart anschlagen; *(mus.) the orchestra is tuning up* das Orchester stimmt die Instrumente; *tune a radio* ein Radio einstellen; **~r** *sub*, *-s* Tuner

tunic, *sub*, *-s* Tunika

tuning, *sub*, *-s* Tuning; *(mus.)* Abstimmung; **~ fork** *sub*, *-s* Stimmgabel

tunnel, *sub*, *-s* Stollengang, Tunnel

turban, *sub*, *-s* Turban; **~-like** *adj*, turbanartig

turbine, *sub*, *-s* Turbine

turbocharger, *sub*, *-s* Turbolader

turbot, *sub*, *-s* Steinbutt

tureen, *sub*, *-s* Terrine

turf, *sub*, *-s* Grasnarbe, Turf; *-s oder turves (Gras~)* Narbe

Turk, *sub*, *-s* Türke; **~ey** *sub*, *nur Einz.* Türkei; *-s* Turkey; **turkey cock** *sub*, *-s* Puter, Truthahn; **turkey hen** *sub*, *-s* Pute, Truthenne; **~ey red** *sub*, *nur Einz.* Türkischrot; **~ic language** *sub*, *-s* Turksprache; **turkicize** *vt*, turkisieren; **~ish** *adj*, türkisch; **~ish scimitar** *sub*, *-s* Türkensäbel; **~menian** *adj*, turkmenisch

turmeric, *sub*, *nur Einz.* Kurkuma

turmoil, *sub*, *-s* Gewühl; *(Unruhe)* Aufruhr

turn, (1) *sub*, *-s* Törn, Turn, Wendung; *(allg.)* Umdrehung **(2)** *vi*, abbiegen, biegen **(3)** *vr*, wenden **(4)** *vt*, drechseln, schalten, wenden **(5)** *vti*, drehen, einbiegen **(6)** *vtr*, verkehren; *turn round a corner* um eine Ecke biegen, *a half turn* eine halbe Drehung; *do so a bad turn* jemanden einen Bärendienst erweisen; *do so a good/bad turn* jmd einen guten/schlechten Dienst erweisen; *it really turns you off* es ist zum davonlaufen; *it turned out that* es fand sich, dass; *it´s his turn* er ist an der Reihe; *it´s my turn* ich bin dran; *take it in turns with so* sich mit jemandem ablösen; *take turns at working* sich beim Arbeiten ablösen; *to turn one´s back* jemanden den Rücken zudrehen; *to turn sb into sth* jmdn zu etwas machen; *turn a country into a battlefield* ein Land mit Krieg überziehen; *turn down (up) the radio* das Radio leiser (lauter) stellen; *turn into* ausarten in, sich auflösen in; *turn sb´s place upside down* jmd die Bude auf den Kopf stellen; *(i. ü. S.) turn the tables* dem Spieß umdrehen, *turn into the next street* in die nächste Straße einbiegen; *turn left/right* nach links/rechts einbiegen; *turn the corner* um die Ecke biegen, *turn this way* geh hier entlang; *turn traitor* zum Verräter werden; **~ (one´s**

back) *vti, kehren*; **~ (one´s eyes)** *vt*, kehren; **~ away (1)** *vi*, abwenden **(2)** *vt*, zurückweisen; *(wegschicken)* abweisen, abwiegeln; **~ away from** *vi*, abkehren; **~ back (1)** *vi*, kehrtmachen, umkehren **(2)** *vr*, zurückwenden **(3)** *vt*, zurückdrehen; **~ blue** *vt*, blaumachen; **~ down** *vt*, *(Bewerbung)* ablehnen; *(Kragen)* umschlagen; **~ green** *vi*, grünen; *(Bäume)* begrünen; **~ grey** *vi*, ergrauen; **~ to gold** *vt*, *(i. ü. S.)* vergolden

turncoat, *sub*, *-s* *(ugs.)* Wendehals; *(polit.)* Überläufer; **turned inside** *adj*, Einstülpung

turnery, *sub*, *-ies* Drechslerei

turning back, *sub*, *nur Einz.* Umkehr; **turning manoeuvre** *sub*, *-s* (ti; spo.) Wendemanöver; **turning off** *sub*, *-s* -Abschaltung; **turning on** *sub*, *nur Einz.* Einschaltung; **turning point** *sub*, *-s* Wende

turn in(to), *vti*, einschwenken; *turn into the gateway* in die Toreinfahrt einschwenken; **turn inside out** *vt*, umstülpen; *(umwenden)* umkrempeln; **turn of a thread** *sub*, *-s* Gewindegang; **turn of the century** *sub*, *-s* Jahrhundertwende; **turn of the year** *sub*, *-s* Jahreswende; **turn off (1)** *vi*, *(Wasser, etc.)* abdrehen **(2)** *vt*, zudrehen; *(ausschalten)* ausmachen; *(Gerät)* abschalten; **turn on** *vt*, andrehen; *(anschalten)* anstellen; *(Wasser, etc.)* aufdrehen; **turn out (1)** *vi*, *(ausfallen)* geraten **(2)** *vr*, *(sich)* herausstellen **(3)** *vt*, *(Situation)* ergeben; *everything turns out right with him* ihm gerät alles; *it hasn´t turned out well* das ist mir nicht geraten; *turn out to so´s advantage* jmdm zum Vorteil geraten, *the cake has turned out well* der Kuchen ist gut gelungen; *turn out well* gut ausfallen

turnip, *sub*, *-s* Futterrübe, Rübe, Steckrübe

turn-off, *sub*, *-s* Abzweigung

turn out to be, *vi*, entpuppen; **turn over (1)** *vr*, überschlagen **(2)** *vi*, umdrehen, umwenden; *(Erde)* aufwühlen; *(Seite)* umschlagen; *(wirt.)* umsetzen **(3)** *vtr*, *(Liegendes)* herumdrehen; **turn pale** *vi*, erbleichen; **turn round (1)** *vi*, umbiegen, wenden **(2)** *vr*, umdrehen, umwenden **(3)** *vtr*, herumdrehen

turnover, *sub*, *-s* Umsatz; **~ balance** *sub*, *-s* Summenbilanz

turn so´s head, *vt*, betören; **turn sth into sth** *vt*, umfunktionieren; **turn**

sth round *vt*, umlenken; **turn the headlamps on full beam** *vt*, aufblenden; **turn to** *vr*, zuwenden; **turn up (1)** *vi*, *(ugs.)* aufkreuzen; *(ugs.: erscheinen)* auftauchen **(2)** *vt*, hochklappen, hochschlagen; *(Ärmel etc.)* umkrempeln; **turn up one´s nose** *vt*, *(Nase)* rümpfen; **turn upside down** *vt*, stürzen, umstülpen; **turn-back sleeve** *sub*, -s Stulpenärmel; **turn-up** *sub*, -s *(einer Hose)* Aufschlag

turntable, *sub*, -s Drehscheibe, Plattenteller

turquoise, (1) *adj*, türkis, türkisfarben, türkisfarbig **(2)** *sub*, -s Türkis

turret, *sub*, -s Türmchen

turtle, *sub*, -s Schildkröte; **~dove** *sub*, -s Turteltaube

tusk, *sub*, -s *(zool.)* Stoßzahn

tussle, (1) *sub*, -s Katzbalgerei **(2)** *vi*, katzbalgen, rangeln

tutor, *sub*, -s Tutor

tutti-frutti, *sub*, -s Tuttifrutti

tuxedo, *sub*, -s *(US)* Smoking

TV, *sub*, -s Fernseher; *nur Einz.* *(ugs.)* Mattscheibe; **~ cabinet** *sub*, -s Fernsehtruhe; **~-film** *sub*, -s Fernsehfilm; **~-set** *sub*, -s Fernsehgerät; **~-viewer** *vi*, *(Zuschauer)* Fernseher

twaddle, *sub*, -s Gewäsch; *(ugs.)* Schnickschnack

tweak, *vt*, ziepen

tweed, *sub*, -s Tweed

tweezers *sub*, *nur Mehrz.* Pinzette

twelfth, *sub*, -s Zwölftel; **twelve** *adj*, zwölf; **twelve and a half** *adj*, zwölfeinhalb; **twelve thousand** *adj*, zwölftausend; **twelve-axeled** *adj*, zwölfachsig; **twelve-fighter** *sub* – Zwölfkämpfer; **twelve-tone-music** *sub*, – Zwölftonmusik; **twelve-tone-technique** *sub*, -s Dodekaphonie; **twentieth** *adj*, zwanzigst; **twenty** *adj*, zwanzig; *oh, to be twenty again!* man müsste nochmal zwanzig sein!; **twenty times** *sub*, – Zwanzigfach

twice, *adv*, zweimal; *twice as big* doppelt so gross; *twice his age* noch einmal so alt; **~ (as)** *adv*, *(zweimal)* doppelt; *that´s just saying the same thing twice over* das ist doppelt gemoppelt; *try twice as hard* sich doppelt anstrengen; *twice as lonely* doppelt einsam

twiddling, *sub*, -s Fummelei

twilight, *sub*, -s Dämmerlicht; *nur Einz.* Zwielicht; *these twilight figures of the underworld* diese obskuren Gestalten der Unterwelt; **~ hour** *sub*, -s Dämmerstunde

twill, *sub*, *nur Einz.* Drillich; -s Köper; **~ trousers (am: pants)** *sub*, *nur Mehrz.*

Drillichhose; **~ weave** *sub*, *nur Einz.* Köperbindung

twin, *sub*, -s Zwilling; **~ town** *sub*, -s Partnerstadt; **~-research** *sub*, -es Zwillingsforschung; **~set** *sub*, -s Twinset

twine, *sub*, -s Zwirnsfaden; **~ (a)round** *vt*, umranken; **~ round** *vt*, *(Pflanze)* umschlingen

twinkle, *vi*, *(Sterne)* funkeln

twinning, *sub*, -s *(Städte-)* Partnerschaft

twirl, *vt*, zwirbeln

twist, (1) *sub*, -s *(tech.)* Torsion **(2)** *vt*, verdrehen, verziehen; *(ugs.)* verknacksen; *twist so´s arm* jmd den Arm umdrehen; **~ drill** *sub*, -s Spiralbohrer, Wendelbohrer; **~er** *sub*, -s *(US)* Tornado; **~ing** *sub*, -s Umschlingung; **~y** *adj*, winkelig

twit, *sub*, -s *(vulg.)* Depp; *(Dummkopf)* Ochse

twitch, *vti*, zucken; **~ back** *vi*, zurückzucken; **~ing** *sub*, -s Tic

twitter, *vi*, schilpen, zwitschern

two, *adj*, zwei; *two sausages* ein Paar Würstchen; **~ and a half** *adj*, zweieinhalb; **~ page** *adj*, doppelseitig; **~ players challenging for a ball at the same time** *sub*, – *(Fußball)* Pressschlag; **~ sorts of** *adj*, zweierlei; **~ times** *adv*, zweimal; **~ thousand** *adj*, zweitausend; **~ times** *adv*, zweimal; **~-channel-sound** *sub*, -s Zweikanalton; **~-engined** *adj*, zweimotorig; **~-faced** *adj*, doppelzüngig; **~-family house** *pron*, Zweifamilienhaus; **~-figure** *adj*, zweistellig; **~-handed** *adj*, zweihändig; **~-hours (1)** *adj*, zweistündig **(2)** *adv*, (i. ü. S.) zweistündlich; **~-liner** *sub*, – Zweizeiler; **~-man-boat** *sub*, -s (i. ü. S.) Zweimannboot

two-piece dress, *sub*, -es Jackenkleid; **two hundred** *adj*, zweihundert; **two-pounder** *sub*, – (i. ü. S.) Zweipfünder; **two-seater** *sub*, - Zweisitzer; **two-storey** *adj*, zweistöckig; **two-stroke engine** *sub*, -s Zweitaktmotor; **two-templed** *adj*, zweischläfig; **two-wheeled** *adj*, zweirädrig; **two-winged** *adj*, *(ugs.)* zweiflüglig

tying, *sub*, -s Verknüpfung; **~ up** *sub*, -s Verschnürung

type, (1) *sub*, - Letter; -s Typ; *hier nur Einz.* (i. ü. S.) Kaliber; -s *(Mensch)* Natur; *(Scheibmaschinen-)* Type **(2)** *vt*, *(ugs.)* abtippen; *my secretary typed the letter as I dictated* ich habe den Brief meiner Sekretärin in die Maschine diktiert; *to type sth* etwas auf der Maschine schreiben; *he´s not my type* er ist nicht mein Typ; *(ugs.) he´s not my type* er ist nicht mein Kaliber; *she´s a good-natured type* sie ist eine gutmütige Natur; ~ **area** *sub, -s* Satzspiegel; ~ **in shorthand** *vt*, stenotypieren; ~ **of calculation** *sub, -s* Rechnungsart; ~ **of car** *sub, -s* Wagentyp; ~ **of clay** *sub, types (mineralogisch)* Tonart; ~ **of coffee** *sub, -s* Kaffeesorte; ~ **of firm** *sub, -s -s* Betriebsform; ~ **of rock** *sub, -s* Gesteinsart; ~ **of skeleton** *sub, types* Skelettform; ~ **of vine** *sub, -s* Rebsorte; ~ **size** *sub, -s* Schriftgrad

type(write), *vti, (Schreibmaschine)* tippen; **type-compositor** *sub, -s* Setzer; **type-setter** *sub, -s (Verlag)* Setzer; **typesetting room** *sub, -s (Firma)* Setzerei; **typewriter** *sub, -s* Schreibmaschine

typhoon, *sub, -s* Taifun

typhous, *adj,* typhös

typical, *adj,* typisch; *(Britisch)* echt; *that attitude is typical of him* diese Einstellung passt zu ihm; *that´s typical of him* das ist bezeichnend für ihn; *this is typi-*

cal British humour das ist echt Britischer Humor; *typical* wie es im Buche steht

typist, *sub, -s* Schreibkraft, Tippfräulein; **typographic(al)** *adj,* typografisch; **typography** *sub, -ies* Typografie; **typology** *sub, -ies* Typik; **typoscript** *sub, -s* Typoskript

tyrannical, *adj,* tyrannisch; ~ **nature** *sub, - (stärker)* Herrschsucht; **tyrannize** *vt,* tyrannisieren; **tyranny** *sub, -ies* Gewaltherrschaft, Tyrannei; *nur Mehrz. (i. ü. S.)* Typoskript *they lived under his tyranny* sie lebten unter seiner Knute; **tyrant** *sub, -s* Tyrann

tyre, *sub, -s* Autoreifen, Reifen; *let the tyres down* die Luft aus den Reifen ablassen; ~ **pressure** *sub, -s* Reifendruck; ~ **tread** *sub, -s* Reifenprofil; ~**s** *sub, nur Mehrz.* Bereifung

Tyrol, *sub, -* Tirol; ~**ean** *adj,* tirolerisch

tzaziki, *sub, -s* Zaziki

U

ubiquitous, *adj*, ubiquitär

U-certificated, *adj*, jugendfrei

udder, *sub*, -s Euter

ugliness, *sub*, *nur Einz.* Hässlichkeit; **ugly** *adj*, hässlich; *(ugs.)* aasig; *as ugly as a sin* hässlich wie die Nacht; **ugly mug** *sub*, -s *(ugs.; bässl. Gesicht)* Fratze

uhlan, *sub*, -s Ulan; ~´s tunic *sub*, -s Ulanka

ukase, *sub*, -s Ukas

ukulele, *sub*, -s Ukulele

ulcer, *sub*, -s Schwäre; *(med.)* Geschwür; ~ate *vi*, ulzerieren; ~ated *adj*, *(Bein)* offen; ~ation *sub*, -s Ulzeration; ~ous *adj*, ulzerös

ulterior motive, *sub*, -s Nebengedanke; *(negativ)* Hintergedanke; *have an ulterior motive* einen Hintergedanken bei etwas haben

ultimate, **(1)** *adj*, *(höchstmöglich)* letzt **(2)** *adj*, -s Nonplusultra; **ultimatum** *sub*, -s Ultimatum

ultra, *sub*, -s Ultra; ~light *adj*, superleicht; ~modern *adj*, hypermodern, supermodern; ~sound *sub*, *nur Einz.* Ultraschall; ~violet *adj*, ultraviolett; ~violet lamp *sub*, -s Höhensonne

umbel, *sub*, -s Dolde

umber, *sub*, - Umbra

umbilical cord, *sub*, -s Nabelschnur; *cut the umbilical cord* ein Baby abnabeln

umbilicus, *sub*, -es Nabel

umbrella, *sub*, -s Regenschirm, Schirm; ~ cover *sub*, -s Schirmhülle; ~ factory *sub*, -ies Schirmfabrik

umlaut, *sub*, -s Umlaut

umpteen times, *adv*, x-mal

unable, *adj*, außer Stande; *be unable to do sth* außer Stande sein etwas zu tun; ~ to do sth. *adj*, unkundig

unabridged, *adj*, *(Buch)* ungekürzt

unacceptable, *adj*, inakzeptabel, unannehmbar

unaccustomed, *adj*, ungewohnt

unadulterated, *adj*, unverfälscht

unaesthetic, *adj*, unästhetisch

unalterable, *adj*, *(unwiderruflich)* unabänderlich

unambiguous, *adj*, *(zweifelsfrei)* eindeutig; **unambitious** *adj*, unprätentiös

unanimity, *sub*, -ies Einmütigkeit; *nur Einz.* Einstimmigkeit; **unanimous** *adj*, ausnahmslos, einhellig, einmütig; *(Beschluss)* einstimmig; *have an unanimous opinion* einhellig einer Meinung sein

unannounced, *adj*, unangemeldet

unappetizing, *adj*, unappetitlich

unapproachable, *adj*, unnahbar

unarmed, *adj*, unbewaffnet

unarticulated, *adj*, unartikuliert

unassailable, *adj*, unangreifbar

unattainable, *adj*, unerreichbar; **unattained** *adj*, unerreicht

unauthoritative, *adv*, unmaßgeblich; **unauthorized** *adj*, eigenmächtig, unbefugt, unberechtigt; **unauthorized person** *sub*, -s Unbefugte

unavailable, *adj*, indisponibel, vergriffen

unavoidable, *adj*, unausweichlich, unumgänglich, unvermeidbar

unawareness, *sub*, *nur Einz.* *(Nichtahnung)* Arglosigkeit

unbalanced, *adj*, unausgeglichen; *(unausgewogen)* einseitig; **unbalanced diet** einseitige Ernährung

unbearable, *adj*, unerträglich; *(i. ü. S.; Person)* ungenießbar; *It´s unbearable* Es ist nicht zum aushalten

unbefitting, *adj*, *(i. ü. S.)* unzukömmlich

unbelieving, *adj*, ungläubig

unbiased, *adj*, unparteilich, unvoreingenommen, wertfrei; **unbiasness** *sub*, *nur Einz.* Unvoreingenommenheit

unblockable, *adj*, unverbaubar

unbloody, *adj*, unblutig

unborn child, *sub*, *children (geh.)* Leibesfrucht

unbound, *adj*, ungebunden

unbreakable, *adj*, bruchsicher, unzerbrechlich

unbroken, *adj*, ungebrochen, ununterbrochen

unbuckle, *vr*, *(Gegenstand)* abschnallen

unbutton, *vt*, abknöpfen, aufknöpfen

unceasing, *adj*, unablässig

uncertain, *adj*, unbestimmt, ungewiss, unklar, unsicher; ~ty *sub*, - Ungewissheit; -es Unsicherheit

unchallenged, *adj*, unangefochten

unchanged, *adj*, unverändert

unchaste, *adj*, unkeusch; **unchastity** *sub*, *nur Einz.* Unkeuschheit

unclarified, *adj*, *(Irrtum)* unaufgeklärt

uncle, *sub*, -s Onkel; *(veraltet)* Oheim

unclean, *adj*, unrein, unreinlich; ~liness *sub*, *nur Einz.* Unreinlichkeit

unclear, *adj*, missverständlich, unklar, unübersichtlich

uncomfortable, *adj*, ungemütlich; *(ugs.)* mulmig; *(körperlich)* unbehaglich; *(ungemütlich)* unbequem, *things are getting uncomfortable* es wird mulmig

uncommon, *adj*, apart
uncommunicative, *adj*, *(ugs.)* maulfaul
uncomplaisance, *sub*, *nur Einz.* Ungefälligkeit
uncompleted, *adj*, unfertig
uncomplicated, *adj*, unkompliziert
uncomprehending, *adj*, verständnislos
uncompromising, *adj*, kompromisslos
unconcealed, *adj*, unverhohlen
unconcerned, *adj*, teilnahmslos, unbekümmert
unconditional, *adj*, *(Kapitulation etc.)* bedingungslos; **~ly** *adv*, bedingungslos
unconfirmed, *adj*, unbestätigt
unconquerable, *adj*, unbesieglich; *(Berg etc.)* unbezwingbar; **unconquered**, *adj*, unbewältigt
unconscious, *adj*, besinnungslos, bewusstlos, ohnmächtig, unbewusst; **~ness** *sub*, *nur Einz.* Bewusstlosigkeit; *in a deep state of unconsciousness* in tiefer Bewusstlosigkeit
unconstitutional, *adj*, verfassungswidrig
uncontrollable, *adj*, unbezähmbar; **uncontrolled** *adj*, unbeherrscht
uncouple, *vt*, abkoppeln; *(Anhänger)* auskuppeln; **uncoupling** *sub*, *-s* Abkoppelung
uncouraged, *adj*, unmutig
uncouth, *adj*, grobschlächtig; **~ adolescence** *sub*, *nur Einz.* Flegeljahre
uncover, *vt*, entblößen, entschleiern; *(Bett)* aufdecken; *(Gegenstand)* abdecken; *(Tisch)* abdecken
uncovered, *adj*, hüllenlos; *(Scheck)* ungedeckt
uncriminal, *adj*, unsträflich
unctuous, *adj*, salbungsvoll
uncultivated, *adj*, brach, unkultiviert; *(Feld)* unbebaut; **~ field** *sub*, *-s* Brachfeld
uncultured, *adj*, *(unkultiviert)* ungebildet; **uncured tobacco** *sub*, *nur Einz.* Rohtabak
uncut, *adj*, *(Film)* ungekürzt; *(tt; tech.)* ungeschliffen
undamaged, *adj*, unbeschädigt, unversehrt
undaunted, *adj*, unerschrocken, unverzagt; **~ness** *sub*, *nur Einz.* Unverzagtheit
undecided, *adj*, unschlüssig; *(noch nicht entschieden)* unentschieden; *to be undecided* über etwas unschlüssig sein; **undecisive** *adj*, *(unentschlossen)* unentschieden

undefatigable, *adj*, unverwüstlich
undefiled, *adj*, unbefleckt; **undefinable** *adj*, *(undefinierbar)* unbestimmbar
undeliverable, *adj*, unzustellbar
undemanding, *adj*, bedürfnislos, unprätentiös; *(Tier)* genügsam
under, **(1)** *adv*, *(räuml.unter)* darunter **(2)** *präp*, unter; *it is lying under it* es liegt darunter, *(unterhalb) to have sb under one* jmd unter sich haben; *(unterhalb) towns with a population of under 10000* Städte unter 10 000 Einwohnern; *(unterhalb) under 18 years* unter 18 Jahren; **~ age** *adj*, *(i. ü. S.)* unmündig; **~ escort** *sub*, *-s (unter -)* Geleitschutz; **~ no circumstances** *adv*, keinesfalls; **~ the** *präp*, *(ugs.)* unterm; **~ what/which** *adv*, worunter; **~carriage** *sub*, *-s (Luftf.)* Fahrgestell, Fahrwerk; **~cool** *vt*, unterkühlen; **~cooling** *sub*, - Unterkühlung; **~cover** *adj*, heimlich; **~cover agent** *sub*, *-s* Undercoveragent; **~cut** *vt*, unterbieten; **~cutter** *sub*, *-s* Preisbrecher; **~cutting** *sub*, *-s* Unterbietung; **~developed** *adj*, unterentwickelt
underdog, *sub*, *-s (ugs.)* Underdog; **underdrive** *vt*, *(i. ü. S.)* unterfahren; **underestimate** *vt*, unterschätzen; **underfly** *vt*, *(i. ü. S.)* unterfliegen; **undergo** *vt*, *(tt; med.)* unterziehen; **undergo hydrotherapy (according to Kneipp)** *vi*, kneippen; **undergoing** *adj*, *(i. ü. S.)* unterläufig; **underground (1)** *adj*, untergründig, unterirdisch **(2)** *sub*, *nur Einz.* U-Bahn; *-s* Untergrund; **underground joke** *sub*, *-s* Flüsterwitz; **underground mining** *sub*, *-s* Untertagebau; **underground movement** *sub*, *-s* Untergrundbewegung
underground system, *sub*, *-s* U-Bahn-Netz; **undergrowth** *sub*, - Unterholz; **underhanded** *adj*, hinterhältig; **underlay** *sub*, *-s* Unterlage; **underline** *vt*, unterstreichen; *(i. ü. S.)* herausheben, hervorheben; *(i. ü. S.; betonen)* herausstellen; **underlinger** *vi*, *(i. ü. S.)* unterweisen
undermine, *vt*, untergraben, unterhöhlen, unterminieren, zersetzen; *(i. ü. S.; untergraben)* aushöhlen; **~ sth.** *vt*, unterspülen; **undermining** *sub*, - Untergrabung; *-s* Unterminierung; *(i. ü. S.)* Unterlaufung
underneath, **(1)** *adv*, drunter, unten, untenher **(2)** *präp*, unterhalb; *to use sth to put underneath* etwas als Unter-

satz verwenden; **undernights** *sub, nur Mehrz. (ugs.)* Unternächte; **undernourished** *adj*, unterernährt; **underpants** *sub, nur Mehrz. (m)* Unterhose; **underpass (1)** *sub, -es* Unterführung **(2)** *vt*, unterführen; **underpasser** *sub, - (ugs.)* Unterführer; **underpin** *vt*, untermauern; **underpinning** *sub, -s (tt; arch.)* Unterbauung, Untermauerung; **underroofing** *sub, -s* Unterdeckung; **underrun** *vi*, unterqueren

undersecretary, *sub, -ies (US)* Staatssekretär; **undershirt** *sub, -* Unterhemd; *-s (US)* Hemd, Netzhemd; **understaffed** *adj*, unterbesetzt; **understaffed profession** *sub, -s* Mangelberuf

understand, (1) *vi*, auffassen, begreifen **(2)** *vt*, begreifen, einsehen, klar werden **(3)** *vti*, verstehen; *(ugs.)* kapieren; *I don't understand anything* ich begreife überhaupt nichts; *I don't understand it* ich kann es mir nicht erklären; *to make sb understand sth* jmd etwas verständlich machen, *he'll never understand what it's all about* er wird es wohl nie richtig kapieren; *ob, I see ah,* ich kapiere; **~ everything** *vt, (Wissen)* auskennen; **~able** *adj*, begreiflich, fasslich, verständlich; **~ing (1)** *adj*, einsichtig, verständnisvoll; *(ugs.)* einfühlsam **(2)** *sub, nur Einz.* Einsehen; Einsicht; *nur Einz.* Fasslichkeit, Intelligenz; *-s* Verständigung; *nur Einz.* Verständnis, Verstehen; *show understanding for sb* Einsicht mit jmd haben

understate, *vi,* untertreiben; **~ment** *sub, -s* Understatement

understeer, *vi,* untersteuern

undersubscribed, *adj,* unterbelegt

undertake, *vt,* unternehmen; **~rs** *sub, nur Mehrz.* Beerdigungsinstitut; **undertaking** *sub, -s* Unterfangen; *(ugs.)* Unternehmen

underweight, *sub, -s* Untergewicht; **underwind** *vt, (i. ü. S.)* unterwinden; **underworld** *sub, nur Einz.* Unterwelt; *(Verbrecher~)* Milieu; **undeserved** *adj*, unverdient; **undignified** *adj*, unwürdig; **undiminished** *adj*, ungemindert, unvermindert; **undisciplined** *adj*, disziplinlos, undiszipliniert

undiscussable, *adj,* undiskutabel; **undisposable** *adj*, unveräußerlich; **undisputed** *adj*, unbestritten, unumstritten; **undissolved** *adj, (chem.)* ungelöst; **undisturbed** *adj*, störungsfrei, ungestört

undo, *vt,* aufhaken, auftrennen; *(Naht etc.)* trennen; *(Naht, Gewebe)* aufdrö-

seln; *(Schleife)* aufmachen; **~gmatic** *adj*, undogmatisch; **~ing** *sub, -s* Verhängnis; **~ubtedly** *adv*, zweifellos, zweifelsfrei; **undramatic** *adj*, undramatisch; **undreamt-of** *adj*, ungeahnt; **undress (1)** *vi*, auskleiden **(2)** *vr*, ausziehen, freimachen **(3)** *vt*, entkleiden; **undress jacket** *sub, -s* Litewka; **undressing** *sub, -s* Entkleidung; **undrinkable** *adj, (nicht trinkbar)* ungenießbar

undulate, *vi,* wabern; **undulatory** *adj*, undulatorisch; **undying** *adj*, unvergänglich; **unearth** *vt, (Geheimnis)* aufspüren, aufstöbern

uneasiness, *sub, nur Einz.* Beunruhigung, Unruhe; *(seelisch)* Unbehagen; *(Unbehagen)* Missbehagen; *to cause sb uneasiness* jmd Missbehagen bereiten; **uneasy** *adj*, schwummerig, schwummrig; *(seelisch)* unbehaglich

uneconomical, *adj,* unökonomisch

unedifying, *adj,* unerquicklich

unedited, *adj, (i. ü. S.)* unredigiert

uneducated, *adj,* ungelehrt, unkultiviert; *(ohne Bildung)* ungebildet; **unemployed** *adj*, arbeitslos, stellungslos; *(wirt.)* brotlos; *be unemployed* ohne Arbeit sein, ohne Stellung sein; **unemployed person** *sub*, *the unemployed* Arbeitslose; *unemployed* Erwerbslose; **unemployment** *sub, nur Einz.* Arbeitslosigkeit, *unemployment benefit* *sub, - s* Arbeitslosengeld, Arbeitslosenunterstützung; **unemployment rate** *sub, - s* Arbeitslosenquote; **unendangered** *adj*, ungefährdet; **unenthusiastic** *adj*, lustlos

unequal, *adj,* ungleich, ungleichmäßig; **~led** *adj*, sondergleichen

unequivocal, *adj,* unzweideutig

uneven, *adj,* höckerig, uneben, ungleichmäßig, unregelmäßig; *(Linie etc.)* ungerade; *(räuml.)* erhaben; *(tt; tech.)* wellig

uneventful, *adj,* ereignislos

unexpected, *adj,* unerwartet, unverhofft, unvermutet; *(Besucher)* unangemeldet; **~ly** *adv*, unversehens

unexploded shell, *sub, (mil.)* Blindgänger

unexposed, *adj,* unbelichtet

unfaithful, *adj,* abtrünnig, untreu; **~ness** *sub, nur Einz.* Untreue; **unfashionable** *adj*, unmodern; **unfathomable** *adj*, abgrundtief, unergründbar, unergründlich; *(Geist etc.)* unerforschlich; *(geh; bibl.)* *the ways of the Lord are unfathomable* die Wege des Herrn sind unerforschlich; **unfavourable** *adj*, ungünstig; *unfavourable to our plans* unseren Plänen zuwider; **unfeigned** *adj*, unverstellt; **unfinished** *adj*, unfertig, unvollendet

unfit (for fighting), *adj*, kampfunfähig; **unfit to undergo detention** *adj*, *(jur.)* haftunfähig; **unfitness (for service)** *sub*, - *(tt; mil.)* Untauglichkeit; **unfitting** *adj*, unangepasst; **unfold** *vt*, *(Karte/Tuch)* entfalten; **unforeseeable** *adj*, *(Folgen)* unabsehbar; **unforeseen** *adj*, unvorhergesehen; **unforgettable** *adj*, unvergesslich; **unforgivable** *adj*, unverzeihbar; **unforgotten (1)** *adj*, unvergessen **(2)** *sub*, - Grabspruch

unfortunate, *adj*, misslich, unglücklich, unglückselig; ~ **nature** *sub*, *nur Einz.* Misslichkeit; ~**ly** *adv*, bedauerlicherweise, dummerweise, leider, unglücklicherweise; **unfounded** *adj*, unbegründet; *(be unbegründet)* grundlos; **unfree** *adj*, unfrei

unfriendliness, *sub*, *nur Einz.* Unfreundlichkeit; **unfriendly** *adj*, unfreundlich; **unfulfilled** *adj*, *(Person)* unausgefüllt; **unfurnished flat** *sub*, -s Leerwohnung; **ungodly** *adj*, *(Sache)* gottlos; **ungracious** *adj*, ungnädig; **ungrateful** *adj*, *(Person)* undankbar; **ungrown** *adj*, *(i. ü. S.)* ungewachsen; **unharmonious** *adj*, unharmonisch

unharness, *vt*, abhalftern, ausschirren, ausspannen; ~**ing** *sub*, *-s* Abhalfterung; **unhealthy** *adj*, ungesund; **unheard** *adj*, ungehört; **unhindered** *adj*, unbehindert, ungehindert; **unhistoric** *adj*, unhistorisch; **unhomeliness** *sub*, *nur Einz.* Ungemütlichkeit

unhook, *vt*, aushaken; *(entfernen)* abhaken; *come unhooked* sich aushaken; **unhurt** *adj*, heil, unversehrt; **unhygienic** *adj*, unhygienisch

uniate, *vt*, unieren

unicorn, *sub*, *-s* Einhorn

unification, *sub*, - Unifizierung; *-s (polit.)* Einigung; **unified** *adj*, *(in sich geschlossen)* einheitlich

uniform, **(1)** *adj*, gleichförmig, gleichmäßig, Uniform; *(einheitlich)* geschlossen **(2)** *sub*, *-s* Dienstanzug, Soldatenrock, Uniform **(3)** *vt*, uniformieren; ~**ity** *sub*, *-ies* Einheitlichkeit, Gleichförmigkeit; Uniformität; *nur Einz. (Einheitlichk.)* Gleichheit

unify, *vt*, unifizieren, verschmelzen

unilateral *adj*, unilateral

unilluminated, *adj*, unbeleuchtet

unimaginable, *adj*, unausdenkbar, un-

vorstellbar; **unimaginative** *adj*, fantasielos; *(geb.)* einfallslos; **unimaginativly** *adv*, fantasielos

unimpeachable, *adj*, *(Charakter)* makellos; *(Person)* unantastbar

unimportance, *sub*, *nur Einz.* Bedeutungslosigkeit; **unimportant** *adj*, belanglos, unbedeutend, unwichtig; *(unwichtig)* bedeutungslos; *be unimportant* ohne Belang sein

union, *sub*, *-s* Union; *(eines Staates)* Anschluss; *(tt; polit.)* Zusammenschluss; **Union Jack** *sub*, - *(Brit.)* Flagge; ~**-church** *sub*, *-es (i. ü. S.)* Unionskirche; ~**ist** *sub*, *-s* Unionist; ~**s and management** *sub*, *nur Mehrz.* Sozialpartner

unique, *adj*, einzigartig; *(günstig)* einmalig; ~ **specimen** *sub*, - Unikat; ~ **thing** *sub*, *-s* Unikum; ~**ness** *sub*, *nur Einz.* Einmaligkeit

unisono, *adj*, unisono

unit, **(1)** *sub*, *-s* Truppenteil; *(Einheit)* Truppe; *(mat.)* Einer; *(mil.)* Abteilung; *(phy.)* Einheit; *(tt; tech.)* Aggregat **(2)** *vt*, verbinden; ~ **length** *sub*, *-s* Zeittakt; ~ **of square measure** *sub*, *-s (mat.)* Flächenmaß; ~ **of time** *sub*, *-s* Zeiteinheit; ~ **of volume** *sub*, *-s* Raummaß; **Unitarian** *sub*, *-s* Unitarier; **Unitarianism** *sub*, *nur Einz.* Unitarismus

unite, **(1)** *vt*, vereinen **(2)** *vtr*, vereinigen; ~**d** *adj*, vereinigt; *(polit.)* einig; *form a united front* eine geschlossene Front bilden; **uniting** *sub*, *-s* Vereinigung; **unity** *sub*, *nur Einz.* Unität; *-ies (polit.)* Einheit, Einigkeit

universe, *sub*, *nur Einz.* All, Universum, Weltall; **universal** *adj*, universal, universell; **universal franchise** *sub*, *nur Einz.* Wahlrecht; **universal genius** *sub*, - Universalgenie; **universal joint** *sub*, *-s (tech.)* Kreuzgelenk; **universal validity** *sub*, Allgemeingültigkeit; **universalism** *sub*, *nur Einz.* Universalismus; **universally valid** *adj*, allgemein gültig

university, **(1)** *adj*, universitär **(2)** *sub*, *-ies* Hochschule; - Universität; ~ **graduate** *sub*, *-s* Akademie; ~ **student** *sub*, *-s* Hochschüler

unjust, *adj*, ungerecht; ~**ified** *adj*, ungerechtfertigt

unkempt, **(1)** *adj*, struppig **(2)** *sub*, *-s* Verwahrloste; ~**ness** *sub*, *nur Einz.* Struppigkeit

unkind, *adj*, lieblos

unknightly, *adj*, *(i. ü. S.; hist.)* unritterlich

unknowingly, *adv*, unwissentlich; **unknown** *adj*, unbekannt; **unknown person** *sub*, *-s* Unbekannte

unladen weight, *sub*, *-s* Leergewicht

unlaid, *adj*, *(Tisch)* ungedeckt

unlawful, *adj*, unrechtmäßig, widerrechtlich

unleaded, *adj*, bleifrei

unleavened, *adj*, *(ohne Treibmittel)* Fastenspeise

unless, *konj*, ausgenommen, außer; *(falls)* denn; *unless* außer wenn; *unless* es sei denn

unliberal, *adj*, illiberal

unlike, *adj*, unähnlich; **~ly** *adj*, unwahrscheinlich

unlimited, *adj*, unbefristet, unbegrenzt, unbeschränkt, uneingeschränkt, unlimitiert, unumschränkt; *to draw on unlimited sources* aus dem Vollen schöpfen

unliquid, *adj*, illiquid

unlisted number, *sub*, *-s* (Telefon US) Geheimnummer

unload, *vt*, abladen; *(entladen)* ausladen; *(Ladung)* löschen; *(Last)* entladen; **~ing** *sub*, *-s* (Ladung) Löschung; **~ing point** *sub*, *-s* Abladeplatz

unlock, **(1)** *vt*, *(Schloss)* aufschließen **(2)** *vti*, aufsperren

unloving, *adj*, lieblos

unlucky, *adj*, unglücklich; **~ person** *sub*, *-s* Unglücksrabe; *people (ugs.)* Schlemihl; **~ place** *sub*, *-s* (i. ü. S.) Unglücksort

unmannerly, *adj*, *(Benehmen)* ungebärdig

unmarked, *adj*, *(spo.)* ungedeckt

unmarried, *adj*, unverheiratet; **~ noble-woman** *sub*, *-women* Edelfräulein

unmask, *vt*, bloßstellen, demaskieren; *to unmask sb* jmd die Maske vom Gesicht reißen; **~ing** *sub*, *-s* Demaskierung

unmastered, *adj*, unbewältigt

unmelting, *adj*, unschmelzbar

unmethodical, *adj*, unmethodisch

unmistakable, **(1)** *adj*, unmissverständlich, untrüglich **(2)** *adv*, unverkennbar

unmixed, *adj*, unvermischt

unmolested, *adj*, unbehelligt

unmotivated, *adj*, unmotiviert

unmovable, *adj*, unverrückbar; **unmoved** *adj*, *(i. ü. S.; ungerührt)* unbewegt

unnamed, *adj*, namenlos

unnatural, *adj*, naturwidrig, unnatürlich; *to be unnatural* wider die Natur sein; **~ity** *sub*, *nur Einz.* (i. ü. S.) Unnatürlichkeit

unnecessary, *adj*, unnötig; *(unnötig)*

überflüssig; **unnoticed** *adj*, unbeachtet; **unobliging** *adj*, inkulant; **unobserved** *adj*, unbeobachtet; **unobstructed** *adj*, unbehindert; **unobtrusive** *adj*, unauffällig; **unofficial** *adj*, außerdienstlich, nichtamtlich; **unopposed** *adj*, widerspruchslos; **unoriginal** *adj*, epigonenhaft; **unorthographic** *adj*, *(i. ü. S.)* unorthographisch

unpack, *vt*, *(Koffer etc.)* auspacken; **unpaid** *adj*, unfrankiert; *(Post)* unfrei; **unparalleled (1)** *adj*, beispiellos, ohnegleichen **(2)** *adv*, sondergleichen; *an unparalleled success* ein Erfolg ohnegleichen; **unplaced** *adj*, *(lt; spo.)* unplatziert; **unplayable** *adj*, unbespielbar; **unpleasant** *adj*, unangenehm, unerfreulich, ungemütlich; *(geb.)* misshellig; *he can be very unpleasant* er kann auch sehr ungemütlich werden; *he is unpleasant* er ist unsympathisch; *make one´s presence unpleasantly felt* sich unangenehm bemerkbar machen; **unpoisonous** *adj*, *(ugs.)* ungiftig; **unpolished** *adj*, *(lt; tech.)* ungeschliffen

unpolitical, *adj*, unpolitisch; **unpopular** *adj*, missliebig, unbeliebt; *to make oneself unpopular* sich missliebig machen; *become unpopular* angefeindet werden; **unpopularity** *sub*, *nur Einz.* Missliebigkeit; **unpractical** *adj*, unbehilflich; **unpredictable** *adj*, unberechenbar; **unpretentious** *adj*, unprätentiös; **unproductive** *adj*, unproduktiv

unprofitable, *adj*, unersprießlich, unrentabel; **unpronounceable** *adj*, unaussprechlich; **unpropertied** *adj*, besitzlos; **unproportioned** *adj*, unproportioniert; **unprotected** *adj*, unbeschützt, ungeschützt; *(schutzlos)* ungedeckt; **unprotected game** *sub*, *-s* Freiwild; **unprovable** *adj*, unerweisbar, unerweislich; **unpunctual** *adv*, unpünktlich; **unpunished** *adj*, straflos; **unqualified** *adj*, berufsfremd

unquestionable, *adj*, unbestreitbar; **unquestioning** *adj*, *(Vertrauen etc.)* bedingungslos

unravel, *vt*, entwirren; *(Schnur)* aufdröseln; **unreadable** *adj*, unleserlich

unreal, *adj*, irreal, unreal, unwirklich, wesenlos; **~ity** *sub*, *nur Einz.* Unwirklichkeit; **~izable** *adj*, unerfüllbar; **unreasonable** *adj*, uneinsichtig, unvernünftig, unzumutbar; *(unver-*

le demand *sub, nur Einz.* Zumutung; **unreasonableness** *sub, nur Einz.* Unvernunft; **unrecognizable** *adj,* unerkennbar, unkenntlich; **unrecognized** *adj,* verkannt; **unrefined** *adj,* klotzig; **unrefusable** *adj,* unabweisbar, unabweislich

unrig, *vt,* abtakeln; **~ging** *sub, -s* Abtakelung; **unripe** (1) *adj, (unreif)* grün (2) *adv,* unreif; **unrivalled** *adj,* konkurrenzlos; **unroll** *vt, (Film)* abrollen; **unromantic** *adj,* unromantisch; **unruly** *adj,* widerspenstig; *(Kind)* ungebärdig; **unsacred** *adj, (i. ü. S.)* unheilig; **unsaid** *adj,* ungesagt; **unsatisfactory** *adj, (Schulnote)* ungenügend; **unsatisfied** *adj,* unbefriedigt; **unsaturated** *adj, (tt; chem.)* ungesättigt

unscented, *adj, (Seifen etc.)* geruchlos; **unscheduled** *adj, (Zughalt)* außerplanmäßig; **unscrew** *vt,* abschrauben, losschrauben; *(öffnen)* aufschrauben; **unscrupulous** *adj,* bedenkenlos, gewissenlos, hemmungslos, skrupellos; **unseemly** *adj,* unschicklich

unshakable, *adj,* unerschütterlich; *(i. ü. S.)* felsenfest; **unsheltered** *adj,* ungeschützt; **unshorn** *adj,* ungeschoren; **unsightly** *adj,* unansehnlich; **unskilled** *adj,* ungewandt; **unskilled worker** *sub, -s* Hilfsarbeiter; **unsoldierly** *adj, (ugs.)* unsoldatisch; **unsolicited** *adj,* unaufgefordert; **unsolvable** *adj,* unauflösbar; **unsolved** *adj,* ungeklärt; *(Problem)* ungelöst; *(Verbrechen)* unaufgeklärt

unsophisticated, *adj,* kunstlos; **unsoundness of mind** *sub, nur Einz.* Unzurechnungsfähigkeit; **unspeakable** *adj, (i. ü. S.)* unaussprechlich; *(unsäglich)* namenlos; **unspeakably** *adj, (äußerst)* namenlos; **unspecific** *adj,* unspezifisch; **unspectacular** *adj,* unscheinbar; **unspent** *adj,* unverbraucht; **unspoilt** *adj,* unverbildet, unverdorben

unsporting, *adj,* unsportlich; **unstability** *sub, nur Einz.* Unsolidität; **unstable** *adj,* instabil, labil, unstabil; *(i. ü. S.)* unsolide; *(tt; polit.)* unsicher; *an unstable political situation* eine labile politische Situation; **unstamped** *adj,* ungestempelt; **unsteady** *adj, (Person)* unbeständig; *unsteady on one´s feet* unsicher auf den Beinen stehen; *with an unsteady hand* mit unsicherer Hand

unstoppable, *adj,* unaufhaltbar, unaufhaltsam; *(tt; spo.)* unhaltbar; **unstressed** *adj,* unbetont; **unstructured** *adj,*

folglos; **unsuitable** *adj,* unangebracht, unpassend, untauglich; **unsuitableness** *sub, -* Untauglichkeit; **unsusbicious** *adj,* unverdächtig; **unsuspecting** *adj,* ahnungslos; *(nichtsahnend)* arglos; **unsuspiciousness** *sub, nur Einz.* Ahnungslosigkeit

unsymetric, *adj,* unsymmetrisch; **unsystematic** *adj,* planlos, unsystematisch; **untalented** *adj,* unbegabt; **untaxed** *adj,* unversteuert; **unteachable** *adj,* ungelehrig

untenable, *adj,* unhaltbar; *(Theorie)* haltlos; **unthinkable** *adj,* undenkbar; **untidiness** *sub, nur Einz.* Unordnung, Unsauberkeit; **untidy** *adj,* unordentlich, unsauber; *(Person)* ungepflegt; **untie** *vt,* abbinden, aufknoten, losbinden; *(öffnen)* aufbinden, aufknüpfen

until, (1) *adv,* bis (2) *konj,* bis (3) *präp,* bis; *another 10 minutes to go until then* noch zehn Minuten bis dahin; *from 10 until 12 (o´clock)* von 10 bis 12 Uhr; *I´ll be finished by then* bis dahin bin ich fertig; *not until* nicht ehe; *until 12 o´clock* bis 12 Uhr; *you won´t leave the table until you have finished* du stehst nicht auf bevor du nicht aufgegessen hast, *until further orders* bis auf weiteres; *until the end* bis zum Ende, *until death do you part* bis dass der Tod euch scheidet; **~ now** *adv,* bisher; **untimely** *adj,* inopportun; **untiring** *adj,* unermüdlich, unverdrossen; **untolerable** *adj,* unhaltbar; **untouchable** *adj,* unantastbar; **untouched** *adj,* unangetastet; **untrained** *adj,* untrainiert; **untreated** *adj,* unbearbeitet

untrue *adj,* unwahr; *that´s patently untrue* das schlägt der Wahrheit ins Gesicht; **untrustworthy** *adj,* unglaubwürdig; **untruthful** *adj,* lügnerisch; **unusable** *adj,* unbenutzbar; *(nicht zu verwenden)* unbrauchbar; **unused** *adj,* ungebraucht; **unusual** *adj,* ausgefallen, ungewöhnlich, unüblich; *that´s unusual* das ist ein Ausnahmezustand; **unutterable** *adj, (i. ü. S.)* unsagbar; **unveil** *vt, (Monument)* enthüllen

unviolable, *adj,* unverletzlich; **unwanted** *adj, (Kind)* unerwünscht; **unwarranted** *adj,* unverbürgt; **unwary** *adj,* unvorsichtig; **unwaveringly** *adv,* unbeirrt; **unwedded** *adj,* unvermählt; **unwelcome** *adj,* unerwünscht, unwillkommen; **unweld** *vt,* entschweißen

unwell, *adj,* malade, unwohl; **unwhole-some** *adj,* unzuträglich; **unwillingly** *adv, (ugs.)* ungern; **unwillingness to oblige** *sub, nur Einz.* Inkulanz; **un-wind** *vt,* abspulen; *(Spule)* abwickeln; **unworthiness** *sub, nur Einz.* Unwür-digkeit; **unworthy** *adj,* unwürdig; **un-wrap** *vt,* auswickeln; *(Verpackung)* aufwickeln; **unwrapping** *sub, -s* Ent-wicklung; **unyielding** *adj,* unnach-giebig

up, (1) *adv,* hinan, hinauf, rauf; *(ugs.)* dran; *(herauf)* auf; *(in der Höbe)* oben **(2)** *präp,* herauf **(3)** *vt,* feststecken; *up bere/there* hier/dort hinauf; *up the bill* den Berg hinauf; *up the stairs* die Trep-pe hinauf; *(ugs.) be was on bis deatbbed; incredible the way be´s up and about again* er lag schon im Ster-ben; kaum zu glauben, daß er sich wie-der hochgerappelt hat; *sbe bas ber ups and downs* es geht ihr durchwachsen; *swear up and down that* steif und fest behaupten, daß; *that is up to you* das liegt bei dir; *the costs are going up and up* die Kosten gehen ins Uferlose; *up to one´s ears* bis über beide Ohren; *the sign stays up* das Schild bleibt dran; *walk up and down* auf und ab gehen; *further up* weiter oben; *to look sb up and down* jmdn von oben bis unten mustern; *up* nach oben; *up in the sky* oben am Himmel; *up north* oben im Norden; *we went up in the lift* wir sind im Lift nach oben gefahren; *which is the right way up?* wo geht es hier nach oben?; *up the bill* den Berg herauf; **~ a maximum of** *adv,* maximal; **~ and away** *adv,* auf und davon; **~ and down** *adv,* auf und ab; *walk up and down* auf und ab gehen; **~ in quality** *attr,* nächstbesser; **~ the valley** *adv,* talauf-wärts

update, (1) *sub, -s (tt; comp.)* Update **(2)** *vt,* aktualisieren; **updating** *sub, -s* Ak-tualisierung; **upgrading** *sub, -s* Höher-stufung

uphill, *adv,* bergauf, bergaufwärts

uphold, *vt, (Tradition)* hochhalten

upland, *sub, -s* Alb

uplift, *vt, (jmdn)* erbauen

upper, (1) *adj,* obere **(2)** *sub, -s* Oberma-terial; **~ arm** *sub, -s* Oberarm; **Upper German** *sub, -s* Oberdeutsche; **~ hand** *sub, nur Einz.* Oberhand; *to gain the upper band* die Oberhand gewinnen; *to bave the upper band* die Oberhand ha-ben; **~ house** *sub, nur Einz.* Oberhaus; **~ jaw** *sub, -s* Oberkiefer; **~ jaw of a**

whale *sub, upper jaws of whales* Bar-te; **~ lip** *sub, -s* Oberlippe; **~ reaches** *sub, nur Mebrz.* Oberlauf; *in the upper reaches of the Paar* am Oberlauf der Paar; **~ ski** *sub, nur Einz.* Bergski; **~ strata (of society)** *sub, nur Mebrz. (soziol.)* Oberschicht; **Upper Voltan** *sub, -s* Obervoltaer

uppercut, *sub, -s* Uppercut; *(spo.)* Auf-wärtshaken; **uppermost** *adj,* höchst; *with utmost contempt* mit höchster Verachtung

upright, (1) *adj,* wacker **(2)** *adj, adv, (a. i.ü.S.)* aufrecht; *stand upright* auf-recht stehen; **~ness** *sub, nur Einz. (i. ü. S.)* Geradheit; **uprising** *sub, -s* In-surrektion; *(Aufstand)* Erhebung; **upriver** *adv,* flussaufwärts; **uproot** *vt,* entwurzeln; **uprooted** *adj,* heimat-los; **uprooting** *sub, -s* Entwurzelung

upset, (1) *adj,* verstimmt; *(betrübt)* traurig **(2)** *sub, nur Einz. (Beunruhi-gung)* Aufregung **(3)** *vt, (i. ü. S.)* nahe gehen; *(ändern)* umwerfen; *(tech.)* stauchen; **~ting** *adj,* kränkend; *(be-unrubigend)* aufregend

upstairs, *adv,* treppauf; *(in Haus)* oben; *the people who live upstairs* die Leute, die oben wohnen; **upstream** *adv,* flussaufwärts; **upstream** flussauf-wärts; **upstroke** *sub, -s (Schrift)* Auf-strich; **upward circle** *sub, -s (spo.)* Aufschwung; **upward trend** *sub, -s* Aufwärtsentwicklung, Aufwärtstrend; **upwards (1)** *adv,* aufwärts, hinauf **(2)** *präp,* herauf

up to, (1) *adv,* bis; *(ugs.)* weit; *(bis)* hin **(2)** *präp,* bis; *that´s up to you* das bleibt Ihnen überlassen; *up to 10 people* bis zu 10 Personen; *up to 1000 DM at most* bis höchstens 1000 DM; *up to this point* bis zu dieser Stelle, *up to years of age* bis zum Alter von; *up to the ceiling* bis an die Decke; *up to the bilt* bis aufs letzte; *up to the minu-te* auf dem laufenden sein; **~ now** *adv,* bisher; *everything bas been all right up to now* bisher war alles in Ordnung; *be basn´t been in touch up to now* er hat sich bisher nicht gemel-det; **~wards the heaven** *adv, (veral-tet)* himmelan; **up(wards)** *adv,* empor; **up-country** *sub, -s* Landesin-nere; **up-to-date** *adj,* modern; *(ugs.)* zeitgemäß; **upbeat** *sub, -s (mus.)* Auf-takt; **upbringing** *sub, -s* Erziehung

uranism, *sub, nur Einz. (i. ü. S.)* Ura-nismus; **uranium** *sub, nur Einz. (tt; chem.)* Uran; **uranium mine** *sub, -s* Uranbergwerk, Uranmine

urban, *adj*, städtisch, urban; **~ development** *sub*, *-s* Städtebau; **~ features** *sub*, *nur Mehrz.* Stadtbilder; **~ite** *sub*, *-s* Stadtmensch; **~ity** *sub*, *nur Einz.* Urbanität; **~ization** *sub*, *-s* Verstädterung; **~ize** *vt*, urbanisieren, verstädtern

Urd, *sub*, *nur Einz. (i. ü. S.)* Urd

ureter, *sub*, *-s* Harnleiter

urethra, *sub*, *-s* Harnröhre

urge (1) *sub*, *-s* Drang; *(Drang)* Trieb; *(Drängen)* Treiben; *(starkes Verlangen)* Bedürfnis (2) *vt*, *(auffordern)* nötigen; *his urge to move/be free* sein Drang nach Bewegung/Freiheit; *to urge moderation on sb* jmdn zur Mäßigkeit mahnen; *to urge sb to do sth* jmd nachdrücklich raten; *to urge sb to hurry* jmdn zur Eile mahnen; *urge a decision* auf eine Entscheidung drängen; *so urge so to do sth* jemanden eindringlich zu etwas auffordern, jmd drängeln etwas zu tun; *feel an urge to* ein starkes Bedürfnis haben zu; **~ for knowledge** *sub*, *-s* Wissensdrang; **~ sneeze** *sub*, *urges* Niesreiz; **~ncy** *sub*, *-ies* Dringlichkeit; *-s (i. ü. S.)* Urgenz; *it´s a matter of urgency* die Sache eilt; **~nt** *adj*, inständig, unaufschiebbar, vordringlich; *(i. ü. S.)* urgent; *(dringend)* eilig; *(eilig)* dringend; *(Warnung)* eindringlich; *an urgent matter* etwas eiliges; **~ntly** *adv*, nötig; *to need urgently* notwendig brauchen

urian, *sub*, *-s (i. ü. S.)* Urian; **urias** *sub*, *-* Urias

urine, *sub*, *-* Harn; *-s* Urin; **urinal** *sub*, *-s (veraltet)* Pissoir; *(tt; med.)* Urinal; **urinate** *vti*, urinieren

us, (1) *pers.pron*, uns (2) *pron*, wir; *one of us* einer aus unserer Mitte; **~(e)ability** *sub*, *nur Einz.* Nutzbarkeit; **~(e)able** *adj*, nutzbar; *to make usable* nutzbar machen; **~able** *adj*, usancemäßig, verwendbar; *(i. ü. S.)* usuell; **~age** *sub*, *-* Usance

use, (1) *sub*, *nur Einz.* Benutzung; Gebrauch; *nur Einz.* Nutzen, Nutzung; *-s* Verarbeitung; *- Verwendung; -s Zuhilfenahme; *-s (Gebrauch)* Beanspruchung; *nur Einz. (Nutzung)* Ausnutzung (2) *vt*, gebrauchen, handhaben, verarbeiten, verstricken, verwenden; *(benutzen)* brauchen; *(benützen)* befahren; *(gebrauchen)* beanspruchen, benutzen, benützen; *(Zutaten, Bürste benutzen)* nehmen; *by using* unter Benutzung von; *have the use of* freie Benutzung haben; *be in use* im Gebrauch sein; *for personal use* zum persönlichen Gebrauch; *shake before

use vor Gebrauch schütteln; *there´s no use doing that* es hat keinen Nutzen, das zu tun; *to be of use to sb* jmd von Nutzen sein; *I gave her the use of my computer* ich habe ihr meinen Computer zur Nutzung überlassen, *can you make any use of that* kannst du das gebrauchen?; *he wanted to use us for his own ends* er wollte uns für seine Zwecke einspannen; *I never use that word* dieses Wort nehme ich nicht in den Mund; *it´s no use* es nützt nichts; *make use of sth* sich einer Sache bedienen, von etwas Gebrauch machen; *that´s of no use for me* damit ist mir nicht gedient; *to use sb for sth* jmdn zu etwas missbrauchen; *to use the car* das Auto brauchen; *to use the paint* die Farbe brauchen; *use only as directed* vor Missbrauch wird gewarnt; *what´s the use of that* wozu soll das dienen; **~ all one´s power of persuasion on sb** *vt*, *(mit - auf jmd. einreden)* Engelszungen; **~ camphor** *vt*, einkampfern; **~ in the home** *sub*, *nur Einz.* Hausgebrauch; **~ of drugs** *sub*, *-s* Drogenkonsum; **~ of erotic effects** *sub*, *-s* Erotisierung; **~ the clutch** *vt*, kuppeln; **~ to capacity** *vt*, *(Maschine)* auslasten

useful, *adj*, brauchbar, nützlich, sachdienlich, wert; *(Hinweis, Kenntnisse)* nützlich; *(nützlich)* tauglich; *he is a decent (worker/pupil)* er ist ganz brauchbar; *he might be very useful to you one day* er könnte dir eines Tages sehr nützlich werden; *to be useful to sb* jmd von Nutzen sein; *to make oneself useful* sich nützlich machen; **~ plant** *sub*, *-s* Nutzpflanze; **~ness** *sub*, *nur Einz.* Nützlichkeit; *(Nützlichkeit)* Nutzen, Tauglichkeit; **useless** *adj*, nutzlos, unbrauchbar, unnütz; *(zwecklos)* sinnlos; *it´s absolutely useless doing that* es ist völlig nutzlos, das zu tun; *he is (worse than) useless* er ist ein Nichtskönner; *he´s useless* er ist zu nichts nütze; *it´s useless to wait any longer* es ist sinnlos, länger zu warten; **useless lamp** *sub*, *-s (ugs.)* Funzel; **useless light** *sub*, *-s* Funzel; **uselessness** *sub*, *nur Einz. (Zwecklosigkeit)* Sinnlosigkeit; **user** *sub*, *-s* Anwender; *- (tt; comp.)* User; Benutzer, Benützer

use up, *vt*, aufbrauchen, verbrauchen, verfahren, verschleißen; **~ one´s overtime** *vt*, *(ugs.)* abbummeln; **used** *adj*, *(im Ggs. zu neu)* alt; *(Spielkarten)* abgespielt; *do not as well as one* *used to do* in den Leistungen absinken; *to get used to the idea that* sich mit dem Gedanken vertraut machen, daß; **used oil** *sub, -s* Altöl; **used or secondhand car** *sub, -s* Gebrauchtwagen; **used to winning** *adj,* sieggewohnt

usher, *sub, -s (Gericht)* Türsteher
usual, *adj,* gewöhnlich, gewohnt; *(allg.)* üblich; *at the usual time* zu gewohnter Stunde; *the usual way* auf gewohnte Weise; *at the usual time* zu gewohnter Stunde; *that´s usual for us* das ist bei uns so üblich; **~ seat** *sub, -s* Stammplatz; **~ly** *adv,* hergebrachtermaßen, üblicherweise; *(gewöhnlich)* sonst; *today I earned more than usually* ich habe heute mehr als sonst verdient
usufruct, *sub, nur Einz.* Nießnutz, Nutzungsrecht; *(jur.)* Nießbrauch
usurp, *vt,* usurpieren; **Usurpation** *sub, -s* Usurpation, Usurpierung; **~er** *sub, -s*

Usurpator; **~er (of the throne)** *sub, -s* Thronräuber
utensil, *sub, -s (Küche)* Gerät
uterus, *sub, -es (med.)* Gebärmutter; *(tt; med.)* Unterleib; - Uterus
Utilitarian, *sub, -s* Utilitarist; **Utilitarism** *sub, nur Einz.* Utilitarismus
utilization, *sub, -s* Verwertung; **utilize** *vt,* verwerten
Utopia, *sub, nur Einz.* Utopia; *-s* Utopie; **utopian** *adj,* utopisch; **utopianism** *sub, -* Utopismus
utter, *vt, (Worte)* hervorbringen
UV-radiation, *sub, -s* UV-Strahlung; **UV-lamp** *sub, -s* UV-Lampe; **UV-rays** *sub, -* UV-Strahlen; **UV-soaked** *adj, (ugs.)* UV-bestrahlt
uvula, *sub, - (tt; med.)* Zäpfchen; **~r** *adj,* uvular

vaccinate, (1) *vi, (tt; med.)* vakzinieren **(2)** *vt*, impfen, schutzimpfen; **vaccination** *sub, -s* Impfung, Schutzimpfung; *(tt; med.)* Vakzination, Vakzinierung; **vaccination calendar**, *sub, -s* Impfkalender; **vaccination certificates book** *sub, -s* Impfpass; **vaccine** *sub, -s* Impfstoff; *(tt; med.)* Vakzine

vacillate, *vi*, zaudern; **vacillating** *adj*, unstet; **vacillator** *sub, -s* Zauderer

vacuum, (1) *sub, -s* Vakuum; *(tt; phy.)* Unterdruck **(2)** *vi*, Staub saugen **(3)** *vt*, *(Polster, etc.)* absaugen; ~ **brake** *sub, -s* Vakuumbremse; ~ **cleaner** *sub, -s* Staubsauger; *(ugs.)* Sauger; ~ **massage** *sub, -s* Saugmassage; ~ **meter** *sub, -s* Vakuummeter; ~ **pump** *sub, -s* Vakuumpumpe; *(ugs.)* Sauger; ~ **tube** *sub, -s* Vakuumröhre

vademecum, *sub, -s* Vademekum

vagabond, *sub, -s* Tramp, Trebgänger, Vagabund; **vagant** *sub, -s* Vagant; **vagantsong** *sub, -s* Vagantenlied

vagina, *sub, -, (tt; med.)* Vagina; ~**l** *adj*, vaginal; ~**l inflammation** *sub, -s* Scheidenentzündung

vagrancy, *sub, nur Einz.* Landstreicherei

vague, *adj*, vag, vage; *(allg)* diffus; *(ungenau)* butterweich; *(unklar)* unbestimmt; *a very soft standing* eine butterweiche Landung; *vague answer* eine butterweiche Antwort; ~**ly** *adv*, dunkel; *remember vaguely* sich dunkel erinnern

vain, *adj*, eitel, verloren; *the vain things of this life* die nichtigen Dinge dieser Welt

vale! farewell!, -, vale!; **vale of tears** *sub, -s* Jammertal

valency *sub, -es (tt; chem.)* Valenz

Valentine´s Day, *sub, -s* Valentinstag

valerian. *sub. -* Baldrian; ~ **drops** *sub, nur Mehrz.* Baldriantropfen; ~ **tea** *sub, - -s* Baldriantee

valet, *sub, -s* Kammerdiener

valiant, *adj, (tapfer)* mannhaft

valid, *adj*, geltend, gültig, stichhaltig; *declare valid* für gültig erklären; ~**ation** *sub, -s (tt; jur.)* Validierung; ~**ity** *sub, -ies* Gültigkeit; *(Gültigkeit)* Geltung; *nur Einz. (tt; jur.)* Validität

Valkyrie, *sub, -s* Walküre

valley, *sub, -s* Senke, Tal; ~ **basin** *sub, -s* Talmulde; ~ **bottom** *sub, -s* Talsohle

valuable, *adj*, kostbar, wertvoll; ~**s** *sub, nur Mehrz.* Preziosen; **valuation** *sub, -s (jur.)* Taxation; **valuation price** *sub, -s* Schätzpreis; **valuator** *sub, -s* Taxator;

value (1) *sub, -s* Kostbarkeit, Wert, Wertstellung; *(Wert)* Geltung; *(tt; wirt.)* Valuta **(2)** *vt, (jur.)* taxieren; *(tt; wirt.)* valutieren; *take sth at face value* etwas für bare Münze nehmen; **value added tax (VAT)** *sub, nur Einz.* Mehrwertsteuer; **value credit** *sub, -s (tt; wirt.)* Valutakredit; **value in dispute** *sub, values* Streitwert; **value when new** *sub, nur Einz.* Neuwert; **valuer** *sub, -s* Schätzer

valve, *sub, -s* Klappe; *(tt; tech.)* Ventil; ~ **(free) play** *sub, -s* Ventilspiel; ~ **gum** *sub, -s* Ventilgummi; ~ **piston** *sub, -s (tt; tech.)* Ventilkolben

vamp, *sub, -s* Vamp; ~**ire** *sub, -s* Vampir; **Vampum** *sub, (tt; indians)* Wampum

van, *sub, -s* Kleinbus, Lieferwagen, Wagen; *(Auto)* Transporter

vanadium, *sub, nur Einz. (tt; chem.)* Vanadium

Vandal, *sub, -s* Wandale; *(tt; hist.)* Vandale; **vandalism** *sub, nur Einz.* Vandalismus, Wandalismus

vanguard, *sub, -s (tt; mil.)* Vorhut

vanilla, *sub, nur Einz.* Vanille, Vanillin

vanish, *vi*, verfliegen, verschwinden; *(geh.)* entschwinden; ~**ing point** *sub, -s (Opt.)* Fluchtpunkt

vanity, *sub, -ies* Eitelkeit; *vanity fair* Jahrmarkt der Eitelkeit

vapity, *sub, -s (tt; zool.)* Wapiti

vaporization, *sub, -s* Verdampfung; *nur Einz. (tt; tech.)* Vaporisation; **vapor meter** *sub, -s (tt; tech.)* Vaporimeter; **vapour trail** *sub, -s* Kondensstreifen

vaporize, (1) *vt*, abdampfen; *(tt; tech.)* vaporisieren **(2)** *vti*, verdampfen

varan, *sub, -s (tt; zool.)* Waran

variability, *sub, -es* Variabilität; **variable (1)** *adj*, unterschiedlich, variabel, veränderlich **(2)** *sub, -s* Variable; **variant** *sub, -s* Variante; **variation** *sub, -s* Abartung, Unterschied, Variation; *(ugs.)* Kontrastprogramm; **varicose vein** *sub, -s* Krampfader; **varicosity** *sub, -s (tt; med.)* Varikosität; **varied** *adj*, abwechslungsreich, wechselvoll; **variety** *sub, -ties* Abart; *-ies* Spielart; ~**s** Varieté, Verschiedenheit; *-es* Vielfalt, Vielheit; *(tt; biol.)* Varietät; *variety is the spice of life* öfter mal was Neues; **variometer** *sub, -s (tt; tech.)* Variometer; **various** *adj*, verschieden, vielerlei; *(versch.)* divers; *various things* dies und das

varnish, (1) *sub,* -*es* Firnis, Lack, Lasur (2) *vt,* lackieren, lasieren; ~**er´s** *sub,* -Lackiererei

vary, *vti, (ugs.)* variieren; *it varies a lot* das ist sehr unterschiedlich; *of varying quality* unterschiedlich gut; *their reaction varied* sie haben unterschiedlich reagiert

vas deferens, *sub,* - Samenleiter

vase, *sub,* -*s* Vase; ~ **shaped** *adj,* vasenförmig

vasectomy, *sub,* -*s (tt; med.)* Vasektomie

Vaseline, *sub, nur Einz.* Vaseline

vassal, *sub,* -*s* Gefolgsmann; *(tt; hist.)* Vasall; ~**age** *sub, nur Einz.* Vasallentum

vast, *adj,* unübersehbar; *(weit)* groß; *(Wissen)* enorm; ~ **majority** *sub,* -*ies (Mehrheit)* Gros

vat, *sub,* -*s (Bottich)* Trog

Vatican, (1) *adj,* vatikanisch (2) *sub, nur Einz.* Vatikan

vault, *sub,* -*s* Gewölbe, Überwölbung; *(Raum)* Tresor; *(Turnen)* Sprung; ~ **(over a horse)** *sub,* -*s* Pferdsprung; ~ **with support** *sub, vaults (spo.)* Stützsprung; ~**ed** *adj,* gewölbt

veal, *sub, nur Einz.* Kalbfleisch; ~ **nut** *sub,* -*s* Kalbsnuss

vector, *sub,* -*s (tt; mat.)* Vektor; ~ **space** *sub,* -*s* Vektorraum

vedutenpainter/original representation painter, *sub,* -*s (tt; kun.)* Vedutenmaler

veer round, *vt, (Wind)* umspringen

vegetate, *vi,* vegetieren; *(ugs.)* vertrotteln; ~**d** *adj,* vertrottelt; **vegetation** *sub, nur Einz.* Bewuchs; -*s* Vegetation; **vegetative** *adj,* vegetativ

vehemence, *sub,* - Gewaltigkeit; *nur Einz.* Vehemenz; **vehement** *adj,* vehement

vehicle, *sub,* -*s* Fahrzeug, Gefährt, Vehikel; *take a vehicle off the road* ein Fahrzeug abmelden; ~ **owner** *sub,* -*s* Fahrzeughalter

vehmgericht, *sub,* -*s (hist.)* Femegericht

veil, (1) *sub,* -*s* Schleier, Voile (2) *vt,* verbrämen, verhüllen, verschleiern; ~ **oneself** *vr,* verschleiern; ~**-dance** *sub,* -*s* Schleiertanz; ~**ed** *adj,* verhüllt

vein, *sub,* -*s* Blutader, Maser, Vene; *(anat.)* Ader; *veined* von Adern durchzogen; *have an artistic vein* eine künstlerische Ader haben; ~**ed** *adj,* äderig, geädert, gemasert; ~**s** *sub, nur Mehrz. (Maserung)* Geäder

velar, *sub,* -*s* Gaumensegel, Velar

Velodrom, *sub,* -*s* Velodrom

velours, *sub, nur Einz.* Velours

veloziped, *sub,* -*s* Veloziped

velvet, *sub,* -*s* Samt, Velvet; ~ **antler** *sub,* -*s (zool.)* Kolbenhirsch; ~ **carpet** *sub,* -*s* Samtteppich; ~ **leather** *sub, nur Einz.* Veloursleder; ~ **paw** *sub,* -*s (ugs.)* Samtpfötchen; ~ **trousers** *sub, nur Mehrz.* Samthose; ~**y** *adj,* samtig

venal, *adj,* käuflich

vendetta, *sub,* -*s* Vendetta

vending machine, *sub,* -*s (Verkaufsautomat)* Automat; **vendor´s tray** *sub,* -*s´* -*s* Bauchladen

veneer, (1) *sub,* -*s* Furnier, Furnierholz; *(i. ü. S.; äußerer Anstrich)* Tünche (2) *vt,* furnieren; **venerability** *sub,* -*ies* Ehrwürdigkeit; **venerable** *adj,* ehrwürdig, patriarchisch

veneral, *adj,* venerisch; **venereal disease, VD** *sub,* -*s* Geschlechtskrankheit

vengeance, *sub, nur Einz.* Rache

veniality, *sub,* - Lässlichkeit

venous, *adj,* venös

ventilate, *vt,* belüften, entlüften, ventilieren; **ventilation shaft** *sub,* -*s* Luftschacht; **ventilator** *sub,* -*s* Durchlüfter, Ventilator

ventilation, *sub, nur Einz.* Belüftung, -*s* Durchlüftung, Ventilation, Ventilierung; *nur Einz. (ständig, systematisch)* Lüftung

ventricle, *sub,* -*s (tt; med.)* Ventrikel; **ventricular** *adj,* ventrikulär; **ventriloquize** *vi,* bauchreden

ventriloquist, *sub,* -*s* Bauchredner

venture, (1) *sub,* -*s* Unternehmen, Vorstoß (2) *vt,* riskieren, wagen; ~ **in** *vr, (sich)* hineinwagen; ~ **out** *vr,* herauswagen, hinauswagen

venue, *sub,* -*s* Austragungsort; *meeting venue* Ort des Treffens

venus hillock, *sub,* -*s (ugs.)* Venushügel

veracity, *sub, nur Einz.* Wahrhaftigkeit

veranda, *sub,* -*s* Veranda; ~ **like** *adj, (ugs.)* verandaartig

verb, (1) *pron,* Zustandsverb (2) *sub,* -*s* Verb, Verbum; - Vollverb; -*s (tt; gram)* Zeitwort; *declension of verbs* Deklination von Verben; ~**al** (1) *adj,* mündlich, sprecherisch, verbal, zeitwörtlich (2) *sub,* -*s* Verbale; ~**al exchange** *sub,* -*s* Wortwechsel; ~**al injury** *sub,* -*s* Verbalinjurie; ~**al mark** *sub,* -*s* Verbalnote; ~**al noun** *sub,* -*s* Verbalsubstantiv; ~**al style** *sub, nur Einz.* Verbalstil; ~**alize** *vt,* verbalisieren

verbene, *sub,* -*s (i. ü. S.)* Verbene

verb form, *sub,* -*s (i. ü. S.)* Zeitwortform

verbose, *adj,* wortreich

verdigris, *sub*, *-es* Grünspan

verge, *sub*, *-s (Randstreifen)* Bankett; *to be on the verge of madness* dem Wahnsinn nahe sein; **~r** *sub*, *-s* Küster

verifiable, *adj*, belegbar, nachprüfbar, überprüfbar; **verification** *sub*, *-s* Verifikation; **verification stamp** *sub*, *-s* Eichstempel; **verify** *vt*, nachprüfen, verifizieren; *the results can be verified at any time* die Ergebnisse sind jederzeit nachprüfbar; **veritable** *adj*, veritabel, wahr

vermiform appendix, *sub*, *nur Einz. (tt; med.)* Wurmfortsatz

vermilion, *sub*, *nur Einz. (tt; kun.)* Zinnober

vermin, *sub*, - Ungeziefer; *-s (i. ü. S.)* Geschmeiß

vermouth, *sub*, - Wermutwein

vernalize, *vt*, jarowisieren

verse, *sub*, *-s* Vers; *(Lied)* Strophe; **~d in the law** *adj*, rechtskundig; **versification** *sub*, *-s* Versifikation; **versify** *vt*, versifizieren; **versifying** *sub*, *-s* Reimerei; **version** *sub*, *-s* Lesart, Version; *(Warentyp)* Ausführung

verso, *sub*, *-s* Verso

verst, *sub*, *-s* Werst

versus, *präp*, kontra; *(jur., spo.)* gegen

vertebrate, *sub*, *-s (tt; zool.)* Wirbeltier

vertical, *adj*, senkrecht, vertikal; **~ line** *sub*, - *(tt; mat.)* Vertikale; **~ take-off aircraft** *sub*, *-s* Senkrechtstarter; **~ writing** *sub*, *-s* Steilschrift

vertico, *sub*, *-s* Vertiko

verve, *sub*, *-s* Schwung

very latest, *adj*, brandaktuell; *(Klatsch)* brühwarm; *very latest news* brandaktuelle Nachrichten; *the very latest gossip* der allerneueste Klatsch; **very learned** *adj*, hochgelehrt; **very much** *adv*, vielmals; **very neat** *adj*, gepflegt; **very neatly** *adv*, gepflegt; **very odd** *adj*, *(ugs.)* oberfaul; **very precise** *adj*, haargenau; **very sad** *adj*, tieftraurig; **very same** *pron*, ebenderselbe; **very slender** *adj*, gertenschlank

very small, *adj*, *(Gewinn)* minimal; **very sudden** *adj*, urplötzlich; **very thick** *adj*, knüppeldick; *he puts lashings of butter on his bread* er schmiert sich die Butter knüppeldick aufs Brot; **very well** *adv*, ausgezeichnet, bestens; **very wisely** *adv*, wohlweislich; **very young** *adj*, blutjung

vesical calculus *sub*, *-culi (tt; med.)* Blasenstein

vessel, *sub*, *-s* Gefäß; *(Schifff.)* Fahrzeug

vest, (1) *sub*, *-s* Leibchen, Weste; *(Unter-)* Hemd (2) *vt*, ausstatten; *vest so with*

powers jemanden mit Befugnissen ausstatten; **~ pocket** *sub*, *-s* Westentasche

vestibule, *sub*, *-s* Vestibül

Vesuvian, *sub*, *-s* Vesuvian

vetch, *sub*, *-es (tt; bot.)* Wicke

veteran, (1) *adj*, altgedient (2) *sub*, *-s* Veteran; **~ car** *sub*, *-s* Oldtimer, Schnauferl

veterinarian, (1) *adj*, *(tt; med.)* veterinär (2) *sub*, *-s (US)* Tierarzt; **veterinary** *adj*, tierärztlich; **veterinary medicine** *sub*, *nur Einz. (tt; med.)* Tierheilkunde, Tiermedizin; *(tt; med.)* Veterinärmedizin; **veterinary surgeon** *sub*, *-s* Tierarzt; *(tt; med.)* Veterinär, Veterinärin

veto, *sub*, *-s* Veto

vex, *vt*, vexieren; **~ation** *sub*, *-s* Kümmernis; *the little vexations of life* die kleinen Kümmernisse des Lebens

via, (1) *adv*, via (2) *präp*, *(mittels)* über; *via Frankfurt to Berlin* über Frankfurt nach Berlin

viable, *adj*, lebensfähig

vibraphone, *sub*, *-s (tt; mus.)* Vibrafon

vibrate, *vt*, vibrieren; **vibration** *sub*, *-s* Schwingung, Vibration; *(mech.)* Erschütterung; **vibrator** *sub*, *-s* Massagestab, Vibrator

vicar, *sub*, *-s (anglikanisch)* Pfarrer; **~ious satisfaction** *sub*, *-s* Ersatzbefriedigung

vice, *sub*, *-s* Laster, Schraubstock, Untugend; *(ugs.)* indulge one´s vice seinem Affen Zucker geben; **~ squad** *sub*, *-s* Sittenpolizei; **~-chancellor** *sub*, *-s (tt; polit.)* Vizekanzler; **~-president** *sub*, *-s* Konrektor; *(tt; polit.)* Vizepräsident

vicious circle, *sub*, *-s* Teufelskreis; **vicious tongue** *sub*, *-s* Lästerzunge; **viciousness** *sub*, *nur Einz.* Lästerei

vicissitudes, *sub*, *nur Mehrz.* Wechselfälle

vicomte, *sub*, *-s* Vicomte

victim, *sub*, *-s* Leidtragende, Verunglückte; *(Geschädigter)* Opfer; *she fell vitim to his charme* sie fiel seinem Charme zum Opfer; *to be (the) victim of sb* jmd zum Opfer fallen; *victims of road accidents* Opfer des Straßenverkehrs; **~ of an accident** *sub*, *-s* Unfallopfer; **~ of prosecution** *sub*, *-s (tt; polit.)* Verfolgte

victor, *sub*, *-s* Sieger; **~´s laurels** *sub*, *nur Mehrz.* Siegeskranz; *(spo.)* Siegerkranz; **~ious** *adj*, siegreich; **~ious power** *sub*, *-s* Siegermacht; **~y** *sub*, *-ies* Sieg; *a victory by sheer force* ein

Sieg mit der Brechstange; *chalk up a victory* einen Sieg für sich buchen; **~y celebration** *sub, -s* Siegesfeier; **~y column** *sub, -s* Siegessäule

victuals, *sub, nur Mehrz.* Viktualien

vicuna, *sub, -s* Vikunja; **~ wool** *sub, -s* Vikunjawolle

video, *sub, -s* Video; **~ camera** *sub, -s* Videokamera; **~ cassette** *sub, -s* Videokassette; **~ clip** *sub, -s* Videoclip; **~ disc** *sub, -s* Bildplatte; **~ film** *sub, -s* Videofilm; **~ frequency** *sub, -ies* Bildfrequenz; **~ game** *sub, -s* Videospiel; **~ library** *sub, -es* Videothek; **~ mixer** *sub, -s* Bildmischer; **~ recorder** *sub, -s* Videorecorder; **~ technology** *sub, -es* Videotechnik; **~phone** *sub, -s* Bildtelefon

Vietnam War, *sub, nur Einz. (tt; hist.)* Vietnamkrieg; **Vietnamese** *sub, -s* Vietnamesin

view, *sub, -s* Blick, Blickpunkt, Sicht; *(Anblick)* Ansicht; *(Anschauung auch)* Meinung; *(Ansicht)* Anschauung; *-s* Gedanke; *(Ausblick)* Aussicht; *(Aussicht)* Ausblick; *(Dafürhalten)* Befinden; *(s. einsehen)* Einsicht; *room with a sea view* Zimmer mit Meeresblick; *come into view* in Sicht kommen; *I take the view* ich bin der Meinung; *in my view* nach meinem Befinden; *(i. ü. S.) change one's view* von seiner Ansicht abkommen; *depending on your point of view* wie man es nimmt; *(i. ü. S.) it depends on your point of view* das ist eine Frage der Optik; **~ of** *sub, -s (Sicht)* Einblick; **~data** *sub, nur Mehrz.* Bildschirmtext; **~finder** *sub, -s (Kamera)* Sucher; **~ing** *sub, nur Einz.* Betrachtung; **~ing point (by sea)** *sub, -s* Seewarte

vigil, *sub, -s* Vigil

vignette, *sub, -s* Vignette

vigorous, *adj,* markig, vitalistisch; **vigour** *sub, nur Einz.* Elan, Impetus; *-s (Tatkraft)* Energie; *to pursue sth with vigour* etwas mit Nachdruck betreiben

Viking, *sub, -s* Wikinger; **~epos** *sub, -* Wikingersage

villa, *sub, -s* Villa; **~-like** *adj,* villenartig

village, *sub, -s* Dorf, Ortschaft; *the olympic village* das Olympische Dorf; **~ idiot** *sub, -s* Dorftrottel; **~ inn** *sub, -s* Dorfschenke; **~r** *sub, -s* Dorfbewohner

villain, *sub, -s* Schurke; *(ugs.)* Schlawiner

vinaigrette, *sub, -s* Vinaigrette

vincentical, *adj,* vincentisch

vincible, *adj, (Feind)* überwindbar

vinculation, *sub, -s (tt; wirt.)* Vinkulation, Vinkulierung

vindelizian, (1) *adj,* vindelizisch **(2) Vindelizian** *sub, -s* Vindelizier

vindicate oneself, *vr,* rehabilitieren; **vindictive** *adj,* rachsüchtig; **vindictiveness** *sub, nur Einz.* Rachgier

vine, *sub, -s* Rebe, Rebstock, Weinrebe, Weinstock; **~ pest** *sub, nur Einz.* Reblaus; **~gar** *sub, -s* Essig; *oil and vinegar* Essig und Öl; **~gar essence** *sub, -s* Essigessenz; **~yard** *sub, -s* Rebberg, Weinberg

vintage, *sub, -s* Kreszenz, Traubenlese, Weinlese

viola, *sub, -e (mus.)* Bratsche; *-s (tt; mus.)* Viola; **~-player** *sub, -s* Bratschist

violate, *vt,* notzüchtigen, schänden; **violation** *sub, -s* Schändung, Übertretung, Verstoß; **violator** *sub, -s* Schänder; **violent** *adj,* brachial, gewaltig, gewaltsam, gewalttätig, handgreiflich, heftig, rabiat, tätlich, violent; *(Streit)* handfest; *turn violent* handgreiflich werden; *get violent* sich zu Tätlichkeiten hinreissen lassen; *react violently* explosiv reagieren; *become violent* tätlich werden; *violent (outburst of) temper* *sub, -s* Jähzorn; **violent-tempered** *adj,* jähzornig

violence, *sub, -* Heftigkeit; *-s* Tätlichkeit; *- (Gewaltanwendung)* Gewalt; *do violence to so* jemandem Gewalt antun; *to be full of violence* von Mord und Totschlag handeln; *use violence* Gewalt anwenden

violet, (1) *adj,* veilchenblau, violett **(2)** *sub, (tt; bot.)* Veilchen; *-s* Viola

violin, *sub, -s* Geige; *(tt; mus.)* Violine; *play the first, second etc violin* die erste, zweite etc Geige spielen; **~ bow** *sub, -s* Geigenbogen; **~ case** *sub, -s* Geigenkasten; **~ maker** *sub, -s* Geigenbauer; **~ist** *sub, -s (tt; mus.)* Violinist

violonist, *sub, -s* Geigenspieler, Geiger

viper, *sub, -s* Natter, Otter; *(tt; zool.)* Viper; **~'s brood** *sub, nur Einz. (i. ü. S.)* Natternbrut

VIP stand, *sub, -s* Ehrentribüne

viraginity, *sub, nur Einz. (tt; med.)* Viraginität

viral cold, *sub, -s* Virusgrippe

virement, *sub, -s (tt; polit.)* Virement

virgin, *sub, -s* Jungfrau; *a virgin* ein unberührtes Mädchen; *Mary, the holy virgin* Maria, die reine Magd; *still a virgin* noch unschuldig sein; *to be married as a virgin* als Jungfrau in die Ehe gehen; **~ wool (1)** *adj,* schurwollen **(2)** *sub, nur Einz.* Schurwolle; **~al**

adi. jungfräulich; **~ity** *sub. , (tt. med.)* Unschuld; *nur Einz.* Virginität

virile, *adj,* viril; **virilinism** *sub, nur Einz. (tt; med.)* Virilismus; **virility** *sub, nur Einz. (veraltet)* Manneskraft; *(tt; med.)* Virilität

virological, *adj,* virologisch; **virologist** *sub, -s (tt; med.)* Virologe; **virology** *sub, nur Einz.* Virologie

virtual, *adj,* virtuell; **~ity** *sub, -es* Virtualität

virtually, *adv,* faktisch, geradezu, quasi; *(geh.)* nachgerade; *the sick man eats virtually nothing but fruit these days* der Kranke ißt fast nur noch Obst

virtue, *sub, -s* Tugend; *(i. ü. S.) follow the path of virtue* auf dem Pfad der Tugend wandeln; *(i. ü. S.) make a virtue of necessity* aus der Not eine Tugend machen; **virtuosity** *sub, nur Einz.* Virtuosität; **virtuoso (1)** *adj,* virtuos **(2)** *sub, -s* Virtuose; **virtuous** *adj,* tugendhaft; *(ugs.) virtuous but stupid* Religion sehr gut, Kopfrechnen schwach

virulence, *sub, nur Einz. (tt; med.)* Virulenz; **virulent** *adj,* virulent

virus, *sub, - (tt; mat.)* Virus; *(tt; med.)* Viren

visa, *sub, -* Visum; **~ application** *sub, -s* Visumantrag

viscose, *sub, nur Einz.* Viskose; **~ fibre** *sub, -s* Zellwolle; **viscosity** *sub, nur Einz.* Viskosität

viscous, *adj,* dickflüssig, viskos; **~ substance** *sub, -s* Seim

visibility, *sub, -* Sicht, Sichtbarkeit; *good (poor) visibility* gute (schlechte) Sicht; *visibility is down to only 100 metres* die Sicht beträgt nur 100 Meter; **~ limit** *sub, -s* Sichtgrenze; **visible** *adj,* sichtbar; *(sehen können)* erkennbar; *(i. ü. S.) become apparent* sichtbar werden; *visible progress* deutlicher Fortschritt; **visible at a glance** *adj,* überschaubar; **visibly** *adv,* sichtbarlich, zusehends

visionary, (1) *adj,* visionär **(2)** *sub, -es* Visionär; **vision** *sub, -s* Traumgebilde, Traumgesicht, Vision

visit, (1) *sub, -s (Arzt)* Sitzung; *(Besichtigung, Visite)* Besuch; *(einer Stadt etc.)* Besichtigung **(2)** *vt,* bereisen, visitieren; *(Ausstellung etc.)* besichtigen; *(Freunde, Stadt etc.)* besuchen; *(Ort)* aufsuchen; *be visiting so* zu Besuch sein bei jemandem; *be worth visiting* einen Besuch wert sein; *pay so a visit* jmd einen Besuch abstatten; **~ the scene of the crime** *sub, -s (jur.)* Lokaltermin; **~ation** *sub, -s* Visitation; **~ing hours** *sub, nur Mehrz.* Besuchszeit; **~ing-**

card *sub, -s* Besuchskarte; **~or** *sub, -s* Besucher; *(Besucher)* Besuch, Gast; *(Tourist)* Fremde; *(Besucher)* Besuch, Gast; *(Tourist)* Fremde; *be a frequent visitor at so place* bei jmd ein- und ausgehen; *have visitors* Gäste haben; **~or´s book** *sub, -s* Fremdenbuch

visor, *sub, -s* Blendschutz, Visier

Vistula, *sub, nur Einz. (tt; geogr.)* Weichsel

visual, *adj,* optisch, visuell; *(visuell)* bildhaft; **~ acuity** *sub, -ies* Sehschärfe; **~ advertising** *sub, nur Einz.* Sichtwerbung; **~ instruction** *sub, -s* Anschauungsunterricht; **~ organ** *sub, -s* Sehorgan; **~ize (1)** *vr,* vergegenwärtigen **(2)** *vt,* visualisieren; *visualize sth* sich etwas bildhaft vorstellen

vital, *adj,* lebenslustig, lebenswichtig, vital; **~ question** *sub, -s* Lebensfrage; **~ity** *sub, nur Einz.* Lebenskraft, Vitalität; **~ize** *vt,* vitalisieren

vitamin, (1) *sub, -s* Vitamin **(2)** *vt,* vitaminieren

vitrifiable colour, *sub, -s* Schmelzfarbe

vivacious, *adj, (ugs.)* rasant; **vivacity** *sub, -ies (Lebhaftigkeit)* Temperament

vivat, *interj,* vivat!

vivicious, *adj, (bösartig)* giftig

vivid, *adj,* lebhaft; *(anschaulich)* bildhaft, plastisch; **~ness** *sub, nur Einz. (Anschaulichkeit)* Plastizität

vivisect, *vti,* vivisezieren; **~ion** *sub, -s* Vivisektion

vizer, *sub, -s* Wesir

vocabulary, *sub, -ies* Sprachschatz; *nur Einz.* Vokabel, Vokabular, Vokabularium; *-es* Wörterverzeichnis; *nur Einz.* Wortschatz; **~ book** *sub, -s* Vokabelheft

vocal, *adj, (tt; mus.)* vokal; **~ cord** *sub, -s* Stimmband; **~ effort** *sub, -s* Stimmaufwand; **~ resource** *sub, -s* Stimmmittel; **~ist** *sub, -s (tt; mus.)* Vokalist; **~ization** *sub, -s* Vokalisation; **~ize** *vi,* vokalisieren

vocation, *sub, -s* Vokation; *nur Einz. (zum Künstler)* Berufung; **~al school** *sub, -s* Berufsschule; **~al training** *sub, -s* Berufsausbildung; **vocative** *sub, -s* Vokativ

vodka, *sub, -s* Wodka

voice, *sub, -s* Stimme, Stimmmittel; *-(als Fach) (Stimme)* Organ; *in deep voice* mit tiefer Stimme; *lose one´s voice* die Stimme verlieren; *the voice of the people* die Stimme des Volkes; *in a loud voice* mit lauter Stimme; *in a piping voice* mit piepender Stimme; *with one voice* wie aus einem Munde; **~ formation** *sub, -s* Stimmbildung; **~ solo** *sub, -s* Solokantate; **~less** *adj,* stimmlos

void, *adj, (tt; jur.)* ungültig; *(ungültig)* nichtig; *his death has left a void in our lives* sein Tod hinterließ eine schmerzliche Lücke; *to create sth out of the void* etwas aus dem Nichts erschaffen; *to declare sth null and void* etwas für ungültig erkären, für null und nichtig erklären; **~ness** *sub, nur Einz. (Ungültigkeit)* Nichtigkeit

volatile, *adj, (unbeständig)* sprunghaft

volcanic, *adj,* vulkanisch; **volcano** *sub, nur Einz.* Vulkan; *to be living on the edge of a volcano* auf einem Vulkan leben

vole, *sub, (tt; zool.)* Wühlmaus

voliere, *sub, -* Voliere

volley, *sub, -s (spo.)* Flugball; **~ball** *sub, - (tt; spo.)* Volleyball

volt, *sub, -s* Volt; **~ ampere** *sub, -s* Voltampere; **~ second** *sub, -s (tt; tech.)* Voltsekunde; **~aic element** *sub, -s* Voltaelement

Voltarianian, *sub, -s* Voltairianer

volte-face, *sub, -s* Frontwechsel

voltmeter, *sub, -s (tt; tech.)* Voltmeter

volubility, *sub, -ies* Redefluss

volume percent, *sub, -s (tt; mat.)* Volumprozent

Voluntarian, *sub, -s* Voluntarist; **voluntarily** *adv, (Entsch.)* freiwillig; *voluntarily* auf freien Stücken; **voluntary** *adj,* willkürlich; *(Entsch.)* freiwillig; *(freiwillig)* ehrenamtlich; **voluntary declaration** *sub, -s* Selbstanzeige; **volunteer (1)** *sub, -s* Freiwillige **(2)** *vr, (sich....melden)* freiwillig; *to volunteer* sich freiwillig melden, *volunteer to* sich freiwillig melden zu

voluptuousness, *sub, nur Einz.* Üppigkeit

Volutarinism, *sub, nur Einz.* Voluntarismus

volute, *sub, -s (tt; arch.)* Volute

vomit, *sub, (1) sub, nur Einz. (vulg.)* Kotze **(2)** *vi, (geb.)* erbrechen; *(sich erbrechen)* speien **(3)** *vr, (erbrechen)* übergeben **(4)** *vti,* kotzen; **~ at** *vi, (vulg.)* bekotzen; **~ing** *sub, -s* Erbrechen

vonomous spine, *sub, -s (Fische)* Giftstachel

voracious, *adj, (i. ü. S.)* heißhungrig; *(Tier)* gefräßig; **voracity** *sub, -* Gefrä-

ßigkeit

vortex, *sub, -es* Windhose

vote, (1) *sub, -s* Wählerstimme, Wahlstimme; *(polit.)* Abstimmung; *(tt; polit.)* Votum; *(Wahl-)* Stimme **(2)** *vi,* votieren; *(Wahl)* stimmen **(3)** *vt,* wählen; *be put to the vote* zur Abstimmung kommen; *vote by open ballot* offene Abstimmung; *voting by ballot* geheime Abstimmung, *(polit.)* *give one´s vote to a person* jemandem seine Stimme geben; *roll call vote* namentliche Abstimmung; *the casting vote* die ausschlaggebende Stimme; *the right to vote* aktives Wahlrecht; *vote for a candidate* für einen Kandidaten stimmen; **~ against** *sub, -s* Gegenstimme; **~ by division** *sub, -s (polit.)* Hammelsprung; **~** Stimmenfang; **~ down** *vt, (Antrg etc.)* überstimmen; **~ of no confidence** *sub, votes* Misstrauensvotum; **~ of parliament** *sub, votes* Parlamentsbeschluss; **~ so out of office** *vt,* abwählen; **~r** *sub, -s* Stimmbürger; **voting** *sub, -s* Stimmabgabe; **voting out of office** *sub, -s* - Abwahl; **voting paper** *sub, -s (Wahl-)* Stimmzettel

votive chapel, *sub, -s* Votivkapelle; **votive church** *sub, -es* Votivkirche; **votive picture** *sub, -s* Votivbild

voucher, *sub, -s* Bon, Gutschein, Kupon, Voucher

vow, (1) *sub, -s* Gelöbnis, Gelübde **(2)** *vt,* geloben; *make a vow* ein Gelöbnis ablegen

vowel, *sub, -s* Selbstlaut, Vokal; **~ mutation** *sub, -s* Umlaut

voyage, *sub, -s (Schiffsr.)* Fahrt

voyeur, *sub, -* Voyeur

vulgar, *adj,* ordinär, vulgär; **~ Latin** *sub, nur Einz.* Vulgärlatein; **~ism** *sub, -s* Vulgarismus; **~ity** *sub, nur Einz.* Vulgarität

vulgata, *sub, nur Einz.* Vulgata

vulgo, *adj,* vulgo

vulnerable, *adj,* verletzlich, verwundbar

vulture, *sub, -s* Geier, Pleitegeier; *(zool.)* Aasgeier; *the vultures are hovering over the firm* über der Firma schwebt der Pleitegeier

vulva, *sub, - (tt; med.)* Vulva

wad, *sub*, -s Bausch

waddle, *vi*, *(ugs.)* watscheln

wade, *vi*, waten; ~**r** *sub*, -s Langschäfter; *nur Mehrz.* Schreitvogel; -s Stelzvogel

wafer, *sub*, -s Oblate

waffle, *sub*, -s Waffel; ~-**iron** *sub*, -s Waffeleisen

waft, (1) *vi*, wehen (2) *vt*, wedeln; ~ **away** *vi*, entschweben

wag, *vi*, wedeln

wage, *sub*, -s Arbeitslohn; ~ **cut** *sub*, -s Lohnkürzung; ~ **negotiations** *sub*, *nur Mehrz.* Lohnverhandlung; ~ **policy** *sub*, -ies *(Lohn)* Tarifpolitik; ~ **scale** *sub*, -s Tarifordnung; ~ **tax card** *sub*, -s *(Lohn-)* Steuerkarte; ~(**s**), *sub*, -s *(Arbeitsentgelt)* Lohn; *what are your wages?* wieviel Lohn bekommst du?; ~-**earner** *sub*, -s Lohnempfänger; ~-**intensive** *adj*, lohnintensiv; ~**s office** *sub*, -es Lohnbüro

wagoner, *sub*, -s *(hist.)* Trossknecht; **wagon** *sub*, -s Wagen, Waggon; **wagonload** *sub*, -s Wagenladung

wail, (1) *vi*, wehklagen (2) *vti*, jammern; ~**ing** *sub*, *nur Einz.* Jammer; *there arose a great lamentation* ein lauter Jammer erhob sich; **Wailing Wall** *sub*, *nur Einz.* Klagemauer

waist, (1) *sub*, -s Taille (2) *vt*, taillieren; *have a slim waist* eine schlanke Taille haben; *put one's arm round someone's waist* jemanden um die Taille fassen, *stripped to the waist* mit nacktem Oberkörper; *to strip to the waist* den Oberkörper freimachen; ~ **(measurement)** *sub*, -s Taillenweite; ~-**high** *adj*, hüfthoch; ~**coat** *sub*, -s Wams; ~**line** *sub*, -s Gürtellinie

wait, *vi*, harren, warten; *wait and see what happens* der Dinge harren, die da kommen; *have a ten-minute wait* zehn Minuten Aufenthalt haben; *(ugs.) just you wait* na warte; *(ugs.) let's wait and see* lassen wir uns überraschen; *lie in wait for so* jmd auflauern; *that will have to wait for the moment* das muß vorläufig zurückstehen; *(ugs.) you can wait till the cows come home* du kannst warten bis du schwarz wirst; ~ **for** *vt*, abpassen, abwarten; *wait for the right moment* einen günstigen Zeitpunkt abpassen; ~**er** *sub*, -s Kellner, Ober; -s/-es *(Kellner)* Bedienung; ~**er of payment** *sub*, -s Zahlkellner; ~**ing** *sub*, -s *(ugs.)* Warterei; ~**ing period** *sub*, -s Karenzzeit, Wartezeit; ~**ing room** *sub*, -s Wartezimmer; ~**ress** *sub*,

-es Serviererin; *(Kellnerin)* Fräulein

wake, (1) *sub*, -s Kielwasser (2) *vt*, *(jmd.)* erwecken; *in the wake of* im Gefolge von; *it's your turn, wake up!* du bist dran - penn nicht!; ~ **up** (1) *vi*, *(a. i.ü.S.)* aufwachen (2) *vt*, aufwecken (3) *vti*, erwachen; *to wake sb up* jmdn munter machen; *wake up with a start* plötzlich erwachen; ~**n** *vt*, wecken

Waldorf salad, *sub*, -s Waldorfsalat

walk, (1) *sub*, -s Runde, Rundgang, Spaziergang; *(Essen course)* Gang; *(Gehweise)* Gang; *(Zeit)* Fußweg (2) *vi*, gehen; *be a good walker* gut zu Fuß sein; *go for a long walk* ausgiebig spazieren gehen; *walk* zu Fuß gehen; *within walking distance* zu Fuß bequem erreichbar; *an hour's walk* ein Fußweg von einer Stunde; ~ **(hike) through** *vt*, durchwandern; ~ **(hike) without a break** *vi*, durchwandern; ~ **about (around)** *vi*, einhergehen; ~ **ahead** *vi*, vorauslaufen; ~ **along** *vi*, entlanggehen; *walk along sth* an etwas entlanggehen; ~ **around** *vi*, herumgehen; ~ **behind** *vi*, hergehen; *walk along, beside, before, behind sb* neben/vor/hinter jmdm hergehen; ~ **in** *vi*, hineintreten; ~ **in single file** *vi*, hintereinander gehen; ~ **into** *vi*, hineintappen; ~ **off (with)** *vt*, *(ugs.: stehlen)* mitnehmen; ~ **on** (1) *vi*, beschreiten (2) *vt*, *(geben auf)* begehen; ~ **up** (1) *vi*, hinaufgehen (2) *vt*, *(Berg, Weg etc)* hinaufgehen; ~ **up to** *vi*, zugehen; ~**ie-talkie** *sub*, -s Walkie-Talkie; ~**ing** *sub*, - *(spo.)* Gehen; ~**ing around** *sub*, -s Erwanderung; ~**ing shoe** *sub*, -s Straßenschuh; ~**ing shoes** *sub*, *nur Mehrz.* Wanderschuh; ~**ing speed** *sub*, *nur Einz.* Schritttempo; ~**ing stick** *sub*, -s Krückstock, Spazierstock; ~**ing tour** *sub*, -s Fußwanderung; ~**ing-stick umbrella** *sub*, -s Stockschirm; ~**man** *sub*, -men Walkman; ~**way** *sub*, -s *(US)* Steg

wall, (1) *sub*, -s Mauer, Wand (2) *vt*, umgeben; *to wall sth in* etwas mit einer Mauer umgeben; *a wall of indifference* ein Panzer der Gleichgültigkeit; *bang one's head against a wall* auf Granit beißen; ~ **bars** *sub*, *nur Mehrz.* Sprossenwand; ~ **calendar** *sub*, -s Wandkalender; ~ **clock** *sub*, -s Regulator; ~ **coping** *sub*, -s Mauerkrone; ~ **cupboard** *sub*, -s Hängeschrank, Wandschrank; ~ **fruit** sub, - Spalierobst; ~ **hanging** sub, -s Wandteppich; ~ **mirror** sub, -s Wandspiegel; ~ **news-sheet** sub, -s (ugs.) Wandzeitung; ~ **unit** sub, -s Schrankwand

Walloon, sub, -s Wallone; nur Einz. (i. ü. S.) Wallonische

wallow, (1) sub, -s Suhle (2) vr, suhlen

wallpaper, sub, -s Tapete; ~ **glue** sub, nur Einz. Tapetenleim; **walls** sub, - Gemäuer; **wallstreet** sub, nur Einz. Wallstreet

wall up, vt, zumauern; **wall-painting** sub, -s Wandgemälde; **wallet** sub, -s Brieftasche; **wallflower** sub, -s Mauerblümchen

walnut, sub, -s Walnuss; ~ **tree** sub, -s Nussbaum, Walnussbaum

walrus, sub, -es (tt; zool.) Walross; ~ **moustache** sub, -s Schnauzbart, Schnauzer

waltz, sub, - (tt; mus.) Walzer; ~ **dancer** sub, -s Walzertänzer; ~ **music** sub, nur Einz. Walzermusik

wan, adj, (geh.) fahl

wander, vi, wandern; ~ **around** vi, umherirren, umherziehen; ~**ing** adj, unstet

wane, (1) sub, -s Erlahmung (2) vi, (Entusiasmus) ermatten; (Mond) abnehmen; (nachlassen) erlahmen

waning, sub, -s (Mond) Abnahme

Wankel engine, sub, -s (tt; tech.) Wankelmotor

want, (1) vt, mögen, wünschen (2) vti, wollen; I want to go home ich möchte gerne nach hause; I would rather leave ich möchte lieber gehen; as sb wanted nach jmds Willen; I want to ich will es; just the man we want genau der Mann den wir brauchen; not wanting anything to do with it sich nicht angesprochen fühlen; to want for nothing keinen Mangel leiden; ~ **back** vi, zurückwollen; ~ **to come through** vi, (durchkommen) durchwollen; ~ **to get in** (1) vi, hineinwollen (2) vt, hereinwollen; ~ **to get out** vi, herauswollen, hinauswollen; ~ **to go on** vi, weiterwollen; ~ **to go through** vi, (durchgehen) durchwollen; ~**ed** adj, erwünscht; (krim.) flüchtig; ~**s** sub, nur Mehrz. Wille

war, sub, -s Krieg; (hist.) the American Civil War der Amerikanische Sezessions-krieg; ~ **criminal** sub, -s Kriegsverbrecher; ~ **grave** sub, -s Kriegergrab; ~ **novel** sub, -s Kriegsroman; ~ **of independence** sub, -s - Befreiungskrieg; ~ **of nerves** sub, wars Nervenkrieg; **War**

of Secession sub, Wars Sezessions-krieg; ~**-disabled person** sub, people Kriegsversehrte; ~**-horse** sub, -s Schlachtross, Streitross; ~**-orphan** sub, -s Kriegswaise; ~**-victim** sub, -s Kriegsopfer; ~**-widow** sub, -s Kriegerwitwe

warble, (1) sub, -s (Vogel-) Triller (2) vi, (Vogel) trillern; ~**r** sub, -s Grasmücke

ward, sub, -s Mündel; ~ **doctor** sub, -s Stationsarzt; ~ **off** vt, (Krankheit) abwehren; ~ **sth. off** vt, erwehren; ~**en** sub, -s Heimleiterin; ~**ing off** sub, nur Einz. (von Krankheiten) Abwehr; ~**robe** sub, -s Kleiderschrank, Schrank; (Kleidung) Garderobe

warehouse, sub, -s Lagerhaus, Warenlager; ~ **for clothtrading** sub, -s (veraltet) Gewandhaus

warfare, sub, nur Einz. Kriegführung; warfare at sea and in the air Luft- und Seekrieg; **warhead** sub, -s (mil.) Gefechtskopf; **warlike** adj, kriegerisch, martialisch

warm, adj, herzlich, warm, wärmehaltig; it warms you up das macht warm; to dress up warmly sich warm anziehen; to keep the food warm das Essen warm stellen; to recommend sb warmly jmd wärmstens empfehlen; get warm sich erwärmen; isn`t it warm das ist eine Wärme; warmly mit Wärme; ~ **air** sub, nur Einz. Warmluft; ~ **from the nest** adj, (i. ü. S.) nestwarm; ~ **oneself** vr, wärmen; ~ **sb up** vt, durchwärmen; ~ **to** vt, (für etwas) erwärmen; warm to sth sich für etwas erwärmen; ~ **up** (1) vi, warm laufen; (spo.) einlaufen (2) vi, vr, aufwärmen (3) vt, anwärmen, aufwärmen, wärmen; ~**-up swimming** vi, einschwimmen; ~**ed up** adj, aufgewärmt; ~**ing up** sub, nur Einz. Aufwärmung; ~**th** sub, - Herzlichkeit, Wärme; get into the warmth komm in die Wärme; ~**th of the sun** sub, - Sonnenwärme

warn, (1) vi, warnen (2) vt, verwarnen; (warnen) ermahnen; ~ (**against**) vt, abmahnen; ~**er** sub, -s Mahner; ~**ing** sub, -s Abmahnung, Verwarnung; Warner; -s Warnung, (Warnung) Ermahnung; let it be a warning to us das sollte uns ein warnendes Beispiel sein; ~**ing flash (of headlights)** sub, -es Lichthupe; ~**ing light** sub, -s Warnleuchte; ~**ing shot** sub, -s Schreckschuss, Warnschuss; ~**ing sign** sub, -s Menetekel; (visuell) Warnzeichen; **~ing signal** *sub*, *-s (auditiv)* Warnzeichen; **~ing triangle** *sub*, *-s* Warndreieck

warp, *sub*, *-s* Kettenfaden

warrant, *sub*, *-s* Warrant; **~ of arrest** *sub*, *-s* Steckbrief

warring, *adj*, Krieg führend; **warrior** *sub*, *-s* Kämpe, Krieger, Recke; *the tomb of the Unknown Warrior* das Grabmal des Unbekannten Soldaten

warsawish, *adj*, warschauisch

warship, *sub*, *-s* Kriegsschiff

wart, *sub*, *-s (tt; med.)* Warze; **~-shaped** *adj*, warzenförmig; **~hog** *sub*, *-s (tt; zool.)* Warzenschwein

wash, (1) *vr*, ablecken, waschen (2) *vt*, schwemmen, waschen; *to be in the wash* in der Wäsche sein; *to put sth into the wash* etwas in die Wäsche geben; **~ ashore** *vt*, anschwemmen; **~ off** *vt*, abwaschen; **~ out** *vt, (Wäsche etc.)* auswaschen; **~ round** *vt*, umspülen; **~ up** *vt, (Geschirr)* spülen; **~-basin** *sub*, *-s* Waschbecken; **~-bowl** *sub*, *-s* Waschschüssel; **~-leather** *sub*, *-s* Fensterleder; **~-out** *sub*, *-s (ugs.; Versager)* Pfeife; **~ing-day** *sub*, *-s* Waschtag

wash-room, *sub*, *-s* Waschraum; **washable** *adj*, abwaschbar, waschbar; **washed-out** *adj*, marode; **washing** *pron, (ugs.)* Wäsche; **washing-boiler** *sub*, *-s* Waschkessel; **washing-machine** *sub*, *-s* Waschmaschine; **washing-powder** *sub*, *-s* Waschpulver; **washing-water** *sub*, *nur Einz.* Waschwasser

wasp, *sub*, *- (tt; zool.)* Wespe; **~ sting** *sub*, *-s* Wespenstich; **~ waist** *sub*, *-s* Wespentaille; **~'s nest** *sub*, *-s* Wespennest

waste, (1) *adj*, wüst (2) *sub*, *-s* Einöde; *nur Einz. (Abfall)* Ausschuss; *(Müll)* Abfall (3) *vt*, vergeuden, verschwenden, verzetteln; *(ugs.)* vertun; *(i. ü. S.)* waste *so's time* jmd die Zeit stehlen; *waste time and energy* einen unnötigen Aufwand betreiben; **~ a lot of time** *vr*, verzetteln; **~ away** *vi*, dahinsiechen; **~ disposal** *sub*, *-s* Entsorgung; **~ disposal site** *sub*, *-s* Mülldeponie; **~ glass** *sub*, *nur Einz.* Altglas; **~ heat** *sub*, *nur Einz.* Abdampfwärme, Abwärme; **~ management** *sub*, *nur Einz.* Abfallwirtschaft; **~ material collection** *sub*, *-s* Altstoffsammlung; **~ oneself** *vr*, wegwerfen; **~ paper** *sub*, *nur Einz.* Altpapier

waste product, *sub*, *-s* Abfallprodukt; **~s** *sub*, *nur Mehrz.* Schlacke; **waste rate** *sub*, *- -s* Ausschussquote; **waste treatment** *sub*, *-s* Abfallaufbereitung;

wasted *adj*, verbummelt; **wasted away** *adj*, verkummert; **wasteful** *adj*, verschwenderisch; **wasteland** *sub*, *-s* Öde, Wüstenei; **wastepaper** *sub*, *pieces of w.* Makulatur; *to talk rubbish* Makulatur reden; **wastfulness** *sub*, *-* Verschwendung; **wasting away** *sub*, *-* *(ugs.)* Verkümmerung; **wastrel** *sub*, *-s* Liederjan; *wastrel* Bruder Liederlich

watch, (1) *sub*, *-es* Wache; *(Armband-)* Uhr; *(hist.)* Nachtwächter (2) *vi*, zuschauen, zusehen (3) *vt*, beobachten, nachblicken, nachschauen, nachsehen; *(auf etw. aufpassen)* achten; *(Fernsehen)* sehen; *(Film)* anschauen; *by my watch* nach meiner Uhr; *my watch is fast (slow)* meine Uhr geht vor (nach); *my watch keeps exact time* meine Uhr geht genau, *watch a movie* einen Film anschauen, einen Film ansehen; *watch it!* gib doch Obacht!; *watch out* pass auf; **wristwatch** Armbanduhr; *your watch is way out* deine Uhr geht nach dem Mond; **~ chain** *sub*, *-s* Uhrkette; **Watch out!** *vi, (auf einem Schild)* Achtung *(Aufforderung)* Achtung; **~ television** *vi*, fernsehen; **~-tower** *sub*, *-s* Wachturm; **~-dog** *sub*, *-s* Schlosshund, Wachhund; **~er** *sub*, *-s* Merker; **~ful** *adj*, wachsam; *to keep a watchful eye on sth* ein wachsames Auge haben auf etwas; **~fulness** *sub*, *-* Wachsamkeit; **~-maker** *sub*, *-s* Uhrmacher, Uhrmacherin; **~maker's workshop** *sub*, *-s (Werkstätte)* Uhrmacherei; **~-making** *sub*, *nur Einz.* Uhrmacherei; **~man** *sub*, *-s* Wachmann; **~word** *sub*, *-s* Wahlspruch

water, (1) *sub*, *nur Einz.* Wasser; *- (i. ü. S.)* Harn; *(i. ü. S.; Wasser)* Gänsewein (2) *vi*, tränen (3) *vt, (Blumen)* gießen; *(Pflanze)* begießen; *(Tiere)* tränken; *(i. ü. S.) a lot of water will have flown under the bridge by then* bis dahin fließt noch viel Wasser den Bach runter; *(i. ü. S.) my mouth is watering* das Wasser läuft mir im Munde zusammen; *(i. ü. S.) to keep one's head above water* sich über Wasser halten, *that was a faux pas of the first water* das war ein Fauxpas erster Ordnung; **~ depth** *sub*, *-* Wassertiefe; **~ depth gauge** *sub*, *-s* Pegel; **~ down** *vt, (verdünnen)* panschen; **~ for coffee** *sub*, *nur Einz.* Kaffeewasser; **~ for firefighting** *sub*, *nur Einz.* Löschwasser; **~ from melting snow** *sub*, *nur Einz.* Schneewasser; **~-bomb** *sub*, *-s (i. ü.*

S.) Wasserbombe; **~-bottle** *sub, -s* Feldflasche, Trinkflasche; **~-bucket** *sub, -s* Wassereimer; **~-column** *sub, -s* Wassersäule; **~-game** *sub, -s* Wasserspiel

waterball, *sub, nur Einz. (tt; spo.)* Wasserball; **water-bird** *sub, -s* Schwimmvogel; **water-fowl** *sub,* Wasservogel; **water-living** *adv, (i. ü. S.)* wasserlebend; **waterfall** *sub, -s* Kaskade, Wasserfall; **watering-can** *sub, -s* Gießkanne; **watering-down** *sub, -* Verwässerung; *-s* Verwässerung; **watering-place** *sub, -s* Tränke; *(Tiere)* Schwemme; **watermark** *sub, -s* Wasserzeichen; **waterpool** *sub, -s* Wasserlache

water-closet, *sub, -s* Wasserspülung; **water-colour** *sub, -s* Aquarell, Aquarellfarbe, Wasserfarbe; **water-meadow** *sub, -s* Au; **water-melon** *sub, -s* Wassermelone; **water-mill** *sub, -s* Wassermühle; **water-nymph** *sub, -s* Nixe; **water-power** *sub, nur Einz.* Wasserkraft; **water-rat** *sub, -s* Wasserratte; **water-serpent** *sub, (tt; myth.)* Wasserschlange; **water-shortage** *sub, -s* Wassermangel; **water-snake** *sub, - (tt; zool.)* Wasserschlange; **water-wheel** *sub, -s* Wasserrad

water-glass, *sub, -es* Wasserglas; **water sprite** *sub, -s (myth.)* Neck, Wassermann; **water tap** *sub, -s* Wasserhahn; **water-art** *sub, -s (tt; kun.)* Wasserkunst; **water-buffalo** *sub, -s (i. ü. S.)* Wasserbüffel; **water-cannon** *sub, -s* Wasserwerfer; **water-carrier** *sub, -s* Wasserträger; **water-landing** *sub, -s* Wasserung; **water-pipe** *sub, -s* Wasserleitung; **water-pump** *sub, -s* Wasserpumpe; **water-show** *sub, -s* Wasserschau; **water-sports** *sub, nur Mebrz.* Wassersport

waterproof, (1) *adj,* impermeabel **(2)** *sub, -s* Wasserproof; *make waterproof* gegen Wasser abdichten; **waters** *sub, nur Mebrz.* Fruchtwasser; **waters of oblivion** *sub, -* Lethe; **watershed** *sub, -s* Wasserscheide; **waterski** *sub, -s* Wasserski; **waterspout** *sub, -s* Wasserhose; **watertight** *adj,* hiebfest, wasserdicht; **waterway** *sub, -s* Meeresstraße, Wasserstraße; **watery (1)** *adj,* labberig, wässrig **(2)** *adv,* wässerig **(3)** *sub, nur Einz.* Wässrigkeit; **watery biotope** *sub, -s* Feuchtbiotop

wave, (1) *sub, -s* Welle, Wink, Woge **(2)** *vi,* wehen, wogen **(3)** *vt,* schwenken, wellen **(4)** *vti,* winken; **~ of influenza** *sub, -s* Grippewelle; **~ of protest** *sub, -s* Protestwelle; **~ of terror** *sub, waves* Terrorwelle; **~ sth around** *vi,* fuchteln; **~ to** *vi,* zuwinken; **~-like** *adj,* wellen-

förmig; **~d thread** *sub, -s* Kräuselgarn; **~length** *sub, -* Wellenlänge; **wavy** *adj,* wellenartig; *(ugs.)* wellig; **wavy line** *sub, -s* Wellenlinie

wax, *sub, -* Wachs; **~ model** *sub, -s* Wachsmodell; **~ plate** *sub,* Wachsplatte; **~ polish** *sub, -es* Polierwachs; **~-cast** *sub, -s* Wachsabguss; **~-en** *adj,* wachsbleich, wächsern; **~works** *sub, nur Mebrz.* Panoptikum

way, *sub, -s* Weg; *(ugs.)* Weise; *(Weg)* Bahn; *(Weg-)* Strecke; *each one in his own way* jeder nach seiner Art und Weise; *in a mysterious way* auf geheimnisvolle Weise; *in such a way that* in der Weise, daß; *no way* in keiner Weise; *force one´s way* sich Bahn brechen; *get into evil ways* auf die schiefe Bahn geraten; *a lot of things are in a bad way* vieles liegt im Argen; *be in a bad way* übel/arm dran sein; *be out of the way* abseits gelegen sein; *(unabsichtlich) go a long way round* einen Umweg machen; *go all the way to a place* sich zu einem Ort bemühen; *have a nice way* eine angenehme Art haben; *be does it the easy way* er macht es auf die gemütliche Tour; *be knows his way about* er ist mit den Örtlichkeiten gut vertraut; *I can find my own way from there* von da an kann ich mich alleine orientieren; *I don´t know my way round very well* ich bin nicht sehr ortskundig; *it is still a long way to go* bis dahin ist es noch ein ganzes Ende; *(i. ü. S.) it´s not what you say but the way you say it* der Ton macht die Musik; *keep out of the way* sich im Hintergrund halten; *lose one´s way* vom Weg abkommen; *make a way for os* sich seinen Weg bahnen; *(Seemannspr.) make way* Fahrt machen; *(i. ü. S.) no way!* kommt nicht in die Tüte!; *one way or another* so oder so; *out of the way there* Platz da!; *pave the way for so* jmd den Weg bahnen; *(ugs.) people have a pretty rough way of doing things here!* hier herrschen aber rauhe Sitten!; *see things in a different way* anderer Ansicht sein; *so that´s the way the wind blows* daher weht also der Wind; *that´s just the way things are* das ist nun einmal so; *that´s the way it is* es ist nun einmal so, so ist es eben; *(ugs.) there´s no way I will* ich werde mich schwer hüten; *this way* auf diese Art; *this way, please!* hier entlang, bitte!; *(ugs.) to be in the way* das fünfte Rad am Wagen sein; *to* *know one´s way around* Ortskenntnis-se haben; *whichever way you look at it* man kann es drehen und wenden; ~ **home** *sub, ways* Nachhauseweg; ~ **it should be** *vr, (so gehört es sich)* gehören; ~ **of behaviour** *sub, -s* Gehaben; ~ **of life** *sub, -s* Lebensart, Lebenswandel; ~ **of speaking** *sub, ways* Sprechweise; *(Ausdrucksweise)* Sprache; ~ **of success** *sub, -s* Erfolgskurs; ~ **of the Cross** *sub, -s* Kreuzweg; ~ **of thinking** *sub, -s* Denkart, Denkungsart; ~ **out** *sub, -s -* Ausweg; *(a. i.ü.S.)* Ausweichmöglichkeit; ~ **to/from school** *sub, ways* Schulweg; ~ **with words** *sub, ways* Sprechkunst; ~**lay** *vt, (Person)* abfangen; ~**ward** *adj, (Kind)* missraten

WC, *sub, -s (ugs.)* WC

we, *pron,* wir; ~ **ourselves** *pron,* selber, selbst

weal, *sub, -s* Strieme, Striemen

wealth, *sub, -* Reichtum; ~**y** *adj,* begütert, reich, vermögend

wean, *vt, (Säugling)* entwöhnen; ~**ing** *sub, -s* Entwöhnung

weapon, *sub, -s* Waffe; ~**ry** *sub, -ies (Waffenlager)* Arsenal

wear, *vt,* kleiden; *(Kleidung)* anhaben, tragen; *wear well* dauerhaft sein; *worn cable* durchgescheuertes Kabel; ~ **and tear** *sub, nur Einz.* Abnutzung; - *(ugs.)* Verschleiß; ~ **down** (1) *vr, (Material)* abreiben (2) *vt,* zermürben; *(i. ü. S.; ~ machen)* mürbe; *(Reifen)* abfahren; *(Stoff)* aufreiben; ~ **hard** *vt, (abnützen)* strapazieren; ~ **off** (1) *vi, (Wirkung)* abklingen (2) *vt,* abwetzen; *(Manieren)* abschleifen

weariness, *sub, nur Einz.* *(Schwäche)* Ermattung; **weary** *adj,* müde; *to grow weary of sth* einer Sache müde werden; **weary of life** *adj,* lebensmüde; **weary of sth** *adj,* überdrüssig

wear one out, *vi,* schlauchen; **wear out** (1) *vi,* abnutzen, verschleißen; *(ugs.)* zerschleißen; *(Material)* abhetzen (3) *vt,* abnutzen, kaputtmachen, schlauchen, schleißen; *(Kleidung)* abtragen; *(Matratze)* durchliegen; *(Schuhe)* ablaufen, austreten (4) *vti,* ausleiern; *the matress is worn out* Matratze ist durchgelegen; **wear out dancing** *vt, wear the shoes out (by) dancing* die Schuhe durchtanzen; **wear through** *vt,* durchscheuern; *wear shoes/material through* die Schuhe/den Stoff durchscheuern

weasel, *sub, -s (tt; zool.)* Wiesel

weather, (1) *sub, -s* Wetter; Witterung

(2) *vi,* verwittern; *don´t make such heavy weather of everything* sei doch nicht so umständlich!; *in all weathers* bei Wind und Wetter; ~ **broadcast** *sub, -s* Wetteransage; ~ **forcaster** *sub, -s* Meteorologe; ~ **forecast** *sub, -s* Wettervorhersage; ~ **report** *sub, -s* Wetterbericht; ~ **satellite** *sub, -s* Wettersatellit; ~ **station** *sub, -s* Wetterwarte; ~ **vane** *sub, -s* Wetterfahne; ~-**map** *sub, -s* Wetterkarte; ~-**saying** *sub, -s* Wetterregel; ~-**cock** *sub, -s (Wetter-)* Hahn; ~**glass** *sub, -es* Wetterglas; ~**ing** *sub, nur Einz.* Bewitterung; *-s* Verwitterung; ~**man** *sub, -en (i. ü. S.)* Wetterfrosch; ~**proof cape** *sub, -s* Wetterfleck; ~**proofed** *adj,* wetterfest

weave, (1) *sub, -s* Schwimmhaut; *(i. ü. S.)* Gewebe; *(Gewebe)* Gespinst; *(Papier)* Bahn; *(Spinne)* Netz

wedded bliss, *sub, -es* Eheglück; **wedding** *sub, -s* Hochzeit, Trauung; **wedding ring** *sub, -s* Ehering; **wedding-day** *sub, -s* Hochzeitstag; **wedding-ring** *sub, -s* Trauring

wedge, (1) *sub, -s* Keil (2) *vt,* keilen, klemmen; ~ **of cheese** *sub, -s (Käse)* Ecke; **wedgwoodware** *sub, - (i. ü. S.)* Wedgwoodware

Wednesday, *sub, -s* Mittwoch

weed, *vt,* jäten; *(aussieben)* sieben; *pull up weeds* Unkraut ausreißen; ~ **out,** *(Fehler)* ausmerzen; ~**s** *sub, -* Unkraut

week, *sub, -s* Woche; *in a week´s time* in acht Tagen; *once a week* alle acht Tage; ~ **by week** *adv,* wochenweise; ~**day** *sub, -s* Wochentag; ~ **end** *sub, -s* Weekend, Wochenende; *have a nice weekend* schönes Wochenende; ~**end marriage** *sub, -s (i. ü. S.)* Wochenendehe; ~**end traffic** *sub, nur Einz.* Ausflugsverkehr; ~**end tripper** *sub, -s (ugs.)* Wochenendler; ~**ly** (1) *adj,* allwöchentlich; wöchentlich (2) *adv,* wöchentlich; ~**ly hour** *sub, -s* Wochenstunde; ~**ly lesson** *sub, -s* Wochenstunde; ~**ly market** *sub, -s* Wochenmarkt; ~**ly paper** *sub, -s* Wochenblatt; ~**ly season ticket** *sub, -s* Wochenkarte; ~**s following child-birth** *sub, -s (i. ü. S.)* Wochenbett

web, *sub, -s* Schwimmhaut; *(i. ü. S.)* Gewebe; *(Gewebe)* Gespinst; *(Papier)* Bahn; *(Spinne)* Netz

weever, *sub*, -s Petermännchen
weft thread, *sub*, -s Schussfaden
weigh, *vti*, wiegen; *his guilt weighs heavily on him* die Schuld liegt schwer auf ihm; *his opinion doesn't weigh here* seine Meinung ist hier nicht maßgebend; *that didn't weigh with me* das war für mich nicht maßgebend; *this doesn't weigh with me* das ist mir nicht ausschlaggebend für mich; **~ down** *vt, (mit Gewicht)* beschweren; **~ heavily** *vi*, lasten; *a terrible worry weighed her down* eine schwere Sorge hat auf ihr gelastet; **~ out** *vt*, abwägen, abwiegen; **~ing** *sub*, -s Abwägung; **~t (1)** *sub*, -s Beschwerung, Gewicht **(2)** *vt*, gewichten; *(mit einem Gewicht)* belasten; *put on weight* in die Breite gehen; *(i. ü. S.; treu) she's worth her weight in gold!* sie ist einfach unbezahlbar!; *watch one's weight* auf seine Figur achten; *carry weight* Gewicht haben; **~t class** *sub*, -s *(spo.)* Gewichtsklasse; **~t-lifter** *sub*, -s Schwerathlet; **~t-lifting** *sub*, Gewichtheben; **~ting allowance** *sub*, -s Ortszuschlag; **~tlessness** *sub*, *nur Einz.* Schwerelosigkeit; **~ty** *adj*, gewichtig; **~ty tome** *sub*, -s *(ugs.)* Wälzer
weir, *sub*, -s Wehr
weird, *adj*, schräg, wirr; *(ugs.)* unheimlich
weissbeer, *sub*, -e Weißbier
welcome, (1) *sub*, -s Willkommen; *(a. i.ü.S.; das Willkommen)* Begrüßung **(2)** *vt, (a. i.ü.S.; willkommen heißen)* begrüßen; *give so a warm welcome* jemanden freundlich aufnehmen; *welcome sth with open arms* etwas begeistert aufnehmen; **welcoming speech** *sub*, **-es** Begrüßungsansprache
weld, *vt*, schweißen, verschweißen; **~ in** *vt*, einschweißen; **~ed joint** *sub*, -s Schweißnaht; **~er** *sub*, -s Schweißer; **~ing rod** *sub*, -s Schweißdraht
welfare, (1) *adj*, wohl ergehen **(2)** *sub*, - Heil; *nur Einz.* Wohl, Wohlfahrt; **~ aid** *sub*, -s Sozialhilfe; **~ allowance** *sub*, -s Sozialzulage; **~ and social work** *sub*, *nur Einz.* Diakonie; **~ state** *sub*, -s Sozialstaat, Wohlfahrtsstaat
well, (1) *adj*, wohlauf **(2)** *adv*, gut, schön, wohl **(3)** *sub*, -s Ziehbrunnen, Zisterne; *that may well be* das kann gut sein, dass; *well done* gut gemacht; *well meant* gut gemeint; *(i. ü. S.) be well in with someone* bei jemandem einen Stein im Brett haben; *deal with the situation supremely well* die Lage souverän meistern; *well all right* nun gut; *well yes* nun ja; *well?* nun?; **~ and pro-**

per *adv*, deftig; **~ considered** *adj*, wohl bedacht, wohlerwogen; **~ done** *vpp*, durchgebraten; *the steak well done, raw or medium?* wünschen Sie das Steak durchgebraten?; **~ proportioned** *adj*, *(Person)* ebenmäßig; **~ then!** *interj*, *(Sodann!)* sodann; **~**, **well!** *adv*, *(ugs.)* soso; **~-adapted** *adj*, *(biol.)* angepasst; **~-aimed** *adj*, *(Schuss)* gezielt; **~-balanced** *adj*, *(Person)* ausgeglichen; **~-behaved** *adj*, gesittet; *(manierlich)* sittsam; **~-being** *sub*, *nur Einz.* Wohl, Wohlbefinden; **~-deserved** *adj*, verdient, wohlverdient; **~-disposed** *adj*, gewogen, wohlgesinnt; **~-earned** *adj*, wohlerworben, wohlverdient

well-established, *adj*, wohlbestallt; **well-fed** *adj*, wohlgenährt; **well-fitting** *adj*, passgerecht; **well-fortified** *adj*, wehrhaft; **well-heeled** *adj*, *(ugs.)* betucht; **well-hung** *adj*, abgehangen; **well-informed** *adj*, aufgeklärt, kundig, sachkundig; **well-kept** *adj*, *(Sache)* gepflegt; **well-known** *adj*, altbekannt, namhaft; *(im pos. Sinn)* allbekannt; **well-liked** *adj*, wohlgelitten; **well-mannered** *adj*, wohlerzogen; *(Kind)* manierlich; **well-meaning** *adj*, wohlmeinend; **well-meaning person** *sub*, -s Gutgesinnte; **well-meant** *adj*, gut gemeint; **well-off** *adj*, bemittelt

well-read, *adj*, belesen; **well-grounded** *adj*, fundiert; **well-known way** *sub*, -s Hausstrecke; **well-shaped** *adj*, wohlgeformt, wohlgestalt; **well-sheltered** *adj*, wohl behütet; **well-stocked** *adj*, sortiert; **well-swept** *adj*, besenrein; **well-trained** *adj*, austrainiert; **well-tried** *adj*, altbewährt; **well-understood** *adj*, wohlverstanden; **well-versed** *adj*, bewandert, kapitelfest; **well-wisher** *sub*, -s Gratulant, Gratulantin; **well-worn** *adj*, abgegriffen; *(ugs.)* ausgelatscht; **well?** *adv*, *(Frage)* nun; **wellington** *sub*, -s Gummistiefel
well-set, *adj*, wohlgesetzt
Welsh, *adj*, walisisch
weltanschauung, *sub*, - Weltanschauung; **welterweight** *sub*, *nur Einz.* Weltergewicht; **weltschmerz** *sub*, - Weltschmerz
werewolf, *sub*, -s Werwolf
wet, (1) *adj*, nass; *(Farbe)* frisch **(2)** *vt*, *(geh.)* netzen; *like a wet rag* wie ein nasser Sack; *wet through* durch und durch nass, *(i. ü. S.) be still wet behind the ears* noch nicht trocken hinter den

Ohren sein; *to wet oneself* sich in die Hosen machen, sich nass machen; *to wet the bed* das Bett nässen; **~-shaver** *sub, -s* Nassrasierer; **~her** *sub, -s* Hammel; **~ness** *sub, nur Einz.* Nässe

whale, *sub, -s* Walfisch; *(tt; zool.)* Wal; **~r** *sub, -s* Walfänger; **whaling** *sub, -s* Walfang

what, (1) *adv,* woran (2) *pron,* was, welch, wessen; *(adjekt.)* welche; *are you coming? - what? - are you coming?* kommst Du mit? - was? - ob du mitkommen willst; *(i. ü. S.) to have (got) what it takes* das Zeug zu etwas haben; *(i. ü. S.) to tell sb what to do* jmd am Zeug flicken; **~ a pity** *adj,* schade; **~/which** *adv,* wozu; **~'s its name** *sub, -* Dingsda; **~ever** *pron,* wessen

wheat, *sub, nur Mehrz.* Weizen; **~ harvest(ing)** *sub, -s (tt; agrar)* Weizenernte; **~bran** *sub, nur Einz.* Weizenkleie; **~germ oil** *sub, -s* Weizenkeimöl

wheel, *sub, -s* Rad; *drunkenness at the wheel* Trunkenheit am Steuer; *(ugs.) ~s* Glücksrad; *(i. ü. S.) wheels* fahrbarer Untersatz; **~ of fortune** *sub, -s* Glücksrad; **~chair** *sub, -s* Rollstuhl; **~ings and dealings** *sub, nur Mehrz.* Machenschaft

wheeze, *vti,* schnaufen; *his breath was coming in wheezes* sein Atem ging pfeifend

whelp, *sub, -s* Welpe

when, (1) *adv,* wann (2) *konj, (zeitl)* wenn; *when having breakfast* beim Frühstücken; *when sleeping* beim Schlafen; **~ever** *konj.,* sooft

where, *adv,* wo, wohin; *where else but here?* wo anders als hier?; *where on earth* wo um Himmels willen; *where ... from* woher; **~ ...** *from adv,* woher; **~ the ... starts** *präp,* eingangs; **~abouts** *sub, nur Einz.* Verbleib; **~as** *konj,* indes, indessen, während, wohingegen

whet, *vt,* wetzen

whether, *konj,* ob; *we're going for a walk whether it rains or not* wir gehen spazieren, ob es regnet oder nicht

whey, *sub, nur Einz.* Molke

which, *pron,* wessen; *the garden, the area of which* der Garten, dessen Fläche; *which I did* und das tat ich auch; **~ (one)** *pron, (subst.)* welche; **~...for** *adv,* wofür; **~/whom** *pron,* welch; **while** (1) *konj,* indem, während, wohingegen (2) *präp, (zeitl/ich)* als (3) *sub, nur Einz.* Weile; *-s* (Zeit-) Spanne; *while saying so, he withdrew* indem er dies sagte, zog er sich zurück; *while you were sleeping* während du schliefst, *a while ago* vor einer Weile

whim, *sub, -s* Laune; **~ner** (1) *vti* wimmern; *(Hund)* fiepen (2) *vti,* winseln; **~pering** *sub, -s* Gewimmer

whine, (1) *vi, (ugs.)* quengeln (2) *vt,* wimmern (3) *vti,* jammern, jaulen; **~r** *sub, -s (ugs.)* Quengler; **whinge** *vi, (Erwachsener)* greinen; **whining** (1) *adj,* weinerlich; *(ugs.)* wehleidig (2) *sub, -* Gejammer; *-s* Gewinsel

whip, (1) *sub, -s* Knute, Peitsche, Ziemer (2) *vt,* auspeitschen, geißeln, peitschen; *crack of a whip* Peitschenknall; *he whipped his horse* er gab seinem Pferd die Peitsche; **~ped cream** *sub, nur Einz.* Schlagobers; **~persnapper** *sub, -s* Flaps; **~ping** *sub, -s* Auspeitschung; **~ping boy** *sub, -s* Prügelknabe; **~ping cream** *sub, nur Einz.* Schlagsahne

whisk, (1) *sub, -s* Quirl, Schneebesen (2) *vi,* wischen (3) *vt,* quirlen, verquirlen; **~ers** *sub, nur Mehrz.* Schnurrhaar; *(eines Tieres)* Bart

whiskey, *sub, -s* Whisky

whisper, (1) *sub, -s* Gesäusel (2) *vi,* flüstern, tuscheln; *(ugs.) zischeln; (leise flüstern)* einflüstern (3) *vt,* hauchen (4) *vti,* raunen, wispern; **~ the answer** *vt,* einsagen; **~ing** *sub, -s* Geflüster, Gewisper; *-* Gezische; *-s* Tuschelei

whistle, (1) *sub, -s* Pfeife, Pfeifton, Pfiff, Trillerpfeife (2) *vi, (Wind)* sausen (3) *vti,* pfeifen; **whistling** *sub, -s* Gepfeife, Gesause; **whistling buoy** *sub, -s* Heulboje; **whistling kettle** *sub, -s* Pfeifkessel

white, *adj,* weiß; *to turn white* weiß werden; *white as chalk* weiß wie Kreide; **~ as a sheet** *adj,* kreidebleich; **~ bread** *sub, -s* Weißbrot; **~ cabbage** *sub, -s* Weißkohl; **~ cheese** *sub, -s* Weißkäse; **~ coffee** *sub, nur Einz. (österr.; Milchkaffee)* Melange; **~ collar crime** *sub, -s* Wirtschaftskriminalität; **~ corpuscles** *sub, -* Leukozyt; **~ frost** *sub, -s* Raufrost; **~ gold** *sub, nur Einz.* Weißgold; **~ heat** *sub, nur Einz.* Weißglut; **~ horse** *sub, -s* Schimmel; **~ man/woman** *sub, -en* Weiße; **White Russian** *adj,* weißrussisch; **~ stick** *sub, -s* Blindenstock; **~ wagtail** *sub, -s* Bachstelze; **~ wine** *sub, -s* Weißwein; **~cap** *sub, -s* Schaumkrone; **~horn** *sub, (tt; bot.)* Weißdorn

whitefish, *sub, -s* Maräne, Renke, Weißfisch; **whitewash** (1) *sub, -s* Tünche (2) *vt,* schlämmen, tünchen, übertünchen (3) *vtr, (ugs.)* weißwaschen; **whithers** *sub, nur Mehrz.* Rist; **whi-**

ting *sub*, -s Schlämmkreide

Whitsun, (1) *attr*, pfingstlich (2) *sub*, -s Pfingsten, Pfingstfest

Whit week, *sub*, -s Pfingstwoche

whity, *sub*, -es (*ugs.*) Weißling

who, *pron*, wer; *who else?* wer anders?; ~ **is** (still) **a minor** *attr*, minderjährig; ~**...** **to** *pron*, wem; ~**/which** (1) *rel.pron*, der (2) *rel.pron.*, die; ~**/whom** *pron*, wen

whole, (1) *adj*, ganz, gesamt (2) *sub*, *nur Einz.* Eintel; -s Ganzheit; - Gesamtheit; *as a whole* in seiner Ganzheit; ~ **note** *adj*, (*mus. ganze Note/Pause US*) ganz; ~**-corn/-rye etc. meal** *sub*, -s Schrot; ~**food shop** *sub*, -s Ökoladen; ~**foods** *sub*, *nur Mehrz.* Vollwertkost; ~**meal bread** *sub*, -s Schrotbrot; ~**sale** *sub*, -s Engroshandel; *to condemn a people wholesale* ein Volk pauschal verurteilen; ~**sale price** *sub*, -s Engrospreis; ~**sale trade** *sub*, -s Großhandel; ~**saler** *sub*, -s Großhändler, Grossist; ~**some** *adj*, verträglich

whom, *Rel.Pron*, dem, der; *the man whom I helped* der Mann dem ich half; ~**...** **to** *pron*, wem

whooping cough, *sub*, *nur Einz.* Keuchhusten

whore, (1) *sub*, -s Hure (2) *vi*, huren

whorl, *sub*, -s Quirl

whose, (1) *pron*, wessen (2) *rel.pron.* (*Pers.*) deren; *the bag the bow of which* die Tasche deren Bügel; *the Lady whose bag* die Frau deren Tasche; ~**/of whom** *pron*, dessen; *the man from whom we we are expecting a visit* der Mann dessen Besuch wir erwarten; *the man whose car* der Mann dessen Auto

why, (1) *adv*, warum, weshalb, weswegen, wieso (2) *pron*, was; *that´s just why* gerade deshalb; *that´s why I came to you* deshalb bin ich zu dir gekommen

wick, *sub*, -s Docht, Lampendocht

wicked, *adj*, frevlerisch; *(i. ü. S.)* sündhaft; *(böse)* übel; *(verwerflich)* böse; *(i. ü. S.) the dress cost a wicked amount of money* das Kleid hat ein sündhaftes Geld gekostet; *have a wicked tongue* eine böse Zunge haben; *wicked stepmother* böse Stiefmutter; ~**work** *sub*, -s Rohrgeflecht; *(Weiden-)* Geflecht

wide, *adj*, breit, weit; *(i. ü. S.) be wide off the mark* er hat weit danebengehauen; *the hem is 5 cm wide* der Saum ist 5 cm breit; *widen a street* breiter machen; ~ **knowledge of literature** *sub*, *nur Einz.* Belesenheit; ~ **range** *sub*, -s *(i. ü. S.)* Frontbreite; ~**-awake** *adj*, hellwach; ~**-bodied jet** *sub*, -s Großflug-

zeug; ~**-meshed** *adj*, grobmaschig, großmaschig; ~**ly** *adv*, weither; *(Größe)* weit; ~**n** *vt*, verbreitern, weiten; *(räuml.)* erweitern; ~**ning** *sub*, -s *(s.o.)* Erweiterung; ~**spread** *adj*, weit verbreitet; *widespread* allgemein verbreitet

widow, *sub*, -s Witwe; ~**´s pension** *sub*, -s Witwenrente; ~**ed** *adj*, verwitwet; ~**er** *sub*, -s Witwer; ~**erhood** *sub*, *nur Einz.* Witwerschaft; ~**hood** *sub*, *nur Einz.* Witwenschaft

width, *sub*, *nur Einz.* *(Ausmaß)* Breite; *to cut through sth widthwise* der Breite nach durchschneiden; ~**ways** *adv*, Quere

wife, *sub*, *wives* Ehefrau, Gattin, Gemahlin; *-en (tt; bibl.)* Weib; *wives (Ehe-)* Frau; ~ **of a minister-president** *sub*, *(ugs.)* Landesmutter

wig, *sub*, -s Perücke; ~**wam**, *sub*, -s Wigwam

wild, *adj*, verwildert, wild, wild lebend, wüst; *(Phantasien)* ausschweifend; *they were going wild* sie waren außer Rand und Band; *to go wild* Orgien feiern; ~ **boar** *sub*, -s Keiler, Wildschwein; ~ **boars** *sub*, *nur Mehrz.* Schwarzwild; ~ **cattle** *sub*, -s Wildrind; ~ **dog** *sub*, -s Wildhund; ~ **duck** *sub*, -s Wildente; ~ **fence** *sub*, -s Wildzaun; ~ **life reserve** *sub*, -s Schongehege; ~ **passion** *sub*, *nur Einz.* Wildheit; ~ **plant** *sub*, -s Wildpflanze; ~ **silk** *sub*, *nur Einz.* Rohseide; ~ **sow** *sub*, -s Bache; ~ **strawberry** *sub*, -es Walderdbeere; ~ **tobacco** *sub*, -es Machorka; ~ **west** *sub*, · Wildwest; ~**cat** *sub*, -s Wildkatze; ~**fire** *sub*, *nur Einz.* Lauffeuer; ~**ness** *sub*, *nur Einz.* Wildheit

wilful, *adj*, willentlich; *(tt; jur.)* vorsätzlich; ~**ly** *adv*, *(mit Absicht)* mutwillig

Wilhelminian, *adj*, wilhelminisch

will, *sub*, *nur Einz.* Wille; -s *(jur.)* Testament, Testament; *good will* der gute Wille; *that was done against my will* das geschah wider meinem Willen; *remember so in one´s will* jemanden in seinem Testament bedenken; *the will to live* der Mut zum Leben; *things have a will of their own* das ist die Tücke des Objekts!; *to read the will* den Nachlass eröffnen; *with the best will in the world* selbst bei dem größten Wohlwollen; *contest a will* ein Testament anfechten; *make one´s will* sein Testament machen; *provide by will* durch Testament verfügen; ~

to live *sub,* **nur Einz.** Lebenswille; ~ **to win** *sub, wills* Siegeswille; **~·o'·the-wisp** *sub, -s (i. ü. S.)* Irrlicht; **~power** *sub,* nur Einz. Willenskraft; *(Selbst-)* Überwindung

willie, *sub, -s (ugs.)* Pimmel

willing, (1) *adj,* bereitwillig, gewillt, gutwillig, willig; *(einverstanden)* bereit (2) *adv,* bereitwillig; *(i. ü. S.) lend so a willing ear* jmdm ein geneigtes Ohr schenken; ~ **to be helpful** *adj,* hilfswillig; ~ **to drink** *adj,* trinkfreudig; ~ **to leave** *adj,* ausreisewillig; ~ **to make sacrifices** *attr,* opferwillig; ~ **to work** *adj,* arbeitswillig; **~ly** *adv,* gern; **~ness** *sub,* nur Einz. Bereitwilligkeit; *(Bereitwilligkeit)* Bereitschaft

willow, *sub, -s (tt; bot.)* Weide; ~ **bush** *sub, -es* Weidenbusch; ~ **rod** *sub, -s* Weidengerte

wilt, *vi,* verwelken; *(ugs.)* schlappmachen; **~ed** *adj,* welk; **~ed state** *sub, -s* Wellblech

win, (1) *vi, (als Gewinner)* gewinnen (2) *vt,* gewinnen; *(Bergbau)* gewinnen; *(polit.)* erringen; *(Ruhm)* ernten, erwerben; *(spo.)* siegen; *win so over* jmdn für sich gewinnen; *win so´s heart* jmds Herz gewinnen; *win praise* Lob ernten; *win great fame* sich großen Ruhm erwerben; *win hearts by storm* Herzen im Sturm erobern; *win the day* den Sieg davontragen; *you can´t win them all* das war wohl nichts; *(ugs.) you must have won the pools* du hast wohl im Lotto gewonnen; ~ **on points** *sub, -s* Punktsieg; ~ **sb** *vt, (für sich -)* einnehmen; *win sb over* jmd für sich einnehmen; ~ **sb over** *vt, (jmd.)* erwärmen; *win sb over to sth* jmd für etwas erwärmen

wince, *vi,* zusammenfahren; **winch** *sub, -es (tt; tech.)* Winde

wind, (1) *sub, -s* Luftzug, Wind (2) *vi,* schlängeln (3) *vt,* wickeln (4) *vtr,* winden; *(ugs.) so that´s the way the wind is blowing* daher weht der Wind; *(i. ü. S.) to take the wind out of sb´s sails* jmd den Wind aus den Segeln nehmen; *(i. ü. S.) to trim one sails to the wind* das Fähnchen nach dem Wind drehen; *do it´s windies* ein Bäuerchen machen (Kind); *(ugs.) get wind of something* etwas spitzkriegen; *have plenty of wind* einen langen Atem haben; *(ugs.) see which way the wind is blowing* die Lage peilen; *trim one´s sails to the wind* die Fahne nach dem Wind drehen; ~ **carving** *sub, -s* Korrasion; ~ **direction** *sub, -s* Windrichtung; ~ **energy** *sub, -es* Windenergie; ~ **rose** *sub, -s (tt; met)* Windrose; ~ **up** *vt,* aufspulen, hochkurbeln; *(Schnur)* aufwickeln; *(Uhrwerk)* aufziehen; **~·machine** *sub, -s* Windmaschine; **~·power-station** *sub, -s* Windkraftwerk; **~·tunnel** *sub, -s* Windkanal; **~bag** *sub, -s (ugs.)* Quatschkopf; **~borne sand** *sub, -* Flugsand; **~falls** *sub,* nur Mehrz. Fallobst

winding, *adj,* kurvenreich; *(Weg)* schlängelig; ~ **road** *sub, -s* Serpentine; **windlass** *sub, -es* Ankerwinde; **windlessness** *sub,* nur Einz. Kalme; **windmill** *sub, -s* Windmühle; *to tilt at windmills* einem Phantom nachjagen

window, *sub, -s* Fenster; *(Auto)* Scheibe; *look out of the window* zum Fenster hinausschauen; ~ **display** *sub, -s* Auslage, -s Schaufensterauslage; ~ **glass** *sub,* nur Einz. Fensterglas; ~ **ledge** *sub, -s* Fensterbank; ~ **sill** *sub, -s* Fensterbrett; **~·dresser** *sub, -* Dekorateur; **~·dressing** *sub, -s (i. ü. S.)* Staffage; **~·frame** *sub, -s* Fensterrahmen; **~·pane** *sub, -s* Fensterscheibe; **~·seat** *sub, -s* Fensterplatz; **~·sill** *sub, -s* Fenstersims; **windpipe** *sub, -s* Luftröhre, Trachea; **windrejector** *sub, -s* Windabweiser; **winds** *sub, - (med.)* Flatus; *nur Mehrz. (ugs.; med. f. Blähungen)* Flatulenz

windscreen *sub, -s* Windschutzscheibe; ~ **wiper** *sub, -s* Scheibenwischer; **windsurfing** *sub,* nur Einz. Segelsurfen; **windward side** *sub, -s* Luv, Wetterseite; *to windward* nach Luv; **windy** *adj,* windig

wine, *vi,* Wein; *(Wein) a splendid wine* ein edler Tropfen; ~ **from cask** *sub, -* Fasswein; ~ **from Frankonia** *sub, -s* Frankenwein; ~ **queen** *sub, -s (i. ü. S.)* Weinkönigin; ~ **store** *sub, -s* Weinhandlung; **~·adulterator** *sub, -s* Weinpanscher; **~·area** *sub, -s* Weinlage; **~·cellar** *sub, -s* Weinkeller; **~·dealer** *sub, -s* Weinhändler; **~·grower** *sub, -s* Weingärtner, Winzer; **~bottle** *sub, -s* Weinflasche; **~glass** *sub, -es* Weinglas; **~ry** *sub, -ies* Sektkellerei; - Weinkellerei

wing, *sub, -s* Fittich, Flügel, Schwinge, Seitenflügel, Tragfläche; *(Fußb.)* Flanke; *(Gebäude)* Trakt; *take so under one´s wings* jmdn unter seine Fittiche nehmen; *flap its wings* mit den Flügeln schlagen; *I haven´t got wings* ich kann doch nicht fliegen; *left-wing groups* links orientierte Gruppen; ~ **assembly** *sub, -ies (Flugzeug)* Tragwerk; **~ chair** *sub*, *-s* Ohrensessel; **~ commander** *sub*, *-s* Kommodore; **~ feather** *sub*, *-s* Schlafittchen, Schwungfeder; **~ mirror** *sub*, *- -s* Außenspiegel; **~ of a door** *sub*, *wings* Türflügel; **~ shell** *sub*, *-s (zool.)* Steckmuschel; **~ spread** *sub*, *-s (Flügel-)* Spannweite; **~ed** *adj*, geflügelt; **~ed dragon** *sub*, *-s (myth.)* Tatzelwurm

wink(ing), *sub*, *nur Einz.* Augenzwinkern

winner, *sub*, *-s* Gewinner; *(spo.)* Sieger; **~ of the day** *sub*, *winners* Tagessieger; **~´s cup** *sub*, *-s (spo.)* Siegerpokal; **~´s pedestal** *sub*, *-s* Siegerpodest; **~´s prize** *sub*, *-es* Siegespreis; **winning** *adj*, gewinnend; **winning Lotnumbers** *sub*, *nur Mehrz.* Lottozahlen; **winning number** *sub*, *-s* Gewinnnummer; **winnings** *sub*, *nur Mehrz. (Spiel)* Gewinn

winter, **(1)** *sub*, *-s* Winter **(2)** *vi*, überwintern; *when winter sets in* bei Einbruch des Winters; **~ apple** *sub*, *-s* Winterapfel; **~ barley** *sub*, *-s* Wintergerste; **~ break** *sub*, *-s* Winterpause; **~ clothes** *sub*, *nur Mehrz.* Winterkleid, Wintersachen; **~ coat** *sub*, *-s* Wintermantel; **~ fruit** *sub*, *-s* Winterfrucht; **~ garden** *sub*, *-s* Wintergarten; **~ journey** *sub*, *-es* Winterreise; **~ night** *sub*, *-s* Winternacht; **Winter Olympics** *sub*, *nur Mehrz.* Winterspiele; **~ port** *sub*, *-s* Winterhafen; **~ season** *sub*, *-s* Wintersaison

winter sale, *sub*, *-s* Winterschlussverkauf; **winter evening** *sub*, *-s* Winterabend; **winter shoe** *sub*, *-s* Winterschuh; **winter sports** *sub*, *-s* Wintersport; **winter stiffness** *sub*, *nur Einz.* Winterstarre; **winter tyre** *sub*, *-s* Winterreifen; **winteropen** *adj*, *(ugs.)* winteroffen; **wintertime** *sub*, *-s* Winterszeit

wipe, *vti*, wischen; *to wipe sb´s sleeve* jmd über den Ärmel wischen; *(vernichtend schlagen) to wipe the floor with sb* jmdn in die Pfanne hauen; **~ (up)** *vt*, aufwischen; **~ off** *vt*, abwischen; **~ out** *vt*, austilgen, tilgen; *(vulg.; ausrotten)* ausradieren; *(Pflanzen-/Tierart)* ausrotten; *(a. i.ü.S.; Spuren)* auslöschen; *(Zimmer, Schrift)* auswischen; **~ whith** *vt*, wegfegen; **~d off** *adj*, gelöscht; **~r blade** *sub*, *-s* Wischerblatt

wire, **(1)** *sub*, *-s* Draht; *(US)* Telegramm **(2)** *vt*, drahten, telegrafieren; *hot wire* heisser Draht, *wire someone money* jemandem telegrafisch Geld überweisen; *wire sth to sb to Rome* jmd etwas nach Rom drahten; **~ brush** *sub*, *-s* Drahtbürste; *-es* Kratzbürste; *-s* Stahlbürste;

~ entanglement *sub*, *-s* Drahtverhau; **~ netting** *sub*, *-s* Drahtgitter, Maschendraht; **~ puller** *sub*, *-s* Drahtzieher; **~-cutters** *sub*, *nur Mehrz.* Drahtschere; **~d radio** *sub*, *-s* Drahtfunk; **~less** *adj*, drahtlos; **wiring diagram** *sub*, *-s* Schaltskizze; **wiry** *adj*, drahtig *(Hand/Gestalt)*

wisdom, *sub*, *-s* Weisheit; *(i. ü. S.) keep your pearls of wisdom to yourself* behalte deine Weisheiten für dich; **~tooth**, *teeth* Weisheitszahn; **wise** *adj*, weise; **wise guy** *sub*, *-s (überschlau)* Naseweis; **wisely** *adv*, klugerweise

wish, **(1)** *sub*, *-es* Wunsch **(2)** *vi*, belieben **(3)** *vt*, wollen **(4)** *vti*, wünschen; *as you wish* wie es dir beliebt; *to comply with sb wishes* jmd zu Willen sein; **~ list** *sub*, *-s* Wunschzettel; **~ so ill** *vi*, übel wollen; **~ to do sth** *vi*, heranwollen; **~ful thinking** *sub*, *nur Einz.* Wunschdenken; **~y-washy** *adj*, *(ugs.)* verwaschen; **wistful** *adj*, *(schwärmerisch)* träumerisch

witch, *sub*, *-es* Hexe; **~´s cauldron** *sub*, *-s* Hexenkessel; **~´s trial** *sub*, *-s* Hexenprozess; **~craft** *sub*, *-s* Hexerei; **~doctor** *sub*, *-s* Medizinmann; **~es´ sabbath** *sub*, *-s* Hexensabbat

with, *präp*, mit, vor; *(ugs.) I can´t have been really with it* da muss ich wohl eine Mattscheibe gehabt haben; *I´m with you* da bin ich mit von der Partie; *my relation with him* meine Beziehung zu ihm; *not to be with it* nicht voll da sein; *stupid and cheeky with it* dumm und noch dazu frech; *to have a meal with sb* bei jmdn mitessen; **~ a blue cast** *adj*, blaustichig; *the film has a blue cast* der Film ist blaustichig; **~ a cold** *adj*, verschnupft; **~ a deeper meaning** *adj*, hintersinnig; **~ a forehead** *adj*, bestirnt; **~ a goatee** *adj*, spitzbärtig; **~ a sprinkling** *adj*, eingesprengt; **~ a wink** *adv*, augenzwinkernd; **~ abandon** *sub*, *nur Einz. (selbstvergessen)*´ Hingabe; **~ all one´s might** *adv*, Leibeskräfte; *the girl screamed with all her might* das Mädchen schrie aus Leibeskräften; *when he walked on the stage, the fans schrieked at the top of their lungs* als er die Bühne betrat, schrieen die Fans aus Leibeskräften; **~ claws** *adv*, bekrallt; **~ difficulty** *adv*, mühsam; **~ each other (1)** *adv*, miteinander **(2)** *pron*, ineinander; *they have been in love with each for a long time* sie sind schon lange ineinander verliebt; **~**

great relish *adv*, genüsslich; = great
variety of forms *adj*, formenreich

withdraw, (1) *vi*, abtreten, widerrufen;
(Dampf) abziehen (2) *vt*, *(ugs.)* zurücknehmen; *(Vertrauen)* entziehen;
withdraw from one's office aus dem
Amt ausscheiden; *withdraw sth from so*
jmd etwas entziehen; ~**al** *sub*, -s Entzug, Rücktritt, Widerruf, Zurücknahme,
Zurückziehen; *(mil.)* Abzug; *s (Rücktritt)* Abtritt; ~**al of affection** *sub*, -s
Liebesentzug; ~**al of troops** *sub*, -s
withdrawals Truppenabzug; ~**al sum**
sub, -s Ablösungssumme

wither, *vi*, verdorren, welk;
(biol.) dürr; ~**ed** *adj*, welk;
(i. ü. S.; withered branch dürrer
Ast; ~**ing** *adj*, vernichtend; *(i. ü. S.;*
Antwort)* gehärnisicht

withhold, *vt*, einbehalten, zurückhalten; *(nicht weiterleiten)* festhalten; *tax
ist withhold from wages* die Steuer
wird vom Lohn einbehalten; ~ **sth
from sb** *vt*, vorenthalten; ~**ing** *sub*, -s
Einbehaltung

within, (1) *adv*, inne (2) *präp*, binnen,
innerhalb; *to solve sth within the party*
etwas parteiintern lösen; *within two
month* binnen zwei Monaten; *within
one's own home* innerhalb seiner vier
Wände; *within the planned time* innerhalb der vorgesehener Zeit; ~ **a month**
adv, *(binnen)* Monatsfrist; ~ **calling
distance** *adv*, - Rufweite; ~ **reach** *adj*,
(räuml.) erreichbar; *within easy walking distance* zu Fuß leicht erreichbar;
~ **the party or group** *adj*, fraktionell

with it, *adv*, *(mittels)* damit, davon;
what do you want to do with it was
willst du damit; *knit a scarf with it*
einen Schal davon stricken; ~ **(them)**
adv, *(bei)* dabei; ~**/them** *adv*, *(mit)*
dazu; *would you like rice with it* möchten Sie Reis dazu; **with knowledge of
a region** *adj*, landeskundig; **with
knowledge of countries or regions**
adj, länderkundig; **with low revs** *adj*,
untertourig; **with no hands** *adv*, *(radfahren etc.)* freihändig; **with one
another** *adv*, untereinander; **with
one's legs apart** *adj*, spreizbeinig;
with racked nerves *adj*, entnervt;
with refer to the focus *sub*, fokal; **with
regard motifs/motives** *attr*, motivisch;
with relish *adv*, lustvoll; **with stiff legs**
adv, steifbeinig; **with strong nerves**
adj, nervenstark; **with the attitudes of
a detective** *adj*, detektivisch; *by detailed detective work* in detektivischer
Kleinarbeit; *with the keen perception of
a detective* mit detektivischem Spür-

sinn; **with the greatest of ease** *adv*,
spielerisch; **with this** *adv*, hiermit;
with what/which *adv*, womit

without, *präp*, *konj*, ohne; *I can do
without that* das hab ich nicht nötig;
*I would have done it without thinking
twice about it* ich hätte das ohne Weiteres getan; *without doing sth*; *without hesitating* ohne zu zögern; ~ **a
conductor** *adj*, schaffnerlos; ~ **a
fight** *adv*, kampflos; ~ **a handle** *adj*,
(Gerät) stiellos; ~ **a trace of dialect**
adj, dialektfrei; *speak English with
out a trace of dialect* dialektfrei Englisch sprechen; *speak standard German* dialektfrei sprechen; ~ **an
accent** *adv*, akzentfrei; ~ **any
doubt** *adv*, zweifelsohne; ~ **being asked** *adv*, unaufgefordert; ~ **comment** *adv*, kommentarlos; ~ **
difficulty** *adv*, unschwer; ~ **drainage**
adv, abflusslos; ~ **each other** *adv*,
ohne einander; ~ **exception** *adv*,
ausnahmslos, durchweg; *he surrounds himself exclusively with
people who* er umgibt sich durchwegs
mit Leuten, die~; ~ **flexion** *adj*, flexionslos; ~ **further ado** *adv*, anstandslos, kurzerhand; ~ **gates** *adj*,
unbeschrankt; ~ **having accomplished anything** *adj*, unverrichtete

without illusions, *adj*, illusionslos;
without interference *adj*, störfrei;
without looking, blindly *adv*, blind;
choose blindly wahllos; **without
make - up** *adj*, ungeschminkt; **without means** *attr*, mittellos; **without
notice** *adj*, fristlos; **without permission** *adv*, eigenmächtig; **without remorse** *adj*, einsichtslos; **without
result** *adj*, resultatlos; **without rights**
adj, rechtlos; **without scruple** *adv*,
(skrupellos) bedenkenlos; **without
success** *adv*, *(erfolglos)* umsonst; **without sugar** *adj*, *(i. ü. S.)* ungesüßt,
ungezuckert; **without thinking** *adv*,
(ohne nachzudenken) bedenkenlos;
without trace *adv*, spurlos; *disappear without trace* spurlos verschwinden; **without traffic** *adj*, *(i. ü. S.)*
verkehrsfrei; **without wealth** *adj*, vermögenslos

witness, *sub*, -es Tatzeuge, Zeuge; *nur
Einz.* Zeugenschaft; *witness an event*
einem Ereignis beiwohnen; ~ **box**
sub, *nur Einz.* (tt; jur.) Zeugenstand;
~ **for the prosecution** *sub*, -es - Bela-
stungszeuge; ~ **of the accident** *sub*,
witnesses Unfallzeuge

witty, *adj*, geistreich; *(obsolete)* launig; *(geistreich)* originell; *not the most profound remark* nicht gerade eine geistreiche Bemerkung; *that´s pretty witty* das finde ich originell; ~ **sketch** *sub*, *-es* Humoreske

wizard, *sub*, *-s* Hexenmeister; *be a real wizard at sth* etwas aus dem Effeff können

wobble, *vi*, wackeln; *(tech.)* eiern; **wobbling** *sub*, *nur Einz.* Wackelei; **wobbly** *adj*, quabbelig, wackelig; *(ugs.)* wabbelig

woe, (1) *interj*, weh, wehe (2) *sub*, *-s* Weh; ~**ful expression** *sub*, *-s* Jammermiene

wolf, *sub*, *-s (tt; zool.)* Wolf; *remember the boy who cried ´wolf´* wer einmal lügt, dem glaubt man nicht, wenn er auch die Wahrheit spricht; ~**ish** *adj*, wölfisch

woman, *sub*, *-men* Frau; *-en* Weib; *(ugs.)* Weibsperson; *women (spo.)* Dame; *be unlucky with women* bei Frauen Pech haben; ~ **hater** *sub*, *-s* Frauenfeind; ~ **in childbed** *sub*, *-men* Kindbetterin; ~ **of easy virtue** *sub*, *-men* Freudenmädchen; ~ **traffic warden** *sub*, *-s* Politesse; ~´s **suit** *sub*, *-s* Kostüm; ~**liness** *sub*, *-ies* Fraulichkeit; ~**ly** *adj*, fraulich

wombat, *sub*, *-s* Wombat

women´s group, *sub*, *-s (Frauenbewegung)* Frauengruppe; **women´s doubles** *sub*, *nur Mehrz.* Damendoppel; **women´s libber** *sub*, *nur Einz.* Emanze; **women´s protection** *sub*, *nur Einz.* Frauenschutz; **women´s question** *sub*, *nur Einz.* Frauenfrage; **women´s refuge** *sub*, *-s* Frauenhaus; **women´s shelter** *sub*, *-s (US)* Frauenhaus; **women´s singles** *sub*, *nur Mehrz.* Dameneinzel; **women´s soccer** *sub*, *nur Einz.* Damenfußball

wonder, (1) *sub*, *-s* Wunder (2) *vr*, verwundern; *(sich wundern)* fragen; *begin to wonder* stutzig werden; *no wonder* kein Wunder; *to do wonders* Wunder tun; *wonders will never cease* es geschehen noch Zeichen und Wunder, *(i. ü. S.)* es geschehen noch Zeichen und Wunder, *I wonder why* ich frage mich, warum; ~ **boy/child** *sub*, *-s* Wunderknabe; ~ **of the world** *sub*, *-s* Weltwunder; *the Seven Wonders of the World* die sieben Weltwunder; ~**ful** *adj*, herrlich, wunderbar, wundervoll; *(ugs.)* bärig; ~**fully pretty** *adj*, wunderhübsch; **wondrous** *adj*, wunderlich, wundersam

woo away, *vt, (Wähler)* abwerben

wood, *sub*, *nur Einz.* Holz; *-s* Wald; *be*

out of the woods über den Berge sein; *(i. ü. S.) can´t see the wood for the trees* den Wald vor lauter Bäumen nicht sehen; ~ **carver** *sub*, *-s* Schnitzer; ~ **carving** *sub*, *-s* Schnitzwerk; ~**glade** *sub*, *-s* Waldlichtung; ~**-carving** *sub*, *-s* Schnitzerei; ~**-engraving** *sub*, *-s* Holzschnitt; ~**-louse** *sub*, *-lice* Kellerassel; *lice* Kellerassel; ~**chip paper** *sub*, *-s* Raufaser; ~**ed** *adj*, waldig; ~**en** *adj*, hölzern, holzig; ~**en crate** *sub*, *-s* Lattenkiste; ~ **en fence** *sub*, *-s* Bretterzaun; ~**en house** *sub*, *-s* Holzhaus; ~**en leg** *sub*, *-s* Holzbein; ~**en wall** *sub*, *-s* Bretterwand; ~**pecker** *sub*, *-s* Specht; ~**pigeon** *sub*, *-s* Ringeltaube; ~**pile** *sub*, *-s* Holzstoß; ~**ruff** *sub*, *nur Einz. (tt; bot.)* Waldmeister; ~**side** *sub*, *-s* Waldrand; ~**worm** *sub*, *-s* Holzwurm

wool, *sub*, *-s* Wolle; *be was so woolly* er redete so nebulöses Zeug; *pull the wool over sb eyes* jmd blauen Dunst vormachen; *pull the wool over so´s eyes* jmdm das Fell über die Ohren ziehen; ~**-carding shop** *sub*, *-s* Wollkämmerei; ~**len** *adj*, wollen; ~**len yarn** *sub*, *-s* Wollgarn

woollen dress, *sub*, *-es* Wollkleid; **woollen mouse** *sub*, *mice (i. ü. S.)* Wollmaus

wop, *sub*, *-s (vulg.)* Katzelmacher

worcestersauce, *sub*, *-s* Worcestersoße

word, *sub*, *-s* Vokabel, Wort; *is not the word* ist gar kein Audruck; *have a word with so in private* mit jmd alleine sprechen; *he meant you* seine Worte galten dir; *hollow words* hohle Phrasen; *(ugs.) I don´t understand a word* ich verstehe keine Silbe; *I give you my word on it* ich gebe die mein Wort darauf; *I want a word with you* mit dir habe ich noch ein Wort zu reden; *in a word* mit einem Wort; *in words* in Worten; *it´s her word against his* ihre Aussage steht gegen seine; *late call* das Wort zum Sonntag; *(i. ü. S.) let us hope so* dein Wort in Gottes Ohr; *not breathe a word* keine Silbe sagen; *nothing but words* nichts als Worte; *put sth into words* etwas in Worte fassen; *she´s never at a loss for words* sie ist nicht auf den Mund gefallen; *that´s just so many words* das sind alles nur Phrasen; *to obey sb´s every word* jmd aufs Wort folgen; *to put sth into words* etwas in Worte fassen; *to suit the action to the words* Worten Taten folgen lassen; *to take sb*

ui his word jmd beim Wort nehmen; to
twist sb´s words jmd das Wort im Mund
umdrehen; without mincing one´s
words Worte nicht auf die Goldwaage
legen; words fail me mir fehlen die
Worte; write sth as two words Worte
auseinander schreiben; ~ game sub, -s
Silbenrätsel; ~ index sub, - Wortregi-
ster; ~ of a poet sub, -s Dichterwort;
~ of exhortation sub, words Mahnwort;
~ of honour sub, -s Ehrenwort; break
one´s word sein Ehrenwort brechen;
(scherzh.) scout´s honour großes Ehrenwort; ~ of thanks sub, -s Dankesformel, Danksworte; ~ processing
sub, nur Einz. Textverarbeitung; ~for-
word adj, wortwörtlich; ~iness sub,
nur Einz. Wortreichtum; ~ing sub, -s
Wortlaut; ~ing of the law sub, -s Ge-
setzestext; ~s (of encouragement)
sub, nur Mehrz. Zuspruch; ~s of introduction sub, nur Mehrz. Einleitewort;
~s of the oath sub, nur Mehrz. Eidesformel; ~y adj, (ugs.) wortreich

work, (1) sub, -s Opus, Werk, Wesen;
(Arbeit) Betätigung, Tätigkeit; - (körperliche, phys.) Arbeit; (Produkt der Arbeit) Arbeit; nur Einz. (Tätigkeit)
Dienst (2) vi, funktionieren, werken,
wirken; (beruflich, etc.) arbeiten; (i. ü.
S.; klappen) hinhauen (3) vt, (Acker,
Material) bearbeiten (4) vti, (ugs.) jobben; (funktionieren) gehen; be at work
bei der Arbeit sein; set to work sich an
die Arbeit machen; be wrapped up in
one´s work in seiner Arbeit aufgehen;
do one´s daily work sein Tagewerk verrichten; (i. ü. S.) drown in work von der
Arbeit aufgefressen werden; go to work
in die Arbeit gehen, zum Dienst gehen;
he really has his work cut out with her
er hat seine liebe Not mit ihr; I´ve lumbered with all the work die ganze Arbeit
hängt an mir; it is better to work with
each other than against each other! ein
Miteinander ist besser als ein Gegeneinander!; it´ll work out somehow es wird
sich schon alles finden; make short
work of nicht viel Federlesens machen
mit; not working außer Funktion; outside work außerhalb des Dienstes; put
sb out of work jmd brotlos machen;
start work den Dienst antreten; that is
the work of the devil das ist ein Machwerk des Teufels; that´s hard work diese Arbeit strengt an; (i. ü. S.) the
metaphor doesn´t work der Vergleich
hinkt; to work like a Trojan arbeiten
wie ein Pferd; to work on sth an etwas
mitarbeiten; unpublished works litera-

zinshar Nachlass; work for a company
bei einer Firma beschäftigt sein; work
for peanuts für ein Butterbrot arbeiten; work on an essay über einem
Aufsatz brüten; work one´s fingers to
the bone sich die Finger abarbeiten;
(math.) work out Wurzel ziehen;
work-to-rule Dienst nach Vorschrift;
you´ve got to go to work du musst zur
Maloche, work for a company bei einer Firma arbeiten; work on sth an
etwas arbeiten; work os to death sich
zu Tode arbeiten, how does it work?
wie geht das?; the watch doesn´t work
die Uhr geht nicht; ~ as a waiter vi,
kellnern; ~ basket sub, -s Nessessär;
~ by the day vi, tagelöhnern; ~ experience sub, - -s Berufserfahrung; ~
for (1) vi, handlangern (2) vt, (Vermögen) erarbeiten; ~ in advance vti,
vorarbeiten; ~ itself loose vr, lok-
kern; ~ of art sub, -s Kunstwerk; ~ of
literature sub, nur Einz. Dichtung; ~
of man sub, works (veraltet) Men-
schenwerk; ~ of the devil sub, works
Teufelswerk; ~ off (1) vi, abarbeiten
(2) vt, abreagieren, abtrainieren; ~
on vt, (Text) erarbeiten; (Thema) bearbeiten; (ugs.) give so a working over
jemanden (mit Schlägen) bearbeiten;
work on so jemanden bearbeiten; ~
to death vr, totarbeiten; ~ up into vr,
(sich) hineinsteigern

workable, adj, abbauwürdig, verarbeitbar; (ugs.) durchführbar; workaday adj, werktäglich; workbench
sub, -es Werkbank; workday sub, -s
Werktag; worker sub, -s Arbeiter;
working (1) adj, berufstätig (2) sub,
nur Einz. (eines Ackers, von Material)
Bearbeitung; she is a working mother
sie ist eine berufstätige Mutter; working animal sub, -s Nutztier; working atmosphere sub, nur Einz.
Arbeitsklima; -s Betriebsklima; working capital sub, -s Betriebskapital;
working class sub, -es Arbeiterklasse;
working day sub, -s Arbeitstag; working hours sub, nur Mehrz. Arbeitszeit

workaholic, sub, -s (ugs.) Workaholic
working life, sub, lives Erwerbsleben;
working lunch/dinner sub, -s Arbeit-
sessen; working man/woman sub, -
en Werktätige; working morale sub,
nur Einz. Arbeitsmoral; working on
sub, -s Erarbeitung; working out sub,
nur Einz. Ausklügelung; working out
a budget vt, budgetieren; workload
sub, -s Pensum; a heavy workload ein

hohes Pensum an Arbeit; **workman** sub, -men Handwerker, Handwerkerin; **workmate** sub, -s (ugs.) Arbeitskamerad; **workpiece** sub, -s (tt; tech.) Werkstück; **workplace** sub, -s Arbeitsstätte; (konkret) Arbeitsplatz; **workplace safety** Sicherheit am Arbeitsplatz; **workplace accident** sub, - -s Betriebsunfall

work one´s way towards, vr, (sich) hinarbeiten; **work one´s way up** vr, hocharbeiten; **work out (1)** vi, ausarbeiten, klappen (2) vt, ausklügeln, ausrechnen, austüfteln, herauskommen; (ugs.) did you get the job all right? hat es mit dem Job geklappt?; (ugs.) everything worked out beautifully alles hat wunderbar geklappt; **work sth into** vt, (i. ü. S.; Sprache) einflechten; **work things away** vi, (i. ü. S.) wegarbeiten; **work through** vti, durcharbeiten; **work towards** vi, (auf) hinarbeiten; **work until exhaustion** vi, aufarbeiten; **work with** vi, hantieren; **work(ing) team** sub, -s Arbeitsgemeinschaft

works, sub, - Fabrik; nur Mehrz. (tech.) Hütte; ~ **council** sub, -s (Gremium) Betriebsrat; ~ **councillor** sub, -s (Mitglied des Betriebsrats) Betriebsrat; **~hop** sub, -s Schreinerei, Werkstatt, Workshop

world record, sub, -s Weltrekord; **world chronicle** sub, -s Weltchronik; **world religion** sub, -s Weltreligion; **world status** sub, nur Einz. Weltrang; **world trade** sub, nur Einz. Welthandel; **world war** sub, -s Weltkrieg; **world wise** sub, nur Einz. (i. ü. S.) Weltklugheit; **world-entraptured** adj, weltentrückt; **world-famous** adj, weltberühmt; **world-renowned** adj, weltbekannt; **world-saving-day** sub, -s Weltspartag; **world-shattering** adj, weltbewegend; **world-star** sub, -s Weltstar; **world-weariness** sub, - Weltschmerz; **world-wide** adj, weltweit; **world´s best time** sub, -s (tt; spo.) Weltbestzeit; **worldcup** sub, -s Worldcup; **worldly** adj, irdisch

worm, sub, -s (tt; zool.) Wurm; to worm one´s way into sb´s confidence sich in jmds Vertrauen schleichen; ~ **eaten** adj, (Obst) madig; **~-hole** sub, -s Wurmloch; **~'s eye view** sub, -s Froschperspektive; **~eaten** adj, wurmig; **~er** sub, -s Gewürm; **~wood** sub, nur Einz. (bot.) Wermut

worn, adj, abgenutzt, abgetragen; ~ **out** adj, erschlagen; (Person) erledigt; **~-out** adj, abgekämpft, ausgeleiert, gliederlahm, lendenlahm, schlapp;

(Oberfläche, etc.) angegriffen

worn down, adj, (ugs.) zermürbt

worried, adj; (ängstlich besorgt) besorgt; **worry (1)** sub, -ies Kummer, Sorge; hier nur Einz. (i. ü. S.) Kopfzerbrechen (2) vi, bangen, beunruhigen (3) vr, sorgen (4) vt, beunruhigen (5) vti, bekümmern; be worried about sich sorgen um; don´t worry! seien Sie ganz unbekümmert!; my daughter is a worry meine Tochter macht mir Kummer; (i. ü. S.) that doesn´t worry me ich mache mir nichts daraus; that´s the least of my worries das ist mein geringster Kummer; there is no need to worry sei nur beruhigt; don´t worry about that! mach dir deshalb keine Sorgen!; don´t worry! keine Sorge!; he doesn´t worry about it much er macht sich darüber nicht viel Kopfzerbrechen, it´ doesn´t worry him at all es bekümmert ihn überhaupt nicht; you needn´t worry about that das braucht dich nicht zu kümmern; **worry line** sub, -s Sorgenfalte; **worrying** adj, beunruhigend

worse, adj, schlechter, schlimmer; if the worst comes to the worst im schlimmsten Fall; (i. ü. S.) to make things worse zu allem Unglück; **~n** vt, verschlechtern; **~ning** sub, -s Verschlechterung

worship, (1) sub, nur Einz. Anbetung (2) vt, anbeten, huldigen; ~ **as a hero** vt, heroisieren; **~per** sub, -s Beter

worst, (1) adj, schlechteste (2) sub, - Schlimmste; don´t think the worst! mal den Teufel nicht an die Wand!; (i. ü. S.) if it comes to the worst wenn die Stränge reissen; if the worst comes to the worst im äußersten Fall, (i. ü. S.) wenn alle Stricke reißen; the worst is yet to come das Schlimmste steht uns noch bevor

worth, sub, - Wert; it is worth the effort die Mühe lohnt sich; it´s not worth my while das lohnt sich nicht für mich; not worth a farthing keinen Deut wert sein; ~ **buying** adj, kaufenswert; ~ **considering** adj, bedenkenswert, erwägenswert; ~ **discussing** adj, diskutabel, diskutierbar; it´s not worth discussing das ist indiskutabel; ~ **knowing** adj, wissenswert; ~ **seeing** adj, ansehenswert, sehenswert, sehenswürdig; ~ **something** adj, wert; ~ **striving for** adj, (Ideale) erstrebenswert; **~less** adj, wertlos; (Mensch auch) nichtswürdig; **~while** adj, lohnenswert; **~y**

adj, würdig

wound, (1) *sub, -s* Kränkung, Schmiss, Wunde (2) *vt,* verletzen, verwunden; *to turn the knife in the wound* Salz in eine Wunde streuen; ~ **(so´s feelings)** *vt,* kränken; ~ **bandage** *sub, -s* (tt; med.) Wundverband; ~ **by a passed bullet** *sub, -s* Durchschuss; ~ **from a lance** *sub, -s* Lanzenstich; ~**ed** *adj,* verletzt, verwundet; ~**ed in the belly** *adj,* weidwund; ~**ing** *adj,* kränkend

wrangle with, *vr, (sich - mit)* herumbalgen; **wrangling** *sub, -s* Hickhack

wrap, *vt,* einpacken, emballieren, schlingen, umhüllen, wickeln; *(Geschenk)* einbinden; *wrap oneself warmly* sich warm einpacken; ~ **(up)** *vt,* einwickeln; ~ **in foam** *vt, (mit Kunststoff)* einschäumen; ~ **round** *vt,* umwickeln; ~ **up** (1) *vr,* hüllen (2) *vt,* hüllen; *(Geschenk)* einschlagen (3) *vtr,* vermummen; *(i. ü. S.) to wrap oneself in silence* sich in Schweigen hüllen, *(i. ü. S.) enveloped in flames* in Flammen gehüllt; *(.) he wrapped the corpse in a carpet* er hüllte die Leiche in einen Teppich; *wrap up a baby* Baby einschlagen; *wrap up one´s talent in a napkin* sein Talent nicht nutzen; ~**per** *sub, -s* Überwurf; ~**ping** *sub, nur Einz.* Bewikkelung; *-s* Einwicklung, Hülle, Wicklung

wrath, *sub, nur Einz.* Ingrimm; *the wrath of god* der Zorn Gottes; *to incur sb´s wrath* jmd Zorn heraufbeschwören; ~**ful** *adj,* ingrimmig

wreak havoc, *vi, (verwüsten)* hausen

wreath, *sub, -s* Kranz, Kranzspende; ~ **and bouquet department** *sub, -s* (geb.) Binderei; ~**e** *vt,* bekränzen; ~**ing** *sub, nur Einz.* Bekränzung

wreck, (1) *sub, -s* Wrack (2) *vt,* zertrümmern; *my car is a total wreck* mein Wagen ist im Eimer

wrench, *sub, -es* Abschiedsschmerz

wrestle, *vi,* ringen; ~**r** *sub, -s* Ringer, Ringkämpfer; **wrestling** *sub, -s* (spo.) Ringen; *nur Einz.* Schwingen; **wrestling hold** *sub, -s* Ringergriff; **wrestling match** *sub, -es* Ringkampf

wretched, *adj,* desolat, jämmerlich, kümmerlich; *(ugs.)* hundeelend; *(elend)* erbärmlich; *be wretched* in einem desolaten Zustand sein; *what a wretched existence* was für ein kümmerliches Dasein; *(ugs.) I feel completely wretched* ich fühle mich hundeelend; ~**ness** *sub, nur Einz.* Jammer; *he was a wretched sight* er bot ein Bild des Jammers

wriggle, *vi, (ugs.) zappeln*; ~ **out of** *vr, (i. ü. S.)* herauswinden; **wriggly** *adv, (ugs.)* zappelig

wring, *vti,* wringen; *to wring one´s hands* die Hände ringen; *wring sth from so* jmd etwas abnötigen, jmd etwas abringen; ~ **out** *vt,* auswringen

wrinkle, (1) *sub, -s* Runzel; *(Haut)* Falte (2) *vt,* runzeln; **wrinkling up one´s nose** *sub, nur Einz.* Naserümpfen

wrinkled, *adj,* runzelig; *(Haut)* faltig

wrist, *sub, -s* Handgelenk, Handwurzel; *(tt; anat.)* Wurzel; *(Hand-)* Gelenk; ~**bone** *sub, -s (-knochen)* Handwurzel; ~**lock** *sub, -s* Polizeigriff; ~**watch** *sub, -es* Armbanduhr

write, (1) *vt,* anschreiben, verfassen (2) *vti,* schreiben; *write sth up on the board* etwas an die Tafel anschreiben, *the writing on the wall* das Menetekel an der Wand; *(i. ü. S.) to see the writing on the wall* die Zeichen der Zeit erkennen; *to write in pencil* mit Bleistift schreiben; *to write sth off* einen Schlusspunkt unter etwas setzen; ~ **(poetry)** *vti,* dichten; ~ **(up)** *vt,* abfassen; ~ **a bibliography** *vt,* bibliografieren; ~ **a dissertation for a degree** *vi,* dissertieren; ~ **down** *vt,* aufschreiben; ~ **in dialogue** *vt,* dialogisieren; ~ **off** *vt,* abqualifizieren, schrotten; *(steuerlich)* absetzen; ~ **on** *vi, (beschreiben)* beschriften; *(schreiben auf)* beschreiben; ~ **out** *vt,* vorschreiben; *(Scheck, Wort)* ausschreiben; ~ **over** *vt,* überschreiben; ~ **sth illegibly** *vt,* klittern; ~ **the text** *vt, (mus.)* texten; ~ **the words to** *vt,* betexten; ~ **up** *vt, (hinein)* einschreiben; ~**off** *sub, -s* Totalschaden

writer, *sub, -s* Schreiberin, Verfasser, Verfasserin; ~ **of fables** *sub, -s* (geb.; Literaturw.) Fabeldichter; ~**´s cramp** *sub, -s* Schreibkrampf; **writhe** (1) *vi,* krümmen (2) *vr,* wälzen; *to writhe with pain* sich vor Schmerzen krümmen; *nur Einz.* Schreiben; **writing** *sub, -s* - Schönschreiben; *nur Einz.* Schreiben; *-s* Schrift; *(ugs.)* Schreibe; *nur Einz. (Vorgang)* Abfassung; **writing desk** *sub, -s* Schreibpult; **writing down** *sub, nur Einz. (das Niederschreiben)* Niederschrift; **writing exercise** *sub, -s* Schreibübung; **writing lessons** *sub, nur Mehrz.* Schreibunterricht; **writing off** *sub, -s -(wirt.)* Abschreibung; **writing off a business´ debts** *sub, -s* Entschuldung; **writing pad** *sub, -s* Schreibblock; **writing room** *sub, -s*

Schreibstube; **writing things** *sub*, *nur Mehrz.* Schreibzeug; **writing-paper** *sub*, *nur Einz.* Briefpapier

written, *adj*, brieflich, schriftlich; *it´s written all over your face* es steht Ihnen auf der Stirn geschrieben; **~ German** *sub*, *nur Einz.* Schriftdeutsch; **~ language** *sub*, *nur Einz.* Schriftsprache; **~ responsibility claim** *sub*, *-s* Bekennerschreiben

wrong, (1) *adj*, falsch, inkorrekt, irrig, unrecht, unrichtig, verkehrt (2) *sub*, *nur Einz.* Unbill; *come to the wrong man* an den Falschen geraten; *(i. ü. S.) take sth the wrong way* etwas in die falsche Kehle bekommen; *everything he does goes wrong* ihm misslingt alles; *nothing is wrong with it* daran ist nichts auszusetzen; *the red is all wrong there* das Rot passt da nicht; *there is nothing wrong with it* daran gibt es nichts zu beanstanden; *(i. ü. S.) there´s sth wrong somewhere* da steckt der Wurm drin; *things keep going wrong with the new machine* mit der neuen Maschine passieren dauernd Pannen; *to be not entirely wrong* nicht ganz Unrecht ha-

ben; *to be shown to be wrong* Unrecht bekommen; *to do wrong* Unrecht tun; *to put sb in the wrong* jmd ins Unrecht setzen; **~ diagnosis** *sub*, *diagnoses (med.)* Fehldiagnose; **~ thing** *sub*, *nur Einz. (ugs.)* Verkehrtheit; **~ track** *sub*, *nur Einz.* Irrweg; **~ way** *adv*, falsch; *go about sth the wrong way* etwas falsch anpacken; *the wrong way round* falsch herum; **~-way driver** *sub*, *-s* Falschfahrer, Geisterfahrer; **~doer** *sub*, *-s* Übeltäter, Übeltäterin; **~ful detention** *sub*, *-* Freiheitsberaubung; **~ly** *adv*, falsch, verkehrt; *take the wrong turning* falsch abbiegen; *back to front* falsch herum; *get sth wrong* falsch auffassen; *go about sth the wrong way* etwas falsch anpacken; *the clock is wrong* die Uhr geht falsch; **wry**, *adj*, schief; **~neck** *sub*, *-s* Wendehals

Württemberg, *sub*, *-* Württemberg
Würzburgian, *adj*, würzburgisch
wyvern, *sub*, *-s* Lindwurm

X

X-chromosome, *sub, -s* X-Chromosom; **X-ray** *vt,* röntgen; *(med.)* durchleuchten; **x-ray (examination)** *sub,* Durchleuchtung; **X-ray doctor** *sub, -s* Röntgenarzt; **X-ray plate** *sub -s* Röntgenbild; **X-ray registration card** *sub, -s* Röntgenpass; **X-rays** *sub, nur Mehrz.* X-Strahlen

xenophobia, *sub, nur Einz.* Ausländerfeindlichkeit; **xenophobic** *adj,* ausländerfeindlich

Xerox, (1) *adj,* xerografisch **(2)** *vti,* xerokopieren

xylophone, *sub, -s* Xylofon

xylose, *sub, nur Einz.* Xylose

Y

yacht, *sub, -s* Jacht, Yacht

yak, *sub, -s (tt; biol.)* Yak; *(zool.)* Jak; **~-yakking** *sub, -* Gequassel

yang *sub, nur Einz. (tt; Sinologie)* Yang;

yapping *sub, -* Gekläffe

yard, *sub, -s* Hof, Rahe, Yard; *in the backyard* im Hinterhof; *the children are playing in the yard* die Kinder spielen auf dem Hof

yarn, *sub, -s* Zwirn; *(ugs.)* Schote

yarrow, *sub, -s* Schafgarbe

yawn, *vi,* gähnen; **~ing** *sub, -s* Gähnerei

y-chromosome, *sub, -s (tt; biol.)* Y-Chromosom

year, *sub, -s* Jahr, Jahrgang; *for years* auf Jahre hinaus; *(ugs.) have a good new year* guten Rutsch!; *she was born in 1950* sie ist Jahrgang 1950; *we were born in the same year* er ist mein Jahrgang; **~ before** *adj,* vorjährig; **~ of birth** *sub, -s* Geburtsjahr; **~ of elections** *sub, nur Einz.* Wahljahr; **~ under review** *sub, -* Berichtsjahr; **~'s compulsory community service for girls during the Nazi period** *sub, nur Einz.* Pflichtjahr; **~book** *sub, -s* Jahrbuch; **~ly turnover** *sub, -s* Jahresumsatz

yearning lover, *sub, -s (ugs.)* Seladon

yeast, *sub, -s* Hefe; **~ dough** *sub, -s* Hefeteig

yellow, *adj,* gelb; *yellow pages* gelbe Seiten; **~ boletus** *sub, -* Steinpilz; **~ jaundice** *sub, - (med.)* Gelbsucht; **~ pages** *sub, nur Einz.* Branchenverzeichnis; *yellow pages* Gelbe Seiten; **~ press** *sub, nur Einz.* Journaille, Regenbogenpresse; **~-belly** *sub, -ies (ugs.)* Memme; **~hammer** *sub, -s (zool.)* Goldammer; **~ish** *adj,* gelblich

yelp, *vi,* belfern

Yemenite, *adj,* jemenitisch

yes, *adv,* ja; *(Antwort)* doch; *please say yes* sag bitte ja; *that's just terrible* das

ist ja fürchterlich; *well* nun ja; *yes, of course* aber ja!; *Yes, indeed!* Ja doch!; *You can't do that! Yes, I can!* Das kannst Du nicht! Doch!; **~, indeed** *adv,* jawohl; **~, Sir!** *adv, (mil.)* jawohl; **~-man** *sub, -men* Jasager

yesterday, *adv,* gestern; *(i. ü. S.) he wasn't born yesterday* er ist nicht von gestern; **~ morning** *adv, (gestern)* morgen; **~'s** *adj,* gestrig; *our letter of yesterday* gestriges Schreiben; *yesterday* am gestrigen Tag

Yeti, *sub, -s* Yeti

yew (-tree), *sub, -s* Eibe

Yiddish, *adj,* jiddisch; **~ studies** *sub, nur Mehrz.* Jiddistik

yield, (1) *sub, -s (agr.)* Ertrag; *nur Einz. (Ertrag)* Ausbeute **(2)** *vi,* erweichen **(3)** *vt, (Gewinn)* abwerfen; *(geb.) to yield to sth* einer Sache Raum geben; **~ per hectare** *sub, -s* Hektarertrag

yobbo, *sub, -s* Halbstarke

yodel, *vti,* jodeln

Yoga, *sub, nur Einz.* Joga

yog(h)urt, *sub, -s* Jogurt

yogi, *sub, -s* Jogi

yoke, *sub, -s* Joch; *nur Einz. (i. ü. S.)* Joch; *a yoke of oxen* ein Paar Ochsen; *(i. ü. S.) to throw off one's yoke* sein Joch abschütteln; **~ bone** *sub, -s (med.)* Jochbein

yolk, *sub, -s* Dotter, Ei; **~-sac** *sub, -s* Dottersack

young, *adj,* jung; *(Wein)* neu; **~ animal** *sub, -s* Jungtier; **~ boar** *sub, -s (Jägerspr.)* Frischling; **Young Democrat** *sub, -s (polit.)* Jungdemokrat; **~ devil** *sub, -s (ugs.)* Satansbraten; **~ herring** *sub, -s* Matjeshering; **~ lady** *sub, -ies* Fräulein; **~ man/woman in his/her twenties** *sub, young men/women* Twen; **~ people** *sub, nur Mehrz.* Jugend; *(junge Kräfte)* Nachwuchs; **~**

plant *sub*, -s Jungpflanze; ~ **stock** *sub*, nur Einz. Jungvieh; ~ **voter** *sub*, -s Jungwählerin; ~**er** *adj (comp)*, jünger; ~**est** *sub*, nur Einz. (i. ü. S.) Benjamin; ~**ster** *sub*, -s (ugs.) Youngster; ~**sters** *sub*, Mehrz. Kids

your, *pron*, euer, euere; eure; *your house* euer Haus; *that´s your work* das ist euere Arbeit; *(geh.) with your permission* wenn Sie gestatten; *your mother* eure Mutter; ~ **(formal)** *poss adj*, Ihr; ~ **health** *interj*, prosit!; **Your Highness** *sub*, nur Einz. Hoheit; **Your Reverence** *sub*, Hochwürden

your(s), *pron*, dein, deine, deinige, eueres; *(nachgestl)* 'euer; *a friend of yours* einer deiner Freunde; *your family* die Deinigen; *your own* dein eigenes; *your mother* deine Mutter; *your property* das Deinige; *our house and yours* unser und euer Haus; **Yours sincerely** *adv*, *(Briefschluss)* hochachtungsvoll; **Yours truly** *adv*, *(Briefschluss, US)* hochachtungsvoll; **yourself** *refl.pron*, euch; *do*

it yourself die Axt im Hause erspart den Zimmermann

youth, *sub*, nur Einz. Jugend; -s Jugendliche; nur Einz. Jugendzeit; -s Jüngling; ~ **group** *sub*, -s Jugendgruppe; ~ **hostel** *sub*, -s Jugendherberge; ~ **sect** *sub*, -s Jugendsekte; ~ **welfare** *sub*, nur Einz. Jugendpflege; ~ **welfare department** *sub*, -s Jugendamt; ~**ful** *adj*, jugendlich; ~**ful mistake** *sub*, -s Jugendsünde

yttrium, *sub*, nur Einz. (tt; chem.) Yttrium

yucca, *sub*, -s (vulg.; biol.) Yucca

yuck, *interj*, pfui

Yugoslav(ian), *sub*, -s Jugoslawe; **Yugoslavian** *adj*, jugoslawisch; **yuletide festival** *sub*, -s Julfest

yummy, *adj*, lecker

yuppie, *sub*, -s (ugs.) Yuppie

Ⓩ

zander, *sub,* - Zander

Zanzibari, *adj,* sansibarisch

zap, *vi, (ugs.)* zappen

Zarathustra, *sub,* - Zarathustra

zeal, *sub, nur Einz.* Pflichteifer; *(Eifer)* Strebsamkeit; **~ous** *adj,* dienstfertig; *(eifrig)* strebsam

zealot, *sub,* -s Eiferer, Zelot; **~ism** *sub,* - *(i. ü. S.)* Zelotismus

zebu, *sub,* -s *(tt; biol.)* Zebu

Zeitgeist, *sub, nur Einz.* Zeitgeist

Zen, *sub, nur Einz.* Zen

zenith, *sub, nur Einz.* Zenit

zentaur, *sub,* -s *(tt; phil.)* Zentaur

zeppelin, *sub,* -s Zeppelin

zero, *sub, nur Einz.* Null, Nullpunkt; *absolute zero* absoluter Nullpunkt; **~ grade** *sub,* -s Schwundstufe; **~ growth** *sub, nur Einz. (pol.)* Nullwachstum

zest, *sub, nur Einz.* Lebensfreude

zeta, *sub,* -s Zeta

zibetcat, *sub,* -s *(tt; zool.)* Zibetkatze

zigzag, *sub,* -s *(ugs.)* Zickzack; **~ (course)** *sub,* -s Zickzackkurs; **~ (line)** *sub,* -s Zickzacklinie

zimmer frame, *sub,* -s Gehhilfe

zinc, *sub, nur Einz. (tt; chem.)* Zink; **~ coffin** *sub,* -s Zinksarg; **~um** *sub, nur Einz. (tt; chem.)* Zincum

zingulum, *sub,* - Zingulum

zinnia, *sub,* -s *(tt; bot.)* Zinnie

Zionism, *sub, nur Einz.* Zionismus; **Zionist (1)** *adj,* zionistisch **(2)** *sub,* -s Zionist

zircon, *sub,* -s *(tt; chem.)* Zirkon; **~ium** *sub, nur Einz. (tt; bot.)* Zirkonium

zither, *sub,* -s *(tt; mus.)* Zither; **~ playing** *sub,* -s Zitherspiel

zodiac, *sub, nur Einz.* Tierkreis

zombie, *sub,* -s *(ugs.)* Zombie

zonal, *adj,* zonal; **zone,** *sub,* -s Zone

zoo, *sub,* -s Tiergarten, Tierpark; **~ technician** *sub,* - Zootechniker; **~grafic** *adj,* zoografisch; **~logical** *adj,* zoologisch; **~logical garden** *sub,* -s Tiergarten; **~logist** *sub,* -s Zoologe; **~logy** *sub, nur Einz.* Tierkunde, Zoologie

zoom, (1) *adj,* zoomen **(2)** *sub,* -s Zoom; **~ off** *vi, (ugs.)* abzischen

zoroastric, *adj,* zoroastrisch

zucchini, *sub,* -s *(ugs.)* Zucchini

Zugspitztrain, *sub, nur Einz. (i. ü. S.)* Zugspitzbahn

zugzwang, *sub,* - *(ugs.)* Zugzwang

Eigennamen Englisch/Deutsch

A

Aachen Aachen
Aargau Aargau
Abyssinia Abessinien
Acropolis Akropolis
Adam Adam
Adige Etsch
Adolph Adolf
Adriatic Sea Adria
Aegean Sea Ägäis
Afghanistan Afghanistan
Africa Afrika
Albania Albanien
Albert Albrecht
Aleutian Islands Aleuten
Alexander Axel
Alexandria Alexandria
Algeria Algerien
Algiers Algier
Alphonso Alfons
Alps Alpen
Alsace Elsass
Alsace-Lorraine Elsass-Lothringen
Amazon Amazonas
America Amerika
Anatolia Anatolien
Andes Anden
Andorra Andorra
Andrew Andreas
Angola Angola
Ankara Ankara
Antarctic Ocean Südliches Eismeer
Antarctic Ocean Südpolarmeer
Antarctica Antarktis
Anterior Asia Vorderasien
Anthony Anton
Antilles Antillen
Antwerp Antwerpen
Appian Way Via Appia
Apulia Apulien
Arabia Arabien
Aragon Aragonien
Arctic Arktis
Arctic Ocean Nördliches Eismeer
Arctic Ocean Arktischer Ozean
Ardennes Ardennen
Argentina Argentinien
Armenia Armenien
Asia Asien
Asia Minor Kleinasien
Assyria Assyrien
Atlanic Atlantik
Atlas Mountains Atlasgebirge
Attica Attika
Attila Etzel
Australia Australien
Austria Österreich
Austria-Hungary Österreich-Ungarn
Azores Azoren

B

Babylonia Babylonien
Bahamas Bahamas
Bahrain Bahrain
Balaton Plattensee
Balearic Islands Balearen
Balkan Peninsula Balkanhalbinsel
Balkan States Balkanstaaten
Baltic Provinces Baltikum
Baltic Sea Ostsee
Banaras Benares
Bangladesh Bangladesch
Barbados Barbados
Barcelona Barcelona
Barents Sea Barentssee
Basel Basel
Basque Provinces Baskenland
Bavaria Bayern
Bay of Biscay Golf von Biskaya
Bay of Biscay Biskaya
Belgium Belgien
Belgrade Belgrad
Belize Belize
Belorussia Weißrussland
Benedict Benedikt
Bengal Bengalen
Benin Benin
Berind Sea Beringmeer
Bering Strait Beringstraße
Berlin Berlin
Bermudas Bermudas
Bern Bern
Bernard Bernhard
Bernese Oberland Berner Oberland
Bhutan Bhutan
Bikini Bikiniatoll
Black Forest Schwarzwald
Black Sea Schwarzes Meer
Bohemia Böhmen
Bohemian Forest Böhmerwald
Bolivia Bolivien
Bolzano Bozen
Boniface Bonifatius
Bosnia Bosnien
Bosporus Bosporus
Botswana Botswana
Brazil Brasilien
Bremen Bremen

Brennen Pass Brennerpass
Bridget Brigitte
Britain Britannien
British Columbia Britisch-Kolumbien
Brittany Bretagne
Brugge Brügge
Brunswick Braunschweig
Brussels Brüssel
Bucharest Bukarest
Budapest Budapest
Buenos Aires Buenos Aires
Bulgaria Bulgarien
Burgundy Burgund
Burma Burma
Burma (nowadays Myanmar) Birma
Burundi Burundi
Byzantinum Byzanz

C

Caesar Cäsar
Cairo Kairo
Calabria Kalabrien
Caledonia Kaledonien
California Kalifornien
Cameroon Kamerun
Canaan Kanaan
Canada Kanada
Canary Islands Kanarische Inseln
Canton Kanton
Cape Agulhas Nadelkap
Cape Canaveral Kap Canaveral
Cape Horn Kap Hoorn
Cape of Good Hope Kap der guten
Hoffnung
Cape Province Kapprovinz
Cape Town Kapstadt
Cape Verde Kap Verde
Cape Verde Islands Kapverdische
Inseln
Capri Capri
Caribbees Karibische Inseln
Carinthia Kärnten
Caroline Islands Karolinen
Carpathian Mountains Karpaten
Carthage Karthago
Caspar Kaspar
Caspian Sea Kaspisches Meer
Cassel Kassel
Castile Kastilien
Catherine Katharina
Caucasus Mountains Kaukasus
Cecilia Cäcilie
Central Africa Zentralafrika
Central Asia Innerasien
Central Asia Zentralasien
Central Europe Mitteleuropa

Ceylon Ceylon
Chad Tschad
Channel Ärmelkanal
Channel Islands Normannische Inseln
Channel Islands Kanalinseln
Charles Karl
Charlotte Charlotte
Chile Chile
China China
China Sea Chinesisches Meer
Christ Christus
Christian Christian
Christmas Island Weihnachtsinsel
Christopher Christoph
Chur Chur
Clare Klara
Coblenz Koblenz
Cologne Köln
Columbus Kolumbus
Comoro Islands Komoren
Congo Kongo
Conrad Konrad
Constance Konstanz
Copenhagen Kopenhagen
Cordilleras Kordilleren
Corfu Korfu
Corinth Korinth
Corsica Korsika
Costa Rica Costa Rica
Cremlin Kreml
Crete Kreta
Crimea Krim
Croatia Kroatien
Cuba Kuba
Curt(is) Kurt
Cyclades Kykladen
Cyprus Zypern
Czechoslovakia Tschechoslowakei

D

Dalmatia Dalmatien
Damascus Damaskus
Daniel Daniel
Danube Donau
Dardanelles Dardanellen
Dead Sea Totes Meer
Death Valley Todestal
Delhi Delhi
Denmark Dänemark
Dolomites Dolomiten
Dominican Republic Dominikanische
Republik
Dorothy Dorothea
Dresden Dresden
Dunkirk Dünkirchen
Dusseldorf Düsseldorf

E

East Prussia Ostpreußen
Easter Island, Rapa Nui Osterinsel
Eastern Asia Ostasien
Ecuador Ecuador
Edward Eduard
Egypt Ägypten
El Salvador El Salvador
Elba Elba
Elbe Elbe
Engadine Engadin
England England
Eric Erich
Erica Erika
Ernest Ernst
Erwin Erwin
Erz Gebirge, Ore Mountains
Erzgebirge
Estonia Estland
Ethiopia Äthiopien
Etna Atna
Etruria Etrurien
Eugene Eugen
Euphrates Euphrat
Eurasia Eurasien
Europe Europa

F

Faeroe Färöer
Falkland Islands Falklandinseln
Far East Ferner Osten
Federal Republic of Germany
Bundesrepublik Deutschland
Felix Felix
Fichtel Gebirge Fichtelgebirge
Fiji Islands Fidschiinseln
Finland Finnland
Flanders Flandern
Florence Florenz
Formosa Formosa
France Frankreich
Frances Franziska
Francis Franz
Franconian Jura Fränkischer Jura
Franconian Switzerland Fränkische
Schweiz
Frank Franken
Frankfort on the Oder Frankfurt an
der Oder
Frederic Friedrich
French Switzerland Französische
Schweiz
Fribourg Freiburg
Frisian Islands Friesische Inseln
Friuli Friaul

Fujiyama Fudschijama

G

Gabon Gabun
Gabriel Gabriel
Gabriella Gabriele
Galapagos Islands Galapagosinseln
Galicia Galizien
Galilee Galiläa
Gallia Gallien
Gambia Gambia
Ganges Ganges
Gascony Gascogne
Gaza Strip Gasastreifen
Geneva Genf
Genoa Genua
George Georg
George Jürgen
Gerard Gerhard
German Democratic Republic
Deutsche Demokratische Republik
Germania Germanien
Ghana Ghana
Giant Mountains Riesengebirge
Gibraltar Gibraltar
Gobi Gobi
Golan Heights Golanhöhen
Gold Coast Goldküste
Gomorrah Gomorrha
Gothenburg Göteborg
Great Belt Großer Belt
Great Britain Großbritannien
Great Saint Bernard Großer Sankt
Bernhard
Great Salt Lake Großer Salzsee
Great Sunda Islands Große
Sundainseln
Greater Antilles Große Antillen
Greece Griechenland
Greenland Grönland
Gregory Gregor
Grenada Grenada
Greta Lakes Große Seen
Grisons Graubünden
Guatemala Guatemala
Guinea Guinea
Gulf of Venice Golf von Venedig
Gustavus Gustav
Guyana Guyana

H

Hamburg Hamburg
Hameln Hameln
Hanoi Hanoi
Hanover Hannover

Harold Harald
Harz Mountains Harz
Havana Havanna
Hawaii Hawaii
Hebrides Hebriden
Heidelberg Heidelberg
Heligoland Helgoland
Hellas Hellas
Hellespontus Hellespont
Helsinki Helsinki
Henry Heinz
Henry Heinrich
Herbert Herbert
Herman Hermann
Herzegovina Herzegowina
Hesse Hessen
Himalaya Himalaja
Hindu Kush Hindukusch
Hindustan Hindustan
Hiroshima Hiroschima
Holland Holland
Holstein Switzerland Holsteinische
Schweiz
Honduras Honduras
Hong Kong Hongkong
Hudson Bay Hudsonbay
Hudson Strait Hudsonstraße
Hugh Hugo
Hungary Ungarn

I

Iberian Peninsula Pyrenäenhalbinsel
Iberian Peninsula Iberische Halbinsel
Iceland Island
Ignatius Ignaz
India Indien
Indian Ocean Indischer Ozean
Indochina Hinterindien
Indochina Indochina
Indonesia Indonesien
Inner Hebrides Innere Hebriden
Inner Mongolia Innere Mongolei
Ionian Islands Ionische Inseln
Ionian Sea Ionisches Meer
Iran Iran
Iraq Irak
Ireland Irland
Irish Sea Irische See
Isabel Isabella
Israel Israel
Istanbul Istanbul
Istria Istrien
Italia Italien
Italian Riviera Italienische Riviera
Ithaka Ithaka
Ivory Coast Elfenbeinküste

J

Jack Hans
Jacob, James Jakob
Jamaika Jamaika
Japan Japan
Java Java
Jeremiah Jeremias
Jerusalem Jerusalem
Jesus Jesus
Joachim Joachim
Joan(na) Johanna
John Johannes
Jonah Jonas
Jordan Jordan
Jordania Jordanien
Josef Josef
Judaea Judäa
Jura (Mountains) Jura

K

Kalahari Kalahari
Kamchatka Kamtschatka
Karen Karin
Kashmir Kaschmir
Kenya Kenia
Kiel Kiel
Kiel Canal Nord-Ostsee-Kanal
Korea Korea
Kuwait Kuwait

L

Lake Aral Aralsee
Lake Erie Eriesee
Lake Garda Gardasee
Lake Geneva, Lake Leman Genfer See
Lake Huron Huronsee
Lake Ijssel Ijsselmeer
Lake Maggiore Lago Maggiore
Lake Michigan Michigansee
Lake of Constance Bodensee
Lake of Lucerne Vierwaldstädter See
Lake of Zurich Zürichsee
Lake Ontario Ontariosee
Lake Titicaca Titikakasee
Lake Torrens Torrenssee
Laos Laos
Lapland Lappland
Latin America Iberoamerika
Latin America Lateinamerika
Lebanon Libanon
Leipsic Leipzig
Lesotho Lesotho
Lesser Antilles Kleine Antillen
Lesser Sunda Islands Kleine Sunda-

inseln
Liberia Liberia
Libya Libyen
Liechtenstein Liechtenstein
Liguria Ligurien
Ligurian Sea Ligurisches Meer
Lisbon Lissabon
Lithuania Litauen
Little Saint Bernard Kleiner Sankt
Bernhard
Lombardy Lombardei
London London
Lorraine Lothringen
Louis Ludwig
Lower Austria Niederösterreich
Lower Bavaria Niederbayern
Lower Saxony Niedersachsen
Lübeck Lübeck
Lucerne Luzern
Lüneburg Heath Lüneburger Heide
Lusatia Lausitz

M

Macedonia Mazedonien
Madagascar Madagaskar
Madeira Madeira
Madrid Madrid
Main Main
Majorca Mallorca
Malay Archipelago Malaiischer Archipel
Malay Peninsula Malaya
Malaysia Malaysia
Maldives Malediven
Mali Mali
Malta Malta
Manchuria Mandschurei
Marcus Markus
Marian Marianne
Marianas Marianen
Marshall Islands Marshallinseln
Mary Maria
Matterhorn Matterhorn
Matthew Matthäus
Maurice Moritz
Mauritania Mauretanien
Mauritius Mauritius
Mayence Mainz
Mecca Mekka
Meissen Meißen
Melanesia Melanesien
Merano Meran
Mesopotamia Mesopotamien
Mexico Mexiko
Micronesia Mikronesien
Middle America Mittelamerika
Middle East Mittlerer Osten

Midway Islands Midwayinseln
Milan Mailand
Minorca Menorca
Mojave Desert Mohavewüste
Moldavia Moldau
Moluccas Molukken
Monaco Monaco
Mongolia Mongolei
Mongolian People's Republic
Mongolische Volksrepublik
Mont Blanc Montblanc
Montenegro Montenegro
Moravia Mähren
Morocco Marokko
Moscow Moskau
Moselle Mosel
Mount Everest Everest
Mount Kilimanjaro Kilimandscharo
Mozambique Mosambik
Munich München

N

Namibia Namibia
Naples Neapel
Nauru Nauru
Near East Naher Osten
Neisse Neiße
Nepal Nepal
Netherlands Niederlande
New Caledonia Neukaledonien
New Delhi Neu-Delhi
New England Neuengland
New Guinea Neuguinea
New Zealand Neuseeland
Newfoundland Neufundland
Niagara Falls Niagarafälle
Nicaragua Nicaragua
Nice Nizza
Nicholas Nikolaus
Nicholas Klaus
Niemen Memel
Niger Niger
Nigeria Nigeria
Nile Nil
Normandy Normandie
North America Nordamerika
North Cape Nordkap
North Kórea Nordkorea
North Rhine-Westphalia
Nordrhein-Westfalen
North Sea Nordsee
North Sea Canal Nordseekanal
Northern Ireland Nordirland
Norway Norwegen
Nubia Nubien
Nuremberg Nürnberg

O

Oceania Ozeanien
Odenwald Odenwald
Oder-Neisse Line Oder-Neiße-Linie
Oman Oman
Orange Oranien
Orinoco Orinoko
Orkney Islands Orkneyinseln
Oslo Oslo
Ostend Ostende
Ottawa Ottawa
Outer Hebrides Äußere Hebriden
Outer Mongolia Äußere Mongolei

P

Pacific Pazifik
Pacific Stiller Ozean
Pacific Coast Pazifikküste
Pakistan Pakistan
Palatinate Forest Pfälzer Wald
Palestine Palästina
Pamir Pamir
Panama Panama
Panama Canal Panamakanal
Paraguay Paraguay
Paris Paris
Patagonia Patagonien
Peking Peking
Peloponnesus Peloponnes
peninsular India Vorderindien
People's Republic of China
Volksrepublik China
Persia Persien
Persian Gulf Persischer Golf
Peru Peru
Phillippines Philippinen
Picardy Picardie
Piedmont Piemont
Piraeus Piräus
Po Po
Poland Polen
Polynesia Polynesien
Pomerania Pommern
Pompeii Pompeji
Portugal Portugal
Provence Provence
Prussia Preußen
Puerto Rico Puerto Rico
Punjab Pandschab
Pyrenees Pyrenäen

Q

Quebec Quebec
Qatar Qatar

R

Red Sea Rotes Meer
Regensburg Regensburg
Republic of Ireland Irische Republik
Republic of South Africa Republik
Südafrika
Reykjavik Reykjavík
Rhenish Slate Mountains Rheinisches
Schiefergebirge
Rhine Rhein
Rhine Falls Rheinfall
Rhineland Rheinland
Rhineland-Palatinate Rheinland-Pfalz
Rhodes Rhodos
Rhodesia Rhodesien
Rhone Rhone
Riga Riga
Rio de Janeiro Rio de Janeiro
Riviera Riviera
Rocky Mountains Felsengebirge
Roger Rüdiger
Romania Rumänien
Rubicon Rubikon
Ruhr District Ruhrgebiet
Russia Russland
Rwanda Ruanda

S

Saar(land) Saarland
Sahara Sahara
Saint Gall(en) Sankt Gallen
Saint Gotthard Sankt Gotthard
Saint Lawrence Sankt-Lorenz-Strom
Saint Petersburg Sankt Petersburg
Saint-Moritz Sankt Moritz
Salomon Islands Salomoninseln
Salzburg Salzburg
Samoa Samoa
San Marino San Marino
Santiago de Chile Santiago de Chile
Sardinia Sardinien
Saudi Arabia Saudi-Arabien
Saxon Switzerland Sächsische Schweiz
Saxony Sachsen
Scandinavia Skandinavien
Schleswig-Holstein Schleswig-Holstein
Scotland Schottland
Sea of Galilee, Lake of Genesaret See
Genezareth
Sea of Japan Japanisches Meer
Senegal Senegal
Serbia Serbien
Serengeti National Park
Serengeti-Nationalpark
Sevastopol Sewastopol

Seville Sevilla
Seychelles Seychellen
Shanghai Schanghai
Shetland Islands Shetland-Inseln
Siberia Sibirien
Sicily Sizilien
Sierra Leone Sierra Leone
Silesia Schlesien
Sinai Sinai
Singapore Singapur
Skager(r)ak Skagerrak
Slovenia Slowenien
Society Islands Gesellschaftsinseln
Somalia Somalia
Sound Sund
South Africa Südafrika
South America Südamerika
South Korea Südkorea
South Sea Südsee
South Tyrol Südtirol
Southern Europe Südeuropa
Spain Spanien
Spess(h)art Spessart
Spitsbergen Spitzbergen
Spree Spree
Sri Lanka Sri Lanka
Stephen Stefan
Stockholm Stockholm
Strait of Gibraltar Straße von Gibraltar
Strait of Magellan Magellanstraße
Strait of Malecca Malakkastraße
Straits of Dover Straße von Calais
Strassbourg Strassburg
Stuttgart Stuttgart
Styria Steiermark
Sudan Sudan
Sudetenland Sudetenland
Suez Canal Sueskanal
Sumatra Sumatra
Sunda Islands Sundainseln
Surinam Surinam
Swabia Schwaben
Swabian Jura Schwäbische Alb
Swaziland Swasiland
Sweden Schweden
Switzerland Schweiz
Syria Syrien

T

Tahiti Tahiti
Taiwan Taiwan
Tanganyika Tanganjika
Tangier Tanger
Tanzania Tansania
Tasmania Tasmanien
Taunus Taunus

Teh(e)ran Teheran
Tel Aviv Tel Aviv
Tenerif(f)e Teneriffa
Thailand Thailand
Thamse Themse
The Hague Den Haag
Thule Thule
Thuringia Thüringen
Tiber Tiber
Tibet Tibet
Ticino Tessin
Tierra del Fuego Feuerland
Tigris Tigris
Tirana Tirana
Tokyo Tokio
Tonga Tonga
Tonga Islands Freundschaftsinseln
Trent Trient
Trier Trier
Trieste Triest
Trinidad and Tobago Trinidad und
Tobago
Troy Troja
Tunis(ia) Tunesien
Turkey Türkei
Tuscany Toskana
Tyrol Tirol

U

Uganda Uganda
Ukraine Ukraine
United Arab Emirates Vereinigte
Arabische Emirate
United States of America Vereinigte
Staaten von Amerika
Upper Austria Oberösterreich
Upper Bavaria Oberbayern
Upper Palatinate Oberpfalz
Upper Rhine Plain Oberrheinische
Tiefebene
Upper Volta Obervolta
Ural Ural
Uruguay Uruguay

V

Vaduz Vaduz
Valais Wallis
Vatican City Vatikanstadt
Venezuela Venezuela
Venice Venedig
Vienna Wien
Vietnam Vietnam
Virgin Islands Jungferninseln
Vistula Weichsel
Volga Wolga

Englische Zahlwörter

Grundzahlen

one *eins*
two *zwei*
three *drei*
four *vier*
five *fünf*
six *sechs*
seven *sieben*
eight *acht*
nine *neun*
ten *zehn*
eleven *elf*
twelve *zwölf*
thirteen *dreizehn*
fourteen *vierzehn*
fifteen *fünfzehn*
sixteen *sechzehn*
seventeen *siebzehn*
eighteen *achtzehn*
nineteen *neunzehn*
twenty *zwanzig*
twenty-one *einundzwanzig*
twenty-two *zweiundzwanzig*

twenty-three *dreiundzwanzig*
thirty *dreißig*
fourty *vierzig*
fifty *fünfzig*
seventy *siebzig*
eighty *achtzig*
ninety *neunzig*
one hundred *einhundert*
two hundred *zweihundert*
five hundred *fünfhundert*
one thousand *eintausend*
two thousand *zweitausend*
ten thousand *zehntausend*
twenty thousand *zwanzigtausend*
one hundred thousand *einhundert-tausend*
five hundred thousand *fünfhundert-tausend*
one million *eine Million*
two million *zwei Millionen*
one billion *eine Milliarde*
one trillion *eine Billion*

Ordnungszahlen

the first *der erste*
the second *der zweite*
the third *der dritte*
the fourth *der vierte*
the fifth *der fünfte*
the sixth *der sechste*
the seventh *der siebte*
the eighth *der achte*
the ninth *der neunte*
the eleventh *der elfte*
the twelfth *der zwölfte*

the thirteenth *der dreizehnte*
the fourteenth *der vierzehnte*
the fifteenth *der fünfzehnte*
the twentieth *der zwanzigste*
the thirtieth *der dreißigste*
the fortieth *der vierzigste*
the fiftieth *der fünfzigste*
the hundredth *der hundertste*
the two hundredth *der zweihundertste*
the five hundredth *der fünfhundertste*
the thousandth *der tausendste*

Zahladverbien

firstly *erstens*
secondly *zweitens*
thirdly *drittens*
fourthly *viertens*
fifthly *fünftens*
sixthly *sechstens*
seventhly *siebtens*
eigthly *achtens*
ninthly *neuntens*
tenthly *zehntens*

eleventhly *elftens*
twelfthly *zwölftens*
thirteenthly *dreizehntens*
fourteenthly *vierzehntens*
fifteenthly *fünfzehntens*
twentiethly *zwanzigstens*
thirtiethly *dreißigstens*
fortiethly *vierzigstens*
fiftiethly *fünfzigstens*
hundredthly *hundertstens*

Bruchzahlen

one half *ein Halb*	one seventh *ein Siebtel*
one third *ein Drittel*	one eighth *ein Achtel*
one quarter, one fourth *ein Viertel*	one ninth *ein Neuntel*
one fifth *ein Fünftel*	one tenth *ein Zehntel*
one sixth *ein Sechstel*	one eleventh *ein Elftel*

Vervielfältigungszahlen

once *einmal*	double *zweifach*
twice *zweimal*	threefold *dreifach*
three times *dreimal*	fourfold *vierfach*
four times *viermal*	fivefold *fünffach*
five times *fünfmal*	sixfold *sechsfach*
six times *sechsmal*	sevenfold *siebenfach*
seven times *siebenmal*	eightfold *achtfach*
eight times *achtmal*	ninefold *neunfach*
nine times *neunmal*	tenfold *zehnfach*
single *einfach*	

Englische Abkürzungen

A

a.m. *ante meridiem* morgens, vormittags

AA *Alcobolics Anomymous* anonyme Alkoholiker

AAA *Amateur Athletic Association* Leichtathletikverband

AB *able-bodied seaman* Vollmatrose

abbr. *abbreviation* Abkürzung

ABC *American Broadcasting Company* Amerikanische Rundfunkgesellschaft

abr. *abridgement* Abkürzung

Ac *alternating current* Wechselstrom

acc. *according to* gemäß

acct. *account* Konto

AD *Anno Domini* im Jahre des Herrn

ADA *Atom Development Administration* Atomforschungsverwaltung

add. *address* Adresse

addnl. *additional* zusätzlich

advt. *advertisement* Anzeige

AEC *Atomic Energy Commission* Atomenergie-Kommission

aft. *afternoon* Nachmittag

AK *Alaska* Alaska (US-Staat)

AL *Alabama* Alabama (US-Staat)

Am. *America* Amerika; amerikanisch

AMA *American Medical Association* Amerikanischer Ärzteverband

amp. *ampere* Ampere

AP *Associated Press* Vereinigte Presse (amerikanische Nachrichtenagentur)

appx. *Appendix.* Anhang

Apr. *April* April

APT *Advanced Passenger Train* Britischer Hochgeschwindigkeitszug

AR *Arkansas* Arkansas (US-Staat)

ARC *American Red Cross* Amerikanisches Rotes Kreuz

Ark. *Arkansas* Arkansas

ARP *air-raidp recautions* Luftschutz

arr. *arrival* Ankunft

AS *Anglosaxon* Angelsächsisch

ASA *American Standards Association* Amerikanische Normungsorganisation

asst. *assistant* Assistent

Aug. *August* August

auth. *author(ess)* Autor(in)

av. *average* Durchschnitt

Ave. *avenue* Allee

AWACS *Airborne Warning and Control System* Luftgestütztes Frühwarn- und Überwachungssystem

AZ *Arizona* Arizona (US-Staat)

B

b&b *bed and breakfast* Übernachtung mit Frühstück

B'ham *Birmingham* Birmingham (enlische Stadt)

b. *born* geboren

b.o. *branch office* Zweigstelle

B.o.T. *Board of Trade* Britisches Handelsministerium

B.S.I. *British Standards Organization* Britische Normungsorganisation

B/E *Bill of Exchange* Wechsel

b/f *brought forward* Übertrag

B/S *bill of sale* Übereignungsvertrag

BA *Bachelor of Arts* Bakkalaureus der Philosophie

BAOR *British Army of the Rhine* Britische Rheinarmee

BBC *British Broadcasting Corporation* Britische Rundfunkgesellschaft

bbl. *barrel* Fass

BC *before Christ* vor Christus

BC *British Columbia* Britisch Kolumbien (kanadische Provinz)

BCom *Bachelor of Commerce* Bakkalaureus der Wirtschaftswissenschaften

BD *Bachelor of Divinity* Bakkalaureus der Theologie

bd. *bound* gebunden

BDS *Bachelor of Dental Surgery* Bakkalaureus der Zahnmedizin

bds. *boards* kartoniert

BE *Bachelor of Engineering* Bakkalaureus der Ingenieurswissenschaft

BE *Bachelor of Education* Bakkalaureus der Erziehungswissenschaft

Beds. *Bedfordshire* Bedfordshire (englische Grafschaft)

Berks. *Berkshire* Berkshire (englische Grafschaft)

BIF *British Industries Fair* Britische Industriemesse

BIS *Bank for International Settlements* Bank für Internationalen Zahlungsausgleich

BL *Bachelor of Law* Bakkalaureus des Rechts

bl. *barrel* Fass

bldg. *building* Gebäude

BLit. *Bachelor of Literature* Bakkalaureus der Literatur

Blvd. *Boulevard* Boulevard
BM *Bachelor of Medicine* Bakkalaureus der Medizin
BMA *British Medical Association* Britischer Ärzteverband
BMus *Bachelor of Music* Bakkalaureus der Musik
bot. *bottle* Flasche
BPharm *Bachelor of Pharmacy* Bakkalaureus der Pharmazie
BPhil *Bachelor of Philosophy* Bakkalaureus der Philosophie
BR *British Rail* Britische Eisenbahn
Br. *Britain* Großbritannien
Bros. *Brothers* Gebrüder
BSc *Bachelor of Science* Bakkalaureus der Naturwissenschaften
BST *British Summer Time* Britische Sommerzeit
BTA *British Tourist Authority* Britische Fremdenverkehrsbehörde
bu. *bushel* Scheffel
Bucks. *Buckinghamshire* Buckinghamshire (englische Grafschaft)
bus. *business* Arbeit

C

C *Celsius* Celsius
c *cent* Cent
C&W *Country and Western* amerikanische Musikrichtung
C.I. *Channel Islands* Kanalinseln
c.w.o. *cash with order* Barzahlung bei Bestellung
c/o *care of* per Adresse
CA *California* Kalifornien (US-Staat)
CAB *Citizens' Advice Bureau* Bürgerberatungsorganisation
CAD *Computer Aided Design* computerunterstütztes Zeichnen
Cambs. *Cambridgeshire* Cambridgeshire (englische Grafschaft)
Can. *Canada* Kanada
Capt. *Captain* Hauptmann; Kapitän
CARE *Cooperative for American Help Everywhere* Weltweite Hilfe durch amerikanische Organisationen
Cath. *Catholic* katholisch
CB *Citizens' Band* Privatfunk-Wellenbereich
CBC *Canadian Broadcasting Corporation* kanadische Rundfunkgesellschaft
CBS *Columbia Broadcasting Corporation* amerikanische Rundfunkgesellschaft

cc *cubic centimetre* Kubikzentimeter
CC *City Council* Stadtrat
CD *compact disc* Kompaktplatte
CE *Church of England* anglikanische Kirche
cert. *certificate* Bescheinigung
CET *Central European Time* mitteleuropäische Zeit
cf. *confer* vergleiche
Ch. *chapter* Kapitel
ChB *Bachelor of Surgery* Bakkalaureus der Chirurgie
Ches. *Cheshire* Cheshire (englische Grafschaft)
CIA *Central Intelligence Agency* Geheimdienst der USA
cir. *circa* zirka
ck. *cask* Fass
cl. *class* Klasse
CND *Campaign for Nuclear Disarmament* Kampagne für atomare Abrüstung
CO *conscientious objector* Kriegsdienstverweigerer
CO *Colorado* Colorado (US-Staat)
Co. *Company* Gesellschaft
conc. *concerning* betreffend
Cons. *Conservative* die Britischen Konservativen
cont. *continued* fortgesetzt
Corn. *Cornwall* Cornwall (englische Grafschaft)
Corp. *Corporal* Unteroffizier
corr. *corresponding* entsprechend
cp. *compare* vergleiche
ct *cent* Cent
CT *Connecticut* Connecticut (US-Staat)
Cumb. *Cumberland* Cumberland (ehemalige englische Grafschaft)
CUP *Cambridge University Press* Verlag der Universität Cambridge
CV *curriculum vitae* Lebenslauf
cwt *hundredweight* (cirka ein) Zentner

D

d *died* gestorben
DA *deposit account* Depositenkonto
DAT *digital audio tape* digitales Tonband
DC *direct current* Gleichstrom
DC *District of Columbia* Distrikt Columbia (US-Staat)
DCL *Doctor of Civil Law* Doktor des Zivilrechts
DD *Doctor of Divinity* Doktor der Theologie

DDS *Doctor of Dental Surgery* Doktor der Zahnmedizin
DDT *dichlorodiphenyltrichloroethane* Dichlordiphenyltrichlorethan (ein Insektizid)
DE *Delaware* Delaware (US-Staat)
dec. *deceased* gestorben
Dec. *December* Dezember
deg. *degree* Grad
DEng *Doctor of Engineering* Doktor der Ingenieurswissenschaften
dep. *departure* Abfahrt
Dept. *Department* Abteilung
Derby. *Derbyshire* Derbyshire (englische Grafschaft)
diff. *different* Unterschied; verschieden
Dir. *Director* Direktor
dist. *distance* Entfernung
div. *divorced* geschieden
DIY *do-it-yourself* Heimwerker...
DJ *Disc jockey* Diskjockey
DLit *Doctor of Literature* Doktor der Literatur
do. *ditto* desgleichen
doc. *document* Dokument
Dors. *Dorsetshire* Dorsetshire (englische Grafschaft)
doz. *dozen* Dutzend
DP *data processing* Datenverarbeitung
DPh(il) *Doctor of Philosophy* Doktor der Philosophie
Dpt. *Department* Abteilung
Dr *Doctor* Doktor
dr. *drachm* Drachme
DSc *Doctor of Science* Doktor der Naturwissenschaften
DST *Daylight-Saving Time* Sommerzeit
DTh(eol) *Doctor of Theology* Doktor der Theologie
Dur. *Durham* Durham (englische Grafschaft)
dwt. *pennyweight* Pennygewicht
dz. *dozen* Dutzend

E

E *east* Ost(en)
E Sx *East Sussex* Ost Sussex (englische Grafschaft)
e.g. *exempli gratia (lat., for example)* zum Beispiel
EC *European Community* Europäische Gemeinschaft
ECE *Economic Commission for Europe* Wirtschaftskommission für Europa (des Wirtschafts- und Sozialrats der UNO)
ECOSOC *Economic and Social Council* Wirt-

schafts- und Sozialrat (der UNO)
ECU *European Currency Unit* Europäische Währungseinheit
Ed. *edition* Auflage
EDP *electronic data processing* elektronische Datenverarbeitung
EEC *European Economic Community* Europäische Wirtschaftsgemeinschaft
EFTA *European Free Trade Association* Europäische Freihandelsgemeinschaft
Eftpos *Electronic funds transfer at point of sale* elektronische Bezahlung
EMA *European Monetary Agreement* Europäisches Währungsabkommen
encl. *enclosure* Anlage
Engl. *England* England
Engl. *English* Englisch
ESA *European Space Agency* Europäische Weltraumbehörde
ESP *extrasensory perception* außersinnliche Wahrnehmung
Ess. *Essex* Essex (englische Grafschaft)
est. *established* gegründet
ETA *estimated time of arrival* voraussichtliche Ankunftszeit
ETD *estimated time of departure* voraussichtliche Abfahrts-/Abflugzeit
EURATOM *European Atomic Energy Community* Europäische Atomgemeinschaft
excl. *exclusive* ausschließlich

F

f *female; feminine* weiblich
F *Fahrenheit* Fahrenheit
f *farthing* Farthing (frühere brit. Münze)
FA *Football Association* Fußballverband (Großbritannien)
FAO *Food and Agriculture Organization* Organisation für Ernährung und Landwirtschaft (der UN)
FBI *Federal Bureau of Investigation* Bundeskriminalamt (der USA)
Feb. *February* Februar
fig. *figure* Abbildung
FL *Florida* Florida (US-Staat)
FM *frequency modulation* Ultrakurzwellen-Frequenzbereich
FO *Foreign Office* Auswärtiges Amt (Großbritanniens)
fol. *folio* Seite
FP *freezing point* Gefrierpunkt
Fri. *Friday* Freitag
ft *foot* Fuß
FTC *Federal Trade Commission* Bundeshandelskommission (der USA)

C

g *gram(me)* Gramm
GA *general agent* Generalvertreter
gal. *gallon* Gallone
GATT *General Agreement on Tariffs and Trade* Allgemeines Zoll- und Handelsabkommen
GB *Great Britain* Großbritannien
GCSE *General Certificate of Secondary Education* Mittlere Reife (in Großbritannien)
Gen. *General* General
gen. *general(ly)* allgemein
Ger. *Germany; German* Deutschland; deutsch
GI *government issue* von der Regierung ausgegeben
GLC *Greater London Council* Stadtrat von Groß-London
Glos. *Gloucestershire* Gloucestershire (englische Grafschaft)
GMT *Greenwich Mean Time* westeuropäische Zeit
GOP *Grand Old Party* Republikanische Partei (der USA)
Gov. *Governor* Gouverneur
Govt. *Government* Regierung
GP *general practitioner* Allgemeinarzt
GPO *General Post Office* Hauptpostamt
gr.wt. *gross weight* Bruttogewicht
gtd. *guaranteed* garantiert

H

h *hour* Stunde
h *height* Höhe
h&c *hot and cold* warm und kalt (Wasser)
Hants. *Hampshire* Hampshire (englische Grafschaft)
HC *House of Commons* Unterhaus
hdbk *handbook* Handbuch
HE *high explosive* hoch explosiv
HE *His Eminence* Seine Eminenz
Heref. *Herefordshire* Herefordshire (engl. Grafschaft)
hf *high frequency* Hochfrequenz
hf *half* halb
HI *Hawaii* Hawaii (US-Staat)
HL *House of Lords* Oberhaus
HM *Her/His Majesty* Ihre/Seine Majestät
HMS *Her/His Majesty's Service* Dienst Ihrer/Seiner Majestät
HO *Head Office* Hauptgeschäftsstelle
HO *Home Office* Innenministerium
Hon. *Honorary* ehrenamtlich

Hon. *Honorable* (die/der) Ehrenwerte
HP *horsepower* Pferdestärke
HQ *Headquarters* Hauptquartier
HR *House of Representatives* Repräsentantenhaus
hr *hour* Stunde
HRH *Her/His Royal Highness* Ihre/Seine Königliche Majestät
Hunts. *Huntingdonshire* Huntingdonshire (englische Grafschaft)

I

I *island* Insel
I of. W. *Isle of Wight* Insel Wight (englische Insel und Grafschaft)
I. of M. *Isle of Man* Insel Man (englische Insel)
i.e. *id est (lat., that is)* das heißt
IA *Iowa* Iowa (US-Staat)
IATA *International Air Transport Association* Internationaler Luftverkehrsverband
ib(id) *ibidem (lat., in the same place)* ebenda
IBRD *International Bank for Reconstruction and Development* Internationale Bank für Wiederaufbau und Entwicklung, Weltbank
IC *integrated circuit* integrierter Schaltkreis
ICBM *intercontinental ballistic missile* interkontinentaler ballistischer Flugkörper
ICJ *International Court of Justice* Internationaler Gerichtshof
ICU *intensive care unit* Intensivstation
ID *Idaho* Idaho (US-Staat)
ID *identity* Identität
IL *Illinois* Illinois (US-Staat)
ILO *International Labour Organization* Internationale Arbeitsorganisation
Imp. *Imperial* Reichs...
IN *Indiana* Indiana (US-Staat)
in. *inches* Zoll
Inc. *Incorporated* amtlich eingetragen
incl. *inclusive* einschließlich
incog. *incognito* inkognito
inst. *instant* dieses Monats
IOC *International Olympic Committee* Internationales Olympisches Komittee
IOU *I owe you* Schuldschein
IQ *intelligence quotient* Intelligenzquotient
Ir. *Ireland* Irland
Ir. *Irish* irisch
IRA *Irish Republican Army* Irisch-

Republikanische Armee
IRBM *intermediate-range ballistic
missile* Mittelstreckenrakete
ISBN *international standard book
number* ISBN-Nummer
ISDN *integrated services digital
network* Dienste integrierendes
digitales Fernmeldenetz
IUD *intrauterin device*
Intrauterinpessar
IYHF *International Youth Hostel
Federation* Internationaler
Jugenherbergsverband

J

J. *judge* Richter
J. *justice* Justiz
Jan. *January* Januar
JC *Jesus Christ* Jesus Christus
JCB *Juris Civilis Baccalaureus (lat.,
Bachelor of Civil Law)* Bakkalaureus
des Zivilrechts
JCD *Juris Civilis Doctor (lat., Doctor of
Civil Law)* Doktor des Zivilrechts
JP *Justice of the Peace* Friedensrichter
Jr *junior* der Jüngere
Jul. *July* Juli
Jun. *June* Juni

K

KC *King's Counsel* Kronanwalt
KIA *killed in action* gefallen
KKK *Ku Klux Klan* Ku Klux Klan
KO *knockout* Knock-out
KY *Kentucky* Kentucky (US-Staat)

L

L *learner (driver)* Fahrschüler (Autos)
l *left* links
l *line* Zeile
L'pool *Liverpool* Liverpool
L/C *letter of credit* Kreditbrief
LA *Los Angeles* Los Angeles
LA *Louisiana* Louisiana (US-Staat)
lab. *laboratory* Labor
Lab. *Labrador* Labrador
Lancs. *Lancashire* Lancashire
(englische Grafschaft)
lang. *language* Sprache
lat. *latitude* geografische Breite
LCJ *Lord Chief Justice* Lordoberrichter
Ld. *Lord* Lord
Leics. *Leicestershire* Leicestershire
(englische Grafschaft)

LJ *Lord Justice* Lordrichter
ll *lines* Zeilen
LL D *Legum Doctor (lat., Doctor of
Laws)* Doktor der Rechte
LMT *local mean time* mittlere Ortszeit
(in den USA)
lon(g). *longitude* geografische Länge
LP *Labour Party* Arbeiterpartei
LP *long-playing record* Langspielplatte
LSD *lysergic acid diethylamide*
Lysergsäurediethylamid
LSE *London School of Economics*
Londoner Wirtschaftshochschule
LSO *London Symphony Orchestra*
Londoner Sinfonie-Orchester
Lt. *Lieutenant* Leutnant
Lt.-Col. *Lieutenant-Colonel*
Oberstleutnant
Lt.-Gen. *Lieutenant-General*
Generalleutnant
Ltd. *limited* mit beschränkter Haftung

M

M'ter *Manchester* Manchester
m. *male; masculine* männlich
MA *Master of Arts* Magister der
Philosophie
MA *Massachusetts* Massachusetts
(US-Staat)
Maj. *Major* Major
Maj.Gen. *Major-General* Generalmajor
Man. *Manitoba* Manitoba (kanadische
Provinz)
Mar. *March* März
max. *maximum* Maximum
MB *Medicinae Baccalaureus (lat.,
Bachelor of Medicine)* Bakkalaureus der
Medizin
MC *Member of Congress*
Parlamentsmitglied
MC *Master of Ceremonies*
Zeremonienmeister
MD *Maryland* Maryland (US-Staat)
MD *Medicinae Doctor (lat., Doctor of
Medicine)* Doktor der Medizin
MDS *Master of Dental Surgery* Magister
der Zahnmedizin
ME *Maine* Maine (US-Staat)
med. *medical* medizinisch
MI *Michigan* Michigan (US-Staat)
MN *Minnesota* Minnesota (US-Staat)
MO *Missouri* Missouri (US-Staat)
Mon. *Monday* Montag
MP *Member of Parliament*
Abgeordneter des Unterhauses
MP *Military Police* Militärpolizei

MPharm *Master of Pharmacy* Magister
der Pharmazie
Mr *Mister* Herr
Mrs *Mistress* Frau
Ms *Miss* Frau, Fräulein
MSc *Master of Science* Magister der
Naturwissenschaften
MSL *mean sea level* Normalnull
MT *Montana* Montana (US-Staat)
Mt *Mount* Berg
MTh *Master of Theology* Magister der
Theologie
Mx *Middlesex* Middlesex (ehemalige
englische Grafschaft)

N

n *noun* Substantiv
N *north* Nord(en)
N Yorks *North Yorkshire* Nord
Yorkshire (englische Grafschaft)
n. p. or d. *no place or date* ohne Ort
und Datum
n.d. *no date* ohne Datum
N/F *no funds* keine Deckung
NASA *National Aeronautics and Space
Administration* Nationale Luft- und
Raumfahrtbehörde (der USA)
nat. *national* national
NATO *North Atlantic Treaty
Organization*
Nordatlantikpakt-Organisation
NB *New Brunswick* Neubraunschweig
(kanadische Provinz)
NBC *National Broadcasting Company*
Nationale Rundfunkgesellschaft (der
USA)
NC *North Carolina* Nord-Carolina
(US-Staat)
ND *North Dakota* Nord-Dakota
(US-Staat)
NE *Nebraska* Nebraska (US-Staat)
NE *northeast* Nordost(en)
neg. *negative* negativ
NH *New Hampshire* Neuhampshire
(US-Staat)
NHS *National Health Service*
Staatlicher Gesundheitsdienst (in
Großbrtitannien)
NJ *New Jersey* New Jersey (US-Staat)
NM *New Mexico* Neu-Mexiko (US-Staat)
No. *numero* Nummer
Norf. *Norfolk* Norfolk (englische
Grafschaft)
Northants. *Northamptonshire*
Northamptonshire (englische
Grafschaft)

Nthd. *Northumberland*
Northumberland (englische Grafschaft)
Notts. *Nottinghamshire*
Nottinghamshire (englische Grafschaft)
Nov. *November* November
NSPCA *National Society for the
Prevention of Cruelty to Animals*
Britischer Tierschutzverein
NSW *New South Wales* Neusüdwales
(australischer Bundesstaat)
NT *New Testament* Neues Testament
NT *Northern Territory* Nordterritorium
(Territorium des australischen Bundes)
nt.wt *net weight* Nettogewicht
NV *Nevada* Nevada (US-Staat)
NW *northwest* Nordwest(en)
NWT *Northwest Territories*
Nordwestgebiete (kanadische Provinz)
NY *New York* New York (US-Staat)
NYC *New York City* (die Stadt) New
York

O

O.K. *all correct* in Ordnung
o.n.o. *or near(est) offer*
Verhandlungsbasis
o.r. *owner's risk* auf Gefahr des
Eigentümers
o/a *on account* auf Rechnung von
OAP *old-age pensioner*
(Alters)Rentner(in)
OAS *Organization of American States*
Organisation amerikanischer Staaten
OAU *Organization of African Unity*
Organisation für afrikanische Einheit
Oct. *October* Oktober
OECD *Organization for Economic
Cooperation and Development*
Organisation für wirtschaftliche
Zusammenarbeit und Entwicklung
OH *Ohio* Ohio (US-Staat)
OK *Oklahoma* Oklahoma (US-Staat)
Ont. *Ontario* kanadische Provinz
OR *Oregon* Oregon (US-Staat)
OT *Old Testament* Altes Testament
OUP *Oxford University Press* Verlag
der Universität Oxford
Oxon. *Oxfordshire* Oxfordshire
(englische Grafschaft)

P

p *penny, pence* Penny, Pence (britische
Münze)
p. *page* Seite
p.a. *per annum (lat., yearly)* jährlich

p.c. *per cent* Prozent

p.m. *post meridiem (lat., after noon)* nachmittags, abends

p.o.d. *pay on delivery* Zahlung per Nachnahme

PA *Pennsylvania* Pennsylvania (US-Staat)

par. *paragraph* Abschnitt; Paragraf

PAYE *pay as you earn* Zahle während du verdienst. (Abzugsverfahren für Steuern in Großbritannien)

PC *personal computer* Personalcomputer

PC *police constable* Polizist (in Großbritannien)

PC *Peace Corps* Friedenscorps

PD *Police Department* Polizeibehörde

pd *paid* bezahlt

PEI *Prince Edward Island* Prinz-Eduard-Insel (kanadische Provinz)

PEN Club *International Association of Poets, Playwrights, Editors, Essayists and Novelists* Internationaler Verband von Dichtern, Dramatikern, Redakteuren, Essayisten und Romanschriftstellern

PhD *Philosophiae Doctor (lat., Doctor of Philosophy)* Doktor der Philosophie

Pk. *Park* Park

Pl. *Place* Platz

PLC *public limited company* Aktiengesellschaft

PO *post office* Postamt

PO *postal order* Postanweisung

POB *post-office box* Postfach

pos. *positive* positiv

POW *prisoner of war* Kriegsgefangene(r)

pp. *pages* Seiten

PR *public relations* Öffentlichkeitsarbeit

Pres. *President* Präsident

Prof. *Professor* Professor

prol. *prologue* Prolog

prox. *proximo (lat., next month)* nächsten Monats

PS *postscript* Nachschrift

PT *physical training* Sportunterricht

pt. *payment* Zahlung

pt. *point* Punkt

PTA *Parent-Teacher Association* Eltern-Lehrer-Vereinigung

PTO *please turn over* bitte wenden

Q

QC *Queen's Counsel* Kronanwalt

Qld. *Queensland* Queensland

(australischer Bundesstaat)

Que. *Quebec* Quebec (kanadische Provinz)

quot. *quotation* Kursnotierung

R

R. *River* Fluss

r. *right* rechts

RA *Royal Academy* Königliche Akademie

RAF *Royal Air Force* Königliche Luftwaffe

RAM *random access memory* Direktzugriffsspeicher

Rd *Road* Straße

recd. *received* erhalten

ref. *reference* (mit) Bezug (auf)

ref. *reference* Empfehlung

regd *registered* eingetragen

res. *Reserve* Reserve

res. *residence* Wohnsitz

ret. *retired* im Ruhestand

Rev. *Reverend* Ehrwürden

RI *Rhode Island* Rhode Island (US-Staat

rm *room* Zimmer

RN *Royal Navy* Königliche Marine (in Großbritannien)

ROM *read only memory* Nur-Lese-Speicher

RP *received pronunciation* Standardaussprache (der englischen Sprache in Südengland)

RS *Royal Society* Königliche Gesellschaf

RSPCA *Royal Society for the Prevention of Cruelty to Animals* Königliche Gesellschaft für Tierschutz (in Großbritannien)

RSVP *répondez s'il vous plaît (fr., please reply)* um Antwort wird gebeten

RU *Rugby Union* Rugby-Union

Ry *Railway* Eisenbahn

S

S *south* Süd(en)

s *shilling* Schilling

S York *South Yorkshire* Süd-Yorkshire (englische Grafschaft)

s.a.e. *stamped addressed envelope* frankierter, adressierter Rückumschlag

S.P.Q.R. *small profits, quick returns* kleine Gewinne, schnelle Umsätze

SA *South America* Südamerika

SA *South Africa* Südafrika

SA *South Australia* Südaustralien (australischer Bundesstaat)

Salop *Shropshire* Shropshire (englische Grafschaft)
SALT *Strategic Arms Limitation Talks* Verhandlungen zur Begrenzung strategischer Waffen (zwischen der Sowjetunion und den USA)
Sask. *Saskatchewan* Saskatchewan (kanadische Provinz)
SB *salesbook* Verkaufsbuch
SC *South Carolina* Süd-Carolina (US-Staat)
Sch. *school* Schule
SD *South Dakota* Süd-Dakota (US-Staat)
SDP *Social Democratic Party* Sozialdemokratische Partei
SE *southeast* Südost(en)
SEATO *Southeast Asia Treaty Organization* Südostasienpakt-Organisation
Sec. *Secretary* Minister, Sekretär
Sept. *September* September
Serg. *Sergeant* Feldwebel; Wachtmeister
SF *science fiction* Science-fiction
sh *sheet* Aktie
SHAPE *Supreme Headquarters Allied Powers Europe* Oberkommando der Alliierten Streitkräfte in Europa
SM *Sergeant-Major* Oberfeldwebel
Som. *Somersetshire* Somerset(shire) (englische Grafschaft)
sp.gr. *specific gravity* spezifisches Gewicht
Sq. *Square* Platz
sq. *square* Quadrat...
Sr *senior (lat., the Elder)* der Ältere
SS *steamship* Dampfschiff
St. *Saint* ... Sankt ...
St. *Street* Straße
STA *scheduled time of arrival* planmäßige Ankunftszeit
Sta. *Station* Bahnhof
Staffs. *Staffordshire* Staffordshire (englische Grafschaft)
STD *scheduled time of departure* planmäßige Abfahrts-/Abflugzeit
STD *subscriber trunk dialling* Ferngespräche im Selbstwahlverfahren
stg *sterling* Sterling
Str. *Strait* (Meeres)Straße
sub. *substitute* Ersatz
Suff. *Suffolk* Suffolk (englische Grafschaft)
Suss. *Sussex* Sussex (englische Grafschaft)
SW *southwest* Südwest(en)
Sy *Surrey* Surrey (englische Grafschaft)

T

Tas. *Tasmania* Tasmanien (australischer Bundesstaat)
TB *tuberculosis* Tuberkulose
Tce. *Terrace* Terrasse (Straße in Hanglage)
TD *Treasury Department* Finanzministerium (der USA)
tel. *telephone* Telefon
Ter. *Territory* Territorium
tgm. *telegram* Telegramm
TGWU *Transport and General Workers' Union* Transportarbeitergewerkschaft
Thu(r). *Thursday* Donnerstag
TMO *telegraph money order* telegrafische Geldanweisung
TN *Tennessee* Tennessee (US-Staat)
TO *Telegraph (Telephone) Office* Telegrafen- (Fernsprech)amt
Tu. *Tuesday* Dienstag
TV *Television* Fernsehen
TX *Texas* Texas (US-Staat)

U

UFO *unidentified flying object* unbekanntes Flugobjekt (Ufo)
UHF *ultrahigh frequency* Ultrahochfrequenzbereich
UK *United Kingdom* Vereinigtes Königreich
UN *United Nations* Vereinte Nationen
UNESCO *United Nations Educational, Scientific and Cultural Organization* Organisation der Vereinten Nationen für Erziehung, Wissenschaft und Kultur
UNICEF *United Nations Children's Emergency Fund* Kinderhilfswerk der Vereinten Nationen
UNO *United Nations Organization* Organisation der Vereinten Nationen
UNSC *United Nations Security Council* Sicherheitsrat der Vereinten Nationen
US(A) *United States (of America)* Vereinigte Staaten (von Amerika)
USSR *Union of Soviet Socialist Republics* Union der Sozialistischen Sowjetrepubliken
UT *Utah* Utah (US-Staat)
UV *ultraviolet* ultraviolett

V

v. *very* sehr
VA *Virginia* Virginia (US-Staat)
VAT *value added tax* Mehrwertsteuer

VCR *video cassette recorder*
Videorecorder
VHF *very high frequency*
Ultrakurzwellen
Vic. *Victoria* Viktoria (australischer
Bundesstaat)
VIP *very important person* "hohes Tier"
vol. *volume* Band
vs. *versus (lat., against)* gegen
VT *Vermont* Vermont (US-Staat)

W

W *west* West(en)
w/o *without* ohne
WA *Washington* Washington (US-Staat)
WA *Western Australia* Westaustralien
(australischer Bundesstaat)
War. *Warwickshire* Warwickshire
(englische Grafschaft)

WC *water closet* Wasserklosett
Wed. *Wednesday* Mittwoch
WHO *World Health Organization*
Weltgesundheitsorganisation
Wilts. *Wiltshire* Wiltshire (englische
Grafschaft)
wk *week* Woche
Worcs. *Worcestershire* Worcestershire
(englische Grafschaft)
WV *West Virginia* West-Virginia
(US-Staat)
WW I /II *World War I/II* Erster/Zweiter
Weltkrieg
WY *Wyoming* Wyoming (US-Staat)

Y

YHA *Youth Hostels Association*
Jugendherbergsverband
yr. *year* Jahr

Gebräuchliche Sätze und Redewendungen für Reise und Urlaub

Begrüßung und Verabschiedung

Guten Morgen
Good morning

Guten Tag
Hello

Guten Abend
Good evening

Gute Nacht
Good night

Hallo
Hello

Verzeihung
Excuse me

Es tut mir leid
I´m sorry

Kann ich Herrn/Frau X sprechen?
May I speak to Mr/Mrs X?

Darf ich Ihnen Herrn/Frau X vorstellen?
May I introduce you to Mr/Mrs X?

Das ist Herr/Frau X
This is Mr/Mrs X

Mein Name ist X
My name is X

Wie geht es Ihnen?
How are you?

Wie geht es dir?
How are you?

Danke, ganz gut, und Ihnen?
I´m fine, thanks. And how are you?

Nehmen Sie doch Platz
Please take a seat

Setz dich doch
Sit down, please

Was machen Sie beruflich?
What are you doing?

Auf Wiedersehen
Good bye

Tschüss
Bye

Bis morgen
See you tomorrow

Bis später
See you later

Bis nachher
See you later

Ja, bitte
Yes, please

Nein, danke
No, thanks

Vielen Dank
Thank you very much

Gern geschehen
You´re welcome

Frage nach dem Weg

Wie komme ich nach X, bitte?
How can I get to X, please?

Wie weit ist es nach X?
How far is it to X?

Fahren sie die nächste links, dann geradeaus, und dann sehen Sie es schon
Turn left at the next crossing, go straight ahead and you´ll find it

Da sind Sie irgendwo falsch abgebogen
You must have taken the wrong turnoff

An der Tankstelle

Wo ist hier die nächste Tankstelle?
Where is the next petrol station, please?

Voll tanken, bitte
Tank it up, please

Und überprüfen Sie noch Öl und Reifendruck
Please check the oil and the tyre pressure, too

Die Bremse ist kaputt
The break doesn´t work

Die Karre springt einfach nicht mehr an
The car doesn´t start up any more

Kein Wunder, die Batterie ist leer
No wonder, the battery is empty

Bis wann können Sie das reparieren?
How long will it take to have it repaired?

Kommt darauf an, wann die Ersatzteile hier sind
It depends on when the replacement parts will be here

Im Reisebüro

Ich möchte eine Reise nach X buchen
I want to make a booking for a journey to X

Wie viel kostet das?
How much is it?

Gibt es da irgendeine Ermäßigung?
Are there any concessions?

Ich möchte meinen Flug stornieren
  I want to cancel my flight
Ich würde gerne umbuchen
  I would like to make a change
Wie viele Plätze haben Sie noch?
  How many places are left?
Bis wann kann ich mich anmelden?
  Till when can I sign up?

Am Bahnhof

Einmal einfach nach X, bitte
  A one-way ticket to X, please
Eine Rückfahrkarte nach X, bitte
  A return ticket to X, please
Hat der Zug auch einen Schlafwagen?
  Does the train have a sleeping car, too?
Reservieren Sie mir bitte einen Fenstersitz
  I´d like to have a window seat, please
Auf welchem Gleis?
  At which platform, please?
Wann fährt der Zug ab?
  When does the train leave?
Muss ich umsteigen?
  Do I need to change trains?
Verspätet sich der Zug?
  Will the train be delayed?
Ist der Platz noch frei?
  Is this seat free?

Schiffsreise

Ich möchte ein Ticket nach X
  I´d like to have a ticket to X
Wieviel kostet eine Überfahrt für ein Auto und zwei Personen?
  How much is a passage for a car and two people?
Ist die See ruhig?
  Is the sea calm?
Von welchem Kai läuft das Schiff aus?
  Which quay does the ship leave from?
Wann läuft das Schiff aus?
  When does the ship leave?
Wie lange dauert die Überfahrt?
  How long will the passage take?
Ich fühle mich nicht wohl
  I don´t feel well
Könnten Sie mir ein Mittel gegen Seekrankheit geben?
  Can you give me something against sea-sickness, please?

Flugreise

Ich möchte einen Flug nach X buchen
  I´d like to make a booking for a flight to X

Welche Fluggesellschaft bietet den Flug an?
  Which airline offers this flight?
Wo ist der Schalter der X?
  Where is the counter of X?
Wieviel Kilo Freigepäck ist erlaubt?
  What is the baggage allowance?
Wieviel kostet das Kilo Übergepäck?
  How much is a kilogram of excess luggage?
Kann ich das als Handgepäck mitnehmen?
  May I take that as a hand luggage?
Der Flug nach X geht um X Uhr?
  Is the flight to X at X o´clock?
Der Flug nach X hat eine halbe Stunde Verspätung
  The flight to X will be delayed by half an hour
Schnallen Sie sich bitte an!
  Fasten your seat-belts, please
Stellen Sie das Rauchen bitte ein!
  No smoking, please

Zoll und Einreiseformalitäten

Passkontrolle! Ihre/n Pässe/Pass bitte
  Passport control! Your passport(s), please
Könnte ich bitte Ihren Personalausweis sehen?
  May I see your identity card, please?
Haben Sie ein Visum?
  Do you have a visa?
Wie lange wollen Sie im Land bleiben?
  For how long are you going to stay in the country?
Sind Sie gegen Cholera/Gelbsucht/Malaria/Pocken geimpft?
  Did you get vaccinations against cholera/hepatitis/malaria/smallpox?
Ihr Pass/Visum ist abgelaufen
  Your passport/visa has expired
Ihre Papiere sind ungültig
  Your papers are invalid
Sie bekommen Ersatzpapiere
  You´ll get substitute papers
Sagen Sie mir bitte ihren Vor-/Zunamen
  Can you tell me your first name/surname, please?
Könnten Sie mir Ihre Heimatadresse sagen
  What is your home address?
Welche Staatsangehörigkeit haben Sie?
  What is your nationality?

ollkontrolle! Öffnen Sie bitte
hre(n) Koffer/Kofferraum/Tasche
Customs check! Open your suitcase/
boot/bag, please

Haben Sie etwas zu verzollen?
Do you have anything to declare?

Haben Sie Zigaretten/Alko-
ol/Schmuck/Devisen dabei?
Do you carry cigaretts/alcohol/
jewellery/foreign currency?

Wir müssen Sie durchsuchen
We have to search you

Wir müssen Ihr Gepäck durchsuchen
We have to search your luggage

Es ist nicht erlaubt, X einzuführen
It is prohibited to import X

Man darf X nicht ausführen
It is prohibited to export X

Wieviel Zoll habe ich zu bezahlen?
How much customs duty will I have to
pay?

Im Hotel

Können Sie mir ein preiswertes Ho-
el empfehlen?
Can you recommend an inexpensive
hotel?

Können Sie mir eine gute Pension
empfehlen?
Can you recommend a good boarding
house?

Wie komme ich am besten da hin?
How can I get there?

Liegt es im Zentrum?
Is it located in the centre?

Ist es ruhig gelegen?
Is it in a quiet area?

Haben Sie noch freie Zimmer?
Do you have any vacant rooms?

Wieviel kosten ein Doppel-/Einzelzim-
mer?
How much is a double/single room?

Ich möchte eine Übernachtung mit
Frühstück
I´d like to have one night with
breakfast, please

Ich möchte X Übernachtungen mit
Halb-/Vollpension
I´d like to have X nights with
half/full-board, please

Bringen Sie mir bitte das Früh-
stück/Essen aufs Zimmer
Please bring the breakfast/meals to my
room

Wo wird das Frühstück serviert?
Where is breakfast being served?

Wo befindet sich der Speisesaal?
Where is the dining room?

Zu welchen Zeiten werden die Mahlzeiten serviert?
When are the meals being served?

Ich möchte ein Doppel-/Einzelzim-
mer mit X
I´d like to have a double/single room
together with X

Könnte man ein zusätzliches Bett ins
Zimmer stellen?
Is it possible to put an extra bed into
the room?

Könnte ich das Zimmer sehen?
May I have a look at the room?

Ich möchte ein Doppel-/Einzelzim-
mer mit Dusche und WC
I´d like to have a double/single room
with shower and toilet

Haben Sie auch eins mit Balkon/mit
Blick aufs Meer?
Do you also have one with a
balcony/an ocean view

Ist in dem Zimmer auch ein TV/ein
Telefon?
Is there a television/telephone in the
room?

Ein Doppelzimmer mit getrennten
Betten bitte
One double share room, please

Wir hätten gern zwei Zimmer mit einer Verbindungstür
We´d like to have two rooms with a
connecting door

Es gibt leider keine Dusche/Toilette
im Zimmer, nur auf jeder Etage
Unfortunately, there is no
shower/toilet in the room, only on
each floor

Gibt es im Haus einen Swimming-
pool/einen Fitnessraum?
Is there a swimming pool/exercise
room in the house?

Gibt es in der Nähe eine Liegewie-
se/einen Badestrand/einen Kinder-
spielplatz?
Is there a lawn/beach/playground
nearby?

Ist ein Fernsehzimmer/eine Gara-
ge/ein Aufzug vorhanden?
Is there a TV room/garage/lift?

Ich möchte ein Doppel-/Einzelzim-
mer mit Dusche/WC reservieren
I´d like to make a reservation for a
double/single room with shower/ toilet

Wieviel kostet eine Übernachtung mit Halbpension?
How much is one night with breakfast?

Wieviel kostet ein Zimmer mit Vollpension pro Woche?
How much is a full-board room a week?

Gibt es für Kinder Ermäßigung?
Is there a rebate for children?

Füllen Sie bitte dieses Formular aus
Fill in this form, please

Ich brauche Ihren Ausweis
I need your passport

Das sind Ihre Schlüssel
These are your keys

Das Zimmer ist im Erdgeschoss
The room is on the ground floor

Ihr Zimmer liegt im ersten Stock rechts/links
Your room is on the first floor to the right/left

Könnten Sie mir das Gepäck aufs Zimmer bringen
Could you bring the luggage to my room?

Bringen Sie mir bitte das Frühstück aufs Zimmer
Bring the breakfast to my room, please

Könnte ich noch eine Decke/ein Kissen/ein Handtuch/einen Kleiderbügel bekommen?
Can I get a blanket/a pillow/a towel/a coat-hanger, please?

Könnten Sie mich morgen früh um 6 Uhr wecken?
Could you wake me tomorrow morning at six, please?

Könnten Sie diese Kleider waschen/bügeln?
Could you wash/iron these clothes, please?

Die Heizung/die Spülung/der Aufzug funktioniert nicht
The heating/flush/lift doesn´t work

Es gibt kein warmes Wasser in der Dusche
The shower is cold

Das Licht flackert/ist zu schwach
The light is flickering/is too weak

Das Waschbecken/die Toilette ist verstopft
The sink/toilet is clogged up

Das Zimmer ist nicht sauber
The room isn´t clean

Die Betten wurden nicht gemacht
The beds aren´t made

Es ist zu laut
It´s too noisy

Die Rechnung ist falsch
The bill is wrong

Ich reise heute ab
I´ll leave today

Ich werde morgen früh/abend abreisen
I´ll leave tomorrow morning/evening

Ich bezahle mit Schecks/bar
I´ll pay by cheque/cash

Nehmen Sie auch Kreditkarten an?
Do you accept credit cards?

Bis wann muss ich aus dem Zimmer raus sein?
Till when do I have to check out?

Machen Sie bitte die Rechnung fertig
Would you prepare the bill, please?

Bringen Sie bitte mein Gepäck zum Auto
Please bring the luggage to my car

Könnten Sie mir bitte ein Taxi rufen?
Could you call a taxi for me, please?

Das ist das Trinkgeld für die Bediensteten
Here´s a tip for the servants

Beim Camping

Ist hier in der Nähe ein Campingplatz?
Is there a camping ground nearby?

Ist es hier erlaubt wild zu zelten?
Is it allowed to camp here?

Sind noch Plätze frei?
Are there any free spaces left?

Ist hier in der Nähe ein Lebensmittelgeschäft/eine Disko?
Is there a grocer/disco nearby?

Kann man hier irgendwo essen gehen?
Is it possible to eat out somewhere around here?

Wo ist hier ein Stromanschluss?
Where can I find a power source?

Gibt es hier eine Waschmaschine?
Is there a washing machine available?

Wo befinden sich die Waschräume/Toiletten?
Where are the washrooms/toilets?

Kann man sich dort auch duschen?
Is it also possible to take a shower there?

Wieviel kostet ein Zelt mit zwei Personen pro Nacht?
How much is a two-person tent a night?

Wieviel kostet ein Platz für ein Auto/ein Wohnmobil für X Nächte?
How much is a site for a car/camper van for X nights?

Wir werden X Nächte bleiben
We´ll stay for X nights

Wo kann ich den Wohnwagen abstellen?
Where can I park the camper van?

Wo kann ich mein Zelt aufbauen?
Where can I put up my tent?

Ich würde gern im Schatten zelten
I´d like to camp in the shade

Im Restaurant

Gibt es hier ein gutes/empfehlenswertes Restaurant?
Is there a good/recommendable restaurant around here?

Ist das Restaurant preiswert?
Does the restaurant offer good value for money?

Ich würde gern in ein Restaurant mit landesüblichen Spezialitäten/eine Pizzeria gehen
I´d like to go to a restaurant serving national specialities/a pizzeria

Ich hätte gern einen Tisch für X Personen
I´d like to have a table for X people

Ist dieser Tisch hier noch frei?
Is this table still free?

Ich möchte einen Tisch für X Personen reservieren
I´d like to reserve a table for X people

Geben Sie mir bitte die Speisekarte!
Please give me the menue

Können Sie uns etwas empfehlen?
Is there anything you would recommend?

Ich hätte gern als Vorspeise/zum Hauptgericht X
I´d like to have X as a starter/main course

Ich nehme diese Nachspeise
I take this for dessert

Trinken würde ich gern ein Glas X
I´d like to drink a glass of X

Bringen Sie mir bitte eine Flasche X
Could you please bring a bottle of X?

Könnten Sie mir noch ein/e X bringen
Could you please bring another X?

Alles ist versalzen
They added too much salt

Das Essen wurde mir kalt serviert
The food was cold when it was served

X ist nicht frisch/ungenießbar
X is not fresh/uneatable

Mir fehlt eine Gabel/ein Messer/ein Löffel
I haven´t got a fork/a knife/a spoon

Ich habe kein Glas
I haven´t got a glass

Das ist nicht das, was ich bestellt habe
It´s not what I ordered

Nehmen Sie das bitte zurück
Take it back, please

Die Rechnung bitte!
The bill, please

Alles zusammen/getrennt
We´ll pay together/separately

Ist die Bedienung/das Gedeck/die Mehrwertsteuer in dem Preis schon enthalten?
Is the service/the set meal/the value-added tax already included in the price?

Da ist ein Fehler in der Rechnung, ich habe etwas anderes gegessen
There is a mistake in the bill, I ate something else

Der Rest ist für Sie
The rest´s for you

Stimmt so
That´s OK

Ausflüge und Sehenswürdigkeiten

Wann ist das Museum geöffnet?
When will the museum be open?

Kann man die Kirche besichtigen?
Is it possible to have a look at the church?

Gibt es (deutschsprachige) Führungen durch das Schloss?
Are there any (German-language) guided tours of the castle?

Wo kann man eine Stadtrundfahrt buchen?
Where can I book a sight-seeing tour of the city?

Wann beginnt die nächste Führung?
When is the next guided tour?

Wie hieß der Erbauer diese/r/s X?
Who built this X?

Wann wurde es erbaut?
When was it built?

Ist es erlaubt zu fotografieren?
Is it allowed to take pictures?

Ich würde gern ins Gebirge/an die Küste fahren
I´d like to go into the mountains/to the coast

Ich würde gern eine Reise ins Landes-innere/ins Hochland unternehmen
I´d like to go on a journey to the interior/the uplands

Gibt es Busse, die dorthin fahren?
Are there any buses going there?

Gibt es organisierte Bootsfahrten da-hin?
Are there organised boat tours going there?

Was spielen sie heute Abend im Thea-ter?
What perfomance is there in the theatre tonight?

Was gibt es im Kino zu sehen?
What´s on in the movies?

Können Sie mir ein Theaterstück/ei-nen Fillm empfehlen?
Can you recommend any play/movie ?

Ist das ein gutes Konzert?
Is that a good concert?

Wo kann man die Karten bekommen?
Where can I/we get the tickets?

Ich würde gern die Karten vorbestel-len
I´d like to reserve some tickets

Was kostet eine (Theater-/Kino-/Kon-zert-)Karte?
How much is a ticket (for the theatre/cinema/concert)?

Reservieren Sie bitte zwei Plätze
Please reserve two seats

Wie lange geht die Vorstellung?
How long is performance?

Sport

Kann man hier baden/surfen?
Is it possible to go swimming/ surfing here?

Ist das Wasser tief genug, um zu tau-chen?
Is the water deep enough for SCUBA diving?

Ist es erlaubt/günstig hier zu angeln?
Is fishing allowed/promising here?

Eignet sich dieser Berg gut zum Wan-dern/Klettern
Is this mountain suitable for walking/climbing?

Wo kann man hier ausreiten?
Where is it possible to ride out around here?

Gibt es einen Platz hier, um Volley-ball zu spielen?
Is there a field for playing volleyball around here?

Ist es möglich, hier Wasserski zu fah-ren
Is it possible to do water skiing here?

Wo kann man hier Fahrräder auslei-hen?
Where can I/we hire bicycles here?

Ich möchte ein Surfbrett/Tret-/Ruder-/Motorboot ausleihen
I´d like to hire a surf board/pedal/rowing/motor boat

Ich habe keinerlei Erfahrung mit X
I have no experience with X

Ich bin fortgeschritten im X
I´m advanced in X

Ich spiele X
I´m play X

Abendgestaltung

Ist hier eine Diskothek?
Is there a discotheque around here?

Wo kann man hier tanzen gehen?
Where can I/we go dancing here?

Gibt es hier eine Bar/ein Nachtclub in der Nähe?
Is there a bar/nightclub nearby?

Wollen Sie mit mir ins Kino gehen?
Would you like to go and see a movie together with me?

Wie wäre es mit tanzen/spazieren ge-hen?
How about dancing/going for a walk?

Möchten Sie etwas trinken?
Would you like to have a drink?

Möchten Sie eine Zigarette?
Would you like to have a cigarette?

Macht es Ihnen etwas aus, wenn ich rauche
Do you mind if I smoke?

Darf ich Sie zu einem Tanz einladen
Would you like to keep on dancing?

Möchten Sie (weiter) tanzen?
Would you like to dance/continue dancing?

Sie sehen gut aus
You are looking good

Haben Sie Lust, ein wenig spazieren zu gehen?
Would you like to go for a walk?

Wollen wir bei mir zu Hause noch et-was trinken?
Would you like to have a drink at my place?

Darf ich Sie nach Hause bringen?
May I take you home?

Ich möchte Sie gern wiedersehen
I would like to see you again

Wollen wir uns morgen wieder treffen?
  Will we meet again tomorrow?

Beim Einkauf

Ich suche ein Geschäft, um Kleider zu kaufen
  I´m looking for a shop to buy some clothes
Können Sie mir einen Juwelier empfehlen?
  Can you recommend a jeweller?
Wo ist hier in der Nähe ein Schuhladen?
  Where is there a shoe shop nearby?
Haben Sie X?
  Do you have X?
Zeigen Sie mir bitte X
  Could you show me the X, please?
Ich suche X
  I´m looking for X?
Wieviel kostet das?
  How much is that?
Das ist mir zu teuer!
  That´s too expensive!
Könnten Sie im Preis etwas nachlassen?
  Can I get a discount?
Haben Sie noch ein Anderes/Billigeres?
  Do you also have another/cheaper one?
Haben Sie noch etwas Anderes?
  Do you have anything else?
Kann ich in DM bezahlen?
  Can I pay with German marks?
Nehmen Sie auch Schecks/Kreditkarten an?
  Do you also accept cheques/credit cards?

In der Boutique

Welches Muster wollen Sie haben?
  What kind of pattern would you like?
Ist Ihnen kariert lieber?
  Do you prefer a check pattern?
Oder lieber ein geblümtes?
  Or rather a floral one?
Das mit Punkten steht Ihnen besser
  The one with dots fits you better
Wo kann ich es anprobieren?
  Where can I try it?
Es passt
  It fits
Es passt nicht, es ist zu eng
  It doesn´t fit, it´s too tight

Es ist ein wenig zu weit
  It´s a bit too loose
Es ist viel zu groß
  It´s much too big
Haben Sie ein Kleineres/Kürzeres?
  Do you have a smaller/shorter one?
Kann ich ein Längeres bekommen?
  Can I get a longer one?
Haben Sie noch etwas weniger Altmodisches?
  Do you also have something less old-fashioned?
Ich brauche ein Eleganteres
  I need something more elegant
Haben Sie nichts Preiswerteres?
  Don´t you have anything cheaper?
Ich nehme es
  I´ll take it

Im Schuhgeschäft

Ich suche ein Paar Schuhe
  I´m looking for a pair of shoes
Sie sollten bequem/modern/elegant sein
  They should be comfortable/fashionable/elegant
Ich möchte ein Paar Sandalen/Halbschuhe/Pumps/Stiefel/Wanderstiefel
  I´d like to have a pair of sandals/low shoes/court shoes/boots/hiking boots
Meine Schuhgröße ist X
  My shoe size is X
Die sind ja viel zu eng
  They´re much too tight
Sie müssen sie natürlich erst eingehen
  You have to wear them in first, of course
Die sind mir zu groß/klein
  They´re too big/small for me

Beim Juwelier

Haben Sie Eheringe?
  Do you have wedding rings?
Ich hätte gern ein Goldarmband
  I´d like to have a golden bracelet
Haben Sie auch Ohrringe aus Weißgold?
  Do you also have ear-rings made from white gold?
Diese Platinkette würde mir schon gefallen
  I like this platinum necklace
Was ist das für ein Edelstein in der Brosche?
  What kind of jewel is there on the brooch?

Diese Armbanduhr finde ich viel zu protzig
  I think this wristwatch is much too showy
Eine sehr schöne Perlenkette
  What a beautiful pearl necklace!
Ist das Silber?
  Is it silver?
Meine Uhr ist kaputt, sie tickt nicht mehr
  My watch is out of order. It doesn´t tick any more
Machen Sie auch Reparaturen?
  Do you also repair things?
Ist der echt?
  Is it a real one?
Ich mag keinen Korallenschmuck
  I don´t like jewelry made from corals
Das ist echte Handarbeit
  That´s a real handiwork
Der Überzug ist aus Perlmutt
  The covering is made from mother-of-pearl

Im Fotoladen

Zwei Farbfilme mit jeweils 36 Bildern, bitte!
  Two colour films with 36 exposures, please
Haben Sie auch Schwarzweißfilme?
  Do you also have black-and-white films?
Gibt es den Diafilm auch mit mehr Bildern?
  Is there a slide film available with more exposures?
Einmal entwickeln und Abzüge, bitte!
  Processing and prints, please
Bis wann sind die Bilder fertig?
  When will the prints be ready?
Kann ich diesen Fotoapparat bei Ihnen reparieren lassen?
  Can I have this camera repaired here?
Sind die matt oder glänzend?
  Are they matt or shiny?
Vielleicht reicht die Lichtempfindlichkeit nicht aus
  Maybe the speed is not sufficient?
Der Preis für die Abzüge hängt vom Format ab
  The price of the prints depends on the format
Haben Sie die mit Blitz fotografiert?
  Did you use a flash when taking these pictures?

Haben Sie die Negative noch?
  Do you still have the negatives?

Am Kiosk

Ein Päckchen Zigaretten, bitte!
  A packet of cigarettes, please
Welche Marke?
  Which brand?
Eine Stange wäre billiger
  A carton would be cheaper
Ich hätte gerne eine Schachtel Streichhölzer
  I´d like to have a box of matches
Was haben Sie denn an Zigarren da?
  What kinds of cigars do you have?
Haben Sie auch Ansichtskarten und Briefmarken?
  Do you have post cards and stamps, too?
Ich bräuchte dringend eine Telefonkarte
  I urgently need a phone card

Lebensmitteleinkauf

Ist hier irgendwo ein Supermarkt in der Nähe?
  Is there a supermarket nearby?
Ich brauche einen Bäcker und einen Metzger
  I need a bakery and a butcher´s
Wo geht´s denn hier zum Markt?
  How can I find the market, please?
Ein Pfund X, bitte!
  Half a kilogram of X, please
Ich hätte gern ein Kilo X, ein Dutzend Y und vier Scheiben Z
  I´d like to have one kilogram of X, a dozen Y and four slices of Z
Packen Sie ruhig noch ein paar X dazu
  Just add some more X

Beim Friseur

Gibt es hier einen guten Herrenfriseur?
  Is there a good barber´s (shop) around here?
Können Sie mr einen Damensalon empfehlen?
  Is there a ladies´ hairdresser you can recommend?
Soll ich einen Termin vereinbaren?
  Shall I make an appointment?
Wann kann ich vorbeikommen?
  When shall I drop by?

Waschen und legen, bitte!
  Wash and set, please
Ich hätte gerne eine Tönung
  I´d like to have my hairs tinted
Ich möchte mir die Haare färben lassen
  I´d like to have my hairs dyed
Machen Sie mir bitte eine Dauerwelle
  Can I have a perm, please?
Ich hätte es gerne an den Seiten etwas kürzer
  I´d like to have them shorter on the sides
Oben lang lassen und hinten hochrasieren
  Leave them long on top and shave them at the back
Nur die Spitzen nachschneiden, bitte
  Only cut the tips, please
Und nicht zu kurz
  And not too short, please
Nehmen wir Haarspray oder Festiger?
  Do you prefer hairspray or a setting lotion?
Machen Sie auch Maniküre?
  Do you also do manicure?
Wer macht denn echt aussehende Perücken?
  Who makes naturally looking wigs?
Die Koteletten können Sie abnehmen
  You can take away the sideburns
Was für Wickler benutzen sie eigentlich?
  What kind of curlers do you use?
Mit etwas Gel sieht es gleich viel lässiger aus
  It looks much more casual with a bit of gel

Auf dem Postamt

Wo ist das nächste Postamt?
  Where is the next post office?
Ich brauche unbedingt eine Telefonzelle
  I need a telephone box urgently
Wenn man einen Briefkasten braucht, ist keiner da
  When you need a mail box there will be none
Wann ist der Schalter geöffnet?
  When is the counter open?
Ich möchte ein Telegramm ins Ausland aufgeben
  I´d like to send a telegramme abroad
Als Eilbrief, bitte
  I want to send that letter express

Ich möchte ein Ferngespräch führen
  I´d like to make a long-distance call
Nehmen Sie auch Schecks an?
  Do you also accept cheques?
Wie viel Porto kostet ein Luftpostbrief nach Australien?
  What is the postage for an airmail letter to Australia?
Als Päckchen oder als Paket?
  As a small packet or as a parcel?
Wie lautet die Landesvorwahl von X?
  What is the country code of X?
Und welche Postleitzahl ist das?
  And what postcode is that?
Das geht per Postanweisung raus
  We´ll send the money by postal order
Ich möchte ein Postschließfach mieten
  I´d like to rent a post office box
Ich möchte ein Postsparbuch eröffnen
  I´d like to open a post office savings book
Die Telefonauskunft hier ist nicht gerade verlässlich
  The telephone inquiry is not very reliable here
Ich ziehe um und hätte gerne meine Post nachgeschickt
  I´m moving and I´d like to have my mail forwarded

Auf der Bank

Wo kann man hier Geld wechseln lassen?
  Where can I get money exchanged around here?
Ist hier eine Bank in der Nähe?
  Is there a bank nearby?
Wie steht momentan der Dollarkurs?
  What´s the value of the dollar at the moment?
Tauschen Sie mir 1000 Mark in X um
  Please change 1000 marks into X
Kostet das Extragebühren?
  Does that involve an extra fee?
Ich möchte Geld abheben/einzahlen
  I´d like to withdraw/deposit money
Ich habe hier eine Überweisung
  I´ve got a money transfer here
Ich möchte ein Konto eröffnen
  I´d like to open a bank account
Ich bräuchte einen kleineren Kredit
  I would need a small loan
Bitte unterschreiben Sie hier
  Please sign here

Die Börsenkurse hängen draußen aus
The quotations are listed outside
Wie viel Prozent Zinsen zahlen Sie denn?
How many percent of interest do you pay?
Dann lohnt sich ja ein Sparbuch gar nicht
Then a savings account doesn´t pay out
Welche Möglichkeiten der Geldanlage haben Sie denn sonst noch?
What other possibilities of investment are there?
Dafür hätte ich gerne eine Quittung
I´d like to have a receipt for that

Unfälle, Ärzte, Krankenhäuser

Hilfe!
Help!
Wir brauchen sofort einen Arzt!
We need a doctor urgently
Kann bitte jemand einen Krankenwagen rufen?
Can anyone call an ambulance?
Wo ist das nächste Krankenhaus?
Where is the next hospital?
Jemand muss die Polizei holen
Someone must call the police
Gibt es eine Apotheke mit Nachtdienst in der Nähe?
Is there a pharmacie nearby which is open all night?
Wann haben Sie Sprechstunde?
When are your consulting hours?
Welcher Notarzt hat denn gerade Dienst?
Which doctor is on call at the moment?
Haben Sie einen Termin?
Do you have an appointment?
Ich brauche einen Krankenschein von Ihnen
I need a health insurance certificate from you
Wie heißt Ihre Krankenkasse?
What´s the name of your health insurance?
Es handelt sich um einen Notfall
It´s an emergency
Gehen Sie doch bitte ins Wartezimmer
Please go to the waiting room
Ich fühle mich nicht wohl
I don´t feel well
Ich glaube, ich bin krank
I think I´m sick

Ich habe starken Durchfall
I´ve got a bad diarrhoea
Ich habe Verstopfung
I´m constipated
Mir macht mein Magen zu schaffen
My stomach gives me a hard time
Hätten Sie ein Medikament gegen meine Herzschmerzen?
Would you have some medicine for my sore throat
Ich brauche ein Mittel gegen meine Kopfschmerzen
I need something for my headache
Könnten Sie mir etwas gegen meine Menstruationsschmerzen geben?
Could you give me something for my period pain?
Ich leide unter Schlaflosigkeit
I´m suffering from sleeplessness
Könnten Sie ein gutes Medikament gegen Seekrankheit verschreiben?
Could you prescribe a good medication against sea-sickness?
Ich fühle mich unentwegt matt
I constantly feel exhausted
Ich hatte einen Ohnmachtsanfall
I had a fainting fit
Ich bin erkältet
I caught a cold
Ich habe etwas Fieber
I´ve got a temperature
Ich muss ständig husten
I have to cough constantly
Meine Nase läuft unentwegt
My nose is running all the time
Ich habe schon den ganzen Tag Schüttelfrost
I´ve had a shivering fit all day long
Mein Hals schmerzt, wenn ich schlucke
My throat aches when I swallow
Ich habe fürchterliche Zahnschmerzen
I´ve got terrible tooth ache
Meine Ohren tun mir weh
My ears hurt
Was können Sie gegen meine Gliederschmerzen tun?
What can you do for the pains in my arms and legs?
Ich brauche etwas für meinen Sonnenbrand
I need something for my sunburn
Er hat wahrscheinlich einen Sonnenstich
He´s probably got a sunstroke

Ich habe mich verbrannt
I burnt myself

Ist das eine schlimme Vergiftung?
Is it a serious poisoning?

Die Wunde hat sich weiter entzündet
The wound has continued to become inflamed

Was kann ich gegen die Infektion tun?
What can I do against the infection?

Ich bin gegen Pollen/gegen Tierhaar allergisch
I´m allergic to pollen/against animal hair

Hier habe ich eine Schwellung
I´ve got a swollen spot here

Vermutlich ist es ein Hexenschuss
It´s possibly lumbago

Ich kann das Bein nicht mehr bewegen
I can´t move the leg any more

Der Arm ist wahrscheinlich gebrochen
The arm is probably broken

Ich habe mir den Fuß verstaucht
I sprained my ankle

Der Knöchel ist verrenkt
The ankle is wrenched

Ich habe mir das Bein gebrochen
I broke my leg

Ich habe mir das Kniegelenk ausgerenkt
I dislocated my knee joint

Ich habe eine Allergie gegen Penicillin
I´m allergic to penicillin

Ich reagiere allergisch auf Insektenstiche
I have an allergic reation to insect bites

Ich bin schwanger
I´m pregnant

Ich wurde von einer Wespe gestochen
I was bitten by a wasp

Ich bin von einem Hund gebissen worden
I was bitten by a dog

Ich möchte lieber Tabletten nehmen
I prefer tabletts

Haben Sie Tropfen für meine Augen?
Do you have drops for my eyes?

Ich brauche eine Salbe für meinen Sonnenbrand
I need an ointment for my sunburn

Könnten Sie mir den Verband wechseln?
Could you change my bandage?

Ich brauche hierfür eine Binde
I need a bandage for that

Könnten Sie mir ein Heftpflaster geben?
Could you give me a (sticking) plaster?

Wo bekomme ich ein Fieberthermometer her?
Where can I get a fever thermometer from?

Was für Krücken benötige ich?
What kind of walking stick will I need?

Sie sollten sich von einem Arzt untersuchen lassen
You should be examined by a doctor

Sie müssen sich diese Wunde verbinden lassen
You need to get that wound bandaged

Das Bein muss geröntgt werden
We have to x-ray the leg

Das muss leider operiert werden
Unfortunately, it has to be operated

Ich werde Ihnen eine Spritze geben
I´ll give you an injection

Kommen Sie nach zwei Tagen, um den Verband zu wechseln
Come again in two days to change the bandage

Sie müssen den Gips drei Wochen tragen
You have to wear the plaster for three weeks

Sie werden narkotisiert
You´ll be anaesthetized

Ich werde Ihnen ein Schmerzmittel verschreiben
I´ll prescribe you a painkiller

Nehmen Sie dieses Beruhigungsmittel
Take this tranquilizer

Dieses Medikament bekommen Sie in jeder Apotheke
You´ll get this medicine in any pharmacy

Machen Sie sich bitte frei!
Take off your clothes, please

Tut es Ihnen hier weh?
Does it hurt here?

Seit wann fühlen Sie sich nicht wohl?
Since when have you not been feeling well?

Wie lange haben Sie schon diese Schmerzen?
How long have you been having those pains?

Zeigen Sie mir, wo es ihnen weh tut
Please show me where it hurts!

Ich werde Sie in ein Krankenhaus überweisen
I will refer you to a hospital

Dafür müssen Sie eine Spezialklinik aufsuchen
You have to go to a specialist hospital
Das muss sich mal ein Facharzt ansehen
This has to be examined by a (medical) specialist
Die nächsten Tage dürfen Sie keine Anstrengungen unternehmen
You mustn´t undertake any efforts during the next days
Vorerst müssen Sie im Bett bleiben
For the time being you have to stay in bed
Sie werden Diät halten müssen
You will have to keep to a diet
Ich würde Ihnen raten, nicht mehr zu rauchen und zu trinken
I recommend to stop smoking and drinking
Es ist keine ernste Krankheit
It´s not a serious disease
Die Heilung verläuft gut
It´s healing up well
Diese Tabletten nehmen Sie drei mal täglich nach/vor den Mahlzeiten
Take those pills three times a day after/before eating
Sie müssen 20 Tropfen von dieser Lösung jeweils morgens und abends einnehmen
You have to take 20 drops of this solution in the morning and in the evening
Die Verletzung ist zum Glück nicht schwerwiegend
Fortunately, it´s not a serious disease
Ich hatte einen Unfall
I had an accident
Der Wagen ist liegengeblieben
The car broke down
Ich brauche einen Abschleppdienst für meinen Wagen
I need a breakdown service for my car
Gibt es hier in der Nähe eine Werkstatt?
Is there a garage nearby?
Wo ist hier die nächste Notrufsäule?
Where is the next emergency telephone?
Holen Sie bitte die Polizei!
Please call the police!
Man muss einen Notarzt rufen!
We need to call an emergency ambulance!
Ein Krankenwagen muss her!
We need an ambulance!

Rufen Sie sofort die Feuerwehr!
Call the fire brigade immediately!
Wieviele Verletzte gibt es?
How many injured persons are there?
Vorsicht, das könnte gleich in die Luft gehen!
Be careful, it might explode at any time!

Diebstahl und andere Unannehmlichkeiten

Mein Auto ist versichert
My car is insured
Ich habe eine Reisegepäckversicherung
I´ve got a baggage insurance
Ich würde Sie bitten, mein Zeuge zu sein
I´d like to ask you to be my witness
Mir wurden meine Sachen gestohlen
My belongings have been stolen
Halten Sie den Dieb!
Stop the thief!
Wo finde ich hier die nächste Polizeistation?
Where is the next police station, please?
Schicken Sie bitte einen Polizisten hierher!
Please send a policeman over here
Wie komme ich zur Deutschen Botschaft?
How can I find the German embassy?
Ich möchte zum Deutschen Konsulat
I´m looking for the German consulate
Mir sind alle meine Papiere gestohlen worden
All my papers have been stolen
Ich habe meinen Personalausweis verloren
I lost my identity card
Ich kann meinen Reisepass nicht mehr finden
I can´t find my passport any more
In der gestohlenen Tasche war auch mein Führerschein
The stolen bag also contained my driving licence
Meine Reiseschecks wurden mir gestohlen, ich brauche Ersatz
My traveller´s cheques have been stolen. I need a replacement.
Unser Auto ist verschwunden
Our car has disappeared
Man hat uns unser ganzes Geld gestohlen
All our money has been stolen

Der Schmuck meiner Frau wurde gestohlen
My wife´s jewelry has been stolen

Sie haben uns die ganze Fotoausrüstung gestohlen
They stole our complete camera equipment

Man riss mir den Fotoapparat auf offener Straße aus der Hand
Someone snatched my camera out of my hand in broad daylight

Meine Videokamera ist nicht mehr da
My video camera isn´t here any more

In dem Gepäck waren nur Kleider drin
There were only clothes in the luggage

Das Gepäck war nur einen Augenblick lang unbeaufsichtigt
The luggage wasn´t supervised for one moment only

Man hat mir die Brieftasche gestohlen
My wallet has been stolen

Einer meiner Koffer ist verschwunden
One of my suitcases has disappeared

Ein Rucksack dieser Größe wurde mir gestohlen
I had a backpack of this size stolen

Man hat mich belästigt
I was harassed

Diese/r Frau/Mann hat mich bedroht
This woman/man threatened me

Ich werde erpresst
I´m being blackmailed

Ich wurde verprügelt
I was beaten up

Ich möchte wegen des Diebstahles Anzeige erstatten
I want to report the theft to the police

Wo kann ich diesen Raub zur Anzeige bringen?
Where can I report this robbery?

Hat eine Anzeige wegen Körperverletzung Aussicht auf Erfolg?
Are there any chances of succeeding by reporting a physical injury to the police?

Wo bekomme ich einen Anwalt?
Where can I find a lawyer?

Ich will einen Dolmetscher
I´d like to have an interpreter

Ich brauche Ersatzpapiere
I need substitute papers

Ich habe zwei Zeugen
I´ve got two witnesses

Was für Beweise haben Sie?
What evidence do you have?

Ich habe einen Verdacht
I have a suspicion

Ich bin versichert
I´m insured

Die Versicherung wird sich um alles kümmern
The insurance company will take care of everything

Uhrzeit, Tageszeit, Jahreszeit und Datum

Wie spät ist es?
What time is it?

Es ist vier Uhr
It is four o´clock

Es ist kurz nach zwei
It´s just after two o´clock

Wir treffen uns um fünf nach zwei
We´ll meet at five past two

Der Bus fährt um viertel nach
The bus leaves at a quarter past

Es ist jetzt viertel vor
It´s a quarter to now

Wir machen so um Mittag eine Pause
We´re having a break at noon

Mitternacht ist schon längst vorbei
It´s way past midnight

Seit sechs Uhr wartet er schon
He has been waiting since six o´clock

Von zehn bis fünfzehn Uhr machen wir eine Wanderung
We are going hiking from ten a.m. till three p.m.

Vor vier Uhr sind die nicht zurück
They won´t be back by four o´clock

Nach sieben Uhr gibt es Abendessen
Dinner is available after seven o´clock

Die Exkursion ist heute
The excursion is today

Das haben wir gestern schon gesehen
We already saw that yesterday

Wir bleiben noch bis übermorgen
We´ll stay untill the day after tomorrow

Das ist nur am Wochenende geöffnet
It´s only open on weekends

Morgens ist es noch recht kühl
It´s still quite cool in the morning

Wir werden das am Vormittag besichtigen
We´ll have a look at that in the morning

Vormittags sind wir immer im Bus unterwegs
In the morning we´re always on our way in the bus

Mittags ist die Hitze unerträglich
  The heat is unbearable at noon
Nachmittags machen wir einen Stadt-bummel
  In the afternoon we go for a stroll through town
Wohin können wir abends gehen?
  Where can we go in the evening?
Wir können nachts nicht gut schlafen
  We cannot sleep well during the night
Sie sind vor zehn Minuten aufgebrochen
  They left ten minutes ago
Letzte Woche war das Wetter schlechter
  Last week the weather was worse
Wir reisen nächste Woche ab
  We are going to leave next week
Wir kommen in einem Monat
  We are going to come in a month
Dann sehen wir uns in einem Jahr
  We´ll see in a year
Es ist zu früh, um zu Abend zu essen
  It´s too early for having dinner
Es ist zu spät für einen zweiten Rundgang
  It´s too late for a second round
Montags ist das Museum geschlossen
  The museum is closed on Mondays
Kommen Sie am Dienstag wieder
  Come again on Tuesday
Wir werden am Mittwoch dahin gehen
  We´ll go there on Wednesday
Das Gebiet wird am Donnerstag wieder geschlossen
  The area will be closed again on Thursday
Wir reisen am Freitag schon ab
  We are going to leave on Friday already
Am Samstag werden wir nicht mehr hier sein
  We are not going to be here any more on Sunday
An Sonntagen ist der Eintritt frei
  Admission is free on Sundays
Die Jugendherberge ist im Januar geschlossen
  The youth hostel is closed in January
Im Februar wird das Museum renoviert
  The museum is going to be renovated in February,

Wir sind für den ganzen März bereits ausgebucht
  We´re fully booked in March
Den ganzen April hat es geregnet
  It has rained all of April
Im Mai blüht die ganze Stadt
  The whole city is blossoming in May
Vom wievielten Juni an werden Sie in der Stadt sein?
  From when on will you be in town in June?
Wir werden den ganzen Juli über hier bleiben
  We are going to stay all of July
Im August nehmen die Touristenzahlen schon wieder ab
  In August, tourist numbers are already declining again
Ich will Ende Oktober kommen
  I want to come at the end of October
Ist der November noch frei?
  Do you still have vacancies in November?
Für den Dezember müssen Sie lange im Voraus buchen
  You have to book long in advance for December
Der Sommer treibt die Einheimischen aus der Stadt
  Summer drives the locals out of town
Nächsten Herbst werden wir wiederkommen
  We are going to come back next autumn
Es muss hier im Dezember sehr schön sein
  It must be very nice here in December
Welches Datum haben wir heute?
  What´s the date today?
Es ist der 3. September
  It´s September 3rd
Den wievielten haben wir heute?
  What´s the date today?
Den 6. August
  August 6th
Wann hast du Geburtstag?
  When is your birthday?
Am 17. März
  On March 17th

Deutsche Redensarten und Redewendungen

Im Folgenden finden sich rund 2500 deutsche Redensarten und Redewendungen mit ihren jeweiligen Übersetzungen, präsentiert in ganzen Sätzen, um den grammatikalischen Aufbau und die Verwendung zu verdeutlichen.

Frische ist bei Gemüse das A und O
It is essential that vegetables are fresh

Wer A sagt, muss auch B sagen
In for a penny, in for a pound

Ab und zu ist ein Wörterbuch recht nützlich
A dictionary comes in handy from time to time

Er musste für seinen Fehler Abbitte leisten
He had to apologize for his mistake

Der Lehrling hat sich bei der Arbeit nicht gerade einen abgebrochen
The apprentice didn't go to a lot of bother when he was working

Niemand wird sie jetzt noch davon abbringen
There's none who can keep her from (doing) it now

So eine kleine Panne wird ihrer guten Stimmung keinen Abbruch tun
A little hitch like that won't harm their good mood

Am Heiligen Abend traf sich die ganze Familie unterm Christbaum
On Christmas Eve the whole family met under the Christmas tree

Es gibt noch einige Schwierigkeiten, bis wir die Wohnung bekommen, aber es ist ja noch nicht aller Tage Abend
There will still be some difficulties before we get the flat, but it's early days yet

Was werdet ihr heute zu Abend essen?
What will you have for supper/dinner tonight?

Da gibt es wohl nichts mehr zu machen, dieser Zug dürfte endgültig abgefahren sein
There will probably be nothing left to do about it, we've missed the boat

Wir werden uns bei dieser Kälte ganz schön einen abfrieren
In this cold we're going to freeze to death

Mach'n Abgang, Alter, oder ich brech' dir sämtliche Knochen!
Piss off, mate, or I'll break your nose!

Er gab in dem Kostüm gar keine so schlechte Figur ab
In this dress he'll cut quite a good figure

Ich kann dieser Aufregung um das morgige Fußballspiel nichts abgewinnen
I can't see anything attractive in the fuss about that soccer match tomorrow

Zieh dich ruhig um, wir gucken dir schon nichts ab
Just get changed, I've seen it all before!

Gestern Abend in der Kneipe hat er ganz schön einen ab gehabt
Last night in the pub he got really pissed

Wie kannst du bloß so etwas machen? Du hast doch wirklich einen ab!
How can you? You must be crazy!

Mittlerweile ist mir jegliche Lust am Rad fahren abgegangen
I don't feel like cycling anymore at all

Seitdem er ihr von seiner Fußballleidenschaft erzählt hat, ist er bei ihr völlig abgemeldet
Since he has told her about his passion for soccer she has lost all interest in him

Bei dieser Hitze finden die neuen Bademoden reißende Abnahme
In this heat the new swimming suits will sell great

Wir haben zwei Tageszeitungen abonniert
We have a subscription for two newspapers

Die norwegischen Skispringer sind doch seit Jahren auf Sieg abonniert
The Norwegian ski-jumpers have always won for years now

Der Junge schlief so ruhig ein, als wäre er in Abrahams Schoß
The boy fell asleep as calmly as if he were in the bosom of Abraham

Die zusätzlichen Kosten können wir leider nicht in Abrechnung bringen
We regret to inform you that the additional costs can not be deducted

Der ebenfalls in der Nähe des Tatorts gefasste Mann stellt eine Beteiligung an der Tat in Abrede
The man who was seized near the scene of the crime as well is denying that he took part in the crime

Als er das schlechte Wetter draußen sah, drehte er sich auf dem Absatz um und ging zurück ins Haus
When he saw the bad weather outside he turned round and went back inside

Die ganze Abfahrt ging so schnell, dass er nur noch von seiner engsten Familie Abschied nehmen konnte
The departure took place so quickly that he could only say goodbye to his immediate family

In dem karierten Anzug siehst du ja wirklich zum Abschießen aus
With this checked suit you really look ridiculous

Wir müssen diesen Auftrag noch in dieser Woche zu einem Abschluss bringen
We have to have completed this order by the end of the week

Die ganze Angelegenheit wird wohl in der nächsten Zeit zu einem Abschluss kommen
The whole matter will probably come to an end in the near future

Das ist so ein großer Mist, da schnallst du einfach ab!
That's such rubbish, it's unbelievable!

Nach dem großen Streit mit ihrem Chef wird sie auf der Abschussliste stehen
After she has quarrelled with her boss she will probably be on his hit list

Warum setzt er es immer auf mich ab, wenn er schlechte Laune hat?
Why does he always have it in for me when he's in a bad temper?

Die junge Frau hatte es auf den jüngeren der beiden Männer abgesehen
The young woman had her eye on the younger of the two men

Ich glaube schon, dass ihr Verehrer ehrliche Absichten hat
I do think that your admirer has serious intentions

Er trägt sich mit der Absicht, sich ein neues Auto zu kaufen
He intends to buy a new car

Der hat mich doch mit Absicht gestoßen!
He pushed me on purpose!

Der Mann im Zelt da vorne hat sich die Reisekosten vom Munde abgespart
The man in the tent over there has scrimped and saved for this trip

Für ein so tolles Haus, würde ich mir jeden Bissen vom Munde absparen
For such a fantastic house I would scrimp and save

Sie ist sauer, weil eine Andere ihr den Freund abspenstig gemacht hat
She's mad because another girl has pinched her boyfriend

Am ersten Tag haben wir nichts von dem Ort gesehen. Wir waren so müde von der Reise, da hat sich nichts abgespielt
On the first day we didn't see anything of the town. We were so tired from the trip, there was nothing doing

Hier gibt es mit Abstand das beste Brot in der ganzen Stadt
Here you can buy by far the best bread in town

Nach dem Skandal nahmen die Veranstalter Abstand von einer weiteren Mitarbeit mit dem Künstler
After the scandal, the organizers refrained from further co-operation with the artist

Nach ihrer Pensionierung fühlte sie sich aufs Abstellgleis geschoben
After she had been pensioned off she felt like cast aside

Der Antrag der Opposition wird heute zur Abstimmung gelangen
The motion of the opposition will come to a vote today

Die kleine Lüge hatte ihm in ihrer Gunst noch keinen Abtrag getan
The little lie had not harmed her affection for him

Er wird sich mit seiner Antwort noch eine Weile Zeit lassen, da hilft nur abwarten und Tee trinken
He will take his time with the answer, so there's nothing to do but wait and see

Er hat schon immer die Abwechslung geliebt
He has always loved changes

Mit fünfzehn Jahren lief sie von zu Hause weg und kam auf Abwege
When she was fifteen she ran away from home and went astray

Auf der Feier gab es Bier bis zum Abwinken
At the party there was beer by the bucket-full

Könnte man diese relativ niedrigen Zusatzkosten nicht ganz in Abzug bringen?
Wasn't it possible to deduct these relatively low additonal costs completely?

Weil er sich mehr mit Musik als mit Lernen beschäftigt hatte, fiel er mit Ach und Krach durch die Prüfung
As he had spent more time with music than with learning he failed the test miserably

Mit viel Ach und Weh bezahlte er die Raten für das Auto ab
He paid the instalments but he screamed blue murder

Die Kinder haben ihren Vater kaum gesehen, da er immer auf Achse war
The children hardly ever saw their father because he was always on the road

Beide waren völlig ratlos und zuckten mit den Achseln
They were both completely helpless and shrugged

Du darfst diese Verletzung nicht auf die leichte Achsel nehmen
You must not take this injury lightly

Sie hatte aber auch alle gut gemeinten Ratschläge außer Acht gelassen
She had, however, also ignored all the well-meant pieces of advice

Nimm dich bloß in Acht vor der Maschine, so lange sie eingeschaltet ist
Just watch out for the machine as long as it is on

Als er dann einen Kunde beleidigte, schmiss man ihn achtkantig hinaus
When he insulted a customer he was thrown out like a shot

Alle Achtung, er kann sich gut zwischen den Rabauken behaupten
Good for him, he can hold his ground well among the rascals

Wenn sie nicht um elf zu Hause ist, kommt ihr Vater auf achtzig
If she is not home by 11 p.m., her father will be hopping mad

Pass bloß auf, der Chef ist heute schon auf achtzig
Just take care, the boss is already livid today

Tu doch, was er will, und bring den Mann nicht immer auf achtzig
Just do what he wants you to and don't keep making the man mad

Mein Onkel ist zwischen achtzig und scheintot
My uncle is now eighty and nearly dead

Mach dich sofort vom Acker oder du kriegst 'ne Menge Ärger
Piss off right now or you'll be in a lot of trouble

Alles, was ich sage, wird er ad absurdum führen
He will reduce anything I say to absurdity

Ich hoffe, ich kann heute noch diese Arbeit ad acta legen
I hope I can consider this work closed tonight

Er hat diese Tasche schon seit Adams Tagen
He has had this bag since the day dot

So wie du das erzählst, versteh ich gar nichts, lass uns doch noch mal bei Adam und Eva anfangen
The way you tell the story I can't understand anything. Let's start right from the scratch

Deine Witze stammen wohl von Adam und Eva
These jokes seem to be out of the ark

Ich hatte alles zusammen gerechnet und nach Adam Riese gab das immer noch nicht 50 Mark
I had added everything and the way I learned it at school it still didn't make 50 Marks

Als ich nach Hause kam, lag er im Adamskostüm im Bett
When I came home he lay in bed as nature made him

An seinem Hof gab es nur die köstlichsten Feste - Adel verpflichtet eben!
At his court there were only exquisite banquets - noblesse oblige!

Der junge Mann hatte eine poetische Ader
The young man had a feeling for poetry

Es blieb keine Zeit zum Überlegen, wir mussten uns ad hoc entscheiden
There was no time for considering, we had to decide ad hoc

Die Aufzählung seiner Marotten ließe sich ad infinitum fortsetzen
The list of her quirks is endless

Gehen Sie doch bitte zu meinem Kollegen, damit Sie sich gleich an die richtige Adresse wenden
Please ask my colleague so that you come to the right place instantly

Wenn er glaubt, er könne faul herumsitzen, während ich die ganze Arbeit mache, ist er bei mir an die richtige Adresse geraten
  If he thinks he can laze about while I'm doing all the work he is knocking at the wrong door

Mit solchen Ausreden bist du bei mir an der falschen Adresse
  With this kind of excuses you're knocking at the wrong door

So einfach kannst du dich nicht aus der Affäre ziehen!
  You can't get yourself out of it so easily!

Ich glaub', mich laust der Affe - wo kommen denn plötzlich die Fotos her?
  Well I'll be blowed - where do all those photographs spring from?

Er sitzt in der Kneipe und hat mächtig einen Affen sitzen
  He's sitting in the pub and is completely sloshed

Lass uns heute feiern und uns einen Affen antrinken
  Let's have a party and get pissed

Er hat wirklich an seinen beiden Kindern einen Affen gefressen
  He's crazy for his two children

Wenn sie kein anderes Thema mehr zum Unterhalten haben, fängt er damit an, seinem Affen Zucker zu geben
  When they can't find anything more to talk about, he will start teasing her

Ihr denkt doch nicht, dass ich euch das glaube? Ich lass mich doch nicht von euch zum Affen halten
  You don't think I believe this? I won't be fooled by you

Ich weiß nicht, was mit ihm los ist, er ist wie vom wilden Affen gebissen
  I don't know what is going on with him, he must be out of his tiny mind

Is'ne Affenschande, was sie mit dem armen Hund gemacht haben!
  It's a crying shame what they've done to the poor bloke!

Ich weiß nicht, wohin der so schnell wollte, aber er hatte einen Affenzahn drauf
  I don't know where he was going so fast, but he went at breakneck speed

Er muss mit einem Affenzahn gegen die Mauer gefahren sein
  He must have hit the wall at breakneck speed

Das ist doch nicht gefährlich, krieg nicht gleich das Aftersausen!
  No, it's not dangerous, don't wet yourself!

Als ich die Buben da oben allein umherkriechen sah, hatte ich schon ziemliches Aftersausen
  When I saw the boys climbing about up there alone my heart was in my mouth

Ach, du ahnst nicht, wer heute nachmittag ins Geschäft gekommen ist!
  You'll never guess who came to the shop this afternoon!

Das sieht ihm ähnlich! Er hat den ganzen Kühlschrank leer gegessen!
  That's just like him! He has eaten everything that has been in the fridge!

Wir hatten keine blasse Ahnung, worum es in dieser Diskussion ging
  We had no idea what the discussion was about

Hast du eine Ahnung! Man verdient hier weitaus weniger als bei dir in der Firma
  A fat lot you know about it! You earn a lot less here than in your firm

Viele Studenten im ersten Semester müssen sich an das akademische Viertel noch gewöhnen
  A lot of first-year students still have to get used to the fact that lectures begin a quarter of an hour later than announced

Warum geht der blöde Fernseher heute schon wieder nicht? Das ist, um auf die Akazien zu klettern!
  Why is that stupid TV out of order again today? That's enough to drive you round the bend!

Darauf kannst du dich verlassen, dass der Chef über diese Angelegenheit noch nicht die Akten geschlossen hat
  You bet the boss hasn't dropped this matter yet

Ah, Erik, schon lange nicht mehr gesehen, wie stehen die Aktien?
  Hey, Erik, it's been a long time since we met, how are things?

Seit er sich bei ihr entschuldigt hat, sind seine Aktien wieder gestiegen
  Since he has apologized to her, his prospects have improved

Nach der Fehlentscheidung des Schiedsrichters traten bei den Fans die Tuten und Wurfgeschosse in Aktion
  After the referee had decided something wrong the fans started to toot and throw things about